国家社科基金
GUOJIA SHEKE JIJIN HOUQI ZIZHU XIANGMU
后期资助项目

湖南浏阳客家方言自然语料词典

上

Dictionary of Liuyang Hakka Dialect based on Natural Spoken Corpus

Volume Ⅰ

陈立中　著

南京大学出版社

图书在版编目(CIP)数据

湖南浏阳客家方言自然语料词典 / 陈立中著. —南京：南京大学出版社，2023.11
ISBN 978-7-305-25348-5

Ⅰ.①湖… Ⅱ.①陈… Ⅲ.①客家话—口语—湖南—词典 Ⅳ.①H176—61

中国国家版本馆 CIP 数据核字(2023)第 184082 号

出版发行 南京大学出版社
社　　址 南京市汉口路 22 号　　邮　　编 210093

书　　名 湖南浏阳客家方言自然语料词典
HUNAN LIUYANG KEJIA FANGYAN ZIRAN YULIAO CIDIAN

著　　者 陈立中
责任编辑 荣卫红　　编辑热线 025-83685720

照　　排 南京开卷文化传媒有限公司
印　　刷 徐州绪权印刷有限公司
开　　本 889 mm×1194 mm 1/16 印张 77.75 字数 3170 千
版　　次 2023 年 11 月第 1 版 2023 年 11 月第 1 次印刷
ISBN 978-7-305-25348-5
定　　价 380.00 元(全二册)

网　　址:http://www.njupco.com
官方微博:http://weibo.com/njupco
官方微信:njupress
销售咨询热线:025-83594756

总　目

前言

浏阳市属长沙市管辖，地处湖南省的东部偏北，东北部与江西省铜鼓县隔大围山为邻，东部与江西万载县为邻，东南与江西宜春市隔山为邻，南部偏东与江西萍乡市为邻，正南与本省醴陵市为邻，西南与株洲县、株洲市为邻，西部及西北与长沙县为邻，北与平江县为邻。浏阳市素有“十里有三音”之称，境内分布赣语、湘语、客家话等方言。“浏阳客家方言俗称‘客姓话’，分布在浏阳东部、东北部和东南部的山区中，即大围山区、张坊区、官渡区和文家市区的部分地方。”① 张坊镇和小河乡是浏阳市境内客家人较为集中、客家风情比较浓郁、客家方言较为通行的地区。

本词典所用语料主要来自作者四次实地调查：（1）2001 年 7 月，为准备撰写毕业论文，作者前往当地，进行了为期半个多月的调查，记录了《方言调查字表》《方言词汇调查表》和几种通行的方言调查材料中的语法例句。（2）2015 年 7 月，前往当地进行此前调查的补充、核对和自然语料的采集工作，进行了全程同步的录音。（3）2015 年 8 月，再次前往当地进行自然语料的采集工作，做了全程同步的录音录像。（4）2017 年 7 月 16-27 日，针对《湖南浏阳客家方言自然语料词典》稿中部分条目缺乏例证的问题，再一次前往当地进行自然语料的采集工作，进行了全程同步的录音录像。此外，自 2015 年以来，作者通过电话录音、微信语音通话等方式向发音合作人采集到了不少浏阳客家方言自然语料。

为作者调查提供帮助的发音合作人的情况列表如下：

姓名	原籍	性别	出生年份	职业	文化程度
万小端	浏阳市小河乡皇碑村新佳组横巷里	男	1952	退休教师	本科
万纶谟	浏阳市小河乡皇碑村新佳组横巷里	男	1925	退休教师	中专
万伏初	浏阳市小河乡皇碑村新佳组横巷里	男	1950	退休教师	初中
万常模	浏阳市小河乡皇碑村横巷里	男	1936	务农	小学
黄纪怀	浏阳市小河乡皇碑村狮形	男	1925	务农	小学三年级
郭招连	浏阳市小河乡田心村石背组	女	1954	务农	小学
胡厚安	浏阳市小河乡田心村上午组	男	1973	务工	高中
赖新南	浏阳市小河乡田心村田心组	女	1954	务农	小学
黄有全	浏阳市张坊镇张坊村新塘片小组	男	1976	务农	小学三年级
李旭兰	浏阳市张坊镇茶林村山尾组	女	1941	务农	初小毕业

其中，万小端老师在历次调查过程中都是最主要的发音合作人。

搜集到大量自然语料后，我们投入了大量的时间和精力对录音进行整理，将其转写为书面文字：先用国际音标完整地标注方言读音，在此基础上再用汉字标出说话的内容。在整理工作基本完成后，又对全部的录音和书面材料进行了反复细致的比对核实。接着，我们从书

① 夏剑钦：《浏阳方言研究》，长沙：湖南教育出版社，1998 年，第 4 页。

面材料中筛查方言词语，并与 2001 年调查所得方言词语条目进行总合归并，整理出词目表，然后逐条进行标音、释义、举例。

本词典记录的是浏阳市小河乡册田村（今为皇碑村）新佳组横巷里一带的客家话。其新、老两派所说的客家话有一些区别，具体情况见声韵调后的说明。

一、声母

浏阳客家方言有声母 23 个（含零声母）。

p 布半爸悲	p^{h} 怕步盘符	m 门米母慢		
			f 飞灰冯红	
t 到多赌戴	t^{h} 道夺太同			l 难兰怒路
ts 精节焦争	ts^{h} 秋齐枪巢		s 修散师生	
tʂ 招主蒸征	$tʂ^{h}$ 昌潮虫陈		ʂ 税书上舌	
c 经结计九	c^{h} 杰桥旗近	ɲ 女严软言	ç 丘休虚县	
k 贵古歌高	k^{h} 跪开葵科	ŋ 午岸案危	x 海口厚豪	
∅ 闻围微武约运延缘远用雨				

说明：

（1）在新派的客家话出现了一个[v]声母，读[v]声母的字主要是部分日母字和影母字。这个声母只见于新派的文读层次，出现在一些比较书面化的词语中，且读音不太稳定。考虑到这个声母涉及的字很少，并且是正在变化、与零声母处于竞争之中的读音现象，因此暂不列入本声母表，但在正文的语料中会依据实际读音如实标出。

（2）[l]声母有一个变体[n]，有两种情况：一种属于自由变体性质，如“泥能蚁诺”等字声母有时候读[l]，有时候读[n]，没有条件限制。另一种属于条件变体，当[l]声母字之前的音节尾音为[-n]时，其声母往往会变成[n]，当然这不是充分条件，也有不变的。这里将[n]看成/l/音位的变体，不列入本声母表，但在正文的语料中将依据实际读音如实标出。

（3）[ts ts^{h} s]和[c c^{h} ɲ ç]两组声母均有向舌面前音靠拢的倾向，这种倾向在后一组即舌面中音上表现更为明显，但目前两组尚未混同。

（4）[k k^{h} ŋ x]和[c c^{h} ɲ ç]两组声母均来自中古见系，依今韵母洪细分化，[k k^{h} ŋ x]只与开口呼、合口呼韵母相拼，[c c^{h} ɲ ç]只与齐齿呼韵母相拼。两组声母本可并而为一，但是考虑到二组声母音色上的区别比较显著，且[c c^{h} ɲ ç]有向舌面前音靠拢的倾向，我们仍将其分为两组。

（5）部分零声母开口韵音节遇到前一音节韵母为舌尖后元音时会增加一个[ʐ]，属于语流音变中的增音现象。

二、韵母

浏阳客家方言共有韵母 76 个。

ɿ 资祖寺师	i 知耳地雨	u 故母扶湖
ʅ 支痴诗时		
ʮ 居而句渠		
a 爬架蛇靴	ia 姐野写爹	ua 瓜夸跨蛙
e 低齐洗鸡	ie 凄鸡个羁	ue 秽
o 河过婆罗	io 茄瘸嗦	uo 倭蜗窝禾
ai 介帅买我		uai 怪乖枴刽
ei 回水吹嘴		uei 桂贵鬼跪
ɔi 盖妹灰来	iɔi 脆艾	uɔi 煨会
au 饱保桃烧	iau 条表鸟小	
əu 斗赌丑收	iəu 流刘酒九	
an 胆三含减	ian 检甜尖染	uan 关晚万惯
en 权能恨森	ien 根庚连廉	uen 扇善缠展

ɔn 短竿官船	iɔn 软	uɔn 完碗腕宛
ən 魂横群琼	in 紧林灵云	uən 温军困稳
aŋ 冷生声硬	iaŋ 平名青赢	
ɔŋ 党桑讲光	iɔŋ 良蒋枪想	uɔŋ 黄王往望
əŋ 红东风送	iəŋ 穷胸龙勇	uəŋ 翁甕
		uŋ □[luŋ^{53}]惊悸，悸动
at 拉	iat 贴踏峡胁	
et 舌薛跌撤	iet 色日铁踢	uet 悦阅越粤
ɔt 刷涮		
ət 直出湿十	iət 入揖	uət 骨物屈掘
ait 辣合夹八	iait 接蝶页聂	uait 刮挖滑猾
eit 失		
ɔit 割国脱渴		uɔit 活
ak 百白麦石	iak 劈惜易逆	uak □[k^huak^5]～熻
ek 北黑德肋	iek 泽窄贼迫	uek □[uek^5]拔
ɔk 落各郭确	iɔk 药脚弱嚼	uɔk 握沃镬
əuk 鹿读粥叔	iəuk 绿欲六肉	
		uk 屋木服福

n̩ 唔不

m̩ 姆～娓

ŋ̍ 吴五鱼午

说明：

（1）浏阳客家方言在自然口语中少数字（如“如于玉”）有韵母念[y]的现象，“如”字还有念[ɯ^{13}]的现象，这些读音体现了方言之间及普通话对方言的影响。考虑到它们涉及的字很少，并且是正处在变化、竞争之中的读音现象，因此[y]、[ɯ]暂未列入本韵母表，但在正文的语料中将依据实际读音如实标出。

（2）否定副词“唔”在语流中存在[n̩^{13}]、[m̩^{13}]、[ŋ̍^{13}]三个变体，变体的出现基本上以后一音节的首音为条件：如果后一音节的首音为舌根音或舌面中音时通常念[ŋ̍^{13}]，如果后一音节的首音为双唇或唇齿音时通常念[m̩^{13}]，如果后一音节的首音属于其他发音部位时通常念[n̩^{13}]。

（3）[e]、[ei]、[en]、[et]和[ek]等韵母与双唇、唇齿、舌尖前、舌尖中、舌根音声母相拼时，新派往往存在开口度缩小，加上[-i-]介音，念成[ie]、[iei]、[ien]、[iet]和[iek]的现象，舌根音声母相应地念成舌面中音；但是加不加[-i-]介音随意性比较强，时强时弱。考虑到这种现象正处在变化、竞争之中，因此除[ie]、[ien]、[iet]和[iek]这几个本已存在的韵母外，[iei]暂未列入本韵母表，但在正文的语料中将依据实际读音如实标出。

（4）中古流摄一等字和三等非组、庄组字韵母新派多念[ei]或[əu]，老派念[ɛu]或[eu]。新派念[iəu]、[əuk]、[iəuk]韵母的字，老派念[iɛu]、[ɛuk]、[iɛuk]或[ieu]、[euk]、[ieuk]。

（5）新派浏阳客家话入声韵尾的读音有依据前头元音开口度的大小合流的趋势，大致是[at iat ɔt]向[ak iak ɔk]合流、[ek iek]向[et iet]合流。塞音韵尾[-t]、[-k]今均有向喉塞音韵尾[-ʔ]演变的趋势，其中[-k]表现更为突出。

三、声调

浏阳客家方言共有 6 个单字调。

调名	调值	例字
阴平	35	诗高低飞婚买有暖厚近
阳平	13	时陈人神娘龙穷床难鹅

上声	21	使丑手口纸草好女老五
去声	53	是试事染抱爱怕送大漏
阴入	3	识黑百笔说福铁缺六袜
阳入	5	石药白舌读俗月入麦局

说明：浏阳客家方言阴入、阳入二调在语料中都存在音长增加、塞音韵尾弱化甚至脱落的现象，阴入与上声、阳入与去声有时在听感上趋同，但是发音人区分意识较强，再次询问时发音人往往能清楚地发出塞音。

浏阳客家方言中存在新老异读、文白异读、又音、连读变调、轻声等现象，本词典中的语料均根据实际读音如实标出。

凡 例

一、条目

1. 本词典所收条目分单字条目和多字条目。多字条目按第一个字分列于领头的单字条目之下。

2. 单字条目和多字条目都有同形而分条的。凡字形相同而读音不同，词性有别，或词义没有引申关系，需要分别处理的，均分列条目，在条目（末）字的右下方标注阿拉伯数字，如：【梗$_1$】、【梗$_2$】，【干脆$_1$】、【干脆$_2$】。

3. 本词典的全部条目的排列法如下：

（1）单字条目按字的普通话读音的拼音字母次序排列。同音字按笔画数量排列，笔画少的在前，笔画多的在后。笔画相同的，按起笔笔形横、竖、撇、捺、折的顺序排列。

（2）单字条目之下所列的多字条目不止一条的，依第二字普通话读音的拼音字母次序排列。第二字相同的，依第三字排列。以下类推。

（3）轻声条目排在普通话读音声母韵母都相同的去声字之后。

（4）子尾词排在相应的非子尾词之后。如果子尾是可加可不加的，则合为一个条目，在释文中说明“也做‘某子’”，如【盖】的释文中说明“也做‘盖子’”；举例中用“～”代表条目中的非子尾词，用“～”代表条目中的子尾词。

（5）有暂时写不出字来的条目，一律放在附录“浏阳客家方言用字待考词目”中。

4. 每个条目内容按照以下顺序排列：条目、标音、注释、方言语料。

5. 本词典条目绝大部分是词，少数为不成词语素、词组、成语和其他熟语。

二、字形

1. 词典使用通行的简体字。但根据方言读音的具体情况略作变化。例如：

个—箇　作为条目用字或方言语料用字，凡充当量词或结构助词，读[kei^{53}]、[ke^{53}]或[cie^{53}]音的，一律写“个”；凡作远指代词，读[kai^{53}]或[ka^{53}]音的，一律写“箇”。所有说明性或注释性文字都写“个”。

2. 本词典条目和方言语料中，有一些用字有特殊来源。主要包括考订出来的本字以及尚未确定的暂用字，如：“熝人”[ləuk^{5}ɲin^{13}]烫人的“熝”，《集韵》卢各切：“音禄。炼也。”“弥席布”[mi^{13}tsʰiak$^5_3$pu^{53}]铺在七星板上用于垫死尸的布的“弥”。

3. 条目或方言语料中写不出字形的，在正文和附录一中一律用方框“□”表示。

4. 为便于识别，例句的汉字部分一律采用楷体。

三、标音

本词典用国际音标标音。浏阳客家方言的声韵调，请参见本词典的前言。

本词典用五度制标记声调调值。单字调值标在右上角，变调调值标在右下角。轻声调值用 0 表示。因篇幅有限，本词典暂不讨论浏阳客家方言的变调和轻声规律。关于浏阳客家方言的变调和轻声规律，请容本词典作者另写论文专门予以讨论。

有些条目或条目的某个字有异读或又音，异读或又音之间用斜线“/”隔开，如：“【挖】

uait^{3}/ua^{35}”，表示“挖”字可读[uait^{3}]，也可读[ua^{35}]。

方言语料先写汉字，后用国际音标标出读音。

语音变化一般用箭头号表示，如：酾下酒壶肚里。sai^{35}ia^{53}(←xa^{53})tsiəu^{21}fu^{13}təu^{21}li^{0}.表示“下”字单字音读[xa^{53}]，在例句里读[ia^{53}]。声母脱落的音节一般将脱落的声母前后加圆括号，如：进来坐下子～！tsin^{53}nɔi$^{13}_{21}$tsʰo^{35}(x)a^{53}tsa^{0}！

四、释义

1. 本词典用普通话注释条目的意义。

2. 条目有几个义项的，用圆圈数码①②③……表示。

3. 释义后面是方言语料。如果有几段方言语料的话，中间用单竖线分开。

4. 语料或其中的某个字、词如需注释，用齐下小字表示。

5. 同义条目用“又作‘某某’”的方式表示。

五、词类标注

1．本词典在区分词与非词的基础上给条目标注词类。

2．把词分为 12 大类：名词、动词、形容词、数词、量词、代词、副词、介词、连词、助词、叹词、拟声词。其中名词、动词、形容词各有两个附类，名词的附类是时间词、方位词，动词的附类是助动词、趋向动词，形容词的附类是属性词、状态词。附类目前只标注典型的、常用的。代词分为 3 个小类，即人称代词、指示代词和疑问代词。

3．词的 12 大类用简称外加方框表示。附类或小类用文字说明。如：【阿婆】a^{35}pʰo^{13} 名……，【矮知知哩】ai^{21}tət^{5}tət^{5}li^{0} 形状态词……，【你】ɲi^{13} 代人称代词……。

4．不成词语素、词组、成语和其他熟语条目不做标注，其他标注词类。

六、符号

【】 词典的条目用鱼尾方括弧括注。

□ 有意义而无适当的字形用方框表示。

＝ 同义例子之间用等号连接。

← 用来表示语音的变化，表示前面的某音是由某音变来的。

～ 例句中用浪线代表本条目。无论本条目有多少字，都只用一个浪线代替。如果条目重叠出现的话，则浪线也相应地重叠。

/ 斜线在标音时表示某个音节的异读或又音，在语料的汉字部分用来隔开会话（不同的人说的话）。

| 不同片段的语料之间用单竖线隔开。

《》书名号用来标注引用书名。

_ 在语料的汉字部分加在两个或两个以上的字下表示合音，即标音中的某个音节是由这些字的读音合并而成的。

词　目

C

D

E

F

H

K

L

M

R

W

A

【阿爸】a^{35}pa$^{35}_{21}$ 名对父亲的面称：欸，～，你食哩饭，欸帮我去欸看下子箇个鸡子啊。嗯，我畜里滴鸡，你帮我去看下子看呐。e$_{21}$,a^{35}pa$^{35}_{21}$, ɲi^{13}ʂət^{5} li^{0} fan^{53}, e$_{21}$pɔŋ^{35}ŋai^{13}çi$^{53}_{44}$e$_{21}$k^{h}ɔn^{53}na^{0} tsɿ^{0} kai$^{53}_{44}$kei$^{53}_{44}$ ke^{35}tsɿ^{0} a^{0} .n̩$_{21}$,ŋai$^{13}_{21}$çiəuk^{3} li^{0} tet^{3} cie^{35}, ɲi$^{13}_{21}$pɔŋ^{35}ŋai$^{13}_{21}$çi$^{53}_{44}$k^{h}ɔn^{53}na^{0} tsɿ^{0} k^{h}ɔn$^{53}_{44}$na^{0}.

【阿哥】a^{35}ko^{35} 名哥哥：箇主高亲系么人呢？就系新娘个兄弟，新娘个～，欸，就系主高亲。kai$^{53}_{44}$tʂɿ^{21}kau$^{35}_{44}$ts^{h}in$^{35}_{44}$xei^{53}mak^{3}ɲin$^{13}_{21}$nei^{0}?ts^{h}iəu$^{53}_{44}$xe$^{53}_{44}$sin^{35}ɲiɔŋ^{13}ke$^{53}_{44}$çin^{35}t^{h}i^{53},sin^{35}ɲiɔŋ^{13}ke$^{53}_{44}$a^{35}ko$^{35}_{44}$,e$_{21}$,ts^{h}iəu$^{53}_{44}$xei$^{53}_{44}$tʂɿ^{21}kau$^{35}_{44}$ts^{h}in$^{35}_{44}$.

【阿公】a^{35}kəŋ^{35} 名祖父。又称"公公"：箇个伯公是比～更大个就喊伯公吵，系唔系？比～更细个就喊叔公吵。kai$^{53}_{44}$ke$^{53}_{44}$pak^{3} kəŋ^{35}ʂɿ$^{53}_{44}$pi^{21}a^{35}kəŋ$^{35}_{44}$cien^{53}t^{h}ai^{53}cie$^{53}_{44}$ts^{h}iəu$^{53}_{44}$xan$^{53}_{44}$pak^{3} kəŋ^{35}ʂa^{0} ,xei$^{53}_{44}$me$_{44}$ (←m̩^{13}xe^{53})?pi^{21}a^{35}kəŋ$^{35}_{44}$cien^{53}se^{53}ke$^{53}_{44}$ts^{h}iəu$^{53}_{44}$xan$^{53}_{44}$ʂəuk^{3} kəŋ$^{35}_{44}$ʂa^{0}.

【阿姐】a^{35}tsia^{21} 名①姐姐：渠指新娘～，欸，渠个～，买滴子东西打发渠呀，打发老妹子啊箇就。ci$^{13}_{21}$a^{35}tsia^{21},ei$_{21}$,ci$^{13}_{21}$ke$^{53}_{44}$a^{35}tsia^{21},mai^{35}tiet^{5} tsɿ^{0} təŋ$^{35}_{44}$si^{0} ta^{21}fait^{3} ci$^{13}_{21}$ia^{0} ,ta^{21}fait^{3} lau^{21}mɔi^{53}tsa^{0} kai$^{53}_{44}$ts^{h}iəu$^{53}_{44}$.｜当面喊个时候子，唔加"阿"字。二姐，三姐。欸，当面喊渠，唔加"阿"字。但是同别人家讲，以只是我二～，三～，大～，细～。当面唔喊～，唔喊二～，就二姐。同别人家讲就二～，三～。tɔŋ^{35}mien$^{53}_{44}$xan^{53}cie$^{53}_{44}$ʂɿ^{13}xei$^{53}_{44}$tsɿ^{0} ,n̩^{13}cia$^{35}_{44}$"a^{35}"tsɿ$^{53}_{44}$. ɲi^{53}tsia^{21},san^{35}tsia^{21}.e$_{21}$,tɔŋ^{35}mien$^{53}_{44}$xan^{53}ci$^{13}_{21}$,n̩$^{13}_{21}$cia$^{35}_{44}$ "a^{35}"tsɿ$^{53}_{44}$.tan$^{53}_{44}$ʂɿ$^{53}_{44}$t^{h}əŋ$^{13}_{21}$p^{h}iek^{5} ɲin$^{13}_{21}$ka$^{35}_{44}$kɔŋ^{21} ,i^{21}tʂak^{3} ʂɿ$^{53}_{21}$ŋai^{13}ɲi^{53}a^{35}tsia^{21},san^{35}a^{35}tsia^{21},t^{h}ai^{53}a^{35}tsia^{21},sei^{53}a^{35} tsia^{21}.tɔŋ^{35}mien^{53}n̩^{13}xan^{53}a^{35}tsia^{21},m̩^{13}xan^{53}ɲi^{53}a^{35}tsia^{21},ts^{h}iəu$^{53}_{44}$ɲi^{53}tsia^{21}.t^{h}əŋ^{13}p^{h}iet^{5}ɲin$^{13}_{44}$ka$^{35}_{44}$kɔŋ^{21}ts^{h}iəu$^{53}_{44}$ɲi^{53}a^{35} tsia^{21},san^{35}a$^{35}_{44}$tsia^{21}. ②丈夫面称妻子的姐姐：比我更大个（姨妹子），箇就爱称～嘞，欸。pi^{21} ŋai^{13}cien$^{53}_{44}$t^{h}ai^{53}cie$^{53}_{44}$,kai$^{53}_{44}$ts^{h}iəu^{53}ɔi$^{53}_{44}$tʂ^{h}ən^{35}a^{35}tsia^{21}le^{0},e$_{21}$.

【阿舅子】a^{35}c^{h}iəu$^{35}_{44}$tsɿ^{0} 名内兄弟：～箇就。～，统称就～。大～，细～。也系按排行，嗯，也唔分比老婆大细。分唔出来，比老婆大细分唔出来。大～，二～，细～，我系就是四只～唠。a^{35}c^{h}iəu$^{35}_{44}$tsɿ^{0} kai$^{53}_{44}$ts^{h}iəu$^{53}_{44}$.a^{35}c^{h}iəu$^{35}_{44}$tsɿ^{0} ,t^{h}əŋ^{21}tʂ^{h}ən$^{35}_{44}$tsiəu^{53}a^{35}c^{h}iəu$^{35}_{44}$tsɿ^{0} .t^{h}ai^{53}a$^{35}_{44}$c^{h}iəu$^{35}_{44}$tsɿ^{0} ,se^{53}a$^{35}_{44}$c^{h}iəu$^{35}_{44}$ tsɿ^{0} .ia^{35}xei^{53}ŋɔn^{53}p^{h}ai$^{13}_{21}$xɔŋ$^{13}_{21}$,ŋ̍$_{21}$,ia^{35}m̩^{13}fən$^{35}_{44}$pi^{21}lau^{21}p^{h}o^{13}t^{h}ai^{53}se^{53}.fən^{35}n̩$^{13}_{21}$tʂ^{h}ət^{3} lɔi$^{13}_{21}$,pi^{21}lau^{21}p^{h}o^{13}t^{h}ai^{53}se$^{53}_{44}$ fən^{35}n̩$^{13}_{21}$tʂ^{h}ət^{3} lɔi$^{13}_{21}$.t^{h}ai^{53}a$^{35}_{44}$c^{h}iəu$^{35}_{44}$tsɿ^{0} , ɲi^{53}a$^{35}_{44}$c^{h}iəu$^{35}_{44}$tsɿ^{0} ,se^{53}a$^{35}_{44}$c^{h}iəu$^{35}_{44}$tsɿ^{0} ,ŋai^{13}xe$^{53}_{44}$ts^{h}iəu$^{53}_{44}$ʂɿ$^{53}_{44}$si^{53}tʂak^{3} a^{35}c^{h}iəu$^{35}_{44}$ tsɿ^{0} lau^{0}.

【阿婺】a^{35}me^{35}/mei^{35} 名母亲：我等人个～是箇个嘞，我等讲～是讲娭子嘞。娭子就讲～。欸，但是现在蛮多人唔冇冇多么人咁子讲。ŋai^{13}tien^{0}ɲin$^{13}_{21}$ke$^{53}_{44}$a^{35}me^{35}ʂɿ$^{53}_{44}$kai^{53}ke^{53}le^{0},ŋai^{13}tien^{0} kɔŋ^{21}a^{35}me$^{35}_{44}$ ʂɿ$^{53}_{44}$kɔŋ^{21}ɔi^{35}tsɿ^{0} le^{0} .ɔi^{35}tsɿ^{0} ts^{h}iəu^{53}kɔŋ^{21}a$^{35}_{44}$me$^{35}_{44}$.e$_{21}$,tan$^{53}_{44}$ʂɿ$^{53}_{44}$çien^{53}ts^{h}ai^{53}man^{13}to$^{35}_{44}$ɲin$^{13}_{21}$n̩$^{13}_{21}$mau^{13}mau^{13}to$^{35}_{44}$mak^{3} ɲin$^{13}_{21}$kan^{21}tsɿ^{0} kɔŋ^{21}.◇《广韵》莫兮切："婺，齐人呼母。"

【阿婆】a^{35}p^{h}o^{13} 名祖母：有阿公～么？阿公～都还都有吧啊？箇以只东西蛮重要嘞。要慢点冇得阿公～是有欸有公阿公～是，也有阿公～是爱以得哩孙呐，嗯。系，渠个阿公～还蛮年轻么？还唔老吧？系啊，箇还我系……欸，再老箇起冇得哩吧？iəu^{35}a^{35}kəŋ^{35}a$^{35}_{44}$pʰo$^{13}_{21}$mo^{0}?a^{35}kəŋ$^{35}_{44}$a$^{35}_{44}$pʰo$^{13}_{21}$təu$^{35}_{44}$xai$^{13}_{21}$təu$^{35}_{44}$iəu$^{35}_{44}$pa^{0} a$_{13}$?kai$^{53}_{44}$i^{21}iak^{3} (←tʂak^{3})təŋ$^{35}_{44}$si^{0} man^{13}tʂʰəŋ^{53}iau^{53}lei^{0} .iau$^{53}_{44}$man$^{53}_{44}$tian$^{21}_{44}$mau^{13}tek^{3} a^{35}kəŋ$^{35}_{44}$a$^{35}_{44}$pʰo$^{13}_{21}$ʂʅ^{0} iəu^{35}e$_{21}$iəu^{35}kəŋ$^{35}_{44}$a^{35}kəŋ$^{35}_{44}$a$^{35}_{44}$pʰo$^{13}_{21}$ʂʅ^{0} ,ie^{21}iəu^{35}a^{35}kəŋ$^{35}_{44}$a$^{35}_{44}$pʰo$^{13}_{21}$ʂʅ^{0} ɔi$^{53}_{44}$i$^{21}_{35}$tek^{3} li^{0} sən^{35}na^{0} ,n̩$_{44}$.xei$^{53}_{44}$,ci$^{13}_{21}$ke$^{53}_{44}$a^{35}kəŋ$^{35}_{44}$a$^{35}_{44}$pʰo$^{13}_{21}$xai$^{13}_{21}$man$^{13}_{21}$ɲien^{13}cʰin^{35}mo^{0} ?xai$^{13}_{21}$n̩^{13}nau^{21}pa^{0} ?xei$^{53}_{44}$a^{0} ,kai^{53}xai$^{13}_{44}$ŋai^{13}xe$^{53}_{44}$…e$_{21}$,tsai^{53}lau^{21}kai^{53}çi^{21}mau^{13}tek^{3}li^{0} pa^{0} ?

【阿婆煨】a^{35}pʰo^{13}uɔi^{35} 名指代代传下来的老规律：欸，我等以映子就有箇个啦有咁个～呀，安做～，有咁个老规矩呀。嗯，让门子啊？妹子人呐赠结婚个妹子人呐不能跨牛藤。打倒箇牛藤呐放下地泥下，箇赠结婚个妹子不能去跨牛藤，跨哩牛藤冇赖子供。欸，撂哩人呢不能烧竹竿，探哩水个竹竿呐唔爱哩个吵，系唔系？有兜人就劈倒烧嘿去，箇撂哩人个夫娘子你不要去烧竹竿，烧哩竹竿细人子漏口水。箇个都系安做～。e$_{44}$,ŋai^{13}tien^{0} i^{21}iaŋ^{53}tsʅ^{0} tsʰiəu$^{53}_{44}$iəu^{35}kai$^{53}_{44}$kei$^{53}_{44}$la^{0} iəu^{35}kan^{21}cie^{53}a^{35}pʰo$^{13}_{21}$uɔi^{35}ia^{0} ,ɔn$^{35}_{44}$tso$^{53}_{44}$a^{35}pʰo$^{13}_{21}$uɔi^{35},iəu$^{35}_{53}$kan^{21}cie^{53}lau^{21}kuei$^{35}_{44}$tʂʮ^{21}ia^{0} .n̩$_{21}$, ɲiɔŋ^{53}mən$^{13}_{44}$tsʅ^{0} a^{0} ?mɔi^{53}tsʅ^{0}ɲin^{13}na^{0} maŋ^{13}ciet^{3} fən^{35}cie^{53}mɔi^{53}tsʅ^{0}ɲin^{13}na^{0} pət^{3} len^{13}cʰia^{53}ɲiəu^{13}tʰien$^{13}_{21}$.ta^{21}tau^{21}kai^{53}ɲiəu^{13}tʰien$^{13}_{44}$na^{0} fɔŋ^{53}xa^{53}tʰi^{53}lai$^{13}_{21}$xa^{35},kai^{53}maŋ$^{13}_{21}$ciet^{3} fən^{35}cie^{53}mɔi^{53}tsʅ^{0} pət^{3} len^{13}çi^{53}cʰia^{53}ɲiəu^{13}tʰien$^{13}_{21}$,cʰia^{53}li^{0}ɲiəu^{13}tʰien$^{13}_{44}$mau^{13}lai^{53}tsʅ^{0} ciəŋ^{53}.e$_{21}$,kʰuan^{53}li^{0}ɲin^{13}nei^{0} pət^{3} len$^{13}_{21}$ʂau^{35}tʂəuk^{3} kan^{21},tʰan^{53}li^{0} ʂei^{21}ke^{53}tʂəuk^{3}kan^{21}na^{0} m̩$^{13}_{21}$mɔi^{53}li^{0} cie$^{53}_{44}$ʂa^{0} ,xei$^{53}_{44}$me$^{53}_{44}$?iəu^{35}tei$^{35}_{53}$in$^{13}_{44}$tsʰiəu^{53}pʰiak^{3} tau^{21}ʂau^{35}xek^{3} çi^{53},kai$^{53}_{44}$kʰuan^{53}li^{0}ɲin^{13}ke$^{53}_{44}$pu^{35}ɲiɔŋ$^{13}_{21}$tsʅ^{0}ɲi$^{13}_{21}$pət^{3} iau^{53}çi^{53}ʂau^{35}tʂəuk^{3} kan^{21},ʂau^{35}li^{0} tʂəuk^{3} kan^{21}sei^{53}ɲin$^{13}_{44}$tsʅ^{0} lei^{53}xei^{21}ʂei^{21}.kai$^{53}_{21}$ke$^{53}_{21}$təu^{35}xe$^{53}_{44}$ɔn^{35}tso^{53}a^{35}pʰo$^{13}_{21}$uɔi^{35}.

【阿叔】a^{35}ʂəuk^{3} 名叔叔：欸，～，我咁久都赠打电话分你了，欸，欸，过端阳呢，我我又冇……有事去哩，以到我硬来看下子你。嗯，你还还好吧？e$_{21}$,a^{35}ʂəuk^{3},ŋai^{13}kan^{21}ciəu^{21}təu$^{35}_{44}$maŋ^{13}ta^{21}tʰien^{53}fa^{53}pən^{35}ɲi$^{13}_{21}$liau^{0} ,e$_{21}$,e$_{21}$,ko$^{53}_{44}$tɔn^{35}ɲiɔŋ^{13}nei^{0} ,ŋai^{13}ŋai^{13}iəu$^{53}_{44}$mau…iəu$^{35}_{44}$sʅ^{53}çi$^{53}_{44}$li^{0} ,i^{21}tau$^{53}_{44}$ŋai^{13}ɲiaŋ^{53}lɔi$^{13}_{21}$kʰɔn^{53}xa$^{53}_{44}$tsʅ^{0}ɲi^{13}.n̩$_{21}$, ɲi$^{13}_{21}$xai$^{13}_{44}$xai$^{13}_{44}$xau^{21}pa^{0}?

【阿叔子】a^{35}ʂəuk^{3}tsʅ^{0} 名丈夫的弟弟：我～唠，～，就老公个老弟子唠。欸，～。或者我小郎子唠。又称小郎子。ŋai^{13}a^{35}ʂəuk^{3} tsʅ^{0} lau^{0} ,a^{35}ʂəuk^{3} tsʅ^{0} ,tsʰiəu$^{53}_{44}$lau^{21}kəŋ$^{35}_{44}$ke^{53}lau^{21}tʰei$^{35}_{44}$tsʅ^{0} lau^{0} .e$_{21}$,a^{35}ʂəuk^{3} tsʅ^{0} .xɔit^{5} tʂa^{21}ŋai$^{13}_{44}$siau^{21}lɔŋ^{13}tsʅ^{0} lau^{0} .iəu$^{53}_{44}$tʂʰən^{35}siau^{21}lɔŋ^{13}tsʅ^{0} .

【啊$_{1}$】a$_{35}$ 叹①表追问，用于未听清或不理解他人的话时：渠以前来过以里吗？/～？ci^{13}i^{35}tsʰien^{13}lɔi^{13}ko^{53}i^{21}li^{0} ma^{0} ?/a$_{35}$? ②用于应答：颜老！/～？ŋai^{13}lau^{21}!/a$_{35}$?

【啊$_{2}$】a^{0} 助动态助词，表示完结：摘～头茶就摘二茶，摘～二茶就摘老叶茶噢。tsak^{3}a^{0}tʰei^{13}tsʰa^{13}tsʰiəu$^{53}_{44}$tsak^{3}ɲi^{53}tsʰa^{13},tsak^{3} a^{0}ɲi^{53}tsʰa^{13}tsʰiəu$^{53}_{44}$tsak^{3} lau^{21}iait^{5} tsʰa^{13}au^{0} .｜（我等箇只屋）下拆～哩。xa^{53}tsʰak^{3} a^{0} li^{0} .

【啊$_{3}$】a^{0}/a^{35} 助语气词。①放在陈述句中两个并列的成分之间，表示前后两种可能性都存在：就过得大概系个把子月～几久子。tsʰiəu$^{53}_{44}$ko^{53}tek^{3} tʰai^{53}kʰai^{53}xei$^{53}_{44}$cie^{53}pa^{21}tsʅ^{0}ɲiet$^{5}_{3}$a^{0} ci^{21}ciəu^{21}tsʅ^{0} .｜锤钉子～锤么啊箇个个。tʂʰei$^{13}_{21}$taŋ^{35}tsʅ^{0} a^{0} tʂʰei$^{13}_{44}$mak^{3} a^{0} kai$^{53}_{44}$ke$^{53}_{44}$kei$^{53}_{44}$. ②用在列举的事项之后：床～，欸，座钟～，欸，书桌～，么啊都有。tsʰɔŋ^{13}ŋa^{0} ,e^{21},tsʰo^{53}tʂəŋ^{35}ŋa^{0} ,e$_{21}$,ʂəu^{35}tsɔk^{3} a^{0} ,mak^{3} a^{0}təu$^{35}_{44}$iəu$^{35}_{44}$.｜就分箇个番薯哇，豆子～，麦子～，箇个都喊杂粮。tsʰiəu$^{53}_{44}$pən^{35}kai$^{53}_{44}$ke$^{53}_{44}$fan^{35}ʂəu$^{13}_{21}$ua^{0} ,tʰei^{53}tsʅ^{0} a^{0} ,mak^{5} tsʅ^{0} a^{0} ,kai$^{53}_{44}$ke$^{53}_{44}$təu^{35}xan$^{53}_{44}$tsʰait^{5} liɔŋ$^{13}_{21}$. ③用在祈使句末，增强语气：进来坐下子～！tsin^{53}nɔi$^{13}_{21}$tsʰo^{35}(x)a^{53}tsa^{0}！④放在正反问句的肯定、否定式之间，表示“还是”的意思：我来～唔爱来？ŋai^{13}lɔi^{13}a^{35}mɔi^{35}lɔi^{13}?｜以只事渠晓得～唔晓得？/渠唔晓得。i^{21}tʂak^{3} sʅ^{53}ci^{13}çiau^{21}tek^{3} a^{35}ŋ̍^{13}çiau^{21}tek^{3}?/ci^{13}ŋ̍^{13}çiau^{21}tek^{3}. ⑤用于选择疑问句选项之间：欸，箇只供个赖子～妹子哦？ei$_{53}$,kai$^{53}_{44}$tʂak^{3} ciəŋ$^{53}_{44}$ke$^{53}_{44}$lai^{53}tsʅ^{0} a^{0} mɔi^{53}tsʅ^{0} o^{0} ?｜竹子做个睏椅也系睏椅，树做个也系睏椅，但是你进一步个来讲嘞你就：“树做个～竹做个哦？”tʂəuk^{3} tsʅ^{0} tso$^{53}_{44}$ke$^{53}_{44}$kʰuən^{53}i^{21}ia^{35}xei^{53}kʰuən^{53}i^{21},ʂəu^{53}tso$^{53}_{44}$ke$^{53}_{44}$ia^{35}xe$^{53}_{44}$kʰuən^{53}i^{21},tan^{53}ʂʅ^{53}ɲi^{13}tsin^{53}iet^{3} pʰu^{53}ke^{53}lɔi$^{13}_{21}$kɔŋ^{21}le^{0}ɲi^{13}tsʰiəu^{53}:"ʂəu^{53}tso$^{53}_{44}$ke^{0} a^{0} tʂəuk^{3} tso$^{53}_{44}$ke$^{53}_{44}$o^{0} ?"

【哎$_{1}$】ai$_{44}$ 叹用于回答疑问，表示认同：欸，只有两起吧？乌麻脂，白麻脂吧？/～。e$_{44}$,tʂe^{21}iəu$^{35}_{44}$iɔŋ^{21}çi^{21}pa^{0} ?u^{35}ma$^{13}_{21}$tsʅ^{21},pʰak^{5} ma$^{13}_{21}$tsʅ^{21}pa^{0} ?/ai$_{44}$.

【哎$_{2}$】ɔi$_{53}$ 叹回应别人呼唤用语：“老万，来嘣喔！”欸，我就可以应呢：“～！来哩呀，来哩呀。”"lau^{21}uan$^{53}_{44}$,lɔi^{13}liau^{53}uo^{0}!"e$_{21}$,ŋai^{13}tsʰiəu$^{53}_{44}$kʰo^{21}i^{35}en^{53}ne^{0}:"ɔi$_{53}$!lɔi^{13}li^{0} ia^{0} ,lɔi^{13}li^{0} ia^{0} ."

【哎$_{3}$】ai$_{21}$ 语放在句首：～箇个骨头粉呢，就系冇几多。ai$_{21}$kai$^{53}_{44}$ke$^{53}_{44}$kuət^{3} tʰei^{13}fən^{21}nei^{0} ,tsʰiəu$^{53}_{44}$xe$^{53}_{44}$mau^{13}ci^{21}to^{35}.

【哎呀】ai$_{13}$ia$_{21}$/ai$_{35}$ia$_{13}$/ai$_{53}$ia^{0} 叹表示惊讶或赞叹：～，蛮多菌子。ai$_{13}$ia$_{21}$,man^{13}to$^{35}_{44}$c^{h}in$^{35}_{44}$tsɿ^{0}.｜～，我等客姓这里指客家话呀，真系蛮丰富。ai$_{35}$ia$_{13}$,ŋai$^{13}_{21}$tien^{0}k^{h}ak^{3}sin^{53}ia^{0},tʂən^{35}ne^{53}(←xe^{53})man$^{13}_{21}$fəŋ^{35}fu^{53}.｜～，么个盘古开天地个东西都记忆都分你翻出来哩。ai$_{53}$ia^{0},mak^{3}ke^{53}p^{h}an^{13}ku^{21}k^{h}ɔi$^{35}_{44}$t^{h}ien$^{35}_{44}$t^{h}i^{53}ke$^{53}_{44}$təŋ$^{35}_{44}$si^{0}təu$^{35}_{53}$ci^{53}i$^{53}_{44}$təu$^{35}_{44}$pən^{35}ɲi$^{13}_{21}$fan^{35}tʂ^{h}ət^{3}lɔi$^{13}_{21}$li^{0}.

【哎呀哈】ai$_{53}$ia^{0}xa^{0} 叹表示惊讶或赞叹：～，几多年，几多十年𫽥着箇起长袜咯。ai$_{53}$ia^{0}xa^{0},ci^{21}to$^{35}_{44}$ɲien^{13},ci^{21}to^{35}ʂət^{5}ɲien^{13}maŋ^{13}tʂɔk^{3}kai^{53}çi^{21}tʂ^{h}ɔŋ^{13}mait^{3}ko^{0}.

【哎咦】ai$_{21}$i$_{21}$ 叹表示惊惧：（猪屎蚊子）一蒲，一大团呢，～，你如今以箇天呐你，你挨夜子到路上去走呀，呀开眼珠都开唔得。iet^{3}p^{h}u^{13},iet^{3}t^{h}ai^{53}t^{h}ɔn^{13}ne^{0},ai$_{21}$i$_{21}$, ɲi^{13}i$^{13}_{21}$cin$^{35}_{44}$i^{21}kai$^{53}_{44}$t^{h}ien$^{35}_{44}$na^{0}ɲi$^{13}_{21}$, ɲi$^{13}_{21}$ai^{35}ia^{53}tsɿ^{0}tau$^{53}_{44}$ləu^{53}xɔŋ$^{53}_{44}$çi$^{53}_{44}$tsei^{21}ia^{0},ia$_{44}$k^{h}ɔi^{35}ŋan^{21}tʂəu^{35}təu$^{35}_{44}$k^{h}ɔi$^{35}_{44}$n̩$^{13}_{21}$tek^{3}.

【哎哟$_{1}$】ai$_{44}$iau^{0} 叹表示为难：～，我映子讲事唔得咯，我映子去下录音咯。ai$_{44}$iau^{0},ŋai$^{13}_{21}$iaŋ$^{53}_{44}$tsɿ^{0}kɔŋ^{21}sɿ^{53}n̩$^{13}_{21}$tek^{3}ko^{0},ŋai$^{13}_{21}$iaŋ$^{53}_{44}$tsɿ^{0}çi$^{53}_{44}$xa$^{53}_{44}$luk^{5}in^{35}ko^{0}.

【哎哟$_{2}$】ai$_{35}$io$_{21}$ 叹表示震惊：～，硬蛮操心！ai$_{35}$io$_{21}$, ɲiaŋ^{53}man$^{13}_{21}$ts^{h}au$^{35}_{44}$sin$^{35}_{44}$!

【哎哟喧天】ai$_{35}$io$_{21}$ʂen$^{35}_{44}$t^{h}ien^{35} 形容因为痛而大声叫唤的样子：你箇撞下子又有几痛，搞么个搞起～嗷？吓死人呐。咁子撞下子系有几痛。ɲi^{13}kai$^{53}_{44}$ts^{h}ɔŋ^{53}xa^{53}tsɿ^{0}iəu^{53}mau^{13}ci^{21}t^{h}əŋ^{53},kau^{21}mak^{3}ke^{53}kau^{21}çi$^{21}_{44}$ai$_{35}$io$_{21}$ʂen$^{35}_{44}$t^{h}ien$^{35}_{44}$nau^{0}?xak^{3}si^{21}ɲin^{13}na^{0}.kan$^{21}_{13}$tsɿ^{0}ts^{h}ɔŋ^{53}xa$^{53}_{44}$tsɿ^{0}xe$^{53}_{44}$mau^{13}ci^{21}t^{h}əŋ^{53}.

【哀思】ŋai^{35}sɿ^{35} 名悲哀思念的感情。当地风俗，遇丧事时贴白对子，横批上书“哀思”二字贴于大门上方：欸，老哩人个栏场啊，大门顶高就爱写两只字，哀……～，欸，也就系寄托子女对老人家个～。e$_{21}$,lau^{21}li^{0}ɲin^{13}ke^{53}laŋ$^{13}_{21}$tʂ^{h}ɔŋ$^{13}_{21}$a^{0},t^{h}ai^{53}mən$^{13}_{21}$taŋ^{21}kau^{35}ts^{h}iəu^{53}ɔi^{53}sia^{21}iɔŋ^{21}tʂak^{3}sɿ^{53}, ŋai^{35}…ŋai^{35}sɿ^{35},e$_{21}$,ia^{35}ts^{h}iəu^{53}xe$^{53}_{44}$ci^{53}t^{h}ɔk^{3}tsɿ^{21}ŋ̍^{21}tei^{53}lau^{21}ɲin^{13}ka$^{35}_{44}$ke^{53}ŋai^{35}sɿ^{35}.

【哀章】ŋai^{35}tʂɔŋ^{35} 名叙述死者生平等的悼文：～，～，我等系安做～呢。欸，祭文呢。打祭个时候子啊，我等就爱分一个人读～。箇～是爱扯长声来读嘞。欸，爱读得唔知几有唔唔知几悲痛啊。就～。～又安做祭文。ŋai^{35}tʂɔŋ^{35},ŋai^{35}tʂɔŋ^{35},ŋai^{13}tien^{0}xe^{53}ɔn$^{35}_{44}$tso$^{53}_{44}$ŋai^{35}tʂɔŋ$^{35}_{44}$nei^{0}.e$_{21}$,tsi^{53}uən$^{13}_{21}$ne^{0}.ta^{21}tsi^{53}ke$^{53}_{44}$ʂɿ$^{13}_{21}$xei^{53}tsɿ^{0}a^{0},ŋai$^{13}_{21}$tien^{0}ts^{h}iəu^{53}ɔi$^{53}_{44}$pən^{35}iet^{3}cie$^{53}_{44}$ɲin$^{13}_{21}$t^{h}əuk^{5}ŋai^{13}tʂɔŋ$^{35}_{44}$.kai^{53}ŋai^{35}tʂɔŋ$^{35}_{44}$ʂɿ$^{53}_{44}$ɔi$^{53}_{44}$tʂ^{h}a^{21}tʂ^{h}ɔŋ^{13}ʂaŋ^{35}lɔi$^{13}_{21}$t^{h}əuk^{5}le^{0}.e$_{21}$,ɔi^{53}t^{h}əuk^{5}tek^{3}n̩^{13}ti$^{35}_{44}$ci^{21}iəu^{35}n̩$^{13}_{21}$n̩^{13}ti$^{35}_{44}$ci^{21}pei^{35}t^{h}əŋ^{53}ŋa^{0}.ts^{h}iəu$^{53}_{44}$ŋai^{35}tʂɔŋ$^{35}_{44}$.ŋai^{35}tʂɔŋ$^{35}_{44}$iəu$^{53}_{44}$ɔn$^{35}_{44}$tso$^{53}_{44}$tsi^{53}uən$^{13}_{21}$.

【娭子】ɔi^{35}tsɿ^{0} 名母亲：我～爱我去斫柴。ŋai^{13}ɔi^{35}tsɿ^{0}ɔi$^{53}_{44}$ŋai$^{13}_{44}$çi$^{53}_{44}$tʂɔk^{3}ts^{h}ai^{13}.

【挨倒】ai^{35}tau^{21} 动时间上接近：箇餐饭搞起唔知几夜，～～断黑了正食。kai^{53}ts^{h}ɔn^{35}fan^{53}kau^{21}çi^{21}n̩^{13}ti$^{35}_{44}$ci^{21}ia^{53},ŋai^{35}tau^{21}ŋai^{35}tau^{21}t^{h}ɔn^{35}xek^{3}liau^{0}tʂaŋ$^{53}_{44}$ʂət^{5}.

【挨夜子】ai^{35}ia^{53}tsɿ^{0} 名傍晚，黄昏：～去收谷㖡。ai$^{35}_{44}$ia^{53}tsɿ^{0}çi$^{53}_{44}$ʂəu^{35}kuk^{3}ʂa^{0}.

【捱】ŋai^{13} 动拖延：食哩早饭咁久了，你还～到如今正出来，欸，日头都晒屁股去哩。你总～倒去箇。ʂət^{5}li^{0}tsau^{21}fan^{53}kan^{21}ciəu^{21}liau^{0}, ɲi$^{13}_{21}$xai^{13}ŋai^{13}tau^{53}i$^{13}_{21}$cin^{35}tʂaŋ^{53}tʂ^{h}ət^{3}lɔi^{13},ei$_{21}$, ɲiet^{3}t^{h}ei^{13}tə u$^{35}_{44}$sai^{53}p^{h}i^{53}ku^{21}çi$^{53}_{44}$li^{0}. ɲi^{13}tsəŋ^{21}ŋai^{13}tau^{21}çi^{53}kai^{53}.

【捱下子】ŋai^{13}(x)a^{53}tsɿ^{0} 副过一小段时间以后：箇个就是～出事就唔得了。kai$^{53}_{44}$ke$^{53}_{44}$ts^{h}iəu$^{53}_{21}$sɿ$^{53}_{21}$ŋai^{13}a^{53}tsɿ^{0}tʂ^{h}ət^{3}sɿ^{53}ts^{h}iəu$^{53}_{44}$m̩$^{13}_{21}$tek^{3}liau^{21}.

【騃】ŋɔi^{13} 形愚笨，脑子反应不灵活：心里～ sin^{35}li^{21}ŋɔi^{13}｜有一种话法就话细人子恨铁不成钢咯，系细人子恨铁不成钢咯，话箇细人子箇个咁～咯，唔受教育咯，就安做牛子都教哩三天都会转角，牛子教哩三天都会转角，就系牛咯一只头牲咯渠教哩三天都会转角，为么个你总教都唔晓得嘞？就系意思就咁个。iəu^{35}iet^{3}tʂəŋ^{21}ua^{53}fait^{3}ts^{h}iəu$^{53}_{44}$ua$^{53}_{44}$sei^{53}ɲin$^{13}_{21}$tsɿ^{0}xen^{53}t^{h}iet^{3}pət^{3}tʂ^{h}ən$^{13}_{21}$kɔŋ^{35}ko^{0},xei^{53}sei^{53}ɲin$^{13}_{21}$tsɿ^{0}xen^{53}t^{h}iet^{3}pət^{3}tʂ^{h}ən$^{13}_{21}$kɔŋ^{35}ko^{0},ua$^{53}_{44}$kai$^{53}_{44}$sei^{53}ɲin$^{13}_{21}$tsɿ^{0}kai$^{53}_{44}$ke$^{53}_{44}$kan^{21}ŋɔi^{13}ko^{0},n̩^{13}ʂəu$^{53}_{44}$ciau^{53}iəuk^{3}ko^{0},ts^{h}iəu$^{53}_{21}$ɔn$^{35}_{53}$tso^{53}ɲiəu^{13}tsɿ^{0}təu$^{35}_{53}$kau$^{35}_{44}$li^{0}san^{35}t^{h}ien$^{35}_{44}$təu$^{35}_{53}$uɔi^{53}tʂuɔn^{21}kɔk^{3}, ɲiəu^{13}tsɿ^{0}kau$^{35}_{44}$li^{0}san$^{35}_{44}$t^{h}ien$^{35}_{44}$təu$^{35}_{53}$uɔi^{53}tʂuɔn^{21}kɔk^{3},ts^{h}iəu^{53}xei^{53}ɲiəu^{13}ko^{0}iet^{3}tʂak^{3}t^{h}ei^{13}saŋ$^{35}_{44}$ko^{0}ci$^{13}_{21}$kau$^{35}_{44}$li^{0}san$^{35}_{44}$t^{h}ien$^{35}_{44}$təu$^{35}_{53}$uɔi^{53}tʂuɔn^{21}kɔk^{3},uei$^{53}_{44}$mak^{3}e^{0}ɲi^{13}tsəŋ^{21}kau^{35}təu$^{35}_{53}$n̩$^{13}_{21}$çiau^{21}tek^{3}lei^{0}?ts^{h}iəu^{53}xei^{53}i^{53}sɿ^{0}ts^{h}iəu$^{53}_{44}$kan^{21}cie^{53}.

【騃躲躲哩】ŋɔi^{13}to^{21}to^{21}li^{0} 形不灵活；木讷的样子：箇只东西指跳行子蛮好，可以培养细人子个活动能力，欸，唔系嗅，是细人子冇事长日呃～，系唔系？活，灵活。kai$^{53}_{44}$(tʂ)ak^{3}təŋ$^{35}_{44}$si^{0}man$^{13}_{21}$xau^{21},k^{h}o^{21}i$^{35}_{44}$p^{h}ei$^{13}_{21}$iɔŋ^{35}sei^{53}ɲin$^{13}_{21}$tsɿ^{0}ke$^{53}_{44}$xɔit^{5}t^{h}əŋ^{53}len^{13}liet^{5},e$_{21}$,m̩$^{13}_{21}$p^{h}ei^{53}(←xei^{53})au^{0},ʂɿ^{21}sei^{53}ɲin$^{13}_{21}$tsɿ^{0}mau^{13}sɿ^{53}tʂ^{h}ɔŋ^{13}ɲiet^{3}ə$_{21}$ŋɔi^{13}to^{21}to^{21}li^{0},xei^{53}me^{53}?xɔit^{5},lin^{13}xɔit^{5}.

【騃里騃气】ŋɔi$^{13}_{21}$li^{0}ŋɔi^{13}çi^{53} 形容愚蠢笨拙：我等箇映箇阵子有只学生呢系～。让门教空个。嗯，上课都坐啊最后，从来也唔闹事。欸，落尾考试个时候子嘞，姓万呢，我等喊照喊是喊阿叔了嘞，四十几岁了，落尾考试个时候子，娃安做娃万，安做万□谟，我就跍下班上宣布，我当渠班主任呢。"么人都抄唔得，唔准抄，"我话："万□谟就可以抄。"渠抄都抄唔及格。渠抄都唔敢抄，硬冇得治。如今是老婆都冇得，四五十岁了，易得五十岁了，七一年个啦。～。ŋai^{13}tien^{0}kai^{53}iaŋ^{53}kai^{53}tʂʰən^{53}tsɿ^{0}iəu$^{35}_{44}$tʂak^{3}xɔk^{5}saŋ$^{35}_{44}$nei^{0}xe^{53}ŋɔi^{13}li^{0}ŋɔi$^{13}_{21}$çi$^{13}_{21}$. ɲiɔŋ^{53}mən^{0}kau$^{35}_{44}$təu$^{35}_{53}$kʰəŋ$^{53}_{44}$ke^{0}. ɳ$_{21}$,ʂəŋ^{35}kʰo^{53}təu$^{13}_{44}$tsʰo^{35}a^{0}tsei^{53}xei^{53},tsʰəŋ^{13}lɔi^{13}ia^{35}ɳ^{13}nau^{53}sɿ^{53}.e$_{21}$,lək^{5}mi$^{35}_{53}$kʰau^{21}ʂɿ$^{53}_{44}$ke^{0}ʂɿ^{13}xəu$^{35}_{44}$tsɿ^{0}lei^{0},siaŋ^{53}uan^{53}nei^{0},ŋai^{13}tien^{0}xan^{53}tʂau^{53}xan^{53}ʂɿ$^{53}_{44}$xan^{53}a^{35}ʂəuk^{3}liau^{0}le^{0},si^{53}ʂət^{5}ci^{21}sɔi^{53}liau^{0},lək^{5}mi$^{35}_{53}$kʰau^{21}ʂɿ$^{53}_{44}$ke^{0}ʂɿ^{13}xəu$^{53}_{44}$tsɿ^{0},siaŋ$^{53}_{44}$ɔn$^{35}_{44}$tso$^{53}_{44}$siaŋ$^{53}_{44}$uan^{53},ɔn$^{35}_{44}$tso$^{53}_{44}$uan^{53}ciei$^{35}_{44}$mu^{13},ŋai^{13}tsiəu$^{53}_{44}$ku^{35}xa$^{53}_{44}$pan$^{35}_{44}$xɔŋ$^{53}_{44}$sien^{35}pu^{53},ŋai^{13}təŋ$^{35}_{44}$ci$^{13}_{44}$pan^{35}tʂʅ^{21}uən$^{53}_{44}$ne^{0}."mak^{3}ɲin$^{13}_{44}$təu$^{35}_{53}$tsʰau^{35}ɳ$^{13}_{21}$tek^{3},ɳ^{13}tʂən^{21}tsʰau^{35},"ŋai^{13}ua$^{53}_{44}$:"uan^{53}ciei^{35}mu^{13}tsʰiəu$^{53}_{44}$kʰo^{21}i$^{35}_{44}$tsʰau^{35}."ci$^{13}_{21}$tsʰau^{35}təu$^{35}_{44}$tsʰau$^{35}_{44}$ɳ$^{13}_{21}$cʰiet^{3}kek^{3}.ci$^{13}_{21}$tsʰau^{35}təu$^{35}_{53}$ɳ^{13}kan^{21}tsʰau^{35}, ɲiaŋ^{53}mau^{13}tek^{3}tʂʰʅ$_{44}$.i$^{13}_{21}$cin$^{35}_{44}$ʂɿ$^{53}_{44}$lau^{21}pʰo^{13}təu^{53}mau$^{13}_{44}$tek^{3},si^{53}ŋ̍^{21}ʂət^{5}sɔi^{53}liau^{0},i^{53}tek^{3}ŋ̍^{21}ʂət^{5}sɔi^{53}liau^{0},tsʰiet^{3}iet^{3}ɲien$^{13}_{21}$ke^{0}la^{0}.ŋɔi$^{13}_{21}$li^{0}ŋɔi^{13}çi^{53}.

【矮】ai^{21} 形①人的身材短：人～哩呀。ɲin^{13}ai^{21}li^{0}ia^{0}. ②物体高度小：毛桐子个树更～，千年桐个树更高。mau^{35}tʰəŋ$^{13}_{21}$tsɿ^{21}ke$^{53}_{21}$ʂəu^{53}ken^{53}ai^{21},tsʰien^{35}ɲien$^{13}_{21}$tʰəŋ^{13}ke$^{53}_{44}$ʂəu^{53}ken$^{53}_{44}$kau^{35}. ③位置低：箇丘（田）高滴子，以丘～滴子。kai$^{53}_{44}$cʰiəu$^{35}_{44}$kau^{35}tiet^{5}tsɿ^{0},i^{21}cʰiəu$^{35}_{44}$ai^{21}tiet^{5}tsɿ^{0}.

【矮炪炪哩】ai^{21}tət^{5}tət^{5}li^{0} 形状态词。很矮的样子：如果人唔高嘞只话渠～，米桶瓜子样。ʮ^{13}ko^{21}ɲin^{13}ɳ^{13}kau^{35}lei^{0}tʂʅ^{21}ua^{53}ci$^{13}_{21}$ai^{21}tət^{5}tət^{5}li^{0},mi^{21}tʰəŋ^{13}kua^{35}tsɿ^{21}iɔŋ^{53}.◇炪，《广韵》竹律切："短貌。"

【矮矮子】ai^{21}ai^{21}tsɿ^{0} 形比较矮的样子：～个就。/箇就喊过路黄荆。ai^{21}ai^{21}tsɿ^{0}ke$^{53}_{44}$tsʰiəu$^{53}_{44}$./kai$^{53}_{44}$tsʰiəu$^{53}_{21}$xan$^{53}_{44}$ko^{53}ləu^{53}uɔŋ^{13}ciaŋ$^{35}_{44}$.

【矮不胖】ai^{21}tən^{21}pʰɔŋ^{53} 名对又矮又胖的人的贬称：我等欸欸我等有只侄子就系一只～，嗯，只有一米五子高。两百零斤，欸嘿，～。嘞，一只完身么水桶样。嗯。～。贬称，嗯。又矮又胖个人个贬称。欸，也也贬完全话贬称也唔系，就系，嗯，也系，系有滴子含贬义样。十分喜欢食啦，十分食得啊。总掌啊，掌起只肚子噫大呀。～啊。ŋai^{13}tien^{0}e$_{21}$e$_{21}$ŋai^{13}tien^{0}iəu$^{35}_{44}$tʂak^{3}tʂʰət^{5}tsɿ^{0}tsʰiəu^{53}xe^{53}iet^{3}tʂak^{3}ai^{21}tən^{21}pʰɔŋ^{53},ɳ$_{21}$,tʂe^{21}iəu^{35}iet^{3}mi^{21}ŋ̍^{21}tsɿ^{0}kau$^{35}_{44}$.iɔŋ^{21}pak^{3}laŋ^{13}cin^{35},e$_{21}$xe$_{21}$,ai^{21}tən^{21}pʰɔŋ^{53}.lei$_{13}$,iet^{3}tʂak^{3}uɔn^{13}ʂən$^{35}_{44}$me^{0}ʂei^{21}tʰəŋ^{21}iɔŋ^{53}.ɳ$_{21}$.ai^{21}tən^{21}pʰɔŋ^{53}.pien^{21}tʂʰən$^{35}_{44}$,ɳ$_{21}$.iəu^{53}ai^{21}iəu^{53}pɔŋ^{53}ke^{53}ɲin^{13}ke$^{53}_{44}$pien^{21}tʂʰən$^{35}_{44}$.e$_{21}$,ia^{35}ia^{35}pien^{21}xɔn$^{13}_{21}$tsʰien$^{13}_{44}$ua^{53}pien^{21}tʂʰən^{35}ia$^{35}_{44}$ɳ$^{13}_{21}$tʰe$^{53}_{44}$,tsʰiəu$^{53}_{44}$xe$^{53}_{44}$,ɳ$_{21}$,ia^{21}xe^{53},xe^{53}iəu^{35}tet^{5}tsɿ^{0}xan^{13}pien^{21}ɲi$^{53}_{44}$iɔŋ$^{53}_{44}$.ʂət^{5}fən$^{35}_{44}$çi^{21}fɔn^{35}ʂət^{5}la^{0},ʂət^{5}fən$^{35}_{44}$ʂət^{5}tek^{3}a^{0}.tsəŋ^{21}tsʰaŋ^{53}ŋa^{0},tsʰaŋ^{53}çi^{21}tʂak^{3}təu^{21}tsɿ^{0}mən^{53}tʰai^{53}ia^{0}.ai^{21}tən^{21}pʰɔŋ^{53}ŋa^{0}.

【矮子】ai^{21}tsɿ^{0} 名身材矮小的人：专门有滴人还话……话别人家～哦，能也整名字喊呶。欸，十分矮个人呢，～，欸，～。tʂen^{35}mən$^{13}_{44}$iəu^{35}tet^{5}ɲin$^{13}_{21}$xai$^{13}_{44}$ua$^{53}_{44}$…ua$^{53}_{44}$pʰiek^{5}in$^{13}_{44}$ka$^{35}_{44}$ai^{21}tsɿ^{0}o^{0},lən^{13}ia$^{35}_{44}$tʂən^{21}miaŋ^{13}tsʰʅ$^{53}_{44}$xan^{53}nau^{0}.e$_{21}$,ʂət^{5}fən$^{35}_{44}$ai^{21}ke^{53}ɲin$^{13}_{44}$ne^{0},ai^{21}tsɿ^{0},e$_{44}$,ai^{21}tsɿ^{0}.

【矮子鬼】ai^{21}tsɿ^{0}kuei^{21} 名对身材短小的人鄙称：本来是一般啊身材矮个人都话渠～哟。"箇只～呀。" pən^{21}nɔi^{13}ʂʅ$^{53}_{44}$iet^{3}pɔn^{35}a^{0}ʂən$^{35}_{44}$tsʰai$^{13}_{21}$ai^{21}ke^{53}in$^{13}_{21}$təu$^{35}_{44}$ua^{53}ci$^{13}_{21}$ai^{21}tsɿ^{0}kuei^{21}io^{0}."kai$^{53}_{44}$tʂak^{3}ai^{21}tsɿ^{0}kuei^{21}ia^{0}."

【艾】ɲie^{53} 名艾草。菊科蒿属植物，多年生草本或略成半灌木状，植株有浓烈香气：～呀，我等喊，有几种话法嘞。欸，箇个七宝山人读 ɲiɔi^{53}。我等读做 ɲie^{53}。ɲie^{53}ia^{0},ŋai$^{13}_{21}$tien^{0}xan^{53},iəu^{35}ci^{21}tʂəŋ^{21}ua^{53}fait^{3}le^{0}.ei$_{21}$,kai^{53}kei^{53}tsʰiet^{3}pau^{21}san^{35}ɲin$^{13}_{21}$tʰəuk$^{5}_{3}$ɲiɔi^{53}.ŋai^{13}tien^{0}tʰəuk^{5}tso$^{53}_{21}$ɲie^{53}.

【艾米馃】ɲie^{53}mi^{21}ko^{21} 名加入了艾草的米馃：有起～啊，你晓得吧？～啊。欸像饼样啊，但是不是烤出来个就啊。～啊。iəu$^{35}_{44}$çi$^{21}_{44}$ɲie^{53}mi^{21}ko^{21}a^{0}, ɲi$^{13}_{21}$çiau^{21}tek^{3}pa^{0}?ɲie^{53}mi^{21}ko^{21}a^{0}.ei^{0}tsʰiɔŋ^{53}piaŋ^{21}iɔŋ^{53}ŋa^{0},tan$^{53}_{44}$ʂʅ$^{53}_{44}$pət^{3}ʂʅ$^{53}_{44}$kʰau^{21}tʂʰət^{3}lɔi^{13}ke$^{53}_{44}$tsʰiəu$^{53}_{44}$a^{0}. ɲie^{53}mi^{21}ko^{21}a^{0}.

【爱】ɔi^{53} 动①使令动词，相当于"叫、让"：慢运妹子人名归来哩，～运妹子打电话分我呀。man$^{53}_{21}$uən^{53}mɔi$^{53}_{44}$tsɿ^{0}kuei^{35}lɔi$^{13}_{21}$li^{0},ɔi$^{53}_{44}$uən^{53}mɔi$^{53}_{44}$tsɿ^{0}ta^{21}tʰien^{53}fa^{53}pən^{35}ŋai$^{13}_{21}$ia^{0}. ②希望获得或拥有某物：牛血冇人食，唔食，有人～。尽下哩河。ɲiəu^{13}çiet^{3}mau^{13}ɲin$^{13}_{44}$ʂət^{5},m^{13}ʂət^{5},mau$^{13}_{21}$ɲin$^{13}_{44}$ɔi$^{53}_{44}$.tsʰin^{53}xa$^{53}_{44}$li^{0}xo^{13}. ③希望，想要：慢点松牯子～我去店里了就爱渠箇个啦，爱渠打电话分我啦。man$^{53}_{44}$tian$^{21}_{44}$səŋ^{35}ku^{21}tsɿ^{0}ɔi^{53}ŋai$^{13}_{21}$çi$^{53}_{44}$tian^{53}li^{0}liau^{0}tsʰiəu$^{53}_{44}$ɔi^{53}ci$^{13}_{44}$kai$^{53}_{44}$ke$^{53}_{44}$la^{0},ɔi^{53}ci$^{13}_{44}$ta^{21}tʰian^{53}fa$^{53}_{44}$pən$^{35}_{44}$ŋai$^{13}_{21}$la^{0}. ④需要：只～一夜，就以咁热个天是一夜就酸嘿了。tʂe^{21}ɔi$^{53}_{44}$iet^{3}ia^{53},tsʰiəu^{53}i^{21}kan^{21}ɲiet^{3}ke$^{53}_{44}$tʰien$^{35}_{44}$ʂʅ$^{53}_{44}$iet^{3}ia^{53}tsʰiəu$^{53}_{44}$sən$^{35}_{44}$nek^{3}(←xek^{3})liau^{0}.｜老房子吧？～去寻。lau^{21}fɔŋ^{13}tsɿ^{0}pa^{0}?ɔi$^{53}_{44}$çi$^{53}_{44}$tsʰin^{13}. ⑤助动词。应该，有必要：渠又怕有滴～请（坐上）个嬒请得，请多哩嘞会见怪。ci$^{13}_{21}$iəu$^{53}_{44}$pʰa^{53}iəu^{35}tet^{5}ɔi^{53}tsʰiaŋ^{21}ke$^{53}_{44}$maŋ^{13}tsʰiaŋ^{21}tek^{3},tsʰiaŋ^{21}to^{35}li^{0}lei^{0}uɔi$^{53}_{44}$cien$^{53}_{44}$kuai^{53}.｜如果系公子就～阉嘿来，嗯，嫲子也～阉嘿来，箇猪……猪条。y^{13}ko^{21}xei$^{53}_{44}$kəŋ^{35}tsɿ^{0}tsʰiəu$^{53}_{44}$ɔi$^{53}_{44}$ian^{35}nek^{3}(←xek^{3})lɔi$^{13}_{21}$,ɳ$_{44}$,ma^{13}tsɿ^{0}ia^{35}ɔi$^{53}_{44}$

ian^{35}nek^{3} (←xek^{3})lɔi$_{21}^{13}$,kai$_{44}^{53}$tʂəu^{35}…tʂəu^{35}tʰiau$_{21}^{13}$.

【爱得】ɔi^{53}tek^{3} 形可以，行：欸，爱拿茶钱就系见面礼。就拿只……拿只红包。我等箇阵子拿一块钱。一块钱就～。箇就最少啦，起点呐。ei$_{21}$,ɔi^{53}la^{53}tsʰa^{13}tsʰien^{13}tsʰiəu^{53}xe$_{44}^{53}$cien^{53}mien$_{44}^{53}$li^{35}.tsʰiəu$_{21}^{53}$la$_{44}^{53}$tʂak^{3}…la^{53}tʂak^{3} fəŋ$_{21}^{13}$pau$_{44}^{35}$.ŋai^{13}tien^{0} kai^{53}tʂʰən$_{44}^{35}$tsɿ^{0} la$_{44}^{53}$iet^{3} kʰuai^{53}tsʰien$_{21}^{13}$.iet^{3} kʰuai^{53}tsʰien$_{21}^{13}$ tsʰiəu$_{44}^{53}$ɔi$_{44}^{53}$tek^{3} .kai$_{21}^{53}$tsʰiəu$_{21}^{53}$tsei^{53}ʂau^{21}la^{0} ,çi^{21}tian^{21}na^{0} .｜欸，以只事咁子搞倒～。你等搞得蛮好。e$_{21}$,i^{21}tʂak^{3} sɿ^{53}kan^{21}tsɿ^{0} kau^{21}tau^{21}ɔi^{53}tek^{3} . ȵi$_{21}^{13}$tien^{0} kau^{21}tek^{3} man^{13}xau^{21}.

【爱紧$_{1}$】ɔi^{53}cin^{21} 形①重要：箇几个事就真系蛮～个事。kai^{53}ci^{21}cie$_{44}^{53}$sɿ^{53}tsʰiəu$_{44}^{53}$tʂən^{35}xe^{53}man^{13}ɔi^{53}cin^{21}cie$_{44}^{53}$sɿ^{53}. ②严重：看得忒～哩，忒放在心上。kʰɔn^{53}tek^{3} tʰek^{3} ɔi^{53}cin^{21}ni^{0} ,tʰek^{3} fəŋ^{53}tsʰai$_{44}^{53}$sin^{35}xəŋ^{53}.

【爱紧$_{2}$】ɔi^{53}cin^{21} 动把某事看得太过重要或严重：你莫咁～呶一滴子咁样事样。爱么个紧呶？欸。让下子别人家。不要咁～呐。ȵi^{13}mɔk^{5}kan^{21}ɔi^{53}cin^{21}nau^{0} iet^{3} tiet^{5} tsɿ^{0} kan$_{13}^{21}$iɔŋ$_{44}^{53}$sɿ^{53}iɔŋ^{53}.ɔi^{53}mak^{3} e^{53}cin^{21}nau^{0} ?e$_{21}$. ȵiɔŋ^{53}xa$_{44}^{53}$tsɿ^{0} pʰet^{5}ȵin$_{21}^{13}$ka$_{44}^{35}$.pət^{3} iau^{53}kan^{21}ɔi^{53}cin^{21}na^{0} .

【爱面子】ɔi^{53}mien^{53}tsɿ^{0} 重视外在的光鲜与体面，很关心自己在别人眼中的形象：打肿面来称胖子个人，死～个人，系唔系？ta^{21}tʂəŋ^{21}mien^{53}nɔi$_{21}^{13}$tʂʰən$_{44}^{35}$pʰəŋ^{53}tsɿ^{0} ke$_{21}^{53}$ȵin^{13},si^{21}ɔi$_{44}^{53}$mien^{53}tsɿ^{0} ke$_{21}^{53}$ȵin^{13},xe$_{44}^{53}$me$_{44}^{53}$?

【爱命】ɔi^{53}miaŋ^{53} 动做补语，表示程度达到极点：苦得～fu^{21}tek^{3} ɔi^{53}miaŋ^{53}

【爱死】ɔi^{53}si^{21} 动做补语，表示程度达到极点：苦得～fu^{21}tek^{3} ɔi^{53}si^{21}

【爱唔得】ɔi^{53}n̩$_{21}^{13}$tek^{3} 动表示人、事物或行为不好，让人不能认同或容忍：咁子搞～。kan^{21}tsɿ^{0} kau^{21}ɔi^{53}n̩$_{21}^{13}$tek^{3}.

【安】ɔn^{35} 动①安放，设置：就是社公庙箇只，就系土地菩萨子箇只～倒箇子。tsiəu$_{44}^{53}$ʂɿ$_{44}^{53}$sa^{35}kəŋ$_{44}^{35}$miau^{53}kai$_{44}^{53}$tʂak^{3} ,tsiəu$_{44}^{53}$xe$_{44}^{53}$tʰəu^{21}tʰi^{53}pʰu^{13}sait^{3} tsɿ^{0} kai$_{44}^{53}$tʂak^{3} ɔn^{35}tau^{21}kai$_{44}^{53}$tsɿ^{0} . ②安装：牛轭以只边上就～条绳。ȵiəu$_{21}^{13}$ak$_{35}^{3}$i^{21}tʂak^{3} pien$_{44}^{35}$xəŋ$_{44}^{53}$tsʰiəu$_{44}^{53}$ɔn^{35}tʰiau$_{21}^{13}$ʂən^{13}.｜舞下竹筒，～只把，安做水角。ua$_{21}$(←u^{21}xa^{53})tʂəuk^{3} tʰəŋ^{13},ɔn$_{44}^{35}$tʂak^{3} pa^{53},ɔn$_{44}^{35}$tso^{53}ʂei^{21}kɔk^{3} . ③叫做，名叫：也安做钉鞋，也安做屐鞋。～屐鞋个多。ia^{35}ɔn$_{53}^{35}$tso$_{44}^{53}$taŋ^{35}xai$_{21}^{13}$,ia^{35}ɔn$_{44}^{35}$tso$_{44}^{53}$cʰiak^{5} xai$_{21}^{13}$.ɔn$_{44}^{35}$cʰiak^{5} xai$_{21}^{13}$ke$_{21}^{53}$to$_{44}^{35}$.

【安筋】ɔn^{35}cin^{35} 动藉以固定：以皮门，你有哪映子……上下有哪映安……～咯？i^{21}pʰi$_{44}^{13}$mən^{13},ȵi$_{21}^{13}$mau^{13}la$_{44}^{53}$iaŋ$_{44}^{53}$tsɿ^{0}…ʂəŋ^{53}çia^{53}mau^{13}la$_{44}^{53}$iaŋ$_{44}^{53}$ŋɔn^{35}…ɔn^{35}cin^{35}ko^{0} ?

【安乐】ɔn^{35}lɔk^{5} 形舒服；安宁喜乐。又称“好过”：我等老哩欸身体还好，过得蛮～。子孙也听话，自家也有兜子欸有兜钱子，箇日子过得蛮～。ŋai^{13}tien^{0} lau^{21}lie^{0} e$_{21}$ʂən^{35}tʰi^{21}xan$_{21}^{13}$xau^{21},ko^{53}tek^{3} man^{13}ɔn^{35}nɔk^{5} .tsɿ^{21}sən$_{44}^{35}$na$_{44}^{35}$tʰaŋ^{35}ua$_{44}^{53}$,tsʰɿ^{35}ka$_{44}^{35}$ia$_{44}^{35}$iəu^{35}təu$_{53}^{35}$tsɿ^{0} e$_{21}$iəu^{35}təu$_{44}^{35}$tsʰien^{13}tsɿ^{0},kai^{53}ȵiet^{3} tsɿ^{0} ko^{53}tek^{3} man^{13}ɔn^{35}nɔk^{5}.

【安眠顺睡】ɔn^{35}min^{13}ʂen^{53}ʂɔi^{53} 安稳熟睡：天皇皇，地皇皇，我家有个叫夜郎，过路君子念一念，～到天光。tʰien^{35}fəŋ^{13}fəŋ$_{44}^{13}$,tʰi^{53}fəŋ$_{21}^{13}$fəŋ^{13},ŋo^{21}cia$_{44}^{35}$iəu$_{21}^{35}$ko$_{44}^{53}$ciau^{53}ia^{53}lɔŋ^{13},ko^{53}ləu^{53}tʂən^{35}tsɿ^{0} ȵian^{53}iet^{3} ȵian^{53},ɔn^{35}min^{13}ʂen^{53}ʂɔi^{53}tau^{53}tʰien$_{44}^{35}$kɔŋ^{35}.

【安胎】ɔn^{35}tʰɔi^{35} 动稳定胎儿，防止流产：香荽苑茶还～哟。çiɔŋ^{35}si$_{44}^{35}$təu^{35}tsʰa$_{21}^{13}$xa$_{21}^{13}$ŋɔn^{35}tʰɔi^{35}io^{0} .

【安席】ɔn^{35}siet^{5} 动做三朝时新生儿由父亲抱着给亲友作揖，亲友们赠以红包：有兜是还咁个啦，做三朝箇晡吵还爱捧出摸摸子去～，姐公姐婆是爱拿只红包。捧倒来～咯，姐公姐婆是爱拿只红包，以下就唔搞咁个了。有兜是以前是硬爱张张桌爱去～。箇个欸箇只摸摸子个爷子捧倒，捧倒箇摸摸子咁子欸咁子还爱箇个作下子揖，你就即即哩拿倒红包去，放下摸摸子手里。以下冇么人哩，以下冇么人搞哩。iəu^{35}te$_{53}^{35}$ʂɿ$_{44}^{53}$xai^{13}kan$_{13}^{21}$cie^{53}la^{0} ,tso^{53}san^{35}tʂau^{35}kai^{53}pu$_{44}^{35}$ʂa^{0} xai^{13}ɔi^{53}pəŋ^{21}tʂʰət^{3} mo^{35}mo^{35}tsɿ^{0} çi^{53}ɔn^{35}siet^{5} ,tsia^{21}kəŋ^{35}tsia^{21}pʰo^{13}ʂɿ^{53}ɔi^{53}la^{53}tʂak^{3} fəŋ^{13}pau^{35}.pəŋ^{21}tau^{21}lɔi$_{21}^{13}$ɔn^{35}siet^{5} ko^{0} ,tsia^{21}kəŋ$_{53}^{35}$tsia^{21}pʰo^{13}ʂɿ$_{44}^{53}$ɔi^{53}la^{53}tʂak^{3} fəŋ^{13}pau$_{44}^{35}$,i^{21}xa^{53}tsʰiəu^{53}n̩^{13}kau^{21}kan$_{44}^{21}$cie^{53}liau^{0} .iəu^{35}te$_{53}^{35}$ʂɿ$_{44}^{53}$i^{35}tsʰien^{13}ʂɿ$_{44}^{53}$ȵiaŋ^{53}tʂɔŋ^{35}tʂɔŋ^{35}tsɔk^{3} ɔi$_{44}^{53}$çi$_{44}^{53}$ŋɔn^{35}siet^{5} .kai$_{44}^{53}$ke$_{21}^{53}$e$_{21}$kai$_{44}^{53}$tʂak^{3} mo^{35}mo^{35}tsɿ^{0} ke^{53}ia^{13}tsɿ^{0} pəŋ^{21}tau^{21},pəŋ^{21}tau^{21}kai$_{44}^{53}$mo^{35}mo^{35}tsɿ^{0} kan^{21}tsɿ^{0} e$_{44}$kan^{21}tsɿ^{0} xa$_{21}^{13}$ɔi$_{44}^{53}$kai^{53}ke$_{44}^{53}$tsɔk^{3} (x)a^{53}tsɿ^{0} iet^{3} ,ȵi$_{21}^{13}$tsʰiəu$_{44}^{53}$tset^{5} tset^{5} li^{0} la^{53}tau$_{44}^{21}$fəŋ^{13}pau$_{44}^{35}$çi$_{44}^{53}$,fəŋ$_{44}^{53}$ŋa$_{44}^{53}$mo^{35}mo$_{44}^{35}$tsɿ^{0} ʂəu^{21}li^{0} .i^{21}xa^{53}mau$_{21}^{13}$mak^{3} in$_{44}^{13}$li^{0} ,i^{21}xa^{53}mau$_{21}^{13}$mak^{3} in$_{44}^{13}$kau^{21}li^{0} .

【安详】ŋɔn^{35}tsʰiɔŋ^{13} 形平静安稳：渠是搞么啊莫分别家看呢？就怕渠指死者有咁个唔～啊，死哩以后眼珠暴暴哩箇只嘞，系唔系啊？怕难看。ci$_{21}^{13}$ʂɿ$_{44}^{53}$kau^{21}mak^{3} a^{0} mɔk^{5} pən$_{44}^{35}$pʰiet$_{3}^{5}$ a^{0} kʰɔn^{53}nei^{0} ?tsʰiəu$_{44}^{53}$pʰa^{53}ci$_{21}^{13}$iəu^{35}kan^{21}ke$_{44}^{53}$ŋ̍^{13}ŋɔn^{35}tsʰiɔŋ$_{21}^{13}$ŋa^{0} ,si^{21}li^{0} i^{35}xei$_{44}^{53}$ŋan^{21}tʂəu$_{44}^{35}$pau^{53}pau^{53}li^{0} kai$_{44}^{53}$tʂak^{3} le^{0} ,xei$_{35}^{53}$mia^{0} ?pʰa^{53}nan^{13}kʰɔn^{53}.

A

【安伢子】ɔn^{35}ŋa$^{13}_{21}$tsɿ^{0} [名]婴儿：因为渠指娃娃鱼叫起来同箇～叫样。in^{35}uei$^{53}_{44}$ci$^{13}_{21}$ciau^{53}çi^{21}lɔi^{13}tʰəŋ$^{13}_{21}$kai$^{53}_{44}$ ɔn^{35}ŋa$^{13}_{21}$tsɿ^{0}ciau^{53}iɔŋ$^{53}_{21}$.

【安置】ɔn^{35}tʂɿ^{53} [动]安慰：打比样啊有只人呐，我等箇映有只咁个人咯，开辆面的车子去路上走，早晨，唔知几早就出来哩，开辆面的车子啊，箇辆车子，渠就想屙尿了，就停下马路边上，系唔系？人就跍倒箇马路边上侧边子就去下屙尿。一只箇酒癫鬼，食醉哩酒个酒癫子，骑张摩托车，摇摇晃晃，早又咁早，一钟钟下渠车上，钟得毁死。你话渠都停正车面的车都停正哩马路边上啊，停倒马路边上。欸，箇只人钟下来个。舞倒渠嘞横狃狃哩舞倒渠赔嘿几万块钱。箇只死者个屋下吵还爱渠赔十万，就系唔该你停张咁个车去箇，系唔系？爱渠赔十万。以下赔嘿唔知三万呐四万块钱呐。箇就别人家就～渠："箇个退财人安乐啊，唔爱去想咁多。"ta^{21}pi^{21}iɔŋ$^{53}_{44}$ŋa^{0}iəu^{35}tʂak^{3}ɲin$^{13}_{21}$na^{0},ŋai^{13}tien^{0}kai$^{53}_{44}$iaŋ$^{53}_{44}$iəu$^{35}_{44}$tʂak^{3}kan^{21}ke^{53}ɲin$^{13}_{44}$ko^{0},kʰɔi^{35}liɔŋ$^{21}_{44}$mien^{53}tiet^{3}tʂʰa^{35}tsɿ^{0}çi^{53}ləu^{53}xɔŋ^{53}tsei^{21},tsau^{21}ʂən$^{53}_{44}$,n̩^{13}ti$^{35}_{53}$ci^{21}tsau^{21}tsiəu^{53}tʂʰət^{3}lɔi^{13}li^{0},kʰɔi^{35}liɔŋ$^{21}_{44}$mien^{53}tiet^{3}tʂʰa^{35}tsɿ^{0}a^{0},kai^{53}liɔŋ^{21}tʂʰa$^{35}_{44}$tsɿ^{0},ci$^{53}_{44}$tsʰiəu$^{53}_{44}$siɔŋ^{21}o^{35}ɲiau^{53}liau^{0},tsiəu$^{53}_{44}$tʰin^{13}na^{53}ma^{35}ləu^{53}pien$^{35}_{44}$xɔŋ^{53},xei$^{53}_{44}$me$^{53}_{44}$?ɲin^{13}tsiəu$^{53}_{44}$ku^{35}tau^{21}kai$^{53}_{44}$ma^{35}ləu^{53}pien$^{35}_{44}$xɔŋ$^{53}_{44}$tset^{3}pien^{35}tsɿ^{0}tsʰiəu$^{53}_{44}$çi$^{53}_{44}$(x)a$^{53}_{44}$o^{35}ɲiau^{53}.iet^{3}tʂak^{3}kai$^{53}_{44}$tsiəu^{21}tien^{35}kuei^{21},ʂət^{5}tsi^{53}li^{0}tsiəu^{21}ke^{0}tsiəu^{21}tien$^{35}_{44}$tsɿ^{0},cʰi$^{13}_{21}$tʂɔŋ$^{35}_{44}$mo$^{13}_{21}$tʰɔk^{3}tʂʰa^{35},iau^{35}iau$^{35}_{44}$fɔŋ^{53}fɔŋ^{53},tsau^{21}iəu^{53}kan^{21}tsau^{21},iet^{3}tʂɔŋ$^{35}_{44}$tʂɔŋ$^{35}_{44}$ŋa$^{53}_{44}$ci$^{13}_{21}$tʂʰa^{35}xɔŋ^{53},tʂɔŋ$^{35}_{44}$tek^{3}tsiəu^{53}si^{21}. ɲi^{13}ua^{53}ci^{13}təu$^{35}_{53}$tʰin$^{13}_{21}$tʂaŋ$^{53}_{44}$tʂʰa$^{35}_{44}$mien^{53}tiet^{3}tʂʰa$^{35}_{44}$təu$^{35}_{53}$tʰin^{13}tʂaŋ^{53}li^{0}ma^{35}ləu$^{53}_{44}$pien$^{35}_{44}$xɔŋ^{53}ŋa^{0},tʰin^{13}tau^{21}ma^{35}ləu$^{53}_{44}$pien$^{35}_{44}$xɔŋ$^{53}_{44}$.e$_{21}$,kai^{53}tʂak^{3}ɲin$^{13}_{21}$tʂəŋ^{35}ŋa$^{53}_{44}$lɔi$^{13}_{21}$ke^{0}.u^{21}tau^{21}ci^{13}lei^{0}uaŋ^{13}kʰəŋ^{53}kʰəŋ^{53}li^{0}u^{21}tau^{21}ci^{13}pʰi^{13}xek^{3}ci^{21}uan^{53}kʰuai^{21}tsʰien$^{13}_{21}$.kai^{53}tʂak^{3}si^{21}tʂa^{21}kei^{53}uk^{3}xa^{53}ʂa^{0}xai$^{13}_{21}$ɔi^{53}ci$^{13}_{21}$pʰi^{13}ʂət^{5}uan$^{53}_{44}$,tsʰiəu^{53}xei$^{53}_{44}$n̩$^{13}_{21}$kɔi^{53}ɲi$^{13}_{21}$tʰin^{13}tʂɔŋ$^{35}_{53}$kan$^{21}_{44}$ke$^{53}_{44}$tʂʰa^{35}çi$^{53}_{44}$kai$^{53}_{44}$,xei$^{53}_{44}$me$^{53}_{44}$?ɔi^{53}ci$^{13}_{21}$pʰi^{13}ʂət^{5}uan^{53}.i^{21}xa^{53}pʰi^{13}xek^{3}n̩^{13}ti$^{35}_{53}$san^{35}uan$^{53}_{44}$na^{0}si^{53}uan$^{53}_{44}$kʰuai^{53}tsʰien$^{13}_{21}$na^{0}.kai$^{53}_{44}$tsʰiəu^{53}pʰiet^{5}in$^{13}_{44}$ka$^{35}_{44}$tsʰiəu$^{53}_{44}$ɔn^{35}tʂɿ^{53}ci^{13}:"kai$^{53}_{44}$ke$^{53}_{44}$tʰi^{13}tsʰɔi^{13}ɲin^{13}ɔn^{35}nɔk^{5}a^{0},m̩$^{13}_{21}$mɔi^{53}çi^{53}siɔŋ^{21}kan^{21}to^{35}."

【安做】ɔn^{35}tso^{53} [动]叫做：一通宵个水～夜水。iet^{3}tʰəŋ^{35}siau$^{35}_{44}$ke$^{53}_{44}$ʂei^{21}ɔn$^{35}_{44}$tso$^{53}_{44}$ia^{53}ʂei^{21}.

【俺】ŋan^{21} [动]（头）向下微动：你莫只晓得～头，欸，你也提滴子唔同个看法呀。ɲi^{13}mɔk^{5}tʂe^{21}çiau^{21}tek^{3}ŋan^{21}tʰei^{13},e$_{21}$, ɲi^{13}ia$^{35}_{44}$tʰi^{13}tiet^{5}tsɿ^{0}n̩^{13}tʰəŋ^{13}ke^{53}kʰɔn^{53}fait^{3}ia^{0}.｜以只事，你等同意就～下子头。i^{21}iak^{3}sɿ^{53}ɲi^{13}tien^{0}tʰəŋ^{13}i$^{53}_{44}$tsʰiəu^{53}ŋan^{21}na^{53}tsɿ^{0}tʰei^{13}.｜我～哩头个东西我会做到。我会做到。我～哩头个东西我就会做得到。就我答应哩个东西，欸，我～哩头个东西。ŋai^{13}ŋan^{21}li^{0}tʰei^{13}ke^{0}təŋ$^{35}_{44}$si^{0}ŋai^{13}uɔi^{53}tso^{53}tau^{53}.ŋai^{13}uɔi^{53}tso^{53}tau^{53}.ŋai^{13}ŋan^{21}li^{0}tʰei^{13}ke^{0}təŋ$^{35}_{44}$si^{0}ŋai^{13}tsʰiəu$^{53}_{44}$uɔi$^{53}_{44}$tso^{53}tek^{3}tau^{53}.tsʰiəu$^{53}_{44}$ŋai$^{13}_{21}$tait^{3}in^{53}ni^{0}ke^{0}təŋ$^{35}_{44}$si^{0},e$_{21}$,ŋai^{13}ŋan^{21}li^{0}tʰei^{13}ke^{0}təŋ$^{35}_{44}$si^{0}.

【俺俺矬矬】ŋan^{21}ŋan^{21}tsʰo^{13}tsʰo^{13} 点头哈腰，过于讲究礼节的样子：啊，礼恭马义硬，长日子一只脑壳～。a$_{21}$,li^{35}kəŋ$^{35}_{44}$ma$^{35}_{44}$ni^{53}ɲiaŋ^{53},tʂʰɔŋ^{13}ɲiet^{3}tsɿ^{0}iet^{3}tʂak^{3}lau^{21}kʰɔk^{3}ŋan^{21}ŋan^{21}tsʰo^{13}tsʰo$^{13}_{44}$.

【俺头哈腰】ŋan^{21}tʰei^{13}xa^{35}iau^{35} 点头哈腰：箇只人呐欸真做作。看倒别人家嘞就好好乖乖都～。好好乖乖都系咁个，～。真做作。kai^{53}tʂak^{3}ɲin$^{13}_{44}$na^{0}e$_{21}$tʂən^{35}tso^{53}tsɔk^{3}.kʰɔn^{53}tau^{21}pʰiet^{5}ɲin$^{13}_{21}$ka$^{35}_{44}$le^{0}tsʰiəu^{53}xau^{21}xau^{21}kuai^{21}kuai^{21}təu$^{35}_{44}$ŋan^{21}tʰei^{13}xa$^{35}_{44}$iau$^{35}_{44}$.xau^{21}xau^{21}kuai^{21}kuai^{21}təu$^{35}_{44}$xei$^{53}_{44}$kan^{21}cie^{53},ŋan^{21}tʰei^{13}xa$^{35}_{44}$iau$^{35}_{44}$.tʂən^{35}tso^{53}tsɔk^{3}.

【唵呐】an$_{44}$na^{0} [叹]表示肯定的意思：你问我食哩饭么，我觉得你蛮麻烦样，我"～，食了"。ɲi^{13}uən^{53}ŋai$^{13}_{21}$ʂət^{5}li^{0}fan^{53}mo$_{44}$,ŋai$^{13}_{44}$kɔk^{3}tek^{3}ɲi$^{13}_{44}$man^{13}ma^{13}fan^{13}iɔŋ^{53},ŋai$^{13}_{44}$"an$_{44}$na^{0},ʂət^{5}liau^{0}".

【案板】ŋɔn^{53}pan^{21} [名]放在灶边的长木板，宽约30厘米，下有四只脚，可移动，也有无脚而直接放在灶台上的，用来切菜时放置砧板，做菜时放置其他餐具等：哈？～呐？～就系放下灶头上个一块咁个板嘞。灶边上啊，以映就一只灶，嫠稳就一块板呐。依从前是就箇个唠，就用树做唠，树做个块～呶。一般就放四只脚唠。搁倒走得。系舞张比较高滴子个凳哩嘛。高滴子个桌样啊。箇一般就系咁宽子。就系大概系箇个欸系三十公分子宽。箇只爱放几样东西欸就……最大个就放块砧板嘞。切菜就去～上切啊。欸箇长咯，渠比较长咯，嗯，有蛮长子咯。也有滴是就跍倒灶头上。从前个柴灶吵，以映子系镬子。镬子外背还有一只部分，特事子打阔滴子，放砧板。也可……或者放碗筷。也整～用。有灶下比较大呀，一般都比较大呀。欸从前箇柴灶个灶下是有以个间咁大哟。如今蛮多人，农村里人，渠有地方啊渠就灶下做起懑大哟。欸只有城里个箇起系有几室几厅，一只灶下真系嘿嘿嘿跍得一个人两个人嘞呀。嗯。xa$_{35}$?ŋɔn^{53}pan^{21}na^{0}?ŋɔn^{53}pan^{21}tsʰiəu$^{53}_{44}$xe$^{53}_{44}$fɔŋ$^{53}_{44}$xa$^{53}_{44}$tsau^{53}tʰei$^{13}_{21}$xɔŋ^{53}kei^{53}iet^{3}kʰuai^{53}kan^{21}ke^{53}pan^{21}ne^{0}.tsau^{53}pien^{35}xɔŋ$^{53}_{44}$ŋa^{0},i^{21}iaŋ$^{53}_{44}$tsʰiəu$^{53}_{44}$iet^{3}tʂak^{3}tsau^{53}, ɲia^{13}uən^{21}tsʰiəu^{53}iet^{3}kʰuai^{53}pan^{21}na^{0}.i$^{35}_{53}$tsʰəŋ^{13}tsʰien^{13}ʂɿ$^{53}_{44}$tsʰiəu^{53}kai^{53}ke^{53}lau^{0},tsʰiəu$^{53}_{44}$iəŋ$^{53}_{44}$ʂəu^{53}tso^{53}lau^{0},ʂəu^{53}tso$^{53}_{44}$ke$^{53}_{21}$kʰuai$^{53}_{44}$ŋɔn^{53}pan^{21}nau^{0}.iet^{3}pɔn^{35}tsiəu$^{53}_{44}$fɔŋ^{53}si^{53}tʂak^{3}

ciɔk^{3} lau^{0} .kɔŋ^{35}tau^{21}tsei^{3} tek^{3} .xe$_{44}$u^{21}tʂɔŋ$^{35}_{44}$pi^{21}ciau$^{53}_{44}$kau^{35}tiet^{5} tsɿ^{0} ke$^{53}_{21}$tien^{53}ni^{0} ma^{0} .kau^{35}tiet^{5} tsɿ^{0} ke$^{53}_{44}$tsɔk^{3} iɔŋ$^{53}_{44}$ ŋa^{0} .kai$^{53}_{44}$iet^{3} pɔn^{35}ts^{h}iɔu$^{53}_{44}$xei$^{53}_{44}$kan^{21}k^{h}ɔn^{35}tsɿ^{0} .ts^{h}iɔu$^{53}_{21}$xei$^{53}_{21}$t^{h}ai^{53}kai^{53}xei^{53}kai$^{53}_{44}$ke$^{53}_{44}$e$_{21}$xei^{53}san^{35}ʂɔt^{5} kɔŋ$^{35}_{44}$fɔn$^{35}_{44}$ tsɿ^{0} k^{h}ɔn$^{35}_{44}$.kai^{53} tʂe^{21} ɔi^{53} fɔŋ^{53} ci^{21} iɔŋ$^{35}_{44}$tɔŋ$^{35}_{44}$si^{0} e$_{21}$tsiɔu$^{53}_{21}$⋯tsei^{53}t^{h}ai^{53}ke$^{53}_{44}$ts^{h}iɔu$^{53}_{44}$fɔŋ$^{53}_{44}$k^{h}uai$^{53}_{44}$tsien^{35}pan^{21} nei^{0} .ts^{h}iet^{3}ts^{h}ɔi^{53}ts^{h}iɔu$^{53}_{44}$çi$^{53}_{44}$ŋɔn^{53}pan^{21}xɔŋ$^{53}_{44}$ts^{h}iet^{3}a^{0} .e$_{44}$kai^{53}tʂ^{h}ɔŋ^{13}ko^{0} ,ci$^{13}_{21}$pi^{21}ciau^{53}tʂ^{h}ɔŋ^{13}ko^{0} ,n̩$_{21}$,iɔu^{35}man$^{13}_{21}$ tʂ^{h}ɔŋ^{13}tsɿ^{0} ko^{0} .ia^{35}iɔu$^{35}_{44}$tet^{5} ʂɿ$^{53}_{44}$ts^{h}iɔu$^{53}_{44}$ku$^{35}_{44}$tau^{21}tsau^{53}t^{h}ei^{13}xɔŋ^{53}.ts^{h}ɔŋ^{13}ts^{h}ien^{13}ke^{53}ts^{h}ai^{13}tsau^{53}ʂa^{0} ,i^{21}iaŋ^{53}tsɿ^{0} xei$^{53}_{21}$uɔk^{5} tsɿ^{0} .uɔk^{5} tsɿ^{0} ŋɔi^{53}pɔi$^{53}_{44}$xai$^{13}_{21}$iɔu$^{35}_{53}$iet^{3} tʂak^{3} p^{h}u$^{53}_{44}$fɔn$^{35}_{44}$,t^{h}ek^{5} sɿ^{53}tsɿ^{0} ta^{21}k^{h}ɔit^{3} tiet^{5} tsɿ^{0} ,fɔŋ^{53}tsien^{35} pan^{21}.ia^{35}k^{h}o^{21}⋯xɔit^{5} tʂa^{21}fɔŋ^{53}uɔn^{21}k^{h}uai^{53}.ia^{35}tʂɔn^{21}ŋɔn^{53}pan^{21}iɔŋ^{53}.iɔu^{35}tsau^{53}xa$^{35}_{44}$pi^{21}ciau$^{53}_{44}$t^{h}ai^{53}ia^{0} ,iet^{3}pɔn^{35} tɔu$^{35}_{44}$pi^{21}ciau$^{53}_{44}$t^{h}ai^{53}ia^{0} .e$_{44}$ts^{h}ɔŋ^{13}ts^{h}ien$^{13}_{44}$kai$^{53}_{44}$ts^{h}ai^{13}tsau$^{53}_{44}$ke$_{44}$tsau^{53}xa$^{35}_{44}$ʂɿ$^{53}_{44}$iɔu$^{35}_{44}$i^{21}cie$^{53}_{44}$kan^{35}kan^{21}t^{h}ai^{13}iau^{0} .i$^{13}_{21}$ cin$^{35}_{44}$man$^{13}_{21}$to$^{35}_{53}$ɲin$^{13}_{44}$,lɔŋ^{13}ts^{h}ɔn$^{35}_{44}$ni^{0} ɲin$^{13}_{44}$,ci^{13}iɔu^{35}t^{h}i^{53}fɔŋ$^{35}_{44}$ŋa^{0} ci$^{13}_{21}$tsiɔu$^{53}_{44}$tsau^{53}xa^{35}tso^{53}çi^{21}mɔn^{35}t^{h}ai$^{53}_{44}$iau^{0} .e$_{21}$tʂe^{21} iɔu$^{35}_{53}$tʂ^{h}ɔn^{13}ni^{0} ke$^{53}_{44}$kai^{53}çi^{21}xe$^{53}_{44}$iɔu$^{35}_{44}$ci^{21}ʂɔt$^{5}_{3}$ci^{21}t^{h}in^{35},iet^{3} tʂak^{3} tsau^{53}xa$^{35}_{44}$tʂɔn^{35}nei$_{44}$(←xei^{53})xe$_{44}$xe$_{44}$xe$_{44}$ku$^{35}_{44}$tek^{3} iet^{3} cie^{53}ɲin^{13}iɔŋ^{21}cie^{53}ɲin^{13}ne^{0} ia^{0} .n̩$_{21}$.

【案山】ŋɔn^{53}san^{35} 名坟前山：箇坟地门口呀箇坟地对门个～一重又一重，唔知几好。箇系讲～。左青龙右白虎，面前个就～。kai^{53}p^{h}ɔn^{13}t^{h}i^{53}mɔn^{13}xei^{21}ia^{0} kai^{53}p^{h}ɔn^{13}t^{h}i^{53}ti^{53}mɔn$^{13}_{21}$ke^{0} ŋɔn^{53}san^{35} iet^{3} tʂ^{h}ɔŋ^{13}iɔu^{53}iet^{3} tʂ^{h}ɔŋ^{13}, n̩^{13}ti$^{35}_{53}$ci^{21}xau^{21}.kai$^{53}_{44}$xe^{53}kɔŋ^{21}ŋɔn^{53}san$^{35}_{44}$.tso^{21}ts^{h}in^{35}nɔŋ^{13}iɔu^{53}p^{h}ak^{5} fu^{21},mien^{53} ts^{h}ien$^{13}_{21}$ke^{0}ts^{h}iɔu^{53}ŋɔn^{53}san$^{35}_{44}$.｜箇坟地嘞，～忒高哩滴子，挡嘿哩。kai^{53}p^{h}ɔn^{13}t^{h}i^{53}le^{0},ŋɔn^{53}san^{35}t^{h}iet^{3} kau^{35}li^{0} tiet^{5} tsɿ^{0},tɔŋ^{21}ŋek^{3} li^{0}.

【暗$_{1}$】an^{53} 形①光线不足：乌天斗暗，箇光线一～呐下，箇夜合草就架势合拢来。u^{35}t^{h}ien^{35} tei^{21}an^{53},kai$^{53}_{44}$kɔŋ^{35}sien^{35}iet^{3} an^{53}na^{0} xa$^{53}_{44}$,kai$^{53}_{44}$ia$^{53}_{44}$xɔit^{5} ts^{h}au^{21}ts^{h}iɔu$^{53}_{44}$cia^{53}ʂɿ$^{53}_{44}$xɔit^{5} lɔŋ$^{35}_{44}$lɔi$^{13}_{44}$. ②（颜色）深：就比箇只青个更～了嘛箇只色度。以只绿豆色就更～了。ts^{h}iɔu$^{53}_{44}$pi^{21}kai^{53}tʂak^{3}ts^{h}iaŋ^{35}ke$^{53}_{44}$ken$^{53}_{44}$an^{53} liau^{21}ma^{0} kai$^{53}_{44}$tʂak^{3} sek^{3} t^{h}ɔu$^{53}_{44}$.i^{21}tʂak^{3} liɔuk^{5} t^{h}ei$^{53}_{44}$sek^{3} ts^{h}iɔu$^{53}_{44}$ken$^{53}_{44}$an^{53}liau^{21}.

【暗$_{2}$】an^{53} 动①沤（木炭）。当柴火在灶内炭化完毕时，趁热从灶内铲出或夹出，隔绝空气，使之成为木炭：～炭子啊，就烧滴烧箇炭子木木柴烧着哩以后呀，欸烧烧着哩以后，隔绝空气，封嘿火气。渠就慢慢子就会成哩炭子。你系总咁子搧扇嘞，搞滴明火去总咁子烧嘞，就会成灰，就会化咁。an$^{53}_{44}$t^{h}an^{53}tsɿ^{0} a^{0} ,ts^{h}iɔu$^{53}_{44}$ʂau^{35}tet$^{5}_{3}$ ʂau^{35}kai$^{53}_{44}$t^{h}an^{53}tsɿ^{0} muk^{3} muk^{3} ts^{h}ai^{13}ʂau^{35}tʂ^{h}ɔk^{5} li^{0} i^{35} xei$^{53}_{44}$ia^{0} ,e$_{21}$ʂau^{35}ʂau^{35}tʂ^{h}ɔk^{5} li^{0} i^{35}xei$^{53}_{44}$,kak^{3} ts^{h}iet$^{5}_{3}$ k^{h}ɔŋ^{35}çi$^{53}_{44}$,fɔŋ^{35}ŋek^{3} (←xek^{3})fo^{21}çi^{53}.ci$^{13}_{21}$ts^{h}iɔu$^{53}_{44}$man^{53}man^{53} tsɿ^{0} ts^{h}iɔu$^{53}_{44}$uɔi$^{53}_{44}$ʂaŋ$^{13}_{21}$li^{0} t^{h}an^{53}tsɿ^{0} . ɲi^{13}xe^{53}tsɔŋ^{21}kan$^{21}_{44}$tsɿ^{0} ʂen^{35}ʂen^{53}ne^{0} ,kau^{21}tet^{5} min^{13}fo^{21}çi^{53}tsɔŋ^{21}kan^{21}tsɿ^{0} çi$^{53}_{44}$ ʂau$^{35}_{44}$lei^{0} ,ts^{h}iɔu^{53}uɔi$^{53}_{44}$ʂaŋ$^{13}_{21}$fɔi^{35},ts^{h}iɔu$^{53}_{44}$uɔi$^{53}_{44}$fa^{53}kan^{21}. ②将牛骨头在火上烧，到一定程度后趁热从灶内铲出或夹出，隔绝空气，使之变脆易于粉碎：欸，箇个骨头灰嘞，因为……爱首先就舞倒箇个牛骨头呀，～一下。就系密封啊，同箇～炭子样，～一下，～……烧成灰。烧成箇个空壳壳样个。e$_{21}$,kai$^{53}_{44}$ke$^{53}_{44}$kuɔt^{3} t^{h}ei$^{13}_{21}$fɔi^{35}lei^{0} ,in^{35}uei$^{53}_{44}$⋯ɔi^{53}ʂɔu^{21}sien$^{35}_{44}$ts^{h}iɔu^{53}u^{21}tau^{21}kai$^{53}_{44}$ke$^{53}_{44}$ɲiɔu^{13}kuɔt^{3} t^{h}ei^{13} ia^{0} ,an^{53}iet^{3} xa$^{53}_{44}$.tsiɔu^{53}xe$^{53}_{44}$miet^{5} fɔŋ^{35}ŋa^{0} ,t^{h}ɔŋ^{13}kai$^{53}_{44}$an^{53}t^{h}an^{53}tsɿ^{0} iɔŋ$^{53}_{44}$,an^{53}iet^{3} xa$^{53}_{44}$,an^{53}⋯ʂau^{35}ʂaŋ$^{13}_{21}$fɔi^{35}.ʂau^{35} ʂaŋ$^{13}_{21}$kai$^{53}_{44}$ke$^{53}_{44}$k^{h}ɔŋ^{35}k^{h}ɔk^{3} k^{h}ɔk^{3} iɔŋ$^{53}_{44}$ke$^{53}_{44}$. ③柴火不耐烧，燃烧时不现明火，热度低：有滴有滴时候就箇只～就唔好了哇。打比样煮饭这样烧柴样啊，箇箇个箇个你搞滴箇个杉壳去烧样啊，渠就肚里鲜红子鲜红子冇得火着。歇倒箇肚里，欸冇得火着。就～倒箇肚里，安做～倒箇肚里。iɔu$^{35}_{44}$tet$^{5}_{3}$ iɔu^{35}tiet^{5} ʂɿ$^{13}_{21}$xei$^{53}_{44}$ts^{h}iɔu$^{53}_{44}$kai^{53}tʂak^{3} an^{53}tsiɔu^{53}m̩^{13}xau^{21}liau^{0} ua^{0} .ta^{21}pi^{21}iɔŋ^{53}tʂɔu^{21}fan^{53}tʂe$^{53}_{44}$iɔŋ$^{53}_{44}$ʂau$^{35}_{44}$ ts^{h}ai^{13}iɔŋ^{53}ŋa^{0} ,kai^{53}kai^{53}kei$^{53}_{44}$kai$^{53}_{44}$kei$^{53}_{44}$ɲi^{13}kau^{21}tet^{5} kai$^{53}_{44}$kei$^{53}_{44}$sa^{35}k^{h}ɔk^{3} çi$^{53}_{44}$ʂau^{35}iɔŋ$^{53}_{44}$ŋa^{0} ,ci^{13}ts^{h}iɔu^{53}tɔu^{21}li^{0} çien^{35}fɔŋ^{13}tsɿ^{0} çien^{35}fɔŋ^{13}tsɿ^{0} ,mau^{13}tek^{3} fo^{21}tʂ^{h}ɔk^{5} .çiet^{3} tau^{21}kai^{53}tɔu^{21}li^{0} ,e$_{21}$mau^{13}tek^{3} fo^{21}tʂ^{h}ɔk^{5} .tsiɔu$^{53}_{44}$an^{53} tau^{21}kai$^{53}_{44}$tɔu^{21}li^{0},ɔn$^{35}_{44}$tso$^{53}_{44}$an^{53}tau^{21}kai$^{53}_{44}$tɔu^{21}li^{0}.

【暗病】an^{53}p^{h}iaŋ^{53} 名妇科病：箇只东西指鸡冠蟹花嘞欸好像话食哩整夫娘子个～吧。kai$^{53}_{44}$tʂak^{3} tɔŋ$^{35}_{44}$ si^{0} lei^{0} e$_{21}$xau^{21}ts^{h}iɔŋ$^{53}_{44}$ua$^{53}_{44}$ʂɔt^{5} li^{0} tʂaŋ^{21}pu^{35}ɲiɔŋ$^{13}_{44}$tsɿ^{0} ke^{0} an^{53}p^{h}iaŋ$^{53}_{44}$pa^{0}.

【暗火】an^{53}fo^{21} 动柴火不耐烧，燃烧时不现明火，一会儿就变成了火屎：所谓暗就么个意思嘞？渠箇东西火屎多，唔经烧，系唔系？烧下子就变成哩火屎。渠就冇得明火出来，就鲜红鲜红，暗倒箇肚里，歇倒箇肚里，～。so^{21}uei$^{53}_{44}$an^{53}ts^{h}iɔu^{53}mak^{3} (k)e$^{53}_{44}$i^{53}sɿ^{0} lei^{0} ?ci^{13}kai$^{53}_{44}$tɔŋ$^{35}_{44}$si^{0} fo^{21}ʂɿ^{21} to^{35},n̩^{13}cin^{35}ʂau^{35},xei$^{53}_{44}$me$^{53}_{44}$?ʂau^{35}xa^{53}tsɿ^{0} ts^{h}iɔu$^{53}_{44}$pien^{53}tʂ^{h}ɔn$^{13}_{21}$ni^{0} fo^{21}ʂɿ^{21}.ci^{13}ts^{h}iɔu^{53}mau^{13}tek^{3} min^{13}fo^{21}tʂ^{h}ɔt^{3} lɔi$^{13}_{44}$,ts^{h}iɔu$^{53}_{44}$çien^{35}fɔŋ$^{13}_{21}$çien$^{35}_{44}$fɔŋ^{13},an^{53}tau^{21}kai$^{53}_{44}$tɔu^{21}li^{0} ,çiet^{3} tau$^{21}_{44}$kai^{53}tɔu^{21}li^{0} ,an^{53}fo^{21}.

【黯沉沉哩】an^{53}tʂ^{h}ən^{13}tʂ^{h}ən^{13}li^{0} 形状态词。颜色发黑的样子：精神唔好个时候子啊，眼珠眶以映啊好像会～样，眼珠眶啊～。tsin^{35}ʂɔn$^{13}_{21}$n̩^{13}xau^{21}ke^{53}ʂɿ^{13}xɔu^{53}tsɿ^{0} a^{0} ,ŋan^{21}tʂɔu$^{35}_{44}$c^{h}iɔŋ^{35}i^{21}iaŋ^{53}ŋa^{0} xau^{21} ts^{h}iɔŋ^{53}uɔi^{53}an^{53}tʂ^{h}ən^{13}tʂ^{h}ən^{13}li^{0} iɔŋ^{53},ŋan^{21}tʂɔu$^{35}_{44}$c^{h}iɔŋ^{35}ŋa^{0} an^{53}tʂ^{h}ən^{13}tʂ^{h}ən^{13}li^{0} .

【廒】ŋau^{13} 名（非房坡的）屋檐：还有，箇个屋哟一般呢两边就咁子个哟，系唔系？以边一倒水，以边一倒水，安做两倒水哟。以只栏场子，看哩一面呢，以下就～。以向就～，屋～。欸，以映子下个栏场就安做檐。以映子。前檐滴水。系檐。前檐，后檐。欸，以映就安做～。xai$^{13}_{21}$iəu$^{21}_{53}$,kai$^{53}_{44}$kei$^{53}_{44}$uk^{3} ʂa^{0} iet^{3} pɔn^{35}nei^{0} iɔŋ^{21}pien^{35}tsʰiəu$^{53}_{44}$kan^{21}tsɿ^{0} ke$^{53}_{44}$ʂa^{0},xei$^{53}_{44}$me$^{53}_{44}$?i$^{13}_{21}$pien$^{35}_{44}$iet^{3} tau^{21}ʂei^{21},i^{21} pien$^{35}_{44}$iet^{3} tau^{21} ʂei^{21},ɔn$^{35}_{44}$tso$^{53}_{44}$iɔŋ^{21} tau^{21} ʂei^{21} ʂa^{0}.i^{21} tʂak^{3} lɔŋ^{13} tʂʰɔŋ^{13} tsɿ^{0},kʰɔn^{53}li^{0} iet^{3} mien^{53} ne^{0},i^{21} xa^{53} tsʰiəu^{53} ŋau^{13}.i^{21} çiɔŋ^{53} tsʰiəu^{53} ŋau^{13},uk^{3} ŋau^{13}.ei$_{21}$,i^{21} iaŋ^{53} tsɿ^{0} xa$^{53}_{44}$ke$^{53}_{44}$lɔŋ^{13}tʂʰɔŋ^{13}tsʰiəu$^{53}_{44}$ɔn$^{35}_{44}$tso$^{53}_{44}$ian^{13}.i^{21}iaŋ^{53}tsɿ^{0}.tsʰien^{13} ian^{13}tiet^{3} ʂei^{21}.xei^{53}ian^{13}.tsʰien^{13}ian^{13},xei^{53}ian^{13}.ei$_{21}$,i^{21}iaŋ^{53}tsʰiəu$^{53}_{44}$ɔn$^{35}_{44}$tso$^{53}_{44}$ŋau^{13}.

【熬】ŋau^{13} 动①把粮食等放在水等液体里，煮成糊状：红薯放下箇番薯糖肚里去，又～，又煮熟来，煮熟来。fəŋ^{13}ʂəu$^{13}_{21}$fɔŋ^{53}ŋa$_{44}$(←xa^{53})kai^{53}fan$^{35}_{44}$ʂəu$^{13}_{21}$tʰɔŋ^{13}təu^{21}li^{0} çi^{53},iəu^{53}ŋau^{13},iəu^{53}tʂəu^{21}ʂəuk^{5} lɔi$^{13}_{44}$,tʂəu^{21}ʂəuk^{5} lɔi$^{13}_{44}$. ②为了提取有效成分或去掉所含水分、杂质，把东西放在容器里久煮：舍得去搞个话嘞，就去～番薯糖，爱～起扯丝嘞箇番薯糖嘞。ʂa^{21}tek^{3} çi^{53}kau^{21}ke^{53}fa$^{53}_{44}$lei^{0},tsʰiəu$^{53}_{44}$çi$^{53}_{44}$ ŋau^{13}fan^{35}ʂəu$^{13}_{21}$tʰɔŋ^{13},ɔi$^{53}_{21}$ŋau^{13}çi$^{21}_{53}$tʂʰa^{21}sɿ^{35}lei^{0} kai$^{53}_{44}$fan^{35}ʂəu$^{13}_{21}$tʰɔŋ^{13}lei^{0}.

【熬光守夜】ŋau^{13}kɔŋ^{35}ʂəu^{21}ia^{53} 熬夜：你等打麻将个人打牌个人，箇赌钱个是，安做赌钱鬼，长日～。天天夜晡搞起～。身体都会垮咁。ɲi$^{13}_{21}$tien^{0} ta^{21}ma^{13}tsiɔŋ^{53}ke^{0}ɲin$^{13}_{21}$ta^{21}pʰai^{13}ke^{53}ɲin$^{13}_{21}$,kai$^{53}_{44}$ təu^{21}tsʰien^{13}ke^{53}ʂʅ$^{53}_{44}$,ɔn$^{35}_{44}$tso$^{53}_{44}$təu^{21}tsʰien^{13}kuei^{21},tʂʰɔŋ^{13}ɲiet^{3} ŋau^{13}kɔŋ^{35}ʂəu^{21}ia^{53}.tʰien^{35}tʰien$^{35}_{44}$ia^{53}pu^{35}kau^{21}çi$^{21}_{44}$ ŋau^{13}kɔŋ^{35}ʂəu^{21}ia^{53}.ʂən^{35}tʰi^{21}təu$^{35}_{44}$uɔi^{53}kʰua^{21}kan^{21}.

【螯】ŋau^{13} 名螃蟹等节肢动物变形的第一对脚，尖端分两歧，像钳子能开能合，可以用来取食或自卫：系有话～个哩。系又话～嘞。有人我听倒有人讲～。但是老蟹钳多唠，讲老蟹钳个更多唠。xei^{53}iəu^{35}ua^{53}ŋau^{13}kei^{53}li^{0} .xei^{53}iəu$^{53}_{44}$ua^{53}ŋau^{13}lei^{0} .iəu^{35}ɲin$^{13}_{21}$(ŋ)ai$^{13}_{21}$tʰaŋ^{35}tau^{21}iəu$^{35}_{44}$ɲin$^{13}_{21}$kɔŋ^{21} ŋau^{13}.tan^{53}ʂʅ^{53}lau^{21}xai^{21}cʰian^{13}cien^{53}to$^{35}_{44}$lau^{0},kɔŋ^{21}lau^{21}xai^{21}cʰian^{13}cie$^{53}_{44}$cien$^{53}_{44}$to^{35}lau^{0}.

【螯】ŋau^{13} 形能干：以只细子就蛮～哇。i^{21}tʂak^{3} sei^{53}tsɿ^{0} tsʰiəu^{53}man$^{13}_{21}$ŋau$^{13}_{21}$ua^{0}.

【拗】ŋau^{35} 动有意为难对方：我箇只外家侄嘞，阿舅子个赖子啊，渠讨只老婆嘞黄茅个，江西个，两个人谈倒蛮好了。以下嘞，渠箇向唔多同意，女方个家长啊唔多同意，就～渠。～渠么个东西嘞？第一只～渠，渠话渠江西人呢，渠江西卖妹子嘞爱喊吹打，呣，爱吹唢呐。ŋai^{13}kai$^{53}_{44}$tʂak^{3} ŋɔi^{53}ka$^{35}_{44}$tʂʰət^{5} le^{0} ,a^{35}cʰiəu$^{35}_{44}$tsɿ^{0} ke$^{53}_{21}$lai^{53}tsɿ^{0} a^{0} ,ci$^{13}_{21}$tʰau^{21}ɲtʂ)ak^{3} lau^{21}pʰo$^{13}_{21}$le^{0} uɔŋ^{13}mau$^{13}_{21}$ke^{53}, kɔŋ^{35}si$^{35}_{44}$ke$^{53}_{44}$,iɔŋ^{21}ke^{53}in$^{13}_{44}$tʰan^{13}tau$^{21}_{44}$man^{13}xau^{21}liau^{0} .i^{21}xa$^{53}_{44}$lei^{0} ,ci^{13}kai^{53}çiɔŋ^{53}n̩$^{13}_{21}$to$^{35}_{44}$tʰəŋ^{13}i^{53}, ɲy^{21}fɔŋ$^{35}_{44}$ke$^{53}_{44}$cia^{35} tʂɔŋ^{21}ŋa^{0} n̩$^{13}_{21}$to$^{35}_{44}$tʰəŋ^{13}i^{53},tsʰiəu^{53}ŋau^{35}ci$^{13}_{21}$.ŋau^{35}ci$^{13}_{21}$mak^{3} e^{0} təŋ$^{35}_{44}$si^{0} lei^{0} ?tʰi^{53}iet^{3} tʂak^{3} ŋau^{35}ci$^{13}_{21}$,ci$^{13}_{21}$ua^{53}ci$^{13}_{21}$kɔŋ^{35} si$^{35}_{44}$ɲin$^{13}_{21}$nei^{0} ,ci$^{13}_{21}$kɔŋ^{35}si$^{35}_{44}$mai$^{53}_{44}$mɔi^{53}tsɿ^{0} lei^{0} ɔi^{53}xan^{53}tʂʰei^{35}ta^{21},m̩$_{21}$,ɔi$^{53}_{44}$tʂʰei^{35}so^{21}la^{53}.

【袄婆】au^{21}pʰo^{13} 名棉袄：渠个做棉衫呢，做～，棉衫呢，渠爱绗。ci$^{13}_{21}$ke^{53}tso^{53}mien^{13}san^{35} ne^{0},tso^{53}au^{21}pʰo^{13},mien^{13}san$^{35}_{44}$ne^{0},ci$^{13}_{21}$ɔi^{53}xɔŋ^{13}.｜你箇件～上尽布狗窿噢！ɲi^{13}kai$^{53}_{44}$cʰien$^{53}_{44}$au^{21}pʰo^{13}ʂɔŋ$^{53}_{44}$ tsʰin^{53}pu^{53}kei^{21}ləŋ^{13}ŋau$_{44}$!

【袄婆艾】au^{21}pʰo^{13}ɲie^{53} 名鼠曲草：有起么个嗯～。～让门子嘞白白子。箇个叶子嘞就像棉花样个。有滴像棉花样个颜色。iəu^{35}çi^{21}mak^{3} ke$^{53}_{44}$n̩$_{21}$au^{21}pʰo^{13}ɲie^{53}.au^{21}pʰo^{13}ɲie$^{53}_{44}$ɲiɔŋ$^{53}_{44}$mən^{0} tsɿ^{0} lei^{0} pʰak^{5} pʰak^{5} tsɿ^{0}.kai$^{53}_{44}$ke$^{53}_{44}$iait^{5} tsɿ^{0} lei^{0} tsʰiəu^{53}tsʰiɔŋ^{53}mien^{13}fa$^{35}_{44}$iɔŋ$^{53}_{21}$ke$^{53}_{44}$.iəu^{35}tet^{5} tsʰiɔŋ^{53}mien^{13}fa$^{35}_{44}$iɔŋ$^{53}_{44}$ke$^{53}_{44}$ŋan^{13}sek^{3}.

【坳】au^{53} 名①山脊上的凹处：打比以映就一嶂岭样，以只就安做岭岗崠，岭崠上，岭崠上以映子有就是窝下去个，走以映子嘞修条路过，以映就安做～。岭岗崠上以映子就窝下子箇起地方，又往往就箇映就修条路，欸，箇条路就走箇过，箇映就安做～。ta^{21}pi^{21}i^{21}iaŋ$^{53}_{44}$tsʰiəu$^{53}_{44}$ iet^{3} tʂɔŋ$^{53}_{44}$liaŋ^{35}iɔŋ$^{53}_{44}$,i^{21}tʂak^{3} tsʰiəu$^{53}_{44}$ɔn$^{35}_{44}$tso$^{53}_{44}$liaŋ^{35}kɔŋ$^{35}_{44}$cien^{53},liaŋ^{35}cien^{53}xɔŋ$^{53}_{44}$,liaŋ^{35}cien^{53}xɔŋ$^{53}_{44}$i^{21}iaŋ^{53}tsɿ^{0} iəu^{35} tsəu$^{53}_{21}$sɿ$^{53}_{21}$uo^{35}xa^{35}çi$^{53}_{44}$ke$^{53}_{44}$,tsei^{21}i^{21}iaŋ^{53}tsɿ^{0} lei^{0} siəu$^{35}_{44}$tʰiau$^{13}_{21}$ləu^{53}ko^{53},i^{21}iaŋ$^{53}_{44}$tsʰiəu$^{53}_{44}$ɔn$^{35}_{44}$tso$^{53}_{44}$au^{53}.liaŋ^{35}kɔŋ$^{35}_{44}$cien^{53} xɔŋ$^{53}_{44}$i^{21} iaŋ^{53} tsɿ^{0} iəu$^{53}_{44}$uo^{35} xa^{53} tsɿ^{0} kai$^{53}_{44}$çi$^{21}_{44}$tʰi$^{53}_{44}$fɔŋ$^{35}_{44}$,iəu$^{53}_{21}$uɔŋ^{21} uɔŋ^{21}tsʰiəu$^{53}_{44}$kai$^{53}_{44}$iaŋ$^{53}_{44}$tsʰiəu$^{53}_{44}$siəu$^{35}_{44}$tʰiau$^{13}_{21}$ ləu^{53},e^{21},kai$^{53}_{21}$tʰiau^{13}ləu^{53}tsʰiəu$^{53}_{44}$tsei^{21}kai$^{53}_{44}$ko^{53},kai$^{53}_{44}$iaŋ$^{53}_{44}$tsʰiəu$^{53}_{44}$ɔn^{35}tso$^{53}_{44}$au^{53}.｜爬山过～ pʰa^{13}san$^{35}_{44}$ko^{53}au^{53}。②用在地名中做通名：井家～ tsiaŋ^{21}ka$^{35}_{44}$au^{53}｜寒婆～ xɔŋ^{13}pʰo$^{13}_{21}$au^{53}｜伯公～ pak^{3}kəŋ^{35}au^{53}

【拗马脚】au^{53}ma^{35}ciɔk^{3} 动中国象棋术语。蹩马腿：作棋个时候子，你箇马子，你箇拗……～，～你还去咁子去走？欸，箇向走唔得。tsɔk^{3} cʰi$^{13}_{21}$ke^{0} ʂʅ$^{13}_{21}$xei^{53}tsɿ^{0}, ɲi^{13}kai^{53}ma^{35}tsɿ^{0}, ɲi^{13} kai^{53}au^{53}m⋯au$^{53}_{21}$ma^{35}ciɔk^{3},au$^{53}_{21}$ma^{35}ciɔk^{3}ɲi^{13}xai$^{13}_{53}$çi^{53}kan^{21}tsɿ^{0} çi^{53}tsei^{21}?e$_{21}$,kai^{53}çiɔŋ^{53}tsei^{21}n̩^{13}tek^{3}.

【傲】ŋau^{53} 动转过去：你莫咁大个脾气噢，话下子你面一～。咁大个脾气，话下子你就面一～，齿都唔齿哩我。ɲi^{13}mɔk^{5} kan^{21}tʰai$^{53}_{44}$ke^{0} pʰi$^{13}_{21}$çi$^{53}_{44}$au^{0} ,ua$^{53}_{44}$a$^{53}_{44}$tsɿ^{0}ɲi^{13}mien^{53}iet^{3} ŋau^{53}.kan^{21}tʰai^{53}ke^{0} pʰi^{13}çi^{53},ua^{53}xa$^{53}_{44}$tsɿ^{0}ɲi^{13}tsʰiəu$^{53}_{44}$mien^{53}iet^{3} ŋau^{53},tʂʰʅ^{21}təu$^{35}_{53}$ n̩$^{13}_{21}$tʂʰʅ^{21}li^{0} ŋai$^{13}_{21}$.

B

【八】pait^{3} 数 七加一后所得的数目：～块屏风 pait^{3} k^{h}uai^{53}p^{h}in^{13}fəŋ$^{35}_{44}$

【八成】pait^{3} tʂ^{h}aŋ^{13} 名 大致的情况，常用于可能性的猜测：有只～了。iəu^{35}tʂak^{3} pait^{3} tʂ^{h}aŋ^{13}liau^{0}.

【八分子】pait^{3} fən$^{35}_{44}$tsɿ^{0} 副 相当于十分之八的程度：我摎渠～熟哇，七分子熟。ŋai$^{13}_{21}$lau$^{35}_{44}$ci$^{13}_{21}$ pait^{3} fən$^{35}_{44}$tsɿ^{0} ʂəuk^{5} ua^{0},ts^{h}iet^{3} fən$^{35}_{44}$tsɿ$^{35}_{44}$ʂəuk^{5}.

【八分凿】pait^{3} fən^{35}ts^{h}ɔk^{5} 名 一种八分宽的凿子。这里的"分"为长度单位，寸的十分之一：～就箇凿子个宽度哦。pait^{3} fən^{35}ts^{h}ɔk^{5} tsiəu$^{53}_{44}$kai$^{53}_{44}$ts^{h}ɔk^{5} tsɿ^{0} ke$^{53}_{44}$k^{h}ɔn^{35}t^{h}u^{53}o^{0}.

【八哥】pait^{3} ko^{35} 名 一种鸟，全身黑色，头部有簇羽，鸣声婉转，也略能学语：～蛮有味道个东西，嗯，渠会学人讲事。pait^{3} ko^{35}man$^{13}_{21}$iəu$^{35}_{44}$uei^{53}t^{h}au^{53}ke^{0} təŋ$^{35}_{44}$si^{0},n̩$_{21}$,ci^{13}uɔi$^{53}_{44}$xɔk^{5}ɲin^{13}kɔŋ^{21}sɿ^{53}.

【八卦图】pait^{3}kua$^{53}_{44}$t^{h}əu^{13} 名 伏羲氏所画的包含八卦符号的图案：（箇梁上）还画两只子咁个～箇只。xai^{13}fa^{53}iɔŋ^{21}tʂak^{3} tsɿ^{0} kan^{21}kei$^{53}_{44}$pait^{3} kua$^{53}_{44}$t^{h}əu^{13}kai$^{53}_{44}$tʂak^{3}.

【八合升】pait^{3} kait^{3} ʂən^{35} 名 量具，升筒的一种，合一斤三两：我等屋下用个嘞就～。八合。～。管斗升就一斤半。～，一斤三两。ŋai$^{13}_{21}$tien^{0} uk^{3} xa$^{53}_{44}$iəŋ^{53}ke$^{53}_{44}$le^{0} ts^{h}iəu$^{53}_{44}$pait^{3} kait^{3} ʂən$^{35}_{44}$.pait^{3} kait^{3}.pait^{3} kait^{3} ʂən$^{35}_{44}$.kɔn^{21}tei^{21}ʂən$^{35}_{44}$ts^{h}iəu$^{53}_{44}$iet^{3} cin$^{35}_{44}$pan^{53}.pait^{3} kait^{3} ʂən$^{35}_{44}$,iet^{3} cin$^{35}_{44}$san^{35}liɔŋ$^{35}_{44}$.

【八柬全书】pait^{3}kan^{21}ts^{h}ien^{13}ʂəu^{35} 名 结婚时用红纸折叠成八等分的礼帖或请帖：用整张红纸折做八下子，折做六下子，哎，～，六柬全书。iəŋ^{53}tʂən^{21}tʂɔŋ^{35}fəŋ^{13}tʂɿ^{21}tʂait^{3} tso^{53}pait^{3} xa^{53}tsɿ^{0},tʂait^{3} tso^{53}liəuk^{3} xa^{53}tsɿ^{0},ai^{21},pait^{3} kan^{21}ts^{h}ien^{13}ʂəu^{35},liəuk^{3} kan^{21}ts^{h}ien^{13}ʂəu^{35}.

【八角】pait^{3} kɔk^{3} 名 八角茴香的果实：～，茴香～，欸，菜肚里放兜子～，八角粉也做得，更香。pait^{3} kɔk^{3},fei^{13}çiɔŋ^{35}pait^{3} kɔk^{3},e$_{21}$,ts^{h}ɔi^{53}təu^{21}li^{0} fɔŋ^{53}təu$^{35}_{53}$tsɿ^{0} pait^{3} kɔk^{3},pait^{3} kɔk^{3} fən^{21}na^{35}tso^{53} tek^{3},cien^{53}çiɔŋ^{35}.

【八角粉】pait^{3} kɔk^{3} fən^{21} 名 八角茴香磨成的粉，用作调味料：箇碎猪肉还爱箇猪肉子还爱放香料唠，还放唔知几多香料，～箇只啦。kai$^{53}_{44}$sei^{53}tʂəu^{35}ɲiəuk^{3} xa$^{13}_{21}$ɔi$^{53}_{44}$kai$^{53}_{44}$tʂəu^{35}ɲiəuk^{3} tsɿ^{0} xa$^{13}_{21}$ɔi$^{53}_{44}$ fɔŋ^{53}çiɔŋ^{35}liau$^{53}_{44}$lau^{0},xai$^{13}_{21}$fɔŋ^{53}ŋ̍$^{13}_{21}$ti$^{35}_{53}$ci^{21}to$^{35}_{44}$çiɔŋ^{35}liau^{53},pait^{3} kɔk^{3} fən^{21}kai$^{53}_{44}$tʂak^{3} la^{0}.

【八九成】pait^{3}ciəu^{21}tʂ^{h}aŋ^{13}/tʂ^{h}ən^{13} 名 可能性很高的情况：以只事做倒有～了。嗯，差唔多会正了。i^{21}tʂak^{3} sɿ^{53}tso^{53}tau^{21}iəu$^{35}_{44}$pait^{3} ciəu^{21}tʂ^{h}ən^{13}liau^{0}.n̩$_{21}$,tsa^{35}n̩$^{13}_{21}$to^{35}uɔi$^{53}_{44}$tʂaŋ^{53}liau^{0}.｜以只事有～，多又系么人做个。i^{21}tʂak^{3} sɿ^{53}iəu$^{35}_{44}$pait^{3} ciəu^{21}tʂ^{h}ən^{13},to^{35}iəu^{53}xe^{53}mak^{3}ɲin^{13}tso^{53}ke^{0}.

【八门架子栅齐】pait^{3} mən^{13}ka^{53}tsɿ^{0} tsait^{5} ts^{h}e^{13} 形容样样齐全：欸，（箇只老公是）嫖货，食毒，又食毒啦，又赌钱呐，～。e$_{21}$,p^{h}iau^{13}fo^{53},ʂət^{5} t^{h}əuk^{5},iəu^{53}ʂət^{5} t^{h}əuk^{5} la^{0},iəu^{53}təu^{21}ts^{h}ien^{13}na^{0},pait^{3} mən^{13}ka^{53}tsɿ^{0} tsait^{5} ts^{h}e$^{13}_{44}$.

【八仙】pait^{3}sien^{35} 名 ①神话传说中道教八位神仙，即汉钟离、李铁拐、张果老、何仙姑、蓝采和、吕洞宾、韩湘子、曹国舅：也还有咁个扎故事。么个韩湘子箇只么个，～个故事。ia^{35} xai$^{13}_{44}$iəu^{35}kan^{21}cie$^{53}_{44}$tsait^{3} ku^{53}sɿ$^{53}_{44}$.mak^{3} ke$^{53}_{44}$xɔn^{13}siɔŋ^{35}tsɿ^{21}kai$^{53}_{44}$tʂak$^{3}_{5}$ mak^{3} ke$^{53}_{44}$,pait^{3} sien^{35}cie$^{53}_{44}$ku^{53}sɿ$^{53}_{44}$. ②借指

抬棺及挖阅的人；四个抬棺的人和四个傍杠的人的总称：捆棺材个人是安做～呐，～就捆棺材个人吵。kɔŋ^{35}kɔn^{35}tsʰɔi$^{13}_{21}$ke$^{53}_{44}$ɲin$^{13}_{21}$ʂʅ$^{53}_{44}$ɔn$^{35}_{44}$tso$^{53}_{44}$pait^{3} sien$^{35}_{44}$na^{0} ,pait^{3} sien$^{35}_{44}$tsʰiəu$^{53}_{0}$kɔŋ^{35}kɔn^{35}tsʰɔi$^{13}_{21}$ke$^{53}_{44}$ɲin$^{13}_{21}$ʂa^{0}.｜好，八个人捆一般就让门子嘞？以映子只有前井，打出山，后井，后梢。有四个人吵。剩下个人就傍杠，就渠扶倒以条杠，欸，一二，三四，欸，～～就咁子八个人。xau^{21},pait^{3} cie^{53}ɲin$^{13}_{21}$kɔŋ^{35}iet^{3} pɔn^{35}tsʰiəu$^{53}_{44}$ɲiɔŋ$^{53}_{44}$mən$^{13}_{44}$tsʅ^{0} lei^{0} ?i^{21}iaŋ^{53}tsʅ^{0} tʂʅ^{21}iəu$^{35}_{53}$tsʰien^{13}tsiaŋ^{21},ta^{21}tʂʰət^{3} san$^{35}_{44}$,xei^{53} tsiaŋ^{21},xei^{53}sau$^{35}_{44}$.iəu^{35}si^{53}ke$^{53}_{44}$ɲin$^{13}_{21}$ʂa^{0} .ʂən^{53}çia^{53}ke^{0}ɲin$^{13}_{21}$tsʰiəu$^{53}_{44}$pʰɔŋ^{53}kɔŋ^{53},tsʰiəu^{53}ci$^{13}_{44}$pʰu^{13}tau^{21}i^{21}tʰiau^{13}kɔŋ^{53}, e$_{21}$,iet^{3}ɲi^{53},san^{35}si^{53}.e$_{21}$,pait^{3} sien$^{35}_{53}$pait^{3} sien$^{35}_{44}$tsʰiəu^{53}kan^{21}tsʅ^{0} pait^{3} cie^{53}ɲin$^{13}_{21}$.

【八仙帽】pait^{3} sien^{35}mau^{53} 名 瓜皮帽：瓜皮帽，就咁子奔下子下来个，我看过，我等就安做么个帽唠咁个唠？欸嘿，客姓人安做么个帽？也有人话～，系。从前个人就有滴人就戴～。～好像系以个边上子欸奔下子下来，瓜……一一一一只么个样子啊？唔多记得，讲唔多清哩了。我都讲唔多清哩。以映子合下子拢样，欸嘿欸，合下子拢样顶上。kua^{35}pʰi$^{13}_{21}$mau^{53},tsiəu^{53}kan^{21} tsʅ^{0} tait^{5} ia$^{53}_{44}$tsʅ^{0} xa^{35}lɔi$^{13}_{21}$ke^{0},ŋai^{13}kʰɔn^{53}ko$^{53}_{44}$,ŋai^{13}tien^{0} tsʰiəu^{53}ɔn$^{35}_{44}$tso$^{53}_{44}$mak^{3} ke^{0} mau^{53}lau^{0} kan^{21}cie^{53}lau^{0} ?e$_{21}$ xe$_{21}$,kʰak^{3} sin^{53}ɲin$^{13}_{21}$ɔn$^{35}_{44}$tso$^{53}_{44}$mak^{3} e^{0} mau$^{53}_{44}$?ia^{35}iəu^{35}ɲin$^{13}_{21}$ua^{53}pait^{3} sien^{35}mau^{53},xe$^{53}_{21}$.tsʰəŋ^{13}tsʰien^{13}ke^{53}ɲin$^{13}_{21}$ tsʰiəu$^{53}_{44}$iəu^{35}tet^{5}ɲin$^{13}_{21}$tsʰiəu$^{53}_{44}$tai^{53}pait^{3} sien^{35}mau^{53}.pait^{3} sien^{35}mau^{53}xau^{21}tsʰiɔŋ^{53}xei^{53}i^{21}ke^{53}pien^{35}xɔŋ^{53}tsʅ^{0} e$_{21}$ tait^{5} ia$^{53}_{44}$tsʅ^{0} xa^{35}lɔi$^{13}_{21}$,kua…iet^{3} iet^{3} iet^{3} iet^{3} tʂak^{3} mak^{3} ke$^{53}_{44}$iɔŋ^{53}tsʅ^{0} a^{0}? ṇ^{13}to$^{35}_{44}$ci^{53}tek^{3} ,kɔŋ^{21}ṇ^{13}to$^{35}_{44}$tsʰin$^{35}_{44}$li^{0} liau^{0}. ŋai$^{13}_{21}$təu$^{35}_{53}$kɔŋ^{21}ṇ^{13}to$^{35}_{44}$tsʰin$^{35}_{44}$ni^{0} .i^{21}iaŋ^{53}tsʅ^{0} kait^{3} a^{53}tsʅ^{0} ləŋ^{35}iɔŋ$^{53}_{44}$,e$_{21}$xe$_{21}$e$_{21}$,kait^{3} a^{53}tsʅ^{0} ləŋ^{35}iɔŋ$^{53}_{44}$taŋ^{21}xɔŋ$^{53}_{44}$.

【八月】pait^{3}ɲiet^{5} 名 一年中的第八个月：～哦，（方竹）就有笋子噢。pait^{3}ɲiet^{5} o^{0} ,tsʰiəu$^{53}_{44}$iəu^{35} sən^{21}tsʅ^{0} au$_{21}$.

【八月黄】pait^{3}ɲiet^{5} uɔŋ^{13} 名 八月收获的大豆：～有，七月黄冇得。好像缯听倒讲七月黄。pait^{3}ɲiet^{5} uɔŋ^{13}iəu^{35},tsʰiet^{3}ɲiet^{5} uɔŋ$^{13}_{21}$mau^{13}tek^{3} .xau^{21}tsʰiɔŋ$^{53}_{44}$maŋ^{13}tʰaŋ^{35}tau^{21}kɔŋ^{21}tsʰiet^{3}ɲiet^{5} uɔŋ$^{13}_{21}$.

【八字】pait^{3} sʅ^{53}/tsʰʅ^{53} 名 算命者用天干和地支表示一个人出生的年、月、日、时的八个字，认为据此可以推算人的命运，断定人的吉凶祸福：我去寻下子箇个算～个人，要得吗以只伢子个～，两个，渠两个人个～啊，佮得吗。ŋai^{13}çi^{53}tsʰin^{13}na$_{44}$(←xa^{53})tsʅ^{0} kai^{53}ke$^{53}_{44}$sɔn^{53}pait^{3} tsʰʅ^{53}ke$^{53}_{44}$ ɲin$^{13}_{44}$,iau^{53}tek^{3} ma^{0} i^{21}tʂak^{3} ŋa^{13}tsʅ^{0} ke$^{53}_{44}$pait^{3} tsʰʅ^{53},iɔŋ^{21}ke$^{53}_{44}$,ci$^{13}_{21}$iɔŋ^{21}ke^{53}in^{13}ke$^{53}_{44}$pait^{3} tsʰʅ^{53}a^{0} ,kait^{3} tek^{3} ma^{0} . ｜～啊。/就系箇年月日时。pait^{3} tsʰʅ^{53}a^{0} ./tsʰiəu$^{53}_{44}$xei$^{53}_{21}$kai^{53}ɲien^{13}ɲiet^{5}ɲiet^{3} ʂʅ^{13}.

【八字胡子】pait^{3} tsʰʅ^{53}u^{13}tsʅ^{0} 名 上唇所蓄的八字形胡子：～。～就是箇是蓄八咁子样子。pait^{3} tsʰʅ^{53}u^{13}tsʅ^{0}.pait^{3} tsʰʅ^{53}u^{13}tsʅ^{0} tsiəu$^{53}_{21}$ʂʅ$^{53}_{21}$kai^{53}ʂʅ^{53}çiəuk^{3} pait^{3} kan^{21}tsʅ^{0} iɔŋ$^{53}_{44}$tsʅ^{0} .

【八字脚】pait^{3} tsʰʅ^{53}ciɔk^{3} 名 走路时脚尖向外或向内撇成八字形的脚。分“内八字”和“外八字”：走～tsei^{21}pait^{3} tsʰʅ^{53}ciɔk^{3}

【八字客】pait^{3} tsʰʅ^{53}kʰak^{3} 名 为人卜算吉凶、祸福等的人：欸，箇晡是（我娭子）还请只瞎子到屋下来算八字。一进来就箇只～认得我，唔知系唔系认得我，听倒我一讲事，“万老师，你就系下以映，系唔系哦？”“噢，”我话：“你先生来哩啊？好。”欸，落尾我同我姆娑讲，我话：“你爱算八字你去算呐，唔爱同我算哈。我唔爱哈，我唔信哈。嘿，莫怪哈。我有事去哩啊。”就走嘿哩。e$_{21}$,kai^{53}pu$^{35}_{44}$ʂʅ$^{53}_{44}$xai$^{13}_{21}$tsʰiaŋ^{21}tʂak^{3} xait^{3} tsʅ^{0} tau^{53}uk^{3} xa^{53}lɔi$^{13}_{21}$sɔn^{53}pait^{3} tsʰʅ^{53}.iet^{3} tsin^{53} nɔi$^{13}_{21}$tsʰiəu$^{53}_{44}$kai^{53}tʂak^{3} pait^{3} tsʰʅ^{53}kʰak^{3}ɲin^{53}tek^{3} ŋai$^{13}_{21}$,ṇ^{13}ti$^{35}_{53}$xei^{53}mei^{53}ɲin^{53}tek^{3} ŋai^{13},tʰaŋ^{35}tau^{21}ŋai$^{13}_{44}$iet^{3} kɔŋ^{21} sʅ^{53},"uan^{53}lau^{21}sʅ$^{35}_{44}$, ɲi$^{13}_{21}$tsʰiəu$^{53}_{44}$xei^{53}(x)a^{53}i^{21}iaŋ^{53},xei$^{53}_{44}$mei$^{53}_{44}$o^{0} ?""au$_{53}$,"ŋai$^{13}_{21}$ua^{53}:"ɲi^{13}sien$^{35}_{44}$saŋ$^{35}_{44}$lɔi$^{13}_{21}$li^{0} a^{0} ?xau^{21}."e$_{21}$,lɔk^{5} mi$^{35}_{53}$ŋai$^{13}_{21}$tʰəŋ^{13}ŋai$^{13}_{21}$ṃ^{13}me$^{35}_{53}$kɔŋ^{21},ŋai^{13}ua^{53}:"ɲi^{13}ɔi^{53}sɔn^{53}pait^{3} tsʰʅ^{53}ɲi^{13}çi^{53}sɔn^{53}na^{0} ,ṃ$^{13}_{21}$mɔi^{53} tʰəŋ$^{13}_{21}$ŋai^{13}sɔn^{53}xa^{0} .ŋai^{13}ṃ$^{13}_{21}$mɔi^{53}xa^{0} ,ŋai$^{13}_{21}$ṇ^{13}sin^{53}xa^{0} .xe$_{44}$,mɔk^{5} kuai^{53}xa^{0} .ŋai^{13}iəu$^{35}_{44}$sʅ^{53}çi$^{53}_{44}$li^{0} a^{0} ."tsiəu^{53}tsei^{21} xek^{3} li^{0} .

【八字书】pait^{3} tsʰʅ^{53}ʂəu^{35} 名 教人算八字的书籍：～哇有哇，欸，也有。pait^{3} tsʰʅ^{53}ʂəu$^{35}_{44}$ua^{0} iəu^{35} ua^{0} ,e$_{21}$,ia^{35}iəu$^{35}_{44}$.

【八字先生】pait^{3} sʅ^{53}sien^{35}saŋ^{35} 替人占卜算命的人：古董滴子个人，渠也渠去到庙里箇只啦问～也去问下子嘞。ku^{21}təŋ^{21}tet^{5} tsʅ^{0} ke$^{53}_{44}$ɲin$^{13}_{44}$,ci$^{13}_{21}$ia^{35}ci$^{13}_{21}$çi$^{53}_{44}$tau$^{53}_{44}$miau^{53}li^{0} kai$^{53}_{44}$tʂak^{3} la^{0} uən^{53}pait^{3} sʅ$^{53}_{44}$sien$^{35}_{44}$ saŋ$^{35}_{44}$ia^{35}çi$^{53}_{44}$uən^{53}na$_{21}$(←xa^{53})tsʅ^{0} lei^{0} .

【巴$_{1}$】pa^{35} 动 黏附：（牛油）结做一坨同箇猪油样一凌呢，箇就唔好食，箇就～嘴呀。ciet^{3} tso^{53}iet^{3} tʰo^{13}tʰəŋ$^{13}_{21}$kai$^{53}_{44}$tʂəu^{35}iəu$^{13}_{21}$iɔŋ$^{53}_{44}$iet^{3} lin^{53}nei^{0} ,kai$^{53}_{44}$tsʰiəu$^{53}_{44}$ṃ$^{13}_{21}$xau^{21}ʂət^{5} ,kai$^{53}_{44}$tsʰiəu$^{53}_{44}$pa$^{35}_{44}$tʂɔi^{53}ia^{0} .

【巴$_{2}$】pa^{35} 名 锅巴：镬头烧哩～。uɔk^{5} tʰei^{0} ʂau^{35}li^{0} pa^{35}.

【巴巴扣扣】pa^{35}pa$^{35}_{44}$kʰei^{53}kʰei^{53} 形 勉勉强强：也～啰。ia$^{35}_{44}$pa^{35}pa$^{35}_{44}$kʰei$^{53}_{44}$kʰei$^{53}_{44}$lo^{0} .

【巴唔得】pa^{35}n̩$^{13}_{21}$tek^{3} [动]急切地盼望：有滴人呐心术唔好，嗯，～别人家屋下嘞欸搞起呜呼哀哉。～别人家屋下又病人呐又又退财。iəu^{35}tet^{5}ɲin$^{13}_{21}$na^{0}sin^{35}ʂət^{5}n̩$^{13}_{21}$xau^{21},n̩$_{21}$,pa^{35}n̩$^{13}_{21}$tek^{3}p^{h}iet^{5}ɲin$^{13}_{21}$ka$^{35}_{44}$uk^{3}xa$^{53}_{44}$le^{0}e$_{21}$kau^{21}çi$^{21}_{44}$u^{35}fu$^{13}_{21}$ŋai$^{35}_{44}$tsai$^{35}_{44}$.pa^{35}n̩$^{13}_{21}$tek^{3}p^{h}iet^{5}ɲin$^{13}_{21}$ka$^{35}_{44}$uk^{3}xa$^{53}_{44}$iəu^{53}p^{h}iaŋ^{53}ɲin^{13}na^{0}iəu^{53}iəu^{53}t^{h}i^{53}ts^{h}ɔi^{13}.｜欸，我就～别人家屋下发财。e$_{21}$,ŋai^{13}ts^{h}iəu$^{53}_{44}$pa^{35}n̩$^{13}_{21}$tek^{3}p^{h}iet^{5}in$^{13}_{44}$ka$^{35}_{44}$uk^{3}xa^{53}fait^{3}ts^{h}ɔi^{13}.

【巴掌】pa^{35}tʂɔŋ^{21} [名]手掌，也指耳光：打一～ ta^{21}iet^{3}pa^{35}tʂɔŋ^{21}

【巴掌心】pa^{35}tʂɔŋ^{21}sin^{35} [名]掌心：你你你箇两只银毫子放下我～里来哟。ɲi^{13}ɲi^{13}ɲi^{13}kai^{53}iɔŋ^{21}tʂak^{3}ɲin^{13}xau^{13}tsɿ^{0}fɔŋ$^{53}_{44}$xa$^{53}_{44}$ŋai^{13}pa^{35}tʂɔŋ^{21}sin^{35}li^{0}lɔi^{13}io^{0}.｜看下你～里捱滴子么个东西。k^{h}ɔn^{53}na^{53}ɲi$^{13}_{21}$pa^{35}tʂɔŋ^{21}sin^{35}ni^{0}ia^{21}tiet^{5}tsɿ^{0}mak^{3}e^{0}təŋ$^{35}_{44}$si^{0}.

【叭】pa^{53}/piak^{5} [拟声]①模拟枪声：做杆子箇枪子啊，打一～响一下。tso^{53}kɔn^{21}tsɿ^{0}kai$^{53}_{44}$ts^{h}iɔŋ^{35}tsɿ^{0}a^{0},ta^{21}iet^{3}pa^{53}çiɔŋ^{21}iet^{3}xa^{53}. ②模拟霹雳声：唔知几响个，～声下个雷公啊。n̩$^{13}_{21}$ti$^{35}_{53}$ci$^{21}_{44}$çiɔŋ^{21}ke^{0},piak^{5}ʂaŋ$^{35}_{44}$xa$^{53}_{44}$ke$^{53}_{44}$li$^{13}_{21}$kəŋ$^{35}_{44}$ŋa^{0}.

【叭叭】pa$_{53}$pa$_{21}$ [拟声]模拟油花溅起的声音：渠会爆，会炸嘞嘞炸～溃，射得你一身个油。ci$^{13}_{21}$uɔi$^{53}_{44}$pau^{53},uɔi$^{53}_{44}$tsa$^{53}_{44}$paŋ$_{53}$paŋ$_{21}$tsa^{53}pa$_{53}$pa$_{21}$tsan^{53},ʂa^{53}tek^{3}ɲi$^{13}_{21}$iet^{3}ʂən^{35}ke^{53}iəu^{13}.

【芭蕉】pa^{35}tsiau^{35} [名]一种多年生树状草本植物，叶子很大：～哇，嗯，到处都有～吵。箇～会开花，结只咁个咁大一饽饽个球球样个。摘倒箇只东西割倒下来，交水鸭子，爱老鸭子去炆，炆哩食哩真系蛮好话渠等有兜话。我就蟹去食，我有兜子血压高，我蟹去食。pa^{35}tsiau^{35}ua^{0},n̩$_{21}$,tau^{53}tʂ^{h}əu$^{53}_{44}$təu$^{35}_{44}$iəu$^{35}_{44}$pa^{35}tsiau$^{35}_{44}$ʂa^{0}.kai$^{53}_{44}$pa^{35}tsiau$^{35}_{44}$uɔi^{53}k^{h}ɔi$^{35}_{44}$fa^{35},ciet^{3}tʂak^{3}kan$^{21}_{13}$kei^{53}kan^{21}t^{h}ai^{53}iet^{3}p^{h}ɔk^{5}p^{h}ɔk^{5}ke^{0}c^{h}iəu^{13}c^{h}iəu$^{13}_{21}$iɔŋ^{53}ke^{53}.tsak^{3}tau^{21}kai$^{53}_{44}$tʂak^{3}təŋ$^{35}_{44}$si^{0}kɔit^{3}tau^{21}xa^{35}lɔi$^{13}_{21}$,ciau^{35}ʂei^{21}ait^{3}tsɿ^{0},ɔi^{53}lau^{21}ait^{3}tsɿ^{0}çi^{53}uən^{13},uən^{13}ni^{0}ʂət^{5}li^{0}tʂən^{35}xei^{53}man$^{13}_{21}$xau^{21}ua$^{53}_{44}$ci$^{13}_{21}$tien^{0}iəu$^{35}_{44}$tei$^{35}_{53}$ua$^{0}_{21}$.ŋai^{13}ts^{h}iəu^{53}maŋ$^{13}_{21}$çi^{53}ʂət^{5},ŋai^{13}iəu$^{35}_{53}$te$^{35}_{53}$tsɿ^{0}çiet^{3}iak^{3}kau^{35},ŋai$^{13}_{21}$maŋ$^{13}_{21}$çi^{53}ʂət^{5}.

【吧$_{1}$】pa^{53} [动]双唇用力吸：以电视肚里有只老将军长日都～筒烟个咯。i$^{21}_{44}$t^{h}ien^{53}ʂɿ^{53}təu^{21}li^{0}iəu^{35}tʂak^{3}lau^{21}tsiɔŋ$^{35}_{44}$tʂən^{35}tʂ^{h}ɔŋ^{13}ɲiet^{3}təu$^{35}_{53}$pa$^{53}_{44}$t^{h}əŋ$^{13}_{21}$ien^{35}ke$^{53}_{44}$ko^{0}.

【疤】pa^{35} [名]伤口或疮平复以后留下的痕迹。也称"疤子"：发只～ fait^{3}tʂak^{3}pa^{35}｜一只～子 iet^{3}tʂak^{3}pa^{35}tsɿ^{0}

【拔】p^{h}ait^{5} [动]拉；吸：分箇脓～出来 pən^{35}kai$^{53}_{44}$ləŋ^{13}p^{h}ait^{5}tʂ^{h}ət^{3}lɔi$^{13}_{44}$

【拔汗】p^{h}ait^{5}xɔn^{53} [动]（因热、痛或体虚）出汗：唔系咁热欸出汗欸就～。m̩^{13}p^{h}e^{53}(←xe^{53})kan^{21}ɲiet^{5}e$_{21}$tʂ^{h}ət^{3}xɔn^{53}e^{21}ts^{h}iəu$^{53}_{44}$p^{h}ait^{5}xɔn^{53}.｜痛起～ t^{h}əŋ$^{53}_{44}$çi^{21}p^{h}ait$^{5}_{3}$xɔn^{53}｜拔哩虚汗 p^{h}ait^{5}li^{0}çi^{35}xɔn^{53}

【拔令】p^{h}ait^{5}laŋ^{53} [形]也称"拔令子"。①光洁；光滑：壁上粉得～。piak^{3}xɔŋ^{53}fən^{21}tek^{3}p^{h}ait^{5}laŋ^{53}.｜（光皮树）箇只皮就系～。kai^{53}tʂak^{3}p^{h}i^{13}ts^{h}iəu^{53}xe^{53}p^{h}ait^{5}laŋ^{53}. ②洁净：以只灶下都搞得～子。i^{21}tʂak^{3}tsau^{53}xa^{35}təu$^{35}_{53}$kau^{21}tek^{3}p^{h}ait^{5}laŋ^{53}tsɿ^{0}. ③又粗又长：南竹嘞渠就～子。lan^{13}tʂəuk^{3}lei^{0}ci$^{13}_{21}$tsiəu$^{53}_{21}$p^{h}ait^{5}laŋ^{53}tsɿ^{0}.

【拔伞】p^{h}ait^{5}san^{21} [动]建房时安装伞柱：欸，一栋屋子，有伞柱撑冇伞柱就安做拔哩伞，做哩伞柱就安做拔哩伞，安做～。ei$_{44}$,iet^{3}təŋ^{53}uk^{3}tsɿ^{0},iəu^{35}san^{21}tʂ^{h}əu^{35}lau^{35}mau^{13}san^{21}tʂ^{h}əu^{35}ts^{h}iəu$^{53}_{44}$ɔn$^{35}_{44}$tso$^{53}_{44}$p^{h}ait^{5}li^{0}san^{21},tso^{53}li^{0}san^{21}tʂ^{h}əu^{35}ts^{h}iəu^{53}ɔn$^{35}_{44}$tso$^{53}_{44}$p^{h}ait^{5}li^{0}san^{21},ɔn$^{35}_{44}$tso$^{53}_{44}$p^{h}ait^{5}san^{21}.

【拔药】p^{h}ait^{5}iɔk^{5} [名]拔脓的药：发只疤，发只瘸，欸，发只疮啊发只疤，欸，敷滴子药去，安做散药。安做～，分箇脓拔出来，分箇脓啊，安做～。fait^{3}tʂak^{3}pa^{35},fait^{3}tʂak^{3}tʂ^{h}ɔi^{13},e$_{44}$,fait^{3}tʂak^{3}ts^{h}ɔŋ^{35}ŋa^{0}fait^{3}tʂak^{3}pa^{35},e$_{21}$,fu^{35}tiet^{5}tsɿ^{0}iɔk$^{5}_{3}$çi$^{53}_{44}$,ɔn$^{35}_{44}$tso$^{53}_{44}$san^{53}iɔk^{5}.ɔn$^{35}_{44}$tso$^{35}_{44}$p^{h}ait^{5}iɔk^{5},pən^{35}kai$^{53}_{44}$ləŋ^{13}p^{h}ait^{5}tʂ^{h}ət^{3}lɔi$^{13}_{44}$,pən$^{35}_{44}$kai$^{53}_{44}$ləŋ^{13}ŋa^{0},ɔn$^{35}_{44}$tso$^{35}_{44}$p^{h}ait^{5}iɔk^{5}.

【拔踭】p^{h}ait^{5}tsaŋ^{35} [动]穿鞋时提起鞋后跟：（松紧鞋）着起来唔爱弯腰～。tʂɔk^{3}çi^{21}lɔi$^{13}_{21}$m̩$^{13}_{21}$mɔi$^{53}_{44}$uan^{35}iau^{35}p^{h}ait^{5}tsaŋ^{35}.

【把$_{1}$】pa^{21} [量]①用于一握或成捆的东西：瘦成哩一～骨 sei^{53}ʂaŋ$^{13}_{21}$li^{0}iet^{3}pa^{21}kuət^{3}｜因为箇只柴比较大呀，比较大一～。in$^{35}_{44}$uei$^{53}_{21}$kai$^{53}_{44}$ts^{h}ak^{3}ts^{h}ai$^{13}_{44}$pi^{21}ciau$^{53}_{44}$t^{h}ai^{53}ia^{0},pi^{21}ciau$^{53}_{44}$t^{h}ai^{53}iet^{3}pa^{21}.｜绣花枕头一～草。siəu^{53}fa^{35}tʂən^{21}t^{h}ei^{13}iet^{3}pa^{21}ts^{h}au^{21}. ②用于有柄或把手的器具：篾匠个刀也蛮多～嘞。miet$^{5}_{3}$siɔŋ$^{53}_{44}$ke$^{53}_{44}$tau^{35}ia$^{35}_{44}$man$^{13}_{21}$to$^{35}_{53}$pa^{21}le^{0}.｜一～剑 iet^{3}pa^{21}cian^{53}｜会食烟个人放～烟筒。uɔi$^{53}_{44}$ʂət^{5}ien^{35}ke$^{53}_{44}$ɲin$^{13}_{21}$fɔŋ^{53}pa^{21}ien^{35}t^{h}əŋ$^{13}_{21}$.｜拿～伞 la^{35}pa^{21}san$^{53}_{44}$｜茶壶也带一～嘞就点茶换茶箇只也食个东西呀也带滴子啊。ts^{h}a^{13}fu^{13}ia^{35}tai^{53}iet^{3}pa^{21}le^{0}ts^{h}iəu$^{53}_{44}$tian^{21}ts^{h}a^{13}uɔn^{53}ts^{h}a$^{13}_{21}$kai$^{53}_{44}$tʂak^{3}ia$^{35}_{44}$ʂət^{5}ke$^{53}_{44}$təŋ$^{35}_{44}$si^{0}ia^{0}a$^{35}_{44}$tai^{53}tiet^{5}tsa^{0}.｜就到炉肚里去松火个，系有～铲子。ts^{h}iəu$^{53}_{44}$tau^{53}ləu^{13}təu^{21}li^{0}çi$^{53}_{44}$səŋ^{35}fo^{21}ke^{53},xei$^{53}_{44}$iəu^{35}pa^{21}ts^{h}an^{21}tsɿ^{0}.｜一～秤 iet^{3}pa^{21}tʂ^{h}ən^{53}｜打个鸟子坌坌飞，背～铳子藉路归。ta^{21}ke^{53}tiau^{35}tsɿ^{0}p^{h}ən^{53}

pʰən^{53}fei^{35},pi^{53}pa^{21}tʂʰəŋ^{53}tsɿ^{0}tʂa^{53}ləu^{53}kuei^{35}.｜有滴是封殡□嘞还放～子扇子。iəu^{35}tet^{5}ʂʅ$^{53}_{44}$fəŋ^{35}pin^{53}nait$^{5}_{3}$le^{0}xai^{13}fəŋ^{53}pa^{21}tsɿ^{0}ʂen^{53}tsɿ^{0}.③用于嘴巴：一～嘴巴乱讲。iet^{3}pa^{21}tsi^{21}pa$^{35}_{44}$lən^{53}kəŋ^{21}.

【把$_2$】pa^{21} 助加在“十、百、千、万”等数词、“里、尺、斤、亩”等度量衡单位、“只、天、年、点、晡”等量词后头，表示数量近于这个单位数（前头不能再加数词）：十～年冇得十几年个时间，冇得箇只时间长。十～年嘞就只就箇在十年个左右子。ʂət^{5}pa^{21}ɲien^{13}mau$^{13}_{21}$tek^{3}ʂət^{5}ci^{21}ɲien^{13}ke$^{53}_{44}$ʂʅ$^{13}_{21}$kan$^{35}_{44}$,mau^{13}tek^{3}kai^{53}tʂak^{3}ʂʅ$^{13}_{21}$kan$^{35}_{44}$tʂʰɔŋ^{13}.ʂət^{5}pa^{21}ɲien^{13}le^{0}tsʰiəu$^{53}_{44}$tʂʅ^{21}tsʰiəu$^{53}_{44}$kai$^{53}_{44}$tsʰɔi$^{53}_{44}$ʂət^{5}ɲien$^{13}_{21}$ke$^{53}_{44}$tso^{21}iəu^{53}tsɿ^{0}.｜百～只子 pak^{3}pa^{21}tʂak^{3}tsɿ^{0}｜千～人 tsʰien^{35}pa^{21}ɲin^{13}｜万～块钱 uan^{53}pa^{21}kʰuai^{53}tsʰien^{13}｜里～两里路 li^{35}pa^{21}iɔŋ^{21}li^{35}lu^{53}｜（阳钩）大个就有尺～长。tʰai^{53}ke$^{53}_{44}$tsʰiəu$^{53}_{44}$iəu^{35}tʂʰak^{3}pa^{21}tʂʰɔŋ^{13}.｜斤～半斤 cin^{35}pa^{21}pan^{53}cin^{35}｜亩～两亩 miau^{35}pa^{21}iɔŋ^{21}miau^{35}｜只～两只子 tʂak^{3}pa^{21}iɔŋ^{21}tʂak^{3}tsɿ^{0}｜天～两天 tʰien^{35}pa^{21}iɔŋ^{21}tʰien^{35}一两天｜又搞嘿几个月年多年～呀再去捡呐。再去捡骨头呀。iəu^{53}kau^{21}xek^{3}ci^{21}cie^{53}ɲiet^{5}ɲien^{13}to$^{35}_{44}$ɲien^{13}pa^{21}ia^{0}tsai^{53}çi$^{53}_{44}$cian^{21}na^{0}.tsai^{53}çi$^{53}_{44}$cian^{21}kuət^{3}tʰei^{0}ia^{0}.｜打比样你爱点～钟是咁呐箇香是点唔得咁久哇。ta^{21}pi^{21}iɔŋ^{53}ɲi$^{13}_{21}$ɔi^{53}tian^{21}pa^{21}tʂəŋ^{35}ʂʅ$^{53}_{44}$kan$^{21}_{44}$na^{0}kai$^{53}_{44}$çiɔŋ^{35}ʂʅ$^{53}_{44}$tian^{21}n̩$^{13}_{21}$tek^{3}kan^{21}ciəu^{21}ua^{0}.｜我以只事只爱晡～两晡子就做嘿哩。ŋai^{13}i^{21}tʂak^{3}sɿ^{53}tʂʅ^{21}ɔi^{53}pu^{35}pa^{21}iɔŋ^{21}pu^{35}tsɿ^{0}tsʰiəu^{53}tso^{53}ɲx)ek^{3}li^{0}.

【把$_3$】pa^{21} 介①用在动词后，表示交予、付出：你拿～你姆娑啦？ɲi$^{13}_{21}$la$^{53}_{44}$pa$^{21}_{44}$ɲi$^{13}_{21}$m̩^{35}me$^{35}_{21}$la^{0}?②表处置：莫～如今新个东西讲倒去。mɔk^{5}pa^{21}i$^{13}_{21}$cin$^{35}_{44}$sin^{35}ke$^{53}_{44}$təŋ$^{35}_{44}$si^{0}kɔŋ^{21}tau^{21}çi^{53}.｜退嘿火去，～火关或者扯嘿柴去。tʰi^{53}xek^{3}fo^{21}çi^{53},pa^{21}xo^{21}kuan^{35}xɔit^{5}tʂa^{21}tʂʰa^{21}xek^{3}tsʰai$^{13}_{21}$çi^{53}.③表致使：筛茶籽个时间一般～那个欸漏下去。sai^{35}tsʰa^{13}tsɿ^{21}ke$^{53}_{44}$sɿ$^{13}_{21}$kan$^{35}_{44}$iet^{3}pan^{35}kei^{53}pa^{21}nei^{53}kei^{53}ei$_{21}$lei^{53}xa^{35}çi^{53}.

【把摸】pa^{21}mo^{35} 名把握：唔系吹牛皮，我有～。m̩^{13}pʰe$^{53}_{44}$tʂʰei$^{35}_{44}$ɲiəu$^{13}_{21}$pʰi$^{13}_{44}$,ŋai^{13}iəu^{35}pa^{21}mo$^{35}_{44}$.

【把戏】pa^{21}çi^{53} 名变戏法或杂耍的表演：耍～ sa^{21}pa^{21}çi^{53}

【把子$_1$】pa^{21}tsɿ^{0} 名扎成束的头发：欸，箇只么个妹子啊，爱你姆娑同你分箇头发扎做两只子～啊，省子省子跌啊下来弄弄松松啊。嗯，扎做两只子～几好看子？e$_{21}$,kai$^{53}_{44}$tʂak^{3}mak^{3}ke$^{53}_{44}$mɔi^{53}tsɿ^{0}a^{0},ɔi^{53}ɲi$^{13}_{21}$m̩^{13}me$^{35}_{44}$tʰəŋ^{13}ɲi$^{13}_{44}$pən^{35}kai$^{53}_{44}$tʰei^{13}fait^{3}tsait^{3}tso^{53}iɔŋ^{21}tʂak^{3}tsɿ^{0}pa^{21}tsɿ^{0}a^{0},saŋ^{21}tsɿ^{0}saŋ^{21}tsɿ^{0}tet^{3}a^{0}xa^{53}lɔi$^{13}_{21}$ləŋ^{53}ləŋ$^{53}_{44}$səŋ$^{35}_{44}$səŋ$^{35}_{44}$ŋa^{0}.n̩$_{21}$,tsait^{3}tso^{53}iɔŋ^{21}tʂak^{3}tsɿ^{0}pa^{21}tsɿ^{0}ci^{21}xau^{21}kʰɔn^{53}tsɿ^{0}?｜有兜人呐男子人呐后背欸同箇刘欢样，后背扎只～，箇个唔系女式男发，系啊？扎只～啊。iəu^{35}tei$^{35}_{53}$ɲin$^{13}_{44}$na^{0}lan^{13}tsɿ^{0}ɲin$^{13}_{44}$na^{0}xei^{53}pɔi$^{53}_{44}$e^{0}tʰəŋ$^{13}_{44}$kai$^{53}_{44}$liəu$^{13}_{21}$fɔn^{35}iɔŋ$^{53}_{44}$,xei^{53}pɔi^{53}tsait^{3}tʂak^{3}pa^{21}tsɿ^{0},kai^{53}ke^{53}m̩$^{13}_{21}$pʰei^{53}ɲy^{21}ʂʅ^{53}lan$^{13}_{21}$fait^{3},xei^{53}a^{0}?tsait^{3}tʂak^{3}pa^{21}tsɿ^{0}a^{0}.

【把子$_2$】pa^{21}tsɿ^{0} 动以为：我～桂子就硬系一只只子个颗粒唠。ŋai^{13}pa^{21}tsɿ^{0}kuei^{53}tsɿ^{21}tsʰiəu$^{53}_{44}$ɲiaŋ^{53}xei^{53}iet^{3}tʂak^{3}tʂak^{3}tsɿ^{0}ke$^{53}_{44}$kʰo^{21}tiet^{3}lau^{0}.｜我～簪子就以咁子个，有几只叉叉个。ŋai^{13}pa$^{21}_{44}$tsɿ^{0}tsan^{35}tsɿ^{0}tsʰiəu^{53}i^{21}kan$^{21}_{13}$tsɿ^{0}ke^{53},iəu$^{35}_{44}$ci^{21}tʂak^{3}tsʰa^{35}tsʰa$^{35}_{44}$ke$^{53}_{44}$.

【把子$_3$】pa^{21}tsɿ^{0} 助加在数词（如“百、千”等）、度量衡单位（如“米、斤”等）和某些量词（如“滴、个、天、年、箩”等）的后面表示数量近于这个单位数：不足一百个就百～，百把个。pət^{3}tsəuk^{3}iet^{3}pak^{3}ke^{53}tsʰiəu$^{53}_{44}$pak^{3}pa^{21}tsɿ^{0},pak^{3}pa^{21}ke^{53}.｜千～人 tsʰien^{35}pa^{21}tsɿ^{0}ɲin^{13}｜放进出是箇一般都系一般都就系米～唠。fɔŋ$^{53}_{44}$tsin^{53}tʂʰət^{3}ʂʅ$^{53}_{44}$kai$^{53}_{44}$iet^{3}pɔn^{35}təu$^{35}_{44}$xe$^{53}_{44}$iet^{3}pɔn^{35}təu$^{35}_{44}$tsʰiəu$^{53}_{44}$xei$^{53}_{44}$mi^{21}pa^{21}tsɿ^{0}lau^{0}.｜焖饭除哩滴～，欸斤～米，箇就可以镬头去焖，□滴子，安做镬头里□饭。mən^{53}fan^{53}tʂʰəu$^{13}_{21}$li^{0}tiet^{5}pa^{21}tsɿ^{0},ei$_{21}$cin^{35}pa^{21}tsɿ^{0}mi^{21},kai$^{53}_{21}$tsʰiəu$^{53}_{44}$kʰo^{21}i^{35}uɔk^{5}tʰei$^{13}_{21}$çi$^{53}_{44}$mən$^{53}_{21}$,ŋɔit^{3}tiet$^{5}_{3}$tsɿ^{0},ɔn$^{35}_{44}$tso$^{53}_{44}$uɔk^{5}tʰei$^{13}_{21}$li^{0}ŋɔit^{3}fan^{53}.｜一个～人个，又有么啊你客个箇只，渠就唔打大三献。就打小三献。iet^{3}cie^{53}pa^{21}tsɿ^{0}ɲin$^{13}_{21}$ke$^{53}_{44}$,iəu^{53}mau$^{13}_{21}$mak^{3}a^{0}ɲi$^{13}_{21}$kʰak^{3}ke$^{53}_{44}$kai$^{53}_{44}$tʂak^{3},ci$^{13}_{21}$tsʰiəu$^{53}_{44}$m̩^{13}ta^{21}tʰai^{53}san$^{35}_{44}$çien^{53}.tsʰiəu$^{53}_{44}$ta^{21}siau^{21}san$^{35}_{44}$çien^{53}.｜天～ tʰien^{35}pa^{21}tsɿ^{0}｜年～ ɲien^{13}pa^{21}tsɿ^{0}｜欸，一家人呢收得箇两三十斤，收得箇箩～，就咁个。ei^{35},iet^{3}ka^{35}ɲin$^{13}_{44}$ne^{0}ʂəu^{35}tek^{3}kai$^{53}_{44}$iɔŋ^{21}san$^{35}_{44}$ʂət$^{5}_{3}$cin$^{35}_{44}$,ʂəu^{35}tek^{3}kai^{53}lo^{13}pa^{21}tsɿ^{0},tsʰiəu$^{53}_{44}$kan$^{21}_{44}$cie$^{53}_{44}$.

【把做】pa^{21}tso^{53} 动①认为，以为：我～缯送出去，结果送出去哩。ŋai^{13}pa^{21}tso^{53}maŋ^{13}səŋ^{53}tʂʰət^{3}çi^{53},ciet^{3}ko$^{21}_{35}$səŋ^{53}tʂʰət^{3}çi$^{53}_{44}$li^{0}.｜我还又～系银行里个工资来哩啊。ŋai^{13}xai$^{13}_{44}$iəu$^{53}_{44}$pa^{21}tso^{53}xe$^{53}_{44}$ɲin^{13}xɔŋ$^{13}_{44}$li^{0}ke^{0}kəŋ^{35}tsɿ^{35}lɔi$^{13}_{21}$li^{0}a^{0}.②当做：禾笋呶？我～莴笋呶。uo^{13}sən^{21}nau^{0}?ŋai^{13}pa$^{21}_{44}$tso$^{53}_{44}$uo^{35}sən^{21}nau^{0}.

【坝】pa^{53} 名①拦水坝。罗家坝不是一只～嘞。欸以前系一只～，如今就箇段河流。lo^{13}ka$^{35}_{44}$pa^{53}pət^{3}ʂʅ^{53}iet^{3}tʂak^{3}pa^{53}lei^{0}.ei^{0}i$^{35}_{44}$tsʰien$^{13}_{44}$xei$^{53}_{44}$iet^{3}tʂak^{3}pa^{53},i$^{13}_{21}$cin^{35}tsʰiəu$^{53}_{44}$kai$^{53}_{44}$tɔn^{53}xo^{13}liəu$^{13}_{21}$.②用作地名中的通名：罗家～ lo^{13}ka$^{35}_{44}$pa^{53}｜大河～ tʰai^{53}xo^{13}pa^{53}

【把$_4$】pa^{53} 名①柄，器物上便于用手拿的部分。也称“把子”：舞下竹筒，安只～，安做水角。ua$_{21}$(←u^{21}xa^{53})tʂəuk^3 t^{h}əŋ^{13},ən$^{35}_{44}$tʂak^3 pa^{53},ən$^{35}_{44}$tso^{53} ʂei^{21}kɔk^3.｜（石锤）～就软个啊。pa^{53}ts^{h}iəu$^{53}_{44}$ ɲiən^{35}ke$^{53}_{44}$a^0. ②植物上支持着一个或多个叶片、花朵或果实的部分：（高把黄蒲）一只～唔知几高。i$^{13}_{21}$tʂak^3 pa^{53}n̩^{13}ti$^{35}_{53}$ci^{21}kau^{35}.

【霸】pa^{53} 动持久占用：骨牌凳唔～地方。kuət^3 p^{h}ai^{13}tien^{53}m̩^{13}pa^{53}t^{h}i^{53}fɔŋ$^{35}_{44}$.

【霸弄】pa^{53}ləŋ^{53} 形体积大，占地方：如今冇多么人着，棉袍冇么人着，因为箇东西～，唔好着，自义着件棉大衣。i$^{13}_{21}$cin$^{35}_{53}$mau^{13}to$^{35}_{53}$mak^3 in$^{13}_{21}$tʂɔk^3,mien^{13}p^{h}au^{13}mau$^{13}_{21}$mak^3 in$^{13}_{44}$tʂɔk^3,in^{35}uei^{53}kai$^{53}_{21}$ təŋ$^{35}_{44}$si^0 pa^{53}ləŋ^{53},n̩^{13}xau^{21}tʂɔk^3,ts^{h}ʅ^{53}ɲi$^{53}_{44}$tʂɔk^3 c^{h}ien^{53}mien^{13}t^{h}ai^{53}i^{35}.｜你箇起纸壳箱子放下车上都真～。ɲi^{13}kai^{53}çi$^{21}_{44}$tʂʅ^{21}k^{h}ɔk^3 siɔŋ^{35}tsʅ^0 fɔŋ$^{53}_{44}$xa$^{53}_{44}$tʂ^{h}a^{35}xɔŋ$^{53}_{44}$təu$^{35}_{44}$tʂən^{35}pa^{53}ləŋ^{53}.

【吧$_2$】pa^0 助①用在疑问句末，使原来的提问带有推测、估计的意味：欸，还有起别么个～？ei^{53},xai^{13}iəu^{35}çi^{21}p^{h}iek^5 mak^3 ke$^{53}_{44}$pa^0?｜你讲个笋子～？ɲi$^{13}_{21}$kɔŋ^{21}ke^{53}sən^{21}tsʅ^{0}pa^0?｜报哩名～？pau^{53}li^0 miaŋ$^{13}_{44}$pa^0?｜你会上～？你会上来～？ɲi^{13}uɔi^{53}ʂɔŋ^{35}pa^0?ɲi^{13}uɔi^{53}ʂɔŋ^{35}lɔi$^{13}_{21}$pa^0? ②用在疑问句末，使原来的提问带有期待对方确认的意味：噢，走马灯～？安做走马灯。看过。au$_{21}$,tsei^{21}ma^{35}tien$^{35}_{44}$ pa^0?ən$^{35}_{44}$tso$^{53}_{44}$tsei^{21}ma^{35}tien$^{35}_{44}$.k^{h}ən^{53}ko^{53}. ③用在陈述句末，使语气变得不十分确定：以只东西有几重子？怕有五十零斤～。i^{21}tʂak^3 təŋ^{35}si^{35}iəu^{35}ci^{21}tʂ^{h}əŋ^{35}tsʅ^0?p^{h}a^{53}iəu^{35}ŋ̍^{21}ʂət^5 laŋ^{13}cin^{35}pa^0. ④用在祈使句末，使语气变得较为舒缓：唔早了，麻溜去～！ŋ̍^{13}tsau^{21}liau^{21},ma^{13}liəu^{35}çi^{53}pa^0!｜你先去～，我等人等下子正去。ɲi^{13}sien^{35}çi^{53}pa^0,ŋai^{13}ten^{35}ɲin^{13}ten^{21}xa^{53}tsʅ^0 tʂaŋ^{53}lɔi^{13}. ⑤用于句中停顿处，表示让步等：还有是别人家会咁子话～，一步子人呶，系就话别人家唔太聪明呶。xai$^{13}_{21}$iəu$^{35}_{53}$ʂʅ$^{53}_{44}$ p^{h}iek^5 in$^{13}_{21}$ka$^{35}_{44}$uɔi^{53}kan^{21}tsʅ^0 ua^{53}pa^0,iet^3 p^{h}u^{53}tsʅ^{0}ɲin^{13}nau^0,xe$^{53}_{44}$ts^{h}iəu$^{53}_{44}$ua^{53}p^{h}iek^5 in$^{13}_{44}$ka$^{35}_{44}$n̩^{13}t^{h}ai^{53}ts^{h}əŋ$^{35}_{44}$min$^{13}_{21}$ nau^0. ⑥用于句中表示停顿：箇箇个～安做～安做酸枣吧？kai$^{53}_{44}$kai$^{53}_{44}$cie$^{53}_{44}$pa^0 ən$^{35}_{44}$tso$^{53}_{44}$pa^0 ən$^{35}_{44}$tso$^{53}_{44}$ sən^{35}tsau^{21}pa^0?

【跰脚子】pai^{35}ciɔk^3 tsʅ^0 名跛子：以前我等箇映有只喊我喊阿……我喊伯伯个嘞欸喊叔叔个呢，渠就一只～。撑条棍。跰一世人呶。我晓得，我等细细子渠就就系～。落尾死了，还系～。渠个～是让门子来个嘞？渠系红军呢。铳欸枪打得个呢。以只脚欸渠螺蛳饽上以映一枪打嘿去，打倒以只螺蛳饽都拗个嘞。～。但是箇只人辈分唔知几大，我等喊老叔公呢。渠安做万经伍。渠等就喊渠比我等辈分大个人呶有兜就喊渠伍跰子。唉，渠还有（待遇）享受？渠是硬一世人就系咁苦子硬箇阵子就话。一世人就咁苦子啊。七十年代就死嘿哩。箇阵冇得（待遇），么个都冇得。以映以前以街上也有只伍跰子。i$^{35}_{44}$ts^{h}ien$^{13}_{21}$ŋai^{13}tien^0 kai^{53}iaŋ^{53}iəu^{35}tʂak^3 xan^{53}ŋai^{13} xan^{53}a…ŋai$^{13}_{21}$xan^{53}pak^3 pak^3 ke^{53}le^0 e$_{21}$xan^{53}ʂəuk^3 ʂəuk^3 ke^{53}nei^0,ci^{13}ts^{h}iəu^{53}iet^3 tʂak^3 pai^{35}ciɔk^3 tsʅ^0.ts^{h}aŋ^{53} t^{h}iau$^{13}_{21}$kuən^{53}.pai^{35}iet^3 ʂʅ^{53}ɲin^{13}nau^0.ŋai^{13}çiau^{21}tek^3,ŋai^{13}tien^0 se^{53}se^{53}tsʅ^0 ci^{13}ts^{h}iəu^{53}ts^{h}iəu$^{53}_{44}$xe$^{53}_{44}$pai^{35}ciɔk^3 tsʅ^0. lɔk$^5_3$mi$^{35}_{44}$si^{21}liau^0,xai^{13}xe^{53}pai^{35}ciɔk^3 tsʅ^0.ci^{13}ke^{53}pai^{35}ciɔk^3 tsʅ^0 ʂʅ$^{53}_{44}$ɲiɔŋ$^{53}_{44}$mən^0 tsʅ^0 lɔi$^{13}_{21}$ke$^{53}_{44}$le^0?ci^{13}xe^{53}fəŋ^{13}tʂən^{35} ne^0.tʂ^{h}əŋ^{53}e^0 ts^{h}iɔŋ^{35}ta^{21}tek^3 ke^{53}nei^0.i^{21}tʂak^3 ciɔk^3 ei^0 ci$^{13}_{21}$lo^{13}sʅ$^{35}_{44}$p^{h}ɔk^5 xɔŋ^{53}i^{21}iaŋ^{53}iet^3 ts^{h}iɔŋ^{35}ta^{21}xek^3 çi$^{53}_{44}$,ta^{21} tau$^{21}_{44}$i^{21}tʂak^3 lo^{13}sʅ$^{35}_{44}$p^{h}ɔk^5 təu$^{35}_{53}$ŋau^{13}ke^{53}lei^0.pai^{35}ciɔk^3 tsʅ^0.tan$^{53}_{44}$ʂʅ$^{53}_{44}$kai^{53}tʂak^{3}ɲin^{13}pi^{53}fən^{53}n̩^{13}ti$^{35}_{44}$ci^{21}t^{h}ai^{53},ŋai^{13} tien^{0}xan^{53}lau^{21}ʂəuk^3 kəŋ^{35}nei^0.ci^{13}ən$^{35}_{44}$tso$^{53}_{44}$uan^{53}cin^{35}ŋ̍^{21}.ci^{13}tien^{0}ts^{h}iəu$^{53}_{44}$xan^{53}ci$^{13}_{21}$pi^{21}ŋai^{13}tien^0 pi^{53}fən$^{53}_{44}$t^{h}ai^{53} ke^{0}ɲin^{13}nau^0 iəu^{35}təu$^{35}_{44}$tsiəu$^{53}_{44}$xan$^{53}_{44}$ci$^{13}_{44}$ŋ̍^{21}pai$^{35}_{44}$tsʅ^0. ai$_{21}$,ci$^{13}_{21}$xai$^{13}_{21}$iəu$^{35}_{53}$çiɔŋ^{21}ʂəu^{53}?ci^{13}ʂʅ$^{53}_{44}$ɲiaŋ^{53}iet^3 ʂʅ^{53}ɲin^{13}ts^{h}iəu^{53} xei$^{53}_{44}$kan^{21}k^{h}u^{21}tsʅ^{0}ɲiaŋ^{53}kai^{53}tʂ^{h}ən$^{53}_{44}$tsʅ^0 ts^{h}iəu$^{53}_{44}$ua^{53}.iet^3 ʂʅ^{53}ɲin^{13}ts^{h}iəu^{53}kan^{21}k^{h}u^{21}tsa^0.ts^{h}iet^3 ʂət^5 ɲien$^{13}_{21}$t^{h}ɔi$^{53}_{44}$ ts^{h}iəu$^{53}_{44}$si^{21}xek^3 li^0.kai$^{53}_{44}$tʂ^{h}ən$^{53}_{44}$mau^{13}tek^3,mak^3 e^0 təu$^{35}_{53}$mau$^{13}_{21}$tek^3.i^{21}iaŋ^{53}i$^{35}_{53}$ts^{h}ien$^{13}_{21}$i^{21}kai^{35}xɔŋ$^{53}_{44}$ŋa$^{53}_{44}$iəu$^{53}_{44}$tʂak^3 ŋ̍^{21} pai$^{35}_{44}$tsʅ^0.

【跰子】pai^{35}tsʅ^0 名跛子：欸我等客姓人有只箇个还有只箇样话法子呢。欸，让门子啊？结巴子就好讲，嗯，～就好仰。箇～就喜欢走动。结舌个人呢真喜欢讲，渠唔怕别人家笑。ei$_{44}$ ŋai^{35}tien^0 k^{h}ak^3 sin^{53}ɲin$^{13}_{21}$iəu^{35}tʂak^3 kai$^{53}_{44}$ke$^{53}_{44}$xai$^{13}_{21}$iəu^{35}tʂak^3 kai$^{53}_{44}$iɔŋ$^{53}_{44}$ua^{53}fait^3 tsʅ^0 nei^0.e$_{21}$, ɲiɔŋ$^{53}_{44}$mən^0 tsa^0?ciet^3 pa^{35}tsʅ^0 ts^{h}iəu$^{53}_{44}$xau^{53}kɔŋ^{21},n̩$_{21}$,pai^{35}tsʅ^0 tsiəu$^{53}_{44}$xau^{53}ɲiɔŋ^{21}.kai$^{53}_{44}$pai^{35}tsʅ^0 ts^{h}iəu$^{53}_{44}$çi^{21}fən^{35}tsei^{21}t^{h}əŋ^{53}.ciet^3 ʂet^5 ke^{0}ɲin$^{13}_{21}$ne^0 tʂən^{35}çi^{21}fən$^{35}_{44}$kɔŋ^{21},ci$^{13}_{21}$n̩^{13}p^{h}a$^{53}_{44}$p^{h}iet$^5_{44}$in$^{13}_{44}$ka$^{35}_{44}$siau^{53}.

【白$_1$】p^{h}ak^5 形颜色像雪花或乳汁那样的。有“AA 子”重叠式：～布 p^{h}ak^{5}pu^{53}｜～纸 p^{h}ak^5 tʂʅ^{21}｜硇其红打唔～。ləu^{35}ci$^{35}_{44}$fəŋ$^{13}_{21}$ta^{21}n̩^{13}p^{h}ak^5.｜～～子个花银桂。p^{h}ak^{5}p^{h}ak^5 tsʅ^0 ke$^{53}_{44}$fa$^{35}_{44}$ɲin^{13}kuei^{53}.

【白$_2$】p^{h}ak^5 动变成白色：熟会熟啦，冇得～。ʂəuk^5 uɔi$^{53}_{44}$ʂəuk$^5_3$ la^0,mau$^{13}_{21}$tek^3 p^{h}ak^5.

【白$_3$】p^{h}ak^5 名孝布：如今呐箇老哩人就发条子手巾，发条子～，白布啊。庄重啊。箇种白布就我等是长日都强调嘞，爱掸下肩脖上。莫咁子随随便便啊缔下手上啊。爱让门掸嘞？男左女右。死个系男子人，你就掸下左边肩膊上，通通都掸下左边肩膊上。死个系夫娘子人，掸下右边肩膊上。i13_21cin35na0kai53lau21li0ɲin13tsʰiəu53fait3tʰiau13_21tsɿ0ʂəu21cin35,fait3tʰiau13_21tsɿ0pʰak5,pʰak5pu53a0.tsɔŋ35tʂʰəŋ53ŋa0.kai53tʂəŋ21pʰak5pu53tsʰiəu53ŋai13tien0sɿ53tʂʰɔŋ13ɲiet3təu35cʰiɔŋ13tiau53le0,ɔi53tan21na0cien35pɔk3xɔŋ53.mɔk5kan21tsɿ0sei13sei13pʰien53pʰien53a0tʰak3a0ʂəu21xɔŋ53ŋa0.ɔi53ɲiɔŋ53mən0tan21ne0?lan13tso21ɲy21iəu53.si21ke53xe53lan13tsɿ0ɲin13, ɲi13tsʰiəu53tan21na0tso21pien35cien35pɔk3xɔŋ53,tʰəŋ35tʰəŋ35_44təu35_44tan21na0tso21pien35cien35pɔk3xɔŋ53.si21ke53xe53pu35ɲiɔŋ13_21tsɿ0ɲin13,tan21na0iəu53pien35cien35pɔk3xɔŋ53.

【白$_4$】pʰak5 副不花钱而得到：～食 pʰak5ʂek5

【白白哩】pʰak5pʰak5li0 形①表示没有结果、效果：今晡走下街上买东西𫟈买倒，～去个。cin35pu35_44tsei21(x)a53_44kai35xɔŋ53_21mai35təŋ35_44si0maŋ13mai35tau21,pʰak5pʰak5li0çi53_44ke53_44.｜～走咁远。pʰak5pʰak5li0tsei21kan21ien21. ②形容束手无策、难以改变：我等以映个茶籽搞么个唔畜到霜降来打嘞？因为一直都摘早哩，你畜到霜降跌净哩，冇得哩，全部跌下地泥下去。去箇个畜摘霜降籽个栏场嘞，渠到霜降都还唔跌，欸，还去树上。所以我等以映子～啊，你话你想到霜降来摘，你只好慢慢子培育了，培养了，系啊？但是一般个茶籽欸寒露一过就跌嘿哩，跌嘿地泥下去哩。ŋai13tien0i21_13iaŋ53ke0tsʰa13_21tsɿ21kau21mak3e0ņ13çiəuk3tau53sɔŋ35kɔŋ53lɔi13_21ta21lei0?in35uei53_44iet3tʂʰət5təu35_53tsak3tsau21li0, ɲi13çiəuk3tau53sɔŋ35kɔŋ53_44tet3tsʰiaŋ53li0,mau13_21tek3li0,tsʰien13pʰu53tet3ɲx)a53tʰi53lai13_21xa53_44cʰi53_44.ci13kai53ke0çiəuk3tsak3sɔŋ35kɔŋ53tsɿ21ke0laŋ13_21tʂʰɔŋ13_21lei0,ci13_21tau53sɔŋ35kɔŋ53təu35_53xai13_44ņ13_44tet3,e_21,xai13_21çi53ʂəu53xɔŋ53.so21i35_53ŋai13tien0i13iaŋ53tsɿ0pʰak5pʰak5li0a0, ɲi13ua53ɲi13siɔŋ21tau53sɔŋ35kɔŋ53_44lɔi13_44tsak3, ɲi13tʂʅ21xau21man53man53tsɿ0pʰei13iəuk3liau0,pʰei13iɔŋ35liau0,xei53_44a0?tan53ʂʅ53iet3pɔn35ke53tsʰa13_21tsɿ21e_21xɔŋ13ləu53iet3ko53tsʰiəu53_21tet3ɲx)ek3li0,tet3ɲx)ek3tʰi53lai13_21xa53_44çi53li0.

【白百节】pʰak5pak3tsiet3 名银环蛇的俗称：银环蛇就～。ɲin13fan13ʂa13tsʰiəu53_44pʰak5pak3tsiet3.

【白菜】pʰak5tsʰɔi53 名小白菜、大白菜的通称，广泛用作蔬菜：～是有几只话。一只是真正个～。欸，我我土里栽滴～，栽滴小……细白菜子。还有几……大白菜就安做京白菜。欸，栽哩～。欸，今晡走下街上买～。嗯，么个都𫟈买呀，打只空转身，么个都𫟈买呀。今晡买一滴～。pʰak5tsʰɔi53ʂʅ53_44iəu35ci21tʂak3ua53_44.iet3tʂak3ʂʅ53_44tʂən35tʂən53_44ke0pʰak5tsʰɔi53.e_21,ŋai13ŋai13tʰəu21li0tsɔi35tiet5pʰak5tsʰɔi53_44,tsɔi35tiet5siau21…se53pʰak5tsʰɔi53tsɿ0.xai13_21iəu35_44c…tʰai53pʰak5tsʰɔi53tsʰiəu53_44ɔn35_44tso53_44cin35pʰak5tsʰɔi53.e_21,tsɔi35li0pʰak5tsʰɔi53_44.ei_21,cin35pu35_53tsei21_35ia0kai35_44xɔŋ53_44mai35pʰak5tsʰɔi53.ņ_21,mak3ke0təu35_53maŋ13_21mai35ia0,ta21tʂak3kʰəŋ35tʂɔn21ʂən35,mak3e0təu35_53maŋ13_21mai35ia0.cin35_44pu35_44mai35_44iet3tiet5_3pʰak5tsʰɔi53.

【白菜蕻】pʰak5tsʰɔi53fəŋ53 名白菜苔：～正新出物子蛮好食。pʰak5tsʰɔi53fəŋ53tʂaŋ53sin35tʂʰət3uət5tsɿ0man13_21xau21ʂət5.

【白豆子】pʰak5tʰei53/tʰəu53tsɿ0 名一种豆类。又称"晚姑豆"：我等映子有晚姑豆呀。/哎，就～唠，扁扁子唠。/雪白它。ŋai13_21tien0iaŋ53tsɿ0iəu35_21man35ku35_44tʰei53_44ia0./ai_21,tsʰiəu53_44pʰak5tʰəu53tsɿ0lau0,pien21pien21tsɿ0lau0./siet5pʰak5tʰa35_44.｜我就记得箇阵子我等栽个～，栽个晚姑豆呀，冇得结，唔知么个道理。嗯，尽涌苗，苗就唔知几盛，嘿嘿，尽涌苗去哩，冇得结，冇得～，冇得晚姑豆。如今箇晚欸箇街上卖个晚姑豆正架势唔唔知几贵呀硬啊。欸。也问下子渠等让门栽晚姑豆呀，爱打滴药去话呢，莫分渠涌苗呢。我等箇它涌苗去哩，青哩风啊。欸，以映冇得讲青风。ŋai13tsʰiəu53_44ci53tek3kai53_44tʂʰən53tsɿ0ŋai13tien0tsɔi35_44ke0pʰak5tʰei53_44tsɿ0,tsɔi35_44ke0man35ku35_44tʰei53ia0,mau13_21tek3ciet3,ņ13_21ti35mak3a0tʰau53_44li35.ņ_21,tsʰin53iəŋ21miau13,miau13tsʰiəu53ņ13_21ti35ci21ʂən53,xe_21xe_21,tsʰin53iəŋ21miau13çi53li0,mau13_21tek3ciet3,mau13tek3pʰak5tʰei53tsɿ0,mau13tek3man35ku35_44tʰei53_44.i13_21cin35_44kai53_44man35ei_21kai53_44kai35xɔŋ53_44mai53ke0man35ku35tʰei53tʂaŋ53cia53ʂʅ53ņ13ņ13ti35_53ci21kuei53ia0ɲiaŋ53ŋa0.e_21.ia35uən53na53_44tsɿ0ci13_21tien0ɲiɔŋ53mən0tsɔi35_44man35ku35tʰei53ia0,ɔi53ta21tet5iɔk5çi53ua53_44ne0,mɔk5pən35ci13_21iəŋ21miau13nei0.ŋai13tien0kai53tʰa35_53iəŋ21miau13çi53li0,tsʰiaŋ35_44li0fəŋ35ŋa0.e_21,i21iaŋ53_44mau13_21tek3kɔŋ21tsʰiaŋ35_44fəŋ35.

【白对子】pʰak5ti53tsɿ0 名遇丧事时大门两侧贴的用白纸写的对联：写哩咁个字个栏场，"当大事"也好，"读礼"也好，写哩咁个字个门……箇个就系就安做么个，横批吵。箇两边就必须要有对子，爱有～。sia21li0kan21ke53_44sɿ53ke53_44laŋ13_21tʂʰɔŋ13_21,"tɔŋ35tʰai53sɿ53_44"a35_44xau21,"tʰəuk5li35"ia35_44xau21,sia21li0kan21ke53_44sɿ53ke53_44mən13…kai53_44ke53_44tsʰiəu53_44xe53_44tsʰiəu53_44ɔn35_44tso53_44mak3ke53_44,fəŋ13pʰi35_44ʂa0.kai53_44iɔŋ21pien35tsʰiəu53_44piet3si35_44iau53_44iəu35ti53tsɿ0,ɔi53_44iəu35_44pʰak5ti53tsɿ0.

【白番薯】pʰak5fan35_44ʂəu13_21 名一种番薯，表皮呈白色：有～。以前我等就栽倒有蛮多～。箇阵子个～嘞欸产量就高，嗯，肯结，也大，唔多好食。就唔多么个好食。～。iəu35pʰak5fan35_44 ʂəu$^{13}_{21}$.i^{35}ts^{h}ien$^{13}_{21}$ŋai^{13}tien^{0}ts^{h}iəu$^{53}_{44}$tsɔi^{35}tau^{21}iəu$^{35}_{44}$man$^{13}_{21}$to$^{35}_{44}$p^{h}ak^{5}fan$^{35}_{44}$ʂəu$^{13}_{21}$.kai$^{53}_{44}$tʂ^{h}ən$^{53}_{44}$tsɿ^{0}ke$^{53}_{44}$p^{h}ak^{5}fan$^{35}_{44}$ʂəu$^{13}_{21}$le^{0} e$_{21}$ts^{h}an^{21}liɔŋ$^{53}_{44}$ts^{h}iəu$^{53}_{44}$kau^{35},n̩$_{21}$,xen^{21}ciet^{3},ia^{35}t^{h}ai^{53},n̩^{13}to$^{35}_{53}$xau^{21}ʂət^{5}.ts^{h}iəu^{53}n̩^{13}to$^{35}_{53}$mak^{3}e^{0}xau^{21}ʂət^{5}.p^{h}ak^{5}fan$^{35}_{44}$ʂəu$^{13}_{21}$.

【白瓜】p^{h}ak^{5}kua^{35} 名 白皮黄瓜：青瓜摎～，按颜色分就。ts^{h}iaŋ^{35}kua^{35}lau$^{35}_{44}$p^{h}ak$^{5}_{3}$kua$^{35}_{44}$,ɔn^{53}ŋan^{13} sek^{3}fən^{35}ts^{h}iəu$^{53}_{44}$.

【白果】p^{h}ak^{5}ko^{21} 名 银杏的俗称。又称"白果籽"：银杏呐，就～啊，系唔系？嗬，箇个张家坊箇个～啊，我有一回走箇过，捡倒几只，箇秋天嘞捡倒几只，我挜下手里个搞啊搞哩。/也□得。/噢会□个噢，后背哪样让门会咁臭屎？后背就晓得箇～肉，箇面上箇层肉啊，横看屎捡刺啰。跟那系屙个屎样啊。箇系呀箇底下个人也冇瘾呐，底下个白果树底下个人呐也冇瘾呐，也也唔臭屎哎箇只隔几远都臭屎啊。渠会脚会踩倒哇箇起欸。ɲin^{13}çin^{53}na^{0},ts^{h}iəu$^{53}_{44}$ p^{h}ak^{5}ko^{21}a^{0},xe$^{53}_{44}$me$^{53}_{44}$?xo$_{53}$,kai$^{53}_{44}$ke$^{53}_{44}$tʂɔŋ^{35}ŋa$_{44}$(←ka^{35})fɔŋ^{35}kai$^{53}_{44}$ke$^{53}_{44}$p^{h}ak^{5}ko^{21}a^{0},ŋai^{13}iəu^{35}iet^{3}fei^{13}tsei^{21}kai$^{53}_{44}$ ko^{53},cian^{21}tau^{21}ci^{21}tʂak^{3},kai$^{53}_{44}$ts^{h}iəu^{35}t^{h}ien$^{35}_{44}$lei^{0}cian^{21}tau^{21}ci^{21}tʂak^{3},ŋai^{13}ia^{21}ɲx)a^{53}ʂəu^{21}li^{0}ke$^{53}_{44}$kau^{21}a^{0}kau^{21} li^{0}./ia^{35}ŋai$^{35}_{44}$tek^{3}./ŋau$_{21}$uɔi^{53}ŋai$^{35}_{44}$ke$^{53}_{35}$au^{0},xəu$^{53}_{21}$pei^{53}la^{53}iɔŋ$^{53}_{44}$ɲiɔŋ^{53}mən^{0}uɔi^{53}kan^{21}tʂ^{h}əu^{53}ʂɿ^{21}?xəu$^{53}_{21}$pei^{53}ts^{h}iəu^{53} çiau^{21}tek^{3}kai$^{53}_{44}$p^{h}ak^{5}ko^{21}ɲiəuk^{3},kai$^{53}_{44}$mien^{53}xɔŋ$^{53}_{44}$kai^{53}ts^{h}iən$^{13}_{21}$ɲiəuk^{3}a^{0},xəŋ^{13}k^{h}ɔn^{53}ʂɿ^{21}o^{0}cian^{21}ts^{h}ɿ^{53}lo^{0}.kən$^{35}_{44}$ na$^{53}_{44}$xe$_{21}$o^{35}ke$^{53}_{44}$ʂɿ^{21}iɔŋ^{53}ŋa^{0}.kai$^{53}_{44}$xei$^{53}_{35}$ia^{0}kai^{53}te^{21}xa^{53}ke^{53}ɲin^{13}ia$^{35}_{53}$mau$^{13}_{21}$in^{21}na^{0},te^{21}xa$^{53}_{44}$ke$^{53}_{44}$p^{h}ak$^{5}_{35}$ko^{21}ʂəu^{53}te^{21}xa^{53} ke^{53}ɲin$^{13}_{44}$na^{0}ia$^{35}_{53}$mau$^{13}_{21}$in^{21}na^{0},ia$^{35}_{53}$a^{35}n̩^{13}tʂ^{h}əu^{53}ʂɿ^{21}ai^{0}kai^{53}tʂak^{3}kak^{3}ci^{21}ien^{21}təu$^{35}_{44}$tʂ^{h}əu^{53}ʂɿ^{21}ʐa^{0}.ci$^{13}_{21}$uɔi^{53}ciɔk^{3} uɔi^{53}ts^{h}ai^{21}tau^{21}ua^{0}kai^{53}çie^{21}.｜～籽真系雪白。p^{h}ak^{5}ko^{21}tsɿ^{21}tʂən$^{35}_{44}$ne$_{44}$(←xe^{53})siet^{5}p^{h}ak^{5}.

【白果树】p^{h}ak^{5}ko^{21}ʂəu^{53} 名 银杏树。一种落叶大乔木：张家坊箇映子就有条～哇。欸，箇只箇只生产队就安做白果队，箇条路安做白果路。两条～，箇是四个人，怕爱三四个人正抱得倒。一条公子，一条嫲子。只有箇条嫲子正有结，箇条公子侪都冇得结。tʂɔŋ^{35}ka$^{35}_{44}$fɔŋ^{35}kai$^{53}_{44}$ iaŋ$^{53}_{44}$tsɿ^{0}ts^{h}iəu$^{53}_{44}$iəu$^{35}_{44}$t^{h}iau$^{13}_{21}$p^{h}ak^{5}ko^{21}ʂəu^{53}ua^{0}.e$_{21}$,kai^{53}tʂak^{3}kai$^{53}_{44}$tʂak^{3}sen$^{35}_{44}$ts^{h}an^{21}ti^{53}ts^{h}iəu$^{53}_{44}$ɔn$^{35}_{44}$tso$^{53}_{44}$p^{h}ak^{5}ko^{21} ti^{53},kai$^{53}_{44}$t^{h}iau$^{13}_{21}$ləu^{53}ɔn$^{35}_{44}$tso$^{53}_{44}$p^{h}ak^{5}ko^{21}ləu^{53}.iɔŋ^{21}t^{h}iau^{13}p^{h}ak^{5}ko^{21}ʂəu^{53},kai^{53}ʂɿ$^{53}_{44}$si^{53}ke^{53}ɲin$^{13}_{21}$,p^{h}a^{53}ɔi^{53}san$^{35}_{44}$si^{53}ke^{53} ɲin^{13}tʂaŋ^{53}p^{h}au^{53}tek^{3}tau$^{21}_{44}$.iet^{3}t^{h}iau^{13}kəŋ^{35}tsɿ^{0},iet^{3}t^{h}iau^{13}ma^{13}tsɿ^{0}.tʂe^{21}iəu^{35}kai^{53}t^{h}iau$^{13}_{21}$ma^{13}tsɿ^{0}tʂaŋ^{53}iəu$^{35}_{53}$ ciet^{3},kai^{53}t^{h}iau$^{13}_{21}$kəŋ^{35}tsɿ^{0}ts^{h}i$^{13}_{21}$təu$^{35}_{53}$mau$^{13}_{21}$tek^{3}ciet^{3}.

【白鹤】p^{h}ak^{5}xɔk^{5} 名 一种鹤，仙鹤：我等细细子就晓得红沙箇映子就真多～。红沙箇映子啊，一阵～欸飞下，箇一个树上都雪白个。欸树都雪白个。我等到箇箇～箇映子欸箇树底下去嬲，喷腥个，嗯，去人都去唔得。箇个～个饽饽子，箇个～有饽饽啊，有箇个～崽子箇只跌到地泥下。欸，就系箇屙个屎喷腥。喷腥个。箇箇箇个人家屋下个人恼哩瘾。我等一只老师系啊箇子，就系倒箇箇红沙箇映子，李家大屋里箇映子，渠个后背真多～。以下唔……更少哩，更冇得哩。ŋai^{13}tien^{0}sei^{53}sei^{53}tsɿ^{0}ts^{h}iəu^{53}çiau^{21}tek^{3}fəŋ^{13}sa$^{35}_{44}$kai^{53}iaŋ^{53}tsɿ^{0}ts^{h}iəu$^{53}_{44}$tʂən^{35}to^{35}p^{h}ak^{5}xɔk^{5}.fəŋ^{13} sa$^{35}_{44}$kai^{53}iaŋ^{53}tsɿ^{0}a^{0},iet^{3}tʂ^{h}ən^{53}p^{h}ak^{5}xɔk^{5}e$_{21}$fei^{35}ia^{53},kai^{53}iet^{3}ke$^{53}_{44}$ʂəu^{53}xɔŋ^{0}təu$^{35}_{44}$siet^{5}p^{h}ak$^{5}_{3}$ke^{0}.e$_{21}$ʂəu^{53}təu$^{35}_{44}$siet$^{5}_{3}$ p^{h}ak$^{5}_{3}$ke^{0}.ŋai^{13}tien^{0}tau^{53}kai$^{53}_{44}$kai$^{53}_{44}$p^{h}ak^{5}xɔk^{5}kai$^{53}_{44}$iaŋ$^{53}_{44}$tsɿ^{0}e$_{21}$kai$^{53}_{44}$ʂəu^{53}te^{21}xa^{35}çi$^{53}_{44}$liau^{53},p^{h}ən^{35}siaŋ$^{35}_{44}$ke^{0},n̩$_{21}$,çi^{53} ɲin^{13}təu$^{35}_{44}$çi^{53}n̩$^{13}_{21}$tek^{3}.kai$^{53}_{44}$ke$^{53}_{44}$p^{h}ak$^{5}_{3}$xɔk$^{5}_{3}$ke$^{53}_{44}$pɔk^{53}pɔk^{53}tsɿ^{0},kai$^{53}_{44}$ke$^{53}_{44}$p^{h}ak$^{5}_{3}$xɔk$^{5}_{3}$iəu^{35}pɔk^{53}pɔk^{53}a^{0},iəu^{35}kai$^{53}_{44}$ke$^{53}_{44}$ p^{h}ak$^{5}_{3}$xɔk$^{5}_{3}$tse^{21}tsɿ^{0}kai$^{53}_{44}$tʂak^{3}tet^{3}tau$^{53}_{44}$t^{h}i^{53}lai$^{13}_{21}$xa^{35}.e$_{21}$,ts^{h}iəu^{53}xei$^{53}_{44}$kai^{53}o^{35}ke^{53}ʂɿ^{21}p^{h}ən^{35}siaŋ^{35}.p^{h}ən^{35}siaŋ$^{35}_{44}$ kei^{0}.kai$^{53}_{44}$kai$^{53}_{44}$kai^{53}kei^{53}ɲin$^{13}_{21}$ka$^{35}_{44}$uk^{3}xa^{53}ke^{53}ɲin$^{13}_{21}$lau^{21}li^{0}in^{21}.ŋai$^{13}_{21}$tien^{0}iet^{3}tʂak^{3}lau^{21}sɿ$^{35}_{44}$xei^{53}a^{0}kai^{53}tsɿ^{0},tsiəu$^{53}_{44}$ xei^{53}tau^{21}kai$^{53}_{44}$kai$^{53}_{44}$fəŋ$^{13}_{21}$sa$^{35}_{44}$kai$^{53}_{44}$iaŋ^{53}tsɿ^{0},li^{21}ka$^{35}_{44}$t^{h}ai^{53}uk^{3}li^{0}kai$^{53}_{44}$iaŋ^{53}tsɿ^{0},ci$^{13}_{21}$ke^{0}xei^{53}pɔi$^{53}_{44}$tʂən^{35}to$^{35}_{44}$p^{h}ak^{5} xɔk^{5}.i^{21}xa$^{53}_{44}$m…cien^{53}ʂau^{21}li^{0},cien^{53}mau$^{13}_{21}$tek^{3}li^{0}.

【白狐狐哩】p^{h}ak^{5}fu^{13}fu^{13}li^{0} 形 很白的样子。又称"白邪邪哩"：噢，正先箇只白都，箇讲人呢，欸讲人呢，缯晒太阳啊，畜得～。au$_{53}$,tʂaŋ$^{53}_{44}$sien$^{35}_{44}$kai$^{53}_{44}$tʂak^{3}p^{h}ak^{5}təu$^{35}_{44}$,kai^{53}kɔŋ^{21}ɲin^{13}ne^{0},e$_{21}$kɔŋ^{21}ɲin^{13} ne^{0},maŋ^{13}sai^{53}t^{h}ai^{53}iɔŋ$^{13}_{21}$ŋa^{0},çiəuk^{3}tek^{3}p^{h}ak^{5}fu^{13}fu^{13}li^{0}.

【白虎】p^{h}ak^{5}fu^{21} 名 无阴毛的妇女，又称"光板"：也讲～哦。也讲渠光板呶。ia^{35}kɔŋ^{21}p^{h}ak^{5} fu^{21}o^{0}.ia^{35}kɔŋ^{21}ci$^{21}_{44}$kɔŋ^{35}pan^{21}nau^{0}.

【白话】p^{h}ak^{5}ua^{53} 名 故事：讲只～你听呢。kɔŋ^{21}tʂak^{3}p^{h}ak^{5}ua^{53}ɲi$^{13}_{21}$t^{h}aŋ^{35}nei^{0}.

【白辣椒】p^{h}ak^{5}lait^{5}tsiau^{35} 名 将青椒焯水晒干，用油煎着吃。有时候也称"白辣椒子"。又称"嫩辣椒"：放滴油去煳，爱～，爱箇个青辣椒晒干哩个。同箇个淡干鱼子样去炼，爱去去去煳，舞滴油去煳。箇有。欸就话安做～子呢。呣。～。欸，～是蛮箇个噢，渠爱白个，唔系红个。红个食……受唔了。忒辣哩。青椒做成个。欸，渠就晒起雪白。欸，爱焯水。爱青辣椒做成个。你只爱话～，就有。fɔŋ^{53}tet^{5}iəu^{13}çi$^{53}_{44}$sɿ^{35},ɔi$^{53}_{44}$p^{h}ak^{5}lait^{5}tsiau$^{35}_{44}$,ɔi$^{53}_{44}$kai^{53}ke$^{53}_{44}$ts^{h}iaŋ^{35}lait^{5}tsiau$^{35}_{44}$

sai^{53}kɔn^{35}ni^{0}ke$^{53}_{21}$.tʰəŋ$^{13}_{21}$kai$^{53}_{44}$ke$^{53}_{44}$tʰan$^{35}_{44}$kɔn$^{35}_{44}$ŋ̍^{13}tsɿ^{0}iɔŋ$^{53}_{44}$çi$^{53}_{44}$xɔk^{3},ɔi$^{53}_{44}$çi$^{53}_{44}$çi$^{53}_{44}$çi$^{53}_{44}$sɿ^{35},u^{21}tet^{5}iəu^{13}çi$^{53}_{44}$sɿ^{35}.kai$^{53}_{44}$iəu^{35}.e$_{21}$ tsʰiəu$^{53}_{44}$ua$^{53}_{44}$ɔn$^{35}_{44}$tso$^{53}_{44}$pʰak^{5}lait^{5}tsiau$^{35}_{44}$tsɿ^{0}nei^{0}.m̩$_{21}$.pʰak^{5}lait^{5}tsiau$^{35}_{44}$.e$_{21}$,pʰak^{5}lait^{5}tsiau$^{35}_{44}$ʂʅ$^{53}_{44}$man$^{13}_{21}$kai$^{53}_{44}$cie$^{53}_{44}$ au^{0},ci^{13}ɔi$^{53}_{44}$pʰak^{5}ke$^{53}_{44}$,m̩^{13}pʰe^{53}(←xe^{53})fəŋ^{13}ke$^{53}_{44}$.fəŋ^{13}ke$^{53}_{44}$ʂət^{5}…ʂəu^{53}n̩$^{13}_{21}$liau^{21}.tʰet^{3}lait^{5}li^{0}.tsʰiaŋ^{35}tsiau$^{35}_{44}$tso^{53} tʂʰən$^{13}_{21}$cie$^{53}_{44}$.e$_{21}$,ci$^{13}_{21}$tsʰiəu$^{53}_{44}$sai^{53}çi^{21}siet^{5}pʰak^{5}.e$_{21}$,ɔi^{53}tʂʰɔk^{3}ʂei^{21}.ɔi$^{53}_{44}$tsʰiaŋ^{35}lait^{5}tsiau$^{35}_{44}$tso^{53}ʂaŋ$^{13}_{21}$ke$^{53}_{44}$. ɲi$^{13}_{21}$tʂe^{21}ɔi$^{53}_{44}$ ua$^{53}_{44}$pʰak^{5}lait^{5}tsiau$^{35}_{44}$,tsiəu$^{53}_{21}$iəu$^{35}_{21}$.

【白露】pʰak^{5}lu^{53} 名二十四节气之一：节气唠，～啊。二十四只节气。欸，立秋，处暑，～，秋分呶。～嘞还赠架势打露。系只节气。tset^{3}çi^{53}lau^{0},pʰak^{5}lu^{53}a^{0}. ɲi$^{53}_{44}$ʂət^{5}si^{53}tʂak^{3}tset^{3}çi$^{53}_{44}$.e$_{21}$,liet^{5} tsʰiəu$^{35}_{44}$,tʂʰəu^{53}tʂʰəu^{21},pʰak^{5}lu^{53},tsʰiəu^{35}fən$^{35}_{44}$nau^{0}.pʰak^{5}lu$^{53}_{44}$le^{0}xa$^{13}_{21}$maŋ^{13}cia$^{53}_{44}$ʂʅ$^{53}_{44}$ta^{21}ləu^{53}.xe$^{53}_{44}$tʂak^{3}tset^{3}çi^{53}.

【白萝卜】pʰak^{5}lo^{13}pʰek^{5} 名萝卜品种名，表皮和肉质均为白色：如今个～真大一只只，桩篙萝卜。我等箇阵子栽个嘞就溜圆子个，圆圆子，冇几大子，比乒乓球大滴子，也也安做～。欸，～蛮好个东西，食哩呀让门子啊？欸，～上哩市是医师都欸郎中都冇哩生意。嗯，渠就食哩嘞人个身体越好。～系喜欢食。～菜。～擦个酸菜第一好食。i$^{13}_{21}$cin$^{35}_{44}$ke^{0}pʰak^{5}lo$^{13}_{21}$pʰek^{5} tʂən^{35}tʰai^{53}iet^{3}tʂak^{3}tʂak^{3},tsiɔŋ^{35}kau$^{35}_{44}$lo^{13}pʰak^{5}.ŋai^{13}tien^{0}kai^{53}tʂʰən$^{53}_{44}$tsɿ^{0}tsɔi^{35}ke^{53}le^{0}tsʰiəu$^{53}_{44}$liəu^{35}ien^{13}tsɿ^{0} ke^{53},ien^{13}ien^{13}tsɿ^{0},mau^{13}ci^{21}tʰai^{53}tsɿ^{0},pi^{21}pʰin$^{35}_{44}$pʰaŋ$^{35}_{44}$cʰiəu^{13}tʰai$^{53}_{44}$tiet^{5}tsɿ^{0},ie^{21}ia^{35}ɔn$^{35}_{44}$tso$^{53}_{44}$pʰak^{5}lo^{13} pʰek^{5}.e$_{21}$,pʰak^{5}lo^{13}pʰek^{5}man$^{13}_{21}$xau^{21}ke^{0}təŋ$^{35}_{44}$si^{0},ʂət^{5}li^{0}ia^{0}ɲiɔŋ$^{53}_{44}$mən^{0}tsɿ^{0}a^{0}?e$_{21}$,pʰak^{5}lo^{13}pʰek^{5}ʂɔŋ^{35}li^{0}ʂʅ^{53}ʂʅ$^{53}_{21}$ i^{35}sɿ$^{35}_{44}$təu$^{35}_{44}$e$_{21}$lɔŋ^{13}tʂəŋ$^{35}_{44}$təu$^{35}_{44}$mau$^{13}_{21}$li^{0}sen^{35}i^{53}.n̩$_{21}$,ci$^{13}_{21}$tsʰiəu$^{53}_{44}$ʂət^{5}li^{0}le^{0}ɲin^{13}ke^{0}ʂən^{35}tʰi^{21}uet^{5}xau^{21}.pʰak^{5}lo^{13}pʰek^{5} xe$^{53}_{44}$çi^{21}fɔn^{35}ʂət^{5}.pʰak^{5}lo^{13}pʰek^{5}tsʰɔi^{53}.pʰak^{5}lo^{13}pʰek^{5}tsʰait^{3}ke^{0}sɔn^{35}tsʰɔi^{53}tʰi^{53}iet^{3}xau^{21}ʂət^{5}.

【白毛】pʰak^{5}mau^{35} 名天老儿，即患白化病的人：欸，我等有只㖊㖊侄子个，渠供两只细人子。渠老婆供两只细人子。两只都～。雪白个头发。冇得整呢，总整都整唔好。还到长沙儿童医院去整哩都空个。冇得好。雪白个头发。e$_{21}$,ŋai^{13}tien^{0}iəu$^{35}_{44}$tʂak^{3}xan^{53}xan^{53}tʂʰət^{5}tsɿ^{0}ke^{0},ci^{13}ciəŋ^{53}iɔŋ^{21} tʂak^{3}sei^{53}ɲin$^{13}_{21}$tsɿ^{0}.ci^{13}lau^{21}pʰo^{13}ciəŋ^{53}iɔŋ^{21}tʂak^{3}sei^{53}ɲin$^{13}_{21}$tsɿ^{0}.liɔŋ^{21}tʂak^{3}təu$^{35}_{44}$pʰak^{5}mau^{35}.e$_{21}$,siet^{5}pʰak^{5}ke^{0} tʰei$^{13}_{21}$fait^{3}.mau^{13}tek^{3}tʂaŋ^{21}ne^{0},tsəŋ^{21}tʂaŋ^{21}təu^{35}tʂaŋ^{21}n̩$^{13}_{21}$xau^{21}.xai^{13}tau$^{53}_{44}$tʂʰɔŋ^{13}sa$^{35}_{44}$vy^{13}tʰəŋ$^{13}_{21}$i$^{35}_{44}$vien^{53}çi^{53}tʂaŋ^{21}li^{0} təu$^{35}_{44}$kʰəŋ$^{53}_{44}$ke^{0}.mau$^{13}_{21}$tek^{3}xau^{21}.siet^{5}pʰak^{5}ke^{0}tʰei$^{13}_{21}$fait^{3}.

【白煤】pʰak^{5}mi^{13} 名无烟煤。又称“生活煤”：～就系无烟煤。无烟煤嘞人家屋下正烧得。你系搞倒箇个烟煤去烧啊，进人都进唔得，箇肚里。欸。只好烧以个无烟煤。只系话就话烟冇得嘞，但是箇只气味还系蛮难闻。熏人。只系话冇得烟。箇有烟煤只好烧锅炉。pʰak^{5}mi^{13} tsʰiəu^{53}xe^{53}u^{13}ien$^{35}_{44}$mei^{13}.u^{13}ien$^{35}_{44}$mi^{13}lei^{0}ɲin^{13}ka$^{35}_{53}$uk^{3}xa$^{53}_{44}$tʂaŋ^{53}ʂau^{35}tek^{3}. ɲi^{13}xei^{53}kau^{21}tau^{21}kai^{53}ke^{53}ien^{35}mi^{13} çi^{53}ʂau$^{35}_{44}$a^{0},tsin^{53}ɲin^{13}təu$^{35}_{53}$tsin^{53}n̩$^{13}_{21}$tek^{3},kai$^{53}_{44}$təu^{21}li^{0}.e$_{21}$.tʂʅ^{21}xau^{21}ʂau^{35}i^{21}ke^{53}u^{13}ien$^{35}_{44}$mi$^{13}_{21}$.tʂʅ^{21}xe$^{53}_{44}$ua^{53}tsiəu$^{53}_{44}$ua^{53} ien^{35}mau$^{13}_{21}$tek^{3}le^{0},tan$^{53}_{44}$ʂʅ$^{53}_{44}$kai$^{53}_{44}$tʂak^{3}çi^{53}uei^{53}xai$^{13}_{21}$xe^{53}man$^{13}_{21}$lan$^{13}_{21}$uən$^{13}_{21}$.tʂʰəŋ^{35}ɲin$^{13}_{21}$.tʂʅ^{21}xe^{53}ua^{53}mau$^{13}_{21}$tek^{3} ien^{35}.kai$^{53}_{44}$iəu^{35}ien^{35}mei$^{13}_{21}$tʂe^{21}xau^{21}ʂau^{35}ko^{35}ləu$^{13}_{21}$.

【白米饭】pʰak^{5}mi^{21}fan^{53} 名①相对于红米饭而言：整得懒熟个米哟就～唠。就区别于红米饭呶，系啊？整白米。tʂaŋ^{21}tek^{3}lai^{53}ʂəuk^{5}ke^{53}mi^{21}iau^{0}tsʰiəu$^{53}_{21}$pʰak^{5}mi^{21}fan^{53}nau^{0}.tsʰiəu$^{53}_{44}$tʂʰʮ^{35}pʰiek^{5}y$^{13}_{21}$ fəŋ^{13}mi^{21}fan^{53}nau^{0},xei$^{53}_{44}$a^{0}?tʂaŋ^{21}pʰak^{5}mi^{21}. ②比喻很好的生活：同时～还有只意义就系么个嘞？就比喻蛮好个生活。食起箇～。欸。有～食。tʰəŋ$^{13}_{21}$ʂʅ$^{13}_{44}$pʰak^{5}mi^{21}fan^{53}xai$^{13}_{21}$iəu^{35}tʂak^{3}i^{53}ɲi$^{53}_{44}$tsʰiəu$^{53}_{44}$ xei$^{53}_{44}$mak^{3}(k)e$^{53}_{44}$le^{0}?tsiəu$^{53}_{44}$pi^{21}y^{53}man^{13}xau^{21}ke^{53}sien^{35}xɔit^{5}.ʂət^{5}cʰi^{21}kai$^{53}_{44}$pʰak^{5}mi^{21}fan^{53}.e$_{21}$.iəu^{35}pʰak^{5}mi^{21} fan^{53}ʂət^{5}.

【白米菌】pʰak^{5}mi^{21}cʰin$^{35}_{44}$ 名一种长在山坡的白色食用菌：我等屋下老家箇只上背也有咁个白色个菌子，食得。但是以只东西就爱搞清楚硬系哪起系～。我就分唔多出凑。欸，有滴咁个白菌子食唔得个。有滴真系食唔得个。欸，～。有，有以起以起～食得。ŋai^{13}tien^{0}uk^{3}xa^{53}lau^{21} cia$^{35}_{44}$kai^{53}iak^{3}ʂɔŋ^{53}pɔi^{53}ia^{35}iəu$^{35}_{44}$kan^{21}ke^{53}pʰak^{5}sek^{3}ke^{53}cʰin^{35}tsɿ^{0},ʂət^{5}tek^{3}.tan^{53}ʂʅ^{53}i^{21}tʂak^{3}təŋ$^{35}_{44}$si^{0}tsʰiəu$^{53}_{44}$ɔi^{53} kau^{21}tsʰin^{35}tsʰəu^{21}ɲiaŋ^{53}xe^{53}lai^{53}çi^{21}xe^{53}pʰak^{5}mi^{21}cʰin^{35}.ŋai^{13}tsʰiəu$^{53}_{44}$fən^{35}n̩$^{13}_{21}$to$^{35}_{44}$tʂʰət^{3}tsʰe^{0}.e$_{21}$,iəu^{35}tet^{5}kan^{21} ke^{0}pʰak^{5}cʰin$^{35}_{44}$tsɿ^{0}ʂət^{5}n̩$^{13}_{21}$tek^{3}ke^{0}.iəu^{35}tet^{5}tʂən$^{35}_{44}$ne$^{53}_{44}$ʂət^{5}n̩$^{13}_{21}$tek^{3}ke^{0}.e$_{21}$,pʰak^{5}mi^{21}cʰin^{35}.iəu^{35},iəu^{35}i^{21}çi^{21}i^{21}çi^{21} pʰak^{5}mi^{21}cʰin^{35}ʂət^{5}tek^{3}.

【白面石】pʰak^{5}mien$^{53}_{44}$ʂak^{5} 名一种石头的名称：江西箇映就有只～啦。张家坊有只大～，小～。kɔŋ^{35}si^{0}kai$^{53}_{44}$iaŋ$^{53}_{44}$tsʰiəu$^{53}_{44}$iəu$^{35}_{21}$tʂak^{3}pʰak^{5}mien$^{53}_{44}$ʂak^{5}la^{0}.tʂɔŋ^{35}ka$^{35}_{44}$fɔŋ^{35}iəu$^{35}_{44}$(tʂ)ak^{3}tʰai^{53}pʰak^{5}mien$^{53}_{44}$ ʂak^{5},siau^{21}pʰak^{5}mien$^{53}_{44}$ʂak^{5}.

【白木耳】pʰak^{5}muk^{3}ɲi^{21} 名银耳：～就系安做银耳。嗯，～蛮好食唠，雪白子个。欸，一般就先舞滴泡水去发下子，欸，去放下放下开放下泡水肚里去发正下子来。欸，然后嘞搂起来，搣碎下子。搣开下子来，搣到搣碎下子嘞放下镬里去煮。放滴糖去，唔爱放莫放多哩盐。就～。pʰak5 muk3 ɲi21 tsʰiəu53/44 xei53/44 ɔn35/44 tso53 ɲin13 ɲi21 .n̩_21,pʰak5 muk3 ɲi21 man13 xau21 ʂət5 lau0 ,siet3 pʰak5 tsɿ0 ke0 .ei_21,iet3 pɔn35 tsʰiəu53 sen35 u21 tet5 pʰau35 ʂei21 çi53 fait3 a53 tsɿ0 ,e_21,çi53 fɔŋ53 ŋa53/44 fɔŋ53 ŋa53/44 kʰɔi35 fɔŋ53 ŋa53/44 pʰau35 ʂei21 təu21 li0 çi53 fait3 tʂɔŋ53 ŋa53 tsɿ0 lɔi13/21 .e_21,ien13 xəu53/44 lei0 lei13 çi21 lɔi13 ,met3 si53 xa53/44 tsɿ0 .met3 kʰɔi35 ia53 tsɿ0 lɔi13/21 ,met3 tau53/44 met3 si53 ia53/44 tsɿ0 lei0 fɔŋ53/44 ŋa53/44 uɔk5 li0 çi53/44 tʂəu21 .fɔŋ53/44 tet5 tʰɔŋ13 çi53 ,m̩13 mɔi53/44 fɔŋ53 mɔk5 fɔŋ53 to35 li0 ian13 .tsiəu53/44 pʰak5 muk3 ɲi21 .

【白木子】pʰak5 muk3 tsɿ0 [名]乌桕：木子就系乌桕哇。/木子油是就系～。muk3 tsɿ0 tsʰiəu53/44 xe53/44 u35/44 ciəu53 ua0 ./muk3 tsɿ0 iəu13 ʂɿ53/44 tsʰiəu53/44 xe53/44 pʰak5 muk3 tsɿ0 .

【白脑壳】pʰak5 lau21 kʰɔk3 [名]鱼名：欸，有起鱼子安做～。欸，～，让门子个？系<u>唔系</u>箇起欸有蛮长子一条个唠？～。唔多记得哩，唔多记得哩。ei_21 iəu35 çi21 ŋ̍13 tsɿ0 ɔn35/44 tso53/44 pʰak5 lau21 kʰɔk3 .e_53 pʰak5 lau21 kʰɔk3 , ɲiɔŋ53 mən0 tsɿ0 ke0 ?xe53 me53 kai53 çi21 e_21 iəu35 man13/21 tʂʰɔŋ13 tsɿ0 iet3 tʰiau13 ke53 lau0 ?pʰak5 lau21 kʰɔk3 .n̩13 to35/44 ci53 tek3 li0 ,n̩13 to35/44 ci53 tek3 li0 .

【白泥】pʰak5 lai13 [名]白垩土：～，我等老家箇映就有～呢。～，我等箇老家箇岭顶上有有一只栏场有～。渠等话～就可以做碗。欸，如今做瓷砖用～。我等箇映子就喊倒几只挖倒箇个～，请别人家去去化验，看下能够我欸看下我等老家箇映子看下搞得一只～矿吗，系啊？有人爱。唔知箇映～唔好，我等个～还唔多好，欸，𫠊去开发。拿倒一只就一只就做瓷器呀，欸，做碗呢。烧以咁个东西啊，烧以个瓷器呀。以前开发过。以前我等人还系六十年代，六十年代我等人畲田村呐，箇阵子畲田村，就舞倒箇个～，荷倒去，做碗，结果做倒个碗冇得用。唔系冇人爱，冇人爱，欸，碗厂都倒闭嘿哩箇阵子。箇阵子大队上么个爱搞只碗厂。欸，我有只朋友就系咁子认得个。欸，渠就渠就以前去西乡做碗呶，请倒渠来当师傅哇。欸，请嘿渠来当师傅。落尾嘞碗厂倒闭嘿哩嘞渠就分别人家做赖子，以下就认得哩。一只朋友。以下唔在哩了。pʰak5 nai13 ,ŋai13 tien0 lau21 cia35/44 kai53 iaŋ53 tsʰiəu53/44 iəu35/44 pʰak5 lai13/21 nei0 .pʰak5 lai13 ,ŋai13 tien0 kai53 lau21 cia35/44 kai53 liaŋ35 taŋ21 xɔŋ53 iəu35 iəu35 iet3 tʂak3 laŋ13/21 tʂʰɔŋ13/21 iəu35/44 pʰak5 lai13/21 .ci13/21 tien0 ua53 pʰak5 lai13/21 tsʰiəu53/44 kʰo21 i35 tso53 uɔn21 .e_21,i13/21 cin35/44 tso53 tsʰɿ13 tʂɔn35 iəŋ53/44 pʰak5 lai13 .ŋai13 tien0 kai53/44 iaŋ53 tsɿ0 tsiəu53/44 xan53 tau21 ci21 tʂak3 ua35 tau21 kai53/44 ke53/44 pʰak5 lai13/21 ,tsʰiaŋ21 pʰet5 ɲin13/21 ka35/44 çi53 çi53/44 fa53 ɲien53 ,kʰɔn53/44 na53/44 lien13 ciau53 ŋai13 ei_21 kʰɔn53/44 na53/44 ŋai13 tien0 lau21 cia35/44 kai53/44 iaŋ53 tsɿ0 kʰɔn53/44 na53/44 kau21 tek3 iet3 tʂak3 pʰak5 lai13 kʰɔŋ53 ma0 ,xei53/44 a0 ?mau13/21 ɲin13 ɔi53 .n̩13 ti35/44 kai53/44 iaŋ53/44 pʰak5 lai13 n̩13 xau21 ,ŋai13 tien0 ke0 pʰak5 lai13 xai13/21 n̩13/21 to35 xau21 ,e_21,maŋ13 çi53/44 kʰɔi35 fait3 .lak5 tau21 iet3 tʂak3 tsʰiəu53 iet3 tʂak3 tsʰiəu53 tso53 tsʰɿ13 çi53 ia0 ,e_21,tso53 uɔn21 ne0 .ʂau35 i21 kan21 ke0 təŋ35/44 si0 a0 ,ʂau35 i21 ke53 tsʰɿ13 çi53 ia0 .i35 tsʰien13/21 kʰɔi35 fait3 ko53 .i35 tsʰien13/21 ŋai13 tien0 ɲin13/21 xai13/21 xe53 liəuk3 ʂət5 ɲien13/21 tʰɔi53 ,liəuk3 ʂət5 ɲien13/21 tʰɔi53 ŋai13 tien0 ɲin13/21 sak3 tʰien13 tsʰən35 na0 ,kai53/44 tʂʰən53 tsɿ0 sak3 tʰien13 tsʰən35 ,tsʰiəu53 u21 tau21 kai53 ke53 pʰak5 lai13 ,kai35 tau21 çi53 ,tso53 uɔn21 ,ciet3 ko21 tso53 tau21 ke0 uɔn21 mau13 tet5 iəŋ53 .m̩13 pʰe53 mau13 ɲin13/21 ɔi53 ,mau13 ɲin13/21 ɔi53 ,e_21,uɔn21 tʂʰɔŋ21 təu35/53 tau21 pi53 ek3 li0 kai53/44 tʂʰən53 tsɿ0 .kai53/44 tʂʰən53 tsɿ0 tʰai53 ti53/44 xɔŋ53/44 mak3 ke53 ɔi53 kau21 tʂak3 uɔn21 tʂʰɔŋ21 .e_21,ŋai13 iəu35/44 tʂak3 pʰəŋ13 iəu35 tsʰiəu53 xe53 kan21 tsɿ0 ɲin53 tek3 ke53 .e_21,ci13 tsʰiəu53/44 ci13 tsʰiəu53/44 i35/44 tsʰien13/21 çi53/44 si35 çiɔŋ35/44 tso53 uɔn21 nau0 ,tsʰiaŋ21 tau21 ci13/21 lɔi13/21 tɔŋ35/44 sɿ35 fu53/44 ua0 .e_21,tsʰiaŋ21 xek3 ci13/21 lɔi13/44 tɔŋ35/44 sɿ35/44 fu0 .lɔk5 mi35/44 le0 uɔn21 tʂʰɔŋ21 tau21 pi53 ek3 li0 lei0 ci13 tsʰiəu53 pən35 pʰiet5 in13/21 ka35/44 tso53 lai53 tsɿ0 ,i21/44 xa53/44 tsʰiəu53/44 ɲin53 tek3 li0 .iet3 tʂak3 pʰəŋ13/21 iəu35/44 .i21/13 xa53/44 n̩13/21 tsʰɔi35/44 li0 liau0 .

【白皮荷】pʰak5 pʰi13 xo13 [名]荷树的一种：～，系有，有～，一种荷树。～，欸，好像同以滴个荷树个叶子就差唔多，都系差唔多，但是皮系白个。箇皮真好搣呢我记得嘞。一扯就开来哩。～。欸，树上个箇起皮呀好像只爱一扯就一块就下来哩啊。白个，嗯，～。pʰak5 pʰi13/21 xo13 ,xei53 iəu35 ,iəu35 pʰak5 pʰi13/21 xo13/21 ,iet3 tʂəŋ21 xo13 ʂəu53 .pʰak5 pʰi13/21 xo13 ,e_21,xau21 tsʰiɔŋ53 tʰəŋ13 i21 tiet5 ke0 xo13 ʂəu53 ke0 iait5 tsɿ0 tsʰiəu53/44 tsa35/44 n̩13/21 to35/44 ,təu35 xe53 tsa35/44 n̩13/21 to35 ,tan53 ʂɿ53 pʰi13 xe53/44 pʰak5 ke0 .kai53 pʰi13 tʂən35 xau21 miet3 nei0 ŋai13 ci53 tek3 lei0 .iet3 tʂʰa21 tsʰiəu53 kʰɔi35/44 lɔi13/21 li0 .pʰak5 pʰi13/21 xo13/21 .e_21,ʂəu53 xɔŋ53 ke0 kai53/44 çi21 pʰi13 ia0 xau21 tsʰiɔŋ53 tʂe21 ɔi53 iet3 tʂʰa21 tsʰiəu53 iet3 kʰuai53 tsʰiəu53/44 xa53/44 lɔi13/21 li0 a0 .pʰak5 ke53 ,n̩_21,pʰak5 pʰi13/21 xo13/21 .

【白茄子】pʰak5 cʰio13 tsɿ0 [名]一种茄子，表皮呈白色：～，有就有，以前有，如今……唔好食，箇个～唔好食。只有以滴人喜欢食青茄子。欸，以个栏场有～，红茄子，青茄子，欸，蛮多人食，就青茄子更好食。红茄子就所谓红茄子就紫色个茄子，唔好食。pʰak5 cʰio13 tsɿ0 ,iəu35 tsʰiəu53 iəu35 ,i35 tsʰien13/21 iəu35 ,i13/21 cin35 …n̩13 xau21 ʂət5 ,kai53/44 ke53/44 pʰak5 cʰio13 tsɿ0 n̩13/21 xau21 ʂət5 .tʂe21 iəu35/53 i21 tet5 ɲin13/21 çi21 fɔn35/44 ʂət5 tsʰiaŋ35 cʰio13/21 tsɿ0 .ei_21,i21 kei53 laŋ13/21 tʂʰɔŋ13/21 iəu35/44 pʰak5 cʰio13 tsɿ0 ,fəŋ13 cʰio13 tsɿ0 ,tsʰiaŋ35 cʰio13 tsɿ0 ,e_21,man13/21 to$^{35}_{44}$ɲin$^{13}_{21}$ʂət^{5},tsiəu$^{53}_{44}$tsʰiaŋ^{35}cʰio^{13}tsɿ^{0}ken$^{53}_{44}$xau^{21}ʂət^{5}.fəŋ^{13}cʰio^{13}tsɿ^{0}tsʰiəu^{53}so^{21}uei^{53}fəŋ^{13}cʰio^{13}tsɿ^{0}tsʰiəu^{53}tsɿ^{21}sek^{3}ke^{53}cʰio^{13}tsɿ^{0},m̩^{13}xau^{21}ʂət^{5}.

【白人】pʰak^{5}ɲin$^{13}_{21}$ 名指白化病患者：～，有喔，我等箇映都有一只哦。面上也雪白。白化病吧？头发也雪白，反正咁高子，反正几岁子，白化病。欸真收拾哩，我一只子，叫我一只孙子。白头发，白，面上也雪白。pʰak^{5}ɲin$^{13}_{21}$,iəu^{35}uo^{0},ŋai^{13}tien^{0}kai$^{53}_{44}$iaŋ$^{53}_{44}$təu$^{35}_{44}$iəu^{35}iet^{3}tʂak^{3}o^{0}.mien^{53}xɔŋ$^{53}_{21}$ŋa$_{21}$(←ia^{35})siet^{5}pʰak^{5}.pʰak^{5}fa^{53}pʰiaŋ^{53}pa^{0}?tʰei^{13}fait^{3}ia$^{35}_{53}$siet^{5}pʰak^{5},fan^{21}tʂən^{53}kan$^{21}_{35}$kau$^{35}_{44}$tsɿ^{0},fan^{21}tʂən^{53}ci^{21}sɔi^{53}tsɿ^{0},pʰak^{5}fa$^{53}_{44}$pʰiaŋ^{53}.e$_{21}$tʂən^{35}ʂəu^{35}ʂət^{5}li^{0},ŋai^{13}iet^{3}tʂak^{3}tsɿ^{0},ciau$^{53}_{44}$ŋai^{13}iet^{3}tʂak^{3}sən^{35}tsɿ^{0}.pʰak^{5}tʰei^{13}fait^{3},pʰak^{5},mien^{53}xɔŋ$^{53}_{44}$ŋa$_{44}$(←ia^{35})siet^{5}pʰak^{5}.

【白仁子】pʰak^{5}in^{13}tsɿ^{0} 名眼白：噢，眼珠肚里啊，眼珠肚里箇滴子就～。雪白个东西安做～。乌仁子外背个就安做～。系。au$_{21}$,ŋan^{21}tʂəu^{35}təu^{21}li^{0}a^{0},ŋan^{21}tʂəu^{35}təu^{21}li^{0}kai$^{53}_{44}$tiet^{5}tsɿ^{0}tsʰiəu$^{53}_{44}$pʰak^{5}in^{13}tsɿ^{0}.siet^{3}pʰak^{5}ke^{0}təŋ$^{35}_{44}$si^{0}ɔn$^{35}_{44}$tso$^{53}_{44}$pʰak^{5}in^{13}tsɿ^{0}.u^{35}in$^{13}_{21}$tsɿ^{0}ŋɔi^{53}pɔi$^{53}_{44}$ke^{0}tsʰiəu$^{53}_{44}$ɔn$^{35}_{44}$tso$^{53}_{44}$pʰak^{5}in^{13}tsɿ^{0}.xe^{53}.

【白色】pʰak^{5}sek^{3} 名像牛奶那样的颜色：阳钩，好像系身子长长子，～，有滴子带～。iɔŋ^{13}kei^{35},xau^{21}tsʰiɔŋ^{53}xe^{53}ʂən^{35}tsɿ^{0}tʂʰɔŋ^{13}tʂʰɔŋ^{13}tsɿ^{0},pʰak^{5}sek^{3},iəu^{35}tet^{5}tsɿ^{0}tai$^{53}_{44}$pʰak^{5}sek^{3}.

【白衫】pʰak^{5}san^{35} 名孙、曾孙辈穿的白色孝衣：孙子，曾孙箇只就爱拼长白，拼一块□长个白，或者着～。sən^{35}tsɿ^{0},tsʰien^{13}sən$^{35}_{44}$kai$^{53}_{44}$tʂak^{3}tsʰiəu$^{53}_{44}$ɔi$^{53}_{44}$təŋ^{35}tʂʰɔŋ^{13}pʰak^{5},təŋ^{35}iet^{3}kʰuai$^{53}_{44}$lai^{35}tʂʰɔŋ^{13}ke$^{53}_{44}$pʰak^{5},xɔit^{5}tʂa^{21}tʂɔk^{3}pʰak^{5}san$^{35}_{44}$.

【白鮹】pʰak^{5}siau^{35} 名鱼名：～，系有一种箇鱼安做～。我唔多记得哩。箇晡渠等都去啊讲彝倒几只～。欸，嗯我唔多记得让门子个安做～。欸箇鱼子。有哇，有哇，哦镜河里有哇。～，有系有哇。pʰak^{5}siau$^{35}_{44}$,xei^{53}iəu^{35}iet^{3}tʂəŋ^{21}kai$^{53}_{44}$ŋ̍^{13}ɔn$^{35}_{44}$tso$^{53}_{44}$pʰak^{5}siau^{35}.ŋai^{13}n̩$^{13}_{21}$to^{35}ci^{53}tek^{3}li^{0}.kai^{53}pu^{35}ci$^{13}_{21}$tien^{0}təu$^{35}_{44}$çi^{53}a^{0}kɔŋ^{21}u^{21}tau^{21}ci^{21}tʂak^{3}pʰak^{5}siau^{35}.e$_{21}$,n̩$_{21}$ŋai^{13}n̩$^{13}_{21}$to^{35}ci^{53}tek^{3}ɲiɔŋ^{53}men^{0}tsɿ^{0}ke^{53}ɔn$^{35}_{44}$tso$^{53}_{44}$pʰak^{5}siau$^{35}_{44}$.e^{0}kai^{53}ŋ̍^{13}tsɿ^{0}.iəu^{35}ua^{0},iəu^{35}ua^{0},o$_{21}$ciaŋ^{53}xo^{13}li^{0}iəu^{35}ua^{0}.pʰak^{5}siau$^{35}_{44}$,iəu^{35}xe$^{53}_{44}$iəu$^{35}_{44}$ua^{0}.

【白芍】pʰak^{5}ʂɔk^{5} 名中药名，指毛茛科植物芍药或其干燥根：我等老家箇岬背哟横岭啊就栽十亩哇～啊。ŋai$^{13}_{21}$tien^{0}lau^{21}cia$^{35}_{44}$kai$^{53}_{21}$cien^{53}pɔi^{53}io^{0}uaŋ^{13}liaŋ$^{35}_{44}$ŋa^{0}tsʰiəu$^{53}_{44}$tsɔi^{35}ʂət^{5}miau^{35}ua^{0}pʰak^{5}ʂɔk^{5}a^{0}.

【白石子】pʰak^{5}ʂak^{5}tsɿ^{0} 名石英石：一般只有两起石子啊，青石子，～啊。iet^{3}pɔn^{35}tʂe^{21}iəu^{35}iɔŋ^{21}çi^{21}ʂak^{5}tsɿ^{0}a^{0},tsʰiaŋ^{35}ʂak^{5}tsɿ^{0},pʰak^{5}ʂak^{5}tsɿ^{0}a^{0}.

【白水泥】pʰak^{5}ʂei^{21}lai^{13} 名白色硅酸盐水泥的简称：～一般就刷下子壁头嘞。壁头就爱雪白个吵。砌墙箇只就唔爱～。～蛮贵啦，两起咁贵呀。pʰak^{5}ʂei^{21}lai^{13}iet^{3}pɔn^{35}tsʰiəu$^{53}_{44}$sɔit^{3}a^{53}tsɿ^{0}piak^{3}tʰei^{13}lei^{0}.piak^{3}tʰei^{13}tsʰiəu$^{53}_{44}$ɔi$^{53}_{44}$siet^{5}pʰak^{5}ke^{53}ʂa^{0}.tsʰi^{53}tsʰiɔŋ^{13}kai$^{53}_{44}$tʂak^{3}tsʰiəu$^{53}_{44}$m̩$^{13}_{21}$mɔi$^{53}_{44}$pʰak^{5}ʂei^{21}lai^{13}.pʰak^{5}ʂei^{21}lai^{13}man^{13}kuei^{53}la^{0},iɔŋ^{21}çi^{21}kan^{21}kuei^{53}ia^{0}.

【白糖】pʰak^{5}tʰɔŋ^{13} 名白砂糖的简称。用甘蔗或甜菜榨出的糖蜜制成的精糖，色白，干净，甜度高：加点～去 cia^{35}tian^{21}pʰak^{5}tʰɔŋ^{13}çi$^{53}_{44}$ | 白砂糖，以下就我等安做～嘞。唔加砂，唔爱渠，唔爱箇砂字了。就安做～。pʰak^{5}sa$^{35}_{44}$tʰɔŋ$^{13}_{21}$,i^{21}xa$^{53}_{44}$tsʰiəu$^{53}_{44}$ŋai$^{13}_{21}$tien^{0}ɔn$^{35}_{44}$tso$^{53}_{44}$pʰak^{5}tʰɔŋ$^{13}_{21}$lei^{0}.n̩^{13}cia$^{35}_{44}$sa^{35},m̩$^{13}_{21}$mɔi$_{35}$(←ɔi^{53})ci$^{13}_{21}$,m̩$^{13}_{21}$mɔi$_{35}$(←ɔi^{53})kai^{53}sa^{35}sɿ$^{53}_{44}$liau^{0}.tsʰiəu^{53}ɔn$^{35}_{44}$tso$^{53}_{44}$pʰak^{5}tʰɔŋ$^{13}_{21}$.

【白条子】pʰak^{5}tʰiau^{13}tsɿ^{0} 名以个人或单位的名义在白纸上书写的证明收支款项或领发货物并作为发票来充当原始凭证的字样：打～ ta^{21}pʰak^{5}tʰiau^{13}tsɿ^{0} | 渠是本来爱开正式发票或者正式收据个人，但是渠赠开，开张～，箇就安做～。一般情况下都系开张～唠。ci^{13}ʂʅ$^{53}_{44}$pən^{21}nɔi^{13}ɔi$^{53}_{44}$kʰɔi$^{35}_{44}$tʂən^{53}ʂʅ^{53}fait^{3}pʰiau$^{53}_{44}$xɔit^{5}tʂa^{21}tʂən^{53}ʂʅ^{53}ʂəu^{35}tʂʯ^{53}ke$^{53}_{44}$ɲin$^{13}_{21}$,tan$^{53}_{44}$ʂʅ$^{53}_{44}$ci$^{13}_{21}$maŋ^{13}kʰɔi$^{35}_{44}$,kʰɔi$^{35}_{44}$tʂɔŋ$^{35}_{44}$pʰak^{5}tʰiau$^{13}_{21}$tsɿ^{0},kai$^{53}_{44}$tsʰiəu$^{53}_{44}$ɔn$^{35}_{44}$tso$^{53}_{44}$pʰak^{5}tʰiau$^{13}_{21}$tsɿ^{0}.iet^{3}pɔn^{35}tsʰin$^{13}_{21}$kʰɔŋ^{53}çia$^{53}_{44}$təu$^{35}_{44}$xei$^{53}_{44}$kʰɔi$^{35}_{44}$tʂɔŋ$^{35}_{44}$pʰak^{5}tʰiau$^{13}_{21}$tsɿ^{0}lau^{0}.

【白铁匠】pʰak^{5}tʰet^{3}siɔŋ^{53} 名用白铁皮加工器物的手工艺人：早几年子我就看倒有蛮多咁个～。就彝倒箇铁皮彝倒箇铁皮呀欸箇个师傅哇箇箇个师傅就彝倒箇铁皮咁子剁剁剁剁剁去锤咁个铁桶，欸，锤咁个么个欸烟筒，做咁个嗯咁个生活用品子。箇起人就安做～。tsau^{21}ci^{21}ɲien^{13}tsɿ^{0}ŋai^{13}tsʰiəu^{53}kʰɔn^{53}tau^{21}iəu$^{35}_{44}$man$^{13}_{21}$to^{35}kan^{21}ke^{0}pʰak^{5}tʰiet^{3}siɔŋ^{53}.tsʰiəu^{53}u^{21}tau^{21}kai^{53}tʰiet^{3}pʰi^{13}u^{21}tau^{21}kai^{53}tʰiet^{3}pʰi^{13}ia^{0}e$_{21}$kai$^{53}_{44}$ke$^{53}_{44}$sɿ^{35}fu$^{53}_{44}$ua^{0}kai$^{53}_{44}$kai$^{53}_{44}$ke$^{53}_{44}$sɿ^{35}fu$^{53}_{44}$tsʰiəu$^{53}_{44}$u^{21}tau^{21}kai^{53}tʰiet^{3}pʰi^{13}kan^{21}tsɿ^{0}to^{53}to^{53}to^{53}to$^{53}_{44}$to^{53}çi^{53}tʂʰei^{13}kan^{21}ke^{53}tʰiet^{3}tʰɔŋ^{21},e$_{21}$,tʂʰei^{13}kan^{21}ke^{53}mak^{3}ke^{53}e$_{21}$ien^{35}tʰɔŋ^{13},tso^{53}kan^{21}ke$^{53}_{44}$n̩$_{21}$kan^{21}kei^{53}sen$^{35}_{44}$xɔit^{5}iɔŋ^{53}pʰin^{21}tsɿ^{0}.kai^{53}çi^{21}ɲin$^{13}_{21}$tsiəu$^{53}_{44}$ɔn$^{35}_{44}$tso$^{53}_{44}$pʰak^{5}tʰet^{3}siɔŋ^{53}.

【白铁皮】pʰak^{53}tʰiet^{3}pʰi^{13} 名镀锌的铁皮：欸，以前箇店子里欸以前箇个欸箇个有咁个制作店，嗯，安做么个店去哩啊？渠箇个老板就专门就系边加工边卖，彝倒箇～来做咁个铁器牙业子卖。洋铁桶啊，洋面盆呐，做咁个东西卖。e$_{21}$,i$^{35}_{53}$ts^{h}ien^{13}kai$^{53}_{44}$tian^{53}tsɿ^{0}li^{35}e^0 i$^{35}_{53}$ts^{h}ien^{13}kai$^{53}_{44}$ke$^{53}_{44}$e$_{21}$kai$^{53}_{44}$ke$^{53}_{44}$iəu^{35}kan^{21}ke$^{53}_{44}$tʂʅ^{53}tsɔk^3 tian^{53},n̩$_{21}$,ɔn$^{35}_{44}$tso^{53}mak^3 e^0 tian^{53}çi$^{53}_{44}$li^0 a^0 ?ci^{13}kai^{53}ke^{53}lau^{21}pan^{21}ts^{h}iəu^{53}tʂuen^{35}mən$^{13}_{44}$ts^{h}iəu$^{53}_{44}$xe$^{53}_{44}$pien^{35}cia^{35}kəŋ^{35}pien^{35}mai^{53},u^{21}tau^{21}kai$^{53}_{44}$p^{h}ak^5 t^{h}iet^3 p^{h}i^{13}lɔi^{13}tso^{53}kan^{21}ke$^{53}_{44}$t^{h}iet^3 çi^{53}ŋa^{13}ɲiait^5 tsɿ^0 mai^{53}.iɔŋ^{13}t^{h}iet^3 t^{h}əŋ^{21}ŋa^0,iɔŋ^{13}mien^{53}p^{h}ən^{13}na^0,tso^{53}kan^{21}ke$^{53}_{21}$təŋ$^{35}_{44}$si^0 mai^{53}.

【白铁铺】p^{h}ak^5 t^{h}et^3 p^{h}u^{53} [名]白铁匠经营的店铺：就系开咁个欸做咁个白铁东西个铺子就安做～。ts^{h}iəu$^{53}_{44}$xe$^{53}_{44}$k^{h}ɔi^{35}kan^{21}ke^{53}e^0 tso^{53}kan^{21}ke^{53}p^{h}ak^5 t^{h}iet^3 təŋ^{35}si^0 ke^0 p^{h}u^{53}tsɿ^0 tsiəu$^{53}_{21}$ɔn$^{35}_{53}$tso$^{53}_{21}$p^{h}ak^5 t^{h}et^3 p^{h}u^{53}.

【白头发】p^{h}ak^5 t^{h}ei^{13}fait^3 [动]头发变白：冇年纪就～，就系少白头。mau^{13}ɲien^{13}ci$^{53}_{21}$tsiəu$^{53}_{44}$p^{h}ak^5 t^{h}ei^{13}fait^3,tsiəu$^{53}_{44}$xe$^{53}_{44}$ʂau^{53}p^{h}ak^5 t^{h}ei^{13}.

【白头公子】p^{h}ak^5 t^{h}ei^{13}kəŋ^{35}tsɿ^0 [名]一种鸟类，即白头翁。也指一种植物：～嘞好像有两只东西。一只嘞就系一种鸟子，安做～。欸，脑壳雪白子个。渠等话箇～是戴孝个。嘿嘿，戴哩孝。还有起嘞就一起植物安做～。欸，箇个箇个一条子棍子冇几长子，唔也唔箇个植物哇顶高雪白子个，～。两起东西。一起就一种鸟子，安做～。一起就一种植物，安做～。p^{h}ak^5 t^{h}ei^{13}kəŋ^{35}tsɿ^0 lei^0 xau^{21}siɔŋ$^{53}_{44}$iəu^{35}iɔŋ^{21}tʂak^3 təŋ$^{35}_{44}$si^0.iet^3 tʂak^3 lei^0 ts^{h}iəu^{53}xei^{53}iet^3 tʂəŋ^{21}tiau^{35}tsɿ^0,ɔn$^{35}_{44}$tso^{53}p^{h}ak^5 t^{h}ei$^{13}_{21}$kəŋ^{35}tsɿ^0.e$_{21}$,lau^{21}k^{h}ɔk^3 siet^5 p^{h}ak^5 tsɿ^0 ke^0.ci^{13}tien^0 ua^{53}kai^{53}p^{h}ak^5 t^{h}ei^{13}kəŋ^{35}tsɿ^0 ʂʅ$^{53}_{44}$tai$^{53}_{44}$xau^{53}ke^0.xe$_{53}$xe$_{21}$,tai^{53}li^0 xau^{53}.xai$^{13}_{21}$iəu^{35}çi^{21}le^0 ts^{h}iəu^{53}iet^3 çi^{21}tʂ^{h}ət^5 uk^3 ɔn^{35}tso^{53}p^{h}ak^5 t^{h}ei^{13}kəŋ^{35}tsɿ^0.ei$_{21}$,kai$^{53}_{44}$kei^{53}kai$^{53}_{44}$kei^{53}iet^3 t^{h}iau^{13}tsɿ^0 kuən^{53}tsɿ^0 mau^{13}ci^{21}tʂ^{h}ɔŋ^{13}tsɿ^0,n̩$^{13}_{21}$ia^{35}n̩$^{13}_{21}$kai$^{53}_{44}$ke$^{53}_{44}$tʂ^{h}ət^5 uk^5 ua^0 taŋ^{21}kau$^{35}_{44}$siet^5 p^{h}ak^5 tsɿ^0 ke^0,p^{h}ak^5 t^{h}ei^{13}kəŋ^{35}tsɿ^0.iɔŋ^{21}çi^{21}təŋ$^{35}_{44}$si^0.iet^3 çi^{21}tsiəu^{53}iet^3 tʂəŋ^{21}tiau^{35}tsɿ^0,ɔn^{35}tso^{53}p^{h}ak^5 t^{h}ei^{13}kəŋ^{35}tsɿ^0.iet^3 çi^{21}tsiəu^{53}iet^3 tʂəŋ^{21}tʂ^{h}ət^5 uk^5,ɔn^{35}tso^{53}p^{h}ak^5 t^{h}ei^{13}kəŋ^{35}tsɿ^0.

【白喜事】p^{h}ak^5 çi^{21}sɿ^{53} [名]高寿的人去世的丧事：～就安做库房，红喜事安做礼房。p^{h}ak^5 çi^{21}sɿ$^{53}_{44}$ts^{h}iəu$^{53}_{44}$ɔn$^{35}_{44}$tso$^{53}_{44}$k^{h}u^{53}fɔŋ^{13},fəŋ^{13}çi^{21}sɿ$^{53}_{44}$ɔn$^{35}_{44}$tso$^{53}_{44}$li^{35}fɔŋ$^{13}_{21}$.

【白苋菜】p^{h}ak^5 xan^{53}ts^{h}ɔi^{53} [名]青叶苋菜：～，有，欸，我老婆就箇个人呐渠就唔喜欢食红苋菜。欸，煮倒一碗菜嘞，鲜红个汤，尽血样。渠话你冇得味道。我等尽栽～。我等屋下尽栽～。就安做～。雪白个梗，雪白个叶。欸，有滴子青青子，欸，有滴子青青子。p^{h}ak^5 xan^{53}ts^{h}ɔi^{53},iəu^{35},e$_{21}$,ŋai^{13}lau^{21}p^{h}o^{13}ts^{h}iəu^{53}kai$^{53}_{44}$ke$^{53}_{44}$ɲin$^{13}_{21}$na^0 ci^{13}ts^{h}iəu^{53}n̩^{13}çi^{21}fɔn^{35}ʂət^5 fəŋ^{13}xan$^{53}_{44}$ts^{h}ɔi^{53}.e$_{21}$,tʂəu^{21}tau^{21}iet^3 uən^{21}ts^{h}ɔi$^{53}_{44}$le^0,çien^{35}fəŋ$^{13}_{21}$ke^0 t^{h}ɔŋ^{35},ts^{h}in^{53}çiet^3 iɔŋ^{53}.ci$^{13}_{21}$ua^{53}ɲi$^{13}_{21}$mau^{13}tet^5 uei^{53}t^{h}au^{53}.ŋai^{13}tien^0 ts^{h}in^{53}tsɔi^{35}p^{h}ak^5 xan$^{53}_{44}$ts^{h}ɔi$^{53}_{44}$.ŋai^{13}tien^0 uk^3 xa$^{53}_{44}$ts^{h}in^{53}tsɔi$^{35}_{44}$p^{h}ak^5 xan$^{53}_{44}$ts^{h}ɔi$^{53}_{44}$.tsiəu$^{53}_{44}$ɔn$^{35}_{44}$tso$^{53}_{44}$p^{h}ak^5 xan^{53}ts^{h}ɔi^{53}.siet^5 p^{h}ak^5 kei^0 kuaŋ^{21},siet^5 p^{h}ak^5 kei$^{53}_{44}$iait^5.ei$_{21}$,iəu^{35}tiet^5 tsɿ^0 ts^{h}iaŋ^{35}ts^{h}iaŋ^{35}tsɿ^0,e$_{21}$,iəu^{35}tiet^5 tsɿ^0 ts^{h}iaŋ^{35}ts^{h}iaŋ^{35}tsɿ^0.

【白硝】p^{h}ak^5 siau^{35} [名]氯酸钾或高氯酸钾火药：以下个爆竹你还得拈得哦？会吓死你去，系唔系？手指都会炸咁。以下嘞就～爆竹，以前个乌硝爆竹。i^{21}xa^{53}ke^0 pau^{53}tʂuk^3 ɲi$^{13}_{44}$xai$^{13}_{44}$tek^3 ɲian^{35}tek^3 o^0 ?uɔi^{53}xak^3 si^{21}ɲi$^{13}_{21}$çi$^{53}_{44}$,xei^{53}me^{53}?ʂəu^{21}tʂʅ^{21}təu$^{35}_{53}$uɔi^{53}tsa$^{53}_{44}$kan$^{21}_{44}$.i^{21}xa$^{53}_{44}$lei^0 ts^{h}iəu$^{53}_{44}$p^{h}ak^5 siau$^{35}_{44}$pau^{53}tʂuk,i^{35}ts^{h}ien$^{13}_{44}$ke$^{53}_{44}$u^{35}siau^{35}pau^{53}tʂuk^3.

【白邪邪哩】p^{h}ak^5 sia^{13}sia^{13}li^0 [形]寡白的样子。又称“白狐狐哩”：～，就讲蛮白，系，蛮白个意思。～个。箇只人呐面色唔好看，～。嗯。唔知搞么个，唔知么个病，欸，～个。就系唔正常个样子就讲～。本来不应该有咁白，但是也搞起，箇唔正常。以个是话以个间里是唔讲～，欸，就讲雪白子，欸，欸间里雪白子。p^{h}ak^5 sia^{13}sia^{13}li^0,ts^{h}iəu^{53}kɔŋ^{21}man^{13}p^{h}ak^5,xe^{53},man^{13}p^{h}ak^5 ke^0 i^{53}sɿ^0.p^{h}ak^5 sia^{13}sia^{13}li^0 ke^0.kai^{53}tʂak^3 ɲin$^{13}_{21}$na^0 mien^{53}sek^3 n̩$^{13}_{21}$xau^{21}k^{h}ɔn^{53},p^{h}ak^5 sia^{13}sia^{13}li^0.n̩$_{21}$.n̩^{13}ti$^{35}_{44}$kau^{21}mak^3 ke^0,n̩^{13}ti$^{35}_{44}$mak^3 e^0 p^{h}iaŋ^{53},e$_{21}$,p^{h}ak^5 sia^{13}sia^{13}li^0 ke^{53}.ts^{h}iəu^{53}ue^{53}n̩^{13}tʂən^{53}tʂ^{h}ɔŋ^{13}ke^{53}iɔŋ^{53}tsɿ^0 ts^{h}iəu$^{53}_{44}$kɔŋ^{21}p^{h}ak^5 sia^{13}sia^{13}li^0.pən^{21}lɔi^{13}pət^3 in$^{35}_{44}$kɔi$^{35}_{44}$iəu$^{35}_{44}$kan^{21}p^{h}ak^5,tan$^{53}_{44}$ʂʅ$^{53}_{44}$ie^{21}kau^{21}çi$^{21}_{44}$,kai$^{53}_{44}$n̩^{13}tʂən^{53}tʂ^{h}ɔŋ^{13}.i^{21}ke^{53}ʂʅ$^{53}_{44}$ua$^{53}_{44}$i^{21}ke^{53}kan^{35}ni^{21}ʂʅ$^{53}_{44}$n̩^{13}kɔŋ^{21}p^{h}ak^5 sia^{13}sia^{13}li^0,e$_{21}$tsiəu^{53}kɔŋ^{21}siet^5 p^{h}ak^5 tsɿ^0,e$_{21}$,e$_{21}$kan^{35}ni^{21}siet^5 p^{h}ak^5 tsɿ^0.

【白眼豆】p^{h}ak^5 ŋan^{21}t^{h}ei^{53} [名]皮白，蒂黑中带白点：～有一种豆子，嗯，欸欸又还有种白饭豆嘞。以种～更大一只。有滴像黄豆子样个。欸。渠又有乌个地方好像。又有又有有滴子乌个，乌肚里又带白。就安做～。唔系完全系雪白个。p^{h}ak^5 ŋan^{21}t^{h}ei^{53}iəu$^{35}_{44}$iet^3 tʂəŋ^{21}t^{h}ei^{53}tsɿ^0,n̩$_{21}$,e$_{21}$e$_{21}$iəu$^{53}_{44}$xai$^{13}_{21}$iəu^{35}tʂəŋ^{21}p^{h}ak^5 fan^{53}t^{h}ei^{53}lei^0.i^{21}tʂəŋ$^{21}_{44}$p^{h}ak^5 ŋan^{21}t^{h}ei^{53}ken^{53}t^{h}ai^{53}iet^3 tʂak^3.iəu^{35}tet^5 ts^{h}iɔŋ^{53}uɔŋ^{13}t^{h}ei^{53}tsɿ^0 iɔŋ$^{53}_{44}$ke^0.e$_{21}$.ci^{13}iəu$^{53}_{44}$iəu$^{35}_{44}$u^{35}ke^0 t^{h}i^{53}fɔŋ$^{35}_{44}$xau^{21}ts^{h}iɔŋ^{53}.iəu$^{53}_{44}$iəu$^{35}_{44}$iəu$^{53}_{44}$iəu$^{35}_{44}$iəu^{35}tet^5 tsɿ^0 u^{35}ke^0,u^{35}təu^{21}li^0 iəu$^{53}_{44}$tai$^{53}_{44}$p^{h}ak^5.ts^{h}iəu$^{53}_{44}$ɔn$^{35}_{44}$tso$^{53}_{44}$p^{h}ak^5 ŋan^{21}t^{h}ei^{53}.m̩^{13}p^{h}e^{53}xɔn^{13}ts^{h}ien$^{13}_{21}$xe^{53}siet^5 p^{h}ak^5 ke^0.

【白杨梅】p^{h}ak^5 iɔŋ$^{13}_{21}$mɔi$^{13}_{21}$ [名]杨梅的一种，果实雪白：有～哟，津甜呶，真好食唠。有起冇得红个，雪白个，～，你媠听讲过，系唔系？媠见过吧？真好食唠！还更好食，～更好食。有一条树，～。iəu$^{35}_{44}$pʰak^{5} iɔŋ$^{13}_{21}$mɔi$^{13}_{21}$io^{0},tsin^{35}tʰian$^{13}_{21}$nau^{0},tʂən^{35}xau^{21}ʂət^{5}lau^{0}.iəu^{35}çi^{21}mau^{13}tek^{3}fəŋ^{13}ke^{53}, siet^{5}pʰak^{5}ke^{0},pʰak^{5}iɔŋ$^{13}_{21}$mɔi$^{13}_{21}$, ɲi$^{13}_{21}$maŋ^{13}tʰaŋ^{35}kɔŋ^{21}ko$^{53}_{44}$,xei$^{53}_{44}$me$^{53}_{44}$?maŋ^{13}cien^{53}ko^{53}pa^{0}?tʂən^{35}nau^{21}ʂət^{5}lau^{0}! xan^{13}cien^{53}xau^{21}ʂət^{5},pʰak^{5}iɔŋ$^{13}_{21}$mɔi$^{13}_{21}$cien^{53}xau^{21}ʂət^{5}.iəu^{35}iet^{3}tʰiau^{13}ʂəu^{53},pʰak^{5}iɔŋ$^{13}_{21}$mɔi$^{13}_{21}$.

【白蚁】pʰak^{5}le^{35} 名一种昆虫纲等翅目动物，外形似蚂蚁，但体色较浅，身体较柔软，多以木质为食：鸡嗒～。cie^{35}tsan$^{35}_{44}$pʰak^{5}le^{35}.

【白翼子】pʰak^{5}iet^{5}tsɿ^{0} 名谷蛾：一般呢我等讲～就系就系种咁个欸夜晡哇你你你打开光窗门来呀，你灯着哩灯以后渠就会箇～就飞倒来，就一种飞蛾子，就安做～。箇个渠个翼拍系白个。欸，～。就系种飞蛾子样啊。iet^{3}pɔn^{35}ne^{0}ŋai^{13}tien^{0}kɔŋ^{21}pʰak^{5}iet^{5}tsɿ^{0}tsʰiəu^{53}xe^{53}tsʰiəu^{53}xe^{53}tʂəŋ^{21} kan^{21}ke^{0}e$_{21}$ia^{53}pu$^{35}_{44}$ua^{0}ɲi^{13}ɲi^{13}ɲi^{13}ta^{21}kʰɔi$^{35}_{44}$kɔŋ$^{35}_{44}$tsʰəŋ$^{35}_{44}$mən^{13}nɔi$^{13}_{21}$ia^{0}, ɲi$^{13}_{21}$ten^{35}tʂʰɔk^{5}li^{0}ten^{35}i$^{35}_{44}$xei$^{53}_{44}$ci$^{13}_{21}$tsʰiəu$^{53}_{44}$ uɔi$^{53}_{44}$kai$^{53}_{44}$pʰak^{5}iet^{5}tsɿ^{0}tsiəu^{53}fei^{35}tau^{21}lɔi^{13},tsʰiəu^{53}iet^{3}tʂəŋ^{21}fei^{35}ŋo^{13}tsɿ^{0},tsʰiəu$^{53}_{44}$ɔn$^{35}_{44}$tso$^{53}_{44}$pʰak^{5}iet^{5}tsɿ^{0}.kai$^{53}_{44}$kei$^{53}_{44}$ ci^{13}ke$^{53}_{44}$iet^{5}pʰak^{3}xe$^{53}_{44}$pʰak^{5}ke^{0}.e$_{21}$,pʰak^{5}iet^{5}tsɿ^{0}.tsʰiəu^{53}xe^{53}tʂəŋ^{21}fei^{35}ŋo^{13}tsɿ^{0}iɔŋ^{53}ŋa^{0}.

【白芋荷】pʰak^{5}u^{53}xo^{13} 名芋头的一种，无球茎，枝叶多且可加工成菜肴：还有～。/箇就冇菀。/冇得菀个。/尽个就梗个。/芋荷就滮大，箇个芋叶呀，摎梗啊滮大。食叶个摎梗个。雪白。/冇菀。xai$^{13}_{21}$iəu$^{35}_{44}$pʰak^{5}u^{53}xo$^{13}_{44}$./kai$^{53}_{44}$tsʰiəu$^{53}_{44}$mau^{13}təu^{35}./mau^{13}tek^{3}tei^{35}ke$^{53}_{44}$./tsʰin^{53}ke$^{53}_{44}$tsʰiəu^{53}kuaŋ^{21}ke$^{53}_{44}$./u^{53} xo^{13}tsʰiəu$^{53}_{44}$mən^{35}tʰai$^{53}_{21}$,kai$^{53}_{44}$ke$^{53}_{44}$u^{53}iait^{5}ia^{0},lau$^{35}_{44}$kuaŋ^{21}ŋa^{0}mən^{35}tʰai$^{53}_{44}$.ʂət^{5}iait^{5}ke$^{53}_{44}$lau$^{35}_{44}$kuaŋ^{21}ke$^{53}_{44}$.siet^{5} pʰak^{5}./mau^{13}təu^{35}.

【白云】pʰak^{5}in^{13} 名白色的云：天上啊一天个～。唔知还会明晡唔知会落水呀会天晴啊，欸，一天个～。tʰien$^{35}_{44}$xɔŋ$^{53}_{44}$a^{0}iet^{3}tʰien^{35}ke^{0}pʰak^{5}in$^{13}_{21}$. n̩^{13}ti^{35}xai^{13}uɔi$^{53}_{44}$miaŋ^{13}pu$^{35}_{44}$n̩^{13}ti^{35}uɔi$^{53}_{44}$lɔk^{5}ʂei^{21}ia^{0}uɔi^{53} tʰien$^{35}_{44}$tsʰiaŋ^{13}ŋa^{0},e$_{21}$,iet^{3}tʰien^{35}ke^{0}pʰak^{5}in$^{13}_{21}$.

【白纸】pʰak^{5}tʂʅ^{21} 名白色的纸：～啊，从前做以个～啊。pʰak^{5}tʂʅ^{21}ʐa^{0},tsʰəŋ^{13}tsʰien^{13}tso^{53}i$^{21}_{44}$ke$^{53}_{44}$ pʰak^{5}tʂʅ^{21}ʐa^{0}.

【白纸黑字】pʰak^{5}tʂʅ^{21}xek^{3}sɿ^{53} 白纸写上黑字，比喻有确凿的文字依据：只有箇～，箇个就作对个，就不能改变。tʂʅ^{21}iəu$^{35}_{53}$kai$^{53}_{44}$pʰak^{5}tʂʅ^{21}xek^{3}sɿ^{53},kai$^{53}_{44}$ke$^{53}_{44}$tsʰiəu$^{53}_{44}$tsɔk^{3}ti^{53}ke^{0},tsiəu^{53}pət^{3}lien$^{13}_{21}$kɔi^{21} pien^{53}.

【白子$_1$】pʰak^{5}tsɿ^{21} 名围棋的白子儿：箇是摎下围棋个时候子摎乌子相对个。箇起就乌子，以个就～。两种，下围棋两种颜色，两种子，一种～，一种乌子。kai$^{53}_{44}$ʂʅ$^{53}_{44}$lau^{35}xa^{53}uei^{13}cʰi$^{13}_{21}$ke^{53}ʂʅ^{13} xəu^{53}tsɿ^{0}lau^{35}u^{35}tsɿ^{21}siɔŋ^{35}tei^{53}ke^{0}.kai^{53}çi^{21}tsʰiəu^{53}u^{35}tsɿ^{21},i^{21}ke$^{53}_{44}$tsʰiəu$^{53}_{44}$pʰak^{5}tsɿ^{21}.iɔŋ^{21}tʂəŋ^{21},xa^{53}uei^{13}cʰi$^{13}_{44}$iɔŋ^{21} tʂəŋ^{21}ŋan^{13}sek^{3},iɔŋ^{21}tʂəŋ^{21}tsɿ^{21},iet^{3}tʂəŋ^{21}pʰak^{5}tsɿ^{21},iet^{33}tʂəŋ^{21}u^{35} tsɿ^{21}.

【白子$_2$】pʰak^{5}tsɿ^{0} 名钓鱼用的鱼漂。又称“浮子”：箇只咁个浮子就安做～嘞，安做鱼～嘞。钓鱼个～嘞。kai^{53}tʂak^{3}kan^{21}ke$^{53}_{44}$fei^{13}tsɿ^{0}tsʰiəu$^{53}_{44}$ɔn$^{35}_{44}$tso$^{53}_{44}$pʰak$^{5}_{3}$tsɿ^{0}lei^{0},ɔn$^{35}_{44}$tso$^{53}_{44}$ŋ̍^{13}pʰak$^{5}_{3}$tsɿ^{0}lei^{0}.tiau^{53}ŋ̍^{13}ke$^{53}_{44}$ pʰak$^{5}_{3}$tsɿ^{0}lei^{0}.

【白字】pʰak^{5}sɿ^{53} 名错别字：写～ sia^{21}pʰak^{5}sɿ^{53}

【百】pak^{3} 数十个十。可用做位数词，前后可加个数词：～零个就一～还有多。pak^{3}laŋ^{13}ke^{53} tsʰiəu$^{53}_{44}$iet^{3}pak^{3}xai$^{13}_{21}$iəu^{35}to^{35}.｜一～零九 iet^{3}pak^{3}lin^{13}ciəu^{21}。构成的数词后面可加量词：二～二十个 ɲi^{53}pak^{3}ɲi^{53}ʂət^{5}ke^{53}｜整几～桌 tʂaŋ^{21}ci^{21}pak^{3}tsɔk^{3}。当后面带十位数但个位数为零，且不带量词时，“十”可省略：三～八十 san^{35}pak^{3}pait^{3}ʂət^{5} = 三～八 san^{35}pak^{3}pait^{3}｜两千二～二十 iɔŋ^{21} tsʰien^{35}ɲi^{53}pak^{3}ɲi^{53}ʂət^{5} = 两千二～二 iɔŋ^{21}tsʰien^{35}ɲi^{53}pak^{3}ɲi^{53}。后面可带助词“把（子）”表示接近或约等于一百：～把个子，就还唔足一百个，九十几个子。pak^{3}pa^{21}ke^{53}tsɿ^{0},tsiəu^{53}xai$^{13}_{21}$n̩^{13}tsəuk^{3} iet^{3}pak^{3}cie^{53},ciəu^{21}ʂət^{5}ci^{21}ke^{53}tsɿ^{0}.｜～把子人，箇就系一～左右子。还少滴子也罢。pak^{3}pa^{21}tsɿ^{0} ɲin^{13},kai$^{53}_{35}$tsʰiəu$^{53}_{44}$xei$^{53}_{44}$iet^{3}pak^{3}tso^{21}iəu^{53}tsɿ^{0}.xai$^{13}_{44}$ʂau^{21}tiet^{5}tsɿ^{0}ie^{21}pa^{53}. 后面可带“多、零”等表示超过一百：怕有～多年了。pʰa$^{53}_{44}$iəu$^{35}_{44}$pak^{3}to$^{35}_{44}$ɲien$^{13}_{21}$liau^{0}.｜～零人，就～多人箇就。pak^{3}laŋ^{13}ɲin^{13}, tsʰiəu$^{53}_{44}$pak^{3}to^{35}ɲin$^{13}_{44}$kai$^{53}_{44}$tsʰiəu$^{53}_{44}$.

【百坼碗】pak^{3}tsʰak^{3}uɔn^{21} 名本指遍布裂纹的碗，多用于比况短语，喻指伤痕累累的身体部位：我去屋下做工夫子个时候子啊一双手么个都爱做，么个都爱去搞，爱去岭上斫树哇，爱去田里窒灰呀，系唔系？爱去铲草哇。欸，除哩用工具个话，蛮多是就系扯……就系一双手去做嘞。长日都一双手搞起～样。ŋai^{13}çi^{53}uk^{3}xa$^{53}_{44}$tso^{53}kəŋ^{35}fu$^{35}_{44}$tsɿ^{0}ke^{53}ʂʅ^{13}xei$^{53}_{44}$tsa^{0}iet^{3}səŋ^{35}ʂəu^{21}ma:k^{3}ke^{0} təu$^{35}_{44}$ɔi^{53}tso^{53},mak^{3}ke^{0}təu$^{35}_{44}$ɔi^{53}çi^{53}kau^{21},ɔi^{53}çi$^{53}_{44}$liaŋ^{35}xɔŋ$^{53}_{44}$tʂɔk^{3}ʂəu^{53}ua^{0},ɔi^{53}çi^{53}tʰien^{13}ni^{0}tsət^{3}fɔi^{35}ia^{0},xei^{53}me^{53}? ɔi^{53}çi^{53}tsʰan^{21}tsʰau^{21}ua^{0}.ei$_{21}$,tʂʰəu^{13}li^{0}iɔŋ^{53}kəŋ^{35}tʂʮ^{53}ke$^{53}_{44}$fa$^{53}_{44}$,man^{13}to$^{35}_{44}$ʂʅ$^{53}_{44}$tsʰiəu^{53}xei^{53}tʂʰa…tsʰiəu^{53}xei^{53}iet^{3}

səŋ^{35}ʂəu^{21}çi^{53}tso^{53}le^{0}.tʂ^{h}əŋ^{13}ȵiet^{3}təu$^{35}_{53}$iet^{3}səŋ$^{35}_{44}$ʂəu^{21}kau^{21}çi$^{21}_{53}$pak^{3}ts^{h}ak^{3}uən^{21}iəŋ^{53}.

【百分之百】pak^{3}fən$^{35}_{53}$tʂʅ$^{35}_{44}$pak^{3} 十足，全部：以只种子啊唔知几好，唔知几纯，～个冇得杂种。冇得杂。i^{21}tʂak^{3}tʂəŋ^{21}tsʅ^{0}a^{0}n̩^{13}ti$^{35}_{53}$ci^{21}xau^{21},n̩^{13}ti$^{35}_{53}$ci^{21}ʂən^{13},pak^{3}fən$^{35}_{44}$tʂʅ$^{35}_{44}$pak^{3}ke^{53}mau^{13}tek^{3}ts^{h}ait^{5}tʂəŋ^{21}. mau^{13}tek^{3}ts^{h}ait^{5}.

B

【百合】pak^{3}xɔit^{5} [名]多年生草本植物，鳞茎可供食用：打比今晡早晨呢我等就话讲我老婆买兜～唠，系唔系？买～嘞，欸，以下就有几只渠道可以买唠。我等有只姑姑箇映子可以买。欸，我姑姑箇映做～粉，也可以打只电话分渠，请渠同我买。ta^{21}pi^{21}cin^{35}pu^{35}tsau^{21}ʂən$^{13}_{44}$ne^{0}ŋai^{13}tien^{0}tsiəu^{53}ua^{53}kɔŋ^{21}ŋai^{13}lau^{21}p^{h}o^{13}mai^{35}təu$^{35}_{53}$pak^{3}xɔit^{5}lau^{0},xei$^{53}_{44}$me$^{53}_{44}$?mai^{35}pak^{3}xɔit^{5}lei^{0},e$_{21}$,i^{21}xa^{53}ts^{h}iəu$^{53}_{44}$iəu^{35}ci^{21}tʂak^{3}tʂ^{h}ʮ^{13}t^{h}au^{53}k^{h}o^{21}i$^{35}_{44}$mai^{35}lau^{0}.ŋai^{13}tien^{0}iəu$^{35}_{44}$tʂak^{3}ku^{35}ku$^{35}_{44}$kai$^{53}_{44}$iaŋ^{53}tsʅ^{0}k^{h}o^{21}i$^{35}_{44}$mai^{35}.e$_{21}$,ŋai$^{13}_{21}$ku^{35}ku$^{35}_{44}$kai$^{53}_{44}$iaŋ$^{53}_{44}$tso^{53}pak^{3}xɔit^{5}fən^{21},ia^{35}k^{h}o^{21}i$^{35}_{44}$ta^{21}tʂak^{3}t^{h}ien$^{53}_{44}$fa$^{53}_{44}$pən$^{35}_{44}$ci^{13},ts^{h}iaŋ^{21}ci^{13}t^{h}əŋ$^{13}_{21}$ŋai$^{13}_{21}$mai^{35}.

【百家锁】pak^{3}ka^{35}so^{21} [名]颈锁；长命锁：从前是怕细人子带唔大呀，嗯，就同渠戴只～。又安做长命锁。欸还有嘞，又怕细人子箇个是要食百家饭呐。着百家衣呀，欸。呃，百家衣就家家我觉得系家家都讨块子布哇还系家家都欸一般拿倒针线连几下子啊？我就唔多记得哩，嗯。百家饭呢就去讨滴子米呢。欸家家就抠抠子米呢。抠抠子米，欸唔系么个家家都装滴饭呢，系家家都抠滴子米，百家米煮倒个饭就是百家饭。ts^{h}əŋ^{13}ts^{h}ien^{13}ʂʅ$^{53}_{44}$p^{h}a^{53}sei^{53}ȵin$^{13}_{21}$tsʅ^{0}tai^{53}n̩^{13}t^{h}ai^{53}ia^{0},n̩$_{21}$,tsiəu^{53}t^{h}əŋ$^{13}_{21}$ci$^{13}_{44}$tai^{53}tʂak^{3}pak^{3}ka$^{35}_{44}$so^{21}.iəu$^{53}_{44}$ɔn$^{35}_{44}$tso$^{53}_{44}$tʂ^{h}əŋ$^{13}_{21}$miaŋ^{53}so^{21}.e$_{21}$xai$^{13}_{21}$iəu$^{35}_{44}$le^{0},iəu$^{35}_{44}$p^{h}a$^{53}_{44}$sei^{53}ȵin$^{13}_{21}$tsʅ^{0}kai$^{53}_{44}$ke$^{53}_{44}$ʂʅ$^{53}_{44}$iau$^{53}_{44}$ʂət^{5}pak^{3}ka^{35}fan^{53}na^{0}.tʂɔk^{3}pak^{3}ka$^{35}_{44}$i^{35}ia^{0},e$_{21}$.ə$_{21}$,pak^{3}ka$^{35}_{44}$i^{35}ts^{h}iəu$^{53}_{44}$ka^{35}ka$^{35}_{44}$ŋai^{13}kɔk^{3}tek^{3}xe^{53}ka^{35}ka$^{35}_{44}$təu$^{35}_{44}$t^{h}au^{21}k^{h}uai^{53}tsʅ^{0}pu^{53}ua^{0}xai$^{13}_{21}$xe^{53}ka^{35}ka$^{35}_{44}$təu$^{35}_{44}$ei$_{53}$iet^{3}pɔn$^{35}_{21}$lak^{5}tau^{21}tʂən^{35}sen^{35}lien^{13}ci^{21}xa^{53}tsʅ^{0}a^{0}?ŋai$^{13}_{21}$ts^{h}iəu^{53}n̩^{13}to$^{35}_{44}$ci^{53}tek^{3}li^{0},n̩$_{21}$.pak^{3}ka$^{35}_{44}$fan^{53}nei^{0}ts^{h}iəu$^{53}_{44}$çi$^{53}_{44}$t^{h}au^{21}tiet^{5}tsʅ^{0}mi^{21}nei^{0}.ei$_{21}$ka^{35}ka$^{35}_{44}$ts^{h}iəu$^{53}_{44}$ia^{21}ia^{21}tsʅ^{0}mi^{21}nei^{0}.ia^{21}ia^{21}tsʅ^{0}mi^{21},e$_{21}$m̩$^{13}_{21}$p^{h}e^{53}mak^{3}e^{0}ka^{35}ka$^{35}_{44}$təu$^{35}_{44}$tʂəŋ^{35}tet^{3}fan^{53}ne^{0},xei$^{53}_{44}$ka^{35}ka$^{35}_{44}$təu$^{35}_{44}$ia^{21}tiet^{5}tsʅ^{0}mi^{21},pak^{3}ka$^{35}_{53}$mi^{21}tʂəu^{21}tau^{21}ke$^{53}_{44}$fan^{53}ts^{h}iəu$^{53}_{44}$ʂʅ$^{53}_{44}$pak^{3}ka$^{53}_{44}$fan^{53}.

【百家姓】pak^{3}ka^{35}siaŋ^{53} [名]传统蒙学读物之一：～，箇也系一本书。安做～，赵钱孙李。欸就～。～其实也就系一种咁个细人子个启蒙读物啊。只系认字，～是只系教别人家认字。pak^{3}ka^{35}siaŋ^{53},kai$^{53}_{44}$ia$^{35}_{44}$xe$^{53}_{44}$iet^{3}pən^{21}ʂəu^{35}.ɔn$^{35}_{44}$tso$^{53}_{44}$pak^{3}ka$^{35}_{44}$siaŋ^{53},tʂ^{h}au^{53}ts^{h}ien^{13}sən$^{35}_{44}$li^{21}.e$_{21}$tsiəu$^{53}_{44}$pak^{3}ka$^{35}_{44}$siaŋ^{53}.pak^{3}ka^{35}siaŋ^{53}c^{h}i^{13}ʂət^{5}ia^{35}ts^{h}iəu^{53}xei^{53}iet^{3}tʂəŋ^{21}kan^{21}ke$^{53}_{44}$sei^{53}ȵin$^{13}_{21}$tsʅ^{0}ke^{0}çi^{21}məŋ^{13}t^{h}əuk^{5}uk^{5}a^{0}.tʂʅ^{21}xe$^{53}_{35}$ȵin^{53}ts^{h}ʅ^{53},pak^{3}ka^{35}siaŋ^{53}ʂʅ$^{53}_{44}$tʂʅ^{21}xe$^{53}_{44}$kau$^{35}_{44}$p^{h}iet^{5}ȵin$^{13}_{21}$ka$^{35}_{44}$ȵin^{53}ts^{h}ʅ^{53}.

【百节蛇】pak^{3}tsiet^{3}ʂa^{13} [名]银环蛇和金环蛇的通称，也专指银环蛇：金环蛇就安做红百节。银环蛇就白百节。～。两种都安做～。金环蛇就是红百节，箇就就系明个举出来系红色个百节，箇就金环蛇。一般呢就指～，～就银环蛇，嗯，白百节啊。cin^{35}fan$^{13}_{21}$ʂa$^{13}_{21}$ts^{h}iəu$^{53}_{44}$ɔn$^{35}_{44}$tso$^{53}_{44}$fəŋ^{13}pak^{3}tsiet^{3}. ȵin^{13}fan^{13}ʂa^{13}ts^{h}iəu$^{53}_{44}$p^{h}ak^{5}pak^{3}tsiet^{3}.pak^{3}tsiet^{3}ʂa^{13}.iɔŋ^{21}tʂəŋ^{21}təu$^{35}_{44}$ɔn$^{35}_{44}$tso$^{53}_{44}$pak^{3}tsiet^{3}ʂa^{13}.cin^{35}fan$^{13}_{21}$ʂa$^{13}_{21}$ts^{h}iəu$^{53}_{44}$ʂʅ$^{53}_{44}$fəŋ^{13}pak^{3}tsiet^{3},kai$^{53}_{44}$ts^{h}iəu$^{53}_{44}$ts^{h}iəu$^{53}_{44}$xe$^{53}_{44}$min^{13}ke$^{53}_{44}$tʂʮ^{21}tʂ^{h}ət^{3}lɔi^{13}xei^{53}fəŋ^{13}sek^{3}ke^{53}pak^{3}tsiet^{3},kai$^{53}_{44}$ts^{h}iəu$^{53}_{44}$cin^{35}fan$^{13}_{21}$ʂa^{13}.iet^{3}pɔn^{35}ne^{0}ts^{h}iəu^{53}tʂʅ^{21}pak^{3}tsiet^{3}ʂa$^{13}_{44}$,pak^{3}tsiet^{3}ʂa$^{13}_{44}$ts^{h}iəu^{53}ȵin^{13}fan$^{13}_{44}$ʂa$^{13}_{44}$,ŋ̍$_{21}$,p^{h}ak^{5}pak^{3}tsiet^{3}a^{0}.

【百箩丘】pak^{3}lo^{13}c^{h}iəu^{35} [名]能收获一百箩稻谷的水田：以映以张家坊街上就以今去下做屋个栏场就有只～。～哇，就系箇丘田打得一百箩谷倒。就五十担谷，有十亩哇。i^{21}iaŋ^{53}i^{21}tʂəŋ^{35}fɔŋ$^{35}_{44}$kai$^{35}_{44}$xɔŋ$^{53}_{44}$ts^{h}iəu$^{53}_{44}$i$_{21}$cin$^{35}_{44}$çi^{53}xa$^{53}_{44}$tso^{53}uk^{3}ke^{53}laŋ$^{13}_{44}$tʂ^{h}ɔŋ$^{13}_{44}$ts^{h}iəu$^{53}_{44}$iəu$^{35}_{44}$tʂak^{3}pak^{3}lo$^{13}_{21}$c^{h}iəu$^{35}_{44}$.pak^{3}lo^{13}c^{h}iəu$^{35}_{44}$ua^{0},ts^{h}iəu$^{53}_{44}$xei$^{53}_{44}$kai^{53}c^{h}iəu$^{35}_{44}$t^{h}ien$^{13}_{44}$ta^{21}tek^{3}iet^{3}pak^{3}lo^{13}kuk^{3}tau$^{21}_{44}$.ts^{h}iəu^{53}ŋ̍^{21}ʂət^{5}tan^{53}kuk^{3},iəu$^{35}_{44}$ʂət^{5}miau^{35}ua^{0}.

【百鸟不徛】pak^{3}ȵiau^{35}pət^{3}c^{h}i^{35} [名]一种浑身长刺的树：箇只一身尽㔉个喊～吧？底下树梗㨃菀下起到尾上都尽㔉。/尽㔉个就喊安做㔉蓬树吧？/唔系唔系，唔系箇起。/尽㔉安做么啊就嘞？/箇起也有有箇个就话铲草哇，一条有几大子个是箇个就一……通身尽系㔉呀。/箇叶上都尽㔉啊。安做么啊树？我舞过一条啰。/喊～。么啊鸟子都唔去徛渠箇只树。kai^{53}tʂak^{3}iet^{3}ʂən^{35}ts^{h}in^{53}nek^{3}ke^{53}xan^{53}pak^{3}iau^{35}pət^{3}c^{h}i^{35}pa^{0}?tei^{21}xa$^{35}_{44}$ʂəu^{53}kuaŋ^{21}lau^{35}təu^{35}xa$^{35}_{44}$çi^{21}tau$^{53}_{44}$mi^{35}xɔŋ$^{53}_{44}$təu^{35}ts^{h}in^{53}nek^{3}./ts^{h}in$^{53}_{21}$nek^{3}ke$^{53}_{21}$ts^{h}iəu$^{53}_{44}$xan$^{53}_{44}$ɔn$^{35}_{44}$tso$^{53}_{44}$lek^{3}p^{h}əŋ^{13}ʂəu^{53}pa^{0}?/m̩$^{13}_{21}$p^{h}e^{53}(←xe^{53})m̩$^{13}_{21}$p^{h}e^{53}(←xe^{53}),m̩$^{13}_{21}$p^{h}e$_{44}$(←xe^{53})kai^{53}çi^{21}./ts^{h}in^{53}nek^{3}ɔn$^{35}_{44}$tso$^{53}_{44}$mak^{3}a^{0}ts^{h}iəu$^{53}_{44}$le^{0}?/kai$^{53}_{44}$çi^{21}a$^{35}_{44}$iəu^{35}iəu^{35}kai$^{53}_{44}$ke$^{53}_{44}$tsiəu$^{53}_{21}$ua^{53}ts^{h}an^{21}ts^{h}au^{21}ua^{0},iet^{3}t^{h}iau^{13}mau^{13}ci^{21}t^{h}ai^{53}tsʅ^{0}ke$^{53}_{44}$ʂʅ$^{53}_{44}$kai^{53}ke$^{53}_{44}$tsiəu$^{53}_{44}$iet^{3}ʂ…t^{h}əŋ^{35}ʂən^{35}ts^{h}in^{53}xe$^{53}_{21}$liek^{3}ia^{0}./kai$^{53}_{44}$iait^{5}xɔŋ$^{53}_{44}$təu$^{35}_{44}$ts^{h}in^{53}nek^{3}a^{0}.ɔn$^{35}_{44}$tso$^{53}_{44}$mak^{3}a^{0}ʂəu^{53}?ŋai^{13}u^{21}ko^{53}iet^{3}t^{h}iau$^{13}_{44}$lo^{0}./xan^{53}pak^{3}ȵiau^{35}pət^{3}ci^{35}.mak^{3}a^{0}tiau^{35}tsʅ^{0}təu^{35}ŋ̍^{13}çi^{53}c^{h}i^{35}ci$^{13}_{21}$kai$^{53}_{21}$tʂak^{3}ʂəu$^{53}_{44}$.

【百日红】pak^{3}ȵiet^{3}fəŋ^{13} [名]千日红。苋科一年生直立草本植物，花干后不凋，经久不变：花上还有起～啰系吗？～以只地方有哇。fa^{35} ʂɔŋ$^{53}_{44}$xai$^{13}_{21}$iəu$^{35}_{53}$çi^{21}pak^{3} ɲiet^{3} fəŋ^{13}lo^{0} xei^{53}ma^{0} ?pak^{3} ɲiet^{3} fəŋ^{13}i^{21}tʂak$^{3}_{5}$ tʰi$^{53}_{44}$xɔŋ$^{35}_{44}$iəu^{35}ua^{0}.

【百叶】pak^{3} iait^{5} 名指牛等反刍类动物的胃，用做食品时叫百叶，如“牛百叶”：牛子就有～。欸，牛～一重一重，就系渠也系牛子个胃嘞。其实就系牛子个胃，嗯，安做牛～。箇如今呢街上是牛～欸唔知几贵哟。好食都。ɲiəu^{13}tsɿ^{0} tsʰiəu$^{53}_{44}$iəu^{35}pak^{3} iait^{5}.e$_{21}$, ɲiəu^{13}pak^{3} iait^{5} iet^{3} tʂʰəŋ^{13}iet^{3} tʂʰəŋ^{13},tsʰiəu$^{53}_{44}$xei$^{53}_{44}$ci$^{13}_{21}$ie^{21} xei^{53}ɲiəu^{13}tsɿ^{0} ke$^{53}_{44}$uei^{53}le^{0}.cʰi^{13} ʂət^{5} tsʰiəu$^{53}_{44}$xei$^{53}_{44}$ɲiəu^{13}tsɿ^{0} ke$^{53}_{44}$uei^{53},n̩$_{21}$,ɔn$^{35}_{44}$tso$^{53}_{44}$ɲiəu^{13} pak^{3} iait^{5}.kai$^{53}_{44}$i$^{13}_{21}$cin$^{35}_{44}$nei^{0} kai^{35}xɔŋ^{53}ʂʅ$^{53}_{44}$ɲiəu^{13}pak^{3} iait^{5} ei^{0} mai^{53}çi^{21}n̩^{13}ti$^{35}_{53}$ci^{21}kuei^{53}iau^{0}.xau^{21}ʂət^{5} təu$^{35}_{44}$.

【柏槁】pak^{3} kʰua^{21} 名柏树枝：欸，我等人，客姓人，讨新舅就箇个啦，爱去拗滴子～啦，欸，拗滴子～。拗倒箇～嘞，放下箇只担子上，放下箇只，呃，送呐到女家头，欸唔系噢，女家头归男家头了，女家头荷倒箇东西，到男家头去，箇个，箇担篓子上，爱用～。就系意思嘞，就系柏子带天生。欸，爱～，箇少唔得个东西啦。欸如今都你除哩唔用担子，你就舞只纸壳箱都爱放滴～去。欸，～，柏子带天生，就咁个意思。e$_{21}$,ŋai^{13}tien^{0} in$^{13}_{44}$,kʰak^{3} sin^{53}ɲin$^{13}_{44}$,tʰau^{21}sin^{35} cʰiəu$^{53}_{44}$tsʰiəu$^{53}_{44}$kai^{53}ke^{53}la^{0},ɔi^{53}çi^{53}au^{21}tet^{5} tsɿ^{0}pak^{3} kʰua^{21}la^{0},e$_{21}$,au^{21}tet^{5} tsɿ^{0} pak^{3} kʰua^{21}.au^{21}tau^{21}kai^{53}pak^{3} kʰua^{21} le^{0},fɔŋ^{53}xa^{53}kai^{53}tʂak^{3} tan^{35}tsɿ^{0} xɔŋ^{53},fɔŋ$^{53}_{44}$xa^{53}kai^{53}tʂak^{3},ə$_{21}$,səŋ$^{53}_{44}$na^{0} tau^{53}ɲi^{21}ka$^{35}_{44}$tʰei$^{13}_{21}$,e$_{21}$m̩^{13}pʰe^{53}au^{0}, ɲi^{21}ka$^{35}_{44}$ tʰei^{13}kuei^{35}lan^{13}ka$^{35}_{44}$tʰei$^{13}_{21}$liau^{0}, ɲi^{21}ka$^{35}_{44}$tʰei$^{13}_{21}$kʰai^{35}tau^{21}kai$^{53}_{44}$təŋ^{35}si^{0},tau^{53}lan^{13}ka$^{35}_{44}$tʰei$^{13}_{21}$çi^{53},kai$^{53}_{44}$kei$^{53}_{44}$,kai$^{53}_{44}$tan^{35} lei^{21}tsɿ^{0} xɔŋ^{53},ɔi^{53}iəŋ^{53}pak^{3} kʰua^{21}.tsiəu^{53}xe^{53}i^{53}sʅ$^{35}_{44}$le^{0},tsiəu$^{53}_{44}$xe$^{53}_{44}$pak^{3} tsɿ^{0} tai^{53}tʰien^{35}sen$^{35}_{44}$.e$_{21}$,ɔi^{53}pak^{3} kʰua^{21},kai^{53}ʂau^{21}n̩^{13}tek^{3} ke^{0} təŋ$^{35}_{44}$si^{0} la^{0}.e$_{21}$i$^{13}_{21}$cin$^{35}_{44}$təu$^{35}_{44}$ɲi^{13}tʂʰəu^{13}li^{0} n̩^{13}iəŋ$^{53}_{44}$tan^{35}tsɿ^{0}, ɲi^{13}tsʰiəu^{53}u^{21}tʂak^{3} tʂʅ^{21} kʰɔk^{3} siɔŋ^{35}təu^{35}ɔi$^{53}_{44}$fɔŋ$^{53}_{44}$tet^{5} pak^{3} kʰua^{21}çi$^{53}_{44}$.e$_{21}$,pak^{3} kʰua^{21},pak^{3} tsɿ^{21}tai^{53}tʰien^{35}sen^{35},tsiəu^{53}kan^{21}ke^{0} i$^{53}_{44}$sʅ$^{35}_{44}$.

【柏树】pak^{3} ʂəu^{53} 名一种常绿乔木：～其实有两种，一种安做侧柏吧？还有种安做么个柏？我等老家箇映子就咁大只只个～哇。欸，以前是有十几两十只，～，正做屋个时候子栽只～，栽哩～嘞，落尾嘞搞搞五七十年代箇阵子，下斫咁哩哦。斫倒搞么个？斫倒浏阳造船厂里渠舞倒舞倒锯倒呢舞倒箇锯倒嘞做船呢，做木船呢。败家子。欸，可惜哩。渠等话～咯有一只东西，唔知～上有只么个东西嘞，有种么个寄生虫，你栽哩～个栏场，你就栽梨子唔倒来食。我等箇映子有几条也侧面也蛮多梨树嘞。自从箇～大起来哩以后吧，箇梨树就冇得哩。欸呀，我咁大一只只个梨树，我个后背，一年就只结得上十只子梨子。呣，冇得。安做梨柏不相容。我等～上有一种啊寄生虫，有种虫子，影响哩箇梨树冇得哩结。欸，梨柏不相容。箇是～。pak^{3} ʂəu^{53}cʰi^{13}ʂət^{5} ʂʅ$^{53}_{44}$iəu^{35}iɔŋ^{21}tʂəŋ^{21},iet^{3} tʂəŋ^{21}ɔn$^{35}_{44}$tso$^{53}_{44}$tsek^{3} pak^{3} pa^{0}?xai$^{13}_{21}$iəu$^{35}_{44}$tʂəŋ^{21}ɔn$^{35}_{44}$tso$^{53}_{44}$mak^{3} e^{0} pak^{3}? ŋai^{13}tien^{0} lau^{21}cia$^{35}_{44}$kai$^{53}_{44}$iaŋ^{53}tsɿ^{0} tsʰiəu^{53}kan^{21}tʰai^{53}tʂak^{3} tʂak^{3} ke^{53}pak^{3} ʂəu^{53}ua^{0}.e$_{21}$,i$^{35}_{53}$tsʰien$^{13}_{21}$ʂʅ$^{53}_{44}$iəu^{35}ʂət^{5} ci^{21} iɔŋ^{21}ʂət^{5} tʂak^{3},pak^{3} ʂəu^{53},tʂaŋ^{53}tso^{53}uk^{3} ke^{53}ʂʅ$^{13}_{21}$xəu$^{53}_{44}$tsɿ^{0} tsɔi^{35}tʂak^{3} pak^{3} ʂəu^{53},tsɔi^{35}li^{0} pak^{3} ʂəu$^{53}_{44}$le^{0},lɔk^{5} mi$^{35}_{44}$ lei^{0} kau^{21}kau^{21}ŋ̍^{21}tsʰiet^{3} ʂət^{5} ɲien$^{13}_{21}$tʰɔi$^{53}_{44}$kai$^{53}_{44}$tʂʰən$^{53}_{44}$tsɿ^{0},xa^{53}tʂɔk^{3} kan^{21}li^{0} o^{0}.tʂɔk^{3} tau^{21}kau^{21}mak^{3} ke$^{53}_{44}$?tʂɔk^{3} tau^{21}liəu^{13}iɔŋ^{13}tsʰau^{53}tʂʰɔn^{13}tʂʰɔŋ^{21}ni^{0} ci^{13}u^{21}tau$^{21}_{44}$u^{21}tau$^{21}_{44}$cie^{53}tau^{21}nei^{0} u^{21}tau^{21}kai$^{53}_{44}$cie^{53}tau^{21}le^{0} tso^{53}tʂʰɔn^{13}nei^{0}, tso^{53}muk^{3} ʂɔn^{13}nei^{0}.pʰai^{53}cia$^{35}_{44}$tsɿ^{0}.e$_{21}$,kʰo^{21}siet^{3} li^{0}.ci^{13}tien^{0} ua^{53}pak^{3} ʂəu^{53}ko^{0} iəu^{35}iet^{3} tʂak^{3} təŋ$^{35}_{44}$si^{0},n̩^{13}ti$^{35}_{53}$pak^{3} ʂəu$^{53}_{44}$xɔŋ$^{53}_{44}$iəu^{35}tʂak^{3} mak^{3} ke$^{53}_{44}$təŋ$^{35}_{44}$si^{0} lei^{0},iəu$^{35}_{44}$tʂəŋ^{21}mak^{3} e^{0} ci^{53}sen$^{35}_{44}$tʂʰəŋ^{13}, ɲi^{13}tsɔi^{35}li^{0} pak^{3} ʂəu^{53}ke^{0} laŋ$^{13}_{21}$ tʂʰɔŋ$^{13}_{44}$, ɲi^{13}tsʰiəu$^{53}_{44}$tsɔi$^{35}_{44}$li^{13}tsɿ^{0} n̩$^{13}_{21}$tau^{21}lɔi^{13}ʂət^{5}.ŋai^{13}tien^{0} kai$^{53}_{44}$iaŋ$^{53}_{44}$tsɿ^{0} iəu^{35}ci^{21}tʰiau^{13}ie^{0} tsek^{3} mien^{53}ia^{35}man^{13} to$^{35}_{44}$li^{13}ʂəu^{53}le^{0}.tsʰɿ^{53}tsʰəŋ$^{13}_{21}$kai$^{53}_{44}$pak^{3} ʂəu^{53}tʰai^{53}cʰi^{21}lɔi^{13}li^{0} i^{35}xei$^{53}_{44}$pa^{0},kai$^{53}_{44}$li^{13}ʂəu^{53}tsʰiəu^{53}mau^{13}tek^{3} li^{0}.ei$_{21}$ia$_{21}$ ŋai^{13}kan^{21}tʰai^{53}iet^{3} tʂak^{3} tʂak^{3} ke^{0} li^{13}ʂəu^{53},ŋai$^{13}_{21}$ke$^{53}_{44}$xei^{53}pɔi^{53},iet^{3} ɲien^{13}tsʰiəu^{53}tʂʅ^{21}ciet^{3} tek^{3} ʂɔŋ^{35}ʂət^{5} tʂak^{3} tsɿ^{0} li^{13}tsɿ^{0}.m̩$_{21}$,mau^{13}tek^{3}.ɔn$^{35}_{44}$tso$^{53}_{44}$li^{13}pak^{3} pət^{3} siɔŋ$^{35}_{44}$iəŋ^{13}.ŋai^{13}tien^{0} pak^{3} ʂəu^{53}xɔŋ^{53}iəu^{13}iet^{3} tʂəŋ^{21}a^{0} ci^{53}sen$^{35}_{44}$tʂʰəŋ^{13}, iəu^{35}tʂəŋ^{21}tʂʰəŋ^{13}tsɿ^{0},in^{21}çiɔŋ^{21}li^{0} kai^{53}li^{13}ʂəu^{53}mau^{13}tek^{3} li^{0} ciet^{3}.e$_{21}$,li^{13}pak^{3} pət^{3} siɔŋ$^{35}_{44}$iəŋ^{13}.kai$^{53}_{44}$ʂʅ$^{53}_{44}$pak^{3} ʂəu^{53}.

【摆】pai^{21} 动①排列，安放：箇桌子～得整整齐齐呀。kai$^{53}_{44}$tsɔk^{3} tsɿ^{0} pai^{21}tek^{3} tʂən^{21}tʂən^{21}tsʰe$^{13}_{21}$tsʰe^{13} ia^{0}.｜摊开来呀，一块一块子～开来，去晒，晒番薯片。tʰan^{35}kʰɔi^{35}lɔi$^{13}_{21}$ia^{0},iet^{3} kʰuai^{53}iet^{3} kʰuai^{53} tsɿ^{0} pai^{21}kʰɔ$^{35}_{44}$lɔi$^{13}_{21}$,çi$^{53}_{44}$sai^{53},sai^{53}fan$^{35}_{44}$ʂəu$^{13}_{21}$pʰien^{21}. ②摇摆：～腿 pai^{21}tʰɔi^{21}｜～手pai^{21}ʂəu^{21}手向下并前后摇摆

【摆格】pai^{21}kek^{3} 动摆谱儿：欸，有滴人呢本事又冇得，钱就冇么个有。系啊？爱摆下子格。箇阵子我等箇有只人，渠爱～，渠又冇得钱，捡倒别人家只烂手表，一戴戴下倒。以下别人家就问下子渠，欸，半下昼子啊问下子渠：“几多点钟了哇？”凶伢子，安做凶伢子。渠话：“凶伢子欸，几多点钟了哇？”“三点八十分呐。”渠话三点八十分。走下三点过哩，走下八字上去哩，三点八十分。就系咁个，～啊。欸，有滴人就欸我等箇映有只安做高……呃，安做安做么个？安做安做么个名字啊？安做陆宝子。欸，只字都唔认得，渠也～。渠让门摆勒？搞三杆钢笔扤倒，嗯，又冇得钱来买钢笔，箇时候，六十年代呀，五六十年代，我等都唔多

记得哩箇只人。渠搞三杆钢笔，冇得底下箇个就舞只子套子，顶高只套子，扤下扤下渠罩衫上。～啊。箇个就～。就俚俚哩渠是欸有文化，读倒蛮多书。欸，～。e$_{21}$,iəu^{35}tet^{5}ɲin$^{13}_{21}$ne^{0} pən^{21}sɿ^{53}iəu^{53}mau^{13}tek^{3},tsʰien^{13}tsiəu^{53}mau^{13}mak^{3} e^{0} iəu^{35}.xe$^{53}_{44}$a^{0}?ɔi^{53}pai^{21}a^{53}tsɿ^{0} kek^{3}.kai$^{53}_{44}$tʂʰən^{53}tsɿ^{0} ŋai^{13}tien^{0} kai$^{53}_{44}$iəu^{35}tʂak^{3}ɲin^{13},ci^{13}ɔi^{53}pai^{21}kek^{3},ci^{13}iəu^{53}mau^{13}tek^{3} tsʰien^{13},cian^{21}tau^{21}pʰiet^{5} in$^{13}_{44}$ka$^{35}_{44}$tʂak^{3} lan$^{53}_{44}$ʂəu^{21} piau^{21},iet^{3} tai$^{53}_{44}$tai^{53}ia^{0} tau^{21}.i^{21}xa$^{53}_{44}$pʰiet^{5} in$^{13}_{44}$ka$^{35}_{44}$tsiəu$^{53}_{44}$uən^{53}na$^{53}_{44}$tsɿ^{0} ci$^{13}_{21}$,e$_{21}$,pan^{53}xa^{35}tʂəu^{53}tsɿ^{0} a^{0} uən^{53}na$^{53}_{44}$tsɿ^{0} ci$^{13}_{21}$:"ci^{21}to^{35}tien^{21}tʂəŋ$^{35}_{44}$liau^{0} ua^{0}?"çiəŋ^{35}ŋai^{13}tsɿ^{0},ɔn$^{35}_{44}$tso$^{53}_{44}$çiəŋ^{35}ŋai$^{13}_{21}$tsɿ^{0}.ci^{13}ua$^{53}_{44}$:"çiəŋ$^{35}_{21}$ŋai$^{13}_{44}$tsɿ^{0} ei^{0},cio^{35}(←ci^{21} to^{35})tien^{21}tʂəŋ$^{35}_{44}$liau^{0} ua^{0}?""san^{35}tian^{21}pait^{3} ʂət^{5} fən$^{35}_{44}$na^{0}."ci^{13}ua^{53}san^{35}tian^{21}pait^{3} ʂət^{5} fən$^{35}_{44}$.tsei^{21}a^{0} san^{35}tian^{21} ko^{53}li^{0},tsei^{21}ia^{53}pait^{3} tsɿ$^{53}_{44}$xɔŋ$^{53}_{44}$çi^{53}li^{0},san^{35}tian^{21}pait^{3} ʂət^{5} fən$^{35}_{44}$.tsiəu^{53}xei^{53}kan^{21}cie^{53},pai^{21}kek^{3} a^{0}.e$_{21}$,iəu^{35}tet^{5} ɲin$^{13}_{44}$tsʰiəu$^{53}_{44}$ei$_{21}$ŋai^{13}tien^{0} kai$^{53}_{44}$iaŋ$^{53}_{44}$iəu^{35}tʂak^{3} ɔn$^{35}_{44}$tso$^{53}_{44}$kau^{53}f…ə$_{21}$,ɔn$^{35}_{44}$tso$^{53}_{44}$ɔn$^{35}_{44}$tso$^{53}_{44}$mak^{3} ke$^{53}_{44}$?ɔn$^{35}_{44}$tso$^{53}_{44}$ɔn$^{35}_{44}$tso$^{53}_{44}$ mak^{3} ke$^{53}_{44}$miaŋ$^{13}_{21}$tsʰɿ$^{53}_{44}$a^{0} ?ɔn$^{35}_{44}$tso$^{53}_{44}$ləu^{53}pau^{21}tsɿ^{0}.e$_{21}$,tʂak^{3} sɿ$^{53}_{44}$təu$^{53}_{44}$n̩^{13}ɲin^{53}tek^{3},ci^{13}ia$^{35}_{53}$pai^{21}kek^{3} .ci^{13}ɲiəŋ$^{53}_{44}$mən^{0} pai^{21}le^{0}?kau^{21}san^{35}kən^{21}kəŋ^{35}piet^{3} kʰuai^{21}tau^{21},n̩$_{21}$,iəu^{35}mau$^{13}_{21}$tek^{3} tsʰien^{13}lɔi$^{13}_{21}$mai^{35}kɔŋ^{35}piet^{3},kai$^{53}_{44}$ʂʅ$^{35}_{21}$xei$^{53}_{44}$, liəuk^{3} ʂət^{5}ɲien$^{13}_{21}$tʰɔi$^{53}_{44}$ia^{0} ,ŋ̍^{21}liəuk^{3} ʂət^{5}ɲien$^{13}_{21}$tʰɔi$^{53}_{44}$,ŋai^{13}tien^{0} təu$^{53}_{44}$n̩$^{13}_{21}$to$^{35}_{44}$ci^{53}tek^{3} li^{0} kai$^{53}_{44}$tʂak^{3}ɲin$^{13}_{21}$.ci$^{13}_{21}$kau^{21} san^{35}kən^{21}kəŋ^{35}piet^{3},mau^{13}tek^{3} te^{21}xa$^{53}_{44}$kai^{53}ke$^{53}_{44}$tsʰiəu^{53}u^{21}tʂak^{3} tsɿ^{0} tʰau^{53}tsɿ^{0},taŋ^{21}kau$^{35}_{44}$tʂak^{3} tʰau^{53}tsɿ^{0},kʰuai^{21} ia^{0} kʰuai^{21}ia^{0} ci$^{13}_{21}$tsau$^{53}_{44}$san$^{35}_{44}$xɔŋ$^{53}_{44}$.pai^{21}ciek^{3} a^{0} .kai$^{53}_{44}$ke^{53}tsʰiəu$^{53}_{44}$pai^{21}kek^{3} .tsʰiəu^{53}ɲian^{21}ɲian$^{21}_{44}$li^{0} ci^{13}ʂʅ$^{35}_{21}$ei$_{21}$iəu^{35} uən^{13}fa^{53},tʰəuk^{5} tau^{21}man$^{13}_{21}$to$^{35}_{44}$ʂəu^{35}.e$_{21}$,pai^{21}kek^{3} .

【摆架子】pai^{21}ka^{53}tsɿ^{0} 动指自高自大，为显示身份而装腔作势：出门～，罩衫整褂子。tʂət^{3} mən^{13}pai^{21}ka^{53}tsɿ^{0} ,tsau^{53}san^{35}tʂən^{21}kua^{53}tsɿ^{0} .

【摆阔】pai^{21}kʰɔk^{3} 动讲究排场，显示阔气：欸，就摆格撂～又唔同噢。～就俚俚哩渠真有钱呶。箇摆格嘞有滴就不一定系有钱。嗯。欸，有滴人就喜欢～，钱又冇么个有，钱又冇么个钱，欸，爱～。我等以映子让门子～系嘞？嗯，以下就以下就见得子嘞，我觉得摆么摆么唔多出了。以下见得～。系啊，发哩财个人渠也～。欸有欸箇街……街上有只人呢，渠就有滴子～啊。嗯，系有滴……也有……也系有滴子钱呶。钱也系稍微有滴钱。渠爷子死哩以后呀，渠就喊……别人家都喊下子欸吹打箇只，渠就到浏阳喊……请倒请一班戏班子，划三万多块钱话，嗯，唱一天一夜，唱戏，唱花鼓戏，欸。打祭个时候子嘞，欸，摆正只凳，你等都去参加。渠打大三献啦祭爷子啊，系唔系啊？嗯，每一个人发苹果，发一……发矿泉水，欸，发滴么个东西。～。渠就摆下子阔。欸，俚俚哩渠真有钱。其实渠冇么个钱，欠倒一屁股个账。e$_{21}$,tsiəu^{53}pai^{21}kek^{3} lau^{35}pai^{21}kʰɔk^{3} iəu^{35}n̩$^{13}_{21}$tʰəŋ^{13}ŋau^{0} .pai^{21}kʰɔk^{3} tsʰiəu^{53}ɲian^{21}ɲian$^{21}_{44}$li^{0} ci$^{13}_{21}$tʂən^{35}iəu$^{35}_{44}$ tsʰien^{13}nau^{0}.kai^{53}pai^{21}kek^{3} lei^{0} iəu^{35}tet^{5} tsʰiəu^{53}pət^{3} iet^{3} tʰin$^{53}_{44}$xei$^{53}_{44}$iəu^{35}tsʰien^{13}.n̩$_{21}$.e$_{21}$,iəu^{35}tet^{5}ɲin$^{13}_{21}$tsʰiəu^{53}çi^{21} fən$^{35}_{44}$pai^{21}kʰɔk^{3} ,tsʰien$^{13}_{21}$iəu$^{53}_{44}$mau$^{13}_{21}$mak^{3} e^{0} iəu^{35},tsʰien^{13}iəu^{53}mau$^{13}_{21}$mak^{3} e^{0} tsʰien^{13},e$_{21}$,ɔi$^{53}_{44}$pai^{21}kʰɔk^{3} .ai^{13}tien^{0} i^{21} iaŋ^{53}tsɿ^{0}ɲiɔŋ^{53}mən^{0} tsɿ^{0} pai^{21}kʰɔk^{3} xe$^{53}_{44}$le^{0}?n̩$_{21}$,i^{21}xa$^{53}_{44}$tsʰiəu$^{53}_{44}$i^{21}xa$^{53}_{44}$tsʰiəu$^{53}_{44}$cien^{53}tek^{3} tsɿ^{0} le^{0} ,ŋai$^{13}_{21}$kɔk^{3} tek^{3} pai^{21} mak^{3} pai^{21}mak^{3} n̩^{13}to$^{35}_{44}$tʂʰət^{3} liau^{0} .i^{21}xa$^{53}_{44}$cien^{53}tek^{3} pai^{21}kʰɔk^{3} .xe$^{53}_{44}$a^{0} ,fait^{3} li^{0} tsʰɔi^{13}ke^{53}ɲin^{13}ci^{13}a$^{35}_{44}$pai^{21}kʰɔk^{3} .e$_{21}$ iəu^{35}e^{0} kai^{35}kai$^{35}_{44}$…kai^{35}xɔŋ$^{53}_{44}$iəu^{35}tʂak^{3}ɲin$^{13}_{21}$ne^{0} ,ci^{13}tsʰiəu^{53}iəu^{35}tiet^{5} tsɿ^{0} pai^{21}kʰɔk^{3} a^{0} .n̩$_{21}$,xe$^{53}_{44}$iəu^{35}tet^{5} …ia^{35} iəu…ia^{35}xe^{53}iəu^{35}tet^{53}tsɿ^{0} tsʰien$^{13}_{21}$nau^{0} .tsʰien^{13}na$^{35}_{44}$xei^{53}sau^{21}uei^{13}iəu^{35}tet^{5} tsʰien$^{13}_{44}$.ci$^{13}_{21}$ia^{13}tsɿ^{0} si^{21}li^{0} i$^{35}_{44}$xei$^{53}_{44}$ia^{0},ci^{13} tsʰiəu^{53}xan^{53}…pʰiet^{5}ɲin$^{13}_{21}$kia$^{35}_{44}$təu$^{35}_{44}$xan^{53}na$^{53}_{44}$tsɿ^{0} e^{0} tʂʰei^{35}ta^{21}kai$^{53}_{44}$tʂak^{3} ,ci^{13}tsiəu^{53}tau^{53}liəu^{13}iɔŋ$^{13}_{44}$xan…tsʰiaŋ^{21} tau^{21}tsʰiaŋ^{21}iet^{3} pan$^{35}_{44}$çi^{53}pan^{35}tsɿ^{0} ,fa$^{13}_{21}$san^{35}uan$^{35}_{44}$to$^{35}_{44}$kʰuai^{53}tsʰien^{13}ua^{53},n̩$_{21}$,tʂʰɔŋ^{53}iet^{3} tʰien^{35}iet^{3} ia^{53},tʂʰɔŋ$^{53}_{44}$çi^{53}, tʂʰɔŋ$^{53}_{44}$fa^{35}ku^{21}çi^{53},e$_{21}$.ta^{21}tsi^{53}ke^{0} ʂʅ^{13}xəu$^{53}_{44}$tsɿ^{0} le^{0} ,e$_{21}$,pai^{21}tʂaŋ$^{53}_{44}$tʂak^{3} ten^{53}, ɲi^{13}tien^{0} təu$^{35}_{44}$çi$^{53}_{44}$tsʰan$^{35}_{44}$cia$^{35}_{44}$.ci^{13}ta^{21} tʰai$^{53}_{44}$san$^{35}_{44}$çien^{53}la^{0} tsi^{53}ia^{13}tsɿ^{0} a^{0} ,xei$^{53}_{44}$me$^{53}_{44}$a^{0} ?n̩$_{21}$,mei^{35}iet^{3} ke^{53}ɲin$^{13}_{21}$fait^{3} pʰin^{13}ko^{21},fait^{3} iet^{3} …fait^{3} kʰɔŋ^{53} tsʰen^{13}ʂei^{21},e$_{21}$,fait^{3} tiet^{5} mak^{3} e^{0} təŋ$^{35}_{44}$si^{0} .pai^{21}kʰɔk^{3} .ci^{13}tsʰiəu^{53}pai^{21}xa^{53}tsɿ^{0} kʰɔk^{3} .e$_{21}$, ɲian^{21}ɲian$^{21}_{44}$li^{0} ci$^{13}_{21}$tʂən^{35} iəu$^{35}_{44}$tsʰien^{21}.cʰi^{13}ʂət^{5} ci$^{13}_{44}$mau^{13}mak^{3} e^{0} tsʰien$^{13}_{21}$,cʰian^{53}tau^{21}iet^{3} pʰi^{53}ku^{21}ke^{0} tʂɔŋ^{53}.

【摆手】pai^{21}ʂəu^{21} 名①碑石两边用小石砌成或大石条垒成的墙：两边个就安做～哇。iəŋ^{21}pien^{35} ke$^{53}_{44}$tsʰiəu$^{53}_{44}$ɔn$^{35}_{44}$tso$^{53}_{44}$pai^{21}ʂəu^{21}ua^{0}. ②衣裙的最下端部分：三只意思。第一只摆手嘞，碑石两边欸箇个欸地呀，坟墓哇，系啊？两边个摆手，欸欸，两边个摆手，箇就一只系摆手。箇只系名词。第二只～嘞也系名词，就就系欸衣裙个下……欸，衫裤底下个～。还一种就动词，手放势划，欸，摆呀摆哩。摆手。箇起摇……一双手哇，两边放势摇摆，欸，就也系安做摆手。箇就动词了。san^{35}tʂak^{3} i$^{53}_{44}$sɿ^{0} .tʰi^{53}iet^{3} tʂak^{3} pai^{21}ʂəu^{21}le^{0} ,pi^{35}ʂak^{5} iəŋ^{21}pien^{35}e$_{21}$kai^{53}ke^{53}e$_{21}$tʰi^{53}ia^{0},fən^{13}mu^{53} ua^{0},xei^{53}a^{0}?iəŋ^{21}pien$^{35}_{44}$ke^{0} pai^{21}ʂəu^{21},ei$_{21}$ei$_{21}$,iəŋ^{21}pien$^{35}_{44}$ke^{0} pai^{21}ʂəu^{21},kai$^{53}_{44}$tsʰiəu$^{53}_{44}$iet^{3} tʂak^{3} xei^{53}pai^{21}ʂəu^{21}.kai^{53} tʂak^{3} xe^{53}min^{13}tsʰɿ^{13}.tʰi$^{53}_{44}$ɲi^{53}tʂak^{3} pai^{21}ʂəu^{21}le^{0} ia^{35}xe^{53}min$^{13}_{21}$tsʰɿ$^{13}_{21}$,tsʰiəu$^{53}_{44}$tsʰiəu$^{53}_{44}$xei$^{53}_{44}$e$_{21}$i^{35}tʂʰən$^{13}_{21}$ke$^{53}_{44}$xa… e$_{21}$,san^{35}fu^{53}te^{21}xa$^{53}_{44}$ke^{53}pai^{21}ʂəu^{21}.xai^{13}iet^{3} tʂəŋ^{21}tsʰiəu^{53}tʰəŋ^{53}tsʰɿ^{13},ʂəu^{21}xɔŋ^{53}ʂʅ$^{53}_{44}$fa^{53},e$_{21}$,pai^{21}ia^{0} pai^{21}li^{0} .pai^{21}

ʂəu^{21}.kai$^{53}_{44}$çi^{21}iau^{13}…iet^{3} səŋ$^{35}_{44}$ʂəu^{21}ua^{0},iɔŋ^{21}pien^{35}xɔŋ ʂʅ$^{53}_{44}$iau$^{53}_{44}$pai^{21},e$_{21}$,ts^{h}iəu$^{53}_{44}$ia^{35}xei^{53}ɔn$^{35}_{44}$tso$^{53}_{44}$pai^{21}ʂəu^{21}.kai$^{53}_{44}$ ts^{h}iəu$^{53}_{44}$t^{h}əŋ^{53}ts^{h}ʅ^{13}liau^{0}.

B

【摆摊个】pai^{21}t^{h}an^{35}ke^{0} 小贩儿：～，欸，一般系讲箇个做小……细生意子，欸，做细生意子，摆摊子。pai^{21}t^{h}an^{35}ke^{0},e$_{21}$,iet^{3} pɔn^{35}xe^{53}kɔŋ^{21}kai$^{53}_{44}$ke$^{53}_{44}$tso^{53}siau^{21}…se^{53}sen$^{35}_{44}$i$^{53}_{44}$tsɿ^{0},e$_{21}$,tso$^{53}_{44}$se^{53}sen$^{35}_{44}$i$^{53}_{44}$tsɿ^{0}, pai^{21}t^{h}an^{35}tsɿ^{0}.

【摆摊子】pai^{21}t^{h}an^{35}tsɿ^{0} 在街边或市场中陈列货物出售：箇只人搞么个啊？/～个人。kai^{53} tʂak^{3} ɲin^{13}kau^{21}mak^{3} ke^{53}a^{0}?/pai^{21}t^{h}an^{35}tsɿ^{0} ke^{53}ɲin$^{13}_{21}$. | 街上有只人欸呀正架势～噢，欸，荷担子篓子，嗯，落……荷担子箩子来摆，落尾嘞舞乘子板车来摆。如今是渠做几只门面，唔知几□了，嗯。欸，箇一块，蛮多人都话渠嘞，以只人嘞该我看稳渠舞乘板车去下做事，买……卖货啊，一下就搞发哩啊。kai^{35}xɔŋ^{53}iəu$^{35}_{44}$tʂak^{3} ɲin$^{13}_{21}$ei$_{21}$ia$_{21}$tʂaŋ^{53}cia^{53}ʂʅ^{53} pai^{21}t^{h}an^{35}tsɿ^{0} əu$_{21}$,e$_{21}$k^{h}ai^{35}tan^{53} tsɿ^{0} lei^{21}tsɿ^{0},n̩$_{21}$,nɔk^{5}…k^{h}ai^{35}tan^{53}tsɿ^{0} lo^{13}tsɿ^{0} lɔi^{13}pai^{21},lɔk^{5} mi$^{35}_{44}$le^{0} u^{21}ʂən^{13}tsɿ^{0} pan^{21}tʂ^{h}a^{35}lɔi$^{13}_{21}$pai^{21}.i$^{13}_{21}$cin^{35}ʂʅ$^{53}_{44}$ci$^{13}_{21}$ tso^{53}ci^{21}tʂak^{3} mən^{13}mien^{53},n̩^{13}ti$^{35}_{44}$ci^{21}c^{h}iəŋ^{53}liau^{0},n̩$_{21}$.ei$_{21}$,kai$^{53}_{44}$iet^{3} k^{h}uai$^{53}_{44}$,man^{13}to$^{35}_{44}$ɲin^{13}təu$^{35}_{44}$ua^{53}ci^{21}lei^{0},i^{21}tʂak^{3} ɲin^{13}le^{0} kɔi$^{35}_{44}$ŋai^{13}k^{h}ɔn^{53}uən^{21}ci$^{13}_{44}$u^{21}ʂən^{13}pan^{21}tʂ^{h}a^{35}çi^{53}xa$^{53}_{44}$tso$^{53}_{44}$sɿ$^{53}_{21}$,mai^{35}…mai$^{53}_{44}$fo^{53}a^{0},iet^{3} xa$^{53}_{44}$ts^{h}iəu^{53}kau^{21} fait^{3} li^{0} a^{0}.

【摆子鬼】pai^{21}tsɿ^{0}kuei^{21} 名打摆子而死的鬼，多用于诅咒自己痛恨的人得恶病而死：你箇人隔晡是你会打摆子死嘿去呀，你箇样～呀。一般他一般他骂别人家打摆子个人更多骂下别人家欸得痢疾哩。你会得痢疾死嘿。ɲi^{13}kai^{53}ɲin$^{13}_{21}$kak^{3} pu$^{35}_{44}$ʂʅ$^{53}_{44}$ɲi^{13}uɔi^{53}ta^{21}pai^{21}tsɿ^{0} si^{21}xek^{3} çi^{53}ia^{0}, ɲi^{13}kai^{53} iɔŋ^{53}pai^{21}tsɿ^{0} kuei^{21}ia^{0}.iet^{3} pɔn^{35}t^{h}a$^{35}_{53}$iet^{3} pɔn^{35}t^{h}a$^{35}_{53}$ma^{53}p^{h}iet^{5} in$^{13}_{44}$ka$^{35}_{44}$ta^{21}pai^{21}tsɿ^{0} ke^{53}ɲin$^{13}_{44}$ken$^{53}_{44}$to$^{35}_{44}$ma^{53}xa$^{53}_{44}$ p^{h}iet^{5} in$^{35}_{44}$ka$^{35}_{44}$e^{0} tek^{3} li^{53}ts^{h}iet^{5} li^{0}. ɲi^{13}uɔi^{53}tek^{3} li^{53}ts^{h}iet^{5} si^{21}xek^{3}. | 你嘞你做咁多恶事是你会成只～呀。你做滴恶事啊，你会成只～死嘿去呀。ɲi^{13}lei^{0}ɲi^{13}tso^{53}kan^{21}to^{35}ɔk^{3} sɿ^{53}ʂʅ$^{53}_{44}$ɲi^{13}uɔi^{53}ʂaŋ$^{13}_{21}$tʂak^{3} pai^{21}tsɿ^{0} kuei^{21}ia^{0}. ɲi^{13}tso^{53}tet^{5} ɔk^{3} sɿ$^{53}_{44}$a^{0},ɲi^{13}uɔi^{53}ʂaŋ$^{13}_{21}$tʂak^{3} pai^{21}tsɿ^{0} kuei^{21}si^{21}xek^{3} çi^{53}ia^{0}.

【败】p^{h}ai^{53} 动耗尽财物而致使败落：箇十分大方哩个（出纳）就冇咁多来分渠～，会分渠搞净。kai$^{53}_{44}$ʂət^{5} fən$^{35}_{44}$t^{h}ai^{53}fɔŋ^{35}li^{0} ke^{0} ts^{h}iəu$^{53}_{44}$mau^{13}kan^{21}to$^{35}_{44}$lɔi$^{13}_{21}$pən^{35}ci$^{13}_{21}$p^{h}ai^{53},uɔi$^{53}_{44}$pən^{35}ci$^{13}_{21}$kau^{21}ts^{h}iaŋ^{53}.

【败毒】p^{h}ai^{53}t^{h}əuk^{5} 动解毒：～就系去毒。热天了食滴子箇个六月雪去啊，清凉～。嗯。箇个还有就箇起臭牡丹，也系清凉～。p^{h}ai^{53}t^{h}əuk^{5} tsiəu$^{53}_{44}$xe$^{53}_{44}$tʂ^{h}ʮ^{53}t^{h}əuk^{5}. ɲiet^{5} t^{h}ien$^{35}_{44}$liau^{0} ʂət^{5} tiet^{5} tsɿ^{0} kai$^{53}_{44}$ke$^{53}_{44}$liəuk^{3} ɲiet^{5} set^{3} çi^{53}a^{0},ts^{h}in^{35}liɔŋ^{13}p^{h}ai^{53}t^{h}əuk^{5}.n̩$_{21}$.kai$^{53}_{44}$kei$^{53}_{44}$xai$^{13}_{21}$iəu$^{35}_{44}$ts^{h}iəu$^{53}_{44}$kai$^{53}_{44}$çi$^{53}_{44}$tʂ^{h}əu^{53}miau^{21} tan^{35},ia^{35}xe^{53}ts^{h}in^{35}liɔŋ^{13}p^{h}ai^{53}t^{h}əuk^{5}.

【败家子】p^{h}ai^{53}cia^{35}tsɿ^{21} 名不务正业，任意挥霍家产而不能自立的子弟：渠只孙子嘞就系只～。ciak^{3}(←ci^{13}tʂak^{3})sən^{35}tsɿ^{0} lei^{0} ts^{h}iəu^{53}xei$^{53}_{21}$tʂak^{3} p^{h}ai^{53}cia^{35}tsɿ^{21}. | 你箇～！ɲi$^{13}_{21}$kai$^{53}_{44}$p^{h}ai^{53}ka^{35}tsɿ^{21}!

【拜】pai^{53} 动①行礼表示敬意：以前读书，发模个时候他就～孔子。～孔夫子。我等人是赠去～了。箇阵子。我等读书是我记得赠去～了。以前我爷子等读书就系话要～孔子。读老书哇。以前读老书就爱～孔子。欸，～至圣先师啊。嗯。i^{35}ts^{h}ien$^{13}_{21}$t^{h}əuk^{5} ʂəu^{35},fait^{3} mu^{13}ke$^{53}_{44}$ʂʅ$^{13}_{44}$xəu$^{53}_{44}$ t^{h}a$^{35}_{44}$tsiəu$^{53}_{44}$pai^{53}k^{h}əŋ^{21}tsɿ^{0}.pai^{53}k^{h}əŋ^{21}fu$^{35}_{44}$tsɿ^{0}.ŋai^{13}tien^{0}ɲin$^{13}_{21}$ʂʅ$^{53}_{21}$maŋ^{13}çi^{53}pai^{53}liau^{0}.kai$^{53}_{44}$tʂ^{h}ən$^{53}_{44}$tsɿ^{0}.ŋai^{13}tien^{0} t^{h}əuk^{5} ʂəu$^{35}_{44}$ʂʅ$^{53}_{21}$ŋai^{13}ci^{53}tek^{3} maŋ^{13}çi^{53}pai^{53}liau^{0}.i$^{35}_{44}$ts^{h}ien$^{13}_{21}$ŋai$^{13}_{21}$ia^{13}tsɿ^{0} tien^{0} t^{h}əuk^{5} ʂəu$^{35}_{44}$tsiəu$^{53}_{44}$xei^{53}ua$^{53}_{44}$iau$^{53}_{44}$pai^{53} k^{h}əŋ^{21}tsɿ^{0}.t^{h}əuk^{5} lau^{21}ʂəu$^{35}_{44}$ua^{0}.i$^{35}_{44}$ts^{h}ien$^{13}_{21}$t^{h}əuk^{5} lau^{21}ʂəu$^{35}_{44}$tsiəu^{53}ɔi$^{53}_{44}$pai^{53}k^{h}əŋ^{21}tsɿ^{0}.e$_{21}$,pai$^{53}_{44}$tʂʅ^{53}ʂən$^{53}_{21}$sien$^{35}_{44}$sɿ$^{35}_{44}$ a^{0}.n̩$_{21}$. ②结成某种关系：逢哩生，安做逢生。爱～渠当干爷。fəŋ^{13}li^{0} saŋ^{35},ɔn^{35}tso$^{53}_{44}$fəŋ^{13}saŋ^{35}.ɔi$^{53}_{44}$ pai^{53}ci$^{13}_{44}$tɔŋ$^{35}_{44}$kɔn^{35}ia$^{13}_{21}$. | 渠就拜箇只渠就箇个唠到箇庙里去唠，嗯，问呶，问系唔系，系唔系，庙里菩萨渠都转哩箇子嘞你就照办呶。欸。你就照办呶。～菩萨做干爷。嗯。ci^{13}ts^{h}iəu$^{53}_{44}$pai^{53} kai$^{53}_{44}$tʂak^{3} ci$^{13}_{21}$ts^{h}iəu$^{53}_{44}$kai$^{53}_{44}$ke$^{53}_{44}$lau^{0} tau^{53}kai$^{53}_{44}$miau^{53}li^{0} çi^{53}lau^{0},ŋ̍$_{21}$,uən^{53}nau^{0},uən^{53}xe$^{53}_{21}$me$^{53}_{44}$,xei^{53}me$^{53}_{44}$,miau^{53}li^{0} p^{h}u^{13}sait^{3} ci$^{13}_{21}$təu$^{35}_{44}$tʂɔn^{21}ni^{0} kai^{53}tsɿ^{0} lei^{0} ɲi$^{13}_{21}$ts^{h}iəu$^{53}_{44}$tʂau^{53}p^{h}an^{53}nau^{0}.e$_{21}$, ɲi$^{13}_{21}$ts^{h}iəu$^{53}_{44}$tʂau^{53}p^{h}an^{53}nau^{0}.pai^{53}p^{h}u^{13} sait^{3} tso^{53}kɔn^{35}ia$^{13}_{44}$.ŋ̍$_{21}$.

【拜茶礼】pai^{53}ts^{h}a$^{13}_{21}$li^{35} 名婚俗。新婚之夜新郎、新娘一起抬茶给亲友喝，被敬茶的人给予赞词与红包以示祝贺：以前是有～哟，箇晡夜晡个～。新郎新娘就扛一托茶啦，第一只就请舅爷啦食茶啦。舅爷要拿红包哇。舅爷爱拿只红包啦。总取最大个客请起呀。所有个客都爱拜到。所有客都爱食。新郎新娘捅倒茶，请客食。两个人捅倒茶，用托子。两个人捅倒茶，舞正茶来，分人泡茶，泡正茶来，慢慢子来，首先请舅爷食茶，系啊？舅爷食茶，还爱讲几句子好话，高赞下子。还爱赞下子。早生贵子箇滴咁个，系啊？拿红包，以前也系拿红包。好像爷姨就唔爱嘞。唔知……我正出……赠……唔记得哩。爷姨就唔爱，家娘家爷，箇就唔爱。

箇你莫写，也可能有。i$^{35}_{44}$tsʰien^{13}ʂʅ$^{53}_{44}$iəu$^{35}_{44}$pai^{53}tsʰa$^{13}_{21}$li^{35}iau^{0},kai$^{53}_{44}$pu$^{35}_{44}$ia$^{53}_{44}$pu$^{35}_{44}$ke$^{53}_{44}$pai^{53}tsʰa$^{13}_{21}$li^{35}.sin^{35}nɔŋ$^{13}_{21}$sin^{35}ɲiɔŋ$^{13}_{21}$tsiəu^{53}kɔŋ^{35}iet^{3} tʰɔk^{3} tsʰa^{13}la^{0},tʰi^{53}iet^{3} tʂak^{3} tsʰiəu^{53}tsʰiaŋ^{21}cʰiəu^{35}ia$^{13}_{21}$la^{0} ʂət^{5} tsʰa^{13}la^{0} .cʰiəu^{35}ia$^{13}_{21}$iau$^{53}_{44}$la$^{53}_{44}$fəŋ^{13}pau$^{35}_{44}$ua^{0} .cʰiəu^{35}ia$^{13}_{21}$ɔi$^{53}_{44}$la$^{53}_{44}$tʂak^{3} fəŋ^{13}pau$^{35}_{44}$la^{0} .tsəŋ^{21}tsʰi^{21}tsei^{53}tʰai^{53}ke$^{53}_{44}$kʰak^{3} tsʰiaŋ^{21}çi^{21}ia^{0} .so^{21}iəu^{35}ke^{53}kʰak^{3} təu^{35}ɔi$^{53}_{44}$pai^{53}tau^{53}.so^{21}iəu^{35}kʰak^{3} təu^{35}ɔi$^{53}_{44}$ʂət^{5} .sin^{35}nɔŋ$^{13}_{21}$sin^{35}ɲiɔŋ^{13}kɔŋ^{35}tau^{21}tsʰa^{13},tsʰiaŋ^{21}kʰak^{3} ʂət^{5} .iɔŋ^{21}ke^{53} in$^{13}_{21}$kɔŋ^{35} tau^{21} tsʰa^{13} ,iəŋ^{53} tʰɔk^{3} tsɿ^{0} .iɔŋ^{21} ke^{53} in$^{13}_{21}$kɔŋ^{35} tau^{21} tsʰa^{13} ,u^{21} tʂaŋ^{53} tsʰa^{13} lɔi^{13} ,pən^{35}ɲin$^{13}_{21}$pʰau^{53}tsʰa^{13},pʰau^{53}tʂaŋ$^{53}_{44}$tsʰa^{13}lɔi^{13},man^{53}man^{53}tsɿ^{0} lɔi^{13},ʂəu^{21}sien$^{35}_{44}$tsʰiaŋ^{21}cʰiəu^{35}ia$^{13}_{21}$ʂət^{5} tsʰa^{13},xei$^{53}_{44}$a^{0} ?cʰiəu^{35}ia$^{13}_{21}$ʂət^{5} tsʰa^{13},xai^{13}ɔi^{53}kɔŋ^{21}ci^{21}tʂʅ^{53}tsɿ^{0} xau^{21}fa^{53},kau^{35}tsan^{53}na$_{44}$(←xa^{53})tsɿ^{0} .xai^{13}ɔi$^{53}_{44}$tsan^{53}na$_{44}$(←xa^{53})tsɿ^{0} .tsau^{21}sien^{35}kuei^{53}tsɿ^{0} kai$^{53}_{44}$tet^{3} kan^{21}cie^{53},xei$^{53}_{21}$a^{0} ?la$^{53}_{44}$fəŋ$^{13}_{21}$pau$^{35}_{44}$,i$^{35}_{44}$tsʰien$^{13}_{21}$ia$^{35}_{44}$xe$^{53}_{44}$la^{53}fəŋ$^{13}_{21}$pau$^{35}_{21}$.xau^{21}tsʰiɔŋ^{53}ia^{13}ɔi$^{35}_{44}$tsʰiəu^{53}m̩$^{13}_{21}$mɔi$_{44}$(←ɔi^{53})lei^{0} .n̩^{13}ti$^{35}_{44}$⋯ŋai^{13}tʂaŋ$^{53}_{44}$tʂʰət^{3} ⋯maŋ^{13}⋯ŋȼ^{13}ci^{53}tek^{3} li^{0} .ia^{13}ɔi$^{35}_{44}$tsʰiəu^{53}m̩$^{13}_{21}$mɔi$_{44}$(←ɔi^{53}),ka^{35}ɲiɔŋ$^{13}_{21}$ka^{35}ia$^{13}_{44}$,kai$^{53}_{44}$tsʰiəu$^{53}_{44}$m̩$^{13}_{21}$mɔi$_{44}$(←ɔi^{53}).kai$^{53}_{44}$ɲi^{21}mɔk^{5} sia^{21},ia^{35}kʰo^{21}lən$^{13}_{21}$iəu^{35}.

【拜凳】pai^{53}tien^{53} 名 拜菩萨烧拜香时用的长凳子：～，嗯，有哇，箇映箇映箇只庙里就一张□长个凳呐。呃，上背有一下……一下就搞正下子啊。上背就舞滴子箇个海绵，舞滴又舞块子箇皮子包稳，跪倒去就膝头唔痛啊。箇就～。我我等天天早晨到箇映子去跑步，跑到箇个安做五显庙，跑到五显庙里嘞就到箇映子～上欸去跪倒唱两只子揖，嗯，拜两下子。拜两下子就归，欸。pai^{53}ten^{53},n̩$_{21}$,iəu^{35}ua^{0},kai^{53}iaŋ^{53}kai^{53}iaŋ^{53}kai^{53}tʂak^{3} miau^{53}li^{35}tsʰiəu^{53}iet^{3} tʂɔŋ^{35}lai^{35}tʂʰɔŋ$^{13}_{21}$ke^{0}ten^{53}na^{0} .ə$_{21}$,ʂɔŋ^{53}pɔi^{53}iəu^{35}iet^{3} xa^{53}çi⋯iet^{3} xa^{53}tsʰiəu$^{53}_{44}$kau^{21}tʂaŋ^{53}xa^{53}tsɿ^{0} a^{0} .ʂɔŋ^{53}pɔi^{53}tsʰiəu$^{53}_{44}$u^{21}tiet^{5} tsɿ^{0} kai$^{53}_{44}$ke^{0} xɔi^{21}mien^{13},u^{21}tiet^{3} iəu^{53}u^{21}kʰuai^{53}tsɿ^{0} kai$^{53}_{44}$pʰi^{13}tsɿ^{0} pau^{35}uən^{21},kʰuei^{21}tau^{21}çi$^{53}_{44}$tsiəu$^{53}_{44}$tsʰiet^{3} tʰei^{13}n̩^{13}tʰəŋ^{53}ŋa^{0}. kai$^{53}_{44}$tsʰiəu$^{53}_{44}$pai^{53}ten^{53}.ŋai^{13}ŋai^{13}tien^{0} tʰien^{35}tʰien$^{35}_{44}$tsau^{21}ʂən$^{35}_{44}$tau^{53}kai^{53}iaŋ^{53}tsɿ^{0} çi$^{53}_{44}$pʰau^{21}pʰu^{53},pʰau^{21}tau$^{53}_{44}$kai$^{53}_{44}$ke$^{53}_{44}$ɔn^{35}tso$^{53}_{44}$ŋ̍^{21}çien^{21}miau^{53},pʰau^{21}tau^{53}ŋ̍^{21}çien^{21}miau^{53}li^{35}le^{0} tsʰiəu^{53}tau^{53}kai^{53}iaŋ^{53}tsɿ^{0} pai^{53}ten$^{53}_{44}$xɔŋ$^{53}_{44}$ei$_{21}$çi^{53}kʰuei^{21}tau^{21}tʂʰɔŋ^{53}iɔŋ^{21}tʂak^{3} tsɿ^{0} ia^{35},n̩$_{21}$,pai^{53}iɔŋ^{21}xa^{53}tsɿ^{0} .pai^{53}iɔŋ^{21}xa^{53}tsɿ^{0} tsʰiəu$^{53}_{44}$kuei^{35},e$_{21}$.

【拜干爷】pai^{53}kɔn^{35}ia$^{13}_{21}$ 认干爹。也用于求人给予钱物方面的帮助之时：～有两只意思嘞。一只就真正个～。嗯。欸欸嘿拜你做干爷，系唔系啊？嗯。你硬蛮喜欢我箇只细子。我细子硬拜你做干爷。箇就一种～。第二种嘞，就冇钱用呢，同你借钱有困难嘞，来啊来哟，拜只干爷噢。拜只干爷，系箇个来讲哩。同你借钱，我我同我爱同你借钱个，箇只，爱求你帮忙，欸一般都金钱上个东西。如果系话我一只细子爱读书，你帮得我到个唔讲～。一般都系讲借钱。欸，欸或者冇哩饭食，欸，拜只干爷。箇箇个嘞就就系求别人家帮箇个物质上个东西。欸，就安也安做～。pai^{53}kɔn^{35}ia$^{13}_{21}$iəu^{35}iɔŋ^{21}tʂak^{3} i^{53}sɿ$^{35}_{44}$le^{0} .iet^{3} tʂak^{3} tsʰiəu^{53}tʂən^{35}tʂən$^{53}_{44}$ke^{0} pai^{53}kɔn^{35}ia$^{13}_{21}$.n̩$_{21}$.e$_{21}$e$_{35}$xe$_{53}$pai^{53}ɲi^{13}tso^{53}kɔn^{35}ia$^{13}_{21}$,xei$^{53}_{44}$me^{53}a^{0} ?n̩$_{21}$. ɲi^{13}ɲiaŋ^{53}man^{13}çi^{21}fɔn^{35}ŋai^{13}kai^{53}tʂak^{3} se^{53}tsɿ^{0} .ŋai^{13}se^{53}tsɿ^{0}ɲiaŋ$^{53}_{44}$pai^{53}ɲi^{13}tso^{53}kɔn^{35}ia$^{13}_{21}$.kai$^{53}_{44}$tsʰiəu^{53}iet^{3} tʂəŋ^{21}pai^{53}kɔn^{35}ia$^{13}_{21}$.tʰi$^{53}_{44}$ɲi^{53}tʂəŋ^{21}le^{0} ,tsʰiəu^{53}mau$^{13}_{21}$tsʰien^{13}iəŋ^{53}nei^{0} ,tʰəŋ^{13}ɲi^{13}tsia^{53}tsʰien^{13}iəu^{35}kʰuən^{53}nan^{53}lei^{0} ,lɔi^{13}a^{0} lɔi$^{13}_{21}$iau^{0} ,pai^{53}tʂak^{3} kɔn^{35}ia$^{13}_{21}$au^{0} .pai^{53}tʂak^{3} kɔn^{35}ia$^{13}_{21}$,xei$^{53}_{44}$kai$^{53}_{21}$ke$^{53}_{44}$lɔi^{13}kɔŋ^{21}li^{0} .tʰəŋ^{13}ɲi^{13}tsia^{53}tsʰien^{13},ŋai^{13}ŋai^{13}tʰəŋ^{13}ŋai^{13}ɔi^{53}tʰəŋ$^{13}_{21}$ɲi^{13}tsia^{53}tsʰien^{13}kei^{53},kai$^{53}_{44}$tʂak^{3} ,ɔi$^{53}_{44}$cʰiəu^{13}ɲi$^{13}_{21}$pɔŋ^{35}mɔŋ^{13},ei$_{21}$iet^{3} pɔn^{35}təu$^{35}_{44}$cin^{35}tsʰien$^{13}_{21}$xɔŋ$^{53}_{44}$ke$^{53}_{44}$təŋ$^{35}_{44}$si^{0} .ɥ^{13}ko^{21}xei^{53}ua^{53}ŋai^{13}iet^{3} tʂak^{3} se^{53}tsɿ^{0} ɔi^{53}tʰəuk^{5} ʂəu^{35}, ɲi^{13}pɔŋ^{35}tek^{3} ŋai^{13}tau^{53}ke^{53}n̩^{13}kɔŋ^{21}pai^{53}kɔn^{35}ia$^{13}_{21}$.iet^{3} pɔn^{35}təu$^{35}_{44}$xe$^{53}_{44}$kɔŋ^{21}tsia^{53}tsʰien^{13}. e$_{21}$,e$_{21}$xɔit^{5} tʂak^{3} mau^{13}li^{0} fan^{53}ʂət^{5} ,e$_{21}$,pai^{53}tʂak^{3} kɔn^{35}ia$^{13}_{21}$.kai$^{53}_{44}$kai$^{53}_{44}$ke$^{53}_{44}$le^{0} tsʰiəu$^{53}_{44}$tsʰiəu$^{53}_{44}$xe$^{53}_{44}$cʰiəu^{13}pʰiet^{5} ɲin$^{13}_{21}$ka$^{35}_{44}$pɔŋ^{35}kai$^{53}_{44}$kei$^{53}_{44}$uk^{5} tʂət^{3} xɔŋ^{53}ke^{0} təŋ$^{35}_{44}$si^{0} .e$_{21}$,tsʰiəu$^{53}_{44}$ɔn^{35}ia^{35}ɔn$^{35}_{44}$tso$^{53}_{44}$pai^{53}kɔn^{35}ia$^{13}_{21}$.

【拜年】pai^{53}ɲien^{13} 动 向人祝贺新年：箇有年呀正月初二晡去～，（望春花）就开哩。kai^{53}iəu$^{35}_{53}$ɲien$^{13}_{21}$ia^{0} tʂaŋ^{35}ɲiet$^{5}_{3}$tsʰɿ^{35}ɲi^{53}pu^{35}çi$^{53}_{44}$pai^{53}ɲien^{13},tsʰiəu$^{53}_{44}$kʰɔi^{35}li^{0} .

【拜寿】pai^{53}ʂəu^{53} 动 祝贺寿辰：～，欸，以映就贺寿哇。我等以映～是一般总就硬系摆只寿堂啊。做生日嘞，箇只人做寿哇，摆只寿堂。大家就硬跍倒箇映子，箇寿星公就坐下箇顶高。欸，欸大家去～。嗯，一般都只系话去食生日酒。就作下子揖啦。咁子作下子揖啦。唔跪，冇么人跪下。欸，跪就唔跪下嘞。pai^{53}ʂəu^{53},e$_{21}$,i^{21}iaŋ$^{53}_{44}$tsʰiəu$^{53}_{44}$fo^{53}ʂəu^{53}ua^{0} .ŋai^{13}tien^{0} i^{21}iaŋ$^{53}_{44}$pai^{53}ʂəu^{53}ʂʅ$^{53}_{44}$iet^{3} pɔn^{35}tsəŋ^{21}tsʰiəu$^{53}_{44}$ɲiaŋ^{53}xe^{53}pai^{21}tʂak^{3} ʂəu^{53}tʰɔŋ$^{13}_{21}$ŋa^{0} .tso^{53}saŋ^{35}ɲiet^{3} le^{0} ,kai$^{53}_{44}$tʂak^{3} ɲin$^{13}_{21}$tso$^{53}_{44}$ʂəu^{53}ua^{0} ,pai^{21}tʂak^{3} ʂəu^{53}tʰɔŋ^{13} .tʰai^{53}cia$^{35}_{44}$tsʰiəu$^{53}_{44}$ɲiaŋ^{53}ku^{35}tau^{21}kai^{53}iaŋ^{53}tsɿ^{0} ,kai$^{53}_{44}$ʂəu^{53}sin$^{35}_{44}$kəŋ$^{35}_{44}$tsʰiəu$^{53}_{44}$tsʰo^{35}a^{0} kai$^{53}_{44}$taŋ^{21}kau^{35} .e$_{21}$,e^{0} tʰai$^{53}_{44}$cia$^{35}_{44}$çi$^{53}_{44}$pai$^{53}_{21}$ʂəu^{53} .n̩$_{21}$,iet^{3} pɔn^{35}təu$^{35}_{44}$tʂʅ^{21}xe^{53}ua$^{53}_{44}$çi$^{53}_{44}$ʂət^{5} saŋ^{35}ɲiet^{3} tsiəu^{21} .tsʰiəu^{53}tsɔk^{3} a^{0} tsɿ^{0} iet^{3} la^{0} .kan^{21}tsɿ^{0} tsɔk^{3} a^{0} tsɿ^{0} iet^{3} la^{0} .m̩^{13}kʰuei^{21},mau$^{13}_{21}$mak^{3} in$^{13}_{53}$kʰuei^{21}xa^{53} .e$_{21}$,kʰuei^{21}tsʰiəu^{53}n̩$^{13}_{21}$kʰuei^{21}xa$^{53}_{44}$le^{0} .

【拜堂】pai^{53}tʰɔŋ^{13} 动 旧式婚礼，新郎新娘一起举行参拜天地及父母公婆、互相对拜的仪式：～是结婚呶，欸，男女结婚呶，欸，～噢。箇～是箇就箇个箇东西就真多讲究啦。欸嘿，真多讲究哇。欸。渠欸一张渠第一一只嘞以下就张嗯箇个方桌，系啊？方桌上就用红色个台围围倒。爱红个啦，台围。台围晓得吧？欸围倒。以映子就正中间呢就安正祖位，祖宗菩萨个位子。嗯，打比我姓万个人讨新旧，欸就万氏宗祖神位。嗯。爱排正祖位。爱装香。爱去爱敬正箇个。欸，箇个～了嘞，事先爱搞么个嘞～来？先爱发烛……点着烛来，点着箇两只大红个喜烛。爱买大红个喜烛。欸。点烛个时候子嘞还爱请族间……一边两……一边一只吵。一只嘞请舅爷，姐公，高赞下子，欸，讲下子好话。箇边呢就请族间个，自家本姓个，有……德高望重个人，欸，爱有子孙个人呐，冇子孙个人是要唔得嘞。冇老婆冇子孙个人冇赖子个人就不行呢，冇得冇得资格欸。爱德高望重个人，爱请……一般就年纪大滴子个，欸，辈分高滴子个，请箇起人发烛。嗯。好，发正哩烛以后嘞箇只司仪个人呢，渠就去下子喊。欸，欸，以前就硬还拜，以前箇嗯我等见过嘞，硬系拜。新人下哩轿以后，以映子就放正一床席，地泥下摊正一床席，席面上放被窝。放倒箇被窝省子跪下跪下地泥下去。欸，以下就新郎坐……待一边，新娘待一边，箇就你爱拜下去。以前就硬～，就念下子～。第一就拜么个嘞？最先就拜天地。箇就欸渠有几只有几只箇个嘞，有几只下数嘞。一只就拜天地。第二就爱拜祖宗。第三就拜高堂，拜爷娭呀。欸。欸，第四是夫妻对拜。嗯。看呐，我都搞过蛮多回咯，嗯。行……首先就行么个礼呀？唔系行天地礼。硬安做……渠有只么个庙见礼。嗯。一只庙见礼。硬系硬系神庙个庙嘞。行庙见礼。嗯。我哪到寻倒箇东西来分你唠。我一下子要讲……寻……欸，～，欸～。以前是硬爱拜下去。嗯。拜下去以后嘞，欸，就爱磕头。欸。爱叩爱爱唔喊叩首呢，喊么个唠？喊么个去哩唠？爱爱爱磕下子头，脑壳。拜下去，磕下子头，嗯，爱磕三只子头。以下爱打圈圈，爱叮。爱爱打叮叮。呢渠是咁个，正来个时候子，有只大边，有只小边吵，系唔系？正来个时候子，行宾主礼。欸，正我记倒哩。行宾主礼。欸，新郎公呢就系主人。主人呢。新娘子嘞就系宾，就系来宾。宾主礼。箇时候子嘞，新郎就坐东阶，新娘就坐西阶，欸。欸我系我有只东西唠。我哪晡拿分你看呶。欸，行宾主礼。行哩宾主礼以后，就以宾主个礼仪来接，接以只新娘子。然后就行天地礼。以下就行欸庙见礼。就见祖宗，就庙见礼。以下就欸以下就拜箇个欸拜祖宗欸拜高堂。嗯。拜高堂。夫妻对拜。嗯。箇我唔记得行么个礼去哩嘞就唔多记得哩。箇就～啊。以下就冇么人去拜下去了。就拜只子样子，放床子席，放床子被窝。有滴是现在冇得咁个了，怕如今啊唔搞了。就系两个人呢鞠下子躬。一只躬天长地久哦。再鞠躬地久天长。系唔系？鞠两只子躬。一般就好事成双。鞠两只子躬。嗯。欸，以下他从祖宗菩萨，从祖位呀，祖宗菩萨嘞也系两鞠躬。欸，一鞠躬就让门子欸从祖宗面前个念个又唔同。从天地念个又唔同。欸夫妻对拜个又唔同个念法。欸。欸，但是都系两鞠躬，如今咯，就只鞠下子躬凑。箇个好事也系一般都两鞠躬。只有老哩人个，箇个就三鞠躬。欸，老哩人个就。也有作下子揖个，以下就鞠下子躬。嗯。鞠躬礼，安做行鞠躬礼。pai^{53}tʰɔŋ^{13}ʂʅ$^{53}_{44}$ciet^{3} fən^{35}nau^{0},e$_{21}$,lan^{13}ɲy^{21}ciet^{3} fən^{35}nau^{0},e$_{21}$pai^{53}tʰɔŋ^{13}ŋau^{0}.kai^{53} pai^{53}tʰɔŋ^{13}ʂʅ$^{53}_{44}$kai^{53}tsʰiəu^{53}kai$^{53}_{44}$ke^{0} kai$^{53}_{44}$təŋ$^{35}_{44}$si^{0} tsʰiəu$^{53}_{44}$tʂən^{35}to$^{35}_{44}$kɔŋ^{21}ciəu^{53}la^{0}.e$_{21}$xe$_{53}$,tʂən^{35}to$^{35}_{44}$kɔŋ^{21}ciəu^{53} ua^{0}.e$_{21}$.ci^{13}ei$_{21}$iet^{3} tʂɔŋ^{35}ci^{13}tʰi$^{53}_{44}$iet^{3} iet^{3} tʂak^{3} lei^{0} i^{21}xa$^{53}_{44}$tsʰiəu^{53}tʂɔŋ^{35}n̩$_{21}$kai$^{53}_{44}$ke$^{53}_{44}$fɔŋ^{35}tsɔk^{3},xei$^{53}_{44}$a^{0}?fɔŋ^{35}tsɔk^{3} xɔŋ^{53}tsʰiəu^{53}iəŋ^{53}fəŋ^{13}sek^{3} ke^{53}tʰɔi^{13}uei^{13}uei^{13}tau^{21}.ɔi^{53}fəŋ^{13}ke^{53}la^{0},tʰɔi^{13}uei^{13}.tʰɔi^{13}uei^{13}çiau^{21}tek^{3} pa^{0}?e$_{35}$uei^{13} tau^{21}.i^{21}iaŋ^{53}tsʰiəu^{53}tʂən^{53}tʂəŋ^{35}kan$^{35}_{44}$nei^{0} tsʰiəu$^{53}_{44}$ɔn$^{35}_{44}$tʂaŋ$^{53}_{44}$tsəu^{21}uei^{53},tsʅ^{21}tsəŋ$^{35}_{44}$pʰuk^{3} sait^{3} ke$^{53}_{44}$uei^{53}tsʅ^{0}.n̩$_{21}$,ta^{21} pi^{21}ŋai^{13}siaŋ^{53}uan^{53}ke^{0}ɲin$^{13}_{21}$tʰau^{21}sin$^{35}_{44}$cʰiəu$^{35}_{44}$,e$_{21}$tsʰiəu$^{53}_{21}$uan^{53}ʂʅ^{53}tsəŋ^{35}tsəu^{21}ʂən^{13}uei^{53}.n̩$_{21}$,ɔi$^{53}_{44}$pʰai$^{13}_{21}$tʂaŋ^{53}tsəu^{21} uei^{53}.ɔi^{53}tsɔŋ^{35}çiɔŋ^{35}.ɔi^{53}çi^{53}ɔi^{53}ciəŋ^{53}tʂaŋ$^{53}_{44}$kai$^{53}_{44}$ke$^{53}_{44}$.ei$_{21}$kai$^{53}_{44}$kei$^{53}_{44}$pai^{53}tʰɔŋ^{13}liau^{21}lei^{0},ʂʅ$^{53}_{44}$sien^{35}ɔi^{53}kau^{21}mak^{3} e^{0} le^{0} pai^{53}tʰɔŋ^{13}lɔi^{13}?sien^{35}ɔi^{53}fait^{3} tʂəuk⋯tian^{21}tʂʰɔk^{5} tʂəuk^{3} lɔi$^{13}_{21}$,tian^{21}tʂʰɔk^{5} kai^{53}iɔŋ^{21}tʂak^{3} tʰai^{53}fəŋ^{13}ke^{0} çi^{21} tʂəuk^{3}.ɔi$^{53}_{44}$mai^{35}tʰai^{53}fəŋ^{13}ke^{0} çi^{21}tʂəuk^{3}.e$_{21}$.tian^{21}tʂəuk^{3} ke$^{53}_{44}$ʂʅ$^{13}_{44}$xəu$^{53}_{44}$tsʅ^{0} lei^{0} xa$^{13}_{21}$ɔi^{53}tsʰiaŋ^{21}tsʰəuk^{53}kan^{35}⋯iet^{3} pien^{35}iɔŋ^{21}⋯iet^{3} pien^{35}iet^{3} tʂak^{3} ʂa^{0}.iet^{3} tʂak^{3} lei^{0} tsʰiaŋ^{21}cʰiəu^{35}ia^{13},tsia^{21}kəŋ^{35},kau^{35}tsan^{53}na^{53}tsʅ^{0},e$_{21}$,kɔŋ^{21}ŋa^{53} tsʅ^{0} xau^{21}fa^{53}.kai^{53}pien$^{35}_{44}$ne^{0} tsʰiəu^{53}tsʰiaŋ^{21}tsʰəuk^{5} kan^{35}cie^{0},tsʰʅ^{35}ka$^{35}_{44}$pən^{21}siaŋ^{53}ke^{0},iəu^{35}⋯tek^{3} kau^{35}uɔŋ$^{53}_{44}$ tʂʰəŋ^{53}ke^{0}ɲin$^{13}_{21}$,e$_{21}$ɔi$^{53}_{44}$iəu$^{35}_{44}$tsʅ^{21}sən$^{35}_{44}$ke^{53}ɲin$^{13}_{21}$na^{0},mau^{13}tsʅ^{21}sən$^{35}_{44}$ke^{0}ɲin$^{13}_{21}$ʂʅ$^{53}_{44}$iau^{53}n̩$^{13}_{21}$tek^{3} le^{0}.mau^{13}lau$^{13}_{21}$pʰo^{13} mau^{13}tsʅ^{21}sən$^{35}_{44}$ke^{53}ɲin$^{13}_{21}$mau^{13}lai^{53}tsʅ^{0} ke^{53}ɲin$^{13}_{21}$tsʰiəu$^{53}_{44}$pət^{3} çin^{13}ne^{0},mau^{13}tek^{3} mau$^{13}_{21}$ek^{3} tsʅ^{35}kek^{3} e^{0}.ɔi^{53}tek^{3} kau$^{35}_{44}$uɔŋ^{53}tʂʰəŋ^{53}ke^{0}ɲin^{13},ɔi^{53}tsʰiaŋ^{21}⋯iet^{3} pɔn^{35}tsʰiəu^{53}ɲien^{13}ci^{21}tʰai^{53}tiet^{5} tsʅ^{0} ke^{0},e$_{21}$,pei^{53}fən^{53}kau^{35}tet^{5} tsʅ^{0} ke^{0},tsʰiaŋ^{21}kai^{53}çi^{21}ɲin^{13}fait^{3} tʂəuk^{3}.n̩$_{21}$.xau^{21},fait^{3} tʂaŋ^{53}li^{0} tʂəuk^{3} i^{35}xei$^{53}_{44}$lei^{0} kai$^{53}_{44}$tʂak^{3} sʅ^{35}ɲi^{13}ke^{53}ɲin$^{13}_{21}$nei^{0},ci^{13} tsʰiəu$^{53}_{44}$çi^{53}xa$^{53}_{44}$tsʅ^{0} xan^{53}.e$_{21}$,ei$_{44}$,i^{35}tsʰien^{13}tsʰiəu^{53}ɲiaŋ$^{53}_{44}$xai$^{13}_{21}$pai^{53},i^{35}tsʰien^{13}kai^{53}n̩$_{21}$ŋai^{13}tien^{0} cien^{53}ko^{53}le^{0}, ɲiaŋ$^{53}_{44}$xei$^{53}_{44}$pai^{53}.sin^{35}ɲin$^{13}_{21}$xa^{35}li^{0} cʰiau^{53}i^{35}xei^{53},i^{21}iaŋ$^{53}_{44}$tsʅ^{0} tsʰiəu^{53}fɔŋ^{53}tʂaŋ^{53}iet^{3} tsʰɔŋ^{13}tsʰiak^{5},tʰi^{53}lai$^{13}_{21}$xa$^{53}_{44}$tʰan^{35}

tʂaŋ^{53}iet^{3} tsʰɔŋ^{13}tsʰiak^{5} ,tsʰiak^{5} mien$^{53}_{44}$xɔŋ$^{53}_{44}$fɔŋ^{53}pʰi^{35}pʰo$^{35}_{44}$.fɔŋ^{53}tau^{21}kai$^{53}_{44}$pʰi^{35}pʰo$_{53}$saŋ^{21}tsɿ^{0} kʰuei^{21}ia$^{53}_{44}$kʰuei^{21} ia$^{53}_{44}$tʰi^{53}lai$^{13}_{21}$xa^{35}çi^{53}.e$_{21}$,i^{21}xa$^{53}_{44}$tsʰiəu$^{53}_{44}$sin^{35}nɔŋ^{13}tsʰo^{35}…cʰi^{35}iet^{3} pien^{35},sin^{35}ɲiɔŋ^{13}cʰi^{35}iet^{3} pien^{35},kai$^{53}_{44}$tsʰiəu$^{53}_{44}$ɲi$^{13}_{21}$ ɔi$^{53}_{44}$pai^{53}xa^{35}çi^{53}.i^{35}tsʰien^{13}tsʰiəu$^{53}_{44}$ɲiaŋ$^{53}_{44}$pai^{53}tʰɔŋ^{13},tsʰiəu^{53}ɲian^{53}na$^{53}_{21}$tsɿ^{0} pai^{53}tʰɔŋ^{13}.tʰi^{53}iet^{3} tsʰiəu$^{53}_{44}$pai^{53}mak^{3} e^{0} le^{0}?tsuei^{53}sien^{35}tsʰiəu$^{53}_{44}$pai^{53}tʰien^{13}tʰi^{53}.kai$^{53}_{35}$tsʰiəu^{53}e$_{21}$ci$^{13}_{21}$iəu^{35}ci^{21}tʂak^{3} iəu^{35}ci^{21}tʂak^{3} kai$^{53}_{44}$ke$^{53}_{44}$lei^{0},iəu^{35}ci^{21} tʂak^{3} xa^{53}sɿ^{53}lei^{0}.iet^{3} tʂak^{3} tsʰiəu$^{53}_{44}$pai^{53}tʰien^{13}tʰi^{53}.tʰi^{53}ɲi^{53}tsʰiəu$^{53}_{44}$ɔi$^{53}_{44}$pai^{53}tsəu^{21}tsəŋ^{35}.tʰi^{53}san^{35}tsʰiəu$^{53}_{44}$pai^{53}kau^{35} tʰɔŋ^{13},pai^{53}ia^{13}ɔi^{35}ia^{0}.e$_{21}$.ei$_{21}$,tʰi^{53}si$^{53}_{44}$ʂʅ$^{53}_{44}$fu^{35}tsʰi^{35}tei^{53}pai^{53}.n̩$_{21}$.kʰɔn$^{53}_{44}$na^{0},ŋai^{13}təu$^{35}_{53}$kau^{21}ko^{53}man$^{13}_{21}$to$^{35}_{53}$fei$^{13}_{21}$ ko^{0},n̩$_{21}$.çin^{13}…ʂəu^{21}sien$^{35}_{44}$tsʰiəu^{53}çin$^{13}_{21}$mak^{3} ke$^{53}_{44}$li^{35}ia^{0}?m̩^{13}pʰe^{53}çin^{13}tʰien^{35}tʰi^{53}li^{35}. ɲiaŋ^{53}ɔn$^{35}_{44}$tso$^{53}_{44}$…ci^{13}iəu^{35} tʂak^{3} mak^{3} e^{0} miau^{53}cien^{53}li^{35}.n̩$_{21}$.iet^{3} tʂak^{3} miau^{53}cien^{53}li^{35}. ɲiaŋ$^{53}_{44}$xe$^{53}_{44}$ɲiaŋ$^{53}_{44}$xei$^{53}_{44}$ʂən^{13}miau^{53}ke$^{53}_{44}$miau^{53} lei^{0}.çin^{13}miau^{53}cien$^{53}_{44}$li^{35}.n̩$_{21}$.ŋai^{13}lai^{53}tau$^{53}_{44}$tsʰin^{13}tau$^{53}_{44}$kai$^{53}_{44}$təŋ$^{53}_{44}$si^{0} lɔi$^{13}_{21}$pən^{35}ɲi$^{13}_{21}$lau^{0}.ŋai^{13}iet^{3} xa$^{53}_{44}$tsɿ^{0} iau^{53} kəŋ^{21}…tsʰin^{13}…e$_{21}$,pai^{53}tʰɔŋ^{13},e$_{21}$pai^{53}tʰɔŋ^{13}.i^{35}tsʰien^{13}ʂʅ$^{53}_{44}$ɲiaŋ^{53}ɔi$^{53}_{44}$pai^{53}xa$^{53}_{44}$çi$^{53}_{44}$.n̩$_{21}$.pai^{53}xa$^{53}_{44}$çi$^{53}_{44}$i^{35}xei$^{53}_{44}$lei^{0},e$_{21}$, tsiəu$^{53}_{44}$ɔi^{53}kʰɔk^{3} tʰei^{13}.e$_{21}$.ɔi^{53}kʰei^{53}ɔi$^{53}_{44}$ɔi$^{53}_{44}$n̩^{13}xan^{53}kʰei^{53}ʂəu^{21}nei^{0},xan^{53}mak^{3} e^{0} lau^{0}?xan^{53}mak^{3} kei$^{53}_{44}$çi^{53}li^{0} lau^{0}? ɔi$^{53}_{44}$ɔi$^{53}_{44}$ɔi$^{53}_{44}$kʰɔk^{3} a^{53}tsɿ^{0} tʰei^{13},nau^{21}kʰɔk^{3}.pai^{53}xa^{35}çi^{53},kʰɔk^{3} a^{53}tsɿ^{0} tʰei^{13},n̩$_{21}$,ɔi^{53}kʰɔk^{3} san^{35}tʂak^{3} tsɿ^{0} tʰei^{13}.i^{21}xa$^{53}_{44}$ ɔi^{53}ta^{21}cʰien^{35}cʰien$^{35}_{44}$,ɔi$^{53}_{44}$tin^{35}.ɔi$^{53}_{44}$ɔi$^{53}_{44}$ta^{21}tin^{35}tin$^{35}_{44}$.nei$_{21}$ci^{53}ʂʅ$^{53}_{44}$kan$^{21}_{35}$ke^{53},tʂaŋ^{53}lɔi^{13}ke$^{53}_{44}$ʂʅ^{13}xei^{53}tsɿ^{0},iəu^{35}tʂak^{3} tʰai^{53} pien^{35},iəu$^{35}_{44}$tʂak^{3} siau^{21}pien$^{35}_{44}$ʂa^{0},xei$^{53}_{44}$me$^{53}_{44}$?tʂaŋ^{53}lɔi^{13}ke$^{53}_{44}$ʂʅ^{13}xei^{53}tsɿ^{0},çin$^{13}_{21}$pin^{35}tʂʅ^{21}li^{35}.ei$_{21}$,tʂaŋ^{53}ŋai^{13}ci^{53}tau^{21} li^{0}.çin$^{13}_{21}$pin^{35}tʂʅ^{21}li^{35}.e$_{21}$,sin^{35}nɔŋ$^{13}_{21}$kəŋ^{35}nei^{0} tsiəu$^{53}_{44}$xe^{53}tʂʅ^{21}ɲin$^{13}_{44}$.tʂəu^{21}ɲin^{13}ne^{0}.sin^{35}ɲiɔŋ^{13}tsɿ^{0} le^{0} tsiəu$^{53}_{44}$xei$^{53}_{44}$ pin^{35},tsʰiəu$^{53}_{44}$xei$^{53}_{44}$lɔi^{13}pin^{35}.pin^{35}tʂʅ^{21}li^{35}.kai^{53}ʂʅ^{13}xei^{53}tsɿ^{0} lei^{0},sin^{35}lɔŋ^{13}tsʰiəu^{53}tsʰo^{35}təŋ^{35}kai^{35},sin^{35}ɲiɔŋ^{13} tsʰiəu$^{53}_{44}$tsʰo^{35}si^{35}kai^{35},e$_{21}$.e$_{13}$ŋai^{13}xei^{53}ŋai$^{13}_{21}$iəu^{35}tʂak^{3} təŋ$^{35}_{44}$si^{0} lau^{0}.ŋai^{13}lai^{53}pu^{35}lak^{5} pən^{35}ɲi$^{13}_{21}$kʰɔn^{53}nau^{0}.e$_{21}$,çin$^{13}_{21}$ pin^{35}tʂʅ^{21}li^{35}.çin$^{13}_{21}$li^{0} pin^{35}tʂʅ^{21}li^{35}i^{35}xei^{53},tsʰiəu$^{53}_{44}$i^{35}pin^{35}tʂʅ^{21}kei^{53}li^{35}ɲi$^{13}_{21}$lɔi^{13}tsiet^{3},tsiet^{3} i^{21}tʂak^{3} sin^{35}ɲiɔŋ$^{13}_{21}$ tsɿ^{0}.vien^{13}xei$^{53}_{44}$tsʰiəu^{53}çin^{13}tʰien^{35}tʰi^{53}li^{35}.ia^{35}(←i^{21}xa^{53})tsʰiəu^{53}çin^{13}e$_{21}$miau^{53}cien^{53}li^{35}.tsʰiəu$^{53}_{44}$cien^{53}tsəu^{21}tsəŋ^{35}, tsʰiəu$^{53}_{44}$miau^{53}cien^{53}li^{35}.i^{21}xa^{53}tsʰiəu^{53}e$_{21}$i^{21}xa^{53}tsʰiəu^{53}pai^{53}kai$^{53}_{44}$ke^{0} e$_{21}$pai^{53}tsəu^{21}tsəŋ^{35}e$_{21}$pai^{53}kau^{35}tʰɔŋ$^{13}_{21}$.n̩$_{21}$. pai^{53}kau^{35}tʰɔŋ$^{13}_{21}$.fu$^{35}_{44}$tsʰi$^{35}_{44}$tei^{53}pai^{53}.n̩$_{21}$.kai$^{53}_{44}$ŋai$^{13}_{21}$n̩^{13}ci^{53}tek^{3} çin^{13}mak^{3} e^{0} li^{35}çi^{53}li^{0} le^{0} tsʰiəu^{53}n̩^{13}to$^{35}_{44}$ci^{53}tek^{3} li^{0}.kai$^{53}_{44}$tsʰiəu$^{53}_{44}$pai^{53}tʰɔŋ^{13}ŋa^{0}.i^{21}xa^{53}tsʰiəu^{53}mau^{13}mak^{3} ɲin$^{13}_{44}$çi$^{53}_{44}$pai^{53}xa$^{53}_{44}$çi^{53}liau^{0}.tsʰiəu$^{53}_{44}$pai^{21}tʂak^{3} tsɿ^{0} iɔŋ^{53} tsɿ^{0},fɔŋ^{53}tsʰɔŋ$^{13}_{21}$tsɿ^{0} tsʰiak^{53},fɔŋ^{53}tsʰɔŋ$^{13}_{21}$tsɿ^{0} pʰi^{35}pʰo$^{35}_{44}$.iəu^{35}tet^{5} ʂʅ$^{53}_{44}$çien$^{53}_{44}$tsʰai$^{53}_{44}$mau^{13}tek^{3} kan^{21}cie^{53}liau^{0},pʰa$^{53}_{44}$i$^{13}_{21}$ cin$^{35}_{44}$a^{0} n̩^{13}kau^{21}liau^{0}.tsʰiəu^{53}uei^{35}iɔŋ^{21}ke^{53}ɲin$^{13}_{21}$nei^{0} cʰiəuk^{3} a^{53}tsɿ^{0} kəŋ^{35}.iet^{3} tʂak^{3} kəŋ$^{35}_{44}$tʰien^{35}tʂʰɔŋ$^{13}_{21}$tʰi^{35}ciəu^{21}o^{0}. tsai^{53}cʰiəuk^{3} kəŋ^{35}tʰi^{53}ciəu^{21}tʰien^{35}tʂʰɔŋ^{13}.xei$^{53}_{44}$me$^{53}_{44}$?cʰiəuk^{3} iɔŋ^{21}tʂak^{3} tsɿ^{0} kəŋ$^{35}_{44}$.iet^{3} pɔn^{35}tsʰiəu$^{53}_{44}$xau^{21}sɿ^{53} tʂʰən^{13}sɔŋ^{35}.cʰiəuk^{3} iɔŋ^{21}tʂak^{3} tsɿ^{0} kəŋ^{35}.n̩$_{21}$.e$_{21}$,i^{21}xa$^{53}_{44}$tʰa$^{35}_{44}$tsʰəŋ^{13}tsəu^{21}tsəŋ$^{35}_{44}$pʰu$^{13}_{21}$sait^{3},tsʰəŋ^{13}tsəu^{21}uei^{53}ia^{0}, tsəu^{21}tsəŋ$^{35}_{44}$pʰu$^{13}_{21}$sait^{3} lei^{0} ia^{35}xei^{53}iɔŋ^{21}cʰiəuk^{3} kəŋ^{35}.e$_{21}$,iet^{3} cʰiəuk^{3} kəŋ$^{35}_{44}$tsʰiəu^{53}ɲiɔŋ^{53}mən^{0} tsɿ^{0} e$_{21}$tsʰəŋ^{13}tsɿ^{21} tsəŋ^{35}mien^{53}tsʰien$^{13}_{21}$ke$^{53}_{44}$ɲian^{53}kei$^{53}_{44}$iəu$^{53}_{44}$n̩$^{13}_{21}$tʰəŋ^{13}.tsʰəŋ^{13}tʰien^{35}tʰi$^{53}_{44}$ɲian^{53}kei$^{53}_{44}$iəu$^{53}_{44}$n̩$^{13}_{21}$tʰəŋ^{13}.e$_{21}$fu^{35}tsʰi$^{35}_{44}$tei^{53}pai^{53} ke^{0} iəu^{53}n̩$^{13}_{21}$tʰəŋ^{13}ke^{0} ɲian^{53}fait^{3}.e$_{21}$.ei$_{21}$,tan$^{53}_{44}$ʂʅ$^{53}_{44}$təu^{35}xei^{53}iɔŋ^{21}cʰiəuk^{3} kəŋ^{35},i$^{13}_{21}$cin$^{35}_{44}$ko^{0},tsʰiəu$^{53}_{44}$tʂʅ^{21}cʰiəuk^{3} a^{53} tsɿ^{0} kəŋ^{35}tsʰe^{0}.kai^{53}kei$^{53}_{44}$xau^{21}sɿ^{53}ia^{35}xei^{53}iet^{3} pɔn^{35}təu$^{35}_{44}$iɔŋ^{21}cʰiəuk^{3} kəŋ$^{35}_{44}$.tʂe^{21}iəu^{35}lau^{21}li^{0} ɲin^{13}ke^{53},kai^{53}ke^{53} tsʰiəu^{53}san$^{35}_{44}$cʰiəuk^{3} kəŋ$^{35}_{44}$.e$_{21}$,lau^{21}li^{0} ɲin^{13}cie^{53}tsiəu$^{53}_{44}$.ia^{35}iəu$^{35}_{53}$tsɔk^{3} a^{53}tsɿ^{0} iet^{3} cie^{53},i^{21}xa$^{53}_{44}$tsʰiəu$^{53}_{44}$cʰiəuk^{3} a^{53}tsɿ^{0} kəŋ^{35}.n̩$_{21}$.cʰiəuk^{3} kəŋ$^{35}_{44}$li^{35},ɔn$^{35}_{44}$tso^{53}çin$^{13}_{21}$cʰiəuk^{3} kəŋ$^{35}_{44}$li$^{35}_{44}$.

【拜望】pai^{53}uɔŋ^{53} 动拜访：我是来～下子你老人家。今晡是特事来～下子你，到你府上来～下子。一般都讲～。只有如今个人会讲拜访箇只，以前都系～。𫟼来～下子你啊。ŋai^{13}ʂʅ$^{53}_{44}$lɔi^{13}pai^{53}uɔŋ^{53}ŋa$^{53}_{44}$tsɿ^{0} ɲi^{13}lau^{21}ŋ̍$^{13}_{21}$ka^{0}.cin^{35}pu$^{35}_{53}$ʂʅ$^{53}_{44}$tʰiet^{5} sɿ^{53}lɔi$^{13}_{21}$pai^{53}uɔŋ^{53}ŋa$^{53}_{44}$tsɿ^{0} ɲi^{13},tau^{53}ɲi^{13}fu^{21}xɔŋ^{53}lɔi$^{13}_{21}$pai^{53}uɔŋ$^{53}_{44}$ŋa$^{53}_{44}$tsɿ^{0}.iet^{3} pɔn^{35}təu$^{35}_{53}$kəŋ^{21}pai^{53}uɔŋ^{53}.tʂe^{21}iəu$^{35}_{44}$i$^{13}_{21}$cin^{35}ke^{53}ɲin$^{13}_{21}$uɔi^{53}kəŋ^{21}pai^{53}fɔŋ^{21}kai$^{53}_{44}$tʂak^{3},i^{35}tsʰien^{13}təu^{35}xe$^{53}_{44}$pai^{53}uɔŋ^{53}.maŋ^{13}lɔi$^{13}_{44}$pai^{53}uɔŋ$^{53}_{44}$ŋa$^{53}_{44}$tsɿ^{0} ɲi$^{13}_{21}$a^{0}.｜呃老先生啊，我是多时都爱来～下子你老人家。欸，蛮久都𫟼来～了，莫怪起哩。ə$_{21}$lau^{21}sen$^{35}_{44}$saŋ$^{35}_{44}$ŋa^{0},ŋai$^{13}_{21}$ʂʅ$^{53}_{44}$to^{35}ʂʅ^{13}təu$^{35}_{44}$ɔi^{35}lɔi^{13}lɔi$^{13}_{21}$pai^{53}uɔŋ^{53}ŋa$^{53}_{44}$tsɿ^{0} ɲi^{13}lau$^{13}_{21}$n̩^{13}ka$^{35}_{44}$.e$_{21}$,man^{13}ciəu^{21}təu$^{35}_{44}$maŋ^{13}lɔi$^{13}_{21}$pai^{53}uɔŋ$^{53}_{44}$liau^{0},mɔk^{5} kuai^{53}çi^{21}li^{0}.

【拜问】pai^{53}uən^{53} 动拜望：今晡是特事来～下子你老人家。cin^{35}pu$^{35}_{53}$ʂʅ$^{53}_{44}$tʰiet^{5} sɿ$^{53}_{44}$lɔi$^{13}_{21}$pai^{53}uən^{53}na$^{53}_{44}$tsɿ^{0} ɲi^{13}lau^{21}in$^{13}_{21}$ka$^{35}_{44}$.

【拜血盆】pai^{53}çiet^{3} pʰən^{13} 动以唱为主的科仪。斋嫲坐于鼓旁，伴随鼓点唱诵《血盆经》，主旨是安慰亡人、劝解生者、追忆往昔、祝福来日。其时，孝子手捧香炉，怀抱魂幡，不停地磕头礼拜。母死要“拜血盆”，源自“目莲救母”传说：～是箇个嘞，就系死哩人，欸，一般是系死哩姝子，死哩夫娘子人，死哩姝子，好像死哩爷子唔爱～。嗯，只系死哩姝子，姝子是系欸就硬系生养哩渠，系唔系？对，系，母死就爱～。嗯，爷子死哩唔爱～。～渠让门子拜我唔记得。箇道士就跍倒面前去下子指挥。欸。死哩姝子，如果请哩道士箇只，就硬爱～。一般死哩姝子就硬箇个迷信箇东西就硬更重要。死爷子就见得。箇唔知渠唱滴么个，唔知渠唱滴么个东西，箇个道士会唱。我等是以映是道士呢，硬请倒道士唱。pai^{53}çiet^{3} pʰən^{13}ʂʅ$^{53}_{44}$kai^{53} ke^{53}le^{0} ,tsʰiəu$^{53}_{44}$xe$^{53}_{44}$si^{21}li^{0} ɲin^{13} ,e$_{21}$,iet^{3} pɔn^{35} ʂʅ$^{53}_{44}$xe^{53} si^{21}li^{0} ɔi^{35}tsɿ^{0} ,si^{21}li^{0} pu^{35}ɲiɔŋ$^{13}_{21}$tsɿ^{0}ɲin^{13} ,si^{21}li^{0} ɔi^{35}tsɿ^{0} ,xau$^{13}_{21}$ tsʰiɔŋ^{53}si^{21}li^{0} ia^{13}tsɿ^{0} m̩$^{13}_{21}$mɔi^{35}pai^{53}çiet^{3} pʰən^{13} .m̩$_{21}$,tʂʅ^{21} xe^{53}si^{21}li^{0} ɔi^{35}tsɿ^{0} ,ɔi^{35}tsɿ^{0} ʂʅ$^{53}_{44}$xe$^{53}_{44}$e$_{21}$tsʰiəu$^{53}_{21}$ɲiaŋ^{53}xe^{53}sen^{35} iɔŋ$^{35}_{44}$li^{0} ci$^{13}_{21}$,xei$^{53}_{44}$me$^{53}_{44}$?tei^{53} ,xe^{53} ,mu^{35}si^{21}tsʰiəu$^{53}_{44}$ɔi$^{53}_{44}$pai^{53}çiet^{3} pʰən$^{13}_{21}$.m̩$_{21}$,ia^{13}tsɿ^{0} si^{21}li^{0} m̩$^{13}_{21}$mɔi^{35}pai^{53}çiet^{3} pʰən$^{13}_{21}$. pai^{53}çiet^{3} pʰən$^{13}_{21}$ci$^{13}_{44}$ɲiɔŋ^{53}mən^{0} tsɿ^{0} pai^{53}ŋai^{13}ŋ̍^{13}ci^{53}tek^{3} .kai$^{53}_{44}$tʰaŋ^{53} sɿ$^{53}_{44}$tsʰiəu$^{53}_{44}$ku^{35}tau^{21}mien^{53}tsʰien$^{13}_{21}$çi^{53}xa$^{53}_{44}$tsɿ^{0} tʂʅ^{21}fei^{35}.e$_{21}$.si^{21}li^{0} ɔi^{35}tsɿ^{0} ,ɥ^{13}ko^{21}tsʰiaŋ^{21}li^{0} tʰaŋ^{53} sɿ$^{53}_{44}$kai$^{53}_{44}$tʂak^{3} ,tsʰiəu$^{53}_{44}$ɲiaŋ^{53} ɔi$^{53}_{44}$pai^{53}çiet^{3} pʰən$^{13}_{21}$.iet^{3} pɔn^{35}xe^{53} si^{21}li^{0} ɔi^{35}tsɿ^{0} tsʰiəu$^{53}_{44}$ɲiaŋ^{53}kai^{53}ke^{53} mei^{13} sin^{53}kai^{53} təŋ$^{35}_{44}$si^{0} tsʰiəu$^{53}_{44}$ɲiaŋ^{53} cien$^{53}_{44}$tʂʰəŋ^{53}iau$^{53}_{44}$.si^{21}ia^{13}tsɿ^{0} tsʰiəu$^{53}_{44}$ cien^{53}tek^{3} .kai^{53}n̩^{13}ti$^{35}_{53}$ci$^{13}_{21}$tʂʰɔŋ^{53}tet^{5} mak^{3} ke^{0} ,n̩^{13}ti$^{35}_{53}$ci$^{13}_{21}$tʂʰɔŋ^{53}tet^{5} mak^{3} e^{0} təŋ$^{35}_{44}$si^{0} ,kai$^{53}_{44}$ke$^{53}_{44}$tʰau^{53} sɿ$^{53}_{44}$uɔi$^{53}_{44}$tʂʰɔŋ^{53}. ŋai^{13}tien^{0} ʂʅ$^{53}_{44}$i$^{21}_{13}$iaŋ^{53} ʂʅ$^{53}_{44}$tʰau^{53} sɿ$^{53}_{44}$nei^{0} , ɲiaŋ^{53}tsʰiaŋ^{21}tau^{21}tʰau^{53} sɿ$^{53}_{44}$tʂʰɔŋ^{53} .

【拜祖】pai^{53}tsɿ^{21}/tsəu^{21} 动女方在出嫁前一天晚上（交了子时后）拜别祖宗：爱～，爱拜下子祖，就出嫁个头晡夜晡，讲规矩是爱过嘿子时来，爱过嘿十二点钟来，～。子时，欸，到哩子时。欸，到得……交哩子时，十二点钟后交子时，交哩子时就可以欸。欸，十二点钟就子时。一般只爱是就话十一点钟箇就可以了。十一点钟就交子时嘞。到哩十一点钟就可以啊，～就渠个渠箇只祖宗个祖擪子时个子搞做一坨去哩，就爱过嘿子时来。ɔi$^{53}_{44}$pai^{53}tsəu^{21} ,ɔi$^{53}_{44}$ pai^{53}ia$_{44}$(←xa^{53})tsɿ^{0} tsəu^{21} ,tsʰiəu^{53}tʂʰət^{3} ka^{53}ke^{53}tʰei^{13}pu$^{35}_{44}$ia^{53}pu$^{35}_{44}$,kɔŋ^{21}kuei^{35}tʂɥ^{21}ʂʅ$^{53}_{44}$ɔi^{53}ko^{53}(x)ek^{3} tsɿ^{21}ʂʅ^{13} lɔi$^{13}_{21}$,ɔi$^{53}_{44}$ko$^{53}_{44}$(x)ek^{3} ʂət^{5} ɲi^{53}tian^{21}tʂəŋ^{35}lɔi$^{13}_{21}$,pai^{53}tsɿ^{21}.tsɿ^{21}ʂʅ^{13} ,e$_{21}$,tau^{53}li^{0} tsɿ^{21}ʂʅ^{13} .e$_{21}$,tau$^{53}_{35}$tek^{3} …ciau^{35}li^{0} tsɿ^{21} ʂʅ^{13} ,ʂət^{5} ɲi^{53}tian^{21}tʂəŋ$^{35}_{44}$xei$^{53}_{44}$ciau$^{35}_{44}$tsɿ^{21}ʂʅ^{13} ,ciau^{35}li^{0} tsɿ^{21}ʂʅ^{13}tsiəu^{53}kʰo^{21}i$^{35}_{44}$e^{0} .e$_{21}$,ʂət^{5} ɲi^{53}tian^{21}tʂəŋ$^{35}_{44}$tsʰiəu^{53}tsɿ^{21} ʂʅ^{13} .iet^{3} pɔn^{35}tʂʅ^{21}ɔi$^{53}_{44}$ʂʅ$^{53}_{44}$tsiəu$^{53}_{44}$ua$^{53}_{44}$ʂət^{5} iet^{3} tian^{21}tʂəŋ$^{35}_{44}$kai^{53}tsʰiəu^{53}kʰo^{21}i$^{35}_{44}$liau^{0} .ʂət^{5} iet^{3} tian^{21}tʂəŋ$^{35}_{44}$tsʰiəu$^{53}_{44}$ciau^{35} tsɿ^{21}ʂʅ$^{13}_{21}$le^{0} .tau$^{53}_{44}$li^{0} ʂət^{5} iet^{3} tian^{21}tʂəŋ$^{35}_{44}$tsʰiəu^{53}kʰo^{21}i$^{35}_{44}$a^{0} ,pai^{53}tsɿ^{21}tsʰiəu$^{53}_{44}$ci$^{13}_{21}$ke$^{53}_{44}$ci$^{13}_{21}$kai^{53}tʂak^{3} tsəu^{21}tsəŋ$^{35}_{44}$ke^{53} tsəu^{21}lau^{35}tsɿ^{21}ʂʅ^{13}ke^{53}tsɿ^{21}kau^{21}tso^{53}iet^{3} tʰo^{13}çi^{53}li^{0} ,tsiəu$^{53}_{21}$ɔi$^{53}_{44}$ko^{53}(x)ek^{3} tsɿ^{21}ʂʅ^{13}lɔi$^{13}_{44}$.

【扳】pan^{35} 动①拨动，扭转：～倒箇面镜子就扳得转。pan^{35}tau^{21}kai$^{53}_{44}$mien$^{53}_{44}$ciaŋ^{53}tsɿ^{0} tsʰiəu$^{53}_{44}$pan^{35} tek^{3} tʂɔn^{21}. ②往下或往里拉：～手指算 pan^{35}ʂəu^{21}tʂʅ^{21}sɔn^{53}。③抓住并依附于他物：坐倒箇～倒用脚来踩唠。tsʰo^{35}tau$^{21}_{44}$kai$^{53}_{44}$pan^{35}tau^{21}iɔŋ$^{53}_{44}$ciɔk^{3} lɔi$^{13}_{21}$tsʰai^{21}lau^{0} .

【扳手$_1$】pan^{35}ʂəu^{21} 动手持并扳动：（暖桶）顶高爱～唦。taŋ^{21}kau$^{35}_{44}$ɔi$^{53}_{44}$pan$^{35}_{44}$ʂəu^{21}ʂa^{0} .

【扳手$_2$】pan^{35}ʂəu^{21} 名一种用来抓住、拧紧或转动螺栓、螺母、螺钉头等的工具：～就安做紧螺丝嘞。就唔安做殷螺丝嘞。用～紧呢。pan^{35}ʂəu^{21}tsʰiəu$^{53}_{44}$ɔn$^{35}_{44}$tso$^{53}_{44}$cin^{21}no^{13} sɿ$^{35}_{44}$lei^{0} .tsʰiəu^{53}n̩$^{13}_{21}$ɔn$^{35}_{44}$ tso$^{53}_{44}$tsiəu^{21}lo^{13}sɿ$^{35}_{44}$lei^{0} .iəŋ^{53}pan^{35}ʂəu^{21}cin^{21}nei^{0} .

【扳头揽颈】pan^{35}tʰei$^{13}_{21}$lan^{21}ciaŋ^{21} 指男女之间搂搂抱抱：箇就男女之间呢有滴话别人家嘞箇是～。kai$^{53}_{44}$tsʰiəu$^{53}_{44}$lan^{13}ɲy^{21}tʂʅ$^{35}_{44}$kan$^{35}_{44}$nei^{0} iəu$^{35}_{44}$tiet^{5} ua^{53}pʰiet^{5} in$^{13}_{44}$ka$^{35}_{44}$lei^{0} kai^{53} ʂʅ$^{53}_{44}$pan^{35}tʰei$^{13}_{21}$lan^{21}ciaŋ^{21}. | 男女之间是，～就话渠欸扳倒。lan^{13}ɲy^{21}tʂʅ$^{35}_{44}$kan$^{35}_{53}$ʂʅ$^{53}_{44}$,pan^{35}tʰei$^{13}_{21}$lan^{21}ciaŋ^{21}tsʰiəu^{53}ua^{53}ci$^{13}_{21}$e$_{44}$pan^{35}tau^{21}.

【班辈】pan^{35}pi^{53} 名辈分：～，欸，我等话～，也安做辈分。我个～比你更大，或者我个～比你更细。pan^{35}pi^{53},e$_{21}$,ŋai^{13}tien^{0} ua^{53}pan^{35}pi^{53},ia^{35} ɔn$^{35}_{44}$tso$^{53}_{44}$pi^{53}fən^{53}.ŋai^{13}ke^{53}pan^{35}pi^{53}pi^{21}ɲi^{13}ken$^{53}_{44}$tʰai^{53},xɔk^{5} tʂa^{21}ŋai^{13}ke^{53}pan^{35}pi^{53}pi^{21}ɲi^{13}ken$^{53}_{44}$se^{53}.

【班房】pan^{35}fɔŋ^{13} 名监牢：到～里去看犯人。tau^{53}pan^{35}fɔŋ$^{13}_{21}$li^{0} çi$^{53}_{44}$kʰɔn^{53}fan^{53}ɲin^{13}. | ～里出来个 pan^{35}fɔŋ$^{13}_{21}$li^{0} tʂət^{3} lɔi$^{13}_{21}$cie^{53} 指劳改释放人员，坐过牢的人

【斑鸡子】pan^{35}ke$^{35}_{44}$tsɿ^{0} 名斑鸠：～个肉就最好食嘞。安做飞呃客姓人就话飞斑走果。会飞个东西肚里嘞～个肉最好食。嗯。四只脚个会走个东西嘞就系果狸最好食。飞斑走果。箇肉咯最好食个就安做飞斑走果。会飞个就斑鸠，～。会走个嘞就系果狸，果狸肉。果子狸个肉最好食话。我𠊎食过。～个肉就食过。果狸蛮少个。pan^{35}ke$^{35}_{44}$tsɿ^{0} ke^{0} ɲiəuk^{3} tsʰiəu$^{53}_{44}$tsei^{53}xau^{21}ʂət^{5} le^{0}. ɔn$^{35}_{44}$tso$^{53}_{44}$fei^{35}ə$_{21}$kʰak^{3} sin^{53}ɲin$^{13}_{21}$tsʰiəu$^{53}_{44}$ua$^{53}_{44}$fei^{35}pan^{35}tsei^{21}ko^{21} .uɔi^{53}fei^{35}ke^{53}təŋ$^{35}_{44}$si^{0} təu^{21}li^{0} le^{0} pan^{35}ke$^{35}_{44}$tsɿ^{0} ke^{0} ɲiəuk^{3} tsei^{53}xau^{21}ʂət^{5} .n̩$_{21}$.si^{53}tʂak^{3} ciɔk^{3} ke^{0} uɔi^{53}tsei^{21}ke^{0} təŋ$^{35}_{44}$si^{0} le^{0} tsiəu$^{53}_{44}$xei^{53}ko^{21}li^{13}tsei^{53}xau^{21}ʂət^{5} .fei^{35}pan^{35} tsei^{21}ko^{21} .kai^{53}ɲiəuk^{3} ko^{0} tsei^{53}xau^{21}ʂət^{5} ke^{0} tsʰiəu$^{53}_{44}$ɔn$^{35}_{44}$tso$^{53}_{44}$fei^{35}pan^{35}tsei^{21}ko^{21} .uɔi^{53}fei^{35}ke^{0} tsʰiəu$^{53}_{44}$pan^{35}ciəu$^{35}_{44}$, pan^{35}ke$^{35}_{44}$tsɿ^{0} .uɔi$^{53}_{44}$tsei^{21}ke^{0} le^{0} tsiəu$^{53}_{21}$xe^{53}ko^{21}li^{13} ,ko^{21}li^{13} ɲiəuk^{3} .ko^{21}tsɿ^{0} li^{13}ke^{53}ɲiəuk^{3} tsei^{53}xau^{21}ʂət^{5} ua^{53} .ŋai$^{13}_{21}$ maŋ^{13}ʂət^{5} ko^{53} .pan^{35}ke$^{35}_{44}$tsɿ^{0} ke^{0} ɲiəuk^{3} tsʰiəu$^{53}_{44}$ʂət^{5} ko^{0} .ko^{21}li$^{13}_{44}$man^{13}ʂau^{21}ke^{0} .

【板$_1$】pan^{21} 名木板：以只桁子头也唔好看。也爱钉块～。i^{21}tʂak^{3} xaŋ^{13}tsɿ^{0} tʰei^{13}ia^{35}n̩$^{13}_{21}$xau^{21} kʰɔn^{53}.ia^{35}ɔi^{53}taŋ^{35}kʰuai^{53}pan^{21}. | 案板就系放下灶头上个一块咁个～呢。ŋɔn^{53}pan^{21}tsʰiəu$^{53}_{44}$xe$^{53}_{44}$fɔŋ$^{53}_{44}$ xa$^{53}_{44}$tsau^{53}tʰei$^{13}_{21}$xɔŋ^{53}kei^{53}iet^{3} kʰuai^{53}kan^{21}ke^{53}pan^{21}ne^{0} . | （硬板床）么个都冇得，就一块～。mak^{3} (k)e^{53}təu$^{35}_{53}$mau$^{13}_{44}$tek^{3} ,tsʰiəu^{53}iet^{3} kʰuai^{53}pan^{21}.

B

【板$_2$】pan^{21} 形憋闷，又称“闷”：胸脯前～煞哩。çiəŋ^{35}pʰu$^{13}_{21}$tsʰien$^{13}_{21}$pan^{21}sait^{3}li^{0}.

【板车】pan^{21}tʂʰa^{35} 名一种以其平板部分载货或载人的非机动车辆：如如今也有哇，～是如今也有。欸，两只轮子，钢圈，欸有有钢圈箇只个。两只轮子。箇～。一般讲～嘞讲手拖个，有手拖稳走个，箇就～。拖箇个嘞，拖唔拖比较重个东西啦。以后～是如今是又还有起安做斗车。渠专门用来拖泥个，拖泥，欸，拖谷也拖得，欸就箇肚里可以直接装东西。一只斗斗。欸，箇就斗车，也系～。以箇个就硬安做斗车，硬安做斗车。但是渠系也系～凑。如今讲～就让门子嘞？就硬系欸箇上背系平个。箇上背系平个个。两边有滴就有，有滴就咁子舞倒箇有轮子个栏场舞倒顿……做只子咁个隔个东西唠，怕撞倒轮子唠。i$^{13}_{21}$i$^{13}_{21}$cin$^{35}_{44}$na$^{35}_{44}$iəu^{35}ua^{0},pan^{21}tʂʰa$^{35}_{44}$ʂʅ$^{53}_{44}$i$^{13}_{21}$cin$^{35}_{44}$na$^{35}_{44}$iəu^{35}.ei$_{21}$,iəŋ^{21}tʂak^{3}lən^{13}tsʅ^{0},kəŋ^{35}cʰien^{35},ei$_{21}$iəu$^{35}_{44}$iəu$^{35}_{44}$kəŋ^{35}cʰien^{35}kai$^{53}_{44}$tʂak^{3}ke^{0}.iəŋ^{21}tʂak^{3}lən^{13}tsʅ^{0}.kai$^{53}_{44}$pan^{21}tʂʰa$^{35}_{44}$.iet^{3}pən^{35}kəŋ^{21}pan^{21}tʂʰa$^{35}_{44}$le^{0}kəŋ^{21}ʂəu^{21}tʰo$^{35}_{44}$ke^{0},iəu$^{35}_{44}$ʂəu^{21}tʰo^{35}uən^{21}tsei^{21}ke^{0},kai$^{53}_{44}$tsʰiəu$^{53}_{44}$pan^{21}tʂʰa$^{35}_{44}$.tʰo^{35}kai$^{53}_{44}$ke^{0}le^{0},tʰo^{35}m̩$_{21}$tʰo^{35}pi^{21}ciau^{35}tʂʰəŋ^{35}ke^{53}təŋ$^{35}_{44}$si^{0}la^{0}.i$^{35}_{21}$xei$^{53}_{44}$pan^{21}tʂʰa$^{35}_{44}$ʂʅ$^{53}_{44}$i$^{13}_{21}$cin$^{35}_{44}$ʂʅ$^{53}_{44}$iəu$^{53}_{44}$xai$^{13}_{21}$iəu^{35}çi^{21}ən$^{35}_{44}$tso$^{53}_{44}$tei^{21}tʂʰa^{35}.ci$^{13}_{21}$tʂen^{35}mən^{0}iəŋ^{53}lɔi$^{13}_{21}$tʰo^{35}lai^{13}ke^{0},tʰo^{35}lai^{13},e$_{21}$,tʰo^{35}kuk^{3}a$^{35}_{44}$tʰo$^{35}_{44}$tek^{3},e$_{21}$tsʰiəu^{53}kai$^{53}_{44}$təu^{21}li^{0}kʰo^{21}i^{35}tʂʰət^{5}tsiet^{3}tʂəŋ$^{35}_{44}$təŋ$^{35}_{44}$si^{0}.iet^{3}tʂak^{3}tei^{21}tei^{21}.e$_{21}$,kai$^{53}_{44}$tsʰiəu^{53}tei^{21}tʂʰa$^{35}_{44}$,ia^{35}xe^{53}pan^{21}tʂʰa$^{35}_{44}$.i^{21}kai^{53}kei$^{53}_{44}$tsʰiəu$^{53}_{44}$ɲiaŋ^{53}ən$^{35}_{44}$tei^{21}tʂʰa^{35},ɲiaŋ^{53}ən$^{35}_{44}$tso$^{53}_{44}$tei^{21}tʂʰa$^{35}_{44}$.tan$^{53}_{44}$ʂʅ$^{53}_{44}$ci$^{13}_{21}$xe^{53}ia^{35}xei^{53}pan^{21}tʂʰa^{35}tsʰe^{0}.i$^{13}_{21}$cin^{35}kəŋ^{21}pan^{21}tʂʰa^{35}tsʰiəu$^{53}_{44}$ɲiəŋ$^{53}_{44}$mən^{0}tsʅ^{0}le^{0}?tsʰiəu$^{53}_{44}$ɲiaŋ^{53}xei$^{53}_{44}$e$_{21}$kai$^{53}_{44}$ʂəŋ^{53}pɔi$^{53}_{44}$xei^{53}pʰiaŋ^{13}ke^{53}.kai$^{53}_{44}$ʂəŋ^{53}pɔi$^{53}_{44}$xei^{53}pʰiaŋ^{13}ke$^{53}_{44}$ke^{0}.iəŋ^{21}pen$^{35}_{44}$iəu^{35}tet^{5}tsʰiəu$^{53}_{44}$iəu^{35},iəu^{35}tet^{5}tsʰiəu^{53}kan^{21}tsʅ^{0}u^{21}tau^{21}kai$^{53}_{44}$iəu^{35}lən^{13}tsʅ^{0}ke^{53}laŋ$^{13}_{21}$tʂʰəŋ$^{13}_{53}$u^{21}tau^{21}tən^{53}s…tso^{53}tʂak^{3}tsʅ^{0}kan^{21}ke^{0}kak^{3}ke^{0}təŋ$^{35}_{44}$si^{0}lau^{0},pʰa$^{53}_{44}$tsʰəŋ^{53}tau^{21}lən^{13}tsʅ^{0}lau^{0}.

【板椽皮】pan^{21}ʂon^{13}pʰi^{13} 名用以支撑屋瓦的窄木板：箇是～呀，有三寸子（宽）就有哩。kai^{53}ʂʅ^{53}pan^{21}ʂon^{13}pʰi^{13}ia^{0},iəu$^{35}_{44}$san^{35}tsʰən^{53}tsʅ^{0}tsʰiəu$^{53}_{44}$iəu$^{35}_{44}$li^{0}.

【板寸头】pan^{21}tsʰən^{53}tʰei^{13} 名一种发型，因为是一寸左右的短头发，侧面直，顶上平如板子而得名：还有～。欸，镬铲样哦，箇样子啊。达平子唠。xai$^{13}_{21}$iəu$^{35}_{44}$pan^{21}tsʰən^{53}tʰei^{13}.ei$_{44}$,uɔk^{5}tsʰan^{21}iəŋ$^{53}_{44}$ŋo^{0},kai$^{53}_{44}$iəŋ$^{53}_{44}$tsa^{0}.tʰait^{5}pʰiaŋ$^{13}_{44}$tsʅ^{0}lau^{0}.

【板钢圈】pan^{21}kəŋ^{35}cʰien^{35} 名用厚钢片作为辐条的钢圈：唔用箇钢丝就用～呶。渠就焊条焊块铁皮去唠，有兜有焊块咁阔个咁个痞厚个铁皮呀，焊倒焊下上去啊，渠有么个弹性。我问下子箇卖板车轮胎个人呐我话：“哪起钢圈更好唠？～更好哇钢丝个钢圈更好？”渠话箇还系钢丝个更好，～只系扎实，冇回复啊。n̩^{13}iəŋ^{53}kai^{53}kəŋ^{35}sʅ^{35}tsʰiəu$^{53}_{44}$iəŋ$^{53}_{44}$pan^{21}kəŋ$^{35}_{44}$cʰien$^{35}_{44}$nau^{0}.ci$^{13}_{21}$tsʰiəu$^{53}_{44}$xən^{53}tʰiau^{13}xən^{53}kʰuai^{53}tʰiet^{3}pʰi^{13}çi^{53}lau^{0},iəu^{35}təu$^{35}_{44}$iəu$^{35}_{44}$xən^{53}kʰuai^{53}kan^{21}kʰɔit^{3}ke^{53}kan^{21}kei^{53}tek^{5}xei$^{35}_{44}$ke^{0}tʰiet^{3}pʰi^{13}ia^{0},xən^{53}tau^{21}xən^{53}na$^{53}_{44}$ʂəŋ$^{53}_{44}$çi$^{53}_{44}$a^{0},ci$^{13}_{44}$mau^{13}mak^{3}e^{0}tʰan^{13}sin^{53}.ŋai^{13}uən^{53}na$^{53}_{44}$tsʅ^{0}kai^{53}mai^{53}pan^{21}tʂʰa^{35}lən^{13}tʰɔi$^{35}_{44}$ke^{0}ɲin$^{13}_{21}$na^{0}ŋai^{13}ua^{53}:"lai^{53}çi^{21}kəŋ$^{35}_{44}$cʰien$^{35}_{44}$cien$^{53}_{44}$xau^{21}lau^{0}?pan^{21}kəŋ$^{35}_{44}$cʰien$^{35}_{44}$cien$^{53}_{44}$xau^{21}ua^{0}kəŋ^{35}sʅ$^{35}_{44}$ke^{0}kəŋ$^{35}_{44}$cʰien$^{35}_{44}$cien^{53}xau^{21}?"ci$^{13}_{44}$(u)a$^{53}_{44}$kai^{53}xai$^{13}_{21}$xe$^{53}_{44}$kəŋ$^{35}_{44}$sʅ$^{35}_{44}$ke^{0}cien$^{53}_{44}$xau^{21},pan^{21}kəŋ^{35}cʰien^{35}tʂʅ^{21}xei^{53}tsait^{3}ʂət^{5},mau$^{13}_{21}$fei^{13}fuk^{5}a^{0}.

【板胡】pan^{21}fu^{13} 名一种发音高亢的胡琴类乐器，以琴筒口蒙薄板和用细钢丝作琴弦为特征：还有起～，有起～，我晓得看倒。～嘞箇只柄子瀍大，蛮大子。箇琴筒子咁……短短子，琴筒子短短子，但系也蛮大。就安做～。xai$^{13}_{21}$iəu^{35}çi^{21}pan^{21}fu^{13},iəu^{35}çi^{21}pan^{21}fu^{13},ŋai$^{13}_{21}$çiau^{21}(t)ek^{3}kʰən^{53}tau^{21}.pan^{21}fu^{13}lei^{0}kai^{53}tʂak^{3}pin^{21}tsʅ^{0}mən^{35}tʰai^{53},man^{13}tʰai^{53}tsʅ^{0}.kai^{53}cʰin^{13}tʰəŋ$^{13}_{21}$tsʅ^{0}kan$^{21}_{35}$…tən^{21}tən^{21}tsʅ^{0},cʰin^{13}tʰəŋ^{13}tsʅ^{0}tən^{21}tən^{21}tsʅ^{0},tan$^{53}_{44}$xe$^{53}_{44}$ie$^{21}_{44}$man$^{13}_{21}$tʰai^{53}.tsiəu$^{53}_{21}$ən$^{35}_{53}$tso$^{53}_{44}$pan^{21}fu^{13}.

【板栗】pan^{21}liet^{5} 名板栗树的果实。也称“板栗子”：～啦，箇个么个，啊梨子啊，箇个都喊果子嘞。pan^{21}liet^{5}la^{0},kai$^{53}_{44}$ke$^{53}_{44}$mak^{3}(k)e$^{53}_{44}$,a^{0}li^{13}tsʅ^{0}a^{0},kai$^{53}_{44}$ke$^{53}_{44}$təu^{35}xan^{53}ko^{21}tsʅ^{0}le^{0}.｜箇就～有品种欸。品种就蛮多嘞。有尖栗，溜尖个；有毛栗子，系唔系？有～。大概来讲就三种啊。～，尖栗，毛栗子。尖栗就更细，毛栗子就还更细。kai$^{53}_{44}$tsʰiəu$^{53}_{44}$pan^{21}liet^{5}iəu$^{35}_{44}$pʰin^{21}tʂəŋ^{21}e$_{21}$.pʰin^{21}tʂəŋ^{21}tsʰiəu^{53}man$^{13}_{21}$to$^{35}_{44}$le^{0}.iəu^{35}tsian^{35}liet$^{5}_{3}$,liəu^{35}tsian^{35}ke$^{53}_{44}$;iəu^{35}mau^{35}liet^{5}tsʅ^{0},xe$^{53}_{44}$me$^{53}_{44}$?iəu^{35}pan^{21}liet^{5}.tʰai^{53}kʰai$^{53}_{21}$lɔi$^{13}_{21}$kəŋ^{21}tsʰiəu^{53}san^{35}tʂəŋ^{21}ŋa^{0}.pan^{21}liet^{5},tsian^{35}liet$^{5}_{3}$,mau^{35}liet^{5}tsʅ^{0}.tsian^{35}liet$^{5}_{3}$tsʰiəu$^{53}_{44}$ken$^{53}_{44}$se^{53},mau^{35}liet^{5}tsʅ^{0}tsʰiəu$^{53}_{44}$xai^{13}cien$^{53}_{44}$se^{53}.

【板栗树】pan^{21}liet^{5}ʂəu^{53} 名壳斗科栗属植物：板栗……以个栏场可能讲板栗嘞就系我等以个栏场个欸唔最普通个水果。板栗。～，欸，也有起，就系就系结板栗个树哇。板栗是应该是有有几种呢，有有几种板栗嘞。欸，大滴子个就喊板栗。溜尖个嘞喊尖栗。欸。箇个野生个滴伢大子嘞喊毛栗子。～系会结板栗个树。欸，哎哎，箇起结尖栗子个嘞就尖栗树。结毛栗子个嘞就毛栗子树。就咁子话个。pan^{21}liet^{5}ʂ…i^{21}ke^{53}laŋ$^{13}_{21}$tʂʰəŋ$^{13}_{44}$kʰo^{21}lən^{13}kəŋ^{21}pan^{21}liet^{5}lei^{0}tsʰiəu^{53}

B

xe$^{53}_{44}$ŋai^{13}tien^{0} i^{21}ke^{53}laŋ$^{13}_{21}$tʂʰəŋ$^{13}_{21}$ke^{53} e$_{21}$m̩$_{21}$tsei^{53}pʰu^{21}tʰəŋ^{35}ke^{0} ʂei^{21}ko^{21}.pan^{21}liet^{5}.pan^{21}liet^{5} ʂəu^{53},e$_{21}$,ia^{35}iəu$^{35}_{44}$çi$^{21}_{44}$, tsʰiəu$^{53}_{44}$xei$^{53}_{44}$tsʰiəu$^{53}_{44}$xei$^{53}_{44}$ciet^{3} pan^{21}liet^{5} ke$^{53}_{44}$ʂəu^{53}ua^{0}.pan^{21}liet^{5} ʂʅ$^{53}_{44}$in$^{53}_{44}$kai$^{35}_{44}$ʂʅ$^{53}_{44}$iəu$^{35}_{44}$iəu$^{35}_{44}$ci^{21}tʂəŋ^{21}ne^{0} ,iəu$^{35}_{44}$iəu^{35} ci^{21}tʂəŋ^{21}pan^{21}liet^{5} le^{0} .ei$_{21}$,tʰai^{53}tiet^{5} tsʅ^{0} ke^{0} tsʰiəu$^{53}_{44}$xan^{53} pan^{21}liet^{5} .liəu^{35}tsian^{35}cie^{35}le^{0} xan$^{53}_{44}$tsian^{35}liet^{5} .e$_{21}$.kai$^{53}_{44}$ kei$^{53}_{44}$ia^{35}saŋ$^{35}_{44}$ke^{0} tiet^{5} ŋa$^{13}_{44}$tai^{53}tsʅ^{0} lei^{0} xan$^{53}_{44}$mau^{35}liet^{5} tsʅ^{0} .pan^{21}liet^{5} ʂəu^{53}xei$^{53}_{44}$uɔi^{53}ciet^{3} pan^{21}liet^{5} ke^{0} ʂəu^{53}.e$_{21}$, ai$_{21}$ai$_{21}$,kai^{53}çi^{21}ciet^{3} tsian^{35}liet^{5} tsʅ^{0} ke^{0} le^{0} tsʰiəu$^{53}_{44}$tsian^{35}liet^{5} ʂəu^{53}.ciet^{3} mau^{35}liet^{5} tsʅ^{0} ke^{0} le^{0} tsʰiəu$^{53}_{44}$mau^{35}liet^{5} tsʅ^{0} ʂəu^{53}.tsiəu$^{53}_{44}$kan^{21}tsʅ^{0}ua^{53}ke^{0}.

【板牙】pan^{21}ŋa^{13} 名臼齿：～，嗯，箇牙齿，欸，里背个一一个两边个箇起牙就安做～，上背个～，下背个～。欸，大牙齿，对，系，就系箇起。pan^{21}ŋa^{13},n̩$_{21}$,kai^{53}ŋa^{13}tʂʰʅ^{21},e$_{21}$,ti^{35}pɔi$^{53}_{44}$ke^{0} iet^{3} iet^{3} kei^{53}iɔŋ^{21}pien^{35}ke^{0} kai^{53}çi^{21}ŋa^{13}tsʰiəu$^{53}_{44}$ɔn$^{35}_{53}$tso$^{53}_{44}$pan^{21}ŋa^{13},ʂɔŋ^{53}pɔi^{53}ke^{0} pan^{21}ŋa^{13},xa^{35}pɔi^{53}ke^{0} pan^{21}ŋa^{13}.e$_{21}$, tʰai^{53}ŋa^{13}tʂʰʅ^{21},tei^{53},xe^{53},tsʰiəu$^{53}_{44}$xe^{53}kai$^{53}_{44}$çi^{21}.

【板油】pan^{21}iəu^{13} 名猪腹腔内面的板状脂肪：猪～，欸，也话～，讲～就系猪～。tʂəu^{35}pan^{21} iəu^{13},ei$_{21}$,ia^{35}ua$^{53}_{44}$pan^{21}iəu^{13},kɔŋ^{21}pan^{21}iəu^{13}tsʰiəu$^{53}_{44}$xe$^{53}_{44}$tʂəu^{35}pan^{21}iəu^{13}.

【板扎】pan^{21}tsait^{3} 形结实，坚固：用豆浆刷一到，然后又用桐油油一到。箇就唔知几～，就更扎实。iəŋ$^{53}_{44}$tʰei^{53}tsiɔŋ^{35}sɔit^{3} iet^{3} tau^{53},vien^{13}xei$^{53}_{44}$iəu^{53}iəŋ^{53}tʰəŋ^{13}iəu^{13}iəu^{13}iet^{3} tau^{53}.kai$^{53}_{44}$tsʰiəu$^{53}_{44}$n̩$_{21}$ti$^{35}_{44}$ci^{21} pan^{21}tsait^{3},tsiəu$^{53}_{44}$cien$^{53}_{44}$tsait^{3} ʂət^{5}.

【板子】pan^{21}tsʅ^{0} 名木板：以块～就安做封廒。i^{21}kʰuai^{53}pan^{21}tsʅ^{0} tsʰiəu$^{53}_{44}$ɔn$^{35}_{44}$tso$^{53}_{44}$fəŋ^{35}ŋau^{13}.|渠指篾套梳肚里还有贴薄～咯。ci^{13}təu^{21}li^{35}xai^{13}iəu$^{35}_{53}$tʰiet^{3} pʰɔk^{5} pan^{21}tsʅ^{0} ko^{0}.

【版】pan^{21} 量用于指筑墙的层数和高度：明脚是一定个，只有一～或者两～。两～子墙，或者一尺子高，或者两尺高。min^{13}ciɔk^{3} ʂʅ$^{53}_{44}$iet^{3} tʰin^{53}cie^{53},tʂʅ^{21}iəu$^{35}_{53}$iet^{3} pan^{21}xɔit^{5} tʂa^{21}iɔŋ^{21}pan^{21}.iɔŋ^{21}pan^{21} tsʅ^{0} tsʰiɔŋ$^{13}_{44}$,xɔit^{5} tʂa^{21}iet^{3} tʂʰak^{3} tsʅ^{0} kau$^{35}_{44}$,xɔit^{5} tʂa^{21}iɔŋ^{21}tʂʰak^{3} kau$^{35}_{44}$.

【办】pʰan^{53} 动①办理；料理；处理：同大自家～事。tʰəŋ^{13}tʰai$^{53}_{13}$tsʰʅ^{35}ka^{35}pʰan^{53}sʅ^{53}.|～得了丧事嘞还赚得两十万。pʰan^{53}tek^{3} liau^{21}sɔŋ^{35}sʅ$^{53}_{44}$le^{0} xai^{13}tsʰan^{53}tek^{3} iɔŋ^{21}ʂət^{5} uan^{53}. ②创设，兴办：族学，族间呶～个学堂。tsʰəuk^{5} xɔk^{5},tsʰəuk^{5} kan$^{35}_{44}$nau^{0} pʰan^{53}ke^{53}xɔk^{5} tʰɔŋ$^{13}_{21}$. ③采购；置备：你去～，我拿几多千块钱，拿两万块钱或者拿几多钱分你。ɲi^{13}çi$^{53}_{44}$pʰan^{53},ŋai^{13}la^{53}ci^{21}to$^{35}_{44}$tsʰien^{35}kʰuai^{53} tsʰien^{13},la^{53}liɔŋ^{21}uan^{53}kʰuai^{53}tsʰien^{13}xɔit$^{5}_{3}$tʂa^{21}la^{53}cio$_{44}$(←ci^{21}to^{35})tsʰien^{13}pən^{35}ɲi^{21}.

【办法】pʰan^{53}fait^{3} 名处理事务或解决问题的方法：哦，笋干喏。笋子加工个～。o$_{21}$,sən^{21}kɔn^{35} no^{0} .sən^{21}tsʅ^{0} cia^{35}kəŋ^{35}ke$^{53}_{44}$pʰan^{53}fait^{3} .|真有～。tʂən^{35}iəu^{35}pʰan^{53}fait^{3}.

【办公凳】pʰan^{53}kəŋ$^{35}_{44}$tien^{53} 名办公室里用于履行职务的凳子：～，也唔系么个老师用个凳子。箇个办公个人呐，比方箇个厂里个办公室肚里用个凳呐，系啊？办公室肚里用个凳就～。我等人教书个时候子箇～呐，都喜欢坐硬凳板，唔喜欢坐箇个欸殊绵个以起咁个殊绵个凳呢。做～唔想用箇起。搞么个嘞？一只就热天就热，欸欸，熝屁股。还有只嘞，坐久哩坐咁个殊绵个凳坐久哩嘞会得腰椎病。欸，爱坐硬凳，硬凳板。pʰan^{53}kəŋ^{35}ten^{53},ia^{35}m̩$^{13}_{21}$pʰe^{53}mak^{3} e^{0} lau^{21}sʅ$^{35}_{44}$ iəŋ$^{53}_{44}$ke^{0} ten^{53}tsʅ^{0}.kai$^{53}_{44}$ke$^{53}_{44}$pʰan$^{53}_{44}$kəŋ^{35}ke^{53}ɲin$^{13}_{44}$na^{0} ,pi^{21}fɔŋ$^{35}_{44}$kai$^{53}_{44}$ke$^{53}_{44}$tʂʰɔŋ^{21}li^{35}ke^{53}pʰan$^{53}_{44}$kəŋ^{35}ʂət^{3} təu^{21}li^{0} iəŋ^{53} ke$^{53}_{44}$ten^{53}na^{0} ,xei$^{53}_{44}$a^{0} ?pʰan$^{53}_{44}$kəŋ$^{35}_{44}$ʂət^{3} təu^{21}li^{0} iəŋ$^{53}_{44}$ke$^{53}_{44}$ten^{53}tsʰiəu$^{53}_{44}$pʰan^{53}kəŋ$^{35}_{44}$ten^{53}.ŋai^{13}tien^{0} ɲin$^{13}_{21}$kau$^{35}_{44}$ʂəu$^{35}_{44}$ke$^{53}_{44}$ ʂʅ^{13}xəu^{53}tsʅ^{0} kai$^{53}_{44}$pan^{35}kəŋ^{35}ten^{53}na^{0} ,təu^{35}çi^{21}fɔn$^{35}_{44}$tso^{35}ŋaŋ^{53}ten^{53}pan^{21} ,n̩^{13}çi^{21}fɔn$^{35}_{44}$tsʰo$^{35}_{44}$kai$^{53}_{44}$ke$^{53}_{44}$e$_{21}$mət^{5} mien^{13} ke^{53}i^{21}çi^{21}kan^{21}ke^{0} mət^{5} mien^{13}ke$^{53}_{44}$ten^{53}ne^{0} .tso^{53}pʰan$^{53}_{44}$kəŋ$^{35}_{44}$ten^{53}n̩^{13}siɔŋ^{21}iəŋ^{53}kai^{53}çi^{21}.kau^{21}mak^{3} e^{0} le^{0} ?iet^{3} tʂak^{3} tsʰiəu$^{53}_{44}$ɲiet^{5} tʰien$^{35}_{44}$tsʰiəu$^{53}_{44}$ɲiet^{5} ,e$_{21}$e$_{21}$,ləuk^{5} pʰi^{53}ku^{21}.xai$^{13}_{21}$iəu$^{35}_{44}$tʂak^{3} le^{0} ,tsʰo^{35}ciəu^{21}li^{0} tsʰo^{35}kan^{21}ke$^{53}_{44}$mət^{5} mien^{13}ke^{0} ten^{53}tsʰo^{35}ciəu^{21}li^{0} le^{0} uɔi^{53}tek^{3} iau^{35}tʂei$^{35}_{44}$pʰiaŋ^{53}.e$_{21}$,ɔi$^{53}_{44}$tsʰo$^{35}_{44}$ŋaŋ^{53}ten^{53},ŋaŋ^{53}ten^{53}pan^{21}.◇殊，《集韵》莫葛切："杇余也。"

【办公桌】pʰan^{53}kəŋ$^{35}_{44}$tsɔk^{3} 名办公室里用于履行职务的桌子：我等箇阵子个～是唔知几简单，就系两三只拖箱。以下个～是欸桌上还有只眼，可以过条线呐，放电脑个，系唔系？嗯，底下有柜子，放电脑个主机。我等箇阵子么个都冇得，就系有两三只拖箱。有两三只拖箱就安做～。但是如今个～爱放么个都唔好放。箇个拖箱呢浅浅子，放滴子么个放滴子茶缸子都放唔得。箇阵子个就拖箱唔知几深，欸，更高，么个都放下箇肚里，还有锁，还带锁。如今箇是，锁是有嘞。ŋai^{13}tien^{0} kai^{53}tʂʰən^{53}tsʅ^{0} ke^{0} pʰan^{53}kəŋ$^{35}_{44}$tsɔk^{3} ʂʅ$^{53}_{44}$n̩^{13}ti$^{35}_{53}$ci^{21}kan^{21}tan$^{35}_{44}$,tsʰiəu^{53}xei^{53}iɔŋ^{21}san$^{35}_{44}$ tʂak^{3} tʰo$^{35}_{44}$siɔŋ$^{35}_{44}$.i^{21}xa$^{53}_{44}$ke$^{53}_{44}$pʰan^{53}kəŋ^{35}tsɔk^{3} ʂʅ$^{53}_{44}$e$_{21}$tsɔk^{3} xɔŋ^{53}xa$^{13}_{21}$iəu^{35}tʂak^{3} ŋan^{21},kʰo^{21}i^{35}ko^{53}tʰiau$^{13}_{21}$sen^{53}na^{0}, fɔŋ$^{53}_{44}$tʰien^{53}nau^{21}ke^{0} ,xe$^{53}_{44}$me$^{53}_{44}$?n̩$_{21}$,te^{21}xa$^{35}_{44}$iəu$^{35}_{44}$kʰuei^{53}tsʅ^{0} ,fɔŋ^{53}tʰien^{53}nau^{21}ke^{0} tʂʮ^{21}ci^{35}.ŋai^{13}tien^{0} kai^{53}tʂʰən^{53} tsʅ^{0} mak^{3} e^{0} təu$^{35}_{53}$mau$^{13}_{21}$tek^{3} ,tsʰiəu^{53}xe^{53}iəu^{35}iɔŋ^{21}san$^{35}_{44}$tʂak^{3} tʰo^{35}siɔŋ$^{35}_{44}$.iəu^{35}iɔŋ^{21}san$^{35}_{44}$tʂak^{3} tʰo^{35}siɔŋ$^{35}_{44}$tsiəu^{53}ɔn$^{35}_{44}$

tso$^{53}_{44}$pʰan^{53}kəŋ^{35}tsɔk^{3} .tan$^{53}_{44}$ʂʅ$^{53}_{44}$i$^{13}_{21}$cin$^{35}_{44}$ke^{0} pʰan$^{53}_{44}$kəŋ$^{35}_{44}$tsɔk^{3} ɔi$^{53}_{44}$fɔŋ^{53}mak^{3} ke^{53}təu$^{35}_{53}$n̩$^{13}_{21}$xau^{21}fɔŋ^{53}.kai$^{53}_{44}$ke^{0} tʰo^{35} siɔŋ$^{35}_{44}$ne^{0} tsʰien^{21}tsʰien^{21}tsɿ^{0} ,fɔŋ$^{53}_{44}$tiet^{5} tsɿ^{0} mak^{3} e^{0} fɔŋ^{53}tet^{5} tsɿ^{0} tsʰa^{13}kɔŋ^{35}tsɿ^{0} təu$^{35}_{44}$fɔŋ^{53}n̩$^{13}_{21}$tek^{3} .kai^{53}tʂʰən^{53}tsɿ^{0} ke^{0} tsʰiəu$^{53}_{44}$tʰo^{35}siɔŋ^{35}n̩^{13}ti$^{35}_{44}$ci^{21}tʂʰən^{35},ei$_{21}$,cien$^{53}_{44}$kau^{35},mak^{3} ke^{0} təu$^{35}_{44}$fɔŋ$^{53}_{44}$xa$^{53}_{44}$kai^{53}təu^{21}li^{0} ,xai$^{13}_{21}$iəu^{35}so^{21},xa$^{13}_{21}$tai^{53} so^{21}.i$^{13}_{21}$cin^{35}kai$^{53}_{44}$ʂʅ$^{53}_{44}$,so^{21}ʂʅ$^{53}_{44}$iəu^{35}le^{0}.

【办席面】pʰan^{53}siet^{5} mien^{53} 办酒席：本本箇晡夜晡这里指新婚之夜还爱办滴子席面子啦，还爱～呐。欸，一般是冇得几多人去箇歇呀唠。系唔系啊？最多就就系……有滴子人唠，舅爷箇只，老个姐公箇只啦，啊，歇下子唠。就还爱～唠。还爱办净来。箇些新郎新娘就去敬下子酒唠。冇得别么个，食下子早茶到夜晡，就比较随意了。pən^{21}pən^{21}kai$^{53}_{44}$pu$^{35}_{44}$ia$^{53}_{44}$pu$^{35}_{44}$xai^{13}ɔi$^{53}_{44}$pʰan$^{53}_{44}$tiet^{5} tsɿ^{0} siet^{5} mien$^{53}_{44}$tsɿ^{0} la^{0} ,xai^{13}ɔi$^{53}_{44}$pʰan$^{53}_{44}$siet^{5} mien$^{53}_{44}$na^{0} .e^{21},iet^{3} pɔn^{35}ʂʅ^{53}mau$^{13}_{21}$tek^{3} ci^{21}to^{35}ɲin$^{13}_{21}$çi^{53}kai^{53}çiet^{3} ia^{0} lau^{0} .xei$^{53}_{44}$mei$^{53}_{44}$(←m̩^{13}xei^{53})a^{0} ?tsei^{53}to$^{35}_{44}$tsʰiəu$^{53}_{44}$tsiəu^{53}xe$^{53}_{44}$⋯iəu^{35}tiet^{5} tsɿ^{0} ɲin$^{13}_{21}$nau^{0} ,cʰiəu^{35}ia$^{13}_{21}$kai$^{53}_{44}$tʂak^{3} ,lau^{21} ke^{53}tsia^{21}kəŋ^{35}kai$^{53}_{44}$tʂak^{3} la^{0} ,a$_{21}$,çiet^{3} (x)a^{53}tsɿ^{0} lau^{0} .tsʰiəu$^{53}_{44}$xai$^{13}_{21}$ɔi$^{53}_{44}$pʰan$^{53}_{44}$siet^{5} mien$^{53}_{44}$nau^{0} .xai$^{13}_{21}$ɔi$^{53}_{44}$pʰan^{53} tsʰiaŋ^{53}lɔi$^{13}_{21}$.kai$^{53}_{44}$sia$^{35}_{44}$sin^{35}nɔŋ$^{13}_{21}$sin^{35}ɲiɔŋ$^{13}_{21}$tsiəu$^{53}_{44}$çi$^{53}_{44}$cin^{53}na$_{44}$(←xa^{53})tsɿ^{0} tsiəu^{21}lau^{0} .mau$^{13}_{21}$tek^{3} pʰiet^{5} mak^{3} ke$^{53}_{44}$,ʂət^{5} (x)a$^{53}_{44}$tsɿ^{0} uɔn^{53}tsʰa$^{13}_{21}$tau$^{53}_{44}$ia^{53}pu$^{35}_{44}$,tsiəu$^{53}_{44}$pi^{21}ciau^{53}sei^{13}i^{53}liau^{0}.

【半$_{1}$】pan^{53} 数二分之一（没有整数时用在量词前，有整数时用在量词后）：渠指酒角子就有量度个。有一两个，两两个，～斤个。ci^{13}tsʰiəu$^{53}_{44}$iəu^{35}liɔŋ^{13}tʰəu^{53}ke$^{53}_{44}$.iəu$^{35}_{44}$iet^{3} liɔŋ^{35}ke^{53},iɔŋ^{21}liɔŋ^{35}ke$^{53}_{44}$,pan^{53} cin$^{35}_{44}$cie$^{53}_{44}$.｜斤～ cin^{35}pan^{53} = 一斤～ iet^{3} cin^{35}pan^{53}｜两亩～ iɔŋ^{21}miau^{35}pan^{53}｜八点四十子，我起码炆倒～点子钟呐。pait^{3} tian^{21}si^{53}ʂət^{5} tsɿ^{0} ,ŋai$^{13}_{21}$çi^{21}ma$^{35}_{44}$uən^{13}tau^{21}pan^{53}tian^{21}tsɿ^{0} tʂəŋ$^{35}_{44}$na^{0}.

【半$_{2}$】pan^{53} 形在……中间：食嘿早饭，箇～昼子摎～下昼子，箇就安做打点。ʂət^{5} (x)ek^{3} tsau^{21}fan^{53},kai^{53}pan^{53}tʂəu^{53}tsɿ^{0} lau^{35}pan^{53}xa^{35}tʂəu^{53}tsɿ^{0} ,kai$^{53}_{44}$tsʰiəu$^{53}_{44}$ɔn$^{35}_{44}$tso$^{53}_{44}$ta^{21}tian^{21}.

【半$_{3}$】pan^{53} 副①稍微：你等，你等两个就～休息下子啦，欸，食下子烟，食下子茶。ɲi$^{13}_{21}$ tien^{0} ,ɲi$^{13}_{21}$tien^{0} iɔŋ^{21}ke$^{53}_{44}$tsʰiəu$^{53}_{44}$pan^{53}siəu^{35}siet^{3} (x)a^{53}tsɿ^{0} la^{0} ,e$_{21}$,ʂət^{5} (x)a$^{53}_{44}$tsɿ^{0} ien^{35},ʂət^{5} (x)a$^{53}_{44}$tsɿ^{0} tsʰa^{13}. ②不完全：还唔会啼个～大个鸡公子 xai^{13}m̩^{13}uɔi$^{53}_{44}$tʰai^{13}ke$^{53}_{44}$pan^{53}tʰai^{53}ke$^{53}_{21}$cie^{35}kəŋ^{35}tsɿ^{0}。

【半边莲】pan^{53}pien$^{35}_{44}$lien^{13} 名中药名：有系有起药安做～。我等也喊喊～。iəu^{35}xei^{53}iəu^{35}çi^{21}iɔk^{5} ɔn$^{35}_{44}$tso$^{53}_{44}$pan^{53}pien^{35}lien^{13}.ŋai^{13}tien^{0} ia$^{35}_{44}$xan$^{53}_{44}$xan^{53}pan^{53}pien$^{35}_{44}$lien$^{13}_{21}$.

【半公嫲】pan^{53}kəŋ^{35}ma^{13} 名①两性人或发女声的男人，又称“阴阳人”：～，系，也话～。欸，～是也系还有……也话～唠，欸，也可以写记。不过～是还有只东西也话～。就系嘞讲事欸讲事嘞，看呐让门子～就。渠就是～。pan^{53}kəŋ^{35}ma^{13},xei$^{53}_{44}$,ia^{35}ua^{53}pan^{53}kəŋ^{35}ma^{13}.e$_{21}$,pan$^{53}_{44}$kəŋ^{35} ma^{13}ʂʅ$^{53}_{44}$ia^{35}xei$^{53}_{44}$xai$^{13}_{21}$iəu$^{35}_{44}$⋯ia^{35}ua$^{53}_{44}$pan^{53}kəŋ^{35}ma^{13}lau^{0} ,e$_{21}$,ia$^{35}_{44}$kʰo^{21}i$^{35}_{44}$sia^{21}ci$^{53}_{44}$.pət^{3} ko$^{53}_{44}$pan^{53}kəŋ^{35}ma^{13}ʂʅ$^{53}_{44}$xai$^{13}_{21}$ iəu^{35}tʂak^{3} təŋ$^{35}_{44}$si^{0} ia^{35}ua$^{53}_{44}$pan^{53}kəŋ$^{35}_{44}$ma^{13}.tsʰiəu^{53}xe$^{53}_{44}$lei^{0} tsʰiəu$^{53}_{44}$kɔŋ^{21}sɿ^{53}ei$_{21}$kɔŋ^{21}sɿ^{53}lei^{0} ,kʰɔn$^{53}_{21}$na^{0} ɲiɔŋ^{53}mən$^{13}_{44}$ tsɿ^{0} pan$^{53}_{44}$kəŋ$^{35}_{53}$ma^{13}tsiəu^{53}.ci^{13}tsiəu$^{53}_{44}$ʂʅ$^{53}_{44}$pan^{53}kəŋ$^{35}_{44}$ma^{13}. ②喻指说蓝青官话，方言与土语夹杂的人（带有讽刺意味）：讲起事来～，又讲本地话就又讲外背个话唠。kɔŋ^{21}çi^{21}sɿ^{53}lɔi$^{13}_{21}$pan^{53}kəŋ$^{35}_{44}$ma^{13},iəu^{53} kɔŋ^{21}pən^{21}tʰi$^{53}_{44}$fa$^{53}_{44}$tsʰiəu$^{53}_{44}$iəu^{53}kɔŋ^{21}ŋɔi^{53}pɔi$^{53}_{44}$ke$^{53}_{44}$fa^{53}lau^{0}.｜也系箇个同箇～样，学倒个普通话又唔标准，又系客姓又不是客姓，系啊？ia^{35}xei^{53}kai$^{53}_{44}$ke$^{53}_{44}$tʰəŋ$^{13}_{21}$kai$^{53}_{44}$pan^{53}kəŋ$^{35}_{44}$ma^{13}iɔŋ$^{53}_{44}$,xɔk^{5} tau^{21}ke$^{53}_{21}$pʰu^{21} tʰəŋ$^{35}_{44}$fa^{53}iəu$^{53}_{44}$m̩$^{13}_{21}$piau^{35}tʂən^{21},iəu^{53}(x)e$^{53}_{44}$kʰak^{3} sin^{53}iəu$^{53}_{44}$pət^{3} ʂʅ$^{53}_{44}$kʰak^{3} sin^{53},xe$^{53}_{44}$a^{0} ?

【半罐水】pan^{53}kɔn^{53}ʂei^{21} 喻指喻对某种知识或技艺略知皮毛、功夫还不到家的人：我等有两只话法。一只就系一只讲半桶水嘞箇就系欸实实在在个半桶子水。嗯，你提半桶子水去洗脚，系啊？洗脚，水就只爱半桶子有哩。嗯，提半桶子水。还有只嘞就系话别人家冇么𫟼读倒么个书欸，又唔安做半桶水，～嘞。就话别人家～。箇只人当欸做郎中呢，咁个～，唔多会搞。欸，或者箇只人呢搞箇个搞咁个乡党应酬哇，欸写对子啊，系唔系？写文章啊，写么个东……写讣告箇只，箇是～。渠话渠𫟼读倒么个书又好仰个人，～。欸，又喜欢仰。半桶水也会讲半桶水。一般就讲～，～。就系𫟼学倒么个本事个人，就话渠～。欸当医师个，或者当老师个，欸，学只搞么个应酬个，欸，系～。就𫟼学倒么个本事，又喜欢去仰个人。唔多讲半桶水。讲半桶水就硬实实在在个半桶水唠，欸就会讲。你同我提半桶水去呀，提半桶子水呀。ŋai^{13}tien^{0} iəu^{35}iɔŋ^{21}tʂak^{3} ua^{53}fait^{3} .iet^{3} tʂak^{3} tsʰiəu^{53}xe^{53}iet^{3} tʂak^{3} kɔŋ^{21}pan^{53}tʰəŋ^{21}ʂei^{21}le^{0} kai$^{53}_{44}$tsʰiəu$^{53}_{44}$ xei$^{53}_{44}$e$_{21}$ʂət^{5} ʂət^{5} tsʰai^{53}tsʰai$^{53}_{44}$ke^{0} pan^{53}tʰəŋ^{21}tsɿ^{0} ʂei^{21}.n̩$_{21}$, ɲi$^{13}_{21}$tʰia^{35}pan^{53}tʰəŋ^{21}tsɿ^{0} ʂei^{21}çi^{53}se^{21}ciɔk^{3} ,xe$^{53}_{44}$a^{0} ?sei^{21} ciɔk^{3} ,ʂei^{21}tsiəu$^{53}_{44}$tʂʅ^{21}ɔi$^{53}_{44}$pan^{53}tʰəŋ^{21}tsɿ^{0} iəu^{35}li^{0} .ən$_{21}$,tʰia^{35}pan$^{53}_{44}$tʰəŋ^{21}tsɿ^{0} ʂei^{21}.xai^{13}iəu$^{35}_{44}$tʂak^{3} le^{0} tsʰiəu$^{53}_{44}$xe$^{53}_{44}$ua^{53} pʰiet^{5} in$^{13}_{21}$ka$^{35}_{44}$mau^{13}mak^{3} maŋ^{13}tʰəuk^{5} tau^{21}mak^{3} e^{0} ʂəu^{35}e^{0} ,iəu^{53}m̩^{13}ɔn$^{35}_{44}$tso$^{53}_{44}$pan^{53}tʰəŋ^{21}ʂei^{21},pan$^{53}_{44}$kɔn^{53}ʂei^{21}le^{0}. tsiəu$^{53}_{21}$ua$^{53}_{44}$pʰiet$^{5}_{3}$ in$^{13}_{44}$ka$^{35}_{44}$pan^{53}kɔn^{53}ʂei^{21}.kai^{53}tʂak^{3} ɲin^{13}tɔŋ^{35}e$_{21}$tso^{53}lɔŋ^{13}tʂəŋ^{35}nei^{0} ,kan$^{21}_{13}$ke^{0} pan^{53}kɔn^{53}ʂei^{21},n̩^{13}

to$^{35}_{44}$uɔi^{53}kau^{21}.e$_{21}$,xɔit^{5} tʂa^{21}kai^{53}tʂak^{3} ɲin$^{13}_{21}$ə$_{21}$kau^{21}kai$^{53}_{44}$ke$^{53}_{44}$kau^{21}kan^{21}ke^{53}çiɔŋ^{35}tɔŋ^{21}in^{53}tʂ^{h}əu^{13}ua^{0},e$_{21}$sia^{21}ti^{53} tsɿ^{0} a^{0},xei$^{53}_{44}$me$^{53}_{44}$?sia^{21}uən^{13}tʂɔŋ$^{35}_{44}$ŋa^{0},sia^{21}mak^{3} e^{0} tɔŋ$^{35}_{44}$…sia^{21}fu^{53}kau$^{53}_{44}$kai$^{53}_{44}$tʂak^{3} ,kai$^{53}_{44}$ʂɿ$^{13}_{44}$pan$^{53}_{44}$kɔn$^{53}_{44}$ʂei^{21}.ci^{13} ua^{53}ci$^{13}_{21}$maŋ^{13}t^{h}əuk^{3} tau^{21}mak^{3} e^{0} ʂəu^{35}iəu^{53}xau^{53}ɲiɔŋ^{21}ke^{53}ɲin$^{13}_{44}$,pan^{53}kɔn^{53}ʂei^{21}.e$_{21}$,iəu^{53}çi^{21}fɔn$^{35}_{44}$ɲiɔŋ^{21}.pan^{53} t^{h}əŋ^{21}ʂei^{21},ia^{35}uɔi^{53}kɔŋ^{21}pan^{53}t^{h}əŋ^{21}ʂei^{21}.iet^{3} pɔn^{35}ts^{h}iəu^{53}kɔŋ^{21}pan^{53}kɔn^{53}ʂei^{21},pan^{53}kɔn^{53}ʂei^{21}.ts^{h}iəu^{53}xe^{53}maŋ^{13} xɔk^{5} tau^{21}mak^{3} e^{0} pɔn^{21}sɿ^{53}ke^{53}ɲin$^{13}_{21}$,ts^{h}iəu$^{53}_{44}$ua$^{53}_{44}$ci$^{13}_{44}$pan^{53}kɔn^{53}ʂei^{21}.e$_{21}$tɔŋ^{35}i^{35}sɿ$^{13}_{44}$ke^{0},xɔit^{5} tʂa^{21}tɔŋ^{35}lau^{21}sɿ$^{35}_{44}$ ke^{0},e$_{21}$,xɔk^{5} tʂak^{3} kau^{21}mak^{3} e^{0} in^{53}tʂ^{h}əu^{13}ke^{53},e$_{21}$,xe$^{53}_{44}$pan^{53}kɔn^{53}ʂei^{21}.tsiəu$^{53}_{44}$maŋ^{13}xɔk^{5} tau^{21}mak^{3} e^{0} pɔn^{21}sɿ^{53}, iəu^{53}çi^{21}fɔn^{35}çi^{35}ɲiɔŋ^{21}ke^{53}ɲin$^{13}_{21}$.n̩^{13}to$^{35}_{53}$kɔŋ^{21}pan^{53}t^{h}əŋ^{21}ʂei^{21}.kɔŋ^{21}pan^{53}t^{h}əŋ^{21}ʂei^{21}ts^{h}iəu$^{53}_{44}$ɲiaŋ$^{53}_{44}$ʂət^{5} ʂət^{5} ts^{h}ai^{53} ts^{h}ai^{53}ke^{0} pan^{53}t^{h}əŋ^{21}ʂei^{21}lau^{0},e$_{21}$tsiəu^{53}uɔi^{53}kɔŋ^{21}. ɲi$^{13}_{21}$t^{h}əŋ$^{13}_{21}$ŋai$^{13}_{21}$t^{h}ia^{35}pan^{53}t^{h}əŋ^{21}ʂei^{21}çi^{53}ia^{0},t^{h}ia^{35}pan^{53}t^{h}əŋ^{21} tsɿ^{0}ʂei^{21}ia^{0}.

【半截裤】pan^{53}tset^{3} fu^{53} [名]裤腿短的外裤：外背个（短裤子）有兜人安做～呢。ŋɔi^{53}pɔi^{53}ke^{0} iəu^{35}təu$^{35}_{44}$ɲin$^{13}_{44}$ɔn$^{35}_{44}$tso$^{53}_{44}$pan^{53}tset^{3} fu^{53}nei^{0}.

【半截鞋】pan^{53}tsiet^{3} xai^{13} [名]拖鞋。又称"褡鞋"：～，就系冇得踭个鞋，～就安做～，也就系拖鞋。如今是几多子？有热天着个～，嗯，拖鞋，有冷天着个拖鞋，欸，箇个棉拖鞋。热天着个就系凉拖鞋。箇个都系～。冇得踭个就安做～。pan^{53}tsiet^{3} xai^{13},ts^{h}iəu^{53}xei^{53}mau^{13}tek^{3} tsaŋ^{35} ke^{53}xai^{13},pan^{53}tsiet^{3} xai^{13},ts^{h}iəu$^{53}_{44}$ɔn$^{35}_{44}$tso$^{53}_{44}$pan^{53}tsiet^{3} xai^{13},ia^{35}ts^{h}iəu^{53}xe$^{53}_{44}$t^{h}o^{35}xai$^{13}_{21}$.i$^{13}_{21}$cin$^{35}_{44}$ʂɿ$^{53}_{44}$ci^{21}to^{35}tsɿ^{0}?iəu^{35} ɲiet^{5} t^{h}ien$^{35}_{44}$tʂɔk^{3} ke$^{53}_{44}$pan^{53}tset^{3} xai^{13},n̩$_{21}$,t^{h}o^{35}xai$^{13}_{21}$,iəu$^{35}_{44}$laŋ^{35}t^{h}ien$^{35}_{44}$tʂɔk^{3} ke^{0} t^{h}o^{35}xai$^{13}_{21}$,e$_{21}$,kai$^{53}_{44}$ke$^{53}_{44}$mien^{13}t^{h}o^{35} xai$^{13}_{21}$. ɲiet^{5} t^{h}ien$^{35}_{44}$tʂɔk^{3} ke^{0} ts^{h}iəu$^{53}_{44}$xe$^{53}_{44}$liɔŋ^{13}t^{h}o^{35}xai$^{13}_{21}$.kai$^{53}_{44}$ke$^{53}_{44}$təu^{35}xei^{53}pan^{53}tsiet^{3} xai^{13}.mau^{13}tek^{3} tsaŋ^{35}ke^{53} ts^{h}iəu$^{53}_{44}$ɔn$^{35}_{44}$tso$^{53}_{44}$pan^{53}tsiet^{3} xai$^{13}_{21}$.

【半截子】pan^{53}tsiet^{3} tsɿ^{0} 数量词。半段：以映子嘞，放～个跳伸出外墙的梁。i^{21}iaŋ^{53}tsɿ^{0} lei^{0},fɔŋ^{53}pan^{53} tsiet^{3} tsɿ^{0} kei$^{53}_{44}$t^{h}iau^{53}.

【半精仁】pan^{53}tsin^{35}in^{13} [名]喻指不精明的人：唔精括个人就系么个嘞？安做又还有只话法嘞，安做～呢。n̩^{13}tsin^{35}kuak^{5} ke^{53}ɲin$^{13}_{44}$ts^{h}iəu$^{53}_{44}$xei$^{53}_{44}$mak^{3} e^{0} lei^{0}?ɔn^{35}tso^{53}iəu^{53}xai$^{13}_{21}$iəu$^{35}_{53}$tʂak^{3} ua^{53}fait^{3} lei^{0},ɔn$^{35}_{44}$ tso$^{53}_{44}$pan^{53}tsin^{35}in^{13}nei^{0}.｜箇只人～子，冇么个蛮雀。kai^{53}tʂak^{3} ɲin^{13}pan^{53}tsin$^{35}_{44}$in^{13}tsɿ^{0},mau^{13}mak^{3} e^{0} man^{13}ts^{h}iɔk^{3}.

【半路】pan^{53}ləu^{53} [名]在路程的中点或近乎中点的地方，也泛指在途中：归到～舍半斤硝。kuei^{35}tau^{53}pan^{53}ləu^{53}ʂa^{21}xek^{3} pan^{53}cin^{35}siau^{35}.

【半蒲水子】pan^{53}p^{h}u^{13}ʂei^{21}tsɿ^{0} [形]半傻不傻的样子：欸笑死人，我等一只喊大哥个，七十零了，渠就有滴子咁个～个味道。e$_{44}$siau^{53}si^{21}ɲin$^{13}_{21}$,ŋai^{13}tien^{0} iet^{3} tʂak^{3} xan^{53}t^{h}ai^{53}ko$^{35}_{44}$ke^{0},ts^{h}iet^{3} ʂət^{5} laŋ$^{13}_{21}$ liau^{0},ci$^{13}_{21}$ts^{h}iəu^{53}iəu^{35}tiet^{5} tsɿ^{0} kan^{21}ke$^{53}_{44}$pan^{53}p^{h}u^{13}ʂei^{21}tsɿ^{0} ke^{0} uei^{53}t^{h}au^{53}.

【半山腰】pan^{53}san^{35}iau^{35} [名]山腰：一嶂岭，顶高就系岭顶，底下就岭脚，中间就安做～。iet^{3} tʂɔŋ^{53}liaŋ^{35},taŋ^{21}kau^{35}ts^{h}iəu$^{53}_{44}$xe^{53}liaŋ^{35}taŋ^{21},te^{21}xa$^{53}_{44}$ts^{h}iəu^{53}liaŋ^{35}ciɔk^{3} ,tʂəŋ^{35}kan$^{35}_{44}$ts^{h}iəu$^{53}_{44}$ɔn$^{35}_{44}$tso$^{53}_{44}$pan^{53}san$^{35}_{44}$ iau^{35}.

【半生熟】pan^{53}saŋ^{35}ʂəuk^{5} [名]喻指半身不遂者：有滴就一边风嘿哩，成哩～安做。iəu^{35}tet^{5} ts^{h}iəu$^{53}_{44}$iet^{3} pien^{35}fəŋ^{35}ŋek^{3} (←xek^{3})li^{0},ʂaŋ$^{13}_{21}$li^{0} pan^{53}saŋ^{35}ʂəuk^{5} ɔn$^{35}_{44}$tso$^{53}_{44}$.

【半生熟子】pan^{53}saŋ^{35}ʂəuk^{5} tsɿ^{0} [形]不很熟悉：我摎渠八分子熟哇，七分子熟。～。ŋai$^{13}_{21}$lau$^{35}_{44}$ci$^{13}_{21}$ pait^{3} fən$^{35}_{44}$tsɿ$^{35}_{44}$ʂəuk^{5} ua^{0},ts^{h}iet^{3} fən$^{35}_{44}$tsɿ$^{35}_{44}$ʂəuk^{5}.pan^{53}saŋ$^{35}_{44}$ʂəuk^{5} tsɿ^{0}.

【半天】pan^{53}t^{h}ien^{35} ①白天的一半：欸，～，～就系一欸就系，搞嘿一昼边呶，就安做～呶。e$_{21}$,pan^{53}t^{h}ien^{35},pan^{53}t^{h}ien^{35}ts^{h}iəu^{53}xe^{53}iet^{3} e$_{21}$ts^{h}iəu$^{53}_{44}$xe$^{53}_{44}$,kau^{21}xek^{3} iet^{3} tʂəu^{53}pien$^{35}_{44}$nau^{0},ts^{h}iəu$^{53}_{44}$ɔn$^{35}_{44}$tso$^{53}_{44}$pan^{53} t^{h}ien^{35}nau^{0}. ②比喻很长的时间：箇只人呐搞么个去哩？～都还嬒来，系唔系？多时话会来了。多时话会来了哇。～都还嬒来呀。唔知搞么个去哩。唔知有么个事去哩。kai^{53}tʂak^{3} ɲin$^{13}_{21}$na^{0} kau^{21}mak^{3} e^{0} çi^{53}li^{0}?pan^{53}t^{h}ien^{35}təu$^{35}_{44}$xai$^{13}_{21}$maŋ^{13}lɔi^{13},xei$^{53}_{44}$me$^{53}_{44}$?to^{35}ʂɿ$^{13}_{44}$ua^{53}uɔi^{53}lɔi^{13}liau^{0}.to^{35}ʂɿ$^{13}_{44}$ua^{53}uɔi^{53}lɔi^{13} liau^{0}ua^{0}.pan^{53}t^{h}ien^{35}təu$^{35}_{53}$xai$^{13}_{21}$maŋ$^{13}_{21}$lɔi$^{13}_{21}$ia^{0}.n̩^{13}ti$^{35}_{44}$kau^{21}mak^{3} e^{0} çi^{53}li^{0}.n̩^{13}ti$^{35}_{44}$iəu$^{35}_{44}$mak^{3} e^{0} sɿ^{53}çi$^{53}_{44}$li^{0}.

【半下昼】pan^{53}xa^{35}tʂəu^{53} [名]时间词。下午的半中间：欸半昼子，上昼个半昼子，摎～，就安做打点。e^{0} pan^{53}tʂəu^{53}tsɿ^{0},ʂɔŋ^{53}tʂəu$^{53}_{44}$ke$^{53}_{44}$pan^{53}tʂəu^{53}tsɿ^{0},lau^{35}pan^{53}xa^{35}tʂəu$^{53}_{44}$,ts^{h}iəu$^{53}_{44}$ɔn$^{35}_{44}$tso$^{53}_{44}$ta^{21}tian^{21}.

【半夜】pan^{53}ia^{53} [名]时间词。夜里十二点钟前后，也泛指深夜：以前呢老哩人，箇个打祭呀，硬～，安做黎明家奠，黎明家奠呐。系硬系～嘞正……爱过嘿十二点半夜了来打祭。箇安做黎明家奠。以下是有么人搞了。尽系食嘿夜饭子就架势。i$^{35}_{53}$ts^{h}ien$^{13}_{21}$ne^{0} lau^{21}li^{0}ɲin^{13},kai$^{53}_{44}$ke$^{53}_{44}$ta^{21}tsi^{53} ia^{0}, ɲiaŋ$^{53}_{44}$pan^{53}ia^{53},ɔn$^{35}_{44}$tso^{53}li^{13}min^{13}cia$^{35}_{44}$t^{h}ien^{53},li^{13}min^{13}cia$^{35}_{44}$t^{h}ien^{53}na^{0}.xe$^{53}_{44}$ɲiaŋ^{53}xe$^{53}_{44}$pan^{53}ia^{53}le^{0} tʂaŋ^{53}…ɔi$^{53}_{44}$

ko^{53}xek^{3} ʂət^{5} ɲi^{53}tian^{21}pan^{53}ia^{53}liau^{21}lɔi^{13}ta^{21}tsi^{53}.kai$^{53}_{44}$ɔn$^{35}_{44}$tso$^{53}_{44}$li^{13}min^{13}cia$^{35}_{44}$t^{h}ien^{53}.i^{21}xa^{53}ʂʅ$^{53}_{44}$mau^{13}mak^{3} ɲin$^{13}_{44}$ kau^{21}liau^{0}.ts^{h}in^{53}ne$^{53}_{44}$ʂət^{5} xek^{3} ia^{53}fan^{53}tsʅ^{0} tsiəu$^{53}_{44}$cia$^{53}_{44}$ʂʅ$^{53}_{44}$.

【半夜三更】pan^{53}ia^{53}san^{35}kaŋ^{35} 午夜，深夜。多称“三更半夜”：以只大人要信个话嘞，箇夜晡头呀，～啊，徛倒箇大路上啊，喊（归来）。iak^{3}(←i^{21}tʂak^{3})t^{h}ai^{53}ɲin$^{13}_{21}$iau$^{53}_{44}$sin^{53}ke$^{53}_{44}$fa$^{53}_{44}$le^{0},kai$^{53}_{44}$ia^{53} pu$^{35}_{44}$t^{h}ei$^{13}_{21}$ia^{0},pan^{53}ia^{53}san$^{35}_{44}$kaŋ$^{35}_{44}$a^{0},c^{h}i^{35}tau^{21}kai$^{53}_{44}$t^{h}ai^{53}ləu$^{53}_{44}$xɔŋ$^{53}_{44}$ŋa^{0},xan^{53}.

【半圆桌】pan^{53}ien^{13}tsɔk^{3} [名]一种半圆形的桌子：我等老家箇映子，我等箇祠堂里以前就有～。两张～合嘿去就一张㵘大个圆桌。冇得哩，唔知搞哪映去哩，～。哎呀，么个都冇得哩啊。ŋai^{13}tien^{0} lau^{21}cia$^{35}_{44}$kai$^{53}_{44}$iaŋ$^{53}_{44}$tsʅ^{0},ŋai^{13}tien^{0} kai^{53}ts^{h}ʅ$^{13}_{21}$t^{h}ɔŋ$^{13}_{21}$li^{0} i^{35}ts^{h}ien$^{13}_{44}$ts^{h}iəu$^{53}_{44}$iəu^{35}pan^{53}ien$^{13}_{21}$tsɔk^{3}.iɔŋ^{21}tʂɔŋ$^{35}_{44}$ pan^{53}ien^{13}tsɔk^{3} xɔit^{5} ek$^{3}_{5}$ çi^{53}ts^{h}iəu^{53}iet^{3} tʂɔŋ$^{35}_{44}$mən^{35}t^{h}ai$^{53}_{44}$ke^{0} ien^{13}tsɔk^{3}.mau^{13}tek^{3} li^{0},n̩^{13}ti$^{35}_{44}$kau$^{21}_{44}$lai$^{53}_{44}$iaŋ$^{53}_{44}$çi$^{53}_{44}$ li^{0},pan^{53}ien^{13}tsɔk^{3}.ai$_{21}$ia$_{21}$,mak^{3} ke^{53}təu$^{35}_{53}$mau$^{13}_{21}$tek^{3} li^{0} a^{0}.

【半月】pan^{53}ɲiet^{5} [名]婴儿出生满半个月时的喜庆仪式：欸，做满月～个时候子嘞，就爱置披子背带。e$_{44}$,tso^{53}man^{35}ɲiet$^{5}_{3}$ pan^{53}ɲiet$^{5}_{3}$ ke$^{53}_{44}$ʂʅ^{13}xei$^{53}_{44}$tsʅ^{0} lei^{0},ts^{h}iəu$^{53}_{44}$ɔi$^{53}_{44}$tʂʅ^{53}p^{h}i^{35}tsʅ^{0} pi^{53}tai$^{53}_{44}$.

【半月酒】pan^{53}ɲiet^{5}tsiəu^{21} [名]婴儿出生半个月时举办的庆典宴席：箇是你……你食嘞～满月酒是，食细人子出世个酒，不论半月还系满月，都爱发饽饽，发红饽饽。kai$^{53}_{44}$ʂʅ$^{53}_{44}$ɲi$^{13}_{21}$…ɲi^{13}ʂət^{5} le^{0} pan^{53}ɲiet^{5} tsiəu^{21}man^{35}ɲiet^{5} tsiəu^{21}ʂʅ^{0},ʂət$^{5}_{3}$ sei^{53}ɲin$^{13}_{21}$tsʅ^{0} tʂ^{h}ət^{3} ʂʅ^{53}ke$^{53}_{44}$tsiəu^{21},pət^{3} lən$^{53}_{44}$pan^{53}ɲiet^{5} xai$^{13}_{21}$xe$^{53}_{44}$man^{35} ɲiet^{5},təu^{35}ɔi^{53}fait^{3} pɔk^{5} pɔk^{0},fait^{3} fəŋ^{13}pɔk^{5} pɔk^{0}.

【半昼】pan^{53}tʂəu^{53} [名]时间词。①白天的四分之一：～，嗯，从食哩早饭到……系啊，一昼边个一半子，理论上来讲是一昼边个一半子。pan^{53}tʂəu^{53},n̩$_{21}$,ts^{h}əŋ^{13}ʂət^{5} li^{0} tsau^{21}fan^{53}tau^{53}…xei^{53}a^{0},iet^{3} tʂəu^{53}pien^{35}ke^{53}iet^{3} pan^{53}tsʅ^{0},li^{35}lən$^{53}_{44}$xɔŋ^{53}lɔi$^{13}_{21}$kɔŋ^{21}ʂʅ$^{53}_{21}$iet^{3} tʂəu^{53}pien$^{35}_{44}$ke^{0} iet^{3} pan^{53}tsʅ^{0}. ②泛指较长的时间：欸，一般呢就讲蛮久子个时间了，本来爱早滴子来箇就就～。搞起～正来。让门你做事咁摸西，搞只咁个东西都搞你～？嗯，就安做～。箇只时间比较宽泛，就系蛮久子个意思。e$_{21}$,iet^{3} pɔn^{35}ne^{0} ts^{h}iəu^{53}kɔŋ^{21}man^{13}ciəu^{21}tsʅ^{0} ke^{0} ʂʅ^{13}kan$^{35}_{44}$liau^{0},pən^{13}nɔi^{13}ɔi^{53}tsau^{21}tiet^{5} tsʅ^{0} lɔi^{13}kai$^{53}_{44}$ts^{h}iəu$^{53}_{44}$ tsiəu$^{53}_{44}$pan^{53}tʂəu^{53}.kau^{21}çi$^{21}_{44}$pan^{53}tʂəu^{53}tʂaŋ$^{53}_{44}$lɔi^{13}. ɲiɔŋ^{53}men^{0} ɲi$^{13}_{21}$tso^{53}sʅ^{53}kan^{21}mo^{35}si^{35},kau^{21}tʂak^{3} kan$^{21}_{35}$e^{0} təŋ$^{35}_{44}$ si^{0} təu$^{35}_{44}$kau^{21}ɲi$^{13}_{44}$pan$^{53}_{44}$tʂəu^{53}?n̩$_{21}$,tsiəu$^{53}_{44}$ɔn$^{35}_{44}$tso$^{53}_{44}$pan^{53}tʂəu^{53}.kai^{53}tʂak^{3} ʂʅ^{13}kan$^{35}_{53}$pi^{21}ciau$^{53}_{44}$k^{h}ɔn^{35}fan^{53},ts^{h}iəu^{53}xei^{53} man^{13}ciəu^{21}tsʅ^{0} ke^{0} i^{53}sʅ^{0}.

【半昼边】pan^{53}tʂəu^{53}pien^{35} [名]时间词。指半个上午或半个下午的时候：如今是又还有～呢，搞嘿～。也有咁个话法，搞嘿～。i$^{13}_{21}$cin$^{35}_{44}$ʂʅ$^{53}_{44}$iəu^{53}xai$^{13}_{21}$iəu^{35}pan^{53}tʂəu^{53}pien^{35}nei^{0},kau^{21}xek^{3} pan^{53}tʂəu^{53} pien^{35}.ia^{35}iəu$^{35}_{44}$kan^{21}ke$^{53}_{44}$ua^{53}fait^{3},kau^{21}uek^{3} pan^{53}tʂəu^{53}pien^{35}.｜～呢箇就搞嘿一……个多两个小时个意思唠。一昼边，一昼，箇就大概四个子小时吧，系唔系？～呢就搞到箇八九点钟，上十点钟嘞就喊搞到～。搞到半昼哩哦。pan^{53}tʂəu^{53}pien^{35}ne^{0} kai$^{53}_{44}$ts^{h}iəu$^{53}_{44}$kau^{21}uek^{3} iet^{3} …ke^{53}to^{35}iɔŋ^{21}ke^{53} siau^{21}ʂʅ^{13}ke$^{53}_{44}$i^{53}sʅ^{0} lau^{0}.iet^{3} tʂəu^{53}pien^{35},iet^{3} tʂəu^{53},kai$^{53}_{44}$ts^{h}iəu$^{53}_{44}$t^{h}ai$^{53}_{44}$k^{h}ai$^{53}_{44}$si^{53}ke$^{53}_{44}$tsʅ^{0} siau^{21}ʂʅ^{13}pa^{0},xei$^{53}_{44}$ me$^{53}_{44}$?pan^{53}tʂəu^{53}pien^{35}ne^{0} ts^{h}iəu^{53}kau^{21}tau^{53}kai^{53}pait^{3} ciəu^{21}tian^{21}tʂəŋ$^{35}_{44}$,ʂɔŋ^{21}ʂət^{5} tian^{21}tʂəŋ$^{35}_{44}$lei^{0} tsiəu$^{53}_{44}$xan^{53} kau^{21}tau$^{53}_{44}$pan^{53}tʂəu^{53}pien^{35}.kau^{21}tau$^{53}_{44}$pan$^{53}_{44}$tʂəu^{53}li^{0} o^{0}.

【半昼子】pan^{53}tʂəu^{53}tsʅ^{0} [名]时间词。上午或下午的半中间：食嘿早饭，箇～摎半下昼子，箇就安做打点。ʂət^{5} (x)ek^{3} tsau^{21}fan^{53},kai^{53}pan^{53}tʂəu^{53}tsʅ^{0} lau^{35}pan^{53}xa^{35}tʂəu^{53}tsʅ^{0},kai$^{53}_{44}$ts^{h}iəu$^{53}_{44}$ɔn$^{35}_{44}$tso$^{53}_{44}$ta^{21} tian^{21}.

【半斫镰】pan^{53}tʂɔk^{3} lian^{13} [名]带弯嘴的柴刀：～有。唔系草刀子呢。草刀子箇是……就系一种柴刀呢。渠是咁个，镰刀就弯个，系唔系？镰刀割草哇，箇镰刀就弯个。柴刀嘞，渠就……噢镰刀就有只嘴呀，咁子，一只咁个嘴呀，系唔系？月光样啊。就割草。割咁个嫩割咁个比较细个东西。欸镰刀。柴刀嘞，就打比哟斫筒树，你就不能去箇只嘴嘴，不能去箇只嘴。就冇得箇只咁个月光样个弯弯。渠就系笔直个。箇就柴刀。～呢，渠就么个嘞？就分柴刀摎镰刀两只东西结合在一起。镰刀是就只有只弯，以映就一直把，系唔系？渠个……嗯，柴刀就笔直。～呢，顶高一茎子系弯弯子，以底下一茎就笔直。就能够斫咁大子个树就斫得。就～哦。箇个细树子用镰刀就唔好斫啊，系唔系？但是用柴刀就唔爱咁大呀。渠就又斫得中光大子个树，又割得草，又斫得……剮得榾箇只。安做～。箇系唔系草刀子。草刀子就硬系镰刀。草刀子就系比镰刀都咸更丝气个，草刀子割草哇，渠唔爱几扎实嘞。pan^{53}tʂɔk^{3} lian^{13}iəu^{35}.n̩^{13}xe^{53} ts^{h}au^{21}tau^{35}tsʅ^{0} nei^{0}.ts^{h}au^{21}tau^{35}tsʅ^{0} kai$^{53}_{44}$ʂʅ$^{53}_{44}$…ts^{h}iəu^{53}xe^{53}iet^{3} tʂəŋ^{21}ts^{h}ai^{13}tau^{35}nei^{0}.ci^{13}ʂʅ$^{53}_{44}$kan$^{21}_{35}$ke^{53},lian^{13}tau$^{35}_{44}$ ts^{h}iəu^{53}uan^{35}ke^{53},xei$^{53}_{44}$me^{0}?lian^{13}tau$^{35}_{44}$kɔit^{3} ts^{h}au^{21}ua^{0},kai^{53}lian^{13}tau$^{35}_{44}$ts^{h}iəu^{53}uan^{35}ke^{53}.ts^{h}ai^{13}tau$^{35}_{44}$lei^{0},ci^{13}

tsʰiəu53…au$_{21}$lian13tau$^{35}_{44}$tsʰiəu$^{53}_{44}$iəu$^{35}_{44}$tʂak3 tsi21ia0 ,kan21tsɿ0 ,iet3 tʂak3 kan$^{21}_{44}$ke0 tsi21ia0 ,xei53me0 ?ɲiet5 kɔŋ$^{35}_{44}$iəŋ53 ŋa0 .tsiəu53kɔit3 tsʰau21.kɔit3 kan21ke$^{53}_{44}$lən53kɔit3 kan21ke$^{53}_{44}$pi21ciau$^{53}_{44}$se53ke0 təŋ$^{35}_{44}$si0 .e$_{21}$lian13tau35.tsʰai13tau$^{35}_{44}$le0 , tsiəu$^{53}_{44}$ta21pi21io0 tʂɔk3 tʰəŋ13ʂəu53 , ɲi13tsiəu53pət3 nen13çi53kai53tʂak3 tsi21tsi21 ,pət3 nen13çi53kai53ak3 tsi21.tsiəu$^{53}_{44}$ mau13tek3 kai53tʂak3 kan21ke0 ɲiet5 kɔŋ$^{35}_{44}$iəŋ$^{53}_{44}$ke0 uan35uan35.ci13tsʰiəu$^{53}_{44}$xei$^{53}_{44}$piet3 tʂʰət5 cie53.kai$^{53}_{44}$tsʰiəu$^{53}_{44}$tsʰai13 tau$^{35}_{44}$.pan53tʂɔk3 lian13ne0 ,ci13tsʰiəu53mak3 e0 le0 ?tsʰiəu$^{53}_{44}$pən$^{35}_{44}$tsʰai13tau$^{35}_{44}$lau$^{35}_{44}$lian13tau$^{35}_{44}$iəŋ21tʂak3 əŋ$^{35}_{44}$si0 ciet3 xɔit5 tsʰai13iet3 çi21.lian13tau$^{35}_{44}$ʂɿ$_{44}$tsʰiəu53tʂe21iəu53tʂak3 uan35 ,i21iaŋ35tsʰiəu53iet3 tʂak3 pa53 ,xei$^{53}_{44}$me0 ?ci13ke53p… n̩$_{21}$,tsʰai13tau$^{35}_{44}$tsʰiəu$^{53}_{44}$piet3 tʂʰət5 .pan53tʂɔk3 lian13ne0 ,taŋ21kau$^{35}_{44}$iet3 tsʰo53tsɿ0 xei$^{53}_{44}$uan$^{35}_{44}$uan35tsɿ0 ,i21tei21xa53iet3 tsʰo53tsʰiəu$^{53}_{44}$piet3 tʂʰət5 .tsʰiəu$^{53}_{44}$lien$^{13}_{21}$ciau$^{53}_{44}$tʂɔk3 kan21tʰai$^{53}_{44}$tsɿ0 ke0 ʂəu53tsʰiəu$^{53}_{44}$tʂɔk3 tek3 .tsiəu$^{53}_{44}$pan53tʂɔk3 lian$^{13}_{21}$o0 .kai$^{53}_{44}$ke$^{53}_{44}$sei53ʂəu53tsɿ0 iəŋ53lian13tau$^{35}_{44}$tsiəu53n̩$^{13}_{21}$xau21tʂɔk3 a0 ,xei$^{53}_{44}$me$^{53}_{44}$?tan$^{53}_{44}$ʂɿ$^{53}_{44}$iəŋ53tsʰai13tau$^{35}_{44}$tsiəu53 m̩$^{13}_{21}$mɔi53kan21tʰai53ia0 .ci13tsʰiəu53iəu53tʂɔk3 tek3 tʂəŋ35kuɔŋ35tʰai$^{53}_{44}$tsɿ0 ke0 ʂəu53 ,iəu53kɔit3 tek3 tsʰau21 ,iəu53tʂɔk3 tek3 …tʰiait5 tek3 kʰua21kai$^{53}_{44}$tʂak3 .ɔn$^{53}_{44}$tso$^{53}_{44}$pan53tʂɔk3 lian$^{13}_{21}$.kai$^{53}_{44}$xe$^{53}_{44}$m̩13pʰe53tsʰau21tau$^{35}_{44}$tsɿ0 .tsʰau21tau$^{35}_{44}$tsɿ0 tsʰiəu53ɲiaŋ53xe53lian13tau$^{35}_{44}$.tsʰau21tau$^{35}_{44}$tsɿ0 tsiəu$^{53}_{44}$xe$^{53}_{44}$pi21lian13tau$^{35}_{44}$təu$^{35}_{44}$xan13ken53sɿ35çi$^{53}_{44}$ke0 ,tsʰau21tau35tsɿ0 kɔit3 tsʰau21ua0 ,ci$^{13}_{21}$m̩$^{13}_{21}$mɔi53ci21tsait3 ʂət5 le0 .

【扮$_1$】pan53 动装扮：～做一只毛毛子欸绨下背囊上啊。pan53tso53iet3 tʂak3 mau35mau35tsɿ0 e0 tʰak3 a0 pɔi53lɔŋ$^{13}_{44}$xɔŋ$^{53}_{44}$ŋa0 .

【扮$_2$】pʰan35 动抓在手里磕打；摔打：用禾桶～呐。iəŋ53uo13tʰəŋ21pʰan35na0 .｜就头番听讲箇只人就两公婆就箇个啊，欸因为以只手机个事啊，搞筋呐，系唔系？箇老公就拿倒老婆个手机和地泥下一～，千多块钱手机分渠～得冇滴用。tsʰiəu$^{53}_{21}$tʰei13fan$^{35}_{44}$tʰaŋ35kɔŋ21kai53tʂak3 ɲin13tsʰiəu$^{53}_{44}$ iəŋ21kəŋ35pʰo13tsʰiəu$^{53}_{44}$kai$^{53}_{44}$ke$^{53}_{44}$a0 ,ei$_{21}$in35uei$^{53}_{44}$i21tʂak3 ʂəu21ci$^{35}_{44}$ke0 sɿ$^{53}_{44}$a0 ,kau21cin35na0 ,xei$^{53}_{44}$me$^{53}_{44}$?kai$^{53}_{44}$lau21kəŋ$^{35}_{44}$ tsʰiəu$^{53}_{44}$la53tau21lau21pʰo13ke0 ʂəu21ci$^{35}_{44}$uo53tʰi$^{53}_{44}$lai$^{13}_{21}$xa$^{53}_{44}$iet3 pʰan35 ,tsʰien$^{35}_{44}$to$^{35}_{44}$kʰuai53tsʰien$^{13}_{44}$ʂəu21ci$^{35}_{44}$pən$^{35}_{44}$ci$^{13}_{21}$ pʰan$^{35}_{44}$tek3 mau13tiet5 iəŋ$^{53}_{44}$.

【扮跌子】pʰan35tet3 tsɿ0 动极其痛苦地挣扎：我等箇有只老子哦七八十岁了喔，渠唔知搞么个发么个癫啫，去食农药哦，食哩农药又唔死哟，～哦跍倒箇映哦，落尾整赠搞得哦，还系死嘿哩。整赠搞得，唔得过啊，硬～啊。ŋai13tien0 kai$^{53}_{44}$iəu$^{35}_{44}$tʂak3 lau21tsɿ0 o0 tsʰiet3 pait3 ʂət5 sɔi53liau21 uo0 ,ci$^{13}_{21}$n̩$^{13}_{21}$ti$^{35}_{53}$kau21mak3 e0 fait3 mak3 e0 ten$^{35}_{44}$no0 ,cʰi53ʂət5 ləŋ13iɔk5 o0 ,ʂət5 li0 ləŋ13iɔk5 iəu53n̩13si21io0 ,pʰan35tet3 tsɿ0 o0 ku$^{35}_{44}$tau$^{21}_{44}$kai$^{53}_{44}$iaŋ$^{53}_{44}$ŋo0 ,lɔk5 mi$^{35}_{44}$tʂən21maŋ$^{13}_{21}$kau21tek3 o0 ,xai13xe53si21xek3 li0 .tʂən21maŋ13kau21tek3 ,n̩13 tek3 ko53a0 ,ɲiaŋ$^{53}_{44}$pʰan35tet3 tsa0 .

【扮蛮筋】pan53man13cin35 动①强词夺理地辩解：欸，一强词夺理个辩解，也系～。还有滴呢你讲呢，欸，唔讲道理呢，系啊，以个就系唔讲道理，还有滴么个讲噢？就系唔文雅样，也安做～呢。唔知几粗蛮呢，唔知几粗鲁哇，嗯～。e$_{21}$,iet3 cʰiɔŋ13tsʰɿ$^{13}_{44}$tʰɔit3 li35ke0 pʰien53kai21,ia35 xei$^{53}_{44}$pan53man$^{13}_{21}$cin35.xai13iəu35tet5 nei0 ɲi$^{13}_{44}$kɔŋ21nei0 ,e$_{21}$,n̩13kɔŋ21tʰau53li$^{35}_{44}$nei0 ,xei53a0 ,i21ke53tsʰiəu53xei53n̩13 kɔŋ21tʰau53li35,xai13iəu$^{35}_{53}$tiet5 mak3 e0 kɔŋ21ŋau0 ?tsʰiəu53xe53n̩13uən13ia21iɔŋ53,ia35ɔn$^{35}_{44}$tso$^{53}_{44}$pan53man$^{13}_{21}$cin35ne0 .n̩$^{13}_{21}$ ti$^{35}_{53}$ci21tsʰəu35man$^{13}_{21}$ne0 ,n̩$^{13}_{21}$ti$^{35}_{53}$ci21tsʰəu35ləu21ua0 ,n̩$_{21}$pan53man$^{13}_{21}$cin$^{35}_{44}$.｜以只东西你爱讲滴子道理呀，你莫～呐。欸，要～我就讲你唔赢。欸，爱讲滴子道理。i21iak3 təŋ$^{35}_{44}$si0 ɲi$^{13}_{21}$ɔi53kɔŋ21tiet5 tsɿ0 tʰau53li$^{35}_{44}$ ia0 , ɲi$^{13}_{21}$mɔk5 pan53man$^{13}_{21}$cin35na0 .e$_{21}$,iau$^{53}_{44}$pan53man$^{13}_{21}$cin35ŋai13tsiəu53kɔŋ21ɲi$^{13}_{44}$n̩$^{13}_{44}$iaŋ$^{13}_{21}$.e$_{21}$,ɔi$^{53}_{44}$kɔŋ21tet5 tsɿ0 tʰau53 li35. ②勉强他人做不愿意的事情：哦，唔知几勉强去做也安做～。你箇个欸箇细人子都唔会读书是你～爱渠读是空个呀。细人子唔会读书哇你～爱渠读书哇，箇空个。或者渠唔想读书，你～爱渠读。o$_{21}$,n̩13ti$^{35}_{53}$ci21mien35cʰiɔŋ21çi$^{53}_{44}$tso53ia35ɔn$^{35}_{44}$tso$^{53}_{44}$pan53man$^{13}_{21}$cin$^{35}_{44}$. ɲi13kai53ke0 e$_{21}$kai$^{53}_{44}$sei53ɲin$^{13}_{21}$ tsɿ0 təu$^{35}_{44}$m̩$^{13}_{21}$uɔi$^{53}_{44}$tʰəuk5 ʂəu$^{35}_{44}$ʂɿ$_{44}$ɲi13pan53man$^{13}_{21}$cin35ɔi53ci$^{13}_{21}$tʰəuk5 ʂɿ53kʰəŋ53ke53ia0 .sei53ɲin$^{13}_{21}$tsɿ0 m̩13uɔi$^{53}_{44}$tʰəuk5 ʂəu$^{35}_{44}$ua0 ɲi13pan53man$^{13}_{21}$cin35ɔi53ci$^{13}_{21}$tʰəuk5 ʂəu$^{35}_{53}$ua0 ,kai$^{53}_{44}$kʰəŋ53ke0 .xɔit5 tʂa21ci$^{13}_{21}$n̩13siɔŋ21tʰəuk5 ʂəu$^{35}_{53}$, ɲi13pan53 man$^{13}_{21}$cin35ɔi53ci21tʰəuk5 . ③蛮干，做事不讲方法：箇劈柴爱有劲，还爱有方法。箇斧头迎嘿去都见得，就系落啊下箇一下爱用劲。还要来爱钻空子，爱劈中地方来。劈中地方来，以下劈嘿去就开哩。你是～去劈，劈唔开。kai53pʰiak3 tsʰai13ɔi13iəu$^{35}_{44}$cin53,xai$^{13}_{21}$ɔi$^{53}_{44}$iəu$^{35}_{44}$fɔŋ35fait3 .kai53pu21 tʰei13ɲiaŋ13(x)ek3 çi21təu$^{35}_{44}$cien53tek3 ,tsʰiəu53ue53lɔk3 a0 xa35kai$^{53}_{44}$iet3 xa$^{53}_{44}$ɔi$^{53}_{44}$iəŋ$^{53}_{44}$cin53.xai13iau$^{53}_{44}$lɔi$^{13}_{44}$ɔi$^{53}_{44}$tsɔn35 kʰəŋ53tsɿ0 ,ɔi$^{53}_{44}$pʰiak3 tʂəŋ$^{53}_{44}$tʰi53fɔŋ$^{35}_{44}$lɔi$^{13}_{21}$.pʰiak3 tʂəŋ$^{53}_{44}$tʰi53fɔŋ$^{35}_{44}$lɔi$^{13}_{21}$,iet3 xa53pʰiak3 (x)ek3 çi$^{53}_{44}$tsiəu$^{53}_{44}$kʰɔi35li0 . ɲi13 ʂɿ53pan53man$^{13}_{21}$cin35çi53pʰiak3 ,pʰiak3 n̩$^{13}_{21}$kʰɔi$^{35}_{44}$.

【伴$_1$】pʰɔn53 名伴侣，同伴：寻只～来嘣 tsʰin13tʂak3 pʰɔn53lɔi$^{13}_{21}$liau53｜我是本来是我都唔去，我话想下子你等都去，我也会去下子，嗯，有～呐。慢我都唔去嘞，所以也系咁箇活动样啊，

B

我应该去下子。ŋai^{13}ʂʅ$^{53}_{44}$pən^{21}nɔi^{13}ʂʅ^{53}ŋai^{13}təu$^{35}_{53}$ŋ̍^{13}çi^{53},ŋai^{13}ua$^{53}_{44}$siɔŋ^{21}xa$^{53}_{44}$tsɿ^{0}ɲi$^{13}_{21}$tien^{0} təu$^{35}_{44}$çi^{53},ŋai$^{13}_{21}$ia$^{35}_{44}$uɔi$^{53}_{44}$çi^{53}xa$^{53}_{44}$tsɿ^{0},ŋ̍$_{21}$,iəu^{35}p^{h}ɔn^{53}na^{0}.mai$_{44}$(←man^{53})ŋai^{13}təu$^{35}_{53}$ŋ̍$^{13}_{21}$çi$^{53}_{44}$lei^{0},so^{21}i$^{35}_{21}$ia^{35}xe$^{53}_{44}$kan^{21}kai$^{53}_{44}$xɔit^{5} t^{h}əŋ$^{53}_{44}$iɔŋ$^{53}_{44}$ŋa^{0},ŋai$^{13}_{21}$in$^{35}_{44}$kɔi^{35}çi^{53}ia$_{21}$(←xa^{53})tsɿ^{0}.

【伴$_{2}$】p^{h}ɔn^{53} 量用于成群的人或动物：箇一～人，箇接新人个箇一～人，也不能系八个。kai^{53}iet^{3} p^{h}ɔn^{53}ɲin^{13},kai^{53}tsiet^{3} sin^{35}ɲin$^{13}_{21}$ke^{53}kai^{53}iet^{3} p^{h}ɔn^{53}ɲin^{13},ia^{35}pət^{3} lən^{13}xei^{53}pait^{3} ke^{53}.｜以～细子同猴子样，到处乱爬个。i^{21}p^{h}ɔn^{53}se^{53}tsɿ^{0} t^{h}əŋ^{13}xei^{13}tsɿ^{0} iɔŋ^{53},tau^{53}tʂ^{h}əu^{53}lɔn^{53}p^{h}a^{13}cie^{53}.｜渠等系一～个。ci$^{13}_{21}$tien^{0} xei$^{53}_{44}$iet^{3} p^{h}ɔn^{53}ke$^{53}_{44}$.｜一～羊子 iet^{3} p^{h}ɔn^{53}iɔŋ^{13}tsɿ^{0}｜如果𫟼收进来个就一～蜂子呢，咁用～呢。vy^{13}ko$^{21}_{44}$maŋ^{13}ʂəu^{35}tsin^{53}nɔi$^{13}_{44}$ke$^{53}_{44}$ts^{h}iəu$^{53}_{44}$iet^{3} p^{h}ɔn^{53}fən^{35}tsɿ^{0} ne^{0},kan^{21}iəŋ$^{53}_{44}$p^{h}ɔn^{53}nei^{0}.

【帮$_{1}$】pɔŋ^{35} 动帮助；辅助，协助：你～我想下子看呐。ɲi$^{13}_{21}$pɔŋ^{35}ŋai$^{13}_{21}$siɔŋ^{21}xa$^{53}_{44}$tsɿ^{0} k^{h}an$^{53}_{44}$na^{0}.｜箇只副手哇，侧边箇只人嘞，系，～打个。kai$^{53}_{44}$ tʂak^{3} fu^{53} ʂəu^{21} ua^{0} ,tsek^{3} pien^{35} kai^{53} tʂak^{3} ɲin$^{13}_{21}$ le^{0},xe$^{53}_{44}$,pɔŋ^{35}ta^{21}ke^{53}.

【帮$_{2}$】pɔŋ^{35} 量相当于"群、伙"：一～子人 iet^{3}pɔŋ^{35}tsɿ^{0}ɲin$^{13}_{21}$

【帮厨】pɔŋ^{35}tʂ^{h}əu^{13} 名厨房里的杂工：一般就讲么个嘞？讲做好事，红白喜事，有只人呢就有只人就欸掌镬铲个，为首个箇只厨官呢就系掌镬铲个。欸还有剩下嘞还要分几个人去～。还有山滴子个栏场安做欸箇就唔系～，箇是就帮忙咯，欸做好事帮工，帮工啊，帮忙啊，安做垫手。iet^{3} pɔn^{35}ts^{h}iəu$^{53}_{44}$kɔŋ^{21}mak^{3} e^{0} le^{0} ?kɔŋ^{21}tso^{53}xau^{21}sɿ^{53},fəŋ^{13}p^{h}ak^{5} çi^{21}sɿ^{53},iəu^{35}tʂak^{3}ɲin$^{13}_{21}$ne^{0} ts^{h}iəu^{53} iəu^{35}tʂak^{3} ɲin$^{13}_{21}$ts^{h}iəu$^{53}_{44}$e$_{21}$tʂɔŋ^{21}uɔk^{5} ts^{h}an^{21}ke^{53},uei^{13}ʂəu^{21}ke^{53}kai^{53}tʂak^{3} tʂ^{h}əu$^{13}_{21}$kɔn$^{35}_{44}$ne^{0} ts^{h}iəu$^{53}_{44}$xe$^{53}_{44}$tʂɔŋ^{21}uɔk^{5} ts^{h}an^{21}cie^{53}.e$_{21}$xai^{13}iəu$^{35}_{44}$ʂən^{53}çia$^{53}_{44}$lei^{0} xai^{13}iau$^{53}_{44}$pən^{35}ci^{21}ke^{53}ɲin$^{13}_{21}$çi^{53}pɔŋ^{35}tʂ^{h}əu^{13}.xai$^{13}_{21}$iəu$^{35}_{44}$san^{35}tiet^{5} tsɿ^{0} ke^{0} laŋ$^{13}_{21}$ tʂ^{h}ɔŋ$^{13}_{21}$ɔn^{35}tso^{53}e$_{21}$kai^{53}ts^{h}iəu^{53}m̩^{13}p^{h}e^{53}pɔŋ^{35}tʂ^{h}əu$^{13}_{21}$,kai$^{53}_{44}$ʂʅ$^{53}_{44}$ts^{h}iəu$^{53}_{44}$pɔŋ^{35}mɔŋ^{13}ko^{0},e$_{21}$tso^{53}xau^{21}sɿ^{53}pɔŋ$^{35}_{44}$kəŋ^{35}, pɔŋ^{35}kəŋ^{35}ŋa^{0},pɔŋ^{35}mɔŋ^{13}ŋa^{0},ɔn$^{35}_{44}$tso$^{53}_{44}$t^{h}ien^{53}ʂəu^{21}.

【帮工】pɔŋ^{35}kəŋ^{35} 动帮亲戚朋友建房子等，但不要报酬：亲戚朋友起屋，欸亲戚朋友做好事，做红白喜事，欸去～。我等是又安做帮忙呢。嗯，以只老哩帮下几天忙。欸箇映老哩人呢，我去帮嘿几天忙。ts^{h}in$^{35}_{44}$ts^{h}iet^{3} p^{h}əŋ$^{13}_{21}$iəu$^{35}_{44}$çi^{21}uk^{3} ,e$_{21}$ts^{h}in$^{35}_{44}$ts^{h}iet^{3} p^{h}əŋ$^{13}_{21}$iəu$^{35}_{44}$tso$^{53}_{44}$xau^{21}sɿ^{53},tso^{53}fəŋ^{13}p^{h}ak^{5} çi^{21}sɿ^{53},e$_{21}$çi$^{53}_{44}$pɔŋ$^{35}_{44}$kəŋ^{35}.ŋai$^{13}_{21}$tien^{0} ʂʅ$^{53}_{44}$iəu$^{53}_{44}$ɔn$^{35}_{44}$tso$^{53}_{44}$pɔŋ$^{35}_{44}$mɔŋ^{13}nei^{0}.n̩$_{21}$,i^{21}tʂak^{3} lau^{21}li^{0} pɔŋ^{35}ŋa^{0} ci^{21}t^{h}ien$^{35}_{44}$mɔŋ^{13}. e$_{21}$kai$^{53}_{44}$iaŋ$^{53}_{44}$lau^{21}li^{0}ɲin^{13}ne^{0},ŋai^{13}çi^{53}pɔŋ^{35}xek^{3} ci^{21}t^{h}ien$^{35}_{44}$mɔŋ^{13}.

【帮忙】pɔŋ^{35}mɔŋ^{13} 动帮助别人做事或解决困难：箇是欸一家人家晒番薯是尽滴都来～。kai^{53} ʂʅ$^{53}_{44}$ei$_{21}$iet^{3} ka^{35}ɲin$^{13}_{21}$ka^{35}sai^{53}fan^{35}ʂəu$^{13}_{21}$ʂʅ$^{53}_{44}$ts^{h}in^{53}tet$^{5}_{3}$ təu$^{35}_{44}$lɔi$^{13}_{21}$pɔŋ$^{35}_{44}$mɔŋ^{13}.

【帮腔】pɔŋ^{35}c^{h}iɔŋ^{35} 动遇到别人吵架时，帮其中的一方说话：你莫去～哦，你莫～搭嘴哟。你莫做声哦，你莫去～哦，唔关你么个事。你莫去～。ɲi^{13}mɔk^{5} çi$^{53}_{44}$pɔŋ^{35}c^{h}iɔŋ^{35}ŋo^{0}, ɲi^{13}mɔk^{5} pɔŋ^{35} c^{h}iɔŋ^{35}tait^{3} tsi^{21}io^{0}. ɲi^{13}mɔk^{5} tso^{53}ʂaŋ^{35}ŋo^{0}, ɲi^{13}mɔk^{5} çi$^{53}_{44}$pɔŋ^{35}c^{h}iɔŋ^{35}ŋo^{0},n̩^{13}kuan^{35}ɲi$^{13}_{21}$mak^{3} e^{0} sɿ^{53}. ɲi^{13}mɔk^{5} çi$^{53}_{44}$ pɔŋ^{35}c^{h}iɔŋ^{35}.

【梆声】paŋ^{53}ʂaŋ^{35} 动发出"梆"的响声：舞只子石头子么啊打下去，～，还好响。u^{21}tʂak^{3} tsɿ^{0} ʂak^{5} t^{h}ei^{0} tsɿ^{0} mak^{3} a^{0} ta^{21}(x)a^{53}çi^{53},paŋ^{53}ʂaŋ$^{35}_{44}$,xa$^{13}_{21}$xau$^{21}_{44}$çiɔŋ^{21}.

【𩮀刀布】pɔŋ^{35}tau^{35}pu^{53} 名本指荡刀布，也喻指很脏的衣服：要话细人子个衫裤唔知几□□$_{脏}$啊，你箇件衫嘞成哩～哇。iau$^{53}_{44}$ua$^{53}_{44}$se^{53}ɲin^{13}tsɿ^{0} ke$^{53}_{44}$san^{35}fu$^{53}_{44}$n̩^{13}ti$^{35}_{44}$ci^{21}lek^{5} tʂek^{5} a^{0} ,ɲi^{13}kai$^{53}_{44}$c^{h}ien$^{53}_{44}$san^{35} le^{0} ʂaŋ$^{13}_{21}$li^{0} pɔŋ$^{35}_{44}$tau$^{35}_{44}$pu^{53}ua^{0}.

【绑饭】pɔŋ^{21}fan^{53} 动就着菜把饭吃下去：有么个菜欸～呐。有么个好菜～。硬系食唔下嘞，搞滴子剁辣椒霉豆腐去绑下子。欸，搞滴剁辣椒霉豆腐去绑下子。mau^{13}mak^{3} ke^{0} ts^{h}ɔi^{53}e$_{21}$pɔŋ^{21} fan^{53}na^{0}.mau^{13}mak^{3} e^{0} xau^{21}ts^{h}ɔi^{53}pɔŋ^{21}fan^{53}. ɲiaŋ^{53}xe$^{53}_{44}$ʂət^{5} n̩$^{13}_{21}$xa$^{53}_{44}$le^{0},kau^{21}tet^{5} tsɿ^{0} to$^{53}_{44}$lait$^{5}_{3}$ tsiau^{35}mi$^{13}_{21}$t^{h}ei$^{53}_{44}$fu^{53} çi$^{53}_{44}$pɔŋ^{21}ŋa^{53}tsɿ^{0}.e$_{21}$,kau^{21}tiet$^{5}_{3}$ to^{53}lait^{5} tsiau$^{35}_{44}$mi$^{13}_{21}$t^{h}ei$^{53}_{44}$fu^{53}çi$^{53}_{44}$pɔŋ^{21}ŋa^{53}tsɿ^{0}.

【绑酒】pɔŋ^{21}tsiəu^{21}动就着菜把酒喝下去：肥猪肉就好～哇。嗯，让门子话嘞？有只么个话法咯。肥肉～就真对手。又食，又……就系大碗食肉个意思啊。大块食肉大碗食酒，都来得个人就安做真对手。有滴人是来唔得欸。一只就食肥猪肉就渠就食哩一坨两坨就食唔得哩，系唔系？有滴嘞食酒嘞食烧……就讲烧酒哇，烧酒嘞食倒一口子，舞倒箇食倒一口子就食唔得哩。箇个就不是真对手。就蛮厉害，欸，可以跟倒来得个人，箇个就安做真对手。肥肉绑酒真对手。大块大块个猪肉，肥猪肉，又来～，箇个就真对手。就系有真功夫。p^{h}i^{13}tʂəu$^{35}_{44}$ ɲiəuk^{3} ts^{h}iəu^{53}xau^{21}pɔŋ^{21}tsiəu^{21}ua^{0}.n̩$_{21}$, ɲiɔŋ^{53}mən^{0} tsɿ^{0} ua$^{53}_{44}$lei^{0} ?iəu$^{35}_{44}$tʂak^{3} mak^{3} e^{0} ua^{53}fait^{3} ko^{0} .p^{h}i^{13}ɲiəuk^{3} pɔŋ^{21}tsiəu^{21}ts^{h}iəu$^{53}_{44}$tin^{35}ti^{53}ʂəu^{21}.iəu^{53}ʂət^{5} ,iəu^{53}⋯tsiəu$^{53}_{44}$xe$^{53}_{44}$t^{h}ai^{53}uɔn^{21}ʂət^{5} ɲiəuk^{3} ke^{53}i$^{53}_{44}$sɿ^{0} a^{0} .t^{h}ai^{53}k^{h}uai^{53}ʂət^{5}

ȵiəuk3 tʰai53 uən21 ʂət5 tsiəu21,təu35 lɔi13 tek3 ke53 ȵin13-21 tsʰiəu53-44 ɔn35-44 tso53-44 tin35 ti53 ʂəu21.iəu35 tet5 ȵin13-44 ʂʅ53-44 lɔi13 n̩13-21 tek3 e0.iet3 tʂak3 tsʰiəu53-44 ʂət5 pʰi13 tʂəu35-44 ȵiəuk3 tsʰiəu53 ci13 tsʰiəu53-44 ʂət5 li0 iet3 tʰo13 iɔŋ21 tʰo13 tsʰiəu53-44 ʂət5 n̩13-21 tek3 li0,xei53-44 me53-44?iəu35 tet5 le0 ʂət5 tsiəu21 le0 ʂət5 ʂau35…tsiəu53-44 kɔŋ21 ʂau35 tsiəu21 ua0,ʂau35 tsiəu21 lei0 ʂət5 tau21 iet3 xei21 tsʅ0,u21 tau21 kai53 ʂət5 tau21 iet3 xei21 tsʅ0 tsʰiəu53-44 ʂət5 n̩13-21 tek3 li0.kai53-44 ke53-44 tsʰiəu53 pət3 ʂʅ53 tin35 ti53 ʂəu21.tsʰiəu53-44 man13-21 li53 xɔi53-44,e21,kʰo21 i35-44 cien35 tau21 lɔi13 tek3 ke53-44 ȵin13-44,kai53-44 ke53-44 tsʰiəu53-44 ɔn35-44 tso53-44 tin35 ti53 ʂəu21.pʰi13 ȵiəuk3 pɔŋ21 tsiəu21 tin35 ti53 ʂəu21.tʰai53 kʰuai53-44 tʰai53-44 kʰuai53-44 ke0 tʂəu35 ȵiəuk3,pʰi13 tʂəu35 ȵiəuk3,iəu53 lɔi13-21 pɔŋ21 tsiəu21,kai53 ke53 tsʰiəu53-44 tin35 ti53 ʂəu21.tsʰiəu53 xe53-44 iəu35-44 tʂən35 kəŋ35-44 fu35-44.｜从前是食酒是安做么个？肥肉～哇真对手。我讲过吧？肥肉，肥猪肉哇，大坨大坨个肥猪肉哇。tsʰəŋ13 tsʰien13 ʂʅ53-44 ʂət5 tsiəu21 ʂʅ53-44 ɔn35-44 tso53-44 mak3 e0?pʰi13 ȵiəuk3 pɔŋ21 tsiəu21 ua0 tin35 ti53 ʂəu21.ŋai13 kɔŋ21 ko53 pa0?pʰi13 ȵiəuk3,pʰi13 tʂəu35 ȵiəuk3 ua0,tʰai53 tʰo13 tʰai53 tʰo13 ke0 pʰi13 tʂəu35 ȵiəuk3 ua0.

【膀子】pɔŋ21 tsʅ0 [名]胳膊：箇只细子人就矮矮子啊，手～蛮有劲呐。手～懑大呀。也可以唔加“手”字，～蛮有劲呐，欸，～懑大呀。kai53 ak3 se53 tsʅ0 ȵin13 tsʰiəu53 ai21 ai21 tsa0,ʂəu21 pɔŋ21 tsʅ0 man13 iəu35 cin53 na0.ʂəu21 pɔŋ21 tsʅ0 mən35 tʰai53 ia0.ia35 kʰo21 i35-44 n̩13 cia35-44 ʂəu21 tsʰʅ53-21,pɔŋ21 tsʅ0 man13 iəu35 cin53 na0,e21,pɔŋ21 tsʅ0 mən35 tʰai53 ia0.

【蚌壳】pʰɔŋ53 kʰɔk3 [名]水蚌，生活在淡水里的一种软体动物，介壳长圆形，表面黑褐色。又称“康膏”：喊～。街上有卖呀。渠等浏阳话就喊么个唠喊……康膏。康膏肉。也好像系浏阳话一样哩系哩。本地话样，讲康膏哩。我等就喊呢～嘞。xan21 pʰɔŋ53 kʰɔk3.kai35-44 xɔŋ53-44 iəu35 mai53 ia0.ci13 tien0 liəu13 iɔŋ13-44 fa53 tsʰiəu53-44 xan53 mak3 e0 lau0 xan53-44…kʰɔŋ35 kau53.kʰɔŋ35 kau53 ȵiəuk3.a35-21 xau21 tsʰiɔŋ53 xei53 liəu13 iɔŋ13-44 fa53 iet3 iɔŋ53-44 li0 xe53 li0.pən21 tʰi53 fa53 iɔŋ53-44,kɔŋ21 kʰɔŋ35 kau53 li0.ŋai13-21 tien0 tsʰiəu53-44 xan53-44 ne0 pʰɔŋ53 kʰɔk3 lei0.

【蚌壳灯】pʰɔŋ53 kʰɔk3 tien35 [名]一种传统灯舞。表演时，一少女饰“蚌壳精”藏身于蚌壳中，双手抓住蚌壳做翕张动作，另一人扮渔翁擒捉蚌壳：欸，有滴人呢舞又出～。e21,iəu35 tet5-3 ȵin13-21 ne0 u21 iəu53-21 tʂʰət3 pʰɔŋ53 kʰɔk3 tien35.

【蚌壳精】pʰɔŋ53 kʰɔk3 tsin35 [名]传说蚌壳化作的精灵：我等以映子有种灯安做蚌壳灯。扎只咁个用竹篾啊扎只咁个蚌壳，箇只一肚里就同箇个戴顶草帽哇戴只咁个笠嫲样个咁子，箇只人呢一夹夹啊去，舞条绳子缔嘿背囊上。以只蚌壳嘞，箇是有……咁子人徛倒，咁徛倒，有以咁大呀。两只翼拍样，咁子夹呀夹哩。一只妹子人呐，欸～是系只夫娘子吵。系啊？一般是讲～。就出蚌壳灯。以就舞只箇个～。欸，扎只蚌壳。箇个传说肚里箇精怪，～。ŋai13 tien0 i21 iaŋ53 tsʅ0 iəu35 tʂəŋ21 ten35 ɔn35-44 tso53-44 pʰɔŋ53 kʰɔk3 ten35.tsait3 tʂak3 kan21 kei53-44 iəŋ53 tʂəuk3 sak3 a0 tsait3 tʂak3 kan21 ke0 pʰɔŋ53 kʰɔk3,kai53 tʂak3 iet3 təu21 li35 tsʰiəu53 tʰəŋ13 kai53-44 kei53-44 tai53 taŋ21 tsʰau21 mau53-44 ua0 tai53 tʂak3 kan21 kei53 liet3 ma13 iɔŋ53-44 ke0 kan21 tsʅ0,kai53 tʂak3 ȵin13 nei0 iet3 kait3 kait3 a0 çi53-44,u21 tʰiau13 ʂən13 tsʅ0 tʰak3 ek3 pɔi53 lɔŋ13-21 xɔŋ53.i21 tʂak3 pʰɔŋ53 kʰɔk3 lei0,kai53-44 ʂʅ53-44 iəu35…kan21 tsʅ0 ȵin13 cʰi35 tau21,kan21 cʰi35 tau21,iəu35 i21 kan21 tʰai53 ia0.iɔŋ21 tʂak3 iet5 pʰak3 iɔŋ53,kan21 tsʅ0 kait3 ia0 kait3 li0.iet3 tʂak3 mɔi53 tsʅ0 ȵin13 na0,e21 pʰɔŋ53 kʰɔk3 tsin35 ʂʅ53-44 xei53 tʂak3 pu35 ȵiɔŋ13-21 tsʅ0 ʂa0.xei53 a0?iet3 pɔn35 ʂʅ53-44 kɔŋ21 pʰɔŋ53 kʰɔk3 tsin35.tsʰiəu53-44 tʂʰət3 pʰɔŋ53 kʰɔk3 ten35.i21 tsʰiəu53 u21 tʂak3 kai53-44 ke0 pʰɔŋ53 kʰɔk3 tsin35.e21,tsait3 tʂak3 pʰɔŋ53 kʰɔk3.kai53-44 ke53-44 tʂʰɔn13 ʂət3 təu21 li35-44 kai53-44 tsin35 kuai53,pʰɔŋ53 kʰɔk3 tsin35.

【棒菜】pɔŋ53 tsʰɔi53 [名]芥菜的一个新品种，即笋子芥：以几年嘞我等就做买滴滴～做黄菜。i21 ci21 ȵien13 le0 ŋai13 tien0 tsʰiəu53-44 tso53-21 mai35 tiet5-3 tiet5-3 pɔŋ53 tsʰɔi53 tso53 uɔŋ13 tsʰɔi53.

【棒花】pɔŋ53 fa35 [形]状态词。形容视线非常模糊，很不清楚：箇灯光一晟，晟倒眼珠～个唠。kai53 ten35 kɔŋ35 iet3 tsʰaŋ13,tsʰaŋ13 tau21 ŋan21 tʂəu35 pɔŋ53 fa35 ke0 lau0.｜欸就人老哩眼珠～了，就老花眼。e21 tsʰiəu53 ȵin13 lau21 li0 ŋan21 tʂəu35-44 pɔŋ53 fa35-44 liau0,tsʰiəu53-44 lau21 fa35-44 ŋan21.

【傍】pʰɔŋ53 [动]靠；靠近：都喜欢～山而居啊，欸，～山来做只屋。təu35 çi21 fɔŋ35 pʰɔŋ53 san35 ʮ13 tʂʮ35 ʐa0,e21,pʰɔŋ53 san35 lɔi13-21 tso53 tʂak3 uk3.

【傍杠】pʰɔŋ53 kɔŋ53 [动]在棺材两侧帮衬，保证棺材平稳地往前抬：～是第一冇味道啦。有劲个人是肯做打前井欸打出山呐，有劲个人咯肯做打出山呐。我是我也捆嘿蛮多嘞，我也捆过蛮多只嘞。我等捆……做八仙个时候子就冇年纪，两十多岁子就架势捆。箇阵子是我就刮瘦刮瘦呀，冇么个力嘞，肯定爱我～。但是～个人呢爱灵活。箇平地箇马路是箇是好走唠，系唔系啊？箇是搞稳去啰。～个人，正碰倒箇上岭岗，我等箇栏场是我等老家是山里吵。上岭岗个路多啊，上岭岗撞怕是硬爱用手顶稳呐，咁高哇，撞怕就爱跍倒箇～呐来爱用爱咁子扐稳呐，又矮嘿哩吵，你跍倒箇，打比以条路咁子上，以条路咁个斜个咁子上，你搁倒来，唔系以，你跍倒以边～个人是就爱要撑起来，跍下以边～个人就你又一顶下起来，箇唔系底下更搞唔起哩？你就爱手扐稳，要扐得矮矮子，咁子扐倒。就咁个。以个～个人是冇滴味道。嗯，累死人。顶倒箇一下么几百斤。pʰɔŋ^{53}kɔŋ^{53}ʂʅ$^{53}_{21}$tʰi^{53}iet^{3} mau^{13}uei^{53}tʰau^{53}la^{0}.iəu^{35}cin^{53}ke^{0}ɲin$^{13}_{21}$ʂʅ$^{53}_{21}$xen^{21} tso^{53}ta^{21}tsʰien^{13}tsiaŋ^{21}e$_{21}$ta^{21}tʂʰət^{3} san^{35}na^{0},iəu^{35}cin^{53}ke^{0}ɲin^{13}ko^{0} xen^{21}tso^{53}ta^{21}tʂʰət^{3} san^{35}na^{0}.ŋai^{13}ʂʅ$^{53}_{44}$ŋai^{13}ia$^{35}_{53}$ kɔŋ^{35}ŋek^{3} man$^{13}_{21}$to$^{35}_{44}$le^{0},ŋai^{13}a$^{35}_{53}$kɔŋ^{35}ko$^{53}_{44}$man^{13}to$^{35}_{53}$tʂak^{3} le^{0}.ŋai^{13}tien^{0} kɔŋ^{35}…tso^{53}pait^{3} sien$^{35}_{44}$ke^{0} ʂʅ$^{13}_{44}$xəu$^{53}_{44}$tsʅ^{0} tsʰiəu^{53}mau$^{13}_{21}$ɲien^{13}ci$^{21}_{44}$,iɔŋ^{21}ʂət^{5} to$^{35}_{44}$sɔi^{53}tsʅ^{0} tsʰiəu$^{53}_{44}$cia$^{53}_{44}$ʂʅ$^{53}_{44}$kɔŋ^{35}.kai^{53}tʂʰən$^{53}_{44}$tsʅ^{0} ʂʅ$^{53}_{44}$ŋai^{13}tsʰiəu^{53}kuait^{5} sei^{53} kuait^{5} sei^{53}ia^{0},mau^{13}mak^{3} e^{0} liet^{5} le^{0},cʰien^{21}tʰin$^{53}_{44}$ɔi^{53}ŋai^{13}pʰɔŋ^{53}kɔŋ^{53}.tan$^{53}_{44}$ʂʅ$^{53}_{44}$pʰɔŋ^{53}kɔŋ^{53}ke^{0}ɲin$^{13}_{21}$ne^{0} ɔi^{53}lin^{13} xɔit^{5}.kai$^{53}_{44}$pʰiaŋ^{13}tʰi^{53}kai$^{53}_{44}$ma^{35}ləu^{53}ʂʅ$^{53}_{44}$kai^{53}ʂʅ^{53}xau^{21}tsei^{21}lau^{0},xei^{53}mei^{53}a^{0}?kai$^{53}_{44}$ʂʅ$^{53}_{44}$kau^{21}uən^{21}cʰi^{53}lo^{0}.pʰɔŋ^{53} kɔŋ^{53}ke^{0}ɲin$^{13}_{44}$,tʂaŋ$^{53}_{44}$pʰəŋ^{53}tau^{21}kai^{53}ʂɔŋ$^{35}_{44}$liaŋ^{35}kɔŋ$^{35}_{44}$,ŋai^{13}tien^{0} kai^{53}laŋ$^{13}_{44}$tʂʰɔŋ$^{13}_{44}$ʂʅ$^{53}_{44}$ŋai^{13}tien^{0} lau^{21}cia$^{35}_{44}$ʂʅ^{53}san^{35} ni^{21}ʂa^{0}.ʂɔŋ$^{35}_{44}$liaŋ^{35}kɔŋ$^{35}_{44}$ke^{0} ləu$^{53}_{44}$to^{35}a^{0},ʂɔŋ$^{35}_{44}$liaŋ^{35}kɔŋ$^{35}_{44}$tsʰɔŋ^{21}pʰa$^{53}_{44}$ʂʅ$^{53}_{44}$ɲiaŋ^{53}ɔi^{53}iəŋ^{53}ʂəu^{21}tin^{21}uən^{21}na^{0},kan^{21} kau$^{35}_{44}$ua^{0},tsʰɔŋ^{21}pʰa^{53}tsʰiəu^{53}ɔi$^{53}_{44}$kʰu^{35}tau^{21}kai$^{53}_{44}$pʰɔŋ^{53}kɔŋ^{53}na^{0} lɔi$^{13}_{44}$ɔi$^{53}_{44}$iəŋ$^{53}_{44}$ɔi$^{53}_{44}$kan^{21}tsʅ^{0} leit^{5} uən^{21}na^{0},iəu^{53}ai^{21} (x)ek^{3} li^{0} ʂa^{0}, ɲi^{13}ku$^{35}_{44}$tau^{21}kai^{53},ta^{21}pi$^{53}_{44}$i^{21}tʰiau^{13}ləu^{53}kan$^{21}_{13}$tsʅ^{0} ʂɔŋ^{35},i^{21}tʰiau^{13}ləu^{53}kan$^{21}_{13}$cie^{53}tsʰia^{13}ke^{53}kan$^{21}_{13}$tsʅ^{0} ʂɔŋ^{35}, ɲi$^{13}_{21}$kɔŋ^{35}tau^{21}lɔi$^{13}_{21}$,m̩^{13}pʰe^{53}i^{21}, ɲi$^{13}_{21}$ku^{35}tau^{21}i^{21}pien$^{35}_{44}$pʰɔŋ^{53}kɔŋ^{53}ke^{0}ɲin$^{13}_{44}$ʂʅ$^{53}_{44}$tsʰiəu$^{53}_{44}$ɔi$^{53}_{44}$iau^{53}tsʰaŋ^{53}çi^{21}lɔi$^{13}_{21}$, ku$^{35}_{44}$xa^{53}i$^{13}_{21}$pien^{35}pʰɔŋ^{53}kɔŋ^{53}ke^{0}ɲin$^{13}_{21}$tsʰiəu^{53}ɲi^{13}iəu^{53}iet^{3} tin^{21}na$^{53}_{44}$çi$^{21}_{44}$lɔi$^{13}_{44}$,kai^{53}m̩$^{13}_{21}$pʰei$^{53}_{44}$tei^{21}xa$^{53}_{44}$cien^{53}kau^{21}n̩$^{13}_{44}$çi^{21} li^{0}?ɲi^{13}tsʰiəu^{53}ɔi$^{53}_{44}$ʂəu^{21}let^{5} uən^{21},iau$^{53}_{44}$let^{5} tek^{3} ai^{21}ai^{21}tsʅ^{0},kan^{21}tsʅ^{0} let^{5} tau^{21}.tsiəu$^{53}_{21}$kan^{21}cie$^{53}_{44}$.i$^{13}_{21}$kei$^{53}_{44}$pʰɔŋ^{53}kɔŋ^{53} ke$^{53}_{44}$ɲin$^{13}_{44}$ʂʅ$^{53}_{44}$mau^{13}tet^{5} uei$^{53}_{44}$tʰau$^{53}_{44}$.n̩$_{44}$,li^{53}si^{21}ɲin^{13}.tin^{21}tau$^{21}_{44}$kai^{53}iet^{3} xa^{53}me^{0} ci^{21}pak^{3} cin^{35}.

【磅】pɔŋ^{53} 量英美制质量或重量单位：（磅锤）有八～，十～，有十二～个。iəu^{35}pait^{3} pɔŋ$^{53}_{44}$,ʂət^{5} pɔŋ$^{53}_{44}$,iəu^{35}ʂət^{5}ɲi^{53}pɔŋ^{53}ke$^{53}_{44}$.

【磅秤】pɔŋ^{53}tʂʰən^{53} 名以金属做成，底座上有承重的金属板，用来衡量物体轻重的器具：～呢一般就系一般指箇起铁做个，嗯，人可以徛上去称个，箇就咁个～。欸，还有起么盘子秤，还有盘秤子，箇个药铺哩箇只就安做戥子。pɔŋ^{53}tʂʰən$^{53}_{44}$nei^{0} iet^{3} pɔn^{35}tsʰiəu$^{53}_{44}$xei$^{53}_{44}$iet^{3} pɔn^{35}tʂʅ^{21}kai$^{53}_{44}$ çi$^{21}_{44}$tʰiet^{3} tso$^{53}_{44}$kei$^{53}_{44}$,n̩$_{21}$, ɲin^{13}kʰo^{21}i$^{35}_{44}$cʰi^{35}ʂɔŋ$^{53}_{44}$çi$^{53}_{44}$tʂʰən^{53}cie$^{53}_{44}$,kai$^{53}_{44}$tsʰiəu$^{53}_{44}$kan^{21}ke^{0} pɔŋ^{53}tʂʰən$^{53}_{44}$.e$_{21}$,xai^{13}iəu$^{35}_{53}$çi^{21} mak^{3} pʰan^{13}tsʅ^{0} tʂʰən^{53},xai^{13}iəu$^{35}_{53}$pʰan^{13}tʂʰən^{53}tsʅ^{0},kai$^{53}_{44}$ke^{0} iɔk^{5} pʰu$^{53}_{44}$li^{0} kai$^{53}_{44}$tʂak^{3} tsʰiəu$^{53}_{44}$ɔn$^{35}_{44}$tso$^{53}_{44}$tian^{21}tsʅ^{0}.

【磅锤】pɔŋ^{53}tʂʰei^{13} 名用于开石头或打钢钎的，分八磅、十磅、十二磅：箇个七八斤个箇个。/哦，喊～。/痞重个。/以个开石个啊。/开石个，系系系。kai$^{53}_{44}$ke$^{53}_{44}$tsʰiet^{3} pait^{3} cin^{35}ke$^{53}_{44}$kai$^{53}_{44}$ ke$^{53}_{44}$./o$_{44}$,xan$^{53}_{44}$pɔŋ^{53}tʂʰei^{13}./tek^{5} tʂʰəŋ$^{35}_{44}$ke$^{53}_{44}$./i$^{21}_{44}$ke$^{53}_{44}$kʰɔi^{35}ʂak^{5} ke$^{53}_{44}$a^{0}./kʰɔi^{35}ʂak^{5} ke$^{53}_{44}$,xe$^{53}_{44}$xe$^{53}_{21}$xe$^{53}_{21}$. | 噢，箇个是打石用个。/箇是根据渠箇只重量来确定个。箇只喊～吧箇个它？/欸欸欸，渠箇只～～嘞，渠又系几多磅几多磅。有八磅，十磅，有十二磅个。/系呀，有大细。au$_{21}$,kai$^{53}_{44}$ke$^{53}_{44}$ʂʅ$^{53}_{44}$ta^{21}ʂak^{5} iəŋ^{53}ke$^{53}_{44}$./kai$^{53}_{44}$ʂʅ$^{53}_{44}$cien^{35}tʂʮ$^{53}_{44}$ci$^{13}_{44}$kai$^{53}_{44}$tʂak^{3} tʂʰəŋ^{53}liɔŋ$^{53}_{44}$lɔi^{13}cʰiɔk^{3} tʰin$^{53}_{44}$ke$^{53}_{44}$.kai$^{53}_{44}$tʂak^{3} xan$^{53}_{35}$pɔŋ^{53}tʂʰei^{13}pa^{0} kai$^{53}_{44}$ ke$^{53}_{44}$tʰa$^{35}_{21}$?/e$_{53}$e$_{44}$e$_{44}$,ci^{13}kai$^{53}_{44}$tʂak^{3} pɔŋ^{53}tʂʰei^{13}pɔŋ^{53}tʂʰei^{13}lei^{0} ,ci^{13}iəu$^{53}_{44}$xei$^{53}_{44}$ci^{21}to^{35}pɔŋ^{53}ci^{21}to^{35}pɔŋ^{53}.iəu^{35}pait^{3} pɔŋ$^{53}_{44}$,ʂət^{5} pɔŋ$^{53}_{44}$,iəu^{35}ʂət^{5}ɲi^{53}pɔŋ^{53}ke$^{53}_{44}$./xei$^{53}_{44}$ia^{0} ,iəu^{35}tʰai^{53}sei^{53}.

【啷啷】paŋ$_{53}$paŋ$_{21}$ 拟声模拟爆裂的声音：渠会爆，会炸～炸叭叭濽，射得你一身个油。ci$^{13}_{21}$ uɔi$^{53}_{44}$pau^{53},uɔi$^{53}_{44}$tsa$^{53}_{44}$paŋ$_{53}$paŋ$_{21}$tsa^{53}pa$_{53}$pa$_{21}$tsan^{53},ʂa^{53}tek^{3}ɲi$^{13}_{21}$iet^{3} ʂən^{35}ke^{53}iəu^{13}.

【包$_{1}$】pau^{35} 动①裹：舞滴棉絮去～稳。u^{21}tet^{5} mien^{13}si^{53}çi$^{53}_{44}$pau^{35}uən^{21}. | 大襟衫就咁子～下转去吵。tʰai^{53}cin$^{35}_{44}$san$^{35}_{44}$tsʰiəu^{53}kan^{21}tsʅ^{0} pau^{35}ua$_{44}$(←xa^{53})tʂɔn^{21}cʰie$^{53}_{44}$ʂa^{0}. ②把整个任务承担下来，负责完成：从前做厨师也还爱剧猪咯，～剧猪喔。tsʰəŋ^{13}tsʰien$^{13}_{44}$tso^{53}tʂʰəu^{13}ʂʅ$^{35}_{44}$ia$^{35}_{44}$xa$^{13}_{21}$ɔi$^{53}_{44}$tʂʰʅ$^{13}_{21}$tʂəu^{35} ko^{0},pau$^{35}_{44}$tʂʰʅ$^{13}_{21}$tʂəu^{35}uo^{0}. ③担保：箇个招呼系学倒个哈！我就唔敢～哈！kai$^{53}_{44}$ke$^{53}_{44}$tʂau^{35}fu$^{35}_{44}$xe$^{53}_{44}$xɔk^{5} tau^{21}ke$^{53}_{44}$xa^{0} !ŋai^{13}tsʰiəu^{53}n̩$^{13}_{21}$kan^{21}pau^{35}xa^{0}！④约定专用：如今就有啊欸箇晡夜晡就去～只歌厅呐，去唱歌啊，去跳舞哇，如今就搞咁个了。i$^{13}_{21}$cin^{35}tsʰiəu^{53}iəu^{35}a^{0} ei^{0} kai$^{53}_{44}$pu^{35}ia$^{53}_{44}$pu$^{35}_{44}$tsiəu$^{53}_{44}$çi^{53}pau^{35}tʂak^{3} ko^{35}tʰin^{35}na^{0} ,çi^{53}tʂʰɔŋ^{53}ko^{35}a^{0} ,çi^{53}tʰiau^{53}u^{35}ua^{0} ,i$^{13}_{21}$cin^{35}tsʰiəu^{53}kau^{21}kan$^{21}_{35}$cie$^{53}_{44}$liau^{0}. ⑤总括在一起：我就有～唔亲个姨子就我就有两只姨子啊。ŋai^{13}tsʰiəu$^{53}_{44}$iəu$^{35}_{44}$pau^{35}n̩^{13}tsʰin$^{35}_{44}$ke$^{53}_{44}$i^{13}tsʅ^{0} tsʰiəu^{53}ŋai^{13}tsʰiəu$^{53}_{44}$ iəu$^{35}_{53}$iɔŋ^{21}tʂak^{3} i^{13}tsʅ^{0} a^{0}. ⑥围绕；包围：欸客家人作揖就有讲究哇。系，系有只么个哪只手～下去，我唔记得。有滴话左边～右边，右边～左边。ei$_{44}$kʰak^{3} ka$^{35}_{44}$ɲin$^{13}_{21}$tsɔk^{3} iet^{3} tsiəu$^{53}_{44}$iəu$^{35}_{44}$kɔŋ$^{21}_{35}$ciəu^{53} ua^{0} .xe^{53},xei$^{53}_{44}$iəu^{35}tʂak^{3} mak^{3} ke$^{53}_{44}$lai^{53}tʂak^{3} ʂəu^{21}pau^{35}xa$^{53}_{44}$çi^{53},ŋai$^{13}_{21}$ŋ̍^{13}ci^{53}tek^{3} .iəu^{35}tet^{5} ua$^{53}_{44}$tso^{21}pien^{35}pau$^{35}_{44}$iəu^{53} pien$^{35}_{44}$,iəu$^{53}_{44}$piən$^{35}_{44}$pau^{35}tso^{21}pien$^{35}_{44}$.

【包$_{2}$】pau^{35} 名身体上肿起的疙瘩：鼓只～ ku^{21}tʂak^{3} pau^{35} | 撞只～ tʂɔŋ^{21}tʂak^{3} pau^{35}

【包$_{3}$】pau^{35} 量用于包裹好的东西：一～药 iet^{3} pau^{35}iɔk^{5} | 发～子烟分渠。fait^{3} pau$^{35}_{44}$tsʅ^{0} ien^{35}pən^{35}

ci$^{13}_{21}$. | 有滴（花炮）三只子包作一～子唠。iəu^{35}tet^{5}san^{35}tʂak^{3}tsɿ^{0}pau^{35}tsɔk^{3}iet^{3}pau^{35}tsɿ^{0}lau^{0}.

【包边】pau^{35}pien^{35} 名用斜裁布条或带子将衣物缝或某些器物边缘包裹起来，使其更耐用或美观：～是一般讲就系讲做衫呢。欸，以下又我老婆是箇个蒲扇呐，系唔系？箇蒲扇个边呢用箇篾箦子织个，渠就舞滴布去包只子边，要连稳来，欸，就更禁搞。pau^{35}pien^{35}ʂʅ$^{53}_{44}$iet^{3}pɔn^{35}kɔŋ^{21}ts^{h}iəu$^{53}_{44}$xe^{53}kɔŋ^{21}tso^{53}san^{35}ne^{0}.e$_{21}$,i^{21}xa$^{53}_{44}$iəu$^{53}_{44}$ŋai^{13}lau^{21}p^{h}o^{13}ʂʅ$^{53}_{44}$kai$^{53}_{44}$kei$^{53}_{44}$p^{h}u^{13}ʂen^{53}na^{0},xei$^{53}_{44}$me$^{53}_{44}$?kai$^{53}_{44}$p^{h}u^{13}ʂen^{53}ke^{0}pien^{35}ne^{0}iəŋ$^{53}_{44}$kai$^{53}_{44}$miet^{5}sak^{3}tsɿ^{0}tʂət^{3}cie^{53},ci^{13}ts^{h}iəu^{53}u^{21}tiet^{5}pu^{53}çi$^{53}_{44}$pau$^{35}_{44}$tʂak^{3}tsɿ^{0}pien^{35},iau$^{53}_{44}$lien^{13}uən^{21}nɔi^{13},e$_{21}$,ts^{h}iəu$^{53}_{44}$cien$^{53}_{44}$cin^{35}kau^{21}.

【包边门】pau^{35}pien^{35}mən^{13} 名①带有以包裹形式设置在门扇四周的边框的门：买门个时候子你就……以前请师傅做门个时候子，渠就讲下唠，我箇是你同我哪皮门就做做蒜子门哈，～呐，外背箇皮门呐爱扎实兜子啊。mai^{35}mən^{13}ke$^{53}_{44}$ʂʅ^{13}xəu^{53}tsɿ^{0}ɲi$^{13}_{21}$ts^{h}iəu$^{53}_{44}$…i$^{35}_{53}$ts^{h}ien$^{13}_{44}$ts^{h}iaŋ^{21}sɿ$^{35}_{44}$fu$^{53}_{44}$tso^{53}mən^{13}ke^{53}ʂʅ^{13}xəu$^{53}_{44}$tsɿ^{0},ci$^{13}_{21}$ts^{h}iəu^{53}kɔŋ^{21}ŋa$_{21}$lau^{0},ŋai^{13}kai^{53}ʂʅ^{53}ɲi$^{13}_{44}$t^{h}əŋ$^{13}_{44}$ŋai$^{13}_{44}$la^{53}p^{h}i$^{13}_{21}$mən^{13}ts^{h}iəu$^{53}_{44}$tso$^{53}_{44}$tso$^{53}_{44}$sɔn^{53}tsɿ^{0}mən^{13}xa^{0},pau^{35}pien$^{35}_{44}$mən^{13}na^{0},ŋɔi^{53}pɔi$^{53}_{44}$kai^{53}p^{h}i$^{13}_{21}$mən^{13}na^{0}ɔi^{53}tsait^{3}ʂət^{5}tei$^{35}_{53}$tsa^{0}. ②一栋房子最外围通向屋外的门：～就同外界接触个最外层个门，最外背一层个门就安做～。打比你箇只屋有三间屋样，系唔系？厅下箇皮门渠个肚里就屋肚里，里背就屋肚里，外背就系屋外背了，系唔系？欸，箇皮安做～。箇个安做～。壁背灶下你开皮子门，开出转外背个，箇皮也安做～，渠打下开来就出去外背去哩。箇起～爱更扎实。pau^{35}pien$^{35}_{53}$mən$^{13}_{21}$ts^{h}iəu^{53}t^{h}əŋ^{13}uai^{53}kai^{53}tsiait^{3}tʂ^{h}əuk^{5}ke^{0}tsei^{53}uai^{53}ts^{h}ien^{13}ke^{53}mən$^{13}_{21}$,tsei^{53}ŋɔi^{53}pɔi^{53}iet^{3}ts^{h}ien$^{13}_{21}$ke^{53}mən$^{13}_{21}$ts^{h}iəu$^{53}_{21}$ɔn$^{35}_{53}$tso^{53}pau^{35}pien$^{35}_{44}$mən^{13}.ta^{21}pi^{21}ɲi^{13}kai^{53}tʂak^{3}uk^{3}iəu^{35}san^{35}kan$^{35}_{44}$uk^{3}iɔŋ^{53},xei$^{53}_{44}$me$^{53}_{44}$?t^{h}aŋ^{35}xa$^{53}_{44}$kai^{53}p^{h}i$^{13}_{21}$mən$^{13}_{21}$ci$^{13}_{21}$kei^{53}təu^{21}li^{0}ts^{h}iəu^{53}uk^{3}təu^{21}li^{0},ti^{35}pɔi^{53}ts^{h}iəu^{53}uk^{3}təu^{21}li^{0},ŋɔi^{53}pɔi$^{53}_{44}$ts^{h}iəu$^{53}_{44}$xe$^{53}_{44}$uk^{3}ŋɔi^{53}pɔi^{53}liau^{0},xei^{53}me^{53}?e$_{21}$,kai^{53}p^{h}i$^{13}_{21}$ɔn$^{35}_{44}$tso$^{53}_{44}$pau^{35}pien$^{35}_{44}$mən^{13}.kai$^{53}_{44}$cie$^{53}_{44}$ɔn$^{35}_{44}$tso$^{53}_{44}$pau^{35}pien$^{35}_{53}$mən$^{13}_{44}$.piak^{3}pɔi^{53}tsau^{53}xa$^{53}_{44}$ɲi$^{13}_{21}$k^{h}ɔi^{35}p^{h}i$^{13}_{21}$tsɿ^{0}mən^{13},k^{h}ɔi^{35}tʂ^{h}ət^{3}tʂuɔn^{21}ŋɔi^{53}pɔi$^{53}_{44}$ke$^{53}_{44}$,kai^{53}p^{h}i$^{13}_{44}$ia^{35}ɔn$^{35}_{53}$tso^{53}pau^{35}pien$^{35}_{44}$mən$^{13}_{21}$,ci$^{13}_{21}$ta^{21}xa$^{53}_{44}$k^{h}ɔi$^{35}_{44}$lɔi$^{13}_{21}$ts^{h}iəu$^{53}_{44}$tʂ^{h}ət^{3}çi$^{53}_{44}$ŋɔi^{53}pɔi$^{53}_{44}$çi^{53}li^{0}.kai^{53}çi^{21}pau^{35}pien$^{35}_{53}$mən$^{13}_{21}$ɔi^{53}cien^{53}tsait^{3}ʂət^{5}.

【包菜】pau^{35}ts^{h}ɔi^{53} 名甘蓝：～蛮多了，以下～是蛮多了。春天个～安做春包菜。一般是冬下个，～是冬下个正有个。夏天秋天是冇得，就春包菜。pau^{35}ts^{h}ɔi^{53}man^{13}to^{35}liau^{0},i^{21}xa$^{53}_{44}$pau^{35}ts^{h}ɔi^{53}ʂʅ$^{53}_{44}$man^{13}to^{35}liau^{0}.tʂ^{h}ən^{35}t^{h}ien$^{35}_{44}$ke^{0}pau^{35}ts^{h}ɔi^{53}ts^{h}iəu$^{53}_{44}$ɔn$^{35}_{44}$tso$^{53}_{44}$tʂ^{h}ən^{35}pau$^{35}_{44}$ts^{h}ɔi^{53}.iet^{3}pɔn^{35}ʂʅ$^{53}_{44}$təŋ^{35}xa^{35}ke^{0},pau^{35}ts^{h}ɔi^{53}ʂʅ$^{53}_{44}$təŋ^{35}xa$^{35}_{44}$ke^{0}tʂaŋ$^{53}_{44}$iəu$^{35}_{44}$ke^{0}.çia^{53}t^{h}ien$^{35}_{44}$ts^{h}iəu^{35}t^{h}ien$^{35}_{44}$ʂʅ$^{53}_{44}$mau$^{13}_{21}$tek^{3},ts^{h}iəu$^{53}_{44}$tʂ^{h}ən^{35}pau$^{35}_{44}$ts^{h}ɔi^{53}.

【包单】pau^{35}tan$^{35}_{44}$ 名用被面、棉絮和被单钉成的被子：被窝单呢两起，一起安做～，一起安做捅单。～呢，就系同箇床单样，一块布，你爱让门子来钉被窝个时候子嘞，中间就放床棉絮，棉絮面上还爱放只印心，分箇个～呢包下转来，用针咁子连。以前是尽系咁子嘞。安做钉被窝。舞倒箇咁长个针，欸，用线咁子去钉。钉被窝。一般来讲都系让门子嘞？箇个跍倒厅下，欸摊床席，分被单扯抻来，面上呢两个人捆倒一床棉絮放倒，又放只印心去，箇就包转来，用针线舞。箇爱箇钉一床被窝还爱点把钟哦。箇就～。以下落尾就搞做做正来呀，分床棉絮舞下去以个以个就安做捅单。捅下进去。p^{h}i^{35}p^{h}o$^{35}_{44}$tan^{35}ne^{0}iɔŋ^{21}çi^{21},iet^{3}çi^{21}ɔn$^{35}_{44}$tso$^{53}_{44}$pau^{35}tan^{35},iet^{3}çi^{21}ɔn$^{35}_{44}$tso$^{53}_{44}$t^{h}əŋ^{21}tan^{35}.pau^{35}tan$^{35}_{44}$ne^{0},tsiəu^{53}xe^{53}t^{h}əŋ^{13}kai$^{53}_{44}$ts^{h}ɔŋ^{13}tan^{35}iɔŋ^{53},iet^{3}k^{h}uai$^{53}_{44}$pu^{53},ɲi^{13}ɔi$^{53}_{44}$ɲiɔŋ$^{53}_{44}$mən^{0}tsɿ^{0}lɔi^{13}tin^{53}p^{h}i^{35}p^{h}o$^{35}_{44}$ke^{0}ʂʅ^{13}xəu^{53}tsɿ^{0}le^{0},tʂəŋ^{35}kan$^{35}_{44}$ts^{h}iəu$^{53}_{44}$fɔŋ^{53}ts^{h}ɔŋ$^{13}_{21}$mien^{13}si^{53},mien^{13}si^{53}mien^{53}xɔŋ$^{53}_{44}$xai^{13}ɔi$^{53}_{44}$fɔŋ^{53}tʂak^{3}in^{53}sin$^{35}_{44}$,pən^{35}kai$^{53}_{44}$ke$^{53}_{44}$pau^{35}tan$^{35}_{44}$ne^{0}pau^{35}ua^{53}tʂɔn^{21}nɔi$^{13}_{21}$,iəŋ$^{53}_{44}$tʂən^{35}kan^{21}tsɿ^{0}lien^{13}.i$^{35}_{44}$ts^{h}ien^{13}ʂʅ$^{53}_{44}$ts^{h}in^{53}xe$^{53}_{44}$kan^{21}tsɿ^{0}le^{0}.ɔn^{35}tso$^{53}_{44}$tin^{53}p^{h}i^{35}p^{h}o$^{35}_{44}$.u^{21}tau^{21}kai^{53}kan^{21}tʂ^{h}ɔŋ$^{13}_{21}$ke$^{53}_{44}$tʂən^{35},e$_{21}$,iəŋ$^{53}_{44}$sen^{53}kan^{21}tsɿ^{0}çi$^{53}_{44}$tin^{53}.tin^{53}p^{h}i^{35}p^{h}o$^{35}_{44}$.iet^{3}pɔn^{35}nɔi$^{13}_{21}$kɔŋ^{21}təu$^{35}_{44}$xei$^{53}_{44}$ɲiɔŋ$^{53}_{44}$mən^{0}tsɿ^{0}le^{0}?kai$^{53}_{44}$ke$^{53}_{44}$k^{h}u^{35}tau^{21}t^{h}aŋ^{35}xa$^{35}_{44}$,e^{0}t^{h}an^{35}ts^{h}ɔŋ$^{13}_{21}$ts^{h}ia^{53},pən^{35}p^{h}i^{35}tan$^{35}_{44}$tʂ^{h}a^{21}tʂ^{h}ən^{35}nɔi$^{13}_{21}$,mien$^{53}_{44}$xɔŋ$^{53}_{44}$nei^{0}iɔŋ^{21}ke^{53}ɲin$^{13}_{21}$kɔŋ^{35}tau^{21}iet^{3}ts^{h}ɔŋ$^{13}_{21}$mien^{13}si^{53}fɔŋ^{53}tau^{21},iəu$^{53}_{44}$fɔŋ^{53}tʂak^{3}in^{53}sin$^{35}_{44}$çi$^{53}_{44}$,kai$^{53}_{44}$ts^{h}iəu$^{53}_{44}$pau^{35}tʂɔn^{21}nɔi^{13},iəŋ$^{53}_{44}$tʂən^{35}sen^{53}u^{21}.kai$^{53}_{44}$ɔi$^{53}_{44}$kai$^{53}_{44}$tin^{53}iet^{3}ts^{h}ɔŋ^{13}p^{h}i$^{53}_{44}$p^{h}o$^{35}_{44}$xai^{13}ɔi$^{53}_{44}$tian^{21}pa^{21}tʂəŋ^{35}ŋo^{0}.kai$^{53}_{44}$ts^{h}iəu$^{53}_{44}$pau^{35}tan^{35}.i^{21}ia$^{53}_{44}$lɔk^{5}mi^{35}ts^{h}iəu^{53}kau^{21}tso^{53}tso^{53}tʂaŋ^{53}lɔi$^{13}_{44}$ia^{0},pən^{35}ts^{h}ɔŋ^{13}mien^{13}si^{53}u^{21}xa$^{53}_{44}$çi^{53}i$^{21}_{13}$ke^{53}i$^{21}_{13}$ke$^{53}_{44}$ts^{h}iəu$^{53}_{44}$ɔn$^{35}_{44}$tso$^{53}_{44}$t^{h}əŋ^{21}tan^{35}.t^{h}əŋ^{21}ŋa^{35}tsin^{53}çi$^{53}_{44}$.

【包封】pau^{35}fəŋ^{35} 名包着礼金的红纸包，今称“红包”：欸，箇～忒系唔系轻哩？打比我爱一百块你只来六十块，箇你还爱重～，爱重，爱重起下子来。e$_{21}$,kai$^{53}_{44}$pau^{35}fəŋ$^{35}_{44}$t^{h}et^{3}xe^{53}me$^{53}_{44}$c^{h}iaŋ^{35}li^{0}?ta^{21}pi^{21}ŋai$^{13}_{21}$ɔi^{53}iet^{3}pak^{3}k^{h}uai^{53}ɲi^{13}tʂʅ^{21}lɔi^{13}liəuk^{3}ʂət^{5}k^{h}uai^{53},kai$^{53}_{44}$ɲi^{13}xai^{13}ɔi$^{53}_{44}$tʂ^{h}əŋ^{35}pau^{35}fəŋ^{35},ɔi$^{53}_{44}$tʂ^{h}əŋ^{35},ɔi$^{53}_{44}$tʂ^{h}əŋ^{35}çi^{21}xa$^{53}_{44}$tsɿ^{0}lɔi$^{13}_{21}$.

【包缝】pau^{35}p^{h}əŋ^{53} 名将两块布缝在一起，将边缘包起来并绞边而形成的衣缝：有两起缝欸。一起～，一起倒缝。iəu^{35}iɔŋ^{21}çi^{21}p^{h}əŋ^{53}ŋei^{0}.iet^{3}çi^{21}pau^{35}p^{h}əŋ^{53},iet^{3}çi^{21}tau^{21}p^{h}əŋ^{53}.

【包袱】pau^{35}fuk^{5} 名用布包成，便于携带的行李：扤只～ k^{h}uai^{21}tʂak^{3}pau^{35}fuk^{5}

【包公老爷】pau^{35}kəŋ$^{35}_{44}$lau^{21}ia^{13} 名对包公的敬称：我如今我唔信神就系么个？以只～，包公都渠都只会断案子吵，系唔系？包公会整病了硬嘞，欸，你话华佗庙，寻华佗庙整病，箇我还信兜子，箇～会整么个病唠硬？所以我唔多信。ŋai^{13}i$^{13}_{21}$cin$^{35}_{53}$ŋai$^{13}_{21}$n̩$^{13}_{21}$sin^{53}ʂən$^{13}_{21}$ts^{h}iəu$^{53}_{44}$xei$^{53}_{44}$mak^{3}e^{0}?i$^{21}_{44}$tʂak^{3}pau^{35}kəŋ$^{35}_{53}$lau^{21}ia^{13},pau^{35}kəŋ$^{35}_{44}$təu$^{35}_{53}$ci$^{13}_{21}$təu$^{35}_{53}$tʂʅ^{21}uɔi^{53}tɔn$^{53}_{44}$ŋɔn^{53}tsʅ^{0}ʂa^{0},xei^{53}me^{53}?pau^{35}kəŋ$^{35}_{44}$uɔi$^{53}_{44}$tʂaŋ^{21}p^{h}iaŋ^{53}liau^{21}ɲiaŋ^{53}le^{0},e$_{21}$, ɲi^{13}ua^{53}fa^{13}t^{h}o$^{13}_{21}$miau^{53},ts^{h}in^{13}fa^{13}t^{h}o$^{13}_{21}$miau^{53}tʂaŋ^{21}p^{h}iaŋ^{53},kai^{53}ŋai$^{13}_{21}$xai^{13}sin^{35}te$^{35}_{53}$tsʅ^{0},kai^{53}pau^{35}kəŋ$^{35}_{44}$lau^{21}ia^{13}uɔi^{53}tʂaŋ^{21}mak^{3}e^{0}p^{h}iaŋ^{53}lau^{0}ɲiaŋ^{53}?so^{21}i$^{35}_{53}$ŋai^{13}n̩^{13}to$^{35}_{44}$sin^{53}.

【包公庙】pau^{35}kəŋ^{35}miau^{53} 名供奉包公神像的庙宇：包公老爷个庙就安做～。我老妹子箇下去滴子就一只～。欸，我大老妹子箇下去呀下去滴子～。箇就唔知么个年代个了。我爷子细细子啊尽病哦，我娭子去嘿讲啊，我爷子细细子尽病。看稳带唔大了，落尾搞么个，落尾让门子搞嘞？到～里去，拜包公老爷做干爷。拜包老爷做干爷。箇就箇正正长大成人。所以渠命唔长啊，七十多子，尽病话嘞细个子细细子，我阿婆讲，带倒我爷子，长夜睡唔得话，吵话。我娭子箇晡去嘿讲。拜包老爷。pau^{35}kəŋ^{35}lau^{21}ia^{13}ke^{0}miau^{53}ts^{h}iəu$^{53}_{44}$ɔn$^{35}_{44}$tso$^{53}_{44}$pau^{35}kəŋ$^{35}_{44}$miau^{53}.ŋai^{13}lau^{21}mɔi^{53}tsʅ^{0}kai^{53}xa^{35}çi^{53}tiet^{5}tsʅ^{0}ts^{h}iəu$^{53}_{44}$iet^{3}tʂak^{3}pau$^{35}_{44}$kəŋ$^{35}_{44}$miau^{53}.e$_{21}$,ŋai^{13}t^{h}ai^{53}lau^{21}mɔi^{53}tsʅ^{0}kai$^{53}_{44}$xa^{35}çi^{53}ia^{0}xa^{35}çi^{53}tiet^{5}tsʅ^{0}pau$^{35}_{44}$kəŋ$^{35}_{44}$miau^{53}.kai^{53}ts^{h}iəu$^{53}_{44}$n̩^{13}ti$^{35}_{44}$mak^{3}e^{0}ɲien^{13}t^{h}ɔi^{53}ke^{53}liau^{0}.ŋai^{13}ia^{13}tsʅ^{0}se^{53}se^{53}tsʅ^{0}a^{0}ts^{h}in^{53}p^{h}iaŋ^{53}ŋo^{0},ŋai^{13}ɔi^{35}tsʅ^{0}çi^{53}xek^{3}kəŋ^{21}ŋa^{0},ŋai^{13}ia^{13}tsʅ^{0}se^{53}se^{53}tsʅ^{0}ts^{h}in^{53}p^{h}iaŋ^{53}.k^{h}ɔn^{53}uən^{21}tai^{53}n̩^{13}t^{h}ai^{53}liau^{0},lɔk^{5}mi$^{35}_{44}$kau^{21}mak^{3}e^{0},lɔk^{5}mi$^{35}_{44}$ɲiɔŋ$^{53}_{44}$mən^{0}tsʅ^{0}kau^{21}le^{0}?tau^{53}pau^{35}kəŋ$^{35}_{44}$miau^{53}li^{0}çi$^{53}_{44}$,pai^{53}pau^{35}kəŋ$^{35}_{44}$lau^{21}ia^{13}tso^{53}kɔn^{35}ia$^{13}_{21}$.pai^{53}pau^{35}lau^{21}ia^{13}tso^{53}kɔn^{35}ia$^{13}_{21}$.kai^{53}ts^{h}iəu$^{53}_{44}$kai^{53}tʂaŋ$^{53}_{44}$tʂaŋ^{53}tʂɔŋ^{21}t^{h}ai^{53}tʂ^{h}ən$^{13}_{21}$ɲin$^{13}_{21}$.so^{21}i^{35}ci$^{13}_{21}$miaŋ^{53}n̩$^{13}_{21}$tʂɔŋ^{13}ŋa^{0},ts^{h}iet^{3}ʂət^{5}to$^{35}_{44}$tsʅ^{0},ts^{h}in^{53}p^{h}iaŋ^{53}ua$^{53}_{44}$le^{0}sei^{53}ke^{53}tsʅ^{0}sei^{53}sei^{53}tsʅ^{0},ŋai^{13}a^{35}p^{h}o$^{13}_{44}$kəŋ^{21},tai^{53}tau^{21}ŋai$^{13}_{21}$ia^{13}tsʅ^{0},tʂ^{h}ɔŋ^{13}ia$^{53}_{44}$ʂɔi^{53}n̩$^{13}_{21}$tek^{3}ua^{53},ts^{h}au^{21}ua^{53}.ŋai$^{13}_{21}$ɔi^{35}tsʅ^{0}kai$^{53}_{44}$pu$^{35}_{44}$çi^{53}xek^{3}kəŋ^{21}.pai^{53}pau^{35}lau^{21}ia$^{13}_{21}$.

【包饺】pau^{35}ciau^{21} 名蛋饺：有做成饺子样个嘞安做～。以我新舅就喜欢做咁个。渠分箇饽饽啊磕倒以后嘞，搞成蛋皮子。搞成饽饽皮呀。就咁大子一只子。咁大子一只，揿薄子舞倒。有滴嘞一只饽饽嘞做两下子。渠是舞只子咁个勺子哦，舞只子咁个勺子，分箇饽饽皮子放啊饽饽啊，打正哩箇，放啊箇肚里，放滴子油盐子，系啊？放啊火上去烧。烧成一块子个揿薄子个皮子。溜圞子个，勵圆子个皮子。以下就放滴猪肉放滴。去包饺子样。箇就安做～。以前唔做，就系以几年正学外都学倒别人家个。以前我等以面饺子也有得嘞。如今街上有卖呀。嗯，～哇。iəu^{0}tso^{53}tʂ^{h}ən$^{13}_{21}$ciau^{21}tsʅ^{0}iɔŋ$^{53}_{44}$ke^{0}le^{0}ɔn$^{35}_{44}$tso$^{53}_{44}$pau^{35}ciau^{21}.i$^{21}_{13}$ŋai$^{13}_{44}$sin^{35}c^{h}iəu^{35}ts^{h}iəu^{53}çi^{21}fɔn^{35}tso^{53}kan^{21}cie^{0}.ci$^{13}_{21}$pən$^{35}_{44}$kai$^{53}_{44}$pɔk^{5}pɔk^{5}a^{0}k^{h}ɔk^{3}tau^{21}i^{35}xei$^{53}_{44}$lei^{0},kau^{21}ʂaŋ^{13}t^{h}an^{53}p^{h}i^{13}tsʅ^{0}.kau^{21}ʂaŋ$^{13}_{44}$pɔk^{5}pɔk^{5}p^{h}i^{13}ia^{0}.ts^{h}iəu^{53}kan^{21}t^{h}ai^{53}tsʅ^{0}iet^{3}tʂak^{3}tsʅ^{0}.kan^{21}t^{h}ai^{53}tsʅ^{0}iet^{3}tʂak^{3},ʂen^{35}p^{h}o^{53}tsʅ^{0}u^{21}tau^{21}.iəu^{35}tet^{5}le^{0}iet^{3}tʂak^{3}pɔk^{5}pɔk^{5}le^{0}tso^{53}iɔŋ^{21}xa^{53}tsʅ^{0}.ci^{13}ʂʅ^{53}u^{21}tʂak^{3}tsʅ^{0}kan^{21}kei^{53}ʂɔk^{5}tsʅ^{0}o^{0},u^{21}tʂak^{3}tsʅ^{0}kan$^{53}_{44}$ke$^{53}_{44}$ʂɔk^{5}tsʅ^{0},pən^{35}kai$^{53}_{44}$pɔk^{5}pɔk^{5}p^{h}i^{13}tsʅ^{0}fɔŋ^{53}a^{0}pɔk^{5}pɔk^{5}a^{0},ta^{21}tʂaŋ$^{53}_{44}$li^{0}kai^{53},fɔŋ^{53}a^{0}kai^{53}təu^{21}li^{0},fɔŋ^{53}tiet^{5}tsʅ^{0}iəu^{13}ian^{13}tsʅ^{0},xei$^{53}_{44}$a^{0}?fɔŋ^{53}ŋa^{0}fo^{21}xɔŋ$^{53}_{44}$çi$^{53}_{44}$ʂau^{35}.ʂau^{35}ʂaŋ$^{13}_{21}$iet^{3}k^{h}uai^{53}tsʅ^{0}ke^{0}ʂen^{35}p^{h}ɔk^{5}tsʅ^{0}ke^{0}p^{h}i^{13}tsʅ^{0}.liəu^{35}lɔn^{13}tsʅ^{0}ke^{53},li^{35}ien^{13}tsʅ^{0}ke^{53}p^{h}i^{13}tsʅ^{0}.i^{21}xa$^{53}_{44}$ts^{h}iəu$^{53}_{44}$fɔŋ^{53}tet^{5}tʂəu^{35}ɲiəuk^{3}fɔŋ$^{53}_{44}$tet^{5}.çi$^{53}_{44}$pau^{35}ciau^{21}tsʅ^{0}iɔŋ^{53}.kai$^{53}_{44}$ts^{h}iəu^{53}ɔn$^{35}_{44}$tso$^{53}_{44}$pau^{35}ciau^{21}.i^{35}ts^{h}ien^{13}n̩^{13}tso^{53},tsəu$^{53}_{35}$xei^{53}i^{21}ci^{21}ɲien^{13}tʂaŋ^{53}xɔk^{5}uai$^{53}_{44}$təu$^{35}_{44}$xɔk^{5}tau^{21}p^{h}iet^{5}in$^{13}_{44}$ka$^{35}_{44}$ke^{0}.i$^{35}_{44}$ts^{h}ien$^{13}_{21}$ŋai^{13}tien^{0}i^{21}mien^{53}ciau^{21}tsʅ^{0}a$^{35}_{53}$mau$^{13}_{21}$tek^{3}lei^{0}.i$^{13}_{21}$cin$^{35}_{44}$kai^{35}xɔŋ$^{53}_{44}$iəu^{35}mai^{53}ia^{0}.n̩$_{21}$,pau^{35}ciau^{21}ua^{0}.

【包来回】pau^{35}lɔi^{13}fei^{13} 管包来回，意思是对卖出去的东西的质量和售后服务有充分的信心：包得来回。包得来回就……其实一般呢以只东西～嘞就一般都系讲包回。来是都易得来，系唔系？～，就系对渠个未来渠可以包得，包得渠个未来。卖东西出去，～。卖电脑，欸，～。pau^{35}tek^{3}lɔi^{13}fei^{13}.pau^{35}tek^{3}lɔi^{13}fei^{13}ts^{h}iəu^{53}…c^{h}i^{13}ʂət^{5}iet^{3}pɔn^{35}nei^{0}i^{21}tʂak^{3}təŋ$^{35}_{44}$si^{0}pau^{35}lɔi^{13}fei$^{13}_{21}$le^{0}ts^{h}iəu$^{53}_{44}$iet^{3}pɔn^{35}təu$^{35}_{44}$xei^{53}kɔŋ^{21}pau^{35}fei^{13}.lɔi^{13}ʂʅ$^{53}_{44}$təu$^{35}_{44}$i^{53}tek^{3}lɔi^{13},xei^{53}me^{53}?pau^{35}lɔi^{13}fei$^{13}_{21}$,ts^{h}iəu$^{53}_{44}$xei$^{53}_{44}$tei^{53}ci^{13}kei^{0}uei^{53}lɔi^{13}ci$^{13}_{21}$k^{h}o^{21}i$^{35}_{44}$pau^{35}tek^{3},pau^{35}tek^{3}ci$^{13}_{21}$ke^{0}uei^{53}lɔi^{13}.mai^{53}təŋ^{35}si^{0}tʂ^{h}ət^{3}çi^{53},pau^{35}lɔi$^{13}_{21}$fei$^{13}_{21}$.mai^{53}t^{h}ien^{53}nau^{21},e$_{21}$,pau^{35}lɔi$^{13}_{21}$fei$^{13}_{21}$.

【包圞】pau^{35}lɔn^{13} 动①剩下的全部买了：～就系全部买倒就安做～。我包哩圞呢。pau^{35}lɔn^{13}ts^{h}iəu$^{53}_{44}$xe$^{53}_{44}$ts^{h}ien^{13}p^{h}u^{53}mai^{35}tau^{21}tsiəu$^{53}_{44}$ɔn$^{35}_{44}$tso$^{53}_{44}$pau$^{35}_{44}$lɔn^{13}.ŋai^{13}pau^{35}li^{0}lɔn^{13}ne^{0}. ②事项开支全部由一人负责：开支由一个人全部负责也安做～。箇是我等箇映有只老子过哩身，三兄弟，两只做工夫个，老大嘞就跍啊长沙铁路局，渠就放势去同我等讲："我爷子过哩身呐我～，开销我～。"结果～唔～我就唔晓得。渠话"我爷子过哩身我～"。k^{h}ɔi^{35}tsʅ^{35}iəu$^{13}_{21}$iet^{3}ke^{53}ɲin$^{13}_{21}$ts^{h}en$^{13}_{21}$p^{h}u^{53}fu^{53}tset^{3}ia^{35}ɔn$^{35}_{44}$tso$^{53}_{44}$pau^{35}lɔn$^{13}_{21}$.kai$^{53}_{44}$ʂʅ$^{53}_{44}$ŋai^{13}tien^{0}kai^{53}iaŋ^{53}iəu$^{35}_{44}$tʂak^{3}lau^{21}tsʅ^{21}ko$^{53}_{44}$li^{0}ʂən^{35},san^{35}çiɔŋ$^{35}_{44}$t^{h}i^{53},iɔŋ^{21}tʂak^{3}

tso^{53}kəŋ^{35}fu$^{35}_{44}$ke^{53},lau^{21}t^{h}ai^{53}lei^{0}ts^{h}iəu$^{53}_{44}$ku$^{35}_{44}$a^{0}tʂ^{h}ɔŋ^{13}sa$^{35}_{44}$t^{h}iet^{3}ləu^{53}tʂət^{3},ci^{13}ts^{h}iəu$^{53}_{44}$fɔŋ^{53}ʂʅ$^{53}_{44}$çi^{53}t^{h}əŋ$^{13}_{21}$ŋai$^{13}_{21}$tien^{0}kɔŋ^{21}:"ŋai^{13}ia^{13}tsɿ^{0}ko^{53}li^{0}ʂən$^{35}_{44}$na^{0}ŋai^{13}pau$^{35}_{44}$lɔn$^{13}_{21}$,k^{h}ɔi^{35}siau$^{35}_{44}$ŋai^{13}pau^{35}lɔn$^{13}_{21}$."ciet^{3}ko^{21}pau^{35}lɔn$^{13}_{21}$n̩$^{13}_{21}$pau^{35}lɔn$^{13}_{21}$ŋai^{13}ts^{h}iəu$^{53}_{44}$n̩$^{13}_{21}$çiau^{21}tek^{3}.ci$^{13}_{21}$ua$^{53}_{44}$"ŋai$^{13}_{21}$ia^{13}tsɿ^{0}ko^{53}li^{0}ʂən$^{35}_{44}$ŋai^{13}pau$^{35}_{44}$lɔn$^{13}_{21}$".

【包粟】pau^{35}siəuk^{3}/suk^{3} 名玉米：还有包粟饭呶，放滴～去啊。xai$^{13}_{21}$iəu$^{35}_{44}$pau^{35}suk$^{3}_{5}$fan^{53}nau^{0},fɔŋ^{53}tet^{3}pau^{35}suk^{3}çi$^{53}_{44}$a^{0}.

【包粟饭】pau^{35}siəuk^{3}/suk^{3}fan^{53} 名掺有玉米粒的米饭：我等只是食过箇只高粱饭摎……摎么个……还有～呶，放滴包粟去啊。ŋai^{13}tien^{0}tʂʅ^{21}ʂʅ$^{53}_{44}$ʂət^{5}ko$^{53}_{44}$kai$^{53}_{44}$tʂak^{3}kau$^{35}_{44}$liɔŋ$^{13}_{21}$fan^{53}lau^{35}…lau$^{35}_{44}$mak^{3}(k)e$^{53}_{44}$…xai$^{13}_{21}$iəu$^{35}_{44}$pau^{35}suk$^{3}_{5}$fan^{53}nau^{0},fɔŋ^{53}tet^{3}pau^{35}suk^{3}çi$^{53}_{44}$a^{0}.

【包粟粉】pau^{35}siəuk^{3}/suk^{3}fən^{21} 名玉米粉：～就系玉米粉，系。就包粟打个粉。就分箇包粟籽摵下来，一只只子摵下来。摵下来以后嘞，爱晒燥来嘞。用磨子磨。硬唔好食一下。～做个米馃，让门做都唔好食。绷硬□涩个。我有一回呀，去箇街上买滴粉，渠还真便宜，箇做面个店做米粉个店里咯，渠有箇个粉。雪白子个粉，雪白子嘞硬嘞。我买倒，真便宜。唔系唔系块钱一斤呢么个。让门做倒都唔好食啊。落尾渠正话我知，我个～咯。所以话食箇个欸北方人话食箇个么个欸箇包粟做个咁个箇个馒坨啊箇包子箇只咁个啊，就硬打得狗死呀，绷硬啊，系唔系？安做么个东西啊？窝窝头，系啊。啊硬唔好食一下个东西，硬□涩，箇～打个就。箇个糯米，米粉更好食，系唔系？灰面更好食。就系～唔好食。pau^{35}siəuk^{3}fən^{21}ts^{h}iəu$^{53}_{44}$xe$^{53}_{44}$ɥ^{53}mi^{21}fən^{21},xe^{53}.ts^{h}iəu$^{53}_{44}$pau^{35}siəuk^{3}ta^{21}ke^{53}fən^{21}.ts^{h}iəu$^{53}_{44}$pən^{35}kai$^{53}_{44}$pau^{35}siəuk^{3}tsɿ^{21}miet^{3}xa^{53}lɔi$^{13}_{21}$,iet^{3}tʂak^{3}tʂak^{3}tsɿ^{0}miet^{3}xa^{53}lɔi$^{13}_{21}$.miet^{3}xa^{53}lɔi$^{13}_{21}$i^{35}xei$^{53}_{44}$lei^{0},ɔi^{53}sai^{53}tsau^{35}lɔi$^{13}_{21}$le^{0}.iəŋ$^{53}_{44}$mo^{53}tsɿ^{0}çi$^{53}_{44}$mo^{53}. ɲiaŋ^{53}n̩^{13}xau^{21}ʂət^{5}iet^{3}xa^{53}.pau^{35}siəuk^{3}fən^{21}tso^{53}ke^{0}mi^{21}ko^{21}, ɲiɔŋ^{53}mən^{13}tso$^{53}_{44}$təu$^{35}_{44}$m̩^{13}xau^{21}ʂət^{5}.paŋ^{35}ŋaŋ$^{53}_{44}$k^{h}ai^{53}sek^{3}ke^{0}.ŋai^{13}iəu^{35}iet^{3}fei$^{13}_{21}$ia^{0},çi^{53}kai$^{53}_{44}$kai^{35}xɔŋ$^{53}_{44}$mai^{35}tiet^{5}fən^{21},ci^{13}xa$^{13}_{44}$tʂən^{35}p^{h}ien$^{13}_{21}$ɲin$^{13}_{21}$,kai$^{53}_{44}$tso^{53}mien^{53}ke$^{53}_{44}$tian$^{53}_{44}$tso^{53}mi^{21}fən^{21}ke^{0}tian^{53}li^{0}ko^{0},ci$^{13}_{21}$iəu^{35}kai$^{53}_{44}$ke$^{53}_{44}$fən^{21}.siet^{5}p^{h}ak^{5}tsɿ^{0}ke^{0}fən^{21},siet^{5}p^{h}ak^{5}tsɿ^{0}lei^{0}ɲiaŋ^{53}lei^{0}.ŋai$^{13}_{21}$mai^{35}tau^{21},tʂən^{35}p^{h}ien$^{13}_{21}$ɲin$^{13}_{21}$.n̩$^{13}_{21}$t^{h}e^{53}me^{53}k^{h}uai^{53}ts^{h}ien$^{13}_{21}$iet^{3}cin^{35}ne^{0}mak^{3}ke^{0}. ɲiɔŋ^{53}mən^{13}tso^{53}tau^{21}təu$^{35}_{44}$m̩$^{13}_{21}$xau^{21}ʂət^{5}a^{0}.lɔk^{5}mi$^{35}_{44}$ci$^{13}_{21}$tʂaŋ^{53}ua^{53}ŋai^{13}ti$^{35}_{53}$,ŋai^{13}ke^{53}pau^{35}siəuk^{3}fən^{21}ko^{0}.so^{21}i^{35}ua^{53}ʂət^{5}kai$^{53}_{44}$ke$^{53}_{44}$e$_{21}$pɔit^{3}fɔŋ^{35}nin$^{13}_{21}$ua$^{53}_{44}$ʂət^{5}kai$^{53}_{44}$ke$^{53}_{44}$mak^{3}ke$^{53}_{44}$e$_{21}$kai$^{53}_{44}$pau^{35}siəuk^{3}tso$^{53}_{44}$ke$^{53}_{44}$kan$^{21}_{44}$cie$^{53}_{44}$kai$^{53}_{44}$ke$^{53}_{44}$mɔŋ^{13}t^{h}o^{13}a^{0}kai$^{53}_{44}$pau^{35}tsɿ^{0}kai$^{53}_{44}$tʂak^{3}kan^{21}cie$^{53}_{44}$a^{0},ts^{h}iəu^{53}ɲiaŋ^{53}ta^{21}tek^{3}kei^{21}si^{21}ia^{0},paŋ^{35}ŋaŋ^{53}a^{0},xei$^{53}_{44}$me$^{53}_{44}$?ɔn^{35}tso^{53}mak^{3}e^{0}təŋ$^{35}_{44}$si^{0}a^{0}?uo$_{44}$uo$_{44}$t^{h}ou$_{13}$.xei$^{53}_{44}$a^{0}.a$_{53}$ɲiaŋ$^{53}_{44}$n̩$^{13}_{21}$xau^{21}ʂət^{5}iet^{3}xa^{53}ke^{0}təŋ$^{35}_{44}$si^{0}, ɲiaŋ$^{53}_{44}$k^{h}ai^{53}sek^{3},kai$^{53}_{44}$pau^{35}siəuk^{3}fən^{21}ta^{21}ke$^{53}_{44}$ts^{h}iəu$^{53}_{44}$.kai$^{53}_{44}$ke$^{53}_{44}$no^{53}mi^{21},mi^{21}fən^{21}ken$^{53}_{44}$xau^{21}ʂət^{5},xei$^{53}_{44}$me$^{53}_{44}$?fei^{35}mien$^{53}_{44}$ken$^{53}_{44}$xau^{21}ʂət^{5}.ts^{h}iəu^{53}xe^{53}pau^{35}siəuk^{3}fən^{21}n̩$^{13}_{21}$nau^{21}ʂət^{5}.

【包粟梗】pau^{35}siəuk^{3}/suk^{3}kuaŋ^{21} 名玉米秸秆：我等细细子冇得糖食唠，冇得么个蔗梗箇只唠，就食～。底下个唔好食。顶高个唔好食。只有箇中筒子，箇有包粟个上背两筒子，更好食，箇更甜，有滴子甜甜子。ŋai^{13}tien^{0}sei^{53}sei^{53}tsɿ^{0}mau^{13}tek^{3}t^{h}ɔŋ^{13}ʂət^{5}lau^{0},mau^{13}tek^{3}mak^{3}kei^{53}tʂa^{53}kuaŋ^{21}kai$^{53}_{44}$tʂak^{3}lau^{0},tsiəu$^{53}_{44}$ʂət^{5}pau$^{35}_{44}$siəuk^{3}kuaŋ^{21}.te^{21}xa$^{53}_{44}$ke^{0}n̩$^{13}_{21}$xau^{21}ʂət^{5}.taŋ^{21}kau$^{53}_{44}$ke^{0}n̩$^{13}_{21}$xau^{21}ʂət^{5}.tʂʅ^{21}iəu$^{35}_{53}$kai^{53}tʂəŋ^{35}t^{h}əŋ$^{13}_{21}$tsɿ^{0},kai$^{53}_{44}$iəu$^{35}_{44}$pau^{35}siəuk^{3}ke^{0}ʂɔŋ^{35}pɔi^{53}iɔŋ^{21}t^{h}əŋ^{13}tsɿ^{0},ken^{53}xau^{21}ʂət^{5},kai$^{53}_{44}$ken$^{53}_{44}$t^{h}ian^{13},iəu$^{35}_{44}$tiet^{5}tsɿ^{0}t^{h}ian$^{13}_{21}$t^{h}ian$^{13}_{21}$tsɿ^{0}.

【包粟梗糖】pau^{35}siəuk^{3}/suk^{3}kuaŋ^{21}t^{h}ɔŋ^{13} 名将玉米茎去皮后捣碎入水煮，去渣煮干而成：～，就用箇个包粟梗，去熬……捶，捶倒箇个捶倒放下镬里，舞滴水来，然后去熬。pau^{35}siəuk^{3}kuaŋ^{21}t^{h}ɔŋ^{13},ts^{h}iəu^{53}iəŋ^{53}kai$^{53}_{44}$ke^{0}pau^{35}siəuk^{3}kuaŋ^{21},çi^{53}ŋau^{13}…tʂ^{h}ei^{13},tʂ^{h}ei^{13}tau^{21}kai$^{53}_{44}$ke$^{53}_{44}$tʂ^{h}ei^{13}tau^{21}fɔŋ$^{53}_{44}$xa$^{53}_{44}$uɔk^{5}li^{0},u^{21}tiet^{5}ʂei^{21}lɔi^{13},vien^{13}xei$^{53}_{44}$çi^{53}ŋau^{13}.

【包粟花】pau^{35}siəuk^{3}/suk^{3}fa^{35} 名把玉米加热至炸裂而成的爆米花：箇起𫌨爆个嘞就安做包粟子呢。爆哩个就安做～。花，～，开一朵花样哦。kai^{53}çi^{21}maŋ^{13}pau^{53}ke$^{53}_{44}$lei^{0}ts^{h}iəu$^{53}_{44}$ɔn$^{35}_{44}$tso$^{53}_{44}$pau^{35}siəuk^{3}tsɿ^{21}nei^{0}.pau^{53}li^{0}ke$^{53}_{44}$ts^{h}iəu$^{53}_{44}$ɔn$^{35}_{44}$tso$^{53}_{44}$pau^{35}siəuk^{3}fa^{35}.fa^{35},pau^{35}siəuk^{3}fa^{35},k^{h}ɔi^{35}iet^{3}to^{21}fa^{35}iɔŋ$^{53}_{44}$ŋo^{0}.

【包粟籽】pau^{35}siəuk^{3}/suk^{3}tsɿ^{21} 名炒熟但未爆裂的玉米粒儿：𫌨爆个啊，𫌨爆开来个，也有滴𫌨爆开来吵。𫌨爆开来个就安做～。maŋ^{13}pau^{53}cie$^{53}_{44}$a^{0},maŋ^{13}pau^{53}k^{h}ɔi$^{35}_{44}$lɔi$^{13}_{21}$cie$^{53}_{44}$,ie^{21}iəu^{35}tiet^{5}maŋ^{13}pau^{53}k^{h}ɔi$^{35}_{44}$lɔi$^{13}_{21}$ʂa^{0}.maŋ^{13}pau^{53}k^{h}ɔi$^{35}_{44}$lɔi$^{13}_{21}$ke$^{53}_{44}$tsiəu$^{53}_{44}$ɔn$^{35}_{44}$tso$^{53}_{44}$pau^{35}siəuk^{3}tsɿ^{21}.

【包伢子】pau^{35}ŋa$^{13}_{21}$tsɿ^{0} 名拜包公老爷做干爹的孩子的小名：还有就拜哪只神明做干爷唠。我个爷子是细细子，我爷子啊，细细子嘞，尽病。嗯。箇晡我娭子都去系讲啊。渠话让门你叔叔哇八十几岁咁健，你爷子七十几子就死嘿哩，系唔系？我娭子就话我爷子细细子嘞，听我阿婆讲啊，我爷子细细子尽病。看稳带唔大哩，常常夜咁子捧倒来走话，捧倒。一直到三四岁，四五岁都还系咁个话。落尾让门子见好哩嘞？拜包公老爷做干爷。我爷子个小名就安做～。包公老爷，拜渠。落尾就，落尾正见好哩。xai13 iəu35/44 tsʰiəu53/44 pai53 lai53 tʂak3 ʂən13 min13 tso53 kɔn35 ia13/21 lau0 .ŋai13 ke53 ia13 tsɿ0 ʂʅ53/44 se53 se53 tsɿ0 ,ŋai13/21 ia13 tsɿ0 a0 ,se53 se53 tsɿ0 le0 ,tsʰin53 pʰiaŋ53 .ŋ̍21 .kai53 pu35/44 ŋai13/21 ɔi35 tsɿ0 təu35/44 çi53 xe53 kɔŋ21 ŋa0 .ci13/21 ua53 ɲiɔŋ53 mən0 ɲi13/21 ʂəuk3 ʂəuk3 ua0 pait3 ʂət5 ci21 sɔi53 kan21 cʰien53 , ɲi13/21 ia13 tsɿ0 tsʰiet3 ʂət5 ci21 tsɿ0 tsʰiəu53/44 si21 xek3 li0 ,xei53/44 me53/44 ?ŋai13 ɔi35 tsɿ0 tsʰiəu53/44 ua53 ŋai13 ia13 tsɿ0 se53 se53 tsɿ0 le0 ,tʰaŋ35 ŋai13/21 a35 pʰo13/21 kɔŋ21 ŋa0 ,ŋai13/21 ia13 tsɿ0 se53 se53 tsɿ0 tsʰin53 pʰiaŋ53 .kʰɔn53 uən21 tai53 ŋ̍13/21 tʰai53 li0 ,tʂʰɔŋ13 tʂʰɔŋ13/44 ia53 kan21 tsɿ0 pəŋ21 tau21 lɔi13 tsei21 ua53 ,pəŋ21 tau0 .iet3 tʂʰət5 tau53/21 san35/44 si53/44 sɔi53 ,si53 ŋ̍21 sɔi53 təu35/44 xai13/21 xe53/44 kan21 cie53/44 ua53/44 .lɔk5 mi35/44 ɲiɔŋ53 mən0 tsɿ0 cien53 xau21 li0 lei0 ?pai53 pau35 kɔŋ35/44 lau21 ia35 tso53 kɔn35 ia13/21 .ŋai13/21 ia13 tsɿ0 ke53/44 siau21 miaŋ13 tsiəu53/21 ɔn35/44 tso53/44 pau35 ŋa13/21 tsɿ0 .pau35 kɔŋ35/44 lau21 ia13 ,pai53 ci13 .lɔk5 mi35/44 tsʰiəu53/44 ,lɔk5 mi35 tʂaŋ53 cien53 xau21 li0 .

【包圆】pau35 ien13 名 一种以糯米粉为皮儿，以肉、菜为馅做成的圆子形状的食品：～呢，就系让门做个嘞？舞正一坨猪肉，或者舞正一坨舞正菜，做箇馅呐，系啊？箇个东西就安做馅呐，就肚里个肉啊，肚里个心呐。然后嘞面上放滴舞滴糯米粉去咁子去让门子去舞唠？用咁筒筒去滚呐。面上尽糯米粉，系。肚里就系肉掺菜。系做只圆子形状个。就安做～。pau35 ien13 nei0 ,tsʰiəu53/44 xei53/44 ɲiɔŋ53/44 mən0 tso53/44 ke0 lei0 ?u21 tʂaŋ53 iet3 tʰo13 tʂəu35 ɲiəuk3 ,xɔit3 tʂa21 u21 tʂaŋ53 iet3 tʰo13/21 u21 tʂaŋ53/44 tsʰɔi53 ,tso53/44 kai53/44 çien53 na0 ,xei53/44 a0 ?kai53/44 ke53/44 təŋ35/44 si0 tsʰiəu53/44 ɔn35 tso53/44 çien53 na0 ,tsiəu53/44 təu21 li0 ke53 ɲiəuk3 a0 , təu21 li0 ke0 sin35 na0 .ien13 xei53/44 lei0 mien53 xɔŋ53/44 fɔŋ53/44 tet5 u21 tet5 lo53 mi21 fən21 çi53/44 kan21 tsɿ0 çi53 ɲiɔŋ53 mən0 tsɿ0 çi53/44 u21 lau0 ?iəŋ53 kan21/44 tʰəŋ13 tʰəŋ13/44 çi53 kuən21 na0 .mien53 xɔŋ53/44 tsʰin53 no53 mi21 fən21 ,xe53 .təu21 li0 tsʰiəu53 xe53 ɲiəuk3 lau35 tsʰɔi53 .xe53/44 tso53 tʂak3 ien13 tsɿ0 çin13 tsʰɔŋ53 ke53 .tsʰiəu53/44 ɔn35/44 tso53/44 pau35 ien13 .

【包装带】pau35 tsɔŋ35/44 tai53 名 编织带：后背嘞搞一阵呢，就用么个了嘞？用箇～。xei53 pɔi53/44 lei0 kau21 iet3 tʂʰən53/44 nei0 ,tsʰiəu53/44 iəŋ53 mak3 (k)e53/44 liau21 lei0 ?iəŋ53/44 kai53/44 pau35 tsɔŋ35/44 tai53 .

【包子】pau35 tsɿ0 名 用圆形发面皮包馅蒸成的食品：要做～箇过程呐，做～馒坨啊，发酵个过程就安做发面。iau53/44 tso53 pau35 tsɿ0 kai53 ko53 tʂʰən13/44 na0 ,tso53 pau35 tsɿ0 mɔn13 tʰo13 a0 ,fait3 çiau53 ke53/44 ko53 tʂʰən13 tsʰiəu53/44 ɔn35/44 tso53/44 fait3 mien53 .

【包子娘】pau35 tsɿ0 ɲiɔŋ13 名 老面：我等就～我等是讲咁个呢。我等就指，我爱做包子了，就系箇只用来发酵个箇只引子呢。系啊，酵母样个东西。如今是渠就蛮多是就用酵母唠，系唔系，去发唠。以前是用～去发呢。唔，箇只就系箇只包子做正哩，箇只欸打比样昨晡做哩包子样，留一坨子，老面，系啊，老面馒头，就箇老面，对。就～。ŋai13 tien0 tsiəu0 pau35 tsɿ0 ɲiɔŋ13 ŋai13 tien0 ʂʅ53/44 kɔŋ21 kan21/35 cie53 nei0 .ŋai13 tien0 tsʰiəu53/44 tʂʅ21 ,ŋai13 ɔi53 tso53 pau35 tsɿ0 liau0 ,tsʰiəu53 ue53/44 kai53 tʂak3 iəŋ53 lɔi13/21 fait3 çiau53 ke53/44 kai53 tʂak3 in21 tsɿ0 nei0 .xei53 a0 ,çiau53 mu21 iəŋ53/44 ke0 təŋ35/44 si0 .i13/21 cin35/44 ʂʅ53/44 ci13 tsʰiəu53 man13 to35/44 ʂʅ53/44 tsʰiəu53/44 iəŋ53/44 çiau53 mu35 lau0 ,xei53/44 me53/44 ,çi53 fait3 lau0 .i35 tsʰien13/44 ʂʅ53/44 iəŋ53 pau35/44 tsɿ0 ɲiɔŋ13 çi53 fait3 nei0 .n̩13 ,kai53 iak3 tsʰiəu53/44 xei53/44 kai53 tʂak3 pau35 tsɿ0 tso53 tʂaŋ53/44 li0 ,kai53 tʂak3 ei21 ta21 pi21 iɔŋ53 tsʰo35 pu35/53 tso53 li0 pau35 tsɿ0 iɔŋ53/44 ,liəu13 iet3 tʰo13 tsɿ0 ,lau21 mien53 ,xei53 a0 ,lau21 mien53 man35 tʰəu13/21 ,tsʰiəu53 kai53 lau21 mien53 ,tei53 .tsʰiəu53 pau35/44 tsɿ0 ɲiɔŋ13 .

【包子肉】pau35 tsɿ0 ɲiəuk3 名 包子馅儿：～，就系包子肚里个馅，对。欸欸别么个东西也安做～。渠就包子肚里个东西，包子肚里个馅。就安做馅，我等客姓人冇得箇馅个话法唠。就系～。包子肚里有肉啊冇肉啊，全靠包子肚里有肉啊。欸嘿，玩笑就讲啊。欸，打比样着一身衫，箇只人是包子肚里冇肉嘞，空个嘞，着得着一身衫着得唔知几熨帖欸，硬唔知几奢华，袋子里冇滴钱呢，冇得一个钱呢。箇，包子肚里冇肉嘞。就咁子，咁子也话，也会讲。～。pau35 tsɿ0 ɲiəuk3 ,tsʰiəu53 xei53 pau35 tsɿ0 təu21 li0 kei53 çien53 ,tei53 .ei44 ei44 pʰiet5 mak3 e0 təŋ35/44 si0 ia35 ɔn35/44 tso53/44 pau35 tsɿ0 ɲiəuk3 .ci13/21 tsʰiəu53 pau35 tsɿ0 təu21 li0 ke53 təŋ35/44 si0 ,pau35 tsɿ0 təu21 li0 ke53 çien53 .tsʰiəu53/44 ɔn35/44 tso53/44 çien53 ,ŋai13 tien0 kʰak3 sin53 ɲin13/21 mau13 tek3 kai53 çien53 ke53/44 ua53/44 fait3 lau0 .tsʰiəu53/44 xe53/44 pau35 tsɿ0 ɲiəuk3 .pau35 tsɿ0 təu21 li0 iəu35/44 ɲiəuk3 a0 mau13/21 ɲiəuk3 a0 ,tsʰien13 kʰau53/44 pau35 tsɿ0 təu21 li0 iəu35/44 ɲiəuk3 a0 .e21 xe53 ,uan13/21 siau53 tsʰiəu53 kɔŋ21 ŋa0 .e21 ,ta21 pi21 iɔŋ53 tʂɔk3 iet3 ʂən35/44 san35 ,kai53 tʂak3 ɲin13/21 ʂʅ53/44 pau35 tsɿ0 təu21 li0 mau13 ɲiəuk3 lei0 ,kʰəŋ53 ke53 lei0 ,tʂɔk3 tek3 tʂɔk3 iet3 ʂən35/44 san35 tʂɔk3 tek3 n̩13 ti35/53 ci21 iet3 tʰiet3 e0 ,ŋaŋ53 n̩13 ti35/53 ci21 ʂa35 fa13/21 ,tʰɔi53 tsɿ0 li0 mau13 tet5 tsʰien13 ne0 ,mau13 tek3 iet3 cie53 tsʰien13/21 ne0 .kai53 ,pau35 tsɿ0 təu21 li0 mau13/44 ɲiəuk3 le0 .tsʰiəu53 kan21 tsɿ0 ,kan21 tsɿ0 ia35 ua53 ,ia35 uɔi53 kɔŋ21 .pau35/44 tsɿ0 ɲiəuk3 .

【胞胎】pau35/44 tʰɔi35 动 （水稻）孕穗：禾～了哇，箇只时候子就爱水呀田里呀。uo13 pau35/44 tʰɔi35 liau21 ua0 ,kai53 tʂak3 ʂɿ13 xei53 tsɿ0 tsʰiəu53/44 ɔi53 ʂei21 ia0 tʰien13 ni0 ia0 .

【胞衣】pau35 i35 名 胎盘。又称“后人”：～就系胎盘，欸，欸指后人，又话后人。～还有么个话法唠？牛～呀，欸，猪子个～呀，也系都讲～。食就食得，系唔系？有人也有人食。牛个～呀，羊子个～呀，有人食。人个～嘞，系蛮多人舞倒食哕。话有补喔。整咁个老病噢。我箇只大孙子出世箇时候子就我老弟嫂就渠就箇个打电话分我：“箇只～留分我做得么？”系唔系？一般就是想头只子个，供头只子，供第一只赖子。欸赖子个。就会蛮多人来……箇只～就蛮多人就比较认为嘞蛮有补。因为有补哇。pau^{35}i^{35}tsʰiəu$^{53}_{44}$xe$^{53}_{44}$tʰɔi^{35}pʰan^{13},e$_{21}$,e$_{44}$tʂʅ^{21}xei^{53}ɲin$^{13}_{21}$,iəu$^{53}_{44}$ua$^{53}_{44}$xei^{53}ɲin$^{13}_{21}$.pau^{35}i$^{35}_{44}$xai^{13}iəu^{35}mak^{3}e^{0}ua^{53}fait^{3}lau^{0}?ɲiəu^{13}pau$^{35}_{44}$i$^{35}_{44}$ia^{0},e$_{21}$,tʂəu^{35}tsʅ^{0}ke^{0}pau$^{35}_{44}$i$^{35}_{44}$ia^{0},ia^{35}xe^{53}təu$^{35}_{44}$kɔŋ^{21}pau^{35}i$^{35}_{44}$.ʂət^{5}tsʰiəu$^{53}_{44}$ʂət^{5}tek^{3},xei$^{53}_{44}$me$^{53}_{44}$?iəu^{35}ɲin$^{13}_{21}$ia^{35}iəu$^{35}_{44}$ɲin$^{13}_{21}$ʂət^{5}. ɲiəu^{13}ke$^{53}_{44}$pau$^{35}_{44}$i$^{35}_{44}$ia^{0},iɔŋ^{13}tsʅ^{0}ke$^{53}_{44}$pau$^{35}_{44}$i$^{35}_{44}$ia^{0},iəu^{35}ɲin$^{13}_{21}$ʂət^{5}. ɲin^{13}ke$^{53}_{44}$pau$^{35}_{44}$i$^{35}_{44}$le^{0},xe^{53}man^{13}to$^{35}_{44}$ɲin$^{13}_{44}$u^{21}tau^{21}ʂət^{5}lau^{0}.ua$^{53}_{44}$iəu^{35}pu^{21}uo^{0}.tʂaŋ^{21}kan^{21}kei^{53}lau^{21}pʰiaŋ^{53}ŋau^{0}.ŋai^{13}kai^{53}tʂak^{3}tʰai^{53}sən^{35}tsʅ^{0}tʂʰət^{3}ʂʅ$^{13}_{44}$kai$^{53}_{44}$ʂʅ^{13}xəu$^{53}_{44}$tsʅ^{0}tsʰiəu$^{53}_{44}$ŋai^{13}lau^{21}tʰe$^{53}_{44}$sau^{21}tsʰiəu^{53}ci^{13}tsʰiəu^{53}kai$^{53}_{44}$ke$^{53}_{44}$ta^{21}tʰien^{53}fa^{53}pən^{35}ŋai$^{13}_{21}$:"kai$^{53}_{44}$tʂak^{3}pau^{35}i^{35}liəu$^{13}_{21}$pən$^{35}_{44}$ŋai^{13}tso^{53}tek^{3}mo^{0}?"xei$^{53}_{44}$me$^{53}_{44}$?iet^{3}pən^{35}tsʰiəu^{53}ʂʅ$^{53}_{44}$siɔŋ^{21}tʰei^{13}tʂak^{3}tsʅ^{0}ke^{53},ciɔŋ^{35}tʰei^{13}tʂak^{3}tsʅ^{0},ciɔŋ^{53}tʰi^{53}iet^{3}tʂak^{3}lai^{53}tsʅ^{0}.e$_{21}$lai^{53}tsʅ^{0}ke^{0}.tsʰiəu$^{53}_{44}$uɔi$^{53}_{44}$man$^{13}_{21}$to$^{35}_{44}$ɲin$^{13}_{21}$nɔi$^{13}_{44}$…kai$^{53}_{44}$iak^{3}pau^{35}i$^{35}_{44}$tsʰiəu$^{53}_{44}$man$^{13}_{21}$to$^{35}_{44}$ɲin$^{13}_{21}$tsʰiəu$^{53}_{44}$pi^{21}ciau$^{53}_{44}$ɲin^{53}uei$^{13}_{44}$lei^{0}man^{13}iəu^{35}pu^{21}.in$^{35}_{44}$uei$^{13}_{44}$iəu^{35}pu^{21}ua^{0}.

【剥】pɔk^{3} 动①去掉物的外皮：（凉薯）～下皮来食个。/～好皮来食。pɔk^{3}(x)a$^{53}_{44}$pʰi$^{13}_{21}$lɔi$^{13}_{44}$ʂət^{5}ke^{53}./pɔk^{3}xau^{21}pʰi$^{13}_{21}$lɔi$^{13}_{44}$ʂət^{5}.｜箇个苦楝树哇渠都唔怕你～，你只管～，～倒冇事死。kai$^{53}_{44}$ke$^{53}_{44}$fu^{21}lien^{53}ʂəu^{53}ua^{0}ci^{13}təu$^{35}_{53}$m̩^{13}pʰa^{53}ɲi$^{13}_{21}$pɔk^{3}, ɲi^{13}tʂʅ^{21}kɔn^{21}pɔk^{3},pɔk^{3}tau^{21}mau^{13}sʅ^{53}si$^{21}_{44}$. ②用上下门牙咬有壳的东西：来～兜子瓜籽啊。lɔi^{13}pɔk^{3}te$^{35}_{53}$tsʅ^{0}kua^{35}tsʅ^{21}a^{0}. ③杀（蛇）：～蛇 pɔk^{3}ʂa^{13}

【薄】pʰɔk^{5} 形扁平物上下两面之间的距离小（与“厚”相对）。有“AA子”重叠式：欸篾子也唔知几～。e$_{21}$miet^{5}tsʅ^{0}ia^{35}n̩^{13}ti$^{35}_{44}$ci^{21}pʰɔk^{5}.｜（角撮帽）面前更平，更～。后背更深。mien^{53}tsʰien$^{13}_{21}$cien^{53}pʰiaŋ^{13},cien$^{53}_{44}$pʰɔk^{5}.xei^{53}pɔi^{53}cien^{53}tʂʰən^{35}.｜箇滴木板子系咁个～～子咯。kai^{53}tiet^{5}muk^{3}pan^{21}tsʅ^{0}xei^{53}kan^{21}kei$^{53}_{44}$pʰɔk^{5}pʰɔk^{5}tsʅ^{0}ko^{0}.

【薄膜纸子】pʰɔk^{5}mu^{13}tʂʅ^{21}tsʅ^{0} 名薄膜：如今是唔用桌布了。用么个？揙薄子个～。i$^{13}_{21}$cin$^{35}_{53}$ʂʅ$^{53}_{44}$n̩^{13}iəŋ$^{53}_{44}$tsɔk^{3}pu^{53}liau$^{21}_{44}$.iəŋ$^{53}_{44}$mak^{3}ke$^{53}_{44}$?ʂen^{35}pʰɔk^{5}tsʅ^{0}ke$^{53}_{44}$pʰɔk^{5}mu$^{13}_{44}$tʂʅ^{21}tsʅ^{0}.

【薄片子】pʰɔk^{5}pʰien^{21}tsʅ^{0} 名一种用红薯粉加工出的点心。又称“玉兰片”：以只夫娘子切个～切得熨熨帖帖子呢。嗯，匀匀称称哩。渠个～就欸炮倒也唔知几餢膨化松脆呢。箇只～还爱炮一到嘞，咁子生个欸唔好食嘞，系啊？欸，食倒渠唔系生个了嘞。渠又唔系生个嘞。渠要用箇个咯，渠爱用箇个番薯粉，交倒番薯，欸，交番薯，番薯粉呢，交番薯去搋，搋哩以后蒸熟来，做成一只就以只咁东西样个嘞。做倒咁子呢。同时渠啊放滴子红绿呢。食个，能够食个食红啊。红绿嘞。以下做倒以后就咁子切呢。噢切都蛮重要，爱切得匀匀称称。你莫切倒一篚厚……一篚厚薄。切倒一篚厚薄嘞你炮个时候子嘞，薄个箇向就烧嘿哩个哟，厚个箇向就绷硬。爱切得匀称。i^{21}tʂak^{3}pu^{35}ɲiɔŋ$^{13}_{21}$tsʅ^{0}tsʰet^{3}ke$^{53}_{44}$pʰɔk^{5}pʰien^{21}tsʅ^{0}tsʰiet^{3}tek^{3}iet^{3}iet^{3}tʰiait^{3}tʰiait$^{3}_{5}$tsʅ^{0}nei^{0}.n̩$_{21}$,in^{13}in$^{13}_{44}$tsʰin^{35}tsʰin^{35}ni^{0}.ci^{13}ke^{53}pʰɔk^{5}pʰien^{21}tsʅ^{0}tsiəu^{53}e$_{21}$pʰau^{13}tau^{21}ia^{35}n̩^{13}ti$^{35}_{53}$ci^{21}pu^{53}nei^{0}.kai$^{53}_{21}$tʂak^{3}pʰɔk^{5}pʰien^{53}tsʅ^{0}xa^{13}ɔi^{53}pʰau^{13}iet^{3}tau^{53}le^{0},kan^{21}tsʅ^{0}saŋ^{35}ke^{53}e$_{21}$n̩^{13}xau^{21}ʂət^{5}le^{0},xei^{53}a^{0}?e$_{21}$,ʂət^{5}tau$^{21}_{44}$ci$^{13}_{44}$m̩^{13}xe^{53}saŋ^{35}ke^{0}liau^{21}le^{0}.ci^{13}iəu^{53}m̩^{13}xe^{53}saŋ^{35}ke^{0}le^{0}.ci^{13}iau^{53}iəŋ$^{53}_{44}$kai^{53}ke^{53}ko^{0},ci^{13}ɔi^{53}iəŋ^{53}kai$^{53}_{44}$ke$^{53}_{44}$fan^{35}ʂəu$^{13}_{21}$fən^{21},ciau^{35}tau^{21}fan^{35}ʂəu$^{13}_{21}$,e$_{21}$,ciau^{35}fan^{35}ʂəu$^{13}_{21}$,fan^{35}ʂəu$^{13}_{21}$fən^{21}ne^{0},ciau^{35}fan^{35}ʂəu$^{13}_{21}$çi$^{53}_{44}$tsʰei^{21},tsʰei^{21}li^{0}i$^{35}_{44}$xei$^{53}_{44}$tʂən^{35}ʂəuk^{5}lɔi$^{13}_{21}$,tso^{53}ʂaŋ$^{13}_{21}$iet^{3}tʂak^{3}tsʰiəu$^{53}_{44}$i^{21}tʂak^{3}kan$^{21}_{35}$təŋ$^{35}_{44}$si^{0}iəŋ$^{53}_{44}$ke^{0}lei^{0}.tso$^{53}_{44}$tau$^{21}_{44}$kan$^{21}_{44}$tsʅ^{0}nei^{0}.tʰəŋ^{13}ʂʅ$^{13}_{21}$ci$^{13}_{44}$a^{0}fəŋ^{53}tet^{5}tsʅ^{0}fəŋ^{13}liəuk^{5}nei^{0}.ʂət^{5}kei^{0},nen^{13}ciau$^{53}_{44}$ʂət^{5}ke$^{53}_{44}$ʂət^{5}fəŋ^{13}ŋa^{0}.fəŋ^{13}liəuk^{5}lei^{0}.ia$_{35}$(←i^{21}xa^{53})tso^{53}tau^{21}i$^{35}_{44}$xei^{53}tsʰiəu$^{53}_{44}$kan^{21}tsʅ^{0}tsʰiet^{3}nei^{0}.au^{0}tsʰiet^{3}təu$^{35}_{53}$man^{13}tʂʰəŋ^{53}iau$^{53}_{44}$,ɔi^{53}tsʰiet^{3}tek^{3}in^{13}in^{13}tsʰin^{53}tsʰin^{53}. ɲi^{13}mɔk^{5}tsʰiet^{3}tau^{21}iet^{3}sak^{3}xei^{35}ʂ…iet^{3}sak^{3}xei^{35}pʰɔk^{5}.tsʰiet^{3}tau^{21}iet^{3}sak^{3}xei^{35}pʰɔk^{5}lei^{0}ɲi$^{13}_{21}$pʰau^{13}ke^{53}ʂʅ^{13}xəu^{53}tsʅ^{0}lei^{0},pʰɔk^{5}ke$^{53}_{44}$kai$^{53}_{44}$çiɔŋ$^{53}_{44}$tsʰiəu$^{53}_{44}$ʂau^{35}xek^{3}li^{0}ke^{0}iau^{0},xei^{35}ke^{53}kai$^{53}_{44}$çiɔŋ$^{53}_{44}$tsʰiəu$^{53}_{44}$paŋ^{35}ŋaŋ^{53}.ɔi^{53}tsʰiet^{3}tek^{3}in^{13}tsʰin^{53}.

【饱】pau^{21} 形①满足了食量（与“饿”相对）：你肿吃（詈语）～下子嘞！ɲi^{13}tʂəŋ^{21}pau^{21}ua^{53}(←xa^{53})tsʅ^{0}lei^{0}!骂小孩子的话｜食得蛮～。ʂət^{5}tek$^{3}_{5}$mam^{13}(←man^{13})pau^{21}. ②比喻力气大：（打出山）爱有……爱力气蛮～个人。ɔi^{53}iəu…ɔi$^{53}_{44}$liet^{5}çi$^{53}_{44}$man$^{13}_{21}$pau^{21}ke^{53}ɲin$^{13}_{21}$.

【宝里宝气】pau^{21}li^{0}pau^{21}çi^{53} 形傻，又称“哈里哈气”：～是有滴子学倒箇个本地人个。pau^{21}li^{0}pau^{21}çi^{53}ʂʅ$^{53}_{44}$iəu^{35}tiet^{5}tsʅ^{0}xɔk^{5}tau^{21}kai$^{53}_{44}$ke$^{53}_{44}$pən^{21}tʰi^{53}ɲin$^{13}_{21}$ke$^{53}_{21}$.

【保】pau^{21} 动保佑：渠话有滴娭子病哩欸爱～娭子长寿会请人念经呐。ci$^{13}_{44}$ua$^{53}_{44}$iəu^{35}tet^{5}ɔi^{35}tsʅ^{0}pʰiaŋ^{53}li^{0}e$_{21}$ɔi^{53}pau^{21}ɔi^{35}tsʅ^{0}tʂʰɔŋ^{13}ʂəu^{53}uei$^{53}_{44}$tsʰiaŋ^{21}ɲin^{13}ɲian^{53}cin^{35}na^{0}.

【保姆】pau^{21}mu^{35} 名被雇照管儿童或从事家务劳动的妇女：我等以映子欸以下蛮多人夫娘子

生哩人以后呀，欸，自家就去做事，开店子，嗯，细人子嘞就请只～来带。细人子啊就请只～来带人。ŋai^{13}tien^{0}i^{21}ian^{53}tsɿ^{0}e$_{21}$i^{21}xa^{53}man^{13}to$^{35}_{53}$ɲin$^{13}_{44}$pu^{35}ɲiɔŋ$^{13}_{21}$tsɿ^{0}saŋ$^{35}_{44}$li^{0}ɲin^{13}i^{35}xei^{53}ia^{0},e$_{21}$,tsʰɿ^{35}ka$^{35}_{44}$ tsʰiəu^{53}çi$^{53}_{44}$tso^{35}sɿ^{53},kʰɔi^{35}tian^{53}tsɿ^{0},n̩$_{21}$,sei^{53}ɲin$^{13}_{21}$tsɿ^{0}le^{0}tsʰiəu^{53}tsʰiaŋ^{21}tʂak^{3}pau^{21}mu^{35}lɔi^{13}tai^{53}.sei^{53}ɲin$^{13}_{21}$tsɿ^{0}a^{0} tsʰiəu^{53}tsʰiaŋ^{21}tʂak^{3}pau^{21}mu^{35}lɔi^{13}tai^{53}ɲin$^{13}_{21}$.

【保暖】pau^{21}lɔn^{35} 动 保持温度，通常指不让外部的寒气侵入：渠其实兔子帽摎狗头帽都系箇一只作用，就系冷天戴个帽子～。ci$^{13}_{21}$cʰi^{13}ʂət^{5}tʰəu^{35}tsɿ^{0}mau$^{53}_{44}$lau^{35}kei^{21}tʰei^{13}mau^{53}təu^{35}xei^{53}kai^{53}iet^{3} tʂak^{3}tsɔk^{3}iəŋ^{53},tsʰiəu^{53}ue^{53}(←xe^{53})laŋ^{35}tʰien$^{35}_{44}$tai^{53}ke$^{53}_{44}$mau^{53}tsɿ^{0}pau^{21}lɔn^{35}.

【保人】pau^{21}ɲin^{13} 名 担保人：以只～系两种意思嘞。一只就犯哩事个人，犯哩事个人呢渠爱保释嘞，爱箇个，渠就请只人当～，就请只人担保。欸，还有只嘞，就爱借钱，到银行爱借钱，请只人担保，箇只也安做～。欸，两种，一种犯哩事个，也可以舞只人当～。一般呢欸打比渠个渠屋下渠个阿叔啊么个大伯箇只啦，渠出来担保。你同我放出来，冇使跑咁，系啊？箇就也系～。还有只就借钱。iak^{3}(←i^{21}tʂak^{3})pau^{21}ɲin^{13}xei^{53}iɔŋ^{21}tʂəŋ^{21}i^{53}sɿ^{0}le^{0}.iet^{3}tʂak^{3}tsʰiəu^{53}fan^{53}li^{0} sɿ^{53}ke^{0}ɲin$^{13}_{21}$,fan$^{53}_{44}$li^{0}sɿ^{53}ke^{0}ɲin$^{13}_{21}$ne^{0}ci$^{13}_{21}$ɔi^{53}pau^{21}ʂət^{3}le^{0},ɔi^{53}kai^{53}ke^{0},ci^{13}tsʰiəu^{53}tsʰiaŋ^{21}tʂak^{3}ɲin^{13}tɔŋ^{35}pau^{21}ɲin^{13}, tsʰiəu$^{53}_{44}$tsʰiaŋ^{21}tʂak^{3}ɲin^{13}tan^{35}pau^{21}.ei$_{21}$,xai^{13}iəu^{35}tʂak^{3}lei^{0},tsʰiəu$^{53}_{44}$ɔi$^{53}_{44}$tsia^{53}tsʰien^{13},tau^{53}ɲin$^{13}_{21}$xɔŋ$^{13}_{21}$ɔi$^{53}_{44}$tsia^{53} tsʰien^{13},tsʰiaŋ^{21}tʂak^{3}ɲin^{13}tan^{35}pau^{21},kai$^{53}_{44}$tʂak^{3}ia^{35}ɔn$^{35}_{44}$tso$^{53}_{44}$pau^{21}ɲin^{13}.e$_{21}$,iɔŋ^{21}tʂəŋ^{21},iet^{3}tʂəŋ^{21}fan$^{53}_{44}$li^{0}sɿ^{53}ke^{0},ia^{35} kʰo^{21}i^{35}u^{21}tʂak^{3}ɲin^{13}tɔŋ^{35}pau^{21}ɲin^{13}.iet^{3}pɔn^{35}nei^{0}e$_{21}$ta^{21}pi^{21}ci^{13}ke^{53}ci$^{13}_{44}$uk^{3}xa^{53}ci$^{13}_{21}$ke^{0}a^{35}ʂəuk^{3}a^{0}mak^{3}e^{0}tʰai^{53} pak^{3}kai$^{53}_{44}$tʂak^{3}la^{0},ci^{13}tʂʰət^{3}lɔi^{13}tan^{35}pau^{21}. ɲi$^{13}_{21}$tʰəŋ$^{13}_{21}$ŋai$^{13}_{21}$fɔŋ^{53}tʂʰət^{3}lɔi^{13},mau^{13}sɿ$^{21}_{44}$pʰau^{21}kan$^{21}_{44}$,xei$^{53}_{44}$a^{0}?kai$^{53}_{44}$ tsʰiəu^{53}ia^{35}xe^{53}pau^{21}ɲin^{13}.xai^{13}iəu$^{35}_{44}$tʂak^{3}tsʰiəu$^{53}_{44}$tsia^{53}tsʰien^{13}.

【保险刀子】pau^{21}çian^{21}tau^{35}tsɿ^{0} 名 安全剃刀；刮胡子的用具，刀片安在特制的刀架上，使用时不会刮伤皮肤：渠指开面又唔系用箇个唔系用～割嘞，唔系用～剃寒毛嘞，以咁是扯寒毛。ci$^{13}_{21}$ iəu^{53}m̩$^{13}_{21}$pʰei$^{53}_{44}$iəŋ$^{53}_{44}$kai$^{53}_{44}$ke$^{53}_{44}$m̩$^{13}_{21}$pʰei^{53}iəŋ^{53}pau^{21}çian^{21}tau^{35}tsɿ^{0}kɔit^{3}le^{0},m̩$^{13}_{21}$pʰei^{53}iəŋ^{53}pau^{21}çian^{21}tau^{35}tsɿ^{0}tʰe^{53} xɔn$^{13}_{21}$mau^{35}le^{0},i$^{21}_{13}$kan$^{21}_{44}$sɿ$^{53}_{21}$tʂʰa^{21}xɔn^{13}mau$_{53}$.

【保佑】pau^{21}iəu^{53} 动 指神佛保护和帮助：请渠同我念一天经，～我俫子长寿。tsʰiaŋ^{21}ci$^{13}_{21}$tʰəŋ$^{13}_{21}$ ŋai$^{13}_{21}$ɲian^{53}iet^{3}tʰien$^{35}_{21}$cin^{35},pau^{21}iəu$^{53}_{44}$ŋai$^{13}_{21}$ɔi^{35}tsɿ^{0}tʂʰɔŋ$^{13}_{21}$ʂəu^{53}.

【保长】pau^{21}tʂɔŋ^{21} 名 喻指爱管闲事者：还有只探空事个人呢就一只夫娘子箇就。尽兜喊渠～。xai$^{13}_{21}$iəu$^{35}_{53}$tʂak^{3}tʰan^{53}kʰəŋ^{53}sɿ$^{53}_{44}$ke$^{53}_{44}$ɲin$^{13}_{21}$nei^{0}tsʰiəu^{53}iet^{3}tʂak^{3}pu^{35}ɲiɔŋ$^{13}_{21}$tsɿ^{0}kai$^{53}_{21}$tsiəu$^{53}_{21}$.tsʰin^{53}te$^{35}_{53}$xan^{53}ci$^{13}_{21}$pau^{21} tʂɔŋ^{21}.

【报】pau^{53} 动 ①传达，告知：通知亲戚就安做～啦。tʰəŋ^{35}tʂɿ$^{35}_{44}$tsʰin^{35}tsʰiet^{3}tsiəu$^{53}_{44}$ɔn$^{35}_{44}$tso$^{53}_{44}$pau^{53}la^{0}. ｜～倒时生月日分我。pau^{53}tau^{21}sɿ^{13}saŋ$^{35}_{44}$ɲiet^{5}ɲiet^{3}pən^{35}ŋai$^{13}_{21}$. ②举报，通风报信，告密：渠等打麻将个人默正神呐。渠有人会去～。ci^{13}tien^{0}ta^{21}ma^{13}tsiɔŋ^{53}ke$^{53}_{44}$ɲin^{13}mek^{3}tʂaŋ^{53}ʂən^{13}na^{0}.ci$^{13}_{21}$iəu^{35}ɲin$^{13}_{21}$ uɔi$^{53}_{44}$çi$^{53}_{44}$pau^{53}.

【报名】pau^{53}miaŋ^{13} 动 把自己的姓名等信息报告给主管的人或机关、团体等，表示愿意参加某种活动或组织：下半年有以个欸征兵了，欸你赖子去报只名唠，去当兵呶。xa^{53}pan$^{53}_{44}$ɲien$^{13}_{21}$ iəu^{35}i$^{21}_{53}$ke$^{53}_{44}$e$_{21}$tʂən^{35}pin^{35}liau^{0},e$_{21}$ɲi^{13}lai^{53}tsɿ^{0}çi$^{53}_{44}$pau^{53}tʂak^{3}miaŋ^{13}lau^{0},çi$^{53}_{44}$tɔŋ^{35}pin^{35}nau^{0}. ｜报哩名吧？pau^{53} li^{0}miaŋ$^{13}_{44}$pa^{0}?

【报日子】pau^{53}ɲiet^{3}tsɿ^{0} 男方定下迎娶日期后告诉女方：箇只细子爱结婚了，爱讨老婆了，嗯，麻溜分欸整酒个日子报分箇个女方，嗯，就系～。kai^{53}tʂak^{3}sei^{53}tsɿ^{0}ɔi^{53}ciet^{3}fən^{35}niau^{0},ɔi^{53}tʰau^{21} lau^{21}pʰo^{13}liau^{0},n̩$_{21}$,ma^{13}liəu$^{35}_{44}$pən$^{35}_{44}$e$_{21}$tʂaŋ^{21}tsiəu^{21}ke^{53}ɲiet^{3}tsɿ^{0}pau^{53}pən^{35}kai$^{53}_{44}$ke$^{53}_{44}$ɲy^{21}fɔŋ^{35},n̩$_{21}$,tsʰiəu$^{53}_{44}$xe$^{53}_{44}$pau^{53} ɲiet^{3}tsɿ^{0}.

【报丧】pau^{53}sɔŋ^{35} 动 把死者去世的消息通知其亲友。又称“报死”：以下就还爱请还爱报滴通知滴么啊亲戚啦。通知亲戚就安做报啦。～啊，就～啊。报死呀，也就报死呀。i^{21}xa^{53}tsʰiəu$^{53}_{44}$ xa$^{13}_{21}$ɔi$^{53}_{44}$tsʰiaŋ^{21}xa$^{13}_{21}$ɔi$^{53}_{44}$pau^{53}tiet^{5}tʰəŋ^{35}tʂɿ$^{35}_{44}$tiet^{5}mak^{3}a^{0}tsʰin^{35}tsʰiet^{3}la^{0}.tʰəŋ^{35}tʂɿ$^{35}_{44}$tsʰin^{35}tsʰiet^{3}tsiəu$^{53}_{44}$ɔn$^{35}_{44}$tso$^{53}_{44}$ pau^{53}la^{0}.pau^{53}sɔŋ^{35}ŋa^{0},tsʰiəu$^{53}_{44}$pau^{53}sɔŋ^{35}ŋa^{0}.pau^{53}si^{21}ia^{0},ia^{35}tsʰiəu$^{53}_{44}$pau^{53}si^{21}ia^{0}.

【报信石】pau^{53}sin^{53}ʂak^{5} 名 埋在坟堆中用来告诉后来的开坟者下方有骨坛的石头：箇只系有只咁个呢石头嘞。爱放只石头嘞。～啊安做。渠是为渠挖下去，挖倒哩箇石头了，你就默正是底下就有箇个了，有金罂了。欸，～，系安做有只～。有只～。同如今城里个箇个燃气管道样，顶高叫那带，系，你挖倒哩箇条带了嘞，你就爱小心滴。kai^{53}tʂak^{3}xei^{53}iəu^{35}tʂak^{3}kan^{21}ke^{53} nei^{0}ʂak^{5}tʰei$^{13}_{21}$lei^{0}.ɔi$^{53}_{44}$fɔŋ^{53}tʂak^{3}ʂak^{5}tʰei$^{13}_{44}$lei^{0}.pau$^{53}_{44}$sin$^{53}_{44}$ʂak^{5}a^{0}ɔn$^{35}_{44}$tso$^{53}_{44}$.ci$^{13}_{21}$ʂɿ^{53}uɔi$^{53}_{44}$ci$^{13}_{44}$uait^{3}e^{53}(←xa^{53})çi^{53}, uait^{3} tau^{21}li^{0} kai^{53} ʂak^{5} tʰei$^{13}_{44}$liau^{0} ,ɲi^{13}tsʰiəu^{53}mek^{3} tʂaŋ^{53} ʂʅ$^{53}_{44}$tei^{21} xa$^{35}_{44}$tsʰiəu$^{53}_{44}$iəu^{35}kai$^{53}_{44}$ke$^{53}_{44}$liau^{0} ,iəu^{35}cin^{35}aŋ$^{35}_{44}$ liau^{0} .e$_{21}$,pau^{53}sin$^{53}_{44}$ʂak^{5} ,xei^{53}ən$^{35}_{44}$tso$^{53}_{44}$iəu^{35}tʂak^{3} pau$^{53}_{44}$sin$^{53}_{44}$ʂak^{5} .iəu^{35}tʂak^{3} pau$^{53}_{44}$sin$^{53}_{44}$ʂak^{5} .tʰəŋ^{13}i$^{13}_{21}$cin$^{35}_{44}$tʂʰən^{13}ni^{21} ke$^{53}_{44}$kai$^{53}_{44}$ke$^{53}_{44}$vien^{13} çi$^{53}_{44}$kən^{21} tʰau$^{53}_{44}$iəŋ$^{53}_{44}$,taŋ^{21}kau$^{35}_{44}$ciau$^{53}_{44}$lai^{53}tai$^{53}_{44}$,xe$_{21}$, ɲi$^{13}_{21}$uait^{3} tau^{21}li^{0} kai$^{53}_{44}$tʰiau$^{13}_{21}$tai^{53}liau^{21} lei^{0} ,ɲi$^{13}_{21}$tsʰiəu$^{53}_{44}$uɔi$^{53}_{44}$siau^{21}sin$^{35}_{21}$tiet^{5} .

【报籽】pau^{53}tsɿ^{21} 名 用来再种一季的上一季所收获的农作物种子：箇年就八三年就蛮多人就二禾秧啊冇得哩啊，就临时嘞下滴子翻秋个～啊，结果是落尾打禾是箇翻秋个～硬冇得。渠就迟嘿哩，忒迟哩。好，有滴人呢翻秋个～也唔够，就扯倒箇咁长个箇起杂交秧，箇就过嘿哩季节个多月个了哇，禾蔸打侧了哇箇起箇杂交秧，扯倒来。冇哩翻秋个都冇哩吵，系唔系？翻秋个也爱蛮多天正搞得禾秧出来。就扯倒箇起就扯倒箇起箇杂交秧，箇都迟嘿个多月了，清迟八迟了栽倒去，唔知几好喔箇个，那个杂交秧哦，我等都晓得啊，唔知几好。箇～冇得。～是滴都冇得。kai^{53} ɲien$^{13}_{44}$tsʰiəu$^{53}_{44}$pait^{3} san^{35} ɲien$^{13}_{21}$tsʰiəu$^{53}_{44}$man$^{13}_{21}$to$^{35}_{44}$ɲin^{13}tsʰiəu$^{53}_{44}$ɲi^{53}uo$^{13}_{21}$iəŋ^{35}ŋa^{0} mau$^{13}_{44}$ tek^{3} li^{0} a^{0} ,tsʰiəu^{53}lin^{13} ʂʅ$^{13}_{44}$le^{0} xa^{53}tiet^{5} tsɿ^{0} fan^{35}tsʰiəu^{35}ke^{0} pau^{53}tsɿ^{21}a^{0} ,ciet^{3} ko^{21} ʂʅ^{53} lɔk^{5} mi$^{35}_{44}$ta^{21}uo^{13} ʂʅ$^{53}_{44}$kai$^{53}_{44}$fan$^{35}_{44}$ tsʰiəu$^{35}_{44}$ke$^{35}_{44}$pau^{53}tsɿ^{21}ɲiaŋ^{53}mau^{13}tek^{3} .ci^{13}sʰiəu^{53}tʂʰʅ^{13}xek^{3} li^{0} ,tʰet^{5} tʂʰʅ^{13}li^{0} .xau^{21},iəu^{35}tet^{5} ɲin^{13}nei^{0} fan^{35}tsʰiəu^{35} ke^{0} pau^{53}tsɿ^{21}ia^{35}n̩$^{13}_{21}$ciei^{53},tsʰiəu^{53}tʂʰa^{21}tau^{21}kai^{53}kan^{21}tʂʰəŋ^{13}ke^{0} kai$^{53}_{44}$çi$^{21}_{44}$tsʰait^{5} ciau$^{35}_{44}$iəŋ^{35},kai$^{53}_{44}$tsʰiəu$^{53}_{44}$ko^{53}xek^{3} li^{0} ci^{53}tset^{3} cie^{53}to$^{35}_{44}$ɲiet^{5} cie^{53}liau^{0} ua^{0} ,uo^{13}təu$^{35}_{53}$ta^{21}tsek^{3} liau^{0} ua^{0} kai^{53} ci$^{21}_{44}$kai$^{53}_{44}$tsʰait^{5} ciau$^{35}_{44}$iəŋ^{35},tʂʰa^{21}tau^{21}lɔi^{13}. mau^{13}li^{0} fan^{35}tsʰiəu^{35}ke^{53}təu$^{35}_{53}$mau$^{13}_{44}$li^{0} ʂa^{0} ,xei$^{53}_{44}$me$^{53}_{44}$?fan^{35}tsʰiəu^{35}ke^{0} ia^{35}ɔi^{53}man$^{13}_{21}$to$^{35}_{44}$tʰien^{35}tʂaŋ^{53}kau^{21}tek^{3} uo^{13} iəŋ^{35}tʂʰət^{3} lɔi^{13}.tsʰiəu^{53}tʂʰa^{21}tau^{21}kai^{53}çi^{21}tsiəu$^{53}_{44}$tʂʰa^{21}tau^{21}kai^{53} çi^{21}kai$^{53}_{44}$tsʰait^{5} ciau$^{35}_{44}$iəŋ^{35},kai$^{53}_{44}$təu$^{35}_{44}$tʂʰʅ^{13}xek^{3} cie^{53}to$^{35}_{44}$ɲiet^{5} liau^{0} ,tsʰiaŋ^{35}tʂʰʅ$^{13}_{44}$pait^{3} tʂʰʅ^{13}liau^{0} tsɔi$^{35}_{44}$tau^{21}çi^{53},n̩^{13}ti$^{35}_{53}$ci^{21}xau^{21}uo^{0} kai$^{53}_{44}$kei$^{53}_{44}$,la$^{35}_{44}$ke$^{53}_{44}$tsʰait^{5} ciau$^{35}_{44}$ iəŋ$^{35}_{44}$ŋo^{0} ,ŋai^{13}tien^{0} təu$^{35}_{53}$çiau^{21}tek^{3} a^{0} ,n̩^{13}ti$^{35}_{53}$ci^{21}xau^{21}.kai^{53}pau^{53}tsɿ^{21}mau^{13}tek^{3} .pau^{53}tsɿ^{21} ʂʅ$^{53}_{44}$tiet^{5} təu$^{35}_{53}$mau$^{13}_{21}$tek^{3} .

【抱】pʰau^{53} 动 用手臂围住：打比箇被窝样，我～倒我放下箱子肚里放唔下，用……攒劲按下去啊。ta^{21}pi^{21}kai$^{53}_{44}$pʰi^{35}pʰo$^{35}_{44}$iəŋ$^{53}_{44}$,ŋai$^{13}_{21}$pau^{35}tau^{21}ŋai$^{13}_{21}$fəŋ$^{53}_{44}$xa$^{53}_{44}$siəŋ^{35}tsɿ^{0} təu^{21}li^{0} fəŋ^{53}ŋ̍$^{13}_{21}$xa^{35},iəŋ^{53}…tsan^{21}cin^{53} tsʰən^{21}xa$^{35}_{44}$çi^{53}a^{0} .｜你看渠箇两个人呢，欸，～做一坨去哩。ɲi$^{13}_{21}$kʰɔn^{53}ci$^{13}_{21}$kai^{53}iəŋ^{21}ke^{53}ɲin$^{13}_{21}$ne^{0} ,e$_{21}$, pʰau^{53}tso^{53}iet^{3} tʰo^{13}çi^{53}li^{0} .

【抱耳】pʰau^{53}ɲi^{21} 名 耳刀儿，汉字偏旁“卩”和“阝”的统称：～是有左边个～，有右边个～嘞。pʰau^{53}ɲi^{21} ʂʅ$^{53}_{44}$iəu$^{35}_{53}$tso^{21}pien^{35}ke^{0} pʰau^{53}ɲi^{21},iəu$^{35}_{44}$iəu^{35}pien$^{35}_{44}$ke^{0} pʰau^{53}ɲi$^{13}_{21}$le^{0} .

【菢】pʰu^{53} 动 孵卵：～鸡崽子 pʰu^{53}ke^{35}tse^{21}tsɿ^{0} ｜箇个蚕虫蚕虫饽饽子肚里正～出来个箇个点伢大子个蚕虫子安做么个东西啰？kai$^{53}_{44}$ke$^{53}_{44}$tsʰan^{13}tʂʰəŋ$^{35}_{44}$tsʰan^{13}tʂʰəŋ$^{13}_{44}$pɔk^{5} pɔk^{5} tsɿ^{0} təu^{21}li^{0} tʂaŋ^{53}pʰu^{53} tʂʰət^{3} lɔi$^{13}_{21}$ke^{53}kai$^{53}_{44}$ke$^{53}_{44}$tian^{53}ŋa$^{13}_{44}$tʰai^{53}tsɿ^{0} ke^{53}tsʰan^{13}tʂʰəŋ^{13}tsɿ^{0} ɔn$^{35}_{44}$tso$^{53}_{44}$mak^{3} (k)e$^{53}_{44}$təŋ$^{35}_{44}$si^{0} lo^{0} ?

【龅牙齿】pʰau^{53}ŋa^{13}tʂʰʅ^{21} 名 突露在嘴唇外的牙齿。也简称“龅牙”：上背个牙齿或者现出嘴巴皮来，箇个就安做龅牙，～。欸，我等有只亲戚就系有滴子～。渠个下嘴巴皮短。箇牙齿现出来嘞，欸，箇嘴巴皮遮唔倒箇牙齿。还有滴讲牙齿有滴子龅。牙齿有滴子龅嘞就系，嘴巴皮，下嘴巴皮包唔住上背个牙齿。欸，也有滴系习惯。我等有只亲戚，一只妹子，就咁个，～。长日都一只下嘴巴皮就缩啊转去，上背个牙齿就现出来，平时渠就遮唔住箇只牙齿。ʂɔŋ^{53}pɔi$^{53}_{44}$ke^{0} ŋa^{13}tʂʰʅ^{21}xɔit^{5} tʂa^{21}çien^{53}tʂʰət^{3} tsi^{21}pa$^{35}_{44}$pʰi^{13}lɔi$^{13}_{21}$,kai$^{53}_{44}$ke$^{53}_{44}$tsʰiəu$^{53}_{44}$ɔn$^{35}_{44}$tso$^{53}_{44}$pʰau^{53}ŋa^{13},pʰau^{53}ŋa^{13}tʂʰʅ^{21}. e$_{21}$,ŋai^{13}tien^{0} iəu^{35}tʂak^{3} tsʰin^{35}tsʰiet^{3} tsʰiəu$^{53}_{44}$xei$^{53}_{44}$iəu^{35}tiet^{5} tsɿ^{0} pʰau^{53}ŋa^{13}tʂʰʅ^{21}.ci^{13}kei^{53}xa^{35}tsi^{21}pa$^{35}_{44}$pʰi^{13}tɔn^{21}.kai^{53} ŋa^{13}tʂʰʅ^{21}çien^{53}tʂʰət^{3} lɔi$^{13}_{21}$le^{0} ,e$_{21}$,kai^{53}tsi^{21}pa$^{35}_{44}$pʰi$^{13}_{21}$tʂa^{35}n̩$^{13}_{21}$tau^{21}kai^{53}ŋa^{13}tʂʰʅ$^{21}_{44}$.xai$^{13}_{21}$iəu$^{35}_{53}$tiet^{5} kɔŋ^{21}ŋa^{13}tʂʰʅ^{21}iəu^{35} tiet^{5} tsɿ^{0} pʰau^{53}.ŋa^{13}tʂʰʅ^{21}iəu^{35}tiet^{5} tsɿ^{0} pʰau^{53}lei^{0} tsʰiəu$^{53}_{44}$xei$^{53}_{44}$,tsi^{21}pa$^{35}_{44}$pʰi^{13},xa^{35}tsi^{21}pa$^{35}_{44}$pʰi^{13}pau^{35}n̩$^{13}_{21}$tʂʰu^{53}ʂɔŋ^{53} pɔi$^{53}_{44}$ke^{0} ŋa^{13}tʂʰʅ^{21}.ei$_{21}$,ia^{35}iəu^{35}tet^{5} xei$^{53}_{44}$siet^{5} kuan^{53}.ŋai^{13}tien^{0} iəu$^{35}_{44}$tʂak^{3} tsʰin^{35}tsʰiet^{3} ,iet^{3} tʂak^{3} mɔi^{53}tsɿ^{0} ,tsʰiəu^{53} kan^{21}cie^{53},pʰau^{53}ŋa^{13}tʂʰʅ^{21}.tʂʰəŋ^{13}ɲiet^{3} təu$^{35}_{53}$iet^{3} tʂak^{3} xa^{35}tsi^{21}pa$^{35}_{44}$pʰi$^{13}_{21}$tsiəu^{53}sɔk^{3} a^{53}tʂɔn^{21}çi^{53},ʂɔŋ^{53}pɔi$^{53}_{44}$ke^{0} ŋa^{13} tʂʰʅ^{21}tsiəu^{53}çien^{53}tʂʰət^{3} lɔi$^{13}_{21}$,pʰin^{13} ʂʅ$^{13}_{44}$ci$^{35}_{44}$tsʰiəu^{53}tʂa^{35}n̩$^{13}_{21}$tʂʰu^{53}kai^{53}tʂak^{3} ŋa^{13}tʂʰʅ^{21}.

【趵】pau^{53} 动 弹起来：扎一下正钉得箇只东西指竹钉子，唔系会～，唔会舞就会～嘿。tsait^{5} iet^{3} xa$^{53}_{44}$ tʂaŋ$^{53}_{44}$taŋ^{35}tek^{3} kai$^{53}_{44}$tʂak^{3} təŋ$^{35}_{44}$si^{0} ,m̩$^{13}_{21}$pʰe$^{53}_{44}$uɔi$^{53}_{44}$pau^{53},m̩$^{13}_{21}$mɔi$^{53}_{44}$u$^{21}_{53}$tsʰiəu$^{53}_{44}$uɔi$^{53}_{44}$pau^{53}xek^{3} .

【豹符子】pau^{53}fu^{13}tsɿ^{0} 名 一种昆虫，可用于止血：我等箇阵子做工夫个时候子咯，箇手上系割一下，欸，撞一下，如果系丁啮子个撞倒箇丁啮子个，割倒哩下子，刀割倒哩下子，麻溜到箇壁上去舞只～。～，就一种咁个虫子呢，跍倒箇壁上咯，跍倒箇老墙上咯壁上咯做只子窠子呢。渠就屏下箇肚里，面上就尽系咁个逻瘸蜘蛛网样个东西嘞。箇肚里就有只勵活个东西，勵活个虫子，渠屏倒箇肚里。你系按下去冇得么个嘞，你就不要凑。你爱肚里有虫子个，有虫子个肚里你麻溜按下倒，捻下倒，捻死渠来，舞下上背，舞只～，渠慢就好哩，就等倒哩血。么个几千净子就冇得啦。箇就～。ŋai^{13}tien^{0}kai$^{53}_{44}$tʂʰən$^{53}_{44}$tsɿ^{0}tso^{53}kəŋ$^{35}_{44}$fu$^{35}_{53}$ke^{0}ʂʅ$^{13}_{44}$xəu$^{53}_{44}$tsɿ^{0}ko^{0},kai$^{53}_{44}$ʂəu^{21}xəŋ$^{53}_{44}$xei$^{53}_{44}$kɔit^{3}iet^{3}xa$^{53}_{44}$,e$_{44}$tsʰəŋ^{53}iet^{3}xa$^{53}_{44}$,vy^{21}ko^{21}xei^{53}tin$^{35}_{53}$ŋait^{3}tsɿ^{0}kei$^{53}_{44}$tsʰəŋ^{53}tau^{21}kai$^{53}_{44}$tin^{53}ŋait^{3}tsɿ^{0}kei$^{53}_{44}$,kɔit^{3}tau^{21}li^{0}(x)a^{53}tsɿ^{0},tau^{35}kɔit^{3}tau^{21}li^{0}(x)a^{53}tsɿ^{0},ma^{13}liəu$^{35}_{44}$tau^{53}kai$^{53}_{44}$piak^{3}xəŋ$^{53}_{44}$çi^{53}u^{21}tʂak^{3}pau^{53}fu$^{13}_{21}$tsɿ^{0}. pau^{53}fu^{13}tsɿ^{0},tsʰiəu^{53}iet^{3}tʂəŋ^{21}kan$^{21}_{13}$ke^{53}tʂʰəŋ^{13}tsɿ^{0}nei^{0},ku^{35}tau^{21}kai$^{53}_{44}$piak^{3}xəŋ$^{53}_{44}$ko^{0},ku^{35}tau^{21}kai$^{53}_{44}$lau^{21}tsʰiəŋ^{13}xəŋ^{53}ko^{0}piak^{3}xəŋ^{53}ko^{0}tsɔk^{3}tʂak^{3}tsɿ^{0}kʰo^{35}tsɿ^{0}nei^{0}.ci^{13}tsʰiəu$^{53}_{44}$piaŋ^{53}ŋa$^{53}_{44}$kai$^{53}_{44}$təu^{21}li^{0},mien^{53}xəŋ^{53}tsʰiəu$^{53}_{44}$tsʰin^{53}ne$^{53}_{44}$kan^{21}ke$^{53}_{44}$la^{13}cʰia$^{13}_{44}$məŋ^{21}iəŋ$^{53}_{44}$ke^{0}təŋ$^{35}_{44}$si^{0}lei^{0}.kai$^{53}_{44}$təu^{21}li^{0}tsʰiəu$^{53}_{44}$iəu$^{35}_{53}$tʂak^{3}li^{35}uɔit^{53}ke^{0}təŋ$^{35}_{44}$si^{0},li^{35}uɔit^{53}ke^{0}tʂʰəŋ^{13}tsɿ^{0},ci^{13}piaŋ^{53}tau$^{53}_{44}$kai$^{53}_{44}$təu^{21}li^{0}. ɲi^{13}xei^{53}tsʰən^{21}na$^{53}_{44}$çi^{53}mau^{13}tek^{3}mak^{3}e^{0}lei^{0}, ɲi$^{13}_{21}$tsʰiəu^{53}puk^{3}iau^{53}tsʰe^{0}. ɲi^{13}ɔi^{53}təu^{21}li^{0}iəu$^{35}_{53}$tʂʰəŋ^{13}tsɿ^{0}ke^{0},iəu$^{35}_{53}$tʂʰəŋ^{13}tsɿ^{0}ke^{0}təu^{21}li^{0}ɲi$^{13}_{44}$ma$^{13}_{21}$liəu$^{35}_{53}$tsʰən^{21}na^{53}tau^{21}, ɲien^{21}na^{53}tau^{21}, ɲien^{21}si^{21}ci$^{13}_{44}$lɔi$^{13}_{44}$,u^{21}xa$^{53}_{44}$ʂəŋ$^{53}_{44}$pɔi$^{53}_{44}$,u^{21}tʂak^{3}pau^{53}fu$^{13}_{21}$tsɿ^{0},ci$^{13}_{21}$man^{53}tsʰiəu^{53}xau^{21}li^{0},tsʰiəu^{53}tən^{21}tau^{21}li^{0}çiet^{3}.mak^{3}e^{0}ci^{21}kɔn^{35}tsʰin^{53}tsɿ^{0}tsiəu^{53}mau$^{13}_{21}$tek^{3}la^{0}.kai$^{53}_{44}$tsʰiəu$^{53}_{44}$pau^{53}fu$^{13}_{21}$tsɿ^{0}.

【豹子】pau^{53}tsɿ^{0} 名 一种猫科动物：～我见过。我真系见过啦。pau^{53}tsɿ^{0}ŋai^{13}cien^{53}ko^{53}.ŋai^{13}tʂən$^{35}_{44}$ne$_{44}$(←xe^{53})cien^{53}ko$^{53}_{44}$la^{0}.

【暴发户】pʰau^{53}fait^{3}fu^{53} 名 突然发财或得势的人：欸，箇只人箇以前都唔知几苦，几年工夫，就赚哩钱，发哩大财，箇个～。e$_{21}$,kai^{53}tʂak^{3}ɲin$^{13}_{21}$kai^{53}i$^{35}_{53}$tsʰien$^{13}_{21}$təu$^{35}_{53}$n̩^{13}ti$^{35}_{53}$ci^{21}kʰu^{21},ci^{21}ɲien^{13}kəŋ$^{35}_{44}$fu$^{35}_{44}$,tsʰiəu$^{53}_{44}$tsʰan^{53}li^{0}tsʰien^{13},fait^{3}li^{0}tʰai^{53}tsʰɔi^{13},kai$^{53}_{44}$kei$^{53}_{44}$pʰau^{53}fait^{3}fu^{53}.

【暴火】pʰau^{53}fo^{21} 形 做事性子急但经验不足，冒失：真～，系呀，欸箇讲有滴人性子十分躁，火石子样，真～，欸，或者冇经验，系啊，冇经验。冇经验呢就是真～做起事来。tʂən^{35}pʰau^{53}fo^{21},xei^{53}ia^{0},e^{0}kai^{53}kəŋ^{21}iəu^{35}tet^{5}ɲin$^{13}_{21}$sin^{53}tsɿ^{0}ʂət^{5}fən$^{35}_{44}$tsau^{53},fo^{21}ʂak^{5}tsɿ^{0}iəŋ^{53},tʂən^{35}pʰau^{53}fo^{21},e$_{21}$,xɔit^{5}tʂa^{21}mau^{13}cin^{35}ɲian^{53},xei$^{53}_{44}$a^{0},mau^{13}cin^{35}ɲian^{53}.mau$^{13}_{21}$cin^{35}ɲian$^{53}_{44}$ne^{0}tsʰiəu$^{53}_{44}$ʂʅ$^{53}_{44}$tʂən^{35}pʰau^{53}fo^{21}tso^{53}çi^{21}sɿ^{53}lɔi$^{13}_{21}$.

【暴火屦】pʰau^{53}fo^{21}lin^{21} 名 生手，指新做某项工作，对工作还不熟悉的人：箇起～！kai^{53}çi^{21}pʰau^{53}fo^{21}lin^{21}! | 欸，让门子啊？唔怕～，只怕蚀本客。意思就话欸，欸，冇经验都更唔爱紧，只怕做事尽蚀本，尽系贴本个人。e$_{21}$, ɲiəŋ$^{53}_{44}$mən^{0}tsɿ^{0}a^{0}?m̩^{13}pʰa$^{53}_{44}$pʰau^{53}fo^{21}lin^{21},tʂət^{3}pʰa^{53}ʂet^{5}pən^{21}kʰak^{3}.i$^{53}_{44}$sɿ^{0}tsʰiəu$^{53}_{44}$ua$^{53}_{44}$ei^{0},e$_{21}$,mau^{13}cin^{35}ɲian$^{53}_{44}$təu$^{35}_{44}$ken^{53}n̩^{13}mɔi^{53}cin^{21},tʂət^{3}pʰa^{53}tso^{53}sɿ^{53}tsʰin^{53}ʂet^{5}pən^{21},tsʰin^{53}xei^{53}tʰiet^{3}pən^{21}ke^{53}ɲin$^{13}_{44}$.

【暴火卵】pʰau^{53}fo^{21}lən^{21} 名 冒失鬼：你箇只～，唔知几暴火。ɲi^{13}kai^{53}tʂak^{3}pʰau^{53}fo^{21}lən^{21},n̩^{13}ti$^{35}_{53}$ci^{21}pʰau^{53}fo^{21}. | 你做事啊，爱想正下子来啊，莫搞得箇～样哦。嗯，想正下子来做事，莫搞倒～样。ɲi^{13}tso^{53}sɿ^{53}a^{0},ɔi^{53}siəŋ^{21}tʂaŋ^{53}xa$^{53}_{44}$tsɿ^{0}lɔi$^{13}_{21}$a^{0},mɔk^{5}kau^{21}tek^{3}kai$^{53}_{44}$pʰau^{53}fo^{21}lən^{21}iəŋ$^{53}_{44}$ŋo^{0}.n̩$_{21}$,siəŋ^{21}tʂaŋ^{53}xa$^{53}_{44}$tsɿ^{0}lɔi$^{13}_{21}$tso^{53}sɿ^{53},mɔk^{5}kau^{21}tau^{21}pʰau^{53}fo^{21}lən^{21}iəŋ^{53}.

【暴水】pʰau^{53}ʂei^{21} 名 暴雨：昨晡挨夜子啊落一醮～。tsʰo^{35}pu$^{35}_{53}$ai^{35}ia^{53}tsɿ^{0}a^{0}lɔk^{5}iet^{3}tsiau^{53}pʰau^{53}ʂei^{21}.

【暴躁】pʰau^{53}tsau^{53} 形 遇事急躁、鲁莽，不能控制感情，容易发火：脾气～pʰi^{13}çi$^{53}_{44}$pʰau^{53}tsau$^{53}_{44}$

【爆】pau^{53} 动 ①炸裂：熷～开来个就安做包粟子。maŋ^{13}pau^{53}kʰɔi$^{35}_{44}$lɔi$^{13}_{21}$ke$^{53}_{44}$tsiəu$^{53}_{44}$ɔn$^{35}_{44}$tso$^{53}_{44}$pau^{35}siəuk^{3}tsɿ^{21}. ②突然显现；显露：我就，看吵，以咁个咁个栏场子啊，以箇手指节子上啊冬下头呀渠就～条坼，箇肚里鲜红个血，箇就～皲公。你只爱舞倒箇个湖膏油，箇～哩坼个栏场丫下一坨去，丫一坨湖膏油去，欸，你分渠又擦下子，擦下子，擦下子，第二晡就好哩嘞咁兜个真好嘞。老东西好噢，一搞一阵就会冇哪寻了凑。ŋai^{13}tsʰiəu^{53},kʰən^{53}ʂa^{0},i^{21}kan$^{21}_{44}$ke$^{53}_{44}$kan^{21}cie^{53}laŋ$^{13}_{21}$tʂʰəŋ$^{13}_{44}$tsa^{0},i^{21}kai^{53}ʂəu^{21}tʂʅ^{21}tset^{3}tsɿ^{0}xəŋ^{53}ŋa^{0}təŋ$^{35}_{44}$xa$^{53}_{44}$tʰei$^{13}_{21}$ia^{0}ci$^{13}_{21}$tsʰiəu^{53}pau^{53}tʰiau$^{13}_{21}$tsʰak^{3},kai$^{53}_{44}$təu^{21}li^{0}çien^{35}fəŋ$^{13}_{21}$ke^{0}çiet^{3},kai$^{53}_{44}$tsʰiəu$^{53}_{44}$pau^{53}cien$^{35}_{44}$kəŋ$^{35}_{44}$. ɲi$^{13}_{21}$tʂʅ^{21}ɔi^{53}u^{21}tau^{21}kai$^{53}_{44}$ke$^{53}_{44}$fu^{13}kau^{53}iəu^{13},kai^{53}pau^{53}li^{0}tsʰak^{3}ke^{53}laŋ$^{13}_{44}$tʂʰəŋ$^{13}_{44}$ŋa^{35}(x)a^{53}iet^{3}tʰo$^{13}_{21}$çi^{53},ŋa$^{35}_{53}$iet^{3}tʰo$^{13}_{21}$fu^{13}kau^{53}iəu^{13}çi^{53},ei$_{21}$, ɲi$^{13}_{21}$pən$^{35}_{44}$ci$^{13}_{44}$iəu$^{53}_{44}$tsʰait^{3}(x)a^{53}tsɿ^{0}, tsʰait^{3}(x)a^{53}tsɿ^{0},tsʰait^{3}(x)a^{53}tsɿ^{0},tʰi$^{53}_{44}$ɲi^{53}pu$^{35}_{53}$tsʰiəu^{53}xau^{21}li^{0}lei^{0}kan^{21}tei$^{35}_{53}$ke^{0}tʂən$^{35}_{44}$xau^{21}lei^{0}.lau^{21}təŋ$^{35}_{44}$si^{0}xau^{21}au^{0},iet^{3}kau^{21}iet^{3}tʂʰən$^{53}_{44}$tsʰiəu^{53}uɔi^{53}mau^{13}lai^{53}tsʰin^{13}niau^{21}tsʰe^{0}.

【爆坼】pau^{53}tsʰak^{3} 动 爆裂开坼：竹筒啊因为劈嘿呀，渠首先是有蛮厚，有咁厚个肉哇，劈嘿一半呐，劈倒掀薄子了。有滴地方熷劈匀称个吵。又看唔倒，箇肚里看唔倒。渠～啊。热六月伏天呢，热天个时候子会～。一爆就箇只酒就漏出来啦。如今我都记得啊，竹筒打酒哇。tʂəuk^{3}tʰəŋ^{13}ŋa^{0}in^{35}uei$^{53}_{44}$pʰiak^{3}xek^{3}ia^{0},ci$^{13}_{21}$ʂəu^{21}sien$^{35}_{44}$ʂʅ$^{53}_{44}$iəu^{35}man$^{13}_{21}$xei^{35},iəu^{35}kan^{21}xei^{35}ke^{53}ɲiəuk^{3}ua^{0},pʰiak^{3}xek^{3}iet^{3}pan^{53}na^{0},pʰiak^{3}tau^{21}ʂen^{35}pʰɔk^{5}tsɿ^{0}liau^{0}.iəu^{35}tet^{5}ti$^{53}_{44}$fəŋ$^{35}_{44}$maŋ^{13}pʰiak^{3}in^{13}tsʰin$^{53}_{44}$ke$^{53}_{44}$ʂa^{0}.iəu$^{53}_{44}$kʰən^{53}n̩$^{13}_{44}$tau^{21},kai^{53}təu^{21}li^{0}kʰən^{53}n̩$^{13}_{44}$tau^{21}.ci^{13}pau^{53}tsʰak^{3}a^{0}.ɲiet$^{5}_{3}$liəuk^{3}ɲiet$^{5}_{3}$fuk^{5}tʰien$^{35}_{44}$ne^{0},ɲiet^{5}tʰien$^{35}_{44}$ke$^{53}_{44}$ʂʅ$^{13}_{21}$xei$^{53}_{44}$tsɿ^{0}uɔi$^{53}_{44}$pau^{53}tsʰak^{3}.iet^{3}pau^{53}tsʰiəu$^{53}_{44}$kai$^{53}_{44}$tʂak^{3}tsiəu^{21}tsiəu$^{53}_{44}$lei^{53}tʂʰət^{3}lɔi^{13}la^{0}.i$^{13}_{21}$cin^{35}ŋai$^{13}_{21}$təu^{35}ci^{53}tek^{3}a^{0},tʂəuk^{3}tʰəŋ^{13}ta^{21}tsiəu^{21}ua^{0}. | 箇个椆树哇，还有起就安做么个黄檀树哇，就硬，渠就绷硬，真硬，但是

箇两起树嘞硬就硬，渠就真会爆呢，真会～呢。kai^{53} cie$^{53}_{44}$tʂʰəu^{13} ʂəu^{53} ua^{0},xai$^{13}_{21}$iəu^{35} çi^{21} tsiəu$^{53}_{44}$ɔn^{35} tso$^{53}_{21}$ mak^{3} ke^{53} uɔŋ^{13} tʰan^{13} ʂəu^{53} ua^{0},tsʰiəu$^{53}_{44}$ŋaŋ^{53},ci$^{13}_{21}$tsʰiəu$^{53}_{44}$paŋ^{35} ŋaŋ^{53},tʂən^{35} ŋaŋ^{53},tan^{53} ʂʅ^{53} kai^{53} iɔŋ^{21} çi^{21} ʂəu$^{53}_{44}$le^{0} ŋaŋ^{53} tsʰiəu$^{53}_{44}$ŋaŋ^{53},ci$^{13}_{21}$tsʰiəu$^{53}_{44}$tʂən^{35} uɔi$^{53}_{44}$pau^{53} nei^{0},tʂən^{35} uɔi$^{53}_{44}$pau^{53} tsʰak^{3} nei^{0}.

【爆坼丫天】pau^{53} tsʰak^{3} ŋa^{35} tʰien^{35} 形容到处开坼的样子：欸，以发干久哩啊，田里都～，焦干个。ei$_{21}$,i^{21} fait^{3} kɔn^{35} ciəu^{21} li^{0} a^{0},tʰien^{13} ni^{21} təu$^{35}_{44}$pau^{53} tsʰak^{3} ŋa^{35} tʰien$^{35}_{44}$,tsiau^{35} kɔn^{35} cie^{0}.｜噢，塘底都见哩天嘿，塘里都～去哩。au$_{53}$,tʰɔŋ^{13} te^{21} təu$^{35}_{44}$cien^{53} li^{0} tʰien^{35} xek^{3},tʰɔŋ^{13} li^{0} təu$^{35}_{44}$pau^{53} tsʰak^{3} ŋa$^{35}_{44}$tʰien$^{35}_{44}$çi$^{53}_{44}$li^{0}.

【爆米】pʰau^{53} mi^{21} 名 一种食品，把大米放在特制的密闭容器里加热至熟，打开后米粒因气压作用炸裂而成。也称“爆米花”：以前是硬系嘞欸自家去炒个～。落尾就慢慢子有咁个么个机子摇啊摇哩，欸打……嘭声一下个，箇个就安做打～。箇只动作就安做打～。因为分箇只欸嘭声一下响嘞就欸同箇打炮样。咁子安做打～。i^{35} tsʰien^{13} ʂʅ$^{53}_{44}$ɲiaŋ^{53} xei$^{53}_{44}$le^{0} e$_{21}$ tsʰʅ^{35} ka$^{35}_{44}$çi^{53} tsʰau^{21} ke^{0} pʰau^{53} mi^{21}.lɔk^{5} mi$^{35}_{44}$tsʰiəu$^{53}_{44}$man^{53} man^{53} tsʅ^{0} iəu^{35} kan^{21} ke^{0} mak^{3} e^{0} ci^{35} tsʅ^{0} iau^{13} a^{0} iau$^{13}_{44}$li^{0},e$_{21}$ ta^{21}…pʰəŋ^{53} ʂaŋ$^{35}_{44}$ iet^{3} xa$^{53}_{44}$ke^{0},kai$^{53}_{44}$ke$^{53}_{44}$tsiəu$^{53}_{44}$ɔn$^{35}_{44}$tso$^{53}_{44}$ta^{21} pʰau^{53} mi^{21}.kai$^{53}_{44}$tʂak^{3} tʰəŋ^{53} tsɔk^{3} tsiəu$^{53}_{44}$ɔn$^{35}_{44}$tso$^{53}_{44}$ta^{21} pʰau^{53} mi^{21}.in^{35} uei$^{53}_{44}$ pən^{35} kai^{53} tʂak^{3} ei$_{13}$ pəŋ^{53} ʂaŋ$^{35}_{44}$iet^{3} xa$^{53}_{44}$çiɔŋ^{21} lei^{0} tsʰiəu$^{53}_{44}$ei$_{21}$ tʰəŋ$^{13}_{21}$kai$^{53}_{44}$ta^{21} pʰau^{53} iɔŋ$^{53}_{44}$.kan$^{21}_{13}$tsʅ^{0} ɔn$^{35}_{44}$tso$^{53}_{44}$ta^{21} pʰau^{53} mi^{21}.｜箇个～花放滴箇个糖以后，要炒。kai$^{53}_{44}$ke$^{53}_{44}$pau^{53} mi^{21} fa^{35} fɔŋ^{53} tet^{5} kai^{53} ke$^{53}_{21}$tʰɔŋ^{13} i$^{35}_{44}$xei^{53},iau^{53} tsʰau^{21}.

【爆眼珠】pau^{53} ŋan^{21} tʂəu^{35} 名 突眼：眼珠凸出来唠安做唠。～，欸，有，有～哇。ŋan^{21} tʂəu^{35} tʰek^{5} tʂʰət^{5} lɔi$^{13}_{21}$lau^{0} ɔn$^{35}_{44}$tso^{53} lau^{0}.pau^{53} ŋan^{21} tʂəu^{35},e$_{21}$,iəu^{35},iəu^{35} pau^{53} ŋan^{21} tʂəu^{35} ua^{0}.

【爆竹】pau^{53} tʂəuk^{3} 名 鞭炮：打～ta^{21} pau^{53} tʂəuk^{3}｜渠指间编是一挂～尽系细～子。中间呢隔几多……隔几远又一只大～。ci$^{13}_{21}$ʂʅ$^{53}_{44}$iet^{3} kua^{53} pau^{53} tʂəuk^{3} tsʰin$^{53}_{44}$ne$_{44}$(←xei^{53})se^{53} pau^{53} tʂəuk^{3} tsʅ^{0}.tʂəŋ^{35} kan$^{35}_{44}$ne^{0} kak^{3} ci^{21} to$^{35}_{44}$i…kak^{3} ci^{21} ien^{21} iəu^{53} iet^{3} tʂak^{3} tʰai^{53} pau^{53} tʂəuk^{3}.

【爆竹庄】pau^{53} tʂəuk^{3} tsɔŋ^{35} 名 旧时经营爆竹的铺子：浏阳市爆竹蛮出名，欸，从前呢有滴人到浏阳啊到长沙去开～。就系经营爆竹，就卖爆竹。liəu^{13} iɔŋ$^{13}_{44}$ʂʅ$^{53}_{44}$pau^{53} tʂəuk^{3} man^{13} tʂʰət^{3} miaŋ^{13},e$_{21}$,tsʰəŋ^{13} tsʰien^{13} ne^{0} iəu^{35} tet^{5} ɲin$^{13}_{21}$tau^{53} liəu^{13} iɔŋ$^{13}_{44}$ŋa^{0} tau^{53} tʂʰɔŋ^{13} sa^{35} çi$^{53}_{44}$kʰɔi^{35} pau^{53} tʂəuk^{3} tsɔŋ^{35}.tsʰiəu$^{53}_{44}$xei^{53} cin^{35} in^{13} pau^{53} tʂəuk^{3},tsʰiəu$^{53}_{44}$mai^{53} pau^{53} tʂəuk^{3}.

【杯】pi^{35}/pei^{35} 量 指用杯子装的量：到我屋下来食两～呀。tau^{53} ŋai$^{13}_{44}$uk^{3} xa$^{53}_{44}$lɔi$^{13}_{21}$ʂət^{5} iɔŋ^{21} pi^{35} ia^{0}.｜箇妹子掇端～茶分箇只郎子食啦。kai$^{53}_{44}$mɔi^{53} tsʅ^{0} tɔit^{3} pei$^{35}_{44}$tsʰa^{13} pən^{35} kai$^{53}_{44}$tʂak^{3} lɔŋ^{13} tsʅ^{0} ʂət^{5} la^{0}.｜来食～子淡酒啊。lɔi^{13} ʂət^{5} pi$^{35}_{44}$tsʅ^{0} tʰan^{35} tsiəu^{21} a^{0}.

【杯凿】pai^{35} tsʰɔk^{5} 名 一两寸宽的凿子：上哩一寸个阔个就安做～。阔个就系蛮阔个凿就安做～。一寸阔个系～哩。ʂɔŋ$^{53}_{44}$li^{0} iet^{3} tsʰən^{53} ke$^{53}_{21}$kʰɔit^{3} ke^{53} tsʰiəu$^{53}_{21}$ɔn$^{35}_{44}$tso$^{53}_{44}$pai^{35} tsʰɔk^{5}.kʰɔit^{3} e^{0} tsʰiəu^{53} xe^{53} man^{13} kʰɔit^{3} ke^{53} tsʰɔk^{5} tsʰiəu$^{53}_{44}$ɔn$^{35}_{44}$tso$^{53}_{44}$pai^{35} tsʰɔk^{5}.iet^{3} tsʰən^{53} kʰɔit^{3} ke^{53} e$_{44}$pai^{35} tsʰɔk^{5} li^{0}.｜箇有滴两寸宽呶，咁宽呶，～。kai$^{53}_{44}$iəu^{35} tet^{5} iɔŋ^{21} tsʰən^{53} kʰɔn^{35} nau^{0},kan^{21} kʰɔn$^{35}_{44}$nau^{0},pai^{35} tsʰɔk^{5}.

【杯子】pei^{35} tsʅ^{0} 名 盛饮料或其他液体的器具，多为圆柱形或下部略细，一般容积不大：茶～tsʰa^{13} pei^{35} tsʅ^{0}｜塑料～sɔk^{3} liau^{53} pei^{35} tsʅ^{0}

【背$_1$】pi^{53}/pei^{35} 动（人）用脊背驮：从前是细人子是～倒嘞，～下背囊上嘞。tsʰəŋ^{13} tsʰien^{13} ʂʅ$^{53}_{44}$ sei^{53} ɲin$^{13}_{44}$tsʅ^{0} ʂʅ$^{53}_{44}$pi^{53} tau^{21} lei^{0},pi^{53} ia$^{53}_{44}$pɔi^{53} lɔŋ$^{13}_{21}$xɔŋ^{53} lei^{0}.｜做爸爸或者做妈妈个人呐爱～人咯。～人，～细人子。tso^{53} pa^{53} pa^{0} xɔit^{5} tʂa^{21} tso^{53} ma^{35} ma^{0} ke$^{53}_{44}$ɲin$^{13}_{44}$na^{0} ɔi$^{53}_{44}$pi^{53} ɲin^{13} ko^{0}.pi^{53} ɲin^{13},pi$^{53}_{44}$se^{53} ɲin$^{13}_{21}$tsʅ^{0}.｜唔同渠等箇起咁子～。n̩^{13} tʰəŋ$^{13}_{21}$ci$^{13}_{21}$tien^{0} kai^{53} çi^{21} kan^{21} tsʅ^{0} pei^{35}.

【背榜】pi^{53} pɔŋ^{21} 动 名列末名。又称“肚名、坐红凳子”：箇只～啊欸就系排啊倒数第一名哩，就安做背哩榜。箇只细子考试赠考得好啊，背哩榜。kai$^{53}_{44}$tʂak^{3} pi^{53} pɔŋ^{21} ŋa^{0} e$_{21}$ tsʰiəu^{53} xe^{53} pʰai^{13} ia^{0} tau^{53} su^{21} tʰi^{53} iet^{3} miaŋ^{13} çi^{53} li^{0},tsʰiəu$^{53}_{44}$ɔn$^{35}_{44}$tso$^{53}_{44}$pi^{53} li^{0} pɔŋ^{21}.kai^{53} tʂak^{3} sei^{53} tsʅ^{0} kʰau^{21} ʂʅ^{53} maŋ^{13} kʰau^{21} tek^{3} xau^{21} a^{0},pi^{53} li^{0} pɔŋ^{21}.

【背带】pi^{53} tai^{53} 名 背负婴儿用的宽带子：渠是安做欸妹子轻是姐婆重啊。妹子，嫁出去个妹子，生哩人就安做轻哩。妹子轻，你妹子轻哩么？轻哩，轻哩。生哩人就安做轻哩。妹子轻就姐婆重。姐婆就爱买唔知几多东西。欸，箇个欸细人子一身下，都爱姐婆买，披子～，摇篮坐枷。呣，以下是有滴是就系拿滴钱就这样。以前是箇个啦，系啦。欸，做满月半月个时候子嘞，就爱置披子～。嗯，爱置披子～，嗯，摇篮。做满月个时候子，渠箇是系还唔爱做坐枷做得，因为渠还唔会坐。做满月了嘞，就爱置坐枷。欸。欸，置徛桶。爱做徛桶，爱做坐枷。渠会坐会徛了哇。欸，箇就爱置……也可以一下送倒来。ci$^{13}_{21}$ʂʅ$^{53}_{44}$ɔn$^{35}_{44}$tso$^{53}_{44}$e$_{21}$ mɔi^{53} tsʅ^{0} cʰiaŋ^{35}

sɿ^{0} tsia^{21}pʰo^{13}tʂʰəŋ^{35}ŋa^{0}.mɔi^{53}tsɿ^{0},ka^{53}tʂʰət^{3} çi$^{53}_{44}$ke$^{53}_{44}$mɔi^{53}tsɿ^{0},saŋ^{35}li^{0} ɲin^{13}tsʰiəu$^{53}_{44}$ɔn$^{35}_{44}$tso$^{53}_{44}$cʰiaŋ^{35}li^{0}.mɔi^{53}tsɿ^{0} cʰiaŋ^{35}, ɲi^{13}mɔi^{53}tsɿ^{0} cʰiaŋ^{35}li^{0} mo^{0}?cʰiaŋ^{35}li^{0},cʰiaŋ^{35}li^{0}.saŋ$^{35}_{44}$li^{0} ɲin^{13}tsiəu$^{53}_{44}$ɔn$^{35}_{44}$tso$^{53}_{44}$cʰiaŋ^{35}li^{0}.mɔi^{53}tsɿ^{0} cʰiaŋ^{35} tsʰiəu$^{53}_{44}$tsia^{21}pʰo^{13}tʂʰəŋ^{35}.tsia^{21}pʰo^{13}tsʰiəu^{53}ɔi^{53}mai^{35}n̩^{13}ti$^{35}_{44}$ci^{21}to^{35}təŋ^{35}si^{0}.e$_{21}$,kai$^{53}_{44}$ke$^{53}_{44}$e$_{21}$sei^{53}ɲin$^{13}_{21}$tsɿ^{0} iet^{3} ʂən^{35} xa$^{35}_{44}$,təu^{35}ɔi$^{53}_{44}$tsia^{21}pʰo^{13}mai^{35},pʰi^{35}tsɿ^{0} pi^{53}tai^{53},iau^{13}lan^{13}tsʰo^{35}ka$^{35}_{44}$.m̩$_{21}$,i^{21}xa^{53}ʂʅ^{53}iəu$^{35}_{44}$tet$^{5}_{3}$ʂʅ$^{53}_{44}$tsʰiəu^{53}xe$^{53}_{21}$la^{53}tiet^{3} tsʰien^{13}tsʰiəu$^{53}_{44}$tse^{53}iɔŋ$^{53}_{21}$.i$^{35}_{44}$tsʰien^{13}ʂʅ$^{53}_{44}$kai$^{53}_{44}$cie$^{53}_{44}$la^{0},xei$^{53}_{21}$la^{0}.e$_{44}$,tso^{53}man^{35}ɲiet$^{5}_{3}$pan^{53}ɲiet$^{5}_{3}$ke$^{53}_{44}$ʂʅ^{13}xei$^{53}_{44}$tsɿ^{0} lei^{0},tsʰiəu$^{53}_{44}$ɔi$^{53}_{44}$tʂʅ^{53}pʰi^{35}tsɿ^{0} pi^{53}tai$^{53}_{44}$.n̩$_{53}$,ɔi$^{53}_{44}$tʂʅ$^{53}_{44}$pʰi^{35}tsɿ^{0} pi^{53}tai^{53},n̩$_{21}$,iau^{13}lan^{13}.tso^{53}man^{35}ɲiet^{5} ke^{53}ʂʅ$^{13}_{44}$xei$^{53}_{44}$ tsɿ^{0},ci^{13}kai^{53}ʂʅ$^{13}_{44}$xei$^{53}_{44}$xai$^{13}_{21}$m̩^{13}mɔi$^{53}_{35}$tso^{53}tsʰo^{35}ka$^{35}_{44}$tso^{53}tek^{3},in^{35}uei$^{53}_{44}$ci$^{13}_{21}$xai$^{13}_{21}$m̩$^{13}_{21}$uɔi^{53}tsʰo^{35}.tso^{53}man^{35}ɲiet^{3} liau^{21} lei^{0},tsʰiəu$^{53}_{44}$ɔi$^{53}_{44}$tʂʅ^{53}tsʰo^{35}ka$^{35}_{44}$.e$_{21}$.e$_{44}$,tʂʅ$^{53}_{44}$cʰi^{35}tʰəŋ^{21}.ɔi$^{53}_{44}$tso^{53}cʰi^{35}tʰəŋ^{21},ɔi$^{53}_{44}$tso$^{53}_{44}$tsʰo^{35}ka$^{35}_{44}$.ci^{13}uɔi^{53}tsʰo^{35}uɔi^{53}cʰi^{35} liau^{21}ua^{0}.e$_{21}$,kai$^{53}_{44}$tsʰiəu^{53}ɔi$^{53}_{44}$tʂʅ$^{53}_{44}$…ia^{35}kʰo^{21}i^{35}iet^{3}xa^{53}səŋ^{53}tau^{21}lɔi^{13}.

【背带裤】pi^{35}tai$^{53}_{44}$fu^{53} 名裤腰上装有挎肩背带的裤子，有的仅为两根挎带相连，有的加有护胸：还有起，还有起细人子着～。大人呢有人着～嘞，系啊？xai$^{13}_{21}$iəu$^{35}_{44}$çi^{21},xai$^{13}_{21}$iəu$^{35}_{44}$çi^{21}sei^{53}ɲin$^{13}_{21}$tsɿ^{0} tʂɔk^{3} pi^{35}tai$^{53}_{44}$fu^{53}.tʰai^{53}ɲin$^{13}_{21}$ne^{0} iəu$^{35}_{44}$ɲin$^{13}_{21}$tʂɔk^{3} pi^{35}tai$^{53}_{44}$fu$^{53}_{44}$le^{0},xei$^{53}_{44}$a^{0}?

【碑】pi^{35} 名刻着文字或图画，竖立起来作为纪念物或标记的石头：一般就大金就唔竖～，棺材就唔竖～。iet^{3} pɔn^{35}tsʰiəu$^{53}_{44}$tʰai^{53}cin^{35}tsʰiəu$^{53}_{44}$n̩$^{13}_{21}$ʂəu^{53}pi^{35},kɔn^{35}tsʰɔi$^{13}_{21}$tsʰiəu$^{53}_{44}$n̩$^{13}_{21}$ʂəu^{53}pi^{35}.

【碑石】pi^{35}ʂak^{5} 名墓碑。也称“碑石子”：箇～上啊，有赖子。赖子就写男。男，么啊名字，系啊？ka$^{53}_{44}$pi^{35}ʂak^{5} xɔŋ$^{53}_{44}$ŋa^{0},iəu^{35}lai^{53}tsɿ^{0}.lai^{53}tsɿ^{0} tsʰiəu^{53}sia^{21}lan^{13}.lan^{13},mak^{3} a^{0} miaŋ$^{13}_{21}$tsʰʅ$^{53}_{44}$,xei$^{53}_{44}$a^{0}?｜渠话箇～子你去搞嘞，就爱我搞咯。ci$^{13}_{21}$ua$^{53}_{44}$kai$^{53}_{44}$pi^{35}ʂak^{5} tsɿ^{0} ɲi^{13}çi^{53}kau^{21}le^{0},tsiəu$^{53}_{44}$ɔi^{53}ŋai^{13}kau^{21}ko^{0}.

【北】pɔit^{3} 名刻有“北”字的麻将牌，为四种风牌之一，有四张：以映打麻将唔爱箇东西，东西南～啊，发呀，唔用。i^{21}iaŋ^{53}ta^{21}ma^{13}tsiɔŋ^{53}m̩$^{13}_{21}$mɔi$^{53}_{44}$kai$^{53}_{21}$(t)əŋ$^{35}_{44}$si^{0},təŋ^{35}si$^{35}_{44}$lan^{13}pɔit^{3} a^{0},fait^{3} ia^{0},n̩^{13} ɲiəŋ^{53}.

【北边】pɔit^{3}pien^{35} 名处所词。北面，北侧：箇是我等有么个亲戚就系啊～。kai^{53}ʂʅ$^{53}_{44}$ŋai^{13}tien^{0} iəu$^{35}_{44}$mak^{3} e^{0} tsʰin^{35}tsʰiet^{3} tsʰiəu^{53}xei$^{53}_{44}$a^{0} pɔit^{3} pien^{35}.

【北边上】pɔit^{3} pien$^{35}_{44}$xɔŋ^{53} ①北边：你看嘞箇岭岗个～有只大树。ɲi^{13}kʰɔn$^{53}_{44}$le^{0} kai$^{53}_{44}$liaŋ^{35}kɔŋ$^{35}_{44}$ke^{0} pɔit^{3} pien^{35}xɔŋ^{53}iəu$^{35}_{44}$tʂak^{3} tʰai^{53}ʂəu$^{53}_{44}$.｜箇只我有只大姑，渠就系啊岭岗个～，箇嶂岭岗个～。kai^{53} tʂak^{3} ŋai^{13}iəu^{35}tʂak^{3} tʰai^{53}ku$^{35}_{44}$,ci^{13}tsʰiəu^{53}xei^{53}a^{0} liaŋ^{35}kɔŋ$^{35}_{44}$ke^{0} pɔit^{3} pien^{35}xɔŋ$^{53}_{44}$,kai^{53}tʂɔŋ$^{53}_{44}$liaŋ^{35}kɔŋ$^{35}_{44}$ke^{0} pɔit^{3} pien^{35}xɔŋ$^{53}_{44}$. ②特指北边头上：我箇只屋就去以映个～。ŋai^{13}kai^{53}tʂak^{3} uk^{3} tsʰiəu^{53}çi^{53}i$^{21}_{13}$iaŋ^{53}ke^{53}pɔit^{3} pien^{35}xɔŋ^{53}.

【北斗星】pɔit^{3} tei^{21}sin^{35} 名北半球天空的重要星象，由天枢、天璇、天玑、天权、玉衡、开阳、摇光（又作瑶光）等七颗星组成，因曲折如斗而得名：天上有一组～。tʰien^{35}xɔŋ^{53}iəu^{35}iet^{3} tsu^{21} pɔit^{3} tei^{21}sin^{35}.

【北方】pɔit^{3} fɔŋ^{35} 名处所词。指所处位置以北的地区：我娭子就算哩八字，～去唔得。渠就讲～嘞。欸，箇只方道去唔得，就～箇只方道去唔得。我娭子算哩八字。ŋai^{13}ɔi^{35}tsɿ^{0} tsʰiəu^{53} sɔn^{53}ni^{0} pait^{3} sɿ^{53},pɔit^{3} fɔŋ^{35}çi^{53}n̩$^{13}_{21}$tek^{3}.ci$^{13}_{21}$tsʰiəu^{53}kɔŋ^{21}pɔit^{3} fɔŋ^{35}lei^{0}.e$_{21}$,kai^{53}tʂak^{3} fɔŋ^{35}tʰau^{53}çi^{53}n̩$^{13}_{21}$tek^{3},tsʰiəu^{53} pɔit^{3} fɔŋ^{35}kai^{53}tʂak^{3} fɔŋ^{35}tʰau^{53}çi^{53}n̩$^{13}_{21}$tek^{3}.ŋai$^{13}_{21}$ɔi$^{35}_{44}$tsɿ^{0} sɔn^{53}ni^{0} pait^{3} tsʰʅ$^{53}_{44}$.

【北方人】pɔit^{3} fɔŋ$^{35}_{44}$ɲin$^{13}_{21}$ 名指中国北方地区的居民：箇个汤肚里放滴子番薯粉去吧，就同箇个～个芡粉样啊？kai^{53}ke^{53}tʰɔŋ^{35}təu^{21}li^{0} fɔŋ^{53}tet^{5} tsɿ^{0} fan^{35}ʂəu$^{13}_{21}$fən^{21}çi^{53}pa^{0},tsʰiəu^{53}tʰəŋ$^{13}_{21}$kai$^{53}_{44}$ke$^{53}_{44}$pɔit^{3} xɔŋ$^{35}_{44}$ ɲin$^{13}_{21}$ke$^{53}_{44}$cʰian^{53}fən^{21}iɔŋ^{53}ŋa^{0}?

【北岭】pɔit^{3} liaŋ$^{35}_{44}$ 名处所词。山的北边，又称“岭北”：嗯，浏阳就有只印刷厂，就去浏阳城里箇～。所以渠干脆渠箇只厂子安做北岭印刷厂。如今都咸在。n̩$_{21}$,liəu^{13}iɔŋ^{13}tsʰiəu^{53}iəu^{35} tʂak^{3} in^{53}sɔit^{3} tʂʰɔŋ^{21},tsʰiəu^{53}çi^{53}liəu^{13}iɔŋ^{13}tʂʰən^{13}ni^{0} kai^{53}pɔit^{3} liaŋ^{13}.so^{21}i$^{35}_{44}$ci$^{13}_{21}$kɔn^{35}tsʰei^{53}ci$^{13}_{21}$kai^{53}tʂak^{3} tʂʰɔŋ^{21} tsɿ^{0} ɔn$^{35}_{44}$tso$^{53}_{44}$pɔit^{3} liaŋ^{35}in^{53}sɔit^{3} tʂʰɔŋ^{21}.i$^{13}_{21}$cin$^{35}_{44}$təu$^{35}_{53}$xan$^{13}_{21}$tsʰɔi^{35}.

【北乡】pɔit^{3} çiɔŋ^{35} 名境域的北部地区：（浏阳）～就出扁担，担脚个多，欸，从前就苦哇，担脚个多。pɔit^{3} çiɔŋ$^{35}_{44}$tsʰiəu$^{53}_{44}$tʂʰət^{3} pien^{21}tan^{53},tan^{35}ciɔk^{3} ke$^{53}_{21}$to^{35},e$_{21}$,tsʰəŋ^{13}tsʰien^{13}tsiəu$^{53}_{44}$kʰu^{21}ua^{0},tan^{35} ciɔk^{3} ke$^{53}_{21}$to^{35}.

【北乡人】pɔit^{3} çiɔŋ^{35}ɲin$^{13}_{21}$ 名生活在境域北部地区的居民：～就唱夜歌子。客家人冇得，夜晡打祭呀。pɔit^{3} çiɔŋ$^{35}_{44}$ɲin$^{13}_{21}$tsiəu$^{53}_{44}$tʂʰɔŋ^{53}ia^{53}ko$^{35}_{44}$tsɿ^{0}.kʰak^{3} ka$^{35}_{44}$ɲin$^{13}_{21}$mau$^{13}_{21}$tek^{3},ia^{53}pu$^{35}_{44}$ta^{21}tsi^{53}ia^{0}.

【背$_{2}$】pɔi^{53} 名人体后面从肩到腰的部分：武官就～上插滴旗子箇只唠，武官呶。u^{35}kɔn$^{35}_{44}$ tsʰiəu$^{53}_{44}$pɔi^{53}xɔŋ$^{53}_{44}$tsʰait^{3} tiet^{5} cʰi^{13}tsɿ^{0} kai$^{53}_{44}$tʂak$^{3}_{5}$ lau^{0},u^{35}kɔn$^{35}_{44}$nau^{0}.｜～靠～咁子翻下过。pɔi^{53}kʰau$^{53}_{44}$pɔi^{53}

B

kan^{21}tsɿ^{0} fan^{35}na$_{44}$ko$^{53}_{44}$.

【背$_3$】pɔi^{53} 名①方位词，加在名词后，相当于“外背”，表示“在……之外”：门～系安做门角里。mən^{13}pɔi^{53}xei$^{53}_{44}$ɔn$^{35}_{44}$tso$^{53}_{44}$mən^{13}kɔk^{3}li^{0}.｜墙～ siɔŋ^{13}pɔi^{53}｜我去光窗～看你打牌。ŋai^{13}çi^{53}kɔŋ^{35} tsʰəŋ$^{35}_{44}$pɔi^{53}kʰɔn^{53}ɲi^{13}ta^{21}pʰai^{13}. ②方位词，加在名词后，相当于“里背”，表示“在……里”：要搞糠唠。/放下箇篆子～，用烂泥敷，系唔系？iau$^{53}_{44}$kau^{21}xɔŋ^{35}lau^{0}./fɔŋ$^{53}_{44}$ŋa$_{44}$(←xa^{53})kai$^{53}_{44}$xo^{13}tsɿ^{0} pɔi^{53},iɔŋ^{35}lan^{53}lai^{13}fu^{35},xe$^{53}_{44}$me$^{53}_{44}$? ③用于地名：七溪河～tsʰiet^{3}çi^{35}xo^{13}pɔi^{53}｜大河～tʰai$^{53}_{44}$xo$^{13}_{21}$pɔi^{53} 村名

【背$_4$】pei^{53} 动躲避；瞒：欸，张瘌痢呀，箇就只系～倒人家讲啊。e$_{21}$,tʂɔŋ^{35}lait^{3}li$^{53}_{35}$ia^{0},kai$^{53}_{44}$ tsiəu$^{53}_{44}$tʂɿ^{21}(x)e$^{53}_{44}$pei^{53}tau^{21}ɲin^{13}ka$^{35}_{44}$kɔŋ^{21}ŋa^{0}.

【背$_5$】pʰɔi^{53} 形①背静，偏僻：我等箇有只欸有只老弟一只屋咯，做下箇个唔知几～个栏场，唔知几～，路都冇一条，嗯，落尾我等嘞开条新路嘞就走渠屋家下过，箇只屋就唔～哩。ŋai^{13}tien^{0}kai^{53}iəu$^{35}_{53}$tʂak^{3}ei$_{21}$iəu^{35}tʂak^{3}lau^{21}tʰei^{35}iet^{3}tʂak^{3}uk^{3}ko^{0},tso^{53}a$^{53}_{44}$kai$^{53}_{44}$ke$^{53}_{44}$n̩^{13}ti$^{35}_{53}$ci^{21}pʰɔi^{53}ke$^{53}_{44}$laŋ$^{13}_{21}$tʂʰɔŋ$_{44}^{13}$, n̩^{13}ti$^{35}_{53}$ci^{21}pʰɔi^{53},ləu^{53}təu$^{35}_{53}$mau$^{13}_{21}$iet^{3}tʰiau^{13},n̩$_{21}$,lɔk^{5}mi$^{35}_{44}$ŋai$^{13}_{21}$tien^{0}le^{0}kʰɔi^{35}tʰiau^{13}sin^{35}ləu$^{35}_{44}$le^{0}tsʰiəu$^{53}_{44}$tsei^{21}ci$^{13}_{21}$uk^{3} kʰua$^{35}_{44}$xa^{35}ko^{53},kai$^{53}_{44}$tʂak^{3}uk^{3}tsʰiəu$^{53}_{44}$m̩^{13}pʰɔi^{53}li^{0}. ②听觉不灵：耳朵～ ɲi^{21}to^{21}pʰɔi^{53}

【背$_6$】pʰɔi^{53} 动背诵；不看原文而念出读过的文字：语文成绩爱好，会写作文箇只嘞，硬爱～书。我等细细子是箇个小学子个书是长长短短都爱～，都爱～书。你啊以下箇个么个蛮多唔爱～哩。ɲy^{21}uən^{13}tʂʰən^{13}tsiet^{3}ɔi^{53}xau^{21},uɔi^{53}sia^{21}tsɔk^{3}uən^{13}kai$^{53}_{44}$tʂak^{3}le^{0}, ɲiaŋ^{53}ɔi$^{53}_{44}$pʰɔi^{53}ʂəu^{35}.ŋai^{13} tien^{0}sei^{53}sei^{53}tsɿ^{0}ʂɿ$^{53}_{44}$kai$^{53}_{44}$ke$^{53}_{44}$siau^{21}çiɔk^{5}tsɿ^{0}ke$^{53}_{44}$ʂəu^{35}ʂɿ$^{53}_{44}$tʂʰɔŋ^{13}tʂʰɔŋ^{13}tɔn^{21}tɔn^{21}təu^{35}ɔi$^{53}_{44}$pʰɔi^{53},təu^{35}ɔi$^{53}_{44}$pʰɔi^{53} ʂəu^{35}. ɲi^{13}a^{0}i^{21}xa^{53}kai$^{53}_{44}$ke$^{53}_{44}$mak^{3}kei$^{53}_{44}$man$^{13}_{21}$to$^{35}_{44}$m̩^{13}mɔi$^{53}_{44}$pʰɔi^{53}li^{0}.

【背板】pɔi^{53}pan^{21} 名椅子靠背上的板子：靠背个，欸欸，靠背个～。kʰau^{53}pɔi^{53}ke$^{53}_{44}$,e$_{21}$e$_{21}$,kʰau$^{53}_{44}$ pɔi$^{53}_{44}$ke$^{53}_{44}$pɔi^{53}pan^{21}.

【背褡】pɔi^{53}tait^{3} 名一种没有袖子的上衣（穿在里头用于保暖的）：但是箇有种嘞又讲～。背心子啊，就咁背心呢。有棉背褡子，老人家最喜欢着。棉背褡子，～。系唔系一只衣字旁，箇边一只回答个答字，草头底下一只合字个？我就分唔出渠个区别唠，大概马夹嘞，就可以着出来，着出外背来。唔着罩衫。但是～嘞着倒外背就唔好看。～就只好掌下肚里，安做掌下肚里。就系外背着……欸，肚里着件褂子，外背着件罩衫，掌下肚里。～，呣，有棉背褡子，单背褡子，皮背褡子。冇得双个。tan$^{53}_{44}$ʂɿ$^{53}_{44}$kai$^{53}_{44}$iəu^{35}tʂəŋ^{21}lei^{0} iəu$^{53}_{21}$kɔŋ^{21}pɔi^{53}tait^{3}.pɔi^{53}sin$^{35}_{44}$ tsa^{0},tsʰiəu$^{53}_{44}$kan^{21}pei^{53}sin$^{35}_{44}$ne^{0}.iəu$^{35}_{44}$mien^{13}pɔi^{53}tait^{3}tsɿ^{0},lau^{21}ɲin^{13}ka$^{35}_{44}$tsei^{53}çi^{21}fɔn$^{35}_{44}$tʂɔk^{3}.mien^{13}pɔi^{53}tait^{3} tsɿ^{0},pɔi^{53}tait^{3}.xei$^{53}_{44}$mei$^{53}_{44}$iet^{3}tʂak^{3}i^{35}tsʰɿ^{53}pʰɔŋ^{13},kai$^{53}_{44}$pien$^{35}_{44}$iet$_{5}^{3}$tʂak^{3}fei^{13}tait^{3}ke^{53}tait^{3}tsʰɿ^{53},tsʰau^{21}tʰei^{13}te^{21}xa^{53} iet^{3}tʂak^{3}xɔit^{5}tsʰɿ$^{53}_{44}$ke$^{53}_{44}$?ŋai^{13}tsiəu$^{53}_{44}$fən^{35}n̩$^{13}_{21}$tʂʰət^{3}ci^{13}ke$^{53}_{44}$tʂʰɥ^{35}pʰiek^{5}lau^{0},tʰai^{53}kʰai^{53}ma^{35}kait^{3}le^{0},tsʰiəu^{53}kʰo^{21} i^{35}tʂɔk^{3}tʂʰət^{3}lɔi$^{13}_{44}$,tʂɔk^{3}tʂʰət^{3}ŋɔi^{53}pɔi^{53}lɔi$^{13}_{21}$.n̩^{13}tʂɔk^{3}tsau^{53}san$^{35}_{44}$.tan$^{53}_{44}$ʂɿ$^{53}_{44}$pɔi^{53}tait^{3}lei^{0}tʂɔk^{3}tau^{21}ŋɔi^{53}pɔi^{53}tsʰiəu$^{53}_{44}$ m̩$^{13}_{21}$xau^{21}kʰɔn^{53}.pɔi^{53}tait^{3}tsʰiəu^{53}tʂɿ^{21}(x)au^{21}tsʰaŋ^{53}ŋa$_{44}$(←a^{35})təu^{21}li^{0},ɔn$^{35}_{44}$tso$^{53}_{44}$tsʰaŋ^{53}ŋa$_{44}$(←a^{35})təu^{21}li^{0}.tsiəu$^{53}_{21}$ xe$^{53}_{21}$ŋɔi^{53}pɔi^{53}tʂɔk^{3}⋯e$_{21}$,təu^{21}li^{0}tʂɔk^{3}cʰien$^{53}_{44}$kua^{53}tsɿ^{0},ŋɔi^{53}pɔi$^{53}_{44}$tʂɔk^{3}cʰien$^{53}_{44}$tsau^{53}san^{35},tsʰaŋ^{53}ŋa$_{44}$(←a^{35})təu^{21} li^{0}.pɔi^{53}tait^{3},m̩$_{21}$,iəu^{35}mien^{13}pɔi^{53}tait^{3}tsɿ^{0},tan^{35}pɔi^{53}tait^{3}tsɿ^{0},pʰi^{13}pɔi^{53}tait^{3}tsɿ^{0}.mau$^{13}_{21}$tek^{3}sɔŋ^{35}ke$^{53}_{21}$.

【背骨】pɔi^{53}kuət^{3} 名脊梁骨：我系～动哩手术，开哩刀哇。ŋai^{13}xe^{53}pɔi^{53}kuət^{3}tʰəŋ^{53}li^{0}ʂəu^{21}ʂət^{5}, kʰɔi^{35}li^{0}tau^{35}ua^{0}.

【背过】pɔi^{53}ko^{53} 名时间词。后来：哦嗬，渠～一只都冇哩唠，下变成哩拐子跑净哩啊。o$_{44}$ xo$_{53}$,ci$^{13}_{21}$pɔi^{53}ko^{53}iet^{3}tʂak^{3}təu$^{35}_{53}$mau$^{13}_{21}$li^{0}lau^{0},xa^{53}pien^{53}tʂʰaŋ$^{13}_{21}$li^{0}kuai^{21}tsɿ^{0}pʰau^{21}tsʰiaŋ^{53}ni^{0}a^{0}.

【背后】pɔi^{53}xei^{53} 名背地里，私下，暗中：～呀欸挑拨是非呀。pɔi^{53}xei^{53}ia^{21}e$_{21}$tʰiau^{1}pɔk^{3}ʂɿ^{53}fei$^{35}_{44}$ ia^{0}.

【背里】pɔi^{53}li^{0} 名方位词。背后：箇好沙嘞就箇个冇得石头个嘞就到哩（溜筛个）～，□到后去哩，欸有石头个嘞就跌啊面前来哩。kai$^{53}_{44}$xau^{21}sa^{35}lei^{0}tsʰiəu$^{53}_{44}$kai$^{53}_{44}$kei$^{53}_{44}$mau^{13}tek^{3}ʂak^{5}tʰei$^{13}_{44}$ke$^{53}_{44}$ lei^{0}tsʰiəu$^{53}_{44}$tau$^{53}_{44}$li^{0}pɔi^{53}li^{0},xai$^{53}_{44}$tau$^{53}_{44}$xei$^{53}_{44}$çi^{53}li^{0},ei$_{21}$iəu^{35}ʂak^{5}tʰei$^{13}_{21}$ke$^{53}_{44}$lei^{0}tsʰiəu$^{53}_{44}$tet^{3}a^{0}mien^{53}tsʰien$^{13}_{21}$nɔi$^{13}_{21}$li^{0}.

【背面】pɔi^{53}mien$^{53}_{44}$ 名物体上跟正面相反的一面：咁子覆覆哩，两只都覆覆哩，有节个向下，～向上，箇就安做阴卦。kan^{21}tsɿ^{0}pʰuk^{3}pʰuk^{3}li^{0},iɔŋ^{21}tʂak^{3}təu$^{35}_{44}$pʰuk^{3}pʰuk^{3}li^{0},iəu^{35}tsiet^{3}ke$^{53}_{44}$çiɔŋ^{53} xa^{35},pɔi^{53}mien$^{53}_{44}$çiɔŋ^{53}ʂɔŋ^{35},kai$^{53}_{44}$tsiəu$^{53}_{44}$ɔn$^{35}_{44}$tso$^{53}_{44}$in^{35}kua^{53}.

【背囊】pɔi^{53}lɔŋ^{13} 名脊背：从前是细人子是背倒嘞，背下～上嘞。tsʰəŋ^{13}tsʰien^{13}ʂɿ$^{53}_{44}$sei^{53}ɲin$^{13}_{44}$tsɿ^{0} ʂɿ$^{53}_{44}$pi^{53}tau^{21}lei^{0},pi^{53}ia$_{44}$pɔi^{53}lɔŋ$^{13}_{21}$xɔŋ^{53}lei^{0}.｜（锯子鱼）～上有锯子齿样。pɔi^{53}lɔŋ^{13}xɔŋ$^{53}_{44}$iəu$^{35}_{44}$cie^{53}tsɿ^{0} tʂʰɿ^{21}iɔŋ$^{53}_{44}$.

【背时】pʰi^{53}ʂʅ^{13} [形]倒霉：就蛮～个人呶，欸屁眼鬼是，你箇个屁眼鬼是。tsʰiəu^{53}man^{13}pʰi^{53}ʂʅ^{13} ke^{53}ɲin$^{13}_{44}$nau^{0},e$_{44}$pʰi^{53}ŋan^{21}kuei^{21}ʂʅ$^{53}_{44}$,ɲi^{13}kai$^{53}_{44}$ke$^{53}_{44}$pʰi^{53}ŋan^{21}kuei^{21}ʂʅ$^{53}_{44}$.

【背时鬼】pʰi^{53}ʂʅ^{13}kuei^{21} [名]詈语。倒霉的家伙。又称"屁眼鬼"：屁眼鬼也话～。pʰi^{53}ŋan^{21}kuei^{21} ia^{35}ua$^{53}_{44}$pʰi^{53}ʂʅ^{13}kuei^{21}.

【背时灾灾哩】pʰi^{53}ʂʅ^{13}tsɔi^{35}tsɔi^{35}li^{0} 形容非常倒霉：话别人家真背时，～。ua$^{53}_{44}$pʰiet$^{5}_{3}$in$^{13}_{44}$ka$^{35}_{44}$tʂən^{35} pʰi^{53}ʂʅ^{13},pʰi^{53}ʂʅ^{13}tsɔi^{35}tsɔi^{35}li^{0}.

【背驼背挜】pɔi^{53}tʰo^{13}pɔi^{53}ia^{21} ①形容高度太矮，不适合人做事：踮腰踮势就系非常舒适个角度，人体舒适个角度。同渠相反个嘞，就系～。就系矮哩，就～，就弯腰驼背去下子做事。tien^{35} iau^{35}tien^{35}ʂʅ^{53}tsʰiəu$^{53}_{44}$xei$^{53}_{44}$fei^{35}ʂən$^{13}_{21}$ʂʅ^{35}ʂət^{5}ke^{53}kɔk^{3}tʰəu^{53},ɲin^{13}tʰi^{21}ʂʅ^{35}ʂət^{5}ke^{53}kɔk^{3}tʰəu^{53}.tʰəŋ^{13}ci$^{13}_{21}$siɔŋ^{35}fan^{21} ke$^{53}_{44}$lei^{0},tsʰiəu$^{53}_{44}$xe$^{53}_{44}$pɔi^{53}tʰo^{13}pɔi^{53}ia^{21}.tsʰiəu^{53}xei^{53}ai^{21}li^{0},tsiəu$^{53}_{21}$pɔi^{53}tʰo^{13}pɔi^{53}ia^{21},tsʰiəu$^{53}_{44}$uan^{35}iau^{35}tʰo^{13}pɔi^{53}çi^{53} xa^{21}tsʅ^{0}tso$^{53}_{44}$sʅ^{53}. ②恭敬而哀痛的样子：你指孝子就必须嘞爱唔知几悲哀个样子。欸，～。ɲi^{13}tsiəu$^{53}_{21}$ piet^{3}si$^{35}_{44}$lei^{0}ɔi^{53}n̩$^{13}_{21}$ti$^{35}_{44}$ci^{21}pei^{35}ŋai^{35}ke$^{53}_{44}$iɔŋ^{53}tsʅ^{0}.e$_{21}$,pɔi^{53}tʰo^{13}pɔi^{53}ia^{21}.

【背驼驼哩】pɔi^{53}tʰo^{13}tʰo^{13}li^{0} 弓背猫腰貌：箇就箇唔好上个栏场是箇个赖子是就爱跍倒箇底下噢～咁子去斑噢。kai$^{53}_{44}$tsʰiəu$^{53}_{44}$kai^{53}n̩^{13}xau^{21}ʂɔŋ^{35}ke^{53}laŋ$^{13}_{21}$tʂʰɔŋ$^{13}_{21}$ʂʅ$^{53}_{44}$kai$^{53}_{44}$ke$^{53}_{44}$lai^{53}tsʅ^{0} ʂʅ$^{53}_{21}$tsʰiəu^{53}ɔi$^{53}_{44}$ku$^{35}_{44}$tau$^{21}_{44}$ kai$^{53}_{44}$tei^{21}xa$^{53}_{44}$au^{0} pɔi^{53}tʰo^{13}tʰo^{13}li^{0} kan^{21}tsʅ^{0} çi$^{53}_{44}$kən^{53}ŋau^{0}.

【背尾】pɔi^{53}mi^{35} [名]最后。又称"煞脚、煞尾"：你看下箇，箇有滴人走路走唔赢啊，就走啊～去哩。也安做煞尾呢。ɲi^{13}kʰɔn$^{53}_{44}$xa$^{53}_{44}$kai^{53},kai$^{53}_{44}$iəu^{35}tet^{5}ɲin$^{13}_{21}$tsei^{21}ləu^{53}tsei^{21}n̩^{13}iaŋ^{13}ŋa^{0},tsʰiəu$^{53}_{44}$tsei^{21}a^{0} pɔi^{53}mi^{35}çi^{53}li^{0}.ia^{35}ɔn$^{35}_{44}$tso$^{53}_{44}$sait^{3}mi^{35}nei^{0}.

【背心子】pɔi^{53}sin^{35}tsʅ^{0} [名]没有领子和袖的上衣：我等就夜晡就喜欢着～。ŋai^{13}tien^{0}tsʰiəu$^{53}_{44}$ia^{53} pu^{35}tsʰiəu^{53}çi^{21}fɔn$^{35}_{44}$tʂɔk^{3} pɔi^{53}sin^{35}tsʅ^{0}.

【背阴】pʰɔi^{53}in^{35} [动]阳光照不到：～个栏场子 pʰɔi^{53}in^{35}ke^{53}laŋ$^{13}_{21}$tʂʰɔŋ^{13}tsʅ^{0}

【背痈】pei^{53}iɔŋ^{35} [名]背疮：～是背上发疤唠。我娭子就背……呃年轻个时候子就背囊上发过只痈，发只瘰。又安做……医师话安做～。pɔi^{53}iɔŋ^{35}ʂʅ$^{53}_{44}$pɔi^{53}xɔŋ$^{53}_{44}$fait^{3}pa^{35}lau^{0}.ŋai$^{13}_{21}$ɔi^{35}tsʅ^{0}tsʰiəu$^{53}_{44}$ pɔi^{53}…ə$_{21}$ɲien^{13}cʰin$^{35}_{44}$ke^{0} ʂʅ^{13}xəu^{53}tsʅ^{0}tsʰiəu$^{53}_{44}$pɔi^{53}lɔŋ$^{13}_{21}$xɔŋ$^{53}_{44}$fait^{3}ko^{53}tʂak^{3}iɔŋ^{35},fait^{3}tʂak^{3}tʂʰɔi^{13}.iəu$^{53}_{44}$ɔn$^{35}_{44}$ tso$^{53}_{44}$…i^{35}sʅ$^{35}_{44}$ua$^{53}_{44}$ɔn$^{35}_{44}$tso$^{53}_{44}$pɔi^{53}iɔŋ^{35}.

【倍】pʰei^{53} [量]跟原数相等的数，某数的几倍就是用几乘某数：一～iet^{3}pʰei^{53}读书人说｜双～sɔŋ^{35} pʰei^{53}

【被单】pʰi^{35}tan^{35} [名]套在棉被外面的一层布：～就被窝单呶。欸。从前是欸上昼讲哩啊，被窝单用被窝单去钉被窝。欸，加上印心呶，摊正地泥下来，放棉絮呀，放印心呐，舞倒来钉呶，钉被窝。箇就系～。pʰi^{35}tan$^{35}_{44}$tsʰiəu$^{53}_{44}$pʰi^{35}pʰo$^{35}_{44}$tan^{35}nau^{0}.e$_{21}$.tsʰəŋ^{13}tsʰien^{13}ʂʅ$^{53}_{44}$ei$_{21}$ʂɔŋ^{53}tʂəu^{53}kɔŋ^{21}li^{0}a^{0}, pʰi^{35}pʰo$^{35}_{44}$tan^{35}iɔŋ^{53}pʰi^{35}pʰo$^{35}_{44}$tan^{35}çi$^{53}_{44}$tin^{53}pʰi^{35}pʰo$^{35}_{44}$.ei$_{21}$,cia$^{35}_{44}$ʂɔŋ$^{53}_{44}$in^{53}sin^{35}nau^{0},tʰan$^{35}_{44}$tʂaŋ$^{53}_{44}$tʰi^{53}lai$^{13}_{21}$xa^{35}lɔi$^{13}_{21}$, fɔŋ$^{53}_{44}$mien^{13}si^{53}ia^{0},fɔŋ$^{53}_{44}$in^{53}sin$^{35}_{44}$na^{0},u^{21}tau^{21}lɔi^{13}tin^{53}nau^{0},tin^{53}pʰi^{35}pʰo$^{35}_{44}$.kai$^{53}_{44}$tsʰiəu^{53}xei$^{53}_{44}$pʰi^{35}tan$^{35}_{44}$.

【被窝】pʰi^{35}pʰo^{35} [名]被子，棉被：（如今个床）有得边呢，所以渠个～容易跌下来。mau^{13}tek^{3} pien^{35}nei^{0},so$^{21}_{44}$i$^{35}_{44}$ci$^{13}_{44}$ke$^{53}_{44}$pʰi^{35}pʰo$^{35}_{44}$iəŋ$^{13}_{21}$i$^{53}_{44}$tet^{3}xa$^{53}_{44}$lɔi$^{13}_{21}$.

【被窝窿】pʰi^{35}pʰo$^{35}_{44}$ləŋ^{13} [名]棉被覆在人体上形成的筒状空间：～里打撳头筋斗，唔知安做么个去哩，有只箇个歇后语唔记得哩。用来说明箇肚里唔多好做事嘞。pʰi^{35}pʰo$^{35}_{44}$ləŋ^{13}li^{0}ta^{21}cʰin^{53}tʰei$^{13}_{21}$, n̩^{13}ti$^{35}_{53}$ɔn$^{35}_{53}$tso^{53}mak^{3}e^{0}çi^{53}li^{0},iəu$^{35}_{53}$tʂak^{3}kai$^{53}_{44}$çiet^{3}xei^{53}ɲy^{21}n̩^{13}ci^{53}tek^{3}li^{0}.iəŋ^{53}lɔi$^{13}_{21}$ʂek^{3}min$^{13}_{44}$kai^{53}təu^{21}li^{0}n̩^{13}to$^{35}_{44}$ xau^{21}tso^{53}sʅ^{53}lei^{0}.

【被窝子】pʰi^{35}pʰo^{35}tsʅ^{0} [名]给婴儿用的小棉被：欸，舞床～放倒，以只毛毛子放到箇肚里。e$_{21}$,u^{21}tsʰɔŋ$^{13}_{21}$pʰi^{35}pʰo$^{35}_{44}$tsʅ^{0}fɔŋ^{53}tau^{21},iak^{3}(←i^{21}tʂak^{3})mau^{35}mau^{35}tsʅ^{0}fɔŋ^{53}tau$^{21}_{44}$kai$^{53}_{44}$təu^{21}li^{0}.

【辈】pi^{53} [名]行辈，辈分：比姑婆还大一～个指老姑婆。pi^{21}ku$^{35}_{44}$pʰo$^{13}_{21}$xai^{13}tʰai^{13}iet^{3}pi^{53}ke$^{53}_{44}$.

【辈分】pei^{53}fən^{53} [名]在家族、亲友的长幼先后中所居的地位：我就系么个嘞，就系年纪还唔系几大子嘞，还系～细。我～唔知几细。ŋai$^{13}_{21}$tsʰiəu^{53}xei^{53}mak^{3}ke$^{53}_{44}$lei^{0},tsʰiəu^{53}xei^{53}ɲien^{13}ci^{21}xai$^{13}_{21}$m̩^{13} pʰe$_{44}$(←xei^{53})ci^{21}tʰai^{13}tsʅ^{0}le^{0},xai$^{13}_{21}$xe$^{53}_{44}$pei^{53}fən$^{53}_{44}$se^{53}.ŋai$^{13}_{21}$pei^{53}fən$^{53}_{44}$n̩^{13}ti$^{35}_{44}$ci^{21}se^{53}.

【焙】pʰɔi^{53} [动]用微火烘烤：顶高一层就放衫裤啊，放湿衫裤啊，爱～个东西呀。底下就放只火笼去呀。taŋ^{21}kau$^{35}_{44}$iet^{3}tsʰien$^{13}_{21}$tsiəu$^{53}_{44}$fɔŋ^{53}san^{35}fu^{53}a^{0},fɔŋ^{53}ʂət^{3}san^{35}fu^{53}a^{0},ɔi$^{53}_{44}$pʰɔi^{53}ke$^{53}_{21}$təŋ$^{35}_{44}$si^{35}ia^{0}.tei^{21}xa$^{53}_{44}$ tsʰiəu$^{53}_{44}$fɔŋ^{53}tʂak^{3}xo^{21}ləŋ^{35}çi$^{53}_{44}$ia^{0}.｜（茶叶）揉好哩以后就～糟来呀。iəu^{13}xau^{21}li^{0}i^{35}xei$^{53}_{44}$tsʰiəu$^{53}_{44}$pʰɔi^{53} tsau$^{35}_{44}$lɔi$^{13}_{21}$ia^{0}.

B

【褙】pɔi^{53} [动]用浆糊等作为粘剂将纸或布蒙在某物上：篾箕子扎个（花箱）用白纸子～倒。miet^{5} sak^{3} tsɿ^{0} tsait^{3} cie^{53} iəŋ^{53} pʰak^{5} tʂɿ^{21} tsɿ^{0} pɔi^{53} tau^{21}.

【本$_1$】pən^{21} [名]指母金；本钱：亏哩～kʰuei$^{35}_{44}$ li^{0} pən^{21}｜做生意爱～。欸其实搞么个东西（都）爱～。你欸晒盐干子，晒旱茶，晒咁个么个苦瓜干、茄干呐，都真爱～。你冇得糖，冇得箇个么个嗯甘草粉箇只嘞，冇得～呢你箇换茶就唔好食，欸，就爱～。tso$^{53}_{44}$ sen^{35} i$^{53}_{44}$ ɔi^{53} pən^{21}.e$_{21}$, cʰi$^{13}_{21}$ ʂət^{5} kau^{21} mak^{3} ke$^{53}_{44}$ təŋ$^{53}_{44}$ si^{0} ɔi^{53} pən^{21}. ɲi^{13} e$_{21}$ sai^{53} ian^{13} kɔn^{35} tsɿ^{0}, sai^{53} uɔn^{53} tsʰa$^{13}_{21}$, sai^{53} kan^{21} ke^{53} mak^{3} ke$^{53}_{44}$ fu^{21} kua$^{35}_{44}$ kɔn$^{35}_{44}$, cʰio^{13} kɔn$^{35}_{44}$ na^{0}, tʂau$^{35}_{44}$ tʂən^{35} ɔi^{53} pən^{21}. ɲi^{13} mau^{13} tek^{3} tʰɔŋ^{13}, mau^{13} tek^{3} kai$^{53}_{44}$ ke$^{53}_{44}$ mak^{3} ke^{53} ṇ$_{21}$ kan^{35} tsʰau^{21} fən^{21} kai$^{53}_{44}$ tʂak^{3} le^{0}, mau^{13} tek^{3} pən^{21} nei^{0} ɲi^{13} kai$^{53}_{44}$ uɔn^{53} tsʰa$^{13}_{21}$ tsʰiəu^{53} m̩^{13} xau^{21} ʂət^{5}, e$_{21}$, tsʰiəu$^{53}_{44}$ ɔi^{53} pən^{21}.

【本$_2$】pən^{21} [形]指事情发生的那个时候或地方：渠是～晡夜晡就放嘿哩。ci$^{13}_{21}$ ʂɿ$^{53}_{44}$ pən^{21} pu^{35} ia^{53} pu^{35} tsʰiəu$^{53}_{44}$ fɔŋ^{53} ŋek^{3} li^{0}.

【本$_3$】pən^{21} [量]用于书籍簿册：以个东西蛮难舞，要搞出一～箇客家词典来就。硬会收咁呶。i^{21} ke$^{53}_{44}$ təŋ$^{35}_{44}$ si^{0} man$^{13}_{21}$ lan$^{13}_{21}$ u^{21}, iau^{53} kau^{21} tʂʰət^{3} iet^{3} pən^{21} ka$^{53}_{44}$ kʰak^{3} ka^{35} tsʰɿ^{53} tian^{21} lɔi$^{13}_{21}$ tsʰiəu$^{53}_{44}$. ɲiaŋ^{53} uɔi^{53} ʂəu^{35} kan^{21} nau^{0}.｜（帖盒）肚里有两～帖，一～礼帖，一～请帖。təu^{21} li^{0} iəu$^{35}_{44}$ iɔŋ^{21} pən^{21} tʰiait^{3}, iet^{3} pən^{21} li^{35} tʰiait^{3}, iet^{3} pən^{21} tsʰiaŋ^{21} tʰiait^{3}.

【本本$_1$】pən^{21} pən^{21} [形]属性词。原有的：（梅子）～个形状唔变。pən^{21} pən^{21} ke$^{53}_{44}$ çin^{13} tsʰɔŋ^{53} m̩^{13} pien^{53}.

【本本$_2$】pən^{21} pən^{21} [副]①本来，原本：～箇晡夜晡指新婚之夜还爱办滴子席面子啦，还爱办席面呐。pən^{21} pən^{21} kai$^{53}_{44}$ pu$^{35}_{44}$ ia$^{53}_{44}$ pu$^{35}_{44}$ xai^{13} ɔi$^{53}_{44}$ pʰan$^{53}_{44}$ tiet^{5} tsɿ^{0} siet^{5} mien$^{53}_{44}$ tsɿ^{0} la^{0}, xai^{13} ɔi$^{53}_{44}$ pʰan$^{53}_{44}$ siet^{5} mien$^{53}_{44}$ na^{0}. ②表示完全按照原来的做法；依旧；仍然像从前一样：看下，有兜男子人死咁哩，夫娘子又唔走，又唔嫁，唔出嫁，招只郎，～跍倒箇映，也有咁个嘞，也有箇起就年纪比较大了有兜啦，欸唔想欸细人子大嘿哩啊，系唔系？唔想出嫁了啊，招过一只男子人。kʰɔn^{53} na^{53}, iəu^{35} te$^{35}_{53}$ lan^{13} tsɿ^{0} ɲin$^{13}_{44}$ si^{21} kan^{21} ni^{0}, pu^{35} ɲiɔŋ$^{13}_{44}$ tsɿ^{0} iəu^{53} m̩^{13} tsei^{21}, iəu^{53} m̩^{13} ka^{53}, ṇ^{13} tʂʰət^{3} ka^{53}, tʂau^{35} tʂak^{3} lɔŋ^{13}, pən^{21} pən^{21} ku^{35} tau^{21} kai$^{53}_{44}$ iaŋ$^{53}_{44}$, ia^{35} iəu$^{35}_{53}$ kan^{21} ke^{53} lei^{0}, a^{35} iəu$^{35}_{53}$ kai$^{53}_{21}$ ci^{13} tsʰiəu$^{53}_{44}$ ɲien^{13} ci^{21} pi^{21} ciau$^{53}_{44}$ tʰai^{53} liau^{0} iəu^{35} tei$^{35}_{53}$ la^{0}, e$_{44}$ ṇ^{13} siɔŋ^{21} e^{0} sei^{53} ɲin$^{13}_{21}$ tsɿ^{0} tʰai^{53} xek^{3} li^{0} a^{0}, xei^{53} me^{53}? ṇ^{13} siɔŋ^{21} tʂʰət^{3} ka^{53} liau^{21} a^{0}, tʂau^{35} ko^{53} (i)et^{3} tʂak^{3} lan^{13} tsɿ^{0} ɲin$^{13}_{44}$. ③表示程度相当高：野姜我有这映子有。～箇只苗就～像姜苗。一蒲蒲。ia^{35} ciɔŋ$^{35}_{44}$ ŋai$^{13}_{21}$ iəu$^{35}_{53}$ tʂe$^{53}_{44}$ iaŋ$^{53}_{44}$ tsɿ^{0} iəu$^{35}_{44}$. pən^{21} pən^{21} kai^{53} tʂak^{3} miau^{13} tsʰiəu^{53} pən^{21} pən^{21} tsʰiɔŋ$^{53}_{44}$ ciɔŋ^{35} miau$^{13}_{21}$. iet^{3} pʰu^{13} pʰu^{13}.

【本本叉叉】pən^{21} pən^{21} tsʰa^{35} tsʰa^{35} 形容原原本本的样子：呀，箇有有滴（骨头）是就还～哩嘞，本本𫠛脱嘞，有滴嘞。欸，金𫠛散净呢。ia$_{44}$, kai$^{53}_{44}$ iəu^{35} iəu^{35} tet^{5} ʂɿ$^{53}_{44}$ tsʰiəu^{53} xai$^{13}_{21}$ pən^{21} pən^{21} tsʰa^{35} tsʰa^{35} li^{0} lei^{0}, pən^{21} pən^{21} maŋ^{13} tʰɔit^{3} lei^{0}, iəu^{35} tet^{5} lei^{0}. e$_{21}$, cin^{35} maŋ^{13} san^{21} tsʰiaŋ^{53} nei^{0}.

【本地】pən^{21} tʰi^{53} [名]①人、物所在的地区；叙事时特指的某个地区：～也有枣嘞，也有箇个青枣。pən^{21} tʰi^{53} ia^{35} iəu$^{35}_{44}$ tsau^{21} lei^{0}, ia^{35} iəu$^{35}_{44}$ kai$^{53}_{44}$ ke$^{53}_{44}$ tsʰiaŋ^{35} tsau^{21}. ②代指本地话：就系爱判断哪起系客家话哪起系学倒别人家个～。tsʰiəu^{53} xei$^{53}_{44}$ ɔi$^{53}_{44}$ pʰɔn^{53} tɔn$^{53}_{44}$ nai^{53} çi^{21} xei$^{53}_{44}$ kʰak^{3} ka^{35} fa$^{53}_{44}$ lai^{53} çi^{21} xe^{53} xɔk^{5} tau^{21} pʰiet^{5} in$^{13}_{44}$ ka$^{35}_{44}$ ke$^{53}_{44}$ pən^{21} tʰi^{53}.

【本地方】pən^{21} tʰi^{53} fɔŋ^{35} [名]本地：（水葫芦）外背来个，～冇得。ŋɔi^{53} pɔi$^{53}_{44}$ lɔi$^{13}_{21}$ ke$^{53}_{44}$, pən^{21} tʰi$^{53}_{44}$ fɔŋ$^{35}_{44}$ mau$^{13}_{21}$ tek^{5}.｜酱菜～会做嘞。tsiɔŋ^{53} tsʰɔi$^{53}_{44}$ pən^{21} tʰi$^{53}_{44}$ fɔŋ$^{35}_{44}$ uɔi^{53} tso^{53} le^{0}.

【本地话】pən^{21} tʰi^{53} fa^{53} [名]近似浏阳市区话的本地方言：～区别于客家话。pən^{21} tʰi$^{53}_{44}$ fa^{53} tʂʰɥ$^{35}_{44}$ pʰiet^{5} ɥ$^{13}_{44}$ kʰak^{3} ka^{35} fa^{53}.｜抽屉桌，就安做，拖……唔系唔系要抽屉桌，抽屉桌就系浏阳～。拖箱桌。拖箱。拖箱桌，箇就系客姓客家话。tʂʰəu^{35} tʰi$^{53}_{44}$ tsɔk^{3}, tsʰiəu$^{53}_{44}$ ɔn$^{35}_{44}$ tso$^{53}_{44}$, tʰo… m̩$^{13}_{21}$ pʰe^{53} (←xe^{53}) m̩$^{13}_{21}$ pʰe$_{44}$ (←xe^{53}) iau$^{53}_{44}$ tʂʰəu^{35} tʰi$^{53}_{44}$ tsɔk^{3}, tʂʰəu^{35} tʰi$^{53}_{44}$ tsɔk^{3} tsəu$^{53}_{44}$ xei$^{53}_{44}$ liəu^{13} iɔŋ$^{13}_{21}$ pən^{21} tʰi$^{53}_{44}$ fa$^{53}_{44}$. tʰo^{35} siɔŋ$^{35}_{44}$ tsɔk^{3}. tʰo^{35} siɔŋ^{35}. tʰo^{35} siɔŋ$^{35}_{44}$ tsɔk^{3}, kai$^{53}_{44}$ tsʰiəu$^{53}_{44}$ xe$^{53}_{44}$ kʰak^{3} sin^{53} kʰak^{3} ka$^{35}_{44}$ fa$^{53}_{21}$.

【本地人】pən^{21} tʰi^{53} ɲin$^{13}_{21}$ [名]指祖先比客家人更早定居于浏阳并说浏阳话的人：渠系～。ci^{13} xe$^{53}_{44}$ pən^{21} tʰi^{53} ɲin^{13}.｜～就安做枕脑哩，我等客姓人安做枕头。pən^{21} tʰi^{53} ɲin$^{13}_{21}$ tsʰiəu$^{53}_{44}$ ɔn$^{35}_{44}$ tso$^{53}_{44}$ tʂən$^{13}_{21}$ nau^{21} li^{0}, ŋai$^{13}_{21}$ tien^{0} kʰak^{3} sin^{53} ɲin$^{13}_{21}$ ɔn$^{35}_{44}$ tso$^{53}_{44}$ tʂən^{21} tʰei^{13}.

【本地子】pən^{21} tʰi^{53} tsɿ^{0} [名]人、物所在的地区；叙事时特指的某个地区：欸我就𫠛系倒几远子啊，就系倒～啊，𫠛隔几远呐，隔以街上只有几里子路，欸，就系倒本地，就系本地方人。e$_{21}$ ŋai^{13} tsʰiəu^{53} maŋ^{13} xe^{53} tau^{21} ci^{21} ien^{21} tsa^{0}, tsʰiəu^{53} xe^{53} tau^{21} pən^{21} tʰi^{53} tsa^{0}, maŋ^{13} kak^{3} ci^{21} ien^{21} na^{0}, kak^{3} i^{21} kai^{35} xɔŋ$^{53}_{44}$ tʂət^{3} iəu$^{35}_{44}$ ci^{21} li^{35} tsɿ^{0} ləu^{53}, e$_{21}$, tsʰiəu$^{53}_{44}$ xe^{53} tau^{21} pən^{21} tʰi^{53}, tsʰiəu^{53} xe^{53} pən^{21} tʰi$^{53}_{44}$ fɔŋ^{35} ɲin$^{13}_{21}$.

【本分】pən^{21} fən^{53} [形]安分守己：做事爱～，莫咁刁桥，～滴子。tso^{53} sɿ^{53} ɔi^{53} pən^{21} fən^{53}, mɔk^{5} kan^{21}

tiau^{35}cʰiau^{13},pən^{21}fən^{53}tiet^{5}tsɿ^{0}.

【本家】pən^{21}cia^{35} [名]同宗族的人：渠个追悼会也爱箇个嘞，也爱～组织，～分个人司仪组织。ci$^{13}_{21}$ke$^{53}_{44}$tʂei^{35}tiau$^{53}_{44}$fei^{53}ia^{35}ɔi$^{53}_{44}$kai$^{53}_{44}$ke$^{53}_{44}$lei^{0},ia^{35}ɔi^{53}pən^{21}cia$^{35}_{44}$tsəu^{21}tʂət^{3},pən^{21}cia$^{35}_{44}$pən^{35}cie^{53}ɲin$^{13}_{21}$sɿ^{35}ɲi^{13}tsəu^{21}tʂət^{3}.

【本家人】pən^{21}cia^{35} [名]同宗族的人：～个，渠个赖子，孙子，摎侄子，兄弟，箇个就安做家奠。～。pən^{21}ka$^{35}_{44}$ɲin$^{13}_{21}$ke^{53},ci$^{13}_{21}$ke$^{53}_{44}$lai^{53}tsɿ^{0},sən^{35}tsɿ^{0},lau^{35}tʂʰət^{5}tsɿ^{0},çiəŋ^{35}tʰi^{53},kai$^{53}_{44}$ke$^{53}_{44}$tsʰiəu$^{53}_{44}$ɔn$^{35}_{44}$tso$^{53}_{44}$cia^{35}tʰien^{53}.pən^{21}ka^{35}ɲin$^{13}_{21}$.

【本来】pən^{21}lai^{13} [副]①原先，先前：～冇得，以几年就正有。pən^{21}lai^{13}mau^{13}tek^{3},i^{21}ci^{21}ɲien^{13}tsʰiəu$^{53}_{44}$tʂaŋ^{53}iəu^{35}. ②表示按照规则或事理应该如何，可是现实却是相反或不同：渠是～爱开正式发票或者正式收据个人，但是渠嬒开，开张白条子。ci^{13}ʂʅ$^{53}_{44}$pən^{21}nɔi^{13}ɔi$^{53}_{44}$kʰɔi$^{35}_{44}$tʂən^{53}ʂʅ^{53}fait^{3}pʰiau$^{53}_{44}$xɔit^{5}tʂa^{21}tʂən^{53}ʂʅ^{53}ʂəu^{35}tʂʅ^{53}ke$^{53}_{44}$ɲin$^{13}_{21}$,tan$^{53}_{44}$ʂʅ$^{53}_{44}$ci$^{13}_{21}$maŋ^{13}kʰɔi$^{35}_{44}$,kʰɔi$^{35}_{44}$tʂɔŋ$^{35}_{44}$pʰak^{5}tʰiau$^{13}_{21}$tsɿ^{0}.

【本钱】pən^{21}tsʰien^{13} [名]用来获利、生息等的钱财：做生意就爱～呐。tso^{53}sen^{35}i$^{53}_{44}$tsʰiəu$^{53}_{44}$ɔi$^{53}_{44}$pən^{21}tsʰien^{13}na^{0}.

【本人】pən^{21}ɲin^{13} [代]人称代词。指自己或前边所提到的人自己：渠～，自家～冇得生育。ci$^{13}_{21}$pən^{21}ɲin^{13},tsʰɿ^{35}ka$^{35}_{44}$pən^{21}ɲin^{13}mau$^{13}_{21}$tek^{3}sən^{35}iəuk^{3}.

【本色】pən^{21}sek^{3} [名]物品没有经过涂染的原色：龙头布就是最粗个布，嬒……欸，最粗糙个布，～个。liəŋ^{13}tʰei$^{13}_{21}$pu^{53}tsʰiəu$^{53}_{44}$ʂʅ$^{53}_{44}$tsei^{53}tsʰəu^{35}ke$^{53}_{44}$pu^{53},maŋ^{13}…e$_{21}$,tsei^{53}tsʰəu^{35}tsʰau$^{53}_{44}$ke$^{53}_{44}$pu^{53},pən^{21}sek^{3}ke^{53}.

【本身】pən^{21}ʂən^{35} [代]指示代词。自己，自身。可指人，也可指物或事：有滴人～渠自家喜欢逗霸，喜欢搞哇。iəu^{35}tet^{5}ɲin^{13}pən^{21}ʂən$^{35}_{44}$ci^{21}tsʰɿ^{35}ka$^{35}_{44}$çi^{21}fɔn^{35}tei^{53}pa^{53},çi^{21}fɔn$^{35}_{44}$kau^{21}ua^{0}.｜渠它，指蔗梗高梁～系高梁，但是渠比高梁梗更甜。ci^{13}pən^{21}ʂən^{35}xei^{53}kau^{35}liɔŋ$^{13}_{21}$,tan$^{53}_{44}$ʂʅ$^{53}_{44}$ci$^{13}_{21}$pi^{21}kau^{35}liɔŋ$^{13}_{21}$kuaŋ^{21}cien^{53}tʰian^{13}.｜～来讲从最从从以前来讲嘞，以只东西就用来做么个嘞？做粪箕。pən^{21}ʂən$^{35}_{44}$nɔi$^{13}_{21}$kɔŋ^{21}tsʰəŋ^{13}tsei^{53}tsʰəŋ^{13}tsʰəŋ^{13}i$^{35}_{44}$tsʰien^{13}nɔi$^{13}_{44}$kɔŋ^{21}lei^{0},i^{21}iak^{3}(←tʂak^{3})təŋ$^{35}_{44}$si^{0}tsʰiəu$^{53}_{44}$iəŋ^{53}lɔi$^{13}_{21}$tso^{53}mak^{3}(k)e$^{53}_{44}$lei^{0}?tso$^{53}_{44}$pən^{53}ci^{35}.

【本事】pən^{21}sɿ^{53} [名]本领，技能：你箇箇只人嘞绣花枕头，外表好看，冇滴～。ɲi^{13}kai^{53}kai^{53}tʂak^{3}ɲin$^{13}_{21}$lei^{0}siəu^{53}fa$^{35}_{44}$tʂən^{21}tʰei^{13},uai^{53}piau^{21}xau^{21}kʰɔn^{53},mau^{13}tiet^{5}pən^{21}sɿ^{53}.

【本土】pən^{21}tʰəu^{21} [名]本地：我等个蔗梗就就～个咁个蔗梗呐。ŋai^{13}tien^{0}(k)e$^{53}_{44}$tʂa^{53}kuaŋ^{21}tsiəu$^{53}_{44}$tsiəu^{53}pən^{21}tʰəu^{21}ke$^{53}_{44}$kan^{21}ke$^{53}_{44}$tʂa^{53}kuaŋ^{21}na^{0}.

【本姓】pən^{21}siaŋ^{53} [名]同宗族的人：好，打完哩箇只祭嘞箇就箇个除嘿姓……除嘿～个，剩下来都安做客祭。xau^{21},ta^{21}ien^{13}li^{0}kai$^{53}_{44}$tʂak^{3}tsi^{53}lei^{0}kai$^{53}_{44}$tsʰiəu$^{53}_{44}$kai$^{53}_{44}$ke$^{53}_{44}$tʂʰəu^{13}uek^{3}siaŋ$^{53}_{44}$…tʂʰəu^{13}uek^{3}pən^{21}siaŋ^{53}ke$^{53}_{44}$,ʂən^{53}çia^{53}lɔi$^{13}_{21}$təu$^{35}_{44}$ɔn$^{35}_{44}$tso$^{53}_{44}$kʰak^{3}tsi^{53}.

【本忠】pən^{21}tʂəŋ^{35} [形]本分忠诚；憨厚：做人呢爱～滴子。tso^{53}ɲin$^{13}_{21}$ne^{0}ɔi^{53}pən^{21}tʂəŋ^{35}tiet^{5}tsɿ^{0}.｜欸，箇只人呐欸苦就苦苦子呢，以同我……我丈人爷以前就咁个人呐，渠等都话，嗯，我丈人爷安做曾觉全，“曾觉全老子啊，苦就苦苦子，蛮～”。e$_{21}$,kai^{53}tʂak^{3}ɲin$^{13}_{21}$na^{0}e$_{21}$kʰu^{21}tsʰiəu^{53}kʰu^{21}kʰu^{21}tsɿ^{0}nei^{0},i^{21}tʰəŋ$^{13}_{44}$ŋai$^{13}_{21}$…ŋai^{13}tʂʰɔŋ$^{53}_{44}$in$^{13}_{44}$ia^{13}i^{35}tsʰien$^{13}_{21}$tsʰiəu^{53}kan$^{21}_{44}$ke$^{53}_{44}$ɲin$^{13}_{21}$na^{0},ci$^{13}_{21}$tien^{0}təu^{35}ua$^{53}_{44}$,n̩$_{21}$,ŋai$^{13}_{21}$tʂʰɔŋ$^{53}_{44}$in$^{13}_{44}$ia^{13}ɔn$^{35}_{44}$tso$^{53}_{44}$tsen$^{35}_{44}$kɔk^{3}tsʰen^{13},"tsen$^{35}_{44}$kɔk^{3}tsʰen^{13}nau^{21}tsa^{0},kʰu^{21}tsʰiəu^{53}kʰu^{21}kʰu^{21}tsɿ^{0},man^{13}pən^{21}tʂəŋ^{35}".

【坌】pʰən^{53} [量]用于飞散的灰尘：箇个路边子上生倒（灰包菌），一踩下去，一～灰，系唔系？kai$^{53}_{44}$ke$^{53}_{44}$ləu^{53}pien$^{35}_{44}$tsɿ^{0}xɔŋ^{53}saŋ^{35}tau^{21},iet^{3}tsʰai^{21}(x)a^{53}çi^{53},iet^{3}pʰən^{53}fɔi^{35},xei^{53}me^{53}?

【坌坌飞】pʰən^{53}pʰən^{53}fei^{35} 扑腾飞升貌：打个鸟子～，背把铳子藉路归。ta^{21}ke^{53}tiau^{35}tsɿ^{0}pʰən^{53}pʰən^{53}fei^{35},pi^{53}pa^{21}tʂʰəŋ^{53}tsɿ^{0}tʂa^{53}ləu^{53}kuei^{35}.

【绷$_{1}$】paŋ^{35} [动]①牵：如今箇个热天早晨你～条牛子出去呀，箇绿马硬踪法子来。i$^{13}_{21}$cin$^{35}_{44}$kai$^{53}_{44}$ke$^{53}_{44}$ɲiet^{5}tʰien$^{35}_{44}$tsau^{21}ʂən$^{13}_{44}$ɲi$^{13}_{44}$paŋ^{35}tʰiau$^{13}_{21}$ɲiəu^{13}tsɿ^{0}tʂʰət^{3}çi^{53}ia^{0},kai$^{53}_{44}$ləuk^{5}ma^{35}ɲiaŋ$^{53}_{44}$tsəŋ^{35}fait^{3}tsɿ^{0}lɔi$^{13}_{44}$. ②张紧，在两端或边上用力造成平直的坚挺状态：哦，东乡有兜系织夏布个呢有呢，箇我看过呢，织夏布哇，织夏布哇。织夏布个机子□长，□长个箇个机子，箇个一条一条子个线呐，绷正来，绷起□长。然后箇只人拿倒箇梭子丢去丢转，丢一下又撞一下丢一下撞一下，咁子。箇最原始个最老式个。o$_{53}$,təŋ^{35}çiɔŋ$^{35}_{44}$iəu^{35}te$^{35}_{53}$xe^{53}tʂət^{3}çia^{53}pu^{53}ke^{0}nei^{0}iəu^{35}nei^{0},kai^{53}ŋai^{13}kʰɔn^{53}ko^{53}nei^{0},tʂət^{3}çia^{53}pu$^{53}_{44}$ua^{0},tʂət^{3}xa^{53}pu$^{53}_{44}$ua^{0}.tʂət^{3}xa^{53}pu$^{53}_{44}$ke^{0}ci$^{35}_{44}$tsɿ^{0}lai^{35}tʂʰɔŋ^{13},lai^{35}tʂʰɔŋ$^{13}_{44}$ke^{0}kai$^{53}_{44}$ke$^{53}_{21}$ci^{35}tsɿ^{0},kai^{53}kei^{53}iet^{3}tʰiau^{13}iet^{3}tʰiau^{13}tsɿ^{0}ke^{0}sien^{53}na^{0},paŋ^{35}tʂaŋ^{53}lɔi$^{13}_{21}$,paŋ^{35}çi^{21}lai^{35}tʂʰɔŋ$^{13}_{44}$.vien^{13}xei^{53}kai^{53}tʂak^{3}ɲin$^{13}_{44}$la^{53}tau^{21}kai$^{53}_{44}$so^{35}tsɿ^{0}tiəu^{35}çi$^{53}_{44}$tiəu^{35}tʂuɔn^{21},tiəu^{35}iet^{3}xa^{53}iəu^{53}tsʰɔŋ^{21}iet^{3}xa^{53}tiəu^{35}iet^{3}xa^{53}tsʰɔŋ^{21}iet^{3}xa^{53},kan^{21}tsɿ^{0}.kai$^{53}_{44}$

tsei^{53}vien^{13}ʂʅ^{21}ke^{53}tsei^{53}lau^{21}ʂʅ$^{53}_{21}$ke^{0}.

【绷$_2$】paŋ^{35} 名 墙绷的简称：箇土敓砖墙就放唔成～唠。就放～唔成。只有筑土个筑个筑个墙就放得～。kai^{53}t^{h}əu^{21}e$_{44}$tʂən^{35}ts^{h}iɔŋ$^{13}_{21}$ts^{h}iəu^{53}fɔŋ^{53}n̩$^{13}_{21}$ʂaŋ$^{13}_{21}$paŋ^{35}lau^{0}.ts^{h}iəu^{53}fɔŋ^{53}paŋ^{35}n̩$^{13}_{21}$ʂaŋ$^{13}_{21}$.tʂʅ^{21}iəu$^{35}_{53}$tʂəuk^{3}t^{h}əu^{21}ke^{53}tʂəuk^{3}ke$^{53}_{44}$tʂəuk^{3}ke^{53}ts^{h}iɔŋ$^{13}_{21}$ts^{h}iəu$^{53}_{44}$fɔŋ^{53}tek^{3}paŋ^{35}.

【绷绷扯扯】paŋ^{35}paŋ$^{35}_{44}$tʂ^{h}a^{21}tʂ^{h}a^{21} 形 "绷扯"的重叠形式。做事不干脆，不痛快：～就，唔痛快，唔干脆。paŋ^{35}paŋ$^{35}_{44}$tʂ^{h}a^{21}tʂ^{h}a^{21}ts^{h}iəu^{53},n̩^{13}t^{h}əŋ^{53}k^{h}uai^{53},n̩^{13}kɔn^{35}ts^{h}ei^{53}.

【绷扯】paŋ^{35}tʂ^{h}a^{21} 形 做事不干脆，不痛快，麻烦：真～，箇只人做事真～。tʂən^{35}paŋ^{35}tʂ^{h}a^{21},kai^{53}tʂak^{3}ɲin^{13}tso^{53}sɿ^{53}tʂən^{35}paŋ^{35}tʂ^{h}a^{21}.｜正讲个就以只意思唠。应该拿钱个唔拿钱啵，系啊？就系讲～个意思。tʂaŋ^{53}kɔŋ^{21}ke$^{53}_{44}$ts^{h}iəu^{53}i^{21}tʂak^{3}i^{53}sɿ^{0}lau^{0}.in^{53}kɔi$^{35}_{44}$la^{53}ts^{h}ien$^{13}_{21}$ke$^{53}_{44}$n̩^{13}na^{53}ts^{h}ien$^{13}_{21}$nau^{0},xe$^{53}_{44}$a^{0}?ts^{h}iəu$^{53}_{44}$xei$^{53}_{44}$kɔŋ^{21}paŋ^{35}tʂ^{h}a^{21}ke$^{53}_{44}$i^{53}sɿ^{0}.

【绷紧】paŋ^{35}cin^{21} 形 状态词。很紧。又称"铁紧"：烤倒渠有兜子出油了啊有兜子箇个敓箇个皮呀架势～子了，就要得哩。k^{h}au^{21}tau^{21}ci$^{13}_{21}$iəu^{35}tei$^{35}_{53}$tsɿ^{0}tʂ^{h}ət^{3}iəu^{13}liau$^{21}_{44}$a^{0}iəu^{35}tei$^{35}_{53}$tsɿ^{0}kai$^{53}_{44}$kei$^{53}_{44}$ei$_{21}$kai^{53}ke^{53}p^{h}i^{13}ia^{0}cia^{53}ʂʅ^{53}paŋ^{35}cin^{21}tsɿ^{0}liau^{0},ts^{h}iəu^{53}iau^{53}tek^{3}li^{0}.｜一条绳子扯得～。iet^{3}t^{h}iau^{13}ʂən^{13}tsɿ^{0}tʂ^{h}a^{21}tek^{3}paŋ^{53}cin^{21}.

【绷老】paŋ^{53}lau^{21} 形 状态词。很老：箇个么个白菜呀开花打朵，畜起～，食唔得哩。kai$^{53}_{44}$ke$^{53}_{44}$mak^{3}ke$^{53}_{44}$p^{h}ak^{5}ts^{h}ɔi^{53}ia^{0}k^{h}ɔi^{35}fa^{35}ta^{21}to^{21},çiəuk^{3}çi$^{21}_{44}$paŋ^{53}lau^{21},ʂət^{5}n̩$^{13}_{21}$tek^{3}li^{0}.

【绷硬】paŋ^{35}ŋaŋ^{53} 形 状态词。很坚硬，又称"石硬"：两块～个树 iɔŋ^{21}k^{h}uai$^{53}_{44}$paŋ^{35}ŋaŋ^{53}ke$^{53}_{44}$ʂəu^{53}｜石头就～。ʂak^{5}t^{h}ei^{0}ts^{h}iəu$^{53}_{44}$paŋ^{35}ŋaŋ^{53}.

【绷子】pəŋ^{35}tsɿ^{0} 名 用棕绳等穿在木框上制成的床屉子：我等屋下以前就有张床就有～个。唔系棕绳穿个，系么个东西舞个嘞？系箇个箇包装带穿个。也好睡嘞。ŋai^{13}tien^{0}uk^{3}xa$^{53}_{44}$i$^{35}_{44}$ts^{h}ien$^{13}_{21}$ts^{h}iəu$^{53}_{44}$iəu$^{53}_{44}$tʂɔŋ$^{35}_{44}$ts^{h}ɔŋ$^{13}_{21}$ts^{h}iəu$^{53}_{44}$iəu$^{35}_{44}$pəŋ^{35}tsɿ^{0}ke^{0}.m̩^{13}p^{h}ei^{53}tsəŋ^{35}ʂən^{13}tʂ^{h}uɔn^{53}cie$^{53}_{44}$,xei^{53}mak^{3}e^{0}təŋ$^{35}_{44}$si^{0}u^{21}ke$^{53}_{44}$lei^{0}?xei^{53}kai$^{53}_{44}$ke$^{53}_{44}$kai$^{53}_{44}$pau$^{35}_{44}$tsɔŋ$^{35}_{44}$tai^{53}tʂ^{h}uɔn^{21}cie^{0}.ia^{35}xau^{21}ʂɔi^{53}le^{0}.

【绷子床】pəŋ^{35}tsɿ^{0}ts^{h}ɔŋ^{13} 名 垫有绷子的床：～有，有～啊。有～有弹簧床啊。箇唔，不一样。但是渠个敓作用系一样。～摎弹簧床个作用系一样。敓，弹簧床嘞底下就底下箇个底下箇开头讲个敓安做么个，安做床板呢。渠个床板就用弹簧。有弹性，睡倒上背比较舒服。～嘞，就渠个底下个底下嘞唔系弹簧，用箇绳子，用绳子。敓，渠就另外做只架架，有滴是还……敓，比较通行个做法嘞就系嘞，做只钉只四四方方个架架，放下箇只放下箇床上，敓，钉只架架放下床上，嘿嘿，钉只架架嘞，架架个两边，四向噢，都做眼，车只眼，就穿绳子。用绳子穿。用棕绳穿。用棕绳。后背嘞搞一阵呢，就用么个了嘞？用箇包装带，我都我屋下都有张用包装带个，敓。用棕绳个，用包装带个，就省钱啵。箇都安做～。pəŋ^{35}tsɿ^{0}ts^{h}ɔŋ^{13}iəu$^{35}_{44}$,iəu$^{35}_{44}$pəŋ^{35}tsɿ^{0}ts^{h}ɔŋ$^{13}_{21}$ŋa^{0}.iəu$^{35}_{21}$pəŋ^{35}tsɿ^{0}ts^{h}ɔŋ^{13}iəu$^{35}_{53}$t^{h}an$^{13}_{21}$fɔŋ$^{13}_{21}$ts^{h}ɔŋ$^{13}_{21}$ŋa^{0}.kai^{53}n̩$^{13}_{21}$,pət^{3}iet^{3}iɔŋ^{53}.tan$^{53}_{44}$ʂʅ$^{53}_{44}$ci^{13}kei^{53}e$_{21}$tsɔk^{3}iəŋ^{53}xe^{53}iet^{3}iɔŋ^{53}.pəŋ^{35}tsɿ^{0}ts^{h}ɔŋ^{13}lau$^{35}_{53}$t^{h}an$^{13}_{21}$fɔŋ$^{13}_{21}$ts^{h}ɔŋ$^{13}_{21}$ke^{53}tsɔk^{3}iəŋ^{53}xe^{53}iet^{3}iɔŋ^{53}.e$_{21}$,t^{h}an^{13}fɔŋ$^{13}_{21}$ts^{h}ɔŋ^{13}lei^{0}te^{21}xa^{53}ts^{h}iəu^{53}te^{21}xa$^{53}_{44}$kai^{53}kei$^{53}_{44}$te^{21}xa$^{53}_{44}$kai^{53}k^{h}ɔi^{35}t^{h}ei$^{13}_{44}$kɔŋ^{21}ke$^{53}_{44}$e$_{21}$ɔn$^{35}_{44}$tso$^{53}_{44}$mak^{3}ke$^{53}_{44}$,ɔn^{35}tso^{53}ts^{h}ɔŋ^{13}pan^{21}ne^{0}.ci^{13}ke^{53}ts^{h}ɔŋ^{13}pan^{21}ts^{h}iəu$^{53}_{44}$iəŋ^{53}t^{h}an^{13}fɔŋ$^{13}_{44}$.iəu^{35}t^{h}an^{13}sin^{53},ʂɔi^{53}tau^{21}ʂɔŋ$^{53}_{44}$pɔi$^{53}_{44}$pi^{21}ciau$^{53}_{44}$ʂʮ^{35}fuk$^{5}_{44}$.pəŋ^{35}tsɿ^{0}ts^{h}ɔŋ$^{13}_{21}$lei^{0},ts^{h}iəu$^{53}_{44}$ci^{13}kei$^{53}_{44}$te^{21}xa$^{53}_{44}$kei$^{53}_{44}$te^{21}xa$^{53}_{44}$lei^{0}m̩^{13}p^{h}e$_{44}$(←xe^{53})t^{h}an^{13}fɔŋ$^{13}_{44}$,iəŋ^{53}kai^{53}ʂən^{13}tsɿ^{0},iəŋ^{53}ʂən^{13}tsɿ^{0}.ei$_{21}$,ci$^{13}_{21}$ts^{h}iəu$^{53}_{44}$lin^{53}uai$^{53}_{44}$tso$^{53}_{44}$tʂak^{3}ka^{53}ka$^{53}_{44}$,iəu^{35}tet^{5}ʂʅ$^{53}_{44}$xai$^{13}_{44}$…e$_{21}$,pi^{21}ciau$^{53}_{44}$t^{h}əŋ^{35}çin^{13}ke$^{53}_{44}$tso^{53}fait^{3}lei^{0}ts^{h}iəu$^{53}_{44}$xei$^{53}_{44}$lei^{0},tso^{53}tʂak^{3}taŋ^{35}tʂak^{3}si^{53}si$^{53}_{44}$fɔŋ$^{35}_{44}$fɔŋ$^{35}_{44}$ke$^{53}_{44}$ka^{53}ka$^{53}_{44}$,fɔŋ^{53}xa^{53}kai$^{53}_{21}$tʂak^{3}fɔŋ^{53}xa$^{53}_{44}$kai$^{53}_{44}$ts^{h}ɔŋ$^{13}_{21}$xɔŋ$^{53}_{44}$,e$_{21}$,taŋ^{35}tʂak^{3}ka^{53}ka$^{53}_{44}$fɔŋ$^{53}_{44}$xa$^{53}_{44}$ts^{h}ɔŋ$^{13}_{21}$xɔŋ$^{53}_{44}$,xe$_{21}$xe$_{21}$,taŋ^{35}tʂak^{3}ka^{53}ka$^{53}_{44}$lei^{0},ka^{53}ka$^{53}_{44}$ke$^{53}_{44}$iɔŋ^{21}pien^{35},si^{53}çiɔŋ$^{53}_{44}$ŋau^{0},təu^{35}tso^{53}ŋan^{21},tʂ^{h}a^{35}tʂak^{3}ŋan^{21},ts^{h}iəu^{53}tʂ^{h}ɔn^{53}ʂən^{13}tsɿ^{0}.iəŋ$^{53}_{44}$ʂən^{13}tsɿ^{0}tʂ^{h}ɔn^{53}.iəŋ$^{53}_{44}$tsəŋ^{35}ʂən$^{13}_{21}$tʂ^{h}ɔn^{53}.iəŋ^{53}tsəŋ^{35}ʂən$^{13}_{21}$.xei^{53}pɔi$^{53}_{44}$lei^{0}kau^{21}iet^{3}tʂ^{h}ən$^{53}_{44}$nei^{0},ts^{h}iəu$^{53}_{44}$iəŋ^{53}mak^{3}(k)e$^{53}_{44}$liau^{21}lei^{0}?iəŋ$^{53}_{44}$kai$^{53}_{44}$pau^{35}tsɔŋ$^{35}_{44}$tai^{53},ŋai^{13}təu$^{35}_{44}$ŋai^{13}uk^{3}xa$^{53}_{44}$təu$^{35}_{44}$iəu$^{35}_{44}$tʂɔŋ$^{35}_{44}$iəŋ$^{53}_{44}$pau$^{35}_{44}$tsɔŋ$^{35}_{44}$tai^{53}ke$^{53}_{21}$,e$_{21}$.iəŋ$^{53}_{44}$tsəŋ^{35}ʂən$^{13}_{21}$cie$^{53}_{44}$,iəŋ$^{53}_{44}$pau$^{35}_{44}$tsɔŋ$^{35}_{44}$tai^{53}cie$^{53}_{44}$,ts^{h}iəu^{53}ʂən^{21}ts^{h}ien^{13}nau^{0}.kai$^{53}_{44}$təu^{35}ɔn$^{35}_{44}$tso$^{53}_{44}$pəŋ^{35}tsɿ^{0}ts^{h}ɔŋ^{13}.

【甏子】p^{h}aŋ^{53}tsɿ^{0} 名 一种收口大缸：敓，看呢～摎水缸让门子去敓区别啦？水缸敓一般呢水缸是嘴唔知几阔，敞个，底下敞个。～嘞，渠就箇嘴嘞有滴子收处。收拢下子来哩，箇就安做～。～有……有起细滴子个～安做桶水～，装一桶子水个～。～箇个收个部分呢，渠就还有只咁个盖，舞只咁个酱钵样个东西，酱钵，一只咁个浅浅子个，敓盖□下去，就～，就～。也系顶高有滴子收处哇，咁子，敓，底下更大，口子更细。敓，箇缸呢就敞个，箇就水缸。敞，就敞个呢，敞开。敓，你看我袋子里有钱冇钱，我敞开来分你看呢。e$_{21}$,k^{h}ɔn$^{53}_{44}$ne^{0}p^{h}aŋ^{53}

tsɿ^{0}lau^{35}ʂei^{21}kɔŋ^{35}ɲiɔŋ^{53}mən^{0}tsɿ^{0}çi^{53}e$_{21}$tʂʰʯ^{35}pʰiet^{5}la^{0}?ʂei^{21}kɔŋ^{35}ŋei^{0}iet^{3}pɔn^{35}nei^{0}ʂei^{21}kɔŋ^{35}ʂʅ$^{53}_{44}$tʂɔi^{53}n̩^{13}ti$^{35}_{53}$ci^{21}kʰɔit^{3},tʂʰo^{21}ke^{53},te^{21}xa^{53}tʂʰo^{21}ke^{53}.pʰaŋ^{53}tsɿ^{0}lei^{0},ci^{13}tsʰiəu$^{53}_{44}$kai$^{53}_{44}$tʂɔi^{53}lei^{0}iəu$^{35}_{44}$tiet^{5}tsɿ^{0}ʂəu^{35}tʂʰəu^{0}.ʂəu^{35}ləŋ^{35}ŋa$^{53}_{44}$tsɿ^{0}lɔi$^{13}_{44}$li^{0},kai$^{53}_{44}$tsʰiəu^{53}ɔn$^{35}_{44}$tso$^{53}_{44}$pʰaŋ^{53}tsɿ^{0}.pʰaŋ^{53}tsɿ^{0}iəu$^{35}_{44}$…iəu^{35}çi^{21}se^{53}tiet^{5}tsɿ^{0}ke^{0}pʰaŋ^{53}tsɿ^{0}ɔn$^{35}_{44}$tso$^{53}_{44}$tʰəŋ^{21}ʂei^{21}pʰaŋ^{53}tsɿ^{0},tʂɔŋ^{35}iet^{3}tʰəŋ^{21}tsɿ^{0}ʂei^{21}ke$^{53}_{44}$pʰaŋ^{53}tsɿ^{0}.pʰaŋ^{53}tsɿ^{0}kai$^{53}_{44}$ke$^{53}_{44}$ʂəu^{35}ke^{0}pʰu$^{53}_{44}$fən$^{53}_{44}$ne^{0},ci$^{13}_{21}$tsʰiəu$^{53}_{44}$xai$^{13}_{21}$iəu^{35}tʂak^{3}kan^{21}ke$^{53}_{44}$kɔi^{53},u^{21}tʂak^{3}kan^{21}ke$^{53}_{44}$tsiɔŋ^{53}pait^{3}iɔŋ$^{53}_{44}$ke^{0}təŋ$^{35}_{44}$si^{0},tsiɔŋ^{53}pait^{3},iet^{3}tʂak^{3}kan$^{21}_{44}$ke^{0}tsʰien^{21}tsʰien^{21}tsɿ^{0}ke^{53},e$_{44}$kɔi^{53}cʰiet^{3}a$^{53}_{44}$çi^{53},tsʰiəu$^{53}_{44}$pʰaŋ^{53}tsɿ^{0},tsiəu^{21}pʰaŋ^{53}tsɿ^{0}.ia^{35}xe^{53}taŋ^{21}kau$^{35}_{44}$iəu^{35}tet^{5}tsɿ^{0}ʂəu^{35}tʂʰəu^{53}ua^{0},kan^{21}tsɿ^{0},e$_{21}$,te^{21}xa$^{53}_{44}$cien$^{53}_{44}$tʰai^{53},xei^{21}tsɿ^{0}ken$^{53}_{44}$se^{53}.e$_{21}$,kai$^{53}_{44}$kɔŋ^{35}ne^{0}tsʰiəu^{53}tʂʰo^{21}ke^{53},kai$^{53}_{44}$tsʰiəu$^{53}_{44}$ʂei^{21}kɔŋ^{35}.tʂʰo^{21},tsʰiəu^{53}tʂʰɔŋ^{21}ke^{53}nei^{0},tʂʰɔŋ^{21}kʰɔi^{35}.ei$_{21}$, ɲi^{13}kʰɔn^{53}ŋai$^{13}_{44}$tʰɔi^{53}tsɿ^{0}li^{0}iəu^{35}tsʰien$^{13}_{44}$mau$^{13}_{44}$tsʰien$^{13}_{44}$,ŋai$^{13}_{44}$tʂʰo^{21}kʰɔi$^{35}_{44}$lɔi$^{13}_{21}$pɔn^{35}ɲi$^{13}_{21}$kʰɔn^{53}nei^{0}.

【𩗗𩗗哩】pʰəŋ^{53}pʰəŋ^{53}li^{0} 形纷纷扬扬：但是雪花，～个～鹅毛大雪蛮少，欸，米子雪常见。tan$^{53}_{44}$ʂʅ$^{53}_{44}$set^{3}fa^{35},pʰəŋ^{53}pʰəŋ^{53}li^{0}ke$^{53}_{44}$pʰəŋ^{53}pʰəŋ^{53}li^{0}ŋo$^{13}_{21}$mau^{35}tʰai^{53}set^{3}man^{13}ʂau^{21},e$_{21}$,mi^{21}tsɿ^{21}set^{3}tʂʰɔŋ^{13}cien^{53}.
◇《集韵》蒲蠓切："风起貌。"

【蹦狠】paŋ^{53}xen^{21} 形状态词。很能干：渠四个人呶，三只赖子～呶，系啊？ci$^{13}_{21}$si^{53}ke^{53}ɲin$^{13}_{44}$nau^{0},san^{35}tʂak^{3}lai^{53}tsɿ^{0}paŋ^{53}xen^{21}nau^{0},xei$^{53}_{44}$a^{0}?

【蹦是蹦非】pəŋ^{53}ʂʅ^{53}pəŋ^{53}fei^{35} 挑拨是非：你从中啊搞么个去～哟？ɲi^{13}tsʰəŋ^{13}tʂəŋ$^{35}_{44}$ŋa^{0}kau^{21}mak^{3}ke$^{53}_{44}$çi$^{53}_{44}$pəŋ^{53}ʂʅ$^{53}_{44}$pəŋ^{53}fei^{35}io^{0}?｜你不要去～呀，别人家让门子就让门子啊。ɲi$^{13}_{21}$pət^{3}iau$^{53}_{44}$çi$^{53}_{44}$pəŋ^{53}ʂʅ$^{53}_{44}$pəŋ^{53}fei$^{35}_{44}$ia^{0},pʰiet^{5}in$^{13}_{21}$ka$^{35}_{44}$ɲiɔŋ^{53}mən^{0}tsɿ^{0}tsʰiəu$^{53}_{44}$ɲiɔŋ^{53}mən^{0}tsɿ^{0}a^{0}.

【蹦是非】pəŋ^{53}ʂʅ^{53}fei^{35} 挑拨是非：又话别人家～。啊，或者蹦是蹦非嘞，箇就蛮严重了。iəu^{53}ua^{53}pʰiet^{5}in$^{13}_{44}$ka$^{35}_{44}$pəŋ^{53}ʂʅ^{53}fei$^{35}_{44}$.a$_{21}$,xɔit$^{5}_{3}$tʂa^{21}pəŋ^{53}ʂʅ^{53}pəŋ^{53}fei^{35}le^{0},kai^{53}tsʰiəu^{53}man^{13}ɲien^{13}tʂʰəŋ^{53}liau^{0}.

【屄】piet^{3} 名女阴。又称"麻肶"：以只东西就一般都系含贬义样哦，系啊？一方面就系女……女……妹子人呶，嗯，妹子人个下身呶。有滴呢话别人家嘞，嗯，你嘞好食～。欸，又话麻肶，系啊？单独来讲让门子去讲呶？嗯。一般都唔得讲咁直呢。欸，打比样箇只咁癫孋妹子啊，硬唔晓羞丑噢，系唔系？欸，着条裤么，胯都打出来。箇也一般都唔讲话呢～都打出来，唔讲。只系单指箇只东西就安就安做～啊，系唔系？i^{21}iak^{3}əŋ$^{35}_{44}$si^{0}tsʰiəu^{53}iet^{3}pɔn^{35}təu$^{35}_{44}$xe$^{53}_{44}$xan^{13}pien^{21}ɲi^{53}iɔŋ$^{53}_{44}$ŋo^{0},xei$^{53}_{44}$a^{0}?iet^{3}xɔŋ^{35}mien^{53}tsʰiəu^{53}xe^{53}ɲy^{21}…ɲy^{21}…mɔi^{53}tsɿ^{0}ɲin^{13}nau^{0},n̩$_{21}$,mɔi^{53}tsɿ^{0}ɲin^{13}ke$^{53}_{44}$xa$^{35}_{44}$ʂən$^{35}_{44}$nau^{0}.iəu^{35}tet^{5}nei^{0}ua^{53}pʰiet^{5}in$^{13}_{21}$ka$^{35}_{44}$le^{0},n̩$_{21}$, ɲi^{13}le^{0}xau^{53}ʂət^{5}piet^{3}.ei$_{21}$,iəu^{53}ua^{53}ma^{13}pʰi^{13},xei$^{53}_{44}$a^{0}?tan^{35}tʰəuk^{5}lɔi$^{13}_{21}$kɔŋ^{21}ɲiɔŋ^{53}mən^{0}tsɿ^{0}çi^{53}kɔŋ^{21}nau^{0}?n̩$_{21}$.iet^{3}pɔn^{35}təu$^{35}_{53}$n̩$^{13}_{21}$tek^{3}kɔŋ^{21}kan^{21}tʂʰət^{5}nei^{0}.e$_{21}$,ta^{21}pi^{21}iɔŋ$^{53}_{44}$kai^{53}tʂak^{3}kan^{21}tien^{35}ma$^{13}_{21}$mɔi^{53}tsɿ^{0}a^{0}, ɲiaŋ^{53}n̩^{13}çiau^{21}siəu^{35}tʂʰəu^{21}uau^{0},xei$^{53}_{44}$me$^{35}_{44}$?e$_{44}$,tʂɔk^{3}tʰiau^{13}fu^{53}mei^{0},cʰia^{53}təu^{35}ta^{21}tʂʰət^{3}lɔi$^{13}_{21}$.kai$^{53}_{44}$ia$^{35}_{53}$iet^{3}pɔn^{35}təu$^{35}_{53}$n̩^{13}kɔŋ^{21}ua$^{53}_{44}$ne^{0}piet^{3}təu^{35}ta^{21}tʂʰət^{3}lɔi$^{13}_{21}$,n̩$^{13}_{21}$kɔŋ^{21}.tʂət^{3}ei^{53}tan^{35}tʂʅ^{21}kai^{53}tʂak^{3}təŋ$^{35}_{44}$si^{0}tsʰiəu$^{53}_{44}$ɔn$^{35}_{44}$tsʰiəu$^{53}_{21}$ɔn$^{35}_{44}$tso^{53}piet^{3}a^{0},xei$^{53}_{44}$me^{0}?

【鼻】pʰi^{53} 动闻，嗅，用鼻子辨别气味：来～下子以朵花香唔香？蛮香，系唔系？lɔi^{13}pʰi^{53}xa^{53}tsɿ^{0}i^{21}to^{21}fa^{35}çiɔŋ^{35}ŋ̍^{13}çiɔŋ^{35}?man^{13}çiɔŋ^{35},xe^{53}m̩^{13}pʰe^{53}?

【鼻公】pʰi^{53}kəŋ^{35} 名鼻子：箇一出来只～肚里都墨乌个噢。kai$^{53}_{44}$iet^{3}tʂʰət^{3}lɔi^{13}tʂak^{3}pʰi$^{53}_{44}$kəŋ$^{35}_{44}$təu^{21}li^{0}təu$^{35}_{44}$mek^{5}u$^{35}_{44}$ke$^{53}_{44}$au^{0}.｜～蛮煞。pʰi^{53}kəŋ^{35}man^{13}sait^{3}.

【鼻公岖】pʰi^{53}kəŋ^{35}cien^{53} 名①山窝之间高起的山脊：还有嘞箇岭岗，一嶂岭啊，一嶂岭同箇有以边一只窝，以边一只窝，系唔系？以顶高，堆高起来个栏场，箇映子也往往嘞也根据渠个形状安做～。xai$^{13}_{21}$iəu$^{35}_{44}$le^{0}kai$^{53}_{44}$liaŋ^{35}kɔŋ^{35},iet^{3}tʂɔŋ^{53}liaŋ^{35}ŋa^{0},iet^{3}tʂɔŋ^{53}liaŋ^{35}tʰəŋ$^{13}_{21}$kai$^{53}_{44}$iəu$^{35}_{44}$i^{21}pien^{35}iet^{3}tʂak^{3}uo^{35},i^{21}pien^{35}iet^{3}tʂak^{3}uo^{35},xei$^{53}_{44}$me$^{53}_{44}$?i^{21}taŋ^{21}kau$^{35}_{44}$,tei^{35}kau^{35}çi^{21}lɔi^{13}ke^{53}laŋ$^{13}_{21}$tʂʰɔŋ$^{13}_{44}$,kai$^{53}_{44}$iaŋ^{53}tsɿ^{0}ia^{35}uɔŋ^{21}uɔŋ^{21}lei^{0}ia^{35}ken^{35}tʂʯ$^{53}_{44}$ci$^{13}_{44}$e^{0}çin^{13}siɔŋ^{53}ɔn$^{35}_{44}$tso$^{53}_{44}$pʰi$^{53}_{44}$kəŋ$^{35}_{44}$cien^{53}. ②鼻梁在两眼间的部位：鼻公嗯顶高以映子高起来个栏场就安做～。pʰi^{53}kəŋ^{35}n̩$_{21}$taŋ^{21}kau^{35}i^{21}iaŋ^{53}tsɿ^{0}kau^{35}çi^{21}lɔi$^{13}_{21}$ke^{53}laŋ$^{13}_{21}$tʂʰɔŋ$^{13}_{44}$tsʰiəu$^{53}_{44}$ɔn$^{35}_{44}$tso$^{53}_{44}$pʰi^{53}kəŋ^{35}cien^{53}.

【鼻公间】pʰi^{53}kəŋ^{35}kan^{53} 名①两个鼻孔之间的间隔部位：两只鼻公眼中间就安做～。箇我等以前有只婆婆子嘞，冇得～。箇有一只婆婆子嘞，就渠就冇得鼻公岖，就以映子嘞就一只咁个两只眼。箇婆婆子七八十岁哩正死嘞。我还蛮熟嘞，姓……姓么个嘞？姓张。欸，渠就冇得……欸，渠有～，冇得鼻公岖。冇得一只鼻公，渠就两只眼。我问渠我话："你箇映子让门子个？"渠喊："我是硬欸发肝虫。"欸，渠安……晓得安做么个肝虫？鼻公个鼻公上出个问题欸出个病，发肝虫。渠话……唔系，我问渠，我话："你搞么个食烟？"一只婆婆子咯。咁夫娘子人食烟很少嘞。七八十岁我正认得渠嘞，我正箇个嘞。我话："你搞么个食烟？"

“我发过肝虫咯，” 渠话：“我发过肝虫。你看呶我两只鼻公，以映子都烂嘿哩咯。剩倒两只眼。”渠话食哩烟就冇事话唠，就赠再烂哩啊。渠话：“我就总下来食烟呶。” iəŋ21tʂak3pʰi53kəŋ35/44ŋan21tʂəŋ35kan35/44tsʰiəu53/44ən35/44tso53/44pʰi53kəŋ35/44kan53.kai53/44ŋai13tien0i35tsʰien13/21iəu35tʂak3pʰo13/21pʰo13/44tsɿ0le0,mau13tek3pʰi53kəŋ35/44kan53.kai53iəu35iet3tʂak3pʰo13/21pʰo13/21tsɿ0le0,tsʰiəu53ci13tsʰiəu53mau13tek3pʰi53/44kəŋ35cien53,tsʰiəu53i21iaŋ53tsɿ0lei0tsʰiəu53iet3tʂak3kan21kei0iəŋ21tʂak3ŋan21.kai53pʰo13/21pʰo13/21tsɿ0tsʰiet3pait3ʂət5səi53li0tʂaŋ53/44si21le0.ŋai13/21xai13/44man13/21ʂəuk5le0,siaŋ53…siaŋ53mak3e0le0?siaŋ53/44tʂəŋ35.ei21,ci13tsʰiəu53mau13tek3…ei44,ci13/44iəu35pʰi53/44kəŋ35kan53,mau13tek3pʰi53/44kəŋ35cien53.mau13tek3iet3tʂak3pʰi53/44kəŋ35,ci13tsʰiəu53iəŋ21tʂak3ŋan21.ŋai13vən53ci13/21ŋai13ua53:"ɲi13kai53iaŋ53/44tsɿ0ɲiəŋ53mən0tsɿ0ke0?"ci13/44xan53:"ŋai13/21ʂɿ13/44ɲiaŋ53e21fait3kən35tʂʰəŋ13/21."ei21,ci13/21ən35ts…çiau21tek3ən35/44tso53/44mak3e0kən35tʂʰəŋ13/21?pʰi53kəŋ35/44ke0pʰi53kəŋ35/44xəŋ35/44tʂʰət3ke53/44uən53tʰi13/21ei21tʂʰət3ke53/44pʰiaŋ53,fait3kən35tʂʰəŋ13/44.ci13/21ua53/44…m̩13pʰei53,ŋai13vən53ci13/44,ŋai13ua53:"ɲi13kau21mak3e0ʂət5ien35?"iet3tʂak3pʰo13pʰo13/44tsɿ0ko0.kan21/44pu35ɲiəŋ13/44tsɿ0ɲin13ʂət5ien35/44xen21ʂau21lei0.tsʰiet3pait3ʂət5səi53ŋai13tʂaŋ35ɲin35tek3ci13/44le0,ŋai13tʂaŋ53kai53ke53le0.ŋai13ua53:"ɲi13kau21mak3e0ʂət5ien35?""ŋai13fait3ko53/44kən35tʂʰəŋ13/21ko0,"ci13/21ua53:"ŋai13/21fait3ko53/44kən35tʂʰəŋ13/21. ɲi13kʰən53/44nau0ŋai13/21iəŋ21tʂak3pʰi53kəŋ35/44,i21iaŋ53tsɿ0təu35/44lan53nek3li0ko0.ʂən53tau21iəŋ21tʂak3ŋan21."ci13/21ua53ʂət5li0ien35tsʰiəu53/44mau13/21ʂɿ53ua53lau0,tsʰiəu53/44maŋ13tsai53lan53li0a0.ci13/21ua53:"ŋai13tsʰiəu53tsəŋ21a53ləi13/21ʂət5ien35nau0." ②鼻梁：唔系话，昨欸箇晡我讲哩，我箇只孙子我细细子长日去同渠捻鼻公，爱分渠只～呢捻高下子来更好看，系啊？m̩13pʰei53ua53,tsʰo35e0kai53pu35/53ŋai13kəŋ21li0,ŋai13kai53tʂak3sən35tsɿ0ŋai13se53se53tsɿ0tʂʰəŋ13ɲiet3çi53tʰəŋ13/21ci13/21ɲien21pʰi53kəŋ35,əi53/44pən35ci13/21(tʂ)ak3pʰi53kəŋ35kan53ne0ɲien21kau35ua53tsɿ0ləi13cien53/44xau21kʰən53,xei53a0?

【鼻公眼】pʰi53kəŋ35ŋan21 名鼻孔：你～肚里啊塞哩么个么？讲起事来箇听倒唔清。ɲi13pʰi53kəŋ35ŋan21təu21li0a0sek3li0mak3ke0me0?kəŋ21çi21sɿ53ləi13/44kai53/44tʰaŋ35/44tau21/44n̩13tsʰin35/44.

【鼻公嘴】pʰi53kəŋ35tsi21 名鼻尖；鼻梁下端向前下突起的部分：箇只人呐真好看，一只～唔知几长，又高又长，蛮好看。kai53tʂak3ɲin13/44na0tʂən35xau21kʰən53,iet3tʂak3pʰi53kəŋ35tsi21n̩13ti35/53ci21tʂʰəŋ13,iəu35kau35iəu53tʂʰəŋ13.man13/21xau21kʰən53.｜以只外国人呐箇～勾勾哩。iak3(←i21tʂak3)uai53kək3ɲin13/21na0kai53/44pʰi53kəŋ35/53tsi21kei35kei35/44li0.

【鼻毛】pʰi53mau35 名鼻孔中长的毛：箇我欸～搞下子又□长，要用剪刀剪嘿去。唔剪呢渠会□长，剪嘿哩长得更快。嘿嘿，真古怪。唔剪呢真难看，系唔系？～。箇阵子我等读书个时候就有只同学，长日都两条几条～么硬……硬跍倒外背还打圈圈了。kai53ŋai13e0pʰi53mau35kau21xa53/44tsɿ0iəu53/44lai35tʂʰəŋ13/44,iau53iəŋ53tsen21tau35/44tsen21nek3çi53.n̩13tsien21nei0ci13/44uəi53/44lai35tʂʰəŋ13/21,tsien21nek3li0tʂʰəŋ13tek3ken53kʰuai53.xe21xe21,tʂən35ku21kuai53.n̩13tsien21nei0tʂən35/44nan13/21kʰən53,xei53me53?pʰi53mau35.kai53tʂʰən53tsɿ0ŋai13/21tien0tʰəuk5ʂəu35ke53ʂɿ13/44xəu53/44tsʰiəu53/44iəu35/44tʂak3tʰəŋ13/21çiɔk5,tʂʰəŋ13/21ɲiet3təu35/53iəŋ21tʰiau13ci21tʰiau13pʰi53mau35mei0ɲiaŋ53…ɲiaŋ53/44ku35tau21/44ŋəi53pəi53xai13/21ta21cʰien35cʰien35/44liau0.

【鼻脓】pʰi53ləŋ13 名鼻涕：细人子用（鼻帕子）来擦～啊。se53ɲin13/21tsɿ0iəŋ53ləi13/21tsʰait5pʰi53ləŋ13ŋa0.

【鼻脓客】pʰi53ləŋ13/21kʰak3 名流鼻涕的小孩，引申指不懂事不管事的人：箇起冇么个事个～样呢箇就渠就冇么个事呢。kai53çi21mau13mak3e0sɿ53ke53pʰi53ləŋ13/21kʰak3iəŋ53/44nei0kai53/44tsʰiəu53/44ci13/21tsʰiəu53mau13/21mak3e0sɿ53nei0.

【鼻帕子】pʰi53pʰa53tsɿ0 名手绢或用来给小孩子擦鼻涕的布：呃，箇细人子嘞往往嘞就后背舞枚子镔针分只～挂下箇个肩膊后背子，一扯就可以扯过面前来擦鼻脓，系唔系？擦嘿哩往后背一送。ə21,kai53/44sei53ɲin13/21tsɿ0lei0uəŋ21uəŋ21lei0tsʰiəu53/44xei53pəi53/44u21məi13tsɿ0pin35tʂən35pən35tʂak3pʰi53pʰa53/44tsɿ0kua53(x)a53/44kai53/44kei53/44cien35pɔk3xei53pəi53tsɿ0,iet3tʂʰa21tsʰiəu53kʰo21i35/44tʂʰa21ko53/44mien53tsʰien13/44nəi13/44tsʰət5pʰi53ləŋ13/21,xei53/44me53/44?tsʰət5(x)ek3li0uəŋ21xei53pəi53iet3səŋ53.

【鼻水】pʰi53ʂei21 名清的鼻涕：清鼻脓就安做～。箇个欸我有只箇阵子我等学堂里皇……我等学堂，唔系我等学堂里，我等箇侧边箇只皇浪完小，请只老子煮饭食。硬真好箇只老子，真发狠，炒个菜也唔知几好，就系一只东西，唔敢请哩。边炒就箇～就剁剁跌，跌下箇镬里有人敢食。箇老子硬真发狠，又发狠又勤快，炒个菜又好食。就系会跌～，唔敢请哩。tsʰiaŋ35/44pʰi53ləŋ13/21tsʰiəu53/44ən35/44tso53/44pʰi53ʂei21.kai53/44ke53/44e21ŋai13iəu35tʂak3kai53/44tʂʰən53tsɿ0ŋai13tien0xɔk5tʰəŋ13/21li0uəŋ13…uəŋ13…ŋai13tien0xɔk5tʰəŋ13/44,m̩13pʰe53ŋai13tien0xɔk5tʰəŋ13/21li0,ŋai13tien0kai53/44tset3pien35kai53tʂak3uəŋ13ləŋ53xon13siau21,tsʰiaŋ21tʂak3lau21tsɿ0tʂəu21fan53ʂət5.ɲiaŋ53tʂən35xau21kai53tʂak3lau21tsɿ21,tʂən35fait3xen21,tsʰau21ke53/44tsʰəi21ia53/53n̩13ti35/53ci13/21xau21,tsʰiəu53xei53iet3tʂak3təŋ35/44si0,n̩13kan21tsʰiaŋ21li0.pien35tsʰau21tsʰiəu53/44kai53pʰi53ʂei21 tsʰiəu$^{53}_{44}$to53to53tet3,tet3a$^{53}_{44}$kai$^{53}_{44}$uək5li0mau13ɲin13kan21ʂət5.kai53lau21tsʅ0ɲiaŋ53tʂən35fait3xen53,iəu53fait3xen21 iəu53cʰin13kʰuai53,tsʰau21ke$^{53}_{44}$tsʰɔi53iəu$^{53}_{44}$xau21ʂət5.tsʰiəu$^{53}_{44}$xe$^{53}_{44}$uɔi$^{53}_{44}$tet3pʰi53ʂei21,n̩13kan21tsʰiaŋ21li0.

【鼻炎】pʰiet3ien13 名鼻腔黏膜炎症的通称：撞怕欸箇人讲事唔清咯，鼻公～重哩咯，系啊？就会别人家："你发肝虫吧？讲事都讲唔清哩。"tsʰəŋ21pʰa$^{53}_{44}$ei44kai53ɲin13kəŋ21sʅ53n̩$^{13}_{21}$tsʰin35ko0,pʰi53 kəŋ$^{35}_{44}$pʰiet3ien13tʂʰəŋ53li0ko0,xei53a0?tsiəu$^{53}_{44}$uɔi$^{53}_{44}$pʰiet5in$^{13}_{44}$ka$^{35}_{44}$:"ɲi$^{13}_{21}$fait3kən35tʂʰəŋ$^{13}_{21}$pa0?kəŋ21sʅ53təu$^{35}_{53}$kəŋ21n̩$^{13}_{21}$ tsʰin35ni0."

【鼻柱子】pʰi53tʂʰəu35tsʅ0 名指牛鼻柱：箇（牛襻肱）最好也用苎麻绳子就更好。箇条都见得，就系～就硬爱苎麻绳子。kai$^{53}_{44}$tsei53xau21ia35iəŋ$^{53}_{44}$tʂʰəu35ma$^{13}_{21}$ʂən$^{13}_{21}$tsʅ0tsʰiəu$^{53}_{44}$cien53xau21.kai53tʰiau$^{13}_{21}$təu$^{35}_{44}$ cien53tek3,tsʰiəu53xe$^{53}_{44}$pʰi53tʂʰəu35tsʅ0tsiəu$^{53}_{44}$ɲiaŋ53ɔi$^{53}_{44}$tʂʰəu35ma$^{13}_{21}$ʂən$^{13}_{21}$tsʅ0.

【比$_1$】pi21/pie21 动①比划，借用手势或动作来帮助说话：渠掇倒茶，两个人，一个人端，端分渠，掇倒分箇孝子，渠咁子～下子，系唔系？又另外一只人就掇开。ci$^{13}_{21}$tɔit3tau21tsʰa13,iəŋ21 ke53ɲin$^{13}_{21}$,iet3ke53ɲin$^{13}_{21}$tən35,tən35pən35ci$^{13}_{44}$,tɔit3tau21pən35kai$^{53}_{44}$xau53tsʅ21,ci$^{13}_{21}$kan21tsʅ0pi21(x)a$^{53}_{44}$tsʅ0,(x)e$^{53}_{44}$ me$^{53}_{44}$?iəu$^{53}_{44}$lin53uai53iet3tʂak3ɲin$^{13}_{21}$tsʰiəu$^{53}_{44}$tɔit3kʰɔi$^{35}_{44}$. ②靠近，紧挨：看稳渠手～稳子咁子～稳子边边去看，落尾一只东西就做正哩。kʰɔn53uən21ci$^{13}_{44}$ʂəu21pie21uən21tsʅ0kan21tsʅ0pie21uən21tsʅ0pien$^{35}_{44}$pien$^{35}_{44}$çi53 kʰɔn53,lɔk5mi$^{35}_{53}$iet3tʂak3(t)əŋ$^{35}_{44}$si0tsʰiəu53tso$^{53}_{44}$tʂaŋ$^{53}_{44}$li0.

【比$_2$】pi21 介引介比较的对象：做只～厢房还更高个一只亭子。tso53tʂak3pi21siɔŋ35fɔŋ$^{13}_{21}$xai13 cien53kau35ke$^{53}_{44}$iet3tʂak3tʰin13tsʅ0.｜食茶～食咖啡更好。ʂət5tsʰa13pi21ʂət5kʰa35fei$^{35}_{44}$ken53xau21.

【比方】pi21fɔŋ35 动比如：～送细人子去读书样啊，你就爱拿学费呀。pi21fɔŋ$^{35}_{44}$səŋ53sei53ɲin$^{13}_{21}$tsʅ0 çi$^{53}_{44}$tʰəuk5ʂəu35iɔŋ$^{53}_{44}$ŋa0，ɲi$^{13}_{21}$tsʰiəu$^{53}_{44}$ɔi$^{53}_{44}$la$^{35}_{44}$çiɔk5fei53ia0.

【比方说】pi21fɔŋ$^{35}_{44}$ʂek3 举例用语，放在所举例子前，表示下面就是例子：～箇基础上以映子唔多……正你讲个，以映子唔多稳，以映更稳。pi21fɔŋ$^{35}_{44}$ʂek3kai$^{53}_{44}$ci35tsʰəu21xɔŋ53i21iaŋ53tsʅ0n̩13to$^{35}_{44}$… tʂaŋ53ɲi13kɔŋ21ke$^{53}_{44}$,i21iaŋ53tsʅ0n̩13to$^{35}_{44}$uən21,i21iaŋ$^{53}_{35}$cien53uən21.

【比较】pi21ciau53 副表示具有一定程度：箇酒就～煞，度数～高。tsʰaŋ53tsiəu21tsʰiəu53pi21ciau53 sait3,tʰəu53səu53pi21ciau53kau35.｜有一块就～大点子个板子。iəu35iet3kʰuai53tsʰiəu$^{53}_{44}$pi21ciau$^{53}_{44}$tʰai53tian$^{21}_{44}$ tsʅ0ke$^{53}_{44}$pan21tsʅ0.

【比子秤】pi21tsʅ0tʂʰən53 名无盘的大杆秤：～就系区别于箇起么个磅秤。欸，有条子称杆子。有只子欸有有以边有只子秤盘，欸，有钩子，以边有只子秤盘。箇边呢就系有只秤砣。箇就安做～。欸，话秤不离砣啊，欸公不离婆，秤不离砣，箇就讲～。有盘个？哦，系啊，有得盘个。有盘个安做盘秤子。pi21tsʅ0tʂʰən53tsʰiəu53xe53tʂʰʮ35pʰiet5ʮ$^{13}_{21}$kai53çi21mak3ke$^{53}_{44}$pɔŋ53tʂʰən53.ei44, iəu35tʰiau$^{13}_{21}$tsʅ0tʂʰən53kɔn35tsʅ0.iəu35tʂak3tsʅ0ei$_{21}$iəu35iəu$^{35}_{}$i21pien$^{35}_{44}$iəu35tʂak3tsʅ0tʂʰən53pʰan13,ei$_{21}$iəu35kei35tsʅ0, i21pien$^{35}_{44}$iəu35tʂak3tsʅ0tʂʰən53pʰan13.kai53pien$^{35}_{44}$nei0tsiəu$^{53}_{44}$xei$^{53}_{21}$iəu35tʂak3tʂʰən53tʰo13.kai$^{53}_{44}$tsʰiəu$^{53}_{44}$ɔn$^{35}_{44}$tso$^{53}_{44}$pi21 tsʅ0tʂʰən53.e$_{21}$,ua$^{53}_{44}$tʂʰən53pət3li13tʰo13a0,e$_{21}$kəŋ35pət3li13pʰo13,tʂʰən53pət3li13tʰo13,kai$^{53}_{44}$tsʰiəu53kəŋ21pi21tsʅ0tʂʰən53. mau13pʰan13cie53?o$_{53}$,xei53a0,mau13tek3pʰan13cie53.iəu35pʰan$^{13}_{21}$cie53ɔn$^{35}_{53}$tso53pʰan13tʂʰən53tsʅ0.

【笔$_1$】piet3 名①写字画图的用具：两杆～三杆～放做一排哟，排笔。iɔŋ21kɔn21piet3san35kɔn21 piet3fɔŋ53tso53iet3pʰai13iau0,pʰai13piet3. ②笔画，指组成汉字的点、横、直、撇、捺等：一笔一笔爱黟稳，氏不脱～。iet3piet3iet3piet3ɔi53ɲia13uən21,ʂʅ$^{53}_{}$pət3tʰɔit3piet3.

【笔$_2$】piet3 量①用于字的笔画：氏字，四～，一撇，竖钩，横，斜钩，系啊？箇四～，必须黟稳，安做氏不脱笔。不……不脱笔，一定爱莫脱。一～一～爱黟稳，氏不脱笔。ʂʅ53 tsʰʅ53,si53piet3,iet3pʰet3,ʂəu53kəu$^{35}_{44}$,xəŋ13,sie13kəu$^{35}_{44}$,xei$^{53}_{44}$a0?kai$^{35}_{44}$si53piet3,piet3si$^{35}_{44}$ɲia13uən21,ɔn$^{35}_{44}$tso$^{53}_{44}$ʂʅ53pət3 tʰɔit3piet3.pət3…pət3tʰɔit3piet3,iet3tʰin$^{53}_{44}$ɔi$^{53}_{44}$mɔk5tʰɔit3.iet3piet3iet3piet3ɔi53ɲia13uən21,ʂʅ53pət3tʰɔit3piet3. ②指钱款：一～款子 iet3piet3kʰɔn21tsʅ0｜一～钱 iet3piet3tsʰien13

【笔顿】piet3tən53 形像笔一样直立，形容很陡：陡起～了。tei21çi$^{21}_{44}$piet3tən53niau21.｜箇嶂岭几陡子啊，硬～个。kai$^{53}_{44}$tʂɔŋ$^{53}_{21}$liaŋ35ci21tei21tsa0,ɲiaŋ53piet3tən53cie$^{53}_{21}$.

【笔锋】piet3fəŋ35 名本指毛笔的尖端，多借指书法笔画的棱角、锋芒：我去学过箇书法课。箇～蛮重要，～啊。以就当爱～个就爱有锋。唔爱锋个，有滴字嘞唔爱锋个就不……也唔爱现锋。嗯，写字爱写中锋字，莫写偏锋字。ŋai13çi$^{53}_{44}$xɔk5ko53kai$^{53}_{44}$ke$^{53}_{44}$ʂəu35fait3kʰo53.kai$^{53}_{44}$piet3fəŋ35 man13tʂʰəŋ53iau53,piet3fəŋ35ŋa0.i21tsiəu$^{53}_{44}$tɔŋ35ɔi53piet3fəŋ35ke53tsʰiəu$^{53}_{44}$ɔi$^{53}_{44}$iəu$^{35}_{44}$fəŋ35.m̩13mɔi35fəŋ35ke$^{53}_{44}$,iəu$^{35}_{44}$tiet5 sʅ53le0m̩13mɔi35fəŋ$^{35}_{44}$ke$^{53}_{44}$tsiəu53pət3…ia$^{35}_{44}$m̩13mɔi35çien53fəŋ35.n̩$_{21}$,sia21sʅ53ɔi53sia21tʂəŋ35fəŋ35sʅ53,mɔk5sia21 pʰien^{35}fəŋ^{35}sɿ^{53}.

【笔杆子】piet^{3} kɔn^{21} tsɿ^{0} 名笔杆儿，也引申指人的写作能力或写作能力强的人：以只东西有两只意义。一只意义嘞就硬系讲箇杆笔，以个就～，系唔系？第二只意义嘞，就系别人家个写作能力，也安做～。箇只人呢～蛮煞呐。～蛮煞。箇只姓氏～蛮煞。有几只～啊。就系有几只会写文章个人。欸嗯，从前红沙有只人呢安做李李么个李姜李姜维吧，就专门同别人家告状个人，食～饭。i$^{21}_{13}$tʂak^{3} təŋ$^{35}_{44}$si^{0} iəu$^{35}_{44}$iəŋ^{21}tʂak^{3} i$^{53}_{44}$ɲi$^{53}_{44}$.iet^{3} tʂak^{3} i$^{53}_{44}$ɲi$^{53}_{44}$lei^{0} tsʰiəu^{53}ɲiaŋ^{53}xe^{53}kɔŋ^{21}kai^{53} kɔn^{21}piet^{3},i^{21}ke$^{53}_{44}$tsʰiəu$^{53}_{44}$piet^{3} kɔn^{21}tsɿ^{0},xei^{53}me^{53}?tʰi$^{53}_{44}$ɲi^{53}tʂak^{3} i^{53}ɲi$^{53}_{44}$le^{0},tsʰiəu$^{53}_{44}$xei$^{53}_{44}$pʰiet^{5} in$^{13}_{44}$ka$^{35}_{44}$kei^{53}sia^{21} tsɔk^{3} len^{13}liet^{5},ia^{35}ɔn$^{35}_{44}$tso$^{53}_{44}$piet^{3} kɔn^{21}tsɿ^{0}.kai^{53}tʂak^{3} ɲin$^{13}_{44}$ne^{0} piet^{3} kɔn^{21}tsɿ^{0} man^{13} sait^{3} na^{0}.piet^{3} kɔn^{21}tsɿ^{0} man^{13} sait^{3}.kai^{53}tʂak^{3} siaŋ^{53}ʂɿ^{53}piet^{3} kɔn^{21}tsɿ^{0} man^{13}sait^{3}.iəu^{35}ci$^{13}_{21}$tʂak^{3} piet^{3} kɔn^{21}tsɿ^{0} a^{0}.tsʰiəu$^{53}_{44}$xei^{53}iəu^{35}ci^{21}tʂak^{3} uɔi^{53} sia^{21}uən^{13}tʂɔŋ$^{35}_{44}$ke^{0} ɲin^{13}.e$_{44}$n$_{44}$,tsʰəŋ^{13}tsʰien$^{13}_{44}$fəŋ^{35}sa$^{35}_{44}$iəu$^{53}_{44}$tʂak^{3} ɲin^{13}ne^{0} ɔn$^{35}_{44}$tso$^{53}_{44}$li^{21}li^{21}mak^{3} e^{0} li^{21}ciɔŋ$^{35}_{44}$li^{21}ciɔŋ$^{35}_{44}$ uei^{13}pa^{0},tsʰiəu$^{53}_{44}$tʂen^{35}mən$^{13}_{21}$tʰəŋ$^{13}_{21}$pʰiet$^{5}_{44}$in$^{13}_{44}$ka$^{35}_{44}$kau^{53}tsʰɔŋ^{35}ke$^{53}_{44}$ɲin^{13},ʂət^{5} piet^{3} kɔn^{21}tsɿ^{0} fan^{53}.

【笔架子】piet^{3} ka^{53}tsɿ^{0} 名传统文房用具，放在案头，用来架笔的工具：～应该就系放笔个东西唠。欸，有起咁个，街上以前是有咁个卖唠，欸咁个瓷器个东西欸，有三只子叉叉，叉起来，箇笔……就系～。笔就搁啊箇映子。如今呢只有笔筒子。冇得～了，冇多么人用～。piet^{3} ka^{53}tsɿ^{0} in$^{35}_{44}$kɔi$^{35}_{44}$tsʰiəu$^{53}_{44}$xe$^{53}_{44}$fɔŋ^{53}piet^{3} cie$^{53}_{44}$təŋ$^{35}_{44}$si^{0} lau^{0}.e$_{21}$,iəu^{35}çi^{21}kan^{21}kei$^{53}_{44}$,kai^{35}xɔŋ$^{53}_{44}$i^{35}tsʰien^{13}ʂɿ$^{53}_{44}$iəu^{35} kan^{21}cie$^{53}_{44}$mai^{53}lau^{0},ei$_{21}$kan^{21}kei$^{53}_{44}$tsʰɿ^{13}çi$^{53}_{44}$ke$^{53}_{44}$təŋ$^{35}_{44}$si^{0} ei$_{21}$,iəu$^{35}_{44}$san^{35}tʂak^{3} tsɿ^{0} tsʰa^{35}tsʰa^{35},tsʰa^{35}çi^{21}lɔi$^{13}_{21}$,kai$^{53}_{44}$ piet^{3} …tsʰiəu$^{53}_{44}$xei$^{53}_{44}$piet^{3} ka^{53}tsɿ^{0}.piet^{3} tsʰiəu$^{53}_{44}$kɔk^{3} a^{0} kai$^{53}_{44}$iaŋ$^{53}_{44}$tsɿ^{0}.i$^{13}_{21}$cin$^{35}_{44}$ne^{0} tʂe^{21}iəu$^{35}_{53}$piet^{3} tʰəŋ^{13}tsɿ^{0}.mau^{13} tek^{3} piet^{3} ka^{53}tsɿ^{0} liau^{0},mau$^{13}_{21}$to$^{35}_{53}$mak^{3} in$^{13}_{44}$iəŋ^{53}piet^{3} ka^{53}tsɿ^{0}.

【笔毛】piet^{3} mau^{35} 名笔头：～是一般就指毛笔，欸毛笔正有～，以只钢笔圆子笔就冇得～了唠。～是爱羁狼毫个就更好哇。一杆笔好唔好就系箇个～好唔好。piet^{3} mau^{35}ʂɿ$^{53}_{44}$iet^{3} pɔn^{35}tsʰiəu^{53} tʂɿ^{21}mau^{35}piet^{3},e^{0} mau^{35}piet^{3} tʂaŋ$^{53}_{44}$iəu^{35}piet^{3} mau^{35},i^{21}iak^{3} kɔŋ^{35}piet^{3} vien^{13}tsɿ^{0} piet^{3} tsʰiəu^{53}mau^{13}tek^{3} piet^{3} mau^{35}liau^{0} lau^{0}.piet^{3} mau^{35}ʂɿ$^{53}_{44}$ɔi^{53}cie^{35}lɔŋ$^{13}_{21}$xau$^{13}_{21}$ke$^{53}_{44}$tsʰiəu^{53}ken^{53}xau^{21}ua^{0}.iet^{3} kɔn^{21}piet^{3} xau^{21}m$^{13}_{44}$xau^{21}tsʰiəu^{53} xei^{53}kai^{53}ke^{53}piet^{3} mau^{35}xau^{21}m$^{13}_{44}$xau^{21}.

【笔套子】piet^{3} tʰau^{53}tsɿ^{0} 名保护笔尖或笔头的套子；笔帽：如今个圆子笔箇只嘞就有～。欸，以起咁个就安做～，套下去。欸，唔写个时候子套以向，系啊？写个时候子嘞就套转屁股头箇向，嗯，安做～。i$^{13}_{21}$cin^{35}ke^{53}ven^{13}tsɿ^{0}piet^{3} kai$^{53}_{44}$tʂak^{3} lei^{0} tsʰiəu$^{53}_{44}$iəu^{35}piet^{3} tʰau^{53}tsɿ^{0}.ei$_{21}$,i^{21}çi^{21}kan^{21}ke$^{53}_{44}$ tsʰiəu$^{53}_{44}$ɔn$^{35}_{44}$tso$^{53}_{44}$piet^{3} tʰau^{53}tsɿ^{0},tʰau^{53}ua$^{53}_{44}$çi$^{53}_{44}$.e$_{21}$,n̩^{13}sia^{21}ke^{53}ʂɿ^{13}xəu^{53}tsɿ^{0} tʰau^{53}i^{21}çiɔŋ^{53},xe$^{53}_{44}$a^{0}?sia^{21}ke^{53}ʂɿ^{13}xəu$^{53}_{44}$ tsɿ^{0} le^{0} tsʰiəu$^{53}_{44}$tʰau$^{53}_{44}$tʂɔn^{21}pʰi^{53}ku^{21}tʰei^{13}kai^{53}çiɔŋ^{53},ən$_{21}$,ɔn$^{35}_{44}$tso$^{53}_{44}$piet^{3} tʰau^{53}tsɿ^{0}.

【笔筒】piet^{3} tʰəŋ^{13} 名用陶瓷、竹木等制成的筒形插笔器具：～就……～就应该有两起嘞。一起就系毛笔个箇只笔套子。套稳箇滴子笔毛个，咁只安做～，笔筒子。欸，插笔个箇只筒筒，欸舞只咁个可以舞只竹筒啊，舞只么个茶缸子箇只，系唔系？插笔个，欸～。但是也就也讲箇只笔筒子。可能应该有滴子区别吧？莫系……～就硬系讲欸笔唔用哩，顿倒箇映子个，欸，平时收藏笔个，顿倒箇～。欸。笔筒子嘞，笔筒子箇就系一杆笔身上个咁子套倒去个箇就笔筒子。piet^{3} tʰəŋ^{13}tsʰiəu^{53}…piet^{3} tʰəŋ^{13}tsʰiəu$^{53}_{44}$in^{53}kɔi$^{35}_{44}$iəu^{35}iəŋ^{21}çi^{21}le^{0}.iet^{3} çi^{21}tsʰiəu^{53}xe^{53}mau^{35}piet^{3} ke^{53}kai$^{53}_{44}$ tʂak^{3} piet^{3} tʰau^{53}tsɿ^{0}.tʰau^{53}uən^{21}kai$^{53}_{44}$tiet^{5} tsɿ^{0} piet^{3} mau^{35}ke^{53},kan^{21}tʂak^{3} ɔn$^{35}_{44}$tso$^{53}_{44}$piet^{3} tʰəŋ^{13},piet^{3} tʰəŋ^{13}tsɿ^{0}.ei$_{21}$, tsʰait^{3} piet^{3} ke^{53}kai^{53}tʂak^{3} tʰəŋ^{13}tʰəŋ^{13},e$_{21}$u^{21}tʂak^{3} kan$^{21}_{44}$kei$^{53}_{44}$kʰo^{21}i$^{35}_{44}$u^{21}tʂak^{3} tʂəuk^{3} tʰəŋ$^{13}_{21}$ŋa^{0},u^{21}tʂak^{3} mak^{3} e^{0} tsʰa^{21}kɔŋ$^{35}_{44}$tsɿ^{0} kai$^{53}_{44}$tʂak^{3},xei$^{53}_{44}$me^{53}?tsʰait^{3} piet^{3} ke^{53},e$_{44}$piet^{3} tʰəŋ^{13}.tan^{53}ʂɿ^{53}ia^{35}tsʰiəu^{53}ia^{35}kɔŋ^{21}kai^{53}tʂak^{3} piet^{3} tʰəŋ^{13}tsɿ^{0}.kʰo^{21}len^{13}in^{53}kɔi$^{35}_{44}$iəu^{35}tet^{5} tsɿ^{0} tʂʰʮ^{35}pʰiet^{5} pa^{0}?mɔk^{5} xe$^{53}_{44}$…piet^{3} tʰəŋ^{13}tsʰiəu^{53}ɲiaŋ^{53}xe^{53}kɔŋ^{21}e$_{21}$piet^{3} n̩^{13}iəŋ^{53}li^{0},tən^{53}tau^{21}kai^{53}iaŋ^{53}tsɿ^{0}ke^{0},e$_{21}$,pʰin^{13}ʂɿ$^{13}_{44}$ʂəu^{35}tsʰɔŋ$^{13}_{21}$piet^{3} ke^{0},tən^{53}tau$^{21}_{44}$kai$^{53}_{44}$piet^{3} tʰəŋ^{13}.e$_{21}$.piet^{3} tʰəŋ^{13} tsɿ^{0} le^{0},piet^{3} tʰəŋ^{13}tsɿ^{0} kai^{53}tsʰiəu^{53}xei^{53}iet^{3} kɔn^{21}piet^{3} ʂən^{35}xɔŋ^{53}ke^{0} kan^{21}tsɿ^{0} tʰau^{53}tau^{21}çi^{53}ke^{0} kai^{53}tsʰiəu$^{53}_{44}$piet^{3} tʰəŋ^{13}tsɿ^{0}.

【笔筒子】piet^{3} tʰəŋ^{13} tsɿ^{0} 名笔帽儿：毛笔个笔套子就安做～。毛笔就唔讲笔套子，只讲笔筒，～。mau^{35}piet^{3} ke$^{53}_{44}$piet^{3} tʰau^{53}tsɿ^{0} tsʰiəu^{53}ɔn$^{35}_{53}$tso^{53}piet^{3} tʰəŋ^{13}tsɿ^{0}.mau^{35}piet^{3} tsʰiəu^{53}n̩^{13}kɔŋ^{21}piet^{3} tʰau^{53} tsɿ^{0}.tʂɿ$^{21}_{44}$kɔŋ^{21}piet^{3} tʰəŋ^{13},piet^{3} tʰəŋ^{13}tsɿ^{0}.

【笔直$_{1}$】piet^{3} tʂʰət^{5} 形像笔杆一样直，形容很直：箇树哇栽倒～子啊。kai$^{53}_{44}$ʂəu^{53}ua^{0} tsɔi^{35}tau^{21} piet^{3} tʂʰət^{5} tsɿ^{0} a^{0}.

【笔直$_{2}$】piet^{3} tʂʰət^{5} 副径直，不拐弯，一直向前：～走进去 piet^{3} tʂʰət^{5} tsei^{21}tsin$^{53}_{44}$cʰi$^{53}_{44}$ | 藉倒以条大路～走。tʂa^{53}tau^{21}i^{21}tʰiau^{13}tʰai^{53}ləu^{53}piet^{3} tʂʰet^{5} tsei^{21}.

【闭目】pi^{53}muk^{3} 动 合上眼睛：祖字左边冇得要求，右边，系只且字。且字箇上背有只口，好像目字样。欸口不能封，安做祖不～，唔睬啦眼珠去，不～。tsəu^{21}ts^{h}ɿ^{53}tso^{21}pien$^{35}_{44}$mau$^{13}_{21}$tek^{3} iau$^{35}_{44}$c^{h}iəu$^{13}_{21}$,iəu^{53}pien^{35},xei^{53}tʂak^{3}ts^{h}ie^{21}ts^{h}ɿ^{53}.ts^{h}ie^{21}ts^{h}ɿ^{53}kai$^{53}_{44}$ʂɔŋ$^{53}_{44}$pɔi$^{53}_{44}$iəu^{35}tʂak^{3}k^{h}ei^{21},xau^{21}ts^{h}iɔŋ^{53}muk^{3}ts^{h}ɿ$^{53}_{44}$ iɔŋ$^{53}_{44}$.e$_{44}$k^{h}ei^{21}pət^{3}nen$^{13}_{21}$fəŋ^{35},ɔn$^{35}_{44}$tso$^{53}_{44}$tsəu^{21}pət^{3}pi^{53}muk^{3},m^{13}mi$^{35}_{44}$la^{0}ŋan^{21}tʂəu$^{35}_{44}$çi^{53},pət^{3}pi^{53}muk^{3}.

【闭气】pi^{53}çi^{53} 动 将气憋住，不使它呼出；也引申指心中受委屈或有烦恼无法解决宣泄：～，箇只东西有两只意思。一只～嘞就忍倒唔敨气。还有只嘞，就受委屈也安做～。真～，以只路子我呀搞倒舞倒搞下箇子搞下中间呐真～。有滴欸家娘㨃新舅欸闹矛盾，欸做赖子个人呢，欸一方面系娭子，一方面又系老婆，跍倒箇中间呢，两头～，顺妻惹母也唔好就顺母惹妻也唔好。以只～嘞箇就肯定系默稳嘴巴唔敨气，箇只～是让门子去闭呀？pi$^{53}_{44}$çi^{53},kai$^{53}_{44}$iak^{3}təŋ$^{35}_{44}$si^{0} iəu^{35}iɔŋ^{21}tʂak^{3}i^{53}sɿ^{0}.iet^{3}tʂak^{3}pi^{53}çi^{53}le^{0}ts^{h}iəu$^{53}_{44}$ɲin^{35}tau^{21}ṇ^{13}t^{h}ei^{21}çi^{53}.xai$^{13}_{21}$iəu$^{35}_{44}$tʂak^{3}le^{0},ts^{h}iəu^{53}ʂəu^{53}uei^{21}tʂ^{h}ət^{5} ia^{35}ɔn$^{35}_{44}$tso$^{53}_{44}$pi^{53}çi^{53}.tʂən^{35}pi^{53}çi^{53},i^{21}iak^{3}ləu^{53}tsɿ^{0}ŋai^{13}ia^{0}kau^{21}tau$^{21}_{44}$u^{21}tau$^{21}_{44}$kau^{21}ua$^{53}_{44}$kai^{53}tsɿ^{0}kau^{21}ua$^{53}_{44}$tʂəŋ^{35}kan$^{35}_{44}$ na^{0}tʂən^{35}pi^{53}çi^{53}.iəu^{35}tet^{5}ei^{0}ka^{35}ɲiɔŋ$^{13}_{21}$lau$^{35}_{44}$sin^{35}c^{h}iəu$^{35}_{44}$e$_{21}$lau^{53}mau^{13}tən^{53},e$_{21}$tso^{53}lai^{53}tsɿ^{0}ke$^{53}_{44}$ɲin$^{13}_{21}$nei^{0},ei$_{21}$iet^{3} fɔŋ^{35}mien$^{53}_{44}$xe^{53}ɔi^{35}tsɿ^{0},iet^{3}fɔŋ^{35}mien$^{53}_{44}$iəu^{53}xe^{53}lau^{21}p^{h}o^{13},k^{h}u^{35}tau^{21}kai$^{53}_{44}$tʂəŋ$^{35}_{44}$kan$^{35}_{44}$nei^{0},iɔŋ^{21}t^{h}ei^{13}pi^{53}çi^{53},ʂən^{53} ts^{h}i^{35}ɲia^{53}mu^{35}a$^{35}_{53}$ṇ$^{13}_{21}$xau^{21}ts^{h}iəu$^{53}_{44}$ʂən^{53}mu^{35}ɲia^{53}ts^{h}i^{35}ia$^{35}_{53}$ṇ$^{13}_{21}$xau^{21}.i^{21}tʂak^{3}pi^{53}çi^{53}lei^{0}kai^{53}ts^{h}iəu^{53}k^{h}en^{21}t^{h}in^{53}xe$^{53}_{44}$ mət^{3}uən^{21}tsei^{21}pa$^{35}_{44}$ṇ^{13}t^{h}ei^{21}çi^{53},kai^{53}tʂak^{3}pi^{53}çi^{53}ʂɿ$^{53}_{44}$ɲiɔŋ^{53}mən^{0}tsɿ^{0}çi$^{53}_{44}$pi^{53}ia^{0}?

【闭痧】pi^{53}sa^{35} 动 中暑，又称“发痧”：～，系呀，也话～，就系发痧，欸，～。pi^{53}sa^{35},xei$^{53}_{44}$ ia^{0},ia^{35}ua$^{53}_{44}$pi^{53}sa^{35},ts^{h}iəu^{53}xe^{53}fait^{3}sa^{35},e$_{21}$,pi^{53}li^{0}sa^{35}.

【蓖麻】pi^{35}ma^{13} 名 一种一年生或多年生植物：如今蛮少了呢，以前就有咁个。如今有滴地方𫠣……蛮少。箇阵子我等细细子是么个爱去种～？呣，～籽嘞添晡榨个油嘞可以飞机跍倒天上飞嘞爱蓖麻油话。嗯箇唔知到底用唔用箇只东西。i$^{13}_{21}$cin$^{35}_{44}$man^{13}ʂau^{21}liau^{0}nei^{0},i^{35}ts^{h}ien^{13}ts^{h}iəu$^{53}_{44}$ iəu^{35}kan$^{21}_{44}$ke^{0}.i$^{13}_{21}$cin$^{35}_{44}$iəu^{35}tet^{5}t^{h}i$^{53}_{44}$fɔŋ$^{35}_{44}$maŋ^{13}…man^{13}ʂau^{21}.kai^{53}tʂ^{h}ən^{53}tsɿ^{0}ŋai^{13}tien^{0}se^{53}se^{53}tsɿ^{0}ʂɿ$^{53}_{44}$mak^{3}ke^{53}ɔi^{53} çi^{53}tʂəŋ^{53}pi^{35}ma^{13}?m̩$_{53}$,pi^{35}ma$^{13}_{44}$tsɿ^{21}lei^{0}t^{h}ian$^{35}_{44}$pu$^{35}_{44}$tsa^{53}ke$^{53}_{44}$iəu^{13}lei^{0}k^{h}o^{21}i$^{35}_{44}$fei^{35}ci$^{35}_{44}$k^{h}u$^{35}_{53}$tau^{21}t^{h}ien^{35}xɔŋ$^{35}_{53}$fei$^{35}_{44}$le^{0} ɔi^{53}pi^{35}ma^{13}iəu^{13}ua^{53}.ṇ$_{21}$kai^{53}ṇ^{13}ti^{35}tau^{53}ti^{21}iɔŋ$^{53}_{44}$ṇ$^{13}_{21}$iɔŋ$^{53}_{44}$kai^{53}tʂak^{3}təŋ$^{35}_{44}$si^{0}.｜～树有蚕。pi^{35}ma$^{13}_{21}$ʂəu^{53}iəu$^{35}_{44}$ ts^{h}an^{13}.

【蓖麻蚕】pi^{35}ma^{13}ts^{h}an^{13} 名 昆虫纲鳞翅目天蚕蛾科动物，以蓖麻叶为食：还有蓖麻树上个箇钟懑大个虫，食蓖麻树叶个，安做～。我等畜过，𫠣畜成功，冇得蚕丝。xai$^{13}_{21}$iəu$^{35}_{44}$pi^{35}ma$^{13}_{21}$ʂəu^{53} xɔŋ^{53}ke^{53}kai^{53}tʂəŋ^{21}mən^{35}t^{h}ai^{53}ke^{0}tʂ^{h}əŋ^{13},ʂət^{5}pi^{35}ma$^{13}_{21}$ʂəu^{53}iait^{5}ke^{0},ɔn$^{35}_{44}$tso$^{53}_{44}$pi$^{35}_{44}$ma$^{13}_{21}$ts^{h}an^{13}.ŋai$^{13}_{21}$tien^{0}çiəuk^{3} ko^{53},maŋ^{13}çiəuk^{3}tʂ^{h}ən^{13}kɔŋ^{35},mau^{13}tek^{3}ts^{h}an^{13}sɿ^{35}.

【蓖麻油】pi^{35}ma^{13}iəu^{13} 名 从蓖麻种子中提炼精制脂肪油，可制造肥皂，亦可作为泻剂及内燃机的润滑剂：蓖麻籽榨出来个油就安做～。pi^{35}ma$^{13}_{44}$tsɿ^{21}tsa^{53}tʂ^{h}ət^{3}lɔi$^{13}_{21}$ke^{53}iəu^{13}ts^{h}iəu$^{53}_{44}$ɔn$^{35}_{44}$tso$^{53}_{44}$pi^{35}ma$^{13}_{21}$ iəu^{13}.

【煏】piet^{3} 动 焖；盖紧锅盖，用微火把饭菜煮熟：糯饭嘞欸又安做焖糯饭，又安做～糯饭。搞么个安做～糯饭呢？开头讲个炒哩以后嘞，爱放下镬里去歇稳，莫打开莫总打开镬盖来，～才熟，爱～。lo^{53}fan$^{53}_{44}$lei^{0}e$_{21}$iəu^{53}ɔn$^{35}_{53}$tso^{53}mən^{35}lo^{53}fan^{53},iəu^{53}ɔn$^{35}_{53}$tso^{53}piet^{3}lo^{53}fan^{53}.kau^{21}mak^{3}ke$^{53}_{44}$ ɔn$^{35}_{53}$tso^{53}piet^{3}lo$^{53}_{44}$fan$^{53}_{44}$ne^{0}?k^{h}ɔi^{35}t^{h}ei$^{13}_{21}$kɔŋ^{21}ke$^{53}_{44}$ts^{h}au^{21}li^{0}i^{35}xei$^{53}_{44}$lei^{0},ɔi^{53}fɔŋ^{53}xa^{53}uɔk^{5}li^{0}çi^{53}çiet^{3}uən^{21},mɔk^{5}ta^{21} k^{h}ɔi$^{35}_{44}$mɔk^{5}tsəŋ^{21}ta^{21}k^{h}ɔi$^{35}_{44}$uɔk^{5}kɔi^{53}lɔi$^{13}_{44}$,piet^{3}ts^{h}ai$^{13}_{44}$ʂəuk^{5},ɔi^{53}piet^{3}.

【滗】pit^{5} 动 挡住渣滓或泡着的东西，把液体倒出：箇个药渣咯箇个蒸药咯药渣欸蒸箇个中药啊，蒸好哩以后分箇个药啊～出来。渣就留倒箇肚里。kai$^{53}_{44}$ke$^{53}_{44}$iɔk^{5}tsa$^{35}_{44}$ko^{0}kai$^{53}_{44}$kei$^{53}_{44}$tʂən^{35}iɔk^{5} ko^{0}iɔk^{5}tsa$^{35}_{44}$e$_{21}$tʂən^{35}kai^{53}ke$^{53}_{44}$tʂəŋ^{35}iɔk^{5}a^{0},tʂən^{35}xau^{21}li^{0}i^{35}xei^{53}pən$^{35}_{44}$kai$^{53}_{44}$ke$^{53}_{44}$iɔk^{5}a^{0}pi^{53}tʂ^{h}ət^{3}lɔi$^{13}_{21}$.tsa^{35}tsiəu$^{53}_{44}$ liəu$^{13}_{44}$tau$^{21}_{44}$kai^{53}təu^{21}li^{0}.

【碧齿】piet^{3}tʂ^{h}ʅ^{21} 名 一种本地香料：除嘿葱姜蒜，有的菜嘞就比方炒细笋子，生笋子，就喜欢放么个？放～，～啊，一种绿色个，带兜一种浓郁个香味，特殊个香味。我问长沙人，我等箇一只姑姑去长沙，我问哩，我话：“你等人，长沙人呢话～话么个？”渠话好像冇得箇只东西。tʂ^{h}əu^{13}xek^{3}ts^{h}əŋ^{35}ciɔŋ^{35}sɔn^{53},iəu^{35}tet^{3}ts^{h}ɔi^{53}le^{0}ts^{h}iəu$^{53}_{44}$pi^{21}fɔŋ$^{35}_{44}$ts^{h}au^{21}se^{53}sən^{21}tsɿ^{0},saŋ^{35}sən^{21}tsɿ^{0}, ts^{h}iəu$^{53}_{44}$çi^{21}fɔn$^{35}_{44}$fɔŋ^{53}mak^{3}e^{0}?fɔŋ^{53}piet^{3}tʂ^{h}ʅ^{21},piet^{3}tʂ^{h}ʅ^{21}a^{0},iet^{3}tʂəŋ^{21}liəuk^{5}se^{3}ke^{53},tai^{53}təu$^{35}_{44}$iet^{3}tʂəŋ^{21}ləŋ^{13}ʮ^{53} ke^{0}çiɔŋ^{35}uei^{53},t^{h}et^{5}ʂʮ$^{13}_{21}$ke^{0}çiɔŋ^{35}uei^{53}.ŋai^{13}uən^{53}tʂ^{h}ɔŋ^{13}sa$^{35}_{44}$ɲin$^{13}_{21}$,ŋai^{13}tien^{0}kai^{53}iet^{3}tʂak^{3}ku^{35}ku$^{35}_{44}$çi^{53}tʂ^{h}ɔŋ^{13}sa$^{35}_{44}$, ŋai^{13}uən^{53}li^{0},ŋai^{13}ua^{53}:"ɲi^{13}tien^{0}in$^{13}_{44}$,tʂ^{h}ɔŋ^{13}sa$^{35}_{53}$ɲin$^{13}_{21}$ne^{0}ua^{53}piet^{3}tʂ^{h}ʅ^{21}ua^{53}mak^{3}ke$^{53}_{44}$lau^{0}?"ci$^{13}_{44}$(u)a^{35}xau^{21} ts^{h}iɔŋ^{53}mau^{13}tek^{3}kai$^{53}_{44}$(tʂ)ak^{3}(t)əŋ$^{35}_{44}$si^{0}.

B

【碧碗子】piet^{3} uən^{21}tsɿ^{0} [名]①带盖的碗：箇有盖子个碗就安做～嘞。箇起安做～嘞。唔系安做唔系唔系细人子个～嘞。渠就系有盖子个碗呢。盖碗就安做～，系。细人子安个篼篼。kai$^{53}_{44}$ iəu^{35}kɔi^{53}tsɿ^{0} ke^{53}uən^{21}tsʰiəu$^{53}_{44}$ɔn$^{35}_{44}$tso$^{53}_{44}$piet^{3} uən^{21}tsɿ^{0} lei^{0}.kai^{53} çi^{21} ɔn$^{35}_{44}$tso$^{53}_{44}$piet^{3} uən^{21}tsɿ^{0} lei^{0}.m̩^{13} pʰe$_{44}$(←xe^{53})ɔn$^{35}_{44}$tso$^{53}_{44}$m̩^{13} pʰe$_{44}$(←xe^{53})m̩^{13} pʰe$_{44}$(←xe^{53})sei^{53}ɲin$^{13}_{21}$tsɿ^{0} ke^{53}piet^{3} uən^{21}tsɿ^{0} lei^{0}.ci^{13}tsʰiəu^{53}xei$^{53}_{44}$iəu^{35}kɔi^{53} tsɿ^{0} ke^{53}uən^{21}nei^{0}.kɔi^{53}uən^{21}tsʰiəu$^{53}_{44}$ɔn$^{35}_{44}$tso$^{53}_{44}$piet^{3} uən^{21}tsɿ^{0},xe$^{53}_{21}$.se^{53}ɲin$^{13}_{21}$tsɿ^{0} ɔn$^{35}_{44}$ke$^{53}_{44}$tei^{35}tei$^{35}_{44}$. ②小碗：～，点伢大子个碗啵。让门来箇只～让门来个？piet^{3} uən^{21}tsɿ^{0},tian^{53} ŋa$^{13}_{44}$tʰai^{53}tsɿ^{0} ke^{53}uən^{21}nau^{0} .ɲiɔŋ^{53} men$^{13}_{53}$lɔi$^{13}_{21}$kai$^{53}_{44}$tʂak^{3} piet^{3} uən^{21}tsɿ^{0}ɲiɔŋ^{53}men$^{13}_{53}$lɔi$^{13}_{21}$ke^{53}?

【箅子】pi^{53}tsɿ^{0} [名]架在炊具中，支撑食物，便于水蒸气和热量更好地被食物吸收的炊具。又称“甑箅”：渠就系一只箇圆东西子，做倒圆圆子个，肚里嘞尽系一条条子个咁个树棍子，欸，咁子树棍子，箇安做～。箇～有几种用。一种呢就系嘞放下镬头肚里，底下隔开水来，蒸东西，用箇只～，嗯，蒸东……蒸么个菜碗箇只啦，搁菜碗个～。还有起嘞如今呢，我等以个栏场喜欢炕腊猪肉，炕东西，也爱舞只～。欸，箇个，蛮多是舞倒箇个欸密密子个铁岔岔，我是舞只箇个电风扇个外背个罩子，分箇个炕鱼子箇只，分箇鱼箇只放下箇罩子上，也就系整只～，你炕东西个～。嘿，偷懒呐。ci^{13}tsʰiəu^{53}uei^{53}iet^{3} tʂak^{3} kai^{53}ien^{13}təŋ$^{35}_{44}$si^{0} tsɿ^{0} ,tso^{53}tau^{21} ien^{13}ien^{13}tsɿ^{0}ke^{53},təu^{21}li^{0} lei^{0} tsʰin^{53}xei$^{53}_{44}$iet^{3} tʰiau^{13}tʰiau^{13}tsɿ^{0}kei^{53}kan^{21}ke$^{53}_{44}$ʂəu^{53}kuən^{53}tsɿ^{0} ,e$_{21}$,kan^{21}tsɿ^{0}ʂəu^{53} kuən^{53}tsɿ^{0},kai$^{53}_{44}$ɔn$^{35}_{44}$tso$^{53}_{44}$pi^{53}tsɿ^{0} .kai$^{53}_{44}$pi^{53}tsɿ^{0} iəu^{35}ci^{21}tʂəŋ^{21}iəŋ^{53} .iet^{3} tʂəŋ^{21}ne^{0} tsʰiəu$^{53}_{44}$xe$^{53}_{44}$lei^{0} fɔŋ$^{53}_{44}$ŋa$^{53}_{44}$uɔk^{5} tʰei$^{13}_{21}$ təu^{21}li^{0} ,te^{21}xa$^{53}_{44}$kak^{3} kʰɔi^{35}ʂei^{21}lɔi$^{13}_{44}$,tʂən^{35}təŋ$^{35}_{44}$si^{0} ,iəŋ^{53}kai^{53}tʂak^{3} pi^{53}tsɿ^{0} ,ṇ$_{21}$,tʂən^{35}təŋ^{35}…tʂən^{35}mak^{3} e^{0} tsʰɔi^{53} uən^{21}kai$^{53}_{44}$tʂak^{3} la^{0} ,kɔk^{3} tsʰɔi^{53}uən^{21}ke^{0} pi^{53}tsɿ^{0} .xai^{13}iəu$^{35}_{44}$çi^{21}lei^{0} i$^{13}_{21}$cin$^{35}_{44}$nei^{0} ,ŋai^{13}tien^{0} i^{21}ke^{53}laŋ$^{13}_{21}$tʂʰɔŋ$^{13}_{21}$çi^{21}fɔn$^{35}_{44}$ kʰɔŋ^{53}lait^{5} tʂəu$^{35}_{44}$ɲiəuk^{3} ,kʰɔŋ^{53}təŋ^{35}si^{0} ,ia^{35}ɔi^{53}u^{21}tʂak^{3} pi^{53}tsɿ^{0} .ei$_{21}$,kai$^{53}_{44}$kei$^{53}_{44}$,man^{13}to$^{35}_{44}$ʂʅ$^{53}_{44}$u^{21}tau^{21}kai$^{53}_{44}$kei$^{53}_{44}$e$_{21}$ miet^{5} miet^{5} tsɿ^{0} kei$^{53}_{44}$tʰiet^{3} tsʰa^{53}tsʰa^{53} ,ŋai^{13}ʂʅ^{53}u^{21}tʂak^{3} kai$^{53}_{44}$ke$^{53}_{44}$tʰien$^{53}_{44}$fəŋ$^{35}_{44}$ʂen^{53}ke^{0} ŋɔi$^{53}_{44}$pɔi$^{53}_{44}$ke^{0} tsau^{53}tsɿ^{0} ,pən^{35} kai$^{53}_{44}$ke$^{53}_{44}$kʰɔŋ^{53}ŋ̍^{13}tsɿ^{0} kai$^{53}_{44}$tʂak^{3} ,pən^{35}kai$^{53}_{44}$ŋ̍^{13}kai$^{53}_{44}$tʂak^{3} fɔŋ^{53}xa$^{53}_{44}$kai$^{53}_{44}$tsau^{53}tsɿ^{0} xɔŋ$^{53}_{44}$,ia^{35}tsʰiəu^{53}xei^{53}tʂən^{21}tʂak^{3} pi^{53}tsɿ^{0} , ɲi$^{13}_{21}$kʰɔŋ^{53}təŋ$^{35}_{44}$si^{0} ke^{0} pi^{53}tsɿ^{0} .xe$_{21}$,tʰəu$^{35}_{44}$lan^{35}na^{0} .

【篦梳】pʰi^{53}sɿ^{35} [名]用竹子制成的梳头、洁发用具。中间有梁，两侧有密齿：～，箇就系箇种同箇密密子个梳头发个东西。可以用来刮箇个头发肚里个邋邋呀箇个头发艘箇只啦，系啊？渠唔同梳子，唔同一般个梳，梳子箇齿更攋。欸，箇～个齿更密。pʰi^{53}sɿ^{35},kai$^{53}_{44}$tsʰiəu$^{53}_{44}$xe$^{53}_{44}$kai^{53} tʂəŋ^{21}tʰəŋ^{13}kai$^{53}_{44}$miet^{5} miet^{5} tsɿ^{0} ke^{53}sɿ^{35}tʰei^{13}fait^{3} ke^{0} təŋ$^{35}_{44}$si^{0} .kʰo^{21}i^{35}iəŋ^{53}lɔi$^{13}_{21}$kuait^{3} kai^{53}ke^{53}tʰei^{13}fait^{3} təu^{21}li^{0} ke^{53}lait^{3} lait^{3} ia^{0} kai$^{53}_{44}$kei$^{53}_{44}$tʰei^{13}fait^{3} man^{53}kai$^{53}_{44}$tʂak^{3} la^{0} ,xei$^{53}_{44}$a^{0} ?ci^{13}ṇ$^{13}_{44}$tʰəŋ$^{13}_{44}$sɿ^{35}tsɿ^{0} ,ṇ^{13}tʰəŋ$^{13}_{44}$iet^{3} pɔn^{35}ke^{0} sɿ^{35} ,sɿ^{35} tsɿ^{0} kai$^{53}_{44}$tʂʰʅ^{21}ken$^{53}_{44}$nau^{53} .e$_{21}$,kai$^{53}_{44}$pʰi^{53}sɿ^{35}ke$^{53}_{44}$tʂʰʅ^{21}ken$^{53}_{44}$miet^{5} .

【壁】piak^{3} [名]①墙壁：拿枚钉子钉下～上去 la^{53}mɔi$^{13}_{21}$taŋ^{35}tsɿ^{0} taŋ^{35}ŋa^{53}(←xa^{53})piak^{3} xɔŋ$^{53}_{44}$çi$^{53}_{44}$ | 烂泥糊唔上～。lan^{53}lai$^{13}_{21}$fu$^{13}_{21}$ṇ$^{13}_{21}$ʂɔŋ^{35}piak^{3} . ②山崖：两边～上 iɔŋ^{21}pien^{35}piak^{3} xɔŋ$^{53}_{44}$。③指某些物体内部的表层：箇故意搞倒（擂钵）箇个～上啊，搞倒有咁个欸粗糙个，故意搞倒粗糙。kai$^{53}_{44}$ku^{53}i^{53} kau^{21}tau^{21}kai^{53}ke$^{53}_{44}$piak^{3} xɔŋ^{53}ŋa^{0} ,kau^{21}tau^{21}iəu$^{35}_{44}$kan^{21}kei$^{53}_{44}$e$_{21}$tsʰəu^{35}tsʰau^{53}ke$^{53}_{21}$,ku^{53}i$^{53}_{44}$kau^{21}tau^{21}tsʰəu^{35}tsʰau^{53}.

【壁橱】piak^{3} tʂʰəu^{13} [名]嵌入墙内的橱柜：壁橱就箇墙上，或者挖只眼，或者留只眼，就分只橱哎就做成橱个样子，做成一只橱个样子，分门一关，就一方面利用哩箇扇壁，～。以前有箇个么个俄罗斯人呢东……北方人呢有壁欸有么个？壁炉。我等以个栏场冇得，欸，我等以向冇得壁炉。piak^{3} tʂʰəu^{13}tsʰiəu^{53}kai^{53}tsʰiɔŋ^{13}xɔŋ^{53},xɔit^{5} tʂa^{21}ua^{35}tʂak^{3} ŋan^{21},xɔit^{5} tʂa^{21}liəu^{13}tʂak^{3} ŋan^{21}, tsʰiəu$^{53}_{44}$pən$^{35}_{44}$tʂak^{3} tʂʰəu^{13}ai$_{21}$tsʰiəu$^{53}_{44}$tso^{53}ʂaŋ$^{13}_{21}$tʂʰəu^{13}kei^{53}iɔŋ^{53}tsɿ^{0} ,tso^{53}ʂaŋ$^{13}_{21}$iet^{3} tʂak^{3} tʂʰəu^{13}ke$^{53}_{44}$iɔŋ^{53}tsɿ^{0} ,pən^{35} mən^{13}iet^{3} kuan^{35},tsʰiəu$^{53}_{44}$iet^{3} fɔŋ^{35}mien^{53}li^{53}iəŋ$^{53}_{44}$li^{0} kai^{53}ʂen^{53}piak^{3} ,piak^{3} tʂʰəu^{13} .i$^{35}_{44}$tsʰien$^{13}_{21}$iəu$^{35}_{44}$kai^{53}ke^{53}mak^{3} e^{0} ŋo$^{13}_{21}$lo$^{13}_{21}$sɿ^{35}ɲin$^{13}_{21}$ne^{0} təŋ^{35}…pɔit^{3} fɔŋ^{35}ɲin$^{13}_{21}$ne^{0} iəu^{35}piak^{3} e$_{21}$iəu^{35}mak^{3} ke^{53}?piak^{3} ləu^{13} .ŋai^{13}tien^{0} i$^{21}_{13}$ke^{53}laŋ$^{13}_{21}$ tʂʰɔŋ$^{13}_{21}$mau$^{13}_{21}$tek^{3} ,e$_{21}$,ŋai^{13}tien^{0} i$^{21}_{13}$çiɔŋ^{53}mau$^{13}_{21}$tek^{3} piak^{3} ləu^{13}.

【壁虎】piak^{3} fu^{21} [名]守宫的别名：～就系爬山虎吗呐？动物啊，系啊？一种动物啊。欸欸，一种动物又安做爬山虎嘞。箇爬山虎有两种嘞。一种就系箇动物，就～吧？还有种嘞就一种植物，系啊？藉倒箇墙□稳上个，遮倒箇墙密密麻麻。箇个（壁虎）渠笔顿个都上得。玻璃上都上得。可能我等以映讲爬山虎就主要就讲箇种植物。欸植物就系爬山虎。以只～嘞就硬系箇只□倒上个。有噢，箇以个以只栏场到处都看得倒噢。看得倒。藉箇玻璃上爬稳上哦。箇个就～呢，我等就安做～。piak^{3} fu^{21}tsʰiəu^{53}xei^{53}pʰa^{13}san$^{35}_{44}$fu^{21}ma^{0} na^{0} ?tʰəŋ^{53}uk^{3} a^{0} ,xei$^{53}_{44}$a^{0} ,iet^{3} tʂəŋ^{21} tʰəŋ^{53}uk^{3} a^{0} .ei$_{44}$ei$_{44}$,iet^{3} tʂəŋ^{21}tʰəŋ^{53}uk^{3} iəu^{53}ɔn$^{35}_{44}$tso$^{53}_{44}$pʰa^{13}san$^{35}_{44}$fu^{21}lei^{0} .kai^{53}pʰa^{13}san$^{35}_{44}$fu^{21}iəu$^{35}_{53}$iɔŋ^{21}tʂəŋ^{21}lei^{0} .iet^{3} tʂəŋ^{21}tsʰiəu^{53}xei^{53}kai$^{53}_{44}$tʰəŋ^{53}uk^{3} ,tsʰiəu^{53}piak^{3} fu^{21}pa^{0} ?xai^{13}iəu$^{35}_{53}$tʂəŋ^{21}lei^{0} tsʰiəu$^{53}_{44}$iet^{3} tʂəŋ^{21}tʂʰət^{5} uk^{3} ,xei$^{53}_{44}$a^{0} ?

tʂa53tau21kai53/44tsʰiɔŋ13ma53uən21ʂɔŋ35ke0,tʂa35tau21/44kai53/44tsʰiɔŋ13miet5 miet5 ma13ma13/44.kai53/44ke53/44ci13/44piet3 tən53ke0 təu35/44ʂɔŋ35/44tek3 .po35li13/21xɔŋ53/44təu35/44ʂɔŋ35/44tek3 .kʰo21len13ŋai13tien0 i21/13iaŋ53kɔŋ21pʰa13san35/44fu21tsʰiəu53/44tʂʅ21iau53/44tsʰiəu53 kɔŋ21kai53/44tʂəŋ21tʂʰət5 uk3 .e.21.tʂʰət5 uk3/5 tsʰiəu53/44xei53/44pʰa13/21san35/44fu21 .i21tʂak3 piak3 fu21le0 tsiəu53ɲiaŋ53xe53kai53tʂak3 ma53tau21ʂɔŋ35ke53 .iəu35uau0 ,kai53/44i21/13ke53i21/13iak3 laŋ13/21tʂʰɔŋ13/44tau53tʂʰəu53təu35/44kʰɔn53tek3 tau21uau0 .kʰɔn53tek3 tau21 .tʂa53kai53/44po35/44li13/21xɔŋ53/44pʰa13/21uən21ʂɔŋ35/44ŋo0 .kai53ke53tsʰiəu53/44piak3 fu21nei0 ,ŋai13tien0 tsʰiəu53ɔn35/44tso53/44 piak3 fu21.

【壁角子】piak3 kɔk3 tsɿ0 名墙壁的角落：箇个～墙角子上就舞只子竹筒子嘞，专门插纸煤筒。kai53/44ke53/44piak3 kɔk3 tsɿ0 tsʰiɔŋ13kɔk3 tsɿ0 xɔŋ53/44tsʰiəu53u21tʂak3 tsɿ0 tʂəuk3 tʰəŋ13tsɿ0 le0 ,tʂen35mən13/21tsʰait3 tʂʅ21mɔi13 tʰəŋ13.

【壁坜】piak3 lak5 名缝隙：～里 piak3 lak5 li0

【壁虱】piak3 sek3 名①臭虫：箇个书桌箇只放久哩，□下出来箇肚里就有～。kai53/44ke53/44ʂəu35 tsɔk3 kai53/44tʂak3 fɔŋ53ciəu21li0 ,me53a53tʂʰət3 lɔi13/21,kai53təu21li0 tsʰiəu53/44iəu35/53piak3 sek3 . ②喻指偷听的人：欸，你进就进来哟，莫跍倒门背做～啊。ei.21., ɲi13tsin53tsʰiəu53/44tsin53nɔi13io0 ,mɔk5 ku35tau21mən13pɔi53/44tso53 piak3 sek3 a0 .

【壁头】piak3 tʰei13 名墙壁：～就爱雪白个吵。piak3 tʰei13tsʰiəu53/44ɔi53/44siet5 pʰak5 ke53ʂa0 .｜白水泥一般就刷下子～嘞。pʰak5 ʂei21lai13iet3 pɔn35tsʰiəu53/44sɔit3 a53tsɿ0 piak3 tʰei13lei0 .

【壁下】piak3 xa53 名靠里面或靠后面的一侧。也称“壁下子”：如果唔除箇草，秾嘿起来，跍个老鼠唔知几凶，～两行禾都冇得哩。y13ko21n̩13/21tʂʰəu13kai53tsʰau21, ɲiəŋ13(x)ek3 çi21lɔi13,ku35/44ke53/44lau21 tʂʰəu21n̩13/21ti35/44ci21çiəŋ35,piak3 xa53iɔŋ21xɔŋ13uo13/21təu35/53mau13/21tek3 li0 .｜箇个起哩箇屋，～箇只埘……安做花楼埘。kai53kei53çi21li0 kai53uk3 ,piak3 xa53/44kai53/44tʂak3 kʰan53…ɔn35/44tso53/44fa35lei13/21kʰan53.

【避】pʰiet3 动规避：捡骨头个时候子，必须爱舞只火笼，舞只火笼，烧块茶黏，烧兜子柏木，烧茶黏烧柏木，就～射，～箇只射。cian21kuət3 tʰei13/21ke0 ʂʅ13/44xəu53/44tsɿ0 ,piet3 si35/53ɔi53u21tʂak3 fo21ləŋ35,u21 (tʂ)ak3 fo21ləŋ35,ʂau35kʰuai53tsʰa13kʰu35/44,ʂau35tei35/53tsɿ0 pak3 muk3 ,ʂau35tsʰa13kʰu35/44ʂau35pak3 muk3 ,tsʰiəu53/44pʰiet3 ʂa53,pʰiet3 kai53/44tʂak3 ʂa53.

【边.1.】pien35 名①部分：留一～就放被窝进去。liəu13iet3 pien35tsʰiəu53/44fɔŋ53pʰi35pʰo35/44tsin53cʰi53/44. ②物体周围高起的外缘：（如今个床）冇得～嘞，所以渠个被窝容易跌下来。mau13tek3 pien35 nei0 ,so21/44i35/44ci13/44ke53/44pʰi35pʰo35/44iəŋ13/21i53/44tet3 xa53/44lɔi13/21. ③镶在或画在边缘上的条状装饰；花边。也称“边子”：蒲扇渠只爱分箇个棕……箇箇个蒲葵剪呶下来，镶只～，就可以卖嘿。pʰu13ʂen53ci13tʂe21 ɔi53/44pən35kai53/44ke53/44tsəŋ35…kai53/44kai53/44ke53/44pʰu13kʰuei13tsien21nau0 xa53lɔi13/21,siɔŋ35tʂak3 pien35,tsʰiəu53/44kʰo21i35mai53 iek3 (←xek3).｜鞋～子。雪白子个～呐。xai13pien35tsɿ0 .siet3/5 pʰak5 tsɿ0 ke53/44pien35na0 .｜箇件衫子啊贴只～好看多哩。kai53cʰien53san35tsɿ0 a0 tʰiait3 tʂak3 pien35xau21kʰɔn53to35li0 . ④物体的两侧：渠个马槽咯噢，咁长，中间嘞有咁个深滴子个沟。舞倒板子销下去。渠可能系嘞以～呢放水，一～放水。一～放水，一～放饲……放箇饲料，放箇个马草。ci13/44ke53/44ma35tsʰau13/21kou0 (←ko0 au0),kan21 tʂʰɔŋ13,tʂəŋ35kan35/44nei0 iəu35kan21cie53tʂʰən35tiet5 tsɿ0 ke53/44kei35 .u21tau21pan21tsɿ0 siau53xa53/44çi53/44.ci13/21kʰo21len13xei53/44 lei0 i21pien35ne0 fɔŋ53ʂei21,iet3 pien35fɔŋ53ʂei21 .iet3 pien35fɔŋ53ʂei21,iet3 pien35fɔŋ53tsʰɿ…fɔŋ53kai53/44tsʰɿ53 liau53/44,fɔŋ53/44kai53/21ke53/44ma35tsʰau21. ⑤靠近的地方：田～个喊筒车。tʰien13pien35/44ke53/44xan21/44tʰəŋ13tʂʰa35. ⑥方面；相对的或并列的人或事物中的一方或一部分：一般歌诗分作两～，箇～四个，以～四个。两组。iet3 pɔn35ko35/44ʂʅ35fən35/44tso53/44iɔŋ21pien35,kai53pien35/44si53cie53,i21pien35/44si53ke53 .iɔŋ21tsəu21. ⑦用在时间词后，表示接近某个时间：但是有洋辣椒。就系昨晡昼～食哩箇碗洋辣椒。tan53/44ʂʅ53/44iəu35iɔŋ13lait5/3 tsiau35/44.tsiəu53/44xe53/44tsʰo35pu35/44tʂəu53pien35ʂət5 li0 kai53/44uɔn21iɔŋ13lait5/3 tsiau35/44.

【边.2.】pien35 动①从旁边取走一部分：箇葱子指四季葱咯，渠只爱～呢。kai53/21tsʰəŋ35tsɿ0 ko0 ,ci13/21tʂʅ21 ɔi53pien35nei0 . ②倒塌：你唔排水是嘛箇个箇家会～嘿咯。ɲi13m̩13/21pʰai13/21ʂei21ʂʅ53/44ma0 kai53/44ke53/44kai53/44 ciəŋ21uɔi53/44pien35nek3 ko0 . ③牙齿组织部分脱落：～哩牙齿唠，也就～哩一箑唠，就安做～嘿一箑唠，话就唠。～下来个箇只东西啊？唔知安做么啊东西，唔晓得。pien35ni0 ŋa13tʂʰʅ21lau0 ,a35 tsʰiəu53/44pien35ni0 iet3 sak3 lau0 ,tsʰiəu53/44ɔn35/44tso53/44pien35xek3 iet3 sak3 lau0 ,ua53/44tsʰiəu53/44lau0 .pien35xa53/44lɔi13/21ke53 (k)ai53/44tʂak3 təŋ35/44si0 a0 ?n̩13ti35/44ɔn35/44tso53/44mak3 a0 təŋ35/44si0 ,n̩13/21çiau21tek3 .

【边.3.】pien35 副两个或几个“边”字分别用在动词性成分前面，表示动作同时进行：我等人～走～打讲。ŋai13ten35ɲin13pien35tsei21pien35ta21kɔŋ21.｜～舀倒去箇豆腐袋肚里，渠就会～出

B

来滴。pien^{35}iau^{21}tau^{21}çi$^{53}_{44}$kai$^{53}_{44}$tʰei^{53}fu^{53}tʰɔi^{53}təu^{21}li^{0},ci$^{13}_{21}$tsʰiəu^{53}uɔi^{53}pien^{35}tʂʰət^{3}lɔi$^{13}_{21}$tiet^{5}.

【边$_4$】pien^{35} 加在“左、右、东、西、南、北”等方位词、指示代词及其他某些词语后作为后缀：左～tso^{21}pien^{35}｜西～si^{35}pien^{35}｜外～ŋɔi^{53}pien$^{35}_{44}$｜箇～kai^{53}pien$^{35}_{44}$｜以～i^{21}pien$^{35}_{44}$｜侧～tsek^{3} pien^{35}｜近～cʰin^{35}pien$^{35}_{44}$｜身～ʂən^{35}pien$^{35}_{44}$｜开～kʰɔi^{35}pien^{35}

【边刨子】pien^{35}pʰau^{13}tsɿ^{0} 名刨边凹的刨子：还一种嘞中间多出一滴来就安做么个刨子去哩啊？以个就边上，一只刨头个边上，嗯，边上嘞长滴子，箇就打边呐，打成圆个，欸打成圆圆子个，唔现锋利个角。箇种就系边上……渠边上刨得更箇个刨得更多，以个角上唔现锋利个，箇就安做～。xai^{13}iet^{3}tʂəŋ^{21}lei^{0}tʂəŋ^{35}kan$^{35}_{44}$to^{35}tʂʰət^{3}iet^{3}tiet^{5}lɔi$^{13}_{21}$tsʰiəu^{53}ɔn$^{35}_{44}$tso^{53}mak^{3}e^{0}pʰau$^{13}_{21}$tsɿ^{0}çi^{53}li^{0} a^{0}?i^{21}ke^{53}tsʰiəu^{53}pien^{35}xɔŋ^{53},iet^{3}tʂak^{3}pʰau^{13}tʰei^{13}ke^{0}pien^{35}xɔŋ^{53},n̩$_{21}$,pien^{35}xɔŋ$^{53}_{44}$lei^{0}tʂʰɔŋ^{13}tiet^{5}tsɿ^{0},kai$^{53}_{44}$ tsʰiəu$^{53}_{44}$ta^{21}pien^{35}na^{0},ta^{21}ʂaŋ^{13}ien^{13}ke^{53},e$_{44}$ta^{21}ʂaŋ^{13}ien^{13}ien^{13}tsɿ^{0}ke^{53},n̩^{13}çien^{53}fəŋ^{35}li^{53}ke^{0}kɔk^{3}.kai^{53}tʂəŋ^{21}tsiəu^{53} xe^{53}pien^{35}xɔŋ^{53}…ci$^{13}_{44}$pien^{35}xɔŋ^{53}pʰau^{13}tek^{3}ken$^{53}_{44}$kai$^{53}_{44}$ke^{0}pʰau^{13}tek^{3}ken$^{53}_{44}$to^{35},i^{21}ke^{53}kɔk^{3}ʂɔŋ^{53}n̩$^{13}_{21}$çien^{53}fəŋ^{35}li$^{53}_{44}$ ke^{0},kai$^{53}_{44}$tsʰiəu$^{53}_{44}$ɔn$^{35}_{44}$tso^{53}pien^{35}pʰau$^{13}_{21}$tsɿ^{0}.

【边搭缝】pien^{35}tait^{3}pʰəŋ^{53} 名直角缝，木板料邻边裁成彼此吻合的直角缺口咬合的缝。两块板料邻边交错刨去厚度的一半。咬合后板料干缩也不致张缝，利于防风雨：～啊？～就系一边……以边里少留只缺，上背留只缺，以边下背留只缺，搭嘿去，这样子，搭嘿去。pien^{35} tait^{3}pʰəŋ^{53}ŋa^{0}?pien^{35}tait^{3}pʰəŋ^{53}tsʰiəu$^{53}_{44}$xei$^{53}_{44}$iet^{3}pien^{35}ts…i^{21}pien$^{35}_{53}$ni^{21}ʂau^{21}liəu^{35}tʂak^{3}cʰiek^{3},ʂɔŋ^{53}pɔi^{53}liəu^{13} tʂak^{3}cʰiek^{3},i^{21}pien^{35}xa^{35}pɔi^{53}liəu$^{13}_{21}$tʂak^{3}cʰiek^{3},tait^{3}(x)ek$^{3}_{5}$çi$^{53}_{44}$,tʂe^{53}iɔŋ^{53}tsɿ^{0},tait^{3}(x)ek$^{3}_{5}$çi$^{53}_{44}$.

【边扉】pien^{35}fei^{35} 名房屋两边最侧面的扉墙：欸，一只屋样啊，嗯，面前箇向就安做前经墙，经墙。后背个就后经墙。两边就扉墙。有滴一栋过三间屋，最边上箇只扉就安做～。中间个就唔安做～，中间个就系扉。欸，扉墙，经墙，扉墙可能就系经摎纬箇映来个唠，系啊？但是渠唔安做纬墙，安做扉墙。ei$_{21}$,iet^{3}tʂak^{3}uk^{3}iɔŋ^{53}ŋa^{0},n̩$_{21}$,mien^{53}tsʰien^{13}kai^{53}çiɔŋ^{53}tsʰiəu$^{53}_{44}$ɔn$^{35}_{44}$tso$^{53}_{44}$ tsʰien^{13}cin^{35}tsʰiɔŋ^{13},cin^{35}tsʰiɔŋ^{13}.xei^{53}pɔi$^{53}_{44}$ke$^{53}_{44}$tsʰiəu$^{53}_{44}$xei^{53}cin^{35}tsʰiɔŋ^{13}.iɔŋ^{53}pien^{35}tsʰiəu$^{53}_{44}$fei^{35}tsʰiɔŋ^{13}.iəu^{35}tet^{5} iet^{3}təŋ^{53}ko^{53}san^{35}kan^{35}uk^{3},tsei^{53}pien^{35}xɔŋ^{53}kai^{53}tʂak^{3}fei^{35}tsʰiəu$^{53}_{44}$ɔn$^{35}_{44}$tso^{53}pien^{35}fei^{35}.tʂəŋ^{35}kan$^{35}_{44}$ke^{0}tsʰiəu^{53}n̩^{13} ɔn$^{35}_{44}$tso^{53}pien^{35}fei^{35},tʂəŋ^{35}kan$^{35}_{44}$ke^{0}tsʰiəu^{53}xe$^{53}_{44}$fei^{35}.e$_{21}$,fei^{35}tsʰiɔŋ$^{13}_{44}$,cin^{35}tsʰiɔŋ$^{13}_{44}$,fei^{35}tsʰiɔŋ$^{13}_{21}$kʰo^{21}len^{13}tsʰiəu^{53} xei^{53}cin^{35}nau^{35}uei^{21}kai^{53}iaŋ^{53}lɔi$^{13}_{21}$ke^{0}lau^{0},xe$^{53}_{44}$a^{0}?tan^{53}ʂɿ^{53}ci$^{13}_{21}$n̩^{13}ɔn$^{35}_{53}$tso^{53}uei^{21}tsʰiɔŋ^{13},ɔn$^{35}_{44}$tso$^{53}_{44}$fei^{35}tsʰiɔŋ$^{13}_{21}$.

【边岗】pien^{35}kɔŋ^{35} 名崩了山的地方：打哩边破以后嘞又成哩～。欸打只边破以后箇映就成哩只～。ta^{21}li^{0}pien^{35}pʰo^{53}i^{35}xei$^{35}_{44}$lei^{0}iəu$^{53}_{44}$ʂaŋ$^{13}_{21}$li^{0}pien^{35}kɔŋ$^{35}_{44}$.e^{0}ta^{21}tʂak^{3}pien^{35}pʰo^{53}i$^{35}_{44}$xei$^{35}_{44}$kai$^{53}_{44}$iaŋ$^{53}_{44}$tsʰiəu$^{53}_{44}$ʂaŋ$^{13}_{21}$ li^{0}tʂak^{3}pien^{35}kɔŋ^{35}.

【边钢斧】pien^{35}kɔŋ^{53}pu^{21} 名指钢刃偏在一侧的斧头：箇还有啦，还有～摎中钢斧。斧头个口一边有钢，一边冇钢。边钢，边上，箇钢去边上。还有起，钢去中间。～摎中钢斧。kai$^{53}_{44}$ xai$^{13}_{21}$iəu$^{35}_{44}$la^{0},xai$^{13}_{21}$iəu$^{35}_{44}$pʰien^{35}kɔŋ^{53}pu^{21}lau^{35}tʂəŋ^{35}kɔŋ^{53}pu^{21}.pu^{21}tʰei^{13}ke^{53}xei^{21}iet^{3}pien^{35}iəu$^{35}_{44}$kɔŋ^{53},iet^{3}pien^{35} mau^{13}kɔŋ^{53}.pien^{35}kɔŋ^{53},pien^{35}xɔŋ$^{53}_{44}$,kai$^{53}_{44}$kɔŋ^{53}çi$^{53}_{44}$pien^{35}xɔŋ^{53}.xai^{13}iəu$^{35}_{53}$çi^{21},kɔŋ^{53}çi$^{53}_{44}$tʂəŋ^{35}kan$^{35}_{44}$.pʰien^{35}kɔŋ^{53} pu^{21}lau^{35}tʂəŋ^{35}kɔŋ^{53}pu^{21}.｜好像～嘞就更好伐枋子呢，更好斫啊，斫枋子啊。嗯，从前是冇得锯子去篾吵。用斧头去，～就更好剔枋子。xau^{21}tsʰiɔŋ^{53}pien^{35}kɔŋ^{53}pu^{21}lei^{0}tsʰiəu^{53}cien^{53}xau^{21}fait^{5}fɔŋ^{35} tsɿ^{21}nei^{0},cien^{53}xau^{21}tʂɔk^{3}a^{0},tʂɔk^{3}fɔŋ^{35}tsɿ^{0}a^{0}.n̩$_{21}$,tsʰəŋ^{13}tsʰien$^{13}_{44}$ʂɿ$^{53}_{44}$mau$^{13}_{21}$tek^{3}ke^{53}tsɿ^{0}çi$^{53}_{44}$sak^{3}ʂa^{0}.iəŋ^{53}pu^{21}tʰei^{13} çi^{53},pien^{35}kɔŋ^{53}pu^{21}tsʰiəu^{53}cien^{53}xau^{21}tʰiait^{5}fɔŋ^{35}tsɿ^{0}.

【边界】$^{35}_{44}$pien^{35}kai^{53} 名地区之间的界线：箇个（南乡）靠近江西～上就有（客家人）。kai$^{53}_{21}$ke$^{53}_{44}$ kʰau^{53}cʰin$^{35}_{44}$kɔŋ^{35}si$^{35}_{44}$pien^{35}kai^{53}xɔŋ$^{53}_{44}$tsʰiəu$^{53}_{44}$iəu^{35}.

【边上】pien^{35}xɔŋ^{53} 名①近旁，旁边，周边：渠也水～个，箇野芋子。ci^{13}ia$^{35}_{44}$ʂei^{21}pien$^{35}_{44}$ʂɔŋ^{53} ke$^{53}_{44}$,kai$^{53}_{44}$ia^{35}u^{53}tsɿ^{0}.｜渠问哩～个人。ci^{13}uən^{53}ni^{0}pien^{35}xɔŋ^{53}ke$^{53}_{44}$ɲin$^{13}_{21}$. ②物体的边缘部分：夜合草田～咯。ia^{53}xɔit^{5}tsʰau^{21}tʰien^{13}pien^{35}xɔŋ^{53}ko^{0}.｜欸，用斧头咁子去挖，分～就留倒哇。e$_{21}$,iəŋ^{53}pu^{21} tʰei^{13}kan^{21}tsɿ^{0}çi^{53}ua^{35},pən$^{35}_{44}$pien^{35}xɔŋ^{53}tsʰiəu$^{53}_{44}$liəu^{13}tau^{21}ua^{0}. ③侧面：（裙头裤）～开丫。pien^{35}xɔŋ^{53} kʰɔi$^{35}_{44}$a^{35}.｜（秤的）头荷个刻度看中间，二荷刻度看～。tʰei^{13}xo^{13}ke$^{53}_{44}$kʰek^{3}tʰu$^{53}_{44}$kʰɔn^{53}tʂən^{35}kan$^{35}_{44}$, ɲi^{53}xo^{13}kʰek^{3}tʰu$^{53}_{44}$kʰɔn^{53}pien^{35}xɔŋ$^{53}_{21}$.

【边子上】pien^{35}tsɿ^{0}xɔŋ^{53} 名边上，旁边：肝呐，脾，就系肝～吵，系唔系？kɔn^{35} na^{0},pʰi^{13},tsʰiəu^{53}ue^{53}(←xe^{53})kɔn^{35}pien^{35}tsɿ^{0}xɔŋ$^{53}_{44}$ʂa^{0},xei$^{53}_{44}$me$^{53}_{44}$?｜然后嘞，另外一只人就从渠手里接开。又放下～。vien^{13}xei$^{53}_{44}$lei^{0},lin^{53}uai^{53}iet^{3}tʂak^{3}ɲin$^{13}_{21}$tsʰiəu$^{53}_{44}$tsʰəŋ$^{13}_{21}$ci$^{13}_{21}$ʂəu^{21}li^{0}tsiet^{3}kʰɔi^{35}.iəu^{53}fɔŋ^{53}xa$^{53}_{44}$ pien^{35}tsɿ^{0}xɔŋ$^{53}_{44}$.

【编】pʰien^{35}/pien^{35} 动把细条或带形的东西交叉组织起来。也称“编织”：棕叶扇爱～一到。tsəŋ^{35}iait^{5} ʂen^{53}ɔi^{53}pʰien^{35}iet^{3} tau^{53}.｜皮箩就系用扁篾～个。pʰi^{13}lo^{13}tsʰiəu^{53}xei^{53}iəŋ^{53}pien^{21}met^{5} pien$^{35}_{21}$ke$^{53}_{44}$.

【鳊鱼】pien^{35}ŋ̍^{13} 名体侧扁，略呈菱形，生活在淡水中，为重要经济鱼类之一：我等就学倒话～噢。欸，肚子懑大个啦，脑壳细细子。我等也学倒也安做喊～。但是箇起～以前呢安做么个鱼，我爱问下子我正晓得。ŋai$^{13}_{21}$tien^{0} tsʰiəu$^{53}_{44}$xɔk^{5} tau^{21} ua$^{53}_{44}$pien$^{35}_{44}$ŋ̍$^{13}_{21}$ŋau^{0} .ei$_{21}$,təu^{21}tsɿ^{0} mən^{35}tʰai$^{53}_{44}$ke$^{53}_{44}$la^{0} ,lau^{21}kʰɔk^{3} se^{53}se^{53}tsɿ^{0} .ŋai^{13}tien^{0} ia^{35}xɔk^{5} tau^{21}ia^{35}ɔn$^{35}_{44}$tso$^{53}_{44}$xan^{53} pien^{35}ŋ̍$^{13}_{21}$.tan$^{53}_{44}$ʂʅ$^{53}_{44}$kai$^{53}_{44}$çi^{21}pien^{35}ŋ̍$^{13}_{21}$i^{35} tsʰien^{13}ne^{0} ɔn$^{35}_{44}$tso^{53}mak^{3} ke$^{53}_{44}$ŋ̍$^{13}_{21}$,ŋa^{13}(←ŋai^{13})ɔi$^{53}_{44}$uən^{53}na$_{21}$(←xa^{53})tsɿ^{0} (ŋ)ai$_{21}$tʂaŋ^{53}çiau^{21}tek^{3}.

【扁$_{1}$】pien^{21} 形物体平而薄：（洋锄）一头尖一头～个。iet^{3} tʰei^{13}tsian$^{35}_{44}$iet^{3} tʰei^{13}pien^{21}ke$^{53}_{44}$.｜有滴像磨子样，～个，磨子黄蒲。iəu$^{35}_{21}$tet^{5} tsʰiəŋ$^{53}_{44}$mo^{53}tsɿ^{0} iəŋ$^{53}_{44}$,pien^{21}ke$^{53}_{44}$,mo^{53}tsɿ^{0} uəŋ^{13}pʰu^{13}.

【扁$_{2}$】pien^{21} 动人生气想哭时下唇前伸，嘴角向下运动：有就一般是讲细人子嘴一扁就架势叫$_{哭}$喔。iəu^{35}tsʰiəu$^{53}_{44}$iet^{3} pɔn^{35}ʂʅ$^{53}_{44}$kɔŋ$^{21}_{53}$sei^{53}ɲin$^{13}_{21}$tsɿ^{0} tʂɔi^{53}iet^{3} pien^{21}tsʰiəu$^{53}_{44}$cia$^{53}_{44}$ʂʅ$^{53}_{44}$ciau^{53}uo^{0}.

【扁鼻公】pien^{21}pʰi^{53}kəŋ^{35} 名扁鼻子：就讲正先箇只事。我孙子一只鼻公有滴子扁，～。欸，我就长日去捻渠个鼻公。分渠个鼻公间呢捻……分箇鼻公呢捻高滴子来。莫成一只～。～唔好看。tsʰiəu^{53}kɔŋ^{21}tʂaŋ^{53}sen$^{35}_{44}$kai$^{53}_{44}$tʂak^{3} sɿ^{53}.ŋai^{13}sən^{35}tsɿ^{0} iet^{3} tʂak^{3} pʰi^{53}kəŋ$^{35}_{44}$iəu^{35}tiet^{5} tsɿ^{0} pien^{21},pien^{21}pʰi^{53} kəŋ^{35}.e$_{21}$,ŋai^{13}tsʰiəu^{53}tʂʰɔŋ^{13}ɲiet^{3} çi^{53}ɲien^{21}ci^{13}ke$^{53}_{44}$pʰi^{53}kəŋ$^{35}_{44}$.pən^{35}ci$^{13}_{21}$e^{0} pʰi^{53}kəŋ^{35}kan^{35}ne^{0} ɲien^{21}…pən^{35}kai$^{53}_{44}$ pʰi^{53}kəŋ$^{35}_{44}$nei^{0} ɲien$^{13}_{21}$kau^{35}tiet^{5} tsɿ^{0} lɔi$^{13}_{21}$.mɔk^{5} ʂaŋ$^{13}_{21}$iet^{3} tʂak^{3} pien^{21}pʰi$^{53}_{44}$kəŋ^{35}.pien^{21}pʰi^{53}kəŋ$^{35}_{44}$ŋ̍$^{13}_{21}$xau^{21}kʰɔn^{53}.

【扁扁子】pien^{21}pien^{21}tsɿ^{0} 形扁扁的样子：有有栽一起咁个灯心草样个咯，～个，席草，安做席草。iəu$^{35}_{21}$iəu$^{35}_{21}$tsɔi^{35}iet^{3} çi^{21}kan^{21}kei$^{53}_{44}$tien^{35}sin$^{35}_{44}$tsʰau^{21}iəŋ$^{53}_{44}$ke$^{53}_{44}$ko^{0} ,pien^{21}pien^{21}tsɿ^{0} ke$^{53}_{44}$,tsʰiak^{5} tsʰau^{21},ɔn^{35} tso$^{53}_{44}$tsʰiak^{5} tsʰau^{21}.

【扁担】pien^{21}tan^{53} 名①扁圆长条形挑、抬物品的竹制或木制用具：如果以根～有得啮朵啊，你个绳子就会溜咁呐。y^{13}ko^{21}i$^{21}_{44}$kən$^{35}_{44}$pien^{21}tan^{53}mau^{13}tek^{3} ŋait^{3} to^{21}a^{0} , ɲi^{13}ke$^{53}_{44}$ʂən^{13}tsɿ^{0} tsʰiəu$^{53}_{44}$uɔi$^{53}_{44}$liəu^{53} kan^{21}na^{0}. ②借指挑夫：（浏阳）北乡就出～，担脚个多，欸，从前就苦哇，担脚个多。pɔit^{3} çiɔŋ$^{35}_{44}$tsʰiəu$^{53}_{44}$tʂʰət^{3} pien^{21}tan^{53},tan^{35}ciɔk^{3} ke$^{53}_{21}$to^{35},e$_{21}$,tsʰəŋ^{13}tsʰien^{13}tsiəu$^{53}_{44}$kʰu^{21}ua^{0} ,tan^{35}ciɔk^{3} ke$^{53}_{21}$to^{35}.

【扁豆】pien^{21}tʰei^{53} 名含羞草科扁豆属植物，荚果可供食用，种子或全株供药用：～就系药豆子呢，我等喊药豆子。欸，药店呢就安做～呢。箇食哩有咁个么个伺脾土个呢。就系箇细人子啊营养不良，就可以搞滴子咁个欸药豆子分渠食，食哩以后大概就系增强抵抗力吗。欸唔晓得让门子话下来个安做么个伺脾土，只晓得咁子讲，具体系让门子侪都媢去探究箇东西啊。伺脾土哇，就系有滴细人子营养不良，就有脾土。pien^{21}tʰei^{53}tsʰiəu$^{53}_{44}$xei$^{53}_{44}$iɔk^{5} tʰei^{53}tsɿ^{0} nei^{0} ,ŋai$^{13}_{21}$ tien^{0} xan^{53}iɔk^{5} tʰei^{53}tsɿ^{0} .ei$_{21}$,iɔk^{5} tian^{35}nei^{0} tsʰiəu$^{53}_{44}$ɔn$^{35}_{44}$tso$^{53}_{44}$pien^{21}tʰei^{53}nei^{0} .kai$^{53}_{44}$ʂət^{5} li^{0} iəu$^{35}_{44}$kan^{21}kei^{53}mak^{3} kei^{53} tsʰɿ^{53}pʰi^{13}tʰəu^{21}ke^{53}nei^{0} .tsʰiəu^{53}xei^{53}kai$^{53}_{44}$sei^{53}ɲin$^{13}_{21}$tsɿ^{0} a^{0} in^{13}iəŋ$^{35}_{44}$pət^{3} liɔŋ^{13},tsʰiəu$^{53}_{44}$kʰo^{21}i^{35}kau^{21}tet^{5} tsɿ^{0} kan$^{21}_{44}$ke$^{53}_{44}$ ei$_{21}$iɔk^{5} tʰei^{53}tsɿ^{0} pən^{35}ci$^{13}_{21}$ʂət^{5} ,ʂət^{5} li^{0} i^{35}xei^{53}tʰai^{53}kʰai^{53}tsʰiəu^{53}xei^{53}tsen^{35}cʰiɔŋ$^{13}_{44}$ti^{21}kʰɔŋ^{53}liet^{5} ma^{0} .e$_{53}$ŋ̍^{13}çiau^{21} tek^{3} ɲiɔŋ^{53}mən^{0} tsɿ^{0} ua^{53}xa^{53}lɔi^{13}ke^{53}ɔn$^{35}_{44}$tso$^{53}_{44}$mak^{3} e^{0} tsʰɿ^{53}pʰi^{13}tʰəu^{21},tʂe^{21}çiau$^{21}_{35}$tek^{21}kan$^{21}_{44}$tsɿ^{0} kɔŋ^{21},tʂʅ^{53}tʰi^{21}xei$^{53}_{44}$ ɲiɔŋ^{53}mən^{0} tsɿ^{0} tsʰi$^{13}_{21}$təu^{35}maŋ^{13}çi$^{53}_{44}$tʰan^{53}ciəu$^{53}_{44}$kai$^{53}_{44}$təŋ$^{35}_{44}$si^{0} a^{0} .tsʰɿ^{53}pʰi^{13}tʰəu^{21}ua^{0} ,tsʰiəu^{53}xei$^{53}_{44}$iəu^{35}tet^{5} sei^{53}ɲin$^{13}_{21}$ tsɿ^{0} in$^{13}_{21}$iəŋ^{35}pət^{3} liɔŋ^{13},tsʰiəu^{53}mau$^{13}_{21}$pʰi^{13}tʰəu^{21}.

【扁篾】pien^{21}met^{5} 名平而薄的篾：皮箩就系用～编个。pʰi^{13}lo^{13}tsʰiəu^{53}xei^{53}iəŋ^{53}pien^{21}met^{5} pien$^{35}_{21}$ke$^{53}_{44}$.

【扁扇扇哩】pien^{21}ʂan^{53}ʂan^{53}li^{0} 形扁扁的样子：～就系唔知几扁个样子。么个东西～个？啊？鳊鱼，箇个么个武昌鱼啊，欸，箇只鱼，欸，脑壳点伢大子，完身呢～。系，箇鳊鱼就系～个。我唔系唔晓得，我也去买过。pien^{21}ʂan^{53}ʂan^{53}ni^{0} tsʰiəu^{53}xei^{53}ŋ̍^{13}ti$^{35}_{53}$ci^{21}pien^{21}kei$^{53}_{44}$iəŋ^{53}tsɿ^{0}.mak^{3} e^{0} təŋ$^{35}_{44}$si^{0} pien^{21}ʂan^{53}ʂan^{53}li^{0} ke^{53}?a$_{35}$?pien^{35}ŋ̍$^{13}_{21}$,kai$^{53}_{44}$ke$^{53}_{44}$mak^{3} a^{0} u^{21}tʂʰɔŋ$^{35}_{44}$ŋ̍$^{13}_{21}$ŋa^{0} ,e$_{21}$,kai^{53}tʂak^{3} ŋ̍^{13},e$_{21}$,lau^{21}kʰɔk^{3} tian^{53}ŋa$^{13}_{44}$tʰai^{53}tsɿ^{0} ,uon^{13}ʂən^{35}ne^{0} pien^{21}ʂan^{53}ʂan^{53}ni^{0} .xei^{53},kai$^{53}_{44}$pien^{35}ŋ̍^{13}tsiəu$^{53}_{44}$xei$^{53}_{44}$pien^{21}ʂan^{53}ʂan^{53}ni^{0} ke^{53}.ŋai^{13} m̩$^{13}_{21}$pʰe^{53}ŋ̍^{13}çiau^{21}tek^{3},ŋai^{13}a$^{35}_{44}$çi^{53}mai^{35}ko^{53}.

【扁章子】pien^{21}tʂɔŋ^{35}tsɿ^{0} 名三个字的长方形章子：三角形个～san^{35}kɔk^{3} çin$^{13}_{21}$ke$^{53}_{44}$pien^{21}tʂɔŋ^{35}tsɿ^{0}

【扁嘴】pien^{21}tʂɔi^{53} 动将下唇向前伸，嘴角向下运动，想哭的样子：有就一般是讲细人子嘴一扁就架势叫喔。～哟。欸，就架势叫喔。叫嘴去哩啊，～去哩啊。iəu^{35}tsʰiəu$^{53}_{44}$iet^{3} pɔn^{35}ʂʅ$^{53}_{44}$kɔŋ$^{21}_{53}$ sei^{53}ɲin$^{13}_{21}$tsɿ^{0} tʂɔi^{53}iet^{3} pien^{21}tsʰiəu$^{53}_{44}$cia$^{53}_{44}$ʂʅ$^{53}_{44}$ciau^{53}uo^{0} .pien^{21}tʂɔi^{53}io^{0} .e$_{21}$,tsʰiəu$^{53}_{44}$cia$^{53}_{44}$ʂʅ$^{53}_{44}$ciau^{53}uo^{0} .ciau$^{53}_{44}$tʂɔi^{53} çi$^{53}_{44}$li^{0} a^{0} ,pien^{21}tʂɔi^{53}çi$^{53}_{44}$li^{0} a^{0} .

【扁嘴鸭】pien^{21}tʂɔi^{53}ait^{3} 名鸭子名，多借用戏称哭脸的小孩儿：～又话系又话箇个细人子叫嘴。哎呀，成哩～！pien^{21}tʂɔi^{53}ait^{3} iəu^{53}ua^{53}xe$^{53}_{44}$iəu^{53}ua$^{53}_{44}$kai^{53}ke$^{53}_{44}$sei^{53}ɲin$^{13}_{21}$tsɿ^{0} ciau$^{53}_{44}$tʂɔi^{53}.ai$_{44}$ia$_{13}$,ʂaŋ$^{13}_{21}$li^{0} pien^{21}tʂɔi^{53}ait^{3}!

B

【弁】pʰien^{53} 动背靠，倚靠：打比样，我要咁坐倒唠，我～壁啊。系啊？安做～壁。ta^{21}pi^{21} iɔŋ^{53},ŋai^{13}iau$^{53}_{44}$kan$^{21}_{44}$tso^{53}tau$^{21}_{44}$lau^{0},ŋai^{13}pʰien^{53}piak^{3}a^{0}.xe$^{53}_{44}$a^{0}?ɔn$^{35}_{44}$tso$^{53}_{44}$pʰien^{53}piak^{3}.｜欸，你～下箇凳上啊。ei$_{44}$, ɲi^{13}pʰien^{53}na$^{53}_{44}$kai$^{53}_{44}$tien^{53}xɔŋ$^{53}_{44}$ŋa^{0}.｜～倒岭岗做只屋，好像就有靠山样。pʰien^{53}tau^{21}liaŋ^{35} kɔŋ$^{35}_{44}$tso^{53}tʂak^{3}uk^{3},xau^{21}tsʰiɔŋ$^{53}_{44}$tsʰiəu$^{53}_{44}$iəu^{53}kʰau^{53}san$^{35}_{44}$iɔŋ^{53}.

【弁砖】pʰien^{53}tʂɔn^{35} 名门框边框：以映子咁子顿倒箇以个～。i^{21}iaŋ^{53}tsɿ^{0} kan^{21}tsɿ^{0} tən^{53}tau^{21}kai$^{53}_{44}$i^{21} ke$^{53}_{44}$pʰien^{53}tʂɔn$^{35}_{44}$.

【弁转】pʰien^{53}tʂuɔn^{21} 动观点倒向某一方：欸法院里个法官呐～渠箇一头啰，欸，有争绷个时候子啊，～渠箇一头。e$_{21}$fait^{3} vien^{53}li^{21}ke^{53}fait^{3} kɔn^{35}na^{0} pʰien^{53}tʂuɔn^{21}ci^{13}kai^{53}iet^{3} tʰei$^{13}_{44}$lo^{0},ei$_{21}$,iəu^{35}tsaŋ$_{44}$ paŋ$^{35}_{44}$ke^{53}ʂɿ$^{13}_{21}$xei^{53}tsa^{0},pʰien^{53}tʂuɔn^{21}ci^{13}kai^{53}iet^{3} tʰei^{13}.

【变】pien^{53} 动变化；改变：如今个客姓～嘿哩唠。i$^{13}_{21}$cin$^{35}_{44}$ke$^{53}_{44}$kʰak^{3}sin$^{53}_{44}$pien^{53}nek^{3}(←xek^{3})li^{0} lau^{0}.｜慢慢子架势～黄哩是咁个，安做转绿豆色唠。man^{53}man$^{53}_{44}$tsɿ^{0} cia^{53}ʂɿ$^{53}_{44}$pien^{53}uɔŋ^{13}li^{0} ʂɿ$^{53}_{44}$kan$^{21}_{35}$ ke$^{53}_{44}$,ɔn$^{35}_{44}$tso$^{53}_{44}$tʂɔn^{21}liəuk^{5} tʰei$^{53}_{44}$sek^{3} lau^{0}.

【变成】pien^{53}tʂʰən^{13}/ʂaŋ^{13} 动由某一种形态转换为另一种形态：成熟哩以后，老了以后，～哩黄豆子，就冇么人讲毛豆荚了。tʂʰən^{13}ʂouk^{5} li^{0} i$^{35}_{44}$xei$^{53}_{44}$,lau^{21}li^{0} i$^{35}_{44}$xei$^{53}_{44}$,pien^{53}tʂʰən$^{13}_{21}$li^{0} uɔŋ^{13}tʰei^{53} tsɿ^{0},tsʰiəu^{53}mau$^{13}_{21}$mak^{3} in$^{13}_{44}$kɔŋ^{21}mau^{35}tʰei^{53}kait^{3} liau^{0}.｜唔晓得么啊病。箇个智力～哩两岁子个细人子个智力吧。箇智力啦……～哩□牯，～哩傻瓜。n̩^{13}çiau^{21}tek^{3} mak^{3} a^{0} pʰiaŋ^{53}.kai$^{53}_{44}$ke$^{53}_{44}$tʂɿ^{53}liet$^{5}_{3}$ pien^{53}ʂaŋ$^{13}_{21}$li^{0} iɔŋ^{21}sɔi^{53}tsɿ^{0} ke$^{53}_{44}$sei^{53}ɲin$^{13}_{21}$tsɿ^{0} ke$^{53}_{44}$tʂɿ^{53}liet^{5} pa^{0}.kai$^{53}_{44}$tʂɿ^{53}liet^{5} la^{0} …pien^{53}tʂʰən$^{13}_{44}$li^{0} ʂe^{13}ku^{21},pien^{53} tʂʰən$^{13}_{44}$li^{0} sa^{21}kua$^{35}_{44}$.

【变狗】pien^{53}kei^{21} 动（小孩）生病。又称“唔乖”：我箇只孙子昨晡夜晡冷倒哩啊，今晡还～去哩。ŋai^{13}kai^{53}(tʂ)ak^{3} sən$^{35}_{44}$tsɿ^{0} tsʰo^{35}pu$^{35}_{44}$ia$^{53}_{44}$pu$^{35}_{44}$laŋ^{35}tau^{21}li^{0} a^{0},cin$^{35}_{44}$pu^{35}xai$^{13}_{21}$pien^{53}kei^{21}çi^{53}li^{0}.

【变天】pien^{53}tʰien^{35} 动天气发生变化，多指由晴朗转变成阴雨：～落水了。pien^{53}tʰien$^{35}_{44}$lɔk^{5} ʂei^{21}liau^{0}.｜今晡硬真榨人，以几晡真榨人，硬会～了。cin$^{35}_{44}$pu$^{35}_{53}$ɲiaŋ^{53}tʂən^{35}tsa^{53}ɲin^{13},i^{21}ci^{21}pu$^{35}_{53}$tʂən^{35} tsa^{53}ɲin^{13}, ɲiaŋ^{53}uɔi^{53}pien^{53}tʰien^{35}liau^{0}.

【变质】pien^{53}tʂət^{3} 动本质变坏：欸，唔放盐会～。e$_{21}$,ŋ̍^{13}fɔŋ^{53}ian^{13}uɔi$^{53}_{44}$pien^{53}tʂət^{3}.

【便裤】pʰien^{53}fu^{53} 名旧时老人穿的一种裤子，不系皮带，裤腰大：～啊，以前个老人家着个，一只裤头唔知几大。就系三块布样个，就系两三块布咁子连下去箇样。一只裤脚唔知几大子，底下到上背都一样大，以映子以只裤头呀也唔知几大。着个时候子嘞要裤头嘞咁子折下转来，欸，舞条绳子一缔，咁子着个。箇安做～。pʰien^{53}fu$^{53}_{44}$a^{0},i^{35}tsʰien^{13}ke^{0} lau^{21}ɲin^{13}ka$^{35}_{44}$tʂɔk^{3}ke^{0},iet^{3} tʂak^{3} fu^{53}tʰei$^{13}_{21}$n̩^{13}ti$^{35}_{53}$ci^{21}tʰai^{53}.tsʰiəu^{53}xe$^{53}_{44}$san^{35}kʰuai$^{53}_{44}$pu^{53}iɔŋ$^{53}_{44}$ke^{0},tsʰiəu^{53}xe$^{53}_{44}$iɔŋ^{21}san^{35}kʰuai$^{53}_{44}$pu^{53}kan^{21}tsɿ^{0} lien^{13}na^{53}çi^{53}kai$^{53}_{44}$iɔŋ$^{53}_{44}$.iet^{3} tʂak^{3} fu^{53}ciɔk^{3} n̩^{13}ti$^{35}_{53}$ci^{21}tʰai^{53}tsɿ^{0},te^{21}xa^{35}tau^{53}ʂɔŋ^{53}pɔi$^{53}_{44}$tau$^{35}_{44}$iet^{3} iɔŋ^{53}tʰai$^{53}_{44}$,i^{21}iaŋ^{53}tsɿ^{0} i^{21}tʂak^{3} fu^{53}tʰei^{13}ia^{0} ia^{35}n̩^{13}ti$^{35}_{53}$ci^{21}tʰai^{53}.tʂɔk^{3}ke^{0} ʂɿ^{13}xəu$^{53}_{44}$tsɿ^{0} lei^{0} iau$^{53}_{44}$fu$^{53}_{44}$tʰei$^{13}_{21}$lei^{0} kan^{21}tsɿ^{0} tʂait^{3} ia^{53}tʂuɔn^{21}nɔi$^{13}_{21}$, e$_{21}$,u^{21}tʰiau$^{13}_{44}$ʂən^{13}tsɿ^{0}(i)et^{3} tʰak^{3},kan^{21}tsɿ^{0} tʂɔk^{3}ke^{0}.kai$^{53}_{44}$ɔn$^{35}_{44}$tso$^{53}_{44}$pʰien^{53}fu^{53}.

【便桶】pʰien^{53}tʰəŋ^{21} 名尿桶（少）：～就系尿桶。欸，以前个人呐，从前个人呢系箇个土屋吵。家家屋下都箇间里有只放只尿桶，放只～。欸，一方面呢从前呢冇得如今箇咁个卫生间，系唔系？夜晡头，欸，尤其系老人家子，夜晡头爱跣夜床，人系下走上几间呀，走上唔知几远去屙尿嘞又唔方便。第二方面嘞就系舞倒箇只桶呢又唔系早日里就提开嘞。一天到夜都放倒箇映子。渠也唔得话唔怕喷臊。就系趸尿，趸滴子尿。趸倒箇尿嘞，集滴子集安做集滴子尿，集倒箇尿去淋菜。pʰien^{53}tʰəŋ^{21}tsʰiəu$^{53}_{44}$xei$^{53}_{44}$ɲiau^{53}tʰəŋ^{21}.e$_{21}$,i^{35}tsʰien$^{13}_{21}$ke^{53}ɲin$^{13}_{21}$na^{0},tsʰəŋ^{13}tsʰien^{13}ke^{53}ɲin$^{13}_{21}$ ne^{0} xei^{53}kai$^{53}_{44}$ke$^{53}_{44}$tʰəu^{21}uk^{3} ʂa^{0}.ka^{35}ka$^{35}_{53}$uk^{3} xa^{35}təu$^{35}_{53}$kai^{53}kan^{35}ni^{21}le^{0} iəu$^{35}_{44}$tʂak^{3} fɔŋ$^{53}_{44}$tʂak^{3} ɲiau^{53}tʰəŋ^{21},fɔŋ^{53}ak^{3} pʰien^{53}tʰəŋ^{21}.ei$_{21}$,iet^{3} fɔŋ$^{35}_{44}$mien$^{53}_{44}$ne^{0} tsʰəŋ^{13}tsʰien^{13}ne^{0} mau^{13}tek^{3} i$^{13}_{21}$cin$^{35}_{44}$kai^{53}kan^{21}ke$^{53}_{44}$uei^{53}sen$^{35}_{44}$kan^{35},xei$^{53}_{44}$ me$^{53}_{44}$?ia^{53}pu$^{35}_{44}$tʰei$^{13}_{21}$,ei$_{21}$,iəu^{13}cʰi^{13}xei^{53}lau^{21}ɲin^{13}ka$^{35}_{53}$tsɿ^{0},ia^{53}pu$^{35}_{44}$tʰəu$^{13}_{21}$ɔi^{53}xɔŋ^{53}ia^{53}tsʰɔŋ$^{13}_{21}$, ɲin^{13}xei$^{53}_{44}$ua$^{53}_{44}$tsei^{21}ʂɔŋ^{35} ci^{21}kan$^{35}_{44}$ia^{0},tsei^{21}ʂɔŋ^{35}n̩^{13}ti$^{35}_{53}$ci^{21}ien^{21}çi$^{53}_{44}$o$^{35}_{44}$ɲiau^{53}lei^{0} iəu$^{53}_{44}$n̩$^{13}_{21}$fɔŋ$^{35}_{44}$pʰien^{53}.tʰi$^{53}_{44}$ɲi^{53}xɔŋ$^{35}_{44}$mien$^{53}_{44}$lei^{0} tsʰiəu$^{53}_{44}$xei$^{53}_{44}$u^{21} tau^{21}kai^{53}iak^{3} tʰəŋ^{21}nei^{0} iəu^{53}m̩^{13}pʰe^{53}tsau^{21}ɲiet^{3} li^{0} tsʰiəu^{53}tʰia^{13}kʰɔi$^{35}_{44}$le^{0}.iet^{3} tʰien^{13}tau^{53}ia^{53}təu$^{35}_{44}$fɔŋ^{53}tau^{21}kai^{53} iaŋ^{53}tsɿ^{0}.ci^{13}ia$^{35}_{53}$n̩^{13}tek^{3} ua^{53}m̩^{13}pʰa^{53}pʰəŋ^{35}sau^{35}.tsʰiəu^{53}xe^{53}tən^{21}ɲiau^{53},tən^{21}tiet^{5} tsɿ^{0}ɲiau^{53}.tən^{21}tau^{21}kai$^{53}_{44}$ɲiau^{53} lei^{0},tsʰiet^{5} tiet^{5} tsɿ^{0} tsʰiet^{5} ɔn$^{35}_{44}$tso$^{53}_{44}$tsʰiet^{5} tiet^{5} tsɿ^{0}ɲiau^{53},tsʰiet^{5} tau^{21}kai$^{53}_{44}$ɲiau^{53}çi^{53}lin^{13}tsʰɔi^{53}.

【遍】pʰien^{53} 量指一个动作从开始到结束的整个过程，相当于“次、回”：几句子话我唔知念几多～。ci^{21}ci^{53}tsɿ^{0}fa^{53}ŋai$^{13}_{21}$n̩$^{13}_{21}$ti$^{35}_{44}$ɲian^{53}ci^{21}to$^{35}_{44}$p^{h}ien^{53}.｜木板做个（荡子）就是第一～就分渠开开来。muk^{3}pan^{21}tso$^{53}_{44}$ke$^{53}_{44}$ts^{h}iəu$^{53}_{44}$sɿ$^{53}_{21}$t^{h}i^{53}iet^{3}p^{h}ien^{53}tsiəu$^{53}_{21}$pən$^{35}_{44}$ci$^{13}_{44}$k^{h}ɔi^{35}k^{h}ɔi^{35}lɔi$^{13}_{21}$.

【辫子】p^{h}ien^{53}tsɿ^{0} [名]分股编紧的头发：以下箇妹子人夫娘子人唔多结～了，从前个是欸结～。箇只妹子个～□长，系啊？欸箇只夫娘子蓄个～□长。安做蓄～嘞。i^{21}xa^{53}kai^{53}mɔi^{53}tsɿ^{0}ɲin^{13}pu^{35}ɲiɔŋ$^{13}_{21}$tsɿ^{0}ɲin^{13}n̩^{13}to$^{35}_{44}$ciet^{3}p^{h}ien^{53}tsɿ^{0}liau^{0},ts^{h}ɔŋ^{13}ts^{h}ien^{13}ke^{53}ʂʅ$^{53}_{44}$e$_{21}$ciet^{3}p^{h}ien^{53}tsɿ^{0}.kai^{53}tʂak^{3}mɔi^{53}tsɿ^{0}ke$^{53}_{44}$p^{h}ien^{53}tsɿ^{0}lai^{35}tʂ^{h}ɔŋ^{13},xei$^{53}_{44}$a^{0}?e$_{21}$kai^{53}tʂak^{3}pu^{35}ɲiɔŋ$^{13}_{21}$tsɿ^{0}çiəuk^{3}ke^{0}p^{h}ien^{53}tsɿ^{0}lai^{35}tʂ^{h}ɔŋ$^{13}_{21}$.ɔn$^{35}_{44}$tso$^{53}_{44}$çiəuk^{3}p^{h}ien^{53}tsɿ^{0}le^{0}.

【标记子】piau^{35}ci$^{53}_{44}$tsɿ^{0} [名]记号，标志：我等以前有打铁个，渠就□倒打只子咁个～嘞。ŋai$^{13}_{21}$tien^{0}i$^{35}_{44}$ts^{h}ien$^{13}_{21}$iəu$^{35}_{44}$ta^{21}t^{h}iet^{3}cie$^{53}_{44}$,ci$^{13}_{21}$ts^{h}iəu^{53}t^{h}i^{21}tau^{53}ta^{21}tʂak^{3}tsɿ^{0}kan^{21}cie$^{53}_{44}$piau^{35}ci$^{53}_{44}$tsɿ^{0}lei^{0}.

【标致】piau^{35}tʂʅ^{53} [形]精致，漂亮：皮篓子就箇只非常～个啦箇只东西就啦。p^{h}i^{13}lei^{21}tsɿ^{0}ts^{h}iəu^{53}kai$^{53}_{21}$tʂak^{3}fei^{35}ʂɔŋ$^{13}_{21}$piau^{35}tʂʅ^{53}ke$^{53}_{44}$la^{0}kai$^{53}_{44}$tʂak^{3}təŋ$^{35}_{44}$si^{0}ts^{h}iəu$^{53}_{44}$la^{0}.

【猋】piau^{35} [动]①快速地滑出：鱼子就冇使～出来。ŋ̍^{13}tsɿ^{0}ts^{h}iəu$^{53}_{44}$mau$^{13}_{21}$sɿ$^{21}_{44}$piau^{35}tʂ^{h}ət^{5}lɔi$^{13}_{21}$.②从高处往下跳：舞滴拖滴秆箇只唠，秋天打哩禾以后拖滴秆呶，去跳噢。系放下箇，我等箇只学堂里箇禾坪，箇操场里咯，就唔知几低，操场唔知几低，有几大子我等操场呢，怕只有比以只间大滴子，有几大。两只子间咁大子，有几大子。学堂里门口塆下就一条路。学堂门口就一条路。路塆下正系操场。就一丘田子，有几大子嘞。一丘田子。拖滴秆呶，拖下箇田里噢，拖下箇操场里噢。<u>以下</u>我等就走箇塆上□一下唠，去～哇。安做～。就跳下去啊，跳下箇秆上去啊。然后就壅下箇秆肚<u>里啊</u>。～哇，欸，就系跳哇，～下去啊，就跳下去啊。u^{21}tiet$^{5}_{3}$t^{h}o^{35}tiet^{5}kɔn^{21}kai$^{53}_{44}$tʂak^{3}lau^{0},ts^{h}iəu^{35}t^{h}ien$^{35}_{44}$ta^{21}li^{0}uo^{13}i^{35}xei$^{53}_{44}$t^{h}o^{35}tet^{5}kɔn^{21}nau^{0},çi$^{53}_{44}$t^{h}iau^{53}uau^{0}.xe$^{53}_{44}$fɔŋ^{53}xa$^{53}_{44}$kai$^{53}_{44}$,ŋai$^{13}_{21}$tien^{0}kai^{53}tʂak^{3}xɔk^{5}t^{h}ɔŋ$^{13}_{21}$li^{0}kai^{53}uo^{13}p^{h}iaŋ^{13},kai$^{53}_{44}$ts^{h}au^{35}tʂ^{h}ɔŋ$^{13}_{21}$li^{21}ko^{0},ts^{h}iəu^{53}m̩$^{13}_{21}$ti$^{53}_{44}$ci^{21}te^{35},ts^{h}au^{35}tʂ^{h}ɔŋ$^{13}_{21}$n̩$^{13}_{21}$ti$^{53}_{44}$ci^{21}te^{35},mau^{13}ci^{21}t^{h}ai^{53}tsɿ^{0}ŋai^{13}tien^{0}ts^{h}au$^{35}_{21}$tʂ^{h}ɔŋ$^{13}_{44}$ne^{0},p^{h}a$^{53}_{44}$tʂʅ^{21}iəu$^{35}_{44}$pi^{21}i^{21}tʂak^{3}kan^{35}t^{h}ai^{53}tiet^{3}tsɿ^{0},mau$^{13}_{21}$ci$^{21}_{44}$t^{h}ai^{53}.iɔŋ^{21}tʂak^{3}tsɿ^{0}kan$^{35}_{44}$kan^{21}t^{h}ai$^{53}_{44}$tsɿ^{0},mau^{13}ci^{21}t^{h}ai^{53}tsɿ^{0}.xɔk^{5}t^{h}ɔŋ$^{13}_{44}$li^{0}mən^{13}xei^{21}k^{h}an^{53}xa$^{53}_{44}$ts^{h}iəu$^{53}_{44}$iet^{3}t^{h}iau^{13}ləu^{53}.xɔk^{5}t^{h}ɔŋ$^{13}_{21}$mən^{13}ne$_{21}$(←xei^{21})tsiəu$^{53}_{44}$iet^{3}t^{h}iau^{13}ləu^{53}.ləu^{53}k^{h}an$^{53}_{44}$xa^{35}tʂaŋ$^{53}_{44}$ke$_{44}$(←xe^{53})ts^{h}au^{35}tʂ^{h}ɔŋ$^{13}_{21}$.ts^{h}iəu^{53}iet^{3}c^{h}iəu$^{35}_{44}$t^{h}ien^{13}tsɿ^{0},mau^{13}ci$^{13}_{44}$t^{h}ai^{53}tsɿ^{0}lei^{0}.iet^{3}c^{h}iəu$^{35}_{44}$t^{h}ien^{13}tsɿ^{0}.t^{h}o^{35}tet^{5}kɔn^{21}nau^{0},t^{h}o^{35}xa$^{53}_{44}$kai$^{53}_{44}$t^{h}ien^{13}li^{21}au^{0},t^{h}o^{35}(x)a$^{53}_{44}$kai$^{53}_{44}$ts^{h}au$^{35}_{44}$tʂ^{h}ɔŋ$^{13}_{21}$ni^{21}au^{0}.ia$_{21}$(←i^{21}xa^{53})ŋai$^{13}_{21}$tien^{0}ts^{h}iəu$^{53}_{44}$tsei^{21}kai$^{53}_{44}$k^{h}an^{53}xɔŋ$^{53}_{44}$ts^{h}ɔi$^{13}_{21}$iet^{3}xa$^{53}_{44}$lau^{0},çi$^{53}_{44}$piau^{35}ua^{0}.ɔn$^{35}_{44}$tso$^{53}_{44}$piau^{35}.ts^{h}iəu$^{53}_{44}$t^{h}iau^{53}çia$^{53}_{44}$tʂ^{h}ʮ$^{53}_{44}$a^{0},t^{h}iau^{53}(x)a$^{53}_{44}$kai$^{53}_{44}$kɔn^{21}xɔŋ$^{53}_{44}$çi$^{53}_{44}$a^{0}.vien^{13}xei$^{53}_{44}$ts^{h}iəu$^{53}_{44}$iəŋ^{35}ŋa$_{44}$(←xa^{53})kai$^{53}_{44}$kɔn^{21}təu^{21}lia^{0}.piau^{35}ua^{0},e$_{21}$,ts^{h}iəu$^{53}_{44}$xe$^{53}_{21}$t^{h}iau^{53}ua^{0},piau^{35}xa$^{53}_{44}$çi$^{53}_{44}$a^{0},ts^{h}iəu$^{53}_{44}$t^{h}iau^{53}xa$^{53}_{44}$çi$^{53}_{44}$a^{0}.③伸：剃头师傅哇剃到哩最后，渠还爱拿倒箇把撩剪，箇把□长个剪刀，欸，用梳子隔倒，分你箇个东一条子西一条～起来个箇头发剪嘿去，剪得达平子。梳子就一下一下隔稳去，剪刀就一下一下剪稳去。欸，箇个手法可不容易掌握。t^{h}e^{53}t^{h}ei$^{13}_{21}$sɿ$^{35}_{44}$fu^{53}ua$_{21}$t^{h}e^{53}tau^{53}li^{0}tsei^{53}xei^{53},ci$^{13}_{21}$xa$^{13}_{21}$ɔi$^{53}_{44}$la^{53}tau^{21}kai^{53}pa^{21}liau^{13}tsien^{21},kai^{53}pa^{21}lai^{35}tʂ^{h}ɔŋ$^{13}_{21}$ke^{53}tsien^{21}tau^{35},ei$_{21}$,iəŋ^{53}sɿ^{35}tsɿ^{0}kak^{3}tau^{21},pən^{35}ɲi$^{13}_{21}$kai$^{53}_{44}$kei$^{53}_{44}$kai^{53}təŋ^{35}iet^{3}t^{h}iau$^{13}_{21}$tsɿ^{0}si^{35}iet^{3}t^{h}iau$^{13}_{21}$piau^{35}çi^{21}lɔi$^{13}_{21}$kei^{53}kai^{53}t^{h}ei^{13}fait^{3}tsien^{21}nek^{3}çi^{53},tsien^{21}tek^{3}t^{h}ait^{5}p^{h}iaŋ^{13}tsɿ^{0}.sɿ^{35}tsɿ^{21}ts^{h}iəu^{53}iet^{3}xa^{53}iet^{3}xa^{53}kak^{3}uən^{21}çi^{53},tsien^{21}tau$^{35}_{44}$ts^{h}iəu^{53}iet^{3}xa^{53}iet^{3}xa^{53}tsien^{21}uən^{21}çi^{53}.e$_{21}$,kai^{53}ke^{53}ʂəu^{21}fait^{3}k^{h}o^{21}pət^{3}iəŋ^{13}i^{53}tʂɔŋ^{21}uɔk^{5}.

【表】piau^{21} [名]表格，分类分项记录事物的文件：送葬么人走面前，么人走后背，搞张～贴出来。səŋ^{53}tsɔŋ^{53}mak^{3}ɲin$^{13}_{44}$tsei^{21}mien^{53}ts^{h}ien$^{13}_{21}$,mak^{3}ɲin$^{13}_{44}$tsei^{21}xei^{53}pɔi$^{53}_{21}$,kau^{21}tʂɔŋ$^{35}_{44}$piau^{21}tiet^{3}tʂ^{h}ət^{3}lɔi^{13}.

【表阿姐】piau^{21}a^{35}tsia^{21} [名]表姐：～，就箇只表嘞有两种，欸，一种就系，以下个人就分出姑表摎舅欸姑表摎舅表，系<u>唔系</u>？还有姨表，嗯。以我等都统称为老表。欸。比我更大滴子个妹子就系～。比自家更大个就系～。欸比自家更细个就表老妹。piau^{21}a^{35}tsia^{21},ts^{h}iəu^{53}kai^{53}tʂak^{3}piau^{21}lei^{0}iəu^{35}iɔŋ^{21}tʂəŋ^{21},e$_{21}$,iet^{3}tʂəŋ^{21}ts^{h}iəu^{53}xe$^{53}_{44}$,i^{21}xa^{53}ke^{53}ɲin$^{13}_{21}$ts^{h}iəu$^{53}_{44}$fən^{35}tʂ^{h}ət^{3}ku^{35}piau^{21}lau^{35}c^{h}iəu^{35}ei$_{44}$ku^{35}piau^{21}lau^{35}c^{h}iəu^{35}piau^{21},xei$^{53}_{44}$me$^{53}_{44}$?xai^{13}iəu$^{35}_{44}$i^{13}piau^{21},n̩$_{21}$.i$^{21}_{13}$ŋai^{13}tien^{0}təu^{35}t^{h}əŋ^{21}tʂ^{h}əŋ$^{35}_{44}$uei$^{13}_{21}$lau^{21}piau^{21}.e$_{21}$.pi^{21}ŋai^{13}cien^{53}t^{h}ai^{53}tiet^{5}tsɿ^{0}ke^{53}mɔi^{53}tsɿ^{0}ts^{h}iəu$^{53}_{44}$xe$^{53}_{44}$piau^{21}a^{35}tsia^{21}.pi^{21}ts^{h}ʅ^{35}ka$^{35}_{44}$ken^{53}t^{h}ai^{53}ke^{0}ts^{h}iəu$^{53}_{44}$xe$^{53}_{44}$piau^{21}a^{35}tsia^{21}.e$_{44}$pi^{21}ts^{h}ʅ^{35}ka$^{35}_{44}$ken^{53}sei^{53}ke^{0}ts^{h}iəu$^{53}_{44}$piau^{21}lau^{21}mɔi^{53}.

【表伯】piau^{21}pak^{3} [名]表伯父：有～，就比自家大一辈个人，又系姑表关系又比自家大一辈人，～。我姑姑哇渠个孙子啊，就尽喊我～呢。我姑姑个孙子啊，就喊我～，我是同我姑姑个赖子平辈，系<u>唔系</u>？我姑姑个赖子摎我就平辈。我喊渠就姑老表，欸，渠喊我就舅老表，系啊？但是我姑姑个孙子，就我老表个赖子，喊我，我比渠大一辈，就喊～。如果我系比渠爷子更细嘞就喊表叔。iəu^{35}piau^{21}pak^{3},ts^{h}iəu^{53}pi^{21}ts^{h}ʅ^{35}ka$^{35}_{44}$t^{h}ai^{53}iet^{3}pi^{53}ke^{53}ɲin$^{13}_{21}$,iəu^{53}xei^{53}ku^{35}piau^{21}

kuan$^{35}_{44}$çi^{53}iəu^{53}pi^{21}tsʰɿ$^{35}_{44}$ka$^{35}_{44}$tʰai^{53}iet^{3}pi^{53}ɲin$^{13}_{21}$,piau^{21}pak^{3}.ŋai$^{13}_{21}$ku^{35}ku^{35}ua^{0}ci^{13}ke^{53}sən^{35}tsɿ^{0}a^{0},tsʰiəu$^{53}_{44}$tsʰin^{53}xan^{53}ŋai$^{13}_{21}$piau^{21}pak^{3}ne^{0}.ŋai$^{13}_{21}$ku^{35}ku$^{35}_{44}$ke^{53}sən^{35}tsɿ^{0}a^{0},tsʰiəu$^{53}_{44}$xan^{53}ŋai$^{13}_{21}$piau^{21}pak^{3}.ŋai^{13}ʂʅ$^{53}_{44}$tʰəŋ^{13}ŋai$^{13}_{44}$ku^{35}ku$^{35}_{44}$ke$^{53}_{44}$lai^{53}tsɿ^{0}pʰiaŋ^{13}pi^{53},xei$^{53}_{44}$me^{53}?ŋai$^{13}_{44}$ku^{35}ku$^{35}_{44}$ke$^{53}_{44}$lai^{53}tsɿ^{0}lau^{35}ŋai$^{13}_{44}$tsʰiəu$^{53}_{44}$pʰiaŋ^{13}pi^{53}.ŋai^{13}xan^{53}ci$^{13}_{21}$tsʰiəu$^{53}_{44}$ku^{35}lau^{21}piau^{21},e$_{44}$,ci^{13}xan^{53}ŋai^{13}tsʰiəu^{53}cʰiəu^{35}lau^{21}piau^{21}.xe^{53}a^{0}?tan^{53}ʂʅ^{53}ŋai$^{13}_{21}$ku^{35}ku$^{35}_{44}$ke$^{53}_{44}$sən^{35}tsɿ^{0},tsʰiəu^{53}ŋai$^{13}_{44}$lau^{21}piau^{21}ke$^{53}_{44}$lai^{53}tsɿ^{0},xan^{53}ŋai^{13},ŋai^{13}pi^{21}ci$^{13}_{44}$tʰai^{53}iet^{3}pi^{53},tsʰiəu^{53}xan^{53}piau^{21}pak^{3}.ɻ^{13}ko^{21}ŋai^{13}xe^{53}pi^{21}ci$^{13}_{21}$ia^{13}tsɿ^{0}ken^{53}se^{53}le^{0}tsʰiəu^{53}xan^{53}piau^{21}ʂəuk^{3}.

【表伯婺】piau^{21}pak^{3}me^{35} 名表伯父的妻子：欸，我姑姑个孙子嘴巴真甜呢，年年正月来我箇都喊我老婆即即哩喊～。e$_{21}$,ŋai^{13}ku^{35}ku^{35}ke^{53}sən^{35}tsɿ^{0}tsi^{21}pa$^{35}_{44}$tʂən^{35}tʰian$^{13}_{21}$nei^{0},ɲien^{13}ɲien^{13}tʂaŋ$^{35}_{44}$ɲiet^{5}lɔi^{13}ŋai^{13}kai$^{53}_{44}$təu$^{35}_{44}$xan^{53}ŋai^{13}lau^{21}pʰo^{13}tsiet^{5}tsiet^{5}li^{0}xan^{53}piau^{21}pak^{3}me^{35}.

【表大嫂】piau^{21}tʰai^{53}sau^{21} 名表哥媳妇儿：也安表嫂，～，也可以称，欸，也可以称～。就区别滴子唠。ia^{35}ɔn$^{35}_{53}$piau^{21}sau^{21},piau^{21}tʰai^{53}sau^{21},ia^{35}kʰo^{21}i^{35}tʂʰən$^{35}_{44}$,ei$_{21}$,ia^{35}kʰo^{21}i^{35}tʂʰən$^{35}_{44}$piau^{21}tʰai^{53}sau^{21}.tsʰiəu^{53}tʂʰɻ^{35}pʰiek^{5}tiet^{5}tsɿ^{0}lau^{0}.

【表袋子】piau^{21}tʰɔi^{53}tsɿ^{0} 名中山装上衣上方的口袋：从前个中山装是以映有两只袋子啊。以两只袋子就以只就放手欸放钢笔个，放手表个～嘞。两只安做～。两只都安做～。tsʰəŋ^{13}tsʰien^{13}ke$^{53}_{44}$tʂəŋ^{35}san$^{35}_{44}$tsəŋ$^{35}_{44}$ʂʅ$^{53}_{44}$i^{21}iaŋ^{13}iəu$^{35}_{44}$iɔŋ^{21}tʂak^{3}tʰɔi^{53}tsa^{0}.i^{21}iɔŋ^{21}tʂak^{3}tʰɔi^{53}tsɿ^{0}tsʰiəu^{53}i^{21}tʂak^{3}tsʰiəu^{53}fɔŋ^{53}ʂəu^{21}e$_{44}$fɔŋ^{53}kɔŋ^{35}piet^{3}ke^{53},fɔŋ^{53}ʂəu^{21}piau^{21}ke^{53}piau^{21}tʰɔi^{53}tsɿ^{0}lei^{0}.iɔŋ^{21}tʂak^{3}ɔn$^{35}_{44}$tso$^{53}_{44}$piau^{21}tʰɔi^{53}tsɿ^{0}.iɔŋ^{21}tʂak^{3}təu$^{35}_{44}$ɔn$^{35}_{44}$tso$^{53}_{44}$piau^{21}tʰɔi^{53}tsɿ^{0}.

【表哥】piau^{21}ko^{35} 名姑母、姨母或舅父的儿子中比自己年长者：～是就系姑姑或者舅爷个赖子就系喊～。欸，或者姨爷个赖子。我等我有我姑姑有四只赖子，都比我更细，渠等尽系喊我～。piau^{21}ko^{35}ʂʅ$^{53}_{44}$tsʰiəu$^{53}_{44}$xe$^{53}_{44}$ku^{35}ku^{35}xɔit^{5}tʂa^{21}cʰiəu^{35}ia$^{13}_{21}$ke$^{53}_{44}$lai^{53}tsɿ^{0}tsiəu$^{53}_{44}$xe$^{53}_{44}$xan$^{53}_{44}$piau^{21}ko^{35}.e$_{21}$,xɔit^{5}tʂa^{21}i^{13}ia^{13}ke^{53}lai^{53}tsɿ^{0}.ŋai^{13}tien^{0}ŋai$^{13}_{21}$iəu^{35}ŋai$^{13}_{21}$ku^{35}ku^{35}iəu^{35}si^{53}tʂak^{3}lai^{53}tsɿ^{0},təu^{35}pi^{21}ŋai^{13}ken$^{53}_{44}$se^{53},ci^{13}tien^{0}tsʰin^{53}xe$^{53}_{44}$xan^{53}ŋai$^{13}_{21}$piau^{21}ko^{35}.

【表姑】piau^{21}ku^{35} 名父母的表姐或表妹：～个老公就表姑爷。piau^{21}ku$^{35}_{44}$ke^{53}lau^{21}kəŋ$^{35}_{44}$tsʰiəu^{53}piau^{21}ku$^{35}_{44}$ia^{13}.

【表姑爷】piau^{21}ku$^{35}_{44}$ia^{13} 名表姑的丈夫（面称"姑爷"）：表姑个老公就～。有时候也唔称表，就喊只姑爷。当面就唔称表字，只喊姑爷。piau^{21}ku$^{35}_{44}$ke^{53}lau^{21}kəŋ$^{35}_{44}$tsʰiəu^{53}piau^{21}ku$^{35}_{44}$ia^{13}.iəu^{35}ʂʅ$^{13}_{44}$xei$^{53}_{44}$ia$^{35}_{44}$n̩^{13}tʂʰən^{35}piau^{21},tsʰiəu^{53}xan^{53}tʂak^{3}ku$^{35}_{44}$ia$^{13}_{21}$.tɔŋ^{35}mien$^{53}_{44}$tsʰiəu$^{53}_{44}$n̩^{13}tʂʰən^{35}piau^{21}tsʰɿ^{13},tʂʅ^{21}xan^{53}ku^{35}ia$^{13}_{21}$.

【表姐夫】piau^{21}tsia^{21}fu$^{35}_{44}$ 名表姐的丈夫（口头上也指表妹夫）：欸，～，姐夫摎妹夫都称姐夫，口头上咯，都喊姐夫，唔分。唔喊妹夫。只有欸书面上就写出来称妹夫。书面上就写妹夫。箇就分出来姐夫还系妹夫。书面上就分出来，姐夫就姐夫，妹夫就妹夫。～表妹夫箇就分出来。e$_{21}$,piau^{21}tsia^{21}fu$^{35}_{44}$,tsia^{21}fu$^{35}_{44}$lau$^{35}_{44}$mɔi^{53}fu$^{35}_{44}$təu$^{35}_{44}$tʂʰən$^{35}_{44}$tsia^{21}fu$^{35}_{44}$,kʰei^{21}tʰei^{13}xɔŋ^{53}ko^{0},təu^{35}xan^{53}tsia^{21}fu$^{35}_{44}$,m̩^{13}fən$^{35}_{44}$.n̩^{13}xan$^{53}_{44}$mɔi^{53}fu$^{35}_{44}$.tʂʅ^{21}iəu$^{35}_{53}$e$_{21}$ʂəu^{35}mien^{53}xɔŋ$^{53}_{44}$tsʰiəu$^{53}_{44}$sia^{21}tʂʰət^{3}lɔi$^{13}_{21}$tʂʰən^{35}mɔi^{53}fu$^{35}_{44}$.ʂəu^{35}mien^{53}xɔŋ$^{53}_{44}$tsʰiəu$^{53}_{44}$sia^{21}mɔi^{53}fu^{35}.kai$^{53}_{44}$tsʰiəu$^{53}_{44}$fən^{35}tʂʰət^{3}lɔi$^{13}_{21}$tsia^{21}fu$^{35}_{44}$xai$^{13}_{21}$xe$^{53}_{44}$mɔi^{53}fu$^{35}_{44}$.ʂəu^{35}mien^{53}xɔŋ$^{53}_{44}$tsʰiəu$^{53}_{44}$fən^{35}tʂʰət^{3}lɔi$^{13}_{21}$,tsia^{21}fu$^{35}_{44}$tsʰiəu$^{53}_{44}$tsia^{21}fu^{35},mɔi^{53}fu^{35}tsʰiəu$^{53}_{44}$mɔi^{53}fu^{35}.piau^{21}tsia^{21}fu^{35}piau^{21}mɔi^{53}fu$^{35}_{44}$kai$^{53}_{44}$tsʰiəu$^{53}_{21}$fən^{35}tʂʰət^{3}lɔi^{13}.

【表老弟】piau^{21}lau^{21}tʰe^{35} 名表弟：欸，翻转来就系渠喊我表哥，我喊渠就～哟。e$_{21}$,fan^{35}tʂɔn^{21}nɔi^{13}tsiəu^{53}xe^{53}ci^{13}xan^{53}ŋai^{13}piau^{21}ko^{35},ŋai^{13}xan^{53}ci^{13}tsʰiəu^{53}piau^{21}lau^{21}tʰe^{35}iau^{0}.

【表老妹】piau^{21}lau^{21}mɔi^{53} 名表妹：我姑婆个妹子啊，摎我爷子两老表个，我爷子个～呀。ŋai^{13}ku^{35}pʰo$^{13}_{21}$ke$^{53}_{44}$mɔi^{53}tsa^{0},lau^{35}ŋai$^{13}_{21}$ia^{13}tsɿ^{0}iɔŋ^{21}lau^{21}piau^{21}ke^{53},ŋai$^{13}_{21}$ia^{13}tsɿ^{0}ke^{53}piau^{21}lau^{21}mɔi^{53}ia^{0}.

【表妹夫】piau^{21}mɔi^{53}fu^{35} 名表妹的丈夫（书面说法。口头上称"表姐夫"）：（书面上）表姐夫～箇就分出来。piau^{21}tsia^{21}fu^{35}piau^{21}mɔi^{53}fu$^{35}_{44}$kai$^{53}_{44}$tsʰiəu$^{53}_{21}$fən^{35}tʂʰət^{3}lɔi^{13}.

【表婺】piau^{21}me^{35} 名表叔的妻子；表婶：～就系表叔个老婆。我等个老表，我阿婆个外氏啊，我等箇老表哇姓张，渠到哩我等屋下，侪都喊我娭子就喊～。piau^{21}me^{35}tsʰiəu^{53}xe^{53}piau^{21}ʂəuk^{3}ke^{53}lau^{21}pʰo^{13}.ai^{13}tien^{0}ke^{53}lau^{21}piau^{21},ŋai$^{13}_{21}$a^{35}pʰo$^{13}_{44}$ke$^{53}_{44}$ŋɔi^{53}ʂʅ^{53}a^{0},ŋai^{13}tien^{0}kai^{53}lau^{21}piau^{21}ua^{0}siaŋ^{53}tʂɔŋ^{35},ci^{13}tau^{53}li^{0}ŋai^{13}tien^{0}uk^{3}xa$^{35}_{44}$,tsʰi$^{13}_{21}$təu^{35}xan^{53}ŋai$^{13}_{21}$ɔi^{35}tsɿ^{0}tsʰiəu$^{53}_{44}$xan^{53}piau^{21}me^{35}.

【表嫂】piau^{21}sau^{21} 名表哥媳妇儿（也指表弟媳妇儿）：都称～嘞。欸，也系安做～。如今我个老表个老婆，我系喊～，比我更大也好，更细也好。我都喊～。təu^{35}tʂʰən$^{35}_{44}$piau^{21}sau^{21}lei^{0}.e$_{21}$,ia^{35}xe$^{53}_{44}$ɔn^{35}tso$^{53}_{44}$piau^{21}sau^{21}.i$^{13}_{21}$cin$^{35}_{44}$ŋai^{13}ke^{53}lau^{21}piau^{21}kei$^{53}_{44}$lau^{21}pʰo$^{13}_{44}$,ŋai^{13}(x)e$^{53}_{44}$xan^{53}piau^{21}sau^{21},pi^{21}

ŋai^{13}cien$^{53}_{44}$tʰai^{53}ia$^{35}_{44}$xau^{21},cien$^{53}_{44}$sei^{53}ia^{35}xau^{21}.ŋai$^{13}_{21}$təu$^{35}_{44}$xan^{53}piau^{21}sau^{21}.

【表叔】piau^{21}ʂəuk^{3} 名 父亲的表弟：欸，箇老表就喊我爷子喊我叔叔都喊～，喊我阿叔啊都喊～。就我阿婆个外氏，我阿婆个侄孙了哦。e$_{21}$,kai^{53}lau^{21}piau^{21}tsiəu$^{53}_{44}$xan^{53}ŋai$^{13}_{44}$ia^{13}tsɿ^{0}xan^{53}ŋai$^{13}_{44}$ʂəuk^{3}ʂəuk^{3}təu$^{35}_{44}$xan^{53}piau^{21}ʂəuk^{3},xan^{53}ŋai$^{13}_{21}$a^{35}ʂəuk^{3}a^{0}təu^{35}xan^{53}piau^{21}ʂəuk^{3}.tsiəu$^{53}_{44}$ŋai$^{13}_{21}$a^{35}pʰo$^{13}_{21}$ke$^{53}_{44}$ŋɔi^{53}ʂɿ^{53},ŋai$^{13}_{21}$a^{35}pʰo$^{13}_{21}$ke^{53}tʂʰət^{5}sən^{35}niau^{21}o^{0}.

【表叔公】piau^{21}ʂəuk^{3}kəŋ^{35} 名 祖辈男性表亲：表叔个爷子喊～。我看下子看我等有～啊。欸，喊我～个都有。嗯哼，喊我～个，我箇只我舅婆欸舅婆个箇只我舅爷箇只我舅爷个妹子卖只卖卖哩我舅我舅爷个妹子都当哩阿婆了，渠等喊我喊～。渠个孙子喊我～。piau^{21}ʂəuk^{3}kei^{53}ia^{13}tsɿ^{0}xan$^{53}_{44}$piau$^{21}_{44}$ʂəuk^{3}kəŋ^{35}.ŋai^{13}kʰɔn$^{53}_{44}$xa$^{53}_{44}$tsɿ^{0}kʰɔn$^{53}_{44}$ŋai^{13}tien^{0}iəu$^{35}_{44}$piau^{21}ʂəuk^{3}kəŋ^{35}ŋa^{0}.e$_{21}$,xan^{53}ŋai$^{13}_{21}$piau^{21}ʂəuk^{3}kəŋ^{35}ke$^{53}_{44}$təu$^{35}_{44}$iəu$^{35}_{44}$.m̩$_{13}$xm̩$_{21}$,xan^{53}ŋai$^{13}_{21}$piau^{21}ʂəuk^{3}kəŋ^{35}ke$_{44}$,ŋai^{13}kai^{53}tʂak^{3}ŋai$^{13}_{21}$cʰiəu^{35}me$^{35}_{44}$e$_{21}$cʰiəu^{35}me^{35}ke$^{53}_{44}$kai^{53}tʂak^{3}ŋai$^{13}_{21}$cʰiəu^{35}ia$^{13}_{21}$kai^{53}tʂak^{3}ŋai$^{13}_{21}$cʰiəu^{35}ia$^{13}_{21}$ke^{53}mɔi^{53}tsɿ^{0}mai^{53}tʂak^{3}mai^{53}mai^{53}li^{0}ŋai$^{13}_{21}$cʰiəu^{35}ŋai$^{13}_{21}$cʰiəu^{35}ia$^{13}_{21}$ke$^{53}_{44}$mɔi^{53}tsɿ^{0}təu$^{35}_{44}$tɔŋ^{35}li^{0}a^{35}pʰo$^{13}_{21}$liau^{0},ci$^{13}_{21}$tien^{0}xan^{53}ŋai$^{13}_{21}$xan^{53}piau^{21}ʂəuk^{3}kəŋ^{35}.ci$^{13}_{21}$ke$^{53}_{44}$sən^{35}tsɿ^{0}xan^{53}ŋai$^{13}_{21}$piau^{21}ʂəuk^{3}kəŋ$^{35}_{44}$.

【表叔婆】piau^{21}ʂəuk^{3}pʰo^{13} 名 祖母辈女性表亲：就正讲个唠，我舅爷个妹子，箇只就掺我来讲嘞就系表姊妹唠，嗯，渠个孙辈渠个孙子就喊我老婆就喊～。tsiəu$^{53}_{44}$tʂaŋ$^{53}_{44}$kɔŋ^{21}ke$^{53}_{44}$lau^{0},ŋai$^{13}_{21}$cʰiəu^{35}ia$^{13}_{21}$ke^{53}mɔi^{53}tsɿ^{0},kai^{53}tʂak^{3}tsʰiəu$^{53}_{44}$lau^{35}ŋai^{13}lɔi$^{13}_{21}$kɔŋ^{21}le^{0}tsʰiəu^{53}xe^{53}piau^{21}tsi^{21}mɔi^{53}lau^{0},n̩$_{21}$,ci^{13}ke^{53}sən^{35}pi^{53}ci^{13}ke$^{53}_{44}$sən^{35}tsɿ^{0}tsiəu$^{53}_{44}$xan^{53}ŋai$^{13}_{21}$lau^{21}pʰo^{13}tsʰiəu^{53}xan^{53}piau^{21}ʂəuk^{3}pʰo^{13}.

【表姊妹】piau^{21}tsi^{21}mɔi^{53} 名 表姐妹；表姐弟；表兄妹：以个就统称～是。～就统称。比方我掺我姑姑个赖子妹子就系～。i^{21}ke^{53}tsʰiəu^{53}tʰəŋ^{21}tʂʰən^{35}piau^{21}tsi^{21}mɔi^{53}ʂɿ$^{53}_{44}$.piau^{21}tsi^{21}mɔi$^{53}_{44}$tsʰiəu$^{53}_{44}$tʰəŋ^{21}tʂʰən^{35}.pi^{21}fɔŋ$^{35}_{44}$ŋai^{13}lau$^{35}_{44}$ŋai$^{13}_{21}$ku^{35}ku^{35}ke^{53}lai^{53}tsɿ^{0}mɔi^{53}tsɿ^{0}tsʰiəu$^{53}_{44}$xei$^{53}_{44}$piau^{21}tsi^{21}mɔi^{53}.

【婊子】piau^{21}tsɿ^{0} 名 妓女，也作为辱骂女性的粗话：当～还想竖牌坊。tɔŋ^{35}piau^{21}tsɿ^{0}xai$^{13}_{21}$siɔŋ^{21}ʂəu^{53}pʰai^{13}fɔŋ^{35}.｜你当～你还□夹紧么啊胯？ɲi$^{13}_{21}$tɔŋ^{35}piau^{21}tsɿ^{0}ɲi$^{13}_{21}$xai^{13}cʰiaŋ^{53}mak^{3}a^{0}cʰia^{53}?｜欸箇只事让门个就让门搞，莫搞起箇～敬神样哦，假惺惺哩噢。e$_{21}$kai^{53}tʂak^{3}sɿ^{53}ɲiɔŋ^{53}mən^{0}ke^{0}tsʰiəu$^{53}_{44}$ɲiɔŋ$^{53}_{44}$mən^{0}kau$^{21}_{44}$,mɔk^{5}kau^{21}çi$^{21}_{44}$kai$^{53}_{44}$piau^{21}tsɿ^{0}cin^{53}ʂən^{13}iɔŋ^{53}o^{0},cia^{21}sin$^{35}_{44}$sin^{35}ni^{0}au^{0}.

【婊子店】piau^{21}tsɿ^{0}tian^{53} 名 妓院的别称：我系个栏场子箇后背子啊，欸箇有只老子就起只屋，冇几大子，起一线一层子个水泥砖子个屋。尽搞滴箇个夫娘子人来，欸，舞倒箇老子夫娘子欸跕倒箇映子开起箇～。欸，我天天看得倒嘞。看得倒箇个男男女女走箇进出嘞。就以映嘞。就如今呢。渠箇箇箇街上箇一线个铺子中间有条子巷子，渠就箇人就走箇巷子进去，渠个屋就起下底下，渠箇只人呢渠就渠箇后背一丘田系渠自家个，渠就箇田里划只角，就舞滴水泥砖子砌你三间屋，一层子个，三间子屋。长日搞滴咁个男男女女来，欸尽系七几……几十岁个哦，好多去噢。冇人管。ŋai^{13}xei^{53}ke^{53}laŋ$^{13}_{21}$tʂʰɔŋ$^{13}_{44}$tsɿ^{0}kai$^{53}_{44}$xei^{53}pɔi$^{53}_{44}$tsɿ^{0}a^{0},ei$_{44}$kai$^{53}_{44}$iəu^{35}tʂak^{3}lau^{21}tsɿ^{21}tsʰiəu^{53}çi^{21}tʂak^{3}uk^{3},mau^{13}ci^{21}tʰai^{53}tsɿ^{0},çi^{21}iet^{3}sen^{53}iet^{3}tsʰen^{13}tsɿ^{0}ke$^{53}_{44}$ʂei^{21}lai^{13}tʂɔn^{35}tsɿ^{0}ke^{53}uk^{3}.tsʰin^{53}kau^{21}tet^{5}kai$^{53}_{44}$ke$^{53}_{44}$pu^{35}ɲiɔŋ$^{13}_{21}$tsɿ^{0}ɲin$^{13}_{21}$nɔi^{13},e$_{21}$,u^{21}tau^{53}kai^{53}lau^{21}tsɿ^{0}pu^{35}ɲiɔŋ$^{13}_{21}$tsɿ^{0}e$_{44}$kʰu$^{35}_{44}$tau$^{21}_{44}$kai$^{53}_{44}$iaŋ$^{53}_{44}$tsɿ^{0}kʰɔi$^{35}_{44}$çi^{21}kai$^{53}_{44}$piau^{21}tsɿ^{0}tian^{53}.e$_{21}$,ŋai^{13}tʰien^{35}tʰien$^{35}_{44}$kʰɔn^{53}tek^{3}tau^{21}lei^{0}.kʰɔn^{53}tek^{3}tau^{21}kai$^{53}_{44}$ke$^{53}_{44}$lan^{13}lan$^{13}_{21}$ɲy^{21}ɲy^{21}tsei^{21}kai$^{53}_{44}$tsin^{53}tʂʰət^{3}le^{0}.tsʰiəu$^{53}_{44}$i^{21}iaŋ^{53}le^{0}.tsʰiəu^{53}i$^{13}_{21}$cin$^{35}_{44}$ne^{0}.ci^{13}kai^{53}kai$^{53}_{44}$kai$^{53}_{44}$kai^{35}xɔŋ$^{53}_{44}$kai^{53}iet^{3}sen^{53}ke$^{53}_{44}$pʰu^{53}tsɿ^{0}tʂəŋ^{35}kan^{35}iəu$^{35}_{44}$tʰiau$^{13}_{21}$tsɿ^{0}xɔŋ^{53}tsɿ^{0},ci^{13}tsʰiəu$^{53}_{44}$kai^{53}ɲin^{13}tsʰiəu$^{53}_{44}$tsei^{21}kai$^{53}_{44}$xɔŋ^{53}tsɿ^{0}tsin^{53}çi^{53},ci^{13}ke^{53}uk^{3}tsʰiəu^{53}çi^{21}a$^{53}_{44}$tei^{21}xa^{53},ci^{13}kai^{53}tʂak^{3}ɲin^{13}nei^{0}ci^{13}tsʰiəu$^{53}_{44}$ci$^{13}_{21}$kai$^{53}_{44}$xei^{53}pɔi^{53}iet^{3}cʰiəu$^{35}_{44}$tʰien^{13}xei$^{53}_{44}$ci$^{13}_{21}$tsʰɿ^{35}ka$^{35}_{44}$ke^{0},ci^{13}tsʰiəu$^{53}_{44}$kai$^{53}_{44}$tʰien^{13}ni^{0}fa^{53}tʂak^{3}kɔk^{3},tsʰiəu$^{53}_{44}$u^{21}tet^{5}ʂei^{21}lai^{13}tʂuɔn^{35}tsɿ^{0}tsʰi^{53}ɲi$^{13}_{21}$san^{35}kan$^{35}_{44}$uk^{3},iet^{3}tsʰen^{13}tsɿ^{0}ke^{0},san$^{35}_{44}$kan$^{35}_{44}$tsɿ^{0}uk^{3}.tʂʰɔŋ^{13}ɲiet^{3}kau^{21}tet^{5}kan^{21}ke^{53}lan^{13}lan$^{13}_{44}$ɲy^{21}ɲy^{21}lɔi^{13},e$_{21}$tsʰin^{53}ne$^{53}_{44}$tsʰiet^{3}ci^{21}⋯ci^{21}ʂət^{5}sɔi^{53}ke$^{53}_{44}$o^{0},xau^{21}to^{35}çi^{53}au^{0}.mau$^{13}_{21}$ɲin^{13}kɔn^{21}.

【婊子嫲】piau^{21}tsɿ^{0}ma^{13} 名 对女性辱骂用语。又称“膣货”：～就骂别人个话。箇一般爱硬蛮伤心正骂别人家～。箇是骂别人家～是硬蛮伤心呐，别人家也蛮伤心呐。一般呢就系骂箇起骂箇起么个啊？骂箇起作风唔正派个人。你箇～样。piau^{21}tsɿ^{0}ma^{13}tsʰiəu$^{53}_{44}$ma^{53}pʰiet^{5}in$^{13}_{44}$ke$^{53}_{44}$fa^{53}.kai^{53}iet^{3}pɔn^{35}ɔi^{53}ɲiaŋ^{53}man^{13}ʂɔŋ$^{35}_{44}$sin$^{35}_{44}$tʂaŋ^{53}ma^{53}pʰiet^{5}in$^{13}_{44}$ka$^{35}_{44}$piau^{21}tsɿ^{0}ma^{13}.kai^{53}ʂɿ$^{53}_{44}$ma^{53}pʰiet^{5}in$^{13}_{44}$ka$^{35}_{44}$piau^{21}tsɿ^{0}ma^{13}ʂɿ$^{53}_{44}$ɲiaŋ^{53}man^{13}ʂɔŋ$^{35}_{44}$sin$^{35}_{44}$na^{0},pʰiet^{5}in$^{13}_{21}$ka$^{35}_{44}$ia$^{35}_{53}$man$^{13}_{21}$ʂɔŋ$^{35}_{44}$sin$^{35}_{44}$na^{0}.iet^{3}pɔn^{35}ne^{0}tsʰiəu^{53}xei^{53}ma^{53}kai^{53}çi^{21}ma^{53}kai^{53}çi^{21}mak^{3}ke^{53}a^{0}?ma^{53}kai^{53}çi^{21}tsɔk^{3}fəŋ$^{35}_{44}$n̩^{13}tʂən^{53}pʰai^{53}ke$^{53}_{44}$ɲin$^{13}_{21}$. ɲi$^{13}_{21}$kai^{53}piau^{21}tsɿ^{0}ma^{13}iɔŋ^{53}.

【俵】piau^{53} 动 分送：～路钱，其实以只～字啊，我去翻哩词典，箇只～字咯，我就翻老表个表字，渠等有滴人就咁子写只单人旁一只表字，系唔系？其实以只字～字。么个～嘞？嗯，以只就～路钱。～路钱呢箇就系送葬个路上，舞滴纸钱。以就经常箇马路上看得到哇。欸，拖倒箇个死人去火化，欸，拖倒箇骨灰归，都搞下子有有张子咁长子个黄纸子，系唔系？黄泉路上～黄钱呢。渠等安做～黄钱。还有箇个客来哩，～烟。讨新人个时候子，～糖子。让门子？平分个意思哦呢。平分呢。箇～字，系。我去查过以只字，安做读～，～路钱，～糖子，～烟，欸，～红包，～舞滴打发钱。安做～。欸客姓人一只～字。piau53lu53tsʰien13_44,cʰi13_21 ʂət5 i21tʂak3 piau53tsʰʅ53_44a0,ŋai13çi53fan35_44ni0 tsʰʅ53tian21,kai53_44tʂak3 piau53tsʰʅ53_44ko0,ŋai13tsʰiəu53fan35nau21piau21ke53 piau21tsʰʅ53,ci13tien0 iəu35_53tet5 ɲin13_21tsʰiəu53kan21tsʅ0 sia21tʂak3 tan35ɲin13_21pʰɔŋ13_21iet3 tʂak3 piau21tsʅ53,xei53_44me53_44?cʰi13_21 ʂət5 i21tʂak3 tsʰʅ53_44piau53tsʰʅ53_44.mak3 ke53_44piau53lei0?n̩_21,i21tʂak3 tsʰiəu53_44piau53lu53tsʰien13.piau53lu53tsʰien13nei0 kai53_44 tsʰiəu53_44xe53_44səŋ53tsɔŋ53ke53_44ləu53xɔŋ53_44,u21tet5 tʂʅ21tsʰien13.i21tsʰiəu53cin35tʂʰɔŋ13kai53_44ma35lu53_44xɔŋ53_44kʰɔn53tek3 tau53_44 ua0.e_44,tʰo35tau21kai53_44ke53_44si21ɲin13çi53xo21fa53,e_21,tʰo35tau21kai53kuət3 fɔi35kuei35,təu35kau21xa53_44tsʅ0 iəu35_44iəu35_44 tʂɔŋ35_44tsʅ0 kan21tʂʰɔŋ13tsʅ0 ke53_44uɔŋ13tʂʅ21tsʅ0,xei53me53?uɔŋ13tsʰien13ləu53xɔŋ53piau53uɔŋ13tsʰien13ne0.ci13ten0 ɔn35_44 tso53_44piau53uɔŋ13tsʰien13.xai13_21iəu35kai53_44kei53_44kʰak3 lɔi13li0,piau53ien35.tʰau21sin35ɲin13_21ke53_44ʂʅ13xəu53_44tsʅ0,piau53tʰɔŋ13 tsʅ0. ɲiɔŋ53_44mən0 tsʅ0?pʰiaŋ13fən35ke53_44i53_44sʅ0 o0 nei0.pʰiaŋ13fən35nei0.kai53_44piau53tsʰʅ53_44,xe53.ŋai13çi53tsʰa13ko53i21 tʂak3 sʅ53,ɔn35_44tso53_44tʰəuk5_3 piau53,piau53lu53tsʰien13,piau53tʰɔŋ13tsʅ0,piau53ien13,e_21,piau53fəŋ13pau35,piau53u21tiet5 ta21fait3 tsʰien13.ɔn35_44tso53_44piau53.e_44kʰak3 sin53ɲin13_21iet3 tʂak3 piau53tsʰʅ53_44.

【鳔】pʰiau53 [名]鱼肚中白色囊状器官，可以调节鱼体上浮和下沉：破鱼子个时候子欸～食得，本来是也系食得。欸还从来都唔想去搞，欸咁～又冇么个有几多。pʰo53ŋ̍13tsʅ0 ke0 ʂʅ13_44xei53_44tsʅ0 e_21 pʰiau53ʂət5 tek3,pən21nɔi13ʂʅ53_44ia35xei53ʂət5 tek3.e_53xai13_21tsʰəŋ13_21lɔi13_21təu35_53n̩13_21siɔŋ21çi53kau21,e0 kan21_13pʰiau53iəu53 mau13_21mak3 e0 iəu35ci21to35.

【别】pʰet5/pʰiet5 [形]另外的，其他的：～的位子就唔讲了，箇听你坐了。pʰiet5 tet3 uei53_44tsʅ0 tsʰiəu53ŋ̍13_21kɔn21liau0,kai53_44tʰin53ɲi13_21tsʰo35liau0.｜有滴是客佬子去欸去外背，去～张桌坐下哩了哇。iəu35tiet5 ʂʅ53_44kʰak3 lau21tsʅ0 çi53_21e_44çi53_44ŋɔi53_44pɔi53_44,çi53_44pʰet5 tʂɔŋ35_44tsɔk3 tsʰo35(x)a53_21li0 liau21_44ua0.

【别家$_1$】pʰiet5ka35 [名]别的人家：第一只来屋下个客，只爱不是自家人，～个人，只爱系～个人，就煮碗饽饽渠食了。tʰi53iet3 tʂak3 lɔi13uk3 xa53ke53kʰak3,tʂʅ21ɔi53_44pət3 ʂʅ53_44tsʰʅ35ka53_44ɲin13_21,pʰiet5 ka35_44ke53_44 ɲin13_21,tʂʅ21ɔi53_44xe53_44pʰiet5 ka35_44ke53_44ɲin13_21,tsʰiəu53tʂəu21uɔn21po53_44po0 ci13_21ʂət5 liau0.

【别家$_2$】pʰiet5ka35 [代]人称代词，指除了自己或某人以外的人：我箇只阿叔子，分～撞下死了。ŋai13_21kai53_44tʂak3 a35ʂəuk3 tsʅ0,pən35_21pʰiet5 (k)a35_0tsʰɔŋ53xa53_44si21(l)iau0.｜蒙稳箇只面，莫分～看呐。maŋ35uən21kai53_44tʂak3 mien53,mɔk5 pən35_44pʰiet5_3 a0 kʰɔn53na0.

【别么】pʰiet5 mak3 [形]另外的，其他的：渠就去屋下还有～事啊。ci13_21tsʰiəu53_44çi53_44uk3 xa53_44xai13_21iəu35_44 pʰiet5 mak3 sʅ53_44a0.

【别么啊$_1$】pʰiet5 mak3 a0 [形]另外的，其他的：箇只花菜还有～喊法吗？kai53tʂak3 fa35tsʰɔi53xai13 iəu35_44pʰiet5 mak3 a0 xan53fait3 ma0?｜我就看还有～意思吗，西式。ŋai13_21tsʰiəu53_44kʰɔn53xai13_21iəu35_44pʰiet5 mak3 a0 i53sʅ0 ma0,si35ʂʅ53.

【别么啊$_2$】pʰiet5 mak3 a0 [名]别的事情或说法：我等都讲～去哩，渠倒转来讲句子。ŋai13tien0 təu35_53kɔŋ21pʰiet5 mak3 a0 çi53li0,ci13tau53tʂɔn21nɔi13kɔŋ21ci53tsʅ0.｜搞唔（清）有～吗啦。kau21n̩13iəu35_44 pʰiek5 mak3 a0 ma0 la0.

【别么个$_1$】pʰiet5 mak3 ke53 [形]另外的，其他的：箇响铳啊，只有响声个，打么啊人唔倒个。冇～用。kai53_44çiɔŋ21tʂʰəŋ53ŋa0,tʂʅ21iəu35_44çiɔŋ21ʂaŋ35_44ke53_21,ta21mak3 a0 ɲin13n̩13_44tau21ke53.mau13pʰiet5 mak3 ke53_21 iəŋ53.

【别么个$_2$】pʰiet5 mak3 ke53 [名]另外的人或事物：我等就系会分箇个客姓滴摎～混淆，会混起去。ŋai13tien0 tsʰiəu53xe53_44uɔi53pən35kai53_44ke53_44kʰak3 sin53_44tiet5_3 lau35pʰiet5 mak3 ke53_44fən21cʰiau13,uɔi53fən21çi21 cʰie53.｜除嘿箇只聘金以外，渠有滴还爱讲下子～。……渠唔包在箇一下肚里。tʂʰəu13xek3 kai53tʂak3 pʰin53cin35_44i35uai53,ci13iəu35tiet5_3 xa13_21ɔi53_44kɔŋ21ŋa53(←xa53)tsʅ0 pʰiet5 mak3 ke53.…ci13_21m̩13pau35tsʰai53_44 kai53_44iet3 xa53təu21li0.

【别么人】pʰiet5 mak3 ɲin13_21 [名]别的人：就由～，或者大人，或者横辈人来泡碗茶渠食哩。tsʰiəu53_44iəu13_21pʰiet5 mak3 ɲin13_21,xɔit3 tʂa21tʰai53ɲin13,xɔit5 tʂa21uaŋ13pei53_44ɲin13_21nɔi13_21pʰau53uɔn21tsʰa13ci13_44ʂət5 li0.

【别哪映】pʰiet5 lai53iaŋ53 [名]别的地方：渠等唔知，外背个～个客家人唔知咁子做吗？ci13_21tien0 n̩13_21ti35_53,ŋɔi53pɔi53_44ke53_44pʰiet5 lai53_44iaŋ53_44ke53_44kʰak3 ka35_44ɲin13_21n̩13_21ti35kan21tsʅ0 tso53ma0?

【别人】pʰiet^{5}ɲin$^{13}_{21}$ [代]他人，另外的人：你向～介绍，以只是我大个大嫂，大大嫂，二大嫂，三大嫂，细大嫂。ɲi$^{13}_{21}$çiɔŋ$^{53}_{44}$pʰiet$^{5}_{3}$in$^{13}_{21}$kai^{53}ʂau$^{53}_{44}$,i^{21}tʂak^{3}ʂʅ$^{53}_{21}$ŋai^{13}tʰai^{53}ke^{53}tʰai$^{53}_{44}$sau^{21},tʰai^{53}tʰai$^{53}_{44}$sau^{21}, ɲi^{53} tʰai^{53}sau^{21},san^{35}tʰai^{53}sau^{21},se^{53}tʰai^{53}sau^{21}.

【别人家】pʰiet^{5}ɲin^{13}/in^{13}ka^{35} [名]别人，他人：算计～sɔn^{53}ci$^{53}_{44}$pʰiet^{5}in$^{13}_{21}$ka$^{35}_{44}$｜渠箇箇箇种鸟子会食～禾。ci$^{13}_{21}$kai$^{53}_{44}$kai^{53}kai^{53}tʂəŋ^{21}tiau^{35}tsɿ^{0}uɔi$^{53}_{44}$ʂət^{5}pʰiet^{5}in$^{13}_{44}$ka$^{35}_{44}$uo^{13}.｜除哩明晡喊倒～来，就系老滴子个来，可能就见过。tʂʰəu$^{13}_{21}$li^{0}miaŋ$^{13}_{21}$pu$^{35}_{44}$xan^{53}tau^{21}pʰiet^{5}in$^{13}_{21}$ka$^{35}_{44}$lɔi$^{13}_{21}$,tsʰiəu$^{53}_{44}$(x)e$^{53}_{44}$lau^{21}tet^{5}tsɿ^{0}ke^{53} lɔi$^{13}_{21}$,kʰo^{21}len$^{13}_{21}$tsʰiəu$^{53}_{44}$cien^{53}ko$^{53}_{44}$.

【别姓人】pʰiet^{5}siaŋ^{53}ɲin$^{13}_{21}$ [名]异姓的人：最好就自家屋下个人。唔系～。tsei^{53}xau^{21}tsʰiəu$^{53}_{44}$tsʰɿ$^{53}_{44}$ ka$^{35}_{53}$uk^{3}xa$^{53}_{44}$ke$^{53}_{44}$in$^{13}_{21}$.m̩$^{13}_{21}$pʰe$^{53}_{44}$pʰiet^{5}siaŋ^{53}ɲin$^{13}_{21}$.

【别种】pʰiet^{5}tʂəŋ^{21} [形]其他的：就有得～做法呀。tsiəu$^{53}_{44}$mau^{13}tek^{3}pʰiet^{5}tʂəŋ^{21}tso^{53}fait^{3}ia^{0}.

【瘪】pie^{21} [形]扁，与“圞、圆”相对：箇个石嶌个叶～个咯，唔系圆梗咯。kai$^{53}_{44}$ke$^{53}_{44}$ʂak^{5}cʰiau$^{35}_{44}$ ke$^{53}_{44}$iait^{5}pie^{21}ke^{53}ko^{0},m̩$^{13}_{21}$pʰe^{53}(←xe^{53})ien^{13}kuaŋ^{21}ko^{0}.

【瘪瘪子】pie^{21}pie^{21}tsɿ^{0} [形]扁扁的样子：有洗衫槌。长长子唠。/脑高～。/欸，扁扁子唠。/箇个不是勵圆个。iəu^{35}se^{21}san$^{35}_{44}$tʂʰei$^{13}_{21}$.tʂʰɔŋ^{13}tʂʰɔŋ^{13}tsɿ^{0}lau^{0}./lau^{21}kau$^{35}_{53}$pie^{21}pie^{21}tsɿ^{0}./e$_{21}$,pien^{21}pien^{21}tsɿ^{0} lau^{0}./kai$^{53}_{44}$ke$^{53}_{44}$pət^{3}ʂʅ$^{53}_{44}$li^{35}ien$^{13}_{21}$ke$^{53}_{44}$.

【宾奠】pin^{35}tʰien^{53} [名]客祭的别称：除嘿本姓个，剩下来都安做客祭。也安做～。tʂʰəu^{13}uek^{3} pən^{21}siaŋ^{53}ke$^{53}_{44}$,ʂən^{53}çia^{53}lɔi$^{13}_{21}$təu$^{35}_{44}$ɔn$^{35}_{44}$tso$^{53}_{44}$kʰak^{3}tsi^{53}.ia^{35}ɔn$^{35}_{44}$tso$^{53}_{44}$pin^{35}tʰien^{53}.

【宾奠礼】pin^{35}tʰien^{53}li^{35} [名]指客祭：也安做宾奠。来宾个宾。呣，～。ia^{35}ɔn$^{35}_{44}$tso$^{53}_{44}$pin^{35}tʰien^{53}.lɔi^{13} pin$^{53}_{44}$ke$^{53}_{44}$pin^{35}.m̩$_{21}$,pin^{35}tʰien^{53}li^{35}.

【宾主礼】pin^{35}tʂəu^{21}li^{35} [名]结婚仪式上新婚夫妇以宾主的名义相互三鞠躬的环节：好，箇行哩～嘞，箇就接进来哩了，欸，客佬子接进来哩。xau^{21},kai$^{53}_{44}$çin^{13}li^{0}pin^{35}tʂəu^{21}li^{35}le^{0},kai$^{53}_{44}$tsʰiəu$^{53}_{44}$ tsiet^{3}tsin^{53}lɔi$^{13}_{21}$li^{0}liau^{0},e^{21},kʰak^{3}lau^{21}tsɿ^{0}tsiet^{3}tsin^{53}lɔi$^{13}_{21}$li^{0}.

【槟榔】pin^{35}lɔŋ^{13} [名]指加工后供嘴嚼的槟榔树干果：哎我晓得有只人呐长日食～，食起只牙齿脚下是硬墨乌个，食～真系会墨乌嘞，系唔系？ai$_{53}$ŋai^{13}çiau^{21}tek^{3}iəu^{35}tʂak^{3}ɲin$^{13}_{44}$na^{0}tʂʰɔŋ^{13}ɲiet^{3} ʂət^{5}pin^{35}lɔŋ$^{13}_{21}$,ʂət^{5}çi$^{21}_{44}$tʂak^{3}ŋa^{13}tʂʰʅ^{21}ciɔk^{3}xa^{53}ʂʅ$^{53}_{44}$ɲiaŋ^{53}me^{35}u$^{35}_{44}$ke^{0},ʂət^{5}pin^{35}lɔŋ$^{13}_{21}$tʂən^{35}ne^{53}uɔi$^{53}_{44}$me$^{35}_{44}$u$^{35}_{44}$ lei^{0},xei^{53}me$^{53}_{44}$?

【镔针】pin^{35}tʂən^{35} [名]别针，又称“大头针”：舞枚子～嘞，一头就劖下衫上，一头就劖下鼻帕子上嘞。u^{21}mɔi^{13}tsɿ^{0}pin^{35}tʂən^{35}ne^{0},iet^{3}tʰei^{13}tsʰiəu$^{53}_{44}$tsʰan$^{13}_{21}$na^{53}(←xa^{53})san^{35}xɔŋ$^{53}_{44}$,iet^{3}tʰei^{13}tsʰiəu$^{53}_{44}$tsʰan$^{13}_{21}$na$_{44}$ (←xa^{53})pʰi^{53}pʰa$^{53}_{44}$tsɿ^{0}xɔŋ$^{53}_{44}$le^{0}.

【冰雹】pin^{35}pʰau^{53} [名]自对流云层中落下的球状或不规则冰块：～，我等以个栏场很少有，但是也有过，我都看过，冇几大子箇兜。爱么个时候子啊？么个季节子就有～哇？热天吧？我等以个栏场也落过～。冇几大子凑。点伢大子，同箇个同箇呣几大子啊？同箇个最大就就黄豆子咁大子。我等以个栏场很少。pin^{35}pʰau^{53},ŋai^{13}tien^{0}i$^{21}_{13}$ke^{53}laŋ$^{13}_{21}$tʂʰɔŋ$^{13}_{21}$xen^{21}ʂau^{21}iəu^{35},tan$^{53}_{44}$ʂʅ$^{53}_{44}$ia^{35} iəu^{35}ko^{53},ŋai^{13}təu$^{35}_{44}$kʰɔn^{53}ko^{0},mau^{13}ci$^{13}_{44}$tʰai^{53}tsɿ^{0}kai$^{53}_{44}$te$^{35}_{53}$.ɔi^{53}mak^{3}ke^{53}ʂʅ^{13}xəu$^{53}_{44}$tsa^{0}?mak^{3}ke$^{53}_{44}$ci^{53}tset^{3}tsɿ^{0} tsʰiəu$^{53}_{44}$iəu$^{35}_{44}$pin^{35}pʰau$^{53}_{44}$ua^{0}?ɲiet^{5}tʰien$^{35}_{44}$pa^{0}?ŋai^{13}tien^{0}i$^{21}_{13}$ke^{53}laŋ$^{13}_{21}$tʂʰɔŋ$^{13}_{21}$ia^{35}lɔk^{5}ko$^{53}_{44}$pin^{35}pʰau^{53}.mau^{13}ci^{21}tʰai^{53} tsɿ^{0}tsʰe^{0}.tian^{53}ŋa$^{13}_{44}$tʰai^{53}tsɿ^{0},tʰəŋ$^{13}_{21}$kai$^{53}_{44}$ke$^{53}_{44}$tʰəŋ^{13}kai$^{53}_{44}$m̩$_{21}$ci^{21}tʰai$^{53}_{44}$tsɿ^{0}a^{0}?tʰəŋ^{13}kai$^{53}_{44}$ke$^{53}_{44}$tsei^{53}tʰai^{53}tsəu$^{53}_{44}$tsiəu$^{53}_{44}$ uɔŋ^{13}tʰei^{53}tsɿ^{0}kan^{21}tʰai$^{53}_{44}$tsɿ^{0}.ŋai^{13}tien^{0}i$^{21}_{13}$ke^{53}laŋ$^{13}_{21}$tʂʰɔŋ$^{13}_{21}$xen^{21}ʂau^{21}.

【冰冷】pin^{35}laŋ^{35} [形]①很冷：你手～哈，多着……着少哩衫呐，你手～啊。ɲi^{13}ʂəu^{21}pin^{35}naŋ^{35} xa^{0},to$^{35}_{44}$tʂɔk^{3}…tʂɔk^{3}ʂau^{21}li^{0}san^{35}na^{0}, ɲi^{13}ʂəu^{21}pin^{35}naŋ^{35}ŋa^{0}.｜～个水呀，泉水呀。pin^{35}naŋ^{35}ke^{53}ʂei^{21}ia^{0}, tsʰan^{13}ʂei^{21}ia^{0}. ②比喻事情没做好或气氛很冷清：以只路子分你一搞哇～噢。就有……呣，𫟃搞得好哇。欸，还有又话，～一壶酒喔。就系𫟃搞得好个意思吧。～。还还有箇映就唔热闹。欸，箇映老哩人呐～个噢。唔热闹。欸，爆竹也冇嗯么啊打嘞就锣鼓也冇么个打，箇就安做欸冷冷蓬蓬，安做冷冷蓬蓬，箇就唔热闹个意思。i^{21}tʂak^{3}lu^{53}tsɿ^{0}pən^{35}ɲi^{13}iet^{3}kau^{21}ua^{0}pin^{35}naŋ^{35} ŋau^{0}.tsʰiəu^{53}mau^{13}…m̩$_{21}$,maŋ^{13}kau^{21}tek^{3}xau^{21}ua^{0}.e$_{21}$,xai^{13}iəu$^{35}_{53}$iəu$^{53}_{44}$ua$^{53}_{44}$,pin^{35}naŋ^{35}iet^{3}fu$^{13}_{21}$tsiəu^{21}uo^{0}.tsʰiəu^{53} xei^{53}maŋ^{13}kau^{21}tek^{3}xau^{21}ke$^{53}_{44}$i^{53}sɿ^{0}pa^{0}.pin^{35}naŋ^{35}.xai^{13}xai$^{13}_{44}$iəu$^{35}_{44}$kai$^{53}_{44}$iaŋ$^{53}_{44}$tsʰiəu^{0}n̩^{13}ɲiet^{5}lau^{53}.ei$_{21}$,kai^{53}iaŋ^{53} lau^{21}li^{0}ɲin^{13}na^{0}pin^{35}naŋ$^{35}_{44}$ke$^{53}_{44}$au^{0}.n̩^{13}ɲiet^{5}lau^{53}.e$_{21}$,pau^{53}tʂəuk^{3}a$^{35}_{53}$mau$^{13}_{44}$ŋ̍$_{44}$mak^{3}a^{0}ta^{21}lei^{0}tsiəu$^{53}_{44}$lo^{13}ku$^{21}_{44}$a$^{35}_{53}$ mau$^{13}_{21}$mak^{3}e^{0}ta^{21},kai$^{53}_{44}$tsʰiəu$^{53}_{44}$ɔn$^{35}_{44}$tso$^{53}_{44}$e$_{21}$laŋ^{35}laŋ$^{35}_{44}$pʰaŋ$^{13}_{21}$pʰaŋ^{13},ɔn$^{35}_{44}$tso$^{53}_{44}$laŋ^{35}laŋ$^{35}_{44}$pʰaŋ^{13}pʰaŋ^{13},kai$^{53}_{44}$tsʰiəu^{53}n̩^{13} ɲiet^{5}lau$^{53}_{44}$ke^{53}i$^{53}_{44}$sɿ^{0}.

【冰冷一壶酒】pin^{35}laŋ^{35}iet^{3}fu^{13}tsiəu^{21} 比喻不受关注，无人理会：当时是尽劲，放势照，放势系唔系？放势拍照，落尾过哩背是～。冰冷个，眙都唔想眙。tɔŋ^{35}ʂʅ^{13}ʂʅ$^{53}_{44}$tsʰin^{53}cin^{53},xɔŋ^{53}ʂʅ$^{53}_{44}$tʂau^{53},xɔŋ^{53}ʂʅ$^{53}_{44}$xei^{53}me^{53}?xɔŋ^{53}ʂʅ$^{53}_{44}$pʰak^{3}tʂau^{53},lɔk^{5}mi$^{35}_{44}$ko^{53}li^{0}pɔi^{53}ʂʅ$^{53}_{44}$pin^{35}laŋ^{35}iet^{3}fu^{13}tsiəu^{21}.pin^{35}laŋ$^{35}_{44}$ke^{53},tʂʰʅ^{35}təu$^{35}_{53}$n̩^{13}siɔŋ^{21}tʂʰʅ$^{35}_{44}$.

【冰糖】pin^{35}tʰɔŋ^{13} 名一种大的、透明的冰块状水合蔗糖晶体：欸，～如今箇街上就有卖呀。欸，雪白子，一块块个，方方正正一块块个，～。～就箇个啦，欸，箇个舞酒哇，舞箇个安做么烧酒哇，肚里放兜放糖啊，放下糖去就系津甜个酒哇。箇个系不能放白糖，爱放～。e$_{21}$,pin^{35}tʰɔŋ$^{13}_{44}$i$^{13}_{21}$cin$^{35}_{44}$kai$^{53}_{44}$kai^{35}xɔŋ$^{53}_{44}$tsʰiəu$^{53}_{44}$iəu$^{35}_{44}$mai^{53}ia^{0}.ei$_{21}$,siet^{5}pʰak^{5}tsʅ^{0},iet^{3}kʰuai^{53}kʰuai^{53}cie$^{53}_{44}$,fɔŋ^{35}fɔŋ$^{35}_{44}$tʂən^{53}tʂən^{53}iet^{3}kʰuai^{53}kʰuai^{53}ke$^{53}_{44}$,pin^{35}tʰɔŋ$^{13}_{21}$.pʰin^{35}tʰɔŋ$^{13}_{21}$tsʰiəu^{53}kai^{53}ke$^{53}_{44}$la^{0},e$_{21}$,kai^{53}ke^{53}u^{21}tsiəu^{21}ua^{0},u^{21}kai^{53}ke^{53}ɔn$^{35}_{44}$tso$^{53}_{44}$mak^{3}ʂau^{35}tsiəu^{21}ua^{0},tu^{21}li^{0}fɔŋ$^{53}_{44}$te$^{35}_{53}$fɔŋ$^{53}_{44}$tʰɔŋ^{13}ŋa^{0},fɔŋ^{53}a^{53}tʰɔŋ$^{13}_{21}$çi$^{53}_{44}$tsiəu$^{53}_{44}$xei$^{53}_{44}$tsin^{35}tʰian$^{13}_{21}$ke^{0}tsiəu^{21}ua^{0}.kai^{53}ke^{53}xei$^{53}_{44}$pət^{3}nen^{13}fɔŋ^{53}pʰak^{5}tʰɔŋ$^{13}_{21}$,ɔi$^{53}_{44}$fɔŋ^{53}pin^{35}tʰɔŋ$^{13}_{21}$.

【兵牯佬】pin^{35}ku^{21}lau^{21} 名旧时对当兵者的贬称：以前是对当兵个人嘸当兵个人有么个蛮多地位。箇阵子个人看当兵个看唔多起。话渠等系～。以下当兵个就地位就高嘿哩。i^{35}tsʰien^{13}ʂʅ$^{53}_{44}$tei^{53}tɔŋ^{35}pin^{35}ke^{53}ɲin$^{13}_{21}$m̩$_{21}$tɔŋ^{35}pin^{35}ke^{53}ɲin$^{13}_{21}$mau^{13}mak^{3}e^{0}man^{13}to$^{35}_{44}$tʰi^{53}uei$^{53}_{44}$.kai$^{53}_{44}$tʂʰən$^{53}_{44}$tsʅ^{0}ke$^{53}_{44}$ɲin$^{13}_{21}$kʰɔn^{53}tɔŋ^{35}pin$^{35}_{44}$ke$^{53}_{44}$kʰɔn^{53}n̩$^{13}_{21}$to^{35}çi^{21}.ua$^{53}_{44}$ci^{13}tien^{0}xe$^{53}_{44}$pin^{35}ku^{21}lau^{21}.i^{21}xa$^{53}_{44}$tɔŋ$^{35}_{44}$pin$^{35}_{44}$ke^{0}tsʰiəu$^{53}_{44}$tʰi^{53}uei$^{53}_{44}$tsʰiəu$^{53}_{44}$kau^{35}ek^{3}li^{0}.

【丙】pin^{21} 名①天干的第三位：甲乙～丁 kait^{3}iet^{3}pin^{21}tin^{35}。②用作等级第三的代称：从前就欸箇阵子我等读书个时候子也打过甲乙～呢。写个墨笔字咯。欸，老师就就去上背写只子甲。一般稍微正当滴子就系甲啦。乙。箇～是有滴嘞有滴箇个我等读书嘞有滴学生子写倒个字是硬鸡跨哩样哦箇就硬。箇就老师就同渠写只～，欸系搞只～就真系蛮难受个事了。书法课。蛮差个，欸。字赠写得好都事小。渠就系写起箇鸡跨哩样，就写只～字。第三等呐，最妗个。tsʰəŋ^{13}tsʰien^{13}tsʰiəu^{53}e$_{44}$kai^{53}tʂʰən^{53}tsʅ^{0}ŋai^{13}tien^{0}tʰəuk^{5}ʂəu^{35}ke^{53}ʂʅ^{13}xəu^{53}tsʅ^{0}ia^{35}ta^{21}ko^{53}kait^{3}iet^{3}pin^{21}ne^{0}.sia^{21}ke^{53}met^{5}piet^{3}sʅ^{53}ko^{0}.e$_{21}$,lau^{21}sʅ^{35}tsʰiəu^{53}tsʰiəu^{53}çi^{53}ʂɔŋ^{53}pɔi$^{53}_{44}$sia^{21}tʂak^{3}tsʅ^{0}kait^{3}.iet^{3}pɔn$^{35}_{44}$sau^{21}uei^{13}tʂən^{53}tɔŋ^{53}tiet^{5}tsʅ^{0}tsʰiəu$^{53}_{44}$xe^{53}kait^{3}la^{0}.iet^{3}.kai^{53}pin^{21}ʂʅ$^{53}_{44}$iəu^{35}tet^{5}le^{0}iəu^{35}tet^{5}kai$^{53}_{44}$ke$^{53}_{44}$ŋai^{13}tien^{0}tʰəuk^{3}ʂəu$^{35}_{44}$lei^{0}iəu^{35}tet^{5}xɔk^{5}saŋ$^{35}_{44}$tsʅ^{0}sia^{21}tau^{21}ke$^{53}_{44}$sʅ^{53}ʂʅ$^{53}_{44}$ɲiaŋ^{53}ke^{35}kʰa$^{53}_{44}$li^{0}iɔŋ$^{53}_{44}$ŋo^{0}kai$^{53}_{44}$tsʰiəu$^{53}_{44}$ɲiaŋ$^{53}_{44}$.kai^{53}tsʰiəu^{53}lau^{21}sʅ$^{35}_{44}$tsʰiəu^{53}tʰəŋ$^{13}_{21}$ci$^{13}_{21}$sia^{21}tʂak^{3}pin^{21}.e$_{53}$xei^{53}kau^{21}tʂak^{3}pin^{21}tsiəu$^{53}_{44}$tʂən^{35}xe$^{53}_{44}$man$^{13}_{21}$nan$^{13}_{21}$ʂəu$^{53}_{21}$ke^{0}sʅ$^{53}_{44}$liau^{0}.ʂəu^{35}fait^{3}kʰo^{53}a^{0}.man^{13}tsʰa^{53}ke^{53},e$_{21}$.tsʰʅ^{53}maŋ$^{13}_{21}$sia^{21}tek^{3}xau^{21}təu$^{35}_{44}$sʅ^{53}siau^{21}.ci^{13}tsʰiəu^{53}ue$^{53}_{44}$sia^{21}çi$^{21}_{44}$kai$^{53}_{44}$cie^{35}cʰia^{53}li^{0}iɔŋ^{53},tsʰiəu$^{53}_{44}$sia^{21}tʂak^{3}pin^{21}tsʰʅ^{53}.tʰi$^{53}_{44}$san^{35}tien^{21}na^{0},tsei^{53}ʂo^{13}ke^{0}.

【柄子】pin^{21}tsʅ^{0} 名指琴杆：板胡嘞箇只～懑大，蛮大子。pan^{21}fu^{13}lei^{0}kai^{53}tʂak^{3}pin^{21}tsʅ^{0}mən^{35}tʰai^{53},man^{13}tʰai^{53}tsʅ^{0}.

【饼$_{1}$】piaŋ^{21} 名①烙熟、烤熟或蒸熟面食，形状大多扁而圆：有起艾米粿啊，你晓得吧？艾米粿啊。欸像～样啊，但是不是烤出来个就啊。iəu$^{35}_{44}$çi$^{21}_{44}$ɲie^{53}mi^{21}ko^{21}a^{0},ɲi$^{13}_{21}$çiau^{21}tek^{3}pa^{0}?ɲie^{53}mi^{21}ko^{21}a^{0}.ei^{0}tsʰiɔŋ^{53}piaŋ^{21}iɔŋ^{53}ŋa^{0},tan$^{53}_{44}$ʂʅ$^{53}_{44}$pət^{3}ʂʅ$^{53}_{44}$kʰau^{21}tʂʰət^{3}lɔi^{13}ke$^{53}_{44}$tsʰiəu$^{53}_{44}$a^{0}. ②饼状的东西：煤饼呢安做呢。做只～呢。mei^{13}piaŋ^{21}nei^{0}ɔn$^{35}_{44}$tso^{53}nei^{0}.tso^{53}tʂak^{3}piaŋ^{21}nei^{0}.｜箇树蔸下挖只～，挖只咁个～，箇～嘞莫分渠个泥跌嘿哩，用秆绳去缠倒。kai$^{53}_{44}$ʂəu^{53}tei$^{35}_{44}$xa^{35}uait^{3}tʂak^{3}piaŋ^{21},uait^{3}tʂak^{3}kan$^{21}_{13}$ke^{0}piaŋ^{21},kai^{53}piaŋ^{21}lei^{0}mɔk^{5}pən$^{35}_{44}$ci$^{13}_{44}$ke$^{53}_{44}$lai^{13}tet^{3}(x)ek^{3}li^{0},iɔŋ^{53}kɔn^{21}ʂən^{13}çi^{53}tʂʰen^{13}tau^{21}.

【饼$_{2}$】piaŋ^{21} 量①用于形似饼子的事物：一～一～个同箇蚊香样个安做盘香啊。iet^{3}piaŋ^{21}iet^{3}piaŋ^{21}ke^{0}tʰəŋ$^{13}_{21}$kai$^{53}_{44}$uən^{13}çiɔŋ^{35}iɔŋ$^{53}_{44}$ke$^{53}_{44}$ɔn$^{35}_{44}$tso$^{53}_{44}$pʰan^{13}çiɔŋ$^{35}_{44}$ŋa^{0}. ②指制作爆竹过程中将纸筒用麻绳扎成的饼状物。也称“饼子”：车筒子以后，欸，以下就打粿子，拼成一～一～啊。tʂʰa$^{35}_{44}$tʰəŋ^{13}tsʅ^{0}i^{35}xei^{53},ei$_{21}$,ia^{35}(←i^{21}xa^{53})tsʰiəu$^{53}_{44}$ta^{21}ko^{21}tsʅ^{0},pʰin^{35}ʂaŋ$^{13}_{44}$iet^{3}piaŋ^{21}iet^{3}piaŋ^{21}ŋa^{0}.

【饼饼】piaŋ^{21}piaŋ^{21} 名饼子形状的食物：渠箇只东西有咁个嘞，可以用油去炮。做成～啊，做成米粿。ci^{13}kai^{53}tʂak^{3}təŋ$^{35}_{44}$si^{0}iəu$^{35}_{44}$kan$^{21}_{13}$cie^{53}le^{0},kʰo^{21}i^{35}iɔŋ^{53}iəu^{13}tʂʰʮ^{53}pʰau^{13}.tso^{53}ʂaŋ^{13}piaŋ$^{21}_{13}$piaŋ^{21}ŋa^{0},tso^{53}ʂaŋ$^{13}_{44}$mi^{21}ko^{21}.

【饼干】piaŋ^{21}kɔn^{35} 名以面粉为主要原料烤制而成的片状西式点心：我以咁子就系以个～就拈呢。ŋai^{13}i^{21}kan$^{21}_{44}$tsʅ^{0}tsʰiəu$^{53}_{44}$xe$^{53}_{44}$i^{21}ke^{53}piaŋ^{21}kɔn$^{35}_{44}$tsʰiəu$^{53}_{44}$ɲian^{35}ne^{0}.

【饼铺】piaŋ^{21}pʰu^{53} 名旧时经营饼类的铺子：箇就做饼个人渠就唔喊饼庄，～里。kai$^{53}_{44}$tsʰiəu$^{53}_{44}$tso^{53}piaŋ^{21}ke^{53}ɲin$^{13}_{21}$ci$^{13}_{21}$tsʰiəu^{53}m̩^{13}xan^{53}piaŋ^{21}tsɔŋ^{35},piaŋ^{21}pʰu^{53}li^{35}.

【摒屎拍】pin^{21}ʂʅ^{21}pʰak^{3} 名旧时拿来擦屁股的长篾片：揩屁股，以前用篾篁嘞。我等都用过。

篾篷。箇是系哟，揩又揩唔净。用篾篷揩屁股。箇个茅厕里都专门舞只烂篓公咯。茅厕里啊，解手个栏场啊，舞只糜烂个篓公啊，肚里系劈正就～咯，安做～哦。～。擦屁……揩屁股箇个篾篷啊安做～。反正就咁长子个篾篷，咁长子个篾篷，劈正来啊。箇用报……用纸是就蛮奢侈了。一片一片子，欸。一片片子。咁长子。～。kʰai^{35}pʰi^{53}ku^{21},i$^{35}_{44}$tsʰien$^{13}_{44}$iəŋ$^{53}_{44}$miet^{5}sak^{3} lei^{0}.ŋai$^{13}_{21}$tien^{0}təu$^{35}_{44}$iəŋ^{53}ko$^{53}_{44}$.miet^{5}sak^{3}.kai^{53}ʂʅ$^{53}_{44}$xei$^{53}_{44}$io^{0},kʰai^{35}iəu^{53}kʰai$^{35}_{44}$n̩$^{13}_{21}$tsʰiaŋ^{53}.iəŋ$^{53}_{44}$miet^{5}sak^{3}kʰai$^{35}_{44}$pʰi^{53} ku^{21}.kai$^{53}_{44}$ke$^{53}_{44}$mau^{13}ʂʅ$^{53}_{44}$li^{0}təu$^{35}_{44}$tʂen^{35}mən$^{13}_{44}$u^{21}tʂak^{3}lan^{53}li^{21}kəŋ^{35}ko^{0}.mau^{13}ʂʅ^{53}li^{0}a^{0},kai^{21}ʂəu^{21}ke^{53}lan$^{13}_{21}$tʂʰəŋ$^{53}_{44}$ ŋa^{0},u^{21}tʂak^{3}mie^{35}lan$^{53}_{44}$ke$^{53}_{44}$li^{21}kəŋ^{35}ŋa^{0},təu^{21}li^{0}xe$^{53}_{44}$pʰiak^{3}tʂaŋ$^{53}_{44}$tsʰiəu$^{53}_{44}$pin^{21}ʂʅ^{21}pʰak^{3}ko^{0},ən$^{35}_{44}$tso$^{53}_{44}$pin^{21}ʂʅ^{21} pʰak^{3}o^{0}.pin^{21}ʂʅ^{21}pʰak^{3}.tsʰait^{3}pʰi^{53}···kʰai^{35}pʰi^{53}ku^{21}kai$^{53}_{44}$ke$^{53}_{44}$miet^{5}sak^{3}a^{0}ən$^{35}_{44}$tso$^{53}_{44}$pin^{21}ʂʅ^{21}pʰak^{3}.fan^{21}tʂən$^{53}_{44}$ tsʰiəu^{53}kan^{21}tʂʰəŋ^{13}tsʅ^{0}ke$^{53}_{44}$miet^{5}sak^{3},kan^{21}tʂʰəŋ^{13}tsʅ^{0}ke$^{53}_{44}$miet^{5}sak^{3},pʰiak^{3}tʂaŋ^{53}ləi$^{13}_{21}$a^{0}.kai^{53}iəŋ$^{53}_{44}$pau^{53}···iəŋ^{53} tʂʅ^{21}ʂʅ$^{53}_{44}$tsʰiəu^{53}man^{13}ʂa^{35}tʂʰʅ^{21}liau^{0}.iet^{3}pʰien^{53}iet^{3}pʰien^{53}tsʅ^{0},e$_{21}$.iet^{3}pʰien^{53}pʰien^{53}tsʅ^{0}.kan^{21}tʂʰəŋ^{13}tsʅ^{0}.pin^{21} ʂʅ^{21}pʰak^{3}.

【病$_1$】pʰiaŋ^{53} 名 疾病，指生理或心理上发生的不正常状态：欸，有一种～呢，嘴巴角总咁子扯嘞。ei$_{44}$,iəu^{35}iet^{3}tʂəŋ^{21}pʰiaŋ^{53}nei^{0},tsei^{21}pa^{0}kɔk^{3}tsəŋ^{21}kan$^{21}_{44}$tsʅ^{0}tʂʰa^{21}lei^{0}.｜～好滴子。pʰiaŋ^{53}xau^{21}tiet^{5} tsʅ^{0}.

【病$_2$】pʰiaŋ^{53} 动 生病，指生理或心理上发生不正常的状态：渠话有滴崽子～哩欸爱保崽子长寿会请人念经呐。ci$^{13}_{44}$ua$^{53}_{44}$iəu^{35}tet^{5}ɔi^{35}tsʅ^{0}pʰiaŋ^{53}li^{0}e$_{21}$ɔi^{53}pau^{21}ɔi^{35}tsʅ^{0}tʂʰəŋ^{13}ʂəu^{53}uei$^{53}_{44}$tsʰiaŋ^{21}ɲin^{13}ɲian^{53} cin^{35}na^{0}.

【病茶茶哩】pʰiaŋ^{53}ɲiet^{5}ɲiet^{5}li^{0} 形 状态词。病体虚弱、精神不振的样子：当扒手嘞惹打哩啊，打伤哩啊，跕倒屋下就咁子哎～，搞下子就乌消哩啊。təŋ^{35}pʰa$^{13}_{21}$ʂəu^{21}le^{0}ɲia^{35}ta^{21}li^{0}a^{0},ta^{21}ʂəŋ^{35}li^{0} a^{0},ku^{35}tau^{21}uk^{3}xa$^{53}_{44}$tsʰiəu^{53}kan^{21}tsʅ^{0}ai$_{53}$pʰiaŋ^{53}ɲiet^{5}ɲiet^{5}li^{0},kau^{21}xa^{53}tsʅ^{0}tsʰiəu$^{53}_{44}$ɲiau^{35}siau^{35}li^{0}a^{0}.

【病人】pʰiaŋ^{53}ɲin^{13} 名 患病的人：有只医师，同箇～整好哩病。iəu^{35}tʂak^{3}i^{35}ʂʅ$^{35}_{44}$,tʰəŋ^{13}ka$^{53}_{21}$pʰiaŋ^{53} ɲin^{13}tʂaŋ^{21}xau^{21}li^{0}pʰiaŋ^{53}.

【病死鬼】pʰiaŋ^{53}si^{21}kuei^{21} 名 ①迷信的人所谓生病而死化成的鬼：我等以映子讲个～是有箇个啦，有又还还有更细渠分得更细啦。夫娘子人因为生人，因为供细人子死嘿哩个，安做落日鬼。一下水肚里浸死个安做浸死鬼。一下因为痨病死个，系痨病鬼。都系～。都系病死个。ŋai^{13}tien^{0}i$^{21}_{13}$iaŋ^{53}tsʅ^{0}kəŋ^{21}ke^{0}pʰiaŋ^{53}si^{21}kuei^{21}ʂʅ$^{53}_{44}$iəu^{35}kai^{53}ke^{53}la^{0},iəu^{35}iəu$^{53}_{44}$xai$^{13}_{21}$xai$^{13}_{21}$iəu$^{53}_{44}$ken$^{53}_{44}$si^{53}ci$^{13}_{21}$fən^{35}tek^{3} ken$^{53}_{44}$se^{53}la^{0}.pu^{35}ɲiəŋ$^{13}_{44}$tsʅ^{0}ɲin^{13}in^{35}uei$^{53}_{44}$saŋ^{35}ɲin^{13},in^{35}uei$^{53}_{44}$ciəŋ^{53}se^{53}ɲin$^{13}_{21}$tsʅ^{0}si^{21}xek^{3}li^{0}ke^{53},ən$^{35}_{44}$tso$^{53}_{44}$lɔk^{5}ɲiet^{5} kuei^{21}.iet^{3}ia$^{53}_{44}$ʂei^{21}təu^{21}li^{0}tsin^{53}si^{21}ke^{0}ən$^{35}_{44}$tso$^{53}_{44}$tsin^{53}si^{21}kuei^{21}.iet^{3}xa$^{53}_{44}$in$^{35}_{44}$uei$^{53}_{21}$lau^{13}pʰiaŋ^{53}si^{21}ke^{0},xe$^{53}_{44}$lau^{13} pʰiaŋ^{53}kuei^{21}.təu^{35}xei$^{53}_{44}$pʰiaŋ^{53}si^{21}kuei^{21},təu^{35}xei$^{53}_{44}$pʰiaŋ^{53}si^{21}ke^{0}. ②詈语，骂人会因病而死：你添晡会成一只～呀。欸，话别人家你你箇只～。箇是一般呢又骂别人家～个箇起唔多。也就话别人家短命鬼。就骂别人家短命鬼个多。ɲi^{13}tʰien$^{35}_{44}$pu$^{35}_{44}$uɔi^{53}ʂaŋ$^{13}_{21}$iet^{3}tʂak^{3}pʰiaŋ^{53}si^{21}kuei^{21}ia^{0}.e$_{21}$,ua^{53}pʰiet^{5} in$^{13}_{44}$ka$^{35}_{44}$ɲi^{13}ɲi^{13}kai$^{53}_{44}$tʂak^{3}pʰiaŋ^{53}si^{21}kuei^{21}.kai^{53}ʂʅ^{53}iet^{3}pɔn^{35}nei^{0}iəu$^{53}_{44}$ma^{53}pʰiet^{5}in$^{13}_{44}$ka$^{53}_{44}$pʰiaŋ^{53}si^{21}kuei^{21}ke^{0}kai^{53} çi$^{21}_{44}$n̩^{13}to^{35}.a^{35}tsʰiəu$^{53}_{44}$ua$^{53}_{44}$pʰiet^{5}in$^{13}_{44}$ka$^{35}_{44}$tɔn^{21}miaŋ$^{53}_{44}$kuei$^{21}_{44}$.tsʰiəu$^{53}_{44}$ma^{53}pʰiet$^{5}_{5}$in$^{13}_{44}$ka$^{35}_{44}$tɔn^{21}miaŋ^{53}kuei^{21}ke^{0}to$^{35}_{44}$.

【病痛】pʰiaŋ^{53}tʰəŋ^{53} 名 因病而引起的痛苦，也指人所患的病：从前呢箇细人子啊，有兜～多，唔多好带，就到庙里去求下神，同渠搞只颈箍子戴倒。tsʰəŋ^{13}tsʰien^{13}nei^{0}kai$^{53}_{44}$sei^{53}ɲin$^{13}_{21}$tsa^{0},iəu^{35} te$^{35}_{44}$pʰiaŋ^{53}tʰəŋ^{53}to^{35},n̩^{13}to$^{35}_{53}$xau^{21}tai^{53},tsʰiəu^{53}tau$^{53}_{44}$miau^{53}li^{21}çi^{53}cʰiəu^{13}ua^{53}ʂən^{13},tʰəŋ^{13}ci$^{13}_{44}$kau^{21}tʂak^{3}ciaŋ^{21}kʰu^{35} tsʅ^{0}tai^{53}tau^{21}.

【病字头】pʰiaŋ^{53}tsʰʅ^{53}tʰei^{13} 名 汉字偏旁名：有蛮多字都系～唠，打比欸痛啊。系唔系？㖞。㖞，痛字系～。箇只肚里一只冬字个疼呐，疼字系～。摎病痛有关个啦，就～。iəu$^{35}_{21}$man^{13}to$^{35}_{44}$ʂʅ^{53} təu$^{35}_{44}$çi$^{53}_{44}$pʰiaŋ^{53}tsʰʅ$^{53}_{44}$tʰei$^{13}_{21}$lau^{0},ta^{21}pi^{21}e$_{21}$tʰəŋ^{53}ŋa^{0}.xei^{53}me^{53}?m̩$_{21}$.m̩$_{44}$,tʰəŋ^{53}tsʰʅ$^{53}_{44}$xe$^{53}_{44}$pʰiaŋ^{53}tsʰʅ$^{53}_{44}$tʰei$^{13}_{21}$.kai$^{53}_{44}$tʂak^{3} təu^{21}li^{0}iet^{3}tʂak^{3}təŋ^{35}tsʰʅ$^{53}_{44}$ke^{0}tʰən^{13}na^{0},tʰən^{13}tsʰʅ^{53}xe$^{53}_{44}$pʰiaŋ^{53}tsʰʅ$^{53}_{44}$tʰei$^{13}_{21}$.lau^{35}pʰiaŋ^{53}tʰəŋ$^{53}_{44}$iəu^{35}kuan$^{35}_{44}$ke^{53}la^{0}, tsʰiəu$^{53}_{44}$pʰiaŋ^{53}tsʰʅ$^{53}_{44}$tʰei^{13}.

【庰】piaŋ^{53} 动 ①躲藏，躲避：欸，有滴人话，咁久都𫟒看倒你，你～下哪映来？欸，你～下哪映来？～嘿哩。e$_{21}$,iəu^{35}tet^{5}ɲin$^{13}_{44}$ua$^{53}_{44}$,kan^{21}ciəu^{21}təu$^{35}_{44}$maŋ^{13}kʰɔn^{53}tau^{21}ɲi$^{13}_{21}$, ɲi^{13}piaŋ$^{53}_{21}$ŋa$_{21}$(←xa^{53})la^{53} iaŋ$^{53}_{44}$lɔi$^{13}_{44}$?e$_{21}$, ɲi$^{13}_{21}$piaŋ$^{53}_{44}$ŋa$_{44}$(←xa^{53})la^{53}iaŋ$^{53}_{44}$lɔi$^{13}_{44}$?piaŋ^{53}ŋek^{3}(←xek^{3})li^{0}. ②隐藏：我分箇只钱～嘿去。ŋai$^{13}_{21}$pəŋ^{35}(←pən^{35})kai$^{53}_{44}$tʂak$^{3}_{5}$tsʰien^{13}piaŋ^{53}ŋek^{3}(←xek^{3})çi^{53}.｜箇指裤脚盒是爱～得煞煞子啦！kai$^{53}_{44}$ʂʅ$^{53}_{44}$ɔi$^{53}_{44}$ piaŋ^{53}tek^{3}sait^{3}sait^{3}tsʅ^{0}la^{0}! ③隐瞒：我又唔～渠。ŋai^{13}iəu$^{53}_{44}$m̩^{13}piaŋ^{53}ci$^{13}_{21}$.

【庰倒】piaŋ^{53}tau^{21} 副 私下，背地里：有话当面讲，不要～讲。iəu^{35}fa^{53}təŋ^{35}mien^{53}kəŋ^{21},pət^{3}iau^{53}

piaŋ^{53}tau^{21}kəŋ^{21}.

【庰伏子】piaŋ^{53}pʰuk^{5}tsɿ^{0} 捉迷藏（躲好让人寻找）：我等细细子冇么个嬲就～。分箇个嬲个人呢分作两份，分作两起呀。一只就欸庰一起人就～唠。一起人就捉哦。安做捉么个唠？系唔系安做捉伏子个人呶？一起人～，另外一起人就去寻个。有滴细人子是弄死人，滴伢大子个。就庰下箇侧边子，只爱遮稳只眼珠就有哩。ŋai^{13}tien^{0}se^{53}se^{53}tsɿ^{0}mau^{13}mak^{3}e^{0}liau$^{53}_{44}$tsʰiəu$^{53}_{44}$piaŋ^{53}pʰu^{53}tsɿ^{0}.pən^{35}kai$^{53}_{44}$ke$^{53}_{44}$liau^{53}ke$^{53}_{44}$ɲin^{13}ne^{0}fən^{35}tsɔk^{3}iɔŋ^{21}fən^{53},fən^{35}tsɔk^{3}iɔŋ^{21}çi^{21}ia^{0}.iet^{3}tʂak^{3}tsʰiəu^{53}e$_{21}$piaŋ^{53}iet^{3}çi^{21}ɲin^{13}tsʰiəu$^{53}_{44}$piaŋ^{53}pʰu^{53}tsɿ^{0}lau^{0}.iet^{3}çi^{21}ɲin^{13}tsʰiəu^{53}tsɔk^{3}o^{0}.ɔn$^{35}_{44}$tso^{53}tsɔk^{3}mak^{3}e^{0}lau^{0}?xei$^{53}_{44}$mei$^{53}_{44}$ɔn$^{35}_{44}$tso$^{53}_{44}$tsɔk^{3}pʰu^{53}tsɿ^{0}ke^{0}ɲin$^{13}_{21}$nau^{0}?iet^{3}çi^{21}ɲin^{13}piaŋ^{53}pʰu^{53}tsɿ^{0},lin^{53}uai^{53}iet^{3}çi^{21}ɲin^{13}tsiəu^{53}çi^{53}tsʰin^{13}ke^{53}.iəu^{35}tiet^{5}sei^{53}ɲin$^{13}_{44}$tsɿ^{0}ʂɿ$^{53}_{44}$ləŋ^{53}si^{21}ɲin^{13},tiet^{5}ŋa$^{13}_{44}$tʰai^{53}tsɿ^{0}ke^{53}.tsʰiəu^{53}piaŋ$^{53}_{44}$xa$^{53}_{44}$kai^{53}tset^{3}pien^{35}tsɿ^{0},tʂɿ^{21}ɔi^{53}piaŋ^{53}uən^{21}tʂak^{3}ŋan^{21}tʂəu^{35}tsʰiəu$^{53}_{44}$iəu$^{35}_{44}$li^{0}.

【拨】pɔit^{3} [动]用手指或棍棒等横着用力，使东西移动或变形：～算盘子 pɔit^{3}sɔn^{53}pʰan$^{13}_{44}$tsɿ^{21} |（分箇锯齿）～得匀匀称称子。pɔit^{3}tek^{3}iəŋ^{13}iəŋ^{13}tsʰin^{53}tsʰin^{53}tsɿ^{0}.

【拨开】pɔit^{3}kʰɔi^{35} [动]将物分开：箇就爱拿倒子咁个老蟹钳子样个东西去～下子来。kai$^{53}_{44}$tsʰiəu$^{53}_{44}$ɔi$^{53}_{44}$la^{53}tau^{21}tsɿ^{0}kan^{21}cie^{53}lau^{21}xai^{21}cʰian^{13}tsɿ^{0}iɔŋ$^{53}_{44}$ke$^{53}_{44}$təŋ$^{35}_{44}$si^{0}çi$^{53}_{44}$pɔit^{3}kʰɔi^{35}(x)a^{53}tsɿ^{0}lɔi^{13}.

【钵头】pait^{3}tʰei^{13} [名]钵子：食嘿三碗公四～，还有一～。ʂet^{5}xek^{3}san^{35}uɔn^{21}kəŋ^{35}si^{53}pait^{3}tʰei^{13},xai^{13}iəu^{35}iet^{3}pait^{3}tʰei^{13}.

【钵子】pait^{3}tsɿ^{0} [名]①一种形状像盆而较小的陶制器具，用来盛放东西或蒸制食物等：就只爱用～装倒，渠指豆腐渣就会慢慢子就会霉呀。tsʰiəu^{53}tʂɿ^{21}ɔi^{53}iəŋ^{53}pait^{3}tsɿ^{0}tʂɔŋ^{35}tau^{21},ci$^{13}_{21}$tsʰiəu^{53}uɔi^{53}man^{53}man^{53}tsɿ^{0}tsʰiəu^{53}uɔi$^{53}_{44}$mɔi^{13}ia^{0}. ②指砂锅：煲仔饭就系舞只子咁个～吧，系唔系？直接用箇～去□焖呀，系唔系？pau^{35}tsai^{21}fan^{53}tsʰiəu^{53}xei^{53}u^{21}tʂak^{3}tsɿ^{0}kan^{21}cie$^{53}_{44}$pait^{3}tsɿ^{0}pa^{0},xei$^{53}_{44}$me$^{53}_{44}$?tʂʰət^{5}tsiet^{3}iəŋ^{53}kai^{53}pait^{3}tsɿ^{0}çi^{53}ŋɔit^{3}ia^{0},xei$^{53}_{44}$me$^{53}_{44}$?

【钵子饭】pait^{3}tsɿ^{0}fan^{53} [名]将米和适量的水放在钵子里蒸出来的饭：摎～相对个就大镬饭呶，大甑饭呶。lau^{35}pait^{3}tsɿ^{0}fan^{53}siɔŋ$^{35}_{44}$tei^{53}ke$^{53}_{44}$tsʰiəu$^{53}_{44}$tʰai^{53}uɔk^{5}fan^{53}nau^{0},tʰai^{53}tsien^{53}fan^{53}nau^{0}.

【饽】pʰɔk^{5} [量]①用于成团的事物：绩倒一～啊，箇一～箇个线。tsiak^{3}tau$^{21}_{44}$iet^{3}pʰɔk^{5}a^{0},kai$^{53}_{44}$iet^{3}pʰɔk^{5}kai$^{53}_{44}$ke$^{53}_{44}$sien^{53}. | 总榨总干，就剩倒一～子。箇个一～子就真正个豆腐渣。箇一～，冇几多啊。tsəŋ^{21}tsa^{53}tsəŋ^{21}kɔn^{35},tsʰiəu$^{53}_{44}$ʂən^{53}tau^{21}iet^{3}pʰɔk^{5}tsɿ^{0}.kai$^{53}_{44}$ke$^{53}_{44}$iet^{3}pʰɔk^{5}tsɿ^{0}tsʰiəu$^{53}_{44}$tʂən^{35}tʂən$^{53}_{44}$ke$^{53}_{44}$tʰei^{53}fu$^{53}_{44}$tsa^{35}.kai$^{53}_{44}$iet^{3}pʰɔk^{5},mau^{13}ci^{21}to^{35}a^{0}. ②用于成丛的东西：（七姊妹辣椒）一～一～生下上。iet^{3}pʰɔk^{5}iet^{3}pʰɔk^{5}saŋ^{35}ŋa$_{44}$(←xa^{53})ʂɔŋ$^{35}_{44}$. ③串，又称"提"：一～葡萄 iet^{3}pʰɔk^{5}pʰu$^{13}_{21}$tʰau$^{13}_{21}$

【饽饽】pɔk^{5}pɔk^{5} [名]①某些动物生的卵。也称"饽饽子"：鲤鱼有多么人喜欢食，但是鲤鱼～欸卖得蛮贵，比鱼都更贵。li^{35}ŋ̍^{13}mau$^{13}_{21}$to$^{35}_{53}$mak^{3}in$^{13}_{44}$çi^{21}fɔn$^{35}_{44}$ʂət^{5},tan^{53}ʂɿ^{53}li^{35}ŋ̍$^{13}_{21}$pɔk^{5}pɔk^{5}e$_{21}$mai^{53}tek^{3}man^{13}kuei^{53},pi^{21}ŋ̍^{13}təu$^{35}_{44}$ken^{53}kuei^{53}. | 蚂蚁～子 ma^{35}le^{35}pɔk^{5}pɔk^{5}tsɿ^{0} | 箇个蚕虫蚕虫～子肚里正菢出来个箇个点伢大子个蚕虫子安做么个东西啰？kai$^{53}_{44}$ke$^{53}_{44}$tsʰan^{13}tʂʰəŋ$^{13}_{44}$tsʰan^{13}tʂʰəŋ$^{13}_{44}$pɔk^{5}pɔk^{5}tsɿ^{0}təu^{21}li^{0}tʂaŋ^{53}pʰu^{53}tʂʰət^{3}lɔi$^{13}_{21}$ke^{53}kai$^{53}_{44}$ke$^{53}_{44}$tian^{53}ŋa$^{13}_{44}$tʰai^{53}tsɿ^{0}ke^{53}tsʰan^{13}tʂʰəŋ^{13}tsɿ^{0}ɔn$^{35}_{44}$tso$^{53}_{44}$mak^{3}(k)e$^{53}_{44}$təŋ$^{35}_{44}$si^{0}lo^{0}? ②特指鸡蛋：啊，冲～啊？就舞倒～打倒碗里放开水去冲，开水冲。a$_{44}$,tʂʰəŋ^{35}pɔk^{5}pɔk^{5}a^{0}?tsʰiəu^{53}u^{21}tau^{21}pɔk^{5}pɔk^{5} ^{0}ta^{21}tau^{21}uɔn^{21}li^{0}fɔŋ^{53}kʰɔi^{35}ʂei^{21}çi$^{53}_{44}$tʂʰəŋ^{35},kʰɔi^{35}ʂei^{21}tʂʰəŋ^{35}. ③像蛋一样、成团的东西：搞滴子细茶叶子分你啊，细茶食哩。细茶～啊。kau^{21}tet$^{5}_{3}$tsɿ^{0}se^{53}tsʰa^{13}iait^{5}tsɿ^{0}pən$^{35}_{44}$ɲi$^{13}_{44}$a^{0},se^{53}tsʰa$^{13}_{21}$ʂət^{5}li^{0}.se^{53}tsʰa$^{13}_{21}$pɔk^{5}pɔk^{5}a^{0}.

【饽饽黄】pɔk^{5}pɔk^{5}uɔŋ^{13} [名]蛋黄：有箇起同箇～样个黄心番薯。iəu^{35}kai^{53}çi^{21}tʰəŋ^{13}kai$^{53}_{44}$pɔk^{5}pɔk^{5}uɔŋ^{13}iɔŋ$^{53}_{44}$ke$^{53}_{44}$uɔŋ^{13}sin$^{35}_{44}$fan$^{35}_{44}$ʂəu$^{13}_{21}$. | 欸也我老妹子等人嘞箇阵子买兜箇饼嘞，嗯，就肚里有箇个有～个，我娭子就唔食，箇个有～个渠就唔食，唔好食。e$_{21}$ia^{35}ŋai$^{13}_{21}$lau^{21}mɔi$^{53}_{44}$tsɿ^{0}ten$^{21}_{44}$in$^{13}_{44}$lei^{0}kai^{53}tʂʰən^{53}tsɿ^{0}mai^{35}tei$^{35}_{53}$kai^{53}piaŋ^{21}lei^{0},n̩$_{21}$,tsʰiəu^{53}təu^{21}li^{0}iəu^{35}kai$^{53}_{44}$ke$^{53}_{44}$iəu^{35}pɔk^{5}pɔk^{5}uɔŋ^{13}ke^{53},ŋai$^{13}_{21}$ɔi^{35}tsɿ^{0}tsʰiəu^{53}n̩$^{13}_{21}$ʂət^{5},kai$^{53}_{44}$ke$^{53}_{44}$iəu$^{35}_{44}$pɔk^{5}pɔk^{5}uɔŋ^{13}ke$^{53}_{44}$ci$^{13}_{21}$tsʰiəu^{53}n̩$^{13}_{21}$ʂət^{5},m̩$^{13}_{21}$xau^{21}ʂət^{5}.

【饽饽汤】pɔk^{5}pɔk^{0}tʰɔŋ^{35} [名]鸡蛋汤：用饽饽啊打个汤，嗯，就安做～啊。也唔限定鸡饽饽嘞，欸鸡饽饽鸭饽饽嘞。但是鸭饽饽就唔多用鸭饽饽打汤。有兜子腥，欸，有滴腥。鸭饽饽汤唔好食。iəŋ$^{53}_{44}$pɔk^{5}pɔk^{5}a^{0}ta^{21}ke$^{53}_{44}$tʰɔŋ^{35},n̩$_{21}$,tsʰiəu$^{53}_{44}$ɔn$^{35}_{44}$tso$^{53}_{44}$pɔk^{5}pɔk^{5}tʰɔŋ^{35}ŋa^{0}.ia^{35}n̩^{13}kʰan$^{53}_{44}$tʰiaŋ^{53}cie^{35}pɔk^{5}pɔk^{5}le^{0},e^{0}cie^{35}pɔk^{5}pɔk^{5}ait^{3}pɔk^{5}pɔk^{5}le^{0}.tan^{53}ʂɿ^{53}ait^{3}pɔk^{5}pɔk^{5}tsʰiəu$^{53}_{44}$n̩^{13}to$^{35}_{44}$iəŋ^{53}ait^{3}pɔk^{5}pɔk^{5}ta^{21}tʰɔŋ^{35}.iəu^{35}təu$^{35}_{53}$tsɿ^{0}siaŋ^{35},e$_{44}$,iəu^{35}tet^{5}siaŋ^{35}.ait^{3}pɔk^{5}pɔk^{5}tʰɔŋ^{35}n̩$^{13}_{21}$xau^{21}ʂət^{5}.

【饽麻】pɔk^{5}ma^{13} [形]状态词。形容深麻色：麻拐子，箇就箇起细拐子，冇几大子个。欸，身上～～个，麻麻子个。ma^{13}kuai^{21}tsɿ^{0},kai$^{53}_{44}$ts^{h}iəu$^{53}_{44}$kai$^{53}_{44}$çi^{21}se^{53}kuai^{21}tsɿ^{0},mau$^{13}_{21}$ci^{21}t^{h}ai^{53}tsɿ^{0}ke^{0}.e$_{21}$,ʂən$^{35}_{44}$xɔŋ$^{53}_{21}$pɔk^{5}ma^{13}pɔk^{5}ma^{13}ke^{0},ma^{13}ma^{13}tsɿ^{0}ke^{0}.

【饽筒】pɔk^{5}t^{h}əŋ^{13} 名套在牛脖子上的响器（竹制，多）：一般唔爱。买只箇个～样个东西，箇底下肚里……箇只就有呢。喊～。用竹筒吊倒，肚里要放三只一顶箇听掉听掉。欸，箇有。欸，吊箇只东西个更多。箇牛铃子自家做唔正，以只东西就自家做得正。iet^{3}pɔn^{35}m̩^{13}mɔi$^{53}_{44}$.mai^{53}tʂak^{3}kai$^{53}_{44}$ke$^{53}_{44}$pɔk^{5}t^{h}əŋ^{13}iɔŋ$^{53}_{44}$ke$^{53}_{44}$təŋ^{35}si^{0},kai$^{53}_{44}$tei^{21}xa$^{35}_{44}$təu^{21}li^{0}…kai^{53}tʂak^{3}tsəu$^{53}_{44}$iəu$^{35}_{44}$nei^{0}.xan$^{53}_{44}$pɔk^{5}t^{h}əŋ$^{13}_{21}$.iəŋ^{53}tʂəuk^{3}t^{h}əŋ^{13}tiau^{53}tau^{21},təu^{21}li^{0}iau$^{53}_{44}$fɔŋ^{53}san^{35}tʂak^{3}iet^{3}tin^{21}kai$^{53}_{44}$t^{h}in^{53}t^{h}iau^{53}t^{h}in^{53}t^{h}iau$^{53}_{44}$.e$_{35}$,kai^{53}iəu$^{35}_{44}$.ei$_{21}$,tiau$^{53}_{44}$kai^{53}tʂak^{3}təŋ$^{35}_{44}$si^{0}ke$^{53}_{44}$cien$^{53}_{44}$to$^{35}_{44}$.kai^{53}ɲiəu^{13}laŋ^{13}tsɿ^{0}ts^{h}ɿ^{35}ka$^{35}_{44}$tso^{53}n̩$^{13}_{21}$tʂaŋ$^{53}_{21}$,i^{21}tʂak^{3}təŋ$^{35}_{44}$si^{0}ts^{h}iəu$^{53}_{44}$ts^{h}ɿ^{35}ka$^{35}_{44}$tso^{53}tek^{3}tʂaŋ$^{53}_{21}$.

【饽子】pɔk^{5}tsɿ^{0} 名①某些动物生的卵：蚕～ts^{h}an^{13}pɔk^{5}tsɿ^{0}蚕子。②像卵一样、成团的东西：还有嘞，像箇个㖞像咁个饽饽样个东西也安做～。打比嗯杉树上啊会结咁个果实嘞，系唔系？杉～，我等安做杉～。松树上结个，松～。xai$^{13}_{21}$iəu$^{35}_{44}$le^{0},ts^{h}iɔŋ^{53}kai^{53}ke$^{53}_{44}$m̩$_{44}$ts^{h}iɔŋ^{53}kan^{21}ke$^{53}_{44}$pɔk^{5}pɔk^{5}iɔŋ$^{53}_{44}$ke^{0}təŋ$^{35}_{44}$si^{0}ia^{35}ɔn$^{35}_{44}$tso$^{53}_{44}$pɔk^{5}tsɿ^{0}.ta^{21}pi$^{21}_{44}$ən$_{44}$sa^{35}ʂəu^{53}xɔŋ^{53}ŋa^{0}uɔi^{53}ciet^{3}kan^{21}ke^{53}ko^{21}ʂət^{5}le^{0},xei$^{53}_{44}$me$^{53}_{44}$?sa^{35}pɔk^{5}tsɿ^{0},ŋai^{13}tien^{0}ɔn$^{35}_{44}$tso$^{53}_{44}$sa^{35}pɔk^{5}tsɿ^{0}.ts^{h}əŋ^{13}ʂəu^{53}xɔŋ^{53}ciet^{3}ke^{0},ts^{h}əŋ^{13}pɔk^{5}tsɿ^{0}.

【菠萝大肿】po^{35}lo^{13}t^{h}ai^{53}tʂəŋ^{21} 形容肿得非常厉害：安做～，也就话。肿得唔知几厉害呀，安做～。ɔn$^{35}_{44}$tso$^{53}_{44}$po^{35}lo^{13}t^{h}ai^{53}tʂəŋ^{21},ie^{21}tsiəu^{53}ua$^{53}_{21}$.tʂəŋ^{21}tek^{3}n̩$^{13}_{21}$ti^{35}ci^{21}li^{53}xɔi^{53}ia^{0},ɔn$^{35}_{44}$tso$^{53}_{44}$po^{35}lo^{13}t^{h}ai^{53}tʂəŋ^{21}.

【菠萝货】po^{35}lo$^{13}_{21}$fo^{53} 名次品的俗称：唔好个东西，唔好个货，搞个乱七八糟个，就安做～。n̩^{13}xau^{21}ke$^{53}_{44}$təŋ$^{35}_{44}$si^{0},n̩^{13}xau^{21}ke$^{53}_{44}$fo^{53},kau^{21}ke$^{53}_{44}$lɔn^{53}ts^{h}iet^{3}pait^{3}tsau$^{35}_{44}$ke$^{53}_{44}$,ts^{h}iəu$^{53}_{21}$ɔn$^{35}_{44}$tsɔk^{3}po^{35}lo$^{13}_{21}$fo^{53}.｜浏河市场卖个东西嘞便就便宜，就系蛮多次品。～。欸浏阳出名个就浏河市场。箇个五金呐，交电呐，箇起么个生活用品箇只，硬应有尽有，听你爱么个，又便宜，就系一般质量子一般，有兜子～。liəu^{13}xo$^{13}_{44}$ʂɿ^{53}tʂ^{h}ɔŋ^{21}mai$^{53}_{44}$ke^{0}təŋ$^{35}_{44}$si^{0}lei^{0}p^{h}ien^{13}ts^{h}iəu^{53}p^{h}ien^{13}ɲin^{13},ts^{h}iəu^{53}xe^{53}man^{13}to$^{35}_{44}$ts^{h}ɿ^{53}p^{h}in^{21}.po^{35}lo^{13}fo^{53}.e$_{35}$liəu^{13}iɔŋ$^{13}_{44}$tʂ^{h}ət^{3}miaŋ^{13}ke^{0}ts^{h}iəu^{53}liəu^{13}xo$^{13}_{44}$ʂɿ^{53}tʂ^{h}ɔŋ^{21}.kai$^{53}_{44}$ke$^{53}_{44}$ŋ̍^{21}cin^{35}na^{0},ciau^{35}t^{h}ien^{53}na^{0},kai$^{53}_{44}$çi$^{21}_{44}$mak^{3}ke$^{53}_{44}$sen^{35}xɔit^{5}iəŋ^{53}p^{h}in^{21}kai^{53}tʂak^{3}, ɲiaŋ^{53}in^{53}iəu^{35}ts^{h}in^{53}iəu^{35},t^{h}in^{53}ɲi^{13}ɔi^{53}mak^{3}ke^{0},iəu^{53}p^{h}ien^{13}ɲin$^{13}_{44}$,ts^{h}iəu^{53}xe$^{53}_{44}$iet^{3}pɔn^{35}tʂət^{3}liɔŋ^{53}tsɿ^{0}iet^{3}pɔn^{35},iəu$^{35}_{44}$təu$^{35}_{44}$tsɿ^{0}po^{35}lo^{13}fo^{53}.

【菠肿】po^{35}tʂəŋ^{21} 形状态词。形容肿得很厉害：我看过有叼起肿起箇一只面都～个哦，肿起一只脑壳懑大个噢，狼蜂叼哩噢。ŋai^{13}k^{h}ɔn^{53}ko^{53}iəu$^{35}_{44}$tiau^{35}çi^{21}tʂəŋ^{21}çi$^{21}_{44}$kai$^{53}_{44}$iet^{3}tʂak^{3}mien^{35}təu$^{35}_{44}$po^{35}tʂəŋ^{21}cie^{53}o^{0},tʂəŋ^{21}çi$^{21}_{44}$iet^{3}tʂak^{3}lau^{21}k^{h}ɔk^{3}mən^{35}t^{h}ai^{53}ke$^{53}_{44}$au^{0},lɔŋ$^{13}_{21}$fəŋ$^{35}_{44}$tiau$^{35}_{44}$li^{0}au^{0}.

【鱍】pait^{5} 动①鱼、人等在水中游动作响（儿语）：箇鱼子～呀，～去～转来。kai$^{53}_{44}$ŋ̍^{13}tsɿ^{0}pait^{5}ia^{0},pait^{5}çi$^{53}_{44}$pait^{5}tʂuɔn^{21}nɔi$^{13}_{21}$.｜细人子洗身个时候子一双手放势～啊，跍啊水肚里～呀。sei^{53}ɲin$^{13}_{21}$tsɿ^{0}se^{21}ʂən^{35}ke^{0}ʂɿ^{13}xəu$^{53}_{44}$tsɿ^{0}iet^{3}səŋ^{35}ʂəu^{21}xɔŋ^{53}ʂɿ^{53}pait^{5}a^{0},ku$^{35}_{44}$a^{0}ʂei^{21}təu^{21}li^{0}pait^{5}ia^{0}. ②挣扎扭动：舞只鸡公割嘿来，就等渠边～就边淋血。u^{21}(tʂ)ak^{3}ke^{35}kəŋ$^{35}_{44}$kɔit^{3}iek^{3}lɔi$^{13}_{44}$,tsiəu$^{53}_{44}$ten^{21}ci$^{13}_{21}$pien^{35}pait^{5}ts^{h}iəu$^{53}_{44}$pien^{35}lin$^{13}_{21}$çiet^{3}.

【鱍鱍跌】pait^{5}pait^{5}tet^{3} 动跌跌撞撞的样子：（屐鞋）着就唔好着啦，～啦，会跌死人呐。tʂɔk^{3}ts^{h}iəu^{53}m̩$^{13}_{21}$xau^{21}tʂɔk^{3}la^{0},pait^{5}pait^{5}tet^{3}la^{0},uɔi^{53}tet^{3}si^{21}ɲin^{13}na^{0}.

【伯】pak^{3} 名伯父。常在前面冠以排行或名字，构成称谓：大～t^{h}ai^{53}pak^{3}｜四～si^{53}pak^{3}｜宏谟～嘞，渠又有只小名子安做阳初子。有滴人喊渠阳初～。fen^{13}mu$^{13}_{44}$pak^{3}le^{0},ci^{13}iəu$^{53}_{44}$iəu^{35}tʂak^{3}siau^{21}miaŋ^{13}tsɿ^{0}ɔn$^{35}_{44}$tso$^{53}_{44}$iɔŋ^{13}ts^{h}ɿ^{35}tsɿ^{0}.iəu^{35}tet^{5}ɲin$^{13}_{21}$xan^{53}ci$^{13}_{44}$iɔŋ^{13}ts^{h}ɿ$^{35}_{44}$pak^{3}.

【伯娭】pak^{3}me^{35} 名伯母（均依据其夫的排行称 X 伯母）；比父亲年长者的妻子：四～si^{53}pak^{3}me^{35}｜我就喊渠～呀。ŋai$^{13}_{21}$ts^{h}iəu$^{53}_{44}$xan^{53}ci$^{13}_{21}$pak^{3}me^{35}ia^{0}.

【伯伯】pak^{3}pak^{3} 名伯父（有时处于喊开下子的考虑也用以称父亲）：～，一般就指伯父。也有喊爷子也喊喊父亲也喊～个呢。我喊我爷子就喊～嘞。但是我个～就近似于爸爸。唔喊爸，我喊～，欸。～就系爷子。我爷子年纪比较大，渠箇只辈分去我等屋……老家来讲嘞渠系第四。我爷子以上嘞有三只我喊～个。一只宏谟伯。一只矩谟伯。一只福谟伯。我爷子就安做伦谟吵。最大个嘞就系……噢，四只～噢。我爷子第五了。还一只荣伯，荣伯。欸，就耀谟伯。渠去渠个小名子安做荣。荣牯，荣伢子。光荣个荣。欸就荣伯。第二只就安做福谟伯，幸福个福啊。第三只嘞就安做矩谟伯，渠又有只小名子安做仲哥子。渠等喊我爷子喊渠仲哥子。我等喊仲伯。矩谟，讲规矩个矩，矩谟。还有只，宏谟伯，宏谟，就箇是正先我讲个话我箇个拜干爷个，欸。宏，我等客姓人读宏。宏谟伯。宏谟伯嘞，渠又有只小名子安做阳初子。有滴人喊渠阳初伯。太阳个阳，欸，阳初。万伏初箇只初啊，嗯，初，初中啊。么个伯唠，系唔系？pak^{3}pak^{3},iet^{3}pɔn^{35}ts^{h}iəu$^{53}_{44}$tʂʅ^{21}pak^{3}fu^{53}.ia^{35}iəu$^{35}_{44}$xan^{53}ia^{13}tsɿ^{0}ia$^{35}_{44}$xan$^{53}_{44}$xan$^{53}_{44}$fu^{53}ts^{h}in$^{35}_{44}$ia$^{35}_{44}$xan^{53} pak^{3}pak^{3}ke^{53}nei^{0}.ŋai^{13}xan^{53}ŋai$^{13}_{21}$ia^{13}tsɿ^{0}ts^{h}iəu^{53}xan^{53}pak^{3}pak^{3}le^{0}.tan^{53}ʂʅ^{53}ŋai^{13}ke$^{53}_{44}$pak^{3}pak^{3}ts^{h}iəu$^{53}_{44}$c^{h}in^{53}sɿ^{53} ɥ^{13}pa^{53}pa^{0}.n̩^{13}xan$^{53}_{44}$pa^{53},ŋai^{13}xan^{53}pak^{3}pak^{3},e$_{21}$.pak^{3}pak^{3}ts^{h}iəu^{53}xei^{53}ia^{13}tsɿ^{0}.ŋai^{13}ia^{13}tsɿ^{0}ɲien^{13}ci^{21}pi^{21}ciau$^{53}_{44}$ t^{h}ai^{53},ci^{13}kai$^{53}_{44}$tʂak^{3}pi^{53}fən$^{53}_{44}$çi^{53}ŋai$^{13}_{21}$tien^{0}uk^{3}…lau^{21}cia$^{35}_{44}$lɔi$^{13}_{21}$kɔŋ^{21}lei^{0}ci^{13}xe$^{53}_{44}$t^{h}i$^{53}_{44}$si^{53}.ŋai^{13}ia^{13}tsɿ^{0}i$^{35}_{44}$ʂɔŋ$^{53}_{44}$le^{0}iəu$^{35}_{44}$ san^{35}tʂak^{3}ŋai^{13}xan^{53}pak^{3}pak^{3}ke^{0}.iet^{3}tʂak^{3}fen^{13}mu^{13}pak^{3}.iet^{3}tʂak^{3}tʂʅ^{21}mu^{13}pak^{3}.iet^{3}tʂak^{3}fuk^{3}mu$^{13}_{44}$pak^{3}. ŋai$^{13}_{21}$ia^{13}tsɿ^{0}tsiəu^{53}ɔn$^{35}_{44}$tso$^{53}_{44}$lən^{13}mu^{13}ʂa^{0}.tsei^{53}t^{h}ai$^{53}_{44}$ke$^{53}_{44}$le^{0}ts^{h}iəu$^{53}_{44}$xe$^{53}_{44}$…au$_{21}$,si^{53}tʂak^{3}pak^{3}pak^{3}au^{0}.ŋai^{13}ia^{13}tsɿ^{0} t^{h}i^{53}ŋ̍^{21}liau^{0}.xai^{13}iet^{3}tʂak^{3}iəŋ^{13}pak^{5},iəŋ^{13}pak^{3}.e$_{21}$ts^{h}iəu$^{53}_{44}$iau^{53}mu^{13}pak^{3}.ci^{13}çi$^{53}_{44}$ci^{13}ke^{53}siau^{21}miaŋ^{13}tsɿ^{0}ɔn$^{35}_{44}$tso$^{53}_{44}$ iəŋ^{13}.iəŋ^{13}ku^{21},iəŋ^{13}ŋa$^{13}_{44}$tsɿ^{0}.kɔŋ^{35}iəŋ$^{13}_{21}$ke^{53}iəŋ$^{13}_{21}$.e$_{21}$ts^{h}iəu$^{53}_{44}$iəŋ^{13}pak^{3}.t^{h}i^{53}ɲi^{53}tʂak^{3}ts^{h}iəu$^{53}_{44}$ɔn$^{35}_{44}$tso$^{53}_{44}$fuk^{3}mu$^{13}_{44}$ pak^{3},çin^{53}fuk^{3}ke^{0}fuk^{3}a^{0}.t^{h}i^{53}san^{35}tʂak^{3}le^{0}ts^{h}iəu$^{35}_{44}$ɔn$^{35}_{44}$tʂʅ^{21}mu^{13}pak^{3},ci$^{13}_{21}$iəu$^{53}_{44}$iəu^{35}tʂak^{3}siau^{21}miaŋ^{13}tsɿ^{0}ɔn$^{35}_{44}$ tso$^{53}_{44}$tʂ^{h}əŋ^{53}ko$^{35}_{44}$tsɿ^{0}.ci$^{13}_{21}$tien^{0}xan^{53}ŋai$^{13}_{21}$ia^{13}tsɿ^{0}xan^{53}ci$^{13}_{21}$tʂ^{h}əŋ^{53}ko$^{35}_{44}$tsɿ^{0}.ŋai^{13}tien^{0}xan^{53}tʂ^{h}əŋ^{53}pak^{3}.tʂʅ^{21}mu^{13},kɔŋ$^{21}_{35}$ kuei$^{35}_{44}$tʂɥ^{21}ke^{0}tʂɥ^{21},tʂɥ^{21}mu^{13}.xai^{13}iəu$^{35}_{44}$tʂak^{3},fen^{13}mu$^{13}_{44}$pak^{3},fen^{13}mu$^{13}_{44}$,ts^{h}iəu^{53}kai^{53}ʂʅ^{53}tʂaŋ^{53}sen$^{35}_{44}$ŋai$^{13}_{21}$kɔŋ^{21} ke^{0}ua$^{53}_{44}$ŋai$^{13}_{44}$kai$^{53}_{44}$ke^{0}pai^{53}kɔn^{35}ia$^{13}_{44}$ke^{0},e$_{44}$.fen^{13},ŋai^{13}tien^{0}k^{h}ak^{3}sin^{53}ɲin$^{13}_{21}$t^{h}əuk^{5}fen^{13}.fen^{13}mu$^{13}_{44}$pak^{3}.fen^{13}mu$^{13}_{44}$ pak^{3}le^{0},ci^{13}iəu$^{53}_{44}$iəu^{35}tʂak^{3}siau^{21}miaŋ^{13}tsɿ^{0}ɔn$^{35}_{44}$tso$^{53}_{44}$iɔŋ^{13}ts^{h}ʅ^{35}tsɿ^{0}.iəu^{35}tet^{5}ɲin$^{13}_{21}$xan^{53}ci$^{13}_{44}$iɔŋ^{13}ts^{h}ʅ$^{35}_{44}$pak^{3}.t^{h}ai^{53} iɔŋ^{13}ke^{0}iɔŋ^{13},e$_{21}$,iɔŋ^{13}ts^{h}ʅ^{35}.uan^{53}fuk^{3}ts^{h}ʅ^{35}kai$^{53}_{44}$tʂak^{3}ts^{h}ʅ^{35}a^{0},n̩$_{21}$,ts^{h}əu$^{35}_{44}$,ts^{h}əu$^{35}_{44}$tʂəŋ$^{35}_{44}$ŋa^{0}.mak^{3}e^{0}pak^{3}lau^{0},xei^{53} me^{53}?

【伯公】pak^{3}kəŋ^{35} 名祖父的哥哥：欸，箇个～是比阿公更大个就喊～吵，系唔系？比阿公更细个就喊叔公吵。ei$_{21}$,kai$^{53}_{44}$ke$^{53}_{44}$pak^{3}kəŋ^{35}ʂʅ$^{53}_{44}$pi^{21}a^{35}kəŋ$^{35}_{44}$cien^{53}t^{h}ai^{53}cie$^{53}_{44}$ts^{h}iəu$^{53}_{44}$xan$^{53}_{44}$pak^{3}kəŋ^{35}ʂa^{0},xei$^{53}_{44}$ me$^{53}_{44}$?pi^{21}a^{35}kəŋ$^{35}_{44}$cien^{53}se^{53}ke$^{53}_{44}$ts^{h}iəu$^{53}_{44}$xan$^{53}_{44}$ʂəuk^{3}kəŋ$^{35}_{44}$ʂa^{0}.

【伯婆】pak^{3}p^{h}o^{13} 名祖父哥哥的妻子：有大～啊。iəu^{35}t^{h}ai^{53}pak^{3}p^{h}o^{13}a^{0}.｜冇得细～，冇得。mau^{13}tek^{3}se^{53}pak^{3}p^{h}o^{13},mau^{13}tek^{3}.

【驳】pɔk^{3} 动接，连接：一条短哩，要两条～下去。iet^{3}t^{h}iau^{13}tɔn^{21}ni^{0},iau^{53}iɔŋ^{21}t^{h}iau^{13}pɔk^{3}(x)a^{53} çi^{53}.｜渠等（礼帖和请帖）爱一张整张红纸，咁长，箇红纸咯，□长，□长箇只红纸，不能～，不能要～，整张红纸咁长，爱咁长，但是唔爱咁阔唠。ci^{13}tien^{0}ɔi^{53}iet^{3}tʂɔŋ^{35}tʂən^{21}tʂɔŋ^{35} fəŋ^{13}tʂʅ^{21},kan^{21}tʂ^{h}ɔŋ^{13},kai^{53}fəŋ^{13}tʂʅ^{21}ko^{0},lai^{35}tʂ^{h}ɔŋ$^{13}_{21}$,lai$^{35}_{44}$tʂ^{h}ɔŋ$^{13}_{44}$kai$^{53}_{44}$tʂak^{3}fəŋ^{13}tʂʅ$^{21}_{44}$,pət^{3}lən^{13}pɔk^{3},pət^{3}lən^{13}iau^{53} pɔk^{3},tʂən^{21}tʂɔŋ$^{35}_{44}$fəŋ^{13}tʂʅ^{21}kan^{21}tʂ^{h}ɔŋ^{13},ɔi^{53}kan^{21}tʂ^{h}ɔŋ^{13},tan^{53}ʂʅ^{53}m̩$^{13}_{21}$mɔi^{53}kan^{21}k^{h}ɔit^{3}lau^{0}.

【驳庚书】pɔk^{3}kaŋ^{35}ʂəu$^{35}_{44}$ 动查看男女双方的生庚是否相合：以前是话还爱～。驳就接啊，接拢来呀，欸，来看下渠个生庚合得么啊。生庚看下合得吗两个人生庚，看下，～。i$^{35}_{44}$ts^{h}ien^{13} ʂʅ$^{53}_{44}$ua^{53}xai$^{13}_{21}$ɔi$^{53}_{44}$pɔk^{3}kaŋ^{35}ʂəu$^{35}_{44}$.pɔk^{3}ts^{h}iəu^{53}tsiait^{3}a^{0},tsiait^{3}ləŋ^{35}lɔi$^{13}_{21}$ia^{0},e$_{21}$,lɔi$^{13}_{21}$k^{h}ɔn$^{53}_{44}$na$_{44}$(←xa^{53})ci$^{13}_{21}$ke$^{53}_{44}$sen^{35} cien$^{35}_{44}$xɔit^{5}tek^{3}mo^{0}a^{0}.sen^{35}cien$^{35}_{44}$k^{h}ɔn$^{53}_{44}$na$_{44}$(←xa^{53})xɔit^{5}tek^{3}ma^{0}iɔŋ^{21}ke^{53}in$^{13}_{21}$sen^{35}cien$^{35}_{44}$,k^{h}ɔn$^{53}_{44}$na$_{44}$(←xa^{53}), pɔk^{3}kaŋ^{35}ʂəu$^{35}_{44}$.

【驳脚】pɔk^{3}ciɔk^{3} 名前妻已故，续娶的后妻与前妻父母的关系称为“驳脚”：我等是还有只咁个啦，安做驳脚妹子。驳脚妹子，驳脚新舅。打比样一只男子人，渠个老婆死嘿哩，头只老婆死嘿哩。欸，箇爱系死嘿哩个。唔在世哩，渠个老婆死嘿哩。老婆死嘿哩，讨过一只吧，但是头只老婆个丈人爷呀丈人娭，岳父岳母啊，还有摎渠有关系吵，渠个妹子不是离咁哩，只系死嘿哩，系唔系？还摎渠有关系，但是以只后来个老婆，同同渠同同前面前箇只老婆个爷娭就安做～。驳上去啊。驳脚娭子。以只就我驳脚妹子。驳脚妹子，对渠个丈人爷丈人娭来讲，我以只我驳脚妹子。ŋai^{13}tien^{0}ʂʅ$^{53}_{44}$xai^{13}iəu$^{35}_{53}$tʂak^{3}kan$^{21}_{13}$cie^{53}la^{0},ɔn$^{35}_{44}$tso^{53}pɔk^{3}ciɔk^{3}mɔi^{53}tsɿ^{0}.pɔk^{3} ciɔk^{3}mɔi^{53}tsɿ^{0},pɔk^{3}ciɔk^{3}sin^{35}c^{h}iəu$^{35}_{44}$.ta^{21}pi^{21}iɔŋ^{53}iet^{3}tʂak^{3}lan^{13}tsɿ^{0}ɲin$^{13}_{44}$,ci^{13}ke^{53}lau^{21}p^{h}o^{13}si^{21}(x)ek^{3}li^{0},t^{h}ei^{13} tʂak^{3}lau^{21}p^{h}o^{13}si^{21}(x)ek^{3}li^{0}.ei$_{21}$,ka$^{53}_{44}$ɔi^{53}xei$^{53}_{44}$si^{21}xek^{3}li^{0}ke^{53}.n̩^{13}ts^{h}ai$^{53}_{44}$ʂʅ^{53}li^{0},ci^{13}ke^{53}lau^{21}p^{h}o^{13}si^{21}(x)ek^{3}li^{0}.lau^{21} p^{h}o^{13}si^{21}(x)ek^{3}li^{0},t^{h}au^{21}ko^{53}iet^{3}tʂak^{3}pa^{0},tan^{53}ʂʅ^{53}t^{h}ei^{13}tʂak^{3}lau^{21}p^{h}o^{13}kei^{53}tʂ^{h}ɔŋ^{35}in$^{13}_{21}$ia$^{13}_{21}$ia^{0}tʂ^{h}ɔŋ^{35}in$^{13}_{21}$ɔi^{35},iɔk^{5} fu^{53}iɔk^{5}mu^{35}a^{0},xai$^{13}_{21}$iəu^{35}lau^{35}ci$^{13}_{21}$iəu$^{35}_{44}$kuan$^{35}_{44}$çi$^{53}_{44}$ʂa^{0},ci^{13}ke^{53}mɔi^{53}tsɿ^{0}puk^{3}ʂʅ^{53}li^{13}kan^{21}li^{0},tʂʅ^{21}xei^{53}si^{21}xek^{3} li^{0},xei^{53}me^{53}?xai$^{13}_{21}$lau$^{35}_{44}$ci$^{13}_{21}$iəu$^{35}_{44}$kuan$^{35}_{44}$çi$^{53}_{44}$,tan$^{53}_{44}$ʂʅ$^{53}_{44}$i^{21}tʂak^{3}xei^{53}lɔi$^{13}_{21}$ke^{53}lau^{21}p^{h}o^{13},t^{h}əŋ^{13}t^{h}əŋ^{13}ci^{13}t^{h}əŋ^{13}t^{h}əŋ^{13} ts^{h}ien$^{13}_{21}$mien^{53}ts^{h}ien$^{13}_{21}$kai^{53}tʂak^{3}lau$^{13}_{21}$p^{h}o^{13}ke^{53}ia^{13}ɔi^{35}ts^{h}iəu$^{53}_{21}$ɔn$^{35}_{44}$tso$^{53}_{44}$pɔk^{3}ciɔk^{3}.pɔk^{3}ʂɔŋ$^{53}_{44}$çi$^{53}_{44}$a^{0}.pɔk^{3}ciɔk^{3}ɔi^{35} tsɿ^{0}.i^{21}tʂak^{3}ts^{h}iəu^{53}ŋai$^{13}_{44}$pɔk^{3}ciɔk^{3}mɔi^{53}tsɿ^{0}.pɔk^{3}ciɔk^{3}mɔi^{53}tsɿ^{0},tei^{53}ci$^{13}_{21}$ke$^{53}_{44}$tʂ^{h}ɔŋ$^{53}_{44}$in$^{13}_{44}$ia$^{13}_{21}$tʂ^{h}ɔŋ$^{53}_{35}$in$^{13}_{21}$ɔi^{35}lɔi$^{13}_{21}$ kɔŋ^{21},ŋai^{13}i^{21}tʂak^{3}ŋai$^{13}_{21}$pɔk^{3}ciɔk^{3}mɔi^{53}tsɿ^{0}.

【驳脚老庚】pɔk^{3}ciɔk^{3}lau^{21}cien^{35} 名老庚去世后其丈夫续娶的女子：欸我就听讲过别人家：“哎哟，我个我以只老庚呐～。驳脚个老庚。”就以前箇只夫娘子摎渠系老庚，现在箇夫娘子死嘿哩，另外讨过一只，安做～。e$_{21}$ŋai^{13}tsʰiəu^{53}tʰaŋ^{35}kɔŋ^{21}ko$^{53}_{44}$pʰiet^{5}in$^{13}_{21}$ka$^{35}_{44}$:"ai$_{35}$iau$_{53}$,ŋai^{13}kei^{53}ŋai^{13}i^{21}tʂak^{3}lau^{21}cien$^{35}_{44}$na^{0}pɔk^{3}ciɔk^{3}lau^{21}cien$^{35}_{44}$.pɔk^{3}ciɔk^{3}ke^{53}lau^{21}cien^{35}."tsʰiəu$^{53}_{44}$i$^{35}_{53}$tsʰien^{13}kai^{53}tʂak^{3}pu^{35}ɲiɔŋ$^{13}_{21}$tsɿ^{0}lau^{35}ci$^{13}_{21}$xe^{53}lau^{21}cien$^{35}_{44}$,çien^{53}tsʰai^{53}kai^{53}pu^{35}ɲiɔŋ$^{13}_{21}$tsɿ^{0}si^{21}xek^{3}li^{0},lin^{53}uai^{53}tʰau^{21}ko^{53}iet^{3}tʂak^{3},ɔn$^{35}_{44}$tso$^{53}_{44}$pɔk^{3}ciɔk^{3}lau^{21}cien^{35}.

【驳脚妹】pɔk^{3}ciɔk^{3}mɔi^{53} 名 女儿去世后女婿续娶的女子。也称"驳脚妹子"：我等客姓人个填房啊，我等客姓人安做么个你晓得吗？安做驳脚。箇只夫娘子卖倒去，就安做～。欸，箇只男子人，系啊？死哩老婆，渠又讨过一只老婆。对渠箇只男子人个头只丈人爷来讲，对渠首先个箇只丈人爷丈人婑来讲，箇只是安做～。我自家个妹子死嘿哩了，死嘿哩，系唔系？如今我赖子当为婿郎讨过一只，箇只就～。ŋai^{13}tien^{0}kʰak^{3}sin^{53}ɲin$^{13}_{21}$kei^{53}tʰien^{13}fɔŋ^{13}ŋa^{0},ŋai^{13}tien^{0}kʰak^{3}sin^{53}ɲin$^{13}_{21}$ɔn$^{35}_{44}$tso^{53}mak^{3}ke^{0}ɲi^{13}çiau^{21}tek^{3}ma^{0}?ɔn$^{35}_{53}$tso^{53}pɔk^{3}ciɔk^{3}.kai^{53}tʂak^{3}pu^{35}ɲiɔŋ$^{13}_{21}$tsɿ^{0}mai^{53}tau^{21}çi^{53},tsʰiəu$^{53}_{44}$ɔn$^{35}_{44}$tso$^{53}_{44}$pɔk^{3}ciɔk^{3}mɔi^{53}.ei$_{44}$,kai^{53}tʂak^{3}lan^{13}tsɿ^{0}ɲin^{13},xei$^{53}_{44}$a^{0}?si^{21}li^{0}lau^{21}pʰo^{13},ci$^{13}_{21}$iəu^{53}tʰau^{21}ko^{53}(i)et^{3}tʂak^{3}lau^{21}pʰo^{13}.tei^{53}ci^{13}kai^{53}tʂak^{3}lan^{13}tsɿ^{0}ɲin^{13}kei^{53}tʰei^{13}tʂak^{3}tʂʰɔŋ^{35}in$^{13}_{44}$ia^{13}lɔi$^{13}_{21}$kɔŋ^{21},tei^{53}ci$^{13}_{21}$ʂəu^{21}sien$^{35}_{44}$ke^{53}kai^{53}tʂak^{3}tʂʰɔŋ$^{35}_{44}$in$^{13}_{44}$ia$^{13}_{21}$tʂʰɔŋ$^{35}_{44}$in$^{13}_{44}$ɔi^{35}lɔi$^{13}_{21}$kɔŋ^{21},kai^{53}tʂak^{3}ʂʅ^{21}ɔn$^{35}_{44}$tso^{53}pɔk^{3}ciɔk^{3}mɔi^{53}.ŋai$^{13}_{21}$tsʰɿ^{35}ka$^{35}_{53}$ke^{53}mɔi^{53}tsɿ^{0}si^{21}xek^{3}li^{0}liau^{0},si^{21}xek^{3}li^{0},(x)ei^{53}me^{53}?i$^{13}_{21}$cin$^{35}_{53}$ŋai$^{13}_{21}$lai^{53}tsɿ^{0}tʰau^{21}ko^{53}(i)et^{3}tʂak^{3},kai$^{53}_{44}$tʂak^{3}tsʰiəu$^{53}_{44}$pɔk^{3}ciɔk^{3}mɔi^{53}.

【驳脚婑子】pɔk^{3}ciɔk^{3}ɔi^{35}tsɿ^{0} 名 丈夫的已故前妻的母亲（对于后妻来说的）：称欸（老公的）前妻个母亲就～。tʂʰən$^{35}_{44}$ei$_{21}$tsʰien^{13}tsʰi$^{35}_{44}$ke^{53}mu^{21}tsʰin$_{44}$tsʰiəu$^{53}_{44}$pɔk^{3}ciɔk^{3}ɔi^{35}tsɿ^{0}.

【薄荷】pʰɔk^{5}xo^{13} 名 多年生宿根草本植物，用做调味料：又称"婆薄"：～，昨晡我等摎你看，几多子啊，箇～啊。pʰɔk^{5}xo^{13},tsʰo$^{35}_{21}$pu$^{35}_{44}$ŋai^{13}tien^{0}lau^{35}ɲi$^{13}_{21}$kʰɔn$^{35}_{44}$,ci^{21}to$^{35}_{44}$tsa^{0},kai$^{53}_{44}$pʰɔk^{5}xo$^{13}_{44}$a^{0}.

【簸箕】pɔi^{53}ci^{35} 名 一种用来扬去谷类糠皮的器具，以竹篾等编成：～，欸，～有。还有比～大个就安做摸篮呢。以只东西你要看就我倒有有。比箇～大蛮多。～放下摸篮肚箇里放得倒。渠等箇只做法唔同，箇只结构唔同。pɔi^{53}ci$^{35}_{44}$,e$_{21}$,pɔi^{53}ci$^{35}_{44}$iəu$^{35}_{44}$.xai^{13}iəu$^{35}_{44}$pi^{21}pɔi^{53}ci$^{35}_{44}$tʰai^{53}ke$^{53}_{44}$tsiəu^{53}ɔn$^{35}_{44}$tso$^{53}_{44}$mo^{35}lan$^{13}_{21}$nei^{0}.i^{21}tʂak^{3}(t)ɔŋ$^{35}_{44}$si^{0}ɲi^{13}iau$^{53}_{44}$kʰɔn^{53}tsəu$^{53}_{44}$ŋai$^{13}_{21}$tau^{21}iəu^{35}iəu^{35}.pi^{21}kai^{53}pɔi^{53}ci^{35}tʰai^{53}man$^{13}_{21}$to^{35}.pɔi^{53}ci$^{35}_{44}$fɔŋ^{53}xa$^{53}_{44}$mo^{35}lan$^{13}_{21}$təu^{21}kai$^{53}_{21}$li^{0}fɔŋ^{53}tek^{3}tau^{21}.ci^{13}tien^{0}kai$^{53}_{44}$tʂak^{3}tso^{53}fait^{3}n̩^{13}tʰəŋ^{13},kai$^{53}_{44}$tʂak^{3}ciet^{3}kei^{53}n̩^{13}tʰəŋ^{13}.

【啵】po^{0} 助 放在句末，表示求证的语气：河坝里个箇起……/箇个杞树～？/河坝里是喊杞树。/有杞树咯。xo^{13}pa^{53}li^{0}ke$^{53}_{44}$kai^{53}çi^{21}…/kai$^{53}_{44}$ke$^{53}_{44}$ci^{21}ʂəu^{53}po^{0}?/xo^{13}pa$^{53}_{44}$li^{0}ʂʅ$^{53}_{44}$xan^{53}ci^{21}ʂəu^{53}./iəu$^{35}_{44}$ci^{21}ʂəu^{53}ko^{0}.

【晡】pu^{35} 名 ①天，日，一昼夜：十多～ʂət^{5}to^{35}pu^{35}｜以下就（把篆子）放下箇水田里去。第二～去收，就有湖鳅，黄鳝。ia$_{35}$(←i^{21}xa^{53})tsʰiəu$^{53}_{44}$fɔŋ^{53}xa^{53}kai^{53}ʂei^{21}tʰien$^{13}_{21}$ni^{0}çi$^{53}_{44}$.tʰi$^{53}_{44}$ɲi$^{53}_{44}$pu$^{35}_{44}$çi$^{53}_{44}$ʂəu^{35},tsʰiəu$^{53}_{44}$iəu$^{35}_{44}$fu^{13}tsʰiəu$^{53}_{44}$,uɔŋ^{13}ʂen$^{53}_{44}$. ②指特定的某一天：箇有年呀正月初二～去拜年，（望春花）就开哩。kai^{53}iəu$^{35}_{53}$ɲien$^{13}_{21}$ia^{0}tʂaŋ^{35}ɲiet$^{5}_{3}$tsʰɿ^{35}ɲi^{53}pu^{35}çi$^{53}_{44}$pai^{53}ɲien^{13},tsʰiəu$^{53}_{44}$kʰɔi^{35}li^{0}.｜旧年从二月十三～起……一直搞到十二月。cʰiəu^{53}ɲien$^{13}_{44}$tsʰəŋ^{13}ɲi^{53}ɲiet^{5}ʂət^{5}san^{35}pu$^{35}_{44}$çi^{21}…iet^{3}tʂʰət^{5}kau^{21}tau$^{53}_{44}$ʂət^{5}ɲi^{53}ɲiet^{5}.

【晡晡】pu^{35}pu^{35} 每天：开头讲个我等箇后背箇个箇只人欸箇只箇鸡嫲店呢，有兜老子～都来。我晓得有只打麻将个，长日输钱。但是渠嘞～都来，～都爱送几百块钱分别人家。箇就唔系去以映唠。我系啊浏阳个时候子咯。箇个摎渠打麻将个人都唔多过意了。～都舞倒渠输钱呢，输起几百块。渠又唔爱滴紧。搞么个嘞？渠自家系退休老师，有几千块钱一个月。渠老公系银行里退休个。渠个赖子妹子尽跍倒哪映啊？跍倒箇个国税部门。你只爱婆婆子你只爱嬲得开心，你～输钱都做得。欸，一只婆婆子，～来打麻将，～输你几百块呀。硬很少有赢个话。也有滴人都唔多好意思同渠打了。总咁子输。渠又眼珠又曚曚子又搞别人家唔赢。kʰɔi^{35}tʰei$^{13}_{21}$kɔŋ^{21}ke^{53}ŋai^{13}tien^{0}kai$^{53}_{44}$xei^{53}pɔi$^{53}_{44}$kai$^{53}_{44}$ke^{53}kai^{53}tʂak^{3}ɲin$^{13}_{21}$e$_{53}$kai$^{53}_{44}$tʂak^{3}kai$^{53}_{44}$kei^{53}ma^{13}tian^{53}ne^{0},iəu^{53}təu$^{35}_{44}$lau^{21}tsɿ^{0}pu^{35}pu^{35}təu$^{35}_{53}$lɔi$^{13}_{44}$.ŋai^{13}çiau^{21}tek^{3}iəu$^{35}_{53}$tʂak^{3}ta^{21}ma^{13}tsiɔŋ^{53}ke^{53},tʂʰɔŋ^{13}ɲiet^{3}ʂəu^{35}tsʰen^{13}.tan$^{53}_{44}$ʂʅ$^{53}_{44}$ci$^{13}_{21}$le^{0}pu^{35}pu$^{35}_{44}$təu$^{35}_{53}$lɔi$^{13}_{21}$,pu^{35}pu$^{35}_{44}$təu$^{35}_{53}$ɔi^{53}səŋ^{53}ci^{21}pak^{3}kʰuai^{53}tsʰen$^{13}_{21}$pən$^{35}_{44}$pʰiet^{5}in$^{13}_{44}$ka$^{35}_{44}$.kai^{53}tsʰiəu^{53}m̩^{13}pʰe$^{53}_{44}$çi^{53}i^{21}iaŋ^{53}lau^{0}.ŋai^{13}xe^{53}a^{0}liəu^{13}iɔŋ$^{13}_{44}$ke^{0}ʂʅ$^{13}_{44}$xəu$^{53}_{44}$tsɿ^{0}ko^{0}.kai$^{53}_{44}$ke$^{53}_{44}$lau^{35}ci$^{13}_{21}$ta^{21}ma^{13}tsiɔŋ^{53}ke^{0}ɲin$^{13}_{44}$təu$^{35}_{53}$n̩$^{13}_{21}$to$^{35}_{44}$ko^{53}i^{53}liau^{0}.pu^{35}pu$^{35}_{44}$təu$^{35}_{53}$u^{21}tau^{21}ci$^{13}_{21}$ʂəu^{35}tsʰien$^{13}_{21}$ne^{0},ʂəu^{35}çi$^{21}_{44}$ci^{21}pak^{3}kʰuai^{53}.ci^{13}iəu$^{53}_{44}$m̩^{13}mɔi^{53}tiet^{5}cin^{21}.kau^{21}mak^{3}e^{0}le^{0}?ci$^{13}_{21}$tsʰɿ^{35}ka^{35}xe^{53}tʰei^{53}çiəu$^{53}_{44}$lau^{21}sɿ$^{35}_{44}$,iəu^{35}ci^{21}tsʰen$^{35}_{44}$kʰuai^{53}tsʰen$^{13}_{21}$iet^{3}ke^{53}ɲiet^{5}.ci^{13}lau^{21}kəŋ^{35}xei^{53}ɲin^{13}xəŋ$^{13}_{21}$li^{0}tʰei^{53}çiəu$^{53}_{44}$ke^{0}.ci^{13}ke$^{53}_{44}$lai^{53}tsɿ^{0}mɔi^{53}tsɿ^{0}tsʰin^{21}ku^{35}tau^{21}lai$^{53}_{44}$iaŋ$^{53}_{44}$ŋa^{0}?ku^{35}tau^{21}kai$^{53}_{44}$ke$^{53}_{44}$koit^{3}ʂei$^{53}_{44}$pʰu^{53}mən$^{53}_{44}$.ɲi^{13}tʂʅ$^{53}_{44}$ɔi^{53}pʰo^{13}pʰo$^{13}_{44}$tsɿ^{0}ɲi^{13}tʂʅ^{21}ɔi$^{53}_{44}$liau^{53}tek^{3}kʰɔi^{35}sin^{35},ɲi$^{13}_{21}$pu^{35}pu$^{35}_{44}$ʂəu$^{35}_{44}$tsʰen$^{13}_{21}$təu$^{35}_{44}$tso^{53}tek^{3}.ei$_{21}$,iet^{3}tʂak^{3}pʰo^{13}pʰo$^{13}_{44}$

tsʅ0,pu35pu35-44lɔi13-53ta21ma21-21tsiɔŋ53,pu35pu35-44ʂəu35-44ɲi13-21ci21pak3kʰuai53ia0. ɲiaŋ53xen21ʂau21iəu35iaŋ13-21ke53-44ua53-44.ia53iəu35-44 tet5ɲin13-21təu35-53ŋ̍13to35-44xau21i53sʅ0tʰəŋ13ci13-44ta21liau0.tsəŋ21kan21tsʅ0ʂəu35-53.ci13iəu53-44ŋan21tʂəu35iəu53məŋ13məŋ13tsʅ0 iəu53-44kau21pʰiet5in35-44ka35-44ŋ̍13-21iaŋ13.

【补】pu21 动①添上材料，把残破的东西修理完整：～衫 pu21san35丨镬烂了，烂镬爱～镬。从前就真系～镬啦。也话～镬头。uɔk5lan53liau0,lan53uɔk5ɔi53pu21uɔk5.tsʰəŋ13tsʰien13tsʰiəu53-44tʂəŋ35-44ne44(←xe53)pu21uɔk5la0.ia35ua53pu21uɔk5tʰei0.丨箴匠用箇是箇个～箪个东西安做么个？/欸，箴锹。～箪哪。/～晒箪呐。miet3siɔŋ53iəŋ53kai53-44ʂʅ44kai53-44ke53-44pu21tʰian53ke53-44təŋ35-44si0ɔn35-44tso53-44mak3ke53-0?/e21,miet5tsʰiau35.pu21tʰian53na0./pu21sai53tʰian53-21na0. ②补助，提供必要的生活津贴或工作经费：修谱箇映～哩滴子钱分我。～哩几……～哩两千块子钱。siəu35-44pʰu21kai53-44iaŋ53-44pu21li0tiet5tsʅ0tsʰien13-21pən35ŋai13-21.pu21li0ci21…pu21li0iɔŋ21tsʰien35-44kʰuai53tsʅ0tsʰien13.

【补丁】pu21tin35 名衣服等上头为遮掩破洞而补缀的小布块：从前苦个时候子是～叠～呐。补嘿又一重又一重啊。我等有只喊老叔婆个，渠七只赖子。同时读书个有五……四只啊几多只，同时读书。读个读高中，读个读初中。一下渠话一下爱转去读书了，星期天爱转学堂里了是，头两晡就打夜工啊来补衫裤啦。有滴～叠～呐。尽咁子补哇。补倒衫裤分渠等着倒去呀。七只赖子。冇得一只妹子。硬就系咁苦子。么个都冇人帮下子。煮饭食么个都靠渠。tsʰəŋ13tsʰien13kʰu21ke53ʂʅ13xəu53tsʅ0ʂʅ53-44pu21tin35tʰet5pu21tin35na0.pu21xek3iəu53iet3tʂʰəŋ13iəu53iet3tʂʰəŋ13-21ŋa0.ŋai13tien0iəu35tʂak3xan53lau21ʂəuk3pʰo0-21ke53,ci13-21tsʰiet3tʂak3lai53tsʅ0.tʰəŋ13ʂʅ13tʰəuk5ʂəu35ke0iəu35ŋ̍21…si53tʂak3a0cio35tʂak3,tʰəŋ13ʂʅ13tʰəuk5ʂəu35-53.tʰəuk5ke53-44tʰəuk5kau35tʂəŋ35-44,tʰəuk5ke53-44tʰəuk5tsʰəu35tʂəŋ35-44.iet3xa53-44ci13-44ua53-44iet3xa53ɔi53tʂən21çi53-44tʰəuk5ʂəu35liau0,sin35cʰi13-21tʰien35ɔi53-44tʂən21xɔk5tʰɔŋ13-44li0liau0ʂʅ53-44,tʰei13iɔŋ21pu35tsʰiəu53-44ta21ia53kəŋ35-44ŋa0lɔi13pu21san35fu53la0.iəu35tiet5-3pu21tin35tʰet5pu21tin35na0.tsʰin53kan21-44tsʅ0pu21ua0.pu21tau21-44san35fu53pən35ci13-21tien0tʂɔk3tau21çi53ia0.tsʰiet3tʂak3lai53tsʅ0.mau13iet3tʂak3tsʅ0mɔi53tsʅ0. ɲiaŋ53tsʰiəu53xe53-44kan21kʰu21tsʅ0.mak3ke53təu35-53mau13-21ɲin13-21pɔŋ35ŋa35-44tsʅ0.tʂəu21fan53ʂət5mak3ke53təu35-53kʰau53ci13-21.

【补蔸】pu21tei35 动用移苗或补种的方法把苗补全：欸，栽禾也好，栽菜也好，蚀哩蔸子就爱补转～。只有番薯就唔爱～。番薯补倒个蔸就冇得。渠等话番薯让门子～冇得嘞，安做番薯是唔做小，唔做小老婆哇，箇小就就小老婆个意思啊。你补倒也冇得。真古怪。渠蚀嘿哩你蚀嘿哩蔸子，箇映少一蔸番薯，一路子就分渠箇少一蔸，你就等渠少一蔸，你补倒去个冇得。只有两条苗，真古怪。渠话番薯唔做小，就系唔做小老婆。就系番薯冇得就冇得，你补倒去也冇得。e44,tsɔi35uo13ia35-44xau21,tsɔi35tsʰɔi53ia35-44xau21,ʂet5li0tei35tsʅ0tsʰiəu53ɔi53pu21tʂɔn21pu21tei35.tʂʅ21-44iəu35-44fan35ʂəu13-21tsʰiəu53-44m̩13mɔi53-35pu21tei35.fan35ʂəu13-21pu21tau21ke0tei35-44tsʰiəu53mau13-21tek3.ci13tien0ua53fan35ʂəu13-21ɲiɔŋ53mən0tsʅ0pu21tei35-44mau13-21tek3le0,ɔn35-44tso53-44fan35ʂəu13-21ʂʅ53-44ŋ̍13tso53siau21,ŋ̍13tso53siau21lau21pʰo13ua0,kai53siau21tsʰiəu53tsʰiəu53siau21lau21pʰo13ke53i53sʅ0a0. ɲi13pu21tau21a53-53mau13-44tek3.tʂən35ku21kuai53.ci13ʂet5ek3li0ɲi13-21ʂet5ek3li0tei35tsʅ0,kai53iaŋ53ʂau21iet3tei35-44fan35ʂəu13-21,iet3lu53tsʅ0tsəu53-44pən35-44çi13-44kai53ʂau21iet3tei35, ɲi13tsʰiəu53ten21ci13ʂau21iet3tei35, ɲi13-21pu21tau21çi53ke53mau13tek3.tʂət3iəu35-53iɔŋ21tʰiau13-21miau13,tʂən35ku21kuai53.ci13ua53-44fan35ʂəu13-21ŋ̍13tso53siau21,tsʰiəu53xe53ŋ̍13tso53siau21lau21pʰo13.tsʰiəu53-44xe53fan13ʂəu13-21mau13tek3tsʰiəu53mau13tek3, ɲi13pu21tau21çi53ia35-53mau13 tek3.

【补镬匠】pu21uɔk5siɔŋ53 名补锅的匠人：以下就冇得～了。以前我等看过，补镬个。欸，我等花湖南花鼓戏就有只《补镬》啊，系唔系？我细细子看倒箇个～个。i21xa53tsʰiəu53mau13tek3pu21uɔk5siɔŋ53liau0.i35tsʰien13ŋai13tien0kʰɔn53ko53,pu21uɔk5ke0.e21,ŋai13tien0fa35fu13lan13-44fa35ku21çi53-44tsʰiəu53iəu35-44tʂak3pu21uɔk5a0,xei53-44me53-44?ŋai13sei53sei53tsʅ0kʰɔn53tau21kai53-44ke53-44pu21uɔk5siɔŋ53ke0.

【补子】pu21tsʅ0 名补丁；在破损的衣服的补块：打～ta21pu21tsʅ0

【不₁】pət3 副用在动词、形容词等前面表示否定：你唔烧就～是瓦，就系搞泥。ɲi13ŋ̍13ʂau35-44tsʰiəu53-44pət3ʂʅ53ŋa21,tsʰiəu53xe53-44kau21lai13.丨箇一伴人爱算正人来嘞，你～能够七八个人呢。kai53iet3pʰɔn53ɲin13ɔi53sɔn53tʂaŋ53ɲin13nɔi13-21le0,ɲi13-21pət3lən13-44ciau53tsʰiet3pait3cie53ɲin13-21ne0.丨□□就唔……～顺遂呀。ti53tɔi35-44tsʰiəu53ŋ̍13…pət3ʂən53si53ia0.

【不₂】pət3/puk3 助语气助词，表示反诘的语气：一杆新笔嘞～绷硬个，系唔系？iet3kɔn21sin35piet3le0puk3paŋ35ŋaŋ53ke53-21,xei53-44me53-44?

【不错】pət3tsʰo53 形对，正确：系系系，～。xe53xe53xe53-21,pət3tsʰo53.

【不倒公】pət3tau21kəŋ35 名不倒翁。也称“不倒公子”：我细细子做个，舞只饽饽壳啊让门子去做呢，做箇个，底下爱装兜沙公呢，你挨下子渠又顿倒呢。安做～。ŋai13 se53 se53 tsɿ0 tso53-44 ke53-44,u21 tʂak3 pɔk5 pɔk5 kʰɔk3 a0 ɲiɔŋ53 mən0 tsɿ0 çi53-44 tso53 nei0,tso53-44 kai53-44 ke53-44,te21 xa53-44 ɔi53-44 tʂɔŋ35-44 təu35-44 sa35 kəŋ35-44 nei0,ɲi13 tsʰəŋ21 ŋa53 tsɿ0 ci13-44 iəu53 tən53 tau21 nei0 .ɔn35-44 tso53-44 pət3 tau21 kəŋ35.

【不光】pət3 kɔŋ35 副 表示超出某个范围；不止：茶壶也带一把嘞就点茶换茶箇只也食个东西呀也带滴子啊。～系茶水。tsʰa13 fu13 ia35 tai53 iet3 pa21 le0 tsʰiəu53-44 tian21 tsʰa13 uən53 tsʰa13-21 kai53-44 tʂak3 ia35-44 ʂət5 ke53-44 təŋ35-44 si0 ia0 a35-44 tai53 tiet5 tsa0 .pət3 kɔŋ35 xe53-44 tsʰa13 ʂei21.

【不过】pət3 ko53 连 用在后半句的开头，表示转折，对上半句加以限制或修正，相当于“只是”：油箩有啊，有啊，有油箩啊。有起蜂子咯安做油箩蜂咯。我～我我只听讲过。嫲看过别人家用油箩子荷油就嫲看过。iəu13-21 lo13-44 iəu35 a0 ,iəu35 a0 ,iəu35 iəu13-21 lo13-44 a0 .iəu35-44 çi21 fəŋ35 tsɿ0 ko0 ɔn35-44 tso53-44 iəu13-21 lo13-44 fəŋ35 ko0 .ŋai13 pət3 ko53 ŋai13-21 ŋai13-21 tʂe21 tʰaŋ35 kɔŋ21 ko53-44 .maŋ13 kʰɔn53 ko53 pʰiek5 in13-21 ka35-44 iəŋ53 iəu13 lo13-21 tsɿ0 kʰai35-44 iəu13 tsʰiəu53-44 maŋ13 kʰɔn53 ko53.

【不论1】pət3 lən53 动 ①不区别，不考究：～大细，都称嫂子。pət3 lən53-44 tʰai35 se53 ,təu35 tʂʰən35-44 sau21 tsɿ0. ②不限定，随便：可能哪晡去？照以下就，以下是，以下见得了。今晡过个以欸以两晡，今晡看下结束得了吗，搞得正吗。今晡搞得正是我就～哪晡去哩。kʰo21 len13 lai53-44 pu35 çi53 ?tʂau53-44 i21 xa53-44 tsʰiəu53-44 ,i21 xa53-44 ʂʅ53-44 ,i21 xa53-44 cien53 tek3 liau0 .cin35 pu35-44 ko53 ke53-21 i21 e21 i21 iɔŋ21 pu35-53 ,cin35 pu35-53 kɔn53 na53 (←xa53)ciet3 tʂʰəuk5 tek3 liau21 ma0 ,kau21 tek3 tʂaŋ53 ma0 .cin35 pu35-53 kau21 tek3 tʂaŋ53 ʂʅ53-44 ŋai13-21 tsʰiəu53 pət3 len53-44 lai53-44 pu35-44 çi53 li0.

【不论2】pət3 lən53 连 关联词语，表示条件或情况不同而结果不变，后面往往有“还系”或并列的词语，下文多用“都”跟它呼应：箇是你……你食嘞半月酒满月酒是，食细人子出世个酒，～半月还系满月，都爱发饽饽，发红饽饽。kai53-44 ʂʅ53-44 ɲi13-21 …ɲi13 ʂət5 le0 pan53 ɲiet5 tsiəu21 man35 ɲiet5 tsiəu21 ʂʅ0 ,ʂət5-3 sei53 ɲin13-21 tsɿ0 tʂʰət3 ʂʅ53 ke53-44 tsiəu21 ,pət3 lən53-44 pan53 ɲiet5 xai13-21 xe53-44 man35 ɲiet5 ,təu35 ɔi53 fait3 pɔk5 pɔk0 ,fait3 fəŋ13 pɔk5 pɔk0 . | 打比我只有只晚姑子，～比我大比我细，都称她系晚姑子，系唔系？ta21 pi21 ŋai13-44 tʂʅ21 iəu35-53 tʂak3 man35 ku35 tsɿ0 ,pət3 lən53 pi21 ŋai13 tʰai35 pi21 ŋai13 se53 ,təu35 tʂʰən35-44 tʰa35-44 xe53-21 man35 ku35-44 tsɿ0 ,xe53-44 me53-44 ?

【不男不女】pət3 lan13 pət3 ɲy21 形容分不清一个人到底是男的还是女的：你箇阴阳人，～个。ɲi13-21 kai53-44 in35 niɔŋ13-21 ɲin13-21 ,pət3 lan13 pət3 ɲy21 ke53.

【不能】pu53 lən13 动 助动词。①不可以：个孝子你不能够话胸口挺直啦，欸，威风凛凛哩呀，箇～。ke53-44 xau53 tsɿ0 ɲi13 pət3 lən13-21 kei53-44 ua53-44 çiəŋ35 kʰəu21 tʰin21 tʂʰət5 la0 ,ei21 ,uei35 fəŋ35-44 lin21 lin21 li0 ia0 ,kai53-44 pət3 nən13. ②不具备能力或条件：有滴人是有滴妹子是欸新娘吵还有公公婆婆，因为渠老嘿哩，渠～来咁样子食饭，还爱回一桌酒席分渠。iəu35 tet5 ɲin13-21 ʂʅ53-44 iəu35 tet5 mɔi53 tsɿ0 ʂʅ53-44 e21 sin35 ɲiɔŋ13-21 ʂa0 xai13-21 iəu35 kəŋ35 kəŋ35 pʰo13 pʰo13-44 ,in35 uei53-44 ci13-21 lau21 ek3 li0 ,ci13-21 pət3 nən13-21 lɔi13 kan21-35 iɔŋ53-44 tsɿ0 ʂət5 fan53 ,xa13-21 ɔi53 fei13-21 iet3 tsɔk3 tsiəu21 siet5 pən35 ci13-21.

【不同】pət3 tʰəŋ13 形 不一样：量词吧？箇就根据～个情况讲唠。liaŋ53 tsʰɿ13 pa0 ?kai53-44 tsʰiəu53-44 cien35 tʂʅ53-44 pət3 tʰəŋ13 ke53-44 tsʰin13 kʰɔŋ53 kəŋ21 lau0.

【不行1】pət3 çin13 动 不可以，不被允许：医师爱你多睡下子。食烟搽食茶都～。i35 sɿ35 ɔi53 ɲi13 to35 ʂɔi53 xa35 tsɿ0 .ʂek5 ien35 nau35 ʂek5 tsʰa13 təu35 pət3 çin13.

【不行2】pət3 çin13 形 不中用；不好：路唔好。咁马子会打蹄，会……箇个马蹄～。ləu53 n̩13 xau21 .kan21-44 ma35 tsɿ0 uɔi53 ta21 tʰai13 ,uɔi53-44 …kai53-44 ke53-44 ma35 tʰi13 pət3 çin13.

【不要】pət3 iau53 副 表示禁止或劝阻：啊，你～放松渠呀，你去搽渠打一架！a13, ɲi13-21 pət3 iau53-44 fəŋ53 səŋ35 ci13-21 ia0 ,ɲi13 çi53-44 lau35 ci13-21 ta21 iet3 cia53! | 慢滴子走，～跑。man53 tiet5 tsɿ0 tsei21 ,pət3 iau53 pʰau21.

【不要脸】pət3 iau53 lien21 形 不顾面子，不知羞耻。又称“唔要脸”：死～si21 pət3 iau53 lien21 | 你硬～！ɲi13 ɲiaŋ53 pət3 iau53 lien21!

【不一定1】pət3 iet3 tʰin53 形 不确定：箇就～呶。kai53-44 tsʰiəu53-44 pət3 iet3 tʰin53 nau0.

【不一定2】pət3 iet3 tʰin53 副 不见得，不确定，不必须：～是蛮陡，也～爱几高。pət3 iet3 tʰin53 ʂʅ53-44 man13-44 tei21 ,ia35 pət3 iet3 tʰin53-44 ɔi53 ci21 kau35.

【不衣旁】pət3 i35 pʰɔŋ13 名 示字旁（礻）：搽箇个搽箇敬神有关个事嘞一般都系～。嘞，社字，系唔系？神字，祖宗菩萨个祖字，祭祀个祀字，都系～。lau35 kai53-44 ke53-44 lau35 kai53-44 cin53 ʂən13 iəu35 kuan35-44 ke53-44 sɿ53 lei0 iet3 pɔn35 təu35-44 xei53-44 pət3 i35 pʰɔŋ21 .lei35-35 ,ʂa53 tsʰɿ53 ,xei53-44 me53-44 ?ʂən13 tsʰɿ53 ,tsɿ21 tsəŋ35-53 pʰu13-21 sait3 ke0 tsɿ21 tsʰɿ53 ,tsi53 sɿ53 ke0 sɿ53 tsʰɿ53-44 ,təu35 xe53-44 pət3 i35 pʰɔŋ13.

【不衣偏】pət^{3} i^{35}pʰɔŋ$^{13}_{21}$ [名]不衣旁的别称：示字旁就安做不衣旁。又安做～。就系示字旁。比衣字旁呢少一点个唠，就安做不衣旁，安做～。话～个欸不衣旁个更多。ʂʅ^{53}tsʰʅ$^{53}_{44}$pʰɔŋ^{13}tsiəu^{53} ɔn$^{35}_{44}$tso$^{53}_{44}$pət^{3} i^{35}pʰɔŋ^{13}.iəu$^{53}_{44}$ɔn$^{35}_{44}$tso$^{53}_{44}$pət^{3} i^{35}pʰien^{21}.tsʰiəu$^{53}_{44}$xei$^{53}_{44}$ʂʅ^{53} tsʰʅ$^{53}_{44}$pʰɔŋ$^{13}_{21}$,pi^{21}i^{35}tsʰʅ^{53}pʰɔŋ$^{13}_{21}$ne^{0} ʂau^{21}iet^{3} tian^{21} cie^{53}lau^{0},tsʰiəu$^{53}_{44}$ɔn$^{35}_{44}$tso$^{53}_{44}$pət^{3} i^{35}pʰɔŋ$^{13}_{21}$,ɔn$^{35}_{44}$tso$^{53}_{44}$pət^{3} i^{35}pʰien^{21}.ua^{53}pət^{3} pʰien$^{21}_{44}$ke^{0} e$_{44}$pət^{3} i^{35}pʰɔŋ^{13}ke$^{53}_{44}$ken$^{53}_{44}$to$^{35}_{44}$.

【不周】pət^{3} tʂəu^{35} [形]不周到；不完备：做事个时候子，自家考虑～哇。tso^{53} sʅ^{53}ke$^{53}_{44}$ʂʅ^{13} xəu^{53} tsʅ^{0},tsʰʅ$^{53}_{44}$ka$^{35}_{44}$kʰau^{21}ly$^{53}_{44}$pət^{3} tʂəu^{35}ua^{0}.

【不足】pət^{3} tsəuk^{3} [动]未满（某个数目）：～一百个就百把子，百把个。pət^{3} tsəuk^{3} iet^{3} pak^{3} ke^{53} tsʰiəu$^{53}_{44}$pak^{3} pa^{21}tsʅ^{0},pak^{3} pa^{21}ke^{53}.

【布】pu^{53} [名]棉、麻、苎等织物的通称：扯几尺～tʂʰa^{21}ci^{21}tʂʰak^{3} pu^{53}｜有种布伞只有一重子～个。iəu^{35}tʂəŋ^{21}pu$^{53}_{44}$san$^{53}_{44}$tʂʅ^{21}iəu$^{35}_{53}$iet^{3} tʂʰəŋ^{13}tsʅ^{0} pu^{53}ke$^{53}_{44}$.

【布包】pu^{53}pau$^{35}_{44}$ [名]布做的包或袋子。也称“布包子”：舞只～子啊，枕头子咁个～就安做背人呶。u^{21}tʂak^{3} pu^{53}pau$^{35}_{44}$tsa^{0},tʂən^{21}tʰei^{13}tsʅ^{0} kan^{21}ke$^{53}_{44}$pu^{53}pau$^{35}_{44}$tsʅ^{0} tsʰiəu$^{53}_{44}$ɔn$^{35}_{44}$tso$^{53}_{44}$pi^{53}ɲin^{13}nau^{0}.

【布草帽】pu^{53}tsʰau^{21}mau^{53} [名]用篾圈蒙布做成的遮阳帽：从前个草帽子欸最多个嘞就系麦梗子编……织个箇个草帽。欸，舞只篾圈圈，舞滴布一蒙，做只子咁个驲得脑壳进去个东西，箇个就安做～。我戴过，我就戴过～，只戴过箇起箇个麦梗子编个箇起，织个箇起草帽。tsʰəŋ^{13}tsʰien^{13}ke^{53}tsʰau^{21}mau^{53}tsʅ^{0} e$_{21}$tsei^{53}to^{35}ke^{53}le^{0} tsʰiəu^{53}xe^{53}mak^{5} kuaŋ^{21}tsʅ^{0} pʰien^{35}…tʂət^{3} cie$^{53}_{44}$kai$^{53}_{44}$ke$^{53}_{44}$ tsʰau^{21}mau^{53}.e$_{44}$,u^{21}tʂak^{3} miet^{5} cʰien^{35}cʰien^{35},u^{21}tiet^{5} pu^{53}iet^{3} maŋ^{35},tso^{53}tʂak^{3} tsʅ^{0} kan^{21}ke$^{53}_{44}$kəŋ^{53}tek^{3} lau^{21}kʰɔk^{3} tsin$^{53}_{44}$cʰi$^{53}_{44}$ke^{0} təŋ$^{35}_{44}$si^{0},kai$^{53}_{44}$ke$^{53}_{44}$tsʰiəu$^{53}_{44}$ɔn$^{35}_{44}$tso$^{53}_{44}$pu^{53}tsʰau^{21}mau^{53}.ŋai^{13}maŋ^{13}tai^{53}ko^{53},ŋai^{13}tsʰiəu^{53}maŋ^{13}tai$^{53}_{44}$ko$^{53}_{44}$ pu^{53}tsʰau^{21}mau^{53},tʂət^{3} tai^{53}ko^{53}kai^{53}çi^{21}kai$^{53}_{44}$ke$^{53}_{44}$mak^{5} kuaŋ^{21}tsʅ^{0} pʰien^{35}ke$^{53}_{44}$kai$^{53}_{44}$çi^{21},tʂət^{3} cie$^{53}_{44}$kai$^{53}_{44}$çi^{21}tsʰau^{21} mau^{53}.

【布袋】pu^{53}tʰɔi^{53} [名]用布制成的袋子。也称“布袋子”：（枕头）内套子用只～呀。lei^{53}tʰau$^{53}_{44}$tsʅ^{0} iəŋ$^{53}_{44}$tʂak^{3} pu^{53}tʰɔi$^{53}_{44}$ia^{0}.｜褡裢，欸，褡裢。系，有只～，搭嘿背龙上。tait^{3} lien$^{13}_{53}$,e$_{21}$,tait^{3} lien$^{13}_{44}$.xe$^{53}_{21}$,iəu$^{35}_{21}$tʂak^{3} pu^{53}tʰɔi^{53}tsʅ^{0},tait^{3} (x)ek$^{3}_{5}$ pɔi^{53}ləŋ$^{13}_{21}$xɔŋ^{53}.

【布告】pu^{53} kau^{53} [名]书面的或印刷的通告或公告，多指法院张贴的：我等细细子就喜欢看箇个箇法院里打人枪毙人个～呢，我都记得，欸，爱枪毙个人呢就一只红勾勾一勾呢。箇阵子是欸县长就龚长富_{未核实}，箇个也系～。箇就唔系法院里个～。县长发个～就唔系法院里个～，就唔系枪毙人个～。箇枪毙人个～就法院院长，唔知（渠个名字），以前真记得咯。ŋai^{13}tien^{0} se^{53}se^{53}tsʅ^{0} tsʰiəu$^{53}_{44}$çi^{21}fɔn$^{35}_{44}$kʰɔn^{53}kai$^{53}_{44}$ke$^{53}_{44}$kai^{53}fait^{3} vien^{53}li^{0} ta^{21}ɲin^{13}tsʰiɔŋ^{35}pʰi$^{53}_{44}$ɲin^{13}cie$^{53}_{44}$pu^{53}kau^{53}nei^{0},ŋai^{13} təu$^{35}_{44}$ci^{53}tek^{3},e$_{44}$,ɔi^{53}tsʰiɔŋ^{35}pʰi$^{53}_{44}$ke$^{53}_{44}$ɲin$^{13}_{44}$ne^{0} tsiəu$^{53}_{44}$iet^{3} tʂak^{3} fəŋ^{13}kei$^{35}_{44}$kei$^{35}_{44}$iet^{3} kei^{35}nei^{0}.kai^{53}tʂʰən^{53}tsʅ^{0} ʂʅ$^{53}_{44}$e$_{44}$ çien^{53}tʂɔŋ^{21}tsʰiəu$^{53}_{44}$kəŋ^{35}tʂʰɔŋ$^{13}_{21}$fu^{53},kai^{53}ke^{53}ia^{35}xei$^{53}_{44}$pu^{53}kau^{53}.kai$^{53}_{44}$tsʰiəu^{53}m̩^{13}pʰe$^{53}_{44}$fait^{3} vien^{53}li^{0} ke^{0} pu^{53} kau^{53}.çien^{53}tʂɔŋ^{21}fait^{3} ke^{0} pu^{53}kau^{53}tsʰiəu$^{53}_{44}$m̩$^{13}_{21}$pʰe^{53}fait^{3} vien^{53}li^{0} ke^{0} pu^{53}kau$^{53}_{44}$,tsʰiəu^{53}m̩^{13}pʰe$^{53}_{44}$tsʰiɔŋ$^{35}_{44}$pʰi^{53}ɲin^{13} ke^{0} pu^{53}kau^{53}.kai^{53}tsʰiɔŋ$^{35}_{44}$pʰi^{53}ɲin^{13}ke^{0} pu^{53}kau^{53}tsʰiəu$^{53}_{44}$fait^{3} vien^{53}vien^{53}tʂɔŋ^{21},n̩^{13}ti$^{35}_{53}$,i^{35}tsʰien$^{13}_{21}$tʂən^{35}ci^{53} tek^{3} ko^{0}.

【布狗】pu^{53}kei^{21} [名]一种传闻中的动物：～，我也唔晓得。我等细细子玩一种游戏，就系欸安做～□鸡，欸，鸡嗒白蚁，白蚁蛀皇帝，皇帝缴洋枪，洋枪打～。嘿嘿。么人念到么个嘞，你念倒洋枪，欸就皇帝缴洋枪，我更大。欸，皇帝就分你洋枪缴咁。欸，洋枪它打～，～□鸡，欸，～到底系是么啊东西唔晓得噢。pu^{53}kei^{21},ŋai^{13}a$^{35}_{53}$n̩$^{13}_{21}$çiau^{21}tek^{3}.ŋai$^{13}_{21}$tien^{0} se^{53}se^{53}tsʅ^{0} uan^{13}iet^{3} tʂəŋ^{21}iəu^{13}çi^{53},tsʰiəu$^{53}_{44}$xe$^{53}_{44}$e$_{21}$ɔn$^{35}_{44}$tso$^{53}_{44}$pu^{53}kei^{21}lo^{35}cie^{35},e$_{21}$,cie^{35}tsan$^{35}_{44}$pʰak^{5} le^{35},pʰak^{5} le$^{35}_{44}$tʂəu^{53}fɔŋ^{13}ti^{53},fɔŋ^{13}tʰi^{53} ciau^{21}iɔŋ^{13}tsʰiɔŋ^{35},iɔŋ^{13}tsʰiɔŋ$^{35}_{44}$ta^{21}pu^{53}kei^{21}.xe$_{21}$xe$_{44}$.mak^{3}ɲin$^{13}_{44}$ɲian^{35}tau$^{53}_{44}$mak^{3} e^{0} lei^{0},ɲi^{13}ɲian^{35}tau^{21}iɔŋ^{13} tsʰiɔŋ^{35},e$_{21}$tsʰiəu$^{53}_{44}$fɔŋ^{13}ti^{53}ciau^{21}iɔŋ^{13}tsʰiɔŋ$^{35}_{44}$,ŋai^{13}cien$^{53}_{44}$tʰai^{53}.e$_{21}$,fɔŋ^{13}ti$^{53}_{44}$tsʰiəu$^{53}_{44}$pən$^{35}_{44}$ɲi$^{13}_{44}$iɔŋ^{13}tsʰiɔŋ$^{35}_{44}$ciau^{21} kan^{21}.ei$_{21}$,iɔŋ^{13}tsʰiɔŋ$^{35}_{44}$tʰa$^{35}_{44}$ta^{21}pu^{53}kei^{21},pu^{53}kei^{21}lo^{35}cie^{35},e$_{21}$,pu^{53}kei^{21}tau^{53}ti^{21}xei^{53}ʂʅ$^{53}_{21}$mak^{3} a^{0} (t)əŋ$^{35}_{44}$si^{0} n̩^{13}çiau^{21} tek^{3} au^{0}.

【布狗窿】pu^{53}kei^{21}ləŋ^{13} [名]棉衣上的窟窿：好像有种安做布狗，我都唔晓得布狗系么啊东西，见过。～。我等平时都话：你箇件袄婆上净～噢！～样啊，你箇只袄婆～样！么个唠，布狗唠，我都唔记得哩。唔知狐狸呀么啊东西嘞布狗嘞。xau^{21}siɔŋ$^{53}_{44}$iəu^{35}tʂəŋ^{21}ɔn$^{35}_{44}$tso$^{53}_{44}$pu^{53}kei^{21},ŋai^{13} təu$^{35}_{53}$n̩$^{13}_{21}$çiau^{21}tek^{3} pu^{53}kei^{21}xei$^{53}_{44}$mak^{3} a^{0} təŋ$^{35}_{44}$si^{0},maŋ^{13}cien^{53}ko$^{53}_{44}$.pu^{53}kei^{21}ləŋ^{13}.ŋai^{13}tien^{0} pʰin$^{13}_{21}$ʂʅ$^{13}_{44}$təu^{35}ua^{53}:ɲi^{13} kai$^{53}_{44}$cʰien$^{53}_{44}$au^{21}pʰo^{13}ʂɔŋ$^{53}_{44}$tsʰin^{53}pu^{53}kei^{21}ləŋ^{13}ŋau$_{44}$!pu^{53}kei^{21}ləŋ^{13}iɔŋ^{53}ŋa^{0},ɲi$^{13}_{21}$kai$^{53}_{44}$tʂak^{3} au^{21}pʰo^{13}pu^{53}kei^{21}ləŋ^{13} iɔŋ^{53}!mak^{3} ke^{53}lau^{0},pu^{53}kei^{21}lau^{0},ŋai^{13}təu$^{35}_{44}$n̩^{13}ci^{53}tek^{3} li^{0}.n̩^{13}ti$^{35}_{44}$fu^{13}li^{13}ia^{0} mak^{3} a^{0} təŋ$^{35}_{44}$si^{0} lei^{0} pu^{53}kei^{21}lei^{0}.

【布谷鸟子】pu^{53}kuk^{3}tiau^{35}tsɿ^{0} 名 子规。又称“杜鹃”：～，春天子就有唠，欸，三四月子就有～。渠就渠叫起来就布谷，布谷布谷，系咁子叫吧？又安做杜鹃呢。pu^{53}kuk^{3}tiau$^{35}_{44}$tsɿ^{0},tʂʰən^{35}tʰien$^{35}_{44}$tsɿ^{0}tsiəu$^{53}_{44}$iəu^{35}lau^{0},e$_{44}$,san^{35}si^{53}ȵiet^{5}tsɿ^{0}tsiəu$^{53}_{44}$iəu^{35}pu^{53}kuk^{3}tiau^{35}tsɿ^{0}.ci^{13}tsʰiəu^{53}ci^{13}ciau^{53}çi^{21}lɔi^{13}tsʰiəu^{53}pu^{53}kuk^{3},pu^{53}kuk^{3}pu^{53}kuk^{3},xei^{53}kan^{21}tsɿ^{0}ciau^{53}pa^{0}?iəu$^{53}_{44}$ɔn$^{35}_{44}$tso$^{53}_{44}$tʰəu^{53}tʂen^{35}ne^{0}.

【布骨】pu^{53}kuət^{3} 名 袼褙，即用碎布、旧布糊成的厚片：打～让门打嘞？分箇布欸一块块子，箇个有箇个一条裤样，分箇个线缝拆嘿去，拆做一块块子个布，一般是就系舞块笪呀舞块咁个么……门板，舞块门板，门板面上嘞舞倒箇个饭汤……噢舞倒箇羹，□正个羹，鲜唔知几鲜个羹，刮一点羹，以下就分箇个烂布铺一层，铺一层铺满哩以后，又刮一层羹，又铺第二层烂布，欸箇就安做打～。铺正哩以后，分渠晒燥来。晒燥来就瘖厚。咁子瘖厚。箇瘖厚个嘞箇～嘞就用来搞么个嘞？嗯，做鞋个时候子，有滴嘞就做鞋底。不过做鞋底嘞还爱用绳子去打一到。ta^{21}pu^{53}kuət^{3}ȵiɔŋ$^{53}_{44}$mən^{0}ta^{21}le^{0}?pən^{35}kai$^{53}_{44}$pu^{53}ei$_{21}$iet^{3}kʰuai^{53}kʰuai^{53}tsɿ^{0},kai$^{53}_{44}$ke$^{53}_{44}$iəu^{35}kai$^{53}_{44}$ke$^{53}_{44}$iet^{3}tʰiau^{13}fu^{53}iɔŋ$^{53}_{44}$,pən^{35}kai$^{53}_{44}$kei$^{53}_{44}$sen^{53}pʰəŋ$^{53}_{44}$tsʰak^{3}ek^{3}çi$^{53}_{44}$,tsʰak^{3}tso^{53}iet^{3}kʰuai^{53}kʰuai^{53}tsɿ^{0}ke$^{53}_{44}$pu^{53},iet^{3}pən^{35}ʂʅ$^{53}_{44}$tsʰiəu^{53}xe^{53}u^{21}kʰuai^{53}tait^{3}ia^{0}u^{21}kʰuai^{53}kan^{21}cie^{53}mak^{3}…mən^{13}pan^{21},u^{21}kʰuai^{53}mən^{13}pan^{21},mən^{13}pan^{21}mien^{53}xɔŋ^{53}lei^{0}u^{21}tau^{21}kai$^{53}_{44}$kei$^{53}_{44}$fan^{53}tʰɔŋ…au^{0}u^{21}tau^{21}kai^{53}kaŋ^{35},cʰiet^{5}tʂaŋ$^{53}_{44}$ke$^{53}_{44}$kaŋ^{35},sen^{35}n̩^{13}ti$^{35}_{53}$ci$^{13}_{21}$sen^{35}ke^{53}kaŋ^{35},kuait^{3}iet^{3}tian^{21}kaŋ^{35},i$^{21}_{13}$xa$^{53}_{44}$tsiəu$^{53}_{44}$pən^{35}kai^{53}ke$^{53}_{44}$lan^{53}pu$^{53}_{44}$pʰu^{35}iet^{3}tsʰen$^{13}_{21}$,pʰu^{35}iet^{3}tsʰen$^{13}_{21}$pʰu^{35}man^{35}ni^{0}i^{35}xei^{53},iəu^{53}kuait^{3}iet^{3}tsʰen^{13}kaŋ$^{35}_{44}$,iəu$^{53}_{44}$pʰu$^{35}_{44}$tʰi^{53}ȵi^{53}tsʰien$^{13}_{21}$lan^{53}pu^{53},e$_{21}$,kai$^{53}_{44}$tsʰiəu$^{53}_{44}$ɔn$^{35}_{44}$tso$^{53}_{44}$ta^{21}pu^{53}kuət^{3}.pʰu^{35}tʂaŋ^{53}li^{0}i^{35}xei^{53},pən$^{35}_{44}$ci$^{13}_{44}$sai^{53}tsau$^{35}_{44}$lɔi$^{13}_{44}$.sai^{53}tsau$^{35}_{44}$lɔi$^{13}_{21}$tsʰiəu$^{53}_{44}$tet^{5}xei$^{35}_{44}$.kan^{21}tsɿ^{0}tiet^{5}xei^{35}.kai$^{53}_{44}$tiet^{5}xei$^{35}_{44}$ke$^{53}_{44}$lei^{0}kai$^{53}_{44}$pu^{53}kuət^{3}lei^{0}tsʰiəu^{53}iəŋ^{53}lɔi$^{13}_{21}$kau^{21}mak^{3}ke$^{53}_{44}$lei^{0}?n̩$_{21}$,tso^{53}xai^{13}ke$^{53}_{44}$ʂʅ^{13}xəu^{53}tsɿ^{0},iəu^{35}tet$^{5}_{3}$le^{0}tsʰiəu^{53}tso^{53}xai^{13}te^{21}.puk^{3}ko^{53}tso^{53}xai^{13}te^{21}le^{0}xai$^{13}_{21}$ɔi$^{53}_{44}$iəŋ^{53}ʂən^{13}tsɿ^{0}çi$^{53}_{44}$ta^{21}iet^{3}tau^{53}.

【布筋】pu^{53}cin^{35} 名 烂布头：还有～打个（草鞋）。用烂～呐，烂布哇。xai$^{13}_{21}$iəu$^{35}_{44}$pu^{53}cin$^{35}_{44}$ta^{21}ke$^{53}_{44}$.iəŋ$^{53}_{35}$lan^{53}pu^{53}cin^{35}na^{0},lan^{53}pu$^{53}_{44}$ua^{0}.

【布筋草鞋】pu^{53}cin$^{35}_{44}$tsʰau^{21}xai^{13} 名 用烂布头编成的草鞋：布筋打个（草鞋）就好着啊。用布筋打个就比箇个比秆打个就好着多哩啊。唔系安做布筋鞋，～。pu^{53}cin$^{35}_{44}$ta^{21}cie$^{53}_{44}$tsʰiəu^{53}xau^{21}tʂɔk^{3}a^{0}.iəŋ$^{53}_{21}$pu^{53}cin$^{35}_{44}$ta^{21}ke$^{53}_{44}$tsʰiəu$^{53}_{44}$pi^{21}kai$^{53}_{44}$ke$^{53}_{44}$pi^{21}kɔn^{21}ta^{21}ke^{53}tsʰiəu^{53}xau^{21}tʂɔk^{3}to$^{35}_{44}$li^{0}a^{0}.m̩^{13}pʰe^{53}(←xe^{53})ɔn$^{35}_{44}$tso$^{53}_{44}$pu^{53}cin$^{35}_{44}$xai$^{13}_{21}$,pu^{53}cin$^{35}_{44}$tsʰau^{21}xai^{13}.｜布草鞋吧？以前就有。现在冇得哩。几多十年都冇得哩。安做～。pu^{53}tsʰau^{21}xai^{13}pa^{0}?i^{35}tsʰien$^{13}_{21}$tsʰiəu$^{53}_{44}$iəu^{35}.çien^{53}tsʰai^{53}mau$^{13}_{21}$tek^{3}li^{0}.ci^{21}to^{35}ʂət^{5}ȵien$^{13}_{21}$təu$^{35}_{53}$mau$^{13}_{21}$tek^{3}li^{0}.ɔn$^{35}_{44}$tso$^{53}_{44}$pu^{53}cin^{35}tsʰau^{21}xai^{13}.

【布荆灰】pu^{53}ciaŋ^{35}fɔi^{35} 名 布荆子烧成的灰：茶壳灰，～，欸，还有石灰碱。……都系用来做碱，碱水。tsʰa^{13}kʰɔk^{3}fɔi^{35},pu^{53}ciaŋ$^{35}_{44}$fɔi^{35},e$_{53}$,xai$^{13}_{21}$iəu$^{35}_{44}$ʂak^{5}fɔi$^{35}_{44}$kan^{21}.…təu^{35}xei$^{53}_{44}$iəŋ^{53}lɔi$^{13}_{44}$tso^{53}kan^{21},kan^{21}ʂei^{21}.

【布荆碱】pu^{53}ciaŋ^{35}kan^{21} 名 用布荆子加工成的碱灰水：最好个灰嘞就布荆灰嘞。布荆子，岭上有起喷香个咁个植物，分渠舞归来，晒燥来，烧成灰。～就系最好个碱。有一股清香，喷香子。tsei^{53}xau^{21}ke^{0}fɔi^{35}lei^{0}tsʰiəu$^{53}_{44}$pu^{53}ciaŋ$^{35}_{44}$fɔi^{35}lei^{0}.pu^{53}ciaŋ$^{35}_{44}$tsɿ^{0},liaŋ^{35}xɔŋ$^{53}_{44}$iəu$^{35}_{44}$çi^{21}pʰəŋ^{35}çiɔŋ$^{35}_{44}$ke^{0}kan^{21}ke^{0}tʂʰət^{5}uk^{5},pən$^{35}_{44}$ci$^{13}_{21}$u^{21}kuei$^{35}_{44}$lɔi$^{13}_{21}$,sai^{53}tsau$^{35}_{44}$lɔi$^{13}_{21}$,ʂau$^{35}_{44}$ʂaŋ$^{13}_{21}$fɔi^{35}.pu^{53}ciaŋ$^{35}_{44}$kan^{21}tsʰiəu$^{53}_{44}$xe$^{53}_{44}$tsei^{53}xau^{21}ke^{53}kan^{21}.iəu^{35}iet^{3}ku^{21}tsʰin^{35}çiɔŋ^{35},pʰəŋ^{35}çiɔŋ$^{35}_{44}$tsɿ^{0}.

【布荆水】pu^{53}ciaŋ^{35}ʂei^{21} 名 用布荆子煮的水，或烧成灰后做成的溶液。也叫“布荆子水”：布荆子水，～。～咯欸本来就咁子炆倒也可以嘞。pu^{53}ciaŋ$^{35}_{44}$tsɿ^{0}ʂei^{21},pu^{53}ciaŋ$^{35}_{44}$ʂei^{21}.pu^{53}ciaŋ$^{35}_{44}$ʂei^{21}ko^{0}ei^{0}pən^{21}nɔi^{13}tsʰiəu^{53}kan^{21}tsɿ^{0}uən$^{13}_{21}$tau^{21}ia$^{35}_{53}$kʰo^{21}i$^{35}_{53}$lei^{0}.

【布荆子】pu^{53}ciaŋ^{35}tsɿ^{0} 名 一种黄荆，高，很香，煮粽子、做米馃时可利用其碱性。详见“黄荆”：高个（黄荆）喊～。kau^{35}ke$^{53}_{44}$xan$^{53}_{44}$pu^{53}ciaŋ^{35}tsɿ^{0}.

【布荆子灰】pu^{53}ciaŋ^{35}tsɿ^{0}fɔi^{35} 名 布荆子烧成的灰：有～。iəu^{35}pu^{53}ciaŋ$^{35}_{44}$tsɿ^{0}fɔi^{35}.

【布纽子】pu^{53}lei^{21}tsɿ^{0} 名 布扣子：～就区别于如今以起纽子，系啊？～，用欸以前箇老郎中应该是裁缝正会搞嘞，正会做嘞～嘞。～个衫欸古色古香子，蛮有味道。如今系有嘞，系啊？～。我等也着过～个衫。pu^{53}lei^{21}tsɿ^{0}tsʰiəu$^{53}_{44}$tʂʰɥ^{35}pʰiet^{5}ɥ$^{13}_{21}$i^{13}cin^{35}i^{21}çi^{21}lei^{21}tsɿ^{0},xei^{53}a^{0}?pu^{53}lei^{21}tsɿ^{0},iəŋ^{53}e$_{21}$i$^{35}_{53}$tsʰien$^{13}_{21}$ke^{0}lau^{21}lɔŋ^{13}tʂəŋ$^{35}_{44}$tʂaŋ^{53}uɔi^{53}kau^{21}le^{0},tʂaŋ$^{53}_{44}$uɔi$^{53}_{44}$tso^{53}le^{0}pu^{53}lei^{21}tsɿ^{0}le^{0}.pu^{53}lei^{21}tsɿ^{0}ke^{0}san$^{35}_{44}$e$_{21}$ku^{21}sek^{3}ku^{21}çiɔŋ$^{35}_{44}$tsɿ^{0},man^{13}iəu^{35}uei^{53}tʰau$^{53}_{44}$.i$^{13}_{21}$cin$^{35}_{44}$ne$^{53}_{44}$iəu^{35}le^{0},xei$^{53}_{44}$a^{0}?pu^{53}lei^{21}tsɿ^{0}.ŋai^{13}tien^{0}ia$^{35}_{53}$tʂɔk^{3}ko^{53}pu^{53}lei^{21}tsɿ^{0}ke$^{53}_{44}$san^{35}.

【布伞】pu^{53}san^{53} 名 用布作为伞面的伞：有种～只有一重子布个。遮日头个，唔遮水。只遮日头。就安做～，一般都系青布。iəu35 tʂəŋ21 pu53/44 san53/44 tʂʅ21 iəu35/53 iet3 tʂhəŋ13 tsʅ0 pu53 ke53/44.tʂa35 ɲiet3 tei0 ke53,n̩13 tʂa35 ʂei21.tʂʅ21 tʂa35 ɲiet3 tei0.tshiəu53/44 ən35/44 tso53/44 pu53 san53/44,iet3 pən53 təu35/44 xei53/44 tshiaŋ35 pu53/44.

B

【布沙发】pu53 sa35 fait3 名面料主要采用布料的沙发：～是以几年正有个，区别于皮沙发啦，系啊？木沙发啦。也就系面上蒙布个沙发。面上蒙滴去箇。pu53 sa35 fait3 ʂʅ53/44 i21 ci21 ɲien13 tʂaŋ53 iəu35 ke53,tʂhʯ35/44 phiet5 ʯ13/44 phi13 sa35/44 fait3 la0,xei53 a0 ?muk3 sa35 fait3 la0.ia35 tshiəu53 xe53/44 mien53 xəŋ53 maŋ35 pu53 ke53/44 sa35 fait3.mien53 xəŋ53 maŋ35 tet5/3 çi53/44 kai53/44.

【布拖鞋】pu53 tho35 xai13 名布做的拖鞋：布凉鞋吧？冇得。只有～。pu53 liəŋ13 xai13 pa0 ?mau13 tek3.tʂʅ21 iəu35/44 pu53 tho35 xai13/21.

【布袜子】pu53 mait3 tsʅ0 名旧时用棉布做成的袜子：从前用布做个袜子。因为用布做个袜子嘞渠就冇得弹性，上下都做起一样大，着倒脚上的话，包包鼓鼓鼓起来。着倒脚上咯，渠唔得䁖脚。因为渠冇弹性，布做个。我等着过，～我等都着过。从前冇得别么个袜子嘞。欸落尾就搞又落尾就等得我等人都读书了嘞，见过凑，唔……我着也着过下子么个。着过下子就让门子嘞？冇得钱买袜子个时候子。箇起买个袜子安做洋袜子。织个，安做洋袜子。～嘞只系话撞怕欸冇得钱买了，舞倒箇旧烂布子旧布子去做袜子，做～。如今箇如今还有着～个就么人呢？箇死哩个人，装死个时候子，舞滴舞倒箇个套下去，系唔系？tshəŋ13 tshen13 iəŋ53 pu53 tso53/44 ke53/44 mait3 tsʅ0.in35 uei53/44 iəŋ53/44 pu53 tso53/44 ke53/44 mait3 tsʅ0 lei0 ci13 tshiəu53 mau13 tek3 than13 sin53,ʂəŋ53 xa53/44 təu35/44 tso53 çi21 iet3 iəŋ53 thai53,tʂək3 tau21 ciək3 xəŋ53 tet3 fa53,pau35 pau35 ku21 ku21 ku21 çi21 ləi13/21.tʂək3 tau21 ciək3 xəŋ53 ko0,ci13/21 n̩13 tek3 ɲia13 ciək3.in35 uei53/44 ci13/21 mau13 than13 sin53,pu53 tso53/44 ke53/44.ŋai13 tien0 tʂək3 ko0,pu53 mait3 tsʅ0 ŋai13 tien0 təu35/53 tʂək3 ko0.tshəŋ13 tshien13/44 mau13 tek3 phiet5 mak3 e0 mait3 tsʅ0 lei0.e44 lək5 mi35 tshiəu53/44 kau21 iəu53/44 lək5 mi35 tshiəu53/44 ten21/44 tek3 ŋai13 tien0 ɲin13/44 təu35/44 thəuk5 ʂəu35 liau0 lei0,cien53 ko53/44 tshe0,m̩13…ŋai13 tʂək3 a35 tʂək3 ko53 xa53/44 tsʅ0 mak3 ke53.tʂək3 ko53 xa53/44 tsʅ0 tshiəu53/44 ɲiəŋ53 mən0 tsʅ0 lei0 ?mau13 tek3 tshien13 mai35 mait3 tsʅ0 ke53/44 ʂʅ13 xəu53 tsʅ0.kai53 çi21 mai35 ke53 mait3 tsʅ0 ən35/44 tso53/44 iəŋ13 mait3 tsʅ0.tʂət3 cie53/44,ən35/44 tso53/44 iəŋ13 mait3 tsʅ0.pu53 mait3 tsʅ0 lei0 tʂʅ21 xei53 ua53 tshəŋ21 pha53 e/21 mau13 tek3 tshien13 mai35 liau0,u21 tau21 kai53/44 chiəu53 lan53 pu53/44 tsʅ0 chiəu53 pu53/44 tsʅ0 çi53/44 tso53 mait3 tsʅ0,tso53/44 pu53 mait3 tsʅ0.i13/21 cin35/44 kai53 i13/21 cin35/44 xai13/21 iəu35/44 tʂək3 pu53 mait3 tsʅ0 ke0 tshiəu53 mak3 ɲin13/44 ne0 ?kai53 si21 li0 ke53 ɲin13/21,tsəŋ35 si21 ke53/44 ʂʅ13 xəu53/44 tsʅ0,u21 tet5 u21 tau21 kai53/44 ke53/44 thau53/44 ua53/44 çi53/44,xei53/44 me53/44?

【布鞋】pu53 xai13 名用布制作的鞋：从前做～个时候子啊，做～呀。～个鞋底面上啊，加层子雪白子个。tshəŋ13 tshien13 tso53 pu53 xai13 ke53 ʂʅ13 xei53 tsa0,tso53 pu53 xai13 ia0.pu53 xai13 ke53 xai13 te21 mien53 xəŋ53 ŋa0,cia35 tshien13 tsʅ0 siet5 phak5 tsʅ0 cie53.

【布庄】pu53 tsəŋ35 名布店：就卖布个店呶，就安做开～哦。开只店子卖布哇，就安做开～。以前蛮多，张坊街上蛮多～哦。tshiəu53/44 mai53 pu53 ke0 tian53 nau0,tshiəu53/44 ən35/44 tso53/44 khəi35 pu53 tsəŋ35 ŋo0.khəi35 tʂak3 tian53 tsʅ0 mai53/44 pu53 ua0,tshiəu35/44 ən35/44 tso53/44 khəi35 pu53 tsəŋ35.i35 tshien13 man13 to35,tʂəŋ35/44 fəŋ35/44 kai35/44 xəŋ53/44 man13 to35/44 pu53 tsəŋ35/44 ŋo0.

【布子】pu53 tsʅ0 名小块的布：舞块子～蒙下去。u21 khuai53/44 tsʅ0 pu53 tsʅ0 maŋ35 ŋa53(←xa53)çi53/44.

【步$_1$】phu53 动拄；用手扶着杖或棍支撑身体的平衡：欸，箇个民国时期是箇个～条自由棍都系蛮时髦个东西。e/21,kai53 kei53/44 min13 kəit3 ʂʅ13 chi13/44 ʂʅ53/44 kai53/44 ke53/44 phu53 thiau13/21 tshʅ53 iəu13/21 kuən53 təu35/44 xe53 man13/21 ʂʅ13 mau35/44 ke53/44 təŋ35/44 si0.｜我老弟嫂个爷子九十几岁了，以下是也唔健了，～条棍。ŋai13 lau21 the53 sau21 ke53 ia13 tsʅ0 ciəu21 ʂət5 ci21 səi53 liau0,i21 xa53 ʂʅ53/44 ia35 n̩13 chien53 niau0,phu53 thiau13 kuən53.｜爷子死哩还要～条棍，箇只棍安做孝堂棍。ia13 tsʅ0 si21 li0 xai13/21 iau53/44 phu53/44 thiau13/21 kuən53,kai53/44 tʂak3 kuən53 ən35/44 tso53/44 xau53 thəŋ13 kuən53.

【步$_2$】phu53 名阶段：就来讲下一～个订婚箇只唠，如果合得个话唠，合得个话就来订婚呶。tshiəu53 ləi13/21 kəŋ21 xa35 iet3 phu53 ke53/44 tin53 fən35 kai53/44 tʂak3 lau0,y13/21 ko21/44 xəit5 tek3 cie53 fa53/44 lau0,xəit5 tek3 cie53 fa53/44 tshiəu53/44 ləi13 tin53 fən35 nau0.

【步$_3$】phu53 量动量词。①用于指举足的次数：五步蛇有。据说咬了人以后五～就人只要走五～就死嘿哩。ŋ̍21 phu53 ʂa13/21 iəu35/44.tʂʯ53 ʂuek3 ŋait3 li0 ɲin13 i13/44 xei53/44 ŋ̍21 phu53/44 tshiəu53/44 ɲin13 tʂʅ21 iau53/44 tsei21 ŋ̍21 phu53 tshiəu53 si21 xek3 li0.②指下棋时移动一次棋子：你走一～哇，你就走倒以映来了。ɲi13 tsei21 iet3 phu53 ua0,ɲi13 tshiəu53 tsei21 tau21 i21 iaŋ53 ləi13/21 liau0.｜咁映子一～～子走。xan21(←kan21)iaŋ53/44 tsʅ0 iet3 phu53 phu53 tsʅ0 tsei21.

【步仪】phu53 ɲi13/21 名新郎家赠送给主高亲（一般是新娘的哥哥）和媒人的专属红包：你后背来

个指主高亲之外的普通高亲都有打发嘞，但是冇得～。ɲi$^{13}_{21}$xei^{53}pɔi$^{53}_{44}$lɔi$^{13}_{21}$ke$^{53}_{44}$təu$^{35}_{44}$iəu$^{35}_{44}$ta^{21}fait^{3}lei^{0},tan$^{53}_{44}$ʂʅ$^{53}_{44}$mau$^{13}_{21}$tek^{3}pʰu^{53}ɲi$^{13}_{21}$. | 还有箇只媒人公，箇只做媒个人，渠也有三项东西，渠有只～，渠也有只猪□子，也有块猪肉。xai$^{13}_{21}$iəu$^{35}_{44}$kai^{53}tʂak^{3}mɔi^{13}ɲin$^{13}_{21}$kəŋ$^{35}_{44}$,kai$^{53}_{44}$tʂak^{3}tso^{53}mɔi^{13}ke^{53}ɲin$^{13}_{44}$,ci$^{13}_{21}$ia$^{35}_{44}$iəu$^{35}_{44}$san$^{35}_{44}$xɔŋ$^{53}_{44}$təŋ$^{35}_{44}$si^{0},ci$^{13}_{21}$ia$^{35}_{44}$iəu^{35}tʂak^{3}pʰu^{53}ɲi$^{13}_{44}$,ci$^{13}_{21}$ia$^{35}_{44}$iəu^{35}tʂak^{3}tʂəu^{35}kʰu^{53}tsʅ^{0},ia^{35}iəu$^{35}_{44}$kʰuai$^{53}_{44}$tʂəu^{35}ɲiəuk^{3}.

【步仪包封】pʰu^{53}ɲi$^{13}_{21}$pau^{35}fəŋ^{35} [名]新郎家赠送给主高亲（一般是新娘的哥哥）和媒人的专属红包：以下箇只主高亲呢，箇只新娘个阿哥嘞，渠就又唔同滴子，渠就还有只～，箇就比箇只钱指主高亲之外普通高亲所得红包中的钱还更多啦，比箇打发个钱还更多啦。i^{21}xa$^{53}_{44}$kai^{53}tʂak^{3}tʂəu^{21}kau$^{35}_{44}$tsʰin$^{35}_{44}$ne^{0},kai^{53}tʂak^{3}sin^{35}ɲiɔŋ$^{13}_{21}$ke$^{53}_{44}$a^{35}ko^{35}le^{0},ci$^{13}_{21}$tsʰiəu$^{53}_{44}$iəu$^{53}_{44}$n̩$^{13}_{21}$tʰəŋ$^{13}_{21}$tiet^{5}tsʅ^{0},ci$^{13}_{21}$tsʰiəu$^{53}_{44}$xai$^{13}_{21}$iəu$^{35}_{44}$tʂak^{3}pʰu^{53}ɲi$^{13}_{21}$pau$^{35}_{44}$fəŋ$^{35}_{44}$,kai$^{53}_{44}$tsʰiəu$^{53}_{44}$pi^{21}kai^{53}tʂak^{3}tsʰien$^{13}_{21}$xai$^{13}_{21}$cien^{53}to^{35}la^{0},pi^{21}kai$^{53}_{44}$ta^{21}fait^{3}ke$^{53}_{44}$tsʰien$^{13}_{21}$xai$^{13}_{21}$cien$^{53}_{44}$to^{35}la^{0}.

【部】pʰu^{53} [量]用于机器或车辆：一～车子装三千斤麦子。iet^{3}pʰu^{53}tʂʰa^{35}tsʅ^{0}tʂɔŋ^{35}san^{35}tsʰien^{35}cin^{35}mak^{5}tsʅ^{0}.

C

【擦】tsʰət^{3}/tsʰait^{3} [动]①用布、纸、巾帕等揩拭使干净：热天就用（长手巾）来～汗，～汗呐。ɲiet^{5} tʰien$^{35}_{44}$tsʰiəu$^{53}_{44}$iəŋ$^{53}_{44}$lɔi$^{13}_{21}$tsʰət^{3} xɔn^{53},tsʰət^{3} xɔn^{53}na^{0}.｜用草纸～净来，分箇泥～嘿去呀。iəŋ$^{53}_{44}$tsʰau^{21} tʂʅ^{21}tsʰət$^{3}_{5}$ tsʰiaŋ^{53}lɔi$^{13}_{21}$,pəŋ^{35}kai$^{53}_{44}$lai^{13}tsʰət$^{3}_{5}$ tek^{3} çia^{0}.｜箇个手帕吵，就安做鼻帕子。～鼻脓，细人子用来～鼻脓啊。kai$^{53}_{44}$kei$^{53}_{44}$ʂəu^{21}pʰa^{53}ʂa^{0},tsʰiəu$^{53}_{44}$ɔn$^{35}_{44}$tso$^{53}_{44}$pʰi^{53}pʰa^{53}tsʅ^{0}.tsʰait$^{3}_{5}$ pʰi^{53}ləŋ$^{13}_{21}$,se^{53}ɲin$^{13}_{21}$tsʅ^{0} iəŋ^{53}lɔi$^{13}_{21}$ tsʰait$^{3}_{5}$ pʰi^{53}ləŋ^{13}ŋa^{0}.②搓揉：酸菜就系咁子～出来个噢。sɔn^{35}tsʰɔi^{53}tsʰiəu$^{53}_{44}$xei$^{53}_{44}$kan^{21}tsʅ^{0} tsʰait^{3} tʂʰət^{3} lɔi$^{13}_{21}$cie^{53}au^{0}.

【擦笔坨子】tsʰait^{3} piet^{3} tʰo^{13}tsʅ^{0} [名]橡皮擦的别称：欸，如今箇文具店哩个～啊各种各样个都有，听你喜欢。e$_{21}$,i$^{13}_{21}$cin$^{35}_{53}$kai$^{53}_{44}$uən^{13}tʂʮ^{53}tian^{53}ni^{0} ke^{53}tsʰait^{3} piet^{3} tʰo^{13}tsʅ^{0} a^{0} kɔk^{3} tʂəŋ^{21}kɔk^{3} iɔŋ^{53}ke$^{53}_{44}$təu$^{35}_{44}$iəu$^{35}_{44}$, tʰin^{53}ɲi^{13}çi^{21}fɔn$^{35}_{44}$.

【擦菜】tsʰait^{3} tsʰɔi^{53} [名]酸菜的别称：以前唔话酸菜，话～个更多。i$^{35}_{53}$tsʰien$^{13}_{21}$m̩^{13}ua$^{53}_{44}$sɔn^{35} tsʰɔi$^{53}_{44}$,ua^{53}tsʰait^{3} tsʰɔi$^{53}_{44}$ke$^{53}_{44}$cien$^{53}_{44}$to^{35}.｜如今凑有多么人话～了。以前系，以前系话～。你唔讲我唔记得了。唔记得哩话～了。尽滴尽滴都话酸菜了。有多么人话～了。i$^{13}_{21}$cin$^{35}_{44}$tsʰe^{0} mau$^{13}_{21}$to$^{35}_{53}$ mak^{3} in$^{13}_{44}$ua^{53}tsʰait^{3} tsʰɔi^{53}liau^{0}.i^{35}tsʰien^{13}xe^{53},i^{35}tsʰien^{13}xe$^{53}_{44}$ua^{53}tsʰait^{3} tsʰɔi^{53}. ɲi^{13}n̩$^{13}_{44}$kɔŋ^{21}ŋai$^{13}_{21}$n̩$^{13}_{44}$ci^{53}tek^{3} liau^{0}. n̩^{13}ci^{53}tek^{3} li^{0} ua^{53}tsʰait^{3} tsʰɔi^{53}liau^{0}.tsʰin^{53}tet$^{5}_{3}$ tsʰin$^{53}_{44}$tet$^{5}_{3}$ təu$^{35}_{44}$ua$^{53}_{44}$sɔn^{35}tsʰɔi$^{53}_{21}$liau^{0}.mau$^{13}_{21}$to$^{35}_{53}$mak^{3} in$^{13}_{44}$ua^{53}tsʰait^{3} tsʰɔi^{53}liau^{0}.

【擦菜罂】tsʰait^{3} tsʰɔi^{53}aŋ^{35} [名]用来腌制酸菜的坛子。今称"酸菜罂"：酸菜罂，～，也有人话～。sɔn^{35}tsʰɔi^{53}aŋ^{35},tsʰait^{3} tsʰɔi^{53}aŋ^{35},ia^{35}iəu$^{35}_{53}$ɲin$^{13}_{21}$ua$^{53}_{44}$tsʰait^{3} tsʰɔi$^{53}_{44}$aŋ^{35}.

【擦草】tsʰait^{3} tsʰau^{21} [名]锉草。多长在田埂上，中空，兔子爱吃：以个栏场都有。安做……安做么个欸么啊草去哩啊安做？分兔子食，兔子喜欢食。安做～。我等安做～。i^{21}ke$^{53}_{44}$laŋ$^{13}_{21}$ tʂʰɔŋ$^{13}_{44}$təu$^{35}_{44}$iəu$^{35}_{44}$.ɔn$^{35}_{44}$tso$^{53}_{44}$m…ɔn$^{35}_{44}$tso$^{53}_{44}$mak^{3} ke$^{53}_{44}$e$_{21}$mak^{3} a^{0} tsʰau^{21}çi$^{53}_{44}$lia^{0} ɔn$^{35}_{44}$tso$^{53}_{44}$?pən^{35}tʰəu^{53}tsʅ^{0} ʂət^{5},tʰəu^{53}tsʅ^{0} çi^{21}fɔn$^{35}_{44}$ʂət^{5}.ɔn$^{35}_{44}$tso$^{53}_{44}$tsʰait^{3} tsʰau^{21}.ŋai$^{13}_{21}$tien^{0} ɔn$^{35}_{44}$tso$^{53}_{44}$tsʰait^{3} tsʰau^{21}.

【擦脚布】tsʰət^{3}/tsʰait^{3} ciɔk^{3} pu^{53} [名]洗脚后用来擦脚的布：嗯，以前就冇得咁多么个面巾子，如今……欸，冇得咁多手巾呐毛巾呐。如今呢，就唔用～欸唔用布来擦了。系嘛？唔扯水。如今就搞条箇个面巾子啊，毛巾呢，擦脚。又安做擦呀，擦脚哦。～。擦净下子，擦干水来。擦溓水来。～。ŋ̍$_{21}$,i^{35}tsʰien^{13}tsʰiəu$^{53}_{44}$mau^{13}tek^{3} kan^{21}to$^{35}_{44}$mak^{3} ke$^{53}_{44}$mien^{53}cin$^{35}_{44}$tsʅ^{0},i$^{13}_{21}$cin$^{35}_{44}$…ei$_{53}$,mau^{13}tek^{3} kan^{21}to$^{35}_{44}$ʂəu^{21}cin$^{35}_{44}$na^{0} mau^{13}cin$^{35}_{44}$na^{0}.i$^{13}_{21}$cin^{35}ne^{0},tsʰiəu^{53}n̩^{13}iəŋ^{53}tsʰait^{3} ciɔk^{3} pu^{53}e^{0} n̩^{13}iəŋ^{53}pu^{53}lɔi^{13}tsʰət$^{3}_{5}$ liau^{0}.xei$^{53}_{44}$ma^{0} n̩^{13}tʂʰa^{21}ʂei^{21}.i$^{13}_{21}$cin$^{35}_{44}$tsʰiəu^{53}kau^{21}tʰiau^{13}kai$^{53}_{44}$ke$^{53}_{44}$mien^{53}cin$^{35}_{44}$tsʅ^{0} a^{0},mau^{13}cin^{35}ne^{0},tsʰət^{3} ciɔk^{3}. iəu$^{53}_{44}$ɔn$^{35}_{44}$tso$^{53}_{44}$tsʰət$^{3}_{5}$ ia^{0},tsʰət$^{3}_{5}$ ciɔk^{3} o^{0}.tsʰət$^{3}_{5}$ ciɔk^{3} pu^{53}.tsʰət$^{3}_{5}$ tsʰiaŋ$^{53}_{44}$ŋa$^{53}_{44}$tsʅ^{0},tsʰət$^{3}_{5}$ kɔn$^{35}_{44}$ʂei^{21}lɔi$^{13}_{44}$.tsʰət$^{3}_{5}$ lian^{21}ʂei^{21} lɔi^{13}.tsʰət$^{3}_{5}$ ciɔk^{3} pu^{53}.

【猜】tsʰai^{35} [动]根据不明显的线索或凭想象来寻找正确的解答；猜测。又称"估"：～映 tsʰai^{35} iaŋ^{53}猜谜｜～我手里搲个么个东西唠。tsʰai^{35}ŋai$^{13}_{21}$ʂəu^{21}li^{0} ia^{21}ke$^{53}_{44}$mak^{3} ke$^{53}_{44}$təŋ^{35}si^{0} lau^{0}.｜～得倒～唔倒？

tsʰai^{35}tek^{3} tau^{21}tsʰai^{35}ŋ̍^{13}tau^{21}?

【才】tsʰɔi^{13}/tsʰai^{13} 副①表示只有在某种条件下然后怎样：以咁热子个天咯，就搧扇～更舒服。i^{21}kan^{21}ɲiet^{5} tsɿ^{0} ke$^{53}_{44}$tʰien^{35}ko^{0},tsiəu$^{53}_{44}$ʂen^{35}ʂen^{53} tsʰai$^{13}_{21}$cien$^{53}_{44}$ʂʮ^{35}fuk^{5}. ②表示事情发生或状态出现得晚：了尾～有螺丝钉。liau^{21}mi^{35}tsʰɔi$^{13}_{44}$iəu^{35}lo^{13}sɿ$^{35}_{44}$taŋ^{35}.

【财帛所】tsʰɔi^{13}pʰet^{5} so^{21} 名出殡前一晚上孝子为逝者举行的家奠的第一部分内容称为“巡所”或“行巡视礼”，所巡之所中就有所谓“财帛所”：孝子箇场祭，箇就最隆重个。爱摆一十二所，安做大三献。……有箇么箇毛血所，刚鬣所，恭祝所，食案所，香案所，欸，还有还有酒樽所，鼓乐所，咁多所，十二所。我唔多记得嬒……一十二所。我就唔记得。还有～。çiau^{53}tsɿ^{21}kai$^{53}_{44}$tʂʰɔŋ$^{13}_{21}$tsi^{53},kai$^{53}_{44}$tsʰiəu$^{53}_{44}$tsɕi^{53}ləŋ^{13}tʂʰəŋ$^{53}_{44}$ke$^{53}_{44}$.ɔi$^{53}_{44}$pai^{21}iet^{3} ʂət^{5}ɲi^{53}so^{21},ɔn$^{35}_{44}$tso$^{53}_{44}$tʰai^{53}san$^{35}_{44}$çien^{53}.…iəu^{35}kai$^{53}_{44}$mak^{3} kai$^{53}_{44}$mau^{35}çiet^{3} so^{21},kəŋ^{35}liet^{5} so^{21},kəŋ^{35}tʂəuk^{3} so^{21},ʂət^{5}ŋɔn^{53}so^{21},çiɔŋ^{35}ŋɔn^{53}so^{21},e$_{21}$,xai$^{13}_{21}$iəu$^{35}_{44}$ xai$^{13}_{21}$iəu$^{35}_{44}$tsiəu^{21}tsən$^{35}_{44}$so^{21},ku^{21}iɔk^{5} so^{21},kan^{21}to$^{35}_{44}$so^{21},ʂət^{5}ɲi^{53}so^{21}.ŋai$^{13}_{21}$n̩$^{13}_{21}$to$^{35}_{44}$ci$^{53}_{21}$tek^{3} maŋ^{13}…iet^{3} ʂət^{5}ɲi^{53}so^{21}. ŋai$^{13}_{21}$tsʰiəu$^{53}_{44}$n̩^{13}ci^{53}tek^{3}.xai$^{13}_{21}$iəu$^{35}_{44}$tsʰɔi^{13}pʰet^{5} so^{21}.

【财佬】tsʰɔi^{13}lau^{21} 名有钱人，大款：发哩财个吧？～哇。噢，话别人家～。你就一只～。fait^{3} li^{0} tsʰɔi^{13}cie$^{53}_{44}$pa^{0}?tsʰɔi^{13}lau^{21}ua^{0}.au$_{44}$,ua$^{53}_{44}$pʰiek^{5} in$^{13}_{44}$ka$^{35}_{44}$tsʰɔi^{13}lau^{21}. ɲi^{13}tsʰiəu$^{53}_{44}$iet$^{3}_{5}$tʂak^{3} tsʰɔi^{13}lau^{21}.

【财神】tsʰɔi^{13}ʂən$^{13}_{44}$ 名民间指可以使人发财致富的神，原为道教所崇奉的神仙，据说名叫赵公明，也称“赵公元帅”：蛮多是渠等咁个箇只庙里嘞，以一只神为主。其他个是么啊～呐，么个观音呐，欸，土地呀，都逮倒去箇子。man^{13}to$^{35}_{44}$ʂʮ$^{53}_{44}$ci$^{13}_{21}$tien^{0} kan^{21}ke$^{53}_{44}$kai$^{53}_{44}$tʂak^{3} miau^{53}li^{21}lei^{0} ,i^{35} iet^{3} tʂak^{3} ʂən^{13}uei^{13}tʂʮ^{21}.cʰi^{13}tʰa$^{35}_{44}$ke$^{53}_{44}$ʂʮ$^{53}_{44}$mak^{3} a^{0} tsʰɔi^{13}ʂən$^{13}_{44}$na^{0} ,mak^{3} ke^{53}kɔn^{35}in$^{35}_{44}$na^{0} ,e$_{21}$,tʰəu^{21}tʰi^{53}ia^{0} ,təu^{35} tai^{21}tau^{21}çi^{53}kai$^{53}_{21}$tsɿ^{0}.

【财神庙】tsʰɔi^{13}ʂən^{13}miau^{53} 名供奉财神菩萨的庙宇：～有哇。蛮多是渠等咁个箇只庙里嘞，以一只神为主。其他个是么啊财神呐，么个观音呐，欸，土地呀，都逮倒去箇子。冇得哩，我等以映～冇得。冇得单独个～。渠就一只庙肚里嘞，一只庙肚里除哩一只为主个神，剩下个就各种各样个神都有。tsʰɔi^{13}ʂən$^{13}_{21}$miau$^{53}_{44}$iəu^{35}ua^{0}.man^{13}to$^{35}_{44}$ʂʮ$^{53}_{44}$ci$^{13}_{21}$tien^{0} kan^{21}ke$^{53}_{44}$kai$^{53}_{44}$tʂak^{3} miau^{53}li^{21} lei^{0} ,i^{35}iet^{3} tʂak^{3} ʂən^{13}uei^{13}tʂʮ^{21}.cʰi^{13}tʰa$^{35}_{44}$ke$^{53}_{44}$ʂʮ$^{53}_{44}$mak^{3} a^{0} tsʰɔi^{13}ʂən$^{13}_{44}$na^{0} ,mak^{3} ke^{53}kɔn^{35}in$^{35}_{44}$na^{0} ,e$_{21}$,tʰəu^{21}tʰi^{53} ia^{0} ,təu^{35}tai^{21}tau^{21}çi^{53}kai$^{53}_{21}$tsɿ^{0} .mau^{13}tek^{3} li^{0} ,ŋai^{13}tien^{0} i$^{21}_{44}$iaŋ^{53}tsʰɔi^{13}ʂən$^{13}_{21}$miau^{53}mau^{13}tek^{3}.mau^{13}tek^{3} tan^{35}tʰəuk^{5} ke$^{53}_{44}$tsʰɔi$^{13}_{21}$ʂən$^{13}_{21}$miau^{53}.ci$^{13}_{21}$tsʰiəu^{53}iet^{3} tʂak^{3} miau^{53}təu^{21}li^{0} lei^{0} ,iet^{3} tʂak^{3} miau^{53}təu^{21}li^{0} tʂʰəu^{13}li^{0} iet^{3} tʂak^{3} uei^{13} tʂʮ^{21}ke^{53}ʂən^{13},ʂən^{53}çia$^{53}_{44}$kei$^{53}_{44}$tsʰiəu$^{53}_{44}$kɔk^{3} tʂəŋ^{21}kɔk^{3} iɔŋ^{53}ke^{0} ʂən^{13}təu$^{35}_{44}$iəu$^{35}_{44}$.

【财神菩萨】tsʰɔi^{13}ʂən^{13}pʰu^{13}sait^{3} 名财神的别称：欸，庙里就有～哟。欸，蛮多庙都有～。屋下我等以映有多么人安～个。很少。只系话很少，唔系么个冇得。赵公元帅就系～，系唔系？赵公元帅。ei$_{44}$,miau^{53}li$^{35}_{44}$tsʰiəu$^{53}_{44}$iəu$^{35}_{44}$tsʰɔi^{13}ʂən$^{13}_{44}$pʰu$^{13}_{21}$sait^{3} iau^{0} .e$_{21}$,man^{13}to$^{35}_{44}$miau^{53}təu$^{35}_{44}$iəu$^{35}_{44}$tsʰɔi^{13}ʂən$^{35}_{44}$pʰu$^{13}_{21}$ sait^{3} .uk^{3} xa^{53}ŋai^{13}tien^{0} i$^{21}_{13}$iaŋ^{53}mau^{13}to$^{35}_{53}$mak^{3} ɲin$^{13}_{44}$ɔn^{35}tsʰɔi^{13}ʂən$^{13}_{44}$pʰu^{13}sait^{3} ke^{0} .xen^{21}ʂau^{21}.tʂət^{3} ei^{53}ua^{53}xen^{21} ʂau^{21},m̩^{13}pʰe^{53}mak^{3} e^{0} mau^{13}tek^{3}.tʂʰau^{53}kəŋ$^{35}_{44}$vien^{13}sai^{53}tsʰiəu^{53}xei^{53}tsʰɔi^{13}ʂən$^{13}_{21}$pʰu$^{13}_{21}$sait^{3} ,xei^{53}me^{53}?tʂʰau^{53} kəŋ$^{35}_{44}$vien^{13}sai$^{53}_{44}$.

【财鱼】tsʰai^{13}ŋ̍^{13} 名乌鳢的俗称：～，我以前是把做斫柴个柴哟，～噢。墨乌个鱼噢。～啊，第一愁人。渠爱渠可以食人个屎长大。真翏人了。墨乌一身呶，系唔系？冇得鳞呶。河里唔知有冇得。箇街上箇农贸市场卖嘞卖～噢。都系畜个。～都系畜个。也有懑大一条个噢。渠等话箇只～真翏人，食屎大个。tsʰai^{13}ŋ̍$^{13}_{44}$,ŋai^{13}i$^{35}_{53}$tsʰien$^{13}_{21}$ʂʮ$^{53}_{44}$pa^{21}tso^{53}tʂɔk^{3} tsʰai^{13}ke^{53}tsʰai^{13}io^{0} ,tsʰai^{13}ŋ̍^{13} ŋau^{0} .mek^{5} u^{35}ke^{53}ŋ̍^{13}ŋau^{0} .tsʰai^{13}ŋ̍^{13}ŋa^{0} ,tʰi^{53}iet^{3} tsʰei^{13}ɲin^{13}.ci^{13}ɔi^{53}ci^{13}kʰo^{21}i^{35}ʂət^{5}ɲin^{13}ke^{0} ʂʮ^{21}tʂɔŋ^{21}tʰai^{53}.tʂən^{35} ɲia^{13}ɲin^{13}liau^{0} .mek^{5} u$^{35}_{44}$iet^{3} ʂən^{35}nau^{0} ,xei^{53}me^{53}?mau^{13}tek^{3} lin^{35}nau^{0} .xo^{13}li^{0} n̩^{13}ti$^{35}_{44}$iəu$^{35}_{44}$mau$^{13}_{21}$tek^{3} .kai^{53}kai^{35} xɔŋ^{0} kai$^{53}_{44}$ləŋ^{13}miau$^{53}_{44}$ʂʮ^{53}tʂʰɔŋ^{13}mai^{53}le^{0} mai^{53}tsʰai$^{13}_{21}$ŋ̍$^{13}_{21}$ŋau^{0} .təu$^{35}_{44}$xei^{53}çiouk^{3} ke^{0} .tsʰai$^{13}_{21}$ŋ̍$^{13}_{44}$təu$^{35}_{44}$xei$^{53}_{44}$çiouk^{3} ke^{53}.ie^{35}iəu$^{35}_{44}$mən^{35}tʰai^{53}iet^{3} tʰiau^{13}ke^{53}au^{0} .ci^{13}tien^{0} ua^{53}kai^{53}iak^{3} tsʰai^{13}ŋ̍$^{13}_{44}$tʂən^{35}ɲia^{13}ɲin$^{13}_{44}$,ʂət^{5} ʂʮ^{21}tʰai$^{53}_{44}$ke^{0}.

【财运】tsʰɔi^{13}uən^{53} 名发财的机运：尽兜都话，畜猪嬷是爱有～。欸有～正能够畜，冇～空个。tsʰin^{53}te$^{35}_{44}$təu$^{35}_{44}$ua$^{53}_{44}$,çiouk^{3} tʂəu^{35}ma$^{13}_{21}$ʂʮ$^{53}_{44}$ɔi^{53}iəu$^{35}_{53}$tsʰɔi^{13}uən^{53}.e$_{44}$iəu^{35}tsʰɔi$^{13}_{21}$uən$^{53}_{44}$tʂaŋ^{53}len$^{13}_{21}$ciau^{53}çiouk^{3} ,mau$^{13}_{21}$ tsʰɔi$^{13}_{21}$uən$^{53}_{44}$kʰəŋ^{53}ke^{53}.

【裁】tsʰɔi^{13} 动①用刀砍、斫树木以截成段：□长一筒（树），就安做～，～做渠两筒。lai^{35} tʂʰɔŋ$^{13}_{44}$iet^{3} tʰəŋ^{13},tsʰiəu^{53}ɔn$^{35}_{44}$tso$^{53}_{44}$tsʰɔi^{13},tsʰɔi^{13}tso^{53}ci$^{13}_{21}$iɔŋ^{21}tʰəŋ^{13}. | 箇咁子就安做～柴嘞。打比样看箇是看呐，打比以映一筒树，□长，系啊？我爱舞做两段，三段，四段，箇咁子去，用刀咁子去剁啊，去剁，箇就安做～，安做～柴。～，也安做剁。～成几多莖。kai$^{53}_{44}$kan^{21}tsɿ^{0} tsʰiəu$^{53}_{44}$ɔn$^{35}_{44}$

tso$^{53}_{44}$tsʰɔi^{13}tsʰai^{13}nei^{0}.ta^{21}pi^{21}iɔŋ$^{53}_{44}$kʰɔn$^{53}_{44}$kai$^{53}_{44}$ʂʅ$^{53}_{44}$kʰɔn$^{53}_{44}$na^{0},ta^{21}pi^{21}i^{21}iaŋ^{53}iet^{3}tʰəŋ^{13}ʂəu^{53},lai^{35}tʂʰɔŋ^{13},xei$^{53}_{44}$a^{0}?ŋai^{13} ɔi^{53}u^{21}tso^{53}iɔŋ^{21}tɔn^{53},san^{35}tɔn$^{53}_{44}$,si^{53}tɔn^{53},kai^{53}kan^{21}tsʅ^{0}çi^{53},iɔŋ^{53}tau^{35}kan^{21}tsʅ^{0}çi$^{53}_{44}$to^{53}a^{0},çi^{53}to^{53},kai$^{53}_{44}$tsʰiəu$^{53}_{44}$ɔn$^{35}_{44}$ tso$^{53}_{44}$tsʰɔi^{13},ɔn$^{35}_{44}$tso$^{53}_{44}$tsʰɔi^{13}tsʰai^{13}.tsʰɔi^{13},ia^{35}ɔn$^{35}_{44}$tso$^{53}_{44}$to^{53}.tsʰɔi^{13}ʂaŋ^{13}ci^{21}to^{35}tsʰo^{53}. ②割裂，砍断：～骨头箇一面就安做过骨刀哇？tsʰɔi^{13}kuət^{3}tʰei^{13}kai$^{53}_{44}$iet^{3}mien$^{53}_{44}$tsəu$^{53}_{44}$ɔn$^{35}_{44}$tso$^{53}_{44}$ko^{53}kuət^{3}tau^{35}ua^{0}？③类似用刀砍的行为，如立起手掌用其靠近小指一侧去击打：咁子咁子箇阵子我等咁子去～一刀，剁一下就以映指肱二头肌鼓下起来咯。kan^{21}tsʅ^{0}kan^{21}tsʅ^{0}kai^{53}tʂʰən^{53}tsʅ^{0}ŋai^{13}tien^{0}kan^{21}tsʅ^{0}çi^{53}tsʰɔi^{13}iet^{3}tau$^{35}_{44}$,to^{53}iet^{3} xa$^{53}_{44}$tsʰiəu$^{53}_{44}$i^{21}iaŋ$^{53}_{44}$ku^{21}ua^{53}(←xa^{53})çi^{21}lɔi^{13}ko^{0}.

【裁尺】tsʰai^{13}tʂʰak^{3} 名裁缝用的一尺长的尺子：我等细细子看我等箇只屋就有只喊老姑爷个，渠就尽做裁缝。渠箇把尺嘞就安做～，一尺子长。长日都看渠咁子拿倒箇把～嘞咁子去量布，用箇把～。系，我系记得。一一冇几长，只一尺子长。ŋai^{13}tien^{0}se^{53}se^{53}tsʅ^{0}kʰɔn^{53}ŋai$^{13}_{21}$tien^{0}kai^{53} tʂak^{3}uk^{3}tsʰiəu$^{53}_{44}$iəu^{35}tʂak^{3}xan^{53}lau^{21}ku$^{35}_{44}$ia^{13}ke^{53},ci^{13}tsʰiəu^{53}tsʰin^{53}tso^{53}tsʰai^{13}fəŋ$^{13}_{44}$.ci^{13}kai^{53}pa^{21}tʂʰak^{3}lei^{0}tsʰiəu$^{53}_{44}$ ɔn$^{35}_{44}$tso$^{53}_{44}$tsʰai^{13}tʂʰak^{3},iet^{3}tʂʰak^{3}tsʅ^{0}tʂʰɔŋ^{13}.tʂʰɔŋ^{13}ɲiet^{3}təu$^{35}_{44}$kʰɔn^{53}ci$^{13}_{44}$kan$^{21}_{35}$tsʅ^{0}la^{53}tau^{21}kai^{53}pa^{21}tsʰai^{13}tʂʰak^{3}lei^{0} kan^{21}tsʅ^{0}çi$^{53}_{44}$liɔŋ^{13}pu^{53},iɔŋ$^{53}_{44}$kai^{53}pa^{21}tsʰai^{13}tʂʰak^{3}.xe$^{53}_{44}$,ŋai^{13}xei^{53}ci^{53}tek^{3}.iet^{3}iet^{3}mau^{13}ci^{21}tʂʰɔŋ^{13},tʂʅ^{21}iet$^{3}_{5}$tʂʰak^{3} tsʅ^{0}tʂʰɔŋ$^{13}_{44}$.

【裁缝】tsʰai^{13}fəŋ^{13} 名以制作或拆改衣服为职业的人：以下是又冇么人冇得～了。i^{21}xa^{53}ʂʅ^{53}iəu^{53} mau$^{13}_{21}$mak^{3}in$^{13}_{44}$mau^{13}tek^{3}tsʰai^{13}fəŋ$^{13}_{44}$liau^{0}.

【裁缝铺】tsʰai^{13}fəŋ^{13}pʰu^{53} 名为人缝制、修改衣服的店铺。也称“裁缝铺子”：开只铺子，靠同别人家做衫裤来赚钱个，欸，箇个就安做～子。以下冇得哩～。以前是我等欸开头讲个箇只老姑爷渠就带过几只徒弟呀，开过～子啊。落尾也归来哩，老嘿哩以后就归来哩，归倒屋下做下子衫裤了，欸，赠开～了。kʰɔi^{35}tʂak^{3}pʰu^{53}tsʅ^{0},kʰau^{53}tʰəŋ^{13}pʰiet$^{5}_{3}$in$^{13}_{44}$ka$^{35}_{44}$tso^{53}san^{35}fu^{53}lɔi^{13} tsʰan^{53}tsʰien^{13}ke^{0},e$_{21}$,kai$^{53}_{44}$ke$^{53}_{44}$tsʰiəu$^{53}_{44}$ɔn$^{35}_{44}$tso$^{53}_{44}$tsʰai^{13}fəŋ^{13}pʰu^{53}tsʅ^{0}.i^{21}xa^{53}mau$^{13}_{21}$tek^{3}li^{0}tsʰai^{13}fəŋ$^{13}_{44}$pʰu^{53}.i$^{35}_{53}$tsʰien^{13} ʂʅ$^{53}_{44}$ŋai$^{13}_{21}$tien^{0}e$_{44}$kʰɔi^{35}tʰei$^{13}_{44}$kɔŋ^{21}ke$^{53}_{44}$kai^{53}tʂak^{3}lau^{21}ku$^{35}_{44}$ia^{13}ci^{13}tsʰiəu$^{53}_{44}$tai^{53}ko^{53}ci^{21}tʂak^{3}tʰu^{13}tʰi^{53}ia^{0},kʰɔi^{35}ko$^{53}_{44}$ tsʰai^{13}fəŋ$^{13}_{44}$pʰu^{53}tsa^{0}.lɔk^{5}mi$^{35}_{53}$ia^{35}kuei^{35}lɔi$^{13}_{21}$li^{0},lau^{21}xek^{3}li^{0}i^{35}xei^{53}tsʰiəu$^{53}_{44}$kuei^{35}lɔi$^{13}_{21}$li^{0},kuei^{35}tau^{21}uk^{3}xa$^{53}_{44}$tso^{53}a^{0} tsʅ^{0}san$^{35}_{44}$fu^{53}liau^{0},e$_{21}$,maŋ^{13}kʰɔi$^{35}_{44}$tsʰai$^{13}_{21}$fəŋ$^{13}_{44}$pʰu^{53}liau^{0}.

【裁剪】tsʰɔi^{13}tsien^{21} 名裁缝用来裁布的剪刀：以下个裁缝师傅是～都唔爱例。欸，让门子～都唔爱哩嘞？欸，裁缝师傅尽系跍下工厂里，尽裁正哩个，箇个布尽裁正哩，只爱斗得扰去了。i^{21}xa^{53}ke^{53}tsʰɔi$^{13}_{21}$fəŋ$^{13}_{21}$sʅ$^{35}_{53}$fu^{53}ʂʅ$^{53}_{53}$tsʰɔi^{13}tsien^{21}təu$^{35}_{44}$m̩$^{13}_{21}$mɔi^{53}li^{0}.ei$_{21}$, ɲiɔŋ^{53}mən$^{13}_{44}$tsʅ^{0}tsʰɔi^{13}tsien^{21}təu$^{35}_{44}$m̩$^{13}_{44}$ mɔi$^{53}_{44}$li^{0}le^{0}?e$_{21}$,tsʰɔi$^{13}_{21}$fəŋ$^{13}_{21}$sʅ$^{35}_{44}$fu$^{53}_{44}$tsʰin^{53}tʰei$^{53}_{44}$ku$^{35}_{44}$(x)a$^{53}_{44}$kəŋ^{35}tʂʰɔŋ^{21}li^{0},tsʰin^{53}tsʰɔi^{13}tʂaŋ$^{53}_{44}$li^{0}ke^{0},kai^{53}ke$^{53}_{21}$pu^{53} tsʰin^{53}tsʰɔi^{13}tʂaŋ^{53}li^{0},tʂʅ^{21}ɔi^{53}tei^{53}tek^{3}ləŋ^{35}çi^{53}liau^{21}.

【裁锯】tsʰai^{13}ke^{53}/cie^{53} 名用来截断木头的锯子：锯子里面有两种。锯子啊，起码有两种啵。渠就根据不同个齿不同。渠爱分筒树咁子横横哩锯啊断，渠个齿只爱一边一只一边一只，咁子过去。还有起嘞，爱分以筒树中间篾啊开，渠个纤维是系渠箇个纹箇个树个纹是系咁子直个吵，系唔系？你只爱裁呀断个时候子，箇一边一只齿就要得哩；渠以咁子个，以咁子个爱更篾啊开，安做篾锯。篾锯嘞就必须三路齿，嗯，三路齿，中间还一路齿。渠爱分中间箇滴子削嘿去，渠正过得，正下得。～就两路齿。cie^{53}tsʅ^{0}li^{21}mien^{53}iəu^{35}iɔŋ^{21}tʂəŋ^{21}.cie^{53}tsʅ^{0}a^{0},cʰi^{21}ma^{35} iəu^{35}iɔŋ^{21}tʂəŋ^{21}nau^{0}.ci^{13}tsʰiəu^{53}ken$^{35}_{44}$tʂʅ$^{53}_{44}$pət^{3}tʰəŋ^{13}ke^{53}tʂʰʅ^{21}pət^{3}tʰəŋ^{13}.ci^{13}ɔi$^{53}_{44}$pən^{35}tʰəŋ^{13}ʂəu^{53}kan^{21}tsʅ^{0}uaŋ^{13} uaŋ$^{13}_{44}$li^{0}cie$^{53}_{44}$a^{0}tʰɔn^{35},ci^{13}ke^{53}tʂʰʅ^{21}tʂʅ^{21}ɔi^{53}iet^{3}pien^{35}iet^{3}tʂak^{3}iet^{3}pien^{35}iet^{3}tʂak^{3},kan^{21}tsʅ^{0}ko$^{53}_{44}$çi^{53}.xai^{13}iəu^{35}çi^{21} lei^{0},ɔi$^{53}_{44}$pən^{35}i^{21}tʰəŋ^{13}ʂəu^{53}tʂəŋ^{35}kan^{35}sak^{3}a^{0}kʰɔi^{35},ci^{13}ke$^{53}_{44}$tsʰien^{35}vei$^{13}_{44}$ʂʅ$^{53}_{44}$xei^{53}ci$^{13}_{44}$kai$^{53}_{44}$ke$^{53}_{44}$uən^{13}kai$^{53}_{44}$kei$^{53}_{44}$ʂəu^{53} ke^{53}uən^{13}ʂʅ$^{53}_{44}$xei^{53}kan^{21}tsʅ^{0}tʂʰət^{5}cie$^{53}_{44}$ʂa^{0},xei^{53}me^{53}?ɲi^{13}tʂʅ^{21}ɔi$^{53}_{44}$tsʰai^{13}ia$^{13}_{44}$tʰɔn$^{35}_{44}$ke$^{53}_{44}$ʂʅ^{13}xəu^{53}tsʅ^{0},kai$^{53}_{44}$iet^{3}pien^{35} iet^{3}tʂak^{3}tʂʰʅ^{21}tsʰiəu$^{53}_{44}$iau^{53}tek^{3}li^{0};ci^{13}i^{21}kan$^{21}_{44}$tsʅ^{0}ke^{53},i^{21}kan^{21}tsʅ^{0}ɔi^{53}cien$^{53}_{44}$sak^{3}a^{0}kʰɔi$^{35}_{44}$,ɔn$^{35}_{44}$tso^{53}sak^{3}cie^{53}.sak^{3} cie^{53}le^{0}tsiəu$^{53}_{44}$piet^{3}si$^{35}_{44}$san^{35}nəu$^{53}_{44}$tʂʰʅ^{21},n̩$_{21}$,san^{35}ləu^{53}tʂʰʅ^{21},tʂəŋ^{35}kan$^{35}_{44}$xai^{13}iet^{3}ləu^{53}tʂʰʅ^{21}.ci^{13}ɔi$^{53}_{44}$pən$^{35}_{44}$tʂəŋ^{35}kan$^{35}_{44}$ kai^{53}tiet^{5}tsʅ^{0}siɔk^{3}ek^{3}çi^{53},ci^{13}tʂaŋ$^{53}_{44}$ko^{53}tek^{3},tʂaŋ$^{53}_{44}$xa^{35}tek^{3}.tsʰai^{13}cie^{53}tsʰiəu$^{53}_{44}$iɔŋ^{21}ləu^{53}tʂʰʅ^{21}.

【裁纸刀】tsʰɔi^{13}tʂʅ^{21}tau$^{35}_{44}$ 名用于裁切各种纸张等的工具：欸，我看过真正个～只有箇阵子花炮厂里个～。咁高，咁长。嗯，～，掀薄子，飘轻。磨得锋利。渠箇个一垛子纸样嘞一咁子舞块板子一嵌下去，欸～即即哩咁子去舞，一下子，一叠纸就裁嘿哩。以下是用机子裁唠。欸，～。箇个就系大场伙个。人拿倒去裁哟，脚下踩稳啵。箇阵子花炮厂里啦，咁子裁啦。专门有人裁纸咯。e$_{21}$,ŋai^{13}kʰɔn$^{53}_{44}$ko$^{53}_{44}$tʂən^{35}tʂən$^{53}_{44}$ke$^{53}_{44}$tsʰɔi^{13}tʂʅ^{21}tau$^{35}_{44}$tʂət^{3}iəu$^{35}_{44}$kai$^{53}_{44}$tʂʰən$^{53}_{44}$tsʅ^{0}fa^{35}pʰau^{53} tʂʰɔŋ^{21}li^{0}ke^{53}tsʰɔi^{13}tʂʅ^{21}tau$^{35}_{44}$.kan^{21}kau^{35},kan^{21}tʂʰɔŋ^{13}.n̩$_{44}$,tsʰɔi^{13}tʂʅ^{21}tau$^{35}_{44}$,ʂen^{35}pʰɔk^{5}tsʅ^{0},pʰiau^{35}cʰiaŋ$^{35}_{44}$.mo^{13}tek^{3}

fəŋ^{35}li$^{53}_{44}$.ci^{13}kai^{53}ke$^{53}_{44}$iet^{3}tʰo^{53}tsɿ^{0}tʂʅ^{21}iɔŋ$^{53}_{44}$lei^{0}iet^{3}kan^{21}tsɿ^{0}u^{21}kʰuai^{53}pan^{21}tsɿ^{0}iet^{3}kʰan^{53}na$^{53}_{44}$çi^{53},e^{0}tsʰɔi$^{13}_{21}$tʂʅ^{21}tau$^{35}_{44}$ tset^{5}tset^{5}li^{0}kan^{21}tsɿ^{0}çi^{53}u^{21},iet^{3}xa^{53}tsɿ^{0},iet^{3}tʰiet^{5}tʂʅ^{21}tsʰiəu$^{53}_{44}$tsʰai^{13}xek^{3}li^{0}.i^{21}xa$^{53}_{44}$ʂʅ$^{53}_{44}$iɔŋ^{53}ci^{35}tsɿ^{0}tsʰai$^{13}_{21}$lau^{0}.e$_{21}$, tsʰɔi^{13}tʂʅ^{21}tau^{35}.kai$^{53}_{44}$ke^{53}tsʰiəu$^{53}_{44}$xe$^{53}_{44}$tʰai^{53}tʂʰɔŋ$^{13}_{21}$fo^{21}ke^{53}.ɲin^{13}na^{53}tau^{21}çi^{53}tsʰai$^{13}_{21}$iau^{0},ciɔk^{3}xa$^{53}_{44}$tsʰai^{21}uən^{21}nau^{0}. kai^{53}tʂʰən^{53}tsɿ^{0}fa$^{53}_{44}$pʰau^{53}tʂʰɔŋ^{21}li^{35}la^{0},kan^{21}tsɿ^{0}tsʰai$^{13}_{21}$la^{0}.tʂen^{35}mən$^{13}_{21}$iəu^{35}ɲin$^{13}_{21}$tsʰai$^{53}_{44}$tʂʅ^{21}ko^{0}.

【采茶】tsʰai^{21}tsʰa^{13} 名 “采茶戏”的简称：～是采茶戏呀。有喔。以映个唔出名。江西个更出名。采茶戏，江西如今系地方戏肚里系采茶戏嘞。我等以映也有人唱～个。一般呢唱个～嘞都系男欢女爱个咁种主题子。有人唱，有人唱，箇唔知让门子唱法去哩，我唔记得哩。～。采茶戏。唔记得哩。听过。唔记得哩。有人唱，以向冇人唱，江西有人唱。我等以映唱～冇……冇得哩，我等浏阳是花鼓戏了。看过，采茶戏看过。一般都系男欢女爱个主题唠。以边本地人，唱花鼓欸唱采茶戏。欸，客家人，客家人唱，唱采茶戏。箇指是否用客家话唱采茶戏也唔记得哩。我看过采茶戏。tsʰai^{21}tsʰa^{13}ʂʅ$^{53}_{44}$tsʰai^{21}tsʰa^{13}çi^{53}ia^{0}.iəu^{35}uo^{0}.i^{21}iaŋ^{53}ke^{53}m̩^{13}tʂʰət^{3}miaŋ^{13}.kɔŋ^{35}si$^{35}_{44}$ke$^{53}_{44}$ cien^{53}tʂʰət^{3}miaŋ^{13}.tsʰai^{21}tsʰa^{13}çi^{53},kɔŋ^{35}si$^{35}_{53}$i$^{13}_{21}$cin$^{35}_{44}$xe$^{53}_{44}$tʰi^{53}fɔŋ$^{35}_{44}$çi^{53}təu^{21}li^{0}xe^{53}tsʰai^{21}tsʰa^{13}çi^{53}le^{0}.ŋai^{13}tien^{0}i^{21} iaŋ^{53}ia^{35}iəu$^{35}_{53}$ɲin$^{13}_{44}$tʂʰɔŋ^{53}tsʰai^{21}tsʰa^{13}ke^{53}.iet^{3}pɔn^{35}ne^{0}tʂʰɔŋ^{53}ke$^{53}_{44}$tsʰai^{21}tsʰa^{13}le^{0}təu^{35}xe^{53}lan^{13}fɔn$^{35}_{44}$ɲy^{21}ŋai^{53}ke^{0} kan^{21}tʂəŋ^{21}tʂʅ^{21}tʰi$^{13}_{44}$tsɿ^{0}.iəu^{35}in$^{13}_{21}$tʂʰɔŋ^{53},iəu^{35}in$^{13}_{21}$tʂʰɔŋ^{53},kai^{53}n̩^{13}ti$^{35}_{44}$ɲiɔŋ^{53}mən^{0}tsɿ^{0}tʂʰɔŋ^{53}fait^{3}çi^{53}li^{0},ŋai^{13}n̩^{13}ci^{53} tek^{3}li^{0}.tsʰai^{21}tsʰa^{13}.tsʰai^{21}tsʰa^{13}çi^{53}.n̩^{13}ci^{53}tek^{3}li^{0}.tʰaŋ^{35}ko^{53}.n̩^{13}ci^{53}tek^{3}li^{0}.mau^{13}ɲin^{13}tʂʰɔŋ^{53},i^{21}çiɔŋ^{53}mau$^{13}_{21}$ɲin$^{13}_{21}$ tʂʰɔŋ^{53},kɔŋ^{35}si$^{35}_{44}$iəu^{35}ɲin$^{13}_{21}$tʂʰɔŋ^{53}.ŋai^{13}tien^{0}i$^{21}_{13}$iaŋ^{53}tʂʰɔŋ^{53}tsʰai^{21}tsʰa^{13}mau$^{13}_{21}$…mau$^{13}_{21}$tek^{3}li^{0},ŋai^{13}tien^{0}liəu^{13}iɔŋ$^{13}_{44}$ ʂʅ$^{53}_{44}$fa^{35}ku^{21}çi^{53}liau^{0}.kʰɔn^{53}ko$^{53}_{44}$,tsʰai^{21}tsʰa^{13}çi^{53}kʰɔn^{53}ko$^{53}_{44}$.iet^{3}pɔn^{35}təu$^{35}_{44}$xei$^{53}_{44}$lan^{13}xɔn$^{35}_{44}$ɲy^{21}ŋai^{53}ke$^{53}_{44}$tʂʅ^{21}tʰi^{13} lau^{0}.i^{21}pien^{35}pən^{21}tʰi^{53}ɲin$^{13}_{21}$,tʂʰɔŋ^{53}fa^{35}ku^{21}e^{0}tʂʰɔŋ^{53}tsʰai^{21}tsʰa^{13}çi^{53}.e$_{21}$,kʰak^{3}ka$^{35}_{44}$ɲin$^{13}_{21}$,kʰak^{3}ka$^{35}_{44}$ɲin$^{13}_{21}$tʂʰɔŋ$^{53}_{44}$, tʂʰɔŋ^{53}tsʰai^{21}tsʰa^{13}çi^{53}.kai$^{53}_{13}$ia$^{35}_{44}$n̩^{13}ci^{53}tek^{3}li^{0}.ŋai^{13}kʰɔn^{53}ko$^{53}_{44}$tsʰai^{21}tsʰa^{13}çi^{53}.

【采茶戏】tsʰai^{21}tsʰa^{13}çi^{53} 名 一种传统地方戏曲类别：好，讲到唱戏嘞我又问哩，我话：“你晓得箇个～么？”“有哇，有～啊。以只太阳冲里箇庙里以前就会唱～。”“我以下艚看倒咯？”“冇得哩。冇得哩～。”失哩传呢。箇几只会唱个都死嘿哩。我晓得嘞，凤溪箇映有只姜绍祥，姜绍祥老子又还会提纸影菩萨子嘞，噢，唱箇个木偶戏呀，死嘿哩，都死嘿哩了。欸，渠还会做醮嘞。箇只老子蛮多才多艺，系。都死嘿哩。八呀系在也系九十几岁了。xau^{21},kɔŋ^{21}tau$^{53}_{44}$ tʂʰɔŋ$^{53}_{44}$çi^{53}lei^{0}ŋai^{13}iəu^{53}uən^{53}ni^{0},ŋai^{13}ua^{53}:"ɲi$^{13}_{21}$çiau^{21}tek^{3}kai^{53}kei$^{53}_{44}$tsʰai^{21}tsʰa^{13}çi^{53}mo^{0}?""iəu^{35}ua^{0},iəu^{35}tsʰai^{21} tsʰa^{13}çi^{53}a^{0}.i^{21}tʂak^{3}tʰai^{53}iɔŋ$^{13}_{21}$tʂʰəŋ^{35}li^{0}kai$^{53}_{44}$miau^{53}li^{0}i$^{35}_{53}$tsʰien^{13}tsʰiəu$^{53}_{44}$uɔi$^{53}_{44}$tʂʰɔŋ$^{53}_{44}$tsʰai^{21}tsʰa^{13}çi^{53}.""ŋai^{13}i^{21}xa^{53} maŋ^{13}kʰɔn^{53}tau$^{21}_{44}$ko^{0}?""mau^{13}tek^{3}li^{0}.mau$^{13}_{21}$tek^{3}li^{0}tsʰai^{21}tsʰa^{13}çi^{53}."ʂət^{5}li^{0}tʂʰuən^{13}ne^{0}.kai^{53}ci^{21}tʂak^{3}uɔi^{53} tʂʰɔŋ^{53}ke^{0}təu^{35}si^{21}xek^{3}li^{0}.ŋai^{13}çiau^{21}tek^{3}le^{0},fəŋ^{53}çi$^{35}_{44}$kai$^{53}_{44}$iaŋ$^{53}_{44}$iəu$^{53}_{44}$tʂak^{3}ciɔŋ$^{35}_{44}$ʂau^{53}tsʰiɔŋ^{13},ciɔŋ$^{35}_{44}$ʂau^{53}tsʰiɔŋ^{13} lau^{21}tsɿ^{0}iəu$^{53}_{44}$xai^{13}uɔi^{53}tʰia^{35}tʂʅ^{21}iaŋ^{21}pʰu^{13}sait^{3}tsɿ^{0}lei^{0},au$_{21}$,tʂʰɔŋ^{53}kai$^{53}_{44}$ke$^{53}_{44}$muk^{3}ŋei^{21}çi^{53}ia^{0},si^{21}xek^{3}li^{0},təu$^{35}_{53}$si^{21} xek^{3}li^{0}liau^{0}.e$_{21}$,ci$^{13}_{21}$(x)ai^{13}uɔi$^{53}_{44}$tso$^{53}_{44}$tsiau^{53}lei^{0}.kai^{53}(tʂ)ak^{3}lau^{21}tsɿ^{0}man^{13}to^{35}tsʰai$^{13}_{21}$to^{35}ɲi^{53},xe^{53}.təu^{35}si^{21}xek^{3} li^{0}.pait^{3}ia^{0}xei^{53}tsʰɔi^{35}ia^{35}xei$^{53}_{44}$ciəu^{21}ʂət^{5}ci^{21}sɔi^{53}liau^{0}.

【彩枋】tsʰai^{21}fɔŋ^{35} 名 房前屋檐上的桁子：面前个安做～吧？系有人讲～嘞。后背就唔晓得。只晓得跳梁，我听讲别人家讲过～。mien^{53}tsʰien$^{13}_{21}$ke$^{53}_{44}$ɔn$^{35}_{44}$tso$^{53}_{44}$tsʰai^{21}fɔŋ$^{35}_{44}$pa^{0}?xe$^{53}_{44}$iəu$^{35}_{44}$ɲin$^{13}_{21}$kɔŋ^{21}tsʰai^{21} fɔŋ$^{35}_{44}$lei^{0}.xei^{53}pɔi^{53}tsʰiəu^{53}n̩^{13}çiau^{21}tek^{3}.tʂe^{21}çiau^{21}tek^{3}tʰiau^{53}liɔŋ$^{13}_{21}$,ŋai$^{13}_{21}$tʰaŋ^{35}kɔŋ^{21}pʰiek^{5}in$^{13}_{21}$ka$^{35}_{44}$kɔŋ^{21}ko$^{53}_{21}$ tsʰai^{21}fɔŋ^{35}.

【彩礼】tsʰai^{21}li^{35} 名 订婚及结婚时，男方赠予女方的财物礼品：从前个～嘞，从前欸男方都爱到女方去求婚个话就爱送～。我等晓得最先个～嘞除哩鸡鱼肉以外，首……最先个～是也就系就一滴子衫裤子箇兜咁个东西。欸，洋布遮子。欸，咁个，筒子套鞋。落尾慢慢子嘞，就系么个单车、手表、缝纫机了。落尾有只三金了。如今怕系送……呃，爱买一套子房子啊，送辆子汽车了，正系～了。欸，送几万块子钱呶，正系～了。欸时代个变化嘿哩。tsʰəŋ^{13} tsʰien^{13}ke^{53}tsʰai^{21}li^{35}le^{0},tsʰəŋ^{13}tsʰien^{13}e$_{44}$lan^{13}fɔŋ$^{35}_{53}$təu^{35}ɔi^{53}tau^{53}ɲy^{21}fɔŋ$^{35}_{44}$çi^{53}cʰiəu^{13}fən^{35}ke$^{53}_{44}$fa$^{53}_{44}$tsʰiəu$^{53}_{44}$ɔi$^{53}_{44}$səŋ^{53} tsʰai^{21}li^{35}.ŋai^{13}tien^{0}çiau^{21}tek^{3}tsei^{53}sen$^{35}_{44}$ke^{0}tsʰai^{21}li$^{35}_{44}$le^{0}tʂʰəu^{13}li^{0}ke^{35}ŋ̍^{13}ɲiəuk^{3}i^{35}uai^{53},ʂəu^{21}…tsei^{53}sien$^{35}_{44}$ke$^{53}_{44}$ tsʰai^{21}li^{35}ʂʅ$^{53}_{21}$ia^{35}tsʰiəu^{53}xe$^{53}_{44}$tsiəu^{53}iet^{3}tiet^{5}tsɿ^{0}san^{35}fu^{53}tsɿ^{0}kai$^{53}_{44}$təu^{35}kan^{21}ke$^{53}_{44}$təŋ$^{35}_{44}$si^{0}.e$_{21}$,iɔŋ^{13}pu$^{53}_{44}$tʂa^{35}tsɿ^{0}.e$_{21}$, kan$^{21}_{13}$cie$^{53}_{44}$,tʰəŋ^{21}tsɿ^{0}tʰau^{53}xai^{13}.lɔk^{5}mi$^{35}_{44}$man^{53}man^{53}tsɿ^{0}lei^{0},tsʰiəu$^{53}_{44}$xe$^{53}_{44}$mak^{3}e^{0}tan^{35}tʂʰa$^{35}_{44}$,ʂəu^{21}piau^{21},fəŋ^{13} uən$^{53}_{44}$ci^{35}liau^{0}.lɔk$^{5}_{44}$mi^{35}iəu$^{35}_{44}$tʂak^{3}san^{35}cin^{35}niau^{0}.i$^{13}_{21}$cin^{35}ʂʅ$^{53}_{44}$pʰa$^{53}_{44}$xe$^{53}_{44}$səŋ^{53}…ə$_{21}$,ɔi$^{53}_{44}$mai$^{35}_{44}$iet^{3}tʰau^{53}tsɿ^{0}fɔŋ^{13}tsɿ^{0} a^{0},səŋ^{53}liɔŋ$^{53}_{44}$tsɿ^{0}çi^{53}tʂʰa$^{35}_{44}$liau^{0},tʂaŋ$^{53}_{44}$xei$^{53}_{44}$tsʰai^{21}li^{35}liau^{0}.e$_{21}$,səŋ^{53}ci^{21}uan^{53}kʰuai^{53}tsɿ^{0}tsʰen^{13}nau^{0},tʂaŋ$^{53}_{44}$xei$^{53}_{44}$ tsʰai^{21}li^{35}liau^{0}.e^{0}ʂʅ$^{13}_{21}$tʰɔi$^{53}_{44}$ke^{0}pien^{53}fa^{53}ek^{3}li^{0}.

【彩檐】tsʰai^{21}ian^{13} 名 钉在檐口椽皮顶端，用来承载滴水瓦的三角形木制构件：渠箇个瓦吵渠箇椽皮要咁子一块块子，系唔系？一块一块子钉倒去吵，系呀？欸，一块块子钉倒去，渠箇爱盖瓦吵，一口一口子瓦盖嘿去。以映第一口子瓦盖唔稳。以下就钉条横……钉块子横横子个板子。箇块板子嘞系一边厚薄，一边更厚，一边更薄，外背分渠厚，肚里箇边更薄。箇条箇块东西安做～。ci13kai53cie53/44ŋa21ʂa0 ci13kai53ʂɔn13pʰi13iau53/44kan21tsɿ0 iet3 kʰuai53kʰuai53tsɿ0,xei53/44me53/44?iet3 kʰuai53iet3 kʰuai53tsɿ0 taŋ35tau21çi53/44ʂa0,xei53/44ia0?e21,iet3 kʰuai53kʰuai53tsɿ0 taŋ35tau21çi53/44,ci13kai53/44ɔi53/44kɔi53ŋa21ʂa0,iet3 xei21/44iet3 xei21/44tsɿ0 ŋa21kɔi53iek3(←xek3)çie53/44.i21iaŋ53/44tʰi53iet3 xei21/44tsɿ0 ŋa21kɔi53n̩13/21uən21.ia35(←i21xa53)tsʰiəu53/44taŋ35tʰiau13/21uaŋ13…taŋ35/44kʰuai53tsɿ0 uaŋ13uaŋ13tsɿ0 ke53pan21tsɿ0.kai53kʰuai53pan21tsɿ0 lei0 xei53iet3 pien35/44xei35pʰɔk5,iet3 pien35cien53xei35,iet3 pien35cien53/44pʰɔk5,ŋɔi53pɔi53pən35/44ci13/44xei35,təu21li0 kai53/44pien35/44cien53/44pʰɔk5.kai53tʰiau13/21kai53kʰuai53/44təŋ35/44si0 ɔn35/44tso53/44tsʰai21ian13.

【睬识】tsʰɔi21ʂət5 [动]理睬：你做兜咁个事是，唔得好死呀，死哩都会成孤魂野鬼，冇人～你啊。ɲi13tso53tei35/44kan21ke53/44sɿ53ʂɿ53/44,n̩13tek3 xau21si21ia0,si21li0 təu35/53uɔi53ʂaŋ13/21ku35fən13/21ia35/44kuei21,mau13/21in13/44tsʰɔi21ʂət5ɲi13/44a0.

【踩】tsʰai21 [动]①脚底接触地面或物体；脚底在物体上向下用力：田里松滴子个嘞就～下去哩。tʰien13ni0 səŋ35tiet5tsɿ0 ke53/44le0 tsʰiəu53/44tsʰai21xa35çi53li0.｜（脚碓）一个人～唔起动。iet3 ke53ɲin13tsʰai21n̩13çi21. ②用脚踏缝纫机来缝制：边上～个一轮子用来装饰个或者织个，箇个就安做花边。pien35xɔŋ53tsʰai21ke53iet3 lən13tsɿ0 iəŋ53lɔi13/21tsɔŋ35ʂət5 ke0 xɔit5 tʂa21tʂət3 cie53,kai53/44ke53/44tsʰiəu53/44ɔn35/44tso53/44fa35/44pien35. ③下中国象棋时用马吃对方的棋子：嗯，～马，唔喊食马，～嘿箇只马去。食车牯，车牯就食，食车牯。飞嘿箇象去，象就飞嘿去。士子就磨嘿去。士子啊，士子就磨嘿箇只东西去。欸，卒牯就恐啊，恐卒牯。食哩卒牯去就食哩箇卒牯去。飞嘿箇象去。看下欸看下，让门子话？磨，～马，系。用别么个子食哩箇马去。～嘿箇只马去呀，硬系食哩箇马去吧？应该是系食哩马去就安做～马嘞。n̩21,tsʰai21ma35,n̩13xan53ʂət5 ma35,tsʰai21xek3 kai53tʂak3 ma35çi53.ʂət5 ke35ku21,ke35ku21 tsiəu53/44ʂət5,ʂət5 ke35ku21.fei35xek3 kai53/44siɔŋ53çi53,siɔŋ53tsʰiəu53/44fei35xek3 çi53.sɿ53tsɿ0 tsʰiəu53/44mo53xek3 çi53.sɿ53tsɿ0 a0,sɿ53/44tsɿ0 tsʰiəu53/44mo53xek3 kai53/44tʂak3 təŋ35/44si0 çi53.e21,tsət3 ku21tsʰiəu53kʰəŋ21ŋa0,kʰəŋ21tsət3 ku21.ʂət5 li0 tsət3 ku21çi53 tsʰiəu53/44ʂət5 li0 kai53/44tsət3 ku21çi53.fei35ek3 kai53/44siɔŋ53çi53.kʰɔn53na53e44kʰɔn53na53, ɲiɔŋ53mən0 tsɿ0 ua53/44?mo53.tsʰai21ma35,xe53/44.iəŋ53/44pʰiet5 mak3 e0 tsɿ21ʂət5 li0 kai53/44ma35çi53.tsʰai21xek3 kai53tʂak3 ma35çi53ia0, ɲiaŋ53xei53/44ʂət5 li0 kai53/44ma35çi53pa0?in53kɔi35ʂɿ53/44xe53ʂət5 li0 ma35çi53/44tsʰiəu53/44ɔn35/44tso53/44tsʰai21ma35le0.

【踩边】tsʰai21pien35 [动]缲边儿：鞋面就爱～呶。xai13mien53tsʰiəu53/44ɔi53/44tsʰai21pien35nau0.

【踩高脚】tsʰai21kau35ciɔk3 踩高跷：～是我等都踩过。欸，舞只竹筒，舞只箇竹筒，系啊？箇比人都更高嘞。比人都更高个竹筒，以映中间嘞打只眼。舞筒树棍子，舞筒咁长子个树棍子，㩧下进去，系。系，做两只咁个。就咁子脚就踩下箇上背呀，总做总高嘿，总做总高哇。箇蛮有味哟。我细细子喜欢～哦。就咁子踩嘿上背。箇只高脚就咁子斜斜子放倒哇，嘞，以边以只踩脚个东西就向以向啊，以边以只踩脚个东西就向以向，系唔系？咁子手胁下捉稳呐，手胁还咁子捉稳呐，欸斜斜子放倒，以脚踩嘿去，一挣就上嘿了。箇我等上岭上唔得，欸上唔得，我等只好踩倒走下子。我等细细子作为一种玩具来搞。嗯，箇～。蛮有味道。欸，自家做。欸，高脚，系，安做高脚。嬲箇只东西就安做～。tsʰai21kau35ciɔk3 ʂɿ53/44ŋai13/21tien0 təu35/53tsʰai21ko53/44.e21,u21tʂak3 tʂəuk3 tʰəŋ13/44,u21tʂak3 kai53tʂəuk3 tʰəŋ13/44,xei53a0?kai53/44pi21ɲin13təu35/44cien53/44kau35le0.pi21ɲin13təu35/53cien53/44kau35/44ke53/44tʂəuk3 tʰəŋ13/44,i21iaŋ53tʂəŋ35/44kan35/44le0 ta21tʂak3 ŋan21.u21tʰəŋ13ʂəu53kuən53/44tsɿ0,u21tʰəŋ13kan21tʂʰɔŋ13tsɿ0 ke53/44ʂəu53kuən53/44tsɿ0,tsian35na53/44tsin53çi53/44,xe53/44.xe53/21,tso53iɔŋ21tʂak3 kan21cie53.tsʰiəu53/44kan21tsɿ0 ciɔk3 tsʰiəu53/44tsʰai21ia53/44kai53/44ʂɔŋ53pɔi53/44ia0,tsəŋ21tso53tsəŋ21kau35xek3,tsəŋ21tso53tsəŋ21kau35ua0.kai53/44man13/21iəu35/44uei53io0.ŋai13sei53sei53tsɿ0 çi21fən35tsʰai21kau35ciɔk3 o0.tsʰiəu53kan21tsɿ0 tsʰai21xek3 ʂɔŋ53/44pɔi53/44.kai53/44tʂak3 kau35ciɔk3 tsʰiəu53kan21tsɿ0 tsʰia13tsʰia13tsɿ0 fɔŋ53tau21ua0,lei44,i21pien35i21tʂak3 tsʰai21ciɔk3 ke53/44təŋ35/44si0 tsʰiəu53/44çiɔŋ53i21çiɔŋ53/44ŋa0,i21pien35/53i21tʂak3 tsʰai21ciɔk3 ke53/44təŋ35/44si0 tsiəu53çiɔŋ53i21çiɔŋ53/44,xei53/44me53/44?kan21tsɿ0 ʂəu21cʰiait5 xa53/44tsɔk3 uən21na0,ʂəu21cʰiait5 xai13/53kan21tsɿ0 tsɔk3 uən21na0,ei0 tsʰia13tsʰia13tsɿ0 fɔŋ53tau21/44,i21ciɔk3 tsʰai21xek3 çi53/44,iet3 tsen53tsʰiəu53/44ʂɔŋ53/44ŋek3 liau0.kai53ŋai13tien0 ʂɔŋ53/44liaŋ35ʂɔŋ53/44m̩13/21tek3,e0 ʂɔŋ53/44m̩13/21tek3,ŋai13tien0 tʂɿ21xau21tsʰai21tau21tsei21ia53tsɿ0.ŋai13tien0 se53se53tsɿ0 tsɔk3 uei13/44iet3 tʂəŋ21uan13tʂʮ53lɔi13kau21.n̩21,kai53/44tsʰai21kau35ciɔk3.man13iəu35uei53tʰau53/44.e21,tsʰɿ35ka35/44tso53/44.e21,kau35ciɔk3,xe53,ɔn35/44tso53/44kau35ciɔk3.liau53kai53/44tʂak3 təŋ35/44si0 tsʰiəu53/44ɔn35/44tso53/44tsʰai21kau35ciɔk3.

【踩禾蔸】tsʰai21uo13tei35 早禾收割之后将其禾茬踩断或踩入泥中，以利于丫禾生长：好，落尾搞哩以后嘞就去踩禾蔸。就分箇只收个哩箇个禾蔸踩嘿去，踩下去，踩，莫分渠产笋。就箇。田里松滴子个嘞就踩下去哩。手里就还拿只分我刀子。xau^{21},lɔk$^{5}_{3}$ mi$^{35}_{44}$kau^{21}li^{0} i$^{35}_{44}$xei$^{53}_{44}$lei^{0} tsiəu$^{53}_{44}$çi^{53} tsʰai^{21}uo^{13}tei$^{35}_{44}$.tsiəu$^{53}_{44}$pən^{35}kai$^{53}_{44}$tʂak^{3} ʂəu^{35}ke$^{53}_{21}$li^{0} kai$^{53}_{44}$ke$^{53}_{44}$uo^{13}tei$^{35}_{44}$tsʰai^{21}xek^{3} çi$^{53}_{44}$,tsʰai^{21}xa$^{53}_{44}$çi$^{53}_{44}$,tsʰai^{21},mɔk^{5} pən$^{35}_{44}$ci$^{13}_{21}$tsʰan^{53}sən^{21}.tsʰiəu$^{53}_{21}$kai^{53}.tʰien^{13}ni^{0} səŋ^{35}tiet^{5} tsɿ^{0} ke$^{53}_{44}$le^{0} tsʰiəu$^{53}_{44}$tsʰai^{21}xa^{35}çi^{53}li^{0}.ʂəu^{21}li^{35}tsʰiəu$^{53}_{44}$xa^{13}la$^{53}_{44}$ tʂak^{3} pən^{35}ŋai$^{13}_{21}$tau^{35}tsɿ^{0}.

【踩水】tsʰai^{21}ʂei^{21} [动]手往上伸，两脚用力往下蹬，使身体直立于水中：有滴人～蛮煞哟。iəu^{35}tet^{5}ɲin$^{13}_{21}$tsʰai^{21}ʂei^{21}man^{13}sait^{3} iau^{0}.

【踩水车】tsʰai^{21}ʂei^{21}tʂʰa^{35} [名]龙骨水车的一种。以木板为槽，尾部浸入水流中，有一小轮轴；另一端也有小轮轴，固定于堤岸的木架上。用时踩动拐木，使大轮轴转动，带动槽内板叶刮水上行，倾灌于地势较高的田中：用脚踩个～。iəŋ^{53}ciɔk^{3} tsʰai^{21}ke^{53}tsʰai^{21}ʂei^{21}tʂʰa$^{35}_{44}$.

【菜】tsʰɔi^{53} [名]①泛指各种蔬菜：箇只～上长倒箇个一只□长个（菜花虫）。kai$^{53}_{21}$tʂak^{3} tsʰɔi^{53} xɔŋ$^{53}_{21}$tʂɔŋ^{21}tau^{21}kai^{53}ke$^{53}_{44}$iet^{3} tʂak^{3} lai^{35}tʂʰɔŋ^{13}ke$^{53}_{44}$.｜我放滴子～去箇映子啊放下地泥下，箇鸡子去啄呀。ŋai^{13}fɔŋ$^{53}_{44}$tet^{5} tsɿ^{0} tsʰɔi^{53}çi$^{53}_{44}$kai$^{53}_{44}$iaŋ^{53}tsa^{0} fɔŋ$^{53}_{44}$a$^{53}_{44}$tʰi$^{53}_{44}$lai$^{13}_{21}$xa$^{35}_{44}$,kai$^{53}_{44}$cie^{35}tsɿ^{0} çi$^{53}_{44}$tsait^{5} ia^{0}. ②泛指各类菜肴：一桌～iet^{3} tsɔk^{3} tsʰɔi^{53}｜如果唔搞蛋炒饭呢，还可以放滴子～，放滴子～去。y^{13}ko^{21}ŋ̍^{13}kau^{21}tʰan^{53} tsʰau^{21}fan^{53}nei^{0},xai^{13}kʰo^{21}i^{35}fɔŋ$^{53}_{44}$tet^{5} tsɿ^{0} tsʰɔi^{53},fɔŋ$^{53}_{44}$tet^{5} tsɿ^{0} tsʰɔi^{53}çi^{53}.｜食哩昼边个～呀嘴糟。ʂek^{5} li^{0} tʂəu^{53}pien$^{35}_{44}$ke$^{53}_{44}$tsʰɔi^{53}ia^{0} tʂɔi^{53}tsau^{35}.

【菜包子】tsʰɔi^{53}pau$^{35}_{44}$tsɿ^{0} [名]以菜料等做馅的包子：我等以映个～嘞有放酸菜个，有放咸菜个，有放辣椒个。我也都唔喜欢食箇个～。我喜欢食糖包子。ŋai^{13}tien^{0} i$^{21}_{44}$iaŋ$^{53}_{44}$ke^{0} tsʰɔi^{53}pau$^{35}_{44}$tsɿ^{0} lei^{0} iəu$^{35}_{44}$fɔŋ^{53}sɔn^{35}tsʰɔi$^{53}_{44}$ke^{0},iəu$^{35}_{44}$fɔŋ$^{53}_{44}$xan^{13}tsʰɔi$^{53}_{44}$ke^{0},iəu$^{35}_{44}$fɔŋ$^{53}_{44}$lait^{5} tsiau$^{35}_{44}$ke^{0}.ŋai^{13}ia$^{35}_{53}$təu^{35}ŋ̍^{13}çi^{21}fɔn^{35}ʂət^{5} kai$^{53}_{44}$ke$^{53}_{44}$ tsʰɔi^{53}pau$^{35}_{44}$tsɿ^{0}.ŋai^{13}çi^{21}fɔn$^{35}_{44}$ʂət^{5} tʰɔŋ^{13}pau$^{35}_{44}$tsɿ^{0}.

【菜钵子】tsʰɔi^{53}pait^{3} tsɿ^{0} [名]用来装菜、蒸菜的钵子：钵子嘞就比碗更大。有瓦钵子有瓷钵子。～嘞就系用来装菜个钵子。装菜唔系唔限定系蒸菜。硬系装菜。㲞菜，装菜呀，用来装菜个钵子。蒸菜个钵子也系话～。比较大个。应该来讲比碗更大。pait^{3} tsɿ^{0} lei^{0} tsʰiəu^{53}pi^{21}uɔn^{21} ken$^{53}_{44}$tʰai^{53}.iəu^{35}ŋa^{21}pait^{3} tsɿ^{0} iəu^{35}tsʰɿ^{13}pait^{3} tsɿ^{0}.tsʰɔi^{53}pait^{3} tsɿ^{0} le^{0} tsʰiəu^{53}xei^{53}iəŋ^{53}lɔi$^{13}_{21}$tʂɔŋ^{35}tsʰɔi^{53}ke$^{53}_{44}$pait^{3} tsɿ^{0}. tʂɔŋ^{35}tsʰɔi^{53}m̩^{13}pʰe$^{53}_{44}$n̩^{13}kʰan$^{53}_{44}$tʰiaŋ$^{53}_{44}$xei^{53}tʂən^{35}tsʰɔi^{53}. ɲiaŋ^{53}xei^{53}tʂɔŋ^{35}tsʰɔi^{53}.tən^{21}tsʰɔi^{53},tʂɔŋ^{35}tsʰɔi^{53}ia^{0},iəŋ^{53} lɔi$^{13}_{44}$tʂɔŋ^{35}tsʰɔi^{53}ke^{0} pait^{3} tsɿ^{0}.tʂən^{35}tsʰɔi^{53}ke^{0} pait^{3} tsɿ^{0} ia^{35}xe^{53}ua$^{53}_{44}$tsʰɔi^{53}pait^{3} tsɿ^{0}.pi^{21}ciau$^{53}_{44}$tʰai^{53}ke^{0}.in$^{35}_{44}$kɔi$^{35}_{44}$lɔi$^{13}_{21}$ kɔŋ^{21}pi^{21}uɔn^{21}cien$^{53}_{44}$tʰai^{53}.

【菜刀】tsʰɔi^{53}tau^{35} [名]用来切菜的刀：我屋下有两三张～，有一张好用个。唔舍得买好个唠。两三张～都唔好用，爱买过。ŋai^{13}uk^{3} xa$^{53}_{44}$iəu^{35}iɔŋ^{21}san$^{35}_{44}$tʂɔŋ^{35}tsʰɔi^{53}tau^{35},mau^{13}iet^{3} tʂɔŋ^{35}xau^{21}iəŋ$^{53}_{44}$ke^{0}. n̩^{13}ʂa^{21}tek^{3} mai^{35}xau^{21}ke^{53}lau^{0}.iɔŋ^{21}san$^{35}_{44}$tʂɔŋ^{35}tsʰɔi^{53}tau$^{35}_{44}$təu$^{35}_{44}$n̩$^{13}_{21}$xau^{21}iəŋ^{53},ɔi$^{53}_{44}$mai^{35}ko^{53}.

【菜干】tsʰɔi^{53}kɔn^{35} [名]脱水蔬菜：～是我等一般都系舞倒箇青菜呀……～有得么人用白菜。白菜个～唔好食，食唔得。白菜蕻食得，欸。白菜个～唔好食，食唔得。都系用青菜，如今是有么个娃娃菜棒菜箇只。以下嘞，洗净来以后，剁碎来，晒干来，就成哩～。～爱好食得让门子嘞？几蒸几晒，箇个～才好食。爱蒸几到，晒几到。一般呢就让门子舞倒嘞箇～呢？舞倒切碎来以后，生个～呐切碎来以后，就放倒去一蒸，一蒸呢榨嘿滴水去，放下箇甑里放倒，或者放下机器炉子放倒。第二晡，大日头舞倒去晒。晒干来，晒干哩以后嘞，晒倒蛮干子了嘞，又舞转去蒸，又蒸一到，蒸熟来。蒸熟来，又压稳，又晒一到。蒸哩三到，晒哩三到。越晒一到就……晒一到就乌一到，墨乌子，就越好食。欸，箇～就好食。食个时候子啊，箇就可以炒干个，炒倒，交猪肉去炒，欸，安做咸菜猪肉，爱肥猪肉嘞，爱咁个五花肉嘞，欸有蛮多油个呢。咸菜肉，蛮好食。欸，你还可以放下碗里去蒸。放滴子白糖去，安做糖咸菜，也好食。欸，咸菜干子也好食。一般是最好食个就系放滴猪肉去，肥猪肉去，欸。咸菜炒肉，也好食。tsʰɔi^{53}kɔŋ^{35}ʂɿ$^{53}_{44}$ŋai^{13}tien^{0} iet^{3} pɔn^{35}təu$^{35}_{44}$xe^{53}u^{21}tau^{21}kai^{53}tsʰiaŋ^{35}tsʰɔi^{53}ia^{0}…tsʰɔi^{53}kɔŋ$^{35}_{44}$mau$^{13}_{21}$mak^{3} in$^{13}_{44}$ iəŋ^{53}pʰak^{5} tsʰɔi^{53}.pʰak^{5} tsʰɔi^{53}ke^{0} tsʰɔi^{53}kɔn$^{35}_{44}$n̩$^{13}_{21}$xau^{21}ʂət^{5},ʂət^{5} n̩$^{13}_{21}$tek^{3}.pʰak$^{5}_{3}$ tsʰɔi$^{53}_{44}$fəŋ^{53}ʂət^{5} tek^{3},e$_{21}$.pʰak^{5} tsʰɔi^{53} ke^{0} tsʰɔi^{53}kɔn$^{35}_{44}$n̩$^{13}_{21}$xau^{21}ʂət^{5},ʂət^{5} n̩$^{13}_{21}$tek^{3}.təu^{35}xe$^{53}_{44}$iəŋ$^{53}_{44}$tsʰiaŋ^{35}tsʰɔi^{53},i$^{13}_{21}$cin^{35}ʂɿ$^{53}_{44}$iəu^{35}mak^{3} e^{0} ua^{13}ua$^{13}_{44}$tsʰɔi^{53}pɔŋ^{53} tsʰɔi$^{53}_{44}$kai$^{53}_{44}$tʂak^{3}.i^{21}xa$^{53}_{44}$le^{0},se^{21}tsʰiaŋ^{53}lɔi$^{13}_{21}$i^{35}xei^{53},to^{53}si^{53}lɔi$^{13}_{21}$,sai^{53}kɔn^{35}nɔi$^{13}_{21}$,tsiəu$^{53}_{44}$ʂaŋ$^{13}_{21}$li^{0} tsʰɔi^{53}kɔn$^{35}_{44}$.tsʰɔi^{53} kɔn^{35}ɔi^{53}xau^{21}ʂət^{5} tek^{3}ɲiɔŋ$^{53}_{44}$mən^{0} tsɿ^{0} le^{0}?ci^{21}tʂən^{35}ci^{21}sai^{53},kai$^{53}_{44}$ke$^{53}_{44}$tsʰɔi^{53}kɔn^{35}tsʰai$^{13}_{21}$xau^{21}ʂət^{5}.ɔi$^{53}_{44}$tʂən^{35}ci^{21} tau^{53},sai^{53}ci^{21}tau^{53}.iet^{3} pɔn^{35}ne^{0} tsʰiəu^{53}ɲiɔŋ^{53}mən^{0} tsɿ^{0} u^{21}tau^{21}lei^{0} kai$^{53}_{44}$tsʰɔi^{53}kɔn$^{35}_{44}$nei^{0}?u^{21}tau^{21}tsʰiet^{3} si^{53}lɔi$^{13}_{21}$i^{35} xei^{53},saŋ^{35}ke^{53}tsʰɔi^{53}kɔn$^{35}_{44}$na^{0} tsʰiet^{3} si^{53}lɔi$^{13}_{21}$i^{35}xei^{53},tsʰiəu^{53}fɔŋ^{53}tau^{21}çi^{53}iet^{3} tʂən^{35},iet^{3} tʂən^{35}nei^{0} tsa^{53}xek^{3} tiet^{5}

ʂei^{21}çi^{53},fəŋ$^{53}_{44}$xa$^{53}_{44}$kai$^{53}_{44}$tsen^{53}ni^{0}fəŋ^{53}tau^{21},xoit^{5}tʂa^{21}fəŋ^{53}xa^{53}ci$^{35}_{53}$çi^{53}ləu^{13}tsʅ^{0}fəŋ^{53}tau^{21}.tʰi^{53}ɲi^{53}pu$^{35}_{44}$,tʰai^{35}ɲiet^{3} tʰei^{13}u^{21}tau^{21}çi$^{53}_{44}$sai^{53}.sai^{53}kən^{35}nɔi$^{13}_{44}$,sai^{53}kən^{35}ni^{0}i$^{53}_{44}$xei$^{53}_{44}$lei^{0},sai^{53}tau^{21}man^{13}kən^{35}tsʅ^{0}liau^{21}lei^{0},iəu^{53}u^{21}tʂən^{21}çi^{53} tʂən^{35},iəu^{53}tʂən^{35}iet^{3}tau^{53},tʂən^{35}ʂəuk^{5}lɔi^{13}.tʂən^{35}ʂəuk^{5}lɔi$^{13}_{21}$,iəu^{53}iak^{3}uən^{21},iəu^{53}sai^{53}iet^{3}tau^{53}.tʂən^{35}ni^{0}san^{35} tau^{53},sai^{53}li^{0}san^{35}tau^{53}.viet^{5}sai^{53}iet^{3}tau$^{53}_{44}$tsʰiəu$^{53}_{44}$…sai^{53}iet^{3}tau$^{53}_{44}$tsʰiəu$^{53}_{44}$u^{35}iet^{3}tau$^{53}_{44}$,met^{5}u^{35}tsʅ^{0},tsiəu$^{53}_{44}$viet^{5} xau^{21}ʂət^{5}.e$_{21}$,kai^{53}tsʰɔi^{53}kən$^{35}_{44}$tsiəu^{53}xau^{21}ʂət^{5}.ʂek^{5}ke$^{53}_{44}$ʂʅ^{13}xəu$^{53}_{44}$tsa^{0},kai$^{53}_{44}$tsʰiəu$^{53}_{44}$kʰo^{21}i$^{35}_{44}$tsʰau^{21}kən^{35}cie^{53},tsʰau^{21} tau^{21},ciau^{35}tʂəu^{35}ɲiəuk^{3}çi^{53}tsʰau^{21},e$_{21}$,ɔn$^{35}_{44}$tso$^{53}_{44}$xan^{13}tsʰɔi^{53}tʂəu^{35}ɲiəuk^{3},ɔi^{53}pʰi^{13}tʂəu$^{35}_{44}$ɲiəuk^{3}le^{0},ɔi$^{53}_{44}$kan^{21}ke$^{53}_{44}$ŋ^{21} fa$^{35}_{44}$ɲiəuk^{3}le^{0},e$_{44}$iəu$^{35}_{44}$man^{13}to$^{35}_{53}$iəu^{13}ke^{53}ne^{0}.xan^{13}tsʰɔi^{53}ɲiəuk^{3},man^{13}xau^{21}ʂət^{5}.ei$_{21}$, ɲi^{13}xai$^{13}_{44}$kʰo^{21}i^{35}fəŋ^{53}xa^{53} uən^{21}ni^{53}çi^{53}tʂən^{35}.fəŋ^{53}tiet^{5}tsʅ^{0}pʰak^{5}tʰəŋ^{53}çi^{53},ɔn$^{35}_{44}$tso^{53}tʰəŋ^{13}xan^{13}tsʰɔi^{53},ia^{35}xau^{21}ʂət^{5}.e$_{21}$,xan^{13}tsʰɔi^{53}kən^{35}tsʅ^{0} a$^{35}_{44}$xau^{21}ʂət^{5}.iet^{3}pən^{35}ʂʅ$^{53}_{44}$tsei^{53}xau^{21}ʂət^{5}cie$^{53}_{44}$tsʰiəu$^{53}_{44}$xei$^{53}_{44}$fəŋ$^{53}_{44}$tet^{5}tʂəu^{35}ɲiəuk^{3}çi$^{53}_{44}$,pʰi$^{13}_{21}$tʂəu^{35}ɲiəuk^{3} çi$^{53}_{44}$,e$_{21}$.xan^{13}tsʰɔi^{53}tsʰau^{21}ɲiəuk^{3},ia$^{35}_{44}$xau^{21}ʂət$^{5}_{3}$.

【菜蕻】tsʰɔi^{53}fəŋ^{53} 名菜苔：安做～，白菜蕻。渠是咁个，么个菜个就喊么个蕻。青菜蕻。白菜蕻。/萝卜蕻。/有只作家安做端木蕻良。ɔn$^{35}_{44}$tso$^{53}_{44}$tsʰɔi^{53}fəŋ^{53},pʰak^{5}tsʰɔi^{53}fəŋ^{53}.ci^{13}ʂʅ$^{53}_{44}$kan^{21} ke^{53},mak^{3}ke$^{53}_{44}$tsʰɔi^{53}ke$^{53}_{44}$tsʰiəu$^{53}_{44}$xan$^{53}_{44}$mak^{3}ke$^{53}_{44}$fəŋ^{53}.tsʰiaŋ^{35}tsʰɔi$^{53}_{44}$fəŋ$^{53}_{44}$.pʰak$^{5}_{3}$tsʰɔi^{53}fəŋ^{53}./lo^{13}pʰek^{5}fəŋ^{53}./iəu^{35} tʂak^{3}tsɔk^{3}cia$^{35}_{44}$ɔn$^{35}_{44}$tso$^{53}_{44}$tən^{35}muk^{3}fəŋ^{53}liɔŋ^{13}.

【菜花虫】tsʰɔi^{53}fa^{35}tʂʰəŋ^{13} 名菜或其花上长的一种虫子，较长：系唔系安做～啊？菜菜花上箇只菜上长倒箇个一一只□长个。xe$^{53}_{44}$mei$^{53}_{44}$ɔn$^{35}_{44}$tso$^{53}_{44}$tsʰɔi^{53}fa$^{35}_{44}$tʂʰəŋ^{13}ŋa^{0}?tsʰɔi^{53}tsʰɔi^{53}fa^{35}xɔŋ$^{53}_{44}$kai$^{53}_{21}$tʂak^{3} tsʰɔi^{53}xɔŋ$^{53}_{21}$tʂɔŋ^{21}tau^{21}kai^{53}ke$^{53}_{44}$iet^{3}iet^{3}tʂak^{3}lai^{35}tʂʰɔŋ^{13}ke$^{53}_{44}$.

【菜花蛇】tsʰɔi^{53}fa^{35}ʂa^{13} 名一种生活在房屋内外的蛇，学名王锦蛇：～是一种蛇。箇种箇蛇嘞……渠等话～揪酸话，唔好食。就我是唔记得。食过，我食过，～食过。tsʰɔi^{53}fa$^{35}_{44}$ʂa^{13}ʂʅ^{53} iet^{3}tʂəŋ^{21}ʂa^{13}.kai^{53}tʂəŋ^{21}kai$^{53}_{44}$ʂa^{13}lei^{0}…ci^{13}tien^{0}ua^{53}tsʰɔi^{53}fa$^{35}_{44}$ʂa$^{13}_{21}$tsiəu$^{35}_{44}$sɔn^{35}ua^{53},n̩^{13}xau^{21}ʂət^{5}.tsiəu$^{53}_{44}$ŋai^{13}ʂʅ^{53}n̩^{13} ci^{53}tek^{3}.ʂət^{5}ko^{53},ŋai^{13}ʂət^{5}ko$^{53}_{44}$,tsʰɔi^{53}fa$^{35}_{44}$ʂa$^{13}_{21}$ʂət^{5}ko^{0}.

【菜镬】tsʰɔi^{53}uɔk^{5} 名用来炒菜的锅子：本来是都有得分。～搒饭镬都系箇口镬。pən^{21}nɔi^{13}ʂʅ$^{53}_{44}$ tau$^{35}_{53}$mau^{13}tek^{3}fən$^{35}_{44}$.tsʰɔi^{53}uɔk^{5}lau$^{35}_{44}$fan^{53}uɔk^{5}tau^{35}xe^{53}kai^{53}xei^{21}uɔk^{5}.

【菜粘】tsʰɔi^{53}kʰu^{35} 名油菜籽榨油后剩下的渣饼：～就系榨油欸菜籽榨成哩榨嘿哩油以后，做成一只饼样，系～。～蛮有肥呢，只系蛮好个肥……肥料。以前我等我爷子等人栽箇个草烟呐，栽箇草烟呐，就舞兜～去壅蔸。箇个烟都更香。～嘞但是渠是虽然渠唔知几肥，箇种肥嘞又系有机肥嘞，系啊？但是也有只弱点，真惹虫。放哩～个肥呀，真会惹虫。箇虫也喜欢食嘞。可能系箇种肥咯，十分肥，箇个菜就十分嫩，十分惹虫。tsʰɔi^{53}kʰu^{35}tsʰiəu^{53}xe$^{53}_{44}$tsa^{53}iəu^{13}e^{0} tsʰɔi^{53}tsʅ^{21}tsa^{53}tʂʰən^{13}ni^{0}tsa^{53}xek^{3}li^{0}iəu^{13}i^{35}xei$^{53}_{44}$,tso^{53}tʂʰən$^{13}_{21}$iet^{3}tʂak^{3}piaŋ^{21}iɔŋ^{53},xe$^{53}_{44}$tsʰɔi^{53}kʰu^{35}.tsʰɔi^{53}kʰu$^{35}_{44}$ man^{13}iəu$^{35}_{44}$pʰi^{13}nei^{0},tʂʅ$^{21}_{44}$xei^{53}man^{13}xau^{21}ke$^{53}_{44}$fei^{13}…pʰi^{13}liau^{53}.i$^{35}_{53}$tsʰien$^{13}_{21}$ŋai^{13}tien^{0}ŋai$^{13}_{21}$ia^{13}tsʅ^{0}tien^{0}ɲin$^{13}_{21}$tsɔi^{35} kai$^{53}_{44}$ke$^{53}_{44}$tsʰau^{21}ien$^{35}_{44}$na^{0},tsɔi^{35}kai$^{53}_{44}$tsʰau^{21}ien$^{35}_{44}$na^{0},tsʰiəu$^{53}_{44}$u^{21}tau$^{35}_{44}$tsʰɔi^{53}kʰu$^{35}_{44}$çi$^{53}_{44}$iəŋ^{35}tei^{35}.kai$^{53}_{44}$kei$^{53}_{44}$ien^{35}tau$^{35}_{44}$ ken^{53}çiɔŋ^{35}.tsʰɔi^{53}kʰu$^{35}_{44}$le^{0}tan^{53}ʂʅ^{53}ci$^{13}_{21}$ʂʅ$^{53}_{44}$sei^{35}vien$^{13}_{21}$ci$^{13}_{21}$n̩^{13}ti$^{35}_{53}$ci^{21}pʰi^{13},kai^{53}tʂəŋ^{21}pʰi^{13}lei^{0}iəu^{35}xei$^{53}_{44}$iəu^{35}ci$^{53}_{44}$fei^{13} le^{0},xei^{53}a^{0}?tan^{53}ʂʅ^{53}ia^{35}iəu$^{35}_{53}$tʂak^{3}ɲiɔk^{5}tian^{21},tʂən^{35}ɲia^{35}tʂʰəŋ^{13}.fəŋ^{53}li^{0}tsʰɔi^{53}kʰu$^{35}_{44}$ke$^{53}_{44}$pʰi^{13}ia^{0},tʂən^{35}uɔi^{53}ɲia^{35} tʂʰəŋ^{13}.kai^{53}tʂʰəŋ^{13}ŋa$^{35}_{44}$çi^{21}fən^{35}ʂət^{5}le^{0}.kʰo^{21}len^{13}xe^{53}kai^{53}tʂəŋ$^{21}_{44}$pʰi^{13}ko^{0},ʂət^{5}fən$^{35}_{44}$pʰi^{13},kai$^{53}_{44}$ke$^{53}_{44}$tsʰɔi^{53}tsʰiəu$^{53}_{44}$ ʂət$^{5}_{3}$fən$^{35}_{44}$nən^{53},ʂət^{5}fən$^{35}_{44}$ɲia$^{35}_{44}$tʂʰəŋ$^{13}_{21}$.

【菜篮】tsʰɔi^{53}lan^{13} 名用来盛菜、洗菜的篮子：一般我等以映个～是咁个呢，底下就方个呢。箇只嘴又系圆个嘞。嘴又系圆个。唔重，～唔重，都系浅浅子。底下嘞有有有格，有有眼。有眼。其实箇～嘞，硬爱底下有眼。你底下冇眼嘞渠就会兜水，渠会装倒箇水。你话放箇辣椒哇白菜箇滴，尤其放箇辣椒，辣椒放下水肚里是，你箇水冇得出是就就箇个嘞就会烂嘞，就绵呢，辣椒就会绵呢。欸，底下爱有眼。iet^{3}pən^{35}ŋai^{13}tien^{0}i^{21}iaŋ^{53}ke^{53}tsʰɔi^{53}lan^{13}ʂʅ$^{53}_{44}$kan$^{21}_{35}$ke^{53} nei^{0},te^{21}xa$^{53}_{44}$tsʰiəu$^{53}_{44}$fəŋ^{35}ke^{53}nei^{0}.kai^{53}tʂak^{3}tʂɔi^{21}iəu$^{53}_{44}$xe$^{53}_{44}$ien^{13}ke^{53}lei^{0}.tʂɔi^{21}iəu$^{53}_{44}$xe$^{53}_{44}$ien^{13}cie^{53}.n̩^{13}tʂʰəŋ^{35},tsʰɔi^{53} lan$^{13}_{21}$n̩^{13}tʂʰəŋ^{35},tau$^{35}_{44}$xe$^{53}_{44}$tsʰien^{21}tsʰien^{21}tsʅ^{0}.te^{21}xa$^{53}_{44}$le^{0}iəu^{35}iəu^{35}iəu^{35}kak^{3},iəu^{35}iəu^{35}ŋan^{21}.iəu^{35}ŋan^{21}.cʰi^{13}ʂət^{5} kai$^{53}_{44}$tsʰɔi^{53}lan$^{13}_{21}$lei^{0}, ɲiaŋ^{53}ɔi$^{53}_{44}$te^{21}xa$^{53}_{44}$iəu^{35}ŋan^{21}. ɲi^{13}tei^{21}xa^{53}mau$^{13}_{21}$ŋan^{21}lei^{0}ci^{13}tsʰiəu$^{53}_{44}$uɔi^{53}tei^{35}ʂei^{21},ci^{13}uɔi^{53} tʂɔŋ^{35}tau^{21}kai^{53}ʂei^{21}. ɲi^{13}ua^{53}fəŋ^{53}kai$^{53}_{44}$lait^{5}tsiau$^{35}_{44}$ua^{0}pʰak^{5}tsʰɔi^{53}kai$^{53}_{44}$tet$^{5}_{3}$,iəu^{13}cʰi$^{13}_{44}$fəŋ^{53}kai$^{53}_{44}$lait^{5}tsiau$^{35}_{44}$,lait^{5} tsiau$^{35}_{44}$fəŋ^{53}xa^{53}ʂei^{21}tau^{21}li^{0}ʂʅ$^{53}_{44}$, ɲi$^{13}_{44}$kai$^{53}_{44}$ʂei^{21}mau^{13}tek^{3}tʂʰət^{3}ʂʅ$^{53}_{44}$tsʰiəu^{53}tsʰiəu^{53}kai$^{53}_{44}$ke$^{53}_{44}$le^{0}tsʰiəu$^{53}_{44}$uɔi$^{53}_{44}$lan^{53}le^{0}, tsʰiəu^{53}mien^{13}ne^{0},lait^{5}tsiau$^{35}_{44}$tsʰiəu^{53}uɔi^{53}mien^{13}ne^{0}.e$_{21}$,te^{21}xa$^{53}_{44}$ɔi$^{53}_{44}$iəu^{35}ŋan^{21}.

【菜盆子】tsʰɔi^{53}pʰən^{13}tsʅ^{0} 名装菜的盆子：我等装菜就用……也喜欢用～装。菜多滴子个就用～装。ŋai^{13}tien^{0}tʂɔŋ^{35}tsʰɔi^{53}tsʰiəu$^{53}_{44}$iəŋ$^{53}_{44}$…ie^{21}çi^{21}fən$^{35}_{44}$iəŋ$^{53}_{44}$tsʰɔi^{53}pʰən^{13}tsʅ^{0}tʂɔŋ$^{35}_{44}$.tsʰɔi^{53}to^{35}tiet^{5}tsʅ^{0}ke$^{53}_{44}$

tsʰiəu53/44iəŋ53/44tsʰɔi53pʰən13tsɿ0tʂəŋ35/44.

【菜市场】tsʰɔi53ʂɿ53/44tʂʰɔŋ21 名集中贩卖蔬菜、肉类等的场所。又称“农贸市场”：～又安做农贸市场哦，系啊？我箇晡跍啊浏阳箇只么个金沙路农贸市场，嗨呀，箇肚里欸硬唔知几大，就系环境卫生唔好哇。箇个人，欸东西就真多，硬么个都有，欸，箇个～里，么个都有。就系卫生环境唔好硬。□□，真□□。真愁人。硬箇个么个鱼子屎箇只啦么个鸡毛箇只啦么个菜叶子箇只，到处把死哩叫化子样。tsʰɔi53ʂɿ53tʂʰɔŋ21iəu53ən35/53tso53ləŋ13miau53ʂɿ53tʂʰɔŋ21ŋo0,xei53/44a0?ŋai13kai53/44pu35/44ku35a0liəu13iəŋ13kai53tʂak3mak3kei53/44cin35sa35/44lu53ləŋ13miau53ʂɿ53tʂʰɔŋ21,xai53ia0,kai53/44təu21li0ei0ɲiaŋ53ŋ̍13ti53/53ci21tʰai53,tsʰiəu53xei53fan13cin53uei53sen35/44ŋ̍13xau21ua0.kai53ke53/44ɲin13/21,e0təŋ35/44si0tsiəu53/44tʂən35to35,ɲiaŋ53/44mak3ke53/44təu35/44iəu35,e21,kai53/44ke53/44tsʰɔi53ʂɿ53tʂʰɔŋ13/21li0,mak3e0təu35/44iəu35/44.tsʰiəu53xe53/44uei53sen35/44fan13cin53ŋ̍13xau21ɲiaŋ53.let5tʂet5,tʂən35let5tʂet5.tʂən35tsʰei13/2ɲin13/21.ɲiaŋ53kai53/44ke53/44mak3ke53/44ŋ̍13tsɿ0ʂɿ21kai53/44tʂak3la0mak3e0cie35mau35kai53/44tʂak3la0mak3ke53tsʰɔi53iait5tsɿ0kai53/44tʂak3,tau53tʂʰəu53pa21si21li0kau53fa53tsɿ0iəŋ53/44.

【菜头肉】tsʰɔi53tʰei13ɲiəuk3 名芥菜头去皮后可食的部分：青菜头，底下个䵔泥个箇起箇只中间箇只心潒大，～，安做～。tsʰiaŋ35tsʰɔi53tʰei13,tei21xa53ke53ɲia13lai13ke53kai53çi21kai53/44tʂak3tʂəŋ35kan35/44kai53tʂak3sin35mən35tʰai53,tsʰɔi53tʰei13ɲiəuk3,ən35/44tso53/44tsʰɔi53tʰei13/21ɲiəuk3.

【菜碗】tsʰɔi53uən21 名装菜的碗：（浏阳蒸菜）箇个一般唔喊蒸钵，唔喊炖钵，喊钵哩啊都蛮大了。箇个硬喊～了哇。kai53ke53/44iet3pən35ŋ̍13xan53tʂən35pait3,ŋ̍13xan53tən35pait3,xan53pait3lia0təu35man13tʰai53liau0.kai53ke53/44ɲiaŋ53/44xan53/21tsʰɔi53uən21niau0ua0.｜箇起嘞就～，细滴子，但是比饭碗更大。kai53çi21/44lei0tsʰiəu53/44tsʰɔi53uən21,sei53tiet5tsɿ0,tan53/44ʂɿ53/44pi21fan53uən21cien53/44tʰai53/44.

【菜叶】tsʰɔi53iait5 名蔬菜的叶子：一皮～iet3pʰi13tsʰɔi53iait5

【菜油】tsʰɔi53iəu13 名用油菜籽榨的油；菜籽油：（我等以一带箇客家人）只有茶油，～，桐油。tʂe21iəu35/53tsʰa13iəu13,tsʰɔi53iəu13,tʰəŋ13iəu13.

【菜园】tsʰɔi53ien13/21 名种蔬菜的园圃，菜地：渠个坟墓嘛就系一只子园子样，一只～样，～肚里几只子箇个秆□样，冇得么个。ci13/21ke53fən13mu53ma0tsʰiəu53xei53/44iet3tʂak3tsɿ0ien13tsɿ0iəŋ53,iet3tʂak3tsʰɔi53ien13/21iəŋ53,tsʰɔi53ien13/21təu21li0ci21tʂak0tsɿ0kai53/44ke53/44kən21tsiau35/44iəŋ53/44,mau13tek3mak3ke53.｜（篱笆㔉）用来围～呢。iəŋ53/44lɔi13/21uei13tsʰɔi53ien13/21ne0.

【菜汁】tsʰai53tʂət3 名菜蔬中的汁液：（艾）摘归来以后，分～去咁去，箇～是食唔进吵。tsak3kuei35lɔi13/21i35xei53,pən35tsʰai53tʂət3tʂʰɥ53kan21çi53/44,kai53/44tsʰai53tʂət3ʂɿ53/21ʂət5ŋ̍13tsin53ʂa0.

【参栋】tsʰan35təŋ53 动屋脊不居中，而是移到偏前位置。一般都采用这种做法使房屋显得比较雄伟：一般个屋，打比样，一般个屋样，以映有两丈长，以只庲有两丈长，系啊？你箇只栋啊，正最高个地方啊，箇只栋啊，不是在一丈个地方，爱往面前砌滴子，正好看。面前就雄伟滴子啊。高大滴子啊。后背矮滴子唔爱紧呐，后背渠唔多好看呐。面前就大门口是爱雄伟滴子咯，系唔系？高滴子咯。安做安做爱往箇只，也就系箇栋脊往面前一滴子。安做～。安做参滴子栋。iet3pən35ke53uk3,ta21pi21iəŋ53,iet3pən35ke53uk3iəŋ53/44,i21iaŋ53iəu35/53iəŋ21tʂʰəŋ53tʂʰəŋ13,i21tʂak3fei35iəu35iəŋ21tʂʰəŋ53tʂʰəŋ13,xe53/44a0?ɲi13kai53/44tʂak3təŋ53ŋa0,tʂən53tsei53kau35/44ke53/44tʰi53/44fəŋ35/44ŋa0,kai53/44tʂak3təŋ53ŋa0,pʰət3ʂɿ53tsʰai53/44iet3tʂʰəŋ53ke53/21tʰi53/44fəŋ0,ɔi53uəŋ21mien53tsʰien13/21tsʰi13tiet5tsɿ0,tʂaŋ53xau21kʰən53.mien53tsʰien13/21tsʰiəu53çiəŋ13uei21tiet5tsa0.kau35tʰai53/44tiet5tsa0.xei53pɔi53/44ai21tiet5tsɿ0m̩13/21mɔi53/35cin21na0,xei53pɔi53/44ci53/44ŋ̍13to35/44xau21kʰən53na0.mien53tsʰien13/21tsʰiəu53/44tʰai53mən13/21xei21ʂɿ53/44ɔi53/44çiəŋ13uei21tiet5tsɿ0ko0,xei53/44me53/44?kau35tiet5tsɿ0ko0.ən35/44tso53/44ən35tso53ɔi53/44uəŋ21kai53tʂak3,ia35tsʰiəu53xe53/44kai53/44təŋ53tsit3uəŋ21mien53tsʰien13i13tiet5tsɿ0.ən35/44tso53/44tsʰan35təŋ53.ən35/44tso53/44tsʰan35tiet5tsɿ0təŋ53.

【参腰】tsʰan35iau35 动手叉于腰间：箇有兜细人子俨俨哩个，嗯，两双手参倒腰，参倒腰上，嗯，欸装大人。欸，装只大人。有兜细人子啊蛮神气。kai53/44iəu35təu35/44sei53ɲin13/21tsɿ0ɲian21ɲian21li0ke0,n̩21,iəŋ21səŋ35ʂəu21tsʰan35tau21/53iau35,tsʰan35tau21iau35xəŋ53,n̩21,e21tsəŋ35tʰai53ɲin13/21.e21,tsəŋ35tʂak3tʰai53ɲin13/21.iəu35təu35/44sei53ɲin13/21tsa0man13ʂən13çi53.

【餐】tsʰən35 量相当于“顿”。①指饮食：一般情况下，都爱搞～饭食哩。iet3pən35tsʰin13/21kʰəŋ53/44çia53/44,təu35ɔi53/44kau21tsʰən35fan53ʂət5li0｜你赚哩钱呐，请我等食一～。ɲi13/44tsʰan53ni0tsʰien13/21na0,tsʰiaŋ21ŋai13/21tien0ʂət5iet3tsʰən35/44.②指打骂：捶你一～tʂʰei13ɲi13/21iet3tsʰən35/44｜惹～打 ɲia35tsʰən35/44ta21｜一～打哩渠。iet3tsʰən35ta21li0ci13/44.｜哂$_{辱骂}$渠一～。ʂen21ci13/21iet3tsʰən35.

【餐餐】tsʰən35tsʰən35 每餐：～箇个咯食饭了爱打餐祭哟。tsʰən35tsʰən35/44kai53ke53/44ko0ʂət5fan53niau0 ɔi53-44ta21tsʰɔn35tsi53iau0.

【餐祭】tsʰɔn35tsi53 [名]治丧期间，成服之后每餐饭前给逝者进献饭食时举行的祭奠仪式：还有滴有饭呐有菜呀。餐餐箇个咯食饭了爱打～哟。你一滴以滴么阳间个人以滴子在世个人食饭之前爱先打嘿～来，餐餐爱打～呀。成哩服就要打～。赠成服就唔爱唔打～。哪餐都爱打，爱打～。箇举行仪式啊，打祭呀，只系唔巡所啊，唔歌诗啊。就舞倒孝子去打祭呀。xai13-21 iəu35-44tet5 iəu35-44fan53na0 iəu35-44tsʰɔi53ia0.tsʰɔn35tsʰɔn35-44kai53ke53-44ko0 ʂət5 fan53niau0 ɔi53-44ta21tsʰɔn35tsi53iau0.ɲi13iet3tet5 i21tet5 mo0 iɔŋ13kan35-44ke53-44ɲin13-21i21tet5 tsɿ0 tsʰai53 ʂʅ53cie53-44ɲin13-21ʂət5 fan53tʂʅ53-44tsʰien13ɔi53-44sien35-44ta21xek3 tsʰɔn35tsi53 lɔi13-21,tsʰɔn35tsʰɔn35-44ɔi53-44ta21tsʰɔn35tsi53ia0.tʂʰən13-21ni0 fuk5 tsʰiəu53iau53ta21tsʰɔn35tsi53.maŋ13tʂʰən13fuk5 tsʰiəu53-44m̩13 mɔi53-13n̩13ta21tsʰɔn35tsi53.la53tsʰɔn35təu35-44ɔi53-44ta21,ɔi53-44ta21tsʰɔn35tsi53-44.kai53-44tʂʯ21çin13ɲi13ʂʅ53a0,ta21tsi53ia0,tʂe21e53n̩13 sən13so21a0,ŋ̍13-21ko35-44ʂʅ35a0.tsʰiəu53-44u21tau21çiau53tsɿ21çi53-44ta21tsi53ia0.

【残】tsʰan13 [形]加在动词后做补语，表示行为属于既成事实，无法反悔：你爷子等人食烟是学～哩，冇办法。学～哩，冇办法，欸，戒唔脱，你就不要去食烟呐。ɲi13-21ia13tsɿ0 ten21-44ɲin13-21ʂət5 ien35-44ʂʅ53-21xɔk5 tsʰan13ni0,mau13pʰan53fait3.xɔk5 tsʰan13ni0,mau13pʰan53fait3,e-21,kai53n̩13-21tʰɔit3, ɲi13tsʰiəu53pət3 iau53-44çi53-44ʂət5 ien35-44na0.

【残废】tsʰan13fei53 [动]身体的某部分（如四肢、眼）残缺或丧失其部分或全部机能：瘸手子嘞箇就硬系箇只手～哩。kʰue13ʂəu21tsɿ0 lei0 kai53-44tsʰiəu53-44ɲiaŋ53xe53kai53tʂak3 ʂəu21tsʰan13fei53li0.

【残疾】tsʰan13tsʰiet5 [名]指残疾人，身体某部分（如四肢、眼）残缺或丧失其部分或全部机能的人：～，欸，残废哩吧？成哩～唠。欸，眼珠瞎一只，系吗？手去嘿一只。成哩～唠。残废哩，也安做残……也话残废哩。tsʰan13tsʰiet5,e-21,tsʰan13fei53li0 pa0 ?ʂaŋ13-21li0 tsʰan13tsʰiet5 lau0.e-13,ŋan21 tʂəu35xak3 iet3 tʂak3,xei53ma0 ?ʂəu21çi53xek3 iet3 tʂak3.ʂaŋ13-21li0 tsʰan13tsʰiet5 lau0.tsʰan13fei53li0,ia35ɔn35-44tso53-44 tsʰan13-21…ia35ua53tsʰan13-21fei53li0.

【蚕】tsʰan13 [名]一种能吐丝结茧的昆虫：我等就系分哪种树上发个～，就喊么个～。ŋai13tien0 tsʰiəu53xe53pən35lai53tʂəŋ21ʂəu53xɔŋ53fait3 ke53tsʰan13,tsʰiəu53xan53mak3 ke53tsʰan13.｜我老弟子渠等就渠去乌石系倒，渠等就畜过～。ŋai13lau21tʰe35tsɿ0 ci13tien0 tsʰiəu53ci13çi53u35ʂa35xe53tau21,ci13-21tien0 tsʰiəu53 çiəuk3 ko53tsʰan13-44.

【蚕饽子】tsʰan13pɔk5 tsɿ0 [名]蚕子，蚕卵。又称"蚕虫饽饽"：～是就系箇个啦，蚕虫……繁殖蚕虫个……蚕虫……飞蛾子下个子啦，欸，箇就～啦。就用来繁殖蚕虫个箇个蚕虫个么个啦？蚕虫个卵吧？～一般都去买个时候子嘞一张一张。所以畜蚕虫个人唔话我畜哩几多盘，也唔话我畜哩几多斤，更不能够话我畜哩几多条，系唔系？箇千千万万个东西。只讲我畜哩一张蚕，一张，畜两张，畜半张。因为渠……半张一张两张渠让门子来个嘞？就系箇个繁殖蚕虫个栏场子，渠嘞，好，唔知系唔系舞做一张纸哦，分箇蚕虫饽饽子嘞，蚕虫，蚕虫啊飞蛾子嘞箇饽饽嘞生下箇张纸上。一张纸嘞就系安做一张蚕。箇一张蚕就咁子个意思。我畜几多张，我畜哩半张蚕，畜哩一张蚕。就咁子。买个时候子就买一……买一张。tsʰan13pɔk5 tsɿ0 ʂʅ53-44 tsʰiəu53-44xei53-44kai53cie53-44la0,tsʰan13tʂʰəŋ13-44…fan13tʂʰət5 tsʰan13tʂʰəŋ13-44ke53…tsʰan13tʂʰəŋ13-44…fei35ŋo13-21tsɿ0 xa53ke53-44 tsɿ0 la0,e-44,kai53-44tsiəu53-44tsʰan13pɔk5 tsɿ0 la0.tsʰiəu53-44iəŋ53lɔi13-21fan13tʂʰət5 tsʰan13tʂʰəŋ13-44ke53kai53-44ke53-44tsʰan13tʂʰəŋ13-44ke53 mak3 e0 la0 ?tsʰan13tʂʰəŋ13-44ke53lo21pa0 ?tsʰan13pɔk5 tsɿ0 iet3 pɔn35təu35-44çi53mai35ke53ʂʅ13xəu53tsɿ0 lei0 iet3 tʂɔŋ35iet3 tʂɔŋ35.so21i35çiəuk3 tsʰan13tʂʰəŋ13-44ke53ɲin13-21n̩13ua53ŋai13çiəuk3 li0 ci21to35pʰan13,ia35n̩13ua53ŋai13çiəuk3 li0 ci21to35 cin35,cien53pət3 nen13ciau53ua53ŋai13-21çiəuk3 li0 ci21to35tʰiau13,xei53-44mei53-44?kai53-44tsʰien35tsʰien35-44uan53uan53-44ke53-44təŋ35-44 si0.tʂʅ21kɔŋ21ŋai13çiəuk3 li0 iet3 tʂɔŋ35tsʰan13-44,iet3 tʂɔŋ35,çiəuk3 iɔŋ21tʂɔŋ35-44,çiəuk3 pan53tʂɔŋ35.in35uei53ci13…pan53 tʂɔŋ35iet3 tʂɔŋ35iɔŋ21tʂɔŋ35ci13-21ɲiɔŋ53-44mən0 tsɿ0 lɔi13ke53-44le0 ?tsʰiəu53ue53kai53-44kei53-44fan13tʂʰət5 tsʰan13tʂʰəŋ13-21ke53laŋ13-21 tʂʰɔŋ13-44tsɿ0,ci13lei0,xau21,n̩13ti35-44xei53m̩13-44xei53u21tso53iet3 tʂɔŋ35tʂʅ21zɔ0,pən35kai53-44tsʰan13tʂʰəŋ13-44pɔk5 pɔk5 tsɿ0 lei0, tsʰan13tʂʰəŋ13-44,tsʰan13tʂʰəŋ13-44ŋa0 fei35ŋo13-44tsɿ0 lei0 kai53-44pɔk5 pɔk5 le0 saŋ35ŋa53kai53-44tʂɔŋ35-44tʂʅ21xɔŋ53.iet3 tʂɔŋ35tʂʅ21le0 tsʰiəu53xe53ɔn35-44tso53-44iet3 tʂɔŋ35tsʰan13.kai53iet3 tʂɔŋ35tsʰan13tsʰiəu53kan21-13tsɿ0 ke53-44i53sɿ0.ŋai13çiəuk3 cio-35(←ci21 to35)tʂɔŋ35-44,ŋai13çiəuk3 li0 pan53tʂɔŋ35-44tsʰan13,çiəuk3 li0 iet3 tʂɔŋ35-44tsʰan13.tsʰiəu53kan21tsɿ0.mai35ke53ʂʅ13xəu53-44tsɿ0 tsʰiəu53-44mai35iet3…mai35iet3 tʂɔŋ35.

【蚕虫】tsʰan13tʂʰəŋ13 [名]蚕，蚕蛾科昆虫，通常指家蚕。也称"蚕虫子"：你等畜过～啊。ɲi13 tien0 çiəuk3 ko53tsʰan13tʂʰəŋ13-44ŋa0.｜以个～子是都系讲桑蚕，系唔系？其实～子嘞还有又话开头讲哩还有么个蚕呐？蓖麻蚕。柞树上也有蚕呐。柞树蚕。还有么个树上有蚕呐？欸，柞树蚕，蓖麻蚕。嗯。以个是讲个桑蚕。～子。都系～。渠就系食个叶子唔同。i^{21}ke^{53}tsʰan^{13}tʂʰəŋ$_{44}$tsɿ^{0} ʂɿ$_{44}$təu$^{35}_{44}$xei^{53}kəŋ^{21}səŋ^{35}tsʰan^{13},xei$^{53}_{44}$me$^{53}_{44}$?cʰi^{13}ʂət^{5}tsʰan^{13}tʂʰəŋ$^{13}_{44}$tsɿ^{0}le^{0}xai^{13}iəu^{35}iəu$^{53}_{44}$ua$^{53}_{44}$kʰɔi^{35}tʰei$^{13}_{21}$kəŋ^{21}li^{0}xai^{13} iəu$^{35}_{44}$mak^{3}e^{0}tsʰan^{13}na^{0}?pi^{35}ma$^{13}_{44}$tsʰan^{13}.tsʰɔk^{5}ʂəu$^{53}_{44}$xɔŋ$^{53}_{44}$ŋa$^{53}_{44}$iəu$^{35}_{44}$tsʰan^{13}na^{0}.tsʰɔk^{5}ʂəu^{53}tsʰan^{13}.xai^{13}iəu$^{35}_{44}$mak^{3} e^{0}ʂəu$^{53}_{44}$xɔŋ$^{53}_{44}$iəu$^{35}_{44}$tsʰan^{13}na^{0}?e$_{44}$,tsʰɔk^{5}ʂəu^{53}tsʰan$^{13}_{21}$,pi^{35}ma$^{13}_{44}$tsʰan^{13}.n̩$_{21}$.i^{21}ke^{53}ʂɿ^{53}kəŋ^{21}ke$^{53}_{44}$səŋ^{35}tsʰan^{13}.tsʰan^{13} tʂʰəŋ$^{13}_{44}$tsɿ^{0}.təu^{35}xe^{53}tsʰan$^{53}_{44}$tʂʰəŋ^{13}.ci^{13}tsiəu$^{53}_{44}$xe^{53}ʂət^{5}ke$^{53}_{44}$iait^{5}tsɿ^{0}n̩^{13}tʰəŋ^{13}.

【蚕虫饽饽】tsʰan^{13}tʂʰəŋ^{13}pɔk^{5}pɔk^{5} 名蚕子。又称"蚕虫饽饽子、蚕饽子"：～就系蚕饽子，就开头讲个蚕子。欸，飞蛾子生个饽饽。tsʰan^{13}tʂʰəŋ$^{13}_{44}$pɔk^{5}pɔk^{5}tsʰiəu^{53}xe$^{53}_{44}$tsʰan^{13}pɔk^{5}tsɿ^{0},tsʰiəu$^{53}_{44}$kʰɔi^{35} tʰei$^{13}_{21}$kəŋ^{21}ke^{53}tsʰan^{13}tsɿ^{21}.e$_{21}$,fei^{35}ŋo$^{13}_{21}$tsɿ^{0}saŋ^{35}ke$^{53}_{44}$pɔk^{5}pɔk^{5}.｜箇个～子肚里正葩出来个箇个点伢大子个蚕虫子安做么个东西啰？kai$^{53}_{44}$ke$^{53}_{44}$tsʰan^{13}tʂʰəŋ$^{13}_{44}$pɔk^{5}pɔk^{5}tsɿ^{0}təu^{21}li^{0}tʂaŋ^{53}pʰu^{53}tʂʰət^{3}lɔi$^{13}_{21}$ke^{53}kai$^{53}_{44}$ke$^{53}_{44}$ tian^{53}ŋa$^{13}_{44}$tʰai^{53}tsɿ^{0}ke^{53}tsʰan^{13}tʂʰəŋ^{13}tsɿ^{0}ɔn$^{35}_{44}$tso$^{53}_{44}$mak^{3}(k)e$^{53}_{44}$təŋ$^{35}_{44}$si^{0}lo^{0}?

【蚕虫窠子】tsʰan^{13}tʂʰəŋ$^{13}_{44}$kʰo^{35}tsɿ^{0} 名蚕茧：我细细子畜过蚕虫啊我就记得，落尾结哩～以后，一下□记哩嘞，落尾就飞咁哩唠，箇～丢倒去下子，啮烂哩箇～，就飞嘿哩。箇是畜倒搞个咯。畜蚕虫畜倒搞个噢。ŋai^{13}se^{53}se^{53}tsɿ^{0}çiəuk^{3}ko^{53}tsʰan^{13}tʂʰəŋ$^{13}_{44}$ŋa^{0}ŋai^{13}tsʰiəu$^{53}_{44}$ci^{53}tek^{3},lɔk^{5}mi$^{35}_{44}$ciet^{3}li^{0} tsʰan^{13}tʂʰəŋ$^{13}_{44}$kʰo^{35}tsɿ^{0}i^{35}xei^{53},iet^{3}xa^{53}lai^{13}ci^{53}li^{0}le^{0},lɔk^{5}mi$^{35}_{44}$tsʰiəu$^{53}_{44}$fei^{35}kan^{21}li^{0}lau^{0},kai^{53}tsʰan^{13}tʂʰəŋ^{13}kʰo^{35}tsɿ^{0} tiəu$^{35}_{44}$tau$^{21}_{44}$çi$^{53}_{44}$xa$^{53}_{44}$tsɿ^{0},ŋait^{3}lan^{53}li^{0}kai^{53}tsʰan$^{13}_{21}$tsʰəŋ$^{13}_{44}$kʰo^{35}tsɿ^{0},tsʰiəu^{53}fei^{35}ek^{3}li^{0}.kai^{53}ʂɿ^{53}çiəuk^{3}tau^{21}kau^{21}ke^{53} ko^{0}.çiəuk^{3}tsʰan^{13}tʂʰəŋ$^{13}_{44}$çiəuk^{3}tau^{21}kau^{21}ke^{53}au^{0}.

【蚕虫丝】tsʰan^{13}tʂʰəŋ^{13}sɿ^{35} 名蚕丝：箇～做个唠，剑筛子。kai$^{53}_{44}$tsʰan^{13}tʂʰəŋ^{13}sɿ^{35}tso^{53}ke$^{53}_{44}$lau^{0},cien^{53} sai^{35}tsɿ^{0}.

【蚕虫崽子】tsʰan^{13}tʂʰəŋ^{13}tse^{21}tsɿ^{0} 名蚕蚁，刚孵化的蚕：箇个蚕虫蚕虫饽饽子肚里正葩出来个箇个点伢大子个蚕虫子安做么个东西啰？安做蚕么个唠？蚕崽子吧？～吧？～还有别么啊名词么？冇得吧？冇得。kai$^{53}_{44}$ke$^{53}_{44}$tsʰan^{13}tʂʰəŋ$^{13}_{44}$tsʰan^{13}tʂʰəŋ$^{13}_{44}$pɔk^{5}pɔk^{5}tsɿ^{0}təu^{21}li^{0}tʂaŋ^{53}pʰu^{53}tʂʰət^{3}lɔi$^{13}_{21}$ke^{53} kai$^{53}_{44}$ke$^{53}_{44}$tian^{53}ŋa$^{13}_{44}$tʰai^{53}tsɿ^{0}ke^{53}tsʰan^{13}tʂʰəŋ^{13}tsɿ^{0}ɔn$^{35}_{44}$tso$^{53}_{44}$mak^{3}(k)e$^{53}_{44}$təŋ$^{35}_{44}$si^{0}lo^{0}?ɔn$^{35}_{44}$tso$^{53}_{44}$tsʰan^{13}mak^{3}(k)e$^{53}_{44}$ lau^{0}?tsʰan^{13}tse^{21}tsɿ^{0}pa^{0}?tsʰan^{13}tʂʰəŋ^{13}tse^{21}tsɿ^{0}pa^{0}?tsʰan^{13}tʂʰəŋ^{13}tse^{21}tsɿ^{0}xai^{13}iəu$^{35}_{44}$pʰiek^{5}mak^{3}a^{0}miaŋ^{13}tsʰɿ^{53} mo^{0}?mau$^{13}_{21}$tek^{3}pa^{0}?mau$^{13}_{21}$tek^{3}.

【蚕蔟】tsʰan^{13}tsʰəuk^{5} 名供蚕吐丝结茧的用具。通常以稻草迭架制成，上尖下宽，形略似山：～渠是咁个，嗯，用秆编个，编只箇□长个东西，用秆呐，秆算定剪倒咁长子，箇秆，中间舞条子绳子缔一路去。同箇绣球样个东西，□长。分箇个蚕呢蚕虫呢箇蚕呢会架势结茧了，你就分箇只～放倒去，放下箇个蚕虫项高。渠就一条条个蚕虫下爬下箇上背。渠就唔去盘子肚里。首先畜个时候子是舞只滮大个盘吵。蚕盘呢。落尾渠就爬下蔟上去。箇就安做蔟。唔系像山以样个。像么个东西嘞像？□长，舞去□长个。用咁个绳子噢用咁个秆，用箇秆，剪做咁长子，咁长子个秆。结成一只一只子咁个，欸，咁个么个东西样？结成一只咁个球球样个箇个□长个球球。□长个。欸，圆柱形个，欸，结成咁子箇。箇蚕虫就一只盘子放下映，箇只咁个蔟就咁子叮叮转咁子放倒去呀，□长啊。欸，□长啊咁子放倒去啊，放下箇蚕盘上啊。渠就到哩箇算是就渠身上通圆了渠就尽爬下箇蔟上去哩。尽爬下箇蔟上去。渠爱爬下箇蔟上去欸结茧。唔知搞么个爱咁子，渠就渠箇个蚕茧个产量更高吧大概。tsʰan^{13}tsʰəuk^{5}ci$^{13}_{44}$ʂɿ$_{44}$ kan$^{21}_{13}$ke^{53},n̩$_{21}$,iəŋ^{53}kən^{21}pʰien^{35}ke$^{53}_{44}$,pʰien^{35}tʂak^{3}kai$^{53}_{44}$lai^{35}tʂʰəŋ$^{13}_{21}$ke$^{53}_{44}$təŋ$^{35}_{44}$si^{0},iəŋ^{53}kən^{21}na^{0},kən^{21}sən^{53}tʰiaŋ$^{53}_{44}$ tsien^{21}tau^{21}kan^{21}tʂʰəŋ^{13}tsɿ^{0},kai$^{53}_{44}$kən^{21},tʂəŋ^{35}kan$^{35}_{44}$u^{21}tʰiau$^{13}_{21}$tsɿ^{0}ʂən^{13}tsɿ^{0}tʰak^{3}iet^{3}ləu^{53}çi^{53}.tʰəŋ^{13}kai$^{53}_{44}$siəu^{53} cʰiəu^{13}iəŋ$^{53}_{44}$ke$^{53}_{44}$təŋ$^{35}_{44}$si^{0},lai^{35}tʂʰəŋ$^{13}_{21}$.pən^{35}kai$^{53}_{44}$kei$^{53}_{44}$tsʰan^{13}ə$_{44}$tsʰan^{13}tʂʰəŋ^{13}ne^{0}kai^{53}tsʰan^{13}ne^{0}uɔi^{53}cia^{53}ʂɿ^{53}ciet^{3} cien^{21}niau^{0},ɲi^{13}tsʰiəu$^{53}_{44}$pən$^{35}_{44}$kai^{53}tʂak^{3}tsʰan^{13}tsʰəuk^{5}fəŋ^{53}tau^{21}çi^{53},fəŋ^{53}xa$^{53}_{44}$kai$^{53}_{44}$ke$^{53}_{44}$tsʰan^{13}tʂʰəŋ$^{13}_{44}$taŋ^{21} kau$^{35}_{44}$.ci^{13}tsʰiəu^{53}iet^{3}tʰiau$^{13}_{21}$tʰiau$^{13}_{21}$ke^{53}tsʰan^{13}tʂʰəŋ$^{13}_{44}$xa^{53}pʰa^{13}a$^{53}_{44}$kai$^{53}_{44}$ʂəŋ$^{53}_{44}$pɔi$^{53}_{44}$.ci^{13}tsʰiəu^{53}m̩^{13}cʰi^{53}pʰan^{13}tsɿ^{0}təu^{21} li^{0}.ʂəu^{21}sien$^{35}_{44}$çiəuk^{3}ke^{53}ʂɿ$^{13}_{44}$xəu^{53}tsɿ^{0}ʂɿ$^{53}_{44}$u^{21}tʂak^{3}mən^{35}tʰai$^{53}_{44}$ke$^{53}_{44}$pʰan^{13}ʂa^{0}.tsʰan^{13}pʰan^{13}ne^{0}.lɔk^{5}mi$^{35}_{53}$ci^{13}tsʰiəu^{53} pʰa^{13}a$^{53}_{44}$tsʰəuk^{5}xəŋ$^{53}_{44}$çi$^{53}_{44}$.kai$^{53}_{44}$tsʰiəu$^{53}_{44}$ɔn$^{35}_{44}$tso$^{53}_{44}$tsʰəuk^{5}.m̩^{13}pʰe^{53}tsʰiəŋ^{53}san^{35}i$^{21}_{53}$iəŋ$^{53}_{44}$ke^{0}.tsʰiəŋ^{53}mak^{3}ke$^{53}_{44}$təŋ$^{35}_{44}$si^{0} le^{0}tsʰiəŋ$^{53}_{44}$?lai^{35}tʂʰəŋ^{13},u^{21}çi^{53}lai^{35}tʂʰəŋ$^{13}_{21}$ke^{53}.iəŋ^{53}kan^{21}ke^{53}ʂən^{13}tsɿ^{0}au^{0}iəŋ^{53}kan^{21}ke^{53}kən^{21},iəŋ^{53}kai$^{53}_{44}$kən^{21}, tsien^{21}tso^{53}kan^{21}tʂʰəŋ^{13}tsɿ^{0},kan^{21}tʂʰəŋ^{13}tsɿ^{0}ke^{53}kən^{21}.ciet^{3}ʂaŋ$^{13}_{44}$iet^{3}tʂak^{3}iet^{3}tʂak^{3}tsɿ^{0}kan^{21}kei$^{53}_{44}$,ei$_{21}$kan^{21}kei$^{53}_{44}$ mak^{3}e^{0}təŋ$^{35}_{44}$si^{0}iəŋ$^{53}_{44}$?ciet^{3}ʂaŋ$^{13}_{53}$iet^{3}tʂak^{3}kan$^{21}_{13}$ke^{53}cʰiəu^{13}cʰiəu$^{13}_{44}$iəŋ$^{53}_{44}$kei$^{53}_{44}$kai$^{53}_{44}$ke$^{53}_{44}$lai^{35}tʂʰəŋ$^{13}_{44}$ke^{53}cʰiəu^{13}cʰiəu$^{13}_{44}$. lai^{13}tʂʰəŋ$^{13}_{44}$ke^{0}.e$_{21}$,vien^{13}tʂu^{53}çin^{13}ke^{53},e$_{21}$,ciet^{3}ʂaŋ$^{13}_{21}$kan^{21}tsɿ^{0}kai^{53}.kai^{53}tsʰan^{13}tʂʰəŋ$^{13}_{44}$tsiəu^{53}iet^{3}tʂak^{3}pʰan^{13}tsɿ^{0} fəŋ^{53}xa^{53}iaŋ^{35},kai^{53}tʂak^{3}kan^{21}ke$^{53}_{44}$tsʰəuk^{5}tsʰiəu$^{53}_{44}$kan^{21}tsɿ^{0}tin^{35}tin$^{35}_{44}$tʂən^{21}kan^{21}tsɿ^{0}fəŋ^{53}tau$^{21}_{44}$çi^{53}ia^{0},lai^{35}tʂʰəŋ$^{13}_{21}$ ŋa^{0}.e$_{21}$,lai^{35}tʂʰəŋ$^{13}_{21}$ŋa^{0}kan^{21}tsɿ^{0}fəŋ^{53}tau^{21}çi^{53}a^{0},fəŋ^{53}xa^{53}kai^{53}tsʰan^{13}pʰan^{13}xəŋ^{53}ŋa^{0}.ci^{13}tsʰiəu$^{53}_{44}$tau^{53}li^{0}kai^{53}sən^{53}

ʂʅ^{53}tsiəu$^{53}_{44}$ci$^{13}_{44}$ʂən^{35}xɔŋ$^{53}_{44}$tʰəŋ^{35}vien$^{13}_{21}$liau^{0} ci^{13}tsʰiəu^{53}tsʰin^{53}pʰa^{13}a$^{53}_{44}$kai$^{53}_{44}$tsʰəuk^{5} xɔŋ^{53}çi^{53}li^{0}.tsʰin^{53}pʰa^{13}a$^{53}_{44}$kai$^{53}_{44}$ tsʰəuk^{5} xɔŋ$^{53}_{44}$çi$^{53}_{44}$.ci^{13}ɔi$^{53}_{44}$pʰa^{13}a^{53}kai$^{53}_{44}$tsʰəuk^{5} xɔŋ$^{53}_{44}$çi$^{53}_{44}$e$_{21}$ciet^{3} cien^{21}.n̩^{13}ti$^{35}_{53}$kau^{21}mak^{3}ke^{53}ɔi^{53}kan$^{21}_{13}$tsʅ^{0},ci^{13}tsʰiəu^{53} ci^{13}kai$^{53}_{44}$ke$^{53}_{44}$tsʰan$^{13}_{21}$cien^{21}ke$^{53}_{44}$tsʰan^{21}liɔŋ^{53}ken^{53}kau^{35}pa^{0}tʰai^{53}kʰai^{53}.

【蚕豆】tsʰan^{13}tʰəu^{53} 名一年生草本植物，茎方中空，花白色有紫斑，果实有荚，种子可食。又称“大豌豆、大豌子、大豌”：～，懑大一只个。tsʰan^{13}tʰei^{53},mən^{35}tʰai^{53}iet^{3} tʂak^{3} ke^{53}.｜兰花豆是就系～做个唠。lan^{13}fa^{35}tʰei^{53}ʂʅ$^{53}_{44}$tsʰiəu^{53}xe$^{53}_{44}$tsʰan^{13}tʰei$^{53}_{44}$tso$^{53}_{44}$ke$^{53}_{44}$lau^{0}.

【蚕窠子】tsʰan^{13}kʰo^{35}tsʅ^{0} 名蚕茧：以前以映子箇嗯箇只白果树下箇映冇几远子就有只欸供销社里搞个蚕虫蚕茧烤房，嗨呀，箇个卖蚕虫卖～个时候子硬跌倒到处都系～。真多。以下落尾唔知就冇……晓得让门搞咁个东西也搞唔下地，搞唔住正？冇么人搞哩。畜蚕虫个冇得哩。欸，箇烤房也冇……𫞼用哩。供销社搞个。i$^{35}_{44}$tsʰien^{13}i$^{21}_{13}$iaŋ^{53}tsʅ^{0}kai^{53}en$_{21}$kai$^{53}_{21}$tʂak^{3} pʰak^{5} ko^{21}ʂəu^{53}xa$^{53}_{44}$ kai^{53}iaŋ^{53}mau$^{13}_{21}$ci^{21}ien^{21}tsʅ^{0} tsʰiəu$^{53}_{44}$iəu^{35}tʂak^{3} e$_{21}$kəŋ$^{35}_{44}$siau$^{35}_{44}$ʂa^{53}li^{0} kau^{53}ke^{53}tsʰan^{13}tʂʰəŋ^{13}tsʰan^{13}cien^{21}kʰau^{21}fɔŋ^{13}, xai$_{53}$ia$_{35}$,kai$^{53}_{44}$ke$^{53}_{44}$mai^{53}tsʰan^{13}tʂʰəŋ^{13}mai^{53}tsʰan^{13}kʰo$^{35}_{44}$tsʅ^{0}ke$^{53}_{44}$ʂʅ^{13}xəu$^{53}_{44}$tsʅ^{0}ɲiaŋ^{53}tiet^{3} tau^{21}tau^{53}tʂʰəu$^{53}_{44}$təu^{35}xe^{53} tsʰan^{13}kʰo^{35}tsʅ^{0}.tʂən^{35}to$^{35}_{53}$.i$^{21}_{13}$xa$^{53}_{44}$lɔk^{5} mi$^{35}_{53}$n̩^{13}ti$^{35}_{53}$tsʰiəu$^{53}_{44}$mau^{13}…çiau^{21}tek^{3} ɲiɔŋ^{53}mən^{0} kau^{21}kan$^{21}_{13}$ke$^{53}_{44}$təŋ$^{35}_{44}$si^{0} ia$^{35}_{44}$ kau^{21}n̩^{13}xa$^{53}_{44}$tʰi^{53},kau^{21}n̩^{13}tʂʰəu$^{53}_{44}$tʂaŋ$^{53}_{44}$?mau^{13}mak^{3} in$^{13}_{44}$kau^{21}li^{0}.çiəuk^{3} tsʰan$^{13}_{21}$tʂʰəŋ^{13}ke^{53}mau$^{13}_{21}$tek^{3} li^{0}.e$_{21}$,kai$^{53}_{44}$ kʰau^{21}fɔŋ^{13}ŋa$^{35}_{53}$mau^{13}…maŋ^{13}iəŋ$^{53}_{44}$li^{0}.kəŋ$^{35}_{44}$siau$^{35}_{44}$ʂa^{53}kau^{21}ke^{53}.

【蚕沙】tsʰan^{13}sa^{35} 名家蚕粪：嗯，蚕屎又安做～。就蚕虫屙个屎。也系味药啊话呢。做得药。～。也系安做蚕屎。其实就系蚕屎。n̩$_{21}$,tsʰan^{13}ʂʅ^{21}iəu^{53}ɔn$^{35}_{44}$tso$^{53}_{44}$tsʰan^{13}sa^{35}.tsʰiəu^{53}tsʰan^{13}tʂʰəŋ^{13}o^{35} ke^{53}ʂʅ^{21}.ia^{35}xei^{53}uei$^{53}_{44}$iɔk^{5} a^{0} ua$^{53}_{44}$nei^{0}.tso^{53}tek^{3} iɔk^{5}.tsʰan^{13}sa^{35}.ia^{35}xe$^{53}_{44}$ɔn$^{35}_{44}$tso$^{53}_{44}$tsʰan^{13}ʂʅ^{21}.cʰi^{13}ʂət^{5} tsʰiəu^{53}xe^{53} tsʰan^{13}ʂʅ^{21}.

【蚕丝】tsʰan^{13}sʅ^{35} 名家蚕为结茧而吐的丝，可用来纺织绸缎：～就系用来做用个啦，系唔系？畜蚕个目的就系～啦，取丝啦。tsʰan^{13}sʅ^{35}tsʰiəu$^{53}_{44}$xei$^{53}_{44}$iəŋ^{53}lɔi$^{13}_{21}$tso^{53}iəŋ^{53}ke$^{53}_{44}$la^{0},xei$^{53}_{44}$me$^{53}_{44}$?çiəuk^{3} tsʰan^{13} ke^{53}muk^{3} tiet^{3} tsʰiəu$^{53}_{44}$xe$^{53}_{44}$tsʰan^{13}sʅ^{35}la^{0},tsʰi^{21}sʅ^{35}la^{0}.

【蚕蛹】tsʰan^{13}iəŋ^{21} 名蚕吐丝作茧后变成的蛹：箇点伢大子个蚕虫就安做蚕虫崽子。系唔系啊？蚕窠子肚里个箇只肉就安做～，系唔系啊？呣，安做～，好，好好好。kai$^{53}_{44}$tian^{53}ŋa$^{13}_{44}$tʰai^{53}tsʅ^{0} ke^{53}tsʰan^{13}tʂʰəŋ^{13}tsʰiəu^{53}ɔn$^{35}_{53}$tso$^{53}_{44}$tsʰan^{13}tʂʰəŋ^{13}tse^{21}tsʅ^{0}.xei$^{53}_{44}$me^{53}a^{0}?tsʰan^{13}kʰo^{35}tsʅ^{0} təu^{21}li^{0} ke$^{53}_{44}$kai^{53}tʂak^{3} ɲiəuk^{3} tsʰiəu$^{53}_{44}$ɔn$^{35}_{53}$tso$^{53}_{44}$tsʰan^{13}iəŋ^{21},xei$^{53}_{44}$me$^{53}_{44}$a^{0}?m̩$_{21}$,ɔn$^{53}_{44}$tso$^{53}_{44}$tsʰan^{13}iəŋ^{21},xau^{21}, xau^{21}xau^{21}xau^{21}.

【仓】tsʰɔŋ^{35} 名谷仓：（蜂桶）一格一格子，同箇乡下人个禾仓样，哦装谷个～样，一格一格子垛上去。iet^{3} kak^{3} iet^{3} kak^{3} tsʅ^{0},tʰəŋ^{13}kai$^{53}_{44}$çiɔŋ^{35}xa$^{53}_{44}$ɲin$^{13}_{44}$ke$^{53}_{44}$uo^{13}tsʰɔŋ^{35}iɔŋ^{53},o$_{21}$tʂɔŋ^{35}kuk^{3} ke$^{53}_{44}$tsʰɔŋ^{35} iɔŋ$^{53}_{44}$,iet^{3} kak^{3} iet^{3} kak^{3} tsʅ^{0} tʰo$^{53}_{44}$ʂɔŋ$^{53}_{44}$cʰi$^{53}_{44}$.

【仓库】tsʰɔŋ^{35}kʰu^{53} 名储存大批粮食或其他物资的建筑物：趸货个～tən^{21}fo^{53}ke$^{53}_{44}$tsʰɔŋ^{35}kʰu^{53}

【藏身符】tsʰɔŋ^{13}ʂən^{35}pʰu^{13} 名护身符：～是就系欸一种迷信个东西，系，用来有滴人有滴细人子呃怕渠着倒吓，就箇大人呢就到庙里去，或者请倒箇个请倒搞箇样迷信活动子个人同渠画只子符子。用红布子，做正三只子角，用红布子包倒，用红呃分箇只符子嘞放下箇红布子肚里，扤下身呃要红布子包倒嘞，有做成三只角个也有做成四只角个也有。就挂下身上。冷天呢衫裤着得多嘞，就连下箇个衫上，或者连下箇个身上连倒。箇～子。就系保护渠个样唠。箇神，有只神明保护渠样。tsʰɔŋ^{13}ʂən$^{35}_{44}$pʰu^{13}ʂʅ$^{53}_{44}$tsʰiəu$^{53}_{44}$xe$^{53}_{44}$ei$_{21}$iet^{3} tʂəŋ^{21}mi^{13}sin^{53}ke$^{53}_{44}$təŋ$^{35}_{44}$si^{0},xe^{53},iəŋ^{53} lɔi$^{13}_{21}$iəu^{35}tet^{5} ɲin$^{13}_{44}$iəu^{35}tiet^{5} sei^{53}ɲin$^{13}_{21}$tsʅ^{0} ə$_{21}$pʰa^{53}ci^{13}tʂʰɔk^{3} tau^{21}xak^{3} ,tsʰiəu^{53}kai$^{53}_{44}$tʰai^{53}ɲin^{13}nei^{0} tsʰiəu$^{53}_{44}$tau$^{53}_{44}$ miau^{53}li^{0} çi^{53},xɔit^{5} tʂa^{21}tsʰiaŋ^{21}tau^{21}kai^{53}ke$^{53}_{44}$tsʰiaŋ^{21}tau^{21}kau^{21}kai$^{53}_{35}$iɔŋ$^{53}_{44}$mi^{13}sin^{53}xɔit^{5} tʰəŋ$^{53}_{44}$tsʅ^{0} ke$^{53}_{44}$ɲin$^{13}_{21}$tʰəŋ^{13} ci$^{13}_{44}$fa^{53}tʂak^{3} tsʅ^{0} fu^{13}tsʅ^{0}.iəŋ^{53}fəŋ^{13}pu^{53}tsʅ^{0},tso^{53}tʂʰaŋ$^{13}_{21}$san^{35}tʂak^{3} tsʅ^{0} kɔk^{3} ,iəŋ^{53}fəŋ^{13}pu^{53}tsʅ^{0} pau^{35}tau^{21},iəŋ^{53}fəŋ^{13} ə$_{21}$pən^{35}kai^{53}tʂak^{3} fu^{13}tsʅ^{0} le^{0} fɔŋ^{53}xa$^{53}_{44}$kai^{53}fəŋ^{13}pu^{53}tsʅ^{0} təu^{21}li^{0},kʰuai^{21}ia$^{53}_{44}$ʂən^{35}ə$_{44}$iau$^{53}_{44}$fəŋ^{13}pu^{53}tsʅ^{0} pau^{35}tau^{21} le^{0},iəu^{35}tso^{53}ʂaŋ$^{13}_{21}$san^{35}tʂak^{3} kɔk^{3} ke$^{53}_{44}$a$^{35}_{44}$iəu$^{35}_{44}$tso^{53}ʂaŋ$^{13}_{21}$si^{53}tʂak^{3} kɔk^{3} ke$^{53}_{44}$a$^{35}_{44}$iəu$^{35}_{44}$.tsiəu$^{53}_{44}$kua^{53}a$^{53}_{44}$ʂən^{35}xɔŋ$^{53}_{44}$.laŋ^{35} tʰien$^{35}_{44}$ne^{0} san^{35}fu$^{53}_{44}$tʂɔk^{3} tek^{3} to^{35}le^{0},tsʰiəu$^{53}_{44}$lien^{13}na$^{53}_{44}$kai$^{53}_{44}$ke$^{53}_{44}$san^{35}xɔŋ^{53},xɔit^{5} tʂa^{21}lien^{13}na$^{53}_{44}$kai$^{53}_{44}$ke$^{53}_{44}$ʂən^{35}xɔŋ$^{53}_{44}$ lien^{13}tau$^{21}_{44}$.kai$^{53}_{44}$tsʰɔŋ^{13}ʂən$^{35}_{44}$pʰu^{13}tsʅ^{0}.tsʰiəu$^{53}_{44}$xe$^{53}_{44}$pau^{21}fu^{53}ci^{13}ke$^{53}_{44}$iɔŋ$^{53}_{44}$lau^{0}.kai$^{53}_{44}$ʂən^{13},iəu^{35}tʂak^{3} ʂən^{13}min^{13}pau^{21} fu^{53}ci$^{21}_{44}$iɔŋ$^{53}_{44}$.

【藏水】tsʰɔŋ^{13}ʂei^{21} 动一种迷信做法，意图保佑孕妇母子平安：还要藏壶子水呢。有兜箇个怀哩孕个啊，爱保佑渠箇个母子平安呐，渠就～呢。xai^{13}iau^{53}tsʰɔŋ^{13}fu$^{13}_{44}$tsʅ^{0} ʂei^{21}nei^{0}.iəu^{35}te$^{35}_{44}$kai$^{53}_{44}$ke$^{53}_{44}$ fai$^{13}_{21}$li^{0} uən^{53}cie$^{53}_{44}$a^{0},ɔi^{53}pau^{21}iəu^{53}ci$^{13}_{44}$kai$^{53}_{44}$ke$^{53}_{44}$mu^{35}tsʅ^{21}pʰin^{13}ŋɔn^{35}na^{0},ci$^{13}_{21}$tsʰiəu^{53}tsʰɔŋ^{13}ʂei^{21}nei^{0}.｜我新舅撰哩人呐，我硬来同渠藏壶子水。舞只罂头嘞，装一罂水呢，箇个欸道士先生渠舞倒红布子蒙

稳嘞，舞倒箇个欸画只子符嘞贴倒呢，安做藏壶子水放下间里，放下月婆间里呢。ŋai^{13}sin^{35} cʰiəu$^{35}_{44}$kʰuan^{53}li^{0} ɲin^{13}na^{0},ŋai^{13}ɲiaŋ^{53}lɔi$^{13}_{21}$tʰəŋ^{13}ci$^{13}_{44}$tsʰɔŋ^{13}fu$^{13}_{44}$tsɿ^{0} ʂei^{21}.u^{21}tʂak^{3} aŋ^{35}tʰei$^{13}_{44}$lei^{0},tʂɔŋ^{35}iet^{3} aŋ$^{35}_{44}$ʂei^{21} nei^{0},kai$^{53}_{44}$ke$^{53}_{44}$e$_{21}$tʰau^{53}sɿ$^{53}_{44}$sien$^{35}_{44}$saŋ$^{35}_{44}$tʰəŋ$^{13}_{44}$ci$^{13}_{44}$u^{21}tau^{21}fəŋ^{13}pu^{53}tsɿ^{0} maŋ^{35}uən^{21}lei^{0},u^{21}tau^{21}kai^{53}ke$^{53}_{44}$e$_{21}$fa^{53}tʂak^{3} tsɿ^{0} pʰu^{13}lei^{0} tiait^{3} tau^{21}nei^{0},ɔn$^{35}_{53}$tso^{53}tsʰɔŋ^{13}fu$^{13}_{44}$tsɿ^{0} ʂei^{21}fɔŋ$^{53}_{44}$xa$^{53}_{44}$kan^{35}ni^{0},fɔŋ$^{53}_{44}$ŋa$^{53}_{44}$ɲiet^{5} pʰo$^{13}_{21}$kan^{35}ni^{21}nei^{0}.

【操心】tsʰau^{35}sin^{35} 动劳神，费心料理；担心：我人跍倒浏阳个时候子嘞我就长日会～我娭子。唔知食滴么个，又唔知有病哩吗，有么个病痛吗。又唔知夜晡睡得还好吗，系啊？～，硬会～。其实又撞怕嘞也系操空心。嘿嘿，操只空心。ŋai^{13}ɲin^{13}ku$^{35}_{44}$tau^{21}liəu^{13}iɔŋ^{13}ke^{53}ʂʅ^{13}xəu$^{53}_{44}$tsɿ^{0}le^{0} ŋai^{13}tsiəu^{53}tʂʰɔŋ^{13}ɲiet^{3} uɔi^{53}tsʰau$^{35}_{44}$sin$^{35}_{44}$ŋai$^{13}_{21}$ɔi^{35}tsɿ^{0}.n̩^{13}ti$^{35}_{44}$ʂət^{5} tiet^{5} mak^{3} ke^{0},iəu$^{53}_{44}$n̩$^{13}_{21}$ti$^{35}_{44}$iəu$^{35}_{44}$pʰiaŋ^{53}li^{0} ma^{0},iəu$^{35}_{44}$ mak^{3} e^{0} pʰiaŋ^{53}tʰəŋ^{53}ma^{0}.iəu$^{53}_{44}$n̩$^{13}_{21}$ti$^{35}_{44}$ia$^{53}_{44}$pu$^{35}_{44}$ʂɔi^{53}tek^{3} xai$^{13}_{21}$xau^{21}ma^{0},xei$^{53}_{44}$a^{0}?tsʰau$^{35}_{44}$sin^{35}, ɲiaŋ^{53}uɔi$^{53}_{44}$tsʰau$^{35}_{44}$sin^{35}. cʰi$^{13}_{21}$ʂət^{5} iəu^{53}tsʰɔŋ^{21}pʰa$^{53}_{44}$le^{0} ia^{35}xe$^{53}_{44}$tsʰau^{35}kʰəŋ^{53}sin$^{35}_{44}$.xe$_{53}$xe$_{21}$,tsʰau$^{35}_{44}$tʂak^{3} kʰəŋ^{53}sin$^{35}_{44}$.

【糙】tsʰau^{53} 形米脱壳而未舂的状态：有些糙米蛮～。iəu^{35}sie$^{35}_{21}$tsʰau^{53}mi^{21}man^{13}tsʰau^{53}.

【糙米】tsʰau^{53}mi^{21} 名去壳但未经精碾的米：只系去嘿壳个，系唔系？箇个谷只系舞嘿哩壳。/欸，箇个就～。tʂe^{21} (x)e^{53} tʂʰʯ^{53} (x)ek^{3} kʰɔk^{3} ke$^{53}_{44}$,xe$^{53}_{44}$me$^{53}_{44}$?kai$^{53}_{44}$ke^{53} kuk^{3} tʂe^{21} xe^{53} u^{21} xek^{3} li^{0} kʰɔk^{3}./e$_{44}$,kai$^{53}_{44}$ke$^{53}_{21}$tsʰiəu$^{53}_{44}$tsʰau^{53}mi^{21}.｜蒸酒个人，蒸酒哇，酒爱好嘞，就爱用～蒸。tʂən^{35}tsiəu^{21} ke^{53}ɲin$^{13}_{44}$,tʂən^{35}tsiəu^{21}ua^{0},tsiəu^{21}ɔi^{53}xau^{21}lei^{0},tsʰiəu$^{53}_{44}$ɔi$^{53}_{44}$iəŋ$^{53}_{44}$tsʰau^{53}mi^{21}tʂən^{35}.

【槽】tsʰau^{13} 名①物体表面上较大较长的凹下部分：箇只凳脚爱锯条子～欸，把锯嵌下去啊。kai^{53}tʂak^{3} ten^{53}ciɔk^{3} ɔi$^{53}_{44}$cie^{53}tʰiau$^{13}_{21}$tsɿ^{0} tsʰau^{13}ei^{0},pa^{21}cie$^{53}_{44}$xan^{53}na$_{44}$(←xa^{53})çi$^{53}_{44}$a^{0}. ②特指用来盛饲料喂牲畜的器具：分马子食水个食草个～pən^{35}ma^{35}tsɿ^{0} ʂət^{5} ʂei^{21}ke$^{53}_{44}$ʂət^{5} tsʰau^{21}ke^{53}tsʰau^{13}｜用石头做个猪兜呢，石猪兜呢。用石头打成咁个一只箇个～样个呢。iəŋ$^{53}_{44}$ʂak^{5} tʰei$^{13}_{21}$tso$^{53}_{44}$ke$^{53}_{44}$tʂəu$^{35}_{44}$tei$^{35}_{44}$nei^{0},ʂak^{5} tʂəu$^{35}_{44}$tei$^{35}_{44}$nei^{0}.iəŋ$^{53}_{44}$ʂak^{5} tʰei^{13}ta^{21}ʂaŋ^{13}kan$^{21}_{35}$kei^{53}iet^{3} tʂak^{3} kai$^{53}_{44}$ke$^{53}_{44}$tsʰau^{13}iəŋ$^{53}_{44}$ke$^{53}_{44}$nei^{0}. ③两边高起中间凹下的物体的凹下部分：箇渠几只系箇只工具子唔同，渠个一只箇～肚里呢，龙骨水车尽系咁个叶子呢，欸一片一片子个叶子嘞。kai$^{53}_{44}$ci$^{13}_{21}$ci^{21}tʂak^{3} xe^{53}kai$^{53}_{21}$tʂak^{3} kəŋ^{35}tʂʯ^{53}tsɿ^{0} n̩$^{13}_{21}$tʰəŋ^{13},ci^{13}ke^{53}iet^{3} tʂak^{3} kai$^{53}_{44}$tsʰau^{13}təu^{21}li^{0} nei^{0},liəŋ^{13}kuət^{3} ʂei^{21}tʂʰa^{35}tsʰin^{53}ne$_{44}$(←xe^{53})kan^{21}ke$^{53}_{44}$iait^{5} tsɿ^{0} nei^{0},ei$_{21}$iet^{3} pʰien^{53}iet^{3} pʰien^{53}tsɿ^{0} kai$^{53}_{44}$iait^{5} tsɿ^{0} lei^{0}.

【槽沟】tsʰau^{13}ciei^{35} 名排水沟：以只～欸出水呀。i^{21}tʂak^{3} tsʰau^{13}ciei$^{35}_{44}$e$_{21}$tʂʰət^{3} ʂei^{21}ia^{0}.

【槽门】tsʰau^{13}mən^{13} 名院门。又称“院子门”：～呢就系一般个大屋，外背有围墙个，第一扇门就安做～。围墙门，就安做～。大屋个围墙门。箇到一只地理先生同我讲：“你阿叔箇只屋啊……”我叔叔做只屋吵，渠是老屋，拆屋做屋。请只地理先生来看。我话：“箇有么个看得嘞？你还有么个方向唔同欸？”话你你你……首先渠有五间屋，如今你做只新屋，么个也动唔得唠，只好照原先个自向啊坐向啊，你不可能捩只向至嘞，因为冇得办法捩嘞，系唔系？渠话，箇只地理先生同我讲：“你箇起屋是最要紧个就系箇只～。～渠就可以箇个可以不同个方向啊。”其实我叔叔箇只屋嘞，～也冇得方向感，冇得方向。只有只拦正来。只有只唠走箇侧边子来。倒是箇～渠就可以转向欸，渠就可以，打比样，渠以条路系走以以巷子里来，走以映子来，系唔系？走映子来，箇嘞，你以映子啦砌扇围墙，箇门开倒嘞，你不可能开倒以映，以底下一只塆。嗯，你也不可能开倒以映，叮只塆呢叮只箇……都不可能。你只有开以向嘞，你只有开以向。以映子进来，系吗？走以映进去。以肚里有屋，有只围墙。但是你可以改变下子方向。可以嘞咁子捩转下子来。以只大门呢朝转以边。你也可以或者嘞可以咁子捩转下子来，咁子捩，大门呢欸朝转箇边。箇就以只～个自向。以个大门是渠就冇得办法了，渠箇屋是冇办法。渠一二三四五，五间咁子做下过。以前老个做过，以后背一只石塆，唔知几大。以后背又别人家个。欸，以向系别人家个。你冇办法改变。你放势请倒地理先生，渠都冇得么个改变个。但是渠话：“～就有自向。你搞～搞中来嘞，就会发人。唔得是～赠搞中嘞，箇只就更唔好。”就是咁个意思。～。～就系围墙门。tsʰau^{13}mən^{13}ne^{0} tsʰiəu^{53} xei^{53}iet^{3} pən$^{35}_{44}$ke^{0} tʰai^{53}uk^{3},ŋɔi^{53}pɔi$^{53}_{44}$iəu^{35}uei^{13}tsʰiɔŋ$^{13}_{44}$ke^{0},tʰi^{53}iet^{3} ʂen^{53}mən$^{13}_{21}$tsʰiəu$^{53}_{44}$ɔn$^{35}_{44}$tso$^{53}_{44}$tsʰau^{13}mən^{13}.uei^{13} tsʰiɔŋ$^{13}_{44}$mən^{13},tsʰiəu$^{53}_{44}$ɔn$^{35}_{53}$tso^{53}tsʰau^{13}mən^{13}.tʰai^{53}uk^{3} ke^{0} uei^{13}tsʰiɔŋ$^{13}_{44}$mən$^{13}_{44}$.kai^{53}tau^{53}iet^{3} tʂak^{3} tʰi^{53}li^{35}sien$^{35}_{44}$saŋ$^{35}_{44}$ tʰəŋ$^{13}_{21}$ŋai$^{13}_{44}$kɔŋ^{21}:"ɲi^{13}a^{35}ʂəuk^{3} kai^{53}tʂak^{3} uk^{3} a^{0} …"ŋai^{13}ʂəuk^{3} ʂəuk^{3} tso^{53}tʂak^{3} uk^{3} ʂa^{0},ci^{13}ʂʅ$^{53}_{44}$lau^{21}uk^{3},tsʰak^{3} uk^{3} tso^{53}uk^{3}.tsʰiaŋ^{21}tʂak^{3} tʰi^{53}li^{35}sien$^{35}_{44}$saŋ$^{35}_{44}$lɔi$^{13}_{21}$kʰɔn^{53}.ŋai^{13}ua$^{53}_{44}$:"kai^{53}iəu^{35}mak^{3} e^{0} kʰɔn^{53}tek^{3} lei^{0}?ɲi$^{13}_{21}$xai$^{13}_{21}$iəu$^{35}_{53}$ mak^{3} ke$^{53}_{44}$fɔŋ^{35}çiɔŋ$^{53}_{44}$n̩$^{13}_{21}$tʰəŋ^{13}ŋe^{0}?"ua$^{53}_{44}$ɲi^{13}ɲi^{13}ɲi^{13}…ʂəu^{21}sen$^{35}_{44}$ci$^{13}_{21}$iəu^{35}ŋ̍^{21}kan$^{35}_{44}$uk^{3},i$^{13}_{21}$cin$^{35}_{44}$ɲi^{13}tso^{53}tʂak^{3} sin^{35} uk^{3},mak^{3} ke$^{53}_{44}$a$^{35}_{44}$tʰəŋ^{35}n̩$^{13}_{21}$tek^{3} lau^{0},tʂət^{3} lau$^{21}_{44}$tʂau^{53}vien^{13}sien$^{35}_{44}$ke$^{53}_{44}$sɿ^{53}çiɔŋ^{53}ŋa^{0} tsʰo^{53}çiɔŋ$^{53}_{44}$ŋa^{0}, ɲi^{13}puk^{3} kʰo$^{21}_{44}$

len$^{13}_{44}$liet^{3} tʂak^{3} çiɔŋ^{53}tʂɿ^{53}lei^{0} ,in$^{35}_{44}$uei$^{13}_{44}$mau^{13}tek^{3} pʰan^{53}fait^{3} liet^{3} le^{0} ,xei^{53}me^{53}?ci^{13}ua^{53} ,kai^{53}tʂak^{3} tʰi$^{53}_{44}$li$^{35}_{44}$sien$^{35}_{44}$ saŋ$^{35}_{44}$tʰəŋ$^{13}_{21}$ŋai$^{13}_{21}$kɔŋ^{21} :"ɲi^{13}kai^{53}çi$^{21}_{44}$uk^{3} ʂɿ$^{53}_{44}$tsei^{53}iau$^{53}_{44}$cin^{21}ke$^{53}_{44}$tsʰiəu^{53}xei$^{53}_{44}$kai^{53}tʂak^{3} tsʰau^{13}mən^{13} .tsʰau^{13}mən$^{13}_{44}$ci^{13} tsʰiəu^{53}kʰo^{21}i$^{35}_{53}$kai^{53}ke$^{53}_{44}$kʰo^{21}i$^{35}_{53}$pət^{3} tʰəŋ^{3} ke$^{53}_{44}$fɔŋ$^{35}_{44}$çiɔŋ^{53}ŋa^{0} ."cʰi^{13}ʂət^{5} ŋai^{13}ʂəuk^{3} ʂəuk^{3} kai^{53}tʂak^{3} uk^{3} le^{0} ,tsʰau^{13} mən^{13}ia$^{35}_{53}$mau$^{13}_{21}$tek^{3} fɔŋ$^{35}_{44}$çiɔŋ^{53}kan^{21} ,mau$^{13}_{21}$tek^{3} fɔŋ$^{35}_{44}$çiɔŋ^{53} .tʂət^{3} iəu$^{35}_{53}$tʂak^{3} lan^{13}tʂaŋ^{53}lɔi^{13} .tʂət^{3} iəu$^{35}_{53}$tʂak^{3} lau^{0} tsei^{21}kai$^{53}_{44}$tset^{3} pien$^{35}_{44}$tsɿ^{0} lɔi$^{13}_{21}$ .tau$^{53}_{44}$ʂɿ^{53}kai$^{53}_{44}$tsʰau^{13}mən$^{13}_{44}$ci^{13}tsiəu^{53}kʰo^{21}i$^{35}_{44}$tʂɔn^{21}çiɔŋ^{53}ŋei^{0} ,ci^{13}tsiəu^{53}kʰo^{21}i$^{35}_{44}$,ta^{21} pi^{21}iɔŋ$^{53}_{44}$,ci$^{13}_{21}$i^{21}tʰiau^{13}lu^{53}xei^{53}tsei^{21}i^{21}i^{21}xɔŋ^{53}tsɿ^{0}li^{0}lɔi$^{13}_{44}$,tsei^{21}i^{21}iaŋ^{53}tsɿ^{0}lɔi^{13} ,xei^{53}me^{53}?tsei^{21}iaŋ^{53}tsɿ^{0}lɔi^{13} ,kai$^{53}_{44}$lei^{0} , ɲi^{13}i^{21}iaŋ^{53}tsɿ^{0} la^{0} tsʰi^{53}ʂen^{53}uei^{13}tsʰiɔŋ$^{13}_{44}$,kai^{53}mən^{13}kʰɔi^{35}tau$^{21}_{44}$le^{0} , ɲi^{13}puk^{3} kʰo^{21}len^{13}kʰɔi$^{35}_{44}$tau$^{21}_{44}$i^{21}iaŋ^{53} ,i^{21}tei^{21} xa^{53}iet^{3} tʂak^{3} kʰan^{53} .ṇ$_{21}$, ɲi^{13}ia$^{35}_{53}$puk^{3} len$^{13}_{44}$kʰɔi^{35}tau^{21}i^{21}iaŋ^{53} ,tin^{35}tʂak^{3} kʰan^{53}ne^{0} tin^{35}tʂak^{3} kai$^{53}_{44}$…tau$^{35}_{21}$puk^{3} kʰo$^{21}_{44}$ len$^{13}_{44}$. ɲi^{13}tʂət^{3} iəu^{35}kʰɔi^{35}i^{21}çiɔŋ$^{53}_{44}$le^{0} , ɲi^{13}tʂət^{3} iəu$^{35}_{44}$kʰɔi$^{35}_{53}$i^{21}çiɔŋ$^{53}_{44}$.i$^{21}_{13}$iaŋ^{53}tsɿ^{0} tsin^{53}nɔi$^{13}_{44}$,xei$^{53}_{44}$ma^{0}?tsei^{21}i^{21}iaŋ$^{53}_{44}$ tsin^{53}cʰi$^{53}_{44}$.i^{21}tau^{21}li^{0} iəu$^{35}_{44}$uk^{3} ,iəu^{35}tʂak^{3} uei$^{13}_{21}$tsʰiɔŋ$^{13}_{44}$.tan^{53}ʂɿ^{53}ɲi$^{13}_{44}$kʰo^{21}i$^{35}_{44}$kɔi^{21}pien^{53}a^{53}tsɿ^{0} fɔŋ$^{35}_{44}$çiɔŋ^{53} .kʰo^{21}i$^{35}_{44}$le^{0} kan$^{21}_{13}$tsɿ^{0} liet^{3} tʂɔn^{21}na^{53}tsɿ^{0} lɔi$^{13}_{21}$.i$^{21}_{13}$tʂak^{3} tʰai^{53}mən$^{13}_{21}$nei^{0} tʂʰau$^{13}_{21}$tʂɔn^{21}i^{21}pien^{35}. ɲi^{13}ia$^{35}_{44}$kʰo^{21}i^{35}xɔit^{5} tʂa^{21}lei^{0} kʰo^{21}i^{35} kan$^{21}_{13}$tsɿ^{0} liet^{3} tʂɔn^{21}na^{53}tsɿ^{0} lɔi$^{13}_{44}$,kan$^{21}_{13}$tsɿ^{0} liet^{3} ,tʰai^{53}mən$^{13}_{44}$nei^{0} e$_{44}$tʂʰau$^{13}_{21}$tʂɔn^{21}kai^{53}pien^{35}.kai^{53}tsʰiəu^{53}i^{21}tʂak^{3} tsʰau^{13}mən^{13}ke$^{53}_{44}$sɿ^{53}çiɔŋ^{53} .i$^{21}_{13}$ke$^{53}_{44}$tʰai^{53}mən$^{13}_{44}$ʂɿ$^{53}_{44}$ci^{13}tsʰiəu^{53}mau^{13}tek^{3} pʰan^{53}fait^{3} liau^{0} ,ci^{13}kai^{53}uk^{3} ʂɿ$^{53}_{44}$mau^{13} pʰan$^{53}_{44}$fait^{3} .ci^{13}iet^{3}ɲi^{53}san$^{35}_{44}$si$^{53}_{44}$ŋ̍^{21} ,ŋ̍^{21}kan^{35}kan^{21}tsɿ^{0} tso$^{53}_{44}$a$^{53}_{44}$ko^{53} .i$^{21}_{44}$tsʰien$^{13}_{44}$lau^{21}ke$^{53}_{44}$tso$^{53}_{44}$ko$^{53}_{44}$,i^{21}xei$^{53}_{44}$pɔi$^{53}_{44}$iet^{3} tʂak^{3} ʂak^{5} kʰan^{53} ,ṇ^{13}ti$^{35}_{44}$ci$^{21}_{44}$tʰai^{53} .i^{21}xei^{53}pɔi$^{53}_{44}$iəu$^{53}_{44}$pʰiet^{5} in$^{13}_{21}$ka$^{35}_{44}$ke^{53} .ei$_{21}$,i^{21}çiɔŋ$^{53}_{44}$xei$^{53}_{44}$pʰiet^{5} in$^{13}_{21}$ka$^{35}_{44}$ke$^{53}_{44}$. ɲi^{13}mau^{13} pʰan^{53}fait^{3} kɔi^{21}pien^{53} . ɲi^{13}fɔŋ^{53}ʂɿ$^{53}_{44}$tsʰiaŋ^{21}tau^{21}tʰi^{53}li^{35}sien$^{35}_{44}$saŋ$^{35}_{44}$,ci$^{13}_{21}$təu$^{35}_{53}$mau^{13}tek^{3} mak^{3} e$^{53}_{44}$kɔi^{21}pien$^{53}_{44}$ ke^{53} .tan$^{53}_{44}$ʂɿ$^{53}_{44}$ci$^{13}_{21}$ua^{53} :"tsʰau^{13}mən^{13}tsʰiəu^{53}iəu^{35}sɿ^{53}çiɔŋ^{53} . ɲi^{13}kau^{21}tsʰau^{13}mən^{13}kau^{21}tʂəŋ^{53}lɔi^{13}le^{0} ,tsʰiəu^{53}uɔi$^{53}_{44}$ fait^{3}ɲin^{13} .ṇ^{13}tek$^{3}_{35}$ʂɿ$^{53}_{44}$tsʰau^{13}mən^{13}maŋ^{13}kau^{21}tʂəŋ^{53}le^{0} ,kai^{53}tʂak^{3} tsʰiəu$^{53}_{44}$cien^{53}ṇ^{13}xau^{21} ."tsiəu$^{53}_{44}$ʂɿ$^{53}_{44}$kan^{21}ke$^{53}_{44}$i$^{35}_{44}$ sɿ^{0} .tsʰau^{13}mən^{13} .tsʰau^{13}mən^{13}tsʰiəu^{53}xe^{53}uei^{13}tsʰiɔŋ$^{13}_{44}$mən^{13} .

【槽门间】tsʰau^{13}mən^{13}kan^{35} [名]设于院门内侧的小房间。作为看门等的房舍：～嘞系听讲过。系，有滴系有间个。两边系有间个。tsʰau$^{13}_{21}$mən$^{13}_{21}$kan^{35}ne^{0} xe$^{53}_{44}$tʰaŋ$^{35}_{44}$kɔŋ^{21}ko$^{53}_{44}$.xe$^{53}_{44}$,iəu^{35}tet^{5} xe^{53}iəu$^{35}_{44}$ kan^{35}cie$^{53}_{44}$.iɔŋ^{21}pien$^{35}_{44}$xe$^{53}_{44}$iəu$^{35}_{44}$kan^{35}cie$^{53}_{21}$.

【槽刨子】tsʰau^{13}pʰau^{13}tsɿ^{0} [名]多用来刨出凹槽的刨子：呃做镬盖个时候子抽箇条沟就爱用倒～。ə$_{21}$tso^{53}uɔk^{5} kɔi$^{53}_{44}$ke$^{53}_{44}$ʂɿ^{13}xəu$^{53}_{44}$tsɿ^{0} tʂʰəu^{35}kai^{53}tʰiau$^{13}_{21}$kei^{35}tsʰiəu$^{53}_{44}$ɔi^{53}iəŋ^{53}tau^{21}tsʰau^{13}pʰau^{13}tsɿ^{0} .

【草】tsʰau^{21} [名]①对高等植物中除了树木、庄稼、蔬菜以外的茎干柔软的植物的统称：早晨，你到箇有～个栏场去走，䟕起只裤脚溁湿。tsau^{21}ʂən^{13} , ɲi^{13}tau$^{53}_{44}$kai$^{53}_{44}$iəu^{35}tsʰau^{21}ke^{53}laŋ^{13}tʂʰɔŋ^{13}çi^{53} tsei^{21},kaŋ^{53}cʰi^{53}(←çi^{21})tʂak^{3} fu^{53}ciɔk^{3} tsek^{5} ʂət^{3}. ②家畜的植物性食料：马子吵分箇～吵还剁碎来分渠食。ma^{35}tsɿ^{0} ʂa^{0} pən$^{35}_{44}$kai$^{53}_{44}$tsʰau^{21}ʂa^{0} xai$^{13}_{21}$to^{53}si^{53}lɔi$^{13}_{21}$pən$^{35}_{44}$ci$^{13}_{44}$ʂət$^{5}_{3}$. | 割一掐牛～。kɔit^{3} iet^{3} kʰa^{35}ɲiəu^{13} tsʰau^{21}.

【草蝉子】tsʰau^{21}ʂan^{13}tsɿ^{0} [名]一种小型蝉，栖息于草中，身体绿色：蝉子有两种。一种就马牯蝉，箇大树上个，箇就安做马牯蝉，懑大一只只个。如今就挨夜子就会架势叫了啦马牯蝉呐。还一种就系箇个矮矮子个草上个蝉子，点伢大子，有几大子，□青，一身□青个，箇就安做～。ʂan^{13}tsɿ^{0} iəu^{35}iɔŋ^{21}tʂəŋ^{21} .iet^{3} tʂəŋ^{21}tsʰiəu^{53}ma^{35}ku^{21}ʂan^{13} ,kai$^{53}_{44}$tʰai^{53}ʂəu$^{53}_{44}$xɔŋ$^{53}_{44}$ke^{0} ,kai$^{53}_{44}$tsʰiəu$^{53}_{44}$ɔn$^{35}_{44}$tso$^{53}_{44}$ ma^{35}ku^{21}ʂan^{13} ,mən^{35}tʰai^{53}iet^{3} tʂak^{3} tʂak^{3} ke^{53} .i$^{13}_{21}$cin$^{35}_{44}$tsʰiəu$^{53}_{44}$ai^{35}ia^{53}tsɿ^{0} tsʰiəu$^{53}_{44}$uɔi$^{53}_{44}$cia^{53}ʂɿ$^{53}_{44}$ciau^{53}liau^{21}la^{0} ma^{35} ku^{21}ʂan^{13}na^{0} .xai^{13}iet^{3} tʂəŋ^{21}tsʰiəu$^{53}_{44}$xe$^{53}_{44}$kai^{53}ke^{53}ai^{21}ai^{21}tsɿ^{0} ke^{53}tsʰau^{21}xɔŋ^{53}ke^{0} ʂan^{13}tsɿ^{0} ,tian^{53}ŋa$^{13}_{44}$tʰai^{53}tsɿ^{0} ,mau^{13} ci^{21}tʰai^{53}tsɿ^{0} ,kue^{35}tsʰiaŋ^{35} ,iet^{3} ʂən$^{35}_{44}$kue^{35}tsʰiaŋ$^{35}_{44}$kei^{0} ,kai^{53}tsʰiəu^{53}ɔn$^{35}_{53}$tso^{53}tsʰau^{21}ʂan^{13}tsɿ^{0} .

【草刀子】tsʰau^{21}tau^{35}tsɿ^{0} [名]一种用来割草的刀具：～就用来割草个。又轻快，箇种～轻快，欸，弯，一只弯钩，把爱长滴子，省子割手。割禾个可以用来割草，但是割草个唔好割禾。tsʰau^{21}tau^{35}tsɿ^{0} tsʰiəu^{53}iɔŋ^{53}lɔi$^{13}_{21}$kɔit^{3} tsʰau^{21}ke^{53} .iəu^{53}cʰiaŋ^{35}kʰuai^{53} ,kai$^{53}_{44}$tʂəŋ^{21}tsʰau^{21}tau^{35}tsɿ^{0} cʰiaŋ^{35}kʰuai^{53} ,e$_{44}$, uan^{35} ,iet^{3} tʂak^{3} uan^{35}kei$^{35}_{44}$,pa^{53}ɔi$^{53}_{44}$tʂʰɔŋ^{13}tet^{5} tsɿ^{0} ,saŋ^{21}tsɿ^{0} kɔit^{3} ʂəu^{21} .kɔit^{3} uo^{13}ke^{53}kʰo^{21}i$^{35}_{44}$iɔŋ^{53}lɔi$^{13}_{21}$kɔit^{3} tsʰau^{21}, tan^{53}ʂɿ^{53}kɔit^{3} tsʰau^{21}ke^{53}ṇ^{13}xau^{21}kɔit^{3} uo^{13}.

【草秆子】tsʰau^{21}kɔn^{21}tsɿ^{0} [名]草鱼苗：但是草……鲤鱼嘞就点伢大子都畜得活。但是草鱼嘞就爱畜大滴子，正可以舞下箇大田里去畜。箇就安做～。箇就有咁长子一条。草鱼咯就有咁长子一条子。tan$^{53}_{44}$ʂɿ$^{53}_{44}$tsʰau^{21}…li^{35}ŋ̍$^{13}_{21}$lei^{0} tsʰiəu$^{53}_{44}$tian^{53}ŋa$^{13}_{44}$tʰai^{53}tsɿ^{0} təu$^{35}_{44}$çiəuk^{3} tek^{3} uɔit^{5} .tan$^{53}_{44}$ʂɿ$^{53}_{44}$tsʰau^{21}ŋ̍^{13}lei^{0} tsʰiəu^{53}ɔi^{53}çiəuk^{3} tʰai^{53}tiet^{5} tsɿ^{0} ,tʂaŋ$^{53}_{44}$kʰo^{21}i$^{35}_{44}$u^{21}(x)a$^{53}_{44}$kai$^{53}_{44}$tʰai^{53}tʰien$^{13}_{21}$ni^{21}çi^{53}çiəuk^{3} .kai$^{53}_{21}$tsʰiəu$^{53}_{44}$ɔn$^{35}_{44}$tso$^{53}_{44}$tsʰau^{21} kɔn^{21}tsɿ^{0} .kai$^{53}_{21}$tsʰiəu$^{53}_{44}$iəu$^{35}_{44}$kan^{21}tʂʰɔŋ^{13}tsɿ^{0} iet^{3} tʰiau$^{13}_{44}$.tsʰau^{21}ŋ̍^{13}ko^{0} tsiəu$^{53}_{44}$iəu$^{35}_{44}$kan^{21}tʂʰɔŋ^{13}tsɿ^{0} iet^{3} tʰiau$^{13}_{44}$tsɿ^{0} . | ～嘞箇就论条数卖。一块钱个，一角钱一条两角钱一条，～。tsʰau^{21}kɔn^{21}tsɿ^{0} lei^{0} kai$^{53}_{44}$tsʰiəu$^{53}_{44}$ lən^{53}tʰiau^{13}su$^{53}_{44}$mai^{53} .iet^{3} kʰuai^{53}tsʰien$^{13}_{21}$cie^{53} ,iet^{3} kɔk^{3} tsʰien$^{13}_{44}$iet^{3} tʰiau^{13}iɔŋ^{21}kɔk^{3} tsʰien$^{13}_{44}$iet^{3} tʰiau^{13} ,tsʰau^{21}

kɔn^{21}tsɿ^{0}.

【草脚】tsʰau^{21}ciɔk^{3} 名 房屋的基脚（地面以下的）：墙脚有两只脚。从前呢，就冇得红砖呢，用土砖或者筑泥吵。在箇个地板以下个，底下个，安做～。开头讲哩打～啊。安做～。tsʰiɔŋ$^{13}_{21}$ciɔk^{3} iəu$^{35}_{44}$iɔŋ^{21}tʂak^{3} ciɔk^{3}.tsʰəŋ^{13}tsʰien$^{13}_{21}$nei^{0},tsʰiəu^{53}mau^{13}tek^{3} fəŋ^{13}tʂɔn$^{35}_{44}$ne^{0},iəŋ^{53}tʰəu^{21}tʂɔn$^{35}_{44}$xɔit^{5} tʂa^{21}tʂəuk^{3}lai^{13}ʂa^{0}.tsʰai^{53}kai^{53}ke$^{53}_{21}$tʰi^{53}pan^{21}i^{35}çia^{53}ke$^{53}_{44}$,te^{21}xa^{53}ke^{53},ɔn$^{35}_{44}$tso$^{53}_{44}$tsʰau^{21}ciɔk^{3}.kʰɔi^{35}tʰei$^{13}_{44}$kɔŋ^{21}li^{0} ta^{21} tsʰau^{21}ciɔk^{3} a^{0}.ɔn$^{35}_{44}$tso$^{53}_{44}$tsʰau^{21}ciɔk^{3}.｜～嘞，箇就根据基础来看了，有滴地方挖得深个比人都更深。tsʰau^{21}ciɔk^{3} lei^{0},kai$^{53}_{44}$tsʰiəu$^{53}_{44}$cien$^{35}_{44}$tʂʅ^{53}ci^{35}tsʰəu^{21}lɔi^{13}kʰɔn^{53}niau^{0},iəu^{35}tet^{5} tʰi$^{53}_{44}$fɔŋ$^{35}_{44}$ua^{35}tek^{3} tʂʰən^{35}cie$^{53}_{44}$pi^{21} ɲin^{13}təu$^{35}_{44}$cien^{53}tʂʰən^{35}.

【草脚沟】tsʰau^{21}ciɔk^{3}kei^{35} 名 基槽：首先就挖条沟，挖出一条沟来，箇条就安做～。ʂəu^{21}sien^{35} tsʰiəu$^{53}_{44}$uait^{3} tʰiau$^{13}_{21}$kei^{35},uait^{3} tʂʰət^{3} iet^{3} tʰiau$^{13}_{21}$kei^{35}lɔi$^{13}_{21}$,kai^{53}tʰiau$^{13}_{44}$tsʰiəu$^{53}_{44}$ɔn$^{35}_{44}$tso$^{53}_{44}$tsʰau^{21}ciɔk^{3}kei^{35}.

【草篮子】tsʰau^{21}lan^{13}tsɿ^{0} 名 用藤、竹篾、包装带等编织成的篮子，有提耳：欸我等有只老师啊渠天天买菜渠就……我等打算空手去，反正卖菜个人会舞啊菜分我。渠就唔搞，从来都不要箇只，渠话："我讨死嫌，箇个咁个薄膜袋讨死嫌。"渠取都提只子～。有环保意识，箇只老师他箇退休老师。长日天天都提下篮子去买菜。～。e$_{21}$ŋai^{13}tien^{0} iəu$^{35}_{44}$tʂak^{3} lau^{21}sɿ$^{35}_{44}$a^{0} ci$^{13}_{21}$tʰien^{35} tʰien$^{35}_{44}$mai^{35}tsʰɔi^{53}ci^{13}tsʰiəu$^{53}_{44}$⋯ŋai^{13}tien^{0} ta^{21}sɔn^{53}kʰəŋ^{35}ʂəu^{21}çi^{53},fan^{21}tʂən$^{53}_{44}$mai^{53}tsʰɔi^{53}ke$^{53}_{44}$ɲin^{13}uɔi^{53}u^{21}a^{0} tʰɔi^{53} pən^{35}ŋai$^{13}_{21}$.ci^{13}tsʰiəu^{53}n̩$^{13}_{44}$kau$^{21}_{44}$,tsʰəŋ^{13}lɔi$^{13}_{44}$təu$^{35}_{53}$puk^{3} iau$^{53}_{44}$kai$^{53}_{44}$tʂak^{3},ci^{13}ua$^{53}_{44}$:"ŋai^{13}tʰau^{21}si^{21}çian^{13},kai^{53}ke^{53}kan^{21} ke$^{53}_{44}$pʰɔk^{5} mo^{13}tʰɔi^{53}tʰau^{21}si^{21}çian^{13}."ci^{13}tsʰi^{21}təu$^{35}_{53}$tʰia^{13}tʂak^{3} tsɿ^{0} tsʰau^{21}lan^{13}tsɿ^{0}.iəu^{35}fan$^{13}_{21}$pau^{21}i^{53}ʂət^{5},kai^{53}tʂak^{3} lau^{21}sɿ$^{35}_{44}$tʰa^{0} kai^{53}tʰei$^{53}_{44}$çiəu^{35}lau^{21}sɿ$^{35}_{44}$.tʂʰɔŋ^{13}ŋet^{3} tʰien^{35}tʰien$^{35}_{44}$təu$^{35}_{44}$tʰia^{35}xa$^{53}_{44}$lan^{13}tsɿ^{0} çi$^{53}_{44}$mai$^{35}_{44}$tsʰɔi$^{53}_{44}$.tsʰau^{21}lan^{13} tsɿ^{0}.

【草笠子】tsʰau^{21}liet^{3}tsɿ^{0} 名 草帽的旧称：哦，也有人喊～嘞。箇真系蛮老个老人家喊过～。草帽又安做～。唔知系唔系就系咁东西啊？以前我等箇映有只箇老子，九十几岁哩正死。渠就硬系～嘞。o$_{21}$,ia^{35}iəu$^{35}_{53}$ɲin$^{13}_{21}$xan^{53}tsʰau^{21}liet^{3} tsɿ^{0} lei^{0}.kai$^{53}_{44}$tʂən^{35}ne$_{44}$(←xe^{53})man^{13}lau^{21}ke^{53}lau^{21}ɲin^{13}ka$^{35}_{53}$xan^{53} ko^{53}tsʰau^{21}liet^{3} tsɿ^{0}.tsʰau^{21}mau$^{53}_{44}$iəu$^{53}_{44}$ɔn$^{35}_{44}$tso$^{53}_{44}$tsʰau^{21}liet^{3} tsɿ^{0}.n̩^{13}ti$^{35}_{44}$xei^{53}me$^{53}_{21}$tsʰiəu^{53}xe$^{53}_{44}$kan^{21}təŋ$^{35}_{44}$si^{0} a^{0}?i$^{35}_{53}$ tsʰien$^{13}_{21}$ŋai$^{13}_{21}$tien^{0} kai$^{53}_{44}$iaŋ$^{53}_{44}$iəu$^{35}_{53}$tʂak^{3} kai$^{53}_{44}$lau^{21}tsɿ^{0},ciəu^{21}ʂət^{5} ci^{21}sɔi$^{53}_{44}$li^{0} tʂaŋ^{53}si^{21}.ci$^{13}_{21}$tsʰiəu^{53}ɲiaŋ^{53}xei$^{53}_{44}$tsʰau^{21} liet^{3} tsɿ^{0} lei^{0}.

【草绿】tsʰau^{21}liəuk^{5} 形 绿而略黄的颜色：～，像草样颜色个绿色，欸，～色。欸，当兵个人个衫就是有～色个。以下是又有更先进个迷彩服唠，系唔系？tsʰau^{21}liəuk^{5},tsʰiɔŋ^{53}tsʰau^{21}iɔŋ^{53} ŋan^{13}sek^{3} ke$^{53}_{44}$liəuk^{3} sek^{3},e$_{21}$,tsʰau^{21}liəuk^{5} sek^{3}.e$_{21}$,tɔŋ^{35}pin^{35}ke^{53}ɲin$^{13}_{44}$ke$^{53}_{44}$san^{35}tsiəu$^{53}_{44}$ʂʅ$^{53}_{44}$iəu$^{35}_{44}$tsʰau^{21}liəuk^{5} sek^{3} ke^{53}.i$^{21}_{13}$xa$^{53}_{44}$ʂʅ$^{53}_{44}$iəu^{53}iəu^{35}ken^{53}sien^{35}tsin$^{53}_{44}$ke^{0} mi^{13}tsʰai^{21}fuk^{5} lau^{0},xei$^{53}_{44}$me$^{53}_{44}$?

【草帽】tsʰau^{21}mau^{53} 名 草织或草编的帽子。旧称"草笠子"：细笠嫲就同箇～咁大子样个嘞，遮阳样嘞。sei^{53}liet^{3} ma^{13}tsʰiəu$^{53}_{44}$tʰəŋ^{13}kai$^{53}_{44}$tsʰau^{21}mau^{53}kan^{21}tʰai^{53}tsɿ^{0} iɔŋ$^{53}_{44}$le^{0},tʂa^{35}iɔŋ^{13}iɔŋ$^{53}_{44}$lei^{0}.

【草蜢】tsʰau^{21}maŋ^{21} 名 蝗虫：蝗虫就系～。fɔŋ^{13}tʂʰəŋ^{13}tsʰiəu^{53}xe^{53}tsʰau^{21}maŋ^{21}.

【草木灰】tsʰau^{21}muk^{3}fɔi^{35} 名 草、木、树叶等烧剩的灰，含钾、磷、钙等，常用作农家肥料：欸，箇个舞倒箇秆灰呀，～箇只啦，舞滴粪去作啊。e$_{21}$,kai^{53}kei$^{53}_{44}$u^{21}tau^{21}kai^{53}kɔn^{21}fɔi^{35}ia^{0},tsʰau^{21} muk^{3} fɔi^{35}kai$^{53}_{44}$tʂak^{3} la^{0},u^{21}tiet$^{5}_{3}$pən^{53}çi$^{53}_{44}$tsɔk^{3} a^{0}.

【草蓬】tsʰau^{21}pʰəŋ^{13} 名 草丛：啊，箇个草呃箇个有花个栏场子箇～肚里，你看下几多子羊翼子啊。a$_{35}$,kai$^{53}_{44}$kei$^{53}_{44}$tsʰau^{21}ə^{0} kai$^{53}_{44}$kei$^{53}_{44}$iəu$^{35}_{44}$fa^{35}ke^{53}laŋ$^{13}_{44}$tʂʰɔŋ$^{13}_{44}$tsɿ^{0} kai^{53}tsʰau^{21}pʰəŋ^{13}təu^{21}li^{0}, ɲi$^{13}_{21}$kʰɔn^{53}xa^{53}ci^{21} to$^{35}_{44}$tsɿ^{0} iɔŋ^{13}iet^{5} tsɿ^{0} a^{0}.

【草蜱子】tsʰau^{21}pi^{35}tsɿ^{0} 名 牛鳖。牛身上长的吸血虫，圆而胖：系，～。箇只东西还有只么个话法吧？真煞哟，箇东西哦食起来哟。渠硬摵都唔脱哟。渠□倒箇个牛身上哦。去食血哦。硬摵都唔脱嘞箇东西嘞。有滴渠□啊咁个栏场嘞，渠唔系□啊咁个背囊上。欸同箇个□下以咁个栏场。以个栏场是渠牛子渠会箇个牛子渠会用脚去咁子去刮呀，系唔系？刮得倒个栏场。渠□下咁个脚胁下咁个栏场。渠渠个牛子个脚刮唔倒个栏场，刮都刮唔倒个栏场。还有滴嘞耳朵背子，系牛子个耳朵背。□倒箇栏场。你爱寻～嘞，你只有箇到箇个栏场去寻。xe$^{53}_{44}$, tsʰau^{21}pi^{35}tsɿ^{0}.kai$^{53}_{44}$tʂak^{3} təŋ$^{35}_{44}$si^{0} xai^{13}iəu^{35}tʂak^{3} mak^{3} e^{0} ua^{53}fait^{3} pa^{0}?tʂən^{35}sait^{3} io^{0},kai$^{53}_{44}$təŋ$^{35}_{44}$si^{0} o^{0} ʂət^{5} çi^{21}lɔi$^{13}_{21}$ io^{0}.ci^{13}ɲiaŋ^{53}miet^{3} təu$^{35}_{53}$n̩$^{13}_{21}$tʰɔit^{3} io^{0}.ci^{13}ma^{53}tau^{21}kai$^{53}_{44}$ke$^{53}_{44}$ɲiəu^{13}ʂən$^{35}_{44}$xɔŋ$^{53}_{44}$ŋo^{0}.ci^{13}ʂət^{5} çiet^{3} o^{0}. ɲiaŋ^{53}miet^{3} təu$^{35}_{53}$ n̩$^{13}_{21}$tʰɔit^{3} lei^{0} kai$^{53}_{44}$təŋ$^{35}_{44}$si^{0} le^{0}.iəu^{35}tet^{5} ci^{13}ma^{53}a^{0} kan$^{21}_{13}$ke^{53}laŋ$^{13}_{44}$tʂʰɔŋ$^{13}_{44}$lei^{0},ci$^{13}_{21}$m̩^{13}pʰe^{53}ma^{53}a^{0} kan^{21}ke$^{53}_{44}$pɔi^{53}lɔŋ$^{13}_{21}$ xɔŋ$^{53}_{44}$.e$_{44}$tʰəŋ^{13}kai$^{53}_{44}$ke$^{53}_{44}$ma^{53}a^{53}i^{21}kan^{21}ke^{53}lan$^{13}_{21}$tʂʰɔŋ$^{13}_{44}$.i^{21}ke^{53}laŋ$^{13}_{21}$tʂʰɔŋ$^{13}_{44}$ʂʅ$^{53}_{44}$ci$^{13}_{44}$ɲiəu^{13}tsɿ^{0} ci^{13}uɔi^{53}kai^{53}ke$^{53}_{44}$ɲiəu^{13}

tsɿ^{0}ci^{13}uɔi^{13}iəŋ^{53}ciɔk^{3}çi^{53}kan^{21}tsɿ^{0}çi^{53}kuait^{3}ia^{0},xei^{53}me^{53}?kuait^{3}tek^{3}tau^{21}ke^{53}laŋ$^{13}_{21}$tʂʰɔŋ$^{13}_{44}$.ci^{13}ma^{53}a^{53}kan^{21}ke$^{53}_{44}$ciɔk^{3}cʰiait^{5}xa^{35}kan^{21}ke^{53}laŋ$^{13}_{21}$tʂʰɔŋ$^{13}_{21}$.ci^{13}ci^{13}kei^{53}ɲiəu^{13}tsɿ^{0}ke^{53}ciɔk^{3}kuait^{3}n̩$^{13}_{21}$tau^{21}ke^{53}laŋ$^{13}_{21}$tʂʰɔŋ$^{13}_{44}$,kuait^{3}təu$^{35}_{53}$kuait^{3}n̩$^{13}_{21}$tau^{21}ke^{53}laŋ$^{13}_{21}$tʂʰɔŋ$^{13}_{44}$.xai^{13}iəu$^{35}_{44}$tet^{3}lei^{0}ɲi^{21}to^{21}pɔi^{53}tsɿ^{0},xei^{53}ɲiəu^{13}tsɿ^{0}ke^{53}ɲi^{21}to^{21}pɔi^{53}.ma^{53}tau^{21}kai$^{53}_{44}$laŋ$^{13}_{21}$tʂʰɔŋ$^{13}_{21}$.ɲi^{13}ɔi^{53}tsʰin^{13}tsʰau^{21}pi^{35}tsɿ^{0}lei^{0},ɲi$^{13}_{21}$tʂɿ^{21}iəu$^{35}_{53}$kai^{53}tau^{53}kai^{53}ke^{0}laŋ$^{13}_{21}$tʂʰɔŋ$^{13}_{44}$çi^{53}tsʰin^{13}.

【草皮】tsʰau^{21}pʰi^{13} 名 连泥带土铲下来的草，用来绿化铺草坪或沤作农家肥：～就系用来绿化个欸一种草。如今呢蛮多地方都就用～呀。哦，以前也系有铲～个。铲下～就沤火土灰哟。草交泥去沤火土灰。我去浏阳系个时候子，有只有只哪映个？邵阳箇向个吧一只婆婆子，真会沤火土灰。渠舞滴子箇烧得着个东西，跍倒去下烧。也放滴子草，一层一层放下去。渠个泥咯全部烧成箇火土灰样个。渠个菜硬唔知几菁啊。渠箇人真会作菜。～呀，烧～呀。tsʰau^{21}pʰi^{13}tsʰiəu^{53}xe$^{53}_{44}$iəŋ^{53}lɔi^{13}ləuk^{5}fa$^{53}_{44}$ke$^{53}_{44}$ei$_{44}$iet^{3}tʂəŋ^{21}tsʰau^{21}.i$^{13}_{21}$cin^{35}ne^{0}man^{13}to$^{35}_{44}$tʰi$^{53}_{44}$fɔŋ$^{35}_{44}$təu$^{35}_{44}$tsʰiəu$^{53}_{44}$iəŋ$^{53}_{44}$tsʰau^{21}pʰi^{13}ia^{0}.o$_{21}$,i$^{13}_{53}$tsʰien^{13}ia^{35}xei^{53}iəu$^{35}_{44}$tsʰan^{21}tsʰau^{21}pʰi^{13}ke^{0}.tsʰan^{21}na$^{53}_{44}$tsʰau^{21}pʰi^{13}tsʰiəu^{53}ei^{53}fo^{21}tʰu^{21}fɔi^{35}io^{0}.tsʰau^{21}ciau^{35}lai^{13}çi$^{53}_{44}$ei^{53}fo^{21}tʰu^{21}fɔi^{35}.ŋai^{13}çi^{53}liəu^{13}iɔŋ$^{13}_{44}$xei^{53}ke$^{53}_{44}$ʂɿ$^{13}_{44}$xəu$^{53}_{44}$tsɿ^{0},iəu^{35}tʂak^{3}iəu^{35}tʂak^{3}la^{53}iaŋ$^{53}_{44}$ke$^{53}_{44}$?ʂau^{53}iɔŋ^{13}kai^{53}çiɔŋ$^{53}_{44}$ke$^{53}_{44}$pa^{0}iet^{3}tʂak^{3}pʰo^{13}pʰo$^{13}_{44}$tsɿ^{0},tʂən^{35}uɔi^{53}ei^{53}fo^{21}tʰu^{21}fɔi^{35}.ci^{13}u^{21}tiet^{5}tsɿ^{0}kai$^{53}_{44}$ʂau^{35}tek^{3}tʂʰɔk$^{5}_{3}$ke$^{53}_{44}$təŋ$^{35}_{44}$si^{0},kʰu$^{35}_{44}$tau$^{21}_{44}$çi$^{53}_{44}$xa$^{53}_{44}$ʂau^{35}.ia$^{35}_{44}$fɔŋ^{53}tet^{5}tsɿ^{0}tsʰau^{21},iet^{3}tsʰen$^{13}_{21}$iet^{3}tsʰen$^{13}_{21}$fɔŋ^{53}a$^{53}_{44}$çi$^{53}_{44}$.ci^{13}ke^{53}lai^{13}ko^{0}tsʰen^{13}pʰu$^{53}_{44}$ʂau^{35}ʂaŋ$^{13}_{21}$kai$^{53}_{44}$fo^{21}tʰu^{21}fɔi^{35}iɔŋ$^{53}_{44}$ke^{0}.ci^{13}ke$^{53}_{44}$tsʰɔi$^{53}_{44}$ɲiaŋ$^{53}_{44}$n̩^{13}ti$^{35}_{53}$ci^{21}tsiaŋ^{35}ŋa^{0}.ci^{13}kai^{53}ɲin$^{13}_{21}$tʂən^{35}uɔi^{53}tsɔk^{3}tsʰɔi^{53}.tsʰau^{21}pʰi^{13}ia^{0},ʂau^{35}tsʰau^{21}pʰi^{13}ia^{0}.

【草扇子】tsʰau^{21}ʂen^{53}tsɿ^{0} 名 用麦秸编成的扇子：我等以个栏场客姓人用个扇子除哩……用得最多个就蒲扇，还有纸扇子，～。欸，～就系用咁个欸麦梗吧，用麦梗织个欸扇子。ŋai^{13}tien^{0}i$^{21}_{13}$ke^{53}laŋ$^{13}_{21}$tʂʰɔŋ$^{13}_{21}$kʰak^{3}sin^{53}ɲin$^{13}_{21}$iəŋ^{53}ke^{0}ʂen^{53}tsɿ^{0}tʂʰu^{13}li^{0}…iəŋ^{53}tek^{3}tsei^{53}to$^{35}_{44}$ke^{0}tsʰiəu$^{53}_{44}$pʰu^{13}ʂen^{53},xai^{13}iəu^{35}tʂɿ^{21}ʂen^{53}tsɿ^{0},tsʰau^{21}ʂen^{53}tsɿ^{0}.e$_{21}$,tsʰau^{21}ʂen^{53}tsɿ^{0}tsiəu$^{53}_{44}$xe$^{53}_{44}$iəŋ^{53}kan^{21}ke$^{53}_{44}$e$_{21}$mak^{5}kuaŋ^{21}pa^{0},iəŋ$^{53}_{44}$mak^{5}kuaŋ^{21}tʂet^{3}cie^{53}e$_{21}$ʂen^{53}tsɿ^{0}.

【草头】tsʰau^{21} tʰei^{13} 名 草字头"艹"：("褡") 系唔系一只衣字旁，箇边一只回答个答字，草头底下一只合字个？xei$^{53}_{44}$mei$^{53}_{44}$iet^{3}tʂak^{3}i^{35}tsʰɿ^{53}pʰɔŋ^{13},kai$^{53}_{44}$pien$^{35}_{44}$iet$^{3}_{5}$tʂak^{3}fei^{13}tait^{3}ke^{53}tait^{3}tsʰɿ^{53},tsʰau^{21}tʰei^{13}te^{21}xa^{53}iet^{3}tʂak^{3}xoit^{5}tsʰɿ$^{13}_{44}$ke$^{53}_{44}$?

【草席】tsʰau^{21}tsʰiak^{5} 名 用席草编织而成的席子：栽倒席草嘞，自家舞倒打绳，做纲，做箇个……中间串起纲啊。然后就自家去打席。打床席，箇是～。□粗个。□人，□背囊。tsɔi^{35}tau^{21}tsʰiak^{5}tsʰau^{21}lei^{0},tsʰɿ^{35}ka$^{35}_{53}$u^{21}tau^{21}ta^{21}ʂən^{13},tso$^{53}_{44}$kɔŋ^{35},tso^{53}kai$^{53}_{44}$kei$^{53}_{44}$…tʂəŋ^{35}kan$^{35}_{44}$tʂʰɔn^{53}cʰi^{21}kɔŋ^{35}ŋa^{0}.vien^{13}xei$^{53}_{44}$tsʰiəu$^{53}_{44}$tsʰɿ^{35}ka$^{35}_{53}$çi$^{53}_{44}$ta^{21}tsʰiak^{5}.ta^{21}tsʰɔŋ^{13}tsʰiak$^{5}_{3}$,kai$^{53}_{44}$ʂɿ$^{53}_{44}$tsʰau^{21}tsʰiak^{5}.cʰia^{35}tsʰəu^{35}ke$^{53}_{21}$.cʰie^{53}ɲin^{13},cʰie$^{53}_{44}$pɔi^{53}lɔŋ^{13}.

【草鞋】tsʰau^{21}xai^{13} 名 用稻草、麻或烂布头等手工编制的一种简易鞋：～都有两种嘞。一种就着倒上岭岗个。以个最简单，只有只鞋底个。鞋底，底下就一只鞋底。箇面上嘞，就几条咁个，同箇，同箇个拖鞋样个东西，同我箇起咁个拖鞋样个，几条咁个几条箇绳子襻倒个，箇是一种。箇～呀，也安做～呀。冇得名称区别，两种都喊～。还有种～嘞，箇就还有面子个。渠用咁个绳子啊一根一根呢，咁子穿起来，有只子鞋面子。也系～。除哩鞋底，还有只鞋面子。欸，我着过，我都着过箇起。以前我等箇有只老子会做，会做咁个鞋。渠个～嘞渠就也就系有面子个～。箇面子嘞，也就系么个东西做个嘞？如今岭上就有箇起芒梗。箇冬芒啊。冬芒嘞，欸，开哩花个箇冬芒去嘿箇芯去，渠就有一条咁个欸靠近箇条花个箇条有箇皮叶子，箇皮叶子比较韧性，分渠捻成绳子，打成绳子，一圈一圈咁子去圈。一圈一圈舞起来，做只鞋面。欸。我着过。渠就还有滴子保温，冷天也着得。tsʰau^{21}xai^{13}təu$^{35}_{44}$iəu$^{35}_{44}$iɔŋ^{21}tʂəŋ^{21}le^{0}.iet^{3}tʂəŋ^{21}tsʰiəu^{53}tʂɔk^{3}tau^{21}ʂɔŋ$^{21}_{44}$liaŋ^{35}kɔŋ$^{35}_{44}$ke$^{53}_{44}$.ie$_{44}$(←i^{21}ke^{53})tsei^{53}kan^{21}tan$^{35}_{44}$,tʂe^{21}iəu$^{35}_{53}$tʂak^{3}xai^{13}te^{21}cie^{53}.xai^{13}te^{21},te^{21}xa^{53}tsʰiəu^{53}iet^{3}tʂak^{3}xai^{13}te^{21}.kai$^{53}_{44}$mien^{53}xɔŋ$^{53}_{44}$lei^{0},tsʰiəu^{53}ci^{21}tʰiau^{13}kan^{21}ke^{53},tʰəŋ^{13}kai^{53},tʰəŋ$^{13}_{21}$kai$^{53}_{44}$ke$^{53}_{44}$tʰo^{35}xai$^{13}_{21}$iɔŋ$^{53}_{44}$ke$^{53}_{44}$təŋ$^{35}_{44}$si^{0},tʰəŋ^{13}ŋai^{13}kai^{53}çi^{21}kan^{21}cie^{53}tʰo^{35}xai$^{13}_{21}$iɔŋ$^{53}_{44}$ke$^{53}_{44}$,ci^{21}tʰiau^{13}kan^{21}ke^{53}ci^{21}tʰiau^{13}kai$^{53}_{44}$ʂən^{13}tsɿ^{0}pʰan^{53}tau^{21}ke^{53},kai^{53}ʂɿ^{53}iet^{3}tʂəŋ^{21}.kai^{53}tsʰau^{21}xai^{13}ia^{0},ia^{35}ɔn$^{35}_{44}$tso$^{53}_{44}$tsʰau^{21}xai^{13}ia^{0}.mau^{13}tek^{3}min^{13}tʂʰən$^{35}_{44}$tʂʰɥ$^{13}_{44}$pʰiek$^{5}_{3}$,iɔŋ^{21}tʂəŋ^{21}təu$^{35}_{44}$xan^{53}tsʰau^{21}xai^{13}.xai^{13}iəu$^{35}_{53}$tʂəŋ^{21}tsʰau^{21}xai$^{13}_{21}$lei^{0},kai$^{53}_{44}$tsʰiəu$^{53}_{44}$xai$^{13}_{21}$iəu$^{35}_{44}$mien^{53}tsɿ^{0}ke$^{53}_{44}$.ci^{13}iəŋ^{53}kan^{21}kei^{53}ʂən^{13}tsɿ^{0}a^{0},iet^{3}cʰien^{35}iet^{3}cʰien^{35}ne^{0},kan^{21}tsɿ^{0}tʂʰɔn^{53}çi^{21}lɔi$^{13}_{21}$,iəu^{35}tʂak^{3}tsɿ^{0}xai^{13}mien^{53}tsɿ^{0}.ia^{35}xei^{53}tsʰau^{21}xai$^{13}_{21}$.tʂʰəu^{13}li^{0}xai^{13}te^{21},xai$^{13}_{21}$iəu$^{35}_{44}$tʂak^{3}xai^{13}mien^{53}tsɿ^{0}.e$_{21}$,ŋai^{13}tʂɔk^{3}ko^{53},ŋai^{13}təu$^{35}_{53}$tʂɔk^{3}ko^{53}kai^{53}çi^{21}.i^{35}tsʰien$^{13}_{21}$ŋai$^{13}_{21}$tien^{0}kai$^{53}_{44}$iəu^{35}tʂak^{3}lau^{21}tsɿ^{0}uɔi$^{53}_{44}$tso$^{53}_{44}$,uɔi$^{53}_{44}$tso^{53}kan^{21}cie^{53}xai$^{13}_{21}$.ci$^{13}_{21}$ke^{53}tsʰau^{21}xai^{13}lei^{0}ci$^{13}_{21}$tsʰiəu$^{53}_{44}$ia^{35}tsʰiəu^{53}xei$^{53}_{44}$iəu^{35}mien^{53}tsɿ^{0}ke$^{53}_{44}$tsʰau^{21}xai^{13}.kai$^{53}_{44}$mien^{53}tsɿ^{0}lei^{0},ia^{35}tsʰiəu$^{53}_{44}$xe$^{53}_{44}$mak^{3}ke$^{53}_{44}$təŋ$^{35}_{44}$si^{0}tso^{53}

ke$^{53}_{44}$lei^{0} ?i$^{13}_{21}$cin$^{35}_{44}$liaŋ^{35}xɔŋ$^{53}_{44}$tsʰiəu$^{53}_{44}$iəu^{35}kai$^{53}_{44}$çi$^{21}_{44}$mɔŋ^{13}kuaŋ^{21}.kai$^{53}_{44}$təŋ^{35}mɔŋ^{13}ŋa^{0}.təŋ^{35}mɔŋ$^{13}_{21}$lei^{0},e$_{21}$,kʰɔi^{35}li^{0} fa^{35} ke$^{53}_{44}$kai$^{53}_{44}$təŋ^{35}mɔŋ$^{13}_{21}$tʂʰʅ^{53}(x)ek^{3} kai$^{53}_{44}$sin^{35}çi$^{53}_{21}$,ci$^{13}_{21}$tsʰiəu$^{53}_{44}$iəu^{35}iet^{3} tʰiau$^{13}_{21}$kan^{21}ke^{53}e$_{21}$kʰau^{35}cʰin$^{35}_{44}$kai^{53}tʰiau$^{13}_{21}$fa^{35} ke$^{53}_{44}$kai$^{53}_{44}$tʰiau$^{13}_{21}$iəu$^{35}_{44}$kai$^{53}_{44}$pʰi$^{13}_{21}$iait^{5} tsɿ^{0},kai$^{53}_{44}$pʰi$^{13}_{21}$iait^{5} tsɿ^{0} pi^{21}ciau$^{53}_{44}$ɲin^{53}sin^{53},pən^{35}ci^{21}ɲien^{21}ʂaŋ^{13}ʂən^{13}tsɿ^{0},ta^{21} ʂaŋ^{13}ʂən^{13}tsɿ^{0},iet^{3} cʰien^{35}iet^{3} cʰien^{35}kan^{21}tsɿ^{0} çi$^{53}_{44}$cʰien^{35}.iet^{3} cʰien^{35}iet^{3} cʰien^{35}u^{21}çi^{21}lɔi$^{13}_{21}$,tso^{53}tʂak^{3} xai$^{13}_{21}$ mien$^{53}_{44}$.e$_{21}$.ŋai^{13}tʂɔk^{3}ko^{53}.ci^{13}tsʰiəu^{53}xai$^{13}_{21}$iəu^{35}tiet^{5}tsɿ^{0} pau^{21}uən^{35},laŋ^{35}tʰien$^{35}_{44}$ia$^{35}_{44}$tʂɔk^{3}tek^{3}.

【草鞋搭】tsʰau^{21}xai^{13}tait^{3} [名]毛虫名，大而长，常栖息于杨梅等树上，花黑色或灰色，毒性较大：杨梅树上个就喊～。/～是痒死人个是。/～就箇就不是蚕了。/渠等两向都徛得啊。欸，以个箇面前个莖都渠慢点变欸后背箇只脚又吊得稳呶。/两头都搭得稳。你分渠搞一下子系唔系？/啊，系，又毛乎乎哩。/就毛毛虫样啊。/就系只毛虫差唔多。/懑大。/但是渠个毛几硬啊。毛几硬哦！/分渠搞一下你输哩命。/渠多又咁多。iɔŋ^{13}mɔi^{13}ʂəu^{53}xɔŋ^{53}ke^{53}tsʰiəu$^{53}_{21}$xan^{53} tsʰau^{21}xai^{13}tait^{3}./tsʰau^{21}xai^{13}tait^{3} ʂʅ$^{53}_{44}$iɔŋ^{35}si^{21}ɲin^{13}ke^{53}ʂʅ$^{53}_{21}$./tsʰau^{21}xai^{13}tait^{3} tsʰiəu$^{53}_{21}$kai^{53}tsʰiəu$^{53}_{44}$pət^{3} ʂʅ$^{53}_{44}$tsʰan$^{13}_{21}$ liau^{0}./ci^{13}tien^{0} iɔŋ^{21}çiɔŋ^{53}təu$^{35}_{44}$cʰi^{35}tek^{3} a^{0} .e$_{21}$,i$^{21}_{13}$ke$^{53}_{44}$kai$^{53}_{44}$mien^{53}tsʰien^{13}ke$^{53}_{44}$tsʰo^{53}təu$^{35}_{44}$ci^{13}man^{53}tian^{21}pien$^{53}_{44}$e$_{21}$ xəu^{53}pɔi$^{53}_{44}$kai$^{53}_{44}$tʂak^{3} ciɔk^{3} iəu$^{35}_{44}$tiau$^{53}_{44}$tek^{3} uən^{21}nau^{0}./iɔŋ^{21}tʰei^{13}təu$^{35}_{53}$tait^{3} tek^{3} uən^{21}. ɲi^{13}pən$^{35}_{44}$ci$^{13}_{21}$kau^{21}iet^{3} xa$^{53}_{44}$tsɿ^{0} xei$^{53}_{44}$me$^{53}_{44}$?/a^{35},xei$^{53}_{44}$,iəu^{53}mau^{35}fu^{13}fu^{13}li^{0}./tsiəu^{53}mau^{13}mau$^{13}_{44}$tʂʰəŋ^{13}iɔŋ^{53}a^{0}./tsʰiəu^{53}xe$^{53}_{44}$tʂak^{3} mau^{35}tʂʰəŋ$^{13}_{21}$tsa^{35} n̩$^{13}_{21}$to^{35}./mən^{35}tʰai^{53}./ tan$^{53}_{44}$ʂʅ$^{53}_{44}$ci^{13}ke$^{53}_{44}$mau^{35}ci$^{21}_{44}$ŋaŋ^{53}ŋa^{0}.mau^{35}ci$^{21}_{44}$ŋaŋ^{53}ŋo^{0} !/pən$^{35}_{44}$ci^{13}kau^{21}iet^{3} xa$^{53}_{44}$ɲi^{13}ʂəu$^{35}_{44}$li^{0} miaŋ^{53}./ci$^{13}_{21}$to^{35}iəu$^{53}_{44}$kan^{21}to^{35}.

【草鞋耙】tsʰau^{21}xai^{13}pʰa^{13} [名]蝎子，也指水中一种形如蝎子的昆虫：～，系种昆虫呢。tsʰau^{21}xai^{13}pʰa^{13},xei^{53}tʂəŋ^{21}kʰuən^{35}tʂʰəŋ$^{13}_{21}$nei^{0}.

【草烟】tsʰau^{21}ien^{35} [名]旱烟。又称"生烟"：我等个～只爱晾下去咯。唔爱么啊烤一下。/生烟呶。常模叔你滴是生烟吧？你栽……栽个铁梗烟呢湖……/你个生烟就都都假个了吧？/欸，去江西买个。/江西买个噢？/噢噢，那差唔多。/我如今我是赠搞。/赠栽了吧？/种噢。箇就烤烟也有种下子，土烟也有种啊，～呐也有人种啊。/我等以只喊～，食～。/生烟，也有安做生烟。ŋai^{13}tien^{0} ke$^{53}_{44}$tsʰau^{21}ien^{35}tʂe^{21}ɔi$^{53}_{44}$iɔŋ^{53}ŋa$_{44}$(←xa^{53})çi$^{53}_{44}$ko^{0} .m̩$^{13}_{21}$mɔi$^{53}_{44}$mak^{3} a^{0} kʰau^{21}iet^{3} xa^{53}./saŋ^{35} ien^{35}nau^{0} .ʂɔŋ^{13}mu$^{13}_{44}$ʂəuk^{3} ɲi^{13}tet$^{5}_{3}$ ʂʅ^{53}saŋ^{35}ien$^{35}_{44}$pa^{0} ?ɲi$^{13}_{44}$tsɔi^{35}⋯tsɔi^{35}ke$^{53}_{44}$tʰiet^{3} kuaŋ^{21}ien^{35}ne^{0} fu$^{13}_{21}$⋯/ɲi^{13}ke$^{53}_{44}$ saŋ$^{35}_{44}$ien$^{35}_{44}$tsiəu$^{53}_{21}$təu^{35}təu$^{35}_{44}$cia^{21}ke^{53}liau^{21}pa^{0}?/e$_{21}$,çi$^{53}_{44}$kɔŋ^{35}si$^{35}_{44}$mai^{35}ke$^{53}_{44}$./kɔŋ$^{35}_{44}$si$^{35}_{44}$mai^{35}ke^{53}au^{0}?/au$_{21}$au$_{21}$,lai^{53}tsa$^{35}_{44}$ n̩$^{13}_{21}$to$^{35}_{44}$./ŋai^{13}i$^{13}_{21}$cin$^{35}_{44}$ŋai$^{13}_{44}$ʂʅ$^{53}_{44}$maŋ^{13}kau^{21}./maŋ^{13}tsɔi^{35}liau^{21}pa^{0}?/tʂəŋ^{53}ŋau^{0}.kai$^{53}_{44}$tsʰiəu$^{53}_{44}$kʰau^{21}ien^{35}ia^{35}iəu^{35}tʂəŋ^{53} ŋa$_{44}$(←xa^{53})tsɿ^{0},tʰəu^{21}ien$^{35}_{44}$ia$^{35}_{44}$iəu$^{35}_{44}$tʂəŋ$^{53}_{44}$ŋa^{0},tsʰau^{21}ien$^{35}_{44}$na^{0} ia^{35}iəu$^{35}_{44}$ɲin$^{13}_{21}$tʂəŋ^{53}ŋa^{0}./ŋai^{13}tien^{0} i$^{21}_{44}$tʂak^{3} xan^{53} tsʰau^{21}ien^{35},ʂət^{5} tsʰau^{21}ien^{35}./saŋ^{35}ien$^{35}_{44}$,ia$^{35}_{21}$iəu^{35}ɔn$^{35}_{44}$tso$^{53}_{44}$saŋ^{35}ien$^{35}_{44}$.

【草烟筒】tsʰau^{21}ien^{35}tʰəŋ^{13} [名]旱烟筒。又称"生烟筒"：我爷子就尽食水烟筒啊，食箇个食箇旱烟筒啊，～啊。旱烟筒又安做～嘞。ŋai$^{13}_{21}$ia^{13}tsɿ^{0} tsʰiəu$^{53}_{44}$tsʰin^{53}ʂət^{5} ʂei^{21}ien$^{35}_{44}$tʰəŋ$^{13}_{21}$ŋa^{0} ,ʂət^{5} kai$^{53}_{44}$ke$^{53}_{44}$ ʂət^{5} kai$^{53}_{44}$xɔn^{53}ien$^{35}_{44}$tʰəŋ$^{13}_{21}$ŋa^{0} ,tsʰau^{21}ien$^{35}_{44}$tʰəŋ$^{13}_{21}$ŋa^{0} .xɔn^{53}ien$^{35}_{44}$tʰəŋ$^{13}_{21}$iəu$^{53}_{44}$ɔn$^{35}_{44}$tso$^{53}_{44}$tsʰau^{21}ien$^{35}_{44}$tʰəŋ$^{13}_{21}$le^{0} .

【草药】tsʰau^{21}iɔk^{5} [名]取自植物界的中药材：以只东西指石菖子箇就是别人家寻～箇是讲。i^{21}tʂak^{3} təŋ$^{35}_{44}$si^{0} kai$^{53}_{21}$tsʰiəu$^{53}_{44}$ʂʅ$^{53}_{44}$pʰiek^{5} in$^{13}_{44}$ka$^{35}_{44}$tsʰin^{13}tsʰau^{21}iɔk^{5} kai$^{53}_{44}$ʂʅ$^{53}_{44}$kɔŋ$^{21}_{44}$.

【草鱼】tsau^{21}ŋ̍^{13} [名]鱼名：～嘞就爱畜大滴子，正可以舞下箇大田里去畜。tsʰau^{21}ŋ̍^{13}lei^{0} tsʰiəu^{53} ɔi^{53}çiəuk^{3} tʰai^{53}tiet^{5} tsɿ^{0},tʂaŋ$^{53}_{44}$kʰo^{21}i$^{35}_{44}$u^{21}(x)a$^{53}_{44}$kai$^{53}_{44}$tʰai^{53}tʰien$^{13}_{21}$ni^{21}çi^{53}çiəuk^{3}.

【草纸】tsʰau^{21}tʂʅ^{21} [名]用稻草等原料制成的纸，质地粗糙，多用来打纸煤，做包装纸、卫生用纸，或祭奠亲人、祭祀之用。也称"草纸子"：买滴箇～去打纸煤呀。mai^{35}tiet^{5} kai$^{53}_{44}$tsʰau^{21}tʂʅ^{21} çi^{53}ta^{21}tʂʅ^{21}mɔi^{13}ia^{0}.｜做～嘞，箇迷信纸，～嘞，就生料纸就唔爱蒸。tso^{53}tsʰau^{21}tʂʅ^{21}lei^{0},kai$^{53}_{44}$mei^{13} sin^{53}tʂʅ^{21},tsʰau^{21}tʂʅ^{21}lei^{0},tsʰiəu$^{53}_{44}$saŋ^{35}liau$^{53}_{44}$tʂʅ^{21}tsʰiəu$^{53}_{44}$m̩$^{13}_{21}$mɔi$^{53}_{35}$tʂən^{35}. ｜箇个牌位嘞就舞滴子纸子，搞滴子～子，和牌位烧嘿去。kai$^{53}_{44}$ke$^{53}_{44}$pʰai^{13}uei$^{53}_{44}$le^{0} tsʰiəu$^{53}_{44}$u^{21}tiet^{5} tsɿ^{0} tʂʅ^{21}tsɿ^{0},kau^{21}tiet^{5} tsɿ^{0} tsʰau^{21}tʂʅ^{21} tsɿ^{0},uɔk^{5} pʰai$^{13}_{21}$uei$^{53}_{44}$ʂau$^{35}_{44}$(x)ek^{3} çi$^{53}_{21}$.

【草籽】tsʰau^{21}tsɿ^{21} [名]指紫云英，学名红花草，豆科黄芪属越年生草本植物：以前是栽～，田里曳～啊做肥料。其实箇～肥蛮好嘞，箇紫云英个～肥蛮好嘞。i$^{35}_{53}$tsʰien$^{13}_{44}$ʂʅ$^{53}_{44}$tsɔi^{35}tsʰau^{21}tsɿ^{21}, tʰien^{13}ni^{21}ve^{53}tsʰau^{21}tsɿ^{21}a^{0} tso^{53}fei^{13}liau^{53}.cʰi^{13}ʂət^{5} kai^{53}tsʰau^{21}tsɿ^{21}fei^{13}man^{13}xau^{21}lei^{0},kai^{53}tsɿ^{21}uən$^{13}_{21}$in^{35}ke^{53} tsʰau^{21}tsɿ^{21}fei^{13}man^{13}xau^{21}lei^{0}.

【侧$_{1}$】tsek^{3} [动]向旁边歪斜：有只有起安做抢水呀，箇手～转来个吵，攒劲，攒劲咁子游。iəu$^{35}_{44}$tʂak^{3} iəu^{35}çi^{21}ɔn$^{35}_{44}$tso$^{53}_{44}$tsʰiɔŋ^{21}ʂei^{21}ia^{0},kai$^{53}_{44}$ʂəu^{21}tsek^{3} tʂɔn^{21}nɔi$^{13}_{44}$ke$^{53}_{44}$ʂa^{0},tsan^{21}cin^{53},tsan^{21}cin^{53}kan^{21}tsɿ^{0} iəu$^{13}_{21}$.

【侧$_{2}$】tsek^{3} [名]侧面：坐上，坐前，坐～。tsʰo^{35}ʂɔŋ^{35},tsʰo^{35}tsʰien^{13},tsʰo^{35}tsek^{3}.

【侧$_{3}$】tsek^{3} 形倾斜：（打栅）～个放倒。tsek^{3} ke$^{53}_{44}$fɔŋ$^{53}_{44}$tau^{21}.

【侧边】tsek^{3}pien^{35} 名①侧面：橱子系～开门。tʂʰəu^{13}tsɿ^{0} xe^{53}tsek^{3} pien$^{35}_{44}$kʰɔi$^{35}_{44}$mən$^{13}_{21}$.｜箇只牛轭～呐有只圆……竹圈子啊，穿牛绳个啊。kai^{53}tʂak^{3} ɲiəu^{13}ak^{3} tsek^{3} pien^{35}na^{0} iəu$^{35}_{44}$tʂak^{3} ien^{13}…tʂəuk^{3} cʰien^{35}tsa^{0},tʂʰɔn^{53}ɲiəu^{13}ʂən$^{13}_{44}$ke$^{53}_{44}$a^{0}. ②近旁，附近。也称“侧边子”：渠等话陈家桥箇映子个唐兴寺箇～真多人靠念经都赚蛮多钱话唠。.ci$^{13}_{21}$tien^{0} ua^{53}tʂʰən$^{13}_{21}$ka$^{35}_{44}$cʰiau$^{13}_{21}$kai^{53}iaŋ$^{53}_{44}$tsɿ^{0} ke$^{53}_{44}$tʰɔŋ^{13}çin$^{35}_{44}$sɿ^{53} kai$^{53}_{44}$tsek^{3} pien$^{35}_{44}$tʂən^{35}to$^{35}_{44}$ɲin$^{13}_{21}$kʰau^{53}ɲian^{53}cin^{35}təu$^{35}_{44}$tsʰan^{53}man$^{13}_{21}$to$^{35}_{44}$tsʰien$^{13}_{21}$ua^{53}lau^{0}.

【侧侧哩$_{1}$】tsek^{3} tsek^{3} li^{0}/tseit$^{3}_{35}$tseit^{3} li^{0} 动①侧着（身体）：～睡 tsek^{3} tsek^{3} li^{0} ʂɔi^{53}。②摇晃不稳：渠个脚□个，走起路来，咁子这样～。ci^{13}ke^{53}ciɔk^{3} ŋau^{13}ke^{53},tsei^{21}çi^{21}ləu^{13}lɔi$^{13}_{21}$,kan^{21}tsɿ^{0} tse^{53}iɔŋ$^{53}_{21}$tseit$^{3}_{35}$ tseit^{3} li^{0}.

【侧侧哩$_{2}$】tsek^{3} tsek^{3} li^{0} 副隐约；依稀：～记得啊箇只蚕虫……蚕虫肚里箇个肉啊，箇只蛹啊。tsek^{3} tsek^{3} li^{0} ci$^{53}_{44}$tek^{3} a^{0} kai$^{53}_{44}$tʂak^{3} tsʰan$^{13}_{44}$tʂʰəŋ$^{13}_{44}$…tsʰan^{13}tʂʰəŋ$^{13}_{44}$təu^{21}li^{0} kai$^{53}_{44}$ke$^{53}_{44}$ɲiəuk^{3} a^{0} ,kai$^{53}_{44}$tʂak^{3} iəŋ^{21}ŋa^{0}.

【侧侧子】tsek^{3} tsek^{3} tsɿ^{0} 动侧着（身体）：～睡 tsek^{3} tsek^{3} tsɿ^{0} ʂɔi^{53}

【侧门】tsek^{3}mən^{13} 名横屋、侧扉或厢房向房屋外侧开的门：～就系横屋个门呢。从前个老屋嘞，上背一栋就正屋呢，系啊？正屋。以映就横厅子嘞，横屋嘞。两边个横屋嘞。横屋个门就安做～。打比样以映一栋，以映一栋，两栋，系唔系？或者只有一栋，中间个就正门，大门。侧边开来开转以向子箇。箇一般来讲，打比三间屋样，以箇打比以映子过三间屋样，以中间开哩一皮门，以只前经墙以向两边再有么人开门了。箇唔开门。一般呢就开转以个扉上开个就侧欸边扉上开只开皮子～子。又安做小门子。开皮子小门子。箇就～。好，上哩两栋个屋，上哩两栋，以只以只又有厢房，箇厢房边子上个开～子。好，如果以映一栋，以两向，两向个横屋又伸出来，箇起横屋以所，横屋就可以开几皮门，系啊？箇个都系喊～。tsek^{3} mən^{13}tsʰiəu^{53}xe^{53}uaŋ^{13}uk^{3} ke^{53}mən^{13}nei^{0}.tsʰəŋ^{13}tsʰien^{13}kei^{53}lau^{21}uk^{3} lei^{0},ʂɔŋ^{53}pɔi^{53}iet^{3} təŋ$^{53}_{44}$tsʰiəu$^{53}_{44}$tʂən^{53}uk^{3} nei^{0},xei$^{53}_{44}$a^{0}?tʂən^{53}uk^{3}.i^{21}iaŋ^{53}tsʰiəu^{53}uaŋ^{13}tʰaŋ^{35}tsɿ^{0} lei^{0},uaŋ^{13}uk^{3} lei^{0}.iɔŋ^{21}pien^{35}ke^{0} uaŋ^{13}uk^{3} lei^{0}.uaŋ^{13}uk^{3} ke^{53} mən^{13}tsʰiəu^{53}ɔn$^{35}_{53}$tso^{53}tsek^{3} mən^{13}.ta^{21}pi^{21}iɔŋ^{53}i^{21}iaŋ^{53}iet^{3} təŋ^{53},i^{21}iaŋ^{53}iet^{3} təŋ^{53},iɔŋ^{21}təŋ^{53},xei^{53}me^{53}?xɔit^{3} tʂa^{21} tʂət^{3} iəu^{35}iet^{3} təŋ^{53},tʂəŋ^{35}kan$^{35}_{44}$ke^{0} tsʰiəu$^{53}_{21}$tʂən^{53}mən$^{13}_{21}$,tʰai^{53}mən$^{13}_{21}$.tsek^{3} pien^{35}kʰɔi$^{35}_{44}$lɔi$^{13}_{21}$kʰɔi$^{35}_{44}$tʂɔn^{21}i^{21}çiɔŋ^{53}tsɿ^{0} kai^{53}.kai^{53}iet^{3} pɔn^{35}nɔi$^{13}_{21}$kɔŋ^{21},ta^{21}pi^{21}san^{35}kan$^{35}_{44}$uk^{3} iɔŋ^{53},i$^{21}_{44}$kai$^{53}_{44}$ta^{21}pi^{21}i^{21}iaŋ^{53}tsɿ^{0} ko^{53}san^{35}kan$^{35}_{44}$uk^{3} iɔŋ$^{53}_{44}$,i^{21}tʂəŋ^{35} kan$^{35}_{44}$kʰɔi$^{35}_{44}$li^{0} iet^{3} pʰi^{13}mən^{13},i^{21}tʂak^{3} tsʰien^{13}cin$^{35}_{44}$tsʰiɔŋ$^{13}_{21}$i^{21}çiɔŋ^{53}iɔŋ^{21}pien^{35}tsai^{53}mau$^{13}_{21}$mak^{3} in$^{13}_{21}$kʰɔi^{35}mən$^{13}_{21}$ liau^{0}.kai$^{53}_{44}$m̩^{13}kʰɔi$^{35}_{44}$mən$^{13}_{21}$.iet^{3} pɔn^{35}ne^{0} tsʰiəu$^{53}_{44}$kʰɔi^{35}tʂɔn^{21}i^{21}ke^{0} fei^{35}xɔŋ^{53}kʰɔi^{35}ke^{0} tsʰiəu$^{53}_{44}$tsek^{3} e$_{21}$pien^{35}fei^{35} xɔŋ^{53}kʰɔi^{35}tʂak^{3} kʰɔi^{35}pʰi$^{13}_{21}$tsɿ^{0} tsek^{3} mən^{13}tsɿ^{0}.iəu^{53}ɔn$^{35}_{53}$tso^{53}siau^{21}mən^{13}tsɿ^{0}.kʰɔi^{35}pʰi$^{13}_{21}$tsɿ^{0} siau^{21}mən^{13}tsɿ^{0}.kai^{53} tsʰiəu^{53}tsek^{3} mən$^{13}_{44}$.xau^{21},ʂɔŋ^{53}li^{0} iɔŋ^{21}təŋ^{53}ke^{53}uk^{3},ʂɔŋ^{53}li^{0} iɔŋ^{21}təŋ^{53},i^{21}tʂak^{3} i^{21}tʂak^{3} iəu$^{53}_{44}$iəu$^{35}_{44}$siɔŋ^{35}fɔŋ$^{13}_{44}$,kai$^{53}_{44}$ siɔŋ^{35}fɔŋ$^{13}_{21}$pien^{35}tsɿ^{0} xɔŋ^{53}ke^{53}kʰɔi$^{35}_{44}$tsek^{3} mən^{13}tsɿ^{0}.xau^{21},ɥ^{13}ko^{21}i^{21}iaŋ^{53}iet^{3} təŋ^{53},i^{21}iɔŋ^{21}çiɔŋ^{53},iɔŋ^{21}çiɔŋ^{53}ke^{53} uaŋ^{13}uk^{3} iəu^{53}tʂʰən^{35}tʂʰət^{3} lɔi^{13},kai^{53}çi$^{21}_{53}$uaŋ^{13}uk^{3} i^{21}so^{21},uaŋ^{13}uk^{3} tsʰiəu$^{53}_{44}$kʰo^{21}i$^{35}_{44}$kʰɔi^{35}ci^{21}pʰi^{13}mən^{13},xei^{53} a^{0}?kai$^{53}_{44}$ke$^{53}_{44}$təu^{35}xei^{53}xan^{53}tsek^{3} mən$^{13}_{21}$.

【侧上边】tset^{3} xɔŋ$^{53}_{44}$pien$^{35}_{44}$ 名旁边：箇只皇岗箇映子有只华佗先师庙，～也只观音娘娘。kai$^{53}_{44}$ tʂak^{3} uɔŋ^{13}kɔŋ$^{35}_{44}$kai$^{53}_{44}$iaŋ^{53}tsɿ^{0} iəu$^{35}_{44}$tʂak^{3} fa^{13}tʰo^{13}sien$^{35}_{44}$sɿ$^{35}_{44}$miau^{53},tset^{3} xɔŋ$^{53}_{44}$pien$^{35}_{44}$ia^{35}tʂak^{3} kɔn^{35}in$^{35}_{53}$ɲiɔŋ$^{13}_{21}$ɲiɔŋ$^{13}_{21}$.

【测字】tsʰek^{3} sɿ^{53} 动一种迷信活动。离合汉字偏旁笔画，加以解释，以预卜吉凶：（打论头）就系同箇个么啊占卦～样箇只咁个。tsʰiəu$^{53}_{44}$xei$^{53}_{44}$tʰəŋ$^{13}_{21}$kai$^{53}_{44}$ke$^{53}_{44}$mak^{3} a^{0} tʂan^{35}kua^{53}tsʰek^{3} sɿ^{53}iɔŋ$^{53}_{21}$kai$^{53}_{44}$ tʂak^{3} kan^{21}cie$^{53}_{44}$.

【策】tsʰek^{3} 动骗：你～唔倒我。ɲi^{13}tsʰek^{3} ŋ̍^{13}tau^{21}ŋai^{13}.

【层】tsʰien^{13} 量①用于重叠、积垒的东西：渠你箇只屋爱做一～，做一～就一～楼栿啊。ci^{13} ɲi^{13}kai^{53}tʂak^{3} uk^{3} ɔi$^{53}_{44}$tso^{53}iet^{3} tsʰien^{13},tso^{53}iet^{3} tsʰien^{13}tsʰiəu^{53}iet^{3} tsʰien^{13}lei^{13}fuk^{5} a^{0}.｜布鞋个鞋底面上啊，加～子雪白子个，着来……欸。pu^{53}xai^{13}ke^{53}xai^{13}te^{21}mien^{53}xɔŋ^{53}ŋa^{0} ,cia^{35}tsʰien^{13}tsɿ^{0} siet$^{5}_{3}$ pʰak^{5} tsɿ^{0} cie^{53},tʂɔk^{3} lɔi$^{13}_{44}$…e$_{21}$. ②用于可从物体表面揭开或抹去的东西：石灰李就面上噢包～箇白粉子箇样个。ʂak^{5} fɔi^{35}li^{21}tsʰiəu$^{53}_{44}$mien^{53}xɔŋ$^{53}_{44}$ŋau^{0} pau^{35}tsʰen$^{13}_{21}$kai^{53}pʰak^{5} fən^{21}tsɿ^{0} kai$^{53}_{21}$(i)ɔŋ$^{53}_{44}$ke$^{53}_{44}$. ③用于有层次的事物：箇就第二～个，就竹绒。kai$^{53}_{44}$tsʰiəu$^{53}_{44}$tʰi$^{53}_{44}$ɲi^{53}tsʰien^{13}ke$^{53}_{44}$,tsʰiəu$^{53}_{44}$tʂəuk^{3} iəŋ^{13}.｜就系一只竹篾肚里欸一篾竹篾，第一～就头青欸。也还好，但是冇得咁好。……第二～篾篾最好。第二～呐，最好。/第三～四～个又冇咁好了。tsʰiəu^{53}uei^{53}(←xei^{53})iet^{3} tʂak^{3} tʂəuk^{3} sak^{3} təu^{21}li^{0} e$_{21}$iet^{3} sak^{3} tʂəuk^{3} sak^{3},tʰi^{53}iet^{3} tsʰien^{13}tsʰiəu$^{53}_{44}$tʰei^{13}tsʰiaŋ$^{53}_{44}$ŋei^{0} .ia^{35}xai$^{13}_{21}$xau^{21},tan^{53}sɿ^{53}mau$^{13}_{21}$tek^{3} kan^{21}xau^{21}.…tʰi$^{53}_{44}$ɲi^{53}

tsʰien13_21miet5 sak3 tsei53xau21.tʰi53_44ɲi53tsʰien13na0,tsei53xau21./tʰi53_44san35tsʰien13_21si53tsʰien13_44ke53_44iəu53_44mau13_44kan21 xau21liau0.

【瞪】tsʰaŋ13 动刺眼：光线过强，使眼睛感到不舒服：我今晡早晨去开㕭去张坊中学箇映子吵，从箇个中堂箇条路一转，系唔系？转下张坊中学以映来，就正对倒箇只太阳啰，东方箇太阳啰。我即即哩分箇块皮子放下来都还系～眼珠唠。一只日头个须一～，～下我眼珠上。箇舞倒我硬箇映子硬慢慢子开呀硬啊，慢慢子移兜子啊。人又咁多箇一下，又咁多人，又咁多车，我硬停正来。ŋai13_21cin35_44pu35_53tsau21ʂən13çi53_44kʰɔi35_44e_21çi53tʂɔŋ35_44fɔŋ35_44tʂəŋ35çiɔk5 kai53_44iaŋ53_44tsɿ0ʂa0,tsʰəŋ13 kai53ke53_44tʂəŋ35tʰɔŋ13_21kai53_44tʰiau13ləu53iet3 tʂuɔn21,xei53me53?tʂuɔn21na53_21tʂɔŋ35_44fɔŋ35_44tʂəŋ35_44çiɔk5 i21iaŋ53lɔi13_21,tsʰiəu53_44 tʂən53ti53tau21kai53tʂak3 tʰai53iɔŋ13_21lo0,təŋ35fɔŋ35_44kai53tʰai53iɔŋ13_44lo0.ŋai13tsiet5 tsiet5 li0 pən35kai53_44kʰuai53pʰi13tsɿ0 fan35_44xa53_44lɔi13_44təu35_53xan13xei53tsʰaŋ13ŋan21tʂəu35lau0.iet3 tʂak3 ɲiet3 tʰei13ie0 si35iet3 tsʰaŋ13_21,tsʰaŋ13ŋa53ŋai13_21ŋan21 tʂəu35_44xɔŋ53_44.kai53_44u21tau21ŋai13_21ɲiaŋ53kai53_44iaŋ53_44tsɿ0ɲiaŋ53_44man53man53_44tsɿ0 kʰɔi35ia0ɲiaŋ53ŋa0,man53man53_44tsɿ0 i13te35_44 tsɿ0 a0. ɲin13iəu53kan21to35kai53iet3 xa53,iəu53kan21to35_53ɲin13,iəu53kan21to35_53tʂʰa35,ŋai13ɲiaŋ53tʰin13tʂaŋ53lɔi13_21.

◇《广韵》昨棱切："目小作态瞢瞪也。"《类篇》："瞢瞪，目不明貌。"

【蹭】tsʰən53 动搓除：身上出哩汗，人身上出哩汗，去～呐，去咁子去～呐，就会起𩟔。有只笑话咯。从前有只夫娘子，㕭，唔系哦，有只人呐，夜了，去人家屋下借歇。箇是讲我等姓万个人呐搞个名堂。去借歇。箇家人嘞渠话："我就屋下歇唔得噢。歇唔得，硬今晡歇唔得噢。"渠话："我新舅会供了喔。"渠话："箇限定呢，唔误事嘞。你……"渠话："我新舅吵唔系么个会供了喔，硬难产唠，呀总供都供唔出。"渠话："我有办法。我去映歇一夜，我有办法，我同你想只办法。"渠话："有么个办法？"渠话："你舀桶水分我洗身嗷。"渠跍倒洗身间里就大架势捏啊捏尽命啊样放势～。～倒箇个𩟔呢就～倒两只子箇圆子㵘大。系唔系？渠新舅供人唔出啦。渠话："你同我拿倒箇两只圆子分渠食。"～𩟔～出来个。㕭，～𩟔～出来个圆子啊。系啊？你话箇个几难食子，箇个东西又臭嘛，系唔系？又难食嘛。渠新舅放下嘴里，一打爆口呀，哦你一声扎扎实实个，嗯箇毛毛子一下就生嘿哩。渠话："让门你先生个药咁好咁快？"系唔系？"就系𩟔呐。"渠话："就系𩟔呐。" ʂən35xɔŋ53_44tʂʰət3 li0 xɔn53, ɲin13 ʂən35xɔŋ53_44tʂʰət3 li0 xɔn53,çi53_44tsʰən53na0,çi53kan21tsɿ0 çi53tsʰən53na0,tsʰiəu53uɔi53_44çi21man53.iəu35tʂak3 siau53fa53ko0. tsʰəŋ13tsʰien13_44iəu35tʂak3 pu35ɲiɔŋ13_21tsɿ0,e_21,m̩13pʰe53o0,iəu35tʂak3 ɲin13_21na0,ia53liau0,çi53ɲin13_21ka35_53uk3 xa53_44tsia53 çiet3.kai53ʂɿ53kɔŋ21ŋai13tien0 siaŋ53_44uan53ke0ɲin13_21na0 kau21ke53min13_21tʰɔŋ13_21.çi53_44tsia53çiet3.kai53ka35_44ɲin13_21lei0 ci13 ua53:"ŋai13tsʰiəu53_44uk3 xa53çiet3 n̩13_21tek3 au0.çiet3 n̩13_21tek3, ɲiaŋ53_44cin35pu35_53ia53pu35_53çiet3 n̩13_21tek3 au0."ci13_44ua53_44:"ŋai13_21 sin35cʰiəu53_44uɔi53_44ciəŋ53liau0uo0."cia_53(←ci13ua53):"kai53kʰan53_21tʰin53nei0,n̩13ŋu53sɿ53lei0. ɲi13⋯"ci13ua53:"ŋai13_21 sin35cʰiəu35_44ʂa0 m̩13pʰe53mak3 e0 uɔi53ciəŋ53liau0uo0, ɲiaŋ53lan13tsʰan21lau0,ia0 tsəŋ21ciəŋ53təu35_44ciəŋ53n̩13_21tʂʰət3." cia_44(←ci13ua53):"ŋai13_21iəu35pʰan53fait3.ŋai13çi53iaŋ53çiet3 iet3 ia53,ŋai13iəu35pʰan53fait3,ŋai13_21tʰəŋ13_44ɲi13_44siɔŋ21tʂak3 pʰan53fait3."cia_44(←ci13ua53):"iəu35_44mak3 e0 pʰan53fait3?"cia_53(←ci13ua53):"ɲi13_21iau21tʰəŋ21ʂei21pən35ŋai13_21se21 ʂən35nau0."ci13_21kʰu35_44a53_44se21ʂən35_44kan35ni21tsʰiəu53tʰai53cia53_21ʂɿ53ɲiet5 a0ɲiet5 tsʰin53miaŋ53ŋa0 iɔŋ53_44fɔŋ53ʂɿ53_44tsʰən53_44. tsʰən53tau21kai53_44ke53_44man53ne0 tsʰiəu53tsʰən53tau21iɔŋ21tʂak3 tsɿ0 kai53_44ien13tsɿ0 mən35tʰai53.xei53me53?ci13_21sin35_44 cʰiəu35_44ciəŋ53ɲin13n̩13_21tʂʰət3 la0.cia_44(←ci13ua53):"ɲi13_21tʰəŋ13_21ŋai13_21la53tau21kai53iɔŋ21tʂak3 ien13tsɿ0 pən35_44ci13_44ʂət5." tsʰən53man53tsʰən53tʂʰət3 lɔi13_21ke0.e_21,tsʰən53_44man53tsʰən53_44tʂʰət3 lɔi13_21ke0 ien13tsɿ0 a0.xei53_44a0?ɲia13(←ɲi13ua53)kai53 ke53_44ci21lan13ʂət5 tsɿ0,kai53_44ke53_44təŋ35si0 iəu53tʂʰəu53ma0,xei53me53?iəu53lan13ʂət5 ma0.ci13_21sin35cʰiəu35_44fɔŋ53xa53_44tʂɔi53 li0,iet3 ta21pau53xei21ia0,o53ɲi13_21iet3 ʂaŋ35tsait3 tsait3 ʂət5 ʂət5 ke0,n̩_44kai53_44mau35mau35tsɿ0 iet3 xa53tsʰiəu53_44saŋ35xek3 li0.ci13ua53_44:"ɲiɔŋ53mən0ɲi13_21sen35saŋ35_44ke0 iɔk5 kan21xau21kan21kuai53?"xei53_44me53_44?"tsʰiəu53xei53man53na0."cia13 (←ci13ua53):"tsʰiəu53xei53man53na0."

【叉】tsʰa35 动①双手或双手的手指交叉：一双手～在腹部起来 iet3 səŋ35_44ʂəu21tsʰa35çi21lɔi13_21｜～起手 tsʰa35çi21ʂəu21两手手指交叉。②刺，扎取：用叉子去～鱼。iəŋ53tsʰa35tsɿ0 çi53_44tsʰa35ŋ̍13.

【叉叉】tsʰa35tsʰa35_44 名分叉：我把子簪子就以咁子个，有几只～个。ŋai13pa21_44tsɿ0 tsan35tsɿ0 tsʰiəu53i21 kan21_13tsɿ0 ke53,iəu35_44ci21tʂak3 tsʰa35tsʰa35_44ke53_44.

【叉子】tsʰa35tsɿ0 名一头分歧便于扎取的器具：～有，㕭，鱼叉子有。用～去叉鱼，有也有，唔多。以下舞唔倒哩。tsʰa35tsɿ0 iəu35_44,e_53,ŋ̍13tsʰa35tsɿ0 iəu35_44.iəŋ53tsʰa35tsɿ0 çi53_44tsʰa35ŋ̍13,iəu35e_21(←a35)iəu35_44,n̩13_21 to35.i21çia53_35u21n̩13_21tau21li0.｜以前我等生产队上咯，㕭搞只纸槽呢。搞只纸槽就爱焙纸呢，焙纸啊。㕭，𢳆箇个𢳆……焙纸咯，舞倒箇个硇萁，芒头，一掐一掐，咁大一掐一掐，拔下箇焙纸个焙肚里去烧。箇映箇火苗唔知几大，进人都进唔得，箇就舞只□长个～。欸，舞只□长个～。箇～嘞但是还唔系铁个。唔系铁个凑。就系箇岭上到处有斫啊斫，舞只～凑。舞树～。叉啊倒，挨啊进去，欸，咁大一掐掐，挨倒去。箇是我等队上做保管室嘞，就烧哩窑，烧瓦，烧窑。烧窑烧瓦咯，烧砖烧瓦咯，也系舞只咁大个～，一挨，挨啊去，咁大一掐掐箇个芒头，欸，挨倒去烧，箇起系～，箇起也系～，箇起系大～唠，欸。还有食饭就冇多么人用～。i^{35} tsʰien$^{13}_{21}$ŋai$^{13}_{21}$tien^{0} sien^{35}tsʰan^{21}ti^{53}xɔŋ$^{53}_{44}$ko^{0},e$_{44}$kau^{21}tʂak^{3} tʂʅ^{21}tsʰau^{13}nei^{0}.kau^{21}ak^{3} tʂʅ^{21}tsʰau^{13}tsʰiəu^{53}ɔi$^{53}_{44}$pʰɔi^{53} tʂʅ^{21}nei^{0},pʰɔi^{53}tʂʅ^{21}ʐa^{0}.e$_{21}$,lau^{35}kai$^{53}_{44}$ke$^{53}_{44}$lau^{35}…pʰɔi^{53}tʂʅ^{21}ko^{0},u^{21}tau^{21}kai^{53}ke$^{53}_{44}$ləu^{35}ɕi$^{35}_{44}$,mɔŋ^{13}tʰei^{13},iet^{3} kʰa^{35}iet^{3} kʰa^{35},kan^{21}tʰai^{53}iet^{3} kʰa^{35}iet^{3} kʰa^{35},tsʰəŋ^{21}xa$^{53}_{44}$kai$^{53}_{44}$pʰɔi^{53}tʂʅ^{21}ke$^{53}_{44}$pʰɔi^{53}tu^{21}li^{0} ɕi$^{53}_{44}$ʂau^{35}.kai^{53}in^{53}kai^{53}fo^{21}miua$^{13}_{21}$n̩^{13} ti$^{35}_{53}$ci^{21}tʰai^{53},tsin^{53}ɲin^{13}təu$^{35}_{53}$tsin^{53}n̩$^{13}_{21}$tek^{3},kai^{53}tsʰiəu^{53}u^{21}tʂak^{3} lai^{35}tʂʰɔŋ$^{13}_{21}$ke^{0} tsʰa^{35}tsʅ^{0}.e$_{21}$,u^{21}ak^{3} lai^{35}tʂʰɔŋ$^{13}_{21}$ke^{0} tsʰa^{35}tsʅ^{0}.kai^{53}tsʰa^{35}tsʅ^{0} lei^{0} tan^{53}ʂʅ^{53}xai$^{13}_{21}$m̩^{13} pʰe^{53}tʰiet^{3} ke^{0}.m̩^{13} pʰe^{53}tʰiet^{3} ke^{0} tsʰe^{0}.tsʰiəu^{53}xe$^{53}_{44}$kai$^{53}_{44}$liaŋ^{35}xɔŋ^{53} tau^{53}tʂʰu$^{53}_{44}$iəu$^{35}_{44}$tʂɔk^{3} a^{0} tʂɔk^{3},u^{21}tʂak^{3} tsʰa^{35}tsʅ^{0} tsʰe^{0}.u^{21}ʂu^{53}tsʰa^{35}tsʅ^{0}.tsʰa^{35}a^{0} tau^{21},tsʰəŋ^{21}ŋa^{0} tsin^{53}ɕi$^{53}_{44}$,e$_{21}$,ka:n^{21} tʰai^{53}iet^{3} kʰa$^{35}_{44}$kʰa$^{35}_{44}$,tsʰəŋ^{21}tau^{21}ɕi^{53}.kai$^{53}_{44}$ʂʅ$^{53}_{44}$ŋai^{13}tien^{0} ti^{53}xɔŋ$^{53}_{44}$tso^{53}pau^{21}kɔn^{21}ʂət^{3} lei^{0},tsʰiəu^{53}ʂau$^{35}_{44}$li^{0} iau^{13},ʂau^{35} ŋa^{21},ʂau^{35}iau^{13}.ʂau^{35}iau^{13}ʂau^{35}ŋa^{21}ko^{0},ʂau^{35}tʂɔn^{35}ʂau$^{35}_{44}$ŋa^{21}ko^{0},ia^{35}xei^{53}u^{21}tʂak^{3} kan^{21}tʰai$^{53}_{44}$ke^{0} tsʰa^{35}tsʅ^{0},iet^{3} tsʰəŋ^{21},tsʰəŋ^{21}ŋa^{0} ɕi^{53},kan^{21}tʰai$^{53}_{44}$iet^{3} kʰa$^{35}_{44}$kʰa$^{35}_{44}$ke^{53}kai^{53}ke^{53}mɔŋ^{13}tʰei$^{13}_{44}$,e$_{21}$,tsʰəŋ^{21}tau^{21}ɕi$^{53}_{44}$ʂau$^{35}_{44}$,kai$^{53}_{44}$ɕi$^{21}_{44}$xe$^{53}_{44}$tsʰa^{35} tsʅ^{0},kai^{53}ɕi^{21}ia^{35}xe^{53}tsʰa$^{35}_{44}$tsʅ^{0},kai$^{53}_{44}$ɕi$^{21}_{44}$xe$^{53}_{44}$tʰai^{53}tsʰa^{35}tsʅ^{0} lau^{0},e$_{21}$.xai^{13}iəu$^{35}_{44}$ʂət^{5} fan^{53}tsʰiəu$^{53}_{44}$mau$^{13}_{21}$to^{35}mak^{3} in$^{13}_{44}$ iəŋ$^{53}_{44}$tsʰa^{35}tsʅ^{0}.

【差$_{1}$】tsa^{35} 动①彼此有差别、有距离：我等是同你等～蛮远得。ŋai^{13}tien^{0} ʂʅ$^{53}_{44}$tʰəŋ$^{13}_{21}$ɲi$^{13}_{21}$tien^{0} tsa^{35} man^{13}ien$^{21}_{13}$tek^{3}. ②缺欠：还～你一块钱。xai$^{13}_{21}$tsa^{35}ɲi$^{13}_{21}$iet^{3} kʰuai^{53}tsʰien^{21}.

【差滴子】tsa^{35}tiet^{5} tsʅ^{0} 副差点儿，表示某种事情接近成为现实或勉强实现：～跌倒哩。tsa^{35} tiet^{5} tsʅ^{0} tet^{3} tau^{21}li^{0}.

【差唔多$_{1}$】tsa^{35}n̩$^{13}_{21}$/ŋ̍^{13}to^{35} 动①相似：鸭埘同鸡埘～。ait^{3} tsi^{53}tʰəŋ$^{13}_{21}$cie^{35}tsi^{53}tsa^{35}n̩$^{13}_{21}$to^{35}. ②几乎等于：以只人已经～四十了。i^{21}tʂak^{3} ɲin^{13}i^{21}cin^{35}tsa^{35}ŋ̍^{13}to^{35}si^{53}ʂek^{5} liau^{21}. ③过得去，尚可：你个生烟就都都假个了吧？/欸，去江西买个。/噢噢，那～。ɲi^{13}ke$^{53}_{44}$saŋ$^{35}_{44}$ien$^{35}_{44}$tsiəu$^{53}_{21}$təu^{35}təu$^{35}_{44}$cia^{21}ke^{53}liau^{21} pa^{0}?/e$_{21}$,ɕi$^{53}_{44}$kɔŋ^{35}si$^{35}_{44}$mai^{35}ke$^{53}_{44}$./au$_{21}$au$_{21}$,lai^{53}tsa$^{35}_{44}$n̩$^{13}_{21}$to$^{35}_{44}$. ④表示即将完毕、将尽：以下搞完哩箇只咁个东西，基本上就～哩啊，箇就。i^{21}xa^{53}kau^{21}ien$^{13}_{21}$li^{0} kai$^{53}_{44}$tʂak^{3} kan$^{21}_{44}$ke$^{53}_{44}$təŋ$^{35}_{44}$si^{0},ci$^{35}_{44}$pən^{21}xɔŋ$^{53}_{44}$tsʰiəu$^{53}_{44}$ tsa$^{53}_{44}$n̩$^{13}_{21}$to^{35}lia^{0},kai$^{53}_{44}$tsʰiəu$^{53}_{44}$.

【差唔多$_{2}$】tsa^{35}n̩$^{13}_{21}$to^{35} 副大概，基本上：搞到箇个食嘿夜饭子～就安静下来哩。kau^{21}tau^{53}kai$^{53}_{44}$ ke$^{53}_{44}$ʂət^{5} xek^{3} ia^{53}fan^{53}tsʅ^{0} tsa^{35}n̩$^{13}_{21}$to^{35}tsʰiəu$^{53}_{44}$ɔn^{35}tsʰin$^{53}_{44}$xa$^{53}_{44}$lɔi$^{13}_{21}$li^{0}.

【插】tsʰait^{3} 动①扎进去，把细长或薄的东西放进去：箇几根香嘞～下箇禾坪角上。kai^{53}ci^{21} cien$^{35}_{21}$ɕiɔŋ^{35}lei^{0} tsʰait^{3} (x)a^{53}kai$^{53}_{44}$uo^{13}pʰiaŋ$^{13}_{21}$kɔk^{3} xɔŋ^{53}.｜两头呀以个床头嘞，渠以映子中间打只眼，～条棍。iɔŋ^{21}tʰei^{13}ia^{0} i^{21}ke^{53}tsʰɔŋ^{13}tʰei^{13}lei^{0},ci^{13}i^{21}iaŋ^{53}tsʅ^{0} tʂəŋ$^{35}_{44}$kan$^{35}_{44}$ta^{21}tʂak^{3} ŋan^{21},tsʰait^{3} tʰiau^{13}kuən^{53}. ②把枝条等栽入土中：只有落尾都箇个都唔知哪映舞滴来好多来榻来～哩～哩，落尾搞出只白杨树来哩。tʂe^{21}iəu^{35}lɔk$^{5}_{3}$ mi^{35}təu$^{35}_{44}$kai$^{53}_{44}$ke$^{53}_{44}$təu$^{35}_{44}$n̩$^{13}_{21}$ti$^{35}_{44}$la^{53}iaŋ$^{53}_{44}$u^{21}tiet^{5} lɔi$^{13}_{21}$xau^{21}to$^{35}_{21}$lɔi$^{13}_{44}$kʰua^{21}lɔi^{13}tsʰait^{3} li^{0} tsʰait^{3} li^{0},lɔk$^{5}_{3}$ mi$^{35}_{44}$kau^{21}tʂʰət^{3} tʂak^{3} pʰak^{5} iɔŋ^{13}ʂəu$^{53}_{44}$lɔi$^{13}_{21}$li^{0}. ③指插田：哦噢喊双抢唠。欸，又抢早禾，又爱栽□二禾去。/抢收抢～唠箇个就。o^{35}ŋau$_{44}$xan^{53}sɔŋ$^{35}_{21}$tsʰiɔŋ^{21}lau^{0}.e$_{44}$,iəu^{53}tsʰiɔŋ^{21}tsau^{21}uo$^{13}_{44}$,iəu^{53} ɔi$^{53}_{44}$tsɔi^{35}tɔi$_{44}$ɲi^{53}uo^{13}ɕi$^{53}_{44}$./tsʰiɔŋ^{21}ʂəu^{35}tsʰiɔŋ^{21}tsʰait^{3} lau^{0} kai$^{53}_{44}$(k)e$^{53}_{44}$tsiəu$^{53}_{44}$.

【插引】tsʰait^{3} in^{21} 动安插爆竹的引火线：欸，（细人子）～呐，欸，装硝就唔装，～呐。e$_{21}$,tsʰait^{3} in^{21}na^{0},e$_{21}$,tʂɔŋ^{35}siau^{35}tsʰiəu^{53}n̩$^{13}_{21}$tʂɔŋ$^{35}_{44}$,tsʰait^{3} in^{21}na^{0}.

【插嘴】tsʰait^{3}tsi^{21} 动别人讲话时，从中插进去说话：～就别人家讲话个时候子自家插进去讲，欸，箇就～。以只事我等两个去下讲，你插么个嘴哟。系唔系？你不要～。我等两个去下打讲，你莫～呀。tsʰait^{3} tsei^{21}tsʰiəu$^{53}_{44}$pʰiet^{5} in$^{13}_{21}$ka$^{35}_{44}$kɔŋ^{21}fa^{53}ke$^{53}_{44}$ʂʅ^{13}xəu$^{53}_{44}$tsʅ^{0} tsʰʅ^{35}ka$^{35}_{44}$tsʰait^{3} tsin^{53}cʰi$^{53}_{44}$kɔŋ^{21},e$_{21}$, kai$^{53}_{44}$tsʰiəu$^{53}_{44}$tsʰait^{3} tsi^{21}.i^{21}tʂak^{3} sʅ^{53}ŋai^{13}tien^{0} iɔŋ^{21}ke^{53}ɕi^{53}xa^{53}kɔŋ^{21}, ɲi^{13}tsʰait^{3} mak^{3} e^{0} tsi^{21}iau^{0}.xei^{53}me$^{53}_{44}$?ɲi$^{13}_{21}$ puk^{3} iau^{53}tsʰait^{3} tsi^{21}.ŋai^{13}tien^{0} iɔŋ^{21}ke^{53}ɕi^{53}xa^{53}ta^{21}kɔŋ^{21}, ɲi^{13}mɔk^{5} tsʰait^{3} tsi^{21}ia^{0}.

【茶】tsʰa^{13} 名①茶叶：采～tsʰai^{21}tsʰa^{13}。②用茶叶沏成的饮料：食多哩～，又想屙尿。ʂət^{5} to$^{35}_{44}$ li^{0} tsʰa^{13},iəu^{53}siɔŋ^{21}o^{35}ɲiau$^{53}_{44}$.

【茶案】tsʰa^{13}ŋɔn^{53} 名茶桌：安做～，案板样个，案板样。ɔn$^{35}_{44}$tso$^{53}_{44}$tsʰa^{13}ŋɔn^{53},ŋɔn^{53}pan^{21}iɔŋ$^{53}_{44}$ ke$^{53}_{44}$,ŋɔn^{53}pan^{21}iɔŋ$^{53}_{44}$.

【茶杯子】tsʰa^{13}pei^{35}tsʅ^{0} 名装茶饮用的杯子。旧称"茶盅子"。今多称"茶缸子"：箇只～我个。

你莫用，啊，你等莫用啊。我屋下，我等屋下就一个一只～。我老婆是我撞怕用错哩是渠就会骂人。“又拿倒我个去下用。你自家有一只～咯。”一般就茶缸子呢。“欸，你自家有只茶缸子咯。你搞么又用我个？” kai^{53}tʂak^{3}tsʰa^{13}pei$^{35}_{44}$tsɿ^{0}ŋai^{13}ke^{0}. ɲi$^{13}_{21}$mɔk^{5}iəŋ^{53},a$_{35}$, ɲi^{13}tien^{0}mɔk^{5}iəŋ^{53}ŋa^{0}. ŋai^{13}uk^{3}xa^{53},ŋai^{13}tien^{0}uk^{3}xa$^{53}_{44}$tsʰiəu$^{53}_{44}$iet^{3}cie^{53}iet^{3}tʂak^{3}tsʰa^{13}pei$^{35}_{44}$tsɿ^{0}.ŋai^{13}lau^{21}pʰo^{13}ʂʅ$^{53}_{44}$ŋai$^{13}_{21}$tsʰɔŋ^{21}pʰa$^{53}_{44}$iəŋ^{53} tsʰo^{53}li^{0}ʂʅ$^{53}_{44}$ci^{13}tsʰiəu$^{53}_{44}$uɔi$^{53}_{44}$ma^{53}ɲin^{13}."iəu^{53}la^{53}tau^{21}ŋai^{13}cie^{53}çi$^{53}_{44}$xa$^{53}_{44}$iəŋ^{53}. ɲi$^{13}_{21}$tsʰɿ^{35}ka$^{35}_{53}$iəu^{35}iet^{3}tʂak^{3}tsʰa^{13}pei$^{35}_{44}$ tsɿ^{0}ko^{0}."iet^{3}pɔn^{35}tsʰiəu^{53}tsʰa$^{13}_{21}$kɔŋ^{35}tsɿ^{0}nei^{0}."ei$_{21}$, ɲi^{13}tsʰɿ^{35}ka$^{35}_{53}$iəu^{35}tʂak^{3}tsʰa$^{13}_{21}$kɔŋ$^{35}_{44}$tsɿ^{0}ko^{0}. ɲi$^{13}_{21}$kau^{21}mak^{3} iəu^{53}iəŋ$^{53}_{44}$ŋai^{13}ke$^{53}_{44}$?"

【茶焙】tsʰa^{13}pʰɔi^{53} 名用来烘干茶叶等的篾器：箇还有～哟。/～也有哇。炼茶叶个。炼噢，箇就晒唔得哦。焙茶叶噢。kai$^{53}_{44}$xai$^{13}_{21}$iəu$^{35}_{44}$tsʰa^{13}pʰɔi^{53}iau^{0}./tsʰa^{13}pʰɔi$^{53}_{44}$a$^{35}_{44}$iəu^{35}ua^{0}.xɔk^{3}tsʰa^{13}iait^{5} ke^{53}.xɔk^{3}au^{0},kai$^{53}_{44}$tsiəu$^{53}_{44}$sai^{53}n̩^{13}tek^{3}o^{0}.pʰɔi^{53}tsʰa^{13}iait^{5}au^{0}.

【茶豆】tsʰa^{13}tʰei^{53} 名一种豆类，形如黄豆，但带有黑色圈状花纹：有起～。～嘞渠就有咁个乌色个花纹，欸，黄豆子个，箇只黄豆子个身上咯有咁个，安做～，欸，乌色个花纹，有咁个圈圈子。iəu$^{35}_{53}$çi^{21}tsʰa^{13}tʰei^{53}.tsʰa^{13}tʰei$^{53}_{44}$lei^{0}ci$^{13}_{21}$tsʰiəu^{53}iəu^{35}kan^{21}kei^{53}u^{35}sek^{3}ke^{53}fa^{35}uən$^{13}_{21}$,e$_{21}$,uɔŋ^{13}tʰei^{53}tsɿ^{0} kei^{53},kai^{53}tʂak^{3}uɔŋ^{13}tʰei^{53}tsɿ^{0}kei^{53}ʂən^{35}xɔŋ$^{53}_{44}$ko^{0}iəu^{35}kan^{21}kei$^{53}_{44}$,ɔn$^{35}_{44}$tso$^{53}_{44}$tsʰa^{13}tʰei^{53},e$_{21}$,u^{35}sek^{3}ke^{0}fa^{35}uən$^{13}_{21}$, iəu$^{35}_{44}$kan^{21}kei^{0}cʰien^{35}cʰien^{35}tsɿ^{0}.

【茶耳朵】tsʰa^{13}ɲi^{21}tuo^{21} 名油茶树果实的一种变异体（叶状），也称“茶耳朵子”：哦，～子。/欸嘿，欸，安做～。/～。也还有一起就安做茶蔗。/茶蔗是圆个。/圆个。箇只就唔系茶个耳朵子。/茶轮朵子箇就是叶子样个，更厚。尽肉。/尽肉。瘩厚个，就尽肉。/人去摘倒食。我等就去摘倒食。但是肚箇里怕怕有跍虫子。/嗬有虫子。/细人子就喜欢摘。/欸，喜欢摘。o$_{53}$,tsʰa^{13}ɲi$^{13}_{21}$to^{21}tsɿ^{0}./e$_{44}$xe$_{53}$,e$_{44}$,ɔn$^{35}_{44}$tso$^{53}_{44}$tsʰa^{13}ɲi^{21}to^{21}./tsʰa^{13}ɲi^{21}to^{21}.ia$^{35}_{53}$xai$^{13}_{21}$iəu^{35}iet^{3}çi^{21}tsʰiəu$^{53}_{44}$ɔn$^{35}_{44}$tso$^{53}_{44}$tsʰa^{13} pʰau$^{53}_{44}$./tsʰa^{13}pʰau^{53}ʂʅ$^{53}_{44}$ien^{13}ke$^{53}_{44}$./ien^{13}ke$^{53}_{44}$.kai$^{53}_{44}$tʂak^{3}tsʰiəu^{53}m̩^{13}pʰe$_{44}$(←xe^{53})tsʰa^{13}ke^{53}ɲi^{21}to^{21}tsɿ^{0}./tsʰa^{13}len$^{13}_{21}$to^{21} tsɿ^{0}kai$^{53}_{44}$tsʰiəu$^{53}_{44}$ʂʅ$^{53}_{44}$iait^{5}tsɿ^{0}iɔŋ$^{53}_{44}$ke$^{53}_{44}$,ken^{53}xei^{35}.tsʰin^{53}ɲiəuk^{3}. /tsʰin^{53}ɲiəuk^{3}.tek^{5}xei$^{35}_{44}$ke$^{53}_{44}$,tsiəu$^{53}_{44}$tsʰin^{53} ɲiəuk^{3}./in^{13}kʰe$^{53}_{44}$tsak^{3}tau^{21}ʂət^{5}.ŋai^{13}tien^{0}tsʰiəu$^{53}_{44}$çi$^{53}_{44}$tsak^{3}tau^{21}ʂət^{5}.tan^{53}ʂʅ^{53}təu^{21}kai$^{53}_{21}$li^{0}pʰa$^{53}_{44}$pʰa$^{53}_{44}$iəu$^{35}_{44}$ku^{35} tʂʰəŋ^{13}tsɿ^{0}./xo$_{53}$iəu$^{35}_{44}$tʂʰəŋ^{13}tsɿ^{0}./se^{53}ɲin^{13}tsɿ^{0}tsʰiəu^{53}çi^{21}fɔn^{35}tsak^{3}./e$_{53}$,çi^{21}fɔn^{35}tsak^{3}.

【茶盖子】tsʰa^{13}kɔi^{53}tsɿ^{0} 名茶碗上的盖子：～，那就～，碗上背个就。tsʰa^{13}kɔi^{53}tsɿ^{0},lai^{53}tsʰiəu^{53} tsʰa^{13}kɔi^{53}tsɿ^{0},uɔn^{21}ʂɔŋ^{53}pɔi$^{53}_{44}$ke$^{53}_{44}$tsiəu$^{53}_{21}$.

【茶缸】tsʰa^{13}kɔŋ^{35} 名①用以烧煮开水或容置茶水的器具：你话舞滴秆，舞滴棉花塞下子箇只，分只～坐下进去箇个呢，安做暖桶啊。ɲi$^{13}_{21}$ua$^{53}_{44}$u^{21}tiet^{5}kɔn^{21},u^{21}tiet^{5}mien$^{13}_{21}$fa$^{35}_{44}$sek^{3}xa^{53}tsɿ^{0}kai$^{53}_{21}$ tʂak^{3},pən^{35}nak^{3}(←tʂak^{3})tsʰa$^{13}_{21}$kɔŋ$^{35}_{44}$tsʰo$^{35}_{44}$xa$^{53}_{44}$tsin$^{53}_{44}$çi$^{53}_{44}$kai$^{53}_{44}$ke$^{53}_{44}$le^{0},ɔn$^{35}_{44}$tso$^{53}_{44}$lɔn^{35}tʰəŋ^{21}ŋa^{0}. ②茶缸子的别称：我箇只～盖子打咁哩，买过一只～盖子。ŋai^{13}kai^{53}tʂak^{3}tsʰa^{13}kɔŋ$^{35}_{44}$kɔi^{53}tsɿ^{0}ta^{21}kan^{21}ni^{0},mai^{35}ko^{53}iet^{3} tʂak^{3}tsʰa^{13}kɔŋ$^{35}_{44}$kɔi^{53}tsɿ^{0}.

【茶缸肚】tsʰa^{13}kɔŋ^{35}təu^{21} 名茶缸可盛茶水的内部空间：以个……以个茶缸子以映就安做～欸。欸，你等系咁子讲吧？～。i^{21}ke^{53}…i^{21}ke^{53}tsʰa^{13}kɔŋ$^{35}_{44}$tsɿ^{0}i^{21}iaŋ$^{53}_{44}$tsiəu$^{53}_{44}$ɔn$^{35}_{44}$tso$^{53}_{44}$tsʰa^{13}kɔŋ$^{35}_{44}$təu^{21}ue^{0}.e$_{44}$, ɲi$^{13}_{21}$ tien^{0}xei^{53}kan^{21}tsɿ^{0}kɔŋ^{21}pa^{0}?tsʰa$^{13}_{21}$kɔŋ$^{35}_{44}$təu^{21}.

【茶缸子】tsʰa^{13}kɔŋ^{35}tsɿ^{0} 名一种喝水用具，外形为大口，上下直径一般基本相同：～跌嘿地泥下，打得糜烂。tsʰa$^{13}_{21}$kɔŋ$^{35}_{44}$tsɿ^{0}tet^{3}(x)ek^{3}tʰi^{53}lai$^{13}_{21}$xa^{35},ta^{21}tek^{3}me^{13}lan^{53}.

【茶官娘】tsʰa^{13}kɔn^{35}ɲiɔŋ^{13} 名伴娘的旧称：～就箇人呢安做～呢。那起安做～呢？就系如今讲个伴娘。以前我等箇映有只老子，就系话七只赖子个箇人咯，渠就蛮出名啊。渠就系我等渠个爷系我等横巷里个族长。渠就渠结婚个时候子嘞，就欸自家去下读长沙读高中。据说渠㨃㨃么人呢据说渠㨃杨开慧都系校友，欸，㨃杨开慧系校友。渠同我讲渠话：“我算啊算哩，欸杨开慧读书个时候子我也去箇只学堂读书哦。”我唔记得么个学堂凑。去讨老婆个时候子，箇渠个老婆嘞系么个嘞？系横山箇向，七宝山乡箇向啊，一只大地主个妹子。欸，世家对世家，系唔系？赠晓以映是唔知几苦，只系名声大。一只当族长，爷子当族长啊。渠本人呢就去长沙读高中。箇阵子读高中是箇硬比如今读北大清华样嘞，硬咁大个名气嘞。四只子～话。四只子～就四只伴娘。就系女方跟倒来个欸来招呼新人个。四只～。tsʰa^{13}kɔn$^{35}_{44}$ɲiɔŋ^{13}tsʰiəu$^{53}_{44}$ kai^{21}ɲin$^{13}_{21}$nei^{0}ɔn$^{35}_{44}$tso^{53}tsʰa$^{13}_{21}$kɔn$^{35}_{53}$ɲiɔŋ$^{13}_{21}$nei^{0}.lai^{53}çi$^{21}_{44}$ɔn$^{35}_{44}$tso$^{53}_{44}$tsʰa$^{13}_{21}$kɔn$^{35}_{53}$ɲiɔŋ$^{13}_{21}$ne^{0}?tsʰiəu^{53}xei^{53}i$^{13}_{21}$cin^{35}kɔŋ^{21}kei^{53} pʰɔn^{53}ɲiɔŋ^{13}.i$^{35}_{53}$tsʰien$^{13}_{21}$ŋai^{13}tien^{0}kai$^{53}_{44}$iaŋ$^{53}_{44}$iəu$^{35}_{44}$tʂak^{3}lau^{21}tsɿ^{0},tsʰiəu$^{53}_{44}$xei$^{53}_{44}$ua^{53}tsʰiet^{3}tʂak^{3}lai^{53}tsɿ^{0}ke$^{53}_{44}$kai^{53}ɲin^{13} ko^{0},ci^{13}tsʰiəu^{53}man^{13}tʂʰət^{3}miaŋ^{13}ŋa^{0}.ci^{13}tsʰiəu^{53}xei^{53}ŋai$^{13}_{21}$tien^{0}ci^{13}kei^{53}ia^{13}xei^{53}ŋai$^{13}_{21}$tien^{0}uaŋ^{13}xɔŋ^{53}li^{0}ke$^{53}_{44}$

tsʰəuk5 tʂəŋ21.ci13 tsʰiəu53-44 ci13 ciet3 fən35 ke53-44 ʂʅ13-44 xəu53-44 tsʅ0 le0,tsʰiəu53 e-21 tsʰʅ35 ka35-44 çi53 xa53-44 tʰəuk5 tʂʰəŋ13 sa35-44 tʰəuk5 kau35-44 tʂəŋ35-44.tʂʅ53 ʂet3 ci13 lau35-44 lau35 mak3 ɲin13-21 ne0 tʂʅ53 ʂet3 ci13 lau35-44 iəŋ13 kʰəi35 fei53 təu35 xe53-21 ciau53 iəu35,e-21,lau35 iəŋ13 kʰəi35 fei53 xe53-21 ciau53 iəu35.ci13-21 tʰəŋ13 ŋai13-21 kəŋ21 ci13 ua53:"ŋai13-21 sən53 a0 sən53 li0,ei0 iəŋ13 kʰəi35-44 fei53 tʰəuk5-3 ʂəu35 ke0 ʂʅ13-44 xəu53-44 tsʅ0 ŋai13 ia35-44 çi53-44 kai53 tʂak3 xək5 tʰəŋ13 tʰəuk5 ʂəu35 o0."ŋai13 n̩13-44 ci53 tek3 mak3 e0 xək5 tʰəŋ35-44 tsʰe0.ci13 tʰau21 lau21 pʰo13 ke0 ʂʅ53 xəu53 tsʅ0,kai53 ci13 ke53 lau21 pʰo13 le0 xe53 mak3 ke53-44 le0?xe53 uaŋ13 san35 kai53-44 çiəŋ35-44,tsʰiet3 pau21 san35 çiəŋ35 kai53-44 çiəŋ53-44 ŋa0,iet3 tʂak3 tʰai53 ti53-44 tʂʅ21-44 ke53-44 məi53 tsʅ0.e-21,ʂʅ53 ka35-44 tei53-44 ʂʅ53 ka35-44,xei53-44 me53-44?maŋ13 çiau21 i21-13 iaŋ53 ʂʅ53 n̩13 ti53-53 ci21 kʰu21,tʂʅ21 xei53 miaŋ13 ʂaŋ35-44 tʰai53.iet3 tʂak3 təŋ35 tsʰəuk5 tʂəŋ21,ia13 tsʅ0 təŋ35-44 tsʰəuk5 tʂəŋ21 ŋa0.ci13-21 pən21 ɲin13 nei0 tsʰiəu53 çi53 tʂʰəŋ13 sa35-44 tʰəuk5 kau35 tʂəŋ35-44.kai53 tʂʰən35-44 tsʅ0 tʰəuk5 kau35 tʂəŋ35 ʂʅ53-44 kai53-44 ɲiaŋ53 pi21 i21-21 cin35-44 tʰəuk5 pəit3 tʰai53 tsʰin35 fa13 iəŋ53-44 le0, ɲiaŋ53 kan21 tʰai53 ke0 miaŋ13 cʰi13 le0.si53 tʂak3 tsʅ0 tsʰa13 kən35-44 ɲiəŋ13 ua53.si53 tʂak3 tsʅ0 tsʰa13 kən35-44 ɲiəŋ13 tsʰiəu53-44 si53 tʂak3 pʰən53 ɲiəŋ13.tsʰiəu53 xei53 ɲy21 fəŋ35-44 cien35 tau21 ləi13-21 ke53 e-21 ləi13 tʂau53 fu35-44 sin35 ɲin13 ke0.si53 tʂak3 tsʰa13 kən35-53 ɲiəŋ13-21.

【茶棡】tsʰa13 kʰua21 [名]用作柴火的油茶树枝：茶树棡嘞就～。tsʰa13 ʂəu53 kʰua21 lei0 tsʰiəu53 tsʰa13 kʰua21.

【茶壶】tsʰa13 fu13-21 [名]一种供泡茶和斟茶用的带嘴器皿。又称“泡壶”：钩上就吊把～哇。ciei35 xəŋ53-44 tsʰiəu53-44 tiau53 pa21 tsʰa13 fu13 ua0.｜渠个葬地有七八个人去呀葬地呀。就分滴人送茶。～也带一把嘞就点茶换茶箇只也食个东西呀也带滴子啊。ci13-21 ke53-44 tsəŋ53-44 tʰi35 iəu53-44 tsʰiet3 pait3 ke53 ɲin13-21 çi53-44 ia0 tsəŋ53-44 tʰi53 ia0.tsʰiəu53-44 pən35 tet5 ɲin13-21 səŋ53 tsʰa13.tsʰa13 fu13 ia35 tai53 iet3 pa21 le0 tsʰiəu53-44 tian21 tsʰa13 uən53 tsʰa13-21 kai53-44 tʂak3 ia35-44 ʂət5 ke53-44 təŋ35-44 si0 ia0 a35-44 tai53 tiet5 tsa0.

【茶壶嘴】tsʰa13 fu13 tsi21 [名]茶壶侧面伸出的出水口：（暖桶）底下以面前就有只缺子，就正好放箇～。te21 xa53-44 i21 mien53 tsʰien13-21 tsʰiəu53-44 iəu35-44 tʂak3 cʰiet3 tsʅ0,tsʰiəu53-44 tʂən53 xau21 fəŋ53 kai53 tsʰa13 fu13-44 tsi21.｜（酒罂）咁高，咁高个，一把大茶壶样，滮大个，咁高个茶壶欸有只嘴巴，有只嘴，～样，欸，顶高盖稳。kan21 kau35,kan21 kau35-44 ke53,iet3 pa21 tʰai53 tsʰa13 fu13-21 iəŋ53-44,mən35 tʰai53-44 ke53-44,kan21 kau35 ke53 tsʰa13 fu13-21 e0 iəu35 tʂak3 tsi21 pa0,iəu35 tʂak3 tsi21,tsʰa13 fu13 tsi21 iəŋ53,e-21,taŋ21 kau35 kəi53 uən21.

【茶花】tsʰa13 fa35-44 [名]山茶树或其开的花：山茶花有，也唔蛮多。就系～，山茶花就～。san35 tsʰa13-21 fa35-44 iəu35,ia35 n̩13-21 man13-21 to35.tsʰiəu53 xe53 tsʰa13 fa35,san35 tsʰa13-21 fa35-44 tsʰiəu53-44 tsʰa13 fa35-44.

【茶几】tsʰa13 ci35 [名]一种放置茶具的小桌：我等老屋里以前就有咁个～，一只老式个～。一边一张子以咁个凳。以映子有栏杆子嘞。欸，有栏杆子个凳，中间一张子～。四张子厅下，一边两张。箇正月初一晡打开来，接待客个。箇样拖正来。箇就～子。欸真正个～。冇得哩，失……晓得那去。冇得箇只保护意识嘞。ŋai13 tien0 lau21 uk0 li0 i35-44 tsʰien13-21 tsʰiəu53-44 iəu35-44 kan21 ke0 tsʰa13-21 ci35-44,iet3 tʂak3 lau21 ʂʅ53-21 ke53 tsʰa13-21 ci35-44.iet3 pien35 iet3 tʂəŋ35-44 tsʅ0 i21 kan21 ke0 ten53.i21-13 iaŋ53 tsʅ0 iəu35-44 lan13 kən35-44 tsʅ0 le0.e-21,iəu35-44 lan13-21 kən35-44 tsʅ0 ke0 tien53,tʂəŋ35-44 kan35-44 iet3 tʂəŋ35-44 tsʅ0 tsʰa13 ci35-44.si53 tʂəŋ35-44 tsʅ0 tʰaŋ35 xa53,iet3 pien35 iəŋ21 tʂəŋ35-44.kai53-44 tʂaŋ35 ɲiet5 tsʰʅ35-44 iet3 pu35-44 ta21 kʰəi35-44 ləi13-21,tsiet3 tʰai53 kʰak3 ke0.kai53-44 iəŋ53-44 tʰo35 tʂaŋ53 ləi13-21.kai53-44 tsʰiəu53-44 tsʰa13 ci35-44 tsʅ0.e0 tʂən35 tʂən53-44 ke0 tsʰa13-21 ci35-44.mau13 tek3 ni0,ʂek3 ⋯çiau21 tek3 lai53 çi53-44.mau13 tek3 kai53 tʂak3 pau21 fu53 i53 ʂət3 le0.

【茶角子】tsʰa13 kək3 tsʅ0 [名]舀茶的器具：～，舞只子箇咁大子个细竹子，竹筧子，箇茶缸样个欸个竹筧，中间打只眼。以映斗只把，长滴子个。以映子吊只子箇样嘞石头子啊么个东西。就缩下以……像以只茶缸样，缩下以映子。缩下以后渠系防止飞……防止防止跌下去呀。挂倒以映子。～。欸，舀茶个。tsʰa13 kək3 tsʅ0,u21 tʂak3 tsʅ0 kai53-44 kan21-13 tʰai53-44 tsʅ0 ke53-44 se53 tʂəuk3 tsʅ0,tʂəuk3 tei35 tsʅ0,kai53-44 tsʰa13 kəŋ35 iəŋ53-44 ke53-44 e-21 ke53-44 tʂəuk3 tei35,tʂəŋ35 kan35-44 ta21 tʂak3 ŋan21.iaŋ-35(←i21 iaŋ53)tei35 tʂak3 pa53,tʂʰəŋ13 tiet5 tsʅ0 ke53-44.i21 iaŋ53-44 tsʅ0 tiau53 tʂak3 tsʅ0 kai53-44 iəŋ53-44 le0 ʂak5 tʰei0 tsʅ0 a0 mak3 (k)e53-44 təŋ35-44 si0.tsʰiəu53 uan21 na53 (←xa53)i21⋯tsʰiəŋ53-44 i21 tʂak3 tsʰa13 kəŋ35-44 iəŋ53-21,uan21 na53(←xa53)i21 iaŋ53-44 tsʅ0.uan21 na-44(←xa53)i35-44 xəu53-44 cie-44(←ci13 xe53)fəŋ13-21 tsʅ21 fei35⋯fəŋ13-21 tsʅ21 fəŋ13-21 tsʅ21 tiet3 xa53-44 çi53 ia0.kua53 tau21 i21-21 iaŋ53-44 tsʅ0.tsʰa13 kək3 tsʅ0.e-21,iau21 tsʰa13 ke53.

【茶壳豆】tsʰa13 kʰək3 tʰei53 [名]茶豆的别称：哦，箇起丁啮大子个唔安做花豆，安做茶豆，欸，～安做。o-53,kai53-44 çi21 tin53 ŋait3 tʰai53 tsʅ0 ke0 n̩13 ən35-44 tso53-44 fa35 tʰei53,ən35-44 tso53-44 tsʰa13 tʰei53,e-21,tsʰa13 kʰək3 tʰei53 ən35-44 tso53-44.

【茶壳灰】tsʰa13 kʰək3 fəi35 [名]脱粒后的油茶果实外皮晒干后烧成的灰：～，布荆灰，欸，还有石灰碱。……都系用来做碱，碱水。tsʰa13 kʰək3 fəi35,pu53 ciaŋ35-44 fəi35,e-53,xai13-21 iəu35-44 ʂak5 fəi35-44 kan21.⋯təu35 xei53-44 iəŋ53 ləi13-44 tso53 kan21,kan21 ʂei21.

【茶麸】tsʰa13 kʰu35 [名]油茶的种子在榨油时被压成的饼状渣滓：哦，洗衫裤以前是还有只东西啦。～。～也洗得衫嘞。我洗过。o_21,se21san35fu53/44i35/44tshien13/44ʂʅ53/44xai13/21iəu35/44tʂak3təŋ35/44si0la0.tsha13khu35.tsha13khu35/44a35/44se21tek3san35/44ne0.ŋai13se21ko53/44.｜～个作用嘞杀虫，有兜人舞倒～水呀去痨湖鳅痨鱼子，搞下河里，搞下田里去痨湖鳅，箇就水田里啊，你分箇～，箇～咯爱磕烂来呢，打烂来，打烂来嘞欸舞滴泡水一发，欸，舞滴泡水一发，就箇打烂来就成哩粉吵，舞滴泡水一发，好，发起箇泡咽咽哩。然后嘞，箇田里啊，咁子拿倒勺嫲去搧一到。只爱几块子～哦，一丘田个湖鳅痨得净。tsha13khu35/44ke53tsɔk3iəŋ53/44le0sait3tʂhəŋ13,iəu35tei35/53ɲin13/44u21tau21tsha13khu35/44ʂei21ia0çi53lau53fu13tshiəu35/44lau53ŋ̍13tsʅ0,kau21ua53xo13li0,kau21ua53thien13ni21çi53lau53fu13tshiəu35/53,kai53tshiəu35ʂei21thien13/21ni21a0,ɲi13/21pən35kai53/21tsha13khu35/53,kai53/44tsha13khu35/44ko0ɔi53/44khɔk3lan53lɔi13/44nei0,ta21lan53lɔi13/44,ta21lan53/44nɔi13/21lei0e_21u21tiet5phau35ʂei21iet3fait3,e_21,u21tiet5phau35ʂei21iet3fait3,tshiəu53/44kai53/44ta21lan53nɔi13/44tsiəu53ʂaŋ13/44li0fən21ʂa0,u21tiet5phau35ʂei21iet3fait3,xau21,fait3çi21/44kai53/44phau35kuet5kuet5li0.vien13xei53/44lei0,kai53thien13ni21/44a0,kan21tsʅ0la53tau21ʂɔk5ma13çi53ʂuen35iet3tau53.tʂʅ21ɔi53ci21khuai53tsʅ0tsha13/21khu35/44o0,iet3chiəu35/44thien13/21ke53/44fu13tshiəu35/44lau53tek3tshiaŋ53.

【茶鮕水】tsha13khu35ʂei21 [名]用茶鮕煮的水，旧时用来洗衣服或头发：～交秆灰水，系，去洗头。tsha13khu35ʂei21ciau35kan21fɔi35ʂei21,xe53/21,çi53/44se21thei13.

【茶鮕渣】tsha13/21khu35/44tsa35 [名]制作茶鮕水时剩下的残渣：欸，唔用咁个～，用茶鮕水。e_21,n̩13iəŋ53kan21ke53/44tsha13/21khu35/44tsa35,iəŋ53tsha13/21khu35/44ʂei21.

【茶楼】tsha13lei13 [名]茶馆的今称：茶店就食茶个。我等以个栏场唔发达。茶店冇得么个……欸，有只么个？箇我等箇老弟嫂就开过一只茶店。渠又唔安做茶店呢，安做～。其实么个～唠？就系打牌个，就系麻将馆，安做～。也𫟃搞起来。箇个～唔好开呀，尽熬夜，打到箇下半夜三四点钟，你就你箇老板你就爱掌稳，爱守稳渠。尽熬夜。我老弟子渠话：“我硬尽哩命开倒箇一年。再都唔爱哩。天天舞倒我熬到三四点钟。”tsha13tian53tshiəu53/44ʂət5tsha13ke53.ŋai13tien0i21/13ke53laŋ13/21tʂhɔŋ13/21m̩13fait3thait5.tsha13tian53mau13tek_5mak3e0…e_44,iəu35/44tʂak3mak3ke53/44?kai53ŋai13tien0kai53lau21the35/53sau21tshiəu53khɔi35ko53/44iet3tʂak3tsha13tian53.ci13iəu53n̩13ɔn35/53tso53tsha13tian53ne0,ɔn35/53tso53tsha13lei13.chi13ʂət5mak3ke53tsha13lei13/21lau0?tshiəu53xe53/44ta21phai13ke53,tshiəu53/44xe53/44ma13tsiɔŋ53kɔn21,ɔn35tso53tsha13lei13.ia35maŋ13kau21çi21lɔi13/21.kai53/44ke53tsha13lei13n̩13xau21khɔi35ia0,tshin53ŋau13ia53,ta21tau53/44kai53/44xa53pan53ia53san35si53tian21tʂəŋ35/44,ɲi13tshiəu53ɲi13kai53lau21pan21ɲi13tshiəu53ɔi53tʂɔŋ21uən21,ɔi53ʂəu21uən21ci13/44.tshin53ŋau13ia53.ŋai13/21lau21the35/53tsʅ0ci13/44ua53/44:"ŋai13ɲiaŋ53tshin53li0miaŋ53khɔi35tau21kai53iet3ɲien13/21.tsai53təu35/44m̩13/21mɔi53/44li0.thien35thien35/44u21tau21ŋai13/21ŋau13tau53/44san35si53tian21tʂəŋ35/44."

【茶络】tsha13lɔk5 [名]一种送茶用的篾器：么个络？～。mak3ke53lɔk5,tsha13lɔk5.

【茶盘子】tsha13phan13tsʅ0 [名]放置茶杯等茶具乃至茶食的浅底器皿：～又安做茶托子呢。一起～系么个嘞？掇茶个。系唔系？～。还有起～嘞就系装换茶个，也安做……可能装换茶个是安做茶托子。～嘞硬系掇茶个。就箇同箇端菜个样拿个～。tsha13phan13tsʅ0iəu53ɔn35/53tso53tsha13thɔk3tsʅ0nei0.iet3çi21tsha13phan13tsʅ0xei53mak3e0lei0?tɔit3tsha13ke0.xei53me53?tsha13phan13tsʅ0.xai13iəu35/53çi21tsha13/21phan13/21tsʅ0lei0tshiəu53/44uei53/44tʂɔŋ35uɔn53tsha13ke0,ia35ɔn35/53tso53…kho21len13tʂɔŋ35/44uɔn53tsha13ke0ʂʅ53/44ɔn35/53tso53tsha13thɔk3tsʅ0.tsha13phan13tsʅ0lei0ɲiaŋ53xe53tɔit3tsha13ke0.tsiəu53/44kai53thəŋ13/21kai53/44tɔn35tshɔi53ke0iɔŋ53/44la53/21ke0tsha13phan13/44tsʅ0.

【茶藨】tsha13phau53 [名]油茶树果实的一种变异体（圆形）：～是圆个。tsha13phau53ʂʅ53/44ien13ke53/44.

【茶钱】tsha13tshien13 [名]男子去女子家相亲，女子对男子满意，即亲自端茶给男孩，男子给女子拿钱致谢，称“茶钱”：我等两公婆就系哟，我去看渠个时候子，就系是系咁子个啦，如果等我我去看我老婆，系唔系？我等首先唔认得嘞。如果我系唔同意，我唔合适箇只妹子，茶都唔食就走。如果我合适箇妹子，我就会坐正来嬲。坐正来，打下子讲箇只，系唔系？就意思就我还合适，要得。好，箇是男方。女方来讲嘞，渠系唔合适以只伢子，就由别么人来掇茶分渠食。箇茶还要食一碗。就由别么人，或者大人，或者横辈人来泡碗茶渠食哩。如果系妹子合适以只伢子，箇只女方合适以只伢子，就由箇只妹子自家泡碗茶掇倒来分渠食。以下我掇倒箇杯茶嘞箇就爱拿只子红包分渠。～，安做～。拿滴～。箇个是𫟃见过面个。我等以前就𫟃见过面。ŋai13tien0iɔŋ21kəŋ35pho13/21tshiəu53xei53/44iau0,ŋai13çi53khɔn53ci13/21ke53/44ʂʅ13xei53/44tsʅ0,tshiəu53xei53se53(←sʅ53xe53)kan21tsʅ0ke53la0,vy13ko21tən21ŋai13ŋai13çi53khɔn53ŋai13lau21pho13,xei53/44me53/44?ŋai13tien0ʂəu21sien35/44ŋ̍13ɲin53tek3le0.y13ko21ŋai13xe53n̩13thəŋ13i53,ŋai13/21m̩13xɔit5ʂʅ53kai53/44tʂak3mɔi53tsʅ0,tsha13təu35/44n̩13/21ʂət5tshiəu53tsei21.y13 ko^{21}ŋai$_{21}^{13}$xɔit^{5}ʂʅ^{53}kai$_{44}^{53}$mɔi^{53}tsʅ^{0},ŋai$_{21}^{13}$tsʰiəu$_{44}^{53}$uɔi$_{44}^{53}$tsʰo^{35}tʂaŋ$_{21}^{53}$lɔi$_{21}^{13}$liau^{53}.tsʰo^{35}tʂaŋ$_{21}^{53}$lɔi$_{21}^{13}$,ta^{21}(x)a$_{44}^{53}$tsʅ^{0}kɔŋ^{21}kai$_{44}^{53}$tʂak^{3},xei$_{44}^{53}$me$_{44}^{53}$?tsiəu$_{44}^{53}$i^{53}sʅ^{0} tsiəu$_{44}^{53}$ŋai$_{21}^{13}$xai^{13}xɔit^{5}ʂʅ^{53},iau^{53}tek^{3}.xau^{21},kai$_{44}^{53}$ʂʅ$_{44}^{53}$lan^{13}fəŋ^{35}. ɲy^{21}fəŋ^{35}lɔi$_{21}^{13}$kɔŋ^{21}lei^{0},ci$_{21}^{13}$xe^{53}n̩^{13}xɔit^{5}ʂʅ^{53}i^{21}tʂak^{3}ŋa^{13}tsʅ^{0},tsʰiəu$_{44}^{53}$iəu^{13}pʰiek^{5}mak^{3}ɲin^{13}nɔi$_{21}^{13}$tɔit^{3}tsʰa^{13}pən^{35}ci$_{44}^{13}$ʂət$_{3}^{5}$.kai$_{44}^{53}$tsʰa$_{21}^{13}$xai^{13}iau$_{44}^{53}$ʂət^{5}iet^{3}uɔn^{21}.tsʰiəu$_{44}^{53}$iəu$_{21}^{13}$pʰiek^{5}mak^{3}ɲin$_{21}^{13}$,xɔit^{5}tʂa^{21}tʰai^{35}ɲin^{13},xɔit^{5}tʂa^{21}uaŋ^{13}pei$_{44}^{53}$ɲin$_{21}^{13}$nɔi$_{21}^{13}$pʰau^{53}uɔn^{21}tsʰa^{13}ci$_{44}^{13}$ʂət^{5}li^{0}.y^{13}ko^{21}xei^{53}mɔi^{53}tsʅ^{0} xɔit^{5}ʂʅ^{53}i^{21}tʂak^{3}ŋa^{13}tsʅ^{0},kai$_{44}^{53}$tʂak^{3}ɲy^{21}fəŋ^{35}xɔit^{5}ʂʅ^{53}i^{21}tʂak^{3}ŋa^{13}tsʅ^{0},tsʰiəu^{53}iəu$_{21}^{13}$kai$_{44}^{53}$tʂak^{3}mɔi^{53}tsʅ^{0}tsʰʅ^{35}ka$_{44}^{35}$pʰau^{53}uɔn^{21}tsʰa$_{21}^{13}$tɔit^{3}tau^{21}lɔi$_{21}^{13}$pən$_{44}^{35}$ci$_{21}^{13}$ʂət^{5}.i^{21}xa^{53}ŋai^{13}tɔit^{3}tau$_{44}^{21}$kai$_{44}^{53}$pei$_{44}^{35}$tsʰa^{13}lei^{0}kai$_{44}^{53}$tsʰiəu$_{44}^{53}$ɔi^{53}la^{53}tʂak^{3}tsʅ^{0}fəŋ^{13}pau$_{44}^{35}$pən^{35}ci$_{21}^{13}$.tsʰa^{13}tsʰien^{13},ɔn^{35}tso$_{44}^{53}$tsʰa^{13}tsʰien^{13}.la^{53}tiet^{5}tsʰa^{13}tsʰien^{13}.kai^{53}ke^{53}ʂʅ$_{44}^{53}$maŋ^{13}cien$_{44}^{53}$ko$_{44}^{53}$mien^{53}cie$_{21}^{53}$.ŋai^{13}tien^{0}i$_{44}^{21}$tsʰien$_{21}^{13}$tsiəu$_{44}^{53}$maŋ^{13}cien$_{44}^{53}$ko$_{44}^{53}$mien^{53}.

【茶筛】tsʰa^{13}sai^{35} 名 用来筛油茶籽或油桐籽壳的筛子，较大，底部孔较大：就系～，我等以映就系～。/就筛茶籽，分箇茶籽末筛咖去。/筛茶籽个时间一般个把那个欸漏下去。箇个桐籽个也系咁子个。/先筛落一到来唠。筛个时候就壳就去面上唠。tsʰiəu^{53}xe$_{21}^{53}$tsʰa^{13}sai$_{44}^{35}$,ŋai^{13}tien^{0}i$_{44}^{21}$iaŋ$_{44}^{53}$tsʰiəu$_{44}^{53}$xe$_{44}^{53}$tsʰa^{13}sai$_{44}^{35}$./tsʰiəu$_{44}^{53}$sai$_{44}^{35}$tsʰa^{13}tsʅ^{21},pən^{35}kai$_{44}^{53}$tsʰa^{13}tsʅ^{21}mait^{5}sai$_{44}^{35}$ka$_{44}^{35}$çi$_{44}^{53}$./sai^{35}tsʰa^{13}tsʅ^{21}ke$_{44}^{53}$sʅ$_{21}^{13}$kan$_{44}^{35}$iet^{3}pan^{35}kei^{53}pa^{21}nei^{53}kei^{53}ei$_{21}$lei^{53}xa^{53}çi^{53}.kai$_{21}^{53}$ke$_{44}^{53}$tʰəŋ^{13}tsʅ^{21}ke$_{44}^{53}$ia^{35}xe$_{44}^{53}$kan^{21}tsʅ^{0}ke^{53}./sien^{35}sai^{35}lɔk^{5}iet^{3}tau^{53}lɔi$_{44}^{13}$lau^{0}.sai^{35}ke^{53}ʂʅ$_{44}^{13}$xəu$_{44}^{53}$tsiəu$_{44}^{53}$kʰɔk^{3}tsʰiəu$_{44}^{53}$çi$_{44}^{53}$mien^{53}xɔŋ^{53}lau^{0}.

【茶树】tsʰa^{13}ʂəu^{53} 名 油茶树：～上有滴长起□长个箇个枝条哇也可以（做柴条子）。tsʰa^{13}ʂəu^{53}xɔŋ$_{44}^{53}$iəu^{35}tiet^{5}tʂɔŋ^{21}çi^{21}lai^{35}tʂʰəŋ$_{21}^{13}$ke$_{44}^{53}$kai$_{44}^{53}$ke$_{44}^{53}$tʂʅ$_{44}^{35}$tʰiau$_{21}^{13}$ua^{0}ia^{35}kʰo^{21}i^{35}.

【茶树菌】tsʰa^{13}ʂəu^{53}cʰin^{35} 名 一种食药用菌，因野生于油茶树的枯干上而得名：～是最贵，最名贵。tsʰa^{13}ʂəu^{53}cʰin^{35}ʂʅ$_{44}^{53}$tsei$_{44}^{53}$kuei^{53},tsei^{53}min^{13}kuei^{53}.

【茶水】tsʰa^{13}ʂei^{21} 名 加茶叶泡成的开水或白开水：茶壶也带一把嘞就点茶换茶箇只也食个东西呀也带滴子啊。不光系～。tsʰa^{13}fu^{13}ia^{35}tai^{53}iet^{3}pa^{21}le^{0}tsʰiəu$_{44}^{53}$tian^{21}tsʰa^{13}uɔn^{53}tsʰa$_{21}^{13}$kai$_{44}^{53}$tʂak^{3}ia$_{44}^{35}$ʂət^{5}ke$_{44}^{53}$təŋ$_{44}^{35}$si^{0}ia^{0}a$_{44}^{35}$tai^{53}tiet^{5}tsa^{0}.pət^{3}kɔŋ^{35}xe$_{44}^{53}$tsʰa^{13}ʂei^{21}.

【茶桶】tsʰa^{13}tʰəŋ^{21} 名 装茶的桶子：～有噢。以前屋……人多啊，打比请请你请你十多个人呢，做事啊，系呀？欸，箇就舞～，舞只木桶。从前只有木桶啊，冇得塑料桶。舞只木桶，烧一桶茶。欸。还有面上还有专门有只盖，有滴还有只盖个，两面个盖。有滴也系冇得盖，冇得盖。箇箇舀茶还放只子箇茶角子去舀。tsʰa^{13}tʰəŋ^{21}iəu^{35}uau^{0}.i$_{44}^{35}$tsʰien$_{44}^{53}$uk^{3}…ɲin^{13}to^{35}a^{0},ta^{21}pi^{21}tsʰiaŋ^{21}tsʰiaŋ^{21}ɲi^{13}tsʰiaŋ^{21}ɲi^{13}ʂət^{5}to$_{53}^{35}$cie^{53}ɲin$_{21}^{13}$ne^{0},tso^{53}sʅ^{53}a^{0},xei$_{44}^{53}$ia^{0}?e$_{21}$,kai$_{44}^{53}$tsʰiəu$_{44}^{53}$u^{21}tʂak^{3}tʰəŋ^{21},u^{21}tʂak^{3}muk^{3}tʰəŋ^{21}.tsʰəŋ^{13}tsʰien$_{21}^{13}$tʂe^{21}iəu$_{53}^{35}$muk^{3}tʰəŋ^{21}ŋa^{0},mau^{13}tek^{3}sɔk^{3}liau^{53}tʰəŋ^{21}.u^{21}tʂak^{3}muk^{3}tʰəŋ^{21},ʂau^{35}iet^{3}tʰəŋ^{21}tsʰa^{13}.e$_{21}$.xai^{13}iəu$_{44}^{35}$mien^{53}xɔŋ^{53}xai$_{44}^{13}$iəu$_{44}^{35}$tʂen$_{44}^{35}$mən$_{21}^{13}$iəu$_{44}^{35}$tʂak^{3}kɔi^{53},iəu^{35}tet^{5}xai$_{21}^{13}$iəu^{35}tʂak^{3}kɔi^{53}ke$_{44}^{53}$,iɔŋ^{21}mien$_{44}^{53}$ke$_{44}^{53}$kɔi^{53}.iəu^{35}tet^{5}ia^{35}xe$_{44}^{53}$mau^{13}tek^{3}kɔi^{53},mau$_{21}^{13}$tek^{3}kɔi^{53}.kai$_{44}^{53}$kai$_{44}^{53}$iau^{21}tsʰa^{13}xai^{13}fəŋ^{53}tʂak^{3}tsʅ^{0}kai$_{44}^{53}$tsʰa^{13}kɔk^{3}tsʅ^{0}çi^{53}iau^{21}.

【茶筒】tsʰa^{13}tʰəŋ^{13} 名 用来带茶水的竹筒，将筒壁刨得又薄又光滑，最上层的竹节上开有方形的孔，用木塞子塞紧：箇要用箇要有有有～，安做～。用竹筒做。留……取两只节。有滴甚至打三只节。两只节，三只节。舞只竹筒啊，系呀？留两只节唠，一般就留两只节。底下只节，顶高只节。顶高只节噢，顶高只节上嘞渠只节是原原本本个吵，系呀？一一……像一可以咁个密封个样吵。以映子打只子眼，打只子方眼，一般都打下子方眼。方眼上嘞就做只子树室。树做个室。我等就硬安做室嘞。……箇起～吵一般来用竹，竹做吵，比较竹肉都比较厚，系唔系？就重啊，痞重啊。劈啊滴青去，分外背一层劈啊去，劈啊去，劈倒搧薄子，劈薄来。刨□来，刨光滑来呀。箇就安做～。带嘿岭上去，欸，他去岭上做工夫食茶个。～。唔系尽滴滴话如今哪有哪有如今咁好哇？带只可乐瓶嘞，飘轻噢。食嘿哩□阻……就拿以边丢嘿哩。从前还带归来嘞。kai$_{44}^{53}$iau$_{44}^{53}$iəŋ$_{44}^{53}$kai^{53}iau$_{21}^{53}$iəu^{35}iəu$_{44}^{35}$iəu$_{44}^{35}$tsʰa^{13}tʰəŋ^{13},ɔn$_{44}^{35}$tso$_{44}^{53}$tsʰa^{13}tʰəŋ^{13}.iəŋ^{53}tʂəuk^{3}tʰəŋ$_{21}^{13}$tso$_{44}^{53}$.liəu$_{44}^{13}$…tsʰi^{21}iɔŋ^{21}tʂak^{3}tset^{3}.iəu^{35}tet$_{5}^{5}$ʂən^{53}tʂʅ$_{44}^{53}$ta^{21}san^{35}tʂak^{3}tset^{3}.iɔŋ^{21}tʂak^{3}tset^{3},san^{35}tʂak^{3}tset^{3}.u^{21}tʂak^{3}tʂəuk^{3}tʰəŋ^{13}ŋa^{0},xei$_{44}^{53}$ia^{0}?liəu^{13}iɔŋ^{21}tʂak^{3}tsiet^{3}lau^{0},iet^{3}pɔn^{35}tsʰiəu^{53}liəu$_{21}^{13}$iɔŋ^{21}tʂak^{3}tset^{3}.te^{21}xa^{53}tʂak^{3}tset^{3},taŋ^{21}kau$_{44}^{35}$tʂak^{3}tset^{3}.taŋ^{21}kau$_{44}^{35}$tʂak^{3}tset^{3}au^{0},taŋ^{21}kau$_{44}^{35}$tʂak^{3}tset^{3}xɔŋ$_{44}^{53}$lei^{0}ci$_{21}^{13}$tʂak^{3}tset^{3}ʂʅ$_{44}^{53}$ven^{13}ven$_{44}^{13}$pɔn^{21}pɔn^{21}ke$_{44}^{53}$ʂa^{0}, xei$_{44}^{53}$ia^{0}?iet^{3}iet^{3}…tsʰiɔŋ^{53}iet^{3}kʰo^{21}i$_{44}^{35}$kan$_{44}^{21}$ke$_{44}^{53}$miet^{5}fəŋ^{35}ke$_{44}^{53}$iɔŋ$_{44}^{53}$ʂa^{0}.i^{21}iaŋ^{53}tsʅ^{0}ta^{21}tʂak^{3}tsʅ^{0}ŋan^{21},ta^{21}tʂak^{3}tsʅ^{0}fəŋ^{35}ŋan^{21},iet^{3}pɔn^{35}təu$_{53}^{35}$ta^{21}(x)a$_{21}^{53}$tsʅ^{0}fəŋ^{35}ŋan^{21}.fəŋ^{35}ŋan^{21}xɔŋ$_{44}^{53}$lei^{0}tsʰiəu$_{44}^{53}$tso$_{44}^{53}$tʂak^{3}tsʅ^{0}ʂəu^{53}tsət^{5}.ʂəu^{53}tso$_{21}^{53}$ke$_{21}^{53}$tsət^{5}.ŋai$_{21}^{13}$tien^{0}tsʰiəu$_{44}^{53}$ɲiaŋ$_{44}^{53}$ɔn$_{44}^{35}$tso$_{44}^{53}$tsət^{5}le^{0}.…kai$_{44}^{53}$çi$_{44}^{21}$tsʰa^{13}tʰəŋ$_{21}^{13}$ʂa^{0}iet^{3}pɔn^{35}nɔi$_{44}^{13}$iɔŋ^{53}tʂəuk^{3},tʂəuk^{3}tso^{53}ʂa^{0},pi^{21}ciau^{53}tʂəuk^{3}ɲiəuk^{3}təu$_{53}^{35}$pi^{21}ciau$_{44}^{53}$xei^{35},xei$_{44}^{53}$me$_{44}^{53}$?tsʰiəu$_{44}^{53}$tʂʰəŋ^{35}ŋa^{0},tek^{5}tʂʰəŋ^{35}ŋa^{0}.pʰiak^{3}a^{0}tiet^{5}tsʰiaŋ^{35}çi^{53},pɔn^{35}ŋɔi^{53}pɔi$_{44}^{53}$iet^{3}tsʰien$_{21}^{13}$pʰiak^{3}a^{0}çi^{53},pʰiak^{3}a^{0}çi$_{44}^{53}$,pʰiak^{3}tau^{21}

ʂen35 pʰɔk5 tsɿ0 ,pʰiak3 pʰɔk5 lɔi13-21.pʰau13 laŋ53 lɔi13-21,pʰau13-21 kɔŋ35 uait5 lɔi13-21 ia0 .kai53-44 tsʰiəu53 ɔn35-44 tso53-44 tsʰa13 tʰəŋ13-21.tai53-44 xek3 liaŋ35 xɔŋ53-44 çi53-44,e44,tʰa35-21 çi53 liaŋ35 xɔŋ53-44 tso53 kəŋ35 fu35 ʂət5 tsʰa13 ke53-44.tsʰa13 tʰəŋ13-21.m̩13-21 pʰe44(←xe53)tsʰin53 tet3 tet5-3 ua53-44 i13-21 cin35-44 la53 iəu35-44 la53 iəu35-53 i13-21 cin35-44 kan21 xau21 ua0 ?tai53 tʂak3 kʰo21 lɔk5 pʰin13 ne0 ,pʰiau35 cʰiaŋ35 ŋau0 .ʂət5 xek3 li0 fiet3 ···tsiəu53-44 la53-44 i21-44 pien35-21 tiəu35 xek3 li0 .tsʰəŋ13 tsʰien13-21 xai13-44 tai53 kuei35 lɔi13-21 lei0 .

【茶托子】tsʰa13 tʰɔk3 tsɿ0 [名]一种圆形盘子，用于端茶或水果：圆形个嘞也有托盘，圆形个托子嘞就只能够掇兜子么个水果子箇兜啦，掇几杯子茶箇兜，箇个圆形。我等是也安做托子嘞，～嘞。～，端茶。ien13 çin13 ke53-44 lei0 ia35 iəu35-53 tʰɔk3 pʰan13-44,ien13 çin13-21 ke53 tʰɔk3 tsɿ0 lei0 tsʰiəu53 tʂʅ21 len13-21 ciau53 tɔit3 te35-53 tsɿ0 mak3 kei53-44 ʂei21 ko21 tsɿ0 kai53 tei35-53 la0 ,tɔit3 ci21 pei35-44 tsʰa13 kai53-44 te35-53,kai53 ke53 ien13 çin13-44.ŋai13 tien0 ʂʅ53 ia35 ɔn35-53 tso53 tʰɔk3 tsɿ0 lei0 ,tsʰa13 tʰɔk3 tsɿ0 lei0 .tsʰa13 tʰɔk3 tsɿ0 ,tɔn35 tsʰa13 .｜呃，客来哩样啊，我就拿只～欸掇兜茶分客佬子食。ə21,kʰak3 lɔi13-21 li0 iɔŋ53 ŋa0 ,ŋai13-21 tsʰiəu53-44 la53 tʂak3 tsʰa13 tʰɔk3 tsɿ0 e21 tɔit3 te35-53 tsʰa13 pən35-53 kʰak3 lau21 tsɿ0 ʂət5 .

【茶碗】tsʰa13 uɔn21 [名]用来喝茶的小碗。也称“茶碗子”：莫分～磕咁哩（啊）！mo53 pən35 tsʰa13 uɔn21 kʰɔk5 kan21 li0 (a0)!｜～就系用来食茶个碗。用碗装茶。我等客姓人呢以前就尽用茶缸子装茶，欸以前就用～装茶，用～。以下嘞生活好嘿哩吧，～呐欸茶缸子也多嘿哩，系唔系？就冇多么人用～了。用碗泡茶个蛮少了。碗就硬食饭个。～一般都是细个子。细豌子。欸，箇我等用过，～子。tsʰa13 uɔn21 tsʰiəu53-44 xei53-44 iəŋ53 lɔi13-21 ʂət5 tsʰa13-21 kei53-44 uɔn21 .iəŋ53 uɔn21 tʂɔŋ35 tsʰa13 .ŋai13 tien0 kʰak3 sin53 ɲin13-21 nei0 i35 tsʰien13 tsʰiəu53 tsʰin53 iəŋ53 tsʰa13 kɔŋ35 tsɿ0 tʂɔŋ35-44 tsʰa13-21,ei21 i35-53 tsʰien13 tsʰiəu53 iəŋ53 tsʰa13 uɔn21 tʂɔŋ35-53 tsʰa13-21,iəŋ53 tsʰa13-21 uɔn21 .i21 xa53-44 lei0 sen35 xɔit3 xau21 ek3 li0 pa0 ,tsʰa13 uɔn21 na0 e44 tsʰa13-21 kɔŋ35 tsɿ0 a35-44 to35 xek3 li0 ,xei53-44 me53-44?tsʰiəu53 mau13 to35-53 mak3 in13-44 iəŋ53 tsʰa13 uɔn21 liau0 .iəŋ53 uɔn21 pʰau53 tsʰa13-21 ke0 man13 ʂau21 liau0 .uɔn21 tsʰiəu53-44 ɲiaŋ53 ʂət5 fan53 ke0 .tsʰa13 uɔn21 iet3 pɔn35 təu35-44 ʂʅ53-44 sei53 ke0 tsɿ0 .sei53 uɔn21 tsɿ0 .e21,kai53-44 ŋai13 tien0 iəŋ53 ko53-44,tsʰa13 uɔn21 tsɿ0 .

【茶叶】tsʰa13 iait5 [名]茶树的嫩叶、叶芽及节间，经加工焙制可作饮料：摘～tsak3 tsʰa13-21 iait5｜箇只铁观音铁观音系么啊东西啦？/铁观音是～咯。有起铁观音个～咯。kai53-44 tʂak3 tʰiet3 kɔn35-44 in35 tʰiet3 kɔn35-44 in35 xe53 mak3 a0 təŋ35-44 si0 la0 ?/tʰiet3 kɔn35-44 in35-44 ʂʅ53-44 tsʰa13 iait5 ko0 .iəu35-44 çi21-44 tʰiet3 kɔn35-44 in35-44 ke53-44 tsʰa13 iait5 ko0 .

【茶叶店】tsʰa13-21 iait5 tian53 [名]茶庄：以前张家坊都我是呣……晓得，有只钟家人开一只～。钟家人，安做么个名字，渠还有只堂号啦，蛮出名个堂号啦。钟家里，问得倒个。渠去信用社里搞过。钟老板。i35 tsʰien13-21 tʂɔŋ35-44 ka35-44 fɔŋ35 təu35-44 ŋai13 ʂʅ53 m̩21 ···çiau21 tek3 ,iəu35-44 tʂak3 tʂəŋ35 ka35-44 ɲin13 kʰɔi35 ko53-44 iet3 tʂak3 tsʰa13 iait5 tian53 .tʂəŋ35 ka35-44 ɲin13-21,ɔn35-53 tso53 mak3 e0 miaŋ13 tsʰɿ53 ,ci13-21 xai13 iəu35-53 tʂak3 tʰɔŋ13 xau53 la0 ,man13 tʂʰət3 miaŋ13 ke0 tʰɔŋ13 xau53 la0 .tʂəŋ35 ka35-44 li0 ,uən53 tek3 tau21 ke0 .ci13 çi53-44 sin53-44 iəŋ53-44 ʂa53 li0 kau21 ko53 .tʂəŋ35 lau21 pan21 .

【茶叶老板】tsʰa13 iait5 lau21 pan21 [名]做茶叶生意的人：只有讲话～呶。tʂe21 iəu35-53 kɔŋ21 ua53-44 tsʰa13 iait5 lau21 pan21 nau0 .

【茶叶树】tsʰa13 iait5 ʂəu53 [名]一种多年生常绿木本植物，嫩叶经加工可制成茶叶：甜茶树，不是～。tʰian13 tsʰa13 ʂəu53 ,pət3 ʂʅ53 tsʰa13 iait5 ʂəu53 .

【茶叶摊子】tsʰa13-21 iait5 tʰan35 tsɿ0 [名]售卖茶叶的摊子：浏阳就有，城里有，～。箇如今都有。以前也有，如今也有。但是张家坊就冇得。我箇到去浏阳就看得箇只安做么个街呀，一线个～。一路个～啊。硬还唔止一家。安做么个路哇？噢，北正路。欸，就系烈士公园个门口子，箇一线，箇一只，一线都有～。因为以前箇映子咯，就有只茶叶公司。可能就系茶叶公司个箇起职工嘞下哩岗，茶叶公司倒闭哩嘞，冇得哩嘞。liəu13 iɔŋ13 tsʰiəu53-44 iəu35 ,tʂʰən13 li0 iəu35 ,tsʰa13 iait5 tʰan35 tsɿ0 .kai53-44 i13-21 cin35-44 təu35-53 iəu35 .i35-53 tsʰien13 na35-44 iəu35-53,i13-21 cin35-44 na35-44 iəu35-53.tan53-44 ʂʅ53-44 tʂɔŋ35-44 ka35-44 fɔŋ35 tsʰiəu53 mau13-21 tek3 .ŋai13 kai53 tau53 çi53 liəu13 iɔŋ13 tsʰiəu53-44 kʰɔn53 tek3 kai53-44 tʂak3 ɔn35-44 tso53-44 mak3 ke53-44 kai35 ia0 ,iet3 sen53 ke0 tsʰa13 iait5 tʰan35 tsɿ0 .iet3 ləu53 ke0 tsʰa13 iait5 tʰan35-44 tsa0 . ɲiaŋ53 xai13 n̩13-44 tʂʅ21 iet3 ka35 .ɔn35 tso53-44 mak3 ke53-44 ləu53-44 ua0 ?au21,pɔit3 tʂən53 nəu53 .e21,tsʰiəu53-44 xei53-44 liet5 sɿ53-44 kəŋ35 vien13 ke0 mən13 xei21 tsɿ0 ,kai53-44 iet3 sen53 ,kai53 iet3 tʂak3 ,iet3 sen53 təu35-44 iəu35-44 tsʰa13 iait5 tʰan35 tsɿ0 .in35 vei13-21 i35 tsʰien13 kai53-44 iaŋ53 tsɿ0 ko0 ,tsʰiəu53-44 iəu35-53 tʂak3 tsʰa13 iait5 kəŋ35 sɿ35-44.kʰo21 len13 tsʰiəu53 xe53 tsʰa13 iait5 kəŋ35 sɿ35-44 ke0 kai53 çi21 tʂet3 kəŋ35 le0 xa35 li0 kɔŋ21 ,tsʰa13 iait5 kəŋ35-44 sɿ35-44 tau21 pi53 li0 lei0 ,mau13 tek3 li0 le0 .

【茶油】tsʰa13 iəu13 [名]油茶树果实榨出来的油：芝麻榨个油，豆子榨个油，葵花籽榨个油，花生榨个油，我等以个客家人栏场冇得，都系以几年正来个。系外背搞倒来个。我等以一带箇客家人冇得。只有～，菜油，桐油。tʂʅ35 ma13 tsa53 ke53-44 iəu13 ,tʰei53 tsɿ0 tsa53 ke53-44 iəu13 ,kʰuei13 fa35-44 tsɿ53 tsa53 ke$^{53}_{44}$iəu^{13},fa^{35}sen$^{35}_{44}$tsa^{53}ke$^{53}_{44}$iəu^{13},ŋai^{13}tien^{0} i^{21}ke^{53}k^{h}ak^{3} ka$^{35}_{44}$ɲin$^{13}_{21}$lɔŋ$^{13}_{21}$tʂ^{h}ɔŋ$^{13}_{21}$mau^{13}tek^{3},təu^{35}xei$^{53}_{44}$i^{21}ci^{21}ɲien^{13}tʂaŋ^{53} lɔi$^{13}_{21}$ke^{53}.xe$^{53}_{44}$ŋɔi^{53} pɔi$^{53}_{44}$kau$^{21}_{44}$tau$^{21}_{44}$lɔi$^{13}_{21}$ke^{53}.ŋai$^{13}_{21}$tien^{0} i^{21}iet^{3} tai^{53} cie$^{53}_{44}$k^{h}ak^{3} ka$^{35}_{44}$ɲin$^{13}_{21}$mau^{13}tek^{3}.tʂe^{21}iəu$^{35}_{53}$ts^{h}a^{13} iəu^{13},ts^{h}ɔi^{53}iəu^{13},t^{h}ɔŋ^{13}iəu^{13}.

【茶油灯盏】ts^{h}a^{13}iəu$^{13}_{44}$tien$^{35}_{44}$tsan^{21} 名茶油灯：欸，有～，就清油灯盏呢。e$_{21}$,iəu$^{35}_{53}$ts^{h}a^{13}iəu$^{13}_{44}$tien$^{35}_{44}$ tsan^{21},ts^{h}iəu$^{53}_{44}$ts^{h}in^{35}iəu$^{13}_{21}$tien$^{35}_{44}$tsan^{21}ne^{0}.

【茶盅子】ts^{h}a^{13}tʂəŋ^{35}tsɿ^{0} 名茶杯的旧称：～就系茶杯子，欸。老辈子就讲。老辈子就讲～。欸，以向以下有么人讲。如今只有么人讲嘞？就江西人就讲。我等唔讲哩，渠等讲～。ts^{h}a^{13}tʂəŋ^{35} tsɿ^{0} ts^{h}iəu$^{53}_{44}$xe$^{53}_{44}$ts^{h}a$^{13}_{21}$pei^{35}tsɿ^{0},e$_{21}$.lau^{21}pi^{53}tsɿ^{0}ts^{h}iəu^{53}kɔŋ^{21}.lau^{21}pei^{53}tsɿ^{0}ts^{h}iəu^{53}kɔŋ^{21}ts^{h}a^{13}tʂəŋ^{35}tsɿ^{0}.e$_{21}$i^{21}çiɔŋ^{53}i^{21} xa^{53}mau^{13}mak^{3} in$^{13}_{44}$kɔŋ$^{21}_{44}$.i$^{13}_{21}$cin$^{35}_{53}$tsɿ^{21}iəu$^{35}_{53}$mak^{3} ɲin$^{13}_{44}$kɔŋ^{21}lei^{0}?tsiəu$^{53}_{44}$kɔŋ^{35}si$^{35}_{44}$ɲin$^{13}_{21}$ts^{h}iəu^{53}kɔŋ^{21}.ŋai^{13}tien^{0} n̩$^{13}_{44}$ kɔŋ^{21}li^{0},ci^{13}tien^{0}kɔŋ^{21}ts^{h}a^{13}tʂəŋ^{35}tsɿ^{0}.

【茶籽】ts^{h}a^{13}tsɿ^{21} 名油茶树的果实：你话如今箇个良种个～啊茶油哇，更鲜呢。/更鲜滴子。/冇咁好食。ɲi^{13}ua$^{53}_{44}$i$^{13}_{21}$cin$^{35}_{44}$kai$^{53}_{44}$ke$^{53}_{44}$liɔŋ^{13}tʂəŋ^{21}ke^{53}ts^{h}a^{13}tsɿ^{21}a^{0} ts^{h}a^{13}iəu^{13}ua^{0},cien^{53}sien^{35}nei^{0}./ken^{35}sien^{35} tet$^{5}_{3}$tsɿ^{0}./mau^{13}kan^{21}xau^{21}ʂət^{5}.

【查】ts^{h}a^{13} 动考查：我都赠去～箇只侑食个侑字系么啊意思。ŋai$^{13}_{21}$təu$^{35}_{44}$maŋ^{13}çi^{53}ts^{h}a^{13}kai^{53}tʂak^{3} iəu^{21}ʂət^{5}ke^{53}iəu^{21}ts^{h}ɿ^{53}xei^{53}mak^{3}a^{0}i^{53}sɿ^{0}.｜落尾我归去，照倒渠个抄倒以后归去，箇个《辞源》上一～，渠赠写错。lɔk$^{5}_{3}$mi$^{35}_{44}$ŋai$^{13}_{21}$kuei^{35}çi^{53},tʂau^{53}tau^{21}ci^{13}ke$^{53}_{44}$ts^{h}au^{35}tau^{21}i^{35}xei$^{53}_{44}$kuei^{35}çi^{53},kai$^{53}_{44}$ke$^{53}_{44}$ts^{h}ɿ^{13}vien^{13} xɔŋ^{53}iet^{3}ts^{h}a^{13},ci$^{13}_{21}$maŋ$^{13}_{21}$sia^{21}ts^{h}o^{53}.

【搽】ts^{h}a^{13} 动涂抹：箇一般都系跌倒哩，跌伤哩，伤哩骨头箇只或者。欸，唔系破哩皮，破哩皮就爱～红药水，系啊？欸，跌伤哩箇只嘞，紫哩血箇滴，箇就～紫药水，～药膏子。药膏子就系膏药啦。打只膏药去啦。kai^{53}iet^{3}pən^{35}təu$^{35}_{44}$xe^{53}tiet^{3} tau^{21}li^{0},tet^{3} ʂɔŋ^{35}li^{0},ʂɔŋ^{35}li^{0}kuət^{3} t^{h}ei^{13} kai$^{53}_{44}$tʂak$^{3}_{5}$xɔit$^{5}_{3}$tʂa^{21}.e$_{21}$,m̩^{13}p^{h}e$^{53}_{44}$p^{h}o^{53}li^{0}p^{h}i^{13},p^{h}o^{53}li^{0}p^{h}i^{13}ts^{h}iəu^{53}ɔi^{53}ts^{h}a$^{13}_{21}$fəŋ^{13}iɔk^{5}ʂei^{21},xei$^{53}_{44}$a^{0}?e$_{21}$,tet^{3} ʂɔŋ^{35}li^{0} kai$^{53}_{44}$tʂak^{3} le^{0},tsɿ^{21}li^{0} çiet^{3}kai^{53}tet^{5},kai^{53}ts^{h}iəu^{53}ts^{h}a^{13}tsɿ^{21}iɔk^{5}ʂei^{21},ts^{h}a^{13}iɔk^{5}kau^{35}tsɿ^{0}.iɔk^{5}kau^{35}tsɿ^{0}ts^{h}iəu^{53}xe$^{53}_{44}$ kau^{35}iɔk^{5}la^{0}.ta^{21}tʂak^{3}kau^{35}iɔk^{5}çi^{53}la^{0}.

【杈柴】ts^{h}a^{53}ts^{h}ai^{13} 名用作柴火的枝丫：一把～iet^{3}pa^{21}ts^{h}a^{53}ts^{h}ai^{13}｜～就系树桠，竹桠，箇个就安做～呀。ts^{h}a^{53}ts^{h}ai$^{13}_{21}$ts^{h}iəu^{53}xe^{53}ʂəu^{53}a^{35},tʂəuk^{3}a^{35},kai$^{53}_{21}$ke$^{13}_{21}$ts^{h}iəu^{53}ɔn$^{35}_{44}$tso$^{53}_{44}$ts^{h}a^{53}ts^{h}ai$^{13}_{21}$ia^{0}.

【汊河子】ts^{h}a^{53}xo^{13}tsɿ^{0} 名河流被沙洲或岛屿分成两股或两股以上的水流，其宽度、深度和流量较小的称做汊河子：～个水嘞就箇个唠，～深就蛮深呐，水流就冇……冇得水流，几乎冇么个流，慢慢子去下流，箇肚里～嘞藏污纳垢呀，唔知几愁人呐。ts^{h}a^{53}xo^{13}tsɿ^{0}ke^{53}ʂei^{21}lei^{0} ts^{h}iəu^{53}kai^{53}ke$^{53}_{44}$lau^{0},ts^{h}a^{53}xo$^{13}_{21}$tsɿ^{0} tʂ^{h}ən^{35}ts^{h}iəu^{53}man$^{13}_{21}$tʂ^{h}ən^{35}na^{0},ʂei^{21}liəu^{13}ts^{h}iəu^{53}mau^{13}…mau^{13}tek^{3} ʂei^{21} liəu^{13},ci$^{13}_{44}$fu$^{13}_{21}$mau^{13}mak^{3} e^{0} liəu$^{13}_{44}$,man^{53}man$^{53}_{44}$tsɿ^{0} çi^{53}xa^{53}liəu$^{13}_{21}$,kai$^{53}_{44}$təu^{21}li^{0} ts^{h}a^{53}xo$^{13}_{21}$tsɿ^{0}lei^{0} ts^{h}ɔŋ^{13}u$^{35}_{44}$lak^{5}kei^{53} ia^{0},n̩^{13}ti$^{35}_{53}$ci$^{21}_{44}$ts^{h}ei^{13}ɲin^{13}na^{0}.

【岔】ts^{h}a^{53} 动①事情失败或计划不能实现：七岔八岔就～咁哩唠以只事就。箇只事就赠搞成啊。ts^{h}iet^{3}ts^{h}a^{53}pait^{3}ts^{h}a^{53}ts^{h}iəu$^{53}_{44}$ts^{h}a^{53}kan^{21}li^{0} lau^{0} i^{21}tʂak^{3} sɿ$^{53}_{44}$ts^{h}iəu$^{53}_{44}$.kai^{53}tʂak^{3} sɿ^{53}ts^{h}iəu$^{53}_{44}$maŋ^{13}kau^{21}ʂaŋ^{13} ŋa^{0}.②将混在一起的东西分开来：但是渠砻哩以后嘞，谷壳搀箇糙米嘞系混在一起个，唔系～开来哩啦，赠～开来嘞，混在一起。tan^{53}ʂɿ^{53}ci$^{13}_{21}$ləŋ^{13}li^{0} i$^{21}_{44}$xei^{53}lei^{0},kuk^{3} k^{h}ɔk^{3} lau^{35}kai$^{53}_{44}$ts^{h}au^{53}mi^{21} lei^{0} xe^{53}fən^{53}ts^{h}ai^{53}iet^{3} çi^{21}ke^{53},m̩^{13}p^{h}e$^{53}_{44}$ts^{h}a^{53}k^{h}ɔi^{35}lɔi$^{13}_{21}$li^{0} la^{0},maŋ^{13}ts^{h}a^{53}k^{h}ɔi$^{35}_{44}$lɔi$^{13}_{21}$le^{0},fən^{53}ts^{h}ai^{53}iet^{3} çi^{21}.③拦住：欸箇个噢，栽辣椒了哇，去拖两只杉尾来～鸡哟。～稳呐，冇得鸡子去呀，莫分鸡子去呀。e$_{21}$kai$^{53}_{44}$ke$^{53}_{44}$au^{0},tsɔi^{35}lait^{5} tsiau^{35}liau^{21}ua$^{0}_{21}$,çi^{53}t^{h}o^{35}iɔŋ^{21}tʂak^{3} sa^{35}mi^{35}lɔi$^{13}_{21}$ts^{h}a^{53}cie^{35}io^{0}.ts^{h}a^{53}uən^{21}na^{0},mau^{13} tek^{3} cie^{35}tsɿ^{0} çi^{53}ia^{0},mɔk^{5} pən$^{35}_{44}$cie^{35}tsɿ^{0} çi^{53}ia^{0}.

【岔肠子】ts^{h}a^{53}tʂ^{h}ɔŋ^{13}tsɿ^{0} 名盲肠的俗称：盲肠就～嘞，安做嘞。mɔŋ^{13}tʂ^{h}ɔŋ^{13}ts^{h}iəu$^{53}_{44}$ts^{h}a^{53}tʂ^{h}ɔŋ^{13} tsɿ^{0}lei^{0},ɔn$^{35}_{44}$tso$^{53}_{44}$lei^{0}.

【岔蓬】ts^{h}a^{53}p^{h}əŋ^{13} 名杂树或杂草丛生的地方：我等老家个岭上哦，欸，我个岭上咯，分倒分我等个岭上，十几年都赠去斫了，硬进人都唔得，到处系～里样，到处都成哩～。有兜就树多有兜草多。ŋai^{13}tien^{0}lau^{21}cia$^{35}_{44}$ke^{0}liaŋ$^{35}_{44}$xɔŋ$^{53}_{44}$ŋo^{0},e$_{44}$,ŋai^{13}ke^{53}liaŋ^{35}xɔŋ$^{53}_{44}$ko^{0},fən^{35}tau^{21}pən^{35}ŋai^{13}tien^{0}ke^{0} liaŋ^{35}xɔŋ$^{53}_{44}$,ʂət^{5} ci^{21}ɲien^{13}təu$^{35}_{53}$maŋ$^{13}_{21}$çi^{53}tʂɔk^{3}liau^{0}, ɲiaŋ^{53}tsin^{53}ɲin^{13}təu$^{35}_{53}$n̩$^{13}_{21}$tek^{3} ,tau^{53}tʂ^{h}əu^{53}xe$^{53}_{44}$ts^{h}a^{53}p^{h}əŋ$^{13}_{44}$li^{0} iɔŋ$^{53}_{44}$,tau^{53}tʂ^{h}əu^{53}təu$^{35}_{53}$ʂaŋ$^{13}_{21}$li^{0} ts^{h}a^{53}pəŋ$^{13}_{21}$.iəu^{35}təu$^{35}_{53}$ts^{h}iəu$^{53}_{44}$ʂəu^{53}to$^{35}_{44}$iəu^{35}təu$^{35}_{53}$ts^{h}au^{21}to$^{35}_{44}$.

【岔皮】ts^{h}a^{53}p^{h}i^{13} 名手指靠近指甲处皮肤起的倒刺，学名“逆剥”：欸，我以个手哇～都冇得哩，赠做事啊。e$_{21}$,ŋai^{13}i^{21}ke^{53}ʂəu^{21}ua^{0}ts^{h}a^{53}p^{h}i^{13}təu$^{35}_{53}$mau$^{13}_{44}$tek^{3} li^{0},maŋ^{13}tso$^{53}_{44}$sɿ^{53}a^{0}.

【岔事】tsʰa^{53}sɿ^{53} [动]占地方；碍事：箇张凳呐放倒真～。kai$^{53}_{44}$tʂɔŋ^{35}ten^{53}na^{0} fɔŋ^{53}tau$^{21}_{44}$tʂən^{35}tsʰa^{53}sɿ^{53}.

【岔事八天】tsʰa^{53}sɿ^{53}pait^{3} tʰien^{35} 形容很碍事，碍手碍脚：你徛开滴子哦，莫总跍倒去下～呶。ɲi$^{13}_{21}$cʰi$^{35}_{44}$kʰɔi^{35}tiet^{5} tsɿ^{0} o^{0},mɔk^{5} tsəŋ^{21}ku^{35}tau^{21}çi^{53}xa^{53}tsʰa^{53}sɿ^{53}pait^{3} tʰien^{35}nau^{0} ｜你到厅子里去嬲，莫跍倒灶下～。我等爱做事。ɲi^{13}tau^{53}tʰaŋ^{35}tsɿ^{0} li^{21}çi$^{53}_{44}$liau^{53},mɔk^{5} ku^{35}tau^{21}tsau^{53}xa$^{53}_{44}$tsʰa^{53}sɿ$^{53}_{44}$pait^{3} tʰien$^{35}_{44}$.ŋai^{13} tien^{0} ɔi$^{53}_{44}$tso$^{53}_{44}$sɿ^{53}.

【岔手岔脚】tsʰa^{53}ʂəu$^{21}_{13}$tsʰa^{53}ciɔk^{3} 碍手碍脚：你徛远滴子，莫徛咁拢，～。真岔事，系唔系？真岔事。ɲi^{13}cʰi$^{35}_{44}$ien^{21}tiet^{5} tsɿ^{0},mɔk^{5} cʰi^{35}kan^{21}ləŋ^{35},tsʰa^{53}ʂəu^{21}tsʰa^{53}ciɔk^{3} .tʂən^{35}tsʰa$^{53}_{44}$sɿ^{53},xei^{53}me^{53}?tʂən^{35} tsʰa$^{53}_{44}$sɿ^{53}.

【跒跒哩】tʂʰa^{53}tʂʰa^{53}li^{0} [副]慢慢地；徐徐地：以只犁嘴就进泥个，系唔系？咁子牛子咁子拖稳去箇泥就总～上啊，随倒上啊，上倒以上背就翻下转来呀。i^{21}tʂak^{3} lai^{13}tsi^{21}tsiəu$^{53}_{44}$tsin^{53}lai$^{13}_{21}$ ke$^{53}_{44}$,xei^{53}me^{53}?kan^{21}tsɿ^{0}ɲiəu^{13}tsɿ^{0}kan^{21}tsɿ^{0} tʰo^{35}uən^{21}çi^{53}kai^{53}lai^{13}tsʰiəu^{53}tsəŋ^{21}tʂʰa^{53}tʂʰa^{53}li^{0} ʂɔŋ^{35}ŋa^{0},tsʰi^{13}tau^{21} ʂɔŋ^{35}ŋa^{0},ʂɔŋ^{35}tau^{21}i^{21}ʂɔŋ$^{53}_{44}$pɔi$^{53}_{44}$tsʰiəu$^{53}_{44}$fan^{35}na^{53}tʂuɔn^{21}nɔi$^{13}_{21}$ia^{0}.｜打比样你徛倒箇有蚁公个栏场啊，蚁公多哩个栏场，你徛倒唔动哦，箇蚁公～上。ta^{21}pi^{21}iɔŋ^{53}ɲi$^{13}_{21}$cʰi^{35}tau^{21}kai^{53}iəu$^{35}_{44}$ne^{35}kəŋ$^{35}_{44}$ke^{53}laŋ$^{13}_{44}$ tʂʰɔŋ$^{13}_{44}$ŋa^{0},ne^{35}kəŋ$^{35}_{44}$to^{35}li^{0} ke^{53}laŋ$^{13}_{21}$tʂʰɔŋ$^{13}_{44}$, ɲi$^{13}_{21}$cʰi^{35}tau^{21}n̩^{13}tʰəŋ^{35}ŋo^{0},kai$^{53}_{44}$lei^{35}kəŋ$^{35}_{44}$tʂʰa^{53}tʂʰa$^{53}_{44}$li^{0} ʂɔŋ$^{53}_{44}$.◇跒，《集韵》楚嫁切："歧道也。"《玉篇》："踏也。"

【差$_{2}$】tsʰa^{53} [形]不好，不够标准：箇木锁就渠个保密效果就非常～。kai^{53}muk^{3} so^{21}tsʰiəu^{53}ci^{13}ke$^{53}_{44}$ pau^{21} miet^{5} çiau^{53}ko^{21}tsʰiəu^{53}fei^{35}ʂɔŋ$^{13}_{21}$tsʰa^{53}.

【拆】tsʰak^{3} [动]①把合在一起的整体的东西弄开：以前～烂屋是真简单呐。箇下请只人去～烂屋。早唔知五年呐六年，有只人请倒别人家～烂屋，溻只大场。一只后生子箇墙上跌嘿下来啰，整嘿十几万哦。箇只跌伤哩个人呢，结婚都还赠结，老婆都冇得。两十多岁，两三十岁吧。以下以只当老板个人嘞赔嘿……搞下法院里打官司，赔嘿八万。以下嘞～屋都请唔倒人来～咯。冇么人～屋了。尽兜都怕哩箇路子怕溻场啊，怕跌倒哇。以下都讲嘿来，都卖屋卖烂屋个人呐卖旧屋个人呐都讲嘿来，～屋就唔包啦，你爱买我旧屋你就去～，结果箇旧屋越卖越冇哩钱。我等老家箇映五间屋啦，你话卖倒几多钱呐？五间旧屋哇。冇人爱嘞。爱做祠堂了，爱～嘿去，卖倒一千六百块钱。五间屋。i^{35}tsʰien^{13}tsʰak^{3} lan^{53}uk^{3} ʂɿ$^{53}_{44}$tʂən^{35}kan^{21}tan$^{35}_{44}$na^{0} .kai$^{53}_{21}$ xa$^{53}_{21}$tsʰiaŋ^{21}tʂak^{3}ɲin^{13}çi^{53}tsʰak^{3} lan^{53}uk^{3} .tsau^{21}n̩^{13}ti$^{35}_{53}$ŋ̍^{21}ɲien^{13}na^{0} liəuk^{3}ɲien^{13},iəu^{35}tʂak^{3}ɲin$^{13}_{21}$tsʰiaŋ^{21}tau^{21}pʰiet^{5} in$^{13}_{44}$ka$^{35}_{44}$tsʰak^{3} lan^{53}uk^{3} ,tʰait^{3} tʂak^{3} tʰai^{53}tʂʰɔŋ^{13} .iet^{3} tʂak^{3} xei^{53}saŋ$^{35}_{44}$tsɿ^{0} kai^{53}tsʰiɔŋ^{13}xɔŋ^{53}tet^{3} ek^{3} xa^{53}lɔi$^{13}_{21}$lo^{0} ,tʂaŋ^{21} ŋek^{3} ʂət^{5} ci^{21}uan^{53}no^{0} .kai^{53}tʂak^{3} tet^{3} ʂɔŋ^{35}li^{0} ke^{0}ɲin^{13}ne^{0} ,ciet^{3} fən^{35}təu$^{35}_{53}$xai$^{13}_{44}$maŋ$^{13}_{44}$ciet^{3} ,lau^{21}pʰo^{13}təu$^{35}_{53}$mau$^{13}_{44}$ tek^{3} .iɔŋ^{21}ʂət^{5} to$^{35}_{44}$sɔi^{53} ,iɔŋ^{21}san$^{35}_{44}$ʂət^{5} sɔi$^{53}_{44}$pa^{0} .i$^{21}_{13}$xa^{53}i^{21}tʂak^{3} tɔŋ^{35}lau^{21}pan^{21}ke^{0}ɲin$^{13}_{44}$le^{0} pʰi^{13}xek^{3} ⋯kau^{21}a^{53}fait^{3} yen^{53}li^{0} ta^{21}kɔn^{35}sɿ$^{35}_{44}$,pʰi^{13}xek^{3} pait^{3} uan^{53} .i^{21}xa^{53}lei^{0} tsʰak^{3} uk^{3} təu$^{35}_{53}$tsʰiaŋ^{21}m̩^{13}tau^{21}ɲin^{13}nɔi^{13}tsʰak^{3} ko^{0} .mau^{13} mak^{3} in$^{13}_{44}$tsʰak^{3} uk^{3} liau^{0} .tsʰin^{53}təu$^{35}_{44}$təu$^{35}_{44}$pʰa^{53}li^{0} kai$^{53}_{44}$lu$^{53}_{44}$tsɿ^{0} pʰa^{53}tʰait^{3} tʂʰɔŋ^{13}ŋa^{0} ,pʰa^{53}tiet^{3} tau^{21}ua^{0} .i^{21}xa$^{53}_{44}$təu^{35} kɔŋ^{21}ŋek^{3} lɔi^{13} ,təu^{35}mai^{53}uk^{3} mai^{53}lan^{53}uk^{3} ke^{53}ɲin$^{13}_{21}$na^{0} mai^{53}cʰiəu^{53}uk^{3} ke$^{53}_{44}$ɲin$^{13}_{44}$na^{0} təu^{35}kɔŋ^{21}xek^{3} lɔi^{13} ,tsʰak^{3} uk^{3} tsʰiəu^{53}m̩$^{13}_{21}$pau$^{35}_{44}$la^{0} , ɲi^{13}ɔi^{53}mai^{35}ŋai$^{13}_{44}$cʰiəu^{53}uk^{3}ɲi^{13}tsiəu$^{53}_{44}$çi$^{53}_{44}$tsʰak^{3} ,ciet^{3} ko^{21}kai$^{53}_{44}$cʰiəu^{53}uk^{3} uet^{5} mai^{53}uet^{5} mau$^{13}_{21}$li^{0} tsʰien^{13} .ŋai^{13}tien^{0} lau^{21}cia^{35}kai$^{53}_{44}$iaŋ$^{53}_{44}$ŋ̍^{21}kan^{35}uk^{3} la^{0} , ɲi^{13}ua$^{53}_{44}$mai^{53}tau^{21}cio^{35}(←ci^{21}to^{35})tsʰien$^{13}_{21}$na^{0} ?ŋ̍^{21} kan^{35}cʰiəu^{53}uk^{3} ua^{0} .mau$^{13}_{21}$ɲin$^{13}_{44}$ɔi^{53}lei^{0} .ɔi^{53}tso^{53}tsʰɿ^{13}tʰɔŋ$^{13}_{44}$liau^{0} ,ɔi^{53}tsʰak^{3} xek^{3} çi$^{53}_{44}$,mai^{53}tau^{21}iet^{3} tsʰien^{35}liəuk^{3} pak^{3} kʰuai$^{53}_{44}$tsʰien$^{13}_{21}$.ŋ̍^{21}kan$^{35}_{44}$uk^{3} . ②迫使相恋的人分开：硬系（八字）合唔得嘞就硬会～嘿嘞，渠就硬会～嘿。ɲiaŋ^{53}xe$^{53}_{44}$xɔit^{5} n̩$^{13}_{21}$tek^{3} le^{0} tsʰiəu$^{53}_{44}$ɲiaŋ$^{53}_{44}$uɔi$^{53}_{44}$tsʰak$^{3}_{5}$ xek^{3} le^{0} ,ci$^{13}_{21}$tsʰiəu$^{53}_{44}$ɲiaŋ^{53}uɔi$^{53}_{44}$tsʰak$^{3}_{5}$ xek^{3} .

【拆字】tsʰak^{3} sɿ^{53}/tsʰɿ^{53} [动]测字：我爷子也会拆下子字嘞箇阵子嘞。我箇到看倒我等箇老弟嫂走倒去走下箇映去问神。箇只呢咁个半神半算八字子。渠也爱我老弟嫂报只子字分渠。渠去拆下子字。唔记得渠让门讲个去哩。箇只先生嘞也还会拆下子字。还讲得蛮有道理。渠就通过箇只字来指挥你。ŋai$^{13}_{21}$ia^{13}tsɿ^{0} a$^{35}_{53}$uɔi^{53}tsʰak^{3} a^{0} tsɿ^{0} sɿ^{53}le^{0} kai^{53}tʂʰən$^{53}_{44}$tsɿ^{0} le^{0} .ŋai^{13}kai$^{53}_{44}$tau$^{53}_{44}$kʰɔn^{53}tau$^{21}_{44}$ŋai^{13} tien^{0} kai$^{53}_{44}$lau^{21}tʰe$^{35}_{53}$sau^{21}tsei^{21}tau^{21}çi^{53}tsei^{21}a^{0} kai$^{53}_{44}$iaŋ$^{53}_{44}$çi$^{53}_{44}$uən^{53}ʂən^{13} .kai^{53}tʂak^{3} nei^{0} kan^{21}cie^{53}pan^{53}ʂən^{13}pan^{53} sɔn^{53}pait^{3} tsʰɿ^{53}tsɿ^{0} .ci^{13}ia$^{35}_{53}$ɔi^{53}ŋai$^{13}_{21}$lau^{21}tʰe$^{35}_{53}$sau^{21}pau^{53}tʂak^{3} tsɿ^{0} sɿ^{53}pən^{35}ci$^{13}_{21}$.ci^{13}çi^{53}tsʰak^{3} a^{0} tsɿ^{0} sɿ^{53} .n̩^{13}ci^{53}tek^{3} ci^{13} ɲiɔŋ^{53}mən^{0} kɔŋ^{21}ke^{0} çi^{53}li^{0} .kai^{53}tʂak^{3} sen^{35}saŋ$^{35}_{44}$le^{0} ia^{35}xai$^{13}_{44}$uɔi^{53}tsʰak^{3} a^{0} tsɿ^{0} sɿ^{53} .xai$^{13}_{21}$kɔŋ^{21}tek^{3} man$^{13}_{21}$iəu$^{35}_{44}$tʰau^{53} li$^{35}_{44}$.ci^{13}tsʰiəu^{53}tʰəŋ$^{35}_{44}$ko$^{53}_{44}$kai^{53}tʂak^{3} sɿ^{53}lɔi$^{13}_{44}$tʂɿ^{21}fɔi$^{35}_{21}$ɲi$^{13}_{44}$.

【拆字先生】tsʰak^{3} sɿ^{53}sien$^{35}_{44}$saŋ$^{35}_{44}$ [名]替人测字算命的人：搞箇只拆字个箇只路子个人就安做～。欸我看个箇只～欸，渠箇箇个样子也蛮重要嘞。蓄起箇大胡子，以只头发嘞一梢梢下转来扎做只把子。箇唔系看倒都真像一只咁个搞咁个路子个人呐。其实我落尾同渠□下子，掺我一只年纪，同年个两老根，渠比我还细滴子。我正月，渠十二月。你话就扮成他箇样子，胡子□长，就以咁长嘞硬嘞，后背扎只子把子嘞。真多人信渠。又会□哇又会嘴巴会讲啊。渠收入比我都更高。kau^{21}kai$^{53}_{44}$tʂak^{3} tsʰak^{3} sɿ^{53}ke^{0} kai$^{53}_{44}$tʂak^{3} ləu^{53}tsɿ^{0} ke^{0} ȵin^{13}tsʰiəu$^{53}_{44}$ɔn$^{35}_{44}$tso$^{53}_{44}$tsʰak^{3} sɿ^{53}sen^{35}saŋ$^{35}_{44}$.e$_{21}$ŋai^{13}kʰɔn$^{53}_{44}$ke$^{53}_{44}$kai^{53}tʂak^{3} tsʰak^{3} sɿ^{53}sen^{35}saŋ$^{35}_{44}$ŋe^{0},ci^{13}kai$^{53}_{44}$kai$^{53}_{44}$kei$^{53}_{44}$iɔŋ^{53}tsɿ^{0} ia^{35}man$^{13}_{21}$tʂʰəŋ^{53}iau^{53}lei^{0}.çiəuk^{3} çi^{21}kai$^{53}_{44}$tʰai^{53}u^{13}tsɿ^{0},i$^{21}_{44}$tʂak^{3} tʰei$^{13}_{21}$fait^{3} lei^{0} iet^{3} sau^{35}sau^{35}xa^{53}tʂɔn^{21}nɔi$^{13}_{21}$tsait^{3} tso^{53}tʂak^{3} pa^{21}tsɿ^{0}.kai^{53}m̩$^{13}_{21}$pʰe$^{53}_{44}$kʰɔn^{53}tau^{21}təu$^{35}_{44}$tʂən^{35}tsʰiɔŋ^{53}iet^{3} tʂak^{3} kan$^{21}_{44}$cie$^{53}_{44}$kau^{21}kan^{21}cie^{53}ləu^{53}tsɿ^{0} ke^{53}ȵin$^{13}_{21}$na^{0}.cʰi^{13}ʂət^{5} ŋai$^{13}_{21}$lɔk^{5} mi$^{35}_{44}$tʰəŋ$^{13}_{44}$ci$^{13}_{44}$to^{21}a$^{53}_{44}$tsɿ^{0},lau^{35}ŋai$^{13}_{21}$iet^{3} tʂak^{3} ȵien^{13}ci$^{21}_{44}$,tʰəŋ^{13}ȵien^{13}ke^{0} iɔŋ^{21}lau^{21}cien^{35},ci^{13}pi^{21}ŋai^{13}xai^{13}sei^{53}tiet^{5} tsɿ^{0}.ŋai$^{13}_{21}$tʂaŋ^{35}ȵiet^{5},ci^{13}ʂət^{5} ȵi^{53}ȵiet^{5}. ȵi^{13}ua^{53}tsʰiəu^{53}pan^{53}ʂaŋ$^{13}_{21}$tʰa$^{35}_{44}$kai$^{53}_{44}$iɔŋ^{53}tsɿ^{0},u^{13}tsɿ^{0} lai^{35}tʂʰɔŋ$^{13}_{44}$,tsʰiəu$^{53}_{44}$i$^{21}_{44}$kan^{21}tʂʰɔŋ^{13}lei^{0}ȵiaŋ^{53}lei^{0},xei^{53}pɔi$^{53}_{44}$tsait^{3} tʂak^{3} tsɿ^{0} pa^{21}tsɿ^{0} lei^{0}.tʂən^{35}to$^{35}_{44}$ȵin$^{13}_{21}$sin^{53}ci$^{13}_{21}$.iəu^{53}uɔi^{53}tʂʰau^{13}ua^{0} iəu^{53}uɔi$^{53}_{21}$tsi^{21}pa$^{35}_{44}$uɔi^{53}kɔŋ^{21}ŋa^{0}.ci$^{13}_{44}$ʂəu$^{35}_{44}$ȵiet^{5} pi^{21}ŋai^{13}təu$^{35}_{44}$cien^{53}kau$^{35}_{44}$.

【差$_{3}$】tsʰai^{35} [动]派遣；指派：欸，派人去搞么个也安做～人呢。～倒人去呀。～人去搞么一下，欸，就派倒人去搞一下。e$_{44}$,pʰai^{53}ȵin^{13}çi^{53}kau^{21}mak^{3} ke^{0} ia^{35}ɔn$^{35}_{44}$tso$^{53}_{44}$tsʰai^{13}ȵin$^{13}_{21}$ne^{0}.tsʰai^{35}tau^{21}ȵin^{13}cʰi^{53}ia^{0}.tsʰai^{35}ȵin$^{13}_{21}$çi^{53}kau^{21}uet^{3} xa^{53},e$_{21}$,tsʰiəu$^{53}_{44}$pʰai^{53}tau^{21}ȵin^{13}çi^{53}kau^{21}uet^{3} xa^{53}.｜厨房下冇得哩油盐，或者冇得哩么个菜，冇得哩箇个厨房下冇得哩猪肉，～人去搞兜子归来，去买滴归来，～人去斫几斤归来。tʂʰəu$^{13}_{21}$fɔŋ$^{13}_{44}$xa^{35}mau^{13}tek^{3} li^{0} iəu^{13}ian$^{13}_{44}$,xɔit^{5} tʂa^{21}mau^{13}tek^{3} li^{0} mak^{3} e^{0} tsʰɔi^{53},mau^{13}te^{3} li^{0} kai$^{53}_{44}$ke$^{53}_{44}$tʂʰəu$^{13}_{21}$fɔŋ$^{13}_{21}$xa^{53}mau^{13}tek^{3} li^{0} tʂəu^{35}ȵiəuk^{3},tsʰai^{35}ȵin$^{13}_{21}$çi^{53}kau^{21}təu$^{35}_{53}$tsɿ^{0} kuei$^{35}_{44}$lɔi$^{13}_{44}$,çi$^{53}_{44}$mai^{35}tiet^{5} kuei$^{35}_{44}$lɔi$^{13}_{44}$,tsʰai^{35}ȵin$^{13}_{21}$çi$^{53}_{44}$tʂɔk^{3} ci^{21}cin$^{35}_{44}$kuei$^{35}_{44}$lɔi$^{13}_{44}$.

【差人】tsʰai^{35}ȵin^{13} [名]指旧时官府的衙役：以下唔多讲箇只就～呢，唔多讲。但是有只咁个儿歌子呢，箇个谜语子咯。“两只白狗，走下巷口，一只～，捉倒猋走。”或者一条唠。“一条白狗，走下巷口，两只～，捉倒猋走。”搞么个？看呶！擤鼻脓啊。两只白狗，就箇鼻脓来哩啊，出来哩啊。走下巷口，走下鼻公箇以映来哩。两只～，就两只手指啊。捉倒猋走，就擤嘿去啊。箇个就系欸童谣子吧？i$^{13}_{21}$xa^{53}n̩^{13}to$^{35}_{53}$kɔŋ^{21}kai$^{53}_{44}$tʂak^{3} tsʰiəu$^{53}_{44}$tsʰai^{35}ȵin$^{13}_{21}$nei^{0},n̩^{13}to$^{35}_{53}$kɔŋ^{21}.tan$^{53}_{44}$ʂɿ$^{53}_{44}$iəu^{35}tʂak^{3} kan^{21}cie$^{53}_{44}$ɥ^{13}ko^{35}tsɿ^{0} nei^{0},kai$^{53}_{21}$ke^{53}mi^{13}ȵy^{21}tsɿ^{0} ko^{0}."iɔŋ^{21}tʂak^{3} pʰak^{5} kei^{21},tsei^{21}ia$^{53}_{44}$xɔŋ^{53}xei^{21},iet^{3} tʂak^{3} tsʰai^{35}ȵin^{13},tsɔk^{3} tau^{21}piau^{35}tsei^{21}."xɔit^{5} tʂak^{3} iet^{3} tʰiau^{13}lau^{0}."iet^{3} tʰiau^{13}pʰak^{5} kei^{21},tsei^{21}ia$^{53}_{44}$xɔŋ^{53}xei^{21},iɔŋ^{21}tʂak^{3} tsʰai^{35}ȵin^{13},tsɔk^{3} tau^{21}piau^{35}tsei^{21}."kau^{21}mak^{3} ke$^{53}_{44}$?kʰɔn$^{53}_{44}$nau^{0}!sen^{53}pʰi^{53}ləŋ^{13}ŋa^{0}.iɔŋ^{21}tʂak^{3} pʰak^{5} kei^{21},tsʰiəu$^{53}_{44}$kai$^{53}_{44}$pʰi^{53}ləŋ$^{13}_{21}$lɔi$^{13}_{21}$li^{0} a^{0},tʂʰət^{3} lɔi^{13}li^{0} a^{0}.tsei^{21}ia$^{53}_{44}$xɔŋ^{53}xei^{21},tsei^{21}ia$^{53}_{44}$pʰi^{53}kəŋ^{35}kai^{53}i^{21}iaŋ^{53}lɔi^{13}li^{0}.iɔŋ^{21}tʂak^{3} tsʰai^{35}ȵin^{13},tsʰiəu^{53}iɔŋ^{21}tʂak^{3} ʂəu^{21}tʂɿ^{21}a^{0}.tsɔk^{3} tau^{21}piau^{35}tsei^{21},tsʰiəu$^{53}_{44}$sen^{53}nek^{3} çi^{53}a^{0}.kai$^{53}_{44}$ke$^{53}_{44}$tsiəu$^{53}_{21}$xe$^{53}_{21}$e$_{21}$tʰəŋ^{13}iau^{13}tsɿ^{0} pa^{0}?

【柴】tsʰai^{13} [名]用作燃料的草木：老灶是烧～个。lau^{21}tsau^{53}ʂɿ$^{53}_{44}$ʂau$^{35}_{44}$tsʰai$^{13}_{21}$ke$^{53}_{44}$.｜我娭子爱我去斫～。ŋai^{13}ɔi^{35}tsɿ^{0} ɔi$^{53}_{44}$ŋai$^{13}_{44}$çi$^{53}_{44}$tʂɔk^{3} tsʰai^{13}.｜从前个～都有三四起啦，一起劈柴，一起棍子柴，一起杈柴，一起硇其杈，欸，松毛，引火柴。tsʰəŋ^{13}tsʰien$^{13}_{44}$ke^{53}tsʰai^{13}təu$^{35}_{44}$iəu$^{35}_{44}$san$^{35}_{44}$si^{53}çi^{21}la^{0},iet^{3} çi^{21}pʰiak^{3} tsʰai^{13},iet^{3} çi^{21}kuən^{53}tsɿ^{0} tsʰai^{13},iet^{3} çi^{21}tsʰa^{53}tsʰai^{13},iet^{3} çi^{21}ləu^{35}ci$^{35}_{44}$tsʰa^{53},e$_{21}$tsʰəŋ^{13}mau^{35},in^{21}fo^{21}tsʰai$^{13}_{44}$.

【柴寮】tsʰai^{13}liau^{13} [名]积聚柴火的棚屋：欸，有箇个咯，专门□柴个栏场安做～喔。我等以前就有只～。有间屋，箇间屋嘞只有顶高，底下就通透个。通透个渠正箇柴正会燥吵。安做～。宝盖头个寮吧？我箇年带倒学生去深圳呢系么个栏场？寮铺。深圳箇映一只地名安做寮铺。我等有间屋安做……就系～，安做上只～。还有下只～。欸，欸，上只～，就箇间屋咯安做上只～。还有下只～。有两只～。ei$_{44}$,iəu^{35}kai^{53}ke^{53}ko^{0},tʂen^{35}mən$^{13}_{21}$tsiau^{35}tsʰai^{13}ke^{0} laŋ$^{13}_{21}$tʂʰɔŋ$^{13}_{44}$ɔn$^{35}_{44}$tso$^{53}_{44}$tsʰai^{13}liau$^{13}_{44}$uo^{0}.ŋai^{13}tien^{0} i$^{35}_{44}$tsʰien$^{13}_{21}$tsʰiəu$^{53}_{44}$iəu$^{35}_{44}$tʂak^{3} tsʰai^{13}liau$^{13}_{44}$.iəu^{35}kan^{35}uk^{3},kai^{53}kan$^{35}_{44}$uk^{3} lei^{0} tʂɿ^{21}iəu$^{35}_{53}$taŋ^{21}kau$^{35}_{44}$,te^{21}xa$^{53}_{44}$tsʰiəu$^{53}_{44}$tʰəŋ^{35}tʰei$^{53}_{44}$ke^{0}.tʰəŋ^{35}tʰei$^{53}_{44}$ke^{0} ci$^{13}_{21}$tʂaŋ^{53}kai^{53}tsʰai^{13}tʂaŋ^{53}uɔi^{53}tsau^{35}ʂa^{0}.ɔn$^{35}_{44}$tso$^{53}_{44}$tsʰai^{13}liau$^{13}_{44}$.pau^{21}kɔi^{53}tʰei$^{13}_{44}$ke^{53}liau$^{13}_{21}$pa^{0}?ŋai^{13}kai^{53}ȵien$^{13}_{21}$tai^{53}tau^{21}xɔk^{5} saŋ$^{35}_{44}$çi$^{53}_{44}$ʂən^{35}tʂən$^{53}_{44}$nei^{0} xei$^{53}_{44}$mak^{3} e^{0} laŋ$^{13}_{21}$tʂʰɔŋ$^{13}_{44}$?liau^{13}pʰu^{53}.ʂən^{35}tʂən^{53}kai^{53}iaŋ^{53}iet^{3} tʂak^{3} tʰi^{53}miaŋ^{13}ɔn$^{35}_{44}$tso$^{53}_{44}$liau^{13}pʰu^{53}.ŋai^{13}tien^{0} iəu^{35}kan$^{35}_{44}$uk^{3} ɔn^{35}tso^{53}…tsʰiəu^{53}xe^{53}tsʰai^{13}liau^{13},ɔn$^{35}_{44}$tso$^{53}_{44}$ʂɔŋ^{53}tʂak^{3} tsʰai^{13}liau^{13}.xai^{13}iəu$^{35}_{44}$xa^{35}tʂak^{3} tsʰai^{13}liau^{13}.e$_{21}$,e$_{21}$,ʂɔŋ^{53}tʂak^{3} tsʰai^{13}liau^{13},tsʰiəu$^{53}_{44}$kai^{53}kan^{35}uk^{3} ko^{0} ɔn$^{35}_{44}$tso$^{53}_{44}$ʂɔŋ^{53}tʂak^{3} tsʰai^{13}liau^{13}.xai^{13}iəu$^{35}_{44}$xa^{35}tʂak^{3} tsʰai^{13}liau^{13}.iəu^{35}iɔŋ^{21}tʂak^{3} tsʰai$^{13}_{21}$liau$^{13}_{21}$.

【柴间】tsʰai^{13}kan^{35} [名]柴房：～就系放柴个间。箇一般呢～呢同柴寮嘞，柴寮就更宽，更大，更空旷，箇就一般就系放杂柴个栏场，箇树槁子啊一把一把子放倒去个，柴寮。箇～呢箇就既然一只间里嘞你就唔好放箇起东西，箇一般就放劈柴，放滴子劈柴。渠系体积更小，有咁霸地方个东西，就系～子。箇我等～就冇得，柴寮就有。tsʰai^{13}kan^{35}tsʰiəu$^{53}_{44}$xe$^{53}_{44}$fɔŋ^{53}tsʰai^{13}cie$^{53}_{44}$

kan35.kai53iet3 pɔn35nei0 tsʰai13kan35nei0 tʰɔŋ13/21tsʰai13/21liau13lei0,tsʰai13liau13tsʰiɔu53/44cien53kʰɔn35,cien53/44tʰai53,cien53 kʰɔŋ35kʰɔŋ53,kai53/44tsʰiɔu53/44iet3 pɔn35tsʰiɔu53/44xe53/44fɔŋ53/44tsʰak5 tsʰai13/21cie53/44laŋ13/21tʂʰɔŋ13/21,kai53/44ʂəu53kʰua21tsa0 iet3 pa21iet3 pa21tsɿ0 fɔŋ53tau21çi53/44ke0,tsʰai13/21liau13/44.kai13tsʰai13kan35nei0 kai53tsiɔu53/44ci53vien13/44iet3 tʂak3 kan35li0 lei0 ɲi13tsʰiɔu53/44 m̩13xau21/44fɔŋ53kai53çi21tɔŋ35/44si0,kai53iet3 pɔn35tsʰiɔu53/44fɔŋ53pʰiak3 tsʰai13,fɔŋ53tet5 tsɿ0 pʰiak3 tsʰai13.ci13xe53tʰi21 tsiet3 ken53siau21,mau13/21kan21/44pa53/44tʰi53fɔŋ35/44ke53/44tɔŋ35/44si0,tsiɔu53/44xe53/44tsʰai13kan35tsɿ0.kai53/44ŋai13tien0 tsʰai13kan35 tsʰiɔu53mau13/21tek3,tsʰai13liau13tsʰiɔu53/44iɔu35.

【柴角里】tsʰai13kɔk3 li0 名灶角里的别称：（灶角里）有滴人安做～。iɔu35tet5ɲin13/21ɔn35/44tso53/44tsʰai13 kɔk3 li0.

【柴条子】tsʰai13tʰiau13tsɿ0 名捆柴火用的条子，多用韧性好的锯柴条子、苎麻条子、茶树条子或竹枝之类做成：箇你用绳子捆，惹别人家笑嘞。"你还咁个都寻唔倒哇？"用～捆。安做～。到岭上去斫唠。斫箇～唠。有苎麻条子。有锯柴条子。一条短哩，要两条驳下去。苎麻条子，还有起苎麻条子，有滴子像苎麻呀，苎麻树样。苎麻条子。茶树条子也可以。茶树上有滴长起□长个箇个枝条哇也可以。箇个都比较韧性。慢点我我带你去到岭上去去箇个唠，拿张刀去斫条～你。竹槅也可以嘞。竹槅也可以，嗯。kai53/44ni13iɔŋ53ʂɔn13tsɿ0 kʰuɔn21, ɲia35pʰiek5 in13/21ka35/44siau53lei0 ."ɲi13xai13/21kan21/13cie53tɔu35/53tsʰin13n̩13/21tau21ua0 ?"iɔŋ53tsʰai13tʰiau13tsɿ0 kʰuɔn21.ɔn35/44tso53/44tsʰai13 tʰiau13tsɿ0.tau53/44liaŋ35xɔŋ53/44çi53/44tʂɔk3 lau0.tʂɔk3 kai53tsʰai13tʰiau13tsɿ0 lau0.iɔu35/44tʂʰəu35ma13/21tʰiau13tsɿ0.iɔu35cie53 tsʰai13tʰiau13tsɿ0.iet3 tʰiau13tɔn21ni0 ,iau53iɔŋ21tʰiau13pɔk3 (x)a53çi53.tʂʰəu35ma13/21tʰiau13tsɿ0 ,xai13/21iɔu35/53çi21tʂʰəu35 ma13/21tʰiau13tsɿ0 ,iɔu35tiet5 tsɿ0 tsʰiɔŋ53tʂʰəu35ma13/21ia0 ,tʂʰəu35ma13/21ʂəu53iɔŋ53/44.tʂʰəu35ma13/21tʰiau13tsɿ0 .tsʰa13ʂəu53 tʰiau13/21tsɿ0 a35/44kʰo21i35.tsʰa13ʂəu53xɔŋ53/44iɔu35tiet5 tʂɔŋ21çi21lai35tʂʰɔŋ13/21ke53/44kai53/44ke53/44tʂɿ35/44tʰiau13/21ua0 ia35kʰo21i35.kai53/44 ke53/35tɔu35pi21ciau53/44ɲin53sin53.man53/44tian0 ŋai13ŋai13tai53ɲi13/21çi53/44tau53/44liaŋ35xɔŋ53/44çi53/44çi53/44kai53/44ke53/44lau0 ,la53/44tʂɔŋ35/44tau35 çi53tʂɔk3 tʰiau13tsʰai13tʰiau13/21tsɿ0ɲi13/21.tʂəuk3 kʰua21ia35/53kʰo21i35/53lei0 .tʂəuk3 kʰua21ia35/53kʰo21i35/53,n̩21.

【柴头】tsʰai13tʰei13 名柴火：走下岭头，斫担～。tsei21ia35liaŋ35tʰei13,tʂɔk3 tan35tsʰai13tʰei13.

【柴灶】tsʰai13tsau53 名烧柴火的灶：欸从前箇～个灶下是有以个间咁大哟。e44tsʰɔŋ13tsʰien13/44kai53/44 tsʰai13tsau53/44ke53/44tsau53xa35/44ʂɿ53/44iɔu35/44i21cie53/44kan35kan21tʰai53iau0.

【豺狼】sai13lɔŋ13 名豺和狼的合称，或单指豺狗。也称"豺狼子"：～，狼呀，我见过。sai13 lɔŋ13,lɔŋ13ŋa0,ŋai13cien53ko53/44.｜我看过箇个～子。我等箇映子箇年咯，七几年呢也系嘞。你话箇个几只箇个样个东西，待倒箇我个后背箇只欸箇埂子上，待倒，狗样个东西。哦，落尾等得挨夜子是就一只羊子就分渠啱嘿哩啰，欸，啱去下肚子里个血……肠子箇兜下流倒一地唠。𫲸晓得箇个就系么个～子。渠呃～就一伴一伴呐，欸，唔多单独行动。ŋai13kʰɔn53ko53/44kai53/44ke53/44 sai13lɔŋ13tsɿ0.ŋai13tien0 kai53iaŋ53tsɿ0 kai53ɲien13/21ko0,tsʰiet3 ci21ɲien13nei0 ia35xei53lei0. ɲi13ua53/44kai53/44kei53/44ci21tʂak3 kai53kei21iɔŋ53/44ke53/44tɔŋ35/44si0,cʰi35tau21kai53/44ŋai13ke53/44xei53pɔi53/44kai53/44tʂak3 e21kai53/44cien53tsɿ0 xɔŋ53,cʰi35tau21,kei21iɔŋ53/44 ke53/44tɔŋ35/44si0.o53,lɔk5 mi35/53ten21tek3 ai35ia53tsɿ0 ʂɿ53tsʰiəu53iet3 tʂak3 iɔŋ13tsɿ0 tsʰiəu53pɔn35/44ci13/44ŋait3 (x)ek3 li0 lo0,e21, ŋait3 çi53xa53tɔu21tsɿ0 li21ke53/44çiet3 …tʂʰɔŋ13tsɿ0 kai53/44te35/44xa53liəu13tau21iet3 tʰi53lau0.maŋ13çiau21tek3 kai53ke53 tsʰiəu53xei53mak3 ke53sai13lɔŋ13/21tsɿ0.ci13ə0 sai13lɔŋ13/44tsɿ0 tsʰiəu53iet3 pʰɔn53iet3 pʰɔn53na0,e21,n̩13to35/44tan35tʰəuk5 çin13 tʰɔŋ53/44.

【搀】tsʰan35 动混合：我箇年买倒我一只亲戚个蜂糖，我话箇亲戚个呀蜂糖啊，箇是真个吧，系唔系？落尾食完了，底下咁厚一层个白糖噢。也～假嘞，～呢。我落尾我我理解渠，让门子嘞？渠箇个就唔系么个只卖分我一个人，渠不是卖分我一个人，渠还卖分别人家去哩。渠～哩糖了就～哩假放哩白糖了是，渠唔好话我分箇只糖又倾出来，系唔系？还唔系欸你拿一糖瓶去，拿一瓶去。渠个所有个白糖舞出来个时候子就所有个蜂糖舞出来个时候子就～哩假了，嘿嘿，就～哩假。以下卖分我一只亲戚也好就……反正卖分呢阿舅子卖分呢老弟子都呃都都系箇起～哩假个，只有箇起呀，就有……渠唔系专为卖分我个。我理解渠，我话"我理解你"。ŋai13kai53/44ɲien13/44mai35tau21ŋai13iet3 tʂak3 tsʰin35tsʰiet3 kei53/44fɔŋ35tʰɔŋ13,ŋai13ua53/44kai53/44tsʰin35tsʰiet3 ke53/44 ia0 fɔŋ35tʰɔŋ13/44ŋa0,kai53ʂɿ53/44tʂən35cie53/44pa0,xei53me53?lɔk5/3mi35/44ʂət5 ien13/21liau0,tei21xa53/44kan21xei53/44iet3 tsʰen13ke53/44 pʰak5 tʰɔŋ13/21ŋau0.ia35tsʰan35cia21lei0,tsʰan35nei0.ŋai13lɔk5/3mi35/44ŋai13/44ŋai13li35kai21ci13/44,ɲiɔŋ53mən0 tsɿ0 lei0?ci13kai53 ke53tsʰiəu53m̩13pʰe53mak3 e0 tʂət3 mai53pɔn35ŋai13iet3 cie53ɲin13/21,ci13/21pət3 ʂɿ53mai53pɔn35ŋai13iet3 cie53ɲin13/21,ci13/21xai13 mai53pɔn35/44pʰiet5ɲin13/21ka35/44çi53li0.ci13tsʰan35ni0 tʰɔŋ13liau0 tsiɔu53/44tsʰan35ni0 cia21fɔŋ53li0 pʰak5 tʰɔŋ13/44liau0 ʂɿ53/44,ci13/21n̩13 xau21ua53ŋai13pɔn35kai53/44tʂak3 tʰɔŋ13iɔu53/44kʰuaŋ35tʂʰət3 lɔi13,xei53/44me53/44?xam13pʰe53e0 ɲi13/44la13iet3 tʰɔŋ13pʰin13/21 çi^{53},la^{53}iet^{3} pʰin$^{13}_{44}$çi$^{53}_{44}$.ci^{13}ke^{53}so^{21}iəu^{35}ke$^{53}_{44}$pʰak^{5} tʰɔŋ$^{13}_{44}$u^{21}tʂʰət^{3} lɔi^{13}ke^{53}ʂʅ^{13}xəu^{53}tsɿ^{0} tsʰiəu^{53}so^{21}iəu^{35}kei$^{53}_{44}$fəŋ^{35} tʰɔŋ$^{13}_{21}$u^{21}tʂʰət^{3} lɔi^{13}ke^{53}ʂʅ^{13}xəu^{53}tsɿ^{0} tsʰiəu^{53}tsʰan^{35}ni^{0} cia^{21}liau^{0},xe$_{53}$xe$_{53}$,tsʰiəu$^{53}_{44}$tsʰan^{35}ni^{0} cia^{21}.i$^{21}_{13}$xa^{53}mai^{53}pən^{35} ŋai$^{13}_{21}$iet^{3} tʂak^{3} tsʰin^{35}tsʰiet^{3} ia^{35}xau^{21}tsʰiəu$^{53}_{44}$…fan$^{21}_{44}$tʂən$^{53}_{44}$mai^{53} pən$^{35}_{53}$ne^{0} a^{35} cʰiəu$^{35}_{44}$tsɿ^{0} mai$^{53}_{44}$pən$^{35}_{44}$ne^{0} lau^{21}tʰe$^{35}_{44}$tsɿ^{0} təu$^{35}_{44}$ə$_{21}$,təu$^{35}_{44}$təu^{35}xei^{53}kai$^{53}_{44}$çi^{21}tsʰan$^{35}_{44}$li^{0} cia^{21}ke^{0},tʂət^{3} iəu$^{35}_{53}$kai^{53} çi^{21}ia^{0},tsʰiəu^{53}mau^{13}…ci$^{13}_{21}$m̩^{13}pʰe$^{53}_{44}$tʂen^{35}uei$^{53}_{44}$ mai^{53}pən$^{35}_{44}$ŋai^{13}ke^{0}.ŋai$^{13}_{21}$li^{35}kai^{21}ci$^{13}_{21}$,ŋai^{13}ua$^{53}_{44}$"ŋai$^{13}_{21}$li^{35}kai^{21}ɲi$^{13}_{21}$".

【缠】tʂʰen^{13} [动]缠绕：嫩竹做个系子竹篾。子竹篾啊。～箇只箩舷呐，～篓公啊。lən^{53}tʂəuk^{3} tso$^{53}_{44}$ke$^{53}_{44}$xe$^{53}_{44}$tsɿ^{21}tʂəuk^{3} miet^{5}.tsɿ^{21}tʂəuk^{3} miet^{5} a^{0}.tʂʰen^{13}kai$^{53}_{44}$tʂak^{3} lo^{13}çien^{13}na^{0},tʂʰen^{13}ni$^{13}_{21}$kəŋ$^{35}_{44}$ŋa^{0}.｜箇树棍上嘞，又（用扦绳）～，～一路上，～上去。kai$^{53}_{44}$ʂəu^{53}kuən^{53}xɔŋ$^{53}_{44}$lei^{0},iəu^{53}tʂʰen^{13},tʂʰen^{13}iet^{3} ləu^{53} ʂɔŋ^{53},tʂʰen^{13}ʂɔŋ$^{53}_{44}$çi$^{53}_{44}$.

【蝉子】ʂan^{13}tsɿ^{0} [名]蝉：昨晡讲个唠，箇起矮矮子个树上个～，就草蝉子。咁个黄豆子啊，黄豆苗上都有，箇草蝉子，点伢大子，晛绿子一只。箇起高滴子个树上个，懑大一只个，马牯蝉。箇个就灰色子个。紫色子还灰色子唠？渠唔得啮人呢。tsʰo$^{35}_{44}$pu^{35}kɔŋ^{21}ke$^{53}_{44}$lau^{0},kai^{53}çi^{21}ai^{21}ai^{21} tsɿ^{0} ke^{53}ʂəu^{53}xɔŋ$^{53}_{44}$ke^{0} ʂan^{13}tsɿ^{0},tsʰiəu^{53}tsʰau^{21}ʂan^{13}tsɿ^{0}.kan^{21}ke$^{53}_{44}$uɔŋ^{13}tʰei^{53}tsa^{0},uɔŋ^{13}tʰei^{53}miau^{13}xɔŋ^{53}təu$^{35}_{44}$iəu$^{35}_{44}$, kai^{53}tsʰau^{21}ʂan^{13}tsɿ^{0},tian^{53}ŋa$^{13}_{44}$tʰai^{53}tsɿ^{0},kuaŋ^{53}liəuk^{5} tsɿ^{0} iet^{3} tʂak^{3}.kai^{53}çi^{21}kau^{35}tet^{5} tsɿ^{0} ke^{0} ʂəu^{53}xɔŋ$^{53}_{44}$ke^{0},mən^{35} tʰai^{53}iet^{3} tʂak^{3} ke^{0},ma^{35}ku^{21}ʂan^{13}.kai^{53}ke^{0} tsʰiəu^{53}fɔi^{35}sek^{3} tsɿ^{0} ke^{0}.tsɿ^{21}sek^{3} tsɿ^{0} xai$^{13}_{44}$fɔi^{35}sek^{3} tsɿ^{0} lau^{0}?ci$^{13}_{21}$n̩^{13}tek^{3} ŋait^{3} ɲin^{13}ne^{0}.

【蝉子壳】ʂan^{13}tsɿ^{0} kʰɔk^{3} [名]蝉蜕：马牯蝉别么个用冇得，只有箇个～有用，～做药。ma^{35}ku^{21} ʂan^{13}pʰiet^{5} mak^{3} e^{0} iəŋ^{53}mau^{13}tek^{3},tʂʅ^{21}iəu$^{35}_{53}$kai^{53}ke^{53}ʂan^{13}tsɿ^{0} kʰɔk^{3} iəu$^{35}_{53}$iəŋ^{53},ʂan^{13}tsɿ^{0} kʰɔk^{3} tso^{53}iɔk^{5}.

【劖】tsʰan^{13} [动]刺，扎：（丝芒枯）～脚。箇只东西～脚。tsʰan^{13}ciɔk^{3}.kai$^{53}_{44}$tʂak^{3} təŋ$^{35}_{44}$si^{0} tsʰan^{13} ciɔk^{3}.｜还有～你一下。用杉梦～你一下。你怕杉榾～吗嘞？系啊？杉榾～你。xai^{13}iəu$^{35}_{44}$tsʰan^{13} ɲi$^{13}_{21}$iet^{3} xa^{53}.iəŋ^{53}sa^{35}lek^{3} tsʰan^{13}ɲi$^{13}_{21}$iet^{3} xa^{53}. ɲi^{13}pʰa^{53}sa^{35}kʰua^{21}tsʰan^{13}ma^{0} le^{0}?xe$^{53}_{44}$a^{0}?sa^{35}kʰua^{21}tsʰan^{13}ɲi^{13}.｜舞枚子镔针嘞，一头就～下衫上，一头就～下鼻帕子上嘞。u^{21}mɔi^{13}tsɿ^{0} pin^{35}tʂən^{35}ne^{0},iet^{3} tʰei^{13} tsʰiəu$^{53}_{44}$tsʰan$^{13}_{21}$na^{53}(←xa^{53})san^{35}xɔŋ$^{53}_{44}$,iet^{3} tʰei^{13}tsʰiəu$^{53}_{44}$tsʰan$^{13}_{21}$na$_{44}$(←xa^{53})pʰi^{53}pʰa$^{53}_{44}$tsɿ^{0} xɔŋ$^{53}_{44}$le^{0}.

【劖人】tsʰan^{13}ɲin^{13} [动]扎人并使人产生刺痛感：箇个树指山楂树上系有刺，～个。kai$^{53}_{44}$ke$^{53}_{44}$ʂəu^{53}ʂɔŋ$^{53}_{44}$ xe$^{53}_{44}$iəu^{35}tsʰɿ^{53},tsʰan^{13}ɲin^{13}ke^{53}.

【产】tsʰan^{21} [动]①生出、长出：莫分渠指禾茬～笋。mɔk^{5} pən$^{35}_{44}$ci$^{13}_{21}$tsʰan$^{21}_{53}$sən^{21}. ②出产：花椒，晓得。冇得，我等以映冇得。本地唔出，唔～。fa^{35}tsiau$^{35}_{44}$,çiau^{21}tek^{3}.mau^{13}tek^{3},ŋai^{13}tien^{0} i$^{21}_{44}$iaŋ$^{53}_{44}$mau^{13} tek^{3}.pən^{21}tʰi^{53}n̩^{13}tʂʰət^{3},n̩^{13}tsʰan^{21}.

【产子】tsʰan^{21}tsɿ^{21} [动]长出幼芽：娃娃菜是就系等箇只更大吧侧边就～吧？ua^{13}ua^{13}tsʰɔi^{53}ʂʅ$^{53}_{44}$ tsʰiəu^{53}xe^{53}ten^{35}kai^{53}tʂak^{3} ken$^{53}_{44}$tʰai^{53}pa^{0} tsek^{3} pien^{35}tsiəu$^{53}_{44}$tsʰan$^{21}_{53}$tsɿ^{21}pa^{0}?

【铲$_{1}$】tsʰan^{21} [动]①用锹撮取或清除：就放倒镬里，爱食了就到箇镬里去搲，去～。tsʰiəu$^{53}_{44}$fɔŋ^{53} tau^{21}uɔk^{5} li^{0},ɔi^{53}ʂət^{5} liau^{0} tsʰiəu$^{53}_{44}$tau$^{53}_{44}$kai$^{53}_{44}$uɔk^{5} li^{0} çi^{53}uət^{3},çi^{53}tsʰan^{21}.｜～煤渣个（铲子）tsʰan^{21}mei^{13}tsa^{35} ke$^{53}_{44}$。②用镰铲之类的工具清除：下青草墈个目的嘞就分箇墈上个草～嘿来。xa$^{35}_{44}$tsʰiaŋ^{35}tsʰau^{21} kʰan^{53}ke$^{53}_{44}$muk^{3} tiet^{3} le^{0} tsʰiəu$^{53}_{44}$pən^{35}kai$^{53}_{44}$kʰan^{53}nɔŋ$_{44}$(←xɔŋ^{53})ke$^{53}_{44}$tsʰau^{21}tsʰan^{21}nek^{3}(←xek^{3})lɔi^{13}.

【铲$_{2}$】tsʰan^{21} [名]削平东西或把东西取上来的器具：篾匠师傅个～还有只除节个捅铲唠。miet^{5} siɔŋ$^{53}_{44}$sɿ$^{35}_{44}$fu$^{53}_{44}$ke$^{53}_{44}$tsʰan^{21}xai$^{13}_{21}$iəu$^{35}_{44}$tʂak^{3} tʂʰʮ^{53}tsiet^{3} ke^{53}tʰəŋ^{21}tsʰan^{21}lau^{0}.

【铲草】tsʰan^{21}tsʰau^{21} [动]锄地，锄草：我去～。缯铲得好唠，缯铲净唠。ŋai$^{13}_{44}$çi^{53}tsʰan^{21} tsʰau^{21}.maŋ^{13}tsʰan$^{21}_{44}$tek^{3} xau^{21}lau^{0},maŋ^{13}tsʰan^{21}tsʰiaŋ^{53}lau^{0}.

【铲草肥】tsʰan^{21}tsʰau^{21}pʰi^{13}/fei^{13} 将杂草等铲除后将之连同泥土一起烧成灰，作为农家肥料：我等箇阵子是欸去生产队上是箇～个肥字加以只皮哟。皮球个皮，铲草皮呀。欸，咁个，～嘞，就系铲倒草，去沤，交……草交泥呀去沤，放兜火去烧哇，又沤呀。沤只火□。沤只火土沤做火土火□。箇个嘞就灰也烧嘿哩嘞，灰肚里就有泥，箇泥也烧起墨乌个。箇个就安做～。渠就泥更多。或者，我等搞个嘞就全靠烧滴泥去啦，全靠舞滴泥去烧做乌乌子啦，就更多啦，堆头更多啦。你净系草是真冇么个灰啦。ŋai^{13}tien^{0}kai^{53}tʂʰən^{53}tsɿ^{0} ʂʅ$^{53}_{44}$e$_{21}$çi$^{53}_{44}$sen$^{35}_{44}$tsʰan^{21}ti^{53}xɔŋ$^{53}_{44}$ʂʅ$^{53}_{44}$ kai^{53}tsʰan^{21}tsʰau^{21}pʰi^{13}ke^{0} pʰi^{13}tsʰɿ^{53}cia$^{35}_{44}$i^{21}tʂak^{3} pʰi^{13}io^{0}.pʰi^{13}cʰiəu$^{13}_{44}$ke^{0} pʰi$^{13}_{44}$,tsʰan^{21}tsʰau^{21}pʰi^{13}ia^{0}.e$_{21}$,kan$^{21}_{13}$cie^{53}, tsʰan^{21}tsʰau^{21}pʰi^{13}le^{0},tsʰiəu$^{53}_{44}$xe$^{53}_{44}$tsʰan^{21}tau^{21}tsʰau^{21},çi$^{53}_{44}$ei^{53},ciau^{35}…tsʰau^{21}ciau^{35}lai^{13}ia^{0} çi$^{53}_{44}$ei^{53},fɔŋ$^{53}_{44}$təu$^{35}_{44}$fo^{21}çi$^{53}_{44}$ ʂau^{35}ua^{0},iəu$^{53}_{44}$ei^{53}ia^{0}.ei^{53}tʂak^{3} fo^{21}tsiau^{35}.ei^{53}tʂak^{3} fo^{21}tʰu^{21}ei^{53}tso$^{53}_{44}$fo^{21}tʰu^{21}fo^{21}tsiau^{35}.kai^{53}ke$^{53}_{44}$lei^{0} tsʰiəu$^{53}_{44}$fɔi^{35}ia$^{35}_{53}$ ʂau^{35}xek^{3} li^{0} le^{0},fɔi^{35}təu^{21}li^{0} tsʰiəu$^{53}_{44}$iəu$^{35}_{44}$lai^{13},kai^{53}lai^{13}ia$^{35}_{44}$ʂau$^{35}_{44}$çi$^{21}_{44}$mek^{5} u$^{35}_{44}$ke^{0}.kai$^{53}_{44}$ke$^{53}_{44}$tsʰiəu$^{53}_{44}$ɔn$^{35}_{44}$tso$^{53}_{44}$tsʰan^{21}

tsʰau21pʰi13.ci13tsʰiəu53-44lai13cien53-44to35.xɔit5tʂa21,ŋai13tien0kau21ke53-44lei0tsʰiəu53-44tsʰien13kʰau53ʂau35-44tet5lai13çi53la0,tsʰien13kʰau53u21tiet5lai13çi53-44ʂau35tso53-44u35u35tsɿ0la0,tsʰiəu53-44cien53-44to35la0,tei35tʰəu53-44cien53-44to35la0. ɲi13tsʰiaŋ53xe53-44tsʰau21ʂʅ53-21tʂən35mau13-21mak3e0fɔi35-44la0.

【铲地】tsʰan21tʰi53 动 扫墓。也称"挂地、挂山"：～就硬系扫墓，每年分箇个坟堆上个草铲净来。欸，还舞滴子三牲敬下子。还舞张子红纸子去箇顶高箇碑石个顶高轧倒。轧张子红纸子，表示来哩来铲哩地。～就不是垒高嘞。也有讲挂地呀，还安做挂山呐。tsʰan21tʰi53tsʰiəu53-44ɲiaŋ53xe53-44sau21mu53,mei35ɲien13pən35kai53-44ke53-44fən13tei35xɔŋ53-44ke53-44tsʰau21tsʰan21tsʰiaŋ53lɔi13.e21,xai13-21u21tiet5tsɿ0san35sen35-44cin53na53-21tsɿ0.xai13-21u21tʂɔŋ35-53tsɿ0fəŋ13tʂʅ21tsɿ0çi53kai53taŋ21kau35-44kai53pei35ʂak5ke53-44taŋ21kau35-44tsak3tau21-44.tsak3tʂɔŋ35-53tsɿ0fəŋ13tʂʅ21tsɿ0,piau21ʂʅ53lɔi13li0lɔi13tsʰan21li0tʰi53.tsʰan21tʰi53tsʰiəu53-44pət3ʂʅ53lei21kau35-44le0.ia35iəu35-44kɔŋ21kua53tʰi53ia0,xai13ɔn35-44tso53-44kua53san35na0.

【铲皮肉】tsʰan21pʰi13ɲiəuk3 名 去皮的肥肉：有滴人就话～喔。冇得哩皮。就肥膘肉。iəu35tet5ɲin13-44tsʰiəu53-44ua53-44tsʰan21pʰi13ɲiəuk3uo0.mau13tek3li0pʰi13.tsʰiəu53-44fei13piau35-44ɲiəuk3.

【铲子】tsʰan21tsɿ0 名 ①由宽铲斗或中间略凹的铲身装上手柄组成的手用工具：～啊，～有，欸，有～。铲煤渣个，铲炉……就到炉肚里去松火个，系有把～。tsʰan21tsɿ0a0,tsʰan21tsɿ0iəu35-44,e44,iəu35-44tsʰan21tsɿ0.tsʰan21mei13tsa35ke53-44,tsʰan21ləu13…tsʰiəu53-44tau53ləu13təu21li0çi53-44səŋ35fo21ke53,xei53-44iəu35pa21tsʰan21tsɿ0. ②专指镰铲：我等～就还～咯，～就镰铲咯。～是还～，铁锹还铁锹。ŋai13-21tien0tsʰan21tsɿ0tsʰiəu53uan13-21tsʰan21tsɿ0ko0,tsʰan21tsɿ0tsʰiəu53lien13tsʰan21ko0.tsʰan21tsɿ0ʂʅ53-44uan13tsʰan21tsɿ0,tʰiet3tsʰiau35uan13-21tʰiet3tsʰiau35-44.

【长₁】tʂʰɔŋ13 名 长度，指两端的距离：～系六欸有六寸～呶。tʂʰɔŋ13(x)e53liəuk3e44iəu35liəuk3tsʰən53tʂʰɔŋ13nau0.

【长₂】tʂʰɔŋ13 形 ①指长度大，与"短"相对。有"AA 子"重叠式：渠个马槽咯噢，咁～，中间呢有咁个深滴子个沟。ci13-44ke53-44ma35tsʰau13-21kou0(←ko0au0),kan21tʂʰɔŋ13,tʂəŋ35kan35-44nei0iəu35kan21cie53tʂʰən35tiet5tsɿ0ke53-44kei35.｜（鸡笼）～～子，用篾篾织个，有眼。tʂʰɔŋ13tʂʰɔŋ13tsɿ0,iəŋ53-44miet5sak3tʂek3ke53,iəu35ŋan21.｜摇篮就～～子，长方形。iau13lan13tsʰiəu53-44tʂʰɔŋ13tʂʰɔŋ13tsɿ0,tʂʰɔŋ13fɔŋ35-44çin13-21.
②指时间久：千年桐就欸渠唔得早来结，但是结得时间更～，所以安做千年桐。tsʰien35ɲien13-21tʰəŋ13-21tsʰiəu53-44ei21ci13-44n̩13tek3tsau21lɔi13ciet3,tan53-44ʂʅ53-44ciet3tek3ʂʅ13-21kan35-44ken53tʂʰɔŋ13,so21i35ɔn35-44tso35-44tsʰien35ɲien13-21tʰəŋ13-21.

【长₃】tʂʰɔŋ13 动 延长，伸长：箇门上就～出滴子来哟，就放下箇凼此指门斗里。kai53-44mən13xɔŋ53-44tsʰiəu53-44tʂʰɔŋ13tʂʰət3tiet5tsɿ0lɔi13-44iau0,tsiəu53-44fɔŋ53-44(x)a53-44kai53-44tʰɔŋ53li0.｜（猪食盆）欸脚盆样嘞，渠个有一块板子嘞就比较长嘞，～出来，提手，用来提手。e0ciɔk3pʰən13niɔŋ53-44lei0,ci13-21ke53-44iəu35iet3kʰuai53pan21tsɿ0lei0tsʰiəu53-44pi21ciau53-44tʂʰɔŋ13lei0,tʂʰɔŋ13tʂʰət3lɔi13-21,tʰia35ʂəu21,iəŋ53lɔi13-21tʰia35ʂəu21.

【长把搂箕】tʂʰɔŋ13pa53lei13/ləu13老派ci35 名 搂箕的一种，它的把比较长。多用以喻指有本事，擅于获取各种东西（尤其是食材）的人：我等箇映子呢，有只咁个典故。我等箇有只男子人呐，唔知几厉害，真会趁钱，真会舞么个东西食。欸，捉鱼子也捉得倒，挖笋也挖得倒，岭上个东西，河里个东西，渠都舞得倒，尽滴安做渠～。欸，把唔知几长，么个都纵远个都舞得倒。箇是我等箇映有只咁个话法，欸，也系客家人个话法唠。就系形容箇起唔知几有本事个人，么个都舞得倒个人。ŋai13tien0kai53-44iaŋ53-44tsɿ0lei0,iəu35tʂak3kan21ke53-44tian21ku53.ŋai13tien0kai53-44iəu35tʂak3lan13tsɿ0ɲin13na0,n̩13-21ti35-44ci21li53xɔi53-21,tʂən35uɔi53tʂʰən13tsʰien13,tʂən35uɔi53u21mak3kei53-44təŋ35-44si0ʂət5.e21,tsɔk3ŋ̍13tsɿ0ia35tsɔk3tek3tau21,uait3sən21na44(←ia35)uait3tek3tau21,liaŋ35xɔŋ53-44ke53-44təŋ35-44si0,xo13li0ke53-44təŋ35-44si0,ci13-21təu35u21tek3tau21,tsʰin35tet5ɔn35-44tso53-44ci13-21tʂʰɔŋ13pa53-44lei13ci35.e21,pa53n̩13ti35-44ci13-21tʂʰɔŋ13,mak3ke53-44təu35-44tsəŋ35ien21ke53-44təu35-44u21tek3tau21.kai53-44ʂʅ53-44ŋai13-21tien0kai53-44iaŋ53-44iəu35tʂak3kan21ke53-21ua53fait3,e21,ia35xei53-44kʰak3ka35ɲin13ke53-44ua53fait3lau0.tsiəu53-44xei53-44çin13iəŋ13-44kai53çi21n̩13-21ti35-44ci21iəu35pən21sʅ53ke53-44ɲin13-44,mak3ke35-44təu35-53u21tek3tau21ke53-44ɲin13-44.

【长把勺子】tʂʰɔŋ13pa53ʂɔk5tsɿ0 名 用来从大锅里舀汤的铁勺，把儿较长：还有起嘞把□长个，安做～。舀……用跍倒箇个汤肚里，镬头大哩，跍下汤肚……箇□滚个汤肚里，舀汤个箇就欸就～。一到唔舀唔得咁多。去镬里舀个。欸，去镬头里舀起来个。xai13iəu35-44çi21-44lei0pa53lai35tʂʰɔŋ13-21ke53-44,ɔn35-44tso53-44tʂʰɔŋ13pa53ʂɔk5tsɿ0.iau21…iəŋ53kʰu35tau21kai53-44ke53-44tʰɔŋ35təu21li0,uɔk5tʰei13-21tʰai53li0,ku35-44(x)a53-44tʰɔŋ35təu21…kai53-44pʰaŋ35kuən21ke53tʰɔŋ35təu21li0,iau21tʰɔŋ35ke53ka53-44tsʰiəu53-44e21tsʰiəu53tʂʰɔŋ13pa53ʂɔk5tsɿ0.iet3tau53m̩13iau21n̩13-44tek3kan21to35.çi53-44uɔk5li0iau21ke53.e53,çi53-44uɔk5tʰei13-21li0iau21çi21lɔi13-21ke53.

【长白】tʂʰɔŋ^{13}pʰak^{5} 名 治丧期间孙、曾孙辈头顶的长孝布：孙子过一代了，孝孙。孙子，曾孙箇只就爱拼～，拼一块□长个白，或者着白衫。搞块布哇，打比以块布样，面前是做只箇个筒筒啊，做只箇个东西啊，在这里缝起来呀，欸，拼下脑壳上啊，拼～。安做拼～。安做拼下脑壳上啊。sən^{35}tsɿ^{0}ko$^{53}_{21}$iet^{3}tʰɔi^{53}liau^{0},ɕiau^{53}sən^{35}.sən^{35}tsɿ^{0},tsʰien^{13}sən$^{35}_{44}$kai$^{53}_{44}$tʂak^{3}tsʰiəu$^{53}_{44}$ɔi$^{53}_{44}$təŋ^{35}tʂʰɔŋ^{13}pʰak^{5},təŋ^{35}iet^{3}kʰuai$^{53}_{44}$lai^{35}tʂʰɔŋ^{13}ke$^{53}_{44}$pʰak^{5},xɔit^{5}tʂa^{21}tʂɔk^{3}pʰak^{5}san$^{35}_{44}$.kau^{21}kʰuai^{53}pu^{53}ua^{0},ta^{21}pi^{21}i^{21}kʰuai$^{53}_{44}$pu^{53}iɔŋ$^{53}_{44}$,mien^{53}tsʰien$^{13}_{21}$ʂɿ$^{53}_{44}$tso^{53}tʂak^{3}kai$^{53}_{44}$ke$^{53}_{44}$tʰəŋ^{21}tʰəŋ^{21}ŋa^{0},tso^{53}tʂak^{3}kai$^{53}_{44}$ke$^{53}_{44}$təŋ$^{35}_{44}$si^{0}a^{0},tsai$_{21}$tsə$_{44}$li^{21}fəŋ^{13}ɕi^{21}lɔi$^{13}_{21}$ia^{0},ei$_{35}$,təŋ^{35}ŋa^{0}lau^{21}kʰɔk^{3}xɔŋ$^{53}_{44}$ŋa^{0},təŋ^{35}tʂɔŋ$^{13}_{21}$pʰak$^{5}_{3}$.ɔn$^{35}_{44}$tso$^{53}_{44}$təŋ^{35}tʂɔŋ^{13}pʰak^{5}.ɔn$^{35}_{44}$tso$^{53}_{44}$təŋ^{35}ŋa^{0}lau^{21}kʰɔk^{3}xɔŋ$^{53}_{44}$ŋa^{0}.

【长柴烧夜火】tʂʰɔŋ^{13}tsʰai^{13}ʂau^{35}ia^{53}fo^{21} 本指烧制木炭时要用长长的树筒，后比喻做生意要有充足的资金：烧炭子是唔累人呶，箇只灶唔知几长，只爱挨兜柴去，～啊，□长个一筒一筒个棍呐，□长一筒筒个棍挨倒去烧哇。ʂau^{35}tʰan^{53}tsɿ^{0}ʂɿ$^{53}_{21}$n^{13}li^{53}ɲin$^{13}_{21}$nau^{0},kai$^{53}_{44}$tʂak^{3}tsau^{53}n$^{13}_{21}$ti$^{35}_{53}$ci^{21}tʂʰɔŋ^{13},tʂɿ^{21}ɔi^{53}tsʰəŋ^{21}te$^{35}_{53}$tsʰai^{13}ɕi^{53},tʂʰɔŋ^{13}tsʰai$^{13}_{44}$ʂau$^{35}_{44}$ia^{53}fo^{21}a^{0},lai^{35}tʂʰɔŋ$^{13}_{21}$ke^{53}iet^{3}tʰəŋ$^{13}_{21}$iet^{3}tʰəŋ$^{13}_{21}$ke$^{53}_{44}$kuən^{53}na^{0},lai^{35}tʂʰɔŋ$^{13}_{21}$iet^{3}tʰəŋ$^{13}_{21}$tʰəŋ$^{13}_{21}$ke$^{53}_{44}$kuən^{53}tsʰəŋ^{21}tau^{21}ɕi$^{13}_{21}$ʂau^{35}ua^{0}.｜烧炭子个时候子为哩箇个省子一方面就省子总加柴，系唔系？二方面嘞箇个□长个树省子栽断来，就咁子挨得去，烧嘿哩又挨进滴子，烧嘿哩又挨进滴子，好，由此嘞就有一只么个有只么个比喻，爱有箇个长柴正烧得箇个夜火，比喻做生意个人爱有充足个有哩充足个基欸箇个资金就好做生意，嗯。ʂau^{35}tʰan^{53}tsɿ^{0}ke$^{53}_{44}$ʂɿ$^{13}_{44}$xei$^{53}_{44}$tsɿ^{0}uei^{53}li^{0}kai^{53}ke$^{53}_{44}$saŋ^{21}tsɿ^{0}iet^{3}fəŋ^{35}mien^{53}tsʰiəu^{53}saŋ^{21}tsɿ^{0}tsəŋ^{21}cia^{35}tsʰai$^{13}_{21}$,xei^{53}me^{53}?ɲi^{53}fəŋ^{35}mien$^{53}_{44}$lei^{0}kai$^{53}_{44}$ke$^{53}_{44}$lai^{35}tʂʰɔŋ$^{13}_{21}$ke$^{53}_{44}$ʂəu^{53}saŋ^{21}tsɿ^{0}tsʰɔi^{13}tʰɔn^{35}nɔi$^{13}_{21}$,tsiəu^{53}kan^{21}tsɿ^{0}tsʰəŋ^{21}tek^{3}ɕi^{53},ʂau^{35}xek^{3}li^{0}iəu^{53}tsʰəŋ^{21}tsin^{53}tiet^{5}tsɿ^{0},ʂau^{35}xek^{3}li^{0}iəu^{53}tsʰəŋ^{21}tsin^{53}tiet^{5}tsɿ^{0},xau^{21},iəu^{13}tsʰɿ^{21}lei^{0}tsʰiəu$^{53}_{44}$iəu^{35}iet^{3}tʂak^{3}mak^{3}ke^{53}iəu^{35}tʂak^{3}mak^{3}ke^{53}pi^{21}ɥ^{53},ɔi$^{53}_{44}$iəu^{35}kai$^{53}_{44}$ke$^{53}_{44}$tʂʰɔŋ^{13}tsʰai$^{13}_{21}$tʂaŋ^{53}ʂau^{35}tek^{3}kai$^{53}_{44}$ke$^{53}_{44}$ia^{53}fo^{21},pi^{21}ɥ^{53}tso^{53}sen^{35}i^{53}ke$^{53}_{21}$ɲin$^{13}_{21}$ɔi$^{53}_{44}$iəu^{35}tʂʰəŋ^{35}tsɔk^{3}kei^{53}iəu^{35}li^{0}tʂʰəŋ^{35}tsɔk^{3}ke^{53}ci^{35}e$_{21}$kai^{53}ke$^{53}_{44}$tsɿ^{35}cin$^{35}_{44}$tsʰiəu$^{53}_{44}$xau^{21}tso^{53}sen^{35}i^{53},n$_{21}$.

【长长车车】tʂʰɔŋ^{13}tʂʰɔŋ^{13}tʂʰa^{35}tʂʰa^{35} 形容队伍拉得很长：赶鸭江啊。一江车个鸭子啊，几百只鸭子啊，就唔系就连起来～就一江车？kɔn^{21}ait^{3}kɔŋ^{35}ŋa^{0}.iet^{3}kɔŋ^{35}tʂʰa$^{35}_{44}$ke^{0}ait^{3}tsɿ^{0}a^{0},ci^{21}pak^{3}tʂak^{3}ait^{3}tsɿ^{0}a^{0},tsʰiəu$^{53}_{44}$m$^{13}_{21}$pʰei$^{53}_{44}$tsʰiəu$^{53}_{44}$lien^{13}cʰi^{21}lɔi$^{13}_{21}$tʂʰɔŋ^{13}tʂʰɔŋ$^{13}_{21}$tʂʰa$^{35}_{44}$tʂʰa$^{35}_{44}$tsʰiəu^{53}iet^{3}kɔŋ^{35}tʂʰa^{35}?

【长长短短】tʂʰɔŋ^{13}tʂʰɔŋ$^{13}_{44}$tɔn^{21}tɔn^{21} 或长或短、长短参差的样子：～个比较大个钢材做个东西指钢钎，欸，用来撬石头。tʂʰɔŋ^{13}tʂʰɔŋ$^{13}_{44}$tɔn^{21}tɔn^{21}kei^{53}pi^{21}ciau$^{53}_{44}$tʰai^{53}ke$^{53}_{44}$kɔŋ^{35}tsʰɔi^{13}tso^{53}ke$^{53}_{44}$təŋ$^{35}_{44}$si^{0},ei$_{21}$,iəŋ^{53}lɔi$^{13}_{21}$cʰiau^{53}ʂak^{3}tʰei$^{13}_{44}$.

【长处】tʂʰɔŋ^{13}tʂʰɥ$^{53}_{44}$ 名 好处，优点，优势：渠指木荡子个～就在于更长，更大，可搞得更快呀，效率更高哇，刷哩更宽呢。ci^{13}ke^{53}tʂʰɔŋ^{13}tʂʰɥ$^{53}_{44}$tsʰiəu$^{53}_{44}$tsʰai^{53}vy$^{13}_{21}$cien^{53}tʂʰɔŋ^{13},cien$^{53}_{44}$tʰai^{53},kʰo^{21}kau^{21}tek^{3}cien$^{53}_{44}$kʰuai^{53}ia^{0},ɕiau^{53}lit^{3}cien$^{53}_{44}$kau^{35}ua^{0},sɔit^{3}li^{0}cien^{53}kʰɔn^{35}ne^{0}.

【长绰子】tʂʰɔŋ^{13}tʂʰɔk^{3}tsɿ^{0} 名 长衫：欸，长衫就安做～嘞。e$_{44}$,tʂʰɔŋ^{13}san$^{35}_{44}$tsʰiəu^{53}ɔn$^{35}_{53}$tso^{53}tʂʰɔŋ^{13}tʂʰɔk^{3}tsɿ^{0}le^{0}.

【长凳】tʂʰɔŋ^{13}ten^{53} 名 供多人坐的长凳子。也称"长凳子"：～子就硬系三四个人坐，三个人以上坐个，～。tʂʰɔŋ^{13}tien^{53}tsʰiəu$^{53}_{44}$ɲiaŋ^{53}xei$^{53}_{44}$san^{35}si$^{53}_{21}$cie^{53}ɲin$^{13}_{21}$tsʰo^{35},san^{35}ke$^{53}_{44}$in$^{13}_{21}$i$^{35}_{21}$ʂɔŋ$^{53}_{44}$tsʰo$^{35}_{44}$ke$^{53}_{44}$,tʂʰɔŋ^{13}tien^{53}.

【长短$_{1}$】tʂʰɔŋ^{13}tɔn^{21} 名 长度：（孝堂棍）～我就唔记得呢，～都有规定个噢。～都有规定，欸，我唔记得哩呢。tʂʰɔŋ^{13}tɔn^{21}ŋai^{13}tsʰiəu^{53}ŋ^{13}ci^{53}tek^{3}nei^{0},tʂʰɔŋ^{13}tɔn^{21}tau$^{35}_{44}$iəu$^{35}_{44}$kuei$^{35}_{44}$tʰin$^{53}_{44}$cie$^{53}_{44}$au^{0}.tʂʰɔŋ^{13}tɔn^{21}tau$^{35}_{44}$iəu$^{35}_{44}$kuei$^{35}_{44}$tʰin$^{53}_{44}$,e$_{21}$,ŋai$^{13}_{21}$ŋ$^{13}_{44}$ci^{53}tek^{3}li^{0}nei^{0}.

【长短$_{2}$】tʂʰɔŋ^{13}tɔn^{21} 形 长短不一：先舞正几条棍子唠，长长短短，～个棍子唠。sien^{35}u^{21}tʂaŋ^{53}ci^{21}tʰiau^{13}kuən^{53}tsɿ^{0}lau^{0},tʂʰɔŋ^{13}tʂʰɔŋ$^{13}_{44}$tɔn^{21}tɔn^{21},tʂʰɔŋ^{13}tɔn^{21}ke$^{53}_{44}$kuən^{53}tsɿ^{0}lau^{0}.

【长短不一】tʂʰɔŋ^{13}tɔn^{21}pət^{3}iet^{3} 长度不一致：（钢钎）有短短子个嘞，～嘞。iəu^{35}tɔn$^{21}_{13}$tɔn^{21}tsɿ^{0}ke^{53}lei^{0},tʂʰɔŋ^{13}tɔn^{21}pət^{3}iet^{3}le^{0}.

【长发其祥】tʂʰɔŋ^{13}fait^{3}cʰi^{13}tsʰiɔŋ^{13} 栋梁上写的吉祥字样：箇梁上嘞还爱写么个时候子做个屋啊，么个"～"啊。写滴子咁个，啊画两只子箇个，还画两只子咁个八卦图箇只。还画下子只八卦图，么个时候子起个，公元么个年起个。有滴还写下子么个欸么个"～"啊。欸，写下子箇个么个东西。kai^{53}liɔŋ^{13}xɔŋ^{53}lei^{0}xa$^{13}_{21}$ɔi$^{53}_{44}$sia^{21}mak^{3}(k)e^{53}ʂɿ^{13}xei$^{53}_{44}$tsɿ^{0}tso^{53}ke$^{53}_{44}$uk^{3}a^{0},mak^{3}ke$^{53}_{44}$"tʂʰɔŋ^{13}fait^{3}cʰi^{13}tsʰiɔŋ^{13}"ŋa^{0}.sia^{21}tiet^{5}tsɿ^{0}kan^{21}ke$^{53}_{44}$,a$_{44}$fa^{53}iɔŋ^{21}tʂak^{3}tsɿ^{0}kai$^{53}_{44}$kei$^{53}_{44}$,xai^{13}fa^{53}iɔŋ^{21}tʂak^{3}tsɿ^{0}kan^{21}kei$^{53}_{44}$pait^{3}kua$^{53}_{44}$tʰəu^{13}kai$^{53}_{44}$tʂak^{3}.xai^{13}fa^{53}xa$^{53}_{44}$tsɿ^{0}tʂak^{3}pait^{3}kua$^{53}_{44}$tʰəu^{13},mak^{3}(k)e$^{53}_{44}$ʂɿ^{13}xei$^{53}_{44}$tsɿ^{0}ɕi^{21}ke$^{53}_{44}$,kəŋ^{35}vien$^{13}_{21}$mak^{3}

(k)e$^{53}_{44}$ɲien$^{13}_{21}$çi^{21}ke$^{53}_{44}$.iəu^{35}tet^{5} xai$^{13}_{21}$sia^{21}xa^{53}tsɿ^{0} mak^{3} ke$^{53}_{44}$e$_{21}$,mak^{3}ke$^{53}_{44}$"tʂʰɔŋ^{13}fait^{3} cʰi^{13}tsʰiɔŋ^{13}"ŋa^{0} .e$_{21}$,sia^{21}xa$^{53}_{44}$tsɿ^{0}kai$^{53}_{44}$ke$^{53}_{44}$mak^{3}(k)e$^{53}_{44}$tɔŋ$^{35}_{21}$si^{0}.◇典出《诗经·商颂·长发》："濬哲维商，长发其祥。"

【长个子】tʂʰɔŋ^{13}ke$^{53}_{44}$tsɿ^{0} 名指长的物体：你抽倒～就做羊噢，就跑嘿做羊欸；抽倒短个子就做豺狼噢，就食羊啊。ɲi$^{13}_{21}$tʂʰəu^{35}tau^{21}tʂʰɔŋ^{13}ke$^{53}_{44}$tsɿ^{0} tsʰiəu$^{53}_{44}$tso^{53}iɔŋ^{13}ŋau^{0} ,tsʰiəu$^{53}_{44}$pʰau^{21}xek^{3} tso^{53}iɔŋ^{13}ŋe^{0};tʂʰəu^{35}tau^{21}tɔn^{21}ke$^{53}_{44}$tsɿ^{0} tsʰiəu$^{53}_{44}$tso^{53}sai^{13}lɔŋ^{13}ŋau^{0},tsʰiəu$^{53}_{21}$ʂət^{5} iɔŋ^{13}ŋa^{0}.

【长工】tʂʰɔŋ^{13}kəŋ^{35} 名旧时靠给他人长年干活为生的贫雇农：从前有起一起有钱人家，长年跍倒渠屋下做事个箇就安做～。我等屋下也请过～呢。就系其实也不是话有钱人家，就系冇人做事个人家，冇得劳动力个人家。以前我等屋下我爷子娭子，我爷子我老弟子欸我叔叔哇都系冇几大子个时候子，读书个时候子，落尾读书出来就去教书吵，箇只时候子嘞我个阿公就唔在哩，我阿公……我爷子正十岁我阿公就死嘿哩，就系我阿婆我公太婆太，我公太婆太就搞么个？我公太就教书，教老书，就系教私塾哇。屋下冇人做事啊。咁唔系我等屋下也请哩～。哦，姓陈，也安做陈世才。我也长日听我娭子讲过。请倒陈世才做～。就系尽请倒渠来做事啊。渠也系本地方人。渠也唔系么个尽去我箇系倒，赠尽去我箇系倒。帮我等作田。tsʰɔŋ^{13}tsʰen$^{13}_{44}$iəu^{35}çi$^{21}_{53}$iet^{3} çi$^{21}_{53}$iəu^{35}tsʰen$^{13}_{2}$ɲin^{13}ka$^{35}_{44}$,tʂʰɔŋ^{13}ɲien$^{13}_{44}$kʰu^{35}tau^{21}ci$^{13}_{21}$uk^{3} xa$^{53}_{44}$tso^{53}sɿ^{53}ke^{0} kai$^{53}_{44}$tsʰiəu$^{53}_{44}$ɔn$^{35}_{44}$tso$^{53}_{21}$tʂʰɔŋ^{13}kəŋ$^{35}_{44}$.ŋai^{13}tien^{0}uk^{3} xa$^{53}_{44}$ia^{35}tsʰiaŋ^{21}ko$^{53}_{44}$tʂʰɔŋ$^{13}_{21}$kəŋ$^{35}_{44}$ne^{0}.tsʰiəu^{53}xei$^{53}_{21}$cʰi$^{13}_{21}$ʂət^{5} ia^{35}pət^{3} ʂɿ^{53}ua$^{53}_{44}$iəu^{35}tsʰien$^{13}_{2}$ɲin^{13}ka$^{35}_{44}$,tsʰiəu^{53}xe^{53}mau^{13}ɲin$^{13}_{44}$tso^{53}sɿ^{53}ke^{0}ɲin^{13}ka$^{35}_{53}$,mau^{13}tek^{3} lau^{13}tʰəŋ$^{53}_{44}$liet^{5} ke^{0}ɲin^{13}ka$^{35}_{44}$.i^{35}tsʰien$^{13}_{21}$ŋai^{13}tien^{0}uk^{3} xa^{53}ŋai$^{13}_{21}$ia^{13}tsɿ^{0}ɔi^{35}tsɿ^{0},ŋai$^{13}_{21}$ia^{13}tsɿ^{0} ŋai$^{13}_{21}$lau^{21}tʰe$^{35}_{53}$tsɿ^{0}e$_{21}$ŋai^{13}ʂəuk^{3} ʂəuk^{3} ua^{0} təu^{35}xe$^{53}_{44}$mau^{13}ci^{21}tʰai^{53}tsɿ^{0}ke$^{53}_{44}$ʂɿ$^{13}_{44}$xei^{53}tsɿ^{0} ,tʰəuk^{5} ʂu^{35}ke^{0} ʂɿ^{13}xei^{53}tsɿ^{0},lɔk^{5} mi$^{35}_{44}$tʰəuk^{5} ʂu$^{35}_{44}$tʂʰət^{3} lɔi^{13}tsiəu$^{53}_{44}$çi$^{53}_{44}$kau^{35}ʂu$^{35}_{44}$ʂa^{0} ,kai^{53}tʂak^{3} ʂɿ^{13}xei^{53}tsɿ^{0}lei^{0} ŋai^{13}ke^{53}a^{35}kəŋ$^{35}_{44}$tsʰiəu^{53}m$^{13}_{21}$tsʰɔi$^{35}_{44}$li^{0} ,ŋai^{13}a^{35}kəŋ$^{35}_{44}$ʂ…ŋai$^{13}_{21}$ia^{13}tsɿ^{0} tʂaŋ$^{53}_{44}$ʂət^{5} sɔi^{53}ŋai$^{13}_{21}$a^{35}kəŋ$^{35}_{44}$tsʰiəu^{53}si^{21}xek^{3} li^{0} ,tsʰiəu^{53}xei^{53}ŋai$^{13}_{21}$a^{35}pʰo$^{13}_{44}$ai$^{13}_{21}$kəŋ^{35}tʰai$^{53}_{44}$pʰo^{13}tʰai^{53},ŋai$^{13}_{21}$kəŋ^{35}tʰai$^{53}_{44}$pʰo^{13}tʰai^{53}tsʰiəu$^{53}_{44}$kau^{21}mak^{3} e^{0} ?ŋai$^{13}_{21}$kəŋ^{35}tʰai$^{53}_{44}$tsʰiəu$^{53}_{44}$kau$^{35}_{44}$ʂu^{35},kau^{35}lau^{21}ʂu$^{35}_{44}$,tsʰiəu$^{53}_{44}$xe$^{53}_{44}$kau$^{35}_{44}$sɿ^{35}ʂəuk^{5} ua^{0} .uk^{3} xa^{53}mau^{13}ɲin$^{13}_{44}$tso^{53}sɿ^{53}a^{0} .kam$_{44}$pʰei$^{53}_{44}$ŋai^{13}tien^{0} uk^{3} xa$^{53}_{44}$a$^{35}_{44}$tsʰiaŋ^{21}li^{0} tʂʰɔŋ$^{13}_{21}$kəŋ$^{35}_{44}$.o$_{21}$,siaŋ^{53}tʂʰən^{13} ,ia^{35}ɔn$^{35}_{53}$tso^{53}tʂʰən^{13}ʂɿ^{53}tsʰɔi^{13}.ŋai^{13}ia$^{35}_{53}$tʂʰɔŋ^{13}ɲiet^{3} tʰaŋ^{35}ŋai$^{13}_{21}$ɔi^{35}tsɿ^{0} kɔŋ^{21}ko^{53} .tsʰiaŋ^{21}tau^{21}tʂʰən^{13}ʂɿ^{53}tsʰɔi$^{13}_{21}$tso^{53}tʂʰɔŋ$^{13}_{21}$kəŋ^{35} .tsʰiəu$^{53}_{44}$uei$^{53}_{44}$tsʰin^{53}tsʰiaŋ^{21}tau^{21}ci$^{13}_{21}$lɔi$^{13}_{21}$tso^{53}sɿ^{53}a^{0} .ci^{13}ia$^{35}_{44}$xei^{53}pən^{21}tʰi^{53}fɔŋ$^{35}_{44}$ɲin$^{13}_{21}$.ci^{13}ia$^{35}_{53}$m^{13}pʰe^{53}mak^{3} e^{0} tsʰin^{53}çi$^{53}_{44}$ŋai^{13}kai^{53}xe^{53}tau^{21},maŋ^{13}tsʰin^{53}çi$^{53}_{44}$ŋai^{13}kai^{53}xe^{53}tau^{21}.pɔŋ^{35}ŋai^{13}tien^{0}tsɔk^{3} tʰien^{13}.

【长工头】tʂʰɔŋ^{13}kəŋ$^{35}_{44}$tʰei^{13} 名指旧时长工中的负责人：～是系是系原义是就长工当中个负责人。但是现在嘞又有只么个嘞？就系打长工打得唔知几苦个人，也安做～。以只路子，打比样啊，欸，我箇阵子当生产队长。"我系么个队长？我就一只～呀。" tʂʰɔŋ^{13}kəŋ^{35}tʰei^{13}ʂɿ$^{53}_{44}$xei$^{53}_{44}$ʂɿ$^{53}_{44}$xei^{53}vien^{13}i^{53}ʂɿ$^{53}_{44}$tsʰiəu^{53}tʂʰɔŋ^{13}kəŋ$^{35}_{44}$tɔŋ$^{35}_{44}$tʂəŋ$^{35}_{44}$ke$^{53}_{44}$fu^{53}tsek^{3}ɲin^{13}.tan$^{53}_{44}$ʂɿ$^{53}_{44}$çien^{53}tsʰai$^{53}_{44}$lei^{0} iəu^{53}iəu$^{35}_{44}$tʂak^{3} mak^{3} e^{0} lei^{0}?tsʰiəu^{53}xe^{53}ta^{21}tʂʰɔŋ^{13}kəŋ$^{35}_{53}$ta^{21}tek^{3} n̩^{13}ti$^{35}_{53}$ci^{21}kʰu^{21}ke^{53}ɲin^{13} ,ia^{35}ɔn$^{35}_{53}$tso$^{53}_{21}$tʂʰɔŋ$^{13}_{21}$kəŋ^{35}tʰei$^{13}_{21}$.i^{21}tʂak^{3} lu^{53}tsɿ^{0} ,ta^{21}pi^{21}iɔŋ$^{53}_{44}$ŋa^{0} ,e$_{44}$,ŋai^{13}kai^{53}tʂʰən^{53}tsɿ^{0} tɔŋ$^{35}_{44}$sien$^{35}_{44}$tsʰan^{21}ti^{53}tʂɔŋ^{21}."ŋai^{13}xei^{53}mak^{3} e^{0} ti^{53}tʂɔŋ$^{21}_{44}$?ŋai^{13}tsʰiəu^{53}iet^{3} tʂak^{3} tʂʰɔŋ$^{13}_{21}$kəŋ$^{35}_{53}$tʰei^{13}ia^{0} ."

【长脚蜂】tʂʰɔŋ^{13}ciɔk^{3} fəŋ^{35} 名一种黄色、脚黄的野蜂，常筑窝于茅屋或灌木枝上：～啊有哇，有长脚啊。高脚个□……脚□长个。tʂʰɔŋ^{13}ciɔk^{3} fəŋ^{35}ŋa^{0} iəu^{35}ua^{0} ,iəu$^{35}_{44}$tʂʰɔŋ^{13}ciɔk^{3} a^{0} .kau^{35}ciɔk^{3} ke$^{53}_{44}$lai^{35}…ciɔk^{3} lai^{35}tʂʰɔŋ$^{13}_{21}$ke$^{53}_{44}$.

【长镜子】tʂʰɔŋ^{13}ciaŋ^{53}tsɿ^{0} 名长方形的镜子：我等屋下以前有只咁个高组嗯箇个柜呀，欸衣橱哇，橱子啊。我就舞面□长个镜子钉下去，就做穿衣镜，就舞下箇门上，欸，又唔岔事，系唔系？～。ŋai^{13}tien^{0}uk^{3} xa^{53}i$^{35}_{53}$tsʰien$^{13}_{21}$iəu^{35}tʂak^{3} kan^{21}kei$^{53}_{44}$kau^{35}tsəu^{21}n̩$_{21}$kai$^{53}_{44}$kei$^{53}_{44}$kʰuei^{53}ia^{0} ,ei$_{44}$i^{35}tʂʰəu$^{13}_{44}$ua^{0},tʂʰəu^{13}tsa^{0}.ŋai^{13}tsʰiəu^{53}u^{21}mien^{53}lai^{35}tʂʰɔŋ^{13}kei$^{53}_{44}$ciaŋ^{53}tsɿ^{0} taŋ^{35}ŋa$^{53}_{44}$çi^{53},tsʰiəu$^{53}_{44}$tso$^{53}_{44}$tʂʰen$^{35}_{44}$i$^{35}_{44}$ciaŋ^{53},tsʰiəu$^{53}_{44}$u^{21}a^{53}kai$^{53}_{44}$mən^{13}xɔŋ$^{53}_{44}$,e$_{21}$,iəu^{53}n̩$^{13}_{44}$tsʰa$^{53}_{44}$sɿ^{53},xei^{53}me^{53}?tʂʰɔŋ^{13}ciaŋ^{53}tsɿ^{0}.

【长裤】tʂʰɔŋ^{13}fu^{53} 名由腰及踝，包覆全腿的裤子：着条～去呀。tʂɔk^{3} tʰiau$^{13}_{21}$tʂʰɔŋ^{13}fu^{53}çi^{53}ia^{0}.

【长明灯】tʂʰɔŋ^{13}min^{13}ten^{35} 名点燃在神佛像前的长年不灭的油灯，或指祠堂里神龛前点的灯，也指安葬死者之前在其尸体或灵柩前点的灯：庙里个，一天到夜都点稳个，～。本来是祠堂里也点得～呢，祠堂里有多么人点，冇人点。搞一阵就冇人点哩。庙里是渠有人专门搞箇路子嘛，系啊？miau^{53}li^{0}ke^{0},iet^{3} tʰien^{35}tau$^{53}_{44}$ia$^{53}_{44}$təu$^{35}_{44}$tian^{21}uən^{21}cie^{0} ,tʂʰɔŋ$^{13}_{21}$min$^{13}_{21}$ten$^{35}_{44}$.pən^{21}nɔi^{13}ʂɿ^{53}tsʰɿ^{13}tʰɔŋ$^{13}_{44}$li^{0} ia$^{35}_{53}$tian^{21}tek^{3} tʂʰɔŋ$^{13}_{21}$min$^{13}_{21}$ten$^{35}_{44}$nei^{0} ,tsʰɿ^{13}tʰɔŋ$^{13}_{44}$li^{0} mau^{13}to$^{35}_{53}$mak^{3} in$^{13}_{44}$tian$^{21}_{44}$,mau$^{13}_{2}$ɲin^{13}tian^{21}.kau^{21}iet^{3} tʂʰən^{53}tsʰiəu^{53}mau^{13}ɲin$^{13}_{44}$tian^{21}ni^{0} .miau^{53}li^{0} ʂɿ$^{53}_{44}$ci$^{13}_{44}$iəu^{35}ɲin$^{13}_{21}$tʂen^{35}mən$^{13}_{21}$kau^{21}kai^{53}lu^{53}tsɿ^{0} ma^{0} ,xei^{53}a^{0} ?｜欸，箇只灯盏就爱还哩山上哩岭正算哩。箇是一人死哩以后就架势点呐，就舞只子咁个碟子唠，肚里

放兜子茶油子欸桐油箇只啦。舞点子灯芯子啦咁子搁倒啦。箇老哩人就爱点～。就老哩人呢，原则上来讲嘞一死呀下来，就去棺材头上就点盏灯。反正只爱盏灯凑。以前用桐油灯，落尾就用箇个咁个煤油灯子，如今呢搞出冇得嘞就油烛喔搞着欸箇蜡烛也搞着。反正爱点倒箇棺材头上。一直嘞等渠还山了。欸，箇时候子是死哩人是有人去下守稳吵。冇得哩又点着又又点着来。冇得哩又点着来，就用蜡烛。箇就～。庙里也有。但是祠堂里就搞一阵就冇得冇人点哩。正月初一晡起就会点下子。唔知点几多晡就唔多晓得。e$_{21}$,kai^{53}tʂak^{3}tien^{35}tsan^{21}tsʰiəu$^{53}_{44}$ɔi^{53}fan$^{13}_{21}$li^{0}san^{35}ʂɔŋ$^{53}_{44}$li^{0}liaŋ^{35}tʂaŋ^{53}sɔn^{53}ni^{0}.kai^{53}ʂʅ$^{53}_{44}$iet^{3}ɲin^{13}si^{21}li^{0}i^{35}xei$^{53}_{44}$tsʰiəu$^{53}_{44}$cia^{53}ʂʅ^{53}tian^{21}na^{0},tsiəu$^{53}_{44}$u^{21}tʂak^{3}tsʅ^{0}kan^{21}kei$^{53}_{44}$tʰiait^{5}tsʅ^{0}lau^{0},təu^{21}li^{0}fɔŋ^{53}təu$^{35}_{53}$tsʅ^{0}tsʰa^{13}iəu$^{35}_{44}$tsʅ^{0}e$_{21}$tʰəŋ^{13}iəu^{13}kai$^{53}_{44}$tʂak^{3}la^{0}.u^{21}tʰiau^{13}tsʅ^{0}tien^{35}sin$^{35}_{44}$tsʅ^{0}la^{0}kan^{21}tsʅ^{0}kɔk^{3}tau^{21}la^{0}.kai^{53}lau^{21}li^{0}ɲin^{13}tsʰiəu^{53}ɔi^{53}tian^{21}tʂʰɔŋ$^{13}_{21}$min$^{13}_{21}$ten^{35}.tsʰiəu$^{53}_{44}$lau^{21}li^{0}ɲin^{13}nei^{0},vien^{13}tsek^{3}xɔŋ^{53}lɔi$^{13}_{44}$kɔŋ^{21}lei^{0}iet^{3}si^{21}ia$_{44}$xa^{53}lɔi$^{13}_{21}$,tsʰiəu^{53}çi^{53}kɔn$^{35}_{44}$tsʰɔi$^{13}_{21}$tʰei^{13}xɔŋ^{53}tsʰiəu$^{53}_{44}$tian^{21}tsan^{21}tien^{35}.fan^{53}tʂən^{53}tʂʅ$^{21}_{44}$ɔi^{53}tsan^{21}tien^{35}tsʰe^{0}.i$^{35}_{53}$tsʰien^{13}iəŋ^{53}tʰəŋ^{13}iəu$^{13}_{21}$ten^{35},lɔk^{3}mi$^{35}_{44}$tsʰiəu$^{53}_{44}$iəŋ$^{53}_{44}$kai$^{53}_{44}$ke$^{53}_{44}$kan^{21}ke^{53}mei^{13}iəu^{13}ten^{35}tsʅ^{0},i$^{13}_{21}$cin^{35}nei^{0}kau^{21}tʂʰət^{3}mau^{13}tek^{3}le^{0}tsiəu$^{53}_{44}$iəu^{13}tʂəuk^{3}uo^{0}kau^{21}tʂʰɔk$^{5}_{3}$e$_{21}$kai$^{53}_{44}$lait^{5}tʂəuk^{3}a$^{35}_{53}$kau^{21}tʂʰɔk$^{5}_{3}$.fan^{21}tʂən^{53}ɔi^{53}tian^{21}tau^{21}kai^{53}kɔn$^{35}_{44}$tsʰɔi$^{13}_{21}$tʰei^{13}xɔŋ^{53}.iet^{3}tʂʰət^{5}le^{0}ten^{21}ci$^{13}_{44}$fan^{13}san^{35}liau^{0}.e$_{21}$,kai^{53}ʂʅ^{13}xəu^{53}tsʅ^{0}ʂʅ$^{53}_{44}$si^{21}li^{0}ɲin^{13}ʂʅ$^{53}_{44}$iəu^{35}ɲin^{13}çi^{53}xa^{53}ʂəu^{21}uən^{21}ʂa^{0}.mau^{13}tek^{3}li^{0}iəu^{53}tian^{21}tʂʰɔk^{5}iəu^{53}iəu^{53}tian^{21}tʂʰɔk^{5}lɔi$^{13}_{21}$.mau^{13}tek^{3}li^{0}iəu^{53}tian^{21}tʂʰɔk^{5}lɔi$^{13}_{21}$,tsʰiəu$^{53}_{44}$iəŋ$^{53}_{44}$lait^{5}tʂəuk^{3}.kai$^{53}_{44}$tsʰiəu$^{53}_{44}$tʂʰɔŋ$^{13}_{21}$min$^{13}_{21}$ten^{35}.miau^{53}li^{35}a$^{35}_{44}$iəu^{35}.tan^{53}tsʰʅ^{13}tʰɔŋ$^{13}_{44}$li^{35}tsʰiəu^{53}kau^{21}iet^{3}tʂʰən^{53}tsʰiəu^{53}mau$^{13}_{21}$tek^{3}mau$^{13}_{21}$in^{13}tian^{21}li^{0}.tʂaŋ^{35}ɲiet$^{5}_{3}$tsʰu^{35}iet^{3}pu$^{35}_{44}$çi^{21}tsʰiəu$^{53}_{44}$uɔi$^{53}_{44}$tian^{21}na^{53}tsʅ^{0}.n̩^{13}ti$^{35}_{53}$tian^{21}ci^{21}to$^{35}_{44}$pu^{35}tsʰiəu^{53}n̩^{13}to^{35}çiau^{21}tek^{3}.

【长命锁】tʂʰɔŋ^{13}miaŋ^{53}so^{21} 名 挂在小孩胸前用以避邪的锁形饰物。又称“颈锁、百家锁”：也可能我记错哩唠。可能～就挂嘿颈筋上个吧。ia$^{35}_{53}$kʰo^{21}len^{13}ŋai^{13}ci^{21}tsʰo^{53}li^{0}lau^{0}.kʰo^{21}len^{13}tʂʰɔŋ^{13}miaŋ^{53}so^{21}tsʰiəu$^{53}_{44}$kua$^{53}_{44}$(x)ek^{3}ciaŋ^{21}cin^{35}xɔŋ^{53}ke$^{53}_{21}$pa^{0}.

【长刨】tʂʰɔŋ^{13}pʰau^{13} 名 一种刨子，刨身较长，用于木料表面的进一步加工，切削量比短刨小。也称“长刨子”：渠指铁锤子是锤箇只～个刨铁。ci^{13}ʂʅ$^{53}_{44}$tʂʰei^{13}kai^{53}tʂak^{3}tʂʰɔŋ^{13}pʰau^{13}ke$^{53}_{44}$pʰau^{13}tʰiet^{3}.

【长日】tʂʰɔŋ^{13}ɲiet^{3} 副 经常，总是，长期，一贯。也称“长日子”：渠尽系下浏阳欸，～系下浏阳话嘞。ci^{13}tsʰin^{53}xei$^{53}_{44}$(x)a$^{53}_{44}$liəu^{13}iɔŋ$^{13}_{44}$e^{0},tʂʰɔŋ^{13}ɲiet^{3}xei^{53}(x)a^{53}liəu^{13}iɔŋ^{13}ua^{53}lei^{0}.｜～咁多啰唆病。tʂʰɔŋ^{13}ɲiet^{3}kan^{21}to^{35}lo$^{35}_{44}$so^{35}pʰiaŋ^{53}.｜啊，礼恭马义硬，～子一只脑壳埯埯矬矬。a$_{21}$,li^{35}kəŋ$^{35}_{44}$ma$^{35}_{44}$ɲi^{53}ɲiaŋ^{53},tʂʰɔŋ^{13}ɲiet^{3}tsʅ^{0}iet^{3}tʂak^{3}lau^{21}kʰɔk^{3}ŋan^{21}ŋan^{21}tsʰo^{13}tsʰo$^{13}_{44}$.

【长沙发】tʂʰɔŋ^{13}sa^{35}fait^{3} 名 可以坐多人的沙发或一组沙发中能坐多人的一个：沙发箇东西是以几年正有个唠，系啊？以前是我等以个乡下有么个沙发？连沙发箇只词也系外来个词啦，系啊？～，如今有～。我等欸以个～嘞本身来讲两只概念嘛。一只概念呢如今一组一组个沙发肚里有张长滴子个，箇张长滴子安做～。还有单人沙发，系<u>唔系</u>？一张长滴子坐得几个人个。还有张就安做贵妃椅吧？贵妃贵妃床啊么个？箇是一只，箇沙发肚里个箇张长个。还有嘞一种特制个，特制个，渠搞倒渠屋下渠肯做做张子□长个沙发，欸，放下厅子里放倒，箇也有。sa^{35}fait^{3}kai$^{53}_{44}$təŋ$^{35}_{44}$si^{0}ʂʅ$^{53}_{44}$i^{21}ci^{21}ʂət^{5}ɲien$^{13}_{21}$tʂaŋ$^{53}_{44}$iəu$^{35}_{44}$ke$^{53}_{44}$lau^{0},xei$^{53}_{44}$a^{0}?i^{35}tsʰien^{13}ʂʅ$^{53}_{44}$ŋai^{13}tien^{0}i^{21}ke^{0}çiɔŋ^{35}xa$^{53}_{44}$iəu$^{35}_{44}$mak^{3}e^{0}sa^{35}fait^{3}?lien^{13}sa^{35}fait^{3}kai^{53}tʂak^{3}tsʰʅ^{13}ia$^{35}_{44}$xei$^{53}_{44}$uai^{53}lɔi$^{13}_{21}$ke$^{53}_{44}$tsʰʅ^{0}la^{0},xei^{53}me$^{53}_{44}$?tʂʰɔŋ^{13}sa^{35}fait^{3},i$^{13}_{21}$cin$^{35}_{44}$iəu$^{35}_{44}$tʂʰɔŋ$^{13}_{21}$sa^{35}fait^{3}.ŋai$^{13}_{21}$tien^{0}e$_{21}$i^{21}ke^{53}tʂʰɔŋ^{13}sa$^{35}_{44}$fait^{3}lei^{0}pən^{21}ʂən$^{35}_{44}$nɔi$^{13}_{21}$kɔŋ^{21}iɔŋ^{21}tʂak^{3}kʰai^{53}ɲien$^{53}_{44}$ma^{0}.iet^{3}tʂak^{3}kʰai$^{53}_{44}$ɲien$^{53}_{44}$nei^{0}i$^{13}_{21}$cin$^{35}_{53}$iet^{3}tsəu^{21}iet^{3}tsəu^{21}ke^{0}sa$^{35}_{44}$fait^{3}təu^{21}li^{0}iəu$^{35}_{44}$tʂɔŋ$^{35}_{44}$tʂʰɔŋ^{13}tiet^{5}tsʅ^{0}ke^{0},kai$^{53}_{44}$tʂɔŋ$^{35}_{44}$tʂʰɔŋ^{13}tiet^{5}tsʅ^{0}ɔn$^{35}_{44}$tso$^{53}_{44}$tʂʰɔŋ^{13}sa^{35}fait^{3}.xai^{13}iəu$^{35}_{44}$tan^{35}ɲin$^{13}_{21}$sa$^{35}_{44}$fait^{3},xei$^{53}_{44}$me$^{53}_{44}$?iet^{3}tʂɔŋ$^{35}_{53}$tʂʰɔŋ^{13}tiet$^{5}_{3}$tsʅ^{0}tsʰo^{35}tek^{3}ci^{21}ke^{53}ɲin^{13}ke^{53}.xai^{13}iəu$^{35}_{44}$tʂɔŋ$^{35}_{44}$tsʰiəu$^{53}_{44}$ɔn$^{35}_{44}$tso$^{53}_{44}$kuei^{53}fei$^{35}_{44}$i^{21}pa^{0}?kuei^{53}fei$^{35}_{44}$kuei^{53}fei$^{35}_{44}$tsʰɔŋ^{13}a^{0}mak^{3}ke^{53}?kai$^{53}_{44}$ʂʅ$^{53}_{44}$iet^{3}tʂak^{3},kai$^{53}_{44}$sa^{35}fait^{3}təu^{21}li^{0}ke^{0}kai$^{53}_{44}$tʂɔŋ^{35}tʂʰɔŋ^{13}ke^{0}.xai^{13}iəu$^{35}_{44}$le^{0}iet^{3}tʂəŋ^{21}tʰek^{5}tʂʅ$^{53}_{44}$ke^{0},tʰek^{5}tʂʅ$^{53}_{44}$ke^{0},ci^{13}kau^{21}tau$^{21}_{44}$ci$^{13}_{44}$uk^{3}xa^{53}ci$^{13}_{21}$xen^{21}tso$^{53}_{44}$tso$^{53}_{44}$tʂɔŋ$^{35}_{44}$tsʅ^{0}lai^{35}tʂʰɔŋ$^{13}_{21}$ke$^{53}_{44}$sa$^{35}_{44}$fait^{3},e$_{21}$,fɔŋ^{53}a^{53}tʰaŋ^{35}tsʅ^{0}li^{0}fɔŋ^{53}tau^{21},kai$^{53}_{35}$ia^{35}iəu$^{35}_{44}$.

【长沙府】tʂʰɔŋ^{13}sa$^{35}_{44}$fu^{21} 名 明清时期在湖南设置的行政区划，主体以今长沙市辖域为中心，包括周边邻近地区：我等箇个箇个庙欸箇个做道士个人吵，渠就唔写湖南省浏阳县呐欸浏阳市啊张坊镇呐，欸么啊小河乡啊皇碑村呐，渠就唔咁子写。渠就写～，呣，浏阳县，东乡第一都，新安社令。渠照老个写。ŋai^{13}tien^{0}kai^{53}ke$^{53}_{44}$kai$^{53}_{44}$ke$^{53}_{44}$miau^{53}ei$_{21}$kai$^{53}_{44}$ke$^{53}_{44}$tso$^{53}_{44}$tʰau^{53}sʅ$^{53}_{44}$ke$^{53}_{44}$ɲin$^{13}_{21}$ʂa^{0},ci$^{13}_{21}$tsʰiəu^{53}n̩$^{13}_{21}$sia^{21}iau^{0}fu^{13}lan^{13}sen^{21}liəu^{13}iɔŋ^{13}çien^{53}na^{0}e$_{21}$liəu^{13}iɔŋ^{13}ʂʅ^{53}a^{0}tʂɔŋ$^{35}_{44}$fɔŋ$^{35}_{44}$tʂən^{53}na^{0},e$_{21}$mak^{3}a^{0}siau^{21}xo^{13}çiɔŋ^{35}ŋa^{0}uɔŋ^{13}pi$^{35}_{44}$tsʰən^{35}na^{0},ci$^{13}_{21}$tsʰiəu^{53}n̩^{13}kan^{21}tsʅ^{0}sia^{21}.ci$^{13}_{21}$tsʰiəu^{53}sia^{21},tʂʰɔŋ^{13}sa$^{35}_{44}$fu^{21},m̩$_{21}$,liəu^{13}iɔŋ^{13}çien^{53},təŋ^{35}çiɔŋ$^{35}_{44}$tʰi^{53}iet^{3}təu^{35},sin^{35}ŋɔn$^{35}_{44}$ʂa^{35}lin^{53}.ci^{13}tʂau^{53}lau^{21}ke^{53}sia^{21}.

【长沙人】tʂʰɔŋ^{13}sa$^{35}_{44}$ɲin^{13} 名指长沙市区居民：欸，我等箇来只～，第一次走倒来舞倒去搞石墁，一跌跌下番薯窖肚里，人都磕懵，人到后面死嘿哩，讲话浸死哩。e$_{21}$,ŋai^{13}tien^{0} kai^{53}lɔi^{13} tʂak^{3} tʂʰɔŋ^{13}sa$^{35}_{44}$ɲin^{13},tʰi^{53}iet^{3} tsʰɿ^{53}tsei^{21}tau^{21}lɔi^{13}u^{21}tau^{21}çi$^{53}_{44}$kau^{21}ʂak^{5} man$^{53}_{44}$,iet^{3} tet^{3} tet^{3} (x)a$^{35}_{44}$fan^{35}ʂəu$^{13}_{21}$kau^{53} təu^{21}li^{0} ,ɲin^{13}təu$^{35}_{44}$kʰɔk^{5} mən^{21}, ɲin^{13}tau$^{53}_{44}$xəu^{53}mien$^{53}_{44}$si^{21}xek^{3} li^{0} ,kɔŋ^{21}ua$^{53}_{21}$tsin^{53}si^{21}li^{0} .

【长衫】tʂʰɔŋ^{13}san^{35} 名男子穿的长褂。又称“绰子”：～如今只有搞么个就会着下子～呢？箇死哩人打祭咯，摎箇庙里打祭咯，会着下子～。还有嘞，箇做道场个人着下子～。渠分箇～一着嘞，就有种咁个古时候个味道样，要嘛有只咁个传统个味道样。你唔着～，就同以兜人样着倒咁个欸着倒咁子嘞就好像唔严肃样唔……更唔像样。渠搞箇个么个么个炎帝陵呐祭祖箇只，系唔系？箇着起箇汉服啊，着起箇古时候个衫裤啊，箇□长个衫袖个，箇个样子一摆嘿出来都就真像哩。～呐就系搞咁个。搞么个，我等如今我等以映子咯，就搞么个嘞？就系死哩人，打大三献，祭祀箇爷娭个箇最重要个箇一堂祭，箇就箇个喊通唱个人呐，欸带□个人，有条件个话，就分箇个～着起来。但是箇道士嘞，一般同别人家做道场嘞，都着～。渠是只搞专业个。tʂʰɔŋ^{13}san$^{35}_{53}$i$^{13}_{21}$cin^{35}tʂet^{3} iəu$^{35}_{53}$kau^{21}mak^{3} e^{0} tsʰiəu^{53}uɔi^{53}tʂɔk^{3} a^{53}tsɿ^{0} tʂʰɔŋ$^{13}_{21}$san$^{35}_{44}$nei^{0}?kai^{53}si^{21}li^{0}ɲin^{13}ta^{21}tsi^{53}ko^{0},lau^{35}kai$^{53}_{44}$miau^{53}li^{0} ta^{21}tsi^{53}ko^{0},uɔi^{53}tʂɔk^{3} a^{0} tsɿ^{0} tʂʰɔŋ$^{13}_{21}$san$^{35}_{44}$.xai^{13}iəu$^{35}_{44}$le^{0},kai$^{53}_{44}$tso$^{53}_{44}$tʰau^{53} tʂʰɔŋ$^{13}_{21}$ke^{0}ɲin$^{13}_{21}$tʂɔk^{3} a^{0} tsɿ^{0} tʂʰɔŋ$^{13}_{21}$san$^{35}_{44}$.ci^{13}pən$^{35}_{44}$kai$^{53}_{44}$tʂʰɔŋ^{13}san$^{35}_{44}$iet^{3} tʂɔk^{3} lei^{0} ,tsʰiəu$^{53}_{44}$iəu$^{35}_{53}$tʂəŋ^{21}kan$^{21}_{44}$ke$^{53}_{44}$ku^{21}ʂʅ^{13}xei$^{53}_{44}$ke^{0} uei^{53}tʰau^{53}iɔŋ^{53},iau^{53}ma^{0} iəu$^{35}_{53}$tʂak^{3} kan$^{21}_{44}$ke$^{53}_{44}$tʂʰuɔn^{13}tʰəŋ^{21}ke$^{53}_{44}$uei^{53}tʰau^{53}iɔŋ^{53}. ɲi$^{13}_{21}$n̩^{13}tʂɔk^{3} tʂʰɔŋ^{13}san$^{35}_{44}$,tsʰiəu^{53}tʰəŋ$^{13}_{21}$i$^{21}_{13}$təu$^{35}_{53}$ ɲin$^{13}_{44}$iɔŋ$^{53}_{44}$tʂɔk^{3} tau^{21}kan^{21}ke$^{53}_{44}$e$_{21}$tʂɔk^{3} tau^{21}kan$^{21}_{44}$tsɿ^{0} le^{0} tsʰiəu^{53}xau^{21}tsʰiɔŋ^{53}m̩^{13}ɲien^{13}səuk^{3} iɔŋ^{53}m̩^{13}…cien$^{53}_{44}$m̩^{13}tsʰiɔŋ^{53}iɔŋ$^{53}_{44}$.ci^{13}kau$^{21}_{53}$kai$^{53}_{44}$ke^{53}mak^{3} e^{0} mak^{3} ke$^{53}_{44}$ien^{13}ti^{53}lin^{13}na^{0} tsi^{53}tsu^{21}kai$^{53}_{44}$tʂak^{3} , xei$^{53}_{44}$me$^{53}_{44}$?kai^{53}tʂɔk^{3} çi^{21}kai$^{53}_{44}$xɔn^{53}fuk^{5} a^{0} ,tʂɔk^{3} çi^{21}kai$^{53}_{44}$ku^{21}ʂʅ^{13}xei^{53}ke^{0} san^{35}fu^{53}a^{0} ,kai$^{53}_{44}$lai^{35}tʂʰɔŋ$^{13}_{21}$ke^{0} san$^{35}_{44}$ tsʰiəu$^{53}_{44}$ke^{0} ,kai^{53}kei$^{53}_{44}$iɔŋ^{53}tsɿ^{0} et^{3} pai^{21}ek$^{3}_{5}$tʂʰət^{3} lɔi^{13}təu$^{35}_{44}$tsʰiəu$^{53}_{44}$tʂən^{35}tsʰiɔŋ^{53}li^{0} .tʂʰɔŋ^{13}san$^{35}_{44}$na^{0} tsʰiəu^{53}xe^{53}kau^{21} kan^{21}ke^{53}.kau^{21}mak^{3} e^{53},ŋai^{13}tien^{0} i$^{13}_{21}$cin$^{35}_{53}$ŋai^{13}tien^{0} i$^{21}_{13}$iaŋ^{53}tsɿ^{0} ko^{0} ,tsʰiəu^{53}kau^{21}mak^{3} e^{0} lei^{0} ?tsʰiəu^{53}ue^{53}si^{21}li^{0} ɲin^{13},ta^{21}tʰai^{53}san$^{35}_{44}$çien^{53},tsi^{53}sɿ$^{53}_{44}$kai$^{53}_{44}$ia^{13}ɔi$^{35}_{44}$ke^{0} kai$^{53}_{44}$tsei^{53}tʂʰəŋ^{53}iau$^{53}_{44}$ke^{0} kai^{53}iet^{3} tʰɔŋ^{13}tsi^{53},kai$^{53}_{44}$tsʰiəu$^{53}_{44}$kai$^{53}_{44}$ ke$^{53}_{44}$xan^{53}tʰəŋ^{35}tʂʰɔŋ^{53}ke$^{53}_{44}$ɲin^{13}na^{0} ,e^{0} tai^{53}ian^{21}ke^{53}ɲin$^{13}_{44}$,iəu^{35}tʰiau$^{13}_{21}$cʰien$^{53}_{44}$ke$^{53}_{44}$fa$^{53}_{44}$,tsʰiəu$^{53}_{44}$pən$^{35}_{44}$kai$^{53}_{44}$ke$^{53}_{44}$tʂʰɔŋ^{13} san$^{35}_{44}$tʂɔk^{3} çi^{21}lɔi^{13}.tan$^{53}_{44}$ʂʅ$^{53}_{44}$kai$^{53}_{44}$tʰau^{53}sɿ$^{53}_{44}$lei^{0} ,iet^{3} pɔn^{35}tʰəŋ$^{13}_{21}$pʰiet$^{5}_{3}$in$^{13}_{44}$ka$^{35}_{44}$tso$^{53}_{44}$tʰau^{53}tʂʰɔŋ$^{13}_{21}$lei^{0} ,təu^{35}tʂɔk^{3} tʂʰɔŋ^{13}san$^{35}_{53}$.ci^{13}ʂʅ$^{53}_{44}$tʂak^{3} kau^{21}tʂen^{35}ɲiet^{5} ke^{0} .

【长搧】tʂʰɔŋ^{13}ʂen^{35} 名大修墙板：就用……就用……首先呢徛倒墙上，用～，呣，人徛倒墙上，咁子往底下去箇子去搧。～，就搧杯呀。搧杯首先系～。也就搧杯。好，如果系有滴地方箇个欸墙板走动哩下子，系啊？𫌀舞得正当个，靠～整转下子来。差滴把子唔多直个唠，渠整好下子来。tsʰiəu$^{53}_{44}$iəŋ$^{53}_{44}$…tsʰiəu^{53}iəŋ$^{53}_{44}$…ʂəu^{21}sien^{35}nei^{0} cʰi^{35}tau^{21}tsʰiɔŋ^{13}xɔŋ^{53},iəŋ^{53}tʂʰɔŋ^{13}ʂen^{35},m̩$_{21}$, ɲin^{13} cʰi^{35}tau^{21}tsʰiɔŋ^{13}xɔŋ^{53},kan^{21}tsɿ^{0} uɔŋ^{21}te^{21}xa^{53}çi^{53}kai$^{53}_{44}$tsɿ^{0} çi$^{53}_{44}$ʂen^{35}.tʂʰɔŋ^{13}ʂen^{35},tsʰiəu^{53}ʂen^{35}pai$^{35}_{44}$ia^{0} .ʂen^{35}pai^{35} ʂəu^{21}sien$^{35}_{44}$xe^{53}tʂʰɔŋ^{13}ʂen^{35}.ia^{35}tsʰiəu^{53}ʂen^{35}pai$^{35}_{44}$.xau^{21},y^{13}ko^{21}xei$^{53}_{44}$iəu^{35}tet$^{5}_{3}$ tʰi$^{53}_{44}$fɔŋ^{35}kai$^{53}_{44}$ke$^{53}_{21}$e$_{21}$tsʰiɔŋ^{13}pan^{21} tsei^{21}tʰəŋ^{35}li^{0} ia$_{44}$(←xa^{53})tsɿ^{0} ,xe^{53}a^{0} ?maŋ^{13}u^{21}tek^{3} tʂən^{53}tɔŋ$^{53}_{44}$ke$^{53}_{44}$,kʰau^{53}tʂʰɔŋ^{13}ʂen^{35}tʂaŋ^{21}tʂɔn^{21}na^{53}(←xa^{53})tsɿ^{0} lɔi$^{13}_{44}$.tsa^{35}tiet^{5} pa^{21}tsɿ^{0} n̩$^{13}_{21}$to^{35}tʂʰət^{5} cie$^{53}_{44}$lau^{0} ,cʰi$^{53}_{44}$tʂaŋ^{21}xau^{21}ua^{53}(←xa^{53})tsɿ^{0} lɔi$^{13}_{21}$.

【长生】tʂʰɔŋ^{13}sien^{35} 名棺材。又称“千年屋”：以下是蛮多人都讲箇个火化了。我娭子一副～都丢倒箇映子殊嘿哩。我唔系渠话……我话：“你爱也唔爱呀？”渠话：“嘿，你听晡搞做火化。我还去下子搞？”渠话：“天气热哩会臭，讨嫌，系唔系？”渠话：“一只死人，一只死尸放倒箇映子嘞，会吓倒箇细人子箇滴。你同我火化化咁去，烧嘿去。”我娭子都想通哩。欸，硬不容易啊系不容易啊，想通了。渠话：“箇死嘿哩还有么个用？又唔……你话子还晓得痛啊么个？系唔系？晓得痛就𫌀死哟。”i^{21}xa$^{53}_{44}$ʂʅ$^{53}_{44}$man^{13}to$^{35}_{53}$ɲin$^{13}_{21}$təu$^{35}_{53}$kɔŋ^{21}kai$^{53}_{44}$ke$^{53}_{44}$fo^{21}fa^{53}liau^{0} .ŋai$^{13}_{21}$ɔi^{35}tsɿ^{0} iet^{3} fu^{53}tʂʰɔŋ$^{13}_{21}$sien$^{35}_{44}$təu$^{35}_{44}$tiəu^{35}tau^{21}kai^{53}iaŋ^{53}tsɿ^{0} mət^{3} xek^{3} li^{0} .ŋai$^{13}_{44}$m̩^{35}mei$^{53}_{44}$ci$^{13}_{44}$ua$^{53}_{44}$…ŋai^{13}ua$^{53}_{44}$:"ɲi$^{13}_{44}$ɔi^{53}ia$^{35}_{53}$m̩$^{13}_{21}$mɔi^{53}ia^{0} ?"ci$^{13}_{21}$ua^{53}:"xei$_{44}$, ɲi^{13}tʰin^{53}pu$^{35}_{53}$kau^{21}tso$^{53}_{44}$fo^{21}fa^{53}.ŋai$^{13}_{21}$xan^{13}çi^{53}xa$^{53}_{44}$tsɿ^{0} kau^{21}?"ci^{13}ua^{53}:"tʰien^{35}çi$^{53}_{44}$ɲiet^{5} li^{0} uɔi$^{53}_{44}$tʂʰəu^{53},tʰau^{21}çian^{13},xei^{53}me^{53}?"ci^{13}ua^{53}:"iet^{3} tʂak^{3} si^{21}ɲin^{13},iet^{3} tʂak^{3} si^{21}ʂʅ^{35}fɔŋ^{53}tau^{21}kai$^{53}_{44}$iaŋ$^{53}_{44}$tsɿ^{0} lei^{0} ,uɔi$^{53}_{35}$xak^{3} tau^{21}kai$^{53}_{44}$sei^{53}ɲin$^{13}_{21}$tsɿ^{0} kai$^{53}_{44}$tet^{5} . ɲi^{13}tʰəŋ$^{13}_{21}$ai$^{13}_{21}$fo^{21}fa$^{53}_{44}$fa^{53}kan^{21}çi^{53},ʂau^{35}ek^{3} çi$^{53}_{44}$."ŋai$^{13}_{21}$ɔi^{35}tsɿ^{0} təu$^{35}_{44}$siɔŋ^{21}tʰəŋ$^{35}_{44}$li^{0} .e$_{21}$ɲiaŋ^{53}pət^{3} iɔŋ^{13}i$^{53}_{44}$a^{0} xei^{53}pət^{3} iɔŋ^{13}i$^{53}_{44}$a^{0} ,siɔŋ^{21}tʰəŋ$^{35}_{44}$liau^{0} .cia$_{35}$(←ci^{13}ua^{53}):"kai^{53}si^{21}xek^{3} li^{0} xai^{13}iəu$^{35}_{53}$mak^{3} e^{0} iɔŋ$^{53}_{44}$?iəu^{53}m̩$^{13}_{21}$…ɲi^{13}ua$^{53}_{44}$tsɿ^{0} xai^{13}çiau^{21}tek^{3} tʰəŋ^{53}ŋa$^{35}_{44}$mak^{3} ke^{53}?xei^{53}me$^{53}_{44}$?çiau^{21}tek^{3} tʰəŋ^{53}tsʰiəu$^{53}_{44}$maŋ$^{13}_{21}$si^{21}io^{0} ."

【长生土地】tʂʰɔŋ^{13}sen^{35}tʰəu^{21}tʰi^{53} 名土地爷；掌管、守护某个地方的神：～就系土地菩萨，就土地菩萨个名称。有有有写长……箇箇土地土地老子土土地菩萨是，我等箇祠堂里就咁个啦，顶高就系一只祖宗个牌位。祖宗牌位底下，以底下子，咁箇咁以跟爹地泥以映子，以映子，底下就一只土地菩萨，土地。但是装香个时候子嘞每次都爱装起码也装三炉香。搞么个？祖宗箇映子，我一般是装三炉香嘞，唔系就三支香，唔系就三三得九支香。箇映就三炉香。以下炉香，你箇映装三品呢就以映也三品。还有只么个嘞天地菩萨，天神菩萨。箇是大门口。欸，我等装香嘞就爱装五炉。反正爱五下子凑。你就唔系就五支香，唔系就一十五支香，就咁子，欸。箇是土地。土地身为～，但是又有滴么个嘞？箇牌位嘞我爷子等写个嘞，兴隆土地，兴隆土地神位。欸，有滴写～神位。唔晓有区别啊冇区别。～神位，有滴兴隆土地神位。tʂʰɔŋ^{13}sien$^{35}_{44}$tʰəu^{21}tʰi^{53}tsʰiəu^{53}xe^{53}tʰəu^{21}tʰi^{53}pʰu^{13}sait^{3},tsiəu^{53}tʰəu^{21}tʰi^{53}pʰu^{13}sait^{3}ke^{0}min^{13}tʂʰən^{35}.iəu$^{35}_{44}$iəu^{35}iəu^{35}sia^{21}tʂʰɔŋ^{13}s…kai$^{53}_{44}$kai$^{53}_{44}$tʰəu^{21}tʰi^{53}tʰəu^{21}tʰi^{53}lau^{21}tsʅ^{0}tʰəu^{21}tʰəu^{21}tʰi^{53}pʰu^{13}sait^{3}ʂʅ$^{53}_{44}$,ŋai^{13}tien^{0}kai^{53}tsʰʅ^{13}tʰɔŋ$^{13}_{21}$li^{35}tsʰiəu^{53}kan$^{21}_{44}$ke$^{53}_{44}$la^{0},taŋ^{21}kau^{35}tsʰiəu^{53}xe^{53}iet^{3}tʂak^{3}tsəu^{21}tsəŋ^{35}ke$^{53}_{44}$pʰai^{13}uei^{53}.tsəu^{21}tsəŋ^{35}pʰai^{13}uei$^{53}_{44}$te^{21}xa^{53},i^{21}te^{21}xa^{53}tsʅ^{0},kan$^{53}_{35}$kai$^{53}_{44}$kan$^{21}_{44}$i^{21}kən$^{35}_{44}$ɲia^{13}tʰi^{53}lai^{13}i^{21}iaŋ^{53}tsʅ^{0},i^{21}iaŋ^{53}tsʅ^{0},te^{21}xa^{53}tsʰiəu^{53}iet^{3}tʂak^{3}tʰəu^{21}tʰi^{53}pʰu^{13}sait^{3},tʰəu^{21}tʰi^{53}.tan$^{53}_{44}$ʂʅ$^{53}_{44}$tsɔŋ^{35}çiɔŋ^{35}ke^{0}ʂʅ^{13}xəu$^{53}_{44}$tsʅ^{0}lei^{0}mei^{35}tsʰʅ^{53}təu$^{53}_{44}$ɔi$^{53}_{44}$tsɔŋ^{35}çi^{21}ma$^{35}_{44}$a$^{35}_{44}$tsɔŋ$^{35}_{44}$san^{35}nəu$^{13}_{21}$çiɔŋ$^{35}_{44}$.kau^{21}mak^{3}lei^{0}?tsʅ^{21}tsəŋ$^{35}_{44}$kai$^{53}_{44}$iaŋ^{53}tsʅ^{0},ŋai^{13}iet^{3}pɔn^{35}ʂʅ^{53}tsɔŋ$^{35}_{44}$san^{35}nəu$^{13}_{21}$çiɔŋ$^{35}_{44}$lei^{0},m̩^{13}pʰei$^{53}_{44}$tsʰiəu$^{53}_{44}$san^{35}tʂʅ$^{35}_{44}$çiɔŋ$^{35}_{44}$,m̩^{13}pʰei$^{53}_{44}$tsʰiəu$^{53}_{44}$san^{35}san^{35}tek^{3}ciəu^{21}tʂʅ$^{35}_{44}$çiɔŋ$^{35}_{44}$.kai^{53}iaŋ^{53}tsʰiəu^{53}san^{35}nəu$^{13}_{21}$çiɔŋ$^{35}_{44}$.i^{21}xa^{53}ləu$^{13}_{21}$çiɔŋ$^{35}_{44}$, ɲi^{13}kai^{53}iaŋ$^{53}_{44}$tsɔŋ$^{35}_{44}$san$^{35}_{44}$pʰin^{21}nei^{0}tsʰiəu$^{53}_{44}$i^{21}iaŋ$^{53}_{44}$ŋa$^{35}_{44}$san$^{35}_{44}$pʰin^{21}.xai$^{13}_{21}$iəu$^{35}_{53}$tʂak^{3}mak^{3}e^{0}tʰien^{35}tʰi$^{53}_{44}$pʰu$^{13}_{21}$sait^{3},tʰien^{35}ʂən$^{13}_{21}$pʰu$^{13}_{21}$sait^{3}.kai$^{53}_{44}$ʂʅ$^{53}_{44}$tʰai^{53}mən$^{13}_{44}$xei^{21}.e$_{21}$,ŋai^{13}tien^{0}tsɔŋ$^{35}_{44}$çiɔŋ$^{35}_{44}$lei^{0}tsʰiəu^{53}ɔi^{53}tsɔŋ^{35}ŋ̍^{21}ləu^{13}.fan^{21}tʂən^{53}ɔi^{53}ŋ̍^{21}xa^{53}tsʅ^{0}tsʰe^{0}. ɲi^{13}tsʰiəu^{53}m̩^{13}pʰe^{53}tsʰiəu^{53}ŋ̍^{21}tʂʅ$^{35}_{44}$çiɔŋ$^{35}_{44}$,m̩^{13}pʰe$^{53}_{44}$tsʰiəu$^{53}_{44}$iet^{3}ʂət^{5}ŋ̍^{21}tʂʅ$^{35}_{44}$çiɔŋ$^{35}_{44}$,tsʰiəu$^{53}_{44}$kan^{21}tsʅ^{0},e$_{21}$.kai$^{53}_{44}$ʂʅ$^{53}_{44}$tʰəu^{21}tʰi^{53}.tʰəu^{21}tʰi^{53}ʂən$^{35}_{44}$uei$^{13}_{44}$tʂʰɔŋ^{13}sen$^{35}_{44}$tʰəu^{21}tʰi^{53},tan$^{53}_{44}$ʂʅ$^{53}_{44}$iəu^{53}iəu^{35}tiet^{5}mak^{3}ke$^{53}_{44}$le^{0}?kai^{53}pʰai^{13}uei^{53}lei^{0}ŋai$^{13}_{21}$ia^{13}tsʅ^{0}ten^{0}sia^{21}ke$^{53}_{44}$lei^{0},çin^{35}nəŋ^{13}tʰəu^{21}tʰi^{53},çin^{35}nəŋ$^{13}_{44}$tʰəu^{21}tʰi^{53}ʂən^{13}uei^{53}.e$_{21}$,iəu^{35}tiet^{5}sia^{21}tʂʰɔŋ^{13}sen$^{35}_{44}$tʰəu^{21}tʰi^{53}ʂən^{13}uei^{53}.n̩^{13}çiau^{21}iəu$^{35}_{44}$tʂʰɥ$^{35}_{44}$pʰiet^{5}a^{0}mau$^{13}_{44}$tʂʰɥ$^{35}_{44}$pʰiet$^{5}_{3}$.tʂʰɔŋ^{13}sen$^{35}_{44}$tʰəu^{21}tʰi^{53}ʂən^{13}uei^{53},iəu^{35}tiet^{5}çin^{35}nəŋ$^{13}_{44}$tʰəu^{21}tʰi^{53}ʂən^{13}uei^{53}.

【长手巾】tʂʰɔŋ^{13}ʂəu^{21}cin^{35} 名 一种长布巾。常系在腰间或搭在肩上，长约三尺：箇起～。形容箇江西人呶，渠话唠，一条～，渠等个手巾有咁长，一条～，用来羁腰，系唔系？冷天用来羁腰。还冷滴子嘞，用来让门子嘞？欸，一搟搟下肩膊上。呣，以映子嘞，有有咁阔吵，一打下来，面前就打开来。底下就放只子火笼子。炙倒火笼子。火笼子面上就舞条子～就咁子遮稳下子。箇火笼子嘞又安做鸟笼子，嘿箇是话江西人嘞，我等个人冇么人箇。江西人就有惯哩用～。我等以映唔多用～。但是我用过咁长子个，正好绵下腰上个。欸，热天就用来擦汗，擦汗呐。箇个我等个山里顿田墈，咁子顿田墈，系呀？热天吵，下青草墈呐，分条手巾嘞，一只顿铲把□长啊，咁大子个咁大子个把，□长。分条欸分皮手巾嘞一绵绵下箇个顿铲把个顶高，以映子仰几下嘞渠箇顿铲箇手巾嘞就咁子就咁子仰上仰下就搧风啊。箇大家都咁子用咯，～呐。我等个～只有三尺子长。kai$^{53}_{44}$çi$^{21}_{44}$tʂʰɔŋ^{13}ʂəu^{21}cin^{35}.çin^{13}iɔŋ^{13}kai$^{53}_{44}$kɔŋ^{35}si$^{35}_{44}$ɲin$^{13}_{21}$nau^{0},ci^{13}ua$^{53}_{44}$lau^{0},iet^{3}tʰiau$^{13}_{21}$tʂʰɔŋ^{13}ʂəu^{21}cin^{35},ci^{13}tien^{0}ke$^{53}_{44}$ʂəu^{21}cin^{35}iəu$^{35}_{44}$kan^{21}tʂʰɔŋ^{13},iet^{3}tʰiau$^{13}_{21}$tʂʰɔŋ$^{13}_{21}$ʂəu^{21}cin^{35},iɔŋ^{53}lɔi$^{13}_{21}$cie^{35}iau^{35},xei$^{53}_{44}$me$^{53}_{44}$?laŋ^{35}tʰien$^{35}_{44}$iɔŋ^{53}lɔi$^{13}_{21}$cie^{35}iau^{35}.xai$^{13}_{21}$laŋ^{35}tiet^{5}tsʅ^{0}lei^{0},iɔŋ$^{53}_{44}$lɔi$^{13}_{21}$ɲiɔŋ$^{53}_{44}$mən$^{13}_{44}$tsʅ^{0}lei^{0}?ei$_{21}$,iet^{3}tan^{21}tan^{21}na$_{44}$(←xa^{53})cien^{35}pɔk^{3}xɔŋ$^{53}_{44}$.m̩$_{21}$.i^{21}iaŋ^{53}tsʅ^{0}lei^{0},iəu^{35}iəu$^{35}_{53}$kan^{21}kʰɔit^{3}ʂa^{0},iet^{3}ta^{21}(x)a$^{53}_{44}$kʰɔi^{35}lɔi$^{13}_{21}$,mien^{53}tsʰien$^{13}_{21}$tsiəu$^{53}_{44}$ta^{21}kʰɔi$^{35}_{44}$lɔi$^{13}_{21}$.te^{21}xa$^{53}_{44}$tsiəu$^{53}_{44}$fɔŋ^{53}tʂak^{3}tsʅ^{0}fo^{21}ləŋ^{35}tsʅ^{0}.tʂak^{3}tau$^{21}_{44}$fo^{21}ləŋ^{35}tsʅ^{0}.fo^{21}ləŋ^{35}tsʅ^{0}mien^{53}xɔŋ$^{53}_{44}$tsʰiəu$^{53}_{44}$u^{21}tʰiau^{13}tsʅ^{0}tʂʰɔŋ^{13}ʂəu^{21}cin^{35}tsʰiəu$^{53}_{44}$kan^{21}tsʅ^{0}tʂa^{35}uən^{21}na$_{44}$(←xa^{53})tsʅ^{0}.kai$^{53}_{44}$fo^{21}ləŋ^{35}tsʅ^{0}lei^{0}iəu$^{53}_{44}$ɔn$^{35}_{44}$tso$^{53}_{44}$tiau^{35}ləŋ^{35}tsʅ^{0},xe$_{21}$kai$^{53}_{44}$ʂʅ$^{53}_{44}$ua$^{53}_{44}$kɔŋ^{35}si$^{35}_{44}$ɲin$^{13}_{21}$ne^{0},ŋai$^{13}_{21}$tien^{0}kei^{53}ɲin$^{13}_{21}$mau$^{13}_{21}$mak^{3}in$^{13}_{21}$kai^{53}.kɔŋ^{35}si$^{35}_{44}$ɲin$^{13}_{21}$tsʰiəu$^{53}_{44}$iəu$^{35}_{44}$kuan^{53}li^{0}iɔŋ$^{53}_{44}$tʂʰɔŋ^{13}ʂəu^{21}cin$^{35}_{44}$.ŋai^{13}tien^{0}i^{21}iaŋ^{53}n̩$^{13}_{21}$to$^{35}_{44}$iɔŋ^{53}tʂʰɔŋ^{13}ʂəu^{21}cin$^{35}_{44}$.tan^{53}ʂʅ^{53}ŋai^{13}iɔŋ^{53}ko$^{53}_{44}$kan^{21}tʂʰɔŋ^{13}tsʅ^{0}ke^{53},tʂən^{53}xau^{21}tʰak^{3}(x)a$^{53}_{44}$iau^{35}xɔŋ$^{53}_{44}$ke$^{53}_{44}$.ei$_{21}$, ɲiet^{5}tʰien$^{35}_{44}$tsʰiəu$^{53}_{44}$iɔŋ$^{53}_{44}$lɔi$^{13}_{21}$tsʰət^{3}xɔn^{53},tsʰət^{3}xɔn^{53}na^{0}.kai$^{53}_{44}$kei$^{53}_{44}$ŋai$^{13}_{21}$tien^{0}ke$^{53}_{44}$san^{35}ni^{0}tən^{53}tʰien^{13}kʰan^{53},kan^{21}tsʅ^{0}tən^{53}tʰien^{13}kʰan^{53},xei$^{53}_{44}$ia^{0}?ɲiet^{5}tʰien$^{35}_{44}$ʂa^{0},xa^{35}tsʰiaŋ^{35}tsʰau^{21}kʰan^{53}na^{0},pɔn^{35}tʰiau$^{13}_{21}$ʂəu^{21}cin$^{35}_{44}$ne^{0},iet^{3}tʂak^{3}tən^{53}tsʰan^{21}pa^{53}lai^{35}tʂʰɔŋ$^{13}_{21}$ŋa^{0},kan^{21}tʰai^{53}tsʅ^{0}kei^{53}kan^{21}tʰai^{53}tsʅ^{0}kei$^{53}_{44}$pa^{53},lai^{35}tʂʰɔŋ^{13}.pɔn^{35}tʰiau$^{13}_{21}$e^{0}pɔn^{35}pʰi$^{13}_{21}$ʂəu^{21}cin$^{35}_{44}$nei^{0}iet^{3}tʰak^{3}tʰak^{3}(x)a^{53}kai^{53}kei$^{53}_{44}$tən^{53}tsʰan^{21}pa^{53}ke$^{53}_{44}$taŋ^{21}kau$^{35}_{44}$,i^{21}iaŋ$^{53}_{44}$tsʅ^{0}ɲiɔŋ^{21}ci^{21}xa$^{53}_{44}$lei^{0}ci$^{13}_{21}$kai$^{53}_{44}$tən^{53}tsʰan^{21}kai$^{53}_{44}$ʂəu^{21}cin^{35}nei^{0}tsʰiəu^{53}kan^{21}tsʅ^{0}tsʰiəu^{53}kan^{21}tsʅ^{0}ɲiɔŋ^{21}ʂɔŋ^{35}ɲiɔŋ^{21}xa^{53}tsʰiəu$^{53}_{44}$ʂen^{53}fəŋ^{35}ŋa^{0}.kai$^{53}_{44}$tʰai$^{53}_{44}$cia$^{35}_{44}$təu^{35}kan^{21}tsʅ^{0}iɔŋ^{53}ko^{0},tʂʰɔŋ^{13}ʂəu^{21}cin^{35}na^{0}.ŋai^{13}tien^{0}ke^{53}tʂʰɔŋ^{13}ʂəu^{21}cin^{35}tʂe^{21}iəu$^{35}_{53}$san^{35}tʂʰak^{3}tsʅ^{0}tʂʰɔŋ$^{13}_{21}$.

【长寿】tʂʰɔŋ^{13}ʂəu^{53} 形 长命、高寿：渠话有滴娭子病哩欸爱保娭子～会请人念经呐。ci$^{13}_{44}$ua$^{53}_{44}$iəu^{35}tet^{5}ɔi^{35}tsʅ^{0}pʰiaŋ^{53}li^{0}e$_{21}$ɔi^{53}pau^{21}ɔi^{35}tsʅ^{0}tʂʰɔŋ^{13}ʂəu^{53}uei$^{53}_{44}$tsʰiaŋ^{21}ɲin^{13}ɲian^{53}cin^{35}na^{0}.

【长水】tʂʰɔŋ^{13}ʂei^{21} 名 连阴雨：六月天光落～，告化子唔爱红米。liəuk^{3}ɲiet^{5}tʰien^{35}kɔŋ$^{35}_{44}$lɔk^{5}

tʂʰɔŋ^{13}ʂei^{21},kau^{53}fa^{53}tsʅ^{0} m$^{13}_{21}$mɔi$_{35}$(←ɔi^{53})fəŋ^{13}mi^{21}.

【长条】tʂʰɔŋ^{13}tʰiau^{13} 名细而长的形状或物体。有“ABB”重叠式：麻花其实也就系箇……做成～喔。ma^{13}fa^{35}cʰi^{13}ʂət^{5}ia^{35}tsʰiəu^{53}xei^{53}kai$^{53}_{44}$…tso^{53}ʂaŋ$^{13}_{44}$tʂʰɔŋ^{13}tʰiau^{13}uo^{0}.｜有条子肉嘞，欸就切成～。iəu^{35}tʰiau^{13}tsʅ^{0}ɲiəuk^{3}le^{0},e$_{44}$tsʰiəu$^{53}_{44}$tsʰiet^{3}tʂʰən^{13}tʂʰɔŋ^{13}tʰiau^{13}.｜萝卜条，欸，切成箇长条条哇。lo^{13} pʰek^{5}tʰiau^{13},e$_{21}$,tsʰiet^{3}tʂʰən^{13}kai^{53}tʂʰɔŋ^{13}tʰiau^{13}tʰiau^{13}ua^{0}.

【长袜】tʂʰɔŋ^{13}mait^{3} 名长及小腿肚以上的袜子：哎呀哈，几多年，几多十年嬒着箇起～咯，系啊？着嘿以映来个咯。嗯，暖就暖呢箇袜子啦。如今个袜子是着到箇底下滴子嘞。ai$_{53}$ia^{0} xa^{0},ci^{21}to$^{35}_{44}$ɲien^{13},ci^{21}to^{35}ʂət^{5}ɲien^{13}maŋ^{13}tʂɔk^{3}kai^{53}çi^{21}tʂʰɔŋ^{13}mait^{3}ko^{0},xei^{53}a^{0}?tʂɔk^{3}(x)ek^{3}i^{21}iaŋ^{53}lɔi$^{13}_{21}$ke^{53} ko^{0}.n̩$_{13}$,lən^{35}tsʰiəu^{53}lən^{35}ne^{0}kai^{53}mait^{3}tsʅ^{0}la^{0}.i$^{13}_{21}$cin$^{35}_{53}$ke^{53}mait^{3}tsʅ^{0}ʂʅ$^{53}_{44}$tʂɔk^{3}tau$^{53}_{44}$kai$^{53}_{44}$te^{21}xa$^{53}_{44}$tiet^{5}tsʅ^{0}le^{0}.

【长烟筒】tʂʰɔŋ^{13}ien$^{35}_{44}$tʰəŋ^{13} 名长度大的烟筒：以整个就有只～，安做～。i^{21}tʂən^{21}ko^{53}tsʰiəu$^{53}_{44}$iəu$^{35}_{44}$ tʂak^{3}tʂʰɔŋ^{13}ien^{35}tʰəŋ^{13},ɔn$^{35}_{44}$tso$^{53}_{44}$tʂʰɔŋ^{13}ien^{35}tʰəŋ^{13}.

【长夜】tʂʰɔŋ^{13}ia^{53} 名整夜，彻夜：总咁子叫哇，～咁子叫哇，着哩吓啊。tsəŋ^{21}kan$^{21}_{44}$tsʅ^{0}ciau^{53} ua^{0},tʂʰɔŋ^{13}ia^{53}kan^{21}tsʅ^{0}ciau^{53}ua^{0},tʂʰɔk^{5}li^{0}xak^{3}a^{0}.

【长子】tʂʰɔŋ^{13}tsʅ^{0} 名身材高的人：个子高个人，～，有滴人硬咁子喊呶。街上有只朱～，唐～，喊他就。可以加姓，朱～，唐～，一米八几个人呢箇就。ko^{53}tsʅ^{0}kau$^{35}_{44}$ke^{53}ɲin$^{13}_{21}$,tʂʰɔŋ^{13} tsʅ^{0},iəu^{35}tet$^{5}_{3}$ɲin$^{13}_{44}$ɲin^{53}kan^{21}tsʅ^{0}xan^{53}nau^{0}.kai$^{35}_{44}$xɔŋ$^{53}_{44}$iəu$^{35}_{44}$tʂak^{3}tʂəu^{35}tʂʰɔŋ^{13}tsʅ^{0},tʰɔŋ^{13}tʂʰɔŋ^{13}tsʅ^{0},xan$^{53}_{44}$tʰa$^{35}_{44}$ tsʰiəu^{53}.kʰo^{21}i$^{35}_{21}$cia$^{35}_{44}$sin^{53},tʂəu^{35}tʂʰɔŋ^{13}tsʅ^{0},tʰɔŋ^{13}tʂʰɔŋ^{13}tsʅ^{0},iet^{3}mi^{21}pait^{3}ci^{21}ke^{53}ɲin$^{13}_{21}$ne^{0}kai^{53}tsiəu$^{53}_{21}$.

【肠子】tʂʰɔŋ^{13}tsʅ^{0} 名人或动物内脏之一，呈长管形，主管消化和吸收养分：欸，箇个～上个就网子油。e$_{21}$,kai^{53}ke$^{53}_{44}$tʂʰɔŋ^{13}tsʅ^{0}xɔŋ^{53}ke^{53}tsʰiəu$^{53}_{44}$mɔŋ^{21}tsʅ^{0}iəu^{13}.

【尝】ʂɔŋ^{13} 动①品尝：瓜子嬒黄，孙子偷倒～。kua^{35}tsʅ^{0}maŋ^{13}uɔŋ^{13},sən^{35}tsʅ^{0}tʰəu^{35}tau^{21}ʂɔŋ^{13}. ②通过试验、试探获得了好处或利益：搞以只路子渠～倒哩甜头。kau^{21}i^{21}tʂak^{3}ləu^{53}tsʅ^{0}ci$^{13}_{44}$ʂɔŋ^{13}tau^{21} li^{0}tʰian^{13}tʰei$^{13}_{21}$.

【常惯】ʂɔŋ^{13}kuan^{53} 副经常：我跍倒以张坊街上啊～看得人倒来问路哩，箇个过路人呐同我问路。欸，我到铜鼓走哪映去呀？我到万载走哪映去呀？我到文家市走哪映去呀？～有人问。ŋai$^{13}_{21}$ku^{35}tau^{21}i^{21}tʂɔŋ$^{35}_{44}$fɔŋ$^{35}_{44}$kai^{35}xɔŋ^{53}ŋa^{0}ʂɔŋ^{13}kuan^{53}kʰɔn^{53}tek^{3}ɲin$^{13}_{44}$tau^{21}lɔi$^{13}_{44}$uən$^{53}_{44}$ləu^{53}li^{0},kai$^{53}_{44}$ke$^{53}_{44}$ko^{53}ləu^{53}ɲin^{13} na^{0}tʰəŋ$^{13}_{21}$ŋai$^{13}_{21}$uən^{53}ləu^{53}.e$_{21}$,ŋai^{13}tau^{53}tʰəŋ^{13}ku^{21}tsei^{21}lai$^{53}_{44}$iaŋ$^{53}_{44}$çi^{53}ia^{0}?ŋai^{13}tau^{53}uan^{53}tsai^{21}tsei^{21}lai$^{53}_{44}$iaŋ$^{53}_{44}$çi^{53}ia^{0}? ŋai^{13}tau^{53}uən^{13}cia$^{35}_{44}$ʂʅ^{53}tsei^{21}lai$^{53}_{44}$iaŋ$^{53}_{44}$çi^{53}ia^{0}?ʂɔŋ^{13}kuan$^{53}_{44}$iəu^{35}ɲin^{13}uən^{53}.

【厂】tʂʰɔŋ^{21} 名在屋外坪中临时扎起的祭奠场所：老哩人就爱死哩人就爱打～噢。lau^{21}li^{0}ɲin^{13} tsʰiəu$^{53}_{44}$ɔi$^{53}_{44}$si^{21}li^{0}ɲin^{13}tsʰiəu$^{53}_{44}$ɔi$^{53}_{44}$ta^{21}tʂʰɔŋ^{21}ŋau^{0}.

【场$_1$】tʂʰɔŋ^{13} 量指一事起迄的过程：搞嘿哩箇～事你就唔爱了，你就烧嘿去噢。做嘿哩箇～事，婚礼结束哩了，客佬子走咁哩，新人送走哩了，你就分渠指祖牌烧咁去啊。kau^{21}xek^{3}li^{0}kai^{53} tʂʰɔŋ^{13}sʅ^{53}ɲi$^{13}_{44}$tsʰiəu$^{53}_{44}$m$^{13}_{21}$mɔi$_{35}$(←ɔi^{53})liau^{0},ɲi$^{13}_{21}$tsʰiəu$^{53}_{44}$ʂau^{35}uek^{3}(←xek^{3})çiau^{0}(←çi^{53}au^{0}).tso^{53}uek^{3} (←xek^{3})li^{0}kai$^{53}_{44}$tʂʰɔŋ$^{13}_{21}$sʅ^{53},fən^{35}li^{21}ciet^{3}tʂʰəuk^{5}li^{0}liau^{0},kʰak^{3}lau^{21}tsʅ^{0}tsei^{21}kan$^{21}_{44}$li^{0},sin^{35}ɲin$^{13}_{21}$səŋ^{53}tsei^{21}li^{0} liau^{0},ɲi^{13}tsʰiəu^{53}pən^{35}ci$^{13}_{21}$ʂau^{35}kan^{21}çi^{53}a^{0}.｜孝子箇～祭，箇就最隆重个。爱摆一十二所，安做大三献。摆一十二所啊，箇～祭爱打两个多小时。çiau^{53}tsʅ^{21}kai$^{53}_{44}$tʂʰɔŋ$^{13}_{21}$tsi^{53},kai$^{53}_{44}$tsʰiəu$^{53}_{44}$tsei^{53}ləŋ^{13}tʂʰəŋ$^{53}_{44}$ ke$^{53}_{44}$.ɔi$^{53}_{44}$pai^{21}iet^{3}ʂət^{5}ɲi^{53}so^{21},ɔn$^{35}_{44}$tso$^{53}_{44}$tʰai^{53}san$^{35}_{44}$çien^{53}.pai^{21}iet^{3}ʂət^{5}ɲi^{53}so^{21}a^{0},kʰai$^{53}_{44}$tʂʰɔŋ$^{13}_{21}$tsi^{53}ɔi$^{53}_{44}$ta^{21}iɔŋ^{21}ke$^{53}_{44}$to^{35} siau^{21}ʂʅ$^{13}_{21}$.｜箇新郎子嘞就下来，以只师傅也发他包烟，打只子红包分渠，箇只开车……开箇～车个师傅也……反正系接亲个箇一番车，就打只子红包分渠。kai$^{53}_{44}$sin^{35}nɔŋ$^{13}_{21}$tsʅ^{0}lei^{0}tsʰiəu$^{53}_{44}$ xa$^{53}_{44}$lɔi$^{13}_{21}$,i^{21}tʂak^{3}sʅ$^{35}_{44}$fu$^{53}_{44}$ia^{35}fait^{3}tʰa$^{35}_{21}$pau^{21}ien^{35},ta^{21}tʂak^{3}tsʅ^{0}fəŋ^{13}pau$^{35}_{44}$pən^{35}ci$^{13}_{21}$.kai^{53}tʂak^{3}kʰɔi^{35}tʂʰa$^{35}_{44}$…kʰɔi^{35} kai^{53}tʂʰɔŋ$^{13}_{21}$tʂʰa$^{35}_{44}$ke$^{53}_{44}$sʅ$^{35}_{44}$fu$^{53}_{44}$ia^{35}…fan^{21}tʂən$^{53}_{44}$xe^{53}tsiet^{3}tsʰin^{35}ke$^{53}_{44}$kai$^{53}_{44}$iet^{3}fɔn^{35}tʂʰa^{35},tsʰiəu$^{53}_{44}$ta^{21}tʂak^{3}tsʅ^{0}fəŋ^{13} pau$^{35}_{44}$pən^{35}ci$^{13}_{21}$.｜欸，就系嘞我爷娭呀带一～啊，带一～妹子啊，你爱拿滴子恩养钱。e$_{21}$,tsʰiəu$^{53}_{44}$ xei$^{53}_{44}$lei^{0}ŋai^{13}ia^{13}ɔi^{35}ia^{0}tai^{53}iet^{3}tʂʰɔŋ^{13}ŋa^{0},tai^{53}iet^{3}tʂʰɔŋ^{13}mɔi^{53}tsʅ^{0}a^{0},ɲi^{13}ɔi$^{53}_{44}$la^{53}tiet^{5}tsʅ^{0}ŋen^{35}iɔŋ$^{35}_{44}$tsʰien^{13}.｜去叫一～，出个出下子眼泪呀，系唔系？çi$^{53}_{44}$ciau^{53}iet^{3}tʂʰɔŋ^{13},tʂʰət^{3}ke^{53}tʂʰət^{3}xa^{53}tsʅ^{0}ŋan^{21}li^{53}ia^{0},xe$^{53}_{44}$ me$^{53}_{44}$?

【场$_2$】tʂʰɔŋ^{13} 用作地名中的通名：牛栏～ ɲiəu^{13}lan^{13}tʂʰɔŋ$^{13}_{21}$

【场$_3$】tʂʰɔŋ^{13} 后缀，附在某些动词后面，构成名词，表示行为的价值：食～ ʂət^{5}tʂʰɔŋ^{13}｜搞～ kau^{21}tʂʰɔŋ^{13}｜看～kʰɔn^{53}tʂʰɔŋ^{13}｜做～tso^{53}tʂʰɔŋ^{13}

【场伙】tʂʰɔŋ^{13}fo^{21} 名美味佳肴：还爱请倒箇师傅食一餐～。xa$^{13}_{21}$ɔi$^{53}_{44}$tsʰiaŋ^{21}tau^{21}kai$^{53}_{44}$sʅ^{35}fu$^{53}_{44}$ʂət^{5}iet^{3}

tsʰɔn^{13}tʂʰɔŋ^{13}fo^{21}.

【场子】tʂʰɔŋ^{13}tsɿ^{0} 量指一事起迄的经过，件、桩。所指之事多不具必然性：有滴就钦姐夫噢，有滴老妹婿爱打～祭个唠。iəu^{35}tet^{5} tsʰiəu$^{53}_{44}$e$_{21}$tsia^{21}fu^{35}au^{0},iəu^{35}tet$^{5}_{3}$ lau^{21}mɔi$^{53}_{44}$se^{53}ɔi$^{53}_{44}$ta^{21}tʂʰɔŋ^{13}tsɿ^{0} tsi^{53} ke^{53}lau^{0}.

【敞】tʂʰo^{21} 形裸露的：我记得我第一次箇个到茶陵师范去读书哇，系唔系？去洗身呐，几十个人跍倒那肚里，～个，脱嘿衫裤来，我硬屏下角子里，唔好意思。噢，笑死。尽兜都跍倒箇映洗，有兜人唔爱兜紧，就咁子。ŋai$^{13}_{21}$ci^{53}tek^{3} ŋai$^{13}_{21}$tʰi^{53}iet^{3} tsʰɿ^{53}kai^{53}ke$^{53}_{44}$tau^{53}tsʰa^{13}lin$^{13}_{44}$sɿ$^{35}_{44}$fan^{53}çi$^{53}_{44}$ tʰəuk^{5} ʂəu^{35}ua^{0},xei$^{53}_{44}$me$^{53}_{44}$?çi$^{53}_{44}$sei^{21} ʂən^{35}na^{0},ci^{21}ʂət^{5} ke^{53}ɲin$^{13}_{21}$ku^{35}tau^{21}lai^{53}təu^{21}li^{0},tʂʰo^{21}ke$^{53}_{44}$,tʰɔit^{3}(x)ek^{3} san$^{35}_{44}$ fu^{53}lɔi^{13},ŋai^{13}ɲiaŋ$^{53}_{44}$piaŋ^{53}(x)a^{53}kɔk^{3} tsɿ^{0} li^{0},n̩$^{13}_{21}$nau^{21}i^{53}sɿ^{0}.au$_{53}$,siau^{53}si^{21}.tsʰin^{53}te$^{35}_{44}$təu$^{35}_{44}$ku$^{35}_{44}$tau$^{21}_{44}$kai^{53}iaŋ^{53}sei^{21}, iəu^{35}tei$^{35}_{53}$ɲin$^{13}_{21}$m̩$^{13}_{21}$mɔi^{53}tei$^{35}_{53}$cin^{21},tsʰiəu^{53}kan^{21}tsɿ^{0}.

【敞袖子】tʂʰo^{21}tsʰiəu^{53}tsɿ^{0} 名袖口敞开的袖子：我着褂子就喜欢着～，唔喜欢着紧袖子，钦，喜欢着～，我就几件褂子都系～。冷天个罩衫都系～。ŋai^{13}tʂɔk^{3} kua^{53}tsɿ^{0} tsʰiəu^{53}çi^{21}fɔn$^{35}_{53}$tʂɔk^{3} tʂʰo^{21}tsʰiəu^{53}tsɿ^{0},n̩^{13}çi^{21}fɔn$^{35}_{53}$tʂɔk^{3} cin^{21}tsʰiəu^{53}tsʰiəu^{53}tsɿ^{0},e$_{21}$,çi^{21}fɔn$^{35}_{53}$tʂɔk^{3} tʂʰo^{21}tsʰiəu^{53}tsɿ^{0},ŋai$^{13}_{21}$iəu$^{35}_{44}$ci^{21}cʰien^{53} kua^{53}tsɿ^{0} təu^{35}xei$^{53}_{44}$tʂʰo^{21}tsʰiəu^{53}tsɿ^{0}.laŋ^{35}tʰien$^{35}_{44}$ke$^{53}_{44}$tsau^{53}san$^{35}_{44}$təu^{35}xei^{53}tʂʰo^{21}tsʰiəu^{53}tsɿ^{0}.

【唱】tʂʰɔŋ^{53} 动①依照乐律发声：请人来～歌唠，系唔系？钦，搞滴箇个电子琴箇只唠，钦，喇叭音箱噢，～起个“今天是个好日子”唠，～滴咁个唠。tsʰiaŋ^{21}ɲin$^{13}_{21}$lɔi$^{13}_{21}$tʂʰɔŋ^{53}ko^{35}lau^{0},xei$^{53}_{44}$ me^{0}?e$_{21}$,kau^{21}tet^{5} kai$^{53}_{44}$ke$^{53}_{44}$tʰien^{53}tsɿ^{0} cʰin^{13}kai^{21}tʂak^{5} lau^{0},ei$_{21}$,la^{21}pa^{21}in^{35}siɔŋ$^{35}_{44}$ŋau^{0},tʂʰɔŋ^{53}çi^{21}ke$^{53}_{44}$cin$^{35}_{44}$tʰien$^{35}_{44}$ ʂʅ^{53}ko^{53}xau^{21}ʐʅ^{53}tsɿ^{0} lau^{0},tʂʰɔŋ$^{53}_{44}$tet$^{5}_{3}$kan^{21}cie^{53}lau^{0}. ②表演；演出：～一台戏 tʂʰɔŋ^{53}iet^{3}tʰɔi^{35}çi^{53}｜～大戏 tʂʰɔŋ$^{53}_{44}$tʰai^{53}çi$^{53}_{44}$｜～花鼓戏 tʂʰɔŋ^{53}fa^{35}ku^{21}çi^{53}｜～花面 tʂʰɔŋ$^{53}_{44}$fa^{35}mien$^{53}_{44}$

【唱单子】tʂʰɔŋ^{53}tan^{35}tsɿ^{0} 动酒宴时由专人依大小呼喊被请坐上者的名单：请坐是有咁个啦，我等客姓人请坐是，爱几个人呐。一个人～。手里拿倒一张单子，红纸子写倒个单子。请么个舅爷，请坐！张府上啊李府上啊，么啊舅爷，请坐！箇就～。徛倒门口，声音大滴子。请坐！箇就安做～。～个人呢。箇个人就唱他，随便喊个人啵，箇是爱渠唱下子，只能爱渠照念呐。就……表示我系写正哩个，请哪几个人呐，系啊？嗯，一……一个个子来喊呐。就爱喊呢，喊……最大个就先喊呐。钦，打比样啊，张府上个上亲大人请坐！唔爱称张府上，只讲上亲大人请坐。好，箇是第一个人。就系～。tsʰiaŋ^{21}tsʰo^{35}ʂʅ$^{53}_{44}$iəu$^{35}_{44}$kan^{21}cie^{53}la^{0},ŋai^{13}tien^{0} kʰak^{3} sin^{53}ɲin$^{13}_{21}$tsʰiaŋ^{21}tsʰo^{35}ʂʅ$^{53}_{44}$,ɔi^{53}ci^{21}ke^{53}ɲin^{13}na^{0}.iet^{3} ke^{53}ɲin$^{13}_{21}$tʂʰɔŋ^{53}tan^{35}tsɿ^{0}.ʂəu^{21}li^{0} la$^{53}_{44}$tau$^{21}_{44}$iet$^{5}_{3}$ tʂɔŋ$^{35}_{44}$tan^{35} tsɿ^{0},fəŋ^{13}tʂʅ^{21}tsɿ^{0} sia^{21}tau^{21}ke$^{53}_{44}$tan^{35}tsɿ^{0}.tsʰiaŋ^{21}mak^{3} ke^{53}cʰiəu^{35}ia$^{13}_{44}$,tsʰiaŋ^{21}tsʰo^{35}!tʂɔŋ^{35}fu^{21}xɔŋ^{53}ŋa^{0} li^{21}fu^{21}xɔŋ^{53} ŋa^{0},mak^{3} a^{0} cʰiəu^{35}ia$^{13}_{44}$,tsʰiaŋ^{21}tsʰo^{35}!kai$^{53}_{44}$tsʰiəu$^{53}_{44}$tʂʰɔŋ^{53}tan^{35}tsɿ^{0}.cʰi^{35}tau^{21}mən^{13}xei^{21},ʂaŋ^{35}in$^{35}_{44}$tʰai^{53}tiet^{5} tsɿ^{0}.tsʰiaŋ^{21}tsʰo^{35}!kai$^{53}_{44}$tsʰiəu$^{53}_{44}$ɔn$^{35}_{44}$tso$^{53}_{44}$tʂʰɔŋ^{53}tan^{35}tsɿ^{0}.tʂʰɔŋ^{53}tan^{35}tsɿ^{0} ke$^{53}_{44}$ɲin$^{13}_{44}$ne^{0}.kai^{53}(k)e$^{53}_{21}$ɲin^{13}tsʰiəu^{53} tʂʰɔŋ$^{53}_{35}$tʰa$^{35}_{53}$,sei$^{13}_{21}$pʰien$^{53}_{44}$xan$^{53}_{44}$cie$^{53}_{44}$ɲin^{13}nau^{0},kai$^{53}_{44}$ʂʅ$^{53}_{44}$ɔi$^{53}_{44}$ci$^{13}_{21}$tʂʰɔŋ^{53}ŋa$_{21}$(←xa^{53})tsɿ^{0},tsɿ^{21}len^{13}ɔi$^{53}_{44}$ci$^{13}_{21}$tʂau$^{53}_{44}$ɲian^{53} na^{0}.tsʰiəu$^{53}_{44}$tsʰ…piau^{21}ʂʅ^{53}ŋai^{13}xe$^{53}_{44}$sia^{21}tʂaŋ^{53}li^{0} kei$^{53}_{44}$,tsʰiaŋ^{21}lai$^{53}_{44}$ci^{21}ke^{53}ɲin^{13}na^{0},xei$^{53}_{44}$a^{0}?n̩$_{21}$,iet^{3}…iet^{3} cie^{53} cie^{53}tsɿ^{0} lɔi^{13}xan^{53}na^{0}.tsʰiəu$^{53}_{21}$ɔi$^{53}_{44}$xan^{53}ne^{0},xan$^{53}_{44}$…tsei^{53}tʰai$^{53}_{44}$ke$^{53}_{44}$tsʰiəu$^{53}_{44}$sien^{35}xan$^{53}_{21}$na^{0}.e$_{21}$,ta^{21}pi^{21}iɔŋ^{53} ŋa^{0},tʂɔŋ^{35}fu^{21}xɔŋ$^{53}_{44}$ke$^{53}_{44}$ʂɔŋ^{53}tsʰin$^{35}_{44}$tʰai$^{53}_{44}$ɲin$^{13}_{21}$tsʰiaŋ^{21}tsʰo^{35}!m̩$^{13}_{21}$mɔi$^{53}_{44}$tʂʰən$^{35}_{44}$tʂɔŋ^{35}fu^{21}xɔŋ$^{53}_{44}$,tʂe^{21}kɔŋ^{21}ʂɔŋ^{53}tsʰin$^{35}_{44}$ tʰai^{53}ɲin$^{13}_{21}$tsʰiaŋ^{21}tsʰo^{35}.xau^{21},kai$^{53}_{44}$ʂʅ$^{53}_{44}$tʰi^{53}iet^{3} cie$^{53}_{44}$ɲin$^{13}_{21}$.tsʰiəu$^{53}_{44}$xe$^{53}_{44}$tʂʰɔŋ^{53}tan^{35}tsɿ^{0}.

【唱号】tʂʰɔŋ^{53}xau^{53} 动喊号：～是一般就系排队搞么个路子个时候子喊号。啊排队个时候子，打比样……钦，我等以个栏场搞么个就有咁个～啊？搞么个就排队个唠？学校里都冇搞得，医院里就有。医院里啊，医院里就箇个唠，首先就你就挂只号喔，系唔系？挂只号就分单子交上去啊，然后渠就喊“一号个啊”，嗯，箇就～喔。“二号个啊”，系啊？tʂʰɔŋ^{53}xau^{53}ʂʅ$^{53}_{44}$iet^{3} pɔn^{35}tsʰiəu^{53}xe$^{53}_{44}$pʰai^{13}ti^{53}kau^{21}mak^{3} e^{0} ləu^{53}tsɿ^{0} ke$^{53}_{44}$ʂʅ^{13}xəu^{53}tsɿ^{0} xan^{53}xau^{53}.a^{0} pʰai^{13}ti^{53}ke^{0} ʂʅ^{13}xei^{53}tsɿ^{0},ta^{21}pi^{21} iɔŋ^{53}…e$_{21}$,ŋai^{13}tien^{0} i$^{21}_{13}$ke^{53}laŋ$^{13}_{21}$tʂʰɔŋ$^{13}_{21}$kau^{21}mak^{3} e^{0} tsʰiəu$^{53}_{44}$iəu$^{35}_{44}$kan^{21}ke^{0} tʂʰɔŋ^{53}xau^{53}a^{0}? kau^{21}mak^{3} e^{0} tsʰiəu$^{53}_{44}$ pʰai^{13}ti^{53}ke$^{53}_{44}$lau^{0}?çiɔk^{5} ciau$^{53}_{44}$li^{21}təu$^{35}_{53}$mau$^{13}_{21}$kau$^{21}_{53}$tek^{3},i^{35}vien$^{53}_{44}$ni^{21}tsiəu$^{53}_{44}$iəu^{35}.i^{35}vien$^{53}_{44}$ni^{21}a^{0},i^{35}vien$^{53}_{44}$ni^{21}tsʰiəu$^{53}_{44}$ kai$^{53}_{44}$ke$^{53}_{44}$lau^{0},ʂəu^{21}sien$^{35}_{44}$tsʰiəu^{53}ɲi$^{13}_{21}$tsʰiəu$^{53}_{44}$kua^{53}tʂak^{3} xau^{53}uo^{0},xe$^{53}_{44}$me$^{53}_{44}$?kua^{53}tʂak^{3} xau^{53}tsʰiəu$^{53}_{44}$pən^{35}tan^{35}tsɿ^{0} ciau$^{35}_{44}$ʂɔŋ$^{53}_{44}$çi^{53}a^{0},vien^{13}xei$^{53}_{44}$ci$^{13}_{21}$tsiəu$^{53}_{21}$xan^{53}"iet^{3} xau$^{53}_{44}$ke^{53}a^{0}",n̩$_{21}$,kai$^{53}_{44}$tsʰiəu$^{53}_{44}$tʂʰɔŋ$^{53}_{44}$xau^{53}uo^{0}."ɲi^{53}xau$^{53}_{44}$ke^{53}a^{0}", xe$^{53}_{44}$a^{0}?

【唱评】tʂʰɔŋ^{53}pʰin^{13} 动一种曲艺形式：～，我也唔多记得呢。唔系说我等以个栏场有～呢。～，有有～呢。～是搞么个嘞？就系以映是讲个评弹呢，系啊？系种系种艺术形式。我等映讲～是有只咁个职业呢。有只咁个呢。又安做么个去哩呢？渠就系正月头，正月头咯，渠就同箇个欸也唔系么个完全正月头嘞，做好事个时候子呀，做好事，做红喜事或者正月头，渠有起人专门搞咁路子，～。渠看倒么人，欸，就系洗你欸包封，就系爱洗你个包封啊。渠看倒你，看倒么人就唱么人。欸，箇阵子渠等都还箇个咯。我舅爷也会唱下子评。渠会唱，尽讲好话。以下唔在哩，死嘿哩。尽讲好话。我爷子死个时候子都我舅爷还在。渠欸男子人就唱男子人，夫娘子唱夫娘子。硬信口而出。欸，又押韵，又唱得好。专门讲你好话。欸，正月头，一般就渠就同箇出灯样，出龙灯出狮灯样。正月头，走家串户，欸，你屋下系来哩一只么个新客呀，打比样你个婿郎来哩，正结婚个婿郎，系啊？来新回门。箇渠总爱洗你百多块钱就归去得，渠就～。箇也系安做～。一面子小锣子呢，咁子嘞，咁子剁剁剁。咁子剁剁剁。咁子剁呢。咁子冇么个，唔爱么个嘞。就咁子嘞，欸拿倒渠咁子剁啊剁呢都。系唔系以只东西系唔系安做～啵我唔多咁箇个去哩。tʂʰəŋ^{53}pʰin^{13},ŋai^{13}ia$^{35}_{53}$n̩^{13}to$^{35}_{44}$ci^{53}tek^{3}nei^{0}.m̩^{13}pʰe$^{53}_{44}$ʂet^{3} ŋai^{13}tien^{0}i$^{21}_{13}$ke^{53}laŋ$^{13}_{21}$tʂʰəŋ$^{13}_{44}$iəu$^{35}_{44}$tʂʰəŋ^{53}pʰin^{13}ne^{0}.tʂʰəŋ^{53}pʰin^{13},iəu^{35}iəu^{35}tʂʰəŋ^{53}pʰin^{13}ne^{0}.tʂʰəŋ^{53}pʰin^{13}ʂʅ$^{53}_{44}$kau^{21} mak^{3}e^{0}le^{0}?tsʰiəu^{53}xe^{53}i^{21}iaŋ^{53}ʂʅ$^{53}_{44}$kəŋ^{21}ke^{0}pʰin^{13}tʰan$^{13}_{21}$ne^{0},xei^{53}a^{0}?xei$^{53}_{44}$tʂəŋ^{21}xei$^{53}_{44}$tʂəŋ^{21}ɲi^{53}ʂət^{5}çin^{13}ʂʅ^{53}.ŋai^{13} tien^{0}iaŋ^{53}kəŋ^{21}tʂʰəŋ^{53}pʰin^{13}ʂʅ$^{53}_{44}$iəu^{35}tʂak^{3}kan^{21}ke$^{53}_{44}$tʂət^{3}ɲiet^{5}nei^{0}.iəu^{35}tʂak^{3}kan$^{21}_{44}$ke^{53}nei^{0}.iəu^{35}ən$^{35}_{44}$tso$^{53}_{44}$mak^{3} ke$^{53}_{44}$çi$^{53}_{44}$li^{0}nei^{0}?ci$^{13}_{21}$tsʰiəu^{53}xe^{53}tʂaŋ^{35}ɲiet^{5}tʰei^{13},tʂaŋ^{35}ɲiet^{5}tʰei$^{13}_{21}$ko^{0},ci$^{13}_{21}$tsʰiəu^{53}tʰəŋ^{13}kai$^{53}_{44}$ke$^{53}_{44}$e$_{21}$ia^{35}m̩^{13}pʰe$^{53}_{44}$ mak^{3}e^{0}xən$^{13}_{21}$tsʰien$^{13}_{44}$tʂaŋ^{35}ɲiet^{5}tʰei$^{13}_{21}$le^{0},tso^{53}xau^{21}sʅ^{53}ke$^{53}_{44}$ʂʅ^{13}xei^{53}tsʅ^{0}ia^{0},tso^{53}xau^{21}sʅ^{53},tso^{53}fəŋ^{13}çi^{21}sʅ^{53}xəit^{5} tʂa^{21}tʂaŋ^{35}ɲiet^{5}tʰei$^{13}_{21}$,ci$^{13}_{21}$iəu^{35}çi^{21}ɲin$^{13}_{21}$tʂen^{35}mən$^{13}_{21}$kau^{21}kan$^{21}_{44}$ləu^{53}tsʅ^{0},tʂʰəŋ^{53}pʰin^{13}.ci$^{13}_{21}$kʰən^{53}tau^{21}mak^{3}ɲin$^{13}_{21}$,e$_{21}$, tsʰiəu^{53}xe^{53}sei^{21}ɲi^{13}e^{0}pau^{35}fəŋ$^{35}_{44}$,tsʰiəu^{53}xe^{53}ɔi$^{53}_{21}$sei^{21}ɲi^{13}ke^{0}pau^{35}fəŋ$^{35}_{44}$ŋa^{0}.ci$^{13}_{21}$kʰən^{53}tau^{21}ɲi$^{13}_{21}$,kʰən^{53}tau^{21}mak^{3} ɲin^{13}tsʰiəu$^{53}_{44}$tʂʰəŋ^{53}mak^{3}ɲin^{13}.ei$_{21}$,kai^{53}tʂʰən^{53}tsʅ^{0}ci$^{13}_{21}$tien^{0}təu$^{35}_{53}$xai$^{13}_{21}$kai$^{53}_{44}$ke$^{53}_{44}$ko^{0}.ŋai$^{13}_{21}$cʰiəu^{53}ia$^{13}_{21}$ia^{35}uɔi$^{53}_{44}$tʂʰəŋ^{53} xa$^{53}_{44}$tsʅ^{0}pʰin^{13}.ci$^{13}_{21}$uɔi$^{53}_{44}$tʂʰəŋ^{53},tsʰin^{53}kəŋ^{21}xau^{21}fa^{53}.i$^{21}_{13}$xa^{53}n̩^{13}tsʰɔi$^{53}_{44}$li^{0},si^{21}xek^{3}li^{0}.tsʰin^{53}kəŋ^{21}xau^{21}fa^{53}.ŋai$^{13}_{21}$ia^{13} tsʅ^{0}si^{21}ke^{53}ʂʅ^{13}xəu$^{53}_{44}$tsʅ^{0}təu$^{35}_{44}$ŋai$^{13}_{21}$cʰiəu$^{35}_{44}$ia$^{13}_{21}$xan$^{13}_{21}$tsʰɔi$^{35}_{44}$.ci^{13}e$_{21}$lan^{13}tsʅ^{0}ɲin^{13}tsʰiəu$^{53}_{44}$tʂʰəŋ^{53}lan^{13}tsʅ^{0}ɲin^{13},pu^{35} ɲiəŋ$^{13}_{21}$tsʅ^{0}tʂʰəŋ^{53}pu^{35}ɲiəŋ$^{13}_{21}$tsʅ^{0}. ɲiaŋ^{53}sin^{53}kʰei^{21}ʯ^{13}tʂʰət^{3}.e$_{21}$,iəu^{35}iak^{3}uən^{53},iəu^{35}tʂʰəŋ^{53}tek^{3}xau^{21}.tʂen^{35}mən$^{13}_{44}$ kəŋ^{21}ɲi^{13}xau^{21}fa^{53}.e$_{21}$,tʂaŋ^{35}ɲiet^{5}tʰei$^{13}_{44}$,iet^{3}pən^{35}tsʰiəu$^{35}_{44}$ci$^{13}_{21}$tsʰiəu$^{35}_{44}$tʰəŋ$^{13}_{21}$kai$^{53}_{44}$tʂʰət^{3}ten^{35}iəŋ$^{35}_{44}$,tʂʰət^{3}liəŋ^{13}ten$^{35}_{44}$ tʂʰət^{3}sʅ^{35}ten$^{35}_{44}$iəŋ^{53}.tʂaŋ^{35}ɲiet^{5}tʰei$^{13}_{21}$,tsei^{21}ka$^{35}_{44}$tʂʰen^{53}fu^{53},ei$_{21}$, ɲi$^{13}_{21}$uk^{3}xa^{53}xei^{53}lɔi$^{13}_{44}$li^{0}iet^{3}tʂak^{3}mak^{3}ke^{0}sin^{35} kʰak^{3}a^{0},ta^{21}pi^{21}iəŋ$^{53}_{44}$ɲi^{13}ke$^{53}_{44}$se^{53}ləŋ^{13}lɔi$^{13}_{21}$li^{0},tʂaŋ^{35}ciet^{3}fən^{35}cie$^{53}_{44}$se^{53}ləŋ^{13},xei$^{53}_{44}$a^{0}?lɔi^{13}sin^{35}fei$^{13}_{21}$mən^{13}.kai^{53}ci$^{13}_{21}$ tsəŋ^{21}ɔi^{53}sei^{21}ɲi^{13}pak^{3}to^{35}kʰuai^{53}tsʰien$^{13}_{21}$tsʰiəu^{53}kuei$^{35}_{44}$çi$^{53}_{44}$tek^{3},ci^{13}tsʰiəu$^{53}_{44}$tʂʰəŋ^{53}pʰin^{13}.kai$^{53}_{44}$ia^{35}xei$^{53}_{44}$ən$^{35}_{44}$tso$^{53}_{44}$ tʂʰəŋ^{53}pʰin^{13}.iet^{3}mien^{53}tsʅ^{0}siau^{21}lo^{13}tsʅ^{0}nei^{0},kan$^{21}_{13}$tsʅ^{0}lei^{0},kan^{21}tsʅ^{0}to$_{53}$to$_{53}$to$_{53}$.kan^{21}tsʅ^{0}to$_{44}$to$_{44}$to$_{21}$.kan^{21}tsʅ^{0}to$_{21}$ nei^{0}.kan^{21}tsʅ^{0}mau^{13}mak^{3}e^{0},m̩$^{13}_{21}$mɔi^{35}mak^{3}e^{0}lei^{0}.tsʰiəu^{53}kan$^{21}_{44}$tsʅ^{0}lei^{0},ei$_{44}$la^{53}tau^{21}ci^{13}kan^{21}tsʅ^{0}to$_{53}$a^{0}to$_{53}$nei^{0} təu$^{35}_{44}$.xei^{53}mei$^{53}_{44}$i^{21}tʂak^{3}təŋ$^{35}_{44}$si^{0}xei^{53}mei$^{53}_{44}$ən$^{35}_{44}$tso$^{53}_{44}$tʂʰəŋ^{53}pʰin^{13}nau^{0}ŋai^{13}n̩^{13}to$^{35}_{44}$kan^{21}kai$^{53}_{44}$ke$^{53}_{44}$çi^{53}li^{0}.

【唱戏】tʂʰəŋ^{53}çi^{53} [动]表演戏曲：欸，我等箇有只老子，凤溪中学门口有只老子姓王个，七十几岁，七十岁了啦，比我大蛮多子唠，七十零岁了，渠还就渠还会唱花鼓戏哟。七十几岁了还跟倒去～哟。箇只人硬真雀。e$_{21}$,ŋai^{13}tien^{0}kai^{53}iəu$^{35}_{53}$tʂak^{3}lau^{21}tsʅ^{0},fəŋ^{53}çi$^{53}_{44}$tʂəŋ$^{35}_{44}$çiɔk^{5}mən^{13}xei^{21}iəu^{35} tʂak^{3}lau^{21}tsʅ^{0}siaŋ^{53}uəŋ^{13}ke^{0},tsʰiet^{3}ʂət^{5}ci^{21}sɔi^{53},tsʰiet^{3}ʂət^{5}sɔi^{53}liau^{0}la^{0},pi^{21}ŋai^{13}tʰai^{53}man$^{13}_{21}$to^{35}tsʅ^{0}lau^{0},tsʰiet^{3} ʂət^{5}laŋ^{13}sɔi^{53}liau^{0},ci^{13}xai^{13}tsʰiəu^{53}ci$^{13}_{21}$xai$^{13}_{21}$uɔi^{53}tʂʰəŋ^{53}fa^{35}ku^{21}çi^{53}io^{0}.tsʰiet^{3}ʂət^{5}ci^{21}sɔi^{53}liau^{0}xai$^{13}_{21}$cien^{35}tau^{21}çi^{53} tʂʰəŋ$^{53}_{44}$çi^{53}io^{0}.kai^{53}tʂak^{3}ɲin$^{13}_{21}$ɲiaŋ$^{53}_{21}$tʂən^{35}tsʰiɔk^{3}.

【唱揖】tʂʰəŋ^{53}ia^{35} [动]一种敬礼仪式。执礼人双手抱拳，朝受礼人先高拱，后下拜。又称“拱手作揖、作揖”：如今～是就系作揖唠。唱只揖。i$^{13}_{21}$cin^{35}tʂʰəŋ^{53}ia^{35}ʂʅ$^{53}_{44}$tsʰiəu^{53}xe$^{53}_{44}$tsɔk^{3}iet^{3}lau^{0}. tʂʰəŋ^{53}tʂak^{3}ia^{35}.

【抄】tsʰau^{35} [动]誊写，照原文写：落尾我归去，照倒渠个～倒以后归去，箇个《辞源》上一查，渠𫠊写错。lɔk$^{5}_{3}$mi$^{53}_{44}$ŋai$^{13}_{21}$kuei^{35}çi^{53},tʂau^{53}tau^{21}ci^{13}ke$^{53}_{44}$tsʰau^{35}tau^{21}i^{35}xei$^{53}_{44}$kuei^{35}çi^{53},kai$^{53}_{44}$ke$^{53}_{44}$tsʰʅ^{13}vien^{13} xəŋ^{53}iet^{3}tsʰa^{13},ci$^{13}_{21}$maŋ$^{13}_{21}$sia^{21}tsʰo^{53}.

【抄沟】tsʰau^{35}ciei$^{35}_{44}$ [名]集聚不同方向的两面房坡雨水的瓦沟：～就咁个啦，～就系屋上个瓦嘞渠箇个欸屋上个瓦咯，渠就有只特殊个情况嘞，欸。打比一栋屋样，以只顶高样，箇瓦是斜……箇屋面是斜斜个吵，系唔系？就咁子欸以一面，就咁子一路子下样，欸，钉滴椽皮，盖滴瓦，箇个就安做直投楞。箇个一般都唔多得漏水。～系么个嘞？打比咁子个，欸，看唠，欸，以一栋屋欸就以只方向。以只方向。以咁子，以一栋屋就以只方向。系啊？以只方向，咁子个。打比箇厅下样，以一排屋就以只方向。嗯，以只方向。好，箇另外一只屋嘞，以映一栋，系唔系？以映一栋。箇我以映子画个屋面呐，呃画个屋顶啦，欸，以映子，映以只方向，系啊？好，有滴嘞以中间嘞做只厢房，系啊？做只厢房就屋栋是咁子个吵，渠个水就往以咁子倒吵，系唔系？嗯，咁子咁子倒吵。好，在以只结合部，在以只结合个栏场，同以映相结合个栏场，以一栋个屋嘞箇瓦嘞就咁子吵，系唔系？如果系以栋更高，以栋更低……矮，箇就无所谓，一栋高一栋矮。如果系一样子高，箇唔系以映子就……以向个以一向个沟就咁子个，系唔系？瓦就咁子个吵。以向个瓦就咁子倒向吵。在渠个结合部个栏场，就成哩一种么个现状嘞？就一种斜斜子个。以向个瓦就流转以向个水，就流转以映，咁子流下以映来。以向个就咁子流下以映来，系啊？以向就咁子流下来，以映就咁子流下来。以条就安做～。两只不同方向个瓦相接个栏场，欸，箇样子就一条～。最……我等箇以前我等箇只老屋啊，就真多～呀。只系……有箇～就漏水，你冇滴办法。去看吸水一大咯，水一大，箇水就走以向流下来，系唔系？走以子流下以映流下来，以映流倒来，箇水大哩一冲，尽冲下以走以底下漏。走以底下以底下漏。以向唔得漏嘞。还同时嘞还有只嘞，两向……水一大是两向来。两向个水一来，以肚里出唔赢，潽稳出。～是硬有几多只师傅捡得熬个，唔漏水个。瓦更大都还空个，渠又会冲过去。就咁子个。两只不同方向个屋面个水流做一下来。tsʰau^{35}ciei$^{53}_{44}$tsʰiəu^{53}kan$^{21}_{35}$ke^{53}la^{0},tsʰau^{35}ciei$^{35}_{44}$tsʰiəu$^{53}_{44}$xei$^{53}_{44}$uk^{3} xɔŋ^{53}ke^{53}ŋa^{21}lei^{0} ci^{13}kai$^{53}_{44}$ke$^{53}_{44}$e$_{21}$uk^{3} xɔŋ^{53}ke^{53}ŋa^{21}ko^{0},ci^{13}tsʰiəu$^{53}_{44}$iəu^{35}tʂak^{3} tʰet^{5} ʂʅ$^{35}_{44}$ke$^{53}_{44}$tsʰin$^{13}_{21}$kʰɔŋ^{53}lei^{0},e$_{21}$.ta^{21}pi^{21}iet^{3} təŋ^{53}uk^{3} iɔŋ^{53},i^{21}tʂak^{3} taŋ^{21}kau$^{35}_{44}$iɔŋ$^{53}_{44}$,kai^{53}ŋa^{21}ʂʅ$^{53}_{44}$tsʰia^{13}…kai^{53}uk^{3} mien^{53}ʂʅ$^{53}_{44}$tsʰia^{13}tsʰia^{13}ke$^{53}_{44}$ʂa^{0},xei^{53}me^{53}?tsʰiəu^{53}kan^{21}tsʅ^{0} e$_{44}$i^{21}iet^{3} mien^{53},tsʰiəu^{53}kan^{21}tsʅ^{0} iet^{3}ləu^{53}tsʅ^{0} xa^{35}iɔŋ$^{53}_{44}$,e$_{21}$,taŋ^{35}tet^{5} ʂuɔn^{13}pʰi$^{13}_{44}$,kɔi$^{53}_{44}$tiet^{5} ŋa^{21},kai$^{53}_{44}$ke$^{53}_{44}$tsʰiəu$^{53}_{44}$ɔn$^{35}_{44}$tso$^{53}_{44}$tʂʰət^{5} tʰei$^{13}_{21}$ləŋ^{13}.kai^{53}ke^{53}iet^{3}pɔn^{35}təu$^{35}_{53}$n̩^{13}to$^{35}_{44}$tek^{3} lei^{53}ʂei^{21}.tsʰau^{35}ciei$^{35}_{44}$xei^{53}mak^{3} e^{0} lei^{0}?ta^{21}pi^{21}kan$^{21}_{13}$tsʅ^{0}ke^{53},e$_{21}$,kʰɔn^{53}lau^{0},ei$_{44}$,i^{21}iet^{3} təŋ^{53}uk^{3} e$_{21}$tsʰiəu^{53}i^{21}tʂak^{3} fɔŋ$^{35}_{44}$çiɔŋ^{53}.i^{21}tʂak^{3} fɔŋ$^{35}_{44}$çiɔŋ^{53}.i^{21}kan^{21}tsʅ^{0},i^{21}iet^{3} təŋ^{53}uk^{3} tsʰiəu^{53}i^{21}tʂak^{3} fɔŋ$^{35}_{44}$çiɔŋ^{53}.xei^{53}a^{0}?i^{21}tʂak^{3} fɔŋ$^{35}_{44}$çiɔŋ$^{53}_{44}$,kan^{21}tsʅ^{0}ke^{0}.ta^{21}pi^{21}kai$^{53}_{21}$tʰaŋ$^{35}_{44}$xa$^{53}_{44}$iɔŋ$^{53}_{44}$,i^{21}iet^{3} pʰai^{13}uk^{3} tsʰiəu^{53}i^{21}tʂak^{3} fɔŋ$^{35}_{44}$çiɔŋ^{53}.n̩$_{21}$,i^{21}tʂak^{3} fɔŋ$^{35}_{44}$çiɔŋ^{53}.xau^{21},kai$^{53}_{44}$lin^{53}uai$^{53}_{44}$iet^{3} tʂak^{3} uk^{3} lei^{0},i^{21}iaŋ^{53}iet^{3} təŋ^{53},xei^{53}me^{53}?i^{21}iaŋ$^{53}_{44}$iet^{3} təŋ^{53}.kai$^{53}_{44}$ŋai$^{13}_{21}$i^{21}iaŋ$^{53}_{44}$tsʅ^{0} fa$^{53}_{44}$ke$^{53}_{44}$uk^{3} mien^{53}na^{0},ə$_{21}$fa^{53}ke$^{53}_{44}$uk^{3} taŋ^{21}la^{0},e$_{21}$,i^{21}iaŋ^{53}tsʅ^{0},iaŋ^{53}i^{21}tʂak^{3} fɔŋ$^{35}_{44}$çiɔŋ^{53},xei^{53}a^{0}?xau$^{21}_{44}$,iəu^{35}tet^{5}lei^{0} i^{21}tʂəŋ^{35}kan$^{35}_{44}$le^{0} tso^{53}tʂak^{3} siɔŋ^{35}fɔŋ$^{13}_{44}$,xei^{53}a^{0}?tso^{53}tʂak^{3} siɔŋ^{35}fɔŋ$^{13}_{44}$tsʰiəu^{53}uk^{3} təŋ$^{53}_{44}$ʂʅ^{53}kan$^{21}_{13}$tsʅ^{0}ke$^{53}_{44}$ʂa^{0},ci$^{13}_{44}$ke$^{53}_{44}$ʂei^{21}tsʰiəu^{53}uɔŋ^{21}i^{21}kan$^{21}_{13}$tsʅ^{0}tau^{21}ʂa^{0},xei^{53}me^{53}?n̩$_{21}$,kan^{21}tsʅ^{0}kan$^{21}_{13}$tsʅ^{0}tau^{21}ʂa^{0}.xau$_{44}$,tsʰai^{53}i^{21}tʂak^{3} ciet^{3}xɔit^{5} pʰu^{53},tsʰai^{53}i^{21}tʂak^{3} ciet^{3} xɔit^{5} ke^{53}lan$^{13}_{21}$tʂʰɔŋ$^{13}_{44}$,tʰəŋ$^{13}_{21}$i^{21}iaŋ^{53}siɔŋ$^{35}_{44}$ciet^{3} xɔit^{5} ke^{53}lan$^{13}_{21}$tʂʰɔŋ$^{13}_{44}$,i^{21}iet^{3} təŋ^{53}ke^{53}uk^{3} lei^{0} kai^{53}ŋa^{21}lei^{0} tsʰiəu^{53}kan$^{21}_{13}$tsʅ^{0} ʂa^{0},xei^{53}me^{53}?y^{13}ko^{21}xei^{53}i^{21}təŋ^{53}cien^{53}kau^{35},i^{21}təŋ^{53}ken^{53}te…ai^{21},kai$^{53}_{44}$tsʰiəu^{53}u^{13}so^{21}uei^{53},iet^{3} təŋ^{53}kau^{35}iet^{3} təŋ^{53}ai^{21}.y^{13}ko^{21}xei^{53}iet^{3} iɔŋ^{53}tsʅ^{0} kau$^{35}_{44}$,kai$^{53}_{44}$m̩$^{13}_{44}$pʰei$^{53}_{44}$i$^{21}_{13}$iaŋ^{53}tsʅ^{0} tsʰiəu^{53}…i^{21}çiɔŋ^{53}kei^{53}i^{21}iet^{3} çiɔŋ^{53}kei^{53}kei^{35}tsʰiəu^{53}kan$^{21}_{13}$tsʅ^{0}ke^{53},xei^{53}me^{53}?ŋa^{21}tsʰiəu^{53}kan$^{21}_{13}$tsʅ^{0}ke^{53}ʂa^{0}.i^{21}çiɔŋ^{53}ke^{53}ŋa^{21}tsʰiəu^{53}kan$^{21}_{13}$tsʅ^{0}tau^{21}çiɔŋ^{53}ʂa^{0}.tsʰai^{53}ci$^{13}_{44}$ke$^{53}_{44}$ciet^{3} xɔit^{5} pʰu^{53}ke$^{53}_{44}$laŋ$^{13}_{21}$tʂʰɔŋ$^{13}_{21}$,tsʰiəu$^{53}_{44}$tʂʰən$^{13}_{21}$ni^{0} iet^{3} tʂəŋ^{21}mak^{3} e^{0}çien$^{53}_{44}$tsʰɔŋ$^{53}_{44}$lei^{0}?tsʰiəu^{53}iet^{3} tʂəŋ^{21}tsʰia^{13}tsʰia^{13}tsʅ^{0}ke^{53}.i^{21}çiɔŋ^{53}kei^{53}ŋa^{21}tsʰiəu^{53}liəu^{13}tʂɔn^{21}i^{21}çiɔŋ^{53}ke^{53}ʂei^{21},tsʰiəu^{53}liəu^{13}tʂɔn^{21}i^{21}iaŋ^{53},kan$^{21}_{13}$tsʅ^{0}liəu^{13}ua^{53}i$^{21}_{13}$iaŋ^{53}lɔi$^{13}_{21}$.i^{21}çiɔŋ^{53}ke^{53}tsʰiəu^{53}kan$^{21}_{13}$tsʅ^{0}liəu^{13}a^{53}i$^{21}_{13}$iaŋ^{53}lɔi$^{13}_{21}$,xei$^{53}_{44}$a^{0}?i^{21}çiɔŋ^{53}tsʰiəu^{53}kan$^{21}_{13}$tsʅ^{0}liəu^{13}a^{53}lɔi$^{13}_{44}$,i^{21}iaŋ^{53}tsʰiəu^{53}kan$^{21}_{13}$tsʅ^{0}liəu^{13}a^{53}lɔi$^{13}_{21}$.i^{21}tʰiau^{13}tsʰiəu^{53}ɔn$^{35}_{53}$tso$^{53}_{44}$tsʰau^{35}kei$^{35}_{44}$.liɔŋ^{21}tʂak^{3} pət^{3} tʰəŋ^{13}fɔŋ^{35}çiɔŋ^{53}ke^{53}ŋa^{21}siɔŋ^{35}tsiait^{3} ke^{53}laŋ$^{13}_{21}$tʂʰɔŋ$^{13}_{44}$,e$_{21}$,kai^{53}iɔŋ^{53}tsʅ^{0}tsiəu^{53}iet^{3} tʰiau^{13}tsʰau^{35}ciei$^{35}_{44}$.tsei^{53}…ŋai^{13}tien^{0}kai^{53}i^{35}tsʰien$^{13}_{21}$ŋai^{13}tien^{0}kai^{53}tʂak^{3} lau^{21}uk^{3} a^{0},tsʰiəu$^{53}_{44}$tʂən^{35}to$^{35}_{44}$tsʰau^{35}kei$^{35}_{44}$ia^{0}.tʂət^{3} xe…iəu$^{35}_{53}$kai^{53}tsʰau^{35}ciei$^{35}_{44}$tsʰiəu^{53}lei^{53}ʂei^{21}, ɲi$^{13}_{21}$mau^{13}tiet^{5} pʰan$^{53}_{44}$fait^{3} .ci^{13}kʰɔn$^{53}_{44}$nau^{0} ʂei^{21}iet^{3} tʰai^{53}ko^{0},ʂei^{21}iet^{3} tʰai^{53},kai^{53}ʂei^{21}tsʰiəu^{53}tsei^{21}i^{21}çiɔŋ^{53}liəu^{13}ua^{53}lɔi^{13},xei^{53}me^{53}?tsei$^{21}_{13}$i$^{21}_{53}$tsʅ^{0}liəu^{13}ua^{0}i^{21}iaŋ^{53}liəu^{13}ua^{53}lɔi$^{13}_{21}$,i$^{21}_{13}$iaŋ^{53}liəu^{13}tau^{21}lɔi^{13},kai^{53}ʂei^{21}tʰai^{53}li^{0} iet^{3} tʂʰəŋ^{35},tsʰin^{53}tʂʰəŋ^{35}ŋa^{53}i^{21}tsei^{21}i^{21}tei^{21}xa$^{53}_{44}$lei^{53}.tsei^{21}i^{21}tei^{21}xa$^{53}_{44}$i^{21}tei^{21}xa$^{53}_{44}$lei^{53}.i^{21}çiɔŋ^{53}m̩^{13}tek^{3} lei^{53}le^{0}.xai$^{13}_{21}$tʰəŋ^{13}ʂʅ^{13}le^{0} xai$^{13}_{21}$iəu$^{35}_{53}$tʂak^{3} lei^{0},iɔŋ^{21}çiɔŋ^{53}…ʂei^{21}iet^{3} tʰai^{53}ʂʅ$^{53}_{44}$iɔŋ^{21}çiɔŋ^{53}lɔi^{13}.iɔŋ^{21}çiɔŋ^{53}ke$^{53}_{44}$ʂei^{21}iet^{3} lɔi^{13},i^{21}təu^{21}li^{0} tʂʰət^{3} n̩$^{13}_{21}$iaŋ^{13},pʰu^{35}uən^{21}tʂʰət^{3} .tsʰau^{35}ciei$^{35}_{44}$ʂʅ$^{53}_{44}$ɲiaŋ^{53}mau^{13}ci^{21}to^{35}tʂak^{3} sʅ$^{35}_{44}$fu^{53}cian^{21}tek^{3} sait^{3} cie^{53},n̩^{13}lei^{53}ʂei^{21}cie^{53}.ŋa^{21}cien$^{53}_{44}$tʰai^{53}təu$^{35}_{53}$xai^{13}kʰəŋ^{53}ke$^{53}_{44}$,ci^{13}iəu^{53}uɔi^{53}tʂʰəŋ^{35}ko$^{53}_{44}$çi$^{53}_{44}$.tsʰiəu^{53}kan$^{21}_{13}$tsʅ^{0}ke^{53}.iɔŋ^{21}tʂak^{3} pət^{3} tʰəŋ^{13}fɔŋ$^{35}_{44}$çiɔŋ^{53}kei$^{53}_{44}$uk^{3} mien^{53}ke$^{53}_{44}$ʂei^{21}liəu^{13}tso^{53}iet^{3} xa^{53}lɔi$^{13}_{21}$.

【抄角$_{1}$】tsʰau^{35}kɔk^{3} 名斜榫：以个栏场你看以个东西吵也系只渠也系一只有只抄丝嘞。以向以块板就以映去，系唔系？以块板就以映来。以咁子就唔好看。为了好看呢，以映子做只子～。系啊？以只也做做四十五度，以只也做做四十五度，以只以条边就去以映子抄下去，～，以映子安做～。好看多哩。以咁个唔好看。嘚，箇只就～。看呢，箇只就做哩～。i^{21}ke^{53}laŋ$^{13}_{21}$tʂʰɔŋ$^{13}_{44}$ɲi^{13}kʰɔn$^{53}_{44}$i^{21}ke$^{53}_{44}$təŋ$^{35}_{44}$si^{0} ʂa^{0} ia$^{35}_{44}$xei$^{53}_{44}$tʂak^{3} ci^{13}ia^{35}xei^{53}iet^{3} tʂak^{3} iəu^{35}tʂak^{3} tsʰau^{35}sʅ$^{35}_{44}$le^{0}.i^{21}çiɔŋ^{53}i^{21}kʰuai^{53}pan^{21}tsʰiəu^{53}i^{21}iaŋ^{53}çi^{53},xei$^{53}_{44}$me$^{53}_{44}$?i^{21}kʰuai^{53}pan^{21}tsʰiəu^{53}i^{21}iaŋ^{53}lɔi$^{13}_{44}$.i^{21}kan$^{21}_{35}$tsʅ^{0} tsʰiəu^{53}m̩^{13}xau^{21}kʰɔn^{53}.uei^{53}liau^{21}xau^{21}kʰɔn^{53}nei^{0},i^{21}iaŋ^{53}tsʅ^{0} tso^{53}tʂak^{3} tsʅ^{0} tsʰau^{35}kɔk^{3} .xei$^{53}_{44}$a^{0}?i^{21}tʂak^{3} a$^{35}_{44}$tso^{53}tso^{53}si^{53}ʂət^{5} ŋ̍^{21}tʰəu^{53},i^{21}tʂak^{3} a$^{35}_{44}$tso^{53}tso^{53}si^{53}ʂət^{5} ŋ̍^{21}tʰəu^{53},i^{21}tʂak^{3} i^{21}tʰiau$^{13}_{21}$pien^{35}tsiəu$^{53}_{44}$çi$^{53}_{44}$i^{21}iaŋ^{53}tsʅ^{0} tsʰau^{35}xa$^{53}_{44}$çi^{53},tsʰau^{35}kɔk^{3} ,i^{21}iaŋ$^{53}_{44}$

tsɿ^{0} ɔn$^{35}_{44}$tso$^{53}_{44}$tsʰau^{35}kɔk^{3}.xau^{21}kʰɔn^{53}to^{35}li^{0}.i^{21}kan^{21}cie^{53}ȵ$^{13}_{21}$nau^{21}kʰɔn^{53}.te$_{53}$,kai^{53}tʂak^{3} tsʰiəu$^{53}_{44}$tsʰau^{35}kɔk^{3}.kʰɔn$^{53}_{44}$ ne^{0},kai^{53}tʂak^{3} tsʰiəu$^{53}_{44}$tso^{53}li^{0} tsʰau^{35}kɔk^{3}.

【抄角$_{2}$】tsʰau^{35}kɔk^{3} 动两条木方垂直相接时采用斜角榫卯方式：欸，木匠师傅做行头个时候子，两块两条方子垂直个栏场，欸，一般来讲嘞就抄只角，欸，抄只角更好看。但是现在还蛮多嘞就咁子一钉子一钉，箇就𫉬～嘞。e$_{21}$,muk^{3} tsʰiɔŋ$^{53}_{44}$ʂɿ$^{35}_{44}$fu$^{53}_{44}$tso^{53}çin$^{13}_{21}$tʰei$^{13}_{21}$ke^{53}ʂɿ$^{13}_{44}$xəu$^{53}_{44}$tsɿ^{0},iɔŋ^{21} kʰuai^{53}iɔŋ^{21}tʰiau^{13}fɔŋ^{35}tsɿ^{0} tʂʰei^{13}tʂʰət^{5} ke^{0} laŋ$^{13}_{21}$tʂʰɔŋ$^{13}_{44}$,ei$_{21}$,iet^{3} pɔn^{35}nɔi$^{13}_{44}$kɔŋ^{21}lei^{0} tsʰiəu$^{53}_{44}$tsʰau^{35}tʂak^{3} kɔk^{3},e$_{21}$, tsʰau^{35}tʂak^{3} kɔk^{3} cien$^{53}_{44}$xau^{21}kʰɔn^{53}.tan^{53}ʂɿ^{53}çien^{53}tsʰai^{53}xai$^{13}_{21}$man$^{13}_{21}$to$^{35}_{44}$lei^{0} tsʰiəu^{53}kan^{21}tsɿ^{0} iet^{3} taŋ^{35}tsɿ^{0} iet^{3} taŋ^{35}, kai$^{53}_{44}$tsʰiəu$^{53}_{44}$maŋ^{13}tsʰau$^{35}_{44}$kɔk^{3} le^{0}.

【钞】tsʰau^{35} 名铙钹：打～ ta^{21}tsʰau^{35}

【訬】tʂʰau^{35} 动①欺骗：～人 tʂʰau^{35}ɲin^{13}。②迷住；追求：箇只伢子蛮有本事，分渠訬訬𫉬𫉬子嘞以只妹子分渠～倒哩，欸，以只妹子分渠～倒归来～归来哩。kai^{53}tʂak^{3} ŋa^{13}tsɿ^{0} man^{13}iəu$^{35}_{44}$ pən^{21}sɿ^{53},pən^{35}ci$^{13}_{21}$tʂʰau^{35}tʂʰau$^{35}_{44}$tʂʰet^{3} tʂʰet^{3} tsɿ^{0} lei^{0} i^{21}tʂak^{3} mɔi^{53}tsɿ^{0} pən^{35}ci$^{13}_{44}$tʂʰau^{35}tau^{21}li^{0},e$_{21}$,i^{21}tʂak^{3} mɔi^{53}tsɿ^{0} pən^{35}ci$^{13}_{44}$tʂʰau^{35}tau^{21}kuei$^{35}_{44}$lɔi$^{13}_{44}$tʂʰau^{35}kuei$^{35}_{53}$lɔi$^{13}_{21}$li^{0}.

【訬訬𫉬𫉬】tʂʰau^{35}tʂʰau^{35}tʂʰet^{3} tʂʰet^{3} 形容花言巧语，口舌如簧：看相个人都系～呢我就晓得嘞，～呢。欸，讲唔尽个好话呢，就系为了爱𫉬你袋子里箇兜钱呢。kʰɔn^{53}siɔŋ^{53}ke$^{53}_{44}$ɲin$^{13}_{21}$təu^{35} xe$^{53}_{21}$tʂʰau^{35}tʂʰau^{35}tʂʰet^{3} tʂʰet^{3} nei^{0} ŋai^{13}tsʰiəu^{53}çiau^{21}tek^{3} lei^{0},tʂʰau^{35}tʂʰau$^{35}_{44}$tʂʰet^{3} tʂʰet^{3} nei^{0}.e$_{21}$,kɔŋ^{21}ȵ$^{13}_{21}$tsʰin^{53} ke^{53}xau^{21}fa^{53}nei^{0},tsʰiəu^{53}xei^{53}uei^{53}liau^{21}ɔi^{53}tʂʰet^{3}ɲi$^{13}_{21}$tʰɔi^{53}tsɿ^{0} li^{0} kai$^{53}_{44}$təu$^{35}_{53}$tsʰien^{13}nei^{0}.

【超度】tʂʰau^{35}tʰəu^{53} 动佛教或道教指诵经、做法事等使鬼魂脱离苦难：道士是做道场，～，安做～渠。tʰau^{53}sɿ$^{53}_{44}$ʂɿ$^{53}_{44}$tso^{53}tʰau^{53}tʂʰɔŋ^{13},tʂʰau^{35}tʰəu$^{53}_{44}$,ɔn$^{35}_{44}$tso$^{53}_{44}$tʂʰau^{35}tʰəu$^{53}_{44}$ci$^{13}_{21}$.

【焯】tʂʰɔk^{3} 动①把蔬菜等放到开水中略微一煮就捞出来：切成片，放下镬里去～一到，去炆一到，～一到。～一到就搂起来。tsʰiet^{3} ʂaŋ$^{13}_{44}$pʰien^{21},fɔŋ$^{53}_{44}$ŋa$_{44}$(←xa^{53})uɔk^{5} li^{0} çi^{53}tʂʰɔk^{3} iet^{3} tau^{53},çi^{53} uən^{13}iet^{3} tau^{53},tʂʰɔk^{3} iet^{3} tau^{53}.tʂʰɔk^{3} iet^{3} tau$^{53}_{44}$tsʰiəu$^{53}_{44}$lei^{13}çi^{21}lɔi^{13}. ②将水猛然倒入：我想下子箇阵子箇姓杨啊，欸，老杨子两两子𫉬让门食个，一角水～下去，箇让门食得欸咁个指饭粥。ŋai$^{13}_{21}$siɔŋ^{21} xa^{53}tsɿ^{0} kai$^{53}_{44}$tʂʰən^{53}tsɿ^{0} kai^{53}siaŋ^{53}iɔŋ^{13}ŋa^{0},e$_{53}$,lau^{21}iɔŋ^{13}tsɿ^{0} iɔŋ^{21}iɔŋ^{21}tsɿ^{21}ɔi^{35}ɲiɔŋ^{53}mən$^{13}_{21}$ʂət^{5} ke$^{53}_{44}$,iet^{3} kɔk^{3} ʂei^{21} tʂʰɔk^{3}(x)a$^{53}_{44}$çi$^{53}_{44}$,kai$^{53}_{44}$ɲiɔŋ^{53}mən^{13}ʂət^{5} tek^{3} e$_{53}$kan^{21}cie^{53}.

【焯水】tʂʰɔk^{3} ʂei^{21} 动把食材放到沸水中略微一煮就捞出来：欸，（做白辣椒）爱～。e$_{21}$,ɔi^{53} tʂʰɔk^{3} ʂei^{21}.

【朝】tʂʰau^{13} 动①朝着；对着：脸～下咯，覆覆哩睡倒嘞。lien^{21}tʂʰau^{13}çia^{53}ko^{0},pʰuk^{3} pʰuk^{3} li^{0} ʂɔi^{53} tau^{21}le^{0}. ②朝拜，去拜祭神佛：我等以映蛮多人去～南岳。蛮多人去。我就𫉬去过。南岳是硬就系咁多子人话啦硬啦。推进人就箇人呐。你系碰倒箇节气上箇只时候，你根本就不要去，你硬进门都进唔得怕呢。南岳箇个栏场箇箇个喔，箇个佛教文化箇只晓知赚几多子钱呐，系啊？你去过吗？去过吧？硬系蛮像吧箇个大殿箇只？ŋai^{13}tien^{0} i^{21}iaŋ^{53}man^{13}to$^{35}_{53}$ɲin$^{13}_{21}$çi^{53}tʂʰau$^{13}_{21}$lan$^{13}_{21}$ iɔk^{5}.man^{13}to$^{35}_{53}$ɲin$^{13}_{21}$çi^{53}.ŋai^{13}tsʰiəu^{53}maŋ^{13}çi^{53}ko$^{53}_{44}$.lan^{13}iɔk^{5} ʂɿ$^{13}_{44}$ɲiaŋ$^{53}_{44}$tsʰiəu^{53}xe$^{53}_{44}$kan^{21}to^{35}tsɿ^{0} ɲin$^{13}_{21}$ua^{53}la^{0}ɲiaŋ^{53} la^{0}.tʰi^{35}tsin^{53}ɲin$^{13}_{21}$tsʰiəu$^{53}_{44}$kai^{53}ɲin$^{13}_{21}$na^{0}. ɲi^{13}xei$^{53}_{44}$pʰən^{53}tau^{21}kai$^{53}_{44}$tset^{3} çi$^{53}_{44}$xɔŋ^{53}kai$^{53}_{44}$tʂak^{3} ʂɿ$^{13}_{44}$xei$^{53}_{44}$, ɲi$^{13}_{21}$cien^{35}pən^{21} tsʰiəu$^{53}_{44}$pət^{3} iau$^{53}_{44}$çi^{53}, ɲi^{13}ɲiaŋ$^{53}_{44}$tsin^{53}mən^{13}təu$^{35}_{44}$tsin^{53}ȵ$^{13}_{21}$tek^{3} pʰa^{53}ne^{0}.lan^{13}iɔk^{5} kai^{53}ke^{53}laŋ$^{13}_{21}$tʂʰɔŋ$^{13}_{21}$kai^{53}kai$^{53}_{44}$ke$^{53}_{44}$ uo^{0},kai$^{53}_{44}$ke$^{53}_{44}$fət^{5} ciau^{53}uən^{13}fa^{53}kai$^{53}_{44}$tʂak^{3} çiau^{21}ti^{35}tsʰan^{53}cio^{35}(←ci^{21}to^{35})tsɿ^{0} tsʰien$^{13}_{21}$na^{0},xe^{53}a^{0}?ɲi^{13}çi^{53}ko$^{53}_{44}$ ma^{0}?çi^{53}ko^{53}pa^{0}?ɲiaŋ^{53}xei^{53}man^{13}tsʰiɔŋ^{53}pa^{0} kai$^{53}_{44}$ke$^{53}_{44}$tʰai^{53}tian^{53}kai$^{53}_{44}$tʂak^{3}?

【朝拜天】tʂʰau^{13}pai^{53}tʰien^{35} 名拜祭神佛的日子：箇庙里样啊，观音庙就一年有三天就硬系正正当当个～呐。就系观音娘娘三只生日啦。你等有咁个讲法吗？观音娘娘一只生日就二月十九，一只就六月十九，一只就九月十九。有让门子啊？一只就出世个生日，一只就成仙个生日，还有只么个生日嘞？反正是渠一年三只生日。箇三只生日嘞，箇三天呢，就硬系～。反正箇观音庙里嘞，渠就会打祭箇只。祭祀，祭祀观音，写对子。我𫉬去，我也箇晡去长沙，六月十九。渠等话："哦嗬，今晡观音娘娘生日唠，系唔系？" kai$^{53}_{44}$miau^{53}li^{0} iɔŋ$^{53}_{44}$ŋa^{0},kɔn^{35}in$^{35}_{44}$ miau^{53}tsʰiəu$^{53}_{44}$iet^{3}ɲien^{13}iəu$^{35}_{44}$san^{35}tʰien$^{35}_{44}$tsʰiəu$^{53}_{44}$ɲiaŋ$^{53}_{44}$xei$^{53}_{44}$tʂən^{53}tʂən^{53}tɔŋ$^{53}_{44}$tɔŋ$^{53}_{44}$ke^{0} tʂʰau^{13}pai^{53}tʰien$^{35}_{44}$na^{0}. tsʰiəu$^{53}_{44}$xei$^{53}_{44}$kɔn^{35}in$^{35}_{44}$ɲiɔŋ$^{13}_{21}$ɲiɔŋ$^{13}_{21}$san^{35}tʂak^{3} saŋ^{35}ɲiet^{3} la^{0}. ɲi^{13}tien^{0} iəu$^{35}_{44}$kan^{21}cie^{53}kɔŋ^{21}fait^{3} ma^{0}?kɔn^{35}in$^{35}_{53}$ ɲiɔŋ$^{13}_{21}$ɲiɔŋ$^{13}_{21}$iet^{3} tʂak^{3} saŋ^{35}ɲiet^{3} tsʰiəu$^{53}_{44}$ɲi^{53}ɲiet^{5} ʂət^{5} ciəu^{21},iet^{3} tʂak^{3} tsʰiəu^{53}liəuk^{3}ɲiet^{5} ʂət^{5} ciəu^{21},iet^{3} tʂak^{3} tsʰiəu^{53}ciəu^{21}ɲiet^{5} ʂət^{5} ciəu^{21}.iəu^{35}iɔŋ^{53}mən^{0} tsa^{0}?iet^{3} tʂak^{3} tsʰiəu$^{53}_{44}$tʂʰət^{3} ʂɿ^{53}ke$^{53}_{44}$saŋ^{35}ɲiet^{3},iet^{3} tʂak^{3} tsʰiəu$^{53}_{44}$ tʂʰən^{13}sien^{35}ke$^{53}_{44}$saŋ$^{35}_{53}$ɲiet^{3},xai^{13}iəu$^{35}_{53}$tʂak^{3} mak^{3} e^{0} saŋ^{35}ɲiet^{3} le^{0}?fan^{21}tʂən^{53}ʂɿ$^{53}_{44}$ci$^{13}_{21}$iet^{3}ɲien^{13}san^{35}tʂak^{3} saŋ$^{35}_{44}$

ɲiet^{3}.kai^{53}san^{35}tʂak^{3}saŋ^{35}ɲiet^{3}lei^{0},kai^{53}san$^{35}_{44}$tʰien$^{35}_{44}$nei^{0},tsʰiəu^{53}ɲiaŋ^{53}xei$^{53}_{44}$tʂʰau^{13}pai$^{53}_{44}$tʰien$^{35}_{44}$.fan^{21}tʂən^{53}kai^{53}kɔn^{35}in$^{35}_{44}$miau^{53}li^{0}lei^{0},ci$^{13}_{21}$tsʰiəu$^{53}_{44}$uɔi$^{53}_{44}$ta^{21}tsi^{53}kai$^{53}_{44}$tʂak^{3}.tsi^{53}sɿ^{53},tsi^{53}sɿ^{53}kɔn$^{35}_{44}$in$^{35}_{44}$,sia^{21}tei^{53}tsɿ^{0}.ŋai$^{13}_{21}$maŋ$^{13}_{21}$çi^{53},ŋai^{13}ia$^{35}_{44}$kai$^{53}_{44}$pu$^{35}_{44}$çi^{53}tʂʰɔŋ^{13}sa^{35},liəuk^{3}ɲiet^{5}ʂət^{5}ciəu^{21}.ci^{13}tien^{0}ua$^{53}_{44}$:"o$_{13}$xo$_{53}$,cin$^{35}_{44}$pu$^{35}_{44}$kɔn^{35}in$^{35}_{53}$ɲiɔŋ$^{13}_{21}$ɲiɔŋ$^{13}_{21}$saŋ^{35}ɲiet^{3}lau^{0},xei^{53}me^{53}?"

【朝阳席】tʂʰau^{13}iɔŋ^{13}siet^{5} [名]浏阳北乡关于酒席座位的说法，指靠近祖牌的两张酒桌，靠中间通道的侧位都不坐人：冇得大细，侧边冇得。两边冇得。但是有滴……箇唔讲，客姓人冇得。以两边冇得大细。但是外背人呢，北乡人呢渠就咁个呢，渠就姆，打比样两张桌样，系啊？最……以中间硬唔坐人呢，以映唔坐人。以映不坐人，安做～。北乡人，不是我等人。我等也唔坐～。但是也晓得它。嘞，以映子，以映子在呢，唔知让门子在凑，反正以两向唔坐人。坐都唔坐人。一张桌子坐六个人。mau$^{13}_{21}$tek^{3}tʰai^{53}sei^{53},tsek^{3}pien^{35}mau$^{13}_{21}$tek^{3}.iɔŋ^{21}pien^{35}mau$^{13}_{21}$tek^{3}.tan^{53}ʂʅ^{53}iəu$^{35}_{44}$tiet$^{5}_{3}$…kai^{53}ŋ̍^{13}kɔŋ^{21},kʰak^{3}sin^{53}ɲin$^{13}_{21}$mau^{13}tek^{3}.i^{21}iɔŋ^{21}pien$^{35}_{44}$mau$^{13}_{21}$tek^{3}tʰai$^{53}_{44}$se$^{53}_{44}$.tan^{53}ʂʅ^{53}ŋɔi^{53}pɔi$^{53}_{44}$ɲin$^{13}_{21}$ne^{0},pɔit^{3}çiɔŋ$^{35}_{44}$ɲin$^{13}_{21}$nei^{0}ci$^{13}_{21}$tsʰiəu$^{53}_{44}$kan^{21}ke$^{53}_{44}$nei^{0},ci$^{13}_{21}$tsʰiəu$^{53}_{44}$m̩$_{21}$,ta^{21}pi^{21}iaŋ$^{53}_{44}$iɔŋ^{21}tʂɔŋ$^{35}_{44}$tsɔk^{3}iɔŋ$^{53}_{21}$,xei$^{53}_{44}$a^{0}?tsei^{53}s…i^{21}tʂəŋ^{35}kan$^{35}_{44}$ɲiaŋ^{53}n̩^{13}tsʰo$^{35}_{44}$ɲin$^{13}_{21}$nei^{0},i^{21}iaŋ$^{53}_{44}$n̩^{13}tsʰo$^{35}_{44}$ɲin$^{13}_{21}$.i^{21}iaŋ^{53}pət^{3}tsʰo$^{35}_{44}$ɲin$^{13}_{21}$,ɔn$^{35}_{44}$tso$^{53}_{44}$tʂʰau^{13}iɔŋ^{13}siet^{5}.pɔit^{3}çiɔŋ$^{35}_{44}$ɲin$^{13}_{21}$,pət^{3}ʂʅ$^{53}_{44}$ŋai$^{13}_{21}$tien^{0}in^{13}.ŋai^{13}tien^{0}ia$^{35}_{44}$n̩$^{13}_{21}$tsʰo$^{35}_{44}$tʂʰau^{13}iɔŋ^{13}siet^{5}.tan$^{53}_{21}$ʂʅ^{53}ia^{35}çiau^{21}tek^{3}tʰa$^{35}_{44}$.lei$_{21}$,i^{21}iaŋ^{53}tsɿ^{0},i^{21}iaŋ^{53}tsɿ^{0}tsʰai^{53}nei^{0},n̩^{13}ti$^{35}_{44}$ɲiɔŋ^{53}mən^{0}tsɿ^{0}tsʰai$^{53}_{44}$tsʰe^{0},fan^{21}tʂən^{53}i^{21}iɔŋ^{21}çiɔŋ^{53}ŋ̍^{13}tsʰo$^{53}_{44}$ɲin^{13}.tsʰo^{35}təu$^{35}_{44}$n̩$^{13}_{21}$tsʰo$^{53}_{44}$ɲin$^{13}_{21}$.iet^{3}tʂɔŋ$^{35}_{44}$tsɔk^{3}tsɿ^{0}tsʰo$^{35}_{44}$liəuk^{3}kei$^{53}_{44}$ɲin$^{13}_{21}$.

【潮】tʂʰau^{13} [形]东西被晒而干蔫的样子：（草烟）舞得蛮～了。u^{21}tek^{3}man^{13}tʂʰau^{13}liau^{0} | 欸打比箇萝卜呀，萝卜苗哇，萝卜呀，晒～下子，尽可能晒～下子，也莫晒成干菜啦。e^{0}ta^{21}pi^{21}kai^{53}lo^{13}pʰek^{5}ia^{0},lo^{13}pʰek^{5}miau^{13}ua^{0},lo^{13}pʰek^{5}ia^{0},sai^{53}tʂʰau^{13}ua^{53}(←xa^{53})tsɿ^{0},tsʰin^{53}kʰo^{21}len^{13}sai^{53}tʂʰau^{13}ua^{53}(←xa^{53})tsɿ^{0},ia$^{35}_{44}$mo^{53}sai^{53}ʂaŋ$^{13}_{21}$kɔn^{35}tsʰɔi^{53}la^{0}.

【潮沙】tʂʰau^{13}sa^{35} [名]手感柔软、有流动感的细沙；流沙：～嘞是一种细沙，馥嫩个沙公。就系水打倒来个，箇沙坝肚里个水打来个。唔系粗沙。～像潮水样，肚里其实箇肚里还蛮多泥嘞。蛮多泥，赠洗净个。～打水泥地是打唔得嘞。～只有搞么个？和滴子石灰呀，和滴子水泥呀刷箇个墙底子，～，箇就要得。tʂʰau^{13}sa^{35}lei^{0}ʂʅ$^{53}_{44}$iet^{3}tʂəŋ^{21}si^{53}sa$^{35}_{44}$,fət^{5}lən^{53}cie^{0}sa$^{35}_{44}$kəŋ$^{35}_{44}$.tsʰiəu$^{53}_{44}$ue$^{53}_{44}$ʂei^{21}ta^{21}tau^{21}lɔi$^{13}_{21}$ke^{53},kai$^{53}_{44}$sa^{35}pa$^{53}_{44}$təu^{21}li^{0}ke^{0}ʂei^{21}ta^{21}lɔi^{13}ke^{0}.m̩^{13}pʰe^{53}tsʰɿ^{35}sa^{35}.tʂʰau^{13}sa$^{35}_{44}$tsʰiɔŋ^{53}tʂʰau^{13}ʂei^{21}iɔŋ^{53},təu^{21}li^{0}cʰi^{13}ʂət^{5}kai^{53}təu^{21}li^{0}xai$^{13}_{21}$man^{13}to$^{35}_{53}$lai^{13}le^{0}.man^{13}to$^{35}_{53}$lai^{13},maŋ^{13}se^{21}tsʰiaŋ^{53}ke^{0}.tʂʰau^{13}sa$^{35}_{53}$ta^{21}ʂei^{21}lai^{13}tʰi^{53}ʂʅ$^{53}_{44}$ta^{21}n̩$^{13}_{21}$tek^{3}le^{0}.tʂʰau^{13}sa$^{35}_{53}$tʂet^{3}iəu$^{35}_{53}$kau^{21}mak^{3}e^{0}?xo^{13}tiet^{5}tsɿ^{0}ʂak^{5}fɔi$^{35}_{44}$ia^{0},xo^{13}tiet^{5}tsɿ^{0}ʂei^{21}lai^{13}ia^{0}sɔit^{3}kai^{53}ke^{0}tsʰiɔŋ^{13}te^{21}tsɿ^{0},tʂʰau^{13}sa$^{35}_{53}$,kai$^{53}_{44}$tsʰiəu$^{53}_{44}$iau^{53}tek^{3}.

【潮湿】tʂʰau^{13}ʂət^{3} [形]湿度大：我等箇栏场（番薯窖）系$_{\text{居住}}$唔得，～。ŋai$^{13}_{21}$tien^{0}kai$^{53}_{44}$laŋ$^{13}_{21}$tʂʰɔŋ$^{13}_{44}$xei^{53}n̩$^{13}_{21}$tek^{3},tʂʰau^{13}ʂət^{3}.

【吵】tsʰau^{21} [形]声音杂乱搅扰人：～得死 tsʰau^{21}tek^{3}si^{21}

【吵场子】tsʰau^{21}tʂʰɔŋ$^{13}_{21}$tsɿ^{0} 闹事，多指死者亲属对于死因有异议而对丧主采取行动：～也唔限于一只丧事。蛮多都有～个。就系别人家做只么个活……搞只么个活动，你跑倒去捣乱，箇就安做～。就箇个就也唔限定系死哩人。有死哩人有～个，欸。结婚～个就更少唠箇是，也有哇，也有～个。嗯。搞活动，别人家搞只活动，渠就去闹事，箇就安做～。我等有只姑姑，我喊姑婆个，渠死个时候子嘞，自杀死个。八十几岁了还缔颈死个。箇唔知让门传来传去传倒嘞，就话渠赖子妹子看渠唔起。我等唔系嫡亲个姑姑啊，隔蛮远个姑姑。以下渠个老弟子箇只就唔肯了唠，我等喊叔公啊，欸，老弟子箇只唔肯呶。箇到硬舞倒我等横巷里家家都去个人，欸，八十几个人，跑倒七宝山箇映子去～，去吵渠个场子。你等硬系箇个看爷娭唔起，欸，渠个赖子箇只啦。隔好远子～，硬舞倒我等，我等冇得办法了，爱去嘞，欸么人想去～唠？欸吵箇个场子。结果冇哩来往呢。渠个舅爷箇只啦箇渠个外甥箇只啦，系啊？摎以边个舅爷箇只啦，摎以边个老表箇只啦，冇哩来往嘞。后背冇么个了结嘞，就系我等人就，就让门子搞唠？第二晡送倒渠还哩山就归嘿哩吵。又冇得结论。冇得么个结论。渠都箇只婆婆子都唔……老嘿哩，蛮苦，渠自家唔想过箇日子了。渠肯做死嘿去了，渠就就去缔颈嘞。箇系缔颈死个嘞。但是渠个赖……渠个老弟子嘞，就我等喊叔公咯，渠就话硬系渠个箇箇箇几只咁赖子冇用，咁差，系唔系？呀赖子咁差，看爷娭看娭子唔起，就舞倒我等去～啊。硬唔爱去讲咁个，我一世人都记得咁路子，欸。tsʰau^{21}tʂʰɔŋ$^{13}_{21}$tsɿ^{0}ia^{35}n̩^{13}xan^{53}vy^{13}iet^{3}tʂak^{3}sɔŋ^{35}sɿ^{53}.man^{13}to$^{35}_{44}$təu$^{35}_{53}$iəu$^{35}_{53}$tsʰau^{21}tʂʰɔŋ^{13}tsɿ^{0}ke^{0}.tsʰiəu$^{53}_{44}$xe$^{53}_{44}$pʰiet^{5}in$^{13}_{21}$ka$^{35}_{44}$tso^{53}tʂak^{3}mak^{3}ke^{53}xɔit^{5}…kau^{21}tʂak^{3}mak^{3}e^{0}xɔit^{5}

tʰəŋ$^{53}_{44}$, ɲi^{13}pʰau^{21}tau^{21}çi^{53}tau^{21}lɔn^{53},kai$^{53}_{44}$tsʰiəu^{53}ɔn$^{35}_{53}$tso^{53}tsʰau^{21}tʂʰɔŋ^{13}tsɿ^{0}.tsʰiəu$^{53}_{44}$kai$^{53}_{44}$ke$^{53}_{44}$tsʰiəu^{53}ia$^{35}_{44}$m̩^{13}kʰan$^{53}_{21}$ tʰiaŋ^{53}xe^{53}si^{21}li^{0}ɲin^{13}.iəu$^{35}_{44}$si^{21}li^{0}ɲin^{13}iəu$^{35}_{53}$tsʰau^{21}tʂʰɔŋ$^{13}_{21}$tsɿ^{0}ke^{53},e$_{21}$.ciet^{3}fən^{35}tʂʰau^{21}tʂʰɔŋ$^{13}_{21}$tsɿ^{0}ke^{53}tsʰiəu^{53}ken^{53} ʂau^{21}lau^{0}kai^{53}ʂɿ^{53},ia^{35}iəu^{35}ua^{0},ia^{35}iəu$^{35}_{53}$tsʰau^{21}tʂʰɔŋ$^{13}_{21}$tsɿ^{0}ke^{0}.n̩$_{21}$.kau^{21}xɔit^{5}tʰəŋ$^{53}_{44}$,pʰiet^{5}in$^{13}_{44}$ka$^{35}_{44}$kau^{21}tʂak^{3}xɔit^{5} tʰəŋ$^{53}_{44}$,ci^{13}tsʰiəu$^{53}_{44}$çi$^{53}_{44}$nau^{53}sɿ^{53},kai$^{53}_{44}$tsʰiəu$^{53}_{44}$ɔn$^{35}_{44}$tso$^{53}_{44}$tsʰau^{21}tʂʰɔŋ$^{13}_{21}$tsɿ^{0}.ŋai^{13}tien^{0}iəu$^{35}_{44}$tʂak^{3}ku^{35}ku$^{35}_{44}$,ŋai^{13}xan^{53}ku^{35} pʰo$^{13}_{21}$ke^{53},ci^{13}si^{21}ke^{53}ʂɿ^{13}xəu$^{53}_{44}$tsɿ^{0}lei^{0},tsʰɿ^{53}sait^{3}si^{21}ke^{0}.pait^{3}ʂət^{5}ci^{21}sɔi^{53}liau^{0}xai^{13}tʰak^{3}ciaŋ^{21}si^{21}ke^{0}.kai^{53}n̩^{13}ti$^{35}_{53}$ ɲiɔŋ^{53}mən^{0}tʂʰɔn$^{13}_{21}$nɔi$^{13}_{21}$tʂʰɔn$^{13}_{21}$cʰi^{53}tʂʰɔn$^{13}_{21}$tau^{21}lei^{0},tsʰiəu^{53}ua^{53}ci$^{13}_{21}$lai^{53}tsɿ^{0}mɔi^{53}tsɿ^{0}kʰɔn^{53}ci^{13}n̩$^{13}_{21}$çi^{21}.ŋai^{13}tien^{0}m̩^{13} pʰe^{53}tiet^{3}tsʰin^{35}ke^{0}ku$^{35}_{44}$ku$^{35}_{44}$a^{0},kak^{3}man$^{13}_{21}$ien^{21}cie^{0}ku$^{35}_{44}$ku$^{35}_{44}$.i^{21}xa$^{53}_{44}$ci$^{13}_{44}$cie^{53}lau^{21}tʰe^{35}tsɿ^{0}kai$^{53}_{44}$tʂak^{3}tsʰiəu^{53}m̩^{13} xen^{21}nau^{0},ŋai^{13}tien^{0}xan^{53}ʂəuk^{3}kəŋ^{35}ŋa^{0},e$_{21}$,lau^{21}tʰe^{35}tsɿ^{0}kai$^{53}_{44}$tʂak^{3}n̩$^{13}_{21}$xen^{21}nau^{0}.kai^{53}tau^{53}ɲiaŋ^{53}u^{21}tau^{21}ŋai^{13} tien^{0}uaŋ^{13}xɔŋ^{53}li^{0}ka^{35}ka^{35}təu$^{35}_{44}$çi^{53}cie^{53}ɲin^{13},e$_{21}$,pait^{3}ʂət^{5}ci^{21}cie^{53}ɲin$^{13}_{21}$,pʰau^{21}tau^{21}tsʰiet^{3}pau^{21}san^{35}kai$^{53}_{44}$iaŋ$^{53}_{44}$tsɿ^{0} çi^{53}tsʰau^{21}tʂʰɔŋ$^{13}_{21}$tsɿ^{0},çi^{53}tsʰau^{21}ci$^{13}_{44}$e^{0}tʂʰɔŋ$^{13}_{21}$tsɿ^{0}. ɲi^{13}tien^{0}ɲiaŋ^{53}xei^{53}kai$^{53}_{44}$ke$^{53}_{44}$kʰɔn^{53}ia^{13}ɔi$^{35}_{44}$n̩$^{13}_{21}$çi^{21},e$_{21}$,ci^{13}ke$^{53}_{44}$lai^{53} tsɿ^{0}kai$^{53}_{44}$tʂak^{3}la^{0}.kak^{3}xau^{21}ven$^{21}_{44}$tsɿ^{0}tsʰau^{21}tʂʰɔŋ$^{13}_{21}$tsɿ^{0}, ɲiaŋ^{53}u^{21}tau^{21}ŋai^{13}tien^{0},ŋai^{13}tien^{0}mau^{13}tek^{3}pʰan^{53}fait^{3} liau^{0},ɔi^{53}çi^{53}lei^{0},e$_{44}$mak^{3}ɲin$^{13}_{44}$siɔŋ^{21}çi^{53}tsʰau^{21}tʂʰɔŋ$^{13}_{21}$tsɿ^{0}lau^{0}?e$_{44}$tsʰau^{21}kai$^{53}_{44}$ke^{0}tʂʰɔŋ$^{13}_{21}$tsɿ^{0}.ciet^{3}ko^{21}mau^{13}li^{0} lɔi^{13}uɔŋ^{35}ne^{0}.ci^{13}ke$^{53}_{44}$cʰiəu^{35}ia^{13}kai$^{53}_{44}$tʂak^{3}la^{0}kai$^{53}_{44}$ci$^{13}_{21}$ke$^{53}_{44}$ŋɔi^{53}saŋ$^{35}_{44}$kai$^{53}_{44}$tʂak^{3}la^{0},xei$^{53}_{44}$a^{0}?lau$^{35}_{44}$i^{21}pien$^{35}_{44}$ke^{0}cʰiəu^{35} ia$^{13}_{21}$kai$^{53}_{44}$tʂak^{3}la^{0},lau^{35}i^{21}pien^{35}ke^{0}lau^{21}piau^{21}kai$^{53}_{44}$tʂak^{3}la^{0},mau^{13}li^{0}lɔi$^{13}_{21}$uɔŋ^{35}lei^{0}.xei^{53}pɔi^{53}mau^{13}mak^{3}e^{53}liau^{21} ciet^{3}lei^{0},tsʰiəu^{53}uei^{53}ŋai$^{13}_{21}$tien^{0}in$^{13}_{21}$tsʰiəu^{53},tsʰiəu$^{53}_{44}$, ɲiɔŋ^{53}mən^{0}tsɿ^{0}kau$^{21}_{44}$lau^{0}?tʰi$^{53}_{44}$ɲi$^{53}_{44}$pu$^{35}_{44}$səŋ^{53}tau^{21}ci$^{13}_{21}$fan^{13}li^{0} san^{35}tsʰiəu$^{53}_{44}$kuei^{35}ek^{3}li^{0}ʂa^{0}.iəu^{53}mau$^{13}_{21}$tek^{3}ciet^{3}lən^{53}.mau$^{13}_{21}$tek^{3}mak^{3}e^{0}ciet^{3}lən$^{53}_{44}$.ci^{13}təu$^{35}_{53}$kai^{53}tʂak^{3}pʰo^{13} pʰo$^{13}_{44}$tsɿ^{0}təu$^{35}_{53}$n̩^{13}s···lau^{21}xek^{3}li^{0},man^{13}kʰu^{21},ci$^{13}_{21}$tsʰɿ^{35}ka$^{35}_{53}$n̩^{13}siɔŋ^{21}ko^{53}kai^{53}ɲiet^{3}tsɿ^{0}liau^{0}.ci$^{13}_{21}$xen^{21}tso^{53}si^{21}xek^{3} çi^{53}liau^{0},ci$^{13}_{21}$tsʰiəu^{53}tsiəu$^{53}_{21}$çi^{53}tʰak^{3}ciaŋ^{21}lei^{0}.kai$^{53}_{44}$xei^{53}tʰak^{3}ciaŋ^{21}si$^{21}_{44}$ke^{53}lei^{0}.tan$^{53}_{21}$ʂɿ$^{53}_{44}$ci^{13}ke$^{53}_{44}$lai^{53}···ci^{13}e^{0}lau^{21} tʰe^{35}tsɿ^{0}lei^{0},tsʰiəu^{53}ŋai^{13}tien^{0}xan^{53}ʂəuk^{3}kəŋ^{35}ko^{0},ci^{13}tsʰiəu$^{53}_{44}$ua$^{53}_{44}$ɲiaŋ^{53}xei$^{53}_{44}$ci$^{13}_{21}$kei^{53}kai^{53}kai$^{53}_{44}$kai$^{53}_{44}$ci^{21}tʂak^{3} kan$^{21}_{44}$lai^{53}tsɿ^{0}mau^{13}iəŋ^{53},kan^{21}tsa^{35},xei$^{53}_{44}$me^{53}?ia^{0}lai^{53}tsɿ^{0}kan^{21}tsa^{35},kʰɔn^{53}ia^{13}ɔi$^{35}_{44}$kʰɔn^{53}ɔi^{35}tsɿ^{0}n̩$^{13}_{21}$çi^{21},tsʰiəu$^{53}_{44}$u^{21} tau^{21}ŋai^{13}tien^{0}çi^{53}tsʰau^{21}tʂʰɔŋ$^{13}_{21}$tsɿ^{0}a^{0}. ɲiaŋ^{53}m̩^{13}mɔi^{53}çi^{53}kɔŋ^{21}kan$^{21}_{13}$cie$^{53}_{44}$,ŋai^{13}iet^{3}ʂɿ^{53}ɲin^{13}təu$^{35}_{44}$ci^{53}tek^{3}kan$^{21}_{44}$ ləu^{53}tsɿ^{0},e$_{21}$.

【吵闹$_{1}$】tsʰau^{21}lau^{53} 动闹事：～有两只概念。一只吵场子也系可以话系吵闹呢。你不要来吵闹。唔。就系闹事啊。吵闹就闹事系只。tsʰau^{21}lau^{53}iəu^{35}iɔŋ^{21}tʂak^{3}kʰai$^{53}_{44}$ɲien$^{53}_{44}$.iet^{3}tʂak^{3}tsʰau^{21}tʂʰɔŋ$^{13}_{21}$ tsɿ^{0}ia^{35}xe$^{53}_{44}$kʰo^{21}i^{35}ua^{53}xe^{53}tsʰau^{21}lau^{53}nei^{0}. ɲi$^{13}_{21}$pət^{3}iau^{53}lɔi$^{13}_{21}$tsʰau^{21}lau^{53}.m̩$_{21}$.tsʰiəu$^{53}_{44}$xe$^{53}_{44}$lau$^{53}_{44}$sɿ^{53}a^{0}.tsʰau^{21}lau$^{53}_{44}$ tsʰiəu$^{53}_{44}$lau^{53}sɿ^{53}xei$^{53}_{44}$tʂak^{3}.

【吵闹$_{2}$】tsʰau^{21}lau^{53} 形声音杂乱，不安静：还有只～就以映讲个欸声音嘈杂，唔安静。真～。渠等话箇个死哩人呐爱热闹下子。又系一只西乐队，又系打锣鼓个，又做醮个，又系音乐啊又系么个，其实是硬吵煞一层，真～。还安做热闹。xai$^{13}_{21}$iəu$^{35}_{53}$tʂak^{3}tsʰau^{21}lau$^{53}_{44}$tsʰiəu$^{53}_{44}$i^{21}iaŋ^{53}kɔŋ^{21} ke^{53}e$_{21}$ʂaŋ^{35}in$^{35}_{44}$tsʰau^{13}tsʰait^{5},n̩$^{13}_{21}$ŋɔn^{35}tsʰin^{53}.tʂən^{35}tsʰau^{21}lau^{53}.ci^{13}tien^{0}ua^{53}kai^{53}ke^{53}si^{21}li^{0}ɲin^{13}na^{0}ɔi$^{53}_{44}$viet^{5}lau$^{53}_{44}$ xa$^{53}_{44}$tsɿ^{0}.iəu^{53}xe^{53}iet^{3}tʂak^{3}si^{35}iɔk^{5}ti^{53},iəu^{53}xe^{53}ta^{21}lo^{13}ku^{21}ke^{0},iəu$^{35}_{44}$tso^{53}tsiau^{53}kei$^{53}_{44}$,iəu^{53}xei$^{53}_{44}$in^{35}iɔk^{5}a^{0}iəu^{53}xe$^{53}_{44}$ mak^{3}kei$^{53}_{44}$,cʰi^{13}ʂət^{5}ʂɿ^{53}ɲiaŋ^{53}tsʰau^{21}sait^{3}iet^{3}tsʰien^{13},tʂən^{35}tsʰau^{21}lau^{53}.xai^{13}ɔn$^{35}_{44}$tso$^{53}_{44}$ɲiet^{5}lau$^{53}_{44}$.

【吵煞一层】tsʰau^{21}sait^{3}iet^{3}tsʰien^{13} 形容非常吵闹：头番子欸我等箇侧边子死哩人，啊，哟客也唔知几多，箇是正讲个渠箇个高音喇叭啊，欸，西乐队呀，箇起么个，～。吵你几日，硬分渠吵死哩啊，硬～呐。tʰei^{13}fan$^{35}_{44}$tsɿ^{0}ei$_{21}$ŋai^{13}tien^{0}kai$^{53}_{44}$tsek^{3}pien$^{35}_{44}$tsɿ^{0}si^{21}li^{0}ɲin^{13},a$_{35}$,io^{0}kʰak^{3}a$^{35}_{44}$n̩$^{13}_{21}$ti$^{35}_{44}$ci^{21} to^{35},kai$^{53}_{21}$ʂɿ$^{53}_{21}$tʂaŋ^{53}kɔŋ^{21}ke^{0}ci$^{13}_{21}$kai$^{53}_{44}$cie$^{53}_{44}$kau$^{35}_{44}$in$^{35}_{44}$na^{53}pa$^{35}_{44}$a^{0},e$_{21}$,si^{35}iɔk^{5}ti^{53}ia^{0},kai$^{53}_{44}$çi$^{21}_{53}$mak^{3}ke^{53},tsʰau^{21}sait^{3}iet^{3} tsʰien$^{13}_{21}$.tsʰau^{21}ɲi^{13}ci^{21}ɲiet^{3}, ɲiaŋ^{53}pən$^{35}_{44}$ci$^{13}_{44}$tsʰau^{21}si^{21}li^{0}a^{0}, ɲiaŋ^{53}tsʰau^{21}sait^{3}iet^{3}tsʰien$^{13}_{21}$na^{0}.

【吵死样】tsʰau^{21}si^{21}iɔŋ^{53} 形容极其吵闹、令人厌烦：箇～系一般就话别人家“你莫去下～啊硬啊”，欸“莫总去下吵喔”。箇个唔完全系蛮吵闹，系。还有只话别人家莫去吵，欸，话别人家吵闹哇，无理取闹哇，就爱话别人家无理取闹，批评别人家无理取闹，就话渠“你～”。也唔限定系话蛮吵闹。就批评别人家无理取闹，也话别人家～，“你不要～”。kai^{53}tsʰau^{21}si^{21} iɔŋ$^{53}_{44}$ŋei$^{53}_{44}$iet^{3}pɔn^{35}tsʰiəu$^{53}_{44}$ua^{53}pʰiet^{5}ɲin$^{13}_{21}$ka$^{35}_{44}$"ɲi^{13}mɔk^{5}çi$^{53}_{44}$xa$^{53}_{44}$tsʰau^{21}si^{21}iɔŋ^{53}ŋa^{0}ɲiaŋ$^{53}_{44}$a^{0}",e$_{21}$"mɔk^{5}tsəŋ^{21}çi^{53} xa^{53}tsʰau^{21}uo^{0}".kai$^{53}_{44}$ke$^{53}_{44}$n̩^{13}kʰɔn^{13}tsʰien^{13}xe^{53}man^{13}tsʰau^{21}lau^{53},xe$^{53}_{44}$.xai^{13}iəu$^{35}_{53}$tʂak^{3}ua^{53}pʰiet^{5}in$^{13}_{44}$ka$^{35}_{44}$mɔk^{5}çi^{53} tsʰau^{21},e$_{21}$,ua^{53}pʰiet^{5}in$^{13}_{44}$ka$^{35}_{44}$tsʰau^{21}lau^{53}ua^{0},u^{13}li^{35}tsʰi^{21}lau^{53}ua^{0},tsʰiəu$^{53}_{44}$ɔi^{53}ua^{53}pʰiet^{5}in$^{13}_{21}$ka$^{35}_{44}$u^{13}li^{35}tsʰi^{21}lau$^{53}_{44}$, pʰi^{35}pʰin^{13}pʰiet^{5}in$^{13}_{44}$ka$^{35}_{44}$u^{13}li^{35}tsʰi^{21}lau^{53},tsʰiəu$^{53}_{44}$ua^{53}ci$^{13}_{21}$"ɲi^{13}tsʰau^{21}si^{21}iɔŋ^{53}".ia^{35}m̩^{13}kʰan$^{53}_{21}$tʰiaŋ^{53}xei^{53}ua^{53}man$^{13}_{21}$ tsʰau^{21}lau^{53}.tsʰiəu$^{53}_{44}$pʰi^{35}pʰin^{13}pʰiet^{5}in$^{13}_{44}$ka$^{35}_{44}$u^{13}li^{35}tsʰi^{21}lau^{53},ia^{35}ua^{53}pʰiet^{5}in$^{13}_{44}$ka$^{35}_{44}$tsʰau^{21}si^{21}iɔŋ^{53},"ɲi$^{13}_{21}$pət^{3}iau^{53} tsʰau^{21}si^{21}iɔŋ^{53}".

【炒】tsʰau^{21} 动把食物或其他东西放在锅里加热翻动使熟或使干：你箇个～猪肝呐，交黄萝卜咯。ɲi^{13}kai$_{44}$ke$_{44}$ts^{h}au^{21}tʂəu^{35}kən^{35}na^{0},ciau$^{35}_{44}$uəŋ^{13}lo^{13}p^{h}ek^{5}ko^{0}.｜烘竹笼是用沙～。fən^{53}tʂəuk^{3}sien^{21} ʂʅ$^{53}_{44}$iəŋ^{53}sa^{35}ts^{h}au^{21}.

【炒菜】ts^{h}au^{21}ts^{h}ɔi^{53} 动 ①置油锅于火上，将菜放入，用勺翻动，直至菜熟：～呀，唔放油哇，就安做食烈镬。ts^{h}au^{21}ts^{h}ɔi^{53}ia^{0},m̩^{13}fəŋ^{53}iəu^{13}ua^{0},ts^{h}iəu$^{53}_{44}$ɔn$^{35}_{44}$tso$^{53}_{44}$ʂət^{5}lait^{3}uɔk^{5}. ②泛指烹制菜肴，又称“煮菜、舞菜”：（辣椒筒子）唔系用来～。m̩^{13}p^{h}e^{53}(←xe^{53})iəŋ^{53}lɔi$^{13}_{44}$ts^{h}au^{21}ts^{h}ɔi^{53}.｜有滴～个唠，就饭店。iəu^{35}tet^{5}ts^{h}au^{21}ts^{h}ɔi^{53}ke$^{53}_{21}$lau^{0},ts^{h}iəu$^{53}_{44}$fan^{53}tian$^{53}_{21}$.

【炒蛋】ts^{h}au^{21}t^{h}an^{53} 把鸡蛋打散后炒熟，也指把鸡蛋打散后炒熟而成的菜肴：～，一只嘞就系箇只～个动作。还有只嘞，就系蛋个一种做法。系唔系？区别于蒸蛋，系唔系？蒸个蛋，嗯，□个蛋，欸。ts^{h}au^{21}t^{h}an^{53},iet^{3}tʂak^{3}lei^{0}ts^{h}iəu^{53}xei$^{53}_{44}$kai^{53}tʂak^{3}ts^{h}au^{21}t^{h}an^{53}cie$^{53}_{44}$t^{h}əŋ^{53}tsɔk^{3}.xai^{13}iəu$^{35}_{53}$tʂak^{3} lei^{0},tsiəu$^{53}_{44}$xei$^{53}_{44}$t^{h}an^{53}cie$^{53}_{44}$iet^{3}tʂəŋ^{21}tso^{53}fait^{3}.xei$^{53}_{44}$me$^{53}_{44}$?tʂ^{h}ʅ^{35}p^{h}iet^{5}ʅ$^{53}_{44}$tʂən^{35}t^{h}an^{53},xei$^{53}_{44}$me$^{53}_{44}$?tʂən^{35}cie$^{53}_{44}$t^{h}an^{53}, n̩$_{21}$,sait^{5}cie$^{53}_{44}$t^{h}an^{53},e$_{21}$.

【炒饭】ts^{h}au^{21}fan^{53} 名 用煮好的米饭，加入一些菜肴、鸡蛋爆炒而成的食物：～，就安做～。啊，让门炒哇？吗，炒饭就，欸，莫去讲用蛋，莫去讲放……蛋炒饭，就讲～呶。箇起冷饭，舞碎来，爱舞碎来，放下镬里啊，冷饭就放下镬里，放下镬里嘞，舞碎来，用镬铲舞碎来，舞倒粑散。舞倒粑散以后，唉底下就烧滴子火，放滴子油盐子，放滴子油盐子，就去炒。炒哩以后，炒倒……还嫪略微放滴子水。嫪滴子水有……渠有热。如果爱放饽饽个话嘞，爱搞蛋炒饭呢，箇就先炒正蛋来，先扯正蛋皮来，再放滴饭去炒。如果唔搞蛋炒饭呢，还可以放滴子菜，放滴子菜去。等得炒得滚，炒滚哩了，只爱炒滚哩，唔炒十分烈哩，因为箇只东西有热，炒烈哩有热，欸，唔炒烈哩。炒滚哩就要得哩，就铲起来。欸，也有滴嘞，炒滚哩就放下镬里，退嘿火去，退嘿火去，把火关或者扯嘿柴去。就放倒镬里，爱食了就到箇镬里去掠，去铲。也有滴就铲起来。ts^{h}au^{21}fan^{53},ts^{h}iəu$^{53}_{44}$ɔn$^{35}_{44}$tso$^{53}_{44}$ts^{h}au^{21}fan^{53}.a$_{35}$, ɲiəŋ$^{53}_{44}$mən$^{13}_{44}$ts^{h}au^{21}ua^{0}?m̩$_{21}$,ts^{h}au^{21} fan^{53}ts^{h}iəu$^{53}_{44}$,e$_{21}$,mɔk^{5}çi^{53}kəŋ^{21}iəŋ$^{53}_{44}$t^{h}an^{53},mɔk^{5}çi^{53}kəŋ^{21}fəŋ^{53}…t^{h}an^{53}ts^{h}au^{21}fan^{53},tsiəu^{53}kəŋ^{21}ts^{h}au^{21}fan^{53} nau^{0}.kai$^{53}_{44}$çi^{21}laŋ^{35}fan^{53},u^{21}si^{53}lɔi$^{13}_{21}$,ɔi^{53}u^{21}si^{53}lɔi$^{13}_{21}$,fəŋ$^{53}_{44}$xa$^{53}_{44}$uɔk^{5}li^{0}a^{0},laŋ^{35}fan^{53}ts^{h}iəu$^{53}_{44}$fəŋ$^{53}_{44}$xa$^{53}_{44}$uɔk^{5}li^{0},fəŋ$^{53}_{44}$ŋa$_{44}$ (←xa^{53})uɔk^{5}li^{0}lei^{0},u^{21}si^{53}lɔi$^{13}_{21}$,iəŋ^{53}uɔk^{5}ts^{h}an^{21}u^{21}si^{53}lɔi$^{13}_{21}$,u^{21}tau^{21}p^{h}a^{35}san^{21}.u^{21}tau^{21}p^{h}a^{35}san^{21}i$^{53}_{44}$xei^{53},e^{0}tei^{21} xa$^{35}_{44}$ts^{h}iəu$^{53}_{44}$ʂau$^{35}_{44}$tet^{5}tsʅ^{0}fo^{21},fəŋ^{53}tet^{5}tsʅ^{0}iəu^{13}ian^{13}tsʅ^{0},fəŋ$^{53}_{44}$tiet^{5}tsʅ^{0}iəu^{13}ian^{13}tsʅ^{0},ts^{h}iəu$^{53}_{44}$çi$^{53}_{44}$ts^{h}au^{21}.ts^{h}au^{21}li^{0}i^{35} xei^{53},ts^{h}au^{21}tau^{21}…xai^{13}tʂ^{h}a^{35}tiet^{5}tsʅ^{0}ʂei^{21}.tʂ^{h}a^{35}tiet^{5}tsʅ^{0}ʂei^{21}mau^{13}k…ci$^{13}_{21}$mau^{13}ɲiet^{5}.y^{13}ko^{21}ɔi$^{53}_{44}$fəŋ$^{53}_{44}$pɔk^{5}pɔk^{0} ke$^{53}_{44}$fa$^{53}_{44}$lei^{0},ɔi$^{53}_{44}$kau^{21}t^{h}an^{53}ts^{h}au^{21}fan^{53}nei^{0},kai$^{53}_{44}$ts^{h}iəu$^{53}_{44}$sien^{35}ts^{h}au^{21}tʂaŋ$^{53}_{44}$t^{h}an^{53}nɔi$^{13}_{21}$,sien^{35}tʂ^{h}a^{21}tʂaŋ$^{53}_{44}$t^{h}an^{53} p^{h}i^{13}lɔi$^{13}_{21}$,tsai^{53}fəŋ^{53}tet$^{5}_{3}$fan^{53}çi^{53}ts^{h}au^{21}.y^{13}ko^{21}ŋ̍^{13}kau^{21}t^{h}an^{53}ts^{h}au^{21}fan^{53}nei^{0},xai^{13}k^{h}o^{21}i^{21}fəŋ$^{53}_{44}$tet^{5}tsʅ^{0}ts^{h}ɔi^{53},fəŋ$^{53}_{44}$ tet^{5}tsʅ^{0}ts^{h}ɔi^{53}çi^{53}.tien^{21}tek^{3}ts^{h}au^{21}tek^{3}kuən^{21},ts^{h}au^{21}kuən^{21}li^{0}liau^{0},tʂe^{21}ɔi^{53}ts^{h}au^{21}kuən^{21}ni^{0},n̩^{13}ts^{h}au^{21}ʂət^{5}fən$^{35}_{44}$ nait^{3}li^{0},in^{35}uei$^{53}_{44}$kai$^{53}_{44}$(tʂ)ak^{3}(t)əŋ$^{35}_{44}$si^{0}iəu^{35}ɲiet^{5},ts^{h}au^{21}lait^{3}li^{0}iəu^{35}ɲiet^{5},e$_{21}$,n̩^{13}ts^{h}au^{21}lait^{3}li^{0}.ts^{h}au^{21}kuən^{21}ni^{0} ts^{h}iəu^{53}iau^{53}tek^{3}li^{0},ts^{h}iəu^{53}ts^{h}an^{21}çi^{21}lɔi$^{13}_{21}$.ei$_{21}$,ia^{35}iəu^{35}tet^{5}lei^{0},ts^{h}au^{21}kuən^{21}ni^{0}ts^{h}iəu$^{53}_{44}$fəŋ$^{53}_{44}$ŋa$_{44}$(←xa^{53})uɔk^{5} li^{0},t^{h}i^{53}iek^{3}(←xek^{3})fo^{21}çi^{53},t^{h}i^{53}xek^{3}fo^{21}çi^{53},pa^{21}xo^{21}kuan^{35}xɔit^{5}tʂa^{21}tʂ^{h}a^{21}xek^{3}ts^{h}ai$^{13}_{21}$çi^{53}.ts^{h}iəu$^{53}_{44}$fəŋ^{53}tau^{21} uɔk^{5}li^{0},ɔi^{53}ʂət^{5}liau^{0}ts^{h}iəu$^{53}_{44}$tau$^{53}_{44}$kai$^{53}_{44}$uɔk^{5}li^{0}çi^{53}uət^{3},çi^{53}ts^{h}an^{21}.ia^{35}iəu^{35}tet^{5}ts^{h}iəu^{53}ts^{h}an^{21}çi^{21}lɔi$^{13}_{21}$.

【炒换茶】ts^{h}au^{21}uɔn^{53}ts^{h}a^{13} 名 炒制的副食品、茶点的统称：～，炮换茶。/一只用沙，一只用油。ts^{h}au^{21}uɔn^{53}ts^{h}a$^{13}_{21}$,p^{h}au^{13}uɔn^{53}ts^{h}a^{13}./iet^{3}tʂak^{3}iəŋ$^{53}_{44}$sa^{35},iet^{3}tʂak^{3}iəŋ^{53}iəu^{13}.

【炒米】ts^{h}au^{21}mi^{21} 名 旧时将过夜的剩饭或馊饭晒干后用油炸或用沙炒制，作为零食，又称“饭干米”：从前个～呀，其实就系饭干米。ts^{h}əŋ^{13}ts^{h}ien^{13}ke^{53}ts^{h}au^{21}mi^{21}ia^{0},c^{h}i^{13}ʂət^{5}ts^{h}iəu^{53}xe$^{53}_{44}$fan^{53} kən^{35}mi^{21}.｜打比样我等箇个食箇个～呀，就抷一抷米。抷一抷。箇就不是拈了。ta^{21}pi^{21}iəŋ$^{53}_{44}$ ŋai$^{13}_{21}$tien^{0}kai$^{53}_{44}$ke$^{53}_{44}$ʂət^{5}kai$^{53}_{44}$ke$^{53}_{44}$ts^{h}au^{21}mi^{21}ia^{0},ts^{h}iəu$^{53}_{44}$ia^{21}iet^{3}ia^{21}mi^{21}.ia^{21}iet^{3}ia^{21}.kai$^{53}_{44}$ts^{h}iəu$^{53}_{44}$puk^{3}ʂʅ$^{53}_{21}$nian^{35} niau^{0}.

【炒猪肉】ts^{h}au^{21}tʂəu^{35}ɲiəuk^{3} 炒肉，烧肉：以几晡子我系去浏阳，我就……我孙子也去箇吵。我就箇晡我就交代渠，我话：“爱作为一只后生人来讲是一只伢子人来讲是，爱学嘞炒几碗子拿手个好菜。我第一只学过来就系辣椒～，或者安做猪肉炒辣椒。”箇（渠）会炒是炒哩嘞，炒嘿两碗呢。欸，我就话渠，我话：“你爱搞几碗子拿手个菜嘞。你莫作为一只后生人来讲，听晡你去女朋友面前你都只爱表现下子自家啦，系唔系？莫讲话我么个都会搞。系啊？但是嘞你爱炒得几碗子菜出。炒四碗子菜呀六碗子菜相对呀，系唔系？欸，你到哩你丈人爷箇映子啊，到哩你女朋友屋下，你就爱表现下子自家。”个子是比你都更高喔。嗨嗨，箇只正十四岁哟。i^{21}ci^{21}pu$^{35}_{53}$tsʅ^{0}ŋai^{13}e^{53}çi^{53}liəu^{13}iəŋ^{13},ŋai^{13}ts^{h}iəu$^{53}_{44}$…ŋai$^{13}_{21}$sən^{35}tsʅ^{0}a$^{35}_{44}$çi$^{53}_{44}$kai$^{53}_{44}$sa^{0}.ŋai^{13}ts^{h}iəu^{53}kai^{53}

pu^{35}ŋai$^{13}_{21}$tsʰiəu$^{53}_{44}$ciau^{35}tai$^{53}_{21}$ci$^{13}_{21}$,ŋai^{13}ua$^{53}_{44}$:"ɔi$^{53}_{44}$tsɔk^{3} uei^{13}iet^{3} tʂak^{3} xei^{53}saŋ$^{35}_{44}$ɲin$^{13}_{21}$nɔi$^{13}_{21}$kɔŋ^{21}ʂʅ$^{53}_{44}$iet^{3} tʂak^{3} ŋa^{13}tsʅ^{0} ɲin$^{13}_{21}$nɔi$^{13}_{44}$kɔŋ^{21}ʂʅ$_{44}$,ɔi$^{53}_{44}$xɔk^{5} le^{0} tsʰau^{21}ci^{21}uɔn^{21}tsʅ^{0} lak^{5} ʂəu^{21}ke$^{53}_{44}$xau^{21}tsʰɔi^{53}.ŋai^{13}tʰi^{53}iet^{3} tʂak^{3} xɔk^{5} ko^{53}lɔi$^{13}_{21}$ tsʰiəu$^{53}_{44}$uei$^{53}_{44}$lait^{5} tsiau$^{35}_{44}$tsʰau^{21}tʂəu^{35}ɲiəuk^{3},xɔit$^{5}_{3}$ tʂa^{21}ɔn$^{35}_{44}$tso$^{53}_{44}$tʂəu^{35}ɲiəuk^{3} tsʰau^{21}lait^{5} tsiau$^{35}_{44}$."kai^{53}uɔi^{53}tsʰau^{21} ʂʅ$^{53}_{44}$tsʰau^{21}li^{0} le^{0},tsʰau^{21}uek^{3} iɔŋ^{21}uɔn^{21}ne^{0}.e$_{21}$,ŋai^{13}tsʰiəu$^{53}_{44}$ua^{53}ci$^{13}_{21}$,ŋai^{13}ua^{53}:"ɲi$^{13}_{44}$ɔi^{53}kau^{21}ci^{21}uɔn^{21}tsʅ^{0} lak^{5} ʂəu^{21} ke$^{53}_{44}$tsʰɔi^{53}le^{0}. ɲi^{13}mɔk^{5} tsɔk^{3} uei$^{13}_{21}$iet^{3} tʂak^{3} xei^{53}saŋ$^{35}_{44}$ɲin$^{13}_{21}$nɔi$^{13}_{21}$kɔŋ^{21},tʰin^{53}pu$^{35}_{44}$ɲi$^{13}_{21}$çi^{53}ɲy^{21}pʰəŋ^{13}iəu^{35}mien^{53} tsʰien$^{13}_{21}$ɲi^{13}təu$^{35}_{44}$tʂʅ^{21}ɔi^{53}piau^{21}çien^{53}na$^{53}_{44}$tsʅ^{0} tsʰʅ^{35}ka$^{35}_{53}$la^{0},xei$^{53}_{44}$me$^{53}_{44}$?mɔk^{5} kɔŋ^{21}ua^{53}ŋai$^{13}_{21}$mak^{3} ke^{53}təu$^{35}_{53}$uɔi^{53} kau^{21}.xei$^{53}_{44}$a^{0}?tan$^{53}_{44}$ʂʅ$^{53}_{44}$lei^{0}ɲi$^{13}_{21}$ɔi^{53}tsʰau^{21}tek^{3} ci^{21}uɔn^{21}tsʅ^{0} tsʰɔi^{53}tʂʰət^{3}.tsʰau^{21}si^{53}uɔn^{21}tsʅ^{0} tsʰɔi^{53}ia^{0} liəuk^{3} uɔn^{21} tsʅ^{0} tsʰɔi^{53}siɔŋ$^{35}_{44}$tɔi^{53}ia^{0},xei$^{53}_{44}$me$^{53}_{21}$?ei$_{21}$, ɲi$^{13}_{21}$tau^{53}li^{0}ɲi$^{13}_{44}$tʂʰɔŋ$^{53}_{44}$in$^{13}_{44}$ia^{13}kai$^{53}_{44}$iaŋ^{53}tsʅ^{0} a^{0},tau^{53}li^{0}ɲi$^{13}_{21}$ɲy^{21}pʰəŋ$^{13}_{21}$iəu^{35} uk^{3} xa^{53}, ɲi$^{13}_{21}$tsʰiəu$^{53}_{44}$ɔi$^{53}_{44}$piau^{21}çien^{53}na$^{53}_{44}$tsʅ^{0} tsʰʅ$^{35}_{44}$ka$^{35}_{53}$."ko^{53}tsʅ^{0} ʂʅ$^{53}_{44}$pi^{21}ɲi$^{13}_{21}$təu$^{35}_{44}$cien^{53}kau$^{35}_{44}$uo^{0}.xai$_{53}$xai$_{53}$,kai$^{53}_{21}$ tʂak^{3} tʂaŋ^{53}ʂət^{5} si^{53}sɔi^{53}io^{0}.

【车$_{1}$】tʂʰa^{35} 名车辆，尤指小汽车：箇辆～上䨲松个噢。kai^{53}liɔŋ^{21}tʂʰa^{35}xɔŋ$^{53}_{44}$lau^{35}səŋ^{35}ke^{53}au^{0}. ｜渠就喊声爱几多辆～。我话箇～是都要得哦，箇是都要得噢，箇也系哟如今认真讲起来是。欸，卖妹子总爱搞像下子，系唔系？送嫁个像下子啊。我话就一只咁个问题嘞，我箇映还有五六里路去唔得～个嘞，爱走哩。我话你搞咁多小车摆都冇哪摆，箇映子还有只就有五六里路去唔得～，第二只嘞进去哩出唔得，爱倒下出，冇得栏场出得个。欸，一只转～……转头个栏场都冇得，我话，你就爱倒下出嘞，箇也有两三里嘞，箇也有两三里路。嗯，狭狭子一条子咁长子个路，又唔平，又箇路唔系就系箇个拖拉机个路。我话你搞倒箇个小车就你就还上十里去唔得个啦。欸，你唯……我话但是嘞我同你想只办法嘞就莫去贪咁个嘞，你请张咁个货车子，请张咁个货车，底盘更高哕，你开下我想正个箇只栏场子，欸，箇只箇岗子上，你就只爱走两里子路就有哩。～是爱一辆啊，咁远呐，系唔系？走是不可能咯。箇就又信我呀，搞张货车，又搞只篷篷啊，尽兜都徛下箇货车肚里。箇冇办法嘞。欸，箇人呐欸嫁妆箇兜啦搞做一车啊。箇是也同意哩。ci$^{13}_{21}$tsiəu$^{53}_{44}$xan^{53}ʂaŋ$^{35}_{44}$ɔi^{53}ci^{21}to^{35}liɔŋ^{21}tʂʰa^{35}.ŋai^{13}ua^{53}kai^{53}tʂʰa^{35}ʂʅ$^{53}_{44}$təu$^{35}_{44}$ iau^{53}tek^{3} o^{0},kai^{53}ʂʅ$^{53}_{44}$təu$^{35}_{44}$iau^{53}tek^{3} au^{0},kai$^{53}_{44}$ia^{35}xei^{53}iau^{0} i$^{13}_{21}$cin$^{35}_{44}$ɲin$^{53}_{44}$tʂən$^{35}_{44}$kɔŋ^{21}çi^{21}lɔi$^{13}_{21}$ʂʅ$^{53}_{21}$.e$_{21}$,mai^{53}mɔi^{53}tsʅ^{0} tsəŋ^{21}ɔi$^{53}_{44}$kau^{21}tsʰiɔŋ^{53}xa$^{53}_{44}$tsʅ^{0},xei^{53}me^{53}?səŋ^{53}ka^{53}kei$^{53}_{44}$tsʰiɔŋ^{53}xa$^{53}_{21}$tsa^{0}.ŋai$^{13}_{21}$ua^{53}tsʰiəu^{53}iet^{3} tʂak^{3} kan$^{21}_{13}$ke$^{53}_{44}$uən^{53} tʰi$^{13}_{21}$lei^{0},ŋai^{13}kai^{53}iaŋ^{53}xai$^{13}_{21}$iəu^{35}ŋ̍^{21}liəuk^{3} li^{35}ləu^{53}çi^{53}n̩$^{13}_{21}$tek^{3} tʂʰa^{35}ke^{53}lei^{0},ɔi^{53}tsei^{21}ni^{0}.ŋai^{13}ua^{53}ɲi^{13}kau^{21}kan^{21}to$^{35}_{53}$ siau^{21}tʂʰa$^{35}_{53}$pai^{21}təu$^{35}_{53}$mau$^{13}_{21}$lai^{53}pai^{21},kai^{53}iaŋ^{53}tsʅ^{0} xai$^{13}_{21}$iəu$^{35}_{53}$tʂak^{3} tsʰiəu^{53}iəu$^{35}_{53}$ŋ̍^{21}liəuk^{3} li^{35}ləu$^{53}_{44}$çi^{53}n̩$^{13}_{21}$tek^{3} tʂʰa^{35}, tʰi^{53}ɲi^{53}tʂak^{3} lei^{0} tsin^{53}çi^{53}li^{0} tʂʰət^{3} n̩^{13}tek^{3},ɔi$^{53}_{44}$tau^{53}ua^{53}tʂʰət^{3},mau^{13}tek^{3} laŋ$^{13}_{21}$tʂʰɔŋ$^{13}_{21}$tʂʰət^{3} tek^{3} ke^{53}.e$_{21}$,iet^{3} tʂak^{3} tʂuɔn^{21}tʂʰa···tʂuɔn^{21}tʰei^{13}ke^{53}laŋ$^{13}_{21}$tʂʰɔŋ$^{13}_{44}$təu$^{35}_{53}$mau$^{13}_{21}$tek^{3},ŋai^{13}ua^{53}, ɲi^{13}tsʰiəu$^{53}_{44}$ɔi$^{53}_{44}$tau^{53}ua^{53}tʂʰət^{3} lei^{0},kai^{53}ia$^{35}_{44}$ iəu$^{35}_{53}$iɔŋ^{21}san$^{35}_{44}$li^{35}lei^{0},kai^{53}ia$^{35}_{44}$iəu$^{35}_{53}$iɔŋ^{21}san$^{35}_{44}$li^{35}ləu^{53}.n̩$_{21}$,ciait^{5} cʰiait^{5} tsʅ^{0} iet^{3} tʰiau$^{13}_{21}$tsʅ^{0} kan^{21}tʂʰɔŋ^{13}tsʅ^{0} ke$^{53}_{44}$ləu^{53}, iəu^{53}m̩^{13}pʰiaŋ^{13},iəu$^{35}_{44}$kai$^{53}_{44}$ləu^{53}mei$_{21}$(←m̩^{13}xei^{53})tsʰiəu^{53}xei$^{53}_{21}$kai$^{53}_{44}$kei$^{53}_{44}$tʰo^{35}la$^{35}_{44}$ci$^{35}_{44}$ke$^{53}_{44}$ləu$^{53}_{44}$.ŋai^{13}ua^{53}ɲi^{13}kau^{21} tau^{21}kai^{53}ke^{53}siau^{21}tʂʰa$^{35}_{53}$tsʰiəu$^{53}_{21}$ɲi$^{13}_{21}$tsʰiəu^{53}xai$^{13}_{21}$ʂɔŋ$^{53}_{44}$ʂət^{5} li^{35}çi^{53}n̩$^{13}_{21}$tek^{3} ke^{53}la^{0}.e$_{21}$, ɲi^{13}uei^{13}···ŋai^{13}ua^{53}tan^{53}ʂʅ^{53} lei^{0} ŋai^{13}tʰəŋ$^{13}_{21}$ɲi$^{13}_{21}$siɔŋ^{21}tʂak^{3} pʰan^{53}fait^{3} lei^{0} tsʰiəu$^{53}_{44}$mɔk^{5} çi^{53}tʰan^{35}kan^{21}cie^{53}lei^{0}, ɲi^{13}tsʰiaŋ^{21}tʂɔŋ$^{35}_{44}$kan^{21}ke$^{53}_{44}$fo^{53} tʂʰa^{35}tsʅ^{0},tsʰiaŋ^{21}tʂɔŋ$^{35}_{44}$kan^{21}ke$^{53}_{44}$fo^{53}tʂʰa$^{35}_{44}$,tei^{21}pʰan$^{13}_{44}$cien^{53}kau^{35}ʂa^{0}, ɲi^{13}kʰɔi^{35}ia$^{53}_{44}$ŋai^{13}siɔŋ^{21}tʂaŋ^{53}ke^{53}kai^{53}tʂak^{3} laŋ^{13}tʂʰɔŋ^{13}tsʅ^{0},e$_{21}$,kai^{53}tʂak^{3} kai$^{53}_{44}$kɔŋ^{35}tsʅ^{0} xɔŋ^{53}, ɲi$^{13}_{21}$tsʰiəu^{53}tʂʅ^{21}ɔi^{53}tsei^{21}iɔŋ^{21}li^{35}tsʅ^{0} ləu^{53}tsʰiəu$^{53}_{44}$iəu^{35}li^{0}.tʂʰa^{35} ʂʅ$^{53}_{44}$ɔi^{53}iet^{3} liɔŋ^{21}a^{0},kan^{21}ien^{21}na^{0},xei^{53}me^{53}?tsei^{21}ʂʅ^{53}pət^{3} kʰo^{21}len^{13}ko^{0}.kai$^{53}_{21}$tsʰiəu$^{53}_{21}$iəu$^{53}_{44}$sin^{53}ŋai$^{13}_{21}$ia^{0},kau^{21} tʂɔŋ$^{35}_{44}$fo^{53}tʂʰa^{35},iəu$^{53}_{44}$kau^{21}tʂak^{3} pʰəŋ^{13}pʰəŋ$^{13}_{44}$ŋa^{0},tsʰin^{53}te$^{35}_{44}$təu$^{35}_{44}$cʰi^{35}xa$^{53}_{44}$kai$^{53}_{44}$fo$^{53}_{44}$tʂʰa$^{35}_{53}$təu^{21}li^{0}.kai^{53}mau^{13}pʰan^{53} fait^{3} le^{0}.ei$_{53}$,kai^{53}ɲin^{13}na^{0} ei^{0} ka^{53}tsɔŋ^{35}kai$^{53}_{44}$te$^{35}_{44}$la^{0} kau^{21}tso^{53}(i)et^{3} tʂʰa^{35}a^{0}.kai^{53}ʂʅ^{53}ia^{35}tʰəŋ^{13}i^{53}li^{0}.

【车$_{2}$】tʂʰa^{35} 动①用风车分离出谷物中秕糠：风车～谷，最重个最精壮个就系好谷。fəŋ^{35} tʂʰa$^{35}_{44}$tʂʰa^{35}kuk^{3},tsei^{53}tʂʰəŋ^{35}ke^{0} tsei^{53}tsin^{35}tʂɔŋ$^{53}_{44}$ke^{0} tsʰiəu^{53}xe^{53}xau^{21}kuk^{3}.｜米筛个目的就系分箇个谷头搞出来。咁子系唔系就食得嘞？还食唔得。有箇□长个谷壳，赠踏倒个。箇下就放……进风车了。进风车～一到，分箇谷壳又～嘿去。箇就食得了。mi^{21}sai$^{35}_{53}$ke^{53}muk^{3} tiet^{3} tsʰiəu^{53}xe^{53}pən^{35} kai$^{53}_{44}$ke$^{53}_{44}$kuk^{3} tʰei^{13}kau^{21}tʂʰət^{3} lɔi$^{13}_{21}$.kan^{21}tsʅ^{0} xei^{53}mei^{53}tsʰiəu^{53}ʂət^{5} tek^{3} le^{0}?xai^{13}ʂət^{5} n̩$^{13}_{21}$tek^{3}.iəu^{35}kai$^{53}_{44}$lai^{35}tʂʰɔŋ$^{13}_{21}$ ke^{53}kuk^{3} kʰɔk^{3},maŋ^{13}tʰait^{5} tau^{21}ke^{53}.kai^{53}xa$^{53}_{44}$tsiəu^{53}fɔŋ^{53}···tsin^{53}fəŋ^{35}tʂʰa$^{35}_{44}$liau^{0}.tsin$^{53}_{44}$fəŋ^{35}tʂʰa$^{35}_{44}$tʂʰa^{35}(i)et^{3} tau^{53},pən$^{35}_{44}$kai^{53}kuk^{3} kʰɔk^{3} iəu^{53}tʂʰa^{35}(x)ek^{3} çi^{53}.kai$^{53}_{44}$tsʰiəu$^{53}_{44}$ʂət^{5} tek^{3} liau^{0}. ②利用水车取水：用水车啊～上去，～水。iəŋ^{53}ʂei^{21}tʂʰa^{35}a^{0} tʂʰa^{35}ʂɔŋ^{53}çi^{53},tʂʰa^{35}ʂei^{21}. ③水流旋转侵蚀：箇打旋个栏场底下～成一只潭。kai^{53}ta^{21}tsʰiɔn^{53}ke^{0} laŋ$^{13}_{21}$tʂʰɔŋ$^{13}_{44}$tei^{21}xa$^{53}_{44}$tʂʰa^{35}ʂaŋ$^{13}_{21}$iet^{3} tʂak^{3} tʰan^{13}. ④用车钻钻孔：箇映打嘿～有眼。欸，～有只眼。kai$^{53}_{21}$iaŋ$^{53}_{44}$ta^{21}xek^{3} tʂʰa^{35}iəu$^{35}_{44}$ŋan^{21}.ei$_{21}$,tʂʰa^{35}iəu$^{35}_{44}$tʂak^{3} ŋan^{21}. ⑤用旋床加工：以个～葫芦个刀安做么个刀去？i$^{21}_{44}$ke$^{53}_{44}$tʂʰa^{35}fu$^{13}_{21}$ləu$^{13}_{21}$ke^{53}tau^{35}ɔn$^{35}_{44}$tso$^{53}_{44}$mak^{3} (k)e$^{53}_{44}$tau$^{35}_{44}$çi$^{53}_{44}$?

【车$_{3}$】tʂʰa^{35} 量指一车所装的人或货物：三千斤麦子装做一～。san^{35}tsʰien^{35}cin^{35}mak^{5}tsɿ^{0}tʂɔŋ^{35}tso^{53}iet^{3}tʂʰa^{35}.｜欸，箇人呐欸嫁妆箇兜啦搞做一～啊。ei$_{53}$,kai^{53}ɲin^{13}na^{0}ei^{0}ka^{53}tsɔŋ^{35}kai$^{53}_{44}$te$^{35}_{44}$la^{0}kau^{21}tso^{53}(i)et^{3}tʂʰa^{35}a^{0}.

【车车】tʂʰa^{35}tʂʰa$^{35}_{44}$ 形旋转貌：发着灯盏来就箇个菩萨子就～转呢。pɔit^{3}tʂʰɔk^{5}tien^{35}tsan^{21}nɔi$^{13}_{21}$tsʰiəu$^{53}_{44}$kai$^{53}_{44}$ke$^{53}_{44}$pʰu^{13}sait^{3}tsɿ^{0}tsʰiəu$^{53}_{44}$tʂʰa^{35}tʂʰa$^{35}_{44}$tʂən^{21}nei^{0}.

【车刀】tʂʰa^{35}tau^{35} 名木工制作葫芦的刀具：箇张刀欸渠就张箇尖刀嘞，畾尖个嘞。箇只安做么个刀？以个车葫芦个刀安做么个刀去？～。唔，～。～拿嘿手里，欸，拿嘿手里，系。kai$^{53}_{44}$tʂɔŋ$^{35}_{44}$tau^{35}ei^{0}ci$^{13}_{21}$tsʰiəu^{53}tʂɔŋ^{35}kai$^{53}_{44}$tsian^{35}tau$^{35}_{44}$lei^{0},li^{35}tsian^{35}ke^{53}lei^{0}.kai$^{53}_{21}$tʂak^{3}ɔn$^{35}_{44}$tso$^{53}_{44}$mak^{3}(k)e$^{53}_{44}$tau^{35}?i$^{21}_{44}$ke$^{53}_{44}$tʂʰa^{35}fu$^{13}_{21}$ləu$^{13}_{21}$ke^{53}tau^{35}ɔn$^{35}_{44}$tso$^{53}_{44}$mak^{3}(k)e$^{53}_{44}$tau$^{35}_{44}$çi$^{53}_{44}$?tʂʰa^{35}tau^{35}.n̩$_{21}$,tʂʰa^{35}tau^{35}.tʂʰa^{35}tau$^{35}_{44}$la^{53}(x)ek^{3}ʂəu^{21}li^{0},e$_{21}$,la^{53}(x)ek^{3}ʂəu^{21}li^{0},xei$^{53}_{44}$.

【车碓】tʂʰa^{35}tɔi^{53} 名水碓：～哟，箇个油榨箇只都我昨晡打电话分我老表，还噢严坪街上啊，严坪湾里唔系有只油榨？我等细细子坐下箇个坐箇碾子上去嬲哇。冇哩话，么啊都冇哩。/欸，以映箇只打油个是系冇哩噢。/冇得哩。tʂʰa^{35}tɔi^{53}iau^{0},kai$^{53}_{44}$ke$^{53}_{44}$iəu^{13}tsa^{53}kai$^{53}_{44}$tʂak^{3}təu$^{35}_{44}$ŋai$^{13}_{44}$tsʰo$^{53}_{44}$pu$^{35}_{53}$ta^{21}tʰien$^{53}_{44}$fa$^{53}_{44}$pən$^{35}_{44}$ŋai$^{13}_{44}$lau^{21}piau^{21},xa$^{13}_{21}$au^{0}ɲien^{13}pʰiaŋ$^{13}_{21}$kai^{35}xɔŋ$^{53}_{44}$ŋa^{0},ɲien^{13}pʰiaŋ$^{13}_{21}$uan^{35}ni^{0}m̩$^{13}_{21}$pʰe$_{44}$(←xe^{53})iəu$^{35}_{44}$tʂak^{3}iəu^{13}tsa^{53}?ŋai$^{13}_{21}$tien^{0}sei^{53}sei^{53}tsɿ^{0}tsʰo^{35}xa$^{53}_{44}$kai^{53}ke$^{53}_{44}$tsʰo^{35}kai^{53}ŋan^{35}tsɿ^{0}xɔŋ$^{53}_{44}$çi$^{53}_{44}$liau^{53}ua^{0}.mau^{13}li^{0}ua$^{53}_{44}$,mak^{3}a^{0}təu$^{35}_{44}$mau$^{13}_{21}$li^{0}./e$_{21}$,i^{21}iaŋ^{53}kai^{53}tʂak^{3}ta^{21}iəu^{13}ke^{53}ʂʅ^{53}xe^{53}mau$^{13}_{44}$li^{0}au^{0}./mau^{13}tek^{3}li^{0}.

【车光】tʂʰe^{35}kɔŋ^{35} 形①很光滑：箇只树皮嘞～个。kai$^{53}_{44}$tʂak^{3}ʂəu^{53}pʰi$^{13}_{21}$le^{0}tʂʰe$^{35}_{53}$kɔŋ^{35}ke$^{53}_{44}$. ②形容表面光秃无物：箇障岭斫起～。岭上斫起～，一条树都冇得哩。kai$^{53}_{44}$tʂɔŋ^{53}liaŋ^{35}tʂɔk^{3}çi^{21}tʂʰe^{35}kɔŋ^{35}.liaŋ^{35}xɔŋ$^{53}_{44}$tʂɔk^{3}çi^{21}tʂʰe^{35}kɔŋ^{35},iet^{3}tʰiau^{13}ʂəu^{53}təu$^{35}_{44}$mau$^{13}_{44}$tek^{3}li^{0}.｜脑壳顶上跌起～个头发，嗯，头发跌起～。lau^{21}kʰɔk^{3}taŋ^{21}xɔŋ^{53}tet^{3}çi$^{21}_{44}$tʂʰe^{35}kɔŋ^{35}ke$^{53}_{44}$tʰei$^{13}_{21}$fait^{3},n̩$_{21}$,tʰei$^{13}_{21}$fait^{3}tet^{3}çi$^{21}_{44}$tʂʰe^{35}kɔŋ$^{35}_{44}$.

【车昏】tʂʰa^{35}fən^{13} 动状态词。（头）很晕：食哩（狗爪豆）脑壳会～。ʂət^{5}li^{0}lau^{21}kʰɔk^{3}uɔi^{53}tʂʰa^{35}fən^{13}.｜以发呀真多烦恼事，搞起我脑壳都～。i^{21}fait^{3}ia^{0}tʂən^{35}to$^{35}_{44}$fan^{13}nau^{21}sɿ^{53},kau^{21}çi$^{21}_{53}$ŋai$^{13}_{21}$lau^{21}kʰɔk^{3}təu$^{35}_{53}$tʂʰa^{35}fən$^{13}_{21}$.

【车辣】tʂʰa^{35}lait^{5} 形很辣：欸箇起咁个么个欸小米椒哇～个，箇只东西食多哩食唔得，食起……箇到我等箇只就市场里箇只我等箇喊老弟呀，渠等屋下来哩客，欸，我走箇过去散步子个过嘞，渠喊我转去食鱼。硬～咯，硬系辣尽哩命哦，舞倒箇归倒屋下肚子都痛噢硬噢。渠等食起尽味道，我真食唔得咁辣。～个硬。晓渠放倒箇辣椒王啊么个东西。～。e$_{44}$kai^{53}çi$^{21}_{44}$kan$^{21}_{44}$cie^{53}mak^{3}ke$^{53}_{44}$e$_{21}$siau^{21}mi^{21}tsiau^{35}ua^{0}tʂʰa^{35}lait^{5}ke^{0},kai$^{53}_{44}$iak^{3}təŋ$^{35}_{44}$si^{0}ʂʅt^{5}to$^{35}_{44}$li^{0}ʂət^{5}n̩$^{13}_{21}$tek^{3},ʂət^{5}çi$^{21}_{53}$…kai$^{53}_{44}$tau$^{53}_{44}$ŋai$^{13}_{21}$tien^{0}kai^{53}tʂak^{3}tsʰiəu$^{53}_{44}$sɿ^{53}tʂʰɔŋ^{21}li^{0}kai^{53}tʂak^{3}ŋai^{13}tien^{0}kai^{53}xan^{53}lau^{21}tʰe^{35}ia^{0},ci^{13}tien^{0}uk^{3}xa^{53}lɔi$^{13}_{21}$li^{0}kʰak^{3},e$_{21}$,ŋai$^{13}_{21}$tsei^{21}kai$^{53}_{44}$ko^{53}çi^{53}san^{53}pʰu^{53}tsɿ^{0}ke$^{53}_{44}$ko^{53}lei^{0},ci$^{13}_{21}$xan^{53}ŋai$^{13}_{44}$tʂən^{21}çi$^{53}_{44}$ʂət^{5}ŋ̍^{13}. ɲiaŋ^{53}tʂʰa^{35}lait^{5}ko^{0},ɲiaŋ$^{53}_{44}$xei$^{53}_{44}$lait^{5}tsʰin$^{53}_{44}$li^{0}miaŋ^{53}ŋo^{0},u^{21}tau$^{21}_{44}$kai$^{53}_{44}$kuei^{35}tau^{21}uk^{3}xa$^{53}_{44}$təu^{21}tsɿ^{0}təu^{35}tʰəŋ^{53}ŋau^{0}ɲiaŋ$^{53}_{44}$au^{0}.ci$^{13}_{21}$tien^{0}ʂət^{5}çi$^{21}_{44}$tsʰin^{53}uei$^{53}_{44}$tʰau$^{53}_{44}$,ŋai^{13}tʂən^{35}ʂət^{5}n̩$^{13}_{21}$tek^{3}kan^{21}lait^{5}.tʂʰa^{35}lait^{5}ke^{0}ɲiaŋ^{53}.çiau^{21}ci$^{13}_{44}$fɔŋ$^{53}_{44}$tau$^{21}_{44}$kai$^{53}_{44}$lait^{5}tsiau$^{35}_{53}$uɔŋ^{13}a^{0}mak^{3}ke^{53}təŋ$^{35}_{44}$si^{0}.tʂʰa^{35}lait^{5}.

【车令子】tʂʰe$^{35}_{44}$laŋ^{53}tsɿ^{0} 形光滑无棱：毛桐子嘞就系面上个壳～。mau^{35}tʰəŋ$^{13}_{21}$tsɿ^{21}le^{0}tsʰiəu$^{53}_{44}$xe$^{53}_{44}$mien^{53}xɔŋ$^{53}_{44}$ke$^{53}_{44}$kʰɔk^{3}tʂʰe$^{35}_{44}$laŋ^{53}tsɿ^{0}.

【车路】tʂʰa^{35}ləu^{53} 名公路：箇阵子箇个冇得～哇，（煤）不能拖下来呀。kai^{53}tʂʰən^{53}tsɿ^{0}kai^{53}ke^{53}mau$^{13}_{21}$tek^{3}tʂʰa^{35}ləu^{53}ua^{0},pət^{3}len$^{13}_{21}$tʰo^{35}xa$^{53}_{44}$lɔi$^{13}_{21}$ia^{0}.

【车轮子】tʂʰa^{35}lən^{13}tsɿ^{0} 名车下转动的轮子。又称"轮子"。又比喻砍成一段段圆筒形的猪脚：我等人客姓人吵还有只东西安做～个啦。以只东西是一般就就系讲汽车轮子啊，么个板车轮子啊，系唔系？欸，自行车个～，箇就通通都安做～。欸，又安做轮子。嗯。欸，我等是曾经搞过箇个嘞，箇猪脚啊，猪子个猪脚啊，箇阵子我等学堂里喜欢食猪脚。整个乌石凤溪箇一带都有咁个话法，就系么个嘞？箇猪脚啊，咁子完筒个猪脚咁子去斩呐，斩做一筒筒啊。咁子啊。又有皮，中间有骨头。又系圆个，渠就"来哟，来食～"。来食～就系来食猪脚。箇个欸就同箇～样。箇可能以个张家坊冇得咁个话法。唔知有吗。我等去乌石个时候子就如今都有咁个话法，有咁讲法。"食～哦，来去哦。"ŋai$^{13}_{21}$tien^{0}ɲin$^{13}_{21}$kʰak^{3}sin^{53}ɲin$^{13}_{21}$ʂa^{0}xai^{13}iəu$^{35}_{53}$tʂak^{3}təŋ$^{35}_{44}$si^{0}ɔn$^{35}_{44}$tso$^{53}_{44}$tʂʰa^{35}lən$^{13}_{21}$tsɿ^{0}ke^{0}la^{0}.i^{21}tʂak^{3}təŋ$^{35}_{44}$si^{0}ʂʅ$^{53}_{44}$iet^{3}pɔn^{35}tsʰiəu$^{53}_{44}$tsʰiəu^{53}xei^{53}kɔŋ^{21}cʰi^{53}tʂʰa$^{35}_{44}$lən^{13}tsɿ^{0}a^{0},mak^{3}ke^{53}pan^{21}tʂʰa$^{35}_{44}$lən^{13}tsɿ^{0}a^{0},xei$^{53}_{44}$me$^{53}_{44}$?e$_{21}$,tsʰɿ^{53}çin$^{13}_{21}$tʂʰa$^{35}_{44}$ke^{0}tʂʰa^{35}lən$^{13}_{21}$tsɿ^{0},kai$^{53}_{44}$tsiəu^{53}tʰəŋ^{35}tʰəŋ$^{35}_{44}$təu$^{35}_{44}$ɔn$^{35}_{53}$tso$^{53}_{21}$tʂʰa^{35}lən$^{13}_{21}$tsɿ^{0}.ei$_{21}$,iəu^{53}ɔn$^{35}_{44}$tso$^{53}_{44}$lən^{13}tsɿ^{0}.n̩$_{21}$.e$_{44}$,ŋai^{13}tien^{0}ʂʅ$^{53}_{44}$tsʰen^{13}cin$^{35}_{53}$kau^{21}ko$^{53}_{44}$kai$^{53}_{44}$cie$^{53}_{44}$le^{0},kai$^{53}_{44}$tʂəu^{35}

ciɔk3 a0,tʂəu35tsɿ0 ke0 tʂəu35ciɔk3 a0,kai53tʂʰən53tsɿ0 ŋai13tien0 xɔk5 tʰəŋ13-44li0 çi21fəŋ35-44ʂət5 tʂəu35ciɔk3.tʂən21ko53u35 ʂak5 fəŋ53 çi35-44kai35iet3 tai35təu35iəu35-44kan21cie53-44ua53fait3,tsʰiəu53-44xei53-44mak3 e0 lei0?kai53-44tʂəu35ciɔk3 a0,kan21tsɿ0 uən13tʰəŋ13-44ke0 tʂəu35ciɔk3 kan21tsɿ0 çi53tsan21na0,tsan21tso53iet3 tʰəŋ13-21tʰəŋ13ŋa0.kan21tsa0.iəu53iəu35-44pʰi13,tʂəŋ35 kan35-44iəu35-53kuət3 tʰei13-21.iəu53uei53ien13cie53,ci13-44tsʰiəu53-44"lɔi13io0,lɔi13-21ʂət5 tʂʰa35lən13-21tsɿ0".lɔi13ʂət5 tʂʰa35lən13-21tsɿ0 tsʰiəu53xe53lɔi13-21ʂət5 tʂəu35ciɔk3.kai53kei53e21tsʰiəu53tʰəŋ13-21kai53-44tʂʰa35lən13-21tsɿ0 iɔŋ53.kai53kʰo21nen13i21kei53tʂəŋ35-44 ka35-44fəŋ35mau13-21tek3 kan21kei53-44ua53fait3.n̩13-21ti35-44iəu35-44ma0.ŋai13tien0 çi53u35ʂak5 ke0 ʂɿ13xəu53tsɿ0 tsʰiəu53-44i13-21cin35-44təu35-44 iəu35-53kan21-44e0 ua53-44fait3,iəu35kan21-44kɔŋ21fait3."ʂət5 tʂʰa35lən13-44tso0,lɔi13-21çi53o0."

【车门子】tʂʰa35mən13tsɿ0 名车上供上、下车的门：是不有开关个，上人下人个？～。ʂɿ53-44pət3 iəu35-44kʰɔi35kuan35cie53-44,ʂɔŋ35ɲin13-21xa35ɲin13-21cie53-44?tʂʰa35mən13tsɿ0.

【车蒙】tʂʰe35məŋ13 形状态词。①云雾很浓的样子：早上上来雾唔知几大，～个，看唔得几远。tsau21ʂɔŋ53-44xɔŋ53lɔi13-44u53n̩13ti35-53ci21tʰai53,tʂʰe35məŋ13-21ke0,kʰən53n̩13-21tek3 ci21ien21.｜今晡落水呀落起～个呢。cin35pu35-53lɔk5 ʂei21ia0 lɔk5 çii21-53tʂʰe35məŋ13-21ke53nei0.②视线模糊：还有只话法，眼珠，“哦，看看哩我看唔真哩，～个。嗯，我看唔倒哩。看远滴子就看唔倒哩。眼珠模糊，～。只看倒～个”。xai13-21iəu35-53tʂak3 ua53fait3,ŋan21tʂəu35-44,"o53,kʰən53-44kʰən53li0 ŋai13kʰən53n̩13-21tʂən35ni0,tʂʰe35məŋ13-21ke0.n̩21,ŋai13kʰən53 n̩13-44tau53-44li0.kʰən53ien21tiet5 tsɿ0 tsʰiəu53-44kʰən53n̩13-44tau53-44li0.ŋan21tʂəu35-53mo13-21fu13-21,tʂʰe35məŋ13-21.tʂɿ21kʰən53tau21tʂʰe35 məŋ13-44ke0".

【车木匠】tʂa35muk3 siɔŋ53 名专做水车、车碓、油榨等的木匠：～，就箇种木匠专门做水车，做车碓个呢。tʂʰa35muk3 siɔŋ53,tsʰiəu53-44kai53tʂəŋ21muk3 siɔŋ53tʂen35-44mən13-44tso53ʂei21tʂʰa35-44,tso53-44tʂʰa35tɔi53ke53-44 nei0.｜欸，有～，打筒车打水车个，欸，做碓子个欸都安做～。e44,iəu35tʂʰa35muk3 siɔŋ53,ta21 tʰəŋ13tʂʰa35ta21ʂei21tʂʰa35ke0,e21,tso53-44tɔi53tsɿ0 ke0 e21təu35-21ɔn35-44tso53-44tʂʰa35muk3 siɔŋ53.

【车盘】tʂʰa35pʰan13 名制瓦、陶瓷器时用的转盘：箇只欸做瓦个时候子，渠做箇起呢瓦呢，箇箱瓦呢，箇大瓦呢。渠个大瓦让门做？做成只咁个圆筒筒呢，看呶，做只箇圆筒筒。渠做欸做只箇圆筒筒。圆筒筒嘞有滴子大细，有头大滴子有头细滴子。圆筒筒嘞渠箇边呢，渠有渠渠首先有只模子吵，有只模子。以映子一褙下去一贴下去，就来车，车倒以后嘞就放势背放势背背一阵背背出背成只圆筒筒。中间呢就中间呢又松下开来，就剩下圆筒筒放倒去下晒，系啊？晒干来。渠会让门子搣做三……渠就一只圆筒筒就三块瓦呢。安做箱瓦。三块瓦嘞。渠让门子让门子去搣得开嘞？渠个圆筒筒上啊有三条子栏场嘞高滴子。箇唔系做……以向外背贴嘿去就泼令子，系啊？其实肚里嘞有只栏场高滴，高滴个栏场就一扳就脱哩，就成哩三块。欸，箇个就安做么个？车……～。还有只东西安做～。我就看过箇个江西白水箇映子嘞有个做碗个，做瓷器个，做瓷器个碗。箇阵子是尽尽做罂头。做罂头做陶器呀，欸，做瓷器做陶器。都系有只盘。一只盘。底下个宽宽转个箇只盘。如今是落尾是尽就用电动机带唠。首先是尽用手噢。首先唔放泥个时候子，一放肆车哩，咁手一放肆车哩，车起宽宽转，一坨泥剁下去，一下就拿倒箇样东西就来舞，箇只东西就宽宽转，靠手工去叮呐，欸，箇～呢。我箇阵子喜欢看滴咁个。kai53tʂak3 e21tso53ŋa21ke53ʂɿ13xei53tsɿ0,ci13tso53kai53çi21nei0 ŋa21nei0,kai53tʰəŋ21ŋa21 nei0,kai53-44tʰai53ŋa21nei0.ci13ke0 tʰai53ŋa21ɲiɔŋ53-44mən0 tso53?tso53ʂaŋ13-21tʂak3 kan21-13kei53ien13tʰəŋ13-21tʰəŋ13-21nei0,kʰən53 nau0,tso53tʂak3 kai53ien13tʰəŋ21tʰəŋ21.ci13tso53e0 tso53tʂak3 kai53ien13-21tʰəŋ21tʰəŋ21.ien13tʰəŋ21tʰəŋ21lei0 iəu35tiet5 tsɿ0 tʰai53se53,iəu35tʰei13-21tʰai53tiet5 tsɿ0 iəu35tʰei13-21sei53tiet5 tsɿ0.ien13tʰəŋ21tʰəŋ21lei0 ci13kai53-44pien35nei0,ci13-21iəu35ci13-21ci13-21 ʂəu21sien35-44iəu35-53tʂak3 mu13tsɿ0 ʂa0,iəu35tʂak3 mu13tsɿ0.i21iaŋ53-44tsɿ0 iet3 pɔi53ia53-44çi53-44iet3 tiait3 ia53çi53,tsʰiəu53lɔi13-21tʂʰa35, tʂʰa35tau21i35-44xei53-44lei0 tsʰiəu53xɔŋ53ʂɿ53pɔi35xɔŋ53ʂɿ53pɔi35pɔi35iet3 tʂʰən53-44pɔi35pɔi35tʂʰət3 pɔi35ʂaŋ13-21tʂak3 ien13-21tʰəŋ13-21 tʰəŋ13-21.tʂəŋ35kan35-44nei0 tsʰiəu53tʂəŋ35kan35-44nei0 iəu53-21səŋ35ŋa44kʰɔi35-44lɔi13-44,tsʰiəu53ʂən53xa53-44ien13-21tʰəŋ13-21tʰəŋ13-21fəŋ53-44tau21-44 çi53-44xa53-44sai53,xei53-44a0?sai53kən35nɔi13-21.ci13uɔi53-44ɲiɔŋ53mən0 tsɿ0 miet3 tso53san35…ci13tsʰiəu53iet3 tʂak3 ien13tʰəŋ13-21 tʰəŋ13-21tsʰiəu53san35kʰuai53-44ŋa21nei0.ɔn35tso53tʰəŋ21ŋa21.san35kʰuai53ŋa21lei0.ci13ɲiɔŋ53mən0 tsɿ0 ɲiɔŋ53mən0 tsɿ0 çi53 miet3 tek3 kʰɔi35-21lei0?ci13ke53ien13tʰəŋ13-21tʰəŋ13-21xɔŋ53ŋa0 iəu35san35tʰiau13-21tsɿ0 laŋ13-21tʂʰɔŋ13-21lei0 kau35tiet5 tsɿ0.kai53-44m̩13-21 pʰe53-44tso53…i21çiɔŋ53ŋɔi53pɔi53-44tiait3 ek3 çi53tsʰiəu53-44pʰait5 laŋ53tsɿ0,xei53a0?cʰi13ʂət5 təu21li0 lei0 iəu35tʂak3 laŋ13-21 tʂʰɔŋ13-21kau35tiet5,kau35tiet5 e0 laŋ13-21tʂʰɔŋ13-21tsʰiəu53iet3 pan35tsʰiəu53tʰɔit3 li0,tsʰiəu53ʂaŋ13-21li0 san35kʰuai53.e21,kai53 kei53tsʰiəu53-44ɔn35-44tso53-44mak3 ke53-44?tʂʰa35…tʂʰa35pʰan13-21.xai13-21iəu35tʂak3 təŋ35-44si0 ɔn35-44tso53-44tʂʰa35pʰan13-21.ŋai13tsʰiəu53 kʰən53ko53kai53-44ke53-44kɔŋ35si35-44pʰak5 ʂei21kai53iaŋ53tsɿ0 lei0 iəu21ke53-44tso53uən21cie53,tso53tsʰɿ13-21çi53-44ke0,tso53tsʰɿ13-21çi53 ke53uən21.kai53tʂʰən53-44tsɿ0 ʂɿ53-21tsʰin53tsʰin53tso53aŋ35tʰei13.tso53aŋ35tʰei13-21tso53-44tʰau13çi53ia0,e21,tso53tsʰɿ13çi53tso53tʰau13 çi53.təu35xei53/44iəu35/44tʂak3pʰan13.iet3tʂak3pʰan13.te21xa53/44ke53kʰuan35/44kʰuan35/44tʂən21ke0kai53iak3pʰan13.i13/21cin35/44ʂʅ53/44lɔk5mi35/44ʂʅ53/44tsʰin53tsʰiəu53/44iəŋ53/44tʰien53/44tʰəŋ53/44ci53tai53lau0.ʂəu21sien35/44ʂʅ53/44tsʰin53iəŋ53/44ʂəu21uau0.ʂəu21sien35/44m̩13fəŋ53lai13cie53/44ʂʅ13xəu53/44tsʅ0,iet3fəŋ53/44ʂʅ53/44tʂʰa35li0,kan21ʂəu21iet3fəŋ53/44ʂʅ53/44tʂʰa35li0,tʂʰa35çi21/44kʰuan35/44kʰuan35/44tʂən21,iet3tʰo13/21lai13to53a53/44çi53/44,i13/21xa53/44tsʰiəu53lak5tau21kai53/44iɔŋ53/44təŋ35/44si0tsʰiəu53lɔi13/21u21,kai53iak3təŋ35/44si0tsʰiəu53/44kʰuan35/44kʰuan35/44tʂən21,kʰau53/44ʂəu21kəŋ35çi53/44tin35na0,e21,kai53/44tʂʰa35pʰan13/21ne0.ŋai13kai53tʂʰən53tsʅ0çi21fən35kʰən53tet5kan21ke0.

C

【车篷子】tʂʰa35pʰəŋ13tsʅ0 名车上安装的顶棚。多称“雨篷”：有滴咁个三轮车箇只咁个嘞，渠是冇得，唔比得小车吵，系唔系？有只壳壳吵。以个上背有滴三轮车箇只顶高冇得么个个。欸，你买哩车以后你就自家去做只～。欸，箇做车……专门有做～个。先同你舞正几条铁棍，用箇个八毛丝啊做几只子咁个架架。插下箇上背，松得脱个嘞。插下上背。然后嘞舞只布篷子一蒙下倒，箇只就～。iəu35tiet5kan21cie53/44san35lən13/21tʂʰa35/44kai53/44tʂak3kan21cie53/44lei0,ci13ʂʅ53/44mau13tek3,n̩13pi21tek3siau21tʂʰa35ʂa0,xei53/44me53/44?iəu53/44tʂak3kʰɔk3kʰɔk3ʂa0.i21ke53/44ʂɔŋ53pɔi53/44iəu35tiet5san35lən13/21tʂʰa35/44kai53/44tʂak3taŋ21kau35/44mau13tek3mak3e53ke53.e21,ɲi13/21mai35li0tʂʰa35i35/44xei53ɲi13/21tsʰiəu53tsʰʅ35ka35/44çi53/44tso53ak3tʂʰa35pʰəŋ13/21tsʅ0.e21,kai53/44tso53tʂʰa…tʂen35mən13/21iəu35/44tso53tʂʰa35pʰəŋ13/21tsʅ0ke0.sen35tʰəŋ13/21ɲi13/21u21tʂaŋ53/44ci21tʰiau13/21tʰet3kuən53/44,iəŋ53/44kai53/44ke53/44pait3mau13/21sʅ35za0tso53ci21tʂak3tsʅ0kan21kei53/44ka53ka53.tsʰait3a53/44kai53/44ʂɔŋ53/44pɔi53/44,səŋ35tek3tʰɔit3ke53/44le0.tsʰait3a53/44ʂɔŋ53/44pɔi53/44.vien13xei53/44lei0u21tʂak3pu53pʰəŋ13tsʅ0iet3maŋ35a53/44tau21,kai53iak3tsʰiəu53/44tʂʰa35pʰəŋ13/21tsʅ0.

【车前草】tʂʰa35tsʰien13tsʰau53 名多年生草本植物，可药用，具有利尿、清热、明目、祛痰等功效：～系路边上到处都有，一种咁个植物。利水湿个，食哩利水湿。tʂʰa35tsʰien13/21tsʰau21xe53/44lu53pien35/44xəŋ53/44tau53tʂʰu53təu35/44iəu35/44,iet3tʂəŋ21kan21kei53/44tʂʰət5uk5.li53ʂei21ʂət3ke53,ʂət5li0li53ʂei21ʂət3.｜～，欸，六月雪，欸，么个过路黄荆箇只，都系食哩以后食哩嘞就可以利水湿。一种草药，唔爱钱个草药。到处都有。tʂʰa35tsʰien13/21tsʰau21,e21,liəuk3ɲiet5set3,e21,mak3ke53/44ko53lu53/44uəŋ13ciaŋ35/44kai53/44tʂak3,təu35xei53ʂət5li0i35xei53ʂət5li0lei0tsiəu53/44kʰo21i35/44li53ʂei21ʂət3.iet3tʂəŋ21tsʰau21iɔk5,m̩13/21mɔi53tsʰien13/21ke53/44tsʰau21iɔk5.tau53tʂʰu53/44tu35/44iəu35/44.

【车筒子】tʂʰa35tʰəŋ13tsʅ0 将裁好的爆竹纸卷成空筒：车只筒子。如今用机子～。tʂʰa35tʂak3tʰəŋ13tsʅ0.i13/21cin35/44iəŋ53/44ci35tsʅ0tʂʰa35/44tʰəŋ13tsʅ0.

【车厢】tʂʰa35siəŋ35 名车的负载空间，用于载人或物：～，欸，表示箇个汽车拖拉机呀搿箇个么个三轮车箇兜欸车头后背个放东西或者坐人个栏场，就安做～。tʂʰa35siəŋ35,e21,piau21ʂʅ53kai53/44ke53/44çi53tʂʰa35/44tʰo35/44la35/44ci35ia0lau35kai53/44ke53/44mak3ke53/44san35lən13/21tʂʰa35kai53/44təu35/44e21tʂʰa35tʰei13xei53pɔi53/44ke0fəŋ53təŋ35si0xɔit5tʂa21tsʰo35/44ɲin13ke53laŋ13/21tʂʰəŋ13/21,tsʰiəu53/44ɔn35/44tso53/44tʂʰa35siəŋ35/44.

【车心】tsʰa35sin35 名车轮的轴心：～是一般是指轮子个最中间箇只部位，～。tʂʰa35sin35ʂʅ53/44iet3pən35/44ʂʅ53/44tʂʅ21lən13tsʅ0ke53/44tsei53tʂəŋ35kan35/44kai53/21tʂak3pʰu53uei53,tʂʰa35sin35.

【车子】tʂʰa35tsʅ0 名车辆：一线～iet3sien53tʂʰa35tsʅ0｜我赖子教我开车个时候子嘞，欸上车，特别倒车个时候子你就爱看倒通过后……通过反光镜，系唔系？后视镜吧？你爱看一下后视镜，嗯，看下～后背有么个人箇只嘛。往前开个时候子，箇都𫜫看得正好哩。特别系倒车个时候子，你就爱睇稳箇只，除哩睇稳两边，还爱睇稳～个反光镜，箇只安做后视镜吧？箇两边个就不是安做后视镜，哈，安做么个镜？反光镜。以只挂下箇屋……箇挂下车肚里个就后视镜。箇你就爱睇稳后视镜。箇肚里有人呐冇得。ŋai13lai53tsʅ0kau35/44ŋai13/21kʰɔi35tʂʰa35ke0ʂʅ13xəu53/44tsʅ0lei0,ei0ʂəŋ35tʂʰa35/44,tʰek5pʰiet3tau53tʂʰa35/44ke0ʂʅ13xəu53/44tsʅ0ɲi13tsʰiəu53/44ɔi53/44kʰən53tau21tʰəŋ35/44ko53/44xei53ʂ…tʰəŋ35/44ko53fan21kəŋ35/44ciaŋ53,xei53me53/44?xei53ʂʅ53/44ciaŋ53pa0?ɲi13ɔi53kʰən53iet3xa53/21xei53/44ʂʅ53/44ciaŋ53,n̩21,kʰən53na53/44tʂʰa35tsʅ0xei53pɔi53iəu35mak3e0ɲin13kai53/44tʂak3ma0.uəŋ21tsʰien13kʰɔi35ke0ʂʅ13/44xəu53/44tsʅ0,kai53təu35/44maŋ13kʰən53/44tek3tʂaŋ53xau21li0.tʰek5pʰiet3/5xe53tau53tʂʰa35ke53ʂʅ13xəu53/44tsʅ0,ɲi13/21tsʰiəu53/44ɔi53/44tʂʰʅ35uən21kai53tʂak3,tʂʰu13/44li0tʂʰʅ35uən21iɔŋ21pien35,xai13/21ɔi53/44tʂʰʅ35uən21tʂʰa35tsʅ0ke53/44fan21kəŋ53/44ciaŋ53,kai53tʂak3ɔn35/44tso53/44xei53ʂʅ53/44ciaŋ53pa0?kai53iɔŋ21pien35ke53/44tsʰiəu53/44pət3ʂʅ53/44ɔn35/44tso53/44xei53ʂʅ53/44ciaŋ53,xa35,ɔn35/44tso53/44mak3e0ciaŋ53?fan21kəŋ35ciaŋ53.i21tʂak3kua53a53kai53uk3…kai53kua53a53tʂʰa35tau21li0ke53/44tsʰiəu53/44xei53ʂʅ53/44ciaŋ53.kai53/44ɲi13/21tsʰiəu53ɔi53tʂʰʅ35uən21xei53ʂʅ53/44ciaŋ53.kai53tau21li0iəu35ɲin13na53mau13tek3.

【车子背】tʂʰa35tsʅ0pɔi53 车外：我坐啊车上，坐啊车肚里。“～有人哈，系唔系？～有辆车哈，你爱好生哈。”ŋai13/21tsʰo35/44a0tʂʰa35/44xəŋ53,tsʰo35/44a0tʂʰa35təu21li0."tʂʰa35/44tsʅ0pɔi53iəu35ɲin13xa0,xei53/44me53/44?tʂʰa35tsʅ0pɔi53iəu35/44liɔŋ21tʂʰa35xa0,ɲi13ɔi53/44xau21sen35/44xa0."

【车钻】tʂʰa35tsɔn53 名手动木工钻：欸，我讲～是从前就木以前是就木匠师傅个呢，～呢。渠箇个从前个～是真落后嘞，真系蛮落后嘞。一只箇样东西，舞条子箇牛筋子咁子缔倒。咁子去扯。底下就钻眼。系啊？安做～。e_44,ŋai13kɔŋ21tʂʰa35tsɔn53ʂʅ53_44tsʰəŋ13_21tsʰien_44tsʰiəu53muk3i35tsʰien13ʂʅ53_44tsʰiəu53muk3tsʰiɔŋ53_44ʂʅ35_44fu53_44ke0nei0,tʂʰa35tsɔn53_44nei0.ci13kai_44ke53_44tsʰəŋ13tsʰien13_21ke0tʂʰa35tsɔn53ʂʅ53_44tʂən35nɔk5xei53le0,tʂən35ne53man13_21nɔk5xei53le0.iet3tʂak3kai53_21iɔŋ53_44təŋ35_44si0,u21tʰiau13tsʅ0kai_44ɲiəu13cin35_44tsʅ0kan21tsʅ0tʰak3tau21.kan21tsʅ0çi21tʂʰa21.tei21xa53tsʰiəu53_44tsɔn53ŋan21.xei53_44a0?ɔn35_44tso53_44tʂʰa35tsɔn53.

C

【扯】tʂʰa21 动①拔：～草 tʂʰa21tsʰau21｜打比箇禾密了哇，忒密哩啊，爱鲜滴去咯，欸，～下去咯。ta21pi21_44kai53_44uo13miet5liau21ua0,tʰiet3miet5_3lia0,ɔi53_44sien35tet5_3çi53_44ko0,e_44,tʂʰa21xa35_44çi53ko0. ②牵拉：～渠一下子。tʂʰa21ci13_21iet3xa53tsʅ0. ③引申指打开或关闭电灯开关：～着 tʂʰa21tʂʰɔk5开（电）灯｜～乌 tʂʰa21u35关（电）灯。④领取：到浏阳去～结婚证 tau53liəu13_21iɔŋ13_21çi53tʂʰa21ciet3fən35_44tʂən53。⑤引申指抽走，撤除：退嘿火去，把火关或者～嘿柴去。tʰi53xek3fo21çi53,pa21xo21kuan35xɔit5tʂa21tʂʰa21xek3tsʰai13_21çi53.｜正我走我正～开煤盖子来呀。tʂaŋ53ŋai13tsei21ŋai13tʂaŋ53tʂʰa21kʰɔi35_44mei13kɔi53tsʅ0lɔi13_21ia0.｜箇就分屏风板呢下松下来，下～咁去。kai53_44tsʰiəu53_44pən35_44pʰin13fəŋ35pan21ne0xa53səŋ35xa_44lɔi13_44,xa53tʂʰa21kan21çi53_44. ⑥牵制，牵引而使其稳固：起到分箇两只扉呀～稳下子，箇就安做二架楼栿。çi21tau53pən35kai53_21iɔŋ21tʂak3fei35ia0tʂʰa21uən21na53(←xa53)tsʅ0,kai53_44tsʰiəu53_44ɔn35_44tso53_44ɲi53ka53lei13_21fuk5.｜门球子又～倒肚里箇只托须。mən13cʰiəu13tsʅ0iəu53tʂʰa21tau21təu21li0kai53tʂak3tʰɔk3si35. ⑦帮衬：打比我冇钱样，欸，你～下子我。ta21pi21ŋai13mau13tsʰien13iɔŋ53,ei_21,ɲi13tʂʰa21xa53tsʅ0ŋai13_44. ⑧来回推拉：～风箱 tʂʰa21fəŋ35siɔŋ35｜～胡琴 tʂʰa21fu13cʰin13。⑨痉挛，抽搐：欸，有一种病呢，嘴巴角总咁子～嘞。ei_44,iəu35iet3tʂəŋ21pʰiaŋ53nei0,tsei21pa0kɔk3tsəŋ21kan21_44tsʅ0tʂʰa21lei0. ⑩不拘形式不拘内容地谈论：～是非 tʂʰa21ʂʅ53fei35_44搬弄是非 ⑪零买：～几尺布 tʂʰa21ci21tʂʰak3pu53。⑫买布来做：以前是～件衫着哩啊。i13_44tsʰien13_21ʂʅ53_44tʂʰa21cien53san35tʂɔk3li0a0. ⑬摊，把糊状物倒在锅里做成薄片：～蛋皮 tʂʰa21tʰan53pʰi13。⑭摄取、吸纳：□待糖融嘿哩～进去哩。tʰiet5tʰɔŋ13iɔŋ13ŋek3li0tʂʰa21tsin53çi53li0.

【扯齁】tʂʰa21xei35 动哮喘：～就系哮喘病嘞。齁锣气鼓哇。有滴人就齁锣气鼓哇。我等箇老妹婿个爷子就～呀，唔得了。支气管炎呐。tʂʰa21xei35tsʰiəu53xei53_44çiau53tʂʰen21pʰiaŋ53le0.xei35lo13_21çi53ku21ua0.iəu35tiet5ɲin13_44tsʰiəu53_44xei35lo13_21çi53ku21ua0.ŋai13tien0kai53lau21mɔi53_44se53ke53_44ia13tsʅ0tsʰiəu53_44tʂʰa21xei35ia0,n̩13tek3liau21.tʂʅ35_44çi53kɔn21ien13_21na0.

【扯布】tʂʰa21pu53 动买布：以下是又冇么人冇得裁缝了，唔系是～哇。系唔系？～。如今布也冇人扯哩。以前是扯件衫着哩啊。欸，～哇。/硬系扯呢。/如今哪还有扯？i21xa53ʂʅ53iəu53mau13_21mak3in13_44mau13tek3tsʰai13fəŋ13_44liau0,m̩13_21me_44(←xe53)ʂʅ53_44tʂʰa21pu53ua0.xe53_44me53_44?tʂʰa21pu53.ien_44(←i13cin35)pu53a53_44mau13in13_44tʂʰa21li0.i13_44tsʰien13_21ʂʅ53_44tʂʰa21cien53san35tʂɔk3li0a0.e_44,tʂʰa21pu53ua0./ɲiaŋ53xe53tʂʰa21le0./i13_21cin35na53xai13_21iəu35_44tʂʰa21?

【扯长扯短】tʂʰa21tʂʰɔŋ13tʂʰa21tɔn21 形容长度不断变化：（蚂蟥带子）跟蚂蟥样～。kən35_44ma35uɔŋ13_21iɔŋ53_44tʂʰa21tʂʰɔŋ13tʂʰa21tɔn21.

【扯扯绷绷】tʂʰa21tʂʰa21paŋ35paŋ35 做事不干脆，不痛快，又称"绷绷扯扯、绷扯"：绷绷扯扯，绷绷扯扯就，唔痛快，唔干脆，～。paŋ35paŋ35_44tʂʰa21tʂʰa21,paŋ35paŋ35_44tʂʰa21tʂʰa21tsʰiəu53,n̩13tʰəŋ53kʰuai53,n̩13kɔn35tsʰei53,tʂʰa21tʂʰa21paŋ35_53paŋ35_53.

【扯扯借借】tʂʰa21tʂʰa21tsia53tsia53 形容到处借钱或经常借钱：打比做屋样啊，蛮多人，农村里蛮多人做屋不是么硬留正咁多钱。渠就系嘞欸自家有滴子钱，欠滴子账，欸，～子，～，同你借滴子同渠借滴子，凑起来，分箇只屋做起来，就安做～。ta21pi21tso53uk3iɔŋ53_44ŋa0,man13_21to35_53ɲin13_44,ləŋ13tsʰən35_44li0man13to35_44ɲin13_44tso53uk3pət3ʂʅ53mak3ɲiaŋ53_44liəu13tʂaŋ53kan21to35_44tsʰien13.ci13_21tsʰiəu53_44xe53_44lei0e_21tsʰi35ka35_44iəu35tiet5tsʅ0tsʰien13,cʰian53tiet5tsʅ0tʂɔŋ53,e_21,tʂʰa21tʂʰa21tsia53tsia53tsʅ0,tʂʰa21tʂʰa21tsia53tsia53,tʰəŋ13_21ɲi13tsia53tiet5tsʅ0tʰəŋ13_44ci13tsia53tiet5tsʅ0,tsʰei53çi21lɔi13_44,pən35kai53_44tʂak3uk3tso53çi21lɔi13_21,tsʰiəu53_44ɔn35_44tso53_44tʂʰa21tʂʰa21tsia53tsia53.

【扯肥】tʂʰa21pʰi13 动强力消耗土壤中的肥力：箇个草指马嘴葱呢，也十分～。kai53ke53_44tsʰau21lei0,ia35ʂət5fən35_44tʂʰa21pʰi13.｜一块土栽哩两三年麦子，硬刮瘦个箇块土，十分～。iet3kʰuai53tʰəu21tsɔi35li0iɔŋ21san35_44ɲien13mak5tsʅ0,ɲiaŋ53kuait5sei53ke0kai53_44kʰuai53_44tʰəu21,ʂət5fən35_44tʂʰa21pʰi13.

【扯禾猪箭】tʂʰa21xo21tʂəu35/tʂu35tsien53（禾苗）抽穗：箇禾啊胞哩胎，箇个禾啊胞哩胎，有个别全部都胞哩胎，系唔系？大肚勒勒哩箇禾啊，箇田里个禾啊，早禾迟禾，系啊？有个别嘞就架势出起来哩出出来哩，箇就安做～去哩，欸。咁子个安做～去哩。嘚，头上溜尖子个。kai53vo13a0pau35li0tʰɔi35,kai53_44kei53_44vo13a0pau35li0tʰɔi35,iəu35ko53pʰiet5tsʰien13pʰu35_44təu35_44pau35li0tʰɔi35,xei53_44me53_44?tʰai53tu21lek5lek5li0kai53_44uo13a0,kai53tʰien13_21li0ke53uo13a0,tsau21uo13_44tʂʰʅ13uo13_44,xei53a0?iəu35ko53pʰiet5lei0tsʰiəu53_44cia53ʂʅ53tʂʰət3çi21lɔi13li0tʂʰət3tʂʰət3lɔi13li0,kai53_44tsʰiəu53ɔn35_44tso53tʂʰa21xo13tʂu35_44tsien53çi53_44li0,e21.kan21_13tsʅ0cie53ɔn35_44tso53tʂʰa21xo13tʂu35_44tsien53çi53li0.tei35,tʰei13_21xɔŋ53liəu35tsian35_44tsʅ0ke0.

【扯柬】tʂʰa21kan21 动劝架：箇～呢系爱年轻人呢。箇个老人家子就真不要去搞呢。箇箇浏阳箇映子我妹子系个栏场啊，箇只老婆婆子，七十几岁了。你话渠个姨侄子，两公两兄弟打架，以只婆婆子去～，箇姨侄子打架去哩是渠么个姨娭来哩都去～都唔记得了。两下一搞嘞捉倒以只姨娭打伤哩唠，硬舞嘿几整嘿几万块钱呐，舞倒渠蹿嘿几个月啊。蹿呀蹿哩啊。你去～呶！以下渠赖子嘞，以个婆婆子个赖子嘞又唔系同我等讲：“只有我娭子咯，你硬真讨嫌呐硬，真惹事啊硬啊。你去扯么个柬？”kai53tʂʰa21kan21ne0xei53_44ɔi53ɲien13cʰin35ɲin13_21nei0.kai53ke53lau21ɲin13ka35tsʅ0tsʰiəu53_44tʂən35pət3iau53_44çi53kau21nei0.kai53_44kai53_44liəu13iɔŋ13kai53iaŋ53tsʅ0ŋai13mɔi53tsʅ0xei53ke53lan13_21tʂʰɔŋ13_21ŋa0,kai53tʂak3lau21pʰo13pʰo13_44tsʅ0,tsʰiet3ʂət5ci13_21sɔi53liau0.ɲi13ua53_44ci13_44ke0i13tʂʰət5tsʅ0,iɔŋ21kəŋ35_44iɔŋ21çiəŋ35_44tʰi53ta21cia53,i21tʂak3pʰo13_21pʰo13_21tsʅ0çi53tʂʰa21kan21,kai53_44i13tʂʰət5tsʅ0ta21cia53çi53li0ʂʅ53_44ci13_44mak3kei53i13ɔi35lɔi13_21li0təu35_53çi53_44tʂʰa21kan21təu35n̩13ci53tek3liau0.iɔŋ21xa53iet3kau21lei0tsɔk3tau21i21tʂak3i13ɔi35ta21ʂɔŋ35li0lau0,ɲiaŋ53u21xek3ci21tʂaŋ21xek3ci21uan53kʰuai53_44tsʰien13_21na0,u21tau21ci13_44pai35xek3ci21cie53ɲiet5a0.pai35ia53_44pai35li0a0.ɲi13çi53tʂʰa21kan21nau0!i21xa53_44ci13_44lai53tsʅ0lei0,i21ke53pʰo13_21pʰo13_21tsʅ0ke0lai53tsʅ0lei0iəu53_44m̩13_44pʰe53_44tʰəŋ13ŋai13tien0kɔŋ21:"tʂət3iəu35_53ŋai13_21ɔi35tsʅ0ko0,ɲi13ɲiaŋ53tʂən35tʰau21çian13na0ɲiaŋ53,tʂən35ɲia35sʅ53za0ɲiaŋ53a0.ɲi13çi53tʂʰa21mak3e0kan21?"

【扯间】tʂʰa21kan53 动劝架：两公婆吵，两公婆打架是最好唔爱去～。你莫得罪你莫搞倒……渠有滴两公婆吵打好搞子样打下子个。欸，打是亲，骂是爱，系唔系？你去～呢你就默正下子神凑。iɔŋ21kəŋ35_44pʰo13ʂa0,iɔŋ21kəŋ35_44pʰo13ta21cia53ʂʅ53_44tsei53xau21m̩13_21mɔi53çi53tʂʰa21kan53.ɲi13_21mɔk5tek3tsʰei53ɲi13_21mɔk5kau21tau21…ci13_21iəu35tet5iɔŋ21kəŋ35_44pʰo13ʂa0ta21xau21kau21tsʅ0iɔŋ53ta21xa53tsʅ0ke0.e21,ta21ʂʅ53tsʰin35,ma53ʂʅ53_44ŋai53,xei53_44mei53_44?ɲi13çi53tʂʰa21kan53nei0ɲi13tsʰiəu53mek3tʂaŋ53xa53_44tsʅ0ʂən13tsʰe0.

【扯脚】tʂʰa21ciɔk3 动撒腿：～就跑 tʂʰa21ciɔk3tsʰiəu53pʰau21

【扯结婚证】tʂʰa21ciet3fən35tʂən53 办理结婚登记手续：以下扯结婚证我等浏阳个是尽爱到浏阳去扯结婚证了。乡下唔办了。乡镇呢都唔扯结婚证了。民政部门有哇，唔搞唔扯结婚证了。浏阳有只专门扯结婚证个栏……结婚离婚个栏场，安做婚登楼。婚姻登记处啊，箇栋楼。一楼就结婚，扯结婚证个。二楼就离婚个。二楼就搞离婚个。箇阵子有我有只喊老……佮下子个老弟，渠大学毕业出来就搞下婚登楼呀。渠去下同我讲，欸箇只搞离婚个，渠就专门管离婚个。我话你欸箇别人嘞两公婆离婚呐，你箇婚都赠结个人呐，你让门去同渠箇个唠？让门去同渠调解箇只么个吵？渠话：“箇我箇调解个事我等是唔管呐。我等只管同渠办手续。你两公婆想通哩，你爱离婚了，我等同你办手续。就咁个。”婚登楼，婚姻登记个。i21xa53tʂʰa21ciet3fən35_44tʂən53ŋai13_21tien0liəu13iɔŋ13_44ke0ʂʅ53_44tsʰin53ɔi53_44tau53liəu13_21iɔŋ13_21çi53tʂʰa21ciet3fən35_44tʂən53niau0.çiɔŋ35xa53_44n̩13pʰan53niau0.çiɔŋ35tʂən53ne0təu35n̩13tʂʰa21ciet3fən35_44tʂən53niau0.min13tʂən53pʰu53mən13_21iəu35ua0,n̩13kau21n̩13tʂʰa21ciet3fən35_44tʂən53niau0.liəu13iɔŋ13iəu35tʂak3tʂen35mən13_21tʂʰa21ciet3fən35_44tʂən53ke0laŋ13_44…ciet3fən35li13fən35ke0lan13_21tʂʰɔŋ13_44,ɔn35_44tso53_44fən35tien35_44nei13.fən35in35_44tien35ci53tʂʰʮ53a0,kai53təŋ53lei13.iet3lei13tsʰiəu53ciet3fən35,tʂʰa21ciet3fən35tʂən53cie0.ɲi53lei13tsʰiəu53li13fən35cie0.ɲi53lei13tsʰiəu53kau21li13fən35cie0.kai53_44tʂʰən53tsʅ0iəu35_44ŋai13iəu35tʂak3xan53lau21…kɔk3a53tsʅ0ke0lau21tʰe35,ci13tʰai53çiɔk5pit3ɲiet5tʂʰət3lɔi13_21tsʰiəu53_44kau21_53ua53_44fən35_44tien35_44lei13_21ia0.ci13çi53xa53tʰəŋ13ŋai13kɔŋ21,e44kai53tʂak3kau21li13fən35cie0,ci13_21tsʰiəu53tʂen35_44mən13_44kɔn21li13fən35_44ke0.ŋai13_21ua53ɲi13e21kai53_44pʰiet5in13_21lei0iɔŋ21kəŋ35pʰo13_21li13fən35na0,ɲi13kai53_44fən35təu35_53maŋ13_44ciet3ke0ɲin13_44na0,ɲi13ɲiɔŋ53mən0cʰi53tʰəŋ13_21ci13_21kai53ke53lau0?ɲiɔŋ53mən0çi53tʰəŋ13_21ci13_21tʰiau13kai21kai53tʂak3mak3e0ʂa0?cia44(←ci13ua53):"kai53ŋai13_21kai53tʰiau13kai21ke0sʅ53ŋai13tien0sʅ53n̩13kɔn21na0.ŋai13tien0tʂʅ21kɔn21tʰəŋ13ci13_44pʰan53ʂəu21səuk5.ɲi13iɔŋ21kəŋ35_53pʰo13_44siɔŋ21tʰəŋ35_53li0,ɲi13ɔi53li13fən35liau0,ŋai13tien0tʰəŋ13ɲi13_44pʰan53ʂəu21səuk5.tsiəu53kan21cie53."fən35ten35_44nei13,fən35in35ten35_44ci53cie0.

【扯筋】tʂʰa21cin35 动扯皮，闹矛盾：渠两公婆又～去哩。ci13_44iɔŋ21kəŋ35_44pʰo13iəu53tʂʰa21cin35çi53li0.｜如今农村里有滴箇个欸结婚个婚都还赠结就两个人就架势～去哩。你还有滴唠呣结哩婚又还上好个。还𫠦结婚个时候子就～。欸结哩婚也上好。但是结哩婚以后唔～个硬冇得。很少很少。i$^{13}_{21}$cin$^{35}_{44}$ləŋ^{13}tsʰən$^{35}_{44}$ni^{21}iəu^{35}tet^{5}kai$^{53}_{44}$ke$^{53}_{44}$ei$_{44}$ciet^{3}fən^{35}cie^{53}fən^{35}təu$^{35}_{53}$xai$^{13}_{21}$maŋ$^{13}_{21}$ciet^{3}tsʰiəu^{53}iɔŋ^{21}cie^{53}in$^{13}_{21}$ tsʰiəu$^{53}_{44}$cia^{53}ʂʅ^{53}tʂʰa^{21}cin^{35}çi^{53}li^{0}. ɲi^{13}xa$^{13}_{44}$iəu^{35}tet^{5}lau^{0}m̩$_{53}$ciet^{3}li^{0}fən^{35}iəu^{53}xai^{13}ʂɔŋ^{53}xau^{21}cie^{0}.xai^{13}maŋ^{13}ciet^{3} fən^{35}ke^{0}ʂʅ^{13}xəu$^{53}_{44}$tsʅ^{0}tsʰiəu$^{53}_{44}$tʂʰa^{21}cin^{35}.e$_{21}$ciet^{3}li^{0}fən^{35}ia$^{35}_{44}$ʂɔŋ^{53}xau^{21}.tan^{53}ʂʅ^{53}ciet^{3}li^{0}fən^{35}i^{35}xei^{53}n̩^{13}tʂʰa^{21}cin^{35} ke^{0}ɲiaŋ^{53}mau^{13}tek^{3}.xen^{21}ʂau^{21}xen^{21}ʂau^{21}.

【扯筋菠】tʂʰa^{21}cin^{35}po^{35} 名菠菜。又称“角菜子”：～就蛮好食。但是有滴人食唔得。搞么个个人就食唔得嘞？甲亢个人就食唔得。我等有只婿郎子得过甲亢，我箇只婿郎啊得过甲亢。侪都唔煮～食，煮菠菜食。渠渠箇个～个菠菜吵就系箇肚里么个成分多啊？含铁多吧？含箇个啊，欸，含碘多啊，甲亢呢就甲状腺亢奋吵。甲状腺亢奋就系碘忒多哩，所以渠就食唔得。tʂʰa^{21}cin$^{35}_{44}$po^{35}tsʰiəu$^{53}_{21}$man$^{13}_{21}$xau^{21}ʂət^{5}.tan^{53}ʂʅ^{53}iəu^{35}tiet^{5}ɲin$^{13}_{44}$ʂət^{5}n̩$^{13}_{21}$tek^{3}.kau^{21}mak^{3}e^{0}ke^{53}ɲin$^{13}_{44}$tsʰiəu$^{53}_{44}$ʂət^{5}n̩$^{13}_{44}$ tek^{3}lei^{0}?kait^{3}kʰɔŋ^{53}ke^{0}ɲin$^{13}_{21}$tsʰiəu$^{53}_{44}$ʂət^{5}n̩$^{13}_{21}$tek^{3}.ŋai^{13}tien^{0}iəu$^{35}_{53}$tʂak^{3}sei^{53}ləŋ^{13}tsʅ^{0}tek^{3}ko^{53}kait^{3}kʰɔŋ^{53},ŋai^{13}kai^{53} iak^{3}sei^{53}ləŋ$^{13}_{21}$ŋa^{0}tek^{3}ko^{53}kait^{3}kʰɔŋ^{53}.tsʰi$^{13}_{21}$təu$^{35}_{53}$n̩$^{13}_{21}$tʂəu^{21}tʂʰa^{21}cin$^{35}_{44}$po^{35}ʂət^{5},tʂəu^{21}po^{35}tsʰɔi$^{53}_{44}$ʂət^{5}.ci^{13}ci^{13}kai^{53}e$_{21}$ tʂʰa^{21}cin$^{35}_{44}$po^{35}ke^{0}po^{35}tsʰɔi^{53}ʂa^{0}tsʰiəu$^{53}_{44}$xei$^{53}_{44}$kai^{53}təu^{21}li^{0}mak^{3}e^{0}tʂʰən^{13}fən$^{53}_{44}$to^{35}a^{0}?xɔn^{13}tʰiet^{3}to$^{35}_{44}$pa^{0}?xan^{13}kai^{53} ke^{53}a^{0},e$_{21}$,xan^{13}tien^{21}to^{35}a^{0}.ciak^{3}kʰɔŋ^{53}nei^{0}tsʰiəu$^{53}_{44}$ciak^{3}tsʰɔŋ$^{53}_{44}$sen$^{53}_{44}$kʰɔŋ^{53}fən^{53}ʂa^{0}.ciak^{3}tsʰɔŋ^{53}sien^{53}kʰɔŋ^{53} fən$^{53}_{44}$tsʰiəu$^{53}_{44}$xe$^{53}_{44}$tien^{21}tʰet^{3}to^{35}li^{0},so^{21}i$^{35}_{44}$ci$^{13}_{21}$tsʰiəu$^{53}_{21}$ʂət^{5}n̩$^{13}_{21}$tek^{3}.

【扯阄】tʂʰa^{21}ciei^{35} 动拈阄，即用几张小纸片暗写上字或记号，做成纸团，由有关的人各取其一，以决定权利或义务该属于谁：～就先爱做正阄来啊。箇阵我等队上正搞欸箇个㖡安做生产责任制个时候子啊，箇爱分田分下去吵。我等就分田生产队个田分成几十只阄，就去拈。箇人有多少吵，系唔系？人有多少，一家一家人有多少，就根据咁子个。有滴人十分多哩，箇七八个人食茶饭个，渠就拈两阄。我屋下嘞，我爷子等人拈一阄，我爷子娭子我老妹子等人渠等一阄。好，我老婆两只细子，我就读书去哩呢，食国家粮去哩嘞，我就𫠦拈倒冇得拈阄哩，我唔系就我……我老婆名下就只有三个人，系啊？我等又拈一阄。我等拈倒箇只阄嘞唔知几大唔知几多田个。好，结果嘞有多就分过就分几担谷田分我爷子等箇一阄。渠就有五个人。我等就只剩倒三个人。箇就讲拈阄。箇让门拈呐？箇是蛮箇个啦，蛮作古认真呐。舞只升筒。升筒你看过么？量米个升筒，竹筒啊，系唔系？咁深吵。舞只竹筒唠，舞只箇升筒样个东西啊。做成阄来，放下，一只一只个纸坨子，捡倒放下箇肚里，欸，放下箇升筒肚里，拿筷子去夹。唔准你随便用手。只能拿筷子夹。夹出一只来大家看，以只系么个阄，就写记。欸，你自家愿意对个嘞，你就两个人互相对。打比我拈倒你屋门口，你又拈倒我屋门口，“欸，我㨃你对一索”，安做对一索。欸，我老婆就拈倒箇映话以只阄唔知几大，全生产队最好个田。我老婆嘞渠话“我别么个就𫠦赢，拈阄我就拈倒哩拈赢哩”。tʂʰa^{21}ciei^{35}tsʰiəu$^{53}_{44}$sien^{35} ɔi$^{53}_{44}$tso^{53}tʂaŋ$^{53}_{21}$ciei^{35}lɔi$^{13}_{21}$a^{0}.kai$^{53}_{44}$tʂʰən$^{53}_{44}$ŋai^{13}tien^{0}ti^{53}xɔŋ$^{53}_{44}$tʂaŋ^{53}kau^{21}e$_{21}$kai$^{53}_{44}$ke$^{53}_{44}$m̩$_{21}$ɔn$^{35}_{44}$tso$^{53}_{44}$sen^{35}tsʰan^{21}tsek^{3} uən$^{53}_{44}$tʂʅ^{53}ke$^{53}_{44}$ʂʅ^{13}xei^{53}tsa^{0},kai$^{53}_{44}$ɔi$^{53}_{44}$pən$^{35}_{44}$tʰien$^{13}_{21}$fən^{35}xa$^{53}_{44}$çi$^{53}_{44}$ʂa^{0}.ŋai^{13}tien^{0}tsʰiəu^{53}pən$^{35}_{44}$tʰien^{13}sen^{35}tsʰan^{21}ti^{53}ke^{0} tʰien^{13}fən^{35}tʂʰən$^{13}_{21}$ci^{21}ʂət^{5}tʂak^{3}ciei^{35},tsʰiəu$^{53}_{44}$çi$^{53}_{44}$ɲian^{35}.kai^{53}ɲin^{13}iəu^{35}to^{35}ʂau^{21}ʂa^{0},xei$^{53}_{44}$me$^{53}_{44}$?ɲin^{13}iəu^{35}to$^{35}_{44}$ʂau^{21}, iet^{3}ka^{35}iet^{3}ka^{35}ɲin^{13}iəu^{35}to$^{35}_{44}$ʂau^{21},tsʰiəu$^{53}_{44}$cien^{35}tʂʯ^{53}kan^{21}tsʅ^{0}ke^{0}.iəu^{35}tet^{5}ɲin^{13}ʂət^{5}fən$^{35}_{44}$to$^{35}_{44}$li^{0},kai$^{53}_{44}$tsʰiet^{3}pait^{3} ke^{53}ɲin$^{13}_{21}$ʂət^{5}tsʰa$^{13}_{21}$fan$^{53}_{44}$ke^{0},ci$^{13}_{21}$tsʰiəu$^{53}_{44}$ɲian^{35}iɔŋ^{21}ciei$^{35}_{44}$.ŋai^{13}uk^{3}xa^{53}lei^{0},ŋai^{13}ia^{13}tsʅ^{0}ten^{0}ɲin$^{13}_{21}$ɲian^{35}iet^{3}kei^{35}, ŋai^{13}ia^{13}tsʅ^{0}ɔi^{35}tsʅ^{0}ŋai$^{13}_{21}$lau^{21}mɔi$^{53}_{44}$tsʅ^{0}ten^{0}ɲin$^{13}_{44}$ci$^{13}_{21}$tien^{0}iet^{3}kei^{35}.xau^{21},ŋai^{13}lau^{21}pʰo^{13}iɔŋ^{21}tʂak^{3}se^{53}tsʅ^{0},ŋai^{13} tsʰiəu^{53}tʰəuk^{5}ʂəu^{35}çi^{53}li^{0}nei^{0},ʂət^{5}kuɔit^{3}cia$^{35}_{44}$liɔŋ^{13}çi^{53}li^{0}lei^{0},ŋai^{13}tsʰiəu^{53}maŋ^{13}ɲian^{35}tau^{21}mau^{13}tek^{3}ɲian^{35} ciei^{35}li^{0},ŋai$^{13}_{21}$m̩^{13}pʰei^{53}tsʰiəu^{53}ŋai$^{13}_{21}$…ŋai^{13}lau^{21}pʰo^{13}miaŋ^{13}xa^{53}tsʰiəu^{53}tʂʯ$^{21}_{44}$iəu$^{35}_{44}$san^{35}ke^{53}ɲin$^{13}_{44}$,xei$^{53}_{44}$a^{0}?ŋai^{13}tien^{0} iəu^{53}ɲian^{13}iet^{3}kei^{35}.ŋai^{13}tien^{0}ɲian^{13}tau^{21}kai^{53}tʂak^{3}kei^{35}lei^{0}n̩^{13}ti$^{35}_{53}$ci^{21}tʰai^{53}n̩^{13}ti$^{35}_{53}$ci^{21}to^{35}tʰien^{13}ke^{0}.xau^{21},ciet^{3} ko^{21}lei^{0}iəu^{35}to^{35}tsʰiəu$^{53}_{44}$pən$^{35}_{44}$ko$^{53}_{44}$tsʰiəu$^{53}_{44}$tsʰiəu$^{53}_{44}$pən^{35}ci^{21}tan^{35}kuk^{3}tʰien^{13}pən^{35}ŋai$^{13}_{21}$ia^{13}tsʅ^{0}ten^{0}kai^{53}iet^{3}kei^{35}.ci^{13} tsʰiəu$^{53}_{44}$iəu^{35}ŋ̍^{21}ke^{53}ɲin^{13}.ŋai^{13}tien^{0}tsʰiəu^{53}tʂət^{3}ʂən^{53}tau^{21}san^{35}cie^{53}ɲin^{13}.kai$^{53}_{44}$tsʰiəu^{53}kɔŋ^{21}ɲian$^{35}_{44}$kei^{35}.kai$^{53}_{44}$ɲiɔŋ^{53} mən^{0}ɲian^{35}na^{0}?kai^{53}ʂʯ$^{53}_{44}$man^{13}kai^{53}ke^{53}la^{0},man^{13}tsɔk^{3}ku^{21}ɲin^{53}tʂən$^{35}_{44}$na^{0}.u^{21}tʂak^{3}ʂən^{35}tʰəŋ^{13}.ʂən^{35}tʰəŋ$^{13}_{21}$ɲi^{13} kʰɔn^{53}ko^{53}mo^{0}?liɔŋ^{13}mi^{21}ke^{0}ʂən^{35}tʰəŋ$^{13}_{21}$,tʂəuk^{3}tʰəŋ$^{13}_{21}$ŋa^{0},xei^{53}me^{53}?kan^{21}tʂʰən^{35}ʂa^{0}.u^{21}tʂak^{3}tʂəuk^{3}tʰəŋ$^{13}_{21}$ lau^{0},u^{21}tʂak^{3}kai$^{53}_{44}$ʂən^{35}tʰəŋ$^{13}_{21}$iɔŋ$^{53}_{44}$ke^{0}təŋ$^{35}_{44}$si^{0}a^{0}.tso^{53}tʂaŋ^{53}kei^{35}lɔi$^{13}_{44}$,fɔŋ$^{53}_{44}$xa$^{53}_{44}$,iet^{3}tʂak^{3}iet^{3}tʂak^{3}ke^{0}tʂʅ^{21}tʰo^{13}tsʅ^{0}, ɲien^{21}tau^{21}fɔŋ^{53}xa^{53}kai^{53}təu^{21}li^{0},e$_{21}$,fɔŋ^{53}xa^{53}kai^{53}ʂən^{13}tʰəŋ$^{13}_{21}$təu^{21}li^{0},lak^{5}kʰuai^{53}tsʅ^{0}çi^{53}kait^{3}.n̩^{13}tʂən^{21}ɲi$^{13}_{44}$sei^{13} pʰien^{53}iəŋ^{53}ʂəu^{21},tʂʅ^{21}len$^{13}_{44}$lak^{5}kʰuai^{53}tsʅ^{0}kait^{3}.kait^{3}tʂʰət^{3}iet^{3}tʂak^{3}lɔi$^{13}_{44}$,tʰai^{53}cia$^{35}_{44}$kʰɔn^{53},i^{21}tʂak^{3}xei^{53}mak^{3}e^{0} ciei$^{35}_{44}$,tsʰiəu^{53}sia^{21}ci^{53}.ei$_{21}$, ɲi$^{13}_{21}$tsʰʅ^{35}ka$^{35}_{44}$vien^{53}i$^{53}_{44}$ti^{53}ke^{0}lei^{0}, ɲi$^{13}_{21}$tsʰiəu$^{53}_{44}$iɔŋ^{21}ke$^{53}_{44}$ɲin$^{13}_{21}$fu^{53}siɔŋ$^{35}_{44}$ti^{53}.ta^{21}pi^{21}ŋai^{13} ɲian^{35}tau^{13}ɲi^{13}uk^{3}mən^{13}xei^{21}, ɲi^{13}iəu^{53}ɲian^{35}tau^{13}ŋai^{13}uk^{3}mən^{13}xei^{21},"e$_{44}$,ŋai^{13}lau$^{35}_{44}$ɲi$^{13}_{44}$ti^{53}iet^{3}sɔk^{3}",ɔn$^{35}_{44}$tso$^{53}_{44}$ti^{53}

iet^{3} sɔk^{3}.e$_{21}$.ŋai^{13}lau^{21}pʰo^{13}tsʰiəu$^{53}_{44}$ɲian^{35}tau^{21}kai$^{53}_{44}$iaŋ$^{53}_{44}$ua$^{53}_{44}$i^{21}iak^{3}kei^{35}n̩^{13}ti$^{35}_{53}$ci^{21}tʰai^{53},tsʰien^{13}sen$^{35}_{44}$tsʰan^{21}ti$^{53}_{44}$tsei^{53} xau^{21}ke^{53}tʰien$^{13}_{21}$.ŋai^{13}lau^{21}pʰo^{13}lei^{0}ci^{13}ua$^{53}_{44}$"ŋai^{13}pʰiet^{5}mak^{3}e^{0}tsʰiəu^{53}maŋ^{13}iaŋ^{13}, ɲian^{35}ciei^{35}ŋai^{13}tsʰiəu^{53}ɲian^{35} tau^{21}li^{0}ɲian^{35}iaŋ^{13}li^{0}".

【扯锯】tʂʰa^{21}ke^{53}/cie^{53} 动用锯子切割，多指双方各执锯子的两边，一来一往地锯东西：～是如今就冇多么人～了。从前是有哇，冇得锯台呀冇得篷板子机箇只啦。我等都扯过。啊做屋吵爱椽皮，顶高爱椽皮，箇爱蛮多椽皮嘞。有滴用松树有滴用杉树。就系用箇平锯去扯。一去一转来咁子去扯。尽靠手工去篷开来嘞。～，有篷板呢，篷椽皮呀。欸，有句话法，客姓人有只话法，“世上只有三宗苦，上岭～挖倒土”。世上只有三宗苦，一只就爬岭岗，去岭岗啊，上岭啊，箇指个系荷担子上岭啊，打空手上岭是见得啊。～一滴子懒都偷唔得。你少扯一下都空个，箇映就赠过，系唔系？箇板就篷唔开。还有嘞挖倒土，挖倒土人跕下上墈，往下背挖。箇镢头……土去下背。欸，还有只么个话？让门子话？上岭～就欸丈人爷喊你都莫去。嗯，让门子让门我唔多记得哩都。唔知几苦个路子，唔知几累人。tʂʰa^{21}cie^{53}ʂʅ$^{53}_{44}$i$^{13}_{21}$cin^{35}tsʰiəu^{53} mau^{13}to$^{35}_{53}$mak^{3}in$^{13}_{21}$tʂʰa^{21}cie^{53}liau^{0}.tsʰəŋ^{13}tsʰien^{13}ʂʅ$^{53}_{44}$iəu^{35}ua^{0},mau^{13}tek^{3}cie^{53}tʰɔi$^{13}_{44}$ia^{0}mau^{13}tek^{3}sak^{3}pan^{21}ci^{35} kai$^{53}_{44}$tʂak^{3}la^{0}.ŋai^{13}tien^{0}təu$^{35}_{53}$tʂʰa^{21}ko^{53}.a$_{44}$tso^{53}uk^{3}ʂa^{0}ɔi^{53}ʂɔn^{13}pʰi^{13},taŋ^{21}kau$^{35}_{44}$ɔi^{53}ʂɔn^{13}pʰi^{13},kai^{53}ɔi^{53}man^{13}to$^{35}_{53}$ ʂɔn$^{13}_{21}$pʰi$^{13}_{44}$le^{0}.iəu^{35}tet^{5}iəŋ^{53}tsʰəŋ^{13}ʂəu$^{53}_{44}$iəu$^{21}_{44}$tet^{5}iəŋ^{53}sa^{35}ʂəu^{53}.tsʰiəu^{53}xei^{53}iəŋ^{53}kai$^{53}_{44}$pʰiaŋ^{13}cie^{53}çi^{53}tʂʰa^{21}.iet^{3}çi^{53} iet^{3}tʂɔn^{21}nɔi^{13}kan^{21}tsʅ^{0}çi^{53}tʂʰa^{21}.tsʰin^{53}kʰau^{53}ʂəu^{21}kəŋ^{35}çi^{53}sak^{3}kʰɔi$^{35}_{44}$lɔi$^{13}_{21}$le^{0}.tʂʰa^{21}cie^{53},iəu$^{35}_{53}$sak^{3}pan^{21}ne^{0},sak^{3} ʂɔn$^{13}_{21}$pʰi$^{35}_{44}$ia^{0}.e$_{44}$,iəu^{35}tʂɥ$^{53}_{44}$ua^{53}fait^{3},kʰak^{3}sin^{53}ɲin^{13}iəu^{35}tʂak^{3}ua^{53}fait^{3},"ʂʅ^{53}xɔŋ^{53}tʂʅ^{21}iəu$^{35}_{53}$san^{35}tsəŋ$^{35}_{44}$kʰu^{21},ʂɔŋ^{35} liaŋ^{35}tʂʰa^{21}cie^{53}uait^{3}tau^{53}tʰəu^{21}".ʂʅ^{53}xɔŋ^{53}tʂʅ^{21}iəu$^{35}_{53}$san^{35}tsəŋ$^{35}_{44}$kʰu^{21},iet^{3}tʂak^{3}tsʰiəu^{53}pʰa^{13}liaŋ^{35}kɔŋ$^{35}_{44}$,cʰie^{53}liaŋ^{35} kɔŋ$^{35}_{44}$ŋa^{0},ʂɔŋ^{35}liaŋ^{35}ŋa^{0},kai^{53}tʂʅ^{21}ke^{0}xe$^{53}_{44}$kʰai^{35}tan^{35}tsʅ^{0}ʂɔŋ$^{53}_{44}$liaŋ$^{35}_{44}$ŋa^{0},ta^{21}kʰəŋ^{35}ʂəu^{21}ʂɔŋ$^{53}_{44}$liaŋ$^{35}_{44}$ʂʅ$^{53}_{44}$cien^{53}tek^{3} a^{0}.tʂʰa^{21}cie^{53}iet^{3}tiet^{5}tsʅ^{0}lan$^{35}_{44}$təu$^{35}_{44}$tʰəu^{35}n̩$^{13}_{21}$tek^{3}. ɲi$^{13}_{44}$ʂau^{21}tʂʰa^{21}iet^{3}xa^{53}təu$^{35}_{44}$kʰəŋ^{53}ke^{0},kai$^{53}_{44}$iaŋ$^{53}_{44}$tsʰiəu^{53}maŋ^{13} ko^{53},xei$^{53}_{44}$me$^{53}_{44}$?kai$^{53}_{44}$pan^{21}tsʰiəu^{53}sak^{3}n̩$^{13}_{21}$kʰɔi^{35}.xai$^{13}_{21}$iəu$^{35}_{44}$lei^{0}uait^{3}tau^{53}tʰəu^{21},uait^{3}tau^{53}tʰəu^{21}ɲin^{13}kʰu$^{35}_{44}$xa$^{53}_{44}$ʂɔŋ^{53} kʰan$^{53}_{44}$,uɔŋ^{21}xa^{35}pɔi^{53}uait^{3}.kai^{53}ciɔk^{3}tʰei$^{13}_{21}$…tʰəu^{21}çi^{53}xa^{35}pɔi^{53}.e$_{21}$,xai$^{13}_{21}$iəu$^{35}_{53}$tʂak^{3}mak^{3}e^{0}ua$^{53}_{44}$?ɲiɔŋ^{53}mən^{0}tsʅ^{0} ua$^{53}_{44}$?ʂɔŋ^{35}liaŋ^{35}tʂʰa^{21}cie^{53}tsiəu$^{53}_{44}$e$_{21}$tʂʰɔŋ^{35}in$^{13}_{44}$ia^{13}xan^{53}ni^{0}təu$^{35}_{44}$mɔk^{5}çi^{53}.n̩$_{21}$, ɲiɔŋ^{53}mən^{0}tsʅ^{0}ɲiɔŋ^{53}mən^{0}ŋai$^{13}_{21}$n̩$^{13}_{21}$ to$^{35}_{44}$ci^{53}tek^{3}li^{0}təu$^{35}_{44}$.n̩^{13}ti$^{35}_{53}$ci^{21}kʰu^{21}ke$^{53}_{44}$ləu^{53}tsʅ^{0},n̩^{13}ti$^{35}_{53}$ci$^{21}_{44}$li^{53}ɲin^{13}.

【扯开】tʂʰa^{21} kʰɔi^{35} 拽开：就别人家打架去哩啊或者闹矛盾去哩啊，尤其系打架去哩，就～个。箇扯间个人呐欸就爱～渠。tsiəu$^{53}_{44}$pʰiet^{5}in$^{13}_{44}$ka$^{35}_{44}$ta^{21}cia^{53}çi^{53}li^{0}a^{0}xɔit^{5}tʂa^{21}lau^{53}mau^{13}tən^{53}cʰi^{53}li^{0}a^{0},iəu^{13} cʰi$^{13}_{21}$xei^{53}ta^{21}cia^{53}çi^{53}li^{0},tsiəu$^{53}_{44}$tʂʰa^{21}kʰɔi^{35}ke^{0}.kai$^{53}_{44}$tʂʰa^{21}kan^{53}ke^{0}ɲin$^{13}_{21}$na^{0}e$_{21}$tsʰiəu$^{53}_{44}$ɔi$^{53}_{44}$tʂʰa^{21}kʰɔi^{35}ci$^{13}_{21}$.

【扯炉】tʂʰa^{21}ləu^{13} 动打鼾：箇阵我等教书个时候子有只老师，欸，有只……也系你陈府上个嘞，陈老师啊硬箇个～是硬会收命哦。三间四屋都吓走哩哦。我摎渠去开会箇只啦，摎渠去开会箇只，硬尽哩渠个命啊，我等各人冇得一只间里去睡呀。硬就系箇响子啊～哇。摎我两……同年呢。如今也系……渠赠晓得渠系只么个，箇气管肚里啊畸形，气管肚里畸形，一下一睡目就一下睡目就渠就敨气唔赢，就～。唔知几响。kai^{53}tʂʰən^{53}ŋai^{13}tien^{0}kau$^{35}_{44}$ʂəu$^{35}_{44}$ke^{0}ʂʅ$^{13}_{44}$ xəu$^{53}_{44}$tsʅ^{0}iəu$^{35}_{44}$tʂak^{3}lau^{21}sʅ$^{35}_{44}$,ei$_{21}$,iəu^{35}tʂak^{3}…ia^{35}xei^{53}ɲi^{13}tʂʰən^{13}fu^{21}xɔŋ$^{53}_{44}$ke^{0}le^{0},tʂʰən^{13}nau^{21}sʅ$^{35}_{44}$a^{0}ɲiaŋ^{53}kai$^{53}_{44}$ ke$^{53}_{44}$tʂʰa^{21}ləu^{13}ʂʅ$^{53}_{44}$ɲiaŋ$^{53}_{44}$uɔi$^{53}_{44}$ʂəu$^{35}_{44}$miaŋ^{53}ŋo^{0}.san^{35}kan$^{35}_{44}$si^{0}uk^{3}təu$^{35}_{44}$xak^{3}tsei^{21}li^{0}o^{0}.ŋai^{13}lau$^{35}_{44}$ci$^{13}_{21}$çi$^{53}_{44}$kʰɔi$^{35}_{44}$fei^{53} kai$^{53}_{44}$tʂak^{3}la^{0},lau$^{35}_{44}$ci$^{13}_{21}$çi$^{53}_{44}$kʰɔi$^{35}_{44}$fei^{53}kai$^{53}_{44}$tʂak^{3}, ɲiaŋ^{53}tsʰin^{53}li^{0}ci$^{13}_{44}$ke^{0}miaŋ^{53}ŋa^{0},ŋai^{13}tien^{0}kɔk^{3}ɲin^{13}mau^{13}tek^{3} iet^{3}tʂak^{3}kan^{35}li^{21}çi^{53}ʂɔi^{53}ia^{0}. ɲiaŋ$^{53}_{44}$tsʰiəu^{53}uei$^{53}_{44}$kai$^{53}_{44}$çiɔŋ^{21}tsʅ^{0}a^{0}tʂʰa^{21}lu^{13}ua^{0}.lau^{35}ŋai$^{13}_{21}$iɔŋ^{21}…tʰəŋ^{13}ɲien^{13} nei^{0}.i$^{13}_{21}$cin$^{35}_{44}$ia^{35}xei$^{53}_{44}$…ci$^{13}_{21}$maŋ^{13}çiau^{21}tek^{3}ci$^{13}_{21}$xei^{53}tʂak^{3}mak^{3}ke^{53},kai$^{53}_{44}$çi^{53}kɔn^{21}tu^{21}li^{0}a^{0}ci^{35}çin^{13},çi^{53}kɔn^{21}tu^{21}li^{0} ci^{35}çin$^{13}_{21}$,iet^{3}xa^{53}iet^{3}ʂɔi^{53}muk^{3}tsʰiəu^{53}iet^{3}xa^{53}ʂɔi^{53}muk^{3}tsʰiəu^{53}ci$^{13}_{21}$tsʰiəu^{53}tʰei^{21}çi^{53}n̩$^{13}_{21}$iaŋ$^{13}_{21}$,tsiəu^{53}tʂʰa^{21}ləu^{13}.n̩$^{13}_{21}$ ti$^{35}_{53}$ci^{21}çiɔŋ^{21}.

【扯卵谈】tʂʰa^{21}lɔn^{21}tʰan^{13} ①聊天：欸，我等撞怕就会欸食哩夜饭就去散步，碰倒熟人就扯阵卵谈。e$_{21}$,ŋai^{13}tien^{0}tsʰɔŋ^{21}pʰa$^{53}_{44}$tsʰiəu$^{53}_{44}$uɔi$^{53}_{44}$e$_{21}$ʂət^{5}li^{0}ia^{53}fan^{53}tsʰiəu$^{53}_{44}$çi$^{53}_{44}$san$^{53}_{44}$pʰu^{53},pʰən^{53}tau$^{21}_{44}$ʂəuk^{5}ɲin$^{13}_{21}$ tsʰiəu^{53}tʂʰa^{21}tʂʰən^{53}lɔn^{21}tʰan^{13}. ②指人讲话不切实际，流于空谈：～嘞也有一只话法嘞就系话别人家讲滴事冇滴用。“你箇个去下～呶。”“你箇讲滴咁个唔系去下～？”系啊？冇么个用个意思。冇么实际冇么个可信度哇。～呢。tʂʰa^{21}lɔn^{21}tʰan^{13}lei^{0}ia^{35}iəu$^{35}_{53}$iet^{3}tʂak^{3}ua^{53}fait^{3}lei^{0}tsʰiəu$^{53}_{44}$xei^{53} ua^{53}pʰiet^{5}in$^{13}_{44}$ka$^{35}_{44}$kɔŋ^{21}tet^{5}sʅ^{53}mau^{13}tiet^{5}iəŋ^{53}."ɲi^{13}kai^{53}ke$^{53}_{44}$çi^{53}xa$^{53}_{21}$tʂʰa^{21}lɔn^{21}tʰan^{13}nau^{0}."" ɲi^{13}kai^{53}kɔŋ^{21}tet^{5} kan^{21}ke$^{53}_{44}$m̩$^{13}_{44}$pʰe$^{53}_{44}$çi^{53}xa^{53}tʂʰa^{21}lɔn^{21}tʰan$^{13}_{44}$?"xei$^{53}_{44}$a^{0}?mau^{13}mak^{3}e^{0}iəŋ^{53}ke$^{53}_{44}$i$^{53}_{44}$sʅ^{0}.mau^{13}mak^{3}ʂət^{5}tsi^{0}mau^{13}mak^{3} kei$^{53}_{44}$kʰo^{21}sin^{53}tʰəu^{53}ua^{0}.tʂʰa^{21}lɔn^{21}tʰan$^{13}_{44}$ne^{0}.

【扯麻纱】tʂʰa^{21}ma^{13}sa^{35} 喻指吵架：买东西就硬爱先讲咁来。买么个东西啊就爱先讲嘿来。爱充分考虑欸今后个莫出么个问题，莫～。舞倒后背来～就有味道了。我就搞过一回路子。我一张欸摩托车我晓得箇摩托车尽问题了，我就唔想爱哩，我就卖嘿哩去。我爱卖箇张摩托车去。卖嘿摩托车去嘞，渠箇我就晓得渠买倒我箇张摩托嘞，渠就会有麻烦。嗯，真系会有麻烦。渠又唔会骑，系唔系？渠又唔会骑个人。我卖摩托个人呢，卖摩托个时候子嘞，我就有话在先，我就咁个。渠卖分么人呢？欸摩托车卖分么人？卖分我箇只同我老弟子做屋个人。我话我卖是卖分你做得哦，我倒分你就么个都冇得哩嘞。你把做你还会拿钱分我也么个？我老弟子爱拿钱分你呢。系唔系？我老弟子去下做屋呢。请倒渠做泥呢。箇唔系你买倒我个摩托是渠爱拿钱分我，渠就向我老弟子爱唠。我老弟子又冇钱呢。我老弟子做屋都尽系我支援渠嘞，尽系我帮渠做嘞。我帮渠搞钱呢，买材料箇只嘞。就卖倒么个唠？卖倒一张条子唠。你是今收到万小勇，系唔系？又唔系万小端呢。今收到万小勇个钱，欸不过你爱先讲，你不能够今收到万小勇摩托车一部，我唔同你搞。你今收到万小勇啊欸箇个泥水工资，嗯，二千八百块钱，欸，二千八百块钱工资。噢，箇你写只摩托车一部就箇就搞唔得嘞。咁要硬泥水工资二千八百块。箇唔系我就分张摩托就卖分渠去哩？就卖倒二千八，系唔系？渠话要得。嗯，渠话要得。渠嫑骑倒么个嘞就出哩问题唠，系唔系？就来找我麻烦呐。“你卖张咁个摩托分我，系唔系？我分转你。”我话：“你拿么个东西来箇个嘞，你能够话爱我等人反悔嘞？我系卖哩摩托分你呀，系唔系？你拿哩钱分我咯。箇我都做介绍又还包供赖子，讨哩新人又还包供赖子？箇我唔搞。”我就省子后背～。我就晓得。结果渠嫑进倒我一桩呢。渠嫑想倒么个路子嘞。欸卖嘿哩就卖嘿哩嘞。箇东西我又有……因为我个渠就同我老弟子做屋，白字黑字欸，对。我就唔得～。我话我箇只路子我就想正哩命。mai^{35}təŋ^{35}si^{0}tsʰiəu$^{53}_{44}$ɲiaŋ^{53}ɔi^{53}sen^{35}kɔŋ^{21}kan^{21}lɔi$^{13}_{53}$.mai^{35}mak^{3}e^{0}təŋ^{35}si^{0}a^{0}tsiəu^{53}ɔi^{53}sen^{35}kɔŋ^{21}xek^{5}lɔi$^{13}_{53}$.ɔi^{53}tʂʰəŋ^{35}fən^{53}kʰau^{21}li$^{53}_{44}$e^{0}cin^{35}xei^{53}ke$^{53}_{21}$mɔk^{5}tʂʰət^{3}mak^{3}ke$^{53}_{44}$uən^{53}tʰi^{13},mɔk^{5}tʂʰa^{21}ma^{13}sa^{35}.u^{21}tau^{21}xei^{53}pɔi$^{53}_{44}$lɔi$^{13}_{21}$tʂʰa^{21}ma^{13}sa^{35}tsʰiəu^{53}mau^{13}uei^{53}tʰau$^{53}_{44}$liau^{0}.ŋai^{13}tsʰiəu^{53}kau^{21}ko^{53}(i)et^{3}fei^{13}ləu^{53}tsɿ^{0}.ŋai^{13}iet^{3}tʂɔŋ^{35}ŋe^{0}mo^{13}tʰɔk^{3}tʂʰa^{35}ŋai$^{13}_{21}$çiau^{21}tek^{3}kai^{53}mo$^{13}_{21}$tʰɔk^{3}tʂʰa^{35}tsʰin^{53}uən^{53}tʰi^{13}liau^{0},ŋai^{13}tsʰiəu^{53}m̩^{13}siɔŋ$^{21}_{44}$ɔi^{53}li^{0},ŋai^{13}tsʰiəu$^{53}_{44}$mai^{53}(x)ek^{3}li^{0}çi^{53}.ŋai^{13}ɔi$^{53}_{44}$mai^{53}kai$^{53}_{44}$tʂɔŋ$^{35}_{44}$mo$^{13}_{21}$tʰɔk^{3}tʂʰa^{35}çi$^{53}_{44}$.mai^{53}(x)ek^{3}mo$^{13}_{21}$tʰɔk^{3}tʂʰa$^{35}_{44}$çi$^{53}_{44}$lei^{0},ci$^{13}_{21}$kai^{53}ŋai^{13}tsʰiəu^{53}çiau^{21}tek^{3}ci$^{13}_{21}$mai^{35}tau^{21}ŋai$^{13}_{21}$kai^{53}tʂɔŋ$^{35}_{53}$mo$^{13}_{21}$tʰɔk^{3}lei^{0},ci$^{13}_{21}$tsʰiəu^{53}uɔi^{53}iəu$^{35}_{44}$ma^{13}fan^{13}.n̩$_{21}$,tʂən^{35}ne^{53}uɔi$^{53}_{44}$iəu$^{35}_{44}$ma$^{13}_{21}$fan^{13}.ci$^{13}_{21}$iəu^{53}m̩^{13}uɔi^{53}cʰi^{13},xei^{53}me^{53}?ci$^{13}_{21}$iəu^{53}m̩^{13}uɔi^{53}cʰi^{13}ke^{53}ɲin$^{13}_{21}$.ŋai^{13}mai^{53}mo^{13}tʰɔk^{3}ke^{53}ɲin$^{13}_{21}$nei^{0},mai^{53}mo^{13}tʰɔk^{3}ke^{53}ʂʅ^{13}xei^{53}tsɿ^{0}lei^{0},ŋai^{13}tsʰiəu$^{53}_{44}$iəu^{35}fa^{53}tsʰai^{53}sen^{35},ŋai^{13}tsʰiəu^{53}kan^{21}cie^{0}.ci^{13}mai^{53}pən$^{35}_{44}$mak^{3}ɲin$^{13}_{21}$ne^{0}?ei$_{35}$mo$^{13}_{21}$tʰɔk^{3}tʂʰa^{35}mai^{53}pən$^{35}_{44}$mak^{3}in$^{13}_{44}$?mai^{53}pən$^{35}_{44}$ŋai^{13}kai^{53}tʂak^{3}tʰəŋ$^{13}_{21}$ŋai$^{13}_{21}$lau^{21}tʰe^{35}tsɿ^{0}tso^{53}uk^{3}ke^{53}ɲin$^{13}_{44}$.ŋai^{13}ua$^{53}_{44}$ŋai$^{13}_{44}$mai^{53}ʂʅ$^{53}_{44}$mai$^{53}_{44}$pən^{35}ɲi$^{13}_{44}$tso^{53}tek^{3}o^{0},ŋai^{13}tau$^{21}_{44}$pən^{35}ɲi$^{53}_{44}$tsʰiəu$^{53}_{44}$mak^{3}ke^{0}təu$^{53}_{44}$mau$^{13}_{44}$tek^{3}li^{0}lei^{0}. ɲi^{13}pa$^{21}_{44}$tso^{53}ɲi$^{13}_{44}$xai^{13}uɔi^{53}lak^{5}tsʰien^{13}pən^{35}ŋai^{13}ia^{0}mak^{3}e^{0}?ŋai$^{13}_{21}$lau^{21}tʰe^{35}tsɿ^{0}ɔi^{53}lak^{5}tsʰien^{13}pən$^{35}_{53}$ɲi^{13}nei^{0}.xei$^{53}_{44}$me$^{53}_{44}$?ŋai$^{13}_{21}$lau^{21}tʰe^{35}tsɿ^{0}çi$^{53}_{44}$xa$^{53}_{44}$tso^{53}uk^{3}nei^{0}.tsʰiaŋ$^{13}_{21}$tau^{21}ci^{13}tso^{53}lai^{21}nei^{0}.kai$^{53}_{44}$m̩$^{13}_{44}$pʰe$^{53}_{44}$ɲi$^{13}_{44}$mai^{35}tau^{21}ŋai^{13}ke^{53}mo^{13}tʰɔk^{3}ʂʅ$^{53}_{44}$ci^{13}ɔi^{53}lak^{5}tsʰien^{13}pən$^{35}_{53}$ŋai$^{13}_{44}$,ci^{13}tsʰiəu^{53}çiɔŋ^{53}ŋai$^{35}_{44}$lau^{21}tʰe$^{35}_{53}$tsɿ^{0}ɔi^{53}lau^{0}.ŋai^{13}lau^{21}tʰe$^{35}_{53}$tsɿ^{0}iəu^{53}mau^{13}tsʰien^{13}nei^{0}.ŋai^{13}lau^{21}tʰe$^{35}_{53}$tsɿ^{0}tso^{53}uk^{3}təu$^{35}_{44}$tsʰin^{53}xe$^{53}_{44}$ŋai^{13}tʂʅ$^{35}_{44}$vien$^{13}_{21}$ci$^{13}_{44}$lei^{0},tsʰin^{53}ne$^{53}_{44}$ŋai^{13}pɔŋ^{35}ci$^{13}_{44}$tso^{53}le^{0}.ŋai^{13}pɔŋ^{35}ci$^{13}_{44}$kau^{21}tsʰien^{13}ne^{0},mai^{35}tsʰɔi^{13}liau^{53}kai$^{53}_{44}$tʂak^{3}le^{0}.tsʰiəu^{53}mai^{53}tau$^{21}_{44}$mak^{3}ke^{0}lau^{0}?mai^{53}tau$^{21}_{44}$iet^{3}tʂɔŋ^{35}tʰiau^{13}tsɿ^{0}lau^{0}. ɲi^{13}ʂʅ$^{53}_{44}$cin^{35}ʂəu$^{35}_{44}$tau^{53}uan^{53}siau^{21}iəŋ^{21},xe^{53}me$^{53}_{44}$?iəu^{53}m̩^{13}pʰe^{53}uan^{53}siau^{21}tɔn^{35}ne^{0}.cin$^{35}_{44}$ʂəu$^{35}_{44}$tau^{53}uan^{53}siau^{21}iəŋ^{21}ke^{53}tsʰien$^{13}_{44}$,e$_{44}$puk^{3}ko^{53}ɲi$^{13}_{21}$ɔi^{53}sien$^{35}_{44}$kɔŋ^{21}, ɲi^{13}puk^{3}len^{13}ciau^{53}cin$^{35}_{44}$ʂəu$^{35}_{44}$tau^{53}uan^{53}siau^{21}iəŋ^{21}mo^{13}tʰɔk^{3}tʂʰa^{35}iet^{3}pʰu^{53},ŋai^{13}n̩^{13}tʰəŋ$^{13}_{44}$ɲi$^{13}_{44}$kau^{21}. ɲi^{13}cin$^{35}_{44}$ʂəu$^{35}_{44}$tau^{53}uan^{53}siau^{21}iəŋ^{21}ŋa^{0}ei$_{21}$kai$^{53}_{44}$ke$^{53}_{44}$lai^{13}ʂei^{21}kəŋ^{35}tsɿ^{35},n̩$_{44}$, ɲi^{53}tsʰien$^{35}_{44}$pait^{3}pak^{3}kʰuai^{53}tsʰien$^{13}_{21}$,ei$_{44}$, ɲi^{53}tsʰien$^{35}_{44}$pait^{3}pak^{3}kʰuai^{53}tsʰien$^{13}_{21}$kəŋ$^{35}_{44}$tsɿ$^{35}_{44}$.au$_{35}$,kai^{53}ɲi^{13}sia$^{21}_{44}$tʂak^{3}mo^{13}tʰɔk^{3}tʂʰa^{35}iet^{3}pʰu^{53}tsiəu$^{53}_{44}$kai^{53}tsʰiəu$^{53}_{44}$kau^{21}n̩^{13}tek^{3}le^{0}.kan$^{21}_{13}$iau$^{53}_{44}$ɲiaŋ^{53}lai^{13}ʂei^{21}kəŋ^{35}tsɿ$^{35}_{44}$ɲi^{53}tsʰien$^{35}_{44}$pait^{3}pak^{3}kʰuai^{53}.kai$^{53}_{44}$m̩$^{13}_{44}$pʰe^{53}ŋai^{13}tsʰiəu^{53}pən$^{35}_{44}$tʂɔŋ$^{35}_{44}$mo$^{13}_{21}$tʰɔk^{3}tsʰiəu$^{53}_{44}$mai^{53}pən$^{35}_{44}$ci$^{13}_{21}$çi^{53}li^{0}?tsʰiəu$^{53}_{44}$mai^{53}tau$^{21}_{44}$ɲi^{53}tsʰien$^{35}_{44}$pait^{3},xei^{53}me^{53}?ci^{35}(u)a$^{53}_{44}$iau^{53}tek^{3}.n̩$_{21}$,ci^{13}ua$^{53}_{44}$iau^{53}tek^{3}.ci$^{13}_{21}$maŋ^{13}cʰi$^{13}_{44}$tau$^{21}_{44}$mak^{3}e^{0}lei^{0}tsʰiəu^{53}tʂʰət^{3}li^{0}uən^{53}tʰi$^{13}_{21}$lau^{0},xei^{53}me$^{53}_{44}$?tsʰiəu^{53}lɔi^{13}tsau^{21}ŋai$^{13}_{44}$ma^{13}fan$^{13}_{44}$na^{0}."ɲi^{13}mai$^{53}_{44}$tʂɔŋ^{35}kan$^{21}_{13}$ke^{53}mo^{13}tʰɔk^{3}pən^{35}ŋai$^{13}_{44}$,xei$^{53}_{44}$me$^{53}_{44}$?ŋai^{13}pən^{35}tʂuɔn^{21}ɲi$^{13}_{44}$."ŋai^{13}ua^{53}:"ɲi^{13}lak^{5}mak^{3}ke$^{53}_{44}$təŋ$^{35}_{44}$si^{0}lɔi$^{13}_{44}$kai^{53}cie^{53}lei^{0}, ɲi$^{13}_{21}$len$^{13}_{21}$ciau$^{53}_{44}$ua^{53}ɔi^{53}ŋai$^{13}_{21}$ten^{0}in$^{13}_{44}$fan^{21}fei^{21}lei^{0}?ŋai$^{13}_{21}$xei^{53}mai^{53}li^{0}mo^{13}tʰɔk^{3}pən^{35}ɲi$^{13}_{44}$ia^{0},xei$^{53}_{44}$me^{53}?ɲi^{13}lak^{5}li^{0}tsʰien^{13}pən^{35}ŋai$^{13}_{44}$ko^{0}.kai^{53}ŋai^{13}təu$^{35}_{44}$tso^{53}kai^{53}ʂau^{53}iəu^{53}xai$^{13}_{21}$pau^{35}ciəŋ^{53}lai^{53}tsɿ^{0},tʰau^{21}sin^{35}ɲin^{13}iəu$^{53}_{44}$xai$^{13}_{21}$pau^{35}ciəŋ^{53}lai^{53}tsɿ^{0}?kai^{53}ŋai^{13}n̩^{13}kau^{21}."ŋai^{13}tsʰiəu^{53}saŋ^{21}tsɿ^{0}xei^{53}pɔi$^{53}_{44}$tʂʰa^{21}ma^{13}sa$^{35}_{44}$.ŋai^{13}tsʰiəu^{53}çiau^{21}tek^{3}.ciet^{3}ko^{21}ci$^{21}_{44}$maŋ$^{13}_{44}$tsin^{53}tau^{21}ŋai^{13}iet^{3}tsɔŋ^{35}ne^{0}.ci$^{13}_{21}$maŋ$^{13}_{21}$siɔŋ^{21}tau^{21}mak^{3}e^{0}lu^{53}tsɿ^{0}lei^{0}.e^{0}mai^{53}(x)ek^{3}li^{0}tsiəu$^{53}_{44}$mai^{53}(x)ek^{3}li^{0}lei^{0}.kai$^{53}_{44}$təŋ$^{35}_{44}$si^{0}ŋai^{13}iəu$^{53}_{44}$iəu$^{35}_{44}$⋯in^{35}vei$^{53}_{44}$ŋai^{13}ke^{0}ci^{13}tsʰiəu^{53}tʰəŋ^{13}ŋai$^{13}_{21}$lau^{21}tʰe$^{35}_{53}$tsɿ^{0}tso^{53}uk^{3},pʰak^{5}tsʰɿ^{53}xek^{3}tsʰɿ^{53}e$_{21}$,tei^{53}.ŋai^{13}tsʰiəu^{53}n̩$^{13}_{21}$tek^{3}tʂʰa^{21}ma^{13}

C

sa$^{35}_{44}$.ŋai^{13}ua^{53}ŋai$^{13}_{44}$kai^{53}iak^{3}lu^{53}tsɿ^{0}ŋai^{13}tsʰiəu^{53}siaŋ^{21}tʂaŋ^{53}li^{0}miaŋ^{53}.

【扯皮扮筋】tʂʰa^{21}pʰi^{13}pan^{53}cin^{35} 争执；闹矛盾：箇只租也租哩两三年呢，落尾捡倒硬唔得了哩啊，硬嘞去下子～呐。kai^{53}tʂak^{3}tsəu^{35}ia$^{35}_{53}$tsəu$^{35}_{44}$li^{0}iɔŋ^{21}san$^{35}_{44}$ɲien^{13}nei^{0},lɔk^{5}mi$^{35}_{53}$cian^{21}tau^{21}ɲiaŋ^{53}n̩^{13}tek^{3}liau^{21}li^{0}a^{0},ɲiaŋ^{53}le^{0}çi^{53}xa^{53}tsɿ^{0}tʂʰa^{21}pʰi^{13}pan$^{53}_{44}$cin$^{35}_{44}$na^{0}.

【扯痧】tʂʰa^{21}sa^{35} 动推拿方法名。用屈曲的食指和中指，张开如钳形，蘸取温水后，夹持肌肤反复扭提至局部出现紫红色为度，常施用于眉心、颈项等处，适用于中暑、感冒等症：发痧个人就系中暑吧？系唔系？中暑个人，要同渠～，用夹子去箇鼻公㖞上去扯。扯起鲜红个。其实～扯唔得话嘞。又话～要唔得话嘞。我唔晓得。fait^{3}sa^{35}ke^{53}ɲin^{13}tsiəu$^{53}_{44}$xei^{53}tʂəŋ^{53}ʂu^{21}pa^{0}?xei$^{53}_{44}$mei$^{53}_{44}$?tʂəŋ^{53}ʂu^{21}ke^{53}ɲin$^{13}_{44}$,iau^{53}tʰəŋ$^{13}_{44}$ci$^{13}_{44}$tʂʰa^{21}sa^{35},iəŋ^{53}kait^{3}tsɿ^{0}çi^{53}kai$^{53}_{44}$pʰi^{53}kəŋ$^{35}_{44}$cien^{53}xɔŋ$^{53}_{44}$çi^{53}tʂʰa^{21}.tʂʰa^{21}çi$^{21}_{44}$çien^{35}fəŋ$^{13}_{21}$ke^{0}.cʰi^{13}ʂət^{5}tʂʰa^{21}sa^{35}tʂʰa^{21}n̩$^{13}_{44}$tek^{3}ua^{53}lei^{0}.iəu$^{53}_{44}$ua$^{53}_{44}$tʂʰa^{21}sa^{35}iau^{53}n̩$^{13}_{21}$tek^{3}ua^{53}lei^{0}.ŋai^{13}n̩$^{13}_{44}$çiau$^{21}_{44}$tek^{3}.

【扯手】tʂʰa^{21}ʂəu^{21} 名困难时刻能给予自己帮助的人：有只～好得。你借滴钱分我，系唔系？我有只困难，但是我唔怕，我有只～，就有你。iəu^{35}tʂak^{3}tʂʰa^{21}ʂəu^{21}xau^{21}teit^{3}.ɲi^{13}tsia^{53}tet$^{5}_{3}$tsʰien^{13}pən^{35}ŋai$^{13}_{21}$,xei$^{53}_{44}$me$^{53}_{44}$?ŋai^{13}iəu$^{35}_{44}$tʂak^{3}kʰuən^{53}nan$^{53}_{44}$,tan$^{53}_{44}$ʂɿ^{53}ŋai$^{13}_{21}$m̩$^{13}_{21}$pʰa^{53},ŋai$^{13}_{21}$iəu^{35}tʂak^{3}tʂʰa^{21}ʂəu^{21},tsʰiəu$^{53}_{44}$iəu$^{35}_{44}$ɲi^{13}.

【扯水】tʂʰa^{21}ʂei^{21} 动脱水：剔嘿哩粿就渠指杉树就箇个一条光杉树，熷是有兜子熷唠，渠就唔～呀。tʰiait^{5}lek^{3}li^{0}kʰua^{21}tsʰiəu$^{53}_{21}$ci^{13}tsʰiəu$^{53}_{44}$kai^{53}ke^{53}iet^{3}tʰiau$^{13}_{21}$kɔŋ^{35}sa$^{35}_{44}$ʂəu^{53},tsau^{35}ʂɿ^{53}iəu^{35}təu$^{35}_{53}$tsɿ^{0}tsau$^{35}_{44}$lau^{0},ci^{13}tsʰiəu^{53}n̩^{13}tʂʰa^{21}ʂei^{21}ia^{0}.

【扯丝】tʂʰa^{21}sɿ^{35} 动液体黏稠，拉而见丝：（秋葵）切倒炒倒就有滴～。tsʰiet^{3}tau^{21}tsʰau^{21}tau^{21}tsʰiəu$^{53}_{44}$iəu^{35}tiet^{5}tʂʰa^{21}sɿ^{35}.｜舍得去搞个话嘞，就去熬番薯糖，爱熬起～嘞箇番薯糖嘞。ʂa^{21}tek^{3}çi^{53}kau^{21}ke^{53}fa$^{53}_{44}$lei^{0},tsʰiəu$^{53}_{44}$çi$^{53}_{44}$ŋau^{13}fan^{35}ʂəu$^{13}_{21}$tʰɔŋ^{13},ɔi$^{53}_{21}$ŋau^{13}çi$^{21}_{53}$tʂʰa^{21}sɿ^{35}lei^{0}kai$^{53}_{44}$fan^{35}ʂəu$^{13}_{21}$tʰɔŋ^{13}lei^{0}.

【扯秧】tʂʰa^{21}iɔŋ^{35} 动把水稻秧苗从秧田里拔起以备移植到稻田里：～就系扯禾秧啊。栽禾个时候子先爱分箇秧田里个禾秧扯起来扎倒哇。扎倒用畚箕子荷倒去栽呀。箇就安做～。箇阵我等栽禾个时候子尽系早晨～。几十八早爬上来扯一担秧归来食早饭。tʂʰa^{21}iɔŋ^{35}tsʰiəu^{53}xe^{53}tʂʰa^{21}uo^{13}iɔŋ^{35}ŋa^{0}.tsɔi^{35}uo^{13}ke^{0}ʂɿ^{13}xəu$^{53}_{44}$tsɿ^{0}sien^{35}nɔi$^{53}_{44}$pən$^{35}_{44}$kai$^{53}_{44}$iɔŋ^{35}tʰien^{13}li^{0}ke^{0}uo^{13}iɔŋ^{35}tʂʰa^{21}çi^{21}lɔi^{13}tsait^{3}tau^{21}ua^{0}.tsait^{3}tau^{21}iəŋ^{53}pən^{53}ci$^{35}_{44}$tsɿ^{0}kʰai^{35}tau^{21}çi$^{21}_{44}$tsɔi^{35}ia^{0}.kai$^{53}_{21}$tsʰiəu$^{53}_{44}$ɔn$^{53}_{44}$tso$^{53}_{44}$tʂʰa^{21}iɔŋ^{35}.kai^{53}tʂʰən^{53}ŋai^{13}tien^{0}tsɔi^{35}uo$^{13}_{44}$ke^{0}ʂɿ$^{13}_{44}$xəu$^{53}_{44}$tsɿ^{0}tsʰin^{53}xe$^{53}_{44}$tsau^{21}ʂən$^{13}_{21}$tʂʰa^{21}iɔŋ^{35}.ci^{21}ʂət^{5}pait^{3}tsau^{21}pʰa^{13}xɔŋ^{53}lɔi$^{13}_{44}$tʂʰa^{21}iet^{3}tan^{53}iɔŋ^{35}kuei^{35}lɔi$^{13}_{21}$ʂət^{5}tsau^{21}fan^{53}.

【扯阳曦眼】tʂʰa^{21}iɔŋ^{13}si$^{35}_{44}$ŋan^{21} 眼送秋波：扯么阳曦眼呶？tʂʰa^{21}mak^{3}iɔŋ^{13}si$^{35}_{44}$ŋan^{21}nau^{0}?

【扯钻】tʂʰa^{21}tsɔn^{53} 名通过旋转而钻孔的木工用具：欸，木匠师傅就有～呶。～就区别于么个嘞？区别于摇钻。落尾咯慢慢子咯箇个木匠师傅现在咯渠就发展了嘞。欸箇铁个，一只铁个，咁子铁个，中间呢有只子咁个扳手，咁个咁子扳倒咁子，以个就安做摇钻。～呢就正还比箇起圆个咁子去扯个就钻就安做～。欸，区别于箇起摇钻。咁子只爱摇。箇先进多哩吗？以下是，摇钻都唔爱哩唠。以下嘞尽用电钻。e$_{21}$,muk^{3}tsʰiɔŋ^{53}sɿ$^{35}_{53}$fu^{53}tsʰiəu$^{53}_{44}$iəu^{35}tʂʰa^{21}tsɔn^{53}nau^{0}.tʂʰa^{21}tsɔn^{53}tsʰiəu$^{53}_{44}$tʂʰɥ$^{35}_{44}$pʰiet^{5}y$^{13}_{21}$mak^{3}e^{0}lei^{0}?tʂʰɥ$^{35}_{44}$pʰiet^{5}y$^{13}_{21}$iau^{13}tsɔn^{53}.lɔk^{5}mi$^{35}_{44}$ko^{0}man^{53}man^{53}tsɿ^{0}ko^{0}kai$^{53}_{44}$ke$^{53}_{44}$muk^{3}tsʰiɔŋ$^{53}_{44}$sɿ$^{35}_{44}$fu$^{53}_{44}$çien$^{53}_{21}$tsʰai$^{53}_{21}$ko^{0}ci$^{13}_{21}$tsʰiəu^{53}fait^{3}tʂen^{21}liau^{0}lei^{0}.e^{0}kai$^{53}_{44}$tʰiet^{3}ke^{53},iet^{3}tʂak$^{3}_{5}$tʰiet^{3}ke^{53},kan^{21}tsɿ^{0}tʰiet^{3}ke^{53},tʂəŋ^{35}kan$^{35}_{44}$nei^{0}iəu^{35}tʂak^{3}tsɿ^{0}kan^{21}ke^{0}pan^{35}ʂəu^{21},kan^{21}ke^{0}kan$^{21}_{13}$tsɿ^{0}pan$^{35}_{44}$tau$^{21}_{44}$kan^{21}tsɿ^{0},i^{21}ke^{0}tsʰiəu^{53}ɔn$^{35}_{53}$tso^{53}iau^{13}tsɔn^{53}.tʂʰa^{21}tsɔn^{53}nei^{0}tsʰiəu$^{53}_{44}$tʂaŋ^{53}xai^{13}pi^{21}kai^{53}çi^{21}ien^{13}ke^{0}kan^{21}tsɿ^{0}çi^{53}tʂʰa^{21}ke^{0}tsʰiəu$^{53}_{44}$tsɔn^{53}tsʰiəu$^{53}_{44}$ɔn$^{35}_{44}$tso$^{53}_{44}$tʂʰa^{21}tsɔn^{53}.e$_{21}$,tʂʰɥ$^{35}_{44}$pʰiet^{5}ɥ$^{13}_{21}$kai^{53}çi^{21}iau^{13}tsɔn^{53}.kan^{21}tsɿ^{0}tʂɿ^{21}ɔi^{53}iau^{13}.kai$^{53}_{44}$sien^{35}tsin^{53}to^{35}li^{0}ma^{0}?i^{21}xa^{53}ʂɿ^{53},iau^{13}tsɔn$^{53}_{44}$nəu$_{53}$(←təu^{35})m̩$^{13}_{21}$mɔi^{53}li^{0}lau^{0}.i^{21}xa$^{53}_{44}$le^{0}tsʰin^{53}iəŋ$^{53}_{44}$tʰien^{53}tsɔn^{53}.

【扯嘴角】tʂʰa^{21}tʂɔi^{53}kɔk^{3} 动嘴角间歇性抽动的病症：欸，有一种病呢，嘴巴角总咁子扯嘞。我看过咁起人呢。嘴角扯啊扯哩嘞。安做～。欸，扯啊扯哩噢，咁子扯啊扯哩噢。有嘞，有种病呢。以前我看过一只人呢。欸落尾食药正整好嘞。总咁子～嘞。系一种，系一种么个？心脑血管病欸。ei$_{44}$,iəu^{35}iet^{3}tʂəŋ^{21}pʰiaŋ^{53}nei^{0},tsei^{21}pa^{0}kɔk^{3}tsəŋ^{21}kan$^{21}_{44}$tsɿ^{0}tʂʰa^{21}lei^{0}.ŋai^{13}kʰɔn^{53}ko$^{53}_{44}$kan^{21}çi$^{21}_{53}$ɲin$^{13}_{21}$nei^{0}.tʂɔi^{53}kɔk^{3}tʂʰa^{21}a^{53}tʂʰa^{21}li^{0}lei^{0}.ɔn$^{35}_{44}$tso$^{53}_{44}$tʂʰa^{21}tʂɔi^{53}kɔk^{3}.ei$_{44}$,tʂʰa^{21}a^{53}tʂʰa^{21}li^{0}au^{0},kan^{21}tsɿ^{0}tʂʰa^{21}a^{53}tʂʰa^{21}li^{0}au^{0}.iəu^{35}le^{0},iəu$^{35}_{44}$tʂəŋ^{21}pʰiaŋ^{53}ne^{0}.i$^{35}_{44}$tsʰien$^{13}_{21}$e$_{21}$(←ŋai^{13})kʰɔn^{53}ko$^{53}_{44}$iet^{3}tʂak^{3}ɲin^{13}ne^{0}.e$_{13}$lɔk^{5}mi$^{35}_{44}$ʂət$^{5}_{3}$iɔk^{5}tʂaŋ^{53}tʂaŋ^{21}xau^{21}le^{0}.tsəŋ^{21}kan$^{21}_{35}$tsɿ^{0}tʂʰa$^{21}_{35}$tʂɔi^{53}kɔk^{3}lei^{0}.xei^{53}iet^{3}tʂəŋ^{21},xei^{53}iet^{3}tʂəŋ^{21}mak^{3}ke^{53}?sin^{35}nau^{21}çiet^{3}kɔn^{21}pʰiaŋ^{53}ŋei^{0}.

【坼】tsʰak^{3} 名裂缝：箇条～越搞越大。kai^{53}tʰiau$^{13}_{21}$tsʰak^{3}viet^{5}kau^{21}viet^{5}tʰai^{53}.｜晒田是爱晒倒渠爱

开～。sai^{53}tʰien$^{13}_{21}$ʂʅ$^{53}_{44}$ɔi$^{53}_{44}$sai^{53}tau^{21}ci$^{13}_{21}$ɔi$^{53}_{21}$kʰɔi^{35}tsʰak^{3}.｜箇映现哩～，爆哩～，箇底下有只笋，爆哩～。kai^{53}iaŋ$^{53}_{44}$çien^{53}li^{0}tsʰak^{3},pau^{53}li^{0}tsʰak^{3},kai$^{53}_{44}$tei^{21}xa$^{53}_{44}$iəu^{35}tʂak^{3}sən^{21},pau^{53}li^{0}tsʰak^{3}.

【撤】tʂʰet^{5} 动 除去：～咁去，唔爱哩。tʂʰet^{5}kan^{21}çi^{53},m̩$^{13}_{21}$mɔi^{53}li^{0}.

【撤职】tʂʰet^{5}tʂət^{5} 动 撤除职务；免职：我等箇人我等万家里我等横巷里姓万个选倒我当族长。硬系硬真唔想搞哩哦，硬啊，又冇工资嘞，系唔系？又冇工资个路子嘞。选倒我当族长。欸当嘿几年，硬唔得了哩，硬推唔脱呀硬，推呀你也唔搞渠也唔搞，反正唉你话爱唔搞族长个路子是冇么人来参加。就尽兜冇冇么人冇味道个路子吵，冇么人想搞个路子。落尾嘞我等分祠堂做正哩嘞，我就心想我爱自家爱撤嘿自家个职去了。我就提出，开会个时候我就提出来，我话以下嘞，祠堂也做正哩了。我等系五六十几岁个人呢莫去搞哩了。爱斢兜子年轻个人。大家来推举下子箇人。推举哩欸几个人。推举几个人呢，我就跪啊箇个跪啊箇祖宗菩萨面前呐，我就一个子来问筊子。欸，问哩筊子以后嘞，问哩筊子，都准哩筊子啊，筊子都准哩，嗯，箇几个人要得。落尾我苛苛子有箇个欸做完哩祠堂嘞做只完工酒。完工酒结束以后嘞就喊倒大家来开只会。欸，我就先讲嘿者。我话以到箇是……我还赠宣布名单个时候子嘞，欸，我话欸，你等就不要推啦。我慢呐宣布哩么人当下一任个族长箇只嘞，你等就不要推啦。欸，我箇都系问哩祖宗菩萨个了啦。我就同时我问祖宗菩萨个时候子也只系不是舞不是我个人跪倒去下子问呐，还有咁多人都听稳呐。我就一下子分箇只职就撤咁哩。我自家撤嘿哩自家职。ŋai^{13}tien^{0}kai^{53}ɲin$^{13}_{21}$ŋai^{13}tien^{0}uan^{53}ka$^{35}_{44}$li^{0}ŋai^{13}tien^{0}uaŋ^{13}xɔŋ^{53}li^{0}siaŋ^{53}uan^{53}ke^{0}sien^{21}tau^{21}ŋai^{13}tɔŋ$^{35}_{44}$tsʰuk^{5}tʂɔŋ^{21}.ɲiaŋ$^{53}_{44}$xe$^{53}_{44}$ɲiaŋ^{53}tʂən^{35}n̩$^{13}_{21}$siɔŋ^{21}kau^{21}li^{0}o^{0}, ɲiaŋ^{53}ŋa^{0},iəu^{53}mau$^{13}_{21}$kəŋ^{35}tsʅ$^{35}_{44}$le^{0},xei$^{53}_{44}$me$^{53}_{44}$?iəu$^{53}_{44}$mau$^{13}_{44}$kəŋ^{35}tsʅ$^{35}_{44}$ke^{0}ləu^{53}tsʅ^{0}le^{0}.sien^{21}tau^{21}ŋai^{13}tɔŋ$^{35}_{44}$tsʰuk^{5}tʂɔŋ^{21}.e^{0}tɔŋ$^{35}_{44}$uek^{3}(←xek^{3})ci^{21}ɲien$^{13}_{21}$, ɲiaŋ^{53}n̩^{13}tek^{3}liau^{21}li^{0}, ɲiaŋ^{53}tʰi^{35}n̩$^{13}_{44}$tʰɔit^{3}ia^{0}ɲiaŋ^{53},tʰi^{35}ia^{0}ɲi^{13}ia$^{35}_{53}$n̩$^{13}_{44}$kau$^{21}_{44}$ci^{13}ia$^{35}_{53}$n̩$^{13}_{44}$kau$^{21}_{44}$,fan^{21}tʂən^{53}ai$_{44}$ɲi^{13}ua^{53}ɔi^{53}n̩^{13}kau^{21}tsʰəuk^{5}tʂɔŋ^{21}ke^{0}ləu^{53}tsʅ^{0}ʂʅ$^{53}_{44}$mau^{13}mak^{3}in$^{13}_{44}$lɔi$^{13}_{44}$tsʰan$^{35}_{44}$cia$^{35}_{53}$.tsʰiəu$^{53}_{21}$tsʰin^{53}təu$^{35}_{53}$mau^{13}mau^{13}mak^{3}in$^{13}_{44}$mau^{13}uei^{53}tʰau$^{53}_{44}$ke^{0}ləu^{53}tsʅ^{0}ʂa^{0},mau^{13}mak^{3}in$^{13}_{44}$siɔŋ^{21}kau^{21}ke^{0}ləu^{53}tsʅ^{0}.lɔk^{5}mi$^{35}_{53}$lei^{0}ŋai^{13}tien^{0}pən$^{35}_{44}$tsʰʅ^{13}tʰɔŋ$^{13}_{44}$tso^{53}tʂaŋ$^{53}_{21}$li^{0}i^{35}lei^{0},ŋai^{13}tsʰiəu^{53}sin^{35}siɔŋ^{21}ŋai^{13}ɔi^{53}tsʰʅ^{35}ka$^{35}_{44}$ɔi$^{53}_{44}$tʂʰet^{5}(x)ek^{3}tsʰʅ$^{35}_{44}$ka$^{35}_{53}$(k)e^{0}tʂet^{3}çi^{53}liau^{0}.ŋai^{13}tsʰiəu^{53}tʰi$^{13}_{21}$tʂʰət^{3},kʰɔi^{35}fei^{53}ke^{0}ʂʅ$^{13}_{44}$xəu$^{53}_{44}$ŋai^{13}tsʰiəu^{53}tʰi$^{13}_{21}$tʂʰət^{3}lɔi$^{13}_{21}$,ŋai^{13}ua^{53}i^{21}xa$^{53}_{44}$lei^{0},tsʰʅ$^{13}_{21}$tʰɔŋ$^{13}_{21}$a$^{53}_{44}$tso^{53}tʂaŋ$^{53}_{44}$li^{0}liau^{0}.ŋai^{13}tien^{0}xei^{53}ŋ̍^{21}liəuk^{3}ʂət^{5}ci^{21}sɔi^{53}ke^{0}ɲin^{13}ne^{0}mɔk^{5}çi^{53}kau^{21}li^{0}liau^{0}.ɔi^{53}tʰiau^{21}təu$^{35}_{53}$tsʅ^{0}ɲien$^{13}_{21}$cʰin$^{35}_{44}$ke^{0}ɲin$^{13}_{44}$.tʰai^{53}cia$^{35}_{44}$lɔi$^{13}_{21}$tʰei^{35}tʂʮ^{21}(x)a$^{53}_{44}$tsʅ^{0}kai^{53}ɲin$^{13}_{21}$.tʰei^{35}tʂʮ^{21}lie^{0}ci^{21}ke^{53}ɲin$^{13}_{21}$.tʰei^{35}tʂʮ^{21}ci^{21}ke^{53}ɲin$^{13}_{21}$ne^{0},ŋai^{13}tsʰiəu$^{53}_{44}$kʰuei^{21}a^{0}kai$^{53}_{44}$ke^{0}kʰuei^{21}a^{0}kai^{53}tsu^{21}tsəŋ^{35}pʰu^{13}sait^{3}mien^{53}tsʰien$^{13}_{44}$na^{0},ŋai^{13}tsʰiəu$^{53}_{44}$iet^{3}cie^{53}tsʅ^{0}lɔi^{13}uən$^{53}_{44}$kau^{53}tsʅ^{0}.e$_{21}$,uən^{53}ni^{0}kau^{53}tsʅ^{0}i$^{35}_{44}$xei$^{53}_{44}$lei^{0},uən^{53}ni^{0}kau^{53}tsʅ^{0},tu^{35}tʂən^{21}ni^{0}kau^{53}tsʅ^{0}a^{0},kau^{53}tsʅ^{0}təu^{35}tʂən^{21}ni^{0},n̩$_{21}$,kai^{53}ci^{21}ke$^{53}_{44}$ɲin^{13}iau^{53}tek^{3}.lɔk^{5}mi$^{35}_{44}$ŋai^{13}xo^{35}xo$^{35}_{44}$tsʅ^{0}iəu^{35}kai$^{53}_{44}$ke$^{53}_{44}$e$_{21}$tso^{53}ien$^{13}_{21}$li^{0}tsʰʅ$^{13}_{21}$tʰɔŋ$^{13}_{21}$lei^{0}tso^{53}tʂak^{3}ien^{13}kəŋ$^{35}_{44}$tsiəu^{21}.ien^{13}kəŋ$^{35}_{44}$tsiəu^{21}ciet^{3}tʂʰəuk^{5}i$^{35}_{44}$xei$^{53}_{44}$lei^{0}tsʰiəu$^{53}_{44}$xan^{53}tau^{21}tʰai$^{53}_{44}$cia$^{35}_{44}$lɔi$^{13}_{21}$kʰɔi^{35}tʂak^{3}fei^{53}.e$_{21}$,ŋai^{13}tsʰiəu$^{53}_{44}$sien^{35}kɔŋ^{21}ŋek^{3}(←xek^{3})tʂa^{21}.ŋai^{13}ua^{53}i^{21}tau^{53}kai^{53}ʂʅ$^{53}_{44}$⋯ŋai^{13}xai$^{13}_{21}$maŋ^{13}sien^{35}pu$^{53}_{44}$min^{13}tan^{35}ke^{0}ʂʅ$^{13}_{44}$xəu$^{53}_{44}$tsʅ^{0}lei^{0},e$_{21}$,ŋai^{13}ua$^{53}_{44}$ei$_{21}$, ɲi^{13}tien^{0}tsʰiəu$^{53}_{44}$puk^{3}iau$^{53}_{44}$tʰɔi^{35}la^{0}.ŋai^{13}man$^{53}_{44}$na^{0}sen^{35}pu$^{53}_{44}$li^{0}mak^{3}ɲin$^{13}_{44}$tɔŋ^{35}xa^{53}iet^{3}ven^{53}cie$^{53}_{44}$tsʰəuk^{5}tʂɔŋ^{21}kai$^{53}_{44}$tʂak^{3}lei^{0}, ɲi^{13}tien^{0}tsʰiəu$^{53}_{44}$puk^{3}iau$^{53}_{44}$tʰɔi^{35}la^{0}.e$_{21}$,ŋai^{13}kai$^{53}_{44}$təu^{35}xei^{53}uən$^{53}_{44}$ni^{0}tsu^{21}tsəŋ$^{35}_{53}$pʰu$^{13}_{21}$sait^{3}ke^{53}liau^{0}la^{0}.ŋai^{13}tsʰiəu$^{53}_{44}$tʰəŋ^{13}ʂʅ$^{13}_{44}$ŋai^{13}uən^{53}tsʅ^{21}tsəŋ$^{35}_{53}$pʰu$^{13}_{21}$sait^{3}ke$^{0\ 53}_{\ 44}$ʂʅ$^{13}_{44}$xəu$^{53}_{44}$tsʅ^{0}ia$^{53}_{44}$tʂʅ^{21}xe^{53}pət^{3}ʂʅ^{53}u$^{21}_{44}$pət^{3}ʂʅ$^{53}_{44}$ŋai$^{13}_{44}$cie^{53}ɲin$^{13}_{21}$kʰuei^{21}tau^{21}çi^{53}xa$^{53}_{44}$tsʅ^{0}uən^{53}na^{0},xai^{13}iəu$^{35}_{44}$kan^{21}to^{35}ɲin$^{13}_{21}$təu$^{35}_{44}$tʰaŋ^{35}uən^{21}na^{0}.ŋai^{13}tsʰiəu$^{53}_{44}$iet^{3}xa^{53}tsʅ^{0}pən^{35}kai^{53}tʂak^{3}tʂət^{3}tsʰiəu$^{53}_{44}$tʂʰet^{5}kan^{21}li^{0}.ŋai$^{13}_{21}$tsʰʅ^{35}ka$^{35}_{44}$tʂʰet^{5}xek^{3}li^{0}tsʰʅ$^{35}_{44}$ka$^{35}_{44}$tʂət^{3}.

【趄】tʂʰe^{53} 动 变换位置：走皮癣就一种癣，你搲下子嘞渠会走，欸渠会痒下别会～嘿别哪映子去，会～，～稳走，箇起就安做走皮癣。tsei^{21}pʰi^{13}sien^{21}tsʰiəu^{53}iet^{3}tʂɔŋ^{21}sien^{21}, ɲi$^{13}_{21}$ia^{21}xa$^{53}_{44}$tsʅ^{0}lei^{0}ci$^{13}_{21}$uɔi^{53}tsei^{21},e$_{21}$ci$^{13}_{21}$uɔi$^{53}_{44}$iɔŋ^{35}ŋa$^{53}_{44}$pʰiet^{5}uɔi^{53}tʂʰe^{53}xek^{3}pʰiet^{53}lai$^{53}_{44}$iaŋ$^{53}_{44}$tsʅ^{0}çi^{53},uɔi$^{53}_{44}$tʂʰe^{53},tʂʰe^{53}uən^{21}tsei^{21},kai$^{53}_{44}$çi^{21}tsʰiəu^{53}ɔn$^{35}_{53}$tso^{53}tsei^{21}pʰi^{13}sien^{21}.

【奲】tʂʰa^{53} 动 撒（尿）：箇是细人子徛倒～尿。kai$^{53}_{44}$ʂʅ$^{53}_{44}$sei^{53}ɲin$^{13}_{21}$tsʅ^{0}cʰi^{35}tau^{21}tʂʰa^{53}ɲiau^{53}.｜我一个人走嘿岭上去搞么个，系唔系？走嘿岭上去做事，走嘿箇个从来赠去过个栏场，害死哩啊，欸寻路都寻唔倒哩。我尿～你哦！惹哩鬼哟，我尿～你哦！屙兜尿，尿～你！总系箇个么个鬼箇兜，碰哩鬼，惹哩鬼，我就尿～哩渠。ŋai^{13}iet^{3}cie^{53}ɲin$^{13}_{21}$tsei^{21}xek^{3}liaŋ^{35}xɔŋ^{53}çi^{53}kau^{21}mak^{3}ke^{53},xei^{53}me^{53}?tsei^{21}xek^{3}liaŋ^{35}xɔŋ$^{53}_{44}$çi^{53}tso^{53}sʅ^{53},tsei^{21}xek^{3}kai^{53}ke^{53}tsʰəŋ^{13}lɔi$^{13}_{44}$maŋ^{13}çi^{53}ko^{53}e^{0}laŋ$^{13}_{44}$tʂʰɔŋ$^{13}_{44}$,xɔi^{53}si^{21}li^{0}a^{0},e^{0}tsʰin^{13}ləu^{53}təu$^{35}_{44}$tsʰin$^{13}_{21}$n̩$^{13}_{44}$tau^{21}li^{0}.ŋai$^{13}_{44}$ɲiau^{53}tʂʰa$^{53}_{44}$ɲi$^{13}_{44}$o^{0}!ɲia^{13}li^{0}kuei^{21}io^{0},ŋai^{13}ɲiau^{53}tʂʰa^{53}ɲi$^{13}_{44}$o^{0}!o^{35}təu$^{35}_{44}$ɲiau^{53}, ɲiau^{53}tʂʰa^{53}ɲi$^{13}_{44}$!tsəŋ^{21}xei^{53}kai$^{53}_{44}$ke$^{53}_{44}$mak^{3}ke^{53}kuei^{21}kai^{53}te$^{35}_{53}$,pʰəŋ^{53}li^{0}kuei^{21}, ɲia^{35}li^{0}kuei^{21},ŋai$^{13}_{21}$tsʰiəu$^{53}_{44}$ɲiau^{53}tʂʰa$^{53}_{21}$li^{0}ci$^{13}_{21}$.

【徶徶哩】tʂʰa^{53}tʂʰa^{53}li^{0} 形沿着某一路线快速行进的样子：蚁公走箇脚上沿稳上啊，～沿稳上啊。le^{35}kəŋ^{35}tsei^{21}kai^{53}ciɔk^{3} xɔŋ^{53}ien$^{13}_{21}$uən^{21}ʂɔŋ^{35}ŋa^{0},tʂʰa^{53}tʂʰa$^{53}_{21}$li^{0} ien$^{13}_{21}$uən^{21}ʂɔŋ^{35}ŋa^{0}.｜箇个我看下子箇电视肚里箇个摘槟榔个啊，欸，么个都唔爱呀，扤只篓公啊让门子，箇个槟榔树唔知几高，～上啊。kai$^{53}_{44}$ke$^{53}_{44}$ŋai$^{13}_{21}$kʰɔn$^{53}_{44}$xa$^{53}_{44}$tsɿ^{0} kai$^{53}_{44}$tʰien^{53}ʂʅ^{53}təu^{21}li^{0} kai$^{53}_{44}$ke$^{53}_{44}$tsak^{3} pin^{35}lɔŋ^{13}ke^{53}a^{0},e$_{44}$,mak^{3}ke^{53} təu$^{35}_{53}$m̩$^{13}_{21}$mɔi^{53}ia^{0},kʰuai^{21}tʂak^{3} li^{21}kəŋ$^{35}_{44}$a^{0} ɲiɔŋ^{53}mən$^{13}_{44}$tsɿ^{0},kai$^{53}_{44}$ke$^{53}_{44}$pin^{35}nɔŋ$^{13}_{21}$ʂəu^{53}n̩$^{13}_{21}$ti$^{35}_{44}$ci$^{21}_{44}$kau$^{35}_{44}$,tʂʰa^{53}tʂʰa$^{53}_{44}$li^{0} ʂɔŋ^{35}a^{0}.

【抻】tʂʰən^{35} 形舒展，无皱褶：轧下子布个，轧～下子个，铁尺。tsak^{3} (x)a$^{53}_{44}$tsɿ^{0} pu^{53}ke$^{53}_{44}$,tsak^{3} tʂʰən^{35}na$_{44}$(←xa^{53})tsɿ^{0} ke^{53},tʰiet^{3} tʂʰak^{3}.

【抻抻长长】tʂʰən^{35}tʂʰən^{35}tʂʰɔŋ^{13}tʂʰɔŋ^{13} 形容人身材高挑匀称：箇是人也～咯，高也高大咯，欸，一表人才咯。kai^{53}ʂʅ$^{53}_{44}$ɲin^{13}na$^{35}_{44}$tʂʰən^{35}tʂʰən$^{35}_{53}$tʂʰɔŋ$^{13}_{21}$tʂʰɔŋ$^{13}_{21}$ko^{0},kau^{35}ua$^{35}_{53}$kau^{35}tʰai^{53}ko^{0},e$_{44}$,iet^{3} piau^{21}ɲin^{13} tsʰɔi$^{13}_{21}$ko^{0}.

【辰】ʂən^{13} 名①地支的第五位：～就属龙。我就系壬～年出世个。欸，我就系属龙啊。ʂən^{13} tsʰiəu$^{53}_{44}$ʂəuk^{5} liəŋ^{13}.ŋai^{13}tsʰiəu^{53}xe$^{53}_{44}$in^{13}ʂən^{13}ɲien^{13}tʂʰət^{3} ʂʅ^{53}cie^{0}.e$_{21}$,ŋai^{13}tsʰiəu^{53}xe$^{53}_{44}$ʂəuk^{5} liəŋ^{13}ŋa^{0}. ②中国古代计时法指上午七点钟到九点钟：～时日头巳时风。ʂən^{13}ʂʅ^{13}ɲiet^{3} tʰei^{13}sɿ^{53}ʂʅ^{13}fəŋ^{35}.

【沉】tʂʰən^{13} 动没入水中：搞鱼个罾哪。～下水底下去呀，用绳一吊下上来呀。kau^{21}ŋ̍^{13}ke$^{53}_{44}$ tsien^{35}na^{0}.tʂʰən$^{13}_{21}$xa^{35}ʂei^{21}tei^{21}xa^{35}çi^{53}ia^{0},iəŋ^{53}ʂən^{13}iet^{3} tiau^{53}xa$^{53}_{44}$ʂɔŋ^{35}lɔi$^{13}_{21}$ia^{0}.

【陈茶】tʂʰən^{13}tsʰa^{13} 名上年甚至更长时间采制加工而成的茶叶，也称“陈茶叶”：～，旧年个茶叶哎，陈茶叶哎。tʂʰən^{13}tsʰa^{13},cʰiəu^{53}ɲien^{13}ke$^{53}_{44}$tsʰa$^{13}_{21}$iait$^{5}_{3}$ai^{0},tʂʰən^{13}tsʰa^{13}iait^{5}ai^{0}.｜新茶就撈～相对呀，系唔系？陈茶叶呀，撈新茶叶，今年个新茶叶。sin^{35}tsʰa^{13}tsʰiəu$^{53}_{44}$lau^{35}tʂʰən^{13}tsʰa^{13}siɔŋ^{35}tei^{53}ia^{0},xei$^{53}_{44}$me$^{53}_{44}$?tʂʰən^{13}tsʰa^{13}iait^{5}ia^{0},lau^{35}sin^{35}tsʰa^{13}iait^{5},cin^{35}ɲien$^{13}_{21}$ke$^{53}_{44}$sin^{35}tsʰa^{13}iait^{5}.

【陈大仙人】tʂən^{13}tʰai^{53}sien^{35}ɲin^{13} 名浏阳大光洞人，烧死自己称“仙人”：据说～呢……～蛮……以个栏场蛮多～庙。箇上箇个欸安做到箇个到大围山箇映子就有只～庙。～呢，渠本来是也不是一只么个仙，仙家。嗯。渠也系只懒鬼咯。我爷子是就同我讲过。～其实就一只懒鬼，唔想做事个。欸，但是渠欸走南闯北呀到处走，好，苛苛子嘞渠又晓得滴子咁个事。落尾渠就爱成仙。渠么个爱成仙？渠话～让门子成仙个嘞？硬系活活哩烧死个。渠话第一次赠搞成功。第一次啦。渠让门子打正只台，唔知几高，我爷子讲过啦，真系啦。打只台唔知几高，～呢就坐倒箇上背作法。坐倒箇上背念经呐，底下嘞□堆正柴。□正柴呀，欸。以下分火点呐着嘞，系唔系？箇～烧起受唔了哩噢。麻溜一猋喔一猋猋哇河里啊。以去河坝里搞嘞。去沙坝里搞。渠也有～也有弟子嘞。箇弟子箇只跪正边上嘞，欸，弟子箇只跪正边上。经不住烧起躺唔住哩哦，麻溜一猋，猋哇河里，唔系箇只东西白搞个，系唔系？又来。第二次又来。搞过。第二次就想哩蛮多只防范措施话嘞。第一只嘞，底下放生松槁，生松槁，岭上个松树哇，生松槁。火点呐着啊，箇生松槁一着啊，就产生唔知几大个烟，系唔系？一歇啊去，就分渠歇死来，一下就歇……渠躺唔住吵，系唔系？箇是一只措施。第二只措施嘞，就架正铳，底下叮叮转呐。叮叮转，架正铳，万一渠爱猋个话嘞，铳打死渠去，打死来烧。第二次就成功哩。欸，第二次成功。铳还赠打嘞就死嘿哩。一下就歇死哩。欸生松槁。我爷子讲个嘞。笑死人。～，会整下子病个唠。欸同箇游医样啊，会同别人家整下子病箇只，会搞下子咁个么啊迷信活动子啊。以下就到处就～庙哇。～个不是就有么人记得哩啊，欸嘿，箇个箇唔好个地方都有人记得嘞，尽兜记得～呐。tʂʯ^{53}ʂət^{3} tʂʰən^{13}tʰai^{53}sien^{35}ɲin^{13}nei^{0}…tʂʰən^{13} tʰai$^{53}_{44}$sien$^{35}_{44}$ɲin$^{13}_{21}$man^{13}…i^{21}ke^{53}laŋ$^{13}_{21}$tʂʰɔŋ$^{13}_{44}$man^{13}to$^{35}_{53}$tʂʰən^{13}tʰai$^{53}_{44}$sien$^{35}_{44}$ɲin$^{13}_{21}$miau^{53}.kai$^{53}_{44}$ʂɔŋ$^{53}_{44}$kai$^{53}_{44}$ke$^{53}_{44}$e$_{21}$ɔn$^{35}_{44}$tso$^{53}_{44}$ tau^{53}kai^{53}ke$^{53}_{21}$tau^{53}tʰai^{53}uei$^{13}_{21}$san^{35}kai$^{53}_{44}$iaŋ$^{53}_{44}$tsɿ^{0} tsʰiəu$^{53}_{44}$iəu$^{35}_{44}$tʂak^{3} tʂʰən^{13}tʰai$^{53}_{44}$sien$^{35}_{44}$ɲin$^{13}_{21}$miau^{53}.tʂʰən^{13}tʰai^{53}sien^{35} ɲin^{13}nei^{0},ci$^{13}_{21}$pən^{21}nɔi^{13}ʂʅ$^{53}_{44}$ia^{35}pət^{3} ʂʅ^{53}iet^{3} tʂak^{3} mak^{3} e^{0} sien^{35},sien^{35}cia$^{35}_{44}$.n̩$_{21}$.ci$^{13}_{21}$ia$^{35}_{44}$xei^{53}tʂak^{3} lan^{35}kuei^{21}ko^{0}. ŋai^{13}ia^{13}tsɿ^{0} ʂʅ^{53}tsiəu^{53}tʰəŋ$^{13}_{21}$ŋai$^{13}_{21}$kɔŋ^{21}ko^{0}.tʂʰən^{13}tʰai^{53}sien^{35}ɲin^{13}cʰi^{13}ʂət^{5} tsʰiəu^{53}iet^{3} tʂak^{3} lan^{35}kuei^{21},n̩$^{13}_{21}$siɔŋ$^{21}_{44}$ tso^{53}sɿ^{53}ke^{0}.e$_{21}$.tan^{53}ʂʅ^{53}ci^{13}ei^{0} tsei^{21}lan^{13}tʂʰɔŋ^{21}pɔit^{3} ia^{0} tau^{53}tʂʰu^{53}tsəu^{21},xau^{21},xo$^{35}_{44}$xo$^{35}_{53}$tsɿ^{0} lei^{0} ci^{13}iəu^{53}çiau^{21}tek^{3} tiet^{5} tsɿ^{0} kan$^{21}_{44}$cie$^{53}_{44}$sɿ^{53}.lɔk^{5} mi$^{35}_{53}$ci$^{13}_{21}$tsʰiəu^{53}ɔi^{53}tʂʰən$^{13}_{21}$sen^{35}.ci$^{13}_{21}$mak^{3} ke^{0} ɔi^{53}tʂʰən$^{13}_{21}$sen^{35}?cia$_{44}$(←ci^{13}ua^{53})tʂʰən^{13} tʰai^{53}sien^{35}ɲin^{13}ɲiɔŋ^{53}mən^{0} tsɿ^{0} tʂʰən$^{13}_{21}$sen^{35}ke^{0}lei^{0}?ɲiaŋ^{53}xe$^{53}_{44}$uɔit^{5} uɔit^{5} li^{0} ʂau^{35}si^{21}ke^{0}.ci$^{13}_{44}$ua$^{53}_{44}$tʰi^{53}iet^{3} tsʰɿ^{53} maŋ^{13}kau^{21}tʂʰən$^{13}_{21}$kəŋ^{35}.tʰi^{53}iet^{3} tsʰɿ^{53}la^{0}.ci^{13}ɲiɔŋ^{53}mən^{0} tsɿ^{0} ta^{21}tʂaŋ^{53}tʂak^{3} tʰɔi^{13},n̩^{13}ti$^{35}_{53}$ci^{21}kau^{35},ŋai$^{13}_{44}$ia^{13}tsɿ^{0} kɔŋ^{21} ko^{53}la^{0},tʂən^{35}ne^{53}la^{0}.ta^{21}tʂak^{3} tʰɔi^{13}n̩^{13}ti$^{35}_{53}$ci^{21}kau^{35},tʂʰən^{13}tʰai^{53}sien^{35}ɲin^{13}nei^{0} tsʰiəu$^{53}_{44}$tsʰo^{35}tau^{21}kai$^{53}_{44}$ʂɔŋ^{53}pɔi^{53} tsɔk^{3} fait^{3}.tsʰo^{35}tau^{21}kai$^{53}_{44}$ʂɔŋ$^{53}_{44}$pɔi$^{53}_{44}$ɲian^{53}cin^{35}na^{0},te^{21}xa$^{53}_{44}$lei^{0} tsiau^{35}tʂaŋ^{53}tsʰai^{13}.tsiau^{35}tʂaŋ^{53}tsʰai^{13}ia^{0},e$_{21}$.i^{21}xa$^{53}_{44}$

pən$^{35}_{44}$fo^{21}tian^{21}na^{0}tʂʰək^{5}lei^{0},xei$^{53}_{44}$me$^{53}_{44}$?kai^{53}tʂʰən^{13}tʰai$^{53}_{44}$sien^{35}ɲin^{13}ʂau^{35}çi$^{21}_{44}$ʂəu^{53}n̩$^{13}_{44}$liau^{21}li^{0}au^{0}.ma$^{13}_{21}$liəu$^{35}_{44}$iet^{3} piau^{35}uo^{0}iet^{3}piau^{35}piau$^{35}_{44}$ua^{0}xo^{13}li^{0}a^{0}.i$^{21}_{44}$çi^{35}xo^{13}pa^{53}li^{0}kau^{21}le^{0}.çi$^{53}_{44}$sa^{35}pa^{53}li^{0}kau^{21}.ci$^{13}_{21}$ia^{35}iəu$^{35}_{44}$tʂʰən$^{13}_{21}$tʰai$^{53}_{44}$ sien$^{35}_{44}$ɲin$^{13}_{21}$ia^{35}iəu$^{35}_{44}$tʰi^{53}tsɿ^{0}le^{0}.kai$^{53}_{44}$tʰi^{53}tsɿ^{0}kai$^{53}_{44}$tʂak^{3}kʰuei^{21}tʂaŋ$^{53}_{44}$pien$^{35}_{44}$xəŋ^{53}le^{0},e$_{21}$,tʰi^{53}tsɿ^{0}kai$^{53}_{44}$tʂak^{3}kʰuei^{21} tʂaŋ$^{53}_{44}$pien$^{35}_{44}$xəŋ$^{53}_{44}$.cin^{35}puk^{3}tʂʮ$^{53}_{44}$ʂau$^{35}_{44}$çi$^{21}_{44}$tʰəŋ^{21}n̩^{13}tʂʰəu^{53}li^{0}o^{0},ma^{13}liəu$^{35}_{53}$iet^{3}piau^{35},piau$^{35}_{44}$ua^{0}xo^{13}li^{0},m̩^{13}pʰe$^{53}_{44}$ kai^{53}tʂak^{3}təŋ$^{35}_{44}$si^{0}pʰak^{5}kau^{21}ke^{0},xei$^{53}_{44}$me$^{53}_{44}$?iəu^{53}ləi^{13}.tʰi$^{53}_{44}$ɲi$^{53}_{44}$tsʰɿ$^{53}_{44}$iəu^{53}ləi$^{13}_{21}$.kau^{21}ko^{53}.tʰi^{53}ɲi^{53}tsʰɿ$^{53}_{44}$tsʰiəu$^{53}_{44}$siəŋ^{21} li^{0}man^{13}to$^{35}_{53}$tʂak^{3}fəŋ^{13}fan^{53}tsʰo^{53}ʂʮ$^{35}_{44}$ua^{53}le^{0}.tʰi^{53}iet^{3}tʂak^{3}lei^{0},te^{21}xa$^{53}_{44}$fəŋ^{53}saŋ$^{35}_{44}$tsʰəŋ$^{13}_{21}$kʰua^{21},saŋ^{35}tsʰəŋ^{13}kʰua^{21}, liaŋ^{35}xəŋ^{53}ke^{0}səŋ^{35}ʂəu^{53}ua^{0},saŋ^{35}tsʰəŋ^{13}kʰua^{21}.fo^{21}tian^{21}na^{0}tʂʰək^{5}a^{0},kai$^{53}_{44}$saŋ^{35}tsʰəŋ$^{13}_{21}$kʰua^{21}iet^{3}tʂʰək^{5}a^{0}, tsʰiəu^{53}tsʰan^{21}sen$^{35}_{44}$n̩^{13}ti$^{35}_{53}$ci^{21}tʰai^{53}ke^{0}ien^{35},xei$^{53}_{44}$me$^{53}_{44}$?iet^{3}çiet^{3}a^{0}çi^{53},tsiəu^{53}pən$^{35}_{53}$ci$^{13}_{53}$çiet^{3}si^{21}ləi$^{13}_{44}$,iet^{3}xa^{53}tsʰiəu$^{53}_{44}$ çiet^{3}⋯ci$^{13}_{44}$tʰəŋ^{21}n̩$^{13}_{44}$tʂʰəu^{53}ʂa^{0},xei^{53}me^{53}?kai$^{53}_{44}$ʂʅ^{53}iet^{3}tʂak^{3}tsʰo^{53}ʂʅ$^{35}_{53}$.tʰi^{53}ɲi^{53}tʂak^{3}tsʰo^{53}ʂʅ$^{35}_{53}$lei^{0},tsʰiəu$^{53}_{44}$ka^{53}tʂaŋ$^{53}_{21}$ tʂʰəŋ^{53},te^{21}xa^{53}tin^{35}tin$^{35}_{44}$tʂuon^{21}na^{0}.tin^{35}tin^{35}tʂuon^{21},ka^{53}tʂaŋ$^{53}_{21}$tʂʰəŋ^{53},uan^{53}iet^{3}ci^{13}əi^{53}piau^{35}cie^{53}fa$^{53}_{44}$lei^{0},tʂʰəŋ^{53} ta^{21}si^{21}ci^{13}çi^{53},ta^{21}si^{21}ləi^{13}ʂau$^{35}_{44}$.tʰi^{53}ɲi^{53}tsʰɿ$^{53}_{44}$tsiəu$^{53}_{44}$tʂʰən$^{13}_{21}$kəŋ^{35}li^{0}.e$_{21}$,tʰi^{53}ɲi^{53}tsʰɿ$^{53}_{44}$tʂʰən^{13}kəŋ$^{35}_{44}$.tʂʰəŋ^{53}xai$^{13}_{21}$maŋ^{13} ta^{21}le^{0}tsʰiəu^{53}si^{21}xek^{3}li^{0}.iet^{3}xa^{53}tsiəu$^{53}_{44}$çiet$^{3}_{5}$si^{21}li^{0}.e^{0}saŋ^{35}tsʰəŋ$^{13}_{21}$kʰua^{21}.ŋai$^{13}_{21}$ia^{13}tsɿ^{0}kəŋ$^{21}_{44}$ke^{0}le^{0}.siau^{53}si^{21}ɲin^{13}. tʂʰən^{13}tʰai^{53}sien$^{35}_{44}$ɲin$^{13}_{44}$,uəi^{53}tʂaŋ^{21}ŋa$^{53}_{44}$tsɿ^{0}pʰiaŋ^{53}ke^{0}lau^{0},e$_{44}$tʰəŋ^{13}kai$^{53}_{44}$iəu^{13}i^{35}iəŋ$^{53}_{44}$ŋa^{0},uəi$^{53}_{44}$tʰəŋ^{13}pʰiet^{5}in$^{35}_{44}$ka$^{35}_{44}$ tʂaŋ^{21}xa$^{53}_{44}$tsɿ^{0}pʰiaŋ^{53}kai$^{53}_{44}$tʂak^{3},uəi^{53}kau^{21}ua^{53}tsɿ^{0}kan^{21}ke^{0}mak^{3}a^{0}mi^{13}sin^{53}xəit^{5}tʰəŋ^{53}tsɿ^{0}a^{0}.i$^{21}_{13}$xa$^{53}_{44}$tsʰiəu$^{53}_{44}$tau^{53} tʂʰəu^{53}tsʰiəu^{53}tʂʰən^{13}tʰai^{53}sien$^{35}_{44}$ɲin$^{13}_{44}$miau^{53}ua^{0}.tʂʰən^{13}tʰai$^{53}_{44}$sien$^{35}_{44}$ɲin$^{13}_{21}$ke^{0}pət^{3}ʂʅ^{53}tsʰiəu$^{53}_{44}$mau$^{13}_{21}$mak^{3}in$^{35}_{44}$ci^{53} tek^{3}li^{0}a^{0},e$_{44}$xe$_{21}$,kai$^{53}_{44}$ke^{0}kai$^{53}_{44}$n̩^{13}xau^{21}ke^{0}tʰi^{53}fəŋ$^{35}_{53}$təu$^{35}_{53}$mau^{13}ɲin$^{13}_{44}$ci^{53}tek^{3}le^{0},tsʰin^{53}təu$^{35}_{44}$ci^{53}tek^{3}tʂʰən^{13}tʰai$^{53}_{44}$ sien$^{35}_{44}$ɲin$^{13}_{21}$na^{0}.

【陈豆子】tʂʰən^{13}tʰei^{53}tsɿ^{0} 名留存的往年产的豆子：留久哩个～liəu^{13}ciəu^{21}li^{0}ke^{0}tʂʰən^{13}tʰei^{53}tsɿ^{0}

【陈墙泥】tʂʰən^{13}siəŋ^{13}lai^{13} 名老土墙灰：从前个墙是都系土墙哦，土砖唦，擗筑个黄泥哟。欸，箇个……爱有只话法呀，“三年唔见天就肥起禾发癫”。箇个墙土泥咯，只爱有哩几年个墙土泥就蛮有肥，渠就有硝哇么个。有碱呐，有硝哇。三年唔见天就肥起禾发癫安做。箇个墙土泥十分肥。欸转哩屋个栏场，拆哩屋个栏场，箇栏场个箇个墙土泥嘞，你栽滴子么个去，唔知几好个肥料，欸，唔知几肥，～，系唔系？陈个墙土泥嘞，我唔记得哩，也系一味药。tsʰəŋ^{13}tsʰien^{13}ke^{0}tsʰiəŋ^{13}ʂʅ$^{35}_{44}$təu^{35}xe^{53}tʰəu^{21}tsʰiəŋ^{13}ŋo^{0},tʰəu^{21}tʂuon^{35}nau^{0},lau^{35}tʂouk^{3}ke^{0}uəŋ^{13}lai^{13}io^{0}.e$_{44}$,kai^{53} ke^{53}⋯əi$^{53}_{44}$iəu^{35}tʂak^{3}ua^{53}fait^{3}ia^{0},"san^{35}ɲien^{13}n̩^{13}cien^{53}tʰien^{35}tsiəu$^{53}_{44}$pʰi^{13}çi$^{21}_{53}$uo$^{13}_{21}$fait^{3}tien^{35}".kai$^{53}_{44}$ke^{0}tsʰiəŋ^{13} tʰəu^{21}lai^{13}ko^{0},tʂɿ^{21}əi^{53}iəu^{35}li^{0}ci^{21}ɲien^{13}ke^{0}tsʰiəŋ^{13}tʰəu^{21}lai^{13}tsʰiəu^{53}man^{13}iəu^{35}pʰi^{13},ci$^{13}_{21}$tsʰiəu$^{53}_{44}$iəu^{35}siau^{35}ua^{0} mak^{3}ke^{0}.iəu^{35}kan^{21}na^{0},iəu^{35}siau^{35}ua^{0}.san^{35}ɲien^{13}n̩^{13}cien^{53}tʰien^{35}tsiəu$^{53}_{44}$pʰi^{13}çi$^{21}_{53}$uo^{13}fait^{3}ten^{35}ən^{35}tso$^{53}_{44}$.kai^{53}ke^{53} tsʰiəŋ^{13}tʰəu^{21}lai^{13}ʂət^{5}fən$^{35}_{44}$pʰi^{13}.e$_{21}$tʂuon^{53}li^{0}uk^{3}ke^{0}laŋ$^{13}_{21}$tʂʰəŋ$^{13}_{44}$,tsʰak^{3}li^{0}uk^{3}ke^{53}laŋ$^{13}_{44}$tʂʰəŋ$^{13}_{44}$,kai^{53}laŋ$^{13}_{44}$tʂʰəŋ$^{13}_{44}$ ke^{0}kai$^{53}_{44}$ke$^{53}_{44}$tsʰiəŋ^{13}tʰu^{21}lai^{13}lei^{0},ɲi^{13}tsəi^{35}tiet^{5}tsɿ^{0}mak^{3}e^{0}çi$^{53}_{44}$,n̩^{13}ti$^{35}_{53}$ci^{21}xau^{21}ke$^{53}_{44}$fei^{13}liau^{53},e$_{21}$,n̩^{13}ti$^{35}_{53}$ci^{21}pʰi^{13}, tʂʰən^{13}tsʰiəŋ^{13}lai^{13},xei^{53}me^{53}?tʂʰən^{13}cie^{53}tsʰiəŋ^{13}tʰu^{21}lai^{13}lei^{0},ŋai^{13}n̩^{13}ci^{53}tek^{3}li^{0},ia^{35}xei^{53}iet^{3}uei$^{53}_{44}$iək^{5}.

【衬】tsʰən^{53} 动在里面再托上一层，帮衬，垫托：里布就欸～下肚里个啦。li^{35}pu^{53}tsʰiəu$^{53}_{44}$e$_{21}$ tsʰən^{53}na$_{44}$(←xa^{53})təu^{21}li^{0}ke^{53}la^{0}.

【衬领子】tsʰən^{53}liaŋ^{35}tsɿ^{0} 名为避免领子变脏而衬在外衣领子里面的领子，可随时取下来洗涤：～哦，欸读 tsʰən^{53}liaŋ^{35}tsɿ^{0}。也箇大概咯学倒渠等个。tsʰən^{53}liaŋ^{35}tsɿ^{0}o^{0},e$_{21}$tʰəuk$^{5}_{3}$tsʰən^{53}liaŋ^{35} tsɿ^{0}.ia^{35}kai$^{53}_{44}$tʰai^{53}kʰai$^{53}_{21}$ko^{0}xok^{5}tau^{21}ci$^{13}_{21}$tien^{0}ke$^{53}_{44}$.

【衬衣褂子】tsʰən^{53}i^{35}kua^{53}tsɿ^{0} 名衬衫。又称“褂子”：衬衫是又安做褂子嘞。我等安做褂子嘞。又话～嘞。衬衣就又话～。tsʰən^{53}san^{35}ʂʅ$^{53}_{44}$iəu$^{53}_{44}$ən$^{35}_{44}$tso$^{53}_{44}$kua^{53}tsɿ^{0}le^{0}.ŋai$^{13}_{21}$tien^{0}ən$^{35}_{44}$tso$^{53}_{44}$kua^{53}tsɿ^{0}le^{0}.iəu$^{53}_{44}$ ua$^{53}_{44}$tsʰən^{53}i^{35}kua^{53}tsɿ^{0}le^{0}.tsʰən^{53}i^{35}tsʰiəu$^{53}_{44}$iəu^{53}ua$^{53}_{44}$tsʰən^{53}i^{35}kua^{53}tsɿ^{0}.

【趁钱】tʂʰən^{13}tsʰien^{13} 动赚钱，挣钱：我等箇有只男子人呐，唔知几厉害，真会～，真会舞么个东西食。ŋai^{13}tien^{0}kai$^{53}_{44}$iəu^{35}tʂak^{3}lan^{13}tsɿ^{0}ɲin^{13}na^{0},n̩$^{13}_{21}$ti$^{35}_{44}$ci^{21}li^{53}xəi$^{53}_{21}$,tʂən^{35}uəi^{53}tʂʰən^{13}tsʰien^{13},tʂən^{35}uəi^{53} u^{21}mak^{3}kei$^{53}_{44}$təŋ$^{35}_{44}$si^{0}ʂət^{5}.

【称】tʂʰən^{35} 动①称呼（用于人）：（对同宗同姓的人）尊称滴子就～家先生唠。tsən^{35}tʂʰən$^{35}_{44}$ tiet^{3}tsɿ^{0}tsiəu$^{53}_{44}$tʂʰən^{35}cia^{35}sien$^{35}_{44}$saŋ$^{35}_{44}$lau^{0}.｜比我更细个（姨妹子），我就～渠名字，么个妹子。pi^{21} ŋai^{13}cien$^{53}_{44}$se^{53}ke$^{53}_{44}$,ŋai$^{13}_{21}$tsiəu$^{53}_{44}$tʂʰən$^{35}_{44}$ci$^{13}_{44}$ke$^{53}_{44}$miaŋ^{13}tsʰɿ^{53},mak^{3}ke$^{53}_{44}$məi^{53}tsɿ^{0}.｜我有两只阿姐，渠～我老婆～我个箇两只阿姐都～大晚姑子，细晚姑子。ŋai^{13}iəu$^{35}_{53}$iəŋ^{21}tʂak^{3}a^{35}tsia^{21},ci$^{13}_{21}$tʂʰən$^{35}_{44}$ŋai$^{13}_{21}$lau^{21}pʰo^{13} tʂʰən$^{35}_{44}$ŋai^{13}cie$^{53}_{44}$kai^{53}iəŋ^{21}tʂak^{3}a^{35}tsia^{21}təu^{35}tʂʰən$^{35}_{44}$tʰai^{53}man$^{35}_{44}$ku$^{35}_{44}$tsɿ^{0},se^{53}man$^{35}_{44}$ku$^{35}_{44}$tsɿ^{0}.②把……说成；叫做（用于事、物或人与人的关系等）：（妹子过继）唔～过房。箇就系我带个妹子。n̩^{13}tʂʰən$^{35}_{44}$ ko^{53}fəŋ^{13}.kai$^{53}_{44}$tsʰiəu$^{53}_{44}$xe$^{53}_{44}$ŋai^{13}tai^{53}ke$^{53}_{44}$məi^{53}tsɿ^{0}.｜欸，客姓人唔～毛巾嘞。欸，～面巾子。e$_{21}$,kʰak^{3}

sin$^{53}_{44}$ɲin$^{13}_{21}$n̩^{13}tʂʰən$^{35}_{44}$mau^{13}cin$^{35}_{44}$ne^{0}.e$_{21}$,tʂʰən$^{35}_{44}$mien^{53}cin$^{35}_{44}$tsɿ^{0}.｜我老妹子摎我叔叔在一起也～两子叔嘞。ŋai^{13}lau^{21}mɔi^{53}tsɿ^{0}lau^{35}ŋai$^{13}_{21}$ʂəuk^{3}ʂəuk^{3}tsʰai^{53}iet^{3}çi^{21}ia^{35}tʂʰən$^{35}_{44}$iɔŋ^{21}tsɿ^{21}ʂəuk^{3}lei^{0}. ③号称：蒸酒作豆腐，～唔得老师傅。tʂən^{35}tsiəu^{21}tsɔk^{3}tʰei^{53}fu^{53},tʂʰən^{35}n̩$^{13}_{21}$tek^{3}lau^{21}sɿ$^{35}_{44}$fu^{53}.｜打肿面来～胖子，死爱面子。ta^{21}tʂəŋ^{21}mien^{53}nɔi$_{21}$tʂʰən$_{44}$pʰɔŋ^{53}tsɿ^{0},si^{21}ɔi$_{44}$mien^{53}tsɿ^{0}.

C

【称名道姓】tʂʰən^{35}miaŋ^{13}tʰau^{53}siaŋ^{53} 称呼姓名：欸，～个意思嘞就系不应该欸用大名来讲个事，显得唔知几严肃，唔知几箇个唔知几正规样。还有只嘞就系不应该分名字讲出来个，还有滴应该亲切滴子个，系唔系？喊叔公叔婆或者么个欸阿哥大嫂箇只，不要去～。e$_{21}$,tʂʰən^{35}miaŋ^{13}tʰau^{53}siaŋ^{53}ke^{0}i^{53}sɿ^{0}lei^{0}tsʰiəu^{53}xei$^{53}_{21}$pət^{3}in$^{35}_{44}$kɔi$^{35}_{44}$ei$_{21}$iəŋ^{53}tʰai^{53}miaŋ^{13}lɔi^{13}kɔŋ^{21}ke^{0}sɿ^{53},çien^{21}tek^{3}n̩^{13}ti$^{35}_{53}$ci^{21}ɲian^{13}səuk^{3},n̩^{13}ti$^{35}_{53}$ci^{21}kai$^{53}_{44}$ke$^{53}_{44}$n̩^{13}ti$^{35}_{53}$ci^{21}tʂən^{53}kuei$^{35}_{44}$iɔŋ^{53}.xai^{13}iəu$^{35}_{44}$tʂak^{3}lei^{0}tsʰiəu^{53}xe$^{53}_{44}$pət^{3}in$^{35}_{44}$kɔi$^{35}_{44}$pən^{35}miaŋ^{13}tsʰɿ^{53}kɔŋ^{21}tʂʰət^{3}lɔi^{13}ke^{0},xai^{13}iəu$^{35}_{53}$tet^{5}in$^{35}_{44}$kɔi$^{35}_{44}$tsʰin^{35}tsʰiet^{3}tiet^{5}tsɿ^{0}ke^{0},xei$^{53}_{44}$me$^{53}_{44}$?xan^{53}ʂəuk^{3}kəŋ$^{35}_{44}$ʂəuk^{3}pʰo^{13}xɔit^{5}tʂa^{21}mak^{3}ke$^{53}_{44}$e$_{21}$a^{35}ko^{35}tʰai^{53}sau^{21}kai$^{53}_{44}$tʂak^{3},pət^{3}iau^{53}çi^{53}tʂʰən^{35}miaŋ$_{21}$tʰau$_{44}$siaŋ^{53}.

【撑】tsʰaŋ^{53}/tsʰaŋ^{35} 动 ①填肚子：爱～饱来。ɔi$^{53}_{44}$tsʰaŋ^{53}pau^{21}lɔi^{13}. ②支着：渠等指七姊妹辣椒硬生倒硬一蒲嘞咁子～倒上嘞。ci^{13}tien^{0}ɲiaŋ^{53}saŋ^{35}tau^{21}ɲiaŋ^{53}iet^{3}pʰu^{13}lei^{0}kan^{21}tsɿ^{0}tsʰaŋ^{35}tau^{21}ʂɔŋ^{35}lei^{0}. ③下象棋时把士从米字格的中央再往前推一步：好，起到以映子嘞我～一士下去，噢还爱走以映来～一士啊。～……～上去啊，～一士啊。xau^{21},çi^{21}tau^{53}i^{21}iaŋ^{53}tsɿ^{0}lei^{0}ŋai$^{13}_{21}$tsʰaŋ^{35}ɲiet^{3}sɿ^{53}xa$^{53}_{44}$çi$^{53}_{44}$,au$_{21}$xa$^{13}_{21}$ɔi$^{53}_{44}$tsei$^{21}_{44}$i^{21}iaŋ^{53}nɔi$^{13}_{21}$tsʰaŋ^{35}ɲiet^{3}sɿ^{53}a^{0}.tsʰaŋ^{35}ç…tsʰaŋ^{35}ʂɔŋ^{35}çi$^{53}_{44}$a^{0},tsʰaŋ^{35}ɲiet^{3}sɿ^{53}a^{0}.

【撑排】tsʰaŋ^{53}pʰai^{13} 动 用长篙顶到河底来推动排子前进或控制其前进方向：欸，舞条竹篙就跍倒箇映子反正就跍倒箇映子～。e$_{21}$,u^{21}tʰiau^{13}tʂəuk^{3}kau$^{35}_{44}$tsʰiəu$^{53}_{44}$ku^{35}tau^{21}kai^{53}iaŋ^{53}tsɿ^{0}fan$^{21}_{44}$tʂən$^{53}_{44}$tsʰiəu$^{53}_{44}$ku^{35}tau^{21}kai^{53}iaŋ^{53}tsɿ^{0}tsʰaŋ^{53}pʰai^{13}.

【撑腰】tsʰaŋ^{35}iau^{35} 动 给予支持，充当靠山：～就支持别人家个意思。做么个事情爱有人～。箇以前我等去生产队上，生产队上是三根铁扁担呢安做嘞。欸，队长，出纳，保管。出纳摎保管一个人。队长，会计，出纳保管，三个人，三根铁扁担安做。我就当过会计呀，当嘿十几年个会计呀。队长爱搞得好嘞，就爱会计摎保管等人～。爱渠等～。tsʰaŋ^{35}iau^{35}tsʰiəu$^{53}_{44}$tʂʅ^{35}tʂʰʅ$^{13}_{21}$pʰiet^{5}in$^{13}_{21}$ka$^{35}_{44}$ke^{0}i^{53}sɿ^{0}.tso^{53}mak^{3}e^{0}sɿ^{53}tsʰin$^{13}_{21}$ɔi$^{53}_{44}$iəu$^{35}_{44}$ɲin$^{13}_{21}$tsʰaŋ$^{35}_{44}$iau^{35}.kai$^{53}_{44}$i^{35}tsʰien^{13}ŋai^{13}tien^{0}çi$^{53}_{44}$sen$^{35}_{44}$tsʰan^{21}ti^{53}xɔŋ$_{44}$,sen$^{35}_{44}$tsʰan^{21}ti^{53}xɔŋ$_{44}$ʂʅ$^{53}_{44}$san$^{35}_{44}$cien$^{35}_{44}$tʰiet^{3}pien^{21}tan^{53}ne^{0}ɔn$^{35}_{44}$tso$^{53}_{44}$le^{0}.e$_{44}$,ti^{53}tʂɔŋ^{21},tʂʰət^{3}lait^{5},pau^{21}kɔn^{21}.tʂʰət^{3}lait^{5}lau$^{35}_{44}$pau^{21}kɔn^{21}iet^{3}cie^{53}ɲin$^{13}_{21}$.ti^{53}tʂɔŋ^{21},kʰuai^{53}ci$^{53}_{44}$,tʂʰət^{3}lait^{5}pau^{21}kɔn^{21},san^{35}cie^{53}ɲin$^{13}_{44}$,san^{35}cien^{35}tʰiet^{3}pien^{21}tan^{53}ɔn$^{35}_{44}$tso$^{53}_{44}$.ŋai^{13}tsʰiəu^{53}tɔŋ^{35}ko$^{53}_{44}$kʰuai^{53}ci^{53}ia^{0},tɔŋ^{35}xek^{3}ʂət^{5}ci^{21}ɲien^{13}ke^{0}kʰuai^{53}ci^{53}ia^{0}.ti^{53}tʂɔŋ^{21}ɔi^{53}kau^{21}tek^{3}xau^{21}lei^{0},tsʰiəu$^{53}_{44}$ɔi$^{53}_{44}$kʰuai^{53}ci$^{53}_{44}$lau$^{35}_{44}$pau^{21}kɔn^{21}ten^{0}ɲin$^{13}_{21}$tsʰaŋ$^{35}_{44}$iau^{35}.ɔi^{53}ci$^{13}_{21}$tien^{0}tsʰaŋ$^{35}_{44}$iau^{35}.

【成$_1$】ʂaŋ^{13}/tʂʰən^{13} 动 ①变成，转化为：箇指婊唔爱几多油，油多哩～哩炮喔。kai$^{53}_{44}$m̩$^{13}_{21}$mɔi$^{53}_{35}$ci^{21}to^{35}iəu^{13},iəu^{13}to^{35}li^{0}ʂaŋ$^{13}_{44}$li^{0}pʰau^{13}uo^{0}. ②形成：肚箇里会～米了。təu^{21}kai$^{53}_{21}$li^{0}uɔi^{53}ʂaŋ^{13}mi^{21}liau^{0}.｜（孝子）归到箇屋门口，排～一列，跪正来，迎接箇个去送哩葬个人。kuei^{35}tau^{53}kai$^{53}_{44}$uk^{3}mən$^{13}_{44}$xei^{21},pʰai$^{13}_{21}$tʂʰən$^{13}_{44}$iet^{3}lek^{5},kʰuei^{21}tʂaŋ^{53}lɔi^{13},ɲin^{13}tsiet^{3}kai$^{53}_{44}$ke$^{53}_{44}$çi$^{53}_{44}$səŋ^{53}li^{0}tsɔŋ^{53}ke$^{53}_{44}$ɲin$^{13}_{21}$. ③够，达到一定的程度或数量：两个呀，四个呀，欸，两个六个呀，～双呢，高亲爱～双。iɔŋ^{21}ke^{53}ia^{0},si^{53}ke^{53}ia^{0},e$_{21}$,iɔŋ^{21}ke^{53}liəuk^{3}ke^{53}ia^{0},tʂʰən$^{13}_{21}$səŋ^{35}ne^{0},kau$^{35}_{44}$tsʰin$^{35}_{44}$nɔi$^{53}_{44}$tʂʰən$^{13}_{21}$səŋ^{35}. ④到了某个时间：～十月子嘞，箇就系具体个指十月。～十月了哇，冷了哇。系唔系？ʂaŋ^{13}ʂət^{5}ɲiet^{5}tsɿ^{0}lei^{0},kai$^{53}_{44}$tsʰiəu$^{53}_{44}$xei$^{53}_{44}$tʂʰʮ^{53}tʰi^{21}ke$^{53}_{44}$tʂʅ^{21}ʂət^{5}ɲiet$^{5}_{3}$.ʂaŋ$^{13}_{21}$ʂət^{5}ɲiet^{5}liau^{0}ua^{0},laŋ^{35}liau^{0}ua^{0}.xei$^{53}_{44}$me$^{53}_{44}$?

【成$_2$】ʂaŋ^{13} 形 ①成功：做唔～tso^{53}n̩$^{13}_{21}$ʂaŋ^{13}。②表示有可能：你等人来得～啊来唔成？我有事，来得～；渠搞唔赢，来唔～。ɲi^{13}ten^{35}ɲin^{13}lɔi^{13}tek^{3}ʂaŋ^{13}ŋa^{35}lɔi^{13}ŋ̍^{13}ʂaŋ^{13}?ŋai^{13}mau^{13}sɿ^{53},lɔi^{13}tek^{3}ʂaŋ^{13};ci^{13}kau^{21}ŋ̍^{13}iaŋ^{13},lɔi^{13}ŋ̍^{13}ʂaŋ^{13}.｜箇个欸墙板一松，就爱整。因为渠箇时子泥还溇湿，好整。你等渠糟哩了嘞就就整唔～哩，剁剁跌啊。kai$^{53}_{44}$ke$^{53}_{44}$e$_{21}$tsʰiɔŋ^{13}pan^{21}iet^{3}səŋ^{35},tsʰiəu$^{53}_{44}$ɔi$^{53}_{44}$tʂaŋ^{21}.in^{35}uei$^{53}_{44}$ci$^{13}_{21}$kai^{53}ʂʅ$^{13}_{21}$tsɿ^{0}lai$^{13}_{21}$xai$^{13}_{21}$tsiet^{5}ʂət^{3},xau^{21}tʂaŋ^{21}. ɲi^{13}tien^{21}ci^{13}tsau^{35}li^{0}liau^{0}le^{0}tsʰiəu$^{53}_{44}$tsʰiəu$^{53}_{44}$tʂaŋ^{21}n̩^{13}ʂaŋ^{13}li^{0},to^{53}to^{53}tet^{3}a^{0}.

【成$_3$】tʂʰən^{13} 量 十分之一的比率：两～iɔŋ^{21}tʂʰaŋ^{13}｜三沙一土六～灰。san^{35}sa$^{35}_{44}$iet^{3}tʰəu^{21}liəuk^{3}tʂʰən^{13}fɔi^{35}.｜七～子熟哩，禾苗熟哩。tsʰiet^{3}tʂʰən^{13}tsɿ^{0}siəuk^{3}li^{0},uo^{13}miau^{13}siəuk^{3}li^{0}.

【成$_4$】ʂaŋ^{13}/tʂʰən^{13} 副 用在数量词前面，表示达到一个单位数量或时间：～万 tʂʰən^{13}uan^{53}｜头到我老婆去搞两只检查，住两只院呐，搞嘿～十日。tʰei^{13}tau^{53}ŋai$^{13}_{21}$lau^{21}pʰo^{13}çi^{53}kau^{21}iɔŋ^{21}tʂak^{3}cian^{21}tsʰa^{13},tʂʰəu^{53}iɔŋ^{21}tʂak^{3}ien^{53}na^{0},kau^{21}uek^{3}ʂaŋ$^{13}_{21}$ʂət^{5}ɲiet^{3}.｜～十个月摎上十月唔同。～十个月嘞箇就系算起来有十个月时间，整体来讲有十个月时间。ʂaŋ^{13}ʂət^{5}ke^{53}ɲiet$^{5}_{3}$lau^{35}ʂaŋ^{35}ʂət^{5}ɲiet^{5}n̩$^{13}_{21}$

tʰəŋ^{13}.ʂaŋ^{13}ʂət^{5} ke^{53}ɲiet$^{5}_{3}$ lei^{0} kai$^{53}_{44}$tsʰiəu$^{53}_{44}$xei$^{53}_{44}$sən^{53} çi^{21}ləi$^{13}_{21}$iəu^{35}ʂət^{5} kei$^{53}_{44}$ɲiet^{5} ʂʅ$^{13}_{21}$kan$^{35}_{44}$,tʂən^{21}tʰi^{21}ləi^{13}kəŋ^{21}iəu^{35} ʂət^{5} ke$^{53}_{21}$ɲiet$^{5}_{3}$ ʂʅ$^{13}_{21}$kan$^{35}_{44}$.｜以只～十年子啊就变化唔知几大，我等工资加蛮多。i^{21}tʂak^{3} ʂaŋ^{13}ʂət^{5} ɲien^{13}tsʅ^{0} a^{0} tsʰiəu^{53}pien^{53}fa^{53}n̩^{13}ti$^{13}_{53}$ci^{21}tʰai^{53},ŋai^{13}tien^{0} kəŋ$^{35}_{44}$tsʅ$^{35}_{44}$cia$^{35}_{44}$man$^{13}_{21}$to^{35}.

【成服】tʂʰən^{13}fuk^{5} 动 死者入殓后，亲属各依服制穿着丧服：～爱举行仪式。tʂʰən^{13}fuk^{5} ɔi^{53}tʂʅ^{21} çin^{13}ɲi^{13}ʂʅ$^{53}_{44}$.

【成服饭】tʂʰən^{13}fuk^{5} fan^{53} 名 成服时举办的筵席：成服箇晡还爱举行一次欸宴会哟，还爱爱安做～呶。欸，还有只～呶。还爱比平时更像啊。tʂʰən^{13}fuk^{5} kai$^{53}_{44}$pu$^{35}_{44}$xa$^{13}_{21}$ɔi$^{53}_{44}$tʂʅ^{21} çin^{13}iet^{3} tsʰʅ$^{13}_{44}$e^{21}ien^{53} fei^{53}iau^{0},xa$^{13}_{21}$ɔi$^{53}_{44}$ɔi$^{53}_{44}$ɔn$^{35}_{44}$tso$^{53}_{44}$tʂʰən^{13}fuk^{5} fan^{53}nau^{0}.e$_{21}$,xai$^{13}_{21}$iəu$^{35}_{44}$tʂak^{3} tʂʰən$^{13}_{21}$fuk^{5} fan^{53}nau^{0}.xa^{13}ɔi$^{53}_{44}$pi^{21}pʰin^{13}ʂʅ$^{13}_{21}$ cien^{53}tsʰiəŋ^{53}ŋa^{0}.

【成服祭】tʂʰən^{13}fuk^{5} tsi^{53} 名 成服时举行的祭祀活动：成服仪式啊，还打祭呀，还爱读文字啊。还爱写篇文字读渠唠。安做～哟。tʂʰən^{13}fuk^{5} ɲi^{13}ʂʅ^{53}a^{0},xa$^{13}_{21}$ta^{21}tsi^{53}ia^{0},xa$^{13}_{21}$ɔi$^{53}_{44}$tʰəuk^{5} uən^{13}tsʰʅ$^{13}_{44}$a^{0}.xa$^{13}_{21}$ ɔi$^{53}_{44}$sia^{21}pʰien$^{35}_{44}$uən^{13}tsʅ$^{53}_{44}$tʰəuk^{5} ci$^{13}_{21}$lau^{0}.ɔn$^{35}_{44}$tso$^{53}_{44}$tʂʰən^{13}fuk^{5} tsi^{53}iau^{0}.

【成器】ʂaŋ^{13}çi^{53} 动 做好，做完：渠个嫁妆呢，渠因为结婚箇晡搞唔～呀，多哩啊。ci$^{13}_{21}$ke$^{53}_{44}$ka^{53} tsəŋ$^{35}_{44}$nei^{0},ci$^{13}_{21}$in^{35}uei$^{53}_{44}$ciet^{3} fən^{35}kai^{53}pu$^{35}_{44}$kau^{21}ŋ̍^{13}ʂaŋ^{13}çi^{53}ia^{0},to^{35}li^{0}a^{0}.

【成千成万】tʂʰən^{13}tsʰien^{35}tʂʰən^{13}uan^{53} 形容数量很多：～掺成千上万都系一只意思。～，成千上万，都系唔知几多。我头番子去头几晡子去湘雅医院看病哦，箇个硬输哩命啊，～个人呐硬啊。去抽血打针都硬排起总有几百米个队伍凑。欸，咁多子人爱抽血打针个。抽血个。tʂʰən^{13}tsʰien$^{13}_{44}$tʂʰən^{13}uan^{53}lau^{35}tʂʰən^{13}tsʰien$^{13}_{44}$ʂəŋ^{53}uan^{53}təu^{35}xei^{53}iet^{3} tʂak^{3} i^{53}sʅ^{0}.tʂʰən^{13}tsʰien$^{13}_{44}$tʂʰən^{13}uan^{53}, tʂʰən^{13}tsʰien$^{13}_{44}$ʂəŋ^{53}uan^{53},təu^{35}xe^{53}n̩^{13}ti$^{13}_{44}$ci^{21}to^{35}.ŋai^{13}tʰei^{13}fan$^{35}_{44}$tsʅ^{0} çi^{53}tʰei^{13}ci^{21}pu$^{35}_{44}$tsʅ^{0} çi^{53}siəŋ^{35}ia^{21}i$^{35}_{44}$vien^{53}kʰən^{53} pʰiaŋ^{53}ŋo^{0},kai^{53}ke^{0} ŋiaŋ$^{53}_{44}$ʂəu$^{35}_{44}$li^{0} miaŋ^{53}ŋa^{0},tʂʰən^{13}tsʰien$^{13}_{44}$tʂʰən^{13}uan^{53}ke^{0} ɲin$^{13}_{44}$na^{0}ɲiaŋ^{53}ŋa^{0}.çi^{53}tʂʰəu^{35}çiet^{3} ta^{21}tʂən^{35}təu$^{35}_{44}$ɲiaŋ^{53}pʰai^{13}çi$^{21}_{44}$tsəŋ^{21}iəu$^{35}_{44}$ci^{21}pak^{3} mi^{21}ke^{0} tei^{53}u^{21}tsʰe^{0}.e$_{21}$,kan^{21}to^{35}tsʅ^{0} ɲin^{13}ɔi^{53}tʂʰəu^{35}çiet^{3} ta^{21} tʂən^{35}cie^{0}.tʂʰəu^{35}çiet^{3} cie^{0}.

【成千上万】tʂʰən^{13}tsʰien^{35}ʂəŋ^{53}uan^{53} 形容数量很多：张坊街上嘞如今开哩一只新超市。安做鹏泰超市。正开业个箇几晡可以讲系～个人。硬系也安做推进涌出个人。推进涌出嘞，～个人。搞么个，做么个嘞？箇几晡个东西比较便宜呶。省兜钱呶。也有兜事情系蛮便宜，欸。有兜合适个东西就可以去买呀，系啊。好，以下就冇得～个人了。冇得哩箇个咁便宜个东西了。tʂəŋ^{35}xəŋ$^{35}_{44}$kai$^{35}_{44}$xəŋ$^{35}_{44}$lei^{0} i$^{13}_{21}$cin$^{35}_{44}$kʰɔi^{35}li^{0} iet^{3} tʂak^{3} sin^{35}tʂʰau$^{35}_{44}$ʂʅ^{53}.ɔn$^{35}_{44}$tso$^{53}_{44}$pʰəŋ^{13}tʰai^{53}tʂʰau$^{35}_{44}$ʂʅ^{53}.tʂaŋ^{53}kʰɔi^{35} ɲiait^{5} ke^{0} kai$^{53}_{44}$ci^{21}pu$^{35}_{21}$kʰo^{21}i^{35}kəŋ^{21}xei$^{53}_{44}$tʂʰən^{13}tsʰien$^{13}_{44}$ʂəŋ^{53}uan^{53}ke^{0} ɲin^{13}. ɲiaŋ^{53}xe$^{53}_{44}$ia^{35}ɔn$^{35}_{44}$tso$^{53}_{44}$tʰi^{35}tsin^{53}iəŋ^{21} tʂʰət^{3} ke^{0} ɲin^{13}.tʰi^{35}tsin^{53}iəŋ^{21}tʂʰət^{3} le^{0},tʂʰən^{13}tsʰien$^{13}_{44}$ʂəŋ^{53}uan^{53}ke^{0} ɲin^{13}.kau^{21}mak^{3} e^{0},tso$^{53}_{44}$mak^{3} e^{0} lei^{0}?kai$^{53}_{44}$ci^{21} pu$^{35}_{44}$ke^{0} təŋ$^{35}_{44}$si^{0} pi^{21}ciau$^{53}_{44}$pʰien^{13}ɲin^{13}nau^{0}.saŋ^{21}təu$^{35}_{53}$tsʰien^{13}nau^{0}.ia^{35}iəu^{35}təu$^{35}_{44}$sʅ$^{53}_{44}$tsʰin$^{13}_{44}$xe^{53}man$^{13}_{21}$pʰien$^{13}_{21}$ ɲin$^{13}_{44}$,e$_{21}$.iəu^{35}təu$^{35}_{44}$xɔit^{5} ʂət^{3} ke^{0} təŋ$^{35}_{44}$si^{0} tsʰiəu$^{53}_{44}$kʰo^{21}i$^{35}_{44}$çi$^{53}_{44}$mai^{35}ia^{0},xei^{53}a^{0}.xau$^{21}_{44}$,i^{21}xa^{53}tsʰiəu^{53}mau^{13}tek^{3} tʂʰən^{13} tsʰien$^{13}_{44}$ʂəŋ^{53}uan^{53}ke^{0} ɲin^{13}niau^{0}.mau^{13}tek^{3} li^{0} kai^{53}ke^{53}kan^{21}pʰien^{13}ɲin^{13}ke^{0} təŋ$^{35}_{44}$si^{0} liau^{0}.

【成群结队】tʂʰən^{13}tʂʰən$^{13}_{21}$ciet^{3} tei^{53} 众多的人或动物结成一群群、一队队：义狗一江一江，～呀。ɲi^{53}kei^{21}iet^{3} kəŋ^{35}iet^{3} kəŋ^{35},tʂʰən^{13}tʂʰən$^{13}_{21}$ciet^{3} tei^{53}ia^{0}.

【成色】tʂʰaŋ^{13}sek^{3} 名 ①指农作物成熟的程度：譬如箇个禾，系唔系啊？～蛮老了，打得了。pʰei^{53}ʮ$^{13}_{21}$kai$^{53}_{44}$ke$^{53}_{44}$uo^{13},xei$^{53}_{44}$me$^{53}_{44}$a^{0}?tʂʰaŋ^{13}sek^{3} man^{13}lau^{21}liau^{0},ta^{21}tek^{3} liau^{0}.｜西瓜～蛮老了，摘得了。～到哩啊。si^{35}kua$^{35}_{44}$tʂʰaŋ^{13}sek^{3} man^{13}lau^{21}liau^{0},tsak^{3} tek^{3} liau^{0}.tʂʰaŋ^{13}sek^{3} tau^{53}li^{0} a^{0}. ②指时间的早晚：～蛮老了哈，爱来去归了哈，爱收工了。～蛮老。箇就讲天气会天色，欸，讲时间，会夜了。tʂʰaŋ^{13}sek^{3} man^{13}lau^{21}liau^{0} xa^{0},ɔi^{53}ləi^{13}çi^{53}kuei^{35}liau^{0} xa^{0},ɔi^{53}ʂəu$^{35}_{44}$kəŋ^{35}liau^{0}.tʂʰaŋ^{13}sek^{3} man^{13}lau^{21} liau^{0}.kai$^{53}_{44}$tsʰiəu^{53}kəŋ^{21}tʰien^{35}çi^{53}uɔi^{53}tʰien^{35}sek^{3},e$_{21}$,kəŋ^{21}ʂʅ^{13}kan$^{35}_{44}$,uɔi$^{53}_{44}$ia^{53}liau^{0}.

【成双】tʂʰən^{13}səŋ^{35} 动 构成一对或偶数：好事～，一般就两只。讨新人，卖妹子，一般就系双，～，（作）两只（揖）。xau^{21}sʅ^{53}tʂʰən$^{13}_{21}$səŋ^{35},iet^{3} pɔn^{35}tsʰiəu^{53}iəŋ^{21}tʂak^{3}.tʰau^{21}sin^{35}ɲin$^{13}_{21}$,mai^{53}mɔi^{53} tsʅ^{0},iet^{3} pɔn^{35}tsʰiəu^{53}xei$^{53}_{44}$səŋ^{35},tʂʰən^{13}səŋ^{35},iəŋ^{21}tʂak^{3}.

【承】ʂən^{13} 动 垫托，支撑：底下嘞舞两条子竹子，～起来，～起来呀。唔直接放下地泥下，～起来。tei^{21}xa$^{53}_{44}$lei^{0} u^{21}iəŋ^{21}tʰiau^{13}tsʅ^{0} tʂəuk^{3} tsʅ^{0},ʂən^{13}çi^{21}ləi^{13},ʂən^{13}çi^{21}ləi^{13}ia^{0}.n̩^{13}tʂʰət^{5} tsiet^{3} fəŋ$^{53}_{44}$(x)a$^{53}_{44}$ tʰi^{53}lai$^{13}_{21}$xa^{35},ʂən^{13}çi^{21}ləi^{13}.｜箇个楼栿咁就两重啊，顶高就～人个。kai$^{53}_{44}$ke$^{53}_{44}$lei^{13}fuk^{5} kan$^{21}_{44}$tsʰiəu^{53}iəŋ^{21} tʂʰəŋ$^{13}_{44}$ŋa^{0},taŋ^{21}kau$^{35}_{44}$tsʰiəu^{53}ʂən^{13}ɲin^{13}cie$^{53}_{44}$.

【承唔受】ʂən$^{13}_{21}$n̩^{13}ʂəu^{53} 承受不住：以只把子上箇只力～，箇个（辣椒）就往下长。/就系钉椒子。i^{21}tʂak^{3} pa^{53}tsɿ^{0} xɔŋ$^{53}_{44}$kai$^{53}_{44}$tʂak^{3} liet^{5} ʂən$^{13}_{21}$n̩^{13}ʂəu^{53},kai$^{53}_{44}$ke$^{53}_{44}$tsʰiəu$^{53}_{44}$uɔŋ^{21}xa^{35}tʂɔŋ^{21}./tsʰiəu^{53}xe$^{53}_{44}$taŋ^{35}tsiau^{35} tsɿ^{0}.

【城】tʂʰən^{13} 名用作地名中的通名：白沙～pʰak^{5} sa$^{35}_{44}$tʂʰən^{13}

【城隍庙】tʂʰən^{13}fɔŋ^{13}miau^{53} 名祭祀城隍神的庙宇：～浏阳城里就有哩。以个乡下冇得。我等也跟倒安做～。tʂʰən^{13}fɔŋ^{13}miau^{53}liəu^{13}iɔŋ^{13}tʂʰən^{13}ni^{0} tsʰiəu$^{53}_{44}$iəu$^{35}_{44}$ni^{0} .i^{21}ke$^{53}_{44}$çiɔŋ^{35}xa$^{35}_{44}$mau$^{13}_{21}$tek^{3} .ŋai^{13}tien^{0} ia^{35}cien$^{35}_{44}$tau$^{21}_{44}$ɔn$^{35}_{44}$tso$^{53}_{44}$tʂʰən^{13}fɔŋ^{13}miau^{53}.

【城里】tʂʰən^{13}li^{0} 名城市建成区内：欸只有～个箇起系有几室几斤，一只灶下真系嘿嘿嘿跍得一个人两个人呢呀。e$_{21}$tʂe^{21}iəu$^{35}_{53}$tʂʰən^{13}ni^{0} ke$^{53}_{44}$kai^{53}çi^{21}xe$^{53}_{44}$iəu$^{35}_{44}$ci^{21}ʂət$^{5}_{3}$ ci^{21}tʰin^{35},iet^{3} tʂak^{3} tsau^{53}xa$^{35}_{44}$tʂən^{35} nei$_{44}$(←xe^{53})xe$_{44}$xe$_{44}$xe$_{44}$ku$^{35}_{44}$tek^{3} iet^{3} cie^{53}ɲin^{13}iɔŋ^{21}cie^{53}ɲin^{13}ne^{0} ia^{0}.

【城市】tʂʰən^{13}ʂʅ^{53} 名人口密集、街道繁盛、工商业发达的地方，通常是周围地区政治、经济、文化的中心：热天呐跍倒～里唔多好嬲。～里箇个空气唔好。我等系下山角落里个人呐，还肯做跍倒山角落里。欸，空气质量更好。更好过，冇得咁热得咁死。ɲiet^{5} tʰien$^{35}_{44}$na^{0} ku$^{35}_{44}$tau$^{21}_{44}$ tʂʰən^{13}ʂʅ$^{53}_{44}$li^{0} n̩$^{13}_{21}$to$^{35}_{44}$xau^{21}liau^{53}.tʂʰən^{13}ʂʅ^{53}li^{0} kai$^{53}_{44}$ke$^{53}_{44}$kʰəŋ$^{35}_{44}$çi^{53}n̩$^{13}_{21}$xau^{21} .ŋai^{13}tien^{0} xei^{53}a$^{53}_{44}$san$^{35}_{44}$kɔk^{3} lɔk^{3} li^{0} ke^{53} ɲin$^{13}_{44}$na^{0},xai^{13}xen^{21}tso$^{53}_{44}$ku^{35}tau^{21}san$^{35}_{44}$kɔk^{3} lɔk^{3} li^{0} .e$_{21}$,kʰəŋ^{35}çi$^{53}_{44}$tʂət^{3} liɔŋ$^{53}_{44}$ken^{53}xau^{21}.cien$^{53}_{44}$xau^{21}ko^{53},mau^{13}tek^{3} kan^{21}ɲiet^{5} tek^{3} kan$^{21}_{44}$si^{21}.

【挰】tʂʰaŋ^{13} 动举：就咁子拿咁子～倒就看得箇（着久哩个袄婆）肚里有□光个，看得有冇得棉花个栏场啊。tsʰiəu^{53}kan^{21}tsɿ^{0} la^{53}kan^{21}tsɿ^{0} tʂʰaŋ^{13}tau^{21}tsʰiəu$^{53}_{44}$kʰɔn^{53}tek^{3} kai^{53}təu^{21}li^{0} iəu$^{35}_{53}$uaŋ^{13}kɔŋ^{35} ke^{53},kʰɔn^{53}tek^{3} iəu$^{35}_{44}$mau^{13}tek^{3} mien$^{13}_{21}$fa$^{35}_{44}$ke^{53}laŋ$^{13}_{21}$tʂʰɔŋ$^{13}_{21}$ŋa^{0}.◇挰，《广韵》直庚切：“举也。”

【晟】tʂʰaŋ^{13} 动①经太阳稍微晒一下：打比到哩冬下头，留倒过年个烟了，系唔系？渠会久哩会生霉嘞，箇就爱舞倒去晒下子，舞倒嘞就唔系晾开来晒，舞做一提，咁大一饽，晾下日头下，去～下子，就～下子日头，唔爱大架势晒。冬下头个日头是也冇么个几煞唠。ta^{21}pi^{21} tau^{53}li^{0} təŋ^{35}xa$^{53}_{44}$tʰei$^{13}_{21}$,liəu^{13}tau^{21}ko^{53}ɲien^{13}ke^{53}ien^{35}niau^{0},xei^{53}me^{53}?ci$^{13}_{44}$uɔi$^{53}_{44}$ciəu^{21}li^{0} uɔi^{53}saŋ$^{35}_{44}$mɔi^{35}le^{0},kai$^{53}_{44}$ tsʰiəu^{53}ɔi$^{53}_{44}$u^{21}tau^{21}çi$^{53}_{44}$sai^{53}xa$^{53}_{21}$tsɿ^{0},u^{21}tau^{21}lei^{0} tsʰiəu^{53}m̩^{13}pʰe$^{53}_{44}$lɔŋ^{53}kʰɔi^{35}lɔi$^{13}_{21}$sai^{53},u^{21}tso^{53}iet^{3} tʰia^{35},kan^{21}tʰai^{53} iet^{3} pʰɔk^{5},lɔŋ^{53}xa$^{53}_{44}$ɲiet^{3} tʰei$^{13}_{21}$xa$^{53}_{44}$,çi^{53}tʂʰaŋ^{13}ŋa^{53}tsɿ^{0},tsiəu^{53}tʂʰaŋ^{13}ŋa^{53}tsɿ^{0}ɲiet^{3} tʰei$^{13}_{44}$,m̩$^{13}_{21}$mɔi$^{53}_{44}$tʰai^{53}cia$^{53}_{44}$ʂʅ$^{53}_{44}$ sai^{53}.təŋ^{35}xa^{53}tʰei$^{13}_{44}$ke^{53}ɲiet^{3} tʰei$^{13}_{21}$ʂʅ$^{53}_{21}$ia$^{35}_{53}$mau^{13}mak^{3} e^{0} ci^{21}sait^{3} lau^{0}. ②用灯光照射：落尾上哩台以后嘞，你还好得箇个呢，渠箇个有灯光个咯，眙台下唔倒啰，箇灯光一～，～倒眼珠棒花个唠，看台下只看倒墨暗个台下，看滴都看唔倒。lɔk$^{5}_{3}$mi$^{35}_{44}$ʂɔŋ^{35}li^{0} tʰɔi^{13}i$^{35}_{44}$xei$^{53}_{44}$lei^{0}, ɲi^{13}xai$^{13}_{44}$xau^{21}tek^{3} kai$^{53}_{44}$ke$^{53}_{44}$ nei^{0},ci^{13}kai^{53}ke$^{53}_{44}$iəu^{35}ten^{35}kɔŋ$^{35}_{44}$ke$^{53}_{44}$ko^{0},tʂʰʅ^{35}tʰɔi^{13}xa^{53}n̩$^{13}_{44}$tau$^{21}_{44}$lo^{0},kai^{53}ten^{35}kɔŋ^{35}iet^{3} tʂʰaŋ^{13},tʂʰaŋ^{13}tau^{21}ŋan^{21} tʂəu^{35}pɔŋ^{53}fa^{35}ke^{0} lau^{0},kʰɔn^{53}tʰɔi^{13}xa$^{53}_{44}$tʂʅ^{21}kʰɔn^{53}tau^{21}met^{5} an$^{53}_{44}$cie$^{53}_{44}$tʰɔi$^{13}_{21}$xa$^{53}_{44}$,kʰɔn$^{53}_{44}$tiet^{5} təu$^{35}_{44}$kʰɔn^{53}n̩$^{13}_{21}$tau^{21}. ③对着光源或太阳一照：箇蚕虫个浑身就通明了，咁子～倒去都通明了。kai$^{53}_{44}$tsʰan^{13}tʂʰəŋ$^{13}_{44}$ke^{53} uən^{13}ʂən$^{35}_{44}$tsʰiəu$^{53}_{44}$tʰəŋ^{35}min^{13}liau^{0},kan^{21}tsɿ^{0} tʂʰaŋ^{13}tau$^{21}_{44}$çi$^{53}_{44}$təu$^{35}_{44}$tʰəŋ^{35}min^{13}niau^{0}.

【乘】ʂən^{13} 量①用于车辆，相当于“辆”：买～子摩托 mai^{35}ʂən$^{13}_{21}$tsɿ^{0}mo^{13}tʰɔk^{3} | 还有只话法，箇只人讨老婆啊，八～子或者六～子车送嫁。xai^{13}iəu$^{35}_{53}$tʂak^{3} ua^{53}fait^{3},kai^{53}tʂak^{3} ɲin$^{13}_{44}$tʰau^{21}lau^{21}pʰo$^{13}_{44}$ a^{0},pait^{3} ʂən$^{13}_{21}$tsɿ^{0} xɔit^{5} tʂa^{21}liəuk^{3} ʂən$^{13}_{21}$tsɿ^{0} tʂʰa^{35}səŋ^{53}ka^{53}. | 正架势是买～子单车都蛮好个路子。tʂaŋ^{53} cia^{53}ʂʅ^{53}ʂʅ$^{53}_{44}$mai^{35}ʂən$^{13}_{44}$tsɿ^{0} tan^{35}tʂʰa^{35}təu$^{35}_{53}$man^{13}xau^{21}ke$^{53}_{44}$ləu$^{53}_{44}$tsɿ^{0}. ②用于轿子，相当于“抬”：让门子啊？箇阵子讲轿子也讲一～一～呢。箇个从前县官出门呐，渠等话么人出门呐，几多～轿子嘞。几多～轿子出门呢。ɲiɔŋ$^{53}_{44}$mən$^{13}_{44}$tsa^{0}?kai^{53}tʂʰən^{53}tsɿ^{0} kɔŋ^{21}cʰiau^{53}tsɿ^{0} ia^{35}kɔŋ^{21}iet^{3} ʂən^{13}iet^{3} ʂən^{13}ne^{0}.kai^{53} kei^{53}tsʰəŋ^{13}tsʰien$^{13}_{44}$çien^{53}kɔn$^{35}_{44}$tʂʰət^{3} mən^{13}na^{0},ci^{13}tien^{0} ua^{53}mak^{3} ɲin$^{13}_{44}$tʂʰət^{3} mən^{13}na^{0},ci^{21}to^{35}ʂən^{13}cʰiau^{53}tsɿ^{0} le^{0}.ci^{21}to^{35}ʂən^{13}cʰiau^{53}tsɿ^{0} tʂʰət^{3} mən^{13}ne^{0}. ③用于楼梯，相当于“台”：欸，以～楼梯几多桄啊？ei$_{21}$,i^{21}ʂən$^{13}_{44}$lei$^{13}_{21}$tʰɔi^{35}ci^{21}to$^{35}_{44}$kuaŋ^{35}ŋa^{0}? | 两～楼梯，我分顶高哇舞块板子钉倒就折得啊，做成哩一～人字楼梯。iɔŋ^{21}ʂən$^{13}_{21}$lei$^{13}_{21}$tʰɔi$^{35}_{44}$,ŋai$^{13}_{44}$pən$^{35}_{53}$taŋ^{21}kau$^{35}_{44}$ua^{0} u^{21}kʰuai^{53}pan^{21}tsɿ^{0} taŋ$^{53}_{44}$tau$^{21}_{44}$tsʰiəu^{53}tʂait^{3} tek^{3} a^{0}, tso^{53}ʂaŋ$^{13}_{44}$li^{0} iet^{3} ʂən$^{13}_{21}$ɲin^{13}tsʰɿ^{53}lei$^{13}_{21}$tʰɔi$^{35}_{44}$.

【橙子】tʂʰaŋ^{13}tsɿ^{0} 名柚子：箇柚子有滴人喊～。kai$^{53}_{44}$iəu^{53}tsɿ^{0} iəu^{35}tet^{3}ɲin$^{13}_{21}$xan^{53}tʂʰaŋ^{13}tsɿ^{0}. | 我等本地方个～树结个～食唔得。硬爱买倒外背个么个箇个～好食多哩。本地方空个，食唔得。ŋai^{13}tien^{0} pən^{21}tʰi^{53}xɔŋ$^{35}_{53}$ke^{53}tʂʰaŋ^{13}tsɿ^{0} ʂəu^{53}ciet^{3} ke$^{53}_{44}$tʂʰaŋ^{13}tsɿ^{0} ʂət^{5} n̩$^{13}_{21}$tek^{3}. ɲiaŋ^{53}ɔi^{53}mai^{35}tau^{21}ŋɔi^{53}pɔi^{53}ke^{53} mak^{3} ke$^{53}_{44}$kai$^{53}_{44}$ke$^{53}_{44}$tʂʰaŋ^{13}tsɿ^{0}xau^{21}ʂət^{5} to^{35}li^{0} .pən^{21}tʰi$^{53}_{44}$fɔŋ$^{35}_{44}$kʰəŋ^{53}ke^{0} ,ʂət^{5} n̩$^{13}_{21}$tek^{3}.

【秤$_{1}$】tʂʰən^{53} 名①衡量轻重的器具：打比一把～，有一……打得一百斤个，系唔系？ta^{21}pi^{21} iet^{3} pa^{21}tʂʰən^{53},iəu^{35}iet^{3} …ta^{21}tek^{3} iet^{3} pak^{3} cin^{35}ke$^{53}_{44}$,xei$^{53}_{44}$me$^{53}_{44}$? ②代指重量：嘞，买东西嘞，贵就贵滴

子啊，～就掐唔得啦！斤两就爱足哇！le$_{21}$,mai^{35}təŋ$^{35}_{44}$si^{0} lei^{0},kuei^{53}tsʰiəu$^{53}_{44}$kuei$^{53}_{44}$tiet^{5} tsa^{0},tʂʰən^{53} tsʰiəu$^{53}_{44}$kʰait^{3} n̩$^{13}_{21}$tek^{3} la^{0} !cin^{35}niɔŋ^{35}tsʰiəu$^{53}_{44}$ɔi$^{53}_{44}$tsəuk^{3} ua^{0} !｜渠箇卖得贵咯箇起糖指谷麻糖啊，渠就放麻子是又香就又又箇个又凑～嘛。ci^{13}kai$^{53}_{44}$mai$^{53}_{44}$tek^{3} kuei^{53}ko^{0} kai^{53}çi^{21}tʰɔŋ^{13}ŋa^{0},ci^{13}tsʰiəu$^{53}_{44}$fɔŋ^{53}ma^{13}tsɿ^{21}ʂɿ$^{53}_{44}$ iəu^{53}çiɔŋ^{35}tsiəu$^{53}_{44}$iəu$^{53}_{44}$iəu^{53}kai$^{53}_{44}$ke$^{53}_{44}$iəu$^{53}_{44}$tsʰei$^{53}_{44}$tʂʰən^{53}ma^{0}.

【秤$_{2}$】tʂʰən^{53} 动 用秤量物之轻重：用秤～下子 iɔŋ^{53}tʂʰən^{53}tʂʰən^{53}xa^{53}tsɿ^{0}｜头荷～得更重啊。欸，头荷更打得更重啊。tʰei^{13}xo^{13}tʂʰən^{53}tek^{3} cien$^{53}_{21}$tʂʰəŋ^{53}ŋa^{0}.e$_{21}$,tʰei^{13}xo^{13}cien^{53}ta^{21}tek^{3} cien^{53}tʂʰəŋ^{35}ŋa^{0}.

【秤八字】tʂʰən^{53}pait^{3} sɿ^{53}/tsʰɿ^{53} 动 指称骨算命法，相传是唐朝相师袁天罡所创，其法将人的生辰八字，即出生的农历年月日时计算相应的"骨重"，然后根据"称骨"的总值来算命：八字书哇有哇，欸，也有。只有箇个么个通书上有咁个，曰要卖就冇得。～唠，安做秤呶。过秤呶。～唠。打比你，你，欸，六零年出世个，系一斤。好，欸，四月出世个，系八两，系啊？欸，初五出世个，系两斤。系两两或者。欸，么个子丑寅卯时辰，又几多斤。加起来，几多斤几多两，你就到箇映去看凑。欸，箇个秤……～。pait^{3} tsʰɿ^{53}ʂəu$^{53}_{44}$ua^{0} iəu^{35}ua^{0} ,e$_{21}$,ia^{35} iəu$^{35}_{44}$.tʂe^{21}iəu^{35}kai$^{53}_{44}$ke$^{53}_{44}$mak^{3} ke$^{53}_{44}$tʰəŋ^{35}ʂəu$^{35}_{44}$xɔŋ$^{53}_{44}$iəu^{35}kan^{21}cie$^{53}_{21}$,viet^{3} iau$^{53}_{44}$mai^{53}tsʰiəu$^{53}_{44}$mau$^{13}_{21}$tek^{3} .tʂʰən^{53}pait^{3} sɿ^{53}lau^{0} ,ɔn$^{35}_{44}$tso$^{53}_{44}$tʂʰən^{53}nau^{0} .ko$^{53}_{44}$tʂʰən^{53}nau^{0} .tʂʰən^{53}pait^{3} tsʰɿ$^{53}_{44}$lau^{0} .ta^{21}pi^{21}ɲi$^{13}_{21}$, ɲi^{13},e$_{21}$,liəuk^{3} lin^{13}ɲien$^{13}_{21}$tʂʰət^{3} ʂɿ$^{53}_{44}$ke$^{53}_{44}$,xei$^{53}_{44}$iet^{3} cin^{35}.xau^{21},e$_{21}$,si^{53}ɲiet^{5} tʂʰət^{3} ʂɿ$^{53}_{44}$ke$^{53}_{44}$,xe^{53}pait^{3} liɔŋ^{35},xei$^{53}_{44}$a^{0} ?e$_{21}$,tsʰɿ^{35}ŋ̍^{21}tʂʰət^{3} ʂɿ$^{53}_{44}$ke$^{53}_{44}$,xe^{53}iɔŋ^{21} cin$^{35}_{44}$.xei$^{53}_{44}$iɔŋ^{21}liɔŋ^{35}xoit^{5} tʂa^{21}.e$_{21}$,mak^{3} ke^{53}tsɿ^{21}tʂʰəu^{21}in$^{13}_{21}$mau^{35}ʂɿ^{13}ʂən^{13},iəu^{53}ci^{21}to$^{35}_{44}$cin^{35}.cia^{35}çi^{21}lɔi^{13},ci^{21}to$^{35}_{44}$ cin$^{35}_{44}$cio^{35}(←ci^{21}to^{35})liɔŋ^{35}, ɲi$^{13}_{21}$tsiəu$^{53}_{44}$tau^{53}kai$^{53}_{44}$iaŋ$^{53}_{44}$çi$^{53}_{44}$kʰɔn^{53}tsʰe^{0} .e$_{21}$,kai$^{53}_{21}$ke$^{53}_{44}$tʂʰən$^{53}_{44}$⋯tʂʰən^{53}pait^{3} tsʰɿ^{53}.

【秤杆】tʂʰən^{53}kɔn^{35} 名 秤的横杆。多以木制成，上刻有计量用的秤星。又称"秤杆子"：～，就系比子秤个～呢。嗯，盘秤子比子秤个～。盘秤子也有～呢，系唔系？就系箇条木棍子，□长个木棍子，就安做～子。又安做～子，又安做～。tʂʰən^{53}kɔn^{35},tsʰiəu$^{53}_{44}$xei$^{53}_{44}$pi^{21}tsɿ^{0} tʂʰən$^{53}_{44}$ke^{0} tʂʰən^{53}kɔn$^{35}_{44}$ne^{0} .n̩$_{21}$,pʰan^{13}tʂʰən^{53}tsɿ^{0} pi^{21}tsɿ^{0} tʂʰən^{53}ke^{0} tʂʰən^{53}kɔn$^{35}_{44}$.pʰan^{13}tʂʰən^{53}tsɿ^{0} ia^{35}iəu$^{35}_{44}$tʂʰən^{53}kɔn$^{35}_{44}$ne^{0}, xei$^{53}_{44}$me$^{53}_{44}$?tsʰiəu$^{53}_{44}$xe$^{53}_{44}$kai^{53}tʰiau$^{13}_{21}$muk^{3} kuən^{53}tsɿ^{0} ,lai^{35}tʂʰɔŋ^{13}ke^{0} muk^{3} kuən^{53}tsɿ^{0} ,tsʰiəu$^{53}_{44}$ɔn$^{35}_{44}$tso$^{53}_{44}$tʂʰən^{53}kɔn^{35} tsɿ^{0} .iəu$^{53}_{44}$ɔn$^{35}_{44}$tso$^{53}_{44}$tʂʰən^{53}kɔn^{35}tsɿ^{0} ,iəu$^{53}_{44}$ɔn$^{35}_{44}$tso$^{53}_{44}$tʂʰən^{53}kɔn^{35}.

【秤盘子】tʂʰən^{53}pʰan^{13}tsɿ^{0} 名 秤上用来放置要称量的物体的盘子：～箇向个，就头荷。tʂʰən^{53} pʰan$^{13}_{21}$tsɿ^{0} kai$^{53}_{44}$çiɔŋ$^{53}_{44}$ke$^{53}_{44}$,tsʰiəu^{53}tʰei$^{13}_{21}$xo$^{13}_{21}$.

【秤头】tʂʰən^{53}tʰei^{13} 名 秤杆较粗的一端：～上箇边个就头荷啊。tʂʰən^{53}tʰei^{13}xɔŋ$^{53}_{44}$kai$^{53}_{44}$pien$^{35}_{44}$ke$^{53}_{44}$ tsiəu$^{53}_{44}$tʰei^{13}xo^{13}a^{0}.

【秤头绳】tʂʰən^{53}tʰei^{13}ʂən^{13} 名 秤上的提绳：～就爱扎实滴子。欸，唔扎实就搞唔得几多下唠。箇～爱整理好来。爱提起来。你嫑提起来个话就会缩毫。你箇～撞怕交得几下来，一交交倒，搞下箇个搞下箇条担子上啊箇就安做缩哩毫嘞。担子就箇条渠有只咁个箇个秤杆子上啊，秤……以条就秤杆子样，渠就以映子嘞就舞条子箇横棍子，横棍子就搭秤杆子连接在一起个，以映就两只咁个活动个东西啊，系唔系？～就安下箇活动个栏场，以只就秤杆子啊。以只就横担子啊。以条就安做横担子啊。tʂʰən^{53}tʰei$^{13}_{21}$ʂən^{13}tsiəu$^{53}_{44}$ɔi$^{53}_{44}$tsait^{3} ʂət^{5} tiet^{5} tsɿ^{0} .e$_{21}$,n̩^{13}tsait^{3} ʂət^{5} tsʰiəu$^{53}_{44}$ kau^{21}n̩$^{13}_{21}$tek^{3} ci^{21}to^{35}xa^{53}lau^{0} .kai$^{53}_{44}$tʂʰən^{53}tʰei$^{13}_{21}$ʂən^{13}ɔi^{53}tʂən^{21}li^{35}xau^{21}lɔi^{13} .ɔi^{53}tʰia^{35}çi^{21}lɔi^{13}. ɲi^{13}maŋ^{13}tʰia^{35}çi^{21}lɔi^{13} ke$^{53}_{44}$fa$^{53}_{44}$tsiəu^{53}uɔi^{53}uan^{21}xau^{13}. ɲi^{13}kai^{53}tʂʰən^{53}tʰei$^{13}_{21}$ʂən^{13}tsʰɔŋ^{21}pʰa$^{53}_{44}$ciau^{35}tek^{3} ci^{21}xa^{53}lɔi$^{13}_{44}$,iet^{3} ciau^{35}ciau^{35} tau^{21},kau^{21}ua^{53}kai^{53}ke$^{53}_{44}$kau^{21}ua$^{53}_{44}$kai$^{53}_{44}$tʰiau$^{13}_{21}$tan^{53}tsɿ^{0} xɔŋ^{53}ŋa^{0},(k)ai$^{53}_{44}$tsʰiəu^{53}ɔn$^{35}_{44}$tso$^{53}_{44}$uan^{21}ni^{0} xau^{13}le^{0} .tan^{53}tsɿ^{0} tsiəu$^{53}_{44}$kai^{53}tʰiau$^{13}_{44}$ci$^{13}_{21}$iəu^{35}tʂak^{3} kan$^{21}_{13}$kei$^{53}_{44}$kai$^{53}_{44}$ke$^{53}_{44}$tʂʰən^{53}kɔn^{35}tsɿ^{0} xɔŋ^{53}ŋa^{0} ,tʂʰən^{53}⋯i^{21}tʰiau^{13}tsʰiəu^{53}tʂʰən^{53} kɔn^{35}tsɿ^{0} iɔŋ$^{53}_{44}$,ci^{13}tsʰiəu$^{53}_{44}$i^{21}iaŋ^{53}tsɿ^{0} lei^{0} tsʰiəu^{53}u^{21}tʰiau^{13}tsɿ^{0} kai$^{53}_{44}$uaŋ^{13}kuən^{53}tsɿ^{0} ,uaŋ^{13}kuən^{53}tsɿ^{0} tsʰiəu$^{53}_{44}$lau^{35} tʂʰən^{53}kɔn$^{35}_{44}$tsɿ^{0} lien^{13}tsiet^{3} tsʰai^{53}iet^{3} cʰi^{21}ke^{0} ,i^{21}iaŋ^{53}tsʰiəu^{53}iɔŋ^{21}tʂak^{3} kan^{21}ke^{0} xoit^{5} tʰəŋ$^{53}_{44}$ke^{0} təŋ$^{35}_{44}$si^{0} a^{0} ,xei^{53} me$^{53}_{44}$?tʂʰən$^{53}_{44}$tʰei$^{13}_{21}$ʂən^{13}tsʰiəu$^{53}_{44}$ɔn^{35}na^{53}kai$^{53}_{44}$xoit^{5} tʰəŋ$^{53}_{44}$ke^{0} laŋ$^{13}_{21}$tʂʰɔŋ$^{13}_{44}$,i^{21}tʂak^{3} tsʰiəu^{53}tʂʰən^{53}kɔn^{35}tsɿ^{0} a^{0} .i^{21}tʂak^{3} tsʰiəu^{53}uɔŋ^{13}tan^{53}tsɿ^{0} a^{0} .i^{21}tʰiau^{13}tsʰiəu^{53}ɔn$^{35}_{44}$tso$^{53}_{44}$uɔŋ^{13}tan^{53}tsɿ^{0} a^{0}.

【秤砣】tʂʰən^{53}tʰo^{13} 名 秤锤。悬挂在秤杆一端，可左右移动以量轻重：公不离婆是秤不离砣。～。我等用秤个，用比子秤，用咁个盘秤子个时候子，就爱小心，莫～莫打倒哩脚。莫斢错哩，莫斢错哩～，斢错哩～搞错哩～就缩哩毫了，也会系缩哩毫嘞。kəŋ^{35}pət^{3} li^{13}pʰo^{13}ʂɿ$^{53}_{44}$ tʂʰən^{53}pət^{3} li^{13}tʰo^{13}.tʂʰən^{53}tʰo^{13}.ŋai^{13}tien^{0} iɔŋ$^{53}_{44}$tʂʰən^{53}ke$^{53}_{44}$,iɔŋ^{53}pi^{21}tsɿ^{0} tʂʰən^{53},iɔŋ^{53}kan$^{21}_{13}$ke$^{53}_{44}$pʰan^{13}tʂʰən^{53}tsɿ^{0} ke^{0} ʂɿ^{13}xəu$^{53}_{44}$tsɿ^{0} ,tsʰiəu^{53}ɔi^{53}siau^{21}sin$^{35}_{44}$,mɔk^{5} tʂʰən^{53}tʰo^{13}mɔk^{5} ta^{21}tau^{21}li^{0} ciɔk^{3} .mɔk^{5} tʰiau^{21}tsʰo^{53}li^{0},mɔk^{5} tʰiau^{21} tsʰo^{53}li^{0} tʂʰən^{53}tʰo^{13},tʰiau^{21}tsʰo^{53}li^{0} tʂʰən^{53}tʰo^{13}kau^{21}tsʰo^{53}li^{0} tʂʰən^{53}tʰo^{13}tsʰiəu$^{53}_{44}$uan^{21}li^{0} xau$^{13}_{21}$le^{0} ,ia^{35}uɔi^{53}xe$^{53}_{44}$ uan^{21}li^{0} xau$^{13}_{21}$le^{0}.

C

【秤尾】tʂʰən53/44mi35 [名]秤杆较细的一端：靠近～个，就二荷。kʰau53/44cʰin53/44tʂʰən53mi35ke53/44,tsiəu53/44ɲi53xo13/21.｜～都钉钉哩啊！tʂʰən53mi35/44təu35/44taŋ35taŋ35/44lia0！

【㨃₁】tsʰaŋ53 [动]①支撑：铁丝镜子，舞只铁丝子舞个镜子，～起来个。tʰiet3sɿ35/44ciaŋ53tsɿ0,u21tʂak3tʰiet3sɿ35/44tsɿ0u21ke53/44ciaŋ53tsɿ0,tsʰaŋ53çi21lɔi13/21ke53/44. ②抵拒：我走一步，打比样我以映子欸～下能够动以步，走嘿以映来，～下来，你就冇滴走啊，你就走唔得了。箇咁子走走唔得。箇咁子走就～嘿哩你。我只能走以只。ŋai13tsei21iet3pʰu53,ta21pi21iɔŋ53/44ŋai13/21i21iaŋ53tsɿ0ei0tsʰaŋ53/44xa53/44lən13/21kəu53/44təŋ53i21pu53/44,tsei21(x)ek3i21iaŋ53lɔi13/21,tsʰaŋ53/44xa53/44lɔi13/21, ɲi13/21tsʰiəu53mau13/44tiet5/3tsei21a0, ɲi13/21tsʰiəu53tsei21n̩13/21tek3liau0.kai53kan21/44tsɿ0tsei21tsei21n̩13tek3.kai53kan21tsɿ0tsei21tsʰiəu53/44tsʰaŋ53xek3li0ɲi13/21.ŋai13tʂɿ21len13tsei21i21tʂak3. ③填充，充实：渠话冷，少哩就～件子衫噻哩啊。ci13/21ua53/44laŋ35,ʂau21li0tsʰiəu53/44tsʰaŋ53cʰien53tsɿ0san35sei53lia0. ④凸起：～起唔知几高 tsʰaŋ53çi21n̩13/21ti35/44ci21kau35｜～得高高哩 tsʰaŋ53tek3kau35kau35li0。⑤搭建：禾坪下～只棚子。uo13pʰiaŋ13/21xa35/44tsʰaŋ53tʂak3pʰəŋ13tsɿ0.｜渠话准备去祠堂边子上嘞～间子屋好哩话，分渠爷子系稳正。ci13/21(u)a53/44tʂən21pʰei53cʰi53tsʰɿ13tʰɔŋ13/21pien35tsɿ0xɔŋ53/44lei0tsʰaŋ53kan35/44tsɿ0uk3xau21li0ua53,pən35ci13/21ia13tsɿ0xei53uən21tʂaŋ53. ⑥拉出高音：还有起琴筒子点伢大子个，安做么啊胡唠？～音个，渠来㨃个。㨃啊，你扯低音渠就扯高音呐，㨃啊。安做，晓得安做让门让门子安做㨃呀安做么？哈？怕系京胡哇。唔知安做么啊嘞箇起嘞。唔系。唔知安做么啊胡。xai13/21iəu35çi21cʰin13tʰəŋ13tsɿ0tian53ŋa0tʰai53tsɿ0ke53/44,ɔn35tso53/44mak3a0fu13lau0?tsʰaŋ53in35cie53/44,ci13/21lɔi13/21tsʰaŋ53ke53/44.tsʰaŋ53ŋa0, ɲi13tʂʰa21te35in35/44ci13tsʰiəu53tʂʰa21kau35in35/44na0,tsʰaŋ53ŋa0.ɔn35/44tso53/44,çiau21tek3/5ɔn35/44tso53/44iɔŋ53/44mən0iɔŋ53/44mən0tsɿ0ɔn35/44tso53/44tsʰaŋ53ia0ɔn35/44tso53/44mak3?xa35?pʰa53/44xei53/44cin35fu13/21ua0.n̩13/21ti35/53ɔn35/44tso53/44mak3a0lei0kai53/44çi21lei0.n̩13tʰe44(←xei53).n̩13/21ti35/44ɔn35/44tso53/44mak3a0fu13/21. ⑦顶嘴：莫咁喜欢～哦，系唔系？我话哩你，你就莫～我哟。mɔk5kan21çi21fɔn35/44tsʰaŋ53ŋo0,xei53me53?ŋai13ua53li0ɲi13, ɲi13tsʰiəu53mɔk5tsʰaŋ53ŋai13io0.｜爷婹话哩就莫～啊，爱听倒喔。话错哩就忍倒喔，系唔系？莫～。ia13ɔi35ua53li0tsʰiəu53/44mɔk5tsʰaŋ53ŋa0,ɔi53tʰaŋ35tau21uo0.ua53tsʰo53li0tsʰiəu53/44ɲin35tau21uo0,xei53/44me53/44?mɔk5tsʰaŋ53. ⑧敲击：～大锣tsʰaŋ53tʰai53lo13/21

【㨃₂】tsʰaŋ53 [名]起支撑、抵拒作用的横木或斜柱：椅子～i21tsɿ0tsʰaŋ53｜门字肚里一直就安做门～。mən13tsʰɿ53təu21li0iet3tʂʰət5tsʰiəu53/44ɔn35/44tso53/44mən13tsʰaŋ53.

【㨃白₁】tsʰaŋ53pʰak5 [形]指徒有好苗，籽实不饱满：安做禾大禾～，有兜是禾忒大哩，禾～。禾细就禾精括。作田爱分禾作大来，但是不能够一味个大，只讲禾大，禾大哩，如果唔晒水，禾大就爱晒水嘞，如果唔晒水，就会白头，会青风，就会青风，就安做禾～。白大哩，或者就一把秆，只有秆，或者就胖胖餍餍。ɔn35/44tso53uo13tʰai53uo13tsʰaŋ53pʰak5,iəu35te35/53ʂɿ53/44uo13tʰet3tʰai53li0,uo13tsʰaŋ53pʰak5.uo13se53tsʰiəu53/21uo13tsin35kuak5.tsɔk3tʰien13ɔi53pən35uo13tsɔk3tʰai53lɔi13/21,tan53ʂɿ53pət3len13/21ciau53iet3uei53ke53/44tʰai53,tʂɿ21kɔŋ21uo13tʰai53,uo13tʰai53li0,ʯ13ko21n̩13sai53ʂei21,uo13tʰai53tsʰiəu53/44ɔi53/44sai53ʂei21le0,ʯ13ko21n̩13sai53ʂei21,tsʰiəu53/44uɔi53/44pʰak5tʰei13/21,uɔi53/44tsʰiaŋ35/44fəŋ35,tsʰiəu53uɔi53/44tsʰiaŋ35/44fəŋ35,tsʰiəu53ɔn35/53tso53/44uo13tsʰaŋ53pʰak5.pʰak5tʰai53li0,xɔit5tʂa21tsʰiəu53iet3pa21kɔn21,tʂɿ21iəu35/53kɔn21,xɔit5tʂa21tsʰiəu53pʰaŋ53pʰaŋ53iait3iait3.｜禾苗忒盛哩，栽个禾忒盛哩，会～。uo13miau13/44tʰet3ʂən53ni0,tsɔi35ke53uo13tʰet3ʂən53ni0,uɔi53/44tsʰaŋ53/44pʰak5.

【㨃白₂】tsʰaŋ53pʰak5 [动]顶嘴；争执：爷子话哩细人子么个，爷婹话哩细人子，细人子～。两公婆也会～。ia13tsɿ0ua53li0se53ɲin13/21tsɿ0mak3ke53,ia13ɔi35/44ua53li0sei53ɲin13/21tsɿ0,sei53ɲin13/21tsɿ0tsʰaŋ53pʰak5.iɔŋ21kəŋ35/44pʰo13a35/53uɔi53/44tsʰaŋ53/44pʰak5.

【㨃㨃】tsʰaŋ53tsʰaŋ53/44 [名]斜柱，辐条：筒车，中间就有只心，侧边就㨃哩咁个～。tʰəŋ13tʂʰa35/33,tʂəŋ35kan35/44tsʰiəu53/44iəu35/44tʂak3sin35,tsek3pien35tsʰiəu53/44tsʰaŋ53li0kan21ke53/44tsʰaŋ53tsʰaŋ53/44.

【㨃耳伤风】tsʰaŋ53ɲi21ʂɔŋ35fəŋ35 [名]痄腮，腮腺炎：以映子腮帮子痛嘞就安做～嘞，打～。i21iaŋ53tsɿ0sɔi35pɔŋ35tsɿ0tʰəŋ53lei0tsʰiəu53/44ɔn35/44tso53/44tsʰaŋ53ɲi21ʂɔŋ35fəŋ35lei0,ta21tsʰaŋ53ɲi21ʂɔŋ35fəŋ35.

【㨃棍】tsʰaŋ53kuən53 [名]筒车的辐条。又称"㨃子"：箇条爱几条～。kai53/44tʰiau13/21ɔi53/44ci21tʰiau13/21tsʰaŋ53kuən53.

【㨃酒】tsʰaŋ53tsiəu21 [名]在甜酒中再加入酒药发酵而成的酒，不仅甜，而且度数高。又称"㨃糟酒"：以前食酒嘞，很少食如今个白酒。（普通话：喝的就是那种那个那个米酒，米酒欸里面，米酒一般就就这个甜酒哇，甜酒就没有好多度数吵，欸很甜呢。而且，那个甜酒里面一加一个什么药子。安做）客姓人话安做～。㨃，㨃糟酒安做，又安做～。欸～嘞就比较煞。度数高。但是爱食滚个。爱食滚酒。冷个唔好食。（普通话：欸，也是糯米搞的，在甜酒的基础上，加一下工，就变成了㨃酒。他们说那个甜酒还在那个保温箱里面，安做酒窠里肚里个时候子，欸把那个酒药子，就是那个欸发酵的原料吧，发酵的那个原料，不要化学的，用那个土产的，本土的，那个用那个植物做的那个）酒药子啊，欸，街上都有卖欸箇酒药子啊。舞滴子糯米，加倒一搭，搭成箇只东西，放下肚里去。同箇放只放只么个振动棒样，放下来，放倒箇肚里去。再密封。箇经过欸十天半个月，箇要十天半个月，箇酒就度数就高嘿哩。但系还系甜，好食。唔爱蒸了。i35tsʰien13ʂət5 tsiəu21lei0,xen21ʂau21ʂət5 i13_21cin35_44ke53_44pʰak5 tsiəu21.…kʰak3 sin53ɲin13_21ua53_44ɔn35_44tso53_44tsʰaŋ53 tsiəu21.tsʰaŋ53,tsʰaŋ53tsau35_44tsiəu21ɔn35_21tso53_21,iəu53_21ɔn35_44tso53_44tsʰaŋ53tsiəu21.e0 tsʰaŋ53tsiəu21lei0 tsʰiəu53_44pi21ciau53_44 sait3.tʰəu53səu53kau35.tan53_44ʂʅ53_44ɔi53_44ʂət5 kuən21cie53_44.ɔi53_44ʂət5 kuən21tsiəu21.laŋ35cie53n̩13_21nau21(←xau21)ʂət5.… tsiəu21iɔk5 tsa0,e_21,kai35_44xɔŋ53_44təu35_44iəu35_44mai53e0 kai53_44tsiəu21iɔk5 tsa0.u21tet5_3tsʅ0 lo53mi21,cia35tau21iet3 kʰak5,kʰak5 ʂaŋ_44kai53_21tʂak3 təŋ35_44si0,fɔŋ53xa53_44təu21li0 çi53_44.tʰəŋ13_21kai53_44fɔŋ53tʂak3 fɔŋ53tʂak3 mak3 kei53_44tʂən53tʰəŋ35pɔŋ53 iɔŋ53_44,fɔŋ53xa53_44lɔi13_21,fɔŋ53tau21_44kai53_44təu21li0 çi53_44.tsai53miet5 fəŋ35.kai53_44cin35ko53_21e_21ʂət5 tʰien35_44pan53_44cie53_44ɲiet5,ka53_44ɔi53_44 ʂət5 tʰien35_44pan53_44cie53_44ɲiet5,kai53_44tsiəu21tsʰiəu53_44tʰəu53səu53_44tsʰiəu53_44kau35(x)ek3 li0.tan53_44xe53_44xa13xe53tʰian13,xau21 ʂət5.m̩13_21mɔi53_35tʂən35_44niau0.

【掌糟酒】tsʰaŋ53tsau35tsiəu21 [名]掌酒的别称：箇加哩工度数蛮高个就安做～。也安做掌酒。kai53_21cia35li0 kəŋ35tʰəu53səu53man13kau35ke53_44tsʰiəu53_44ɔn35_44tso53_44tsʰaŋ53tsau35tsiəu21.ia35ɔn35_44tso53_44tsʰaŋ53tsiəu21.

【掌子】tsʰaŋ53tsʅ0 [名]筒车的辐条。又称“掌棍”：掌出来个几几个个咁多条长棍棍呐。/么个啊？/筒车，中间就有只心，侧边就掌哩咁个掌掌，以只掌掌喊么个？/啊哈，搞唔清箇只东西就。筒车上个唠？/我等以映子只系唠只系喊～呢。箇条爱几条掌棍。tsʰaŋ53tʂʰət3 lɔi13ke53_44ci21 ci21ke53_44ke53_44kan21to35tʰiau13_21tʂʰɔŋ13kuən53_44kuən53_44na0./mak3 ke53_44a0?/tʰəŋ13tʂʰa35_33,tʂəŋ35kan35_44tsʰiəu53_44iəu35_44tʂak3 sin35,tsek3 pien35tsʰiəu53_44tsʰaŋ53li0 kan21ke53_44tsʰaŋ53tsʰaŋ53_44,i21tʂak3 tsʰaŋ53tsʰaŋ53_44xan53mak3 ke53_44?/a_21xa_53,kau21n̩13_21 tsʰin35_44kai53iak3(←tʂak3)təŋ35_44si0 tsʰiəu53_44.tʰəŋ13tʂʰa35xɔŋ53ke53lau0?/ŋai13_21tien0 i21iaŋ53_44tsʅ0 tʂe21xe53_44lau0 tʂe21xe53_44 xan53tsʰaŋ53tsʅ0 nei0.kai53_44tʰiau13_21ɔi53_44ci21tʰiau13_21tsʰaŋ53kuən53.

【掌嘴】tsʰaŋ53tʂɔi53 [动]顶嘴：～是唔系吵架嘞，系顶嘴。又话应嘴。就细人子，爷娭话哩，你莫去～。tsʰaŋ53tʂɔi53ʂʅ53_44m̩13pʰe53tsʰau21cia53lei0,xei53tin21tsei21.iəu53ua53_44en53tʂɔi53.tsiəu53_44sei53ɲin13_21tsʅ0,ia13ɔi35 ua53li0, ɲi13mɔk5 çi53tsʰaŋ53_44tʂɔi53.

【吃亏】cʰiak3 kʰuei35 [动]受到损失或伤害：啊小胆破心呢。生怕～呀。a0 siau21tan21pʰo53sin35ne0. saŋ35pʰa53_44cʰiak3 kʰuei35ia0.

【眙】tʂʰʅ35 [动]①略看：眼珠～都唔～我。ŋan21tʂəu35_44tʂʰʅ35təu35_53n̩13_21tʂʰʅ35ŋai13_21. ②泛指看：～倒唔转眼 tʂʰʅ35tau21n̩13tʂon21ŋan21 = 眼鼓鼓哩～稳渠 ŋan21ku21ku21li0 tʂʰʅ35uən21ci13_21 | 分箇过路个人～下子啊看。念个就念啦有～个就～啊。pəŋ35kai53_44ko53ləu53ke53_44ɲin13_21tʂʰʅ35a53tsa0 kʰɔn0. ɲian53ke53_44tsʰiəu53_44ɲian53 la0 iəu35tʂʰʅ35ke53_44tsʰiəu53_44tʂʰʅ35a0.

【迟】tʂʰʅ13 [形]时间晚，又称“夜”：来得蛮～lɔi13tek3 man13_21tʂʰʅ13 | 箇条树嘞发芽系所有个树肚里最～个。kai53_44tʰiau13ʂəu53lei0 fait3 ŋa13xe53_44so21iəu35_44ke53_44ʂəu53təu21li0 tsei53tʂʰʅ13ke53.

【迟到】tʂʰʅ13tau53 [动]到得比约定的或恰当的时间晚：～了！tʂʰʅ13tau53liau0！

【迟豆角】tʂʰʅ13tʰei53kɔk3 [名]夏秋交接时利用土地的空档期种的一种豆角：～嘞就系唔知几迟，清迟八迟来栽个呢箇个豆角呢。欸，短短子，蛮好食。欸，如今来栽，甚至还栽迟滴子。渠箇箇个～就系么个嘞？同箇翻秋个样了，硬清迟八迟，头到个豆角都食嘿哩了，冇得哩了，唔爱哩了，再来栽，箇只豆角就安做～。就区别于早豆角。早豆角嘞就系欸清明边子就栽早豆角吵，系唔系？早豆角都食咁哩了，收都收嘿哩了，树都倒嘿哩了，以下又来栽个豆角，欸就～。箇真古怪嘞，渠硬爱迟滴正有嘞。你打比早豆角系清明栽，你箇，谷雨栽个，清明摎谷雨半个月吵，系唔系？欸，芒种栽个，箇个都不是～。箇就系早豆角栽迟哩。所谓～就硬同箇翻秋个样，早豆角都食嘿哩了，冇得哩啊，唔爱去了，箇正系～。tʂʰʅ13tʰei53kɔk3 lei0 tsiəu53_44xe53_44n̩13ti35_53ci21tʂʰʅ13,tsʰiaŋ35tʂʰʅ13_21pait3 tʂʰʅ13lɔi13_21tsɔi35ke0 nei0 kai53_44ke53_44tʰei53kɔk3 nei0.e_21,tɔn21_35tɔn21tsʅ0,man13 xau21ʂət5.e_21,i13_21cin35_44nɔi13_21tsɔi35,ʂən53tʂʅ53xai13tsɔi35tʂʰʅ13tiet5 tsʅ0.ci13kai53kai53ke53tʂʰʅ13tʰei53kɔk3 tsʰiəu53xei53 mak3 e0 lei0?tʰəŋ13kai53fan35tsʰiəu35ke53iɔŋ53liau0, ɲiaŋ53tsʰiaŋ35tʂʰʅ13_21pait3 tʂʰʅ13_44,tʰei13tau53_44ke0 tʰei53kɔk3 təu35_44 ʂət5 xek3 li0 liau0,mau13tek3 li0 liau0,m̩13mɔi53li0 liau0,tsai53lɔi13_21tsɔi35,kai53tʂak3 tʰei53kɔk3 tsʰiəu53_44ɔn35_44tso53_44tʂʰʅ13 tʰei53kɔk3.tsʰiəu53_44tʂʰɥ35_44pʰiet5 ɥ13_44tsau21tʰei53kɔk3.tsau21tʰei53kɔk3 lei0 tsiəu53_44xe53_44e_21tsʰin35min13_21pien35_44tsʅ0 tsʰiəu53_44 tsɔi35_44tsau21tʰei53kɔk3 ʂa0,xei53_44me53_44?tsau21tʰei53kɔk3 təu35_44ʂət5 kan21ni0 liau0,ʂəu35təu35_53ʂəu35xek3 li0 liau0,ʂəu53 təu35_53tau21xek3 li0 liau0,i21xa53_44iəu53lɔi13_21tsɔi35_44ke0 tʰei53kɔk3,e_44tsʰiəu53_44tʂʰʅ13tʰei53kɔk3.kai53_44tʂən35ku21kuai53le0,ci13 ɲiaŋ53ɔi53tʂʰʅ13tiet5 tʂaŋ53iəu35le0. ɲi13ta21_44pi21_44tsau21tʰei53kɔk3 xe53tsʰin35min13tsɔi35, ɲi13kai53,kuk3 ɥ21tsɔi35_44ke0, tsʰin^{35}min$^{13}_{21}$lau$^{35}_{44}$kuk^{3}ʮ^{21}pan^{53}cie^{53}ɲiet^{5}ʂa^{0},xe$^{53}_{44}$me$^{53}_{44}$ʔe$_{21}$,mɔŋ^{13}tʂəŋ^{53}tsɔi^{35}ke^{0},kai$^{53}_{44}$ke$^{53}_{44}$təu^{35}pət^{3}ʂʅ^{53}tʂʰʅ^{13}tʰei^{53}kɔk^{3}.kai^{53}tsʰiəu^{53}xe^{53}tsau^{21}tʰei^{53}kɔk^{3}tsɔi^{35}tʂʰʅ^{13}li^{0}.so^{21}uei^{53}tʂʰʅ^{13}tʰei^{53}kɔk^{3}tsʰiəu^{53}ɲiaŋ^{53}tʰəŋ$^{13}_{44}$kai$^{53}_{44}$fan^{35}tsʰiəu^{35}ke^{53}iɔŋ$^{53}_{44}$,tsau^{21}tʰei^{53}kɔk^{3}təu$^{35}_{44}$ʂət^{5}xek^{3}li^{0}liau^{0},mau^{13}tek^{3}li^{0}a^{0},m̩^{13}mɔi^{53}cʰi$^{53}_{44}$liau^{0},kai$^{53}_{44}$tʂaŋ$^{53}_{44}$xe$^{53}_{44}$tʂʰʅ^{13}tʰei^{53}kɔk^{3}.

【迟禾】tʂʰʅ^{13}uo^{13} 名 一季稻，单季稻，中稻：我等箇阵子去屋下作田个时候子啊，首先是还栽两到。栽两到就有早禾谷摎二禾谷，系唔系？落尾嘞两到加起来都产量唔高，捡倒累个。欸，两就爱做两到犁耙吵，爱栽两到禾打两到禾吵，系唔系？爱多斢虑蛮多东西吵。从禾种啊肥料哇农药啊箇只么个，人工啊，欸，爱斢多斢虑蛮多吵。好，落尾嘞，我就咁子来个嘞，正先箇打电话来个分我箇个夫娘子咯，我让门会摎渠屋还有联系嘞？渠都系啊望城去哩嘞。姓林呢，箇夫娘子姓林呢。摎我两老庚，两同年呢箇夫娘子咯。让门会摎渠联系嘞？我个田尽系渠门口，尽作下渠门口。我等箇老家个上去，渠就系啊箇上背。我个田就尽去渠门口。长日去做工夫箇只。以下渠个细人子嘞，渠三只细人子都去我手里读书。箇晡我老婆去看病都渠都准备过来喊我等食饭了，欸，渠个赖子咯，准备喊我等食饭了。你话箇有年呐，我以是隔我屋下是蛮远吵箇个田吵，但是就去渠屋下门口吵。你话箇有年呐，就分田以后咯，我就准备全部栽早禾，系唔系？箇阵子是搞么个爱栽早禾嘞？爱多打几只谷噢。冇饭食唠，嗯，田又只有咁多子。箇有年呢舞倒我下滴子早禾秧呢，你话渠畜滴鸭子箇只唠，畜滴鸭子。我唔系跍倒乌石教书？我要嫔子等人渠就又不能天天跑倒去睒吵。同我滴子禾秧是早禾秧子搞起□蹭救倒了，系。我箇四亩多田吧，全部箇早禾秧扯起来都只栽倒亩多子。搞起箇秧冇得哩了是箇冇哩办法嘞，你不可能临时□倒禾秧来又来栽呀，唔系话欸"小满栽早禾是唔够供鸡婆"吵，系唔系？箇就让门搞？冇哩办法嘞。就栽做～。箇栽～就还搞得赢。我记得早禾就必须在五月一号以前栽嘿去。五月几号子立夏。立夏就爱栽嘿去。但是～嘞，我就立哩夏来下禾籽都做得。我去五月九号下禾籽个嘞，我如今都记得嘞。箇冇哩办法了是我箇起我就栽做～。到秋天一打禾是，箇起栽两到个都冇加起来都冇得以只栽～个产量咁高，系唔系？冇得迟禾谷产量高。我还搭办渠，我从此都唔栽哩早禾。我搭办箇只夫娘子。我硬一句子我都蹭话过渠啦。渠畜倒滴鸭子同我滴子早禾秧搞个□光啊。我中间一丘大滴子个田呶，三担谷田个唠，一丘大滴田下□做早禾秧啊。结果嘞栽倒一莖子栽倒几丘子田就冇哩早禾秧啦，寻又冇哪寻了。下栽做～。落尾再都唔栽哩早禾了。ŋai^{13}tien^{0}kai^{53}tʂʰən^{53}tsɿ^{0}çi^{53}uk^{3}xa^{53}tsɔk^{3}tʰien^{13}ke^{0}ʂʅ^{13}xəu$^{53}_{44}$tsɿ^{0}a^{0},ʂəu^{21}sien$^{35}_{44}$ʂʅ^{53}xai$^{13}_{21}$tsɔi^{35}iɔŋ^{21}tau^{53}.tsɔi^{35}iɔŋ^{21}tau$^{53}_{44}$tsʰiəu$^{53}_{44}$iəu$^{35}_{44}$tsau^{21}uo^{13}kuk^{3}lau^{35}ɲi^{53}uo^{13}kuk^{3},xei$^{53}_{44}$me$^{53}_{44}$?lɔk^{5}mi$^{35}_{44}$lei^{0}iɔŋ^{21}tau^{53}cia$^{35}_{44}$çi^{21}lɔi^{13}təu$^{35}_{44}$tsʰan^{21}liɔŋ^{53}n̩$^{13}_{21}$kau$^{35}_{44}$,cian^{21}tau^{21}li^{53}ke^{0}.e$_{21}$,iɔŋ^{53}tsʰiəu^{53}ɔi^{53}tso^{53}iɔŋ^{21}tau^{53}lai^{13}pʰa^{13}ʂa^{0},ɔi$^{53}_{44}$tsɔi^{35}iɔŋ^{21}tau^{53}uo^{13}ta^{21}iɔŋ^{21}tau^{53}uo^{13}ʂa^{0},xei^{53}me^{53}?ɔi$^{53}_{44}$to^{35}tʰiau^{21}ʮ^{53}man^{13}to$^{35}_{44}$təŋ$^{35}_{44}$si^{0}ʂa^{0}.tsʰəŋ^{13}uo^{13}tʂəŋ^{21}ŋa^{0}fei^{13}liau^{53}ua^{0}ləŋ^{13}iɔk^{5}a^{0}kai$^{53}_{44}$tʂak^{3}mak^{3}e^{0}, ɲin^{13}kəŋ$^{35}_{44}$ŋa^{0},e$_{21}$,ɔi^{53}tʰiau^{21}to^{35}tʰiau^{21}ʮ^{53}man^{13}to$^{35}_{44}$ʂa^{0}.xau$^{21}_{44}$,lɔk^{5}mi$^{35}_{44}$lei^{0},ŋai^{13}tsʰiəu^{53}kan$^{21}_{13}$tsɿ^{0}lɔi$^{13}_{44}$ke^{53}lei^{0},tʂaŋ^{53}sen$^{35}_{44}$kai^{53}ta^{21}tʰien^{53}fa$^{53}_{44}$lɔi$^{13}_{21}$ke^{0}pən^{35}ŋai$^{13}_{44}$kai$^{53}_{44}$ke$^{53}_{44}$pu$^{35}_{44}$ɲiɔŋ$^{13}_{44}$tsɿ^{0}ko^{0},ŋai^{13}ɲiɔŋ^{53}mən^{0}uɔi^{53}lau$^{35}_{44}$ci$^{13}_{21}$uk^{3}xai^{13}iəu$^{35}_{44}$lien^{13}çi^{53}le^{0}?ci^{13}təu$^{35}_{44}$xei$^{53}_{44}$a^{0}uɔŋ^{53}tʂʰən^{13}çi^{53}li^{0}lei^{0}.siaŋ^{53}lin^{13}ne^{0},kai^{53}pu^{35}ɲiɔŋ$^{13}_{21}$tsɿ^{0}siaŋ^{53}lin^{13}ne^{0}.lau^{35}ŋai$^{13}_{21}$iɔŋ^{21}lau^{21}cien^{35},iɔŋ^{21}tʰəŋ^{13}ɲien^{13}ne^{0}kai^{53}pu^{35}ɲiɔŋ$^{13}_{21}$tsɿ^{0}ko^{0}. ɲiɔŋ$^{53}_{44}$mən^{0}uɔi^{53}lau$^{35}_{44}$ci$^{13}_{21}$lien$^{13}_{21}$çi$^{53}_{44}$le^{0}?ŋai^{13}ke^{53}tʰien^{13}tsʰin^{53}xe^{53}ci$^{13}_{21}$mən^{13}xei^{21},tsʰin^{53}tsɔk^{3}a^{53}ci$^{13}_{21}$mən^{13}xei^{21}.ŋai^{13}tien^{0}kai^{53}lau^{21}cia$^{35}_{44}$ke^{0}ʂɔŋ^{35}çi^{53},ci$^{13}_{21}$tsiəu$^{53}_{44}$xei$^{53}_{44}$a^{0}kai$^{53}_{44}$ʂɔŋ^{53}pɔi^{53}.ŋai^{13}ke^{53}tʰien^{13}tsʰiəu$^{53}_{44}$tsʰin^{53}çi$^{53}_{44}$ci$^{13}_{21}$mən^{13}xei^{21}.tʂʰɔŋ^{13}ɲiet^{3}çi^{53}tso^{53}kəŋ$^{35}_{44}$fu$^{35}_{44}$kai$^{53}_{44}$tʂak^{3}.i$^{21}_{13}$xa^{53}ci^{13}ke^{0}sei^{53}ɲin$^{13}_{44}$tsɿ^{0}lei^{0},ci$^{13}_{21}$san^{35}tʂak^{3}sei^{53}ɲin$^{13}_{44}$tsɿ^{0}təu^{35}çi^{53}ŋai$^{13}_{21}$ʂəu^{21}li^{0}tʰəuk^{5}ʂəu^{35}.kai^{53}pu^{35}ŋai$^{13}_{21}$lau^{21}pʰo^{13}çi^{53}kʰɔn^{53}pʰiaŋ^{53}təu$^{35}_{44}$ci$^{13}_{21}$təu$^{35}_{44}$tʂən^{21}pʰei$^{53}_{44}$ko^{53}lɔi$^{13}_{44}$xan^{53}ŋai$^{13}_{21}$tien^{0}ʂət^{5}fan^{53}niau^{0},ei$_{21}$,ci^{13}ke$^{53}_{44}$lai^{53}tsɿ^{0}ko^{0},tʂən^{21}pʰei$^{53}_{44}$xan^{53}ŋai$^{13}_{21}$tien^{0}ʂət^{5}fan^{53}niau^{0}.ɲi^{13}ua^{53}kai^{53}iəu$^{35}_{44}$ɲien$^{13}_{44}$na^{0},ŋai^{13}i^{21}ʂʅ^{53}kak^{3}ŋai^{13}uk^{3}xa^{53}ʂʅ^{53}man^{13}ien^{21}ʂa^{0}kai^{53}ke^{53}tʰien^{13}ʂa^{0},tan^{53}ʂʅ^{53}tsʰiəu^{53}çi^{53}ci^{13}uk^{3}xa^{53}mən$^{13}_{21}$xei^{21}ʂa^{0}. ɲia$_{44}$(←ɲi^{13}ua^{53})kai^{53}iəu$^{35}_{53}$ɲien$^{13}_{44}$na^{0},tsʰiəu$^{53}_{44}$fən^{35}tʰien$^{13}_{21}$i^{35}xei^{53}ko^{0},ŋai^{13}tsʰiəu^{53}tʂən^{21}pʰei$^{53}_{44}$tsʰien^{13}pʰu$^{53}_{44}$tsɔi^{35}tsau^{21}uo^{13},xei$^{53}_{44}$me$^{53}_{44}$?kai$^{53}_{44}$tʂʰən$^{53}_{21}$tsɿ^{0}ʂʅ$^{53}_{44}$kau^{21}mak^{3}ke^{0}ɔi^{53}tsɔi^{35}tsau^{21}uo^{13}lei^{0}?ɔi$^{53}_{44}$to^{35}ta^{21}ci^{21}tʂak^{3}kuk^{3}au^{0}.mau^{13}fan^{53}ʂət^{5}lau^{0},n̩$_{21}$,tʰien^{13}iəu^{53}tʂʅ$^{21}_{44}$iəu$^{35}_{44}$kan^{21}to^{35}tsɿ^{0}.kai^{53}iəu$^{35}_{53}$ɲien$^{13}_{21}$nei^{0}u^{21}tau^{21}ŋai$^{13}_{21}$xa^{53}tiet^{5}tsɿ^{0}tsau^{21}uo^{13}iɔŋ^{35}nei^{0}, ɲia$_{44}$(←ɲi^{13}ua^{53})ci$^{13}_{21}$çiəuk^{3}tet^{5}ait^{3}tsɿ^{0}kai$^{53}_{44}$tʂak^{3}lau^{0},çiəuk^{3}tet^{5}ait^{3}tsɿ^{0}.ŋai^{13}me$_{44}$(←n̩^{13}xe^{53})ku^{35}tau$^{21}_{44}$u^{35}ʂak^{5}kau^{35}ʂəu^{35}?ŋai^{13}iau$^{53}_{44}$ɔi^{35}tsɿ^{0}ten$^{21}_{44}$ɲin$^{13}_{44}$ci^{13}tsʰiəu$^{53}_{44}$iəu^{53}pət^{3}nen$^{13}_{44}$tʰien^{35}tʰien$^{35}_{44}$pʰau^{21}tau^{21}çi$^{53}_{44}$tʂʰʅ^{35}ʂa^{0}.tʰəŋ$^{13}_{21}$ŋai$^{13}_{21}$tiet^{5}tsɿ^{0}uo^{13}iɔŋ^{35}ʂʅ$^{53}_{44}$tsau^{21}uo^{13}iɔŋ^{35}tsɿ^{0}ʂʅ$^{53}_{44}$kau^{21}çi$^{21}_{53}$ciei^{21}maŋ^{13}ciəu^{53}tau^{21}liau^{0},xe$^{53}_{21}$.ŋai^{13}kai^{53}si^{53}miau^{35}to$^{35}_{53}$tʰien$^{13}_{21}$pa^{0},tsʰien^{13}pʰu$^{53}_{44}$kai^{53}tsau^{21}uo^{13}iɔŋ^{35}tʂʰa^{21}çi^{21}lɔi^{13}təu$^{35}_{53}$tʂʅ^{21}tsɔi^{35}tau^{21}miau^{35}to$^{35}_{44}$tsɿ^{0}.kau$^{21}_{44}$çi$^{21}_{44}$kai$^{53}_{44}$iɔŋ^{35}mau$^{13}_{21}$tek^{3}li^{0}liau^{0}ʂʅ$^{53}_{44}$kai^{53}mau^{13}li^{0}pʰan^{53}fait^{3}lei^{0}, ɲi$^{13}_{44}$puk^{3}kʰo^{21}len^{13}lin^{13}ʂʅ^{13}uei^{53}tau^{21}uo$^{13}_{21}$

iɔŋ^{35}lɔi$^{13}_{21}$iəu^{53}lɔi$^{13}_{21}$tsɔi^{35}ia^{0},m̩$^{13}_{21}$pʰei$^{53}_{44}$ua$^{53}_{44}$e$_{44}$"siau^{21}man^{35}tsɔi$^{35}_{44}$tsau^{21}uo^{13}ʂʅ$^{53}_{44}$n̩^{13}ciei$^{53}_{44}$ciəŋ$^{35}_{44}$cie^{35}pʰo$^{13}_{21}$"ʂa^{0},xei^{53}me^{53}?kai$^{53}_{21}$tsʰiəu$^{53}_{44}$ɲiɔŋ$^{53}_{44}$mən^{0}kau$^{21}_{44}$?mau^{13}li^{0}pʰan$^{53}_{44}$fait^{5}le^{0}.tsʰiəu^{53}tsɔi$^{35}_{44}$tso^{53}tʂʰʅ^{13}uo$^{13}_{44}$.kai$^{53}_{44}$tsɔi^{35}tʂʰʅ^{13}uo$^{13}_{44}$tsʰiəu^{53}xai$^{13}_{44}$kau^{21}tek^{3}iaŋ^{13}.ŋai^{13}ci^{53}tek^{3}tsau^{21}uo^{13}tsʰiəu^{53}piet^{3}si$^{35}_{44}$tsʰai^{53}ŋ̍^{21}ɲiet^{5}iet^{3}xau^{53}i$^{35}_{53}$tsʰien^{13}tsɔi^{35}xek^{3}çi^{53}.ŋ̍^{21}ɲiet^{5}ci^{21}xau^{53}tsʅ^{0}liet^{5}çia^{53}.liet^{5}çia^{53}tsʰiəu$^{53}_{44}$ɔi$^{53}_{44}$tsɔi^{35}xek^{3}çi^{53}.tan^{53}ʂʅ^{53}tʂʰʅ^{13}uo$^{13}_{21}$lei^{0},ŋai^{13}tsʰiəu$^{53}_{44}$liet^{5}li^{0}çia^{53}lɔi$^{13}_{21}$xa$^{53}_{44}$uo^{13}tsʅ^{21}təu$^{35}_{44}$tso^{53}tek^{3}.ŋai^{13}çi^{53}ŋ̍^{21}ɲiet^{5}ciəu^{21}xau^{53}xa^{53}uo^{13}tsʅ^{21}ke^{53}lei^{0},ŋai^{13}i$^{13}_{21}$cin$^{35}_{44}$təu$^{35}_{44}$ci^{53}tek^{3}lei^{0}.kai^{53}mau^{13}li^{0}pʰan^{53}fait^{5}liau^{0}ʂʅ$^{53}_{44}$ŋai^{13}kai^{53}çi$^{21}_{44}$ŋai^{13}tsʰiəu$^{53}_{44}$tsɔi^{35}tso$^{53}_{44}$tʂʰʅ^{13}uo$^{13}_{44}$.tau^{53}tsʰiəu^{35}tʰien$^{35}_{44}$iet^{3}ta^{21}uo^{13}ʂʅ^{53},kai$^{53}_{44}$çi$^{21}_{44}$tsɔi^{35}iɔŋ^{21}tau$^{53}_{44}$ke$^{53}_{44}$təu$^{35}_{53}$mau$^{13}_{44}$cia$^{35}_{44}$çi^{21}lɔi^{13}təu$^{35}_{53}$mau^{13}tek^{3}i^{21}tʂak^{3}tsɔi$^{35}_{44}$tʂʰʅ^{13}uo$^{13}_{21}$ke^{53}tsʰan^{21}liɔŋ$^{53}_{44}$(k)an^{21}kau^{35},xei$^{53}_{44}$me$^{53}_{44}$?mau^{13}tek^{3}tʂʰʅ^{13}uo$^{13}_{44}$kuk^{3}tsʰan^{21}liɔŋ$^{53}_{44}$kau$^{35}_{44}$.ŋai^{13}xai$^{13}_{44}$tait^{3}pʰan^{53}ci^{13},ŋai$^{13}_{21}$tsʰəŋ^{13}tsʰʅ^{21}təu^{35}n̩^{13}tsɔi$^{35}_{44}$li^{0}tsau^{21}uo^{13}.ŋai$^{13}_{21}$tait^{3}pʰan$^{53}_{44}$kai^{53}tʂak^{3}pu^{35}ɲiɔŋ$^{13}_{44}$tsʅ^{0}.ŋai^{13}ɲiaŋ^{53}iet^{3}ci^{53}tsʅ^{0}ŋai^{13}təu$^{35}_{53}$maŋ^{13}ua^{53}ko$^{53}_{44}$ci$^{13}_{21}$la^{0}.ci^{13}çiəuk^{3}tau^{21}tet^{5}ait^{3}tsʅ^{0}tʰəŋ$^{13}_{21}$ŋai$^{13}_{21}$tiet^{5}tsʅ^{0}tsau^{21}uo^{13}iɔŋ^{35}kau^{21}ke$^{53}_{44}$lin^{35}kɔŋ^{35}ŋa^{0}.ŋai$^{13}_{21}$tʂəŋ$^{35}_{44}$kan$^{35}_{53}$iet^{3}cʰiəu$^{35}_{44}$tʰai^{53}tiet^{5}tsʅ^{0}ke^{0}tʰien^{13}nau^{0},san$^{35}_{44}$tan$^{35}_{44}$kuk^{3}tʰien$^{13}_{44}$ke$^{53}_{44}$lau^{0},iet^{3}cʰiəu$^{35}_{44}$tʰai^{53}tiet^{5}tʰien$^{13}_{44}$xa^{53}uei$^{53}_{44}$tso$^{53}_{44}$tsau^{21}uo$^{13}_{21}$iɔŋ^{35}ŋa^{0}.ciet^{3}ko^{21}lei^{0}tsɔi^{35}tau^{21}iet^{3}tsʰo^{53}tsʅ^{0}tsɔi$^{35}_{44}$tau$^{21}_{44}$ci^{21}cʰiəu^{35}tsʅ^{0}tʰien^{13}tsʰiəu$^{53}_{44}$mau^{13}li^{0}tsau^{21}uo^{13}iɔŋ^{35}la^{0},tsʰin^{13}iəu^{53}mau^{13}lai^{53}tsʰin$^{13}_{44}$niau^{0}.xa^{53}tsɔi$^{35}_{44}$tso$^{53}_{44}$tʂʰʅ$^{13}_{44}$uo$^{13}_{44}$.lɔk$^{5}_{3}$mi$^{35}_{44}$tsai^{53}təu$^{35}_{44}$n̩$^{13}_{21}$tsɔi$^{35}_{53}$li^{0}tsau^{21}uo$^{13}_{44}$liau^{0}.

【迟禾谷】tʂʰʅ^{13}uo^{13}kuk^{3} 名 单季稻谷：～就系一季稻个谷，一季稻打出来个谷。渠反正渠只栽一季。tʂʰʅ^{13}uo^{13}kuk^{3}tsiəu^{53}xei^{53}iet^{3}ci^{53}tʰau^{53}ke^{0}kuk^{3},iet^{3}ci^{53}tʰau^{53}ta^{21}tʂʰət^{3}lɔi^{13}ke^{0}kuk^{3}.ci$^{13}_{21}$fan^{21}tʂən^{53}ci$^{13}_{21}$tʂət^{3}tsɔi^{35}iet^{3}ci^{53}.

【迟禾梨】tʂʰʅ^{13}uo^{13}li^{13} 名 当地的一种梨树品种，也指其果实：～就一种梨子，爱打迟禾正有食个。tʂʰʅ^{13}uo$^{13}_{44}$li^{13}tsʰiəu^{53}iet^{3}tʂəŋ^{21}li^{13}tsʅ^{0},ɔi^{53}ta^{21}tʂʰʅ^{13}uo^{13}tʂaŋ$^{53}_{44}$iəu$^{35}_{44}$ʂət^{5}ke^{0}.

【迟禾米】tʂʰʅ^{13}uo^{13}mi^{21} 名 一季稻米：～就迟禾谷整出来个米，就安做～。tʂʰʅ^{13}uo$^{13}_{44}$mi^{21}tsʰiəu^{53}tʂʰʅ^{13}uo^{13}kuk^{3}tʂaŋ^{53}tʂʰət^{3}lɔi^{13}ke^{53}mi^{21},tsʰiəu$^{53}_{44}$ɔn$^{35}_{44}$tso$^{53}_{44}$tʂʰʅ^{13}uo^{13}mi^{21}.｜如今我等买个米大部分都系～。i$^{13}_{21}$cin$^{35}_{53}$ŋai^{13}tien^{0}mai^{35}ke$^{53}_{44}$mi^{21}tʰai^{53}pʰu$^{53}_{44}$fən$^{53}_{44}$təu$^{35}_{44}$xe^{53}tʂʰʅ^{13}uo^{13}mi^{21}.

【迟麦】tʂʰʅ^{13}mak^{5} 名 一种冬小麦，十月时下种，无须：箇～就冇得须呢。产量也更高呢，又更好食呢。kai$^{53}_{44}$tʂʰʅ^{13}mak^{5}tsʰiəu^{53}mau$^{13}_{21}$tek^{3}si^{35}nei^{0}.tsʰan^{21}liɔŋ$^{53}_{44}$a$^{35}_{44}$cien^{53}kau^{35}nei^{0},iəu$^{53}_{44}$cien$^{53}_{44}$xau^{21}ʂət^{5}nei^{0}.

【迟早】tʂʰʅ^{13}tsau^{21} 副 或早或晚：你箇骑摩托车欸咁凶是～都会溺场嘞。箇以前我等我老妹子箇学堂里箇只老师啊，安做王亚欣老师。硬就系只凶子在骑摩托，就系咁凶子。两个人同出门，张家坊下到我老妹子箇只学堂里，只有一十二公里子啊一十三公里子远，箇只王亚欣老师渠，两个人同出门呐，搇我老妹婿呀同出门呐，我老妹婿也骑摩托车也蛮惊呢，箇王亚欣老师是，起码箇十几公里肚里起码比渠爱早七八分钟到。你话蛮凶吗？系唔系？结果跕倒牛轭岭咁子一下就钟得就死哟。钟死哩哟。欸，钟下摩托欸钟下箇个欸箇个欸钟下拖拉机上呢。唔知让门子撞下箇拖拉机上，撞下拖拉机上，硬撞得就死呀硬啊。ɲi^{13}kai^{53}cʰi$^{13}_{21}$mo$^{13}_{21}$tʰɔk^{3}tʂʰa$^{35}_{44}$e$_{21}$kan^{21}çiəŋ$^{35}_{44}$ʂʅ$^{53}_{44}$tʂʰʅ^{13}tsau^{21}təu$^{35}_{53}$uɔi^{53}tʰait^{3}tʂʰɔŋ^{13}le^{0}.kai$^{53}_{44}$i^{35}tsʰien$^{13}_{21}$ŋai$^{13}_{21}$tien^{0}ŋai$^{13}_{21}$lau^{21}mɔi^{53}tsʅ^{0}kai$^{53}_{44}$xɔk^{5}tʰɔŋ$^{13}_{44}$li^{0}kai^{53}tʂak^{3}lau^{21}sʅ$^{35}_{44}$a^{0},ɔn$^{35}_{44}$tso$^{53}_{44}$uɔŋ^{13}ia^{53}çin^{35}nau^{21}sʅ$^{35}_{53}$. ɲiaŋ$^{53}_{44}$tsʰiəu^{53}xe^{53}tʂak^{3}çiəŋ^{35}tsʅ^{0}tsʰai$^{53}_{44}$cʰi$^{13}_{21}$mo$^{13}_{21}$tʰɔk^{3},tsʰiəu^{53}xe$^{53}_{44}$kan^{21}çiəŋ^{35}tsʅ^{0}.iɔŋ^{21}ke^{53}ɲin$^{13}_{44}$tʰəŋ^{13}tʂʰət^{3}mən^{13},tʂɔŋ$^{35}_{44}$ka$^{35}_{44}$fɔŋ^{35}xa$^{53}_{44}$tau^{53}ŋai$^{13}_{21}$lau^{21}mɔi^{53}tsʅ^{0}kai^{53}tʂak^{3}xɔk^{5}tʰɔŋ$^{13}_{44}$li^{0},tʂət^{3}iəu^{35}iet^{3}ʂət^{5}ɲi^{53}kəŋ$^{35}_{44}$li$^{35}_{44}$tsʅ^{0}a^{0}iet^{3}ʂət^{5}san^{35}kəŋ$^{35}_{44}$li$^{35}_{44}$tsʅ^{0}ien^{21},kai^{53}tʂak^{3}uɔŋ^{13}ia^{53}çin^{35}nau^{21}sʅ$^{35}_{53}$ci$^{13}_{21}$,iɔŋ^{21}ke^{53}in$^{13}_{21}$tʰəŋ^{13}tʂʰət^{3}mən^{13}na^{0},lau^{35}ŋai$^{13}_{44}$lau^{21}mɔi^{53}se^{53}ia^{0}tʰəŋ^{13}tʂʰət^{3}mən^{13}na^{0},ŋai$^{13}_{44}$lau^{21}mɔi$^{53}_{44}$se^{53}ia$^{35}_{44}$cʰi^{13}mo$^{13}_{21}$tʰɔk^{3}tʂʰa$^{35}_{44}$ia^{35}man$^{13}_{21}$ciaŋ^{35}nei^{0},kai$^{53}_{44}$uɔŋ^{13}ia^{53}çin^{35}nau^{21}sʅ^{35}ʂʅ$^{53}_{44}$,cʰi^{21}ma$^{35}_{44}$kai$^{53}_{44}$ʂət^{5}ci^{21}kəŋ$^{35}_{44}$li$^{35}_{44}$təu^{21}li^{0}çi^{21}ma$^{35}_{44}$pi^{21}ci$^{13}_{21}$ɔi^{53}tsau^{21}tsʰiet^{3}pait^{3}fən^{35}tʂəŋ$^{35}_{44}$tau^{53}. ɲi^{13}ua^{53}man^{13}çiəŋ^{35}ma^{0}?xei^{53}me^{53}?ciet^{3}ko^{21}ku^{35}tau^{21}ɲiəu$^{13}_{21}$a$^{35}_{44}$liaŋ^{35}kan$^{21}_{44}$tsʅ^{0}iet^{3}xa^{53}tsʰiəu$^{53}_{44}$tʂəŋ^{35}tek^{3}tsiəu^{53}si^{21}iau^{0}.tʂəŋ^{35}si^{21}li^{0}iau^{0}.e$_{21}$,tʂəŋ^{35}ŋa^{53}mo^{13}tʰɔk^{3}e^{0}tʂəŋ^{35}ŋa^{53}kai$^{53}_{44}$ke$^{53}_{44}$e$_{21}$kai$^{53}_{44}$ke$^{53}_{44}$e^{0}tʂəŋ^{35}ŋa$^{53}_{44}$tʰo$^{35}_{44}$la$^{35}_{44}$ci^{35}xɔŋ^{53}nei^{0}.n̩^{13}ti$^{35}_{44}$ɲiɔŋ^{53}mən^{0}tsʅ^{0}tsʰɔŋ^{53}xa$^{53}_{44}$kai$^{53}_{44}$tʰo$^{35}_{44}$la$^{35}_{44}$ci^{35}xɔŋ^{53},tsʰɔŋ^{53}xa$^{53}_{44}$tʰo$^{35}_{44}$la$^{35}_{44}$ci$^{35}_{44}$xɔŋ^{53}, ɲiaŋ^{53}tsʰɔŋ$^{53}_{44}$tek^{3}tsiəu^{53}si^{21}ia^{0}ɲiaŋ^{53}ŋa^{0}.

【刷】tʂʰʅ^{13} 动 宰杀：～羊 tʂʰʅ^{13}iɔŋ^{13}｜～鸡 tʂʰʅ^{13}cie^{35}｜～鸭子 tʂʰʅ^{13}ait^{3}tsʅ^{0}｜～兔子 tʂʰʅ^{13}tʰəu^{53}tsʅ^{0}｜～狗 tʂʰʅ^{13}kei^{21}｜要爱箇个～牛个人正问得到。iau$^{53}_{44}$ɔi^{53}kai$^{53}_{44}$ke$^{53}_{44}$tʂʰʅ^{13}ɲiəu^{13}ke^{53}ɲin$^{13}_{44}$tʂaŋ$^{53}_{44}$uən^{53}tek^{3}tau$^{53}_{44}$.｜从前做厨师也还爱～猪咯，包～猪喔。tsʰəŋ^{13}tsʰien$^{13}_{44}$tso^{53}tʂʰəu^{13}ʂʅ$^{35}_{44}$ia$^{35}_{44}$xa$^{13}_{21}$ɔi$^{53}_{44}$tʂʰʅ$^{13}_{21}$tʂəu^{35}ko^{0},pau$^{35}_{44}$tʂʰʅ$^{13}_{21}$tʂəu^{35}uo^{0}.

【尺$_{1}$】tʂʰak^{3} 名 量长度的器具：轧下子布个，轧抻下子个，铁～。tsak^{3}(x)a$^{53}_{44}$tsʅ^{0}pu^{53}ke$^{53}_{44}$,tsak^{3}tʂʰən^{35}na$_{44}$(←xa^{53})tsʅ^{0}ke^{53},tʰiet^{3}tʂʰak^{3}.

【尺$_{2}$】tʂʰak^{3} 量 中国市制长度单位：一～布 iet^{3}tʂʰak^{3}pu^{53}｜渠等有只么个话法咯。让门子啊？罗远秀才……欸，泥水个尺嘞就系五～。木匠个尺嘞就系三～。裁缝师傅个尺嘞就系一～。

还有只么人个尺欸？渠等有只么个话法。么个罗远秀才让门子分渠舞倒嘞，舞一堃就分泥水师傅，就舞嘿五～。以下就话来分木匠嘞，剩下个分木匠嘞，木匠嘞渠又剩倒三～，木匠师傅用嘿三～。以下裁缝师傅又爱，就剩倒一～。唔知还有么个让门子话下去个，渠等有只咁个话法子。欸，罗远秀才搞个。ci^{13}tien^{0} iəu$^{35}_{44}$tʂak^{3} mak^{3} e^{0} ua^{53} fait^{3} ko^{0}. ɲiɔŋ^{53} mən^{0} tsɿ^{0} a^{0} ?lo^{13}ien^{21} siəu^{53} tsʰai$^{13}_{44}$…ei$_{44}$,lai^{13} ʂei^{21} ke^{53} tʂʰak^{3} lei^{0} tsʰiəu^{53} xei^{53} ŋ̍^{21} tʂʰak^{3} .muk^{3} siɔŋ^{53} ke^{0} tʂʰak^{3} lei^{0} tsʰiəu^{53} ue^{53} san^{35} tʂʰak^{3} .tsʰai^{13} fəŋ$^{13}_{44}$sɿ$^{35}_{53}$fu^{53} ke^{0} tʂʰak^{3} lei^{0} tsʰiəu^{53} xei^{53} iet^{3} tʂʰak^{3} .xai^{13} iəu^{35} tʂak^{3} mak^{3} in^{13} ke^{0} tʂʰak^{3} e^{0} ?ci$^{13}_{21}$tien^{0} iəu$^{35}_{53}$tʂak^{3} mak^{3} e^{0} ua^{53} fait^{3} .mak^{3} e^{53} lo^{13} ien^{21} siəu^{53} tsʰɔi$^{13}_{44}$ɲiɔŋ^{53} mən^{0} tsɿ^{0} pən^{35} ci$^{13}_{21}$u^{21} tau^{21} lei^{0} ,u^{21} uet^{3} tsʰo^{53} tsʰiəu$^{53}_{44}$pən$^{35}_{44}$lai^{13} ʂei^{21} sɿ$^{35}_{44}$fu$^{53}_{44}$,tsiəu^{53} u^{21} ek^{3} ŋ̍^{21} tʂʰak^{3} .i^{21} xa$^{53}_{21}$tsʰiəu^{53} ua^{53} lɔi$^{13}_{21}$pən^{35} muk^{3} siɔŋ$^{53}_{44}$lei^{0} ,ʂən^{53} çia$^{53}_{44}$ke^{0} pən$^{35}_{44}$muk^{3} siɔŋ$^{53}_{44}$lei^{0} ,muk^{3} siɔŋ^{53} lei^{0} ci$^{13}_{44}$iəu^{53} ʂən^{53} tau^{21} san^{35} tʂʰak^{3} ,muk^{3} tsʰiɔŋ^{53} sɿ$^{35}_{44}$fu$^{53}_{44}$iɔŋ^{53} ŋek^{3} san^{35} tʂʰak^{3} .ia$_{44}$(←i^{21}xa^{53})tsʰai^{13} fəŋ$^{13}_{44}$sɿ$^{35}_{44}$fu$^{53}_{44}$iəu$^{53}_{44}$ɔi$^{53}_{44}$,tsiəu$^{53}_{44}$ʂən^{53} tau^{21} iet^{3} tʂʰak^{3} .n̩$^{13}_{21}$ti$^{35}_{53}$xai^{13} iəu$^{35}_{44}$mak^{3} kei$^{53}_{44}$ɲiɔŋ^{53} mən^{0} tsɿ^{0} ua^{53} a$^{53}_{44}$çi$^{53}_{44}$kei^{0} ,ci$^{13}_{21}$tien^{0} iəu$^{35}_{44}$tʂak^{3} kan^{21} ke^{0} ua^{53} fait^{3} tsɿ^{0} .e$_{21}$,lo^{13} ien^{21} siəu^{53} tsʰɔi$^{13}_{21}$kau^{21} ke^{53}.

【尺子】tʂʰak^{3} tsɿ^{0} 名①用来画线段（尤其是直的）、量长度的工具：如今系～就多嘞，各种各样个～啊。箇个昨晡讲个欸木匠个～嘞就系三尺，泥水就五尺，裁缝师傅个嘞就一尺，一尺长。i$^{13}_{21}$cin$^{35}_{44}$xei^{53} tʂʰak^{3} tsɿ^{0} tsʰiəu$^{53}_{44}$to^{35} le^{0} ,kɔk^{3} tʂəŋ^{21} kɔk^{3} iɔŋ^{53} ke^{0} tʂʰak^{3} tsɿ^{0} a^{0} .kai$^{53}_{44}$kei$^{53}_{44}$tsʰo$^{35}_{44}$pu$^{35}_{53}$kɔŋ^{21} kei$^{53}_{44}$e$_{21}$ muk^{3} siɔŋ^{53} ke^{53} tʂʰak^{3} tsɿ^{0} lei^{0} tsʰiəu^{53} xe^{53} san^{35} tʂʰak^{3} ,lai^{13} ʂei^{21} tsʰiəu^{53} ŋ̍^{21} tʂʰak^{3} ,tsʰai^{13} fəŋ^{13} sɿ$^{35}_{44}$fu^{53} ke$^{53}_{44}$lei^{0} tsʰiəu^{53} iet^{3} tʂʰak^{3} ,iet^{3} tʂʰak^{3} tʂʰɔŋ$^{13}_{44}$. ②喻指标准：箇晡我去买箇个降压胶囊，降压个，我走下浏阳，冇得哩啊，头到摎我老婆下去哩，欸冇得哩，箇壶子食完哩，箇个降压胶囊冇得哩。我走下去买，冇得卖，忒便宜哩啊，五六块钱一盒呀，一瓶呐，冇利润呐，系啊？我又归倒张坊来买。我去张坊买个时候子箇只人箇一只人就话：“万老师，莫去食咁个降压胶囊啊！食哩唔好哇！对肾有损伤呢！”箇我又我买正一盒我都唔敢食哩哦，我话箇就莫去食了喔。以下箇有晡嘞跑下浏阳箇个医院里，看嘿哩病，摎我老婆看嘿哩病了我，我就同医师讲下子，系唔系？我话我食降压胶囊，我话张坊个医师都话我莫去食了，真莫去食了箇种东西，我话我又食嘿几年了咯，冇么个事咯，系唔系？渠话也唔系么个完全食唔得，各人呐，各人个体格合适……合唔合体格啊。我就讲起八月二号我爱到浏阳来搞体检，渠话你搞哩体检以后你分箇体检结果拿分我看下子我就晓得你食得啊食唔得。渠就话对肾有损伤话嘞，渠只爱肾功能正常个话样啊，箇你就𫘝损伤倒啦，系唔系？各人就对箇只东西有抵触啦，有免疫力啦，系唔系？箇我也我又懂倒哩一只东西，箇看病啊，真系爱根据各人个特点如果系一把～搞下去个话，你肯定箇个肯定箇病就整唔好，各人有各人具体情况。kai^{53} pu$^{35}_{53}$ŋai^{13} çi^{53} mai^{35} kai$^{53}_{44}$ke$^{53}_{44}$ ciɔŋ^{53} iak^{3} ciau^{35} lɔŋ$^{13}_{21}$,ciɔŋ^{53} iak^{3} ke^{53} ,ŋai$^{13}_{21}$tsei^{21}(x)a^{53} liəu^{13} iɔŋ^{13} ,mau^{13} tek^{3} li^{0} a^{0} ,tʰei$^{13}_{21}$tau$^{53}_{44}$lau$^{35}_{44}$ŋai$^{13}_{21}$lau^{21} pʰo^{13} xa$^{53}_{44}$çi^{53} li^{0} ,e$_{21}$ mau^{13} tek^{3} li^{0} ,kai$^{53}_{44}$fu^{13} tsɿ^{0} ʂət^{5} ien^{13} ni^{0} ,kai$^{53}_{44}$ke$^{53}_{44}$ciɔŋ^{53} iak^{3} ciau$^{35}_{44}$lɔŋ$^{13}_{44}$mau^{13} tek^{3} li^{0} .ŋai^{13} tsei^{21}(x)a$^{53}_{21}$ çi^{53} mai^{35} ,mau$^{13}_{21}$tek^{3} mai^{53} ,tʰet^{3} pʰien^{13} ɲin$^{13}_{44}$ni^{0} a^{0} ,ŋ̍^{21} liəuk^{3} kʰuai^{53} tsʰien$^{13}_{21}$iet^{3} xait^{5} ia^{0} ,iet^{3} pʰin^{13} na^{0} ,mau^{13} li^{53} uən$^{53}_{44}$na^{0} ,xei^{53} a^{0} ?ŋai^{13} iəu^{53} kuei$^{35}_{44}$tau^{21} tʂɔŋ$^{35}_{44}$xɔŋ$^{35}_{44}$lɔi$^{13}_{21}$mai$^{35}_{44}$.ŋai^{13} çi^{53} tʂɔŋ$^{35}_{44}$xɔŋ$^{35}_{44}$mai$^{35}_{44}$ke^{0} ʂɿ$^{13}_{44}$xəu$^{53}_{44}$tsɿ^{0} kai^{53} tʂak^{3} ɲin$^{13}_{21}$kai^{53} iet^{3} tʂak^{3} ɲin$^{13}_{21}$tsʰiəu$^{53}_{44}$ua$^{53}_{44}$:"uan^{53} nau^{21} sɿ$^{35}_{44}$,mɔk^{5} çi$^{53}_{44}$ʂət^{5} kan^{21} kei$^{53}_{44}$ciɔŋ^{53} iak^{3} ciau^{35} lɔŋ$^{13}_{21}$a^{0} !ʂət^{5} li^{0} n̩^{13} xau^{21} ua^{0} !tei^{53} ʂən^{53} iəu^{35} sən^{21} ʂɔŋ^{35} ne^{0} !"kai^{53} ŋai^{13} iəu^{53} ŋai$^{13}_{21}$mai^{35} tʂaŋ^{53} iet^{3} xait^{5} ŋai^{13} təu$^{35}_{53}$n̩$^{13}_{21}$kan$^{21}_{44}$ʂət^{5} li^{0} o^{0} ,ŋai^{13} ua$^{53}_{44}$kai^{53} tsiəu$^{53}_{21}$mɔk^{5} çi^{53} ʂət^{5} liau^{0} uo^{0} .i^{21} xa$^{53}_{44}$kai^{53} iəu$^{35}_{44}$pu$^{35}_{44}$lei^{0} pʰau^{21} ua^{53} liəu^{13} iɔŋ^{13} kai$^{53}_{44}$ke$^{53}_{44}$i^{35} vien$^{53}_{21}$ni^{21} ,kʰɔn^{53} nek^{3} li^{0} pʰiaŋ^{53} ,lau^{35} ŋai$^{13}_{21}$lau^{21} pʰo^{13} kʰɔn^{53} xek^{3} li^{0} pʰiaŋ^{53} liau^{21} ŋai$^{13}_{21}$,ŋai^{13} tsʰiəu^{53} tʰəŋ$^{13}_{21}$i^{35} sɿ^{35} kɔŋ^{21} xa^{53} tsɿ^{0} ,xei^{53} me^{53} ?ŋai^{13} ua^{53} ŋai$^{13}_{21}$ʂət^{5} ciɔŋ^{53} iak^{3} ciau^{35} lɔŋ$^{13}_{21}$,ŋai$^{13}_{21}$ua^{53} tʂɔŋ$^{35}_{44}$xɔŋ$^{35}_{44}$ke^{0} i$^{35}_{44}$sɿ$^{35}_{44}$təu$^{35}_{53}$ua^{53} ŋai$^{13}_{21}$mɔk^{5} çi$^{53}_{44}$ʂət^{5} liau^{21} ,tʂən^{35} mɔk^{5} çi$^{53}_{44}$ʂət^{5} liau^{21} kai$^{53}_{21}$tʂəŋ^{21} təŋ$^{35}_{44}$si^{0} ,ŋai^{13} ua^{53} ŋai^{13} iəu$^{53}_{44}$ʂət^{5} (x)ek^{3} ʂət^{5} ci^{21} ɲien^{13} niau^{0} ko^{0} ,mau^{13} mak^{3} e^{0} sɿ^{53} ko^{0} ,xei$^{53}_{44}$me$^{53}_{44}$?ci$^{13}_{21}$ua^{53} ia^{35} m̩$^{13}_{21}$pʰe^{53} mak^{3} e^{0} xon^{13} tsʰien$^{13}_{44}$ʂət^{5} n̩$^{13}_{21}$tek^{3} ,kɔk^{3} ɲin^{13} na^{0} ,kɔk^{3} ɲin^{13} ke^{53} tʰi^{21} kek^{3} xoit^{5} ʂ…xoit^{5} n̩$^{13}_{21}$xoit^{5} tʰi^{21} ciek^{3} a^{0} .ŋai^{13} tsʰiəu^{53} kɔŋ^{21} çi^{21} pait^{3} ɲiet^{5} ɲi^{53} xau$^{53}_{44}$ŋai$^{13}_{21}$ɔi^{53} tau$^{53}_{44}$liəu^{13} iɔŋ$^{13}_{44}$lɔi$^{13}_{44}$kau^{21} tʰi^{21} cian^{21} ,ci$^{13}_{44}$(u)a$^{53}_{44}$ni$^{13}_{21}$kau^{21} li^{0} tʰi^{21} cian^{21} i$^{35}_{53}$xei^{53} ɲi$^{13}_{21}$pən$^{35}_{44}$kai^{53} tʰi^{21} cian^{21} ciet^{3} ko^{21} la$^{53}_{44}$pən$^{35}_{53}$ŋai$^{13}_{21}$kʰɔn^{53} na$^{53}_{21}$tsɿ^{0} ŋai^{13} tsʰiəu^{53} çiau^{21} tek^{3} ɲi$^{13}_{21}$ʂət^{5} tek^{3} a^{0} ʂət^{5} n̩$^{13}_{21}$tek^{3} .ci$^{13}_{21}$tsʰiəu^{53} ua$^{53}_{44}$tei^{53} ʂən^{53} iəu^{35} sən^{21} ʂɔŋ$^{35}_{44}$ua^{53} le^{0} ,ci$^{13}_{21}$tʂɿ^{21} ɔi$^{53}_{44}$ʂən^{53} kəŋ$^{35}_{44}$ lən$^{13}_{21}$tʂən^{53} tʂʰɔŋ^{13} ke$^{53}_{44}$fa$^{53}_{44}$iɔŋ$^{53}_{44}$ŋa^{0} ,kai$^{53}_{44}$ɲi^{13} tsʰiəu^{53} maŋ^{13} sən^{21} ʂɔŋ$^{35}_{53}$tau$^{21}_{44}$la^{0} ,xei$^{53}_{44}$me$^{53}_{44}$?kɔk^{3} ɲin^{13} tsʰiəu^{53} tei^{53} kai^{53} (tʂ)ak^{3} təŋ$^{35}_{44}$si^{0} iəu^{35} ti^{21} tʂʰəuk^{5} la^{0} ,iəu^{35} mien^{21} ɥ^{53} liet^{5} la^{0} ,xei^{53} me^{53} ?kai^{53} ŋai^{13} ia^{35} ŋai^{13} iəu^{53} təŋ^{21} tau^{21} li^{0} iet^{3} tʂak^{3} təŋ$^{35}_{44}$si^{0} ,kai^{53} kʰɔn$^{53}_{44}$pʰiaŋ^{53} ŋa^{0} ,tʂən^{35} ne^{53} ɔi$^{53}_{44}$cien^{35} tʂɥ^{53} kɔk^{3} ɲin^{13} ke^{0} tʰet^{5} tian^{21} ,y^{13} ko^{21} xei^{53} iet^{3} pa^{21} tʂʰak^{3} tsɿ^{0} kau^{21} ua$^{53}_{44}$çi^{53} ke$^{53}_{44}$fa$^{53}_{44}$, ɲi^{13} kʰen^{21} tʰin^{53} kai^{53} kei$^{53}_{44}$kʰen^{53} tʰin^{53} kai$^{53}_{44}$pʰiaŋ^{53} tsʰiəu$^{53}_{44}$tʂaŋ^{21} n̩$^{13}_{44}$xau$^{21}_{44}$,kɔk^{3} ɲin^{13} iəu$^{35}_{53}$kɔk^{3} ɲin$^{13}_{44}$tʂʰɥ^{53} tʰi^{21} tsʰin^{13} kʰuɔŋ^{53}.

【齿$_{1}$】tʂʰɥ^{21} 名排列像牙齿形状的东西。又称“齿子”：箇磨子，石磨子吵，磨一阵吵，磨阵会，箇个～就会平啊。kai$^{53}_{44}$mo^{53}tsɿ^{0},ʂak^{5} mo^{53}tsɿ^{0} ʂa^{0},mo^{53}(i)et^{3} tʂʰən^{53}ʂa^{0},mo^{53}tʂʰən$^{53}_{21}$uɔi$^{53}_{44}$,kai$^{53}_{44}$ke$^{53}_{44}$tʂʰʅ^{21} tsʰiəu$^{53}_{44}$uɔi$^{53}_{44}$pʰiaŋ^{13}ŋa^{0}.｜铁耙是十二只～。tʰiet^{3} pʰa$^{13}_{21}$ʂʅ$^{53}_{44}$ʂət^{5} ɲi^{53}tʂak^{3} tʂʰʅ^{21}.｜安做锯子鱼唠。有锯子～样唠背囊啊，系啊？背囊上有锯子～样。ɔn$^{35}_{44}$tso$^{53}_{44}$cie^{53}tsɿ^{0} ŋ̍^{13}lau^{0}.iəu^{35}cie^{53}tsɿ^{0} tʂʰʅ^{21}iɔŋ$^{53}_{44}$lau^{0} pɔi^{53} lɔŋ^{13}ŋa^{0},xe$^{53}_{44}$a^{0} ?pɔi^{53}lɔŋ^{13}xɔŋ$^{53}_{44}$iəu$^{35}_{44}$cie^{53}tsɿ^{0} tʂʰʅ^{21}iɔŋ$^{53}_{44}$.

【齿$_2$】tʂʰʅ^{21} 动 理睬：～都唔～我 tʂʰʅ^{21}təu$^{35}_{44}$n̩$^{13}_{21}$tʂʰʅ^{21}ŋai^{13}｜莫～渠！mɔk^{5} tʂʰʅ^{21}ci$^{13}_{44}$!｜耳朵奔下去，唔～你噢。ɲi^{21}to^{21}tait^{5} xa$^{53}_{44}$çi$^{53}_{44}$,n̩^{13}tʂʰʅ^{21}ɲi^{13}au^{0}.

【耻笑】tʂʰʅ^{21}siau^{53} 动 嘲笑，讥笑：～别人 tʂʰʅ^{21}siau^{53}pʰiet^{5}ɲin$^{13}_{21}$

【赤脚】tʂʰak^{3} ciɔk^{3} 名 裸露在外、不穿鞋袜的脚：湶湿个一双～去箇个地板砖上走，溜滑，嗯，唔知几滑。tset^{5} ʂet^{3} ke^{53}iet^{3} sɔŋ$^{35}_{53}$tʂʰak^{3} ciɔk^{3} çi^{53}kai$^{53}_{44}$ke$^{53}_{44}$tʰi^{53}pan^{21}tʂuɔn$^{35}_{44}$xɔŋ^{53}tsei^{21},liəu$^{35}_{53}$uait$^{5}_{3}$ cie^{0},n̩$_{21}$,n̩$^{13}_{21}$ti$^{35}_{53}$ci^{21}uait^{5}.

【赤脚啰唆】tʂʰak^{3}ciɔk^{3}lo^{13}so^{35} 打赤脚的样子（含贬义）：～就打上赤脚，冇得欸唔讲究穿着个意思。唔着鞋。同时嘞又唔讲究衣着个意思。～。如今只有蛮多细人子就～。大人一般都～个唔多。因为也就系嘞做咁个欸死工夫个人呐，做咁个田里个唔知几劳动强度又大呀，欸劳动环境又唔好个工作个人呢系唔多了。欸，～个人唔多了。一般都文质彬彬子系箇个人都是。欸，着倒鞋袜来做。tʂʰak^{3} ciɔk^{3} lo^{13}so$^{35}_{53}$tsʰiəu^{53}ta^{21}xɔŋ^{53}tʂʰak^{3} ciɔk^{3},mau^{13}tek^{3} e$_{21}$n̩^{13}kɔŋ^{21}ciəu^{53}tʂʰen^{35} tʂɔk^{3} ke$^{53}_{44}$i$^{53}_{44}$sɿ^{0}.n̩^{13}tʂɔk^{3} xai^{13}.tʰəŋ^{13}ʂʅ$^{13}_{44}$lei^{0} iəu^{53}n̩^{13}kɔŋ^{21}ciəu^{53}i^{35}tʂɔk^{3} ke$^{53}_{44}$i$^{53}_{44}$sɿ^{0}.tʂʰak^{3} ciɔk^{3} lo^{13}sɿ$^{35}_{53}$.i$^{13}_{21}$cin$^{35}_{44}$tʂʅ$^{21}_{44}$ iəu$^{35}_{44}$man^{13}to$^{35}_{44}$se^{53}ɲin$^{13}_{44}$tsɿ^{0} tsʰiəu$^{53}_{44}$tʂʰak^{3} ciɔk^{3} lo$^{13}_{21}$so$^{35}_{53}$.tʰai^{53}ɲin$^{13}_{21}$iet^{3} pɔn^{35}təu^{35}tʂʰak^{3} ciɔk^{3} o$^{13}_{21}$so$^{35}_{53}$ke^{53}n̩$^{13}_{21}$to$^{35}_{44}$.in^{35} uei$^{53}_{44}$ia^{35}tsʰiəu^{53}xe$^{53}_{44}$le^{0} tso^{53}kan^{21}ke^{53}e$_{21}$si^{21}kəŋ^{35}fu$^{35}_{44}$ke^{53}ɲin$^{13}_{21}$na^{0},tso^{53}kan^{21}ke^{53}tʰien^{13}ni^{21}ke^{53}n̩^{13}ti$^{35}_{53}$ci^{21}lau^{13}tʰəŋ^{53} cʰiɔŋ^{13}tʰəu^{53}iəu^{53}tʰai^{53}ia^{0},e$_{44}$lau^{13}tʰəŋ^{53}fan^{13}cin^{53}iəu^{53}m̩^{13}xau^{21}ke^{53}kəŋ^{35}tsɔk^{3} ke$^{53}_{44}$ɲin^{13}ne^{0} xe$^{53}_{44}$n̩^{13}to^{35}liau^{0}.e$_{21}$, tʂʰak^{3} ciɔk^{3} lo^{13}so$^{35}_{53}$ke^{53}ɲin$^{13}_{21}$n̩^{13}to^{35}liau^{0}.iet^{3} pɔn^{35}təu$^{35}_{44}$uən^{13}tʂət^{3} pin$^{35}_{44}$pin$^{35}_{44}$tsɿ^{0} xe^{53}kai$^{53}_{44}$ke^{53}ɲin^{13}təu$^{35}_{44}$ʂʅ$^{53}_{44}$.e$_{21}$, tʂɔk^{3} tau^{21}xai^{13}mait^{3} lɔi^{13}tso^{53}.

【冲$_1$】tʂʰəŋ^{35} 动 ①直朝某处或某个方向而去：渠就～倒角上。ci$^{13}_{21}$tsʰiəu$^{53}_{44}$tʂʰəŋ^{35}tau$^{21}_{44}$kɔk^{3} xɔŋ^{53}. ②用水等冲洗：咁子去搓就洗衫，但总～也系做洗衫呶。kan^{21}tsɿ^{0} çi$^{53}_{44}$tsʰo^{35}tsʰiəu$^{53}_{44}$se^{21}san$^{35}_{44}$,tan$^{53}_{44}$ tsəŋ^{21}tʂʰəŋ$^{35}_{44}$ia$^{35}_{44}$xe^{53}tso$^{53}_{44}$se^{21}san$^{35}_{44}$nau^{0}. ③用水等浇注调制：用泡水，开水呀，一～下去，～下去，安做泡豆腐。iəŋ^{53} pʰau^{35}ʂei^{21},kʰɔi^{35}ʂei^{21}ia^{0},iet^{3} tʂʰəŋ^{35}ŋa^{53}(←xa^{53})çi^{53},tʂʰəŋ^{35}ŋa^{53}(←xa^{53})çi^{53},ɔn$^{35}_{44}$tso$^{53}_{44}$ pʰau^{53}tʰei$^{53}_{44}$fu$^{53}_{44}$.｜啊，冲饽饽啊？就彝倒饽饽打倒碗里放开水去～，开水～。a$_{44}$,tʂʰəŋ^{35}pɔk^{5} pɔk^{0} a^{0} ?tsʰiəu^{53}u^{21}tau^{21}pɔk^{5} pɔk^{0} ta^{21}tau^{21}uɔn^{21}li^{0} fɔŋ^{53}kʰɔi^{35}ʂei^{21}çi$^{53}_{44}$tʂʰəŋ^{35},kʰɔi^{35}ʂei^{21}tʂʰəŋ^{35}.

【冲$_2$】tʂʰəŋ^{35} 名 三面环山的狭长平地。也称"冲子"：□长一条～lai^{35}tʂʰəŋ$^{13}_{21}$iet^{3} tʰiau$^{13}_{21}$tʂʰəŋ^{35}｜两边都系岭岗，中间一只～进。iɔŋ^{21}pien^{35}təu$^{35}_{44}$xei$^{53}_{44}$liaŋ^{35}kɔŋ$^{35}_{44}$,tʂəŋ^{35}kan$^{35}_{44}$iet^{3} tʂak^{3} tʂʰəŋ^{35}tsin^{53}.｜我等横巷里其实就系一条～，一条冇几长个～子。ŋai^{13}tien^{0} uaŋ^{13}xɔŋ$^{53}_{44}$li^{0} cʰi^{13}ʂət^{5} tsʰiəu^{53}xe^{53}iet^{3} tʰiau$^{13}_{21}$tʂʰəŋ^{35},iet^{3} tʰiau$^{13}_{21}$mau^{13}ci^{21}tʂʰəŋ^{13}ke^{0} tʂʰəŋ^{35}tsɿ^{0}.

【冲饽饽】tʂʰəŋ^{35}pɔk^{5} pɔk^{0} 名 用开水冲入蛋液中做成的菜：啊，～啊？就彝倒饽饽打倒碗里放开水去冲，开水冲。a$_{44}$,tʂʰəŋ^{35}pɔk^{5} pɔk^{0} a^{0} ?tsʰiəu^{53}u^{21}tau^{21}pɔk^{5} pɔk^{0} ta^{21}tau^{21}uɔn^{21}li^{0} fɔŋ^{53}kʰɔi^{35}ʂei^{21}çi$^{53}_{44}$ tʂʰəŋ^{35},kʰɔi^{35}ʂei^{21}tʂʰəŋ^{35}.

【冲天炮】tʂʰəŋ^{35}tʰien^{35}pʰau^{53} 名 一种鞭炮。点燃后往前冲飞爆炸：～是就系花炮厂里做个箇起～哇。一只爆竹，爆竹上嘞绵条子扦子，一般就插放下箇缸子肚里一点，天上冲嘿哩。tʂʰəŋ$^{35}_{44}$tʰien$^{35}_{44}$pʰau^{53}ʂʅ$^{53}_{44}$tsiəu^{53}xe^{53}fa$^{35}_{44}$pʰau^{53}tʂʰɔŋ^{21}li^{0} tso^{53}ke$^{53}_{44}$kai^{53}çi$^{21}_{44}$tʂʰəŋ$^{35}_{44}$tʰien$^{35}_{44}$pʰau^{53}ua^{0}.iet^{3} tʂak^{3} pau^{53} tʂəuk^{3},pau^{53}tʂəuk^{3} xɔŋ$^{53}_{44}$lei^{0} tʰak^{3} tʰiau^{13}tsɿ^{0} tsʰin^{35}tsɿ^{0},iet^{3} pɔn^{35}tsʰiəu^{53}tsʰait^{3} fɔŋ^{53}xa^{53}kai$^{53}_{44}$kɔŋ^{35}tsɿ^{0} təu^{21}li^{0} iet^{3} tian^{21},tʰien$^{35}_{44}$xɔŋ$^{53}_{44}$tʂʰəŋ^{35}xek^{3} li^{0}.

【充】tʂʰəŋ^{35} 动 ①装，注：～滴水进去，冇得水了哇，你啊打火机冇得水了啊。tʂʰəŋ^{35}tiet^{5} ʂei^{21} tsin$^{53}_{44}$çi$^{53}_{44}$,mau^{13}tiek^{3} ʂei^{21}liau^{0} ua^{0}, ɲi^{13}a^{0} ta^{21}fo^{21}ci$^{35}_{44}$mau^{13}tiek^{0} ʂei^{21}liau^{0} a^{0}. ②垫付：你同我～滴子钱。ɲi$^{13}_{21}$tʰəŋ$^{13}_{21}$ŋai^{13}tʂʰəŋ^{35}tiet^{5} tsɿ^{0} tsʰien^{13}.｜我爱去食餐酒哇，你先同我～倒正，欸，我听晡拿分你。ŋai$^{13}_{21}$ɔi$^{53}_{44}$çi$^{53}_{44}$ʂət^{5} tsʰɔn$^{35}_{44}$tsiəu^{21}ua^{0}, ɲi$^{13}_{21}$sien$^{35}_{44}$tʰəŋ$^{13}_{21}$ŋai$^{13}_{21}$tʂʰəŋ^{35}tau^{21}tʂaŋ^{53},e$_{21}$,ŋai$^{13}_{21}$tʰin$^{35}_{44}$pu$^{35}_{44}$la^{35}pən$^{35}_{44}$ɲi$^{13}_{44}$. ③假冒：箇屁眼鬼一般就唔系讲话打肿面来～胖子个人。kai$^{53}_{44}$pʰi^{53}ŋan^{21}kuei^{21}iet^{3} pɔn^{35}tsʰiəu^{53}m̩$^{13}_{21}$pʰe^{53} (←xe^{53})kɔŋ^{21}ua$^{53}_{44}$ta^{21}tʂɔŋ^{21}mien^{53}nɔi$^{13}_{44}$tʂʰəŋ$^{35}_{44}$pʰɔŋ^{53}tsɿ^{0} ke$^{53}_{2}$ɲin^{13}.

【充军】tʂʰəŋ^{35}cin^{35} 动 古时遣发罪犯到远地服役：客姓人是话安做～呐。我等个老祖宗安做清高公，渠就么个么个几兄弟摎哪只姓个人呢打架，打死一只。就彝倒我等箇只清高公捉啊倒，～。～到四川。如今渠等都查唠。箇谱上写倒吵，四川个融县，看呶，以只融，融化个融。"西蜀之融县"呐。但是我放势查嘞，四川就冇得以只融县。渠只有以只荣，光荣个荣，荣县。但是广西就有以只融县。箇到底系四川个荣县嘞系广西个融县嘞？以只广西就有以只融呢，融县呢。四川就只有以只荣县。到底渠系讲箇只西蜀讲错哩啊讲融县讲错哩，唔晓得。可以查以个县志查得倒吧？哈？清朝时候嘞，有几久嘞，还系乾隆年间呢。在网上查得倒吗？查渠等个县志啊？我查哩广西就有以只融县呢。kʰak3 sin53 ȵin13/44 ʂʅ53/21 ua53 ɔn35/44 tso53/44 tʂʰəŋ35 cin35 na0 .ŋai13 tien0 ke53 lau21 tsəu21 tsəŋ35 ɔn35/44 tso53/44 tsʰin35 kau35 kəŋ35 ,ci13 tsʰiəu53/44 mak3 ke53/44 mak3 e0 ci21 çiəŋ35/44 tʰi53 lau35/44 lai53 tʂak3 siaŋ53 ke53 ȵin13 ne0 ta21 cia53 ,ta21 si21 iet3 tʂak3 .tsʰiəu53 u21 tau21 ŋai13 tien0 kai53 tʂak3 tsʰin35 kau35/44 kəŋ35/44 tsɔk3 a0 tau21 , tʂʰəŋ35 cin35 .tʂʰəŋ35 cin35 tau53 si53 tʂʰuɔn35/44 .i13/21 cin35 ci13 tien0 təu35/53 tsʰa13/44 lau0 .kai53 pʰu21 xɔŋ53 sia21 tau21 ʂa0 ,si53 tʂʰuɔn35/44 ke0 iəŋ13 çien53 ,kʰɔn53/44 nau0 ,i21 tʂak3 iəŋ13 ,iəŋ13 fa53 ke0 iəŋ13 ."si35 ʂəuk3 tʂʅ35 iəŋ13 çien53 "na0 .tan53 ʂʅ53 ŋai13 xɔŋ53 ʂʅ53/44 tsʰa13 lei0 ,si53 tʂʰuɔn35/44 tsʰiəu53 mau13 tek3 i21 tʂak3 iəŋ13 çien53 .ci13 tʂət3 iəu35/53 i21 tʂak3 iəŋ13 ,kɔŋ35 iəŋ13/21 ke0 iəŋ13/21 ,iəŋ13 çien53 .tan53 ʂʅ53 kɔŋ21 si35/44 tsʰiəu53/44 iəu35/44 i21 tʂak3 iəŋ13 çien53 .kai53/44 tau53 ti21 xei53/44 si53 tʂʰuɔn35/44 ke0 iəŋ13 çien53/44 le0 xe53 kɔŋ21 si35/44 ke0 iəŋ13 çien53/44 le0 ?i21 tʂak3 kɔŋ21 si35 tsʰiəu53 iəu35/53 :21 tʂak3 iəŋ13/44 nei0 ,iəŋ13 çien53 nei0 .si53 tʂʰuɔn35/44 tsʰiəu53/44 tʂət3 iəu35/53 i21 tʂak3 iəŋ13 çien53 .tau53 ti21 ci13/44 xei53/44 kɔŋ21 kai53 tʂak3 si35 ʂəuk3 kɔŋ21 tsʰo53 li0 a0 kɔŋ21 iəŋ13 çien53 kɔŋ21 tsʰo53 li0 ,n̩13 çiau21 tek3 .kʰo21 i35 tsʰa13 i21 ke53/44 çien53 tʂʅ53/44 tsʰa13/21 tek3 tau21 pa0 ?xa/35 ?tsʰin35 tʂʰau13/21 ʂʅ13 xei53 lei0 ,mau13 ci21 ciəu21 le0 ,xai13 xei53/44 cʰien13 nəŋ13 ȵien13/21 kan35/44 ne0 .tsʰai53 uɔŋ21 xɔŋ53 tsʰa13/44 (t)ek3 tau21 ma0 ?tsʰa13/21 ci13 tien0 kei53/44 çien53 tʂʅ53 za0 ? ŋai13 tsʰa13/44 li0 kɔŋ21 si35/44 tsʰiəu53 iəu35/53 :21 tʂak3 iəŋ13 çien53 nei0 .

【舂槌】tʂʰəŋ35 tʂʰei13 [名]舂墙用的木杵，长，一头大一头小，中间更小：箇是昨晡讲个做～哩，就选箇只东西指黄檀树哩。kai53/44 ʂʅ53/44 tsʰo35 pu35/53 kɔŋ21 ke53/44 tso53 tʂʰəŋ35 tʂʰei13 li0 ,tsʰiəu53/44 sien21 kai53/44 tʂak3 (t)əŋ35/44 si0 li0 .

【虫】tʂəŋ13 [名]昆虫的泛称。也称"虫子"：有滴～安做□屎虫嘞。iəu35 iet3/5 tʂəŋ13/21 ɔn35/44 tso53/44 tsʰau53 ʂʅ21 tʂʰəŋ13 lei0 .｜（虫牙）就因为～导致个嘞。tsʰiəu53 in35 uei53/44 tʂʰəŋ13 tau21 tʂʅ53 ke53 le0 .｜我滴子辣椒苗哇分～子等弄断嘿哩唠。ŋai13 tiet5 tsɿ0 lait5 tsiau35/44 ua0 pən35 tʂʰəŋ13 tsɿ0 tən21 nek3 (←xek3)li0 lau0 .

【虫蜡】tʂʰəŋ13 lait5 [名]指虫白蜡：以前呐，以映子张坊箇映子，上张坊中学箇映子，箇一路个蜡树。箇蜡树只爱放兜子蜡虫子去，渠底下就结倒有蜡。去摵倒我等摵倒去搞。白蜡，欸，箇是～安做。箇个蜡就蛮好啦。我觉得有蛮有用啦。i35/53 tsʰien13 na0 ,i21 iaŋ53 tsɿ0 tʂɔŋ35 xɔŋ35/44 kai53/44 iaŋ53/44 tsɿ0 ,ʂɔŋ53/44 tʂɔŋ35 xɔŋ35/44 tʂəŋ35 çiɔk3 kai53/44 iaŋ53/44 tsɿ0 ,kai53/44 iet3 ləu53 ke0 lait5 ʂəu53 .kai53/44 lait5 ʂəu53 tʂʅ21 ɔi53/44 fɔŋ53 tei35/44 tsɿ0 lait5 tʂʰəŋ13/21 tsɿ0 çi53 ,ci13/21 tei21 xa53 tsʰiəu53 ciet3 tau21 iəu35 lait5/3 .çi53 met3 tau21 ŋai13 tien0 met3 tau21 çi53 kau21 .pʰak5 lait5 ,e/21 ,kai53 ʂʅ53 tʂʰəŋ13 lait5 ɔn35/44 tso53/44 .kai53 ke53 lait5 tsʰiəu53 man13/21 xau21 la0 ,ŋai13/44 kɔk3 tek3 iəu35/44 man13/21 iəu35/44 iəŋ53 la0 .

【虫豸】tʂʰəŋ13 ʂʅ35 [名]昆虫的统称：树叶秾哩，～就多哩。ʂəu53 iait5 ȵiəŋ13 li0 ,tʂʰəŋ13 ʂʅ35 tsʰiəu53 to35 li0 . 警告人注意虫豸多 ◇《广韵·纙韵》式支切："豸，米谷中虫。"

【虫食牙】tʂʰəŋ13 ʂek5 ŋa13 [名]龋齿：箇细人子欸搞体检呐，箇学生子搞体检呐，蛮多细人子就系有～。就有龋齿，龋齿就系～。kai53/44 sei53 ȵin13/44 tsɿ0 e/21 kau21 tʰi21 cian21 na0 ,kai53/44 xɔk5 saŋ35/44 tsɿ0 kau21 tʰi21 cian21 na0 ,man13 to35/44 sei53 ȵin13/21 tsɿ0 təu35/44 tsʰiəu53 xei53 iəu35 tʂʰəŋ13 ʂət5 ŋa13 .tsʰiəu53/44 iəu35 ʮ21 tʂʰʅ21 ,ʮ21 tʂʰʅ21 tsʰiəu53 xei53 tʂʰəŋ13/21 ʂət5 ŋa13/44 .

【虫牙】tʂʰəŋ13 ŋa13 [名]龋齿：～就有哩系。～就有人咁子讲哩。就因为虫导致个嘞。tʂʰəŋ13 ŋa13 tsʰiəu53 iəu35 li0 xe53 .tʂʰəŋ13 ŋa13 tsʰiəu53 iəu35 ȵin13/21 kan21/44 tsɿ0 kɔŋ21 li0 .tsʰiəu53 in35 uei53/44 tʂʰəŋ13 tau21 tʂʅ53 ke53 le0 .

【重1】tʂʰəŋ13 [形]重复：到男家头来达哩嫁场，就唔搞箇餐唔搞唔到女方去食订婚酒了。唔搞～个。只搞一边。tau53 lan13 ka35/44 tʰei13/21 lɔi13/44 tʰait5 li0 ka53 tʂʰɔŋ13 ,tsiəu53 ŋ̍13 kau21 kai53 tsʰɔn35/44 ŋ̍13 kau21 n̩13 tau53 ȵy21 fɔŋ35/44 çi53 ʂət5 tʰin53 fən35/44 tsiəu21 liau0 .ŋ̍13 kau21 tʂʰəŋ13 ke53 .tʂʅ21 kau21 uet3 (←iet3)pien35 .

【重2】tʂʰəŋ13 [量]用于分为薄层的东西：箬壳嘞就系竹……大竹，楠竹个，竹子个，欸，变成哩……欸，又唔系笋变成竹个，外背箇～衣服。ȵiɔk3 kʰɔk3 le0 tsʰiəu53 xe53/44 tʂəuk3 …tʰai53 tʂəuk3 ,lan13 tʂəuk3 ke53 ,tʂəuk3 tsɿ0 ke53 ,e/21 ,pien53 tʂʰən13/21 ni0 …e/21 ,iəu53/21 m̩13/21 pʰe53 (←xe53)sən21 pien53 tʂʰən13/21 tʂəuk3 ke53 ,ŋɔi53 pɔi53/44 kai53/44 tʂʰəŋ13/21 i35 fuk5/3 .｜（寿鞋）一～子布个，做只子样子个。iet3 tʂʰəŋ13 tsɿ0 pu53 ke53/44 tso53 tʂak3 tsɿ0 iɔŋ53 tsɿ0 ke53/21 .｜唔精壮个谷嘞一个方面呢渠就欸瘪瘪子，捻倒去都殊绵殊绵，一晒下干来嘞就剩倒点啮子，剩倒～子皮子。n̩13 tsin35 tsɔŋ53/44 ke53/44 kuk3 lei0 iet3 cie53/21 fɔŋ35 mien53/44 nei0 ci13/21 tsʰiəu53/44 e/21 iait3 iait3 tsɿ0 ,ȵian21 tau21 çi53/44 təu35/44 mət5 mien13 mət5 mien13 ,iet3 sai53 ia/44 (←xa53)kɔn35 nɔi13 lei0 tsʰiəu53/44 ʂən53 tau21 tian53 ŋait3 tsɿ0 ,ʂən53 tau21 tʂʰəŋ13 tsɿ0 pʰi13 tsɿ0 .

【重板】tʂʰəŋ13 pan21 [名]起补衬作用的木板：（篾套栊）肚里还有～。təu21 li35 xai13 iəu35/53 tʂʰəŋ13 pan21 .

【重重复复】tʂʰəŋ13 tʂʰəŋ13/44 fuk5 fuk5 形容言语重复啰唆：我等有只亲戚，打电话硬恼渠个瘾。～

讲，一只事讲哩又讲，讲哩又讲，自家讲哩又唔记得，一滴子事都一只电话都爱打你欸几十几分钟。～。冇记性呢，老嘿哩。ŋai^{13}tien^{0} iəu^{35}tʂak^{3} tsʰin^{35}tsʰiet^{3},ta^{21}tʰien^{53}fa^{53}ɲiaŋ^{53}lau^{21}ci^{13}ke^{53}in^{21}.tʂʰəŋ^{13}tʂʰəŋ$^{13}_{44}$fuk^{5} fuk^{5} kɔŋ^{21},iet^{3} tʂak^{3} sɿ^{53}kɔŋ^{21}li^{0} iəu^{53}kɔŋ^{21},kɔŋ^{21}li^{0} iəu^{53}kɔŋ^{21},tsʰɿ^{35}ka$^{35}_{53}$kɔŋ^{21}li^{0} iəu^{53}n̩^{13}ci^{53}tek^{3},iet^{3} tiet^{5} tsɿ^{0} sɿ^{53}təu$^{35}_{53}$iet^{3} tʂak^{3} tʰien^{53}fa^{53}təu$^{35}_{53}$ɔi^{53}ta^{21}ɲi$^{13}_{44}$e^{0} ci^{21}ʂət^{5} ci^{21}fən$^{35}_{44}$tʂəŋ$^{35}_{44}$.tʂʰəŋ$^{13}_{21}$tʂʰəŋ$^{13}_{44}$fuk^{5} fuk^{5}.mau^{13}ci^{53}sin$^{53}_{44}$ne^{0},lau^{21}xek^{3}li^{0}.

【重复】tʂʰəŋ^{13}fuk^{5} 动再一次或反复说或做：～做一次。tʂʰəŋ^{13}fuk^{5}tso^{53}iet^{3}tsʰɿ^{53}.｜如果特事爱倒转来讲，系唔系？就也话硬话～到子嘞，～下子嘞。ɥ^{13}ko^{21}tʰek^{5} sɿ$^{53}_{44}$ɔi^{53}tau^{53}tʂɔn^{21}nɔi$^{13}_{21}$kɔŋ^{21},xe^{53}me$^{53}_{44}$?tsʰiəu$_{0}$ia^{35}ua^{53}ɲiaŋ^{53}ua$^{53}_{44}$tʂʰəŋ^{13}fuk^{5} tau^{53}tsɿ^{0} lei^{0},tʂʰəŋ^{13}fuk^{5}ua^{53}(←xa^{53})tsɿ^{0} lei^{0}.

【重炮】tʂʰəŋ^{13}pʰau^{53} 名双炮，象棋中的杀招。两炮与将（帅）并线，可使士象的防御无效：～将军 tʂʰəŋ^{13}pʰau$^{53}_{44}$tsiɔŋ^{35}tʂən^{35}

【重三倒四】tʂʰəŋ^{13}san$^{35}_{44}$tau^{53}si^{53} 同样的话反反复复地说：就箇老人家子啊，讲哩个又唔记得，系唔系？又倒转去讲，就安做～。tsʰiəu$^{53}_{21}$kai^{53}lau^{21}ɲin^{13}ka$^{35}_{44}$tsɿ^{0} a^{0},kɔŋ^{21}li^{0} ke$^{53}_{44}$iəu$^{53}_{44}$n̩^{13}ci^{53}tek^{3},xei$^{53}_{44}$me$^{53}_{44}$?iəu^{53}tau^{53}tʂɔn^{21}çi^{53}kɔŋ^{21},tsʰiəu$^{53}_{44}$ɔn$^{35}_{44}$tso$^{53}_{44}$tʂʰəŋ^{13}san$^{35}_{44}$tau^{53}si^{53}.

【重丧】tʂʰəŋ^{13}sɔŋ^{35} 名两件丧事相接的情况：如今我等以个栏场欸箇个人死哩啊，一定爱请风水先生拣日子。搞么个嘞？你欸日子嬗拣中啊，就怕犯～。安做犯～。犯～就怕你屋下又死个人呐。欸，以只都还嬗搞清，又死一个人呐。犯～。但是渠放势话都空个，放势拣日子都空个。头到我等一只老师，我等个老师啊，姓李，九十几欸渠九十几岁死嘿哩，九十几岁了，箇个当然拣哩日子嘞，唔犯～嘞。但是以只老师死嘿哩以后冇得一个月，渠老婆又死嘿哩。你能够话～吗？i$^{13}_{21}$cin$^{35}_{53}$ŋai^{13}tien^{0} i$^{21}_{13}$ke^{53}laŋ$^{13}_{21}$tʂʰɔŋ$^{13}_{44}$e$_{21}$kai^{53}ke$^{53}_{44}$ɲin^{13}si^{21}li^{0} a^{0},iet^{3} tʰin$^{53}_{44}$ɔi^{53}tsʰiaŋ^{21}fəŋ^{35}ʂei^{21}sien$^{35}_{44}$saŋ$^{35}_{44}$kan^{21}ɲiet^{3} tsɿ^{0}.kau^{21}mak^{3} e^{0} lei^{0}?ɲi^{13}e^{0} ɲiet^{3} tsɿ^{0} maŋ^{13}kan^{21}tʂəŋ^{53}ŋa^{0},tsʰiəu^{53}pʰa$^{53}_{44}$fan^{53}tʂʰəŋ^{13}sɔŋ^{35}.ɔn$^{35}_{44}$tso$^{53}_{44}$fan^{53}tʂʰəŋ^{13}sɔŋ^{35}.fan^{53}tʂʰəŋ^{13}sɔŋ^{35}tsʰiəu^{53}pʰa$^{53}_{44}$ɲi^{13}uk^{3} xa$^{53}_{44}$iəu^{53}si^{21}ke^{53}ɲin$^{13}_{21}$na^{0}.ei$_{21}$,i^{21}tʂak^{3} təu$^{35}_{53}$xa$^{13}_{21}$maŋ$^{13}_{21}$kau^{21}tsʰin^{35},iəu^{53}si^{21}iet^{3} cie^{53}ɲin$^{13}_{21}$na^{0}.fan^{53}tʂʰəŋ$^{13}_{21}$sɔŋ$^{35}_{44}$.tan$^{53}_{44}$ʂʅ$^{53}_{44}$ci^{13}xɔŋ^{53}ʂʅ$^{53}_{44}$ua^{53}təu^{35}kʰəŋ^{53}ke^{0},xɔŋ^{53}ʂʅ$^{53}_{44}$kan^{21}ɲiet^{3} tsɿ^{0} təu$^{35}_{53}$kʰəŋ$^{53}_{44}$ke^{0}.tʰei$^{13}_{21}$tau^{53}ŋai^{13}tien^{0} iet^{3} tʂak^{3} lau^{21}sɿ$^{35}_{44}$,ŋai^{13}tien^{0} ke^{0} lau^{21}sɿ$^{35}_{44}$a^{0},siaŋ^{53}li^{21},ciəu^{21}ʂət^{5} ci^{21}ei^{0} ci$^{13}_{44}$ciəu^{21}ʂət^{5} ci^{21}sɔi^{53}si^{21}xek^{3} li^{0},ciəu^{21}ʂət^{5} ci^{21}sɔi^{53}liau^{0},kai^{53}ke^{0} tɔŋ$^{35}_{44}$ven$^{13}_{21}$kan^{21}li^{0}ɲiet^{3} tsɿ^{0} lei^{0},n̩^{13}fan^{53}tʂʰəŋ$^{13}_{21}$sɔŋ$^{35}_{44}$lei^{0}.tan$^{53}_{44}$ʂʅ$^{53}_{44}$i^{21}tʂak^{3} lau^{21}sɿ$^{35}_{44}$si^{21}xek^{3} li^{0} i$^{35}_{44}$xei$^{53}_{44}$mau^{13}tek^{3} iet^{3} cie^{53}ɲiet^{5},ci$^{13}_{21}$lau^{21}pʰo^{13}iəu^{53}si^{21}xek^{3} li^{0}.ɲi$^{13}_{21}$lien^{13}ciau$^{53}_{44}$ua^{53}tʂʰəŋ$^{13}_{21}$sɔŋ$^{35}_{53}$ma^{0}?

【重新$_{1}$】tʂʰəŋ^{13}sin$^{35}_{44}$ 副从头再开始，再一次：如果打嘿禾来，再来栽，再来～搞犁耙来栽嘞，箇就安做栽二禾。ɥ^{13}ko^{21}ta^{21}xek^{3} uo^{13}lɔi$^{13}_{44}$,tsai^{53}lɔi$^{13}_{21}$tsɔi^{35},tsai^{53}lɔi$^{13}_{21}$tʂʰəŋ^{13}sin$^{35}_{44}$kau^{21}lai^{13}pʰa^{13}lɔi^{13}tsɔi^{35}lei^{0},kai$^{53}_{44}$tsʰiəu$^{53}_{44}$ɔn$^{35}_{44}$tso$^{53}_{44}$tsɔi^{35}ɲi^{53}uo^{13}.｜十多年以后就捡起来哩啊，爱～葬过。ʂət^{5} to$^{35}_{44}$ɲien$^{13}_{21}$i$^{35}_{44}$xei$^{53}_{44}$tsʰiəu$^{53}_{44}$cian^{21}çi^{21}lɔi$^{13}_{21}$lia^{0},ɔi$^{53}_{44}$tʂʰəŋ$^{13}_{21}$sin$^{35}_{44}$tsɔŋ^{53}ko$^{53}_{44}$.

【重阳】tʂʰəŋ^{13}iɔŋ^{13}tset^{3} 名我国传统节日，农历九月初九日。旧时在这一天有登高的风俗。现又定为老人节：～登高哇，系唔系？登高摎爬山唔同嘞，系唔系？爬山是也系登高，但是登高就不一定爬山。tʂʰəŋ^{13}iɔŋ^{13}ten$^{35}_{44}$kau^{35}ua^{0},xei$^{53}_{44}$me$^{53}_{44}$?ten^{35}kau$^{35}_{44}$lau$^{35}_{44}$pʰa^{13}san^{35}n̩$^{13}_{44}$tʰəŋ$^{13}_{44}$le^{0},xei^{53}me^{53}?pʰa^{13}san^{35}ʂʅ$^{53}_{44}$ia^{35}xe^{53}ten$^{35}_{44}$kau$^{35}_{44}$,tan$^{53}_{44}$ʂʅ$^{53}_{44}$tien$^{35}_{44}$kau^{35}tsʰiəu^{53}pət^{3} iet^{3} tʰin^{53}pʰa$^{13}_{21}$san^{35}.｜我等欸退休老师啊渠等欸箇个～节啊，冇得么个活动。冇搞么个活动。但是有滴单位唔知几好。～节嘞还有发滴子钱呐，组织倒箇老年退休个同志嘞去旅游哇，或者去登下子高哇，欸，喊倒去食餐子饭呐。我等老师冇得，退休老师冇得。～节冇人搭识你嘞。也系老年节嘞。ŋai^{13}tien^{0} e$_{44}$tʰei^{53}çiəu^{35}lau^{21}sɿ$^{35}_{44}$a^{0} ci$^{13}_{21}$tien^{0} e$_{21}$kai^{53}ke$^{53}_{44}$tʂʰəŋ^{13}iɔŋ$^{13}_{44}$tset^{3} a^{0},mau^{13}tiet^{5} mak^{3} e^{0} xɔit^{5} tʰəŋ^{53}.maŋ^{13}kau^{21}mak^{3} e^{0} xɔit^{5} tʰəŋ^{53}.tan$^{53}_{44}$ʂʅ$^{53}_{44}$iəu^{35}tiet^{5} tan$^{35}_{44}$uei$^{53}_{44}$n̩^{13}ti$^{35}_{53}$ci^{21}xau^{21}.tʂʰəŋ$^{13}_{44}$iɔŋ$^{13}_{44}$tset^{3} le^{0} xai$^{13}_{21}$iəu^{35}fait^{3} tet^{5} tsɿ^{0} tsʰien^{13}na^{0},tsəu^{21}tʂət^{3} tau^{21}kai^{53}lau^{21}ɲien^{13}tʰei^{53}çiəu$^{35}_{44}$ke^{53}tʰəŋ$^{13}_{21}$tʂʅ$^{53}_{44}$lei^{0} çi^{53}li^{35}iəu^{13}ua^{0},xɔit^{5} tʂa^{21}çi^{53}ten$^{35}_{44}$na^{53}tsɿ^{0} kau^{35}ua^{0},e$_{21}$,xan^{53}tau$^{21}_{44}$çi$^{53}_{44}$ʂət^{5} tsʰɔn$^{35}_{44}$tsɿ^{0} fan^{53}na^{0}.ŋai^{13}tien^{0} lau^{21}sɿ$^{35}_{53}$mau$^{13}_{21}$tek^{3},tʰei^{53}çiəu^{35}lau^{21}sɿ$^{35}_{53}$mau$^{13}_{21}$tek^{3}.tʂʰəŋ^{13}iɔŋ$^{13}_{44}$tset^{3} mau$^{13}_{21}$ɲin^{13}tait^{3} ʂət^{5} ɲi$^{13}_{44}$lei^{0}.ia^{35}xei^{53}lau^{21}ɲien^{13}tset^{3} le^{0}.

【宠】tʂʰən^{21} 动娇惯，纵容：细人子～唔得。莫～惯哩渠啊。有滴人是就系～惯哩细人子啊。特别细人子莫一只就争，一只就～欸一只就打骂，两个人教育方式唔同。一只就来批评嘞，箇只就来争。箇就会输咁箇就。sei^{53}ɲin$^{13}_{44}$tsɿ^{0} tʂʰəŋ^{21}n̩^{13}tek^{3}.mɔk^{5} tʂʰəŋ^{21}kuan^{53}ni^{0} ci$^{13}_{44}$a^{0}.iəu^{35}tet^{5}ɲin$^{13}_{44}$ʂʅ$^{53}_{44}$tsʰiəu^{53}xe$^{53}_{44}$tʂʰəŋ^{21}kuan^{53}ni^{0} sei^{53}ɲin$^{13}_{44}$tsa^{0}.tʰiet^{5} pʰiet^{5} sei^{53}ɲin$^{13}_{44}$tsɿ^{0} mɔk^{5} iet^{3} tʂak^{3} tsʰiəu^{53}tsaŋ^{35},iet^{3} tʂak^{3} tsʰiəu^{53}tʂʰəŋ^{21}ei$_{21}$iet^{3} tʂak^{3} tsʰiəu^{53}ta^{21}ma^{53},iɔŋ^{21}ke^{53}ɲin$^{13}_{44}$ciau^{53}iəuk^{3} fɔŋ$^{35}_{44}$ʂət^{5} n̩^{13}tʰəŋ^{13}.iet^{3} tʂak^{3} tsʰiəu^{53}lɔi$^{13}_{21}$pʰi^{35}pʰin$^{13}_{44}$le^{0},kai^{53}tʂak^{3} tsʰiəu^{53}lɔi$^{13}_{21}$tsaŋ^{35}.kai$^{53}_{44}$tsʰiəu$^{53}_{44}$uɔi$^{53}_{44}$ʂəu$^{53}_{44}$kan^{21}kai$^{53}_{44}$tsʰiəu$^{53}_{44}$.

【搷】tsʰəŋ^{21} 动推：～倒你走 tsʰəŋ^{21}tau^{21}ɲi^{13}tsei^{21}｜拖箱扯出来，～进去。tʰo^{35}siɔŋ^{35}tʂʰa^{21}tʂʰət^{3} lɔi^{13},tsʰəŋ^{21}tsin^{53}çi^{53}.

【冲$_3$】tʂʰəŋ^{53} 动用力拼合，直上：勺子就～上去，～倒以向。ʂɔk^{5}tsɿ^{0}tsəu$^{53}_{21}$tʂʰəŋ^{53}ʂɔŋ$^{53}_{21}$çi$^{53}_{44}$,tʂʰəŋ^{53} tau^{21}i^{21}çiɔŋ$^{53}_{44}$.

【冲菜】tʂʰəŋ^{35}tsʰɔi^{53} 名青菜切碎后拌盐放在碗里加盖，次日食用：我爷子就会食～。让门子做个去哩啊？分箇青菜洗净来，洗净来嘞就剁碎来，洗净来滴滗下子水呀剁碎来，剁碎来嘞就过夜。本来是剁碎来以后你就爱歇稳渠嘞。渠就会酸呢，系唔系？你唔歇稳渠，等渠咁子，就咁子碗里装倒样，咁子，第二晡硬冲人冲眼珠嘞。我爷子就会食，我等食唔得。就咁子炒呢，放滴子油盐子放滴辣椒子去炒哇。冲眼珠。箇放盐嘞，箇本本放盐嘞，欸，本本放盐。冲眼珠。渠又唔系酸。你歇稳渠，隔绝空气，渠就会酸呢。欸夜过哩就会酸呢。你像箇个搞菜……卖酸菜个人呐，渠个酸菜呀水□□哩，就有斤两啊，系唔系？水□□哩，唔爱晒干呢，我等一般搞酸菜就爱晒干下子嘞，渠个唔晒，有斤两啊。就放下罂子肚里密封，箇就系酸菜。以个嘞就唔密封，盖就盖子盖倒，盖下子，唔密封，渠就成哩～。我食就赠食。箇冲眼珠哇硬硬欸。我爷子就会食。我记得，搞过一回，欸。ŋai$^{13}_{21}$ia^{13}tsɿ^{0}tsʰiəu^{53}uɔi^{53}ʂət^{5}tʂʰəŋ$^{35}_{44}$tsʰɔi^{53}. ɲiɔŋ^{53} mən^{13}tsɿ^{53}tso^{53}ke^{0}çi$^{21}_{44}$li^{0}a^{0}?pən$^{35}_{44}$kai$^{53}_{44}$tsʰiaŋ^{35}tsʰɔi^{53}se^{21}tsʰiaŋ^{53}lɔi$^{13}_{44}$,se^{21}tsʰiaŋ^{53}lɔi$^{13}_{44}$le^{0}tsʰiəu$^{53}_{44}$to^{53}si^{53}lɔi$^{13}_{44}$,se^{21} tsʰiaŋ^{53}lɔi$^{13}_{44}$tet^{3}lian^{21}xa^{53}tsɿ^{0}ʂei^{21}ia^{0}to^{53}si^{53}lɔi$^{13}_{21}$,to^{53}si^{53}lɔi$^{13}_{21}$le^{0}tsʰiəu$^{53}_{44}$ko$^{53}_{44}$ia^{53}.pən^{21}nɔi^{13}ʂɿ$^{53}_{44}$to^{53}si^{53}lɔi$^{13}_{21}$i$^{35}_{44}$xei^{53}ɲi^{13} tsʰiəu^{53}ɔi^{53}çiet^{3}uən^{21}ci$^{13}_{44}$le^{0}.ci^{13}tsʰiəu^{53}uɔi^{53}sɔn^{35}ne^{0},xei^{53}me$^{53}_{44}$?ɲi^{13}n̩^{13}çiet^{3}uən^{21}ci$^{13}_{44}$,ten^{21}ci$^{13}_{44}$kan$^{21}_{44}$tsɿ^{0},tsʰiəu^{53} kan$^{21}_{44}$tsɿ^{0}uɔn^{21}ni^{0}tʂɔŋ^{35}tau^{21}iɔŋ^{53},kan^{21}tsɿ^{0},tʰi$^{53}_{44}$ɲi$^{53}_{44}$pu$^{35}_{44}$ɲiaŋ^{53}tʂʰəŋ^{35}ɲin$^{13}_{21}$tʂʰəŋ^{35}ŋan^{21}tʂu^{35}le^{0}.ŋai$^{13}_{21}$ia^{13}tsɿ^{0}tsʰiəu$^{53}_{44}$ uɔi$^{53}_{44}$ʂət^{5},ŋai^{13}tien^{0}ʂət^{5}n̩$^{13}_{21}$tek^{3}.tsʰiəu^{53}kan$^{53}_{44}$tsɿ^{0}tsʰau^{21}ne^{0},fɔŋ^{53}tet^{5}tsɿ^{0}iəu^{13}ian^{13}tsɿ^{0}fɔŋ^{53}tet^{5}lait^{5}tsiau$^{35}_{44}$tsɿ^{0}çi^{53} tsʰau^{21}ua^{0}.tʂʰəŋ^{35}ŋan^{21}tʂu^{35}.kai^{53}fɔŋ$^{53}_{44}$ian^{13}le^{0},kai^{53}pən^{21}pən^{21}fɔŋ^{53}ian^{13}le^{0},e$_{53}$,pən^{21}pən^{21}fɔŋ^{53}ian^{13}.tʂʰəŋ^{35}ŋan^{21} tʂu$^{35}_{44}$.ci^{13}iəu^{53}m̩^{13}pʰe^{53}sɔn^{35}. ɲi^{13}çiet^{3}uən^{21}ci$^{21}_{44}$,kak^{3}tsʰiet^{5}kʰəŋ^{35}cʰi$^{53}_{44}$,ci^{13}tsiəu$^{53}_{44}$uɔi$^{53}_{44}$sɔn^{35}ne^{0}.e$_{21}$ia^{53}ko^{53}li^{0}tsiəu^{53} uɔi$^{53}_{44}$sɔn^{35}ne^{0}. ɲi^{13}siɔŋ$^{53}_{44}$kai$^{53}_{44}$ke$^{53}_{44}$kau^{21}tsʰɔi···mai^{53}sɔn^{35}tsʰɔi^{53}ke^{0}ɲin$^{13}_{44}$na^{0},ci^{13}ke^{53}sɔn$^{35}_{44}$tsʰɔi^{53}ia^{0}ʂei^{21}tʂa$^{13}_{21}$tʂa^{13} li^{0},tsʰiəu$^{53}_{44}$iəu^{35}cin^{35}liɔŋ$^{21}_{44}$ŋa^{0},xei$^{53}_{44}$me$^{53}_{44}$?ʂei^{21}tʂa^{13}tʂa^{13}li^{0},m̩$^{13}_{21}$mɔi$^{53}_{44}$sai^{53}kɔn$^{35}_{44}$nei^{0},ŋai$^{13}_{21}$tien^{0}iet^{3}pɔn^{35}kau^{21}sɔn$^{35}_{44}$ tsʰɔi^{53}tsiəu$^{53}_{44}$ɔi$^{53}_{44}$sai^{53}kɔn$^{35}_{44}$na^{53}tsɿ^{0}le^{0},ci^{13}ke^{53}n̩^{13}sai^{53},iəu$^{35}_{44}$cin^{35}liɔŋ$^{21}_{44}$ŋa^{0}.tsʰiəu^{53}fɔŋ^{53}ŋa^{53}aŋ^{35}tsɿ^{0}təu^{21}li^{0}miet^{5} fəŋ^{35},kai$^{53}_{44}$tsʰiəu$^{53}_{44}$xe$^{53}_{44}$sɔn^{35}tsʰɔi^{53}.i^{21}ke$^{53}_{44}$le^{0}tsʰiəu$^{53}_{44}$m̩^{13}miet^{5}fəŋ^{35},kɔi$^{53}_{44}$tsʰiəu$^{53}_{44}$kɔi^{53}tsɿ^{0}kɔi^{53}tau^{21},kɔi^{53}xa$^{53}_{44}$tsɿ^{0},m̩^{13} miet^{5}fəŋ^{35},ci$^{13}_{21}$tsiəu^{53}ʂaŋ$^{13}_{21}$li^{0}tʂʰəŋ^{35}tsʰɔi^{53}.ŋai^{13}ʂʅt^{5}tsʰiəu$^{53}_{44}$maŋ$^{13}_{21}$ʂʅt^{5}.kai^{53}tʂʰəŋ^{35}ŋan^{21}tʂu$^{35}_{44}$ua^{0}ɲiaŋ^{53}ɲiaŋ^{53}e$_{21}$. ŋai$^{13}_{21}$ia^{13}tsɿ^{0}tsʰiəu^{53}uɔi^{53}ʂət^{5}.ŋai^{13}ci^{53}tek^{3},kau^{21}ko^{53}(i)et^{3}fei$^{13}_{21}$,e$_{21}$.

【冲人】tʂʰəŋ^{35}ɲin^{13} 形气味浓烈刺鼻：（活络油）喷臭个。～呶，臭还系唔臭唠，系～。pʰəŋ^{35} tʂʰəu^{53}ke^{0}.tʂʰəŋ^{35}ɲin^{13}nau^{0},tʂʰəu^{53}xai^{13}xe$^{53}_{44}$n̩^{13}tʂʰəu^{53}lau^{0},xe$^{53}_{44}$tʂʰəŋ^{35}ɲin$^{13}_{21}$.

【铳】tʂʰəŋ^{53} 名①旧时用火药发射弹丸的枪类火器，鸟枪。也称“铳子”：（铳箍子树）箇只皮就箍得～。kai^{53}tʂak^{3}pʰi^{13}tsʰiəu^{53}kʰu^{35}tek^{3}tʂʰəŋ^{53}.｜打个鸟子坌坌飞，背把～子藉路归。ta^{21}ke^{53} tiau^{35}tsɿ^{0}pʰən^{53}pʰən^{53}fei^{35},pi^{53}pa^{21}tʂʰəŋ^{53}tsɿ^{0}tʂa^{53}ləu^{53}kuei^{35}. ②特指响铳：还有起响铳啊。取响声个。就老哩人，死哩人打～啊。箇响铳啊。xai^{13}iəu^{35}çi^{21}çiɔŋ^{21}tʂʰəŋ^{53}ŋa^{0}.tsʰi^{21}çiɔŋ^{21}ʂaŋ$^{35}_{44}$ke$^{53}_{21}$.tsʰiəu^{53}lau^{21} li^{0}ɲin^{13},si^{21}li^{0}ɲin^{13}ta^{21}tʂʰəŋ^{53}ŋa^{0}.kai$^{53}_{44}$çiɔŋ^{21}tʂʰəŋ^{53}ŋa^{0}.

【铳箍子树】tʂʰəŋ^{53}ku^{35}tsɿ^{0}ʂəu^{53} 山桃花。一种乔木，皮极坚韧，旧时常用其将铳管箍在木制铳柄上，这种树因而得名铳箍子树。发音人认为就是樱花树：哦，我还晓得箇起么啊树哇，箇起安做么樱花树哇，就系～哩。樱花树哇，就～。还有得是噢我个栏场啊还。旧年走下大围山呐么啊樱花谷安做，渠话箇起就樱花树哇，么啊樱花树啊，箇～，我等箇几多子。/就是～，山桃花又喊。箇只皮就箍得铳。/打铳个箍箇只铁管呐。/箍箇只管，箍箇只，箇土铳箇铳是土铳吵，底下一只木托，木托啊，树做个铳托啊。顶高就一根一根是铳管呐，铁管呐，系唔系？以只搒以只管让门子使渠连结在一起？就有种咁个有爱舞只箇舞只咁个箍子样个咁个箍。箇种树嘞，箇樱花树个箇个皮，就可以做以只东西。揪韧。/花就系蛮像桃花哩。系吧？/欸，山桃花。/就系樱花树。我旧年正晓得啊，我其他唔晓得。只听得话武汉大学个樱花是出哩名啊。武汉大学啊。嗯。欸开樱花个时候子几多子人到武汉大学去嬲。噢武汉大学分门一关，爱售票，爱卖票。哈哈哈哈哈。嘿。/去看樱花吧？/看樱花。/么啊，就系看～。/就系看～。我也横屋里多得是。～。/渠也开花。/红红子个花唠，系唔系？/水红子。/水红子个花。o$_{44}$,ŋai^{13}xai$^{21}_{53}$çiau^{21}tek^{3}kai^{53}çi$^{21}_{44}$mak^{3}a^{0}ʂəu^{53}ua^{0},kai$^{53}_{44}$çi$^{21}_{44}$ɔn$^{35}_{44}$tso$^{53}_{44}$mak^{3}in^{35}fa^{35}ʂəu^{53}ua^{0},tsʰiəu$^{53}_{44}$ ue$_{44}$(←xe^{53})tʂʰəŋ^{53}ku^{35}tsɿ^{0}ʂəu^{53}li^{0}.in^{35}fa^{35}ʂəu^{53}ua^{0},tsʰiəu$^{53}_{44}$tʂʰəŋ^{53}ku^{35}tsɿ^{0}ʂəu^{53}.xai$^{13}_{44}$iəu^{35}tek^{3}ʂɿ^{53}au^{0}ŋai^{13}ke^{53}

laŋ$^{13}_{21}$tʂʰɔŋ$^{13}_{21}$ŋa^{0} xai^{13}.cʰiəu^{53}ɲien$^{13}_{21}$tsei^{21}(x)a$^{53}_{44}$tʰai^{53}uei$^{13}_{21}$san^{35}na^{0} mak^{3} a^{0} in^{35}fa$^{35}_{44}$kuk^{3} ɔn$^{35}_{44}$tso$^{53}_{44}$,ci^{13}ua$^{53}_{44}$kai^{53}çi^{21} tsʰiəu$^{53}_{44}$in^{35} fa^{35} ʂəu^{53}ua^{0},mak^{3} a^{0} in^{35} fa^{35} ʂəu^{53} a^{0},kai$^{53}_{44}$tʂʰəŋ^{53}ku$^{35}_{44}$tsɿ^{0} ʂəu^{53},a$_{21}$(←ŋai^{13})tien^{0} kai$^{53}_{44}$ci^{21} to^{35} tsɿ^{0}./tsʰiəu^{53}ʂʅ$^{53}_{44}$tʂʰəŋ^{53}ku^{35}tsɿ^{0} ʂəu^{53},san^{35}tʰau$^{13}_{21}$fa^{35}iəu^{53}xan$^{53}_{44}$.kai^{53}tʂak^{3} pʰi^{13}tsʰiəu^{53}kʰu^{35}tek^{3} tʂʰəŋ^{53}./ta^{21}tʂʰəŋ^{53} ke^{53}ku^{35}kai^{53}tʂak^{3} tʰiet^{3} kɔn^{21}na^{0}./kʰu^{35}kai^{53}tʂak^{3} kɔn^{21},kʰu^{35}kai^{53}tʂak^{3},kai$^{53}_{44}$tʰəu^{21}tʂʰəŋ^{53}kai$^{53}_{44}$tʂʰəŋ^{53}ʂʅ$^{53}_{44}$tʰəu^{21} tʂʰəŋ^{53}ʂa^{0},te^{21}xa^{53}iet^{3} tʂak^{3} muk^{3} tʰɔk^{3},muk^{3} tʰɔk^{3} a^{0},ʂəu^{53}tso^{53}ke$^{53}_{44}$tʂʰəŋ^{53}tʰɔk^{3} a^{0}.taŋ^{21}kau^{35}tsʰiəu^{53}iet^{3} ken$^{35}_{44}$ iet^{3} ken^{35}ʂʅ$^{53}_{44}$tʂʰəŋ^{53}kɔn^{21}na^{0},tʰiet^{3} kɔn^{21}na^{0},xei$^{53}_{44}$me$^{53}_{44}$?i^{21}tʂak^{3} lau^{35}i^{21}tʂak^{3} kɔn^{21}ɲiɔŋ^{53}mən^{0} tsɿ^{0} ʂʅ^{21}ci$^{21}_{44}$lien^{13} ciet^{3} tsʰai^{53}iet^{3} çi^{21}?tsʰiəu$^{53}_{44}$iəu^{35}tʂəŋ^{21}kan$^{21}_{13}$kei$^{53}_{44}$iəu$^{35}_{44}$ɔi^{53}u^{21}tʂak^{3} kai$^{53}_{44}$u^{21}tʂak^{3} kan$^{21}_{35}$kei^{53}kʰu^{35}tsɿ^{0} iɔŋ$^{53}_{44}$ke$^{53}_{44}$kan^{21} ke^{53}kʰu^{35}.kai^{53}tʂəŋ^{21}ʂəu^{53}lei^{0},kai^{53}in^{35}fa$^{35}_{44}$ʂəu^{53}ke$^{53}_{44}$kai$^{53}_{44}$ke$^{53}_{44}$pʰi^{13},tsʰiəu^{53}kʰo^{21}i^{35}tso$^{53}_{44}$i^{21}tʂak^{3} təŋ$^{35}_{44}$si^{0}.tsiəu^{35} ɲin^{53}./fa^{35}tsʰiəu$^{53}_{44}$xe^{53}man^{13}siɔŋ^{53}tʰau^{13}fa^{35}li^{0}.xe$^{53}_{44}$pa^{0}?/e$_{21}$,san^{35}tʰau$^{13}_{21}$fa^{35}./tsʰiəu^{53}ue^{53}(←xe^{53})in$^{35}_{44}$fa$^{35}_{44}$ʂəu^{53}.ŋai^{13} cʰiəu^{53}ɲien$^{13}_{21}$tʂaŋ^{53}çiau^{21}tek^{3} a^{0},ŋai^{13}cʰi$^{13}_{21}$tʰa^{35}n̩$^{13}_{21}$çiau$^{21}_{53}$tek^{3}.tʂe^{21}tʰaŋ^{35}ŋek^{3}(←tek^{3})ua^{53}u^{35}xɔn^{53}tʰai^{53}çiɔk^{5} ke^{53} in^{35}fa$^{35}_{44}$ʂʅ$^{53}_{44}$tʂʰət^{3} li^{0} miaŋ^{13}ŋa^{0}.u^{35}xɔn$^{53}_{44}$tʰai^{53}çiɔk^{5} a^{0}.n̩$_{21}$.e$_{44}$kʰɔi^{35}in^{35}fa$^{35}_{44}$ke$^{53}_{44}$ʂʅ^{13}xəu^{53}tsɿ^{0} ci^{21}to^{35}tsɿ^{0}ɲin^{13}tau^{53}u^{35} xɔn$^{53}_{44}$tʰai$^{53}_{44}$çiɔk$^{5}_{3}$çi$^{53}_{44}$liau^{53}.au$_{21}$u^{35}xɔn$^{53}_{44}$tʰai$^{53}_{44}$çiɔk$^{5}_{3}$pən^{35}mən$^{13}_{21}$iet^{3} kuan^{35},ɔi$^{53}_{44}$ʂəu$^{53}_{44}$pʰiau^{53},ɔi$^{53}_{44}$mai$^{53}_{44}$pʰiau^{53}.xa$_{44}$xa$_{44}$ xa$_{44}$xa$_{44}$xa$_{44}$.xe$_{21}$./cʰie^{53}kʰɔn^{53}in^{35}fa$^{35}_{44}$pa^{0}?/kʰɔn$^{53}_{44}$in^{35}fa$^{35}_{44}$./mak^{3} a^{0},tsʰiəu^{53}ue$_{44}$(←xe^{53})kʰɔn^{53}tʂʰəŋ^{53}ku$^{35}_{44}$tsɿ^{0} ʂəu$^{53}_{44}$./tsʰiəu^{53}ue$_{44}$(←xe^{53})kʰɔn^{53}tʂʰəŋ^{53}ku$^{35}_{44}$tsɿ^{0} ʂəu^{53}.ŋai^{13}ia$^{35}_{44}$uaŋ^{13}uk$^{3}_{5}$li^{0} to$^{35}_{44}$tek^{3} ʂʅ^{53}.tʂʰəŋ^{53}ku$^{35}_{44}$tsɿ^{0} ʂəu^{53}./ci^{13}a$^{35}_{44}$ kʰɔi^{35}fa^{35}./fəŋ^{13}fəŋ^{13}tsɿ^{0} ke$^{53}_{44}$fa^{35}lau^{0},xe$^{53}_{44}$me$^{53}_{44}$?/ʂei^{21}fəŋ^{13}tsɿ^{0}./ʂei^{21}fəŋ^{13}tsɿ^{0} ke$^{53}_{44}$fa$^{35}_{44}$.

【铳管】tʂʰəŋ^{53}kɔn^{21} [名]铳上的枪筒：（土铳）顶高就一根一根是～呐。taŋ^{21}kau^{35}tsʰiəu^{53}iet^{3} ken$^{35}_{44}$ iet^{3} ken^{35}ʂʅ$^{53}_{44}$tʂʰəŋ^{53}kɔn^{21}na^{0}.

【铳沙子】tʂʰəŋ^{53}sa^{35}tsɿ^{0} [名]旧时民用猎枪的霰弹：硝一着嘞就膨胀吵，就分箇个～打出推出去哩。siau^{35}iet^{3} tʂʰɔk^{5} le^{0} tsʰiəu^{53}pʰən^{13}tʂɔŋ^{53}ʂa^{0},tsʰiəu$^{53}_{44}$pən^{35}kai$^{53}_{44}$ke$^{53}_{44}$tʂʰəŋ^{53}sa^{35}tsɿ^{0} ta^{21}tʂʰət^{3} tʰi^{35}tʂʰət^{3} çi^{53}li^{0}.

【铳托】tʂʰəŋ^{53}tʰɔk^{3} [名]铳上安装枪筒和其他装置的木头制作的供端起来瞄准射击的部件：（土铳）底下一只木托，木托啊，树做个～啊。te^{21}xa^{53}iet^{3} tʂak^{3} muk^{3} tʰɔk^{3},muk^{3} tʰɔk^{3} a^{0},ʂəu^{53}tso^{53}ke$^{53}_{44}$ tʂʰəŋ^{53}tʰɔk^{3} a^{0}.

【抽】tʂʰəu^{35} [动]①从夹在中间的全部东西中取出一件：还有就舞几条长短不同个树棍子唠，摙下手里唠，顶高就（一）样子唠。你～中箇条短个子你就爱追哟。xai$^{13}_{21}$iəu$^{35}_{44}$tsʰiəu$^{53}_{44}$u^{21}ci^{21} tʰiau^{13}tʂʰɔŋ^{13}tɔn^{21}pət^{3} tʰəŋ^{13}ke$^{53}_{44}$ʂəu^{53}kuən^{53}tsɿ^{0} lau^{0},ia^{21}(x)a$^{53}_{44}$ʂəu^{21}li^{0} lau^{0},taŋ^{21}kau$^{35}_{44}$tsʰiəu$^{53}_{44}$iɔŋ^{53}tsɿ^{0} lau^{0}. ɲi$^{13}_{21}$ tʂʰəu^{35}tʂəŋ$^{53}_{44}$kai^{53}tʰiau$^{13}_{21}$tɔn^{21}cie^{53}tsɿ^{0}ɲi$^{13}_{21}$tsʰiəu$^{53}_{44}$ɔi$^{53}_{44}$tʂei^{35}iau^{0}. ②吸：～烟个吵，以头上以只放烟个东西安做烟筒斗。tʂʰəu$^{35}_{44}$ien$^{35}_{44}$ke$^{53}_{44}$ʂa^{0},i^{21}tʰei^{13}xɔŋ^{53}i^{21}tʂak^{3} fɔŋ^{53}ien^{35}ke$^{53}_{44}$təŋ$^{35}_{44}$si^{0} ɔn$^{35}_{44}$tso$^{53}_{44}$ien^{35}tʰəŋ$^{13}_{21}$tei^{21}. ③生出，长出：～哩蕻 tʂʰəu^{35}li^{0} fəŋ^{53}

【抽风】tʂʰəu^{35}fəŋ^{35} [动]手脚痉挛、口眼歪斜的症状：箇只人呐得倒惹倒一只咁个病，长日会～。长日～。唔知几苦，又整唔好。kai^{53}tʂak^{3} ɲin$^{13}_{44}$na^{0} tek^{3} tau^{21}ɲia^{35}tau^{21}iet^{3} tʂak^{3} kan^{21}ke$^{53}_{44}$pʰiaŋ^{53},tʂʰɔŋ^{13} ɲiet^{3} uɔi^{53}tʂʰəu$^{35}_{44}$fəŋ^{35}.tʂʰɔŋ^{13}ɲiet^{3} tʂʰəu$^{35}_{44}$fəŋ^{35}.n̩^{13}ti$^{35}_{53}$ci^{21}kʰu^{21},iəu^{53}tʂaŋ^{21}n̩$^{13}_{44}$xau^{21}.

【抽筋】tʂʰəu^{35}cin^{35} [动]筋肉痉挛作痛：欸，头几晡子我夜晡睡倒唔知搞么个，欸脚～。唔知系唔系冷倒哩，睡哩篾席。我取都睡唔得篾席。欸，我个身体咯，我只睡草席子。篾席睡唔得。硬怕冷呢。e$_{21}$,tʰei$^{13}_{21}$ci^{21}pu^{35}tsɿ^{0} ŋai$^{13}_{44}$ia^{53}pu^{35}ʂɔi^{53}tau^{21}n̩^{13}ti^{35}kau^{21}mak^{3} ke^{53},ei$_{44}$ciɔk^{3} tʂʰəu$^{35}_{44}$cin$^{35}_{44}$.n̩^{13}ti$^{35}_{44}$xei$^{53}_{44}$ mei$^{53}_{44}$laŋ^{35}tau^{21}li^{0},ʂɔi$^{53}_{44}$li^{0} miet^{5} tsʰiak^{5}.ŋai$^{13}_{44}$tsʰi^{21}təu$^{35}_{53}$ʂɔi^{53}n̩$^{13}_{21}$tek^{3} miet^{5} tsʰiak^{5}.e$_{21}$,ŋai^{13}ke^{0} ʂən^{35}tʰi^{21}ko^{0},ŋai^{13} tʂʅ^{21}ʂɔi^{53}tsʰau^{21}tsʰiak^{5}tsɿ^{0}.miet^{5} tsʰiak^{5} ʂɔi^{53}n̩$^{13}_{21}$tek^{3}. ɲiaŋ$^{53}_{44}$pʰa^{53}laŋ^{35}nei^{0}.

【抽水】tʂʰəu^{35}ʂei^{21} [动]通过水车、水泵等将水从低处吸到高处：摇水车摎踩水车。两起我都用过，只系好搞子用过噻，好搞子用过。真正话一常常昼边去抽……去去去去～个赠搞过。iau^{13}ʂei^{21}tʂʰa$^{35}_{44}$lau$^{35}_{44}$tsʰai^{21}ʂei^{21}tʂʰa^{35}.iɔŋ^{21}çi^{21}ŋai^{13}təu$^{35}_{44}$iəŋ^{53}ko$^{53}_{21}$,tʂe^{21}xei^{53}xau^{21}kau^{21}tsɿ^{0} iəŋ$^{53}_{44}$ko$^{53}_{44}$se^{0},xau^{21}kau^{21} tsɿ^{0} iəŋ$^{53}_{44}$ko$^{53}_{44}$.tʂən^{35}tʂən$^{53}_{44}$ua^{53}iet^{3} tʂʰɔŋ^{13}tʂʰɔŋ$^{13}_{44}$tʂəu^{53}pien^{35}çi$^{53}_{44}$tʂʰəu^{35}…çi^{53}çi^{53}çi$^{53}_{44}$çi$^{53}_{44}$tʂʰəu^{35}ʂei^{21}ke^{53}maŋ^{13}kau^{21} ko$^{53}_{21}$.

【搊】tsʰəu^{35}/tsʰei^{35} [动]①双手张开手指，相向用力，使物体升高并移动位置：从前藉田膝上栽豆子。豆子长倒有蛮大子了，就爱除草，爱……有么人去扯。只有啦么啊嘞？放滴子灰去，然后分田里个烂泥～起来，糊稳渠，蒙稳渠，就安做糊豆子。tsʰəŋ^{13}tsʰien^{13}tʂa$^{53}_{44}$tʰien^{13}ʂən^{13}xɔŋ$^{53}_{44}$ tsɔi^{35}tʰei^{53}tsɿ^{0}.tʰei^{53}tsɿ^{0} tʂɔŋ^{21}tau^{21}iəu^{35}man^{13}tʰai^{53}tsɿ^{0} liau^{0},tsʰiəu^{53}ɔi^{53}tʂʰʮ^{13}tsʰau^{21},ɔi^{53}…mau^{13}mak^{3} in$^{13}_{21}$çi^{53} tʂʰa^{21}.tʂʅ^{21}iəu^{35}la^{0} mak^{3} a^{0} le^{0}?fɔŋ^{53}tet^{5} tsɿ^{0} fɔi^{35}çi$^{53}_{44}$,vien^{13}xei$^{53}_{44}$pən$^{35}_{44}$tʰien^{13}li$^{21}_{44}$ke$^{53}_{44}$lan^{53}lai^{13}tsʰei^{35}çi^{21}lɔi^{13},fu^{13} uən^{21}ci$^{13}_{44}$,maŋ^{35}uən^{21}ci$^{13}_{44}$,tsʰiəu$^{53}_{44}$ɔn$^{35}_{44}$tso$^{53}_{44}$fu^{13}tʰei^{53}tsɿ^{0}. ②从后平摊双手向上托起小孩两腿使之大小便：～屎 tsʰəu^{35}ʂʅ^{21}｜～尿 tsʰəu^{35}ɲiau^{53}。③用笊篱等捞取：系，笊篱。到镬里去～下起来，系

唔系啊？舞饭个人就是咁子～落几兂篱来。xe$^{53}_{44}$,tsau^{53} lei$^{13}_{21}$.tau$^{53}_{44}$uɔk^{5} li^{0} çy$_{44}$(←çi^{53})tsʰei^{35}ia$_{44}$(←xa^{53})çi^{21}lɔi$^{13}_{21}$,xe$^{53}_{44}$me$^{53}_{44}$a^{0} ʔu^{21}fan^{53}ke$^{53}_{44}$ɲin$^{13}_{44}$tsʰiəu$^{53}_{44}$ʂʅ$^{53}_{44}$kan$^{21}_{44}$tsɿ^{0} tsʰei^{35}lɔk^{5} ci$^{21}_{44}$tsau^{53}lei$^{13}_{44}$lɔi$^{13}_{44}$.

【搊箕子】tsʰei^{35}ci^{35}tsɿ^{0} 名畚箕：还有装箇个做屋个时候子装箇个么个泥个箇就箇只不是绷硬个耳朵个箇芥软个箇～。以下是～都用塑料做了啦。用塑料个～。箇起冇么人用哩。xai^{13} iəu$^{35}_{44}$tʂɔŋ^{35}kai$^{53}_{44}$ke$^{53}_{44}$tso^{53}uk^{3} ke^{0} ʂʅ^{13}xəu^{53}tsɿ^{0} tʂɔŋ^{35}kai$^{53}_{44}$ke$^{53}_{44}$mak^{3} ke^{0} lai^{13}ke^{0} kai$^{53}_{44}$tsʰiəu$^{53}_{44}$kai$^{53}_{44}$tʂak^{3} pət^{3} ʂʅ$^{53}_{44}$paŋ^{35} ŋaŋ^{53}ke^{0}ɲi^{21}to^{21}ke^{0} kai$^{53}_{44}$ɲiet^{5}ɲiɔn^{35}ke^{0} kai$^{53}_{44}$tsʰei^{35}ci$^{35}_{44}$tsɿ^{0}.i^{21}xa$^{53}_{44}$ʂʅ$^{53}_{44}$tsʰei^{35}ci$^{35}_{44}$tsɿ^{0} təu$^{35}_{53}$iəŋ$^{53}_{21}$sɔk^{3} liau^{53}tso^{53}liau^{21} la^{0}.iəŋ^{53}sɔk^{3} liau$^{53}_{44}$ke^{0} tsʰei^{35}ci$^{35}_{53}$tsɿ^{0}.kai^{53}çi^{21}mau^{13}mak^{3} in$^{13}_{44}$iəŋ^{53}li^{0}.

【绸子】tʂʰəu^{13}tsɿ^{0} 名丝织物之通称：～也不一定就系蚕丝个～嘞，不一定系丝绸嘞。如今是欸又有么个绵绸哇，系唔系？有箇化纤搞个做个～嘞。tʂʰəu$^{13}_{21}$tsɿ^{0} ia$^{35}_{53}$pət^{3} iet^{3} tʰin^{53}tsʰiəu$^{53}_{44}$xe$^{53}_{44}$ tsʰan^{13}sɿ$^{35}_{44}$ke^{0} tʂʰəu$^{13}_{21}$tsɿ^{0} le^{0},pət^{3} iet^{3} tʰin^{53}xe^{53}sɿ^{35}tʂʰəu$^{13}_{21}$le^{0}.i$^{13}_{21}$cin$^{35}_{53}$ʂʅ^{53}ei^{0} iəu$^{53}_{44}$iəu$^{35}_{53}$mak^{3} e^{0} mien^{13}tʂʰəu$^{13}_{44}$ua^{0}, xei$^{53}_{44}$me$^{53}_{44}$ʔiəu$^{35}_{44}$kai$^{53}_{44}$fa^{53}tsʰen$^{35}_{44}$kau^{21}ke^{0} tso^{53}ke^{0} tʂʰəu^{13}tsɿ^{0} le^{0}.

【椆树】tʂʰəu^{13}ʂəu^{53} 名本地乔木名：～有哇，我等老家就有。渠系欸四种有名个树肚里个一种。樟梓楠椆。樟就樟树，以个香樟啊。梓就梓木，就落叶樟，安做落叶樟。楠就楠木，我等老家就蛮多楠木啊，楠木个花纹最好看。椆就～。～就硬呢。～就绷硬。～会结果实。～上箇结……～籽，我等安做～籽。～上结个果实，搣嘿壳去可以做成咁个豆腐子样个东西。□成羹啊，□倒咁个米豆腐样啊。也蛮好食。渠有一种咁个药味子样，有一种野生个箇个香味子。我等箇有只地名安做～岗。tʂʰəu^{13}ʂu^{53}iəu^{35}ua^{0},ŋai^{13}tien^{0} lau^{21}cia$^{35}_{44}$tsʰiəu^{53}iəu^{35}.ci^{13}xe^{53}e$_{21}$si^{53}tʂəŋ^{21}iəu^{35} miaŋ^{13}ke$^{53}_{44}$ʂəu^{53}təu^{21}li^{0} ke^{53}iet^{3} tʂəŋ^{21}.tʂɔŋ^{35}tsɿ^{21}lan^{13}tʂʰəu^{13}.tʂɔŋ^{35}tsʰiəu^{53}tʂɔŋ^{35}ʂəu^{53},i^{21}ke^{53}çiɔŋ^{35}tʂɔŋ^{35}ŋa^{0}.tsɿ^{21} tsʰiəu^{53}tsɿ^{21}muk^{3},tsʰiəu$^{53}_{44}$lɔk^{5} iet^{3} tʂɔŋ^{35},ɔn^{35}tso$^{53}_{44}$lɔk^{5} iet^{3} tʂɔŋ^{35}.lan^{13}tʰiəu^{53}lan^{13}muk^{3},ŋai^{13}tien^{0} lau^{21}cia$^{35}_{44}$ tsʰiəu^{53}man^{13}to$^{35}_{44}$lan^{13}muk^{3} a^{0},lan^{13}muk^{3} ke^{0} fa^{35}uən$^{13}_{21}$tsei^{53}xau^{21}kʰɔn^{53}.tʂʰəu^{13}tsʰiəu^{53}tʂʰəu^{13}ʂəu^{53}.tʂʰəu^{13}ʂəu$^{53}_{44}$ tsʰiəu$^{53}_{44}$ŋaŋ^{53}nei^{0}.tʂʰəu^{13}ʂəu$^{53}_{44}$tsʰiəu$^{53}_{44}$paŋ^{35}ŋaŋ^{53}.tʂʰəu^{13}ʂəu^{53}uɔi^{53}ciet^{3} ko^{21}ʂət^{5}.tʂʰəu^{35}ʂəu^{53}xɔŋ^{53}kai^{53}ciet^{3}… tʂʰəu^{13}ʂəu^{53}tsɿ^{21},ŋai^{13}tien^{0} ɔn$^{35}_{53}$tso^{53}tʂʰəu^{13}ʂəu^{53}tsɿ^{21}.tʂʰəu^{35}ʂəu^{53}xɔŋ^{53}ciet^{3} ke^{53}ko^{21}ʂət^{5},met^{3} xek^{3} kʰɔk^{3} çi^{53}kʰo^{21} i$^{35}_{44}$tso^{53}tʂʰən$^{13}_{21}$kan^{21}ke$^{53}_{44}$tʰei^{53}fu$^{21}_{53}$tsɿ^{0} iɔŋ$^{53}_{44}$ke$^{53}_{44}$təŋ$^{35}_{44}$si^{0}.cʰiet^{5} ʂaŋ$^{13}_{21}$kaŋ^{35}ŋa^{0},cʰiet^{5} tau^{21}kan$^{21}_{44}$ke^{0} mi^{21}tʰei$^{53}_{44}$fu$^{21}_{53}$iɔŋ$^{53}_{44}$ ŋa^{0}.ia^{35}man$^{13}_{21}$xau^{21}ʂət^{5}.ci$^{13}_{21}$iəu^{35}iet^{3} tʂəŋ^{21}kan^{21}ke$^{53}_{44}$iɔk^{5} uei^{53}tsɿ^{0} iɔŋ$^{53}_{44}$,iəu$^{35}_{44}$iet^{3} tʂəŋ^{21}ia^{35}saŋ$^{35}_{44}$ke^{0} kai$^{53}_{44}$ke$^{53}_{44}$çiɔŋ^{35} uei^{53}tsɿ^{0}.ŋai^{13}tien^{0} kai$^{53}_{44}$iəu$^{35}_{44}$tʂak^{3} tʰi^{53}miaŋ$^{13}_{21}$ɔn$^{35}_{44}$tso$^{53}_{44}$tʂʰəu^{13}ʂəu^{53}kɔŋ^{35}.

【愁人】tsʰei^{13}ɲin^{13} 形脏，不干净：真～tʂən^{35}tsʰei^{13}ɲin^{13}｜有滴就死得漓屎漓尿个人呢，奓愁死人哩啊，系唔系？愁死人个就箇脱嘿衫裤来同渠抹呀，身上都抹呀。iəu^{35}tet^{5} tsʰiəu$^{53}_{44}$si^{21}tek^{3} lai^{13} ʂʅ^{21}lai^{13}ɲiau^{53}ke$^{53}_{44}$ɲin$^{13}_{44}$ne^{0}, ɲia^{13}tsʰei^{13}si^{21}ɲin^{13}li^{0} a^{0},xei$^{53}_{44}$me^{0} ʔtsʰei^{13}si^{21}ɲin^{13}ke$^{53}_{44}$tsʰiəu$^{53}_{44}$kai$^{53}_{44}$tʰɔk^{3} ek^{3} san^{35}fu^{53} lɔi$^{13}_{21}$tʰəŋ$^{13}_{21}$ci$^{13}_{21}$mait^{3} ia^{0},ʂən^{35}xɔŋ$^{53}_{44}$təu^{35}mait^{3} ia^{0}.

【筹】tʂʰəu^{13} 名旧时代金用的木条：欸，咁个，到箇面店里去食面呐，你要就跍倒外背先买一张～来。然后拿倒箇只～，到箇个灶下去掇面。安做～。面～。或者竹片个，或者木片个。欸。安做～，我等是买过～。ei$_{53}$,kan$^{21}_{35}$ke$^{53}_{44}$,tau^{53}kai$^{53}_{44}$mien^{53}tian^{53}ni^{0} çi$^{53}_{44}$ʂət$^{5}_{3}$mien^{53}na^{0}, ɲi^{13}iau$^{53}_{44}$tsʰiəu$^{53}_{44}$ kʰu^{35}tau^{21}ŋɔi^{53}pɔi$^{53}_{44}$sien$^{35}_{44}$mai^{35}iet^{3} tʂaŋ$^{35}_{44}$tʂʰəu^{13}lɔi$^{13}_{44}$.vien^{13}xei$^{53}_{44}$la^{53}tau^{21}kai^{53}tʂak^{3} tʂʰəu^{13},tau$^{53}_{44}$kai$^{53}_{44}$ke$^{53}_{44}$tsau^{53}xa$^{53}_{44}$ çi$^{53}_{44}$tɔit^{3} mien^{53}.ɔn$^{35}_{44}$tso^{53}tʂʰəu^{13}.mien^{53}tʂʰəu^{13}.xɔit^{5} tʂa^{21}tʂəuk^{3} pʰien$^{53}_{44}$ke$^{53}_{44}$,xɔit^{5} tʂa^{21}muk^{3} pʰien$^{53}_{44}$ke$^{53}_{44}$.e$_{21}$.ɔn$^{35}_{44}$ tso^{53}tʂʰəu^{13},ŋai^{13}tien^{0} ʂʅ$^{53}_{44}$mai^{35}ko$^{53}_{44}$tʂʰəu^{13}.

【丑$_1$】tʂʰəu^{21} 形①相貌难看：～得唔得了 tʂʰəu^{21}tek^{3} n̩^{13}tek^{3} liau^{21}｜～到哩顶 tʂʰəu^{21}tau^{53}li^{0} taŋ^{21}。②（脾气）暴躁：箇只人脾气真～哇。kai$^{53}_{44}$(tʂ)ak^{3} ɲin^{13}pʰi^{13}çi$^{53}_{44}$tʂən$^{35}_{44}$tʂʰəu^{21}ua^{0}.

【丑$_2$】tʂʰəu^{21} 名①地支的第二位，属牛：欸，么个子～寅卯时辰，又几多斤。e$_{21}$,mak^{3} ke^{53}tsɿ^{21} tʂʰəu^{21}in$^{13}_{21}$mau^{35}ʂʅ^{13}ʂən^{13},iəu^{53}ci^{21}to$^{35}_{44}$cin^{35}.｜～牛 tʂʰəu^{21}ɲiəu^{13}。②旧式地支计时法指夜里一点钟到三点钟的时间：我箇只老妹子就～时出世个嘞。我就系戌时。ŋai^{13}kai^{53}tʂak^{3} lau^{21}mɔi^{53}tsɿ^{0} tsʰiəu$^{53}_{44}$ tʂʰəu^{21}ʂʅ^{13}tʂʰət^{3} ʂʅ^{53}ke^{53}le^{0}.ŋai^{13}tsʰiəu^{53}xe^{53}siet^{3} ʂʅ^{13}.

【臭$_1$】tʂʰəu^{53} 形（气味）难闻：真～tʂən^{35}tʂʰəu^{53}｜蛮～man^{13}tʂʰəu^{53}

【臭$_2$】tʂʰəu^{53} 动变臭，发臭：搞嘿哩以后呀，做嘿哩箇丧事啊，不要哩，倾嘿去。倒嘿去。热天是搞得来是冇哩用欸，～嘿哩啊。kau^{21}xek^{3} li^{0} i^{35}xei$^{53}_{44}$ia^{0},tso^{53}(x)ek^{3} li^{0} kai$^{53}_{44}$sɔŋ^{35}sɿ^{53}a^{0},pət^{3} iau^{53} li^{0},kʰuaŋ^{35}(x)ek^{3} çi^{53}.tau^{53}(x)ek^{3} çi^{53}. ɲiet^{5} tʰien$^{35}_{44}$ʂʅ$^{53}_{44}$kau^{21}tek^{3} lɔi$^{13}_{21}$ʂʅ$^{53}_{44}$mau$^{13}_{21}$li^{0} iəŋ^{53}ŋe^{0},tʂʰəu^{53}(x)ek^{3} lia^{0}.

【臭艾】tʂʰəu^{53}ɲie^{53} 名益母草：～又系益母草嘞，～，就系益母草。妹子人食哩对一只整妇科病。我等箇映子以前呢冇得药个时候子就舞倒箇～煎饽饽食呢。～洗净来呀，剁得碎碎子去煎饽饽。箇系么个好？唔好食。～煎饽饽唔好食。箇就妹子人食个，欸，整妇科病。

tʂʰəu53ɲie53iəu53xei53iet3 mu35tsʰau21lei0,tʂʰəu53ɲie53,tsʰiəu53xei53iet3 mu35tsʰau21.mɔi53tsɿ0ɲin13ʂət5 li0 tei53iet3 tʂak3 tʂaŋ21fu53kʰo$^{53}_{44}$pʰiaŋ53.ŋai13tien0 kai$^{53}_{44}$iaŋ53tsɿ0 i$^{35}_{53}$tsʰien13ne0 mau13tek3 iɔk5 ke0 ʂɿ13xəu$^{53}_{44}$tsɿ0 tsʰiəu53u21tau21 kai$^{53}_{44}$tʂʰəu53ɲie$^{53}_{44}$tsen35pɔk5 pɔk$^{5}_{3}$ʂət5 nei0.tʂʰəu53ɲie53se21tsʰiaŋ53lɔi$^{13}_{44}$ia0,to53tek3 si53si53tsɿ0 cʰi$^{53}_{44}$tsen35pɔk5 pɔk$^{5}_{3}$.kai53xe$^{53}_{44}$mak3 e0 xau21?n̩$^{13}_{21}$xau21ʂət5.tʂʰəu53ɲie$^{53}_{44}$tsien$^{35}_{44}$pɔk5 pɔk5 n̩$^{13}_{21}$xau21ʂət5.kai$^{53}_{21}$tsʰiəu$^{53}_{44}$mɔi53tsɿ0ɲin$^{13}_{21}$ʂət5 ke0,e$_{21}$,tʂaŋ21fu53kʰo$^{53}_{44}$pʰiaŋ53.

【臭虫丸子】tʂʰəu53tʂʰən13ien13tsɿ0 名樟脑丸：如今我等我箇间里衣橱里箇放衫裤个栏场就放滴子～。i$^{13}_{21}$cin$^{35}_{53}$ŋai13tien0 ŋai$^{13}_{44}$kai$^{53}_{44}$kan35ni0 i35tʂʰəu$^{13}_{21}$li$^{35}_{44}$kai53fɔŋ53san35fu53ke0 laŋ$^{13}_{21}$tʂʰɔŋ$^{13}_{21}$tsiəu53fɔŋ53tiet5 tsɿ0 tʂʰəu53tʂʰəŋ$^{13}_{21}$ien$^{13}_{21}$tsɿ0.

【臭豆腐】tʂʰəu53tʰei53fu53 名发酵后有特殊气味的小块豆腐，可做小吃：我箇年呢我妹子有几大子个时候子，我带倒我妹子到浏阳去。去开会呀么个。我妹子㫘去过浏阳，系啊？带倒渠去。渠最怕个就系闻唔得箇～。我如今都记得。闻唔得～。喷臭，渠话硬是喷臭。我到现在为止我㫘食过几多坨～。唔想食，箇东西。因为浏阳也冇得几多正宗个～，尽系咁个私人搞个，安做～。搞倒唔好食，我就唔食。长沙个～嘞，我又很少去长沙。火宫殿㫘去过。ŋai13 kai53ɲien$^{13}_{44}$ne0 ŋai13mɔi53tsɿ0 mau13ci21tʰai53tsɿ0 ke0 ʂɿ$^{13}_{44}$xei$^{53}_{44}$tsɿ0,ŋai13tai53tau$^{21}_{44}$ŋai$^{13}_{44}$mɔi53tsɿ0 tau53liəu13iɔŋ13çi53.çi$^{53}_{44}$ kʰɔi35fei53ia0 mak3 e0.ŋai13mɔi53tsɿ0 maŋ13çi53ko53liəu13iɔŋ$^{13}_{44}$,xei$^{53}_{44}$a0?tai53tau$^{21}_{44}$ci$^{13}_{21}$çi53.ci13tsei53pʰa53ke0 tsʰiəu$^{53}_{44}$ xe$^{53}_{44}$uən13n̩$^{13}_{44}$tek3 kai$^{53}_{44}$tʂʰəu53tʰei$^{53}_{44}$fu$^{53}_{44}$.ŋai$^{13}_{21}$i$^{13}_{21}$cin$^{35}_{44}$təu$^{35}_{44}$ci53tek3.uən13n̩$^{13}_{44}$tek3 tʂʰəu53tʰei$^{53}_{44}$fu$^{53}_{44}$.pʰəŋ$^{35}_{44}$tʂʰəu$^{53}_{44}$,ci13 ua$^{53}_{44}$ɲiaŋ53ʂɿ$^{53}_{21}$pʰəŋ35tʂʰəu$^{53}_{44}$.ŋai13tau53çien53tsʰai53uei13tʂɿ21ŋai13maŋ13ʂət5 ko$^{53}_{44}$ci21to35tʰo13tʂʰəu53tʰei$^{53}_{44}$fu$^{53}_{44}$.n̩13 siɔŋ21ʂət5,kai53təŋ$^{35}_{44}$si0.in35uei$^{53}_{44}$liəu13iɔŋ$^{13}_{21}$a$^{35}_{53}$mau13tek3 ci21to$^{35}_{44}$tʂən53tsəŋ35ke0 tʂʰəu$^{53}_{44}$tʰei$^{53}_{44}$fu$^{53}_{44}$,tsʰin53ne$^{53}_{44}$kan$^{21}_{44}$ ke$^{53}_{44}$sɿ35ven$^{13}_{44}$kau21ke0,ɔn35tso$^{53}_{44}$tʂʰəu53tʰei$^{53}_{44}$fu$^{53}_{44}$.kau21tau21n̩13xau21ʂət5,ŋai13tsiəu53n̩$^{13}_{21}$ʂət5.tʂʰɔŋ13sa$^{35}_{44}$ke0 tʂʰəu53 tʰei$^{53}_{44}$fu$^{53}_{44}$lei0,ŋai13iəu53xen21ʂau21çi$_{53}$tʂʰɔŋ13sa$^{35}_{53}$.fo21kəŋ$^{35}_{44}$tien53maŋ13çi$^{53}_{44}$ko$^{53}_{44}$.

【臭屁虫】tʂʰəu53pʰi53tʂʰəŋ13 名椿象，体后有臭腺开口，遇敌时放出臭气：唔安做打屁虫，安做～。n̩13ɔn35tso$^{53}_{44}$ta21pʰi53tʂʰəŋ13,ɔn35tso$^{53}_{44}$tʂʰəu53pʰi$^{53}_{44}$tʂʰəŋ13.

【臭屎】tʂʰəu53ʂɿ21 形像屎一样臭：箇只隔几远都～啊。kai53tʂak3 kak3 ci21ien21təu$^{35}_{44}$tʂʰəu53ʂɿ21ẓa0.｜让门会咁～？ɲiɔŋ53mən0 uɔi53kan53tʂʰəu53ʂɿ21?

【臭死蛇烂拐】tʂʰəu53si21ʂa13lan53kuai53 形容极臭：箇年八三年涨水呀，涨水过嘿哩以后呀，大晴。因为系七月份呐，大晴。箇个栏场你把做去得人吗？硬～呀。硬啊。渠就系涨水个时候子箇各种各样个东西打下箇河里去呀，打下箇田里啊。各种各样啊。活东西都有哇，就咁子死倒箇田里啊。么个都去箇田里。我第一次理解倒么个啊？理解倒搞么个大灾之后，水灾也好，爱攒劲防疫呀，防疫呀。打箇个消毒剂箇只，打箇消毒箇只。箇个硬么个也冇倒来哩啰。所有个愁死人个东西，活个死个呀下去箇肚里啊。～。kai$^{53}_{44}$ɲien$^{13}_{44}$pait3 san35ɲien$^{13}_{44}$tʂɔŋ21ʂei21ia0, tʂɔŋ21ʂei21ko53xek3 li0 i35xei53ia0,tʰai53tsʰiaŋ13.in35uei$^{53}_{44}$xe$^{53}_{21}$tsʰiet3ɲiet5 fən53na0,tʰai53tsʰiaŋ$^{13}_{21}$.kai53ke0 laŋ$^{13}_{44}$tʂʰɔŋ$^{13}_{44}$ ɲi$^{13}_{21}$pa21tso$^{53}_{44}$çi53tek3ɲin$^{13}_{21}$ma0?ɲiaŋ53tʂʰəu53si21ʂa13lan53kuai21ia0. ɲiaŋ53ŋa0.ci13tsʰiəu53ue53tʂɔŋ21ʂuei21ke53ʂɿ13 xəu53tsɿ0 kai53kɔk3 tʂəŋ21kɔk3 iɔŋ$^{53}_{44}$ke0 təŋ$^{35}_{44}$si0 ta21a53kai53xo13li0 çi53ia0,ta21a53kai53tʰien13ni0 a0.kɔk3 tʂəŋ21kɔk3 iɔŋ53ŋa0.uɔit5 təŋ$^{35}_{44}$si0 təu$^{35}_{44}$iəu$^{35}_{44}$ua0,tsʰiəu53kan21tsɿ0 si21tau21kai53tʰien13ni0 a0.mak3 ke0 təu$^{35}_{44}$çi53kai53tʰien$^{13}_{21}$ni0. ŋai13tʰi53iet3 tsʰɿ53li35kai21tau21mak3 ke$^{53}_{44}$a0?li35kai21tau$^{21}_{44}$kau21mak3 ke$^{53}_{44}$tʰai53tsai$^{35}_{44}$tʂɿ$^{35}_{44}$xei53,ʂei21tsai$^{35}_{44}$ia$^{35}_{44}$xau$^{21}_{44}$, ɔi$^{53}_{44}$tsan21cin53fɔŋ13i53ia0,fɔŋ13ʮ53ia0.ta21kai53ke$^{53}_{44}$siau35tʰuk5 tsi53kai$^{53}_{44}$tʂak3,ta21kai53siau35tʰuk5 kai$^{53}_{44}$tʂak3.kai53 ke$^{53}_{44}$ɲiaŋ$^{53}_{44}$mak3 ke53a35u21tau21lɔi13li0 lo0.so21iəu35ke0 tsʰei13si21ɲin13ke0 təŋ$^{35}_{44}$si0,uɔit5 ke$^{53}_{44}$si21ke$^{53}_{44}$ia0 xa53çi$^{53}_{44}$kai$^{53}_{44}$ təu21li0 a0.tʂʰəu53si21ʂa13lan$^{53}_{44}$kuai21.

【臭天】tʂʰəu53tʰien35 形臭气冲天：条条马屡都～。tʰiau13tʰiau13ma35lin21təu35tʂʰəu53tʰien35.指人行行都干不好

【臭味】tʂʰəu53uei53 名难闻的气味：有就有一种咁个有～个藻子，唔记得安做么啊藻子去哩。iəu35tsʰiəu53iəu35iet3 tʂəŋ21kan21ke$^{53}_{44}$iəu35tʂʰəu53uei$^{53}_{21}$ke$^{53}_{44}$pʰiau13tsɿ0,n̩13ci53tek3 ɔn$^{35}_{44}$tso$^{53}_{44}$mak3 a0 pʰiau13tsɿ0 çi53li0.

【臭油狗】tʂʰəu53iəu13kei21 名变了质的油的气味：用哩油个东西，渠放久哩，就有只咁个～。箇个如今买倒箇一盬盬个油哇，你食嘿哩箇个油以后呀，你箇壶子赶快丢嘿去卖嘿去。你留段子时间呐，你去鼻下子唠，就～。唔知么个一种欸油哇留久哩有箇一种咁个臭味。还有有滴炒个换茶，我箇晡买滴子花生呢，～，食唔得。iəŋ53li0 iəu13ke$^{53}_{44}$təŋ$^{35}_{44}$si0,ci13fɔŋ53ciəu21li0,tsʰiəu$^{53}_{44}$ iəu35tʂak3 kan21ke53tʂʰəu53iəu13kei21.kai$^{53}_{44}$kei$^{53}_{44}$i$^{13}_{21}$cin$^{35}_{44}$mai35tau21kai53iet3 ku21ku21ke53iəu13ua0, ɲi13ʂət5 lek3 (←xek3)li0 kai$^{53}_{44}$kei$^{53}_{44}$iəu13i35xei53ia0, ɲi13kai53fu13tsɿ0 kɔn21kʰuai53tiəu35xek3 çi53mai53xek3 çi53. ɲi13liəu13tɔn53 tsɿ^{0} ʂɿ^{13}kan$^{35}_{44}$na^{0}, ɲi^{13}cʰi$^{53}_{44}$pʰi^{53}ia$_{44}$(←xa^{53})tsɿ^{0}lau^{0},tsʰiəu$^{53}_{44}$tʂʰəu^{53}iəu^{13}kei^{21}.n̩^{13}ti$^{35}_{53}$mak$^{3}_{5}$ke^{0}iet^{3}tʂəŋ^{21}ŋe^{0}iəu^{13}ua^{0} liəu^{13}ciəu^{21}li^{0}iəu$^{35}_{44}$kai$^{53}_{44}$iet^{3}tʂəŋ^{21}kan^{21}ke^{0}tʂʰəu^{53}uei^{53}.xai$^{13}_{21}$iəu$^{35}_{44}$iəu^{35}tet^{5}tsʰau^{21}ke$^{53}_{44}$uən^{53}tsʰa$^{13}_{21}$,ŋai^{13}kai^{53}pu$^{35}_{53}$ mai^{35}tiet^{5}tsɿ^{0}fa^{35}sen$^{35}_{44}$ne^{0},tʂʰəu^{53}iəu^{13}kei^{21},ʂət^{5}n̩$^{13}_{44}$tek^{3}.

【出$_{1}$】tʂʰət^{3} 动①从里面到外面：～眼泪 tʂʰət^{3}ŋan^{21}li^{53}｜（以几向）都系～唔得。təu^{35}xei$^{53}_{44}$ tʂʰət^{3}n̩^{13}tek^{3}.｜（豆腐浆）唔得自然～净吵。n̩^{13}tek^{3}tsʰɿ^{53}vien^{13}tʂʰət^{3}tsʰiaŋ^{53}ʂa^{0}. ②运出：斫哩杉树以后硬爱跍倒岭上跍哩两个月正～，正～杉树，正背得起。tʂɔk^{3}li^{3}sa^{35}ʂəu^{53}i$^{35}_{44}$xei$^{53}_{44}$ɲiaŋ$^{53}_{44}$ɔi$^{53}_{44}$ku^{35} tau^{21}liaŋ^{35}xɔŋ^{53}ku^{35}li^{0}iɔŋ^{21}ke^{53}ɲiet^{5}tʂaŋ^{53}tʂʰət^{3},tʂaŋ$^{53}_{44}$tʂʰət^{3}sa^{35}ʂəu^{53},tʂaŋ^{53}pi^{53}tek^{3}çi^{21}. ③趋向动词，用在动词后，表示行为的方向是由里到外：歇$_{嘅}$倒箇肚里，敨气唔～。çiet^{3}tau^{21}kai^{53}təu^{21}li^{0},tʰei^{21}çi^{53} n̩$^{13}_{21}$tʂʰət^{3}.｜欸加一块阔滴子。细人子就冇使滚～以外子。安做坐板。ei$_{44}$cia^{35}iet^{3}kʰuai$^{53}_{44}$kʰɔit^{3}tiet^{5} tsɿ^{0}.sei^{53}ɲin$^{13}_{44}$tsɿ^{0}tsʰiəu^{53}mau^{13}sɿ^{53}kuən^{21}tʂʰət^{3}i^{35}ŋɔi^{53}tsɿ^{0}.ɔn$^{35}_{44}$tso$^{53}_{44}$tsʰo^{35}pan^{21}. ④趋向动词，用在动词后，表示行为的效果：唔知安做么啊病就渠也赠讲～，唔晓得么啊病。n̩^{13}ti$^{35}_{44}$ɔn$^{35}_{44}$tso$^{53}_{44}$mak^{3}a^{0}pʰiaŋ^{53} tsʰiəu$^{53}_{44}$ci$^{13}_{21}$ia^{35}maŋ^{13}kɔŋ^{21}tʂʰət^{3},n̩^{13}çiau^{21}tek^{3}mak^{3}a^{0}pʰiaŋ^{53}. ⑤支付：钱又～嘿哩。tsʰien^{13}iəu^{53}tʂʰət^{3} (x)ek^{3}li^{0}. ⑥往外拿：用墨笔写，抄滴箇安做么个，嗯，～神榜啊。iəŋ$^{53}_{44}$miet^{5}piet^{3}sia^{21},tsʰau^{35} tet^{5}kai$^{53}_{44}$ɔn$^{35}_{44}$tso$^{53}_{44}$mak^{3}ke$^{53}_{44}$,n̩$_{21}$,tʂʰət^{3}ʂən^{13}pɔŋ^{21}ŋa^{0}. ⑦过了某个时间：～元宵，定主意，或食智，或食力。tʂʰət^{3}ɲien^{13}siau^{35},tʰin^{53}tʂəu^{21}i^{53},fət^{5}ʂət^{5}tʂɿ^{53},fət^{5}ʂət^{5}liet^{5}. ⑧耍，舞弄：还有耍春牛灯，又安做～春牛灯。xai$^{13}_{21}$iəu$^{35}_{44}$sa^{21}tʂʰən^{35}ɲiəu$^{13}_{21}$tien^{35},iəu$^{53}_{44}$ɔn$^{35}_{44}$tso$^{53}_{44}$tʂʰət^{3}tʂʰən^{35}ɲiəu$^{13}_{21}$tien^{35}.

【出$_{2}$】tʂʰət^{3} 量场，次：一～戏 iet^{3}tʂʰət^{3}çi^{53}｜硬搞嘿六～啦七～啦六七起，（因为）死嘿六七个人。……哪一～都爱去。ɲiaŋ^{53}kau^{21}xek^{3}liəuk^{3}tʂʰət^{3}la^{0}tsʰiet^{3}tʂʰət^{3}la^{0}liəuk^{3}tsʰiet^{3}çi^{21},si^{21}xek^{3} liəuk^{3}tsʰiet^{3}ke^{53}ɲin^{13}.…lai^{53}iet^{3}tʂʰət^{3}təu$^{35}_{44}$ɔi$^{53}_{44}$çi^{53}.

【出榜】tʂʰət^{3}pɔŋ^{21} 动出神榜的简称：有写神榜个，～咯，每次做道场都爱做醮都爱～啊。iəu^{35}sia^{21}ʂən^{13}pɔŋ^{21}ke$^{53}_{44}$,tʂʰət^{3}pɔŋ^{21}ko^{0},mei^{35}tsʰɿ^{53}tso^{53}tʰau^{53}tʂʰɔŋ$^{13}_{21}$təu$^{35}_{44}$ɔi$^{53}_{44}$tso^{53}tsiau^{53}təu$^{35}_{44}$ɔi$^{53}_{44}$tʂʰət^{3}pɔŋ^{21}ŋa^{0}.

【出殡】tʂʰət^{3}pin^{53} 动移棺至墓葬地：～是唔知几早噢，撞怕赠天光啊。tʂʰət^{3}pin^{53}ʂɿ$^{53}_{44}$n̩^{13}ti$^{35}_{44}$ci^{21} tsau^{21}uau^{0},tsʰɔŋ^{21}pʰa^{53}maŋ^{13}tʰien$^{35}_{44}$kɔŋ^{35}ŋa^{0}.

【出菜】tʂʰət^{3}tsʰɔi^{53} 动上菜：做好事，欸，食饭了，厨下就派人分箇个菜一碗一碗掇滴出来，箇就安做～了。欸，我等有只规矩嘞。欸，请客，你还有滴是请上座吵，系唔系？嗯，请倒，打比样箇家人结婚样，爱请倒渠舅爷，坐上，系啊？箇要坐上个时候子嘞就也唱单子嘞。一般是总爱喊我唱单子。“欸，某府么个舅爷请上座。”嗯，我就跍倒外背喊。以下嘞第二个人呢就进去到箇只……就分只人，就带客个，分只人带客个人呢就提盏马灯，走到箇只人面前，走到箇只舅爷个面前，以下就另外一个人呢就鞠只躬，同渠鞠只躬，渠个意思嘞我到就爱请你坐上了。欸，我鞠哩躬欸。箇只箇只就跟倒渠去。渠就指明你系坐哪只位子，就到只位子来分箇碗筷嘞放正下子，好，你就坐……你就徛倒箇位子里。渠又徛下来，又同你照面呢敬只礼。箇样做安做请客。但是箇请客嘞必须桌上不能空。桌上有……么个都冇得箇时候子你不能请客，爱出一碗菜嘞。爱出第……出咧第一碗菜就请客。箇就～呀，安做～。出第一碗菜就请客。以下死哩人呢，我等人就欸横巷里客家人呢就有只咁个习惯。出哩第四碗菜嘞，就爱讲下子酒话。席间讲话。席间讲话个意思就系么个嘞？第一只是感谢大家来哩。欸荒工旷日嘞，系唔系？备起厚礼呀，来食以场斋饭，系啊？第二方面嘞就系表示歉意，就系嘞欸就系唔太唔丰盛呢，欸，招待又唔周到哇，系啊？第三只嘞请箇个客佬子明晡来送渠还山。就系族间分个人派只代表出去讲。箇我等姓万个人呢是必须姓万个人讲。欸，哪只姓氏人屋下个酒嘞就必须箇只姓氏个人讲。本家，嗯。渠爱能够代表本家个。tso^{53}xau^{21}sɿ^{53},e$_{21}$,ʂət^{5}fan^{53} liau^{0},tʂʰəu^{13}xa$^{53}_{44}$tsʰiəu$^{53}_{44}$pʰai^{53}ɲin^{13}pən^{35}kai$^{53}_{44}$ke$^{53}_{44}$tsʰɔi^{53}iet^{3}uɔn^{21}iet^{3}uɔn^{21}tɔit^{3}tiet^{5}tʂʰət^{3}lɔi$^{13}_{21}$,kai$^{53}_{21}$tsʰiəu$^{53}_{44}$ɔn$^{35}_{44}$ tso$^{53}_{44}$tʂʰət^{3}tsʰɔi^{53}liau^{21}.e$_{21}$,ŋai$^{13}_{21}$tien^{0}iəu^{35}tʂak^{3}kuei^{35}tʂʅ^{21}le^{0}.e$_{21}$,tsʰiaŋ^{21}kʰak^{3}, ɲi^{13}xai$^{13}_{44}$iəu^{35}tiet^{5}ʂɿ$^{53}_{44}$tsʰiaŋ^{21} ʂɔŋ^{53}tsʰo$^{53}_{44}$ʂa^{0},xei$^{53}_{44}$me$^{53}_{44}$?n̩$_{21}$,tsʰiaŋ^{21}tau^{21},ta^{21}pi^{21}iɔŋ$^{53}_{44}$kai^{53}ka$^{35}_{44}$ɲin$^{13}_{21}$ciet^{3}fən^{35}iɔŋ$^{53}_{44}$,ɔi^{53}tsʰiaŋ^{21}tau^{21}ci$^{13}_{21}$cʰiəu^{35}ia^{13}, tsʰo$^{35}_{44}$ʂɔŋ^{35},xei$^{53}_{44}$a^{0}?kai$^{53}_{44}$iau$^{53}_{44}$tsʰo$^{35}_{44}$ʂɔŋ^{35}ke^{0}ʂɿ^{13}xəu$^{53}_{44}$tsɿ^{0}lei^{0}tsʰiəu^{53}a$^{53}_{44}$tʂʰɔŋ^{53}tan^{35}tsɿ^{0}le^{0}.iet^{3}pɔn^{35}ʂɿ$^{53}_{44}$tsəŋ$^{21}_{44}$ɔi$^{53}_{44}$ xan^{53}ŋai^{13}tʂʰɔŋ^{53}tan$^{35}_{44}$tsɿ^{0}."e$_{44}$,miau^{35}fu^{21}mak^{3}ke^{0}cʰiəu^{35}ia^{13}tsʰiaŋ^{21}ʂɔŋ^{53}tsʰo^{53}."n̩$_{21}$,ŋai^{13}tsʰiəu^{53}ku^{35}tau^{21}ŋɔi$^{53}_{44}$ pɔi$^{53}_{44}$xan^{53}.i^{21}xa$^{53}_{44}$lei^{0}tʰi^{53}ɲi^{53}ke$^{53}_{44}$ɲin^{13}ne^{0}tsʰiəu$^{53}_{44}$tsin^{53}çi$^{53}_{44}$tau$^{53}_{44}$kai^{53}tʂak^{3}…tsʰiəu$^{53}_{44}$pən^{35}tʂak^{3}ɲin$^{13}_{44}$,tsʰiəu$^{53}_{44}$tai^{53} kʰak^{3}cie^{53},pən^{35}tʂak^{3}in$^{13}_{21}$tai^{53}kʰak^{3}cie$^{53}_{44}$ɲin^{13}nei^{0}tsʰiəu$^{53}_{44}$tʰia^{35}tsan^{21}ma^{35}tien$^{35}_{44}$,tsei^{21}tau^{53}kai^{53}tʂak^{3}ɲin^{13}mien^{53} tsʰien$^{13}_{21}$,tsei^{21}tau^{53}kai^{53}tʂak^{3}cʰiəu^{35}ia$^{13}_{21}$ke^{0}mien^{53}tsʰien$^{13}_{44}$,ia$_{35}$(←i^{21}xa^{53})tsʰiəu$^{53}_{44}$lin^{53}uai$^{53}_{44}$iet^{5}cie^{53}ɲin^{13}ne^{0}tsʰiəu$^{53}_{44}$ cʰiəuk^{3}tʂak^{3}kəŋ^{35},tʰəŋ$^{13}_{44}$ci$^{13}_{44}$cʰiəuk^{3}tʂak^{3}kəŋ^{35},ci^{13}(k)e^{0}i^{53}sɿ$^{35}_{44}$le^{0}ŋai^{13}tau^{53}tsʰiəu^{53}ɔi$^{53}_{44}$tsʰiaŋ^{21}ɲi^{13}tsʰo$^{53}_{44}$ʂɔŋ^{35}

liau^{0}.e$_{21}$,ŋai^{13}cʰiəuk^{3}li^{0}kəŋ^{35}ŋe^{0}.kai^{53}tʂak^{3}kai^{53}tʂak^{3}tsʰiəu$^{53}_{44}$cien^{35}tau^{21}ci$^{13}_{21}$çi^{53}.ci^{13}tsʰiəu^{53}tʂʅ^{21}min$^{13}_{44}$ɲi^{13}xe$^{53}_{44}$tso$^{53}_{44}$lai^{53}tʂak^{3}uei^{53}tsʅ^{0},tsʰiəu$^{53}_{44}$tau^{53}tʂak^{3}uei^{53}tsʅ^{0}lɔi^{13}pən$^{35}_{44}$kai$^{53}_{44}$uən^{21}kʰuai$^{53}_{44}$le^{0}fəŋ^{53}tʂaŋ$^{53}_{44}$xa$^{53}_{44}$tsʅ^{0},xau^{21},ɲi$^{13}_{21}$tsiəu$^{53}_{44}$tsʰo^{35}…ɲi$^{13}_{21}$tsiəu$^{53}_{44}$cʰi$^{35}_{44}$tau$^{21}_{44}$kai$^{53}_{44}$uei^{53}tsʅ^{0}li^{35}.ci^{13}iəu$^{53}_{44}$cʰi^{53}xa$^{53}_{44}$lɔi^{13},iəu^{53}tʰəŋ^{13}ɲi$^{13}_{44}$tʂau^{53}mien^{35}nei^{0}cin^{53}tʂak^{3}li^{35}.kai$^{53}_{35}$iɔŋ$^{53}_{44}$tso^{53}ɔn$^{35}_{53}$tso^{53}tsʰiaŋ^{21}kʰak^{3}.tan^{53}ʂʅ^{53}kai^{53}tsʰiaŋ^{21}kʰak^{3}lei^{0}piet^{3}si$^{35}_{44}$tsɔk^{3}xɔŋ^{53}pət^{3}nen$^{13}_{21}$kʰəŋ^{35}.tsɔk^{3}xɔŋ^{53}mau^{13}…mak^{3}e^{0}təu$^{35}_{53}$mau^{13}tek^{3}kai$^{53}_{44}$ʂʅ$^{13}_{44}$xei$^{53}_{44}$tsʅ^{0}ɲi^{13}pət^{3}nen^{13}tsʰiaŋ^{21}kʰak^{3},ɔi^{53}tʂʰət^{3}iet^{3}uən^{21}tsʰɔi^{53}le^{0}.ɔi$^{53}_{44}$tʂʰət^{3}tʰi…tʂʰət^{3}lie^{0}tʰi^{53}iet^{3}uən^{21}tsʰɔi^{53}tsʰiəu^{53}tsʰiaŋ^{21}kʰak^{3}.kai$^{53}_{44}$tsʰiəu$^{53}_{44}$tʂʰət^{3}tsʰɔi^{53}ia^{0},ɔn^{35}tso$^{53}_{44}$tʂʰət^{3}tsʰɔi^{53}.tʂʰət^{3}tʰi^{53}iet^{3}uən^{21}tsʰɔi^{53}tsʰiəu^{53}tsʰiaŋ^{21}kʰak^{3}.i$^{21}_{44}$xa$^{53}_{44}$si^{21}li^{0}ɲin^{13}ne^{0},ŋai^{13}tien^{0}ɲin$^{13}_{44}$tsʰiəu^{53}e$_{21}$uaŋ^{13}xɔŋ^{53}li^{0}kʰak^{3}ka^{35}ɲin^{13}ne^{0}tsʰiəu$^{53}_{44}$iəu^{35}tʂak^{3}kan^{21}ke^{0}siet^{5}kuan^{53}.tʂʰət^{3}li^{0}tʰi$^{53}_{44}$si^{53}uən^{21}tsʰɔi^{53}le^{0},tsʰiəu^{53}ɔi^{53}kɔŋ^{21}xa^{53}tsʅ^{0}tsiəu^{21}fa^{53}.siet^{5}kan^{35}kɔn^{21}fa^{53}.siet^{5}kan^{35}kɔn^{21}fa^{53}ke^{0}i^{53}ʂʅ$^{53}_{44}$tsʰiəu$^{53}_{44}$xei$^{53}_{44}$mak^{3}e^{0}lei^{0}?tʰi^{53}iet^{3}tʂak^{3}ʂʅ$^{53}_{44}$kɔn^{21}tsʰia$^{53}_{44}$tʰai^{53}cia$^{35}_{44}$lɔi^{13}li^{0}.e^{0}fəŋ^{53}kəŋ^{35}kʰəŋ^{53}ɲiet^{3}le^{0},xei$^{53}_{44}$me$^{53}_{44}$?pʰei^{53}çi^{21}xei^{53}li^{35}ia^{0},lɔi^{13}ʂət^{5}i^{21}tʂʰɔŋ$^{13}_{21}$tsai^{35}fan^{53},xei$^{53}_{44}$a^{0}?tʰi^{53}ni^{53}xɔŋ$^{53}_{44}$mien$^{53}_{44}$le^{0}tsʰiəu^{53}xe$^{53}_{44}$piau^{21}ʂʅ$^{53}_{44}$cʰian^{53}i$^{13}_{44}$,tsʰiəu$^{53}_{44}$xe$^{53}_{44}$lei^{0}e$_{21}$tsiəu^{21}siet^{5}n̩$^{13}_{21}$tʰai$^{53}_{44}$n̩^{13}fəŋ^{35}ʂən$^{53}_{44}$ne^{0},e$_{21}$,tʂau^{35}tʰɔi$^{53}_{44}$iəu^{53}m̩$^{13}_{21}$tʂəu^{35}tau^{53}ua^{0},xei^{53}a^{0}?tʰi$^{53}_{44}$san^{35}tʂak^{3}lei^{0}tsʰiaŋ^{21}kai^{53}ke^{53}kʰak^{3}lau^{21}tsʅ^{0}miaŋ^{13}pu$^{35}_{44}$lɔi$^{13}_{21}$səŋ^{53}ci$^{13}_{44}$fan$^{13}_{21}$san^{35}.tsʰiəu$^{53}_{44}$xe$^{53}_{44}$tsʰəuk^{5}kan$^{35}_{44}$pən^{35}ke$^{53}_{44}$ɲin$^{13}_{21}$pʰai^{53}tʂak^{3}tʰɔi^{53}piau^{21}tʂʰət^{3}çi^{53}kɔŋ^{21}.kai$^{53}_{44}$ŋai^{13}tien^{0}siaŋ^{53}uan^{53}ke^{0}ɲin^{13}ne^{0}ʂʅ^{0}piet^{3}si$^{35}_{44}$siaŋ^{53}uan^{53}ke^{0}ɲin^{13}kɔŋ^{21}.e$_{21}$,lai^{53}tʂak^{3}siaŋ^{53}ʂʅ^{53}ɲin^{13}uk^{3}xa$^{53}_{44}$kei^{53}tsiəu^{21}lei^{0}tsʰiəu$^{53}_{44}$piet^{3}si$^{35}_{44}$kai^{53}tʂak^{3}siaŋ^{53}ʂʅ^{53}ke^{0}ɲin^{13}kɔŋ^{21}.pən^{21}ka^{35},n̩$_{21}$.ci$^{13}_{21}$ɔi^{53}nen$^{13}_{21}$ciau$^{53}_{44}$tʰɔi^{53}piau^{21}pən^{21}ka$^{35}_{44}$ke^{0}.

【出产】tʂʰət^{3}tsʰan^{21} 名 天然生长或人工生产的物品：广柑来渠系广东来个人家地方个～。kɔŋ^{21}kan^{35}lɔi$^{13}_{21}$ci$^{13}_{21}$xe$^{53}_{44}$kɔŋ^{21}təŋ^{35}lɔi^{13}ke$^{53}_{44}$in$^{13}_{21}$ka$^{35}_{44}$tʰi^{53}fɔŋ$^{35}_{44}$ke$^{53}_{44}$tʂʰət^{3}tsʰan^{21}.

【出丑】tʂʰət^{3}tʂʰəu^{21} 动 露出丑相；丢人：我是第一唔会讲事个人。你箇只席间讲话舞倒我去慢呢顶顶碓碓舞倒来～。ŋai^{13}ʂʅ$^{13}_{44}$tʰi^{53}iet^{3}n̩^{13}uɔi^{53}kɔŋ^{21}sʅ^{53}ke$^{53}_{44}$ɲin$^{13}_{21}$. ɲi^{13}kai^{53}tʂak^{3}siet^{5}kan$^{35}_{44}$kɔŋ^{21}fa^{53}u^{21}tau^{21}ŋai^{13}çi^{53}man$^{53}_{44}$ne^{0}taŋ^{21}taŋ^{21}tɔi^{53}tɔi^{53}u^{21}tau^{21}lɔi^{13}tʂʰət^{3}tʂʰəu^{21}.

【出大狮】tʂʰət^{3}tʰai^{53}sʅ^{35} 耍狮子的俗称：以前只有出……正月头有出……出狮灯个呀，安做～啊。～是箇是我看过箇个啦。有表演武术个，打棍，打凳，欸，打钩镰，打大刀，三节棍，箇都有。蛮好看呢。三节棍呐，钩镰，大刀哇。i$^{35}_{44}$tsʰien^{13}tʂe^{21}iəu^{35}tʂʰət^{3}…tʂaŋ^{35}ɲiet$^{5}_{3}$tʰei$^{13}_{21}$iəu^{35}tʂʰət^{3}…tʂʰət^{3}sʅ^{35}ten^{35}ke$^{53}_{21}$ia^{0},ɔn$^{35}_{44}$tso$^{53}_{44}$tʂʰət^{3}tʰai^{53}sʅ^{35}za^{0}.tʂʰət^{3}tʰai^{53}sʅ$^{35}_{44}$ʂʅ$^{53}_{44}$kai^{53}ʂʅ$^{53}_{44}$ŋai$^{13}_{21}$kʰɔn$^{53}_{44}$ko$^{53}_{44}$kai$^{53}_{44}$ke$^{53}_{44}$la^{0}.iəu^{35}piau^{21}ien^{21}u^{35}ʂət^{5}ke$^{53}_{21}$,ta^{21}kuən^{53},ta^{21}ten^{53},e$_{21}$,ta^{21}kei^{35}lian$^{13}_{21}$,ta^{21}tʰai^{53}tau^{35},san^{35}tset^{3}kuən^{53},kai$^{53}_{21}$təu$^{35}_{21}$iəu$^{35}_{44}$.man$^{13}_{21}$xau^{21}kʰɔn^{53}ne^{0}.san^{35}tset^{3}kuən^{53}na^{0},kei^{35}lian^{13},tʰai^{53}tau$^{35}_{44}$ua^{0}.

【出灯】tʂʰət^{3}tien^{35} 耍灯：只有正月～就有。出鲤鱼灯。正月出鲤鱼灯。欸，有滴人呢舞又出蚌壳灯。蚌壳灯，鲤鱼灯。螺蛳灯欸我听讲过，缯看过。有螺蛳灯。螺蛳灯就就系扮成田螺吧？嗯。系啊，就螺蛳灯。就扮成田螺咁样。一只人屁股头舞只箇田螺壳样个，欸，一只妹子，舞只妹子。见过，唔记得哩，见过。tʂe^{21}iəu$^{35}_{53}$tʂaŋ^{35}ɲiet^{5}tʂʰət^{3}tien^{35}tsʰiəu$^{53}_{21}$iəu^{35}.tʂʰət^{3}li^{35}ŋ̍$^{13}_{21}$tien^{35}.tʂaŋ^{35}ɲiet^{5}tʂʰət^{3}li^{35}ŋ̍$^{13}_{21}$tien^{35}.e$_{21}$,iəu^{35}tet$^{5}_{3}$ɲin$^{13}_{21}$ne^{0}u^{21}iəu$^{53}_{21}$tʂʰət^{3}pʰɔŋ^{53}kʰɔk^{3}tien^{35}.pʰɔŋ^{53}kʰɔk^{3}tien^{35},li^{35}ŋ̍$^{13}_{21}$tien^{35}.lo^{13}sʅ$^{35}_{44}$tien$^{35}_{44}$e$_{21}$ŋai$^{13}_{21}$tʰaŋ^{35}kɔŋ^{21}ko$^{53}_{44}$,maŋ^{13}kʰɔn^{53}ko$^{53}_{21}$.iəu^{35}lo^{13}sʅ$^{35}_{44}$tien^{35}.lo^{13}sʅ$^{35}_{44}$tien$^{35}_{44}$tsʰiəu$^{53}_{44}$tsʰiəu$^{53}_{44}$xe$^{53}_{44}$pan^{53}ʂaŋ$^{13}_{21}$tʰien^{13}lo$^{13}_{21}$pa^{0}?ŋ̍$_{21}$.xei$^{53}_{44}$a^{0},tsʰiəu^{53}lo$^{13}_{21}$sʅ$^{35}_{44}$tien$^{35}_{53}$.tsʰiəu$^{53}_{44}$pan^{53}ʂaŋ$^{13}_{21}$tʰien^{13}no^{13}kan^{21}ɲiɔŋ$^{53}_{44}$.iet^{3}tʂak^{3}ɲin$^{13}_{44}$pʰi^{53}ku^{21}tʰei^{13}u^{21}tʂak^{3}kai$^{53}_{44}$tʰien$^{13}_{21}$lo$^{13}_{21}$kʰɔk^{3}iɔŋ$^{53}_{44}$ke$^{53}_{44}$,e$_{21}$,iet^{3}tʂak^{3}mɔi^{53}tsʅ^{0},u^{21}tʂak^{3}mɔi^{53}tsʅ^{0}.cien$^{53}_{44}$ko$^{53}_{21}$,n̩^{13}ci^{53}tek^{3}li^{0},cien^{53}ko$^{53}_{21}$.

【出都唔赢】tʂʰət^{3}təu$^{35}_{53}$mau$^{13}_{44}$iaŋ$^{13}_{44}$ 形容只想出来，不愿在里头逗留：我去进去嫋一转都～。ŋai^{13}çi^{53}tsin^{53}çi$^{53}_{44}$liau^{53}iet^{3}tʂuən^{21}təu$^{35}_{53}$tʂʰət^{3}təu$^{35}_{53}$mau$^{13}_{44}$iaŋ$^{13}_{44}$.

【出痘子】tʂʰət^{3}tʰei^{53}tsʅ^{0} 出水痘：～是箇是以几年都有喔。我去学堂里是记得哦，箇个渠系种流行病嘞。你一只班里，我等搞过最严重个一只班，十几个～个。剩倒三十几个子学生去下上课。搞嘿十几个，一搞就搞只多星期。tʂʰət^{3}tʰei^{53}tsʅ^{0}ʂʅ$^{53}_{44}$kai^{53}ʂʅ^{53}i^{21}ci^{21}ɲien^{13}təu$^{35}_{44}$iəu$^{35}_{44}$uo^{0}.ŋai^{13}çi$^{53}_{44}$xɔk^{5}tʰɔŋ$^{13}_{44}$li^{0}ʂʅ$^{53}_{44}$ci^{53}tek^{3}o^{0},kai$^{53}_{44}$ke$^{53}_{44}$ci$^{13}_{21}$xei^{53}tʂəŋ^{21}liəu^{13}çin^{13}pʰiaŋ^{53}le^{0}. ɲi^{13}iet^{3}tʂak^{3}pan^{35}li^{0},ŋai^{13}tien^{0}kau^{21}ko$^{53}_{44}$tsei^{53}ɲien^{13}tʂʰəŋ^{53}ke^{0}iet^{3}tʂak^{3}pan$^{35}_{44}$,ʂət^{5}ci^{21}ke^{53}tʂʰət^{3}tʰei^{53}tsʅ^{0}ke^{0}.ʂən^{53}tau^{21}san^{35}ʂət^{5}ci^{21}ke^{0}tsʅ^{0}xɔk^{5}saŋ$^{35}_{44}$çi$^{53}_{44}$xa$^{53}_{44}$ʂɔŋ$^{53}_{44}$kʰo^{53}.kau^{21}xek^{3}ʂət^{5}ci^{21}ke^{53},iet^{3}kau^{21}tsʰiəu^{53}kau^{21}tʂak^{3}to$^{35}_{44}$sin$^{35}_{44}$cʰi$^{13}_{44}$.

【出枋子】tʂʰət^{3}fɔŋ^{35}tsʅ^{0} 将木材根据实际需要砍成或锯切成一定规格形状的方形条木：以前是箇个木匠师傅～是渠就硬用斧头嘞。弹正墨来嘞，用斧头去裁嘞。有多余个劈下去嘞。～。以下是箇个木匠有么人搞哩。交分箇锯匠，锯匠出正枋子来。嗯，几下工夫就搞嘿哩，锯匠师傅。i^{35}tsʰien^{13}ʂʅ$^{53}_{44}$kai$^{53}_{44}$ke$^{53}_{44}$muk^{3}tsʰiɔŋ$^{53}_{44}$sʅ$^{35}_{44}$fu$^{53}_{44}$tʂʰət^{3}fɔŋ^{35}tsʅ^{0}ʂʅ$^{53}_{44}$ci$^{13}_{21}$tsʰiəu$^{53}_{44}$ɲiaŋ^{53}iəŋ^{53}pu^{21}tʰei^{13}lei^{0}.tʰan$^{13}_{21}$

tʂaŋ$^{53}_{44}$miet^{5} lɔi$^{13}_{44}$lei^{0},iəŋ^{53}pu^{21}t^{h}ei$^{13}_{44}$çi^{53}ts^{h}ɔi^{13}lei^{0}.iəu$^{35}_{44}$to^{35}vy$^{13}_{21}$ke^{53}p^{h}iak^{3}(x)a$^{53}_{44}$çi^{21}lei^{0}.tʂ^{h}ət^{3}fɔŋ^{35}tsɿ^{0}.i^{21}xa^{53}ʂɿ$^{53}_{44}$kai$^{53}_{44}$ke$^{53}_{44}$muk^{3}ts^{h}iɔŋ^{53}mau^{13}mak^{3}in$^{13}_{44}$kau^{21}liau^{0}.ciau^{35}pɔn$^{35}_{44}$kai$^{53}_{44}$cie^{53}siɔŋ$^{53}_{44}$,cie^{53}siɔŋ$^{53}_{44}$tʂ^{h}ət^{3}tʂaŋ^{53}fɔŋ^{35}tsɿ^{0}lɔi$^{13}_{44}$.ṇ$_{21}$,ci^{21}xa$^{53}_{44}$kəŋ$^{35}_{44}$fu$^{35}_{44}$ts^{h}iəu$^{53}_{44}$kau^{21}(x)ek^{3}li^{0},cie^{53}siɔŋ$^{53}_{44}$ʂɿ$^{53}_{44}$fu$^{35}_{44}$.

【出工】tʂ^{h}ət^{3}kəŋ^{35} 动 指外出劳动；上工；出勤：以前搞集体个时候子啊，天天爱～。i$^{35}_{44}$ts^{h}ien$^{13}_{21}$kau^{21}ts^{h}iet^{5}t^{h}i^{21}ke^{0}ʂɿ^{13}xəu^{53}tsa^{0},t^{h}ien$^{35}_{44}$t^{h}ien$^{35}_{44}$ɔi$^{53}_{44}$tʂ^{h}ət^{3}kəŋ^{35}.

【出骨】tʂ^{h}ət^{3}kuət^{3} 形 形容懒的程度很高：懒得～lan^{35}tek^{3}tʂ^{h}ət^{3}kuət^{3}

【出汗】tʂ^{h}ət^{3}xɔn^{53} 动 分泌并流出汗液：都唔系么啊屙滴子尿嘞，硬系胀啊。𫠛～，问题就系，食多哩水，唔～，哪下都唔食咁多水。等渠去口干下子。təu$^{35}_{44}$m$^{13}_{21}$p^{h}e$^{53}_{44}$mak^{3}a^{0}o^{35}tiet^{5}tsɿ^{0}ɲiau^{53}lei^{0},ɲiaŋ^{53}xei$^{53}_{44}$tʂɔŋ^{53}ŋa^{0}.maŋ^{13}tʂ^{h}ət^{3}xɔn^{53},uən^{53}t^{h}i^{13}ts^{h}iəu$^{53}_{44}$xe$^{53}_{44}$,ʂət^{5}to$^{35}_{44}$li^{0}ʂei^{21},ṇ^{13}tʂ^{h}ət^{3}xɔn^{53},na$^{53}_{21}$xa^{53}təu$^{35}_{53}$n^{13}ʂət^{5}kan^{21}to^{35}ʂei^{21}.ten^{21}ci^{13}çi^{53}c^{h}iei^{21}kɔn^{35}na^{0}tsɿ^{0}.

【出禾】tʂət^{3}uo^{13} 动 抽穗：到哩夏至边子啊，箇田里箇禾就架势出稳哩了，就～了。田里箇禾架势出稳哩就安做～了，就～了。tau^{53}li^{0}çia^{53}tʂɿ$^{53}_{44}$pien^{35}tsɿ^{0}a^{0},kai^{53}t^{h}ien^{13}ni^{0}kai^{53}uo^{13}ts^{h}iəu^{53}cia$^{53}_{44}$ʂɿ$^{53}_{44}$tʂ^{h}ət^{3}uən^{21}li^{0}liau^{0},ts^{h}iəu^{53}tʂ^{h}ət^{3}uo^{13}liau^{0}.t^{h}ien^{13}ni^{0}kai^{53}uo^{13}cia^{53}ʂɿ^{53}tʂ^{h}ət^{3}uən^{21}ni^{0}tsiəu$^{53}_{44}$ɔn$^{35}_{44}$tso$^{53}_{44}$tʂ^{h}ət^{3}uo^{13}liau^{0},tsiəu^{53}tʂ^{h}ət^{3}uo^{13}liau^{0}.

【出家】tʂ^{h}ət^{3}ka^{35} 动 弃舍俗家去做僧尼或道士：我翻下子箇个谱哇，我等人，我等姓万个也有几个人系出哩～个人。渠个谱上写记哩，写哩嘞，渠～去哩。嗯，看破红尘，～去哩。ŋai^{13}fan^{35}na$^{53}_{44}$tsɿ^{0}kai$^{53}_{44}$ke$^{53}_{44}$p^{h}u^{21}ua^{0},ŋai^{13}tien^{0}ɲin$^{13}_{44}$,ŋai^{13}tien^{0}siaŋ^{53}uan^{53}kei$^{53}_{44}$ia^{35}iəu^{35}ci^{21}cie^{53}ɲin$^{13}_{21}$xei^{53}tʂ^{h}ət^{3}li^{0}tʂ^{h}ət^{3}ka^{35}ke^{53}ɲin$^{13}_{44}$.ci^{13}ke^{53}p^{h}u^{21}xɔŋ^{53}sia^{21}ci^{53}li^{0},sia^{21}li^{0}le^{0},ci$^{13}_{21}$tʂ^{h}ət^{3}ka^{35}çi^{53}li^{0}.ṇ$_{21}$,k^{h}ɔn^{53}p^{h}o^{53}fəŋ$^{13}_{21}$tʂ^{h}ən$^{13}_{44}$,tʂ^{h}ət^{3}ka^{35}çi^{53}li^{0}.

【出家人】tʂ^{h}ət^{3}ka$^{35}_{44}$ɲin$^{13}_{21}$ 名 弃舍俗家去修行的僧尼或道士：出家个人出家个箇起人就安做～呢。欸，箇谱上我看倒有两只，我等照算呢喊叔公个人呢，成哩～。tʂ^{h}ət^{3}ka^{35}ke^{53}ɲin$^{13}_{21}$tʂ^{h}ət^{3}ka^{35}ke^{0}kai^{53}çi^{21}ɲin^{13}ts^{h}iəu$^{53}_{44}$ɔn$^{35}_{44}$tso$^{53}_{44}$tʂ^{h}ət^{3}ka^{35}ɲin$^{13}_{21}$ne^{0}.e$_{44}$,kai^{53}p^{h}u^{21}xɔŋ^{53}ŋai^{13}k^{h}ɔn^{53}tau^{21}iəu^{35}iɔŋ^{21}tʂak^{3},ŋai^{13}tien^{0}tʂau^{53}sɔn$^{53}_{44}$ne^{0}xan$^{53}_{44}$ʂəuk^{3}kəŋ^{35}ke^{0}ɲin$^{13}_{21}$ne^{0},ʂaŋ^{13}li^{0}tʂ^{h}ət^{3}ka^{35}ɲin$^{13}_{21}$.

【出嫁】tʂ^{h}ət^{3}ka^{53} 动 女子结婚：以下是我是明晡爱～了，欸，唔舍得你。i^{21}xa^{53}ʂɿ$^{53}_{44}$ŋai$^{13}_{21}$ʂɿ$^{53}_{44}$miaŋ^{13}pu$^{35}_{44}$ɔi^{53}tʂ^{h}ət^{3}ka^{53}liau^{0},e$_{21}$,ṇ^{13}ʂa^{21}tek^{3}ɲi$^{13}_{44}$.｜夫娘子，老公死嘿哩，系唔系？有细人子，你就去再嫁，欸，你去～，欸，你就安做下堂啊。pu^{35}ɲiɔŋ$^{13}_{21}$tsɿ^{0},lau^{21}kəŋ$^{35}_{44}$si^{21}xek^{3}li^{0},xei$^{53}_{44}$me$^{53}_{44}$?iəu^{35}sei^{53}ɲin$^{13}_{21}$tsɿ^{0},ɲi^{13}ts^{h}iəu$^{53}_{21}$çi$^{53}_{44}$tsai^{53}ka^{53},e$_{21}$,ɲi$^{13}_{21}$çi$^{53}_{44}$tʂ^{h}ət^{3}ka^{53},ei$_{21}$,ɲi$^{13}_{21}$ts^{h}iəu^{53}ɔn$^{35}_{44}$tso$^{53}_{44}$xa^{35}t^{h}ɔŋ^{13}ŋa^{0}.

【出柩】tʂ^{h}ət^{3}ciəu^{53} 动 将灵柩移到堂屋或屋外坪子里：箇是箇个嘞，出殡之前是，欸，箇个封殡封哩殡以后嘞，就分箇个帐箇只啦箇面前箇个以映个东西啊拆下去，唔爱哩，箇个灵堂里个东西啊。安做～。分箇起东西下拆去不要哩。～。撤咁去，唔爱哩。欸，棺材唔放间了。搉$_{搬}$出来，分出来，放下下厅，或者放下禾坪下，放下坪下，箇就安做～。渠有时辰。按照箇时辰～。一般是唔知几早。kai$^{53}_{44}$ʂɿ$^{53}_{44}$kai^{53}ke^{53}lei^{0},tʂ^{h}ət^{3}pin^{53}tʂɿ^{35}ts^{h}ien^{13}ʂɿ$^{53}_{44}$,ei$_{21}$,kai$^{53}_{44}$ke$^{53}_{44}$fəŋ^{35}pin^{53}fəŋ^{35}li^{0}pin^{53}i$^{35}_{44}$xei$^{53}_{44}$lei^{0},ts^{h}iəu$^{53}_{44}$pəŋ$_{44}$(←pən^{35})kai$^{53}_{44}$ke$^{53}_{44}$tʂɔŋ^{53}kai$^{53}_{44}$tʂak^{3}la^{0}kai$^{53}_{44}$mien^{53}ts^{h}ien$^{13}_{21}$kai$^{53}_{44}$ke$^{53}_{44}$i^{21}iaŋ$^{53}_{44}$ke$^{53}_{44}$təŋ$^{35}_{44}$si^{0}a^{0}ts^{h}ak^{3}a^{0}çi^{53},m$^{13}_{21}$mɔi$^{53}_{44}$li^{0},kai$^{53}_{44}$ke$^{53}_{44}$lin^{13}t^{h}ɔŋ$^{13}_{21}$li^{0}ke$^{53}_{44}$təŋ$^{35}_{44}$si^{0}a^{0}.ɔn$^{35}_{44}$tso$^{53}_{44}$tʂ^{h}ət^{3}ciəu^{53}.pəŋ$_{44}$(←pən^{35})kai$^{53}_{44}$çi^{21}təŋ$^{35}_{44}$si^{0}xa^{53}ts^{h}ak^{3}çi^{53}pət^{3}iau$^{53}_{44}$li^{0}.tʂ^{h}ət^{3}ciəu^{53}.tʂ^{h}ek^{5}kan^{21}çi^{53},m$^{13}_{21}$mɔi^{53}li^{0}.e$_{21}$,kɔn^{35}ts^{h}ɔi$^{13}_{21}$m$^{13}_{21}$fɔŋ$^{53}_{44}$kan$^{35}_{44}$liau^{0}.mən^{35}tʂ^{h}ət^{3}lɔi$^{13}_{44}$,pən^{35}tʂ^{h}ət^{3}lɔi$^{13}_{44}$,fɔŋ$^{53}_{44}$ŋa^{0}xa^{35}t^{h}aŋ$^{35}_{44}$,xɔit^{5}tʂa^{21}fɔŋ$^{53}_{44}$ŋa^{0}uo$^{13}_{21}$p^{h}iaŋ$^{13}_{21}$xa^{35},fɔŋ$^{53}_{44}$ŋa^{0}p^{h}iaŋ^{13}xa$^{35}_{44}$,kai$^{53}_{44}$ts^{h}iəu$^{53}_{44}$ɔn$^{35}_{44}$tso$^{53}_{44}$tʂ^{h}ət^{3}ciəu^{53}.ci$^{13}_{21}$iəu$^{35}_{44}$ʂɿ^{13}ʂən^{13}.ŋɔn$^{53}_{44}$tʂau$^{53}_{44}$kai$^{53}_{44}$ʂɿ^{13}ʂən$^{13}_{44}$tʂ^{h}ət^{3}ciəu^{53}.iet^{3}pɔn^{35}ʂɿ$^{53}_{44}$n$^{13}_{21}$ti$^{35}_{44}$ci$^{13}_{21}$tsau^{21}.

【出车】tʂ^{h}ət^{3}ke^{35} 动 指下象棋时动用“车”：有只老子“三步棋唔～就屎棋”。以就讲欸是～爱出得快。屎棋就臭棋呀。第三步棋都还唔～就臭棋。iəu^{35}tʂak^{3}lau^{21}tsɿ^{0}"san^{35}p^{h}u^{53}c^{h}i$^{13}_{44}$n$^{13}_{21}$tʂ^{h}ət^{3}ke^{35}ts^{h}iəu^{53}ʂɿ^{21}c^{h}i^{13}".i^{21}ts^{h}iəu^{53}kɔŋ^{21}e^{0}ʂɿ$^{53}_{44}$tʂ^{h}ət^{3}cie^{35}ɔi$^{53}_{44}$tʂ^{h}ət^{3}tek^{3}k^{h}uai^{53}.ʂɿ^{21}c^{h}i^{13}ts^{h}iəu$^{53}_{44}$tʂ^{h}əu^{53}c^{h}i^{13}ia^{0}.t^{h}i^{53}san^{35}p^{h}u^{53}c^{h}i$^{13}_{21}$təu$^{35}_{44}$xai^{13}n$^{13}_{21}$tʂ^{h}ət^{3}ke^{35}ts^{h}iəu$^{53}_{44}$tʂ^{h}əu^{53}c^{h}i$^{13}_{21}$.

【出口】tʂ^{h}ət^{3}xei^{21} 名 围起或封闭的地方或空间通向外面的通道，通过它可以出去：渠就以只砻盘上箇有只眼，有只～呀。ci$^{13}_{21}$ts^{h}iəu$^{53}_{44}$i^{21}tʂak^{3}ləŋ^{13}p^{h}an^{13}xɔŋ$^{53}_{44}$kai$^{53}_{44}$iəu$^{35}_{44}$tʂak^{3}ŋan^{21},iəu$^{35}_{44}$tʂak^{3}tʂ^{h}ət^{3}xei^{21}ia^{0}.

【出来$_{1}$】tʂ^{h}ət^{3}lɔi^{13} 动 ①从里面到外面来：打开板子鸡就～哩。ta^{21}k^{h}ɔi^{35}pan^{21}tsɿ^{0}cie$^{35}_{44}$ts^{h}əu$^{53}_{44}$tʂ^{h}ət^{3}lɔi^{13}li^{0}.｜窒稳，莫分渠～，箇茶莫分渠～。tsət^{5}uən^{21},mɔk^{5}pən$^{35}_{53}$ci$^{13}_{21}$tʂ^{h}ət^{3}lɔi^{13},kai$^{53}_{44}$ts^{h}a^{13}mɔk^{5}pən$^{35}_{53}$ci$^{13}_{21}$tʂ^{h}ət^{3}lɔi^{13}. ②趋向动词，用在动词后，表示动作自内向外：漏～lei^{53}tʂ^{h}ət^{3}lɔi^{13}。③趋向动词，

用在动词后，表示动作完成或实现：箇是一只窑肚里烧～个。kai53/44ʂʅ53/44iet3 tʂak3 iau13 təu21 li0 ʂau35/44 tʂhət3 lɔi13/21ke53/44. ④趋向动词，用在动词后，表示由隐蔽到显露、由模糊到清晰：大概马夹嘞，就可以着～，着出外背来。唔着罩衫。thai53 khai53 ma35 kait3 le0 ,tshiəu53 kho21 i35 tʂɔk3 tʂhət3 lɔi13/44,tʂɔk3 tʂhət3 ŋɔi53 pɔi53 lɔi13/21.n̩13 tʂɔk3 tsau53 san35/44. | 哪映搞得唔好个归渠负责，渠指～。la53/44iaŋ53/44kau21 tek3 ŋ̍13 xau21 ke53 kuei35 ci13/21fu53 tsek3 ,ci13 tʂʅ21 tʂhət3 lɔi13. ⑤趋向动词，用在形容词后，表示与同类相比显得突出：欸脚盆样嘞，渠指猪食盆个有一块板子嘞就比较长嘞，长～，提手，用来提手。e0 ciɔk3 phən13 niɔŋ53/44lei0 ,ci13/21ke53/44iəu35 iet3 khuai53 pan21 tsʅ0 lei0 tshiəu53/44pi21 ciau53/44tʂhɔŋ13 lei0 ,tʂhɔŋ13 tʂhət3 lɔi13/21,thia35 ʂəu21,iəŋ53 lɔi13/21thia35 ʂəu21.

【出来2】tʂhət3 lɔi13 名方位名词，用在介词"往"后，相当于"外背外头"：渠爱看唠爱在以只天子壁往外背滴子来。往～滴子。ci13 ɔi53/44khɔn53/44nau0 ɔi53 tshai53 i21 tʂak3 thien35 tsʅ0 piak3 uɔŋ21 ŋɔi53 pɔi53/44 tiet5 tsʅ0 lɔi13.uɔŋ21 tʂhət3 lɔi13 tiet5 tsʅ0.

【出栏】tʂhət3 lan13/21 动指猪崽子达到一定重量，可以脱离母猪：欸有滴人是猪崽子畜起唔知几大唠，～了，三四十斤唆，系唔系？ei21 iəu35 tet5 ɲin13/44ʂʅ53/44tʂəu35 tse21 tsʅ0 çiəuk3 çi21/53n̩13 ti35/53ci21 thai53 lau0,tʂhət3 lan13/21liau0,san35 si53/21ʂət5 cin35/44nau0,xe53/21me53/44?

【出龙】tʂhət3 liəŋ13 耍龙（指活动）：骑龙送子，箇是打龙个搞法欸。打龙。～。chi13 liəŋ13 səŋ53 tsʅ21,kai53/44ʂʅ53/44ta21 liəŋ13 ke53 kau21 fait3 ei44.ta21 liəŋ13.tʂhət3 liəŋ13.

【出龙灯】tʂhət3 liəŋ13 tien35 耍龙灯（指活动）：今年我等出下子灯么？出下子龙灯么？系啊？～。今年我等来去～。嗯。今年唔～。cin35 ɲien13/21ŋai13/21tien0 tʂhət3 la53(←xa53)tsʅ0 tien35 mo0?tʂhət3 la53(←xa53)tsʅ0 liəŋ13 tien35/44mo0?xe53/44a0?tʂhət3 liəŋ13 tien35/44.cin35 ɲien13/21ŋai13/21tien0 lɔi13/21çi53/44tʂhət3 liəŋ13 tien35/44.n̩13/21.cin35 ɲien13/21n̩13 tʂhət3 liəŋ13 tien35/44.

【出麻子】tʂhət3 ma13 tsʅ0 由天花病毒引起的一种烈性传染病征：以前有。我等细细子出过麻子咯。最苦个就系么个时候子～个多了就系么个嘞？三年困难时期。～就爱食蛮多药啦。箇阵子话，～个多啊，因为大家又系做一下，搞大食堂啊，～个多啊。硬欸荷担箩去箇个，荷担箩去荷药凑。食中药。i35/44tshien13/21iəu35/44.ŋai13 tien0 se53 se53 tsʅ0 tʂhət3 ko53/44ma13 tsʅ0 ko0.tsei53 khu21 ke0 tshiəu53 xe53 mak3 e0 ʂʅ13 xəu53/44tsʅ0 tʂhət3 ma13 tsʅ0 ke0 to35/44le0 tshiəu53/44xe53/44mak3 e0 lei0?san35 ɲien13 khuən53 nan53 ʂʅ13 chi13/21.tʂhət3 ma13 tsʅ0 tshiəu53 ɔi53 ʂət5 man13 to35/44iɔk5 la0.kai53 tʂhən53 tsʅ0 ua53,tʂhət3 ma13 tsʅ0 ke0 to35 a0,in35 uei13/21thai53/44cia35/44iəu53/21 xei53 tso53/44iet3 xa53,kau21 thai53 ʂət5 thɔŋ13 ŋa0,tʂhət3 ma13 tsʅ0 ke0 to35/44a0. ɲiaŋ53 e21 khai35 tan35/44lo13 çi53 kai53/44ke53/44,khai35 tan35/44lo13 çi53/44khai35 iɔk5 tshe0.ʂət5 tʂəŋ35/44iɔk5.

【出马】tʂhət3 ma35 指下象棋时第一次动用"马"：我看倒蛮多人作棋都还系渠走两三步一作就架势～呢。两三步一走呀就架势～。你一下缯出得马就关呐箇肚里，系啊？ŋai13 khɔn53 tau21 man13 to35/53ɲin13/21tsɔk3 chi13 təu35/44xai13 xei13 ci13/21tsei21 iɔŋ21 san35 phu53 iet3 tsɔk3 tshiəu53 cia53/44ʂʅ53/44tʂhət3 ma35 nei0.iɔŋ21 san35/44 phu53 iet3 tsei21 ia0 tshiəu53 cia53/44ʂʅ53/44tʂhət3 ma35. ɲi13 iet3 xa53 maŋ13/44tʂhət3 tek3 ma35 tshiəu53/44kuan35/44na0 kai53 təu21 li0,xei53/44a0?

【出门】tʂhət3 mən13 动离家外出或远行：～做手艺 tʂhət3 mən13 tso53 ʂəu21 ɲi53 | 荷担子去人家，～卖货也荷担子。khai35 tan35 tsʅ0 çi53 ɲin13 ka35,tʂhət3 mən13 mai53 xo53 ia35 khai35 tan35 tsʅ0. | ～摆架子，罩衫整褂子。tʂət3 mən13 pai21 ka53 tsʅ0 ,tsau53 san35 tʂən21 kua53 tsʅ0 .

【出面】tʂhət3 mien53 动牵头；以个人或集体的名义做某种事：小林子渠话渠唔好～吵，以只东西因为渠唔系以映人吵，系唔系？siau21 lin13 tsʅ0 ci13/44ua53/44ci13 m̩13 xau21 tʂhət3 mien53 ʂa0 ,i21(tʂ)ak3 təŋ35/44si0 in35/44uei53/44ci13/21m̩13/21phei53 i21 iaŋ53 ɲin13/21ʂa0 ,xei53 me53?

【出名1】tʂhət3 miaŋ13 形有名气：南乡箇茴饼就蛮～嘞。lan13 çiɔŋ35/44ke53/44fei13 piaŋ21 tshiəu53/44man13 tʂhət3/5 miaŋ13 le0. | 湘潭镬就～欸。siɔŋ35 than13/21uɔk5 tshiəu53/44tʂhət3 miaŋ13/21ŋei0.

【出名2】tʂhət3 miaŋ13 动变得有名气：只听得话武汉大学个樱花是出哩名啊。tʂʅ21 thaŋ35 ŋek3 (←tek3)ua53 u35 xɔn53 thai53 çiɔk5 ke53 in35 fa35/44ʂʅ53/44tʂhət3 li0 miaŋ13 ŋa0. | 浏阳以前有条街出哩名个，梅花巷。liəu13 iɔŋ13/44i35 tshien13/21iəu35/44thiau13/21kai35 tʂhət3 li0 miaŋ13 ke53/44,mɔi13 fa35/44xɔŋ53.

【出气】tʂhət3 çi53 动①呼气：忍稳唔～ɲin35 uən21 n̩13 tʂhət3 çi53。②漏气：（塞稳）就密封啊，莫分渠～呀。tshiəu53/44miet5 fəŋ35 ŋa0 ,mɔk5 pən35/44ci13/44tʂhət3 çi53 ia0.

【出钱】tʂhət3 tshien13 动拿出钱来：有滴就还～请人□抬，扛啊。iəu35 tet5 tshiəu53/44xai13 tʂhət3 tshien13 tshiaŋ21 ɲin13 ɲiaŋ13 ŋa0. | 你还出滴钱子，买只地印子。ɲi13/21xai13/44tʂhət3 tet5 tshien13 tsʅ0 ,mai35 tʂak3 thi53 in53 tsʅ^{0}.

【出去】tʂʰət^{3}kʰe^{53}/çi^{53} 动①从里面到外面去：～哩tʂət^{3}çi^{53}li^{0}。②趋向动词，放在动词后，表示动作是由里向外：妹子，嫁～个妹子，生哩人就安做轻哩。mɔi^{53}tsʅ^{0},ka^{53}tʂʰət^{3}çi$^{53}_{44}$ke$^{53}_{44}$mɔi^{53}tsʅ^{0},saŋ^{35}li^{0}ɲin^{13}tsʰiəu$^{53}_{44}$ɔn$^{35}_{44}$tso$^{53}_{44}$cʰiaŋ^{35}li^{0}.

【出神榜】tʂʰət^{3}ʂən^{13}pɔŋ^{21} 动道士做醮时将所请神明的名号写在白纸上并悬挂起来：请哩一通，请哩滴么啊神啵，做哩滴么啊法事噢，都爱～啊。tsʰiaŋ^{21}li^{0}iet^{3}tʰəŋ$^{35}_{44}$,tsʰiaŋ^{21}li^{0}tiet^{5}mak^{3}a^{0}ʂən^{13}nau^{0},tso^{53}li^{0}tiet^{5}mak^{3}a^{0}fait^{3}sʅ^{53}au^{0},təu^{35}ɔi$^{53}_{44}$tʂʰət^{3}ʂən^{13}pɔŋ^{21}ŋa^{0}.

【出生】tʂʰət^{3}saŋ^{35} 动胎儿从母体中分离出来：么个时候子～个。mak^{3}(k)e$^{53}_{44}$ʂʅ^{13}(x)ei$^{53}_{44}$tsʅ^{0}tʂʰət^{3}saŋ^{35}ke^{53}.

【出狮灯】tʂʰət^{3}sʅ^{35}ten^{35}/tien^{35} 动耍狮子：正月头有出……～个呀。tʂaŋ^{35}ɲiet$^{5}_{3}$tʰei$^{13}_{21}$iəu^{35}tʂʰət^{3}…tʂʰət^{3}sʅ^{35}ten^{35}ke$^{53}_{21}$ia^{0}.｜只有搞么个看过梭镖嘞？就系箇个～个人，欸，有有有。tʂʅ^{21}iəu$^{35}_{53}$kau^{21}mak^{3}ke$^{53}_{44}$kʰɔn^{53}ko$^{53}_{44}$so$^{35}_{44}$piau$^{35}_{44}$lei^{0}?tsʰiəu^{53}ue^{53}(←xe^{53})kai$^{53}_{44}$kei$^{53}_{44}$tʂʰət^{3}sʅ^{35}ten$^{35}_{44}$ke$^{53}_{44}$ɲin^{13},e$_{21}$,iəu^{35}iəu^{35}iəu^{35}.

【出世】tʂʰət^{3}ʂʅ^{53} 动①出生：我等人～是解放后了哈，六几年哈，五几年唦。ŋai^{13}tien^{0}ɲin$^{13}_{21}$tʂʰət^{3}ʂʅ^{53}ʂʅ$^{53}_{44}$kai^{21}fɔŋ$^{53}_{44}$xei^{53}liau^{0}xa^{0},liəuk^{3}ci^{21}ɲien^{13}xa^{0},ŋ̍^{21}ci^{21}ɲien^{13}ʂa^{0}. ②孵化成幼虫：正～个蚕虫子啊，有么啊话法么？tʂaŋ^{53}tʂʰət^{3}ʂʅ^{53}ke$^{53}_{44}$tsʰan^{13}tʂʰəŋ$^{13}_{44}$tsʅ^{0}a^{0},iəu^{35}mak^{3}a^{0}ua^{53}fait^{3}mo^{0}?

【出事】tʂʰət^{3}sʅ^{53} 动发生事故：箇个就是捱下子～就唔得了。kai$^{53}_{44}$ke$^{53}_{44}$tsʰiəu$^{53}_{21}$sʅ$^{53}_{21}$ŋai^{13}a^{53}tsʅ^{0}tʂʰət^{3}sʅ^{53}tsʰiəu$^{53}_{44}$m$^{13}_{21}$tek^{3}liau^{21}.

【出水$_{1}$】tʂʰət^{3}ʂei^{21} 动有水流出：箇箱子指豆腐箱就会～个。系唔系？会～呀。kai$^{53}_{44}$siɔŋ^{35}tsʅ^{0}tsʰiəu$^{53}_{44}$uɔi$^{53}_{44}$tʂʰət^{3}ʂei^{21}cie^{53}.xei$^{53}_{44}$me$^{53}_{44}$?uɔi$^{53}_{44}$tʂʰət^{3}ʂei^{21}ia^{0}.｜如只槽沟欸～呀。i$^{13}_{21}$tʂak^{3}tsʰau^{13}ciei$^{35}_{44}$e$_{21}$tʂʰət^{3}ʂei^{21}ia^{0}.

【出水$_{2}$】tʂʰət^{3}ʂei^{21} 量动量词，用于表示漂洗的次数：洗一～se^{21}iet^{3}tʂʰət^{3}ʂei^{21}洗第一遍｜洗两～se^{21}iɔŋ^{21}tʂʰət^{3}ʂei^{21}洗第二遍｜洗哩一～。欸，打比我如件衫还蛮新，正洗一～。洗哩一次就洗哩一～。se^{21}li^{0}iet^{3}tʂʰət^{3}ʂei^{21}.e$_{21}$,ta^{21}pi$^{21}_{44}$ŋai^{13}i$^{13}_{44}$cʰien^{53}san$^{35}_{53}$xai$^{13}_{21}$man$^{13}_{21}$sin^{35},tʂaŋ^{53}se^{21}iet^{3}tʂʰət^{3}ʂei^{21}.se^{21}li^{0}iet^{3}tsʰʅ^{53}tsʰiəu$^{53}_{44}$se^{21}li^{0}iet^{3}tʂʰət^{3}ʂei^{21}.

【出台】tʂʰət^{3}tʰɔi^{13} 动演员登台演出：打开台呀。欸，搞一阵啵，然后正～呀。ta^{21}kʰɔi^{35}tʰɔi$^{13}_{21}$ia^{0}.e$_{21}$,kau^{21}iet^{3}tʂʰən^{53}nau^{0},vien$^{13}_{21}$xei$^{53}_{44}$tʂaŋ^{53}tʂʰət^{3}tʰɔi^{13}ia^{0}.

【出王】tʂʰət^{3}uɔŋ^{13} 动下象棋时把将帅移出本位出老将：作象棋箇时候子莫乱～。出唔得王个时候子你出去哩，冇信就会惹被屎将，被屎将，就将死哩你。tsɔk^{3}siɔŋ^{53}cʰi$^{13}_{21}$ke^{0}sʅ^{13}xəu$^{53}_{44}$tsʅ^{0}mɔk^{5}lɔn^{53}tʂʰət^{3}uɔŋ^{13}.tʂʰət^{3}n̩^{13}tek^{3}uɔŋ^{13}ke^{53}ʂʅ$^{13}_{44}$xəu$^{53}_{44}$tsʅ^{0}ɲi^{13}tʂʰət^{3}çi^{53}li^{0},mau^{13}sin^{53}tsʰiəu^{53}uɔi$^{53}_{44}$ɲia^{35}pi^{53}ʂʅ^{21}tsiɔŋ^{35},pi^{53}ʂʅ^{21}tsiɔŋ^{35},tsiəu$^{53}_{44}$tsiɔŋ^{35}si^{21}li^{0}ɲi^{13}.

【出烟】tʂʰət^{3}ien^{35} 动烟向上升起、冒出：镬圈个作用就系省子～啵，就冇事冇事漏烟啵。uɔk^{5}cʰien$^{35}_{44}$ke$^{53}_{44}$tsɔk^{3}iəŋ^{53}tsʰiəu$^{53}_{44}$xe$^{53}_{44}$saŋ^{21}tsʅ^{0}tʂʰət^{3}ien^{35}nau^{0},tsʰiəu^{53}mau$^{13}_{21}$sʅ^{53}mau$^{13}_{21}$sʅ$^{53}_{44}$lei^{53}ien^{35}nau^{0}.

【出眼泪】tʂʰət^{3}ŋan^{21}li^{53} 动流泪，泪水分泌而出：（夜挂树）烧嘿～呀。ʂau^{35}xek^{3}tʂʰət^{3}ŋan^{21}li$^{53}_{44}$ia^{0}.｜去叫哭一场，出个出下子眼泪呀。çi$^{53}_{44}$ciau^{53}iet^{3}tʂʰɔŋ^{13},tʂʰət^{3}ke^{53}tʂʰət^{3}xa^{53}tsʅ^{0}ŋan^{21}li^{53}ia^{0}.

【出洋相】tʂʰət^{3}iɔŋ^{13}siɔŋ^{53} 闹笑话；出丑：我是出过两回洋相。我冇几大子个时候子，我记得出过一回洋相。箇是一般个人唔晓得唠出嘿洋相唠。我等箇阵子出灯，出狮灯，我等横巷里啊出狮灯。箇晡日里爱出狮灯，有滴人就大家子爱十几两十个人唦，冇咁快。爱食哩饭正会正去得。我等箇岭背里嘞，我丈人爷就系啊箇岭背里，我就长日走……去我丈人爷箇就走箇映过，走东坑箇映子啊。我就比较熟，系唔系？渠等就话，爱我嘞先出灯个时候子嘞，爱我早晨就去送片子，送通知啊，送张通知样。我今晡是出灯个会来你箇食早饭呐，或者会来你箇食昼饭呐。送只片子去。请渠拜年个片子唠。拜年片子唠。如下我落尾系啊如张坊街上来哩，噢刘忱初屋下。刘忱初我也蛮熟个人呢。如下我就去送片子，拿只片子去。如下出只洋相懑大，系啊？～，让门子～嘞？我送倒去下走嘿渠屋下，让门刘忱初啊唔接下子我呀，系唔系？渠咯渠认得我唦，因为我长日走渠门口过，去我丈人爷箇映。“万老师，你来搞么个？”“我来送片子啊。”我话我来送片子啊。“欸，你送片子啊，你拿只么个东西来个噢？”一只非常重要个东西我 嬒带。我带哩片子，箇是系片子是我带哩。爱提马灯呐。爱提只马灯去呀。渠正晓得你系出灯个人呐，欸，出狮灯呐，出龙灯呐。你打双空手哇，就系拿只片子走嘿别人家，渠唔系话你来搞么个？“万老师，你来搞么个？”箇阵子我嬒当万老师啊么个。唔知当哩啊嬒当唔记得哩。渠就话：“你来搞么个？”出只洋相懑大。落尾惹我箇只伯伯啊，就话箇只玄谟伯啊，惹渠插一餐扎实个。插一餐呶，安做插一餐。“让门咁个都唔晓得？”我箇回我都讲哩，讲礼节吵，系唔系？我话真系爱学下子噢，我话我是硬出过一回大洋相啊硬噢。好得熟人唠刘忱初噢，唔爱紧呶，系唔系？笑死人。ŋai^{13}ʂʅ$^{53}_{44}$tʂʰət^{3}ko$^{53}_{44}$iəŋ^{21}fei^{13}iəŋ^{13}siəŋ^{53}. ŋai^{13}mau$^{13}_{21}$ci^{21}tʰai^{13}tsʅ^{0}ke^{0}ʂʅ^{13}xəu$^{53}_{44}$tsʅ^{0}, ŋai^{13}ci^{53}tek^{3}tʂʰət^{3}ko^{53}iet^{3}fei$^{13}_{21}$iəŋ^{13}siəŋ^{53}. kai$^{53}_{44}$ʂʅ$^{53}_{44}$iet^{3}pən^{35}ke^{53}ɲin$^{13}_{21}$n̩$^{13}_{21}$çiau^{21}tek^{3}lau^{0}tʂʰət^{3}xek^{3}iəŋ^{13}siəŋ^{53}lau^{0}. ŋai^{13}tien^{0}kai^{53}tʂʰən^{53}tsʅ^{0}tʂʰət^{3}tien^{35}, tʂʰət^{3}sʅ^{35}tien^{35}, ŋai^{13}tien^{0}uaŋ^{13}xəŋ$^{53}_{44}$li^{0}a^{0}tʂʰət^{3}sʅ^{35}tien^{35}. kai^{53}pu^{35}ɲiet^{3}li^{0}ɔi$^{53}_{44}$tʂʰət^{3}sʅ^{35}tien$^{35}_{44}$, iəu^{35}tiet^{5}ɲin^{13}tsʰiəu$^{53}_{44}$tʰai^{53}cia$^{35}_{44}$tsʅ^{0}ɔi^{53}ʂət^{5}ci^{21}iəŋ^{21}ʂət^{5}ke^{53}ɲin^{13}ʂa^{0}, mau^{13}kan^{21}kʰuai^{53}. ɔi$^{53}_{44}$ʂət^{5}li^{0}fan^{53}tʂaŋ^{53}uɔi$^{53}_{44}$tʂaŋ^{53}çi^{53}tek^{3}. ŋai^{13}tien^{0}kai$^{53}_{44}$liaŋ^{35}pɔi^{53}li^{21}le^{0}, ŋai^{13}tʂʰəŋ$^{53}_{44}$in$^{13}_{44}$ia^{13}tsʰiəu$^{53}_{44}$xei^{53}a$^{53}_{44}$kai$^{53}_{44}$liaŋ^{35}pɔi^{53}li^{0}, ŋai^{13}tsʰiəu^{53}tʂʰəŋ^{13}ɲiet^{3}tsei^{21}…çi^{53}ŋai$^{13}_{21}$tʂʰəŋ$^{53}_{44}$in$^{13}_{44}$ia^{13}kai$^{53}_{44}$tsʰiəu$^{53}_{44}$tsei^{21}kai$^{53}_{44}$iaŋ$^{53}_{44}$ko^{53}, tsei^{21}təŋ^{35}xaŋ$^{35}_{44}$kai$^{53}_{44}$iaŋ$^{53}_{44}$tsa^{0}. ŋai^{13}tsʰiəu^{53}pi^{21}ciau$^{53}_{44}$ʂəuk^{5}, xei$^{53}_{44}$me$^{53}_{44}$? ci$^{13}_{21}$tien^{0}tsʰiəu$^{53}_{44}$ua$^{53}_{44}$, ɔi^{53}ŋai^{13}le^{0}sen^{35}tʂʰət^{3}ten^{35}ke^{53}ʂʅ^{13}xəu^{53}tsʅ^{0}lei^{0}, ɔi^{53}ŋai$^{13}_{21}$tsau^{21}ʂən^{13}tsʰiəu$^{53}_{44}$çi$^{53}_{44}$səŋ$^{53}_{44}$pʰien^{53}tsʅ^{0}, səŋ^{53}tʰəŋ^{35}tʂʅ$^{35}_{44}$ʐa^{0}, səŋ^{53}tʂəŋ$^{35}_{53}$tʰəŋ^{35}tʂʅ$^{35}_{44}$iəŋ^{53}. ŋai$^{13}_{21}$cin^{35}pu$^{35}_{44}$ʂʅ$^{53}_{44}$tʂʰət^{3}ten^{35}ke^{0}uɔi^{53}lɔi$^{13}_{21}$ɲi^{13}kai^{53}ʂət^{5}tsau^{21}fan^{21}na^{0}, xɔit^{5}tʂa^{21}uɔi^{53}lɔi$^{13}_{21}$ɲi^{13}kai$^{53}_{44}$ʂət^{5}tʂəu^{53}fan^{53}na^{0}. səŋ$^{53}_{44}$tʂak^{3}pʰien^{53}tsʅ^{0}çi$^{53}_{44}$. tsʰiaŋ^{21}ci$^{13}_{21}$pai^{53}ɲien^{13}ke^{0}pʰien^{53}tsʅ^{0}lau^{0}. pai^{53}ɲien^{13}pʰien^{53}tsʅ^{0}lau^{0}. ia$_{44}$(←i^{13}xa^{53})ŋai$^{13}_{44}$lək^{5}mi$^{35}_{44}$xei^{53}a^{0}i$^{13}_{21}$tʂəŋ^{35}xəŋ$^{35}_{44}$kai^{35}xəŋ$^{53}_{44}$lɔi$^{13}_{21}$li^{0}, au^{0}liəu$^{13}_{21}$tʂʰən$^{13}_{21}$tsʰʅ^{35}uk^{3}xa^{53}. liəu$^{13}_{21}$tʂʰən$^{13}_{21}$tsʰʅ^{35}ŋai$^{13}_{44}$ia$^{35}_{44}$man^{13}ʂəuk^{5}ke^{0}ɲin$^{13}_{21}$ne^{0}. ia$_{53}$(←i^{13}xa^{53})ŋai$^{13}_{21}$tsiəu$^{53}_{44}$çi$^{53}_{44}$səŋ^{53}pʰien^{53}tsʅ^{0}, la$^{35}_{44}$tʂak^{3}pʰien^{53}tsʅ^{0}çi^{53}. ia$_{44}$(←i^{13}xa^{53})tʂʰət^{3}tʂak^{3}iəŋ^{13}siəŋ^{53}mən^{35}tʰai^{53}, xei$^{53}_{44}$a^{0}? tʂʰət^{3}iəŋ^{13}siəŋ^{53}, ɲiəŋ^{53}mən^{0}tsʅ^{0}tʂʰət^{3}iəŋ^{13}siəŋ$^{53}_{44}$lei^{0}? ŋai$^{13}_{21}$səŋ^{53}tau^{21}çi$^{53}_{44}$xa$^{53}_{44}$tsei^{21}xek^{3}ci$^{13}_{21}$uk^{3}xa$^{53}_{44}$, ɲiəŋ^{53}mən^{0}liəu$^{13}_{21}$tʂʰən$^{13}_{21}$tsʰʅ^{35}a^{0}n̩^{13}tsiait^{3}xa$^{53}_{44}$tsʅ^{0}ŋai^{13}ia^{0}, xei^{53}me^{53}? ci$^{13}_{21}$ko^{0}ci^{13}ɲin^{53}tek^{3}ŋai$^{13}_{21}$ʂa^{0}, in^{35}uei^{53}ŋai$^{13}_{21}$tʂʰəŋ^{13}ɲiet^{3}tsei^{21}ci$^{13}_{44}$mən^{13}xei^{21}ko^{53}, çi$^{53}_{44}$ŋai$^{13}_{21}$tʂʰəŋ$^{53}_{44}$in$^{13}_{44}$ia^{13}kai$^{53}_{44}$iaŋ$^{53}_{44}$. "uan^{53}lau^{21}sʅ$^{35}_{53}$, ɲi$^{13}_{44}$lɔi$^{13}_{44}$kau^{21}mak^{3}ke^{53}?" "ŋai^{13}lɔi$^{13}_{44}$səŋ$^{53}_{44}$pʰine^{53}tsa^{0}." ŋai^{13}ua^{53}ŋai^{13}lɔi$^{13}_{44}$səŋ$^{53}_{44}$pʰin^{53}tsa^{0}." ei$_{21}$, ɲi^{13}səŋ$^{53}_{44}$pʰien^{53}tsʅ^{0}a^{0}, ɲi^{13}lak^{5}tʂak^{3}mak^{3}e^{0}təŋ$^{35}_{44}$si^{0}lɔi$^{13}_{21}$ke^{0}au^{0}?" iet^{3}tʂak^{3}fei^{35}tʂʰəŋ$^{13}_{21}$tʂʰəŋ^{53}iau$^{53}_{44}$ke^{0}təŋ$^{35}_{44}$si^{0}ŋai$^{13}_{21}$maŋ$^{13}_{21}$tai^{53}. ŋai^{13}tai^{53}li^{0}pʰien^{53}tsʅ^{0}, kai$^{53}_{44}$ʂʅ$^{53}_{44}$xe$^{53}_{44}$pʰien^{53}tsʅ^{0}ʂʅ$^{53}_{44}$ŋai^{13}tai^{53}li^{0}. ɔi$^{53}_{44}$tʰia^{35}ma^{35}ten$^{35}_{44}$na^{0}. ɔi$^{53}_{44}$tʰia^{35}tʂak^{3}ma^{35}ten$^{35}_{44}$çi^{53}ia^{0}. ci^{13}tʂaŋ^{53}çiau^{21}tek^{3}ɲi^{13}xei^{53}tʂʰət^{3}ten^{35}ke^{53}ɲin$^{13}_{21}$na^{0}, e$_{21}$, tʂʰət^{3}sʅ^{35}tien$^{35}_{44}$na^{0}, tʂʰət^{3}liəŋ^{13}tien$^{35}_{44}$na^{0}. ɲi^{13}ta^{21}səŋ$^{35}_{53}$kʰəŋ^{35}ʂəu^{21}ua^{0}, tsʰiəu^{53}xe$^{53}_{44}$lak^{5}tʂak^{3}pʰien^{53}tsʅ^{0}tsei^{21}xek^{3}pʰiet^{5}in$^{13}_{44}$ka$^{35}_{44}$, ci$^{13}_{21}$m̩^{13}pʰei^{53}ua^{53}ɲi^{13}lɔi^{13}kau^{21}mak^{3}ke^{53}?" uan^{53}lau^{21}sʅ$^{35}_{53}$, ɲi^{13}lɔi$^{13}_{21}$kau^{21}mak^{3}ke^{0}?" kai^{53}tʂʰən^{53}tsʅ^{0}ŋai$^{13}_{21}$maŋ^{13}təŋ$^{35}_{44}$uan^{53}lau^{21}sʅ$^{35}_{44}$a^{0}mak^{3}ke^{0}. n̩^{13}ti$^{35}_{53}$təŋ$^{35}_{44}$li^{0}a^{0}maŋ^{13}təŋ$^{35}_{44}$n̩^{13}ci^{53}tek^{3}li^{0}. ci^{13}tsʰiəu$^{53}_{44}$ua$_{44}$: "ɲi^{13}lɔi$^{13}_{44}$kau^{21}mak^{3}ke^{53}?" tʂʰət^{3}tʂak^{3}iəŋ^{13}siəŋ^{53}mən^{35}tʰai^{53}. lək^{5}mi$^{35}_{53}$ɲia^{35}ŋai$^{13}_{21}$kai^{53}tʂak^{3}pak^{3}pak^{3}a^{0}, tsʰiəu^{53}ua^{53}kai^{53}tʂak^{3}fen^{13}mu^{13}pak^{3}a^{0}, ɲia^{35}ci$^{13}_{21}$tsʰait^{3}iet^{3}tsʰən^{35}tsait^{3}ʂət^{5}ke^{0}. tsʰait^{3}iet^{3}tsʰən^{35}nau^{0}, ən$^{35}_{44}$tso$^{53}_{44}$tsʰait^{3}iet^{3}tsʰən^{35}." ɲiəŋ^{53}mən^{0}kan$^{21}_{13}$cie$^{53}_{44}$təu$^{35}_{53}$n̩$^{13}_{21}$çiau^{21}tek^{3}?" ŋai^{13}kai^{53}fei$^{13}_{44}$ŋai$^{13}_{21}$təu$^{35}_{53}$kəŋ^{21}li^{0}, kəŋ^{21}li^{35}tsiet^{3}ʂa^{0}, xei$^{53}_{44}$me$^{53}_{44}$? ŋai^{13}ua$^{53}_{44}$tʂən^{35}ne^{53}ɔi$^{53}_{44}$xɔk^{5}(x)a$^{53}_{44}$tsʅ^{0}au^{0}, ŋai^{13}ua$^{53}_{44}$ŋai^{13}ʂʅ$^{53}_{44}$ɲiaŋ^{53}tʂʰət^{3}ko^{53}iet^{3}fei^{13}tʰai^{13}iəŋ^{13}siəŋ$^{53}_{44}$ŋa^{0}ɲiaŋ^{53}au^{0}. xau^{21}tek^{3}ʂəuk^{5}ɲin^{13}lau^{0}liəu$^{13}_{21}$tʂʰən$^{13}_{21}$tsʰʅ^{35}au^{0}, m̩$^{13}_{21}$mɔi$^{53}_{44}$cin^{21}nau^{0}, xei^{53}me^{53}? siau^{53}si^{21}ɲin$^{13}_{21}$.

【出夜工】tʂʰət^{3}ia^{53}kəŋ^{35} 开夜车；比喻为了赶时间，在夜间继续工作或学习：～我也出过。栽禾栽唔赢，生产队上栽禾栽唔赢哩啊，～。又出早工，又～，其实是硬真系一只形式哦硬哦。真系只形式。你话一天日里做得一天来，又出早工，你话～有么个作用嘞，唔系纯只名？纯只名，安做去下～。搞哩下子仰哩下子嘞就算哩唠，就归呀。tʂʰət^{3}ia^{53}kəŋ$^{35}_{44}$ŋai^{13}ia$^{35}_{53}$tʂʰət^{3}ko$^{53}_{44}$. tsɔi^{35}uo^{13}tsɔi$^{35}_{44}$n̩$^{13}_{21}$iaŋ^{13}, sien^{35}tsʰan^{21}ti^{53}xəŋ^{53}tsɔi^{35}uo^{13}tsɔi$^{35}_{44}$n̩$^{13}_{21}$iaŋ^{13}li^{0}a^{0}, tʂʰət^{3}ia^{53}kəŋ^{35}. iəu^{53}tʂʰət^{3}tsau^{21}kəŋ^{35}, iəu^{53}tʂʰət^{3}ia^{53}kəŋ^{35}, cʰi^{13}ʂət^{5}ʂʅ$^{53}_{44}$ɲiaŋ$^{53}_{44}$tʂən^{35}xei^{53}iet^{3}tʂak^{3}çin^{13}ʂʅ^{0}o^{0}ɲiaŋ$^{53}_{44}$o^{0}. tʂən^{35}xei^{53}tʂak^{3}çin^{13}ʂʅ$_{44}$. ɲi^{13}ua^{53}iet^{3}tʰien^{35}ɲiet^{3}li^{35}tso^{53}tek^{3}iet^{3}tʰien$^{35}_{44}$nɔi$^{13}_{44}$, iəu^{53}tʂʰət^{3}tsau^{21}kəŋ$^{35}_{44}$, ɲi^{13}ua$^{53}_{44}$tʂʰət^{3}ia^{53}kəŋ^{35}iəu$^{53}_{53}$mak^{3}e^{0}tsɔk^{3}iəŋ^{53}le^{0}, m̩^{13}pʰe^{53}ʂən^{13}tʂak^{3}miaŋ^{13}? ʂən^{13}tʂak^{3}miaŋ^{13}, ən^{35}tso$^{53}_{44}$çi^{53}xa^{53}tʂʰət^{3}ia^{53}kəŋ^{35}. kau^{21}li^{0}xa^{53}tsʅ^{0}ɲiəŋ^{21}li^{0}xa$^{53}_{44}$tsʅ^{0}le^{0}tsʰiəu$^{53}_{44}$sən^{53}ni^{0}lau^{0}, tsʰiəu^{53}kuei^{35}ia^{0}.

【出账】tʂʰət^{3}tʂəŋ^{53} [动]为支出确定合理的明目以便记账：～就系用哩个钱就爱寻只～，就寻只项目啊。箇是当会计个人肚里，欸。你今晡用只么个钱，“哎呀，唔系好～啊。硬唔好～”。唔好～就唔好安呐哪映名下去啊，安呐哪只科目肚里去呀，唔好安呐，就唔好～。打比样你今晡啊喊倒么人食餐饭，你用嘿一百块钱，箇一百块钱让门去～啊？冇得一只食饭个咯。箇阵子是生产队上是冇得招待费嘞。你不能够……你除哩食饭除哩到哪映子食嘞？除哩到人家屋下去食。欸，听晡一下来算倒嘞补滴补几斤子谷分你。就咁个。tʂʰət^{3}tʂəŋ^{53}tsʰiəu^{53}xei^{53}iəŋ^{53}li^{0}ke^{0}tsʰien^{13}tsʰiəu^{53}ɔi^{53}tsʰin^{13}tʂak^{3}tʂʰət^{3}tʂəŋ^{53}, tsʰiəu^{53}tsʰin$^{13}_{21}$tʂak^{3}xəŋ^{53}muk^{5}a^{0}. kai$^{53}_{44}$ʂʅ$^{53}_{44}$təŋ$^{35}_{44}$kʰuai^{53}ci$^{53}_{44}$ke^{0}ɲin^{13}təu^{21}li^{0}, e$_{21}$. ɲi$^{13}_{21}$cin^{35}pu^{35}iəŋ$^{53}_{44}$tʂak^{3}mak^{3}e^{0}tsʰien^{13}, "ai$_{44}$ia$_{13}$, m̩^{13}xau^{21}tʂʰət^{3}tʂəŋ^{53}xa^{0}. ɲiaŋ$^{53}_{44}$n̩^{13}xau^{21}tʂʰət^{3}tʂəŋ^{53}". n̩$^{13}_{21}$xau^{21}tʂʰət$^{3}_{5}$tʂəŋ^{53}tsʰiəu^{53}n̩^{13}xau^{21}ən^{35}na^{0}la^{53}iaŋ$^{53}_{44}$miaŋ^{13}xa^{53}çi^{53}a^{0}, ən^{35}na^{0}lai^{53}tʂak^{3}kʰo^{35}muk^{5}təu^{21}li^{0}çi^{53}ia^{0}, n̩$^{13}_{21}$xau^{21}ən^{35}na^{0}, tsʰiəu^{53}n̩^{13}xau^{21}tʂʰət^{3}tʂəŋ^{53}. ta^{21}pi$^{21}_{44}$iəŋ$^{53}_{44}$ɲi$^{13}_{21}$cin$^{35}_{44}$pu$^{35}_{44}$a^{0}xan^{53}tau^{21}mak^{3}in$^{13}_{44}$ʂət^{3}tsʰən$^{35}_{44}$fan^{53}, ȵi^13 iəŋ^53 xek^3 iet^3 pak^3 kʰuai^53_44 tsʰien^13, kai^53 iet^3 pak^3 kʰuai^53_44 tsʰien^13_44 ȵiəŋ^53_44 mən^13_44 çi^53_44 tʂʰət^3 tʂəŋ^53 ŋa^0 ?mau^13 tek^3 iet^3 tʂak^3 ʂət^5 fan^53 ke^53_44 ko^0. kai^53 tʂʰən^53 tsɿ^0 ʂɿ^53_21 sen^35_44 tsʰan^21_44 ti^53 xəŋ^53_44 ʂɿ^53_21 mau^13 tek^3 tʂau^35_44 tʰɔi^53_44 fei^53 le^0. ȵi^13_21 pət^3 len^13 ciei^53_44…ȵi^13_21 tʂʰu^13 li^0 ʂət^5 fan^53 tʂʰəu^13 li^0 tau^53_44 lai^53 iaŋ^53 tsɿ^0 ʂət^5 le^0 ?tʂʰu^13 li^0 tau^53 ȵin^13 ka^35_53 uk^3 xa^53 çi^53 ʂət^5. e_21, tʰin^35_53 pu^35_44 iet^3 xa^53 lɔi^13_21 sən^53 tau^21 lei^0 pu^21 tiet^5_3 pu^21 ci^21 cin^35 tsɿ^0 kuk^3 pən^35 ȵi^13_44 tsiəu^53_44 kan^21 ke^0.

【初₁】tsʰəu^35 副 第一次：～进馔 tsʰəu^35 tsin^53_44 tsʰən^53_44

【初₂】tsʰɿ^35 前缀。①加在“一”至“十”的前面，表示农历一个月前十天的次序：六月～六 liəuk^3 ȵiet^5 tsʰɿ^35 liəuk^3｜～一十五就祠堂里一定爱装香啊。闲时嘞你能够天天装香就更好。但是硬系不能天天装香嘞，～一十五就硬爱装香。tsʰɿ^35 iet^3 ʂət^5 ŋ̍^21 tsʰiəu^53 tsʰɿ^13_21 tʰəŋ^13_21 li^0 iet^3 tʰin^53_44 ɔi^53 tsəŋ^35_44 çiəŋ^35 ŋa^0. xan^13 ʂɿ^13_21 lei^0 ȵi^13_21 lien^13 ciau^53 tʰien^35 tʰien^35_44 tsəŋ^35_44 çiəŋ^35_44 tsʰiəu^53_44 cien^53 xau^21. tan^53_44 ʂɿ^53_44 ȵiaŋ^53 xe^53_44 pət^3 lien^13 tʰien^35_44 tʰien^35_44 tsəŋ^35_44 çiəŋ^35_44 lei^0, tsʰɿ^35 iet^3 ʂət^5 ŋ̍^21 tsʰiəu^53_44 ȵiaŋ^53 ɔi^53_44 tsəŋ^35_44 çiəŋ^35_44.｜箇有年呀正月～二晡去拜年，（望春花）就开哩。kai^53 iəu^35_53 ȵien^13_21 ia^0 tʂaŋ^35 ȵiet^5_3 tsʰɿ^35 ȵi^53 pu^35 çi^53_44 pai^53 ȵien^13, tsʰiəu^53_44 kʰɔi^35 li^0. ②加在“一”至“三”的前面，表示初级中学的不同年级：～一个时候子成绩唔多好。tsʰɿ iet^3 ke^53_44 ʂɿ^13_44 xei^53_44 tsɿ^0 tʂʰən^13 tsiet^3 n̍^13_21 to^35 xau^21.｜我箇只孙子就如今去下读～二呀，下半年就读～三了。ŋai^13 kai^53 tʂak^3 sən^35 tsɿ^0 tsʰiəu^53 i^13_21 cin^35_44 çi^53_44 xa^53_44 tʰəuk^5 tsʰɿ^35 ȵi^53 ia^0, xa^53 pan^53 ȵien^13_21 tsʰiəu^53_44 tʰəuk^5 tsʰɿ^35 san^35 niau^0.

【除】tʂʰəu^13 动 消除；祛除：从前作田是欸田里个禾蔸下个草嘞就爱～嘿去，就用脚去耘田。tsʰəŋ^35 tsʰien^13 tsɔk^3 tʰien^13 ʂɿ^53_44 e_21 tʰien^13 ni^21 ke^53_44 uo^13 tei^35_44 xa^35 ke^53_44 tsʰau^21 le^0 tsiəu^53 ɔi^53 tʂʰəu^13 xek^3 çi^53, tsiəu^53 iəŋ^53 ciɔk^3 çi^53_44 in^13 tʰien^13.

【除非】tʂʰəu^13 fei^35_44 连 表示唯一的条件，相当于“只有”：我等孙子成绩还好，依论是考只子高中冇问题，～考溻哩。ŋai^13 tien^0 sən^35 tsɿ^0 tʂʰən^13 tsiet^3 xai^13 xau^21, i^35 lən^53 ʂɿ^53_21 kʰau^21 tʂak^3 tsɿ^0 kau^35 tʂəŋ^35_44 mau^13 uən^53 tʰi^13_21, tʂʰəu^13 fei^35_44 kʰau^21 tʰait^3 li^0.

【除嘿】tʂʰəu^13 xek^3 介 表示所说的不计算在内，相当于“除了”：～箇只聘金以外，渠有滴还爱讲下子别么个。tʂʰəu^13 xek^3 kai^53 tʂak^3 pʰin^53 cin^35_44 i^35 uai^53, ci^13 iəu^35 tiet^5_3 xa^13_21 ɔi^53_44 kəŋ^21 ŋa^53(←xa^53) tsɿ^0 pʰiek^5 mak^3 ke^53.

【除哩₁】tʂʰəu^13 li^0 介 表示所说的不计算在内，相当于“除了”：欸，～夏布帐子嘞，还有就是棉布帐子。e_21, tʂʰəu^13 li^0 xa^53 pu^53_44 tʂəŋ^53_44 tsɿ^0 le^0, xai^13_21 iəu^35 tsʰiəu^53_44 ʂɿ^53_44 mien^13 pu^53_44 tʂəŋ^53 tsɿ^0.

【除哩₂】tʂʰəu^13 li^0 连 表示唯一的条件，相当于“除非”：～文字上写出来写蜂蜜，一般都讲蜂糖。tʂʰəu^13 li^0 uən^13 tsʰɿ^53 xəŋ^53_44 sia^21 tʂʰət^3 lɔi^13_44 sia^21 fəŋ^35_44 miet^5, iet^3 pən^35 təu^35_44 kəŋ^21 fəŋ^35 tʰəŋ^13.｜～明晡喊倒别人家来，就系老滴子个来，可能就见过。tʂʰəu^13_21 li^0 miaŋ^13_21 pu^35_44 xan^53 tau^21 pʰiek^5 in^13_21 ka^35_44 lɔi^13_21, tsʰiəu^53_44 (x)e^53_44 lau^21 tet^5 tsɿ^0 ke^53 lɔi^13_21, kʰo^21 len^13_21 tsʰiəu^53_44 cien^53 ko^53_44.

【厨官】tʂʰəu^13 kɔn^35 名 对厨师的尊称。也称“厨官师傅”：如今个～是冇得（烈杯）哩。i^13_21 cin^35 ke^53_21 tʂʰəu^13_21 kɔn^35_44 ʂɿ^53_44 mau^13_21 tek^3 li^0.｜箇～师傅就带烈杯。kai^53_44 tʂʰəu^13 kɔn^35_44 ʂɿ^35_44 fu^53_44 tsʰiəu^53_21 tai^53 lait^3 pai^35.

【厨师】tʂʰəu^13 ʂɿ^35 名 长于烹调并以此为职业的人：从前做～也还爱剐猪咯。tsʰəŋ^13 tsʰien^13_44 tso^53 tʂʰəu^13 ʂɿ^35_44 ia^35_44 xa^13_21 ɔi^53_44 tʂʰɿ^13_21 tʂəu^35 ko^0.

【锄】tsʰɿ^13 动 用锄头弄松土地并除草：去屋下作菜个时候子只有箇辣椒嘞难服侍。爱～几到草。箇个么个芋子啦番薯箇只就更简单，只爱～一到子就有哩。辣椒就第一难……欸辣椒土又肥，草又生得快，爱～几到草。cʰi^53 uk^3 xa^53_44 tsɔk^3 tsʰɔi^53 ke^53 ʂɿ^13 xəu^53 tsɿ^0 tʂɿ^21 iəu^35_44 kai^53_44 lait^5 tsiau^35_44 le^0 lan^13 fuk^5 sɿ^53. ɔi^53 tsʰɿ^13_44 ci^21 tau^53 tsʰau^21. kai^53_44 ke^53_44 mak^3 ke^53_44 u^53 tsɿ^0 la^0 fan^35 ʂəu^13 kai^53_44 tʂak^3 tsʰiəu^53_44 cien^53 kan^21 tan^35_44, tʂɿ^21 ɔi^53_44 tsʰɿ^13 iet^3 tau^53 tsɿ^0 tsʰiəu^53_44 iəu^35 li^0. lait^5 tsiau^35_44 tsʰiəu^53_21 tʰi^53 iet^3 lan^13…e_21 lait^5 tsiau^35_53 tʰəu^21 iəu^53 pʰi^13, tsʰau^21 iəu^53 saŋ^35_44 tek^3 kʰuai^53, ɔi^53 tsʰɿ^13_44 ci^21 tau^53 tsʰau^21.

【橱】tʂʰəu^13 名 一种收纳、放置东西的家具，前面有门。也称“橱子”：一杠～iet^3 kɔŋ^53 tʂʰəu^13｜～子还～子，柜子还柜子，唔同。……柜子顶高开门，顶上开门，欸。～子就边上开门。tʂʰəu^13 tsɿ^0 uan^13 tʂʰəu^13 tsɿ^0, kʰuei^53 tsɿ^0 uan^13 kʰuei^53 tsɿ^0, n̍^13 tʰəŋ^13.…kʰuei^53 tsɿ^0 taŋ^21 kau^35_44 kʰɔi^35_44 mən^13_21, taŋ^21 xɔŋ^53 kʰɔi^35_44 mən^13_21, e_21. tʂʰəu^13 tsɿ^0 tsʰiəu^53_44 pien^35 xɔŋ^53_44 kʰɔi^35_44 mən^13_21.

【处处】tʂʰəu^53 tʂʰəu^53_44 副 在各个方面：小胆破心就～都防别人家唠。siau^21 tan^21 pʰo^53 sin^35 tsʰiəu^53_44 tʂʰəu^53 tʂʰəu^53_44 təu^35_44 fəŋ^13 pʰiet^5 ȵin^13_21 ka^35_44 lau^0.

【处暑】tʂʰəu^53 tʂʰəu^21 名 二十四节气之一，在8月22、23或24日：～定禾苗哇。禾苗个长势就出来哩。到哩～就冇么个几多大了，就定嘿哩了，决定哩渠个产量嘞收成呢。tʂʰəu^53 tʂʰəu^21 tʰin^53 uo^13 miau^13_44 ua^0. uo^13 miau^13_21 ke^53 tʂəŋ^21 ʂɿ^53 tsʰiəut^53 ʂʰət^3 lɔi^13_21 li^0. tau^53 li^0 tʂʰəu^53 tʂʰəu^21 tsʰiəu^53_44 mau^13_21 mak^3 e^0 ci^21 to^{35}tʰai^{53}liau^{0},tsʰiəu$^{53}_{44}$tʰin^{53}nek^{3}li^{0}liau^{0},tʂet^{3}tʰin^{53}ni^{0}ci$^{13}_{44}$ke^{0}tsʰan^{21}liɔŋ$^{53}_{44}$le^{0}ʂəu^{35}tʂʰən$^{13}_{21}$ne^{0}.

【畜牲】tʂʰəuk^{3}saŋ^{35}/sən^{35} 名①家禽家畜的统称：鸡子啊鸭子啊牛子羊箇起头牲个统称，又安做头牲嘞。人家屋下畜个头牲。统称，统称为～。但是一般来讲欸，～就系骂人个话。唔多讲～。但是嘞讲到箇只东西嘞，就会讲："箇～渠晓得么个？"系唔系啊？如下打比样，欸我个鸡子跑下你箇来哩，一般是趜驱赶哩，你趜下子唔爱紧，但是你拿只么个扫把去打，打伤哩渠，箇就要唔得。箇～啊，背囊向上天呐，欸客姓人就咁子讲。箇～啊，背囊向上天个东西，渠晓得么个？你就不能打渠吵。你趜下子渠唔爱紧，箇鸡子箇只讨死嫌呐，会屙到处屙屎，系唔系？你跑下我屋下来哩，我就一番子趜哩。趜下子唔爱紧，但是你系打伤哩渠，渠就会话："箇～啊，背囊向上天个东西啊，你就打唔得嘞，欸，渠晓得么个嘞？"ke^{35}tsʅ^{0}a^{0}ait^{3}tsʅ^{0}a^{0}ɲiəu^{13}tsʅ^{0}iɔŋ^{13}kai^{53}çi$^{21}_{44}$tʰei^{13}saŋ^{35}ke$^{53}_{44}$tʰəŋ$^{13}_{21}$tʂʰən^{35},iəu$^{53}_{44}$ɔn$^{35}_{44}$tso^{53}tʰei^{13}saŋ^{35}lei^{0}. ɲin^{13}ka$^{35}_{53}$uk^{3}xa^{53}çiəuk^{3}ke^{0}tʰei^{13}saŋ^{35}.tʰəŋ^{21}tʂʰən^{35},tʰəŋ^{21}tʂʰən^{35}uei$^{13}_{21}$tʂʰəuk^{3}saŋ$^{35}_{44}$.tan$^{53}_{44}$ʂʅ$^{53}_{44}$iet^{3}pɔn^{35}nɔi$^{13}_{21}$kɔŋ^{21}ŋei^{0},tʂʰəuk^{3}saŋ$^{35}_{44}$tsʰiəu$^{53}_{44}$xe^{53}ma^{53}ɲin^{13}cie^{0}fa^{53}.n̩^{13}to^{53}kɔŋ^{21}tʂʰəuk^{3}saŋ$^{35}_{44}$.tan$^{53}_{44}$ʂʅ$^{53}_{44}$lei^{0}kɔŋ^{21}tau^{53}kai^{53}tʂak^{3}təŋ$^{35}_{44}$si^{0}lei^{0},tsʰiəu^{53}uɔi^{53}kɔŋ^{21}:"kai^{53}tʂʰəuk^{3}saŋ$^{35}_{44}$ci$^{13}_{44}$çiau^{21}tek^{3}mak^{3}ke$^{53}_{44}$."xei^{53}me^{53}a^{0}?i^{13}xa^{53}ta^{21}pi$^{21}_{44}$iɔŋ$^{53}_{44}$,e$_{21}$ŋai^{13}ke^{0}cie^{35}tsʅ^{0}pʰau^{21}ua$^{53}_{44}$ɲi^{13}kai$^{53}_{44}$lɔi$^{13}_{21}$li^{0},iet^{3}pɔn$^{35}_{44}$ʂʅ$^{53}_{44}$ciəuk^{5}li^{0}, ɲi$^{13}_{21}$ciəuk^{5}a$^{53}_{44}$tsʅ^{0}m̩$^{13}_{21}$mɔi^{53}cin^{21},tan$^{53}_{44}$ʂʅ$^{53}_{44}$ɲi$^{13}_{21}$lak^{5}tʂak^{3}mak^{3}e^{0}sau^{53}pa^{21}çi$^{53}_{44}$ta^{21},ta^{21}ʂɔŋ$^{35}_{44}$li^{0}ci$^{13}_{44}$,kai$^{53}_{44}$tsʰiəu$^{53}_{44}$iau^{53}n̩$^{13}_{21}$tek^{3}.kai$^{53}_{44}$tʂʰəuk^{3}saŋ^{35}ŋa^{0},pɔi^{53}lɔŋ$^{13}_{21}$çiɔŋ^{53}ʂɔŋ^{53}tʰien^{35}na^{0},ei^{0}kʰak^{3}sin^{53}ɲin$^{13}_{44}$tsʰiəu^{53}kan$^{21}_{44}$tsʅ^{0}kɔŋ^{21}.kai$^{53}_{44}$tʂʰəuk^{3}saŋ^{35}ŋa^{0},pɔi^{53}lɔŋ$^{13}_{21}$çiɔŋ$^{53}_{44}$ʂɔŋ$^{53}_{44}$tʰien^{35}ke^{0}təŋ$^{35}_{44}$si^{0},ci^{13}çiau^{21}tek^{3}mak^{3}kei$^{53}_{44}$?ni^{13}tsʰiəu^{53}pət^{3}nen$^{13}_{44}$ta^{21}ci$^{13}_{44}$ʂa^{0}. ɲi$^{13}_{21}$ciəuk^{5}a$^{53}_{44}$tsʅ^{0}ci$^{13}_{44}$m̩$^{13}_{21}$mɔi^{53}cin^{21},kai$^{53}_{44}$cie^{35}tsʅ^{0}kai$^{53}_{44}$tʂak^{3}tʰau^{21}si^{21}çien^{13}na^{0},uɔi^{53}o$^{35}_{44}$tau^{53}tʂʰəu$^{53}_{44}$o$^{35}_{44}$ʂʅ^{21},xei$^{53}_{44}$me$^{53}_{44}$?ɲi$^{13}_{21}$pʰau^{21}a^{0}ŋai$^{13}_{21}$uk^{3}xa^{53}lɔi$^{13}_{44}$li^{0},ŋai^{13}tsʰiəu^{53}iet^{3}fɔn$^{35}_{44}$tsʅ^{0}ciəuk^{5}li^{0}. ciəuk^{5}a$^{53}_{44}$tsʅ^{0}m̩$^{13}_{21}$mɔi^{53}cin^{21},tan^{53}ʂʅ^{53}ɲi^{13}xei^{53}ta^{21}ʂɔŋ^{35}li^{0}ci^{13},ci^{13}tsʰiəu$^{53}_{44}$uɔi$^{53}_{44}$ua^{53}:"kai$^{53}_{44}$tʂʰəuk^{3}saŋ$^{35}_{44}$ŋa^{0},pɔi^{53}lɔŋ$^{13}_{21}$çiɔŋ$^{53}_{44}$ʂɔŋ$^{53}_{44}$tʰien^{35}ke^{0}təŋ$^{35}_{44}$si^{0}a^{0}, ɲi^{13}tsiəu^{53}ta^{21}n̩$^{13}_{21}$tek^{3}le^{0},e$_{21}$,ci^{13}çiau^{21}tek^{3}mak^{3}e^{53}le^{0}?" ②用以骂人：箇就蛮伤心子嘞就骂别人家～。还有嘞，做爷娭个人话子女，会话下子，也系一种爱样，系啊？"你箇～！""我等箇只～！"箇就箇都系箇一般呢唔系么个硬骂得渠箇恶。骂别人家话～就骂唔得嘞箇就。让门子哕骂别人家～呐系？"你箇只～，系唔系，做滴咁个事。"只有就话别人家在男女关系上乱搞三天呢，就话别人"箇只～，乱搞三天，做只咁个事"。kai^{53}tsʰiəu$^{53}_{44}$man^{13}ʂɔŋ^{35}sin^{35}tsʅ^{0}le^{0}tsʰiəu$^{53}_{44}$ma^{53}piet^{5}in$^{13}_{44}$ka$^{35}_{44}$tʂʰəuk^{3}saŋ$^{35}_{44}$.xai^{13}iəu$^{35}_{53}$lei^{0},tso^{53}ia^{13}ɔi^{35}ke^{53}ɲin$^{13}_{44}$ua^{53}tsʅ^{21}ŋ̍^{21},uɔi^{53}ua^{53}a$^{53}_{44}$tsʅ^{0},ia^{35}xei^{53}iet^{3}tʂəŋ^{21}ŋai^{53}iɔŋ$^{53}_{44}$,xei$^{53}_{44}$a^{0}?"ɲi^{13}kai^{53}tʂʰəuk^{3}saŋ$^{35}_{44}$!""ŋai^{13}tien^{0}kai^{53}tʂak^{3}tʂʰəuk^{3}saŋ^{35}!"kai$^{53}_{44}$tsʰiəu^{53}kai$^{53}_{44}$təu$^{35}_{44}$xe$^{53}_{44}$kai$^{53}_{44}$iet^{3}pɔn^{13}ne^{0}m̩^{13}pʰei^{53}mak^{3}e^{0}ɲiaŋ^{53}ma^{53}tek^{3}ci$^{13}_{21}$kai$^{53}_{44}$ɔk^{3}.ma$^{53}_{44}$pʰiet^{5}in$^{13}_{44}$ka$^{35}_{44}$ua^{53}tʂʰəuk^{3}saŋ^{35}tsʰiəu$^{53}_{44}$ma^{53}n̩$^{13}_{21}$tek^{3}le^{0}kai^{53}tsʰiəu$^{53}_{44}$. ɲiɔŋ^{53}mən^{0}tsʅ^{0}lau^{0}ma^{53}pʰiet^{5}ɲin$^{13}_{44}$ka$^{35}_{44}$tʂʰəuk^{3}sən^{35}na^{0}xe$^{53}_{44}$?"ɲi^{13}kai$^{53}_{44}$tʂak^{3}tʂʰəuk^{3}saŋ^{35},xei^{53}me$^{53}_{21}$,tso$^{53}_{44}$tet$^{5}_{3}$kan^{21}cie$^{53}_{44}$sʅ^{53}."tʂʅ^{21}iəu$^{35}_{44}$tsʰiəu$^{53}_{44}$ua^{53}pʰiet^{5}in$^{13}_{21}$ka$^{35}_{44}$tsʰai^{53}lan^{13}ɲy^{21}kuan^{35}çi$^{53}_{44}$xɔŋ$^{53}_{44}$lɔn^{53}kau^{21}san^{35}tʰien^{35}ne^{0},tsʰiəu$^{53}_{44}$ua$^{53}_{44}$pʰiet^{5}in$^{13}_{21}$"kai$^{53}_{21}$tʂak^{3}tʂʰəuk^{3}saŋ$^{35}_{44}$,lɔn^{53}ku^{21}san^{35}tʰien^{35},tso^{53}tʂak^{3}kan^{21}cie$^{53}_{21}$sʅ^{53}".

【搐】tʂʰəuk^{5} 动用力上下抖动：箇个衫呐，撞怕我等个衫裤啊，洗衣机洗哩以后拿出来晒呀，系唔系？提倒～两下，～抻下子。kai$^{53}_{44}$ke$^{53}_{44}$san^{35}na^{0},tsʰɔŋ^{21}pʰa$^{53}_{44}$ŋai^{13}tien^{0}ke^{53}san^{35}fu^{53}a^{0},sei^{21}i$^{35}_{44}$ci^{35}sei^{21}li^{0}i$^{35}_{44}$xei$^{53}_{44}$la^{53}tʂʰət^{3}lɔi^{13}sai^{53}ia^{0},xei^{53}me^{53}?tʰia^{35}tau^{21}tʂʰəuk^{5}iɔŋ^{21}xa^{53},tʂʰəuk^{5}tʂʰən^{35}na^{53}tsʅ^{0}.｜我就看倒箇外国箇起箇个么个得哩冠军箇兜搞哩么个，就拿倒箇香槟酒～两下就捻下倒来射啊，射水呀，系唔系？ŋai^{13}tsʰiəu^{53}kʰɔn^{53}tau^{21}kai^{53}uai^{53}kɔit^{3}kai^{53}çi$^{21}_{44}$kai$^{53}_{44}$e^{0}mak^{3}kei$^{53}_{44}$tek^{3}li^{0}kɔn^{53}tʂən$^{35}_{44}$kai$^{53}_{44}$te$^{35}_{44}$kau^{21}li^{0}mak^{3}e^{0},tsʰiəu^{53}la^{53}tau^{21}kai$^{53}_{44}$çiɔŋ^{35}pin^{35}tsiəu^{21}tʂʰəuk^{5}iɔŋ^{21}xa^{53}tsʰiəu$^{53}_{44}$ɲien^{21}(x)a^{53}tau^{21}lɔi^{13}ʂa^{53}a^{0},ʂa^{53}ʂei^{21}ia^{0},xei^{53}me^{53}?

【触日烈】tʂʰəuk^{5}ɲiet^{3}lait^{3} 被太阳晒得过度以致品质发生改变：烟茶唔晒，一晒就～。有烟火味哟。ien^{35}tsʰa$^{13}_{21}$m̩^{13}sai^{53},iet^{3}sai^{53}tsʰiəu$^{53}_{44}$tʂʰəuk^{5}ɲiet^{3}lait^{3}.iəu^{35}ien$^{35}_{44}$fo^{21}uei$^{53}_{44}$iau^{0}.

【搋】tsʰei^{21}/tsʰai^{35} 动①以手用力压、揉，使掺入的东西和匀：番薯就煮熟来炆熟来，交番薯粉去～。fan^{35}ʂəu$^{13}_{21}$tsʰiəu$^{53}_{44}$tʂəu^{21}ʂəuk^{5}lɔi$^{13}_{21}$uən^{13}ʂəuk^{5}lɔi$^{13}_{21}$,ciau^{35}fan$^{35}_{44}$ʂəu$^{13}_{21}$fən^{21}çi$^{53}_{44}$tsʰai^{35}.｜煤饼呢安做呢。做只饼呢。做过，只系好搞子做过。～湿来哕，系唔系？mei^{13}piaŋ^{21}nei^{0}ɔn$^{35}_{44}$tso^{53}nei^{0}.tso^{53}tʂak^{3}piaŋ^{21}nei^{0}.tso^{53}ko$^{53}_{21}$,tʂʅ^{21}(x)e^{53}xau^{21}kau^{21}tsʅ^{0}tso^{53}ko$^{53}_{44}$.tsʰei^{21}ʂət^{3}lɔi$^{13}_{21}$lau^{0},xei$^{53}_{44}$me$^{53}_{44}$? ②以手用力压，使物没入：慢有草就～下去。man$^{53}_{44}$iəu$^{35}_{44}$tsʰau^{21}tsʰiəu$^{53}_{44}$tsʰei^{21}xa$^{53}_{44}$çi$^{53}_{44}$.

【搋粉】tsʰei^{21}fən^{21} 动和面：安做～，安做搋。搋正来。头晡夜晡搋正粉来。硬安做～。ɔn$^{35}_{44}$tso$^{53}_{44}$tsʰei^{21}fən^{21},ɔn$^{35}_{44}$tso$^{53}_{44}$tsʰei^{21}.tsʰei^{21}tʂaŋ^{53}lɔi$^{13}_{44}$.tʰei^{13}pu$^{35}_{44}$ia^{53}pu$^{35}_{44}$tsʰei^{21}tʂaŋ^{53}fən^{21}nɔi^{13}. ɲiaŋ$^{53}_{44}$ɔn$^{35}_{44}$tso$^{53}_{44}$tsʰei^{21}fən^{21}.

【穿$_1$】tʂʰɔn^{35} 动把衣物等套在身体上。书面色彩浓厚，口语中通常用“着”：二四八月乱～衣。ɲi^{53}si^{53}pait^{3} ɲiet^{5} lɔn^{53}tʂʰɔn^{35}i^{35}.

【穿$_2$】tʂʰɔn^{53}/tʂʰɔn^{35} 动①通过（孔洞、缝隙等）：有得鞋底针。针～唔过咯，渠蛮厚咯。mau^{13}tek^{3} xai^{13}tei^{21}tʂən^{35}.tʂən^{35}tʂʰɔn^{53}n̩^{13}ko^{53}ko^{0},ci$^{13}_{44}$man$^{13}_{44}$xei^{35}ko^{0}.｜（裤腰）肚里就～条绳子。təu^{21} li^{0} tsʰiəu$^{53}_{44}$tʂʰɔn^{53}tʰiau$^{13}_{21}$ʂən^{13}tsɿ^{0}. ②穿过：（石子）～过一次水，又出来一次就安……～过水出来一次就安做一下。tʂʰɔn^{53}ko^{53}iet^{3} tsʰɿ^{53}ʂei^{21},iəu^{53}tʂʰət^{3} lɔi$^{13}_{21}$iet^{3} tsʰɿ^{53}tsʰiəu$^{53}_{21}$ɔn$^{35}_{44}$…tʂʰɔn^{53}ko^{53}ʂei^{21}tʂʰət^{3} lɔi$^{13}_{21}$ iet^{3} tsʰɿ^{53}tsʰiəu$^{53}_{21}$ɔn$^{35}_{44}$tso$^{53}_{44}$iet^{3} xa^{53}. ③钻透；打孔：安做～耳朵嘞，～耳朵眼呢。ɔn$^{35}_{44}$tso$^{53}_{44}$tʂʰɔn^{53}ɲi^{21}to^{21} lei^{0},tʂʰɔn^{53}ɲi^{21}to^{21}ŋan^{21}nei^{0}. ④用绳线等通过物体把物品连缀起来：还有种草鞋嘞，箇就还有面子个。渠用咁个绳子啊一根一根呢，咁子～起来，有只子鞋面子。xai^{13}iəu$^{35}_{53}$tʂəŋ^{21}tsʰau^{21}xai$^{13}_{21}$ lei^{0},kai$^{53}_{44}$tsʰiəu$^{53}_{44}$xai$^{13}_{21}$iəu$^{35}_{44}$mien^{53}tsɿ^{0} ke$^{53}_{44}$.ci^{13}iəŋ^{53}kan^{21}kei^{53}ʂən^{13}tsɿ^{0} a^{0} iet^{3} cʰien^{35}iet^{3} cʰien^{35}ne^{0},kan^{21}tsɿ^{0} tʂʰɔn^{53}çi^{21}lɔi$^{13}_{21}$,iəu^{35}tʂak^{3} tsɿ^{0} xai^{13}mien^{53}tsɿ^{0}. ⑤用在某些动词后，表示破、透或彻底显露：眼珠都望～哩。ŋan^{21}tʂəu$^{35}_{44}$təu$^{35}_{44}$uɔŋ^{53}tʂʰɔn^{35}ni^{0}.

【穿去穿转】tʂʰuɔn^{53}çi$^{53}_{44}$tʂʰuɔn^{53}tʂuɔn^{21} 比喻方向不定：渠有节巴，箇节巴～。ci^{13}iəu^{35}tset^{3} pa^{35},kai$^{53}_{44}$tset^{3} pa$^{35}_{44}$tʂʰuɔn^{53}çi$^{53}_{44}$tʂʰuɔn^{53}tʂuɔn^{21}.

【穿山甲】tʂʰɔn^{35}san^{35}kait^{3} 名哺乳动物名，全身有角质鳞甲，现已被列入国家一级保护动物：～有。我阿舅子就装过～呀。渠装倒嘞我又唔晓得。过哩背嘞我话我是侪都𫗦食过你装倒箇～唠，搞转来食啊子看呐么个味道。装倒有～。渠箇栏场渠箇映子屋少，单家独屋，系倒箇映子。箇周围唔知几阔个岭岗。渠就总装倒有～。捉倒有箇个野生个脚鱼，欸，豪猪子，搞过黄老鼠子箇只咁个。装野猪，渠都搞过。渠就搞个咁个东西。但是我𫗦食过渠个～。tʂʰuɔn$^{35}_{44}$san$^{35}_{44}$kait^{3} iəu^{35}.ŋai$^{13}_{21}$a^{35}cʰiəu$^{35}_{44}$tsɿ^{0} tsʰiəu$^{53}_{44}$tsɔŋ$^{35}_{44}$ko$^{53}_{44}$tʂʰuɔn$^{35}_{44}$san$^{35}_{44}$kait^{3} ia^{0}.ci$^{13}_{21}$tsɔŋ^{35}tau^{21}lei^{0} ŋai^{13}iəu^{53}n̩$^{13}_{21}$ çiau^{21}tek^{3}.ko$^{53}_{44}$li^{0} pɔi^{53}lei^{0} ŋai^{13}ua^{53}ŋai^{13}ʂʅ^{53}tsʰi$^{13}_{21}$təu^{35}maŋ$^{13}_{21}$ʂət^{5} ko^{53}ɲi$^{13}_{21}$tsɔŋ^{35}tau^{21}kai$^{53}_{44}$tʂʰuɔn$^{35}_{44}$san$^{35}_{44}$kait^{3} lau^{0},kau^{21}tʂɔn^{21}lɔi$^{13}_{21}$ʂət^{5} a^{0} tsɿ^{0} kʰɔn^{53}na^{0} mak^{3} e^{0} uei^{53}tʰau$^{53}_{44}$.tsɔŋ^{35}tau$^{21}_{44}$iəu$^{35}_{44}$tʂʰuɔn$^{35}_{44}$san$^{35}_{44}$kait^{3}.ci^{13}kai^{53}laŋ$^{13}_{21}$ tʂʰɔŋ$^{13}_{21}$ci^{13}kai^{53}iaŋ^{53}tsɿ^{0} uk^{3} ʂau^{21},tan^{35}ka$^{35}_{44}$tʰəuk^{5} uk^{3},xei^{53}tau$^{53}_{44}$kai$^{53}_{44}$iaŋ$^{53}_{44}$tsɿ^{0}.kai$^{53}_{44}$tʂəu^{35}uei$^{13}_{44}$n̩^{13}ti$^{35}_{53}$ci^{21}kʰɔit^{3} ke$^{53}_{44}$ liaŋ^{35}kɔŋ^{35}.ci^{13}tsʰiəu$^{53}_{44}$tsəŋ$^{21}_{35}$tsɔŋ$^{35}_{44}$tau^{21}iəu$^{35}_{44}$tʂʰuɔn^{35}san$^{35}_{44}$kait^{3}.tsɔk^{3} tau^{21}iəu$^{35}_{44}$kai$^{53}_{44}$ke$^{53}_{44}$ia^{35}saŋ$^{35}_{44}$kei^{0} ciɔk^{3} ŋ̍^{13},e$_{44}$, xo^{13}tʂəu$^{35}_{44}$tsɿ^{0},kau^{21}ko$^{53}_{44}$uɔŋ^{13}lau$^{21}_{44}$tʂʰəu^{21}tsɿ^{0} kai$^{53}_{21}$tʂak^{3} kan^{21}cie$^{53}_{44}$.tsɔŋ$^{35}_{44}$ia^{35}tʂəu$^{35}_{44}$,ci$^{13}_{21}$təu$^{35}_{44}$kau^{21}ko$^{53}_{44}$.ci^{13}tsʰiəu$^{53}_{44}$ kau^{21}ke^{53}kan^{21}cie$^{53}_{44}$təŋ$^{35}_{44}$si^{0}.tan^{53}ʂʅ^{53}ŋai$^{13}_{21}$maŋ$^{13}_{21}$ʂət^{5} ko$^{53}_{44}$ci$^{13}_{44}$ke$^{53}_{44}$tʂʰuɔn$^{35}_{44}$san$^{35}_{44}$kait^{3}.

【穿筒锯】tʂʰɔn^{35}tʰəŋ^{13}ke^{53} 名大板条锯，过江龙：～就滮大个，锯大树个，箇个。咁大一筒筒个树。锯皮就瘩厚，欸咁个弯弯子样个。如映子就一只把手。欸，咁子个，如向就系齿，如底下就齿。捉下倒，咁子捉下倒，咁子去锯，咁子去锯个，～。渠冇得如只锯梁子，因为渠……但是渠如只东西就比较厚，箇锯皮比较厚，如果薄哩个话嘞，渠就会夹稳呐，啮稳呐，扯唔动啊。如个瘩厚个锯皮子。安做～。锯大树，锯箇咁大个一个人都抱唔倒个箇个树哇，就爱用～去锯。tʂʰɔn^{35}tʰəŋ^{13}cie$^{53}_{44}$tsiəu$^{53}_{44}$mən^{35}tʰai^{53}ke^{0},cie^{53}tʰai^{53}ʂəu$^{53}_{21}$ke^{0},kai^{53}ke.^{0} kan^{21}tʰai^{53}iet^{3} tʰəŋ$^{13}_{21}$ tʰəŋ$^{13}_{21}$ke^{0} ʂu^{53}.ke^{53}pʰi$^{13}_{21}$tsʰiəu$^{53}_{44}$tek^{5} xei^{35},e^{0} kan^{21}cie^{53}uan^{35}uan^{35}tsɿ^{0} iɔŋ$^{53}_{44}$ke^{0}.i$^{13}_{21}$iaŋ^{53}tsɿ^{0} tsʰiəu^{53}iet^{3} tʂak^{3} pa^{21}ʂəu^{21}. e$_{21}$,kan^{21}tsɿ^{0} ke^{0},i$^{13}_{21}$çiɔŋ^{53}tsʰiəu^{53}xei^{53}tʂʰʅ^{21},i^{21}tei^{21}xa^{53}tsiəu^{53}tʂʰʅ^{21}.tsɔk^{3} (x)a^{53}tau^{21},kan^{21}tsɿ^{0} tsɔk^{3} (x)a^{53} tau^{21},kan^{21}tsɿ^{0} çi$^{53}_{21}$ke^{53},kan^{21}tsɿ^{0} çi$^{53}_{21}$ke^{53}ke^{0},tʂʰɔn^{35}tʰəŋ$^{13}_{21}$cie^{53}.ci$^{13}_{21}$mau^{13}tek^{3} i$^{13}_{21}$tʂak^{3} cie^{53}liɔŋ^{13}tsɿ^{0},in$^{35}_{44}$uei$^{13}_{44}$ci$^{13}_{21}$… tan$^{53}_{44}$ʂʅ$^{53}_{44}$ci$^{13}_{21}$i$^{13}_{21}$tʂak^{3} təŋ$^{35}_{44}$si^{0} tsʰiəu$^{53}_{44}$pi^{21}ciau$^{53}_{44}$xei^{35},kai$^{53}_{44}$cie^{53}pʰi^{13}pi^{21}ciau$^{53}_{44}$xei^{35},y^{13}ko^{21}pʰɔk^{5} li^{0} ke$^{53}_{44}$fa$^{53}_{44}$lei^{0},ci$^{13}_{21}$ tsʰiəu$^{53}_{44}$uɔi$^{53}_{44}$kait^{5} uən^{21}na^{0},ŋait^{5} uən^{21}na^{0},tʂʰa^{21}n̩$^{13}_{21}$tʰəŋ^{35}ŋa^{0}.i$^{13}_{21}$ke^{0} tek^{5} xei$^{35}_{44}$ke^{0} cie^{53}pʰi$^{13}_{21}$tsɿ^{0}.ɔn$^{35}_{44}$tso$^{53}_{44}$tʂʰɔn$^{35}_{44}$ tʰəŋ$^{13}_{21}$cie^{53}.cie^{53}tʰai^{53}ʂəu$^{53}_{44}$,cie^{53}kai$^{53}_{44}$kan^{21}tʰai$^{53}_{44}$ke$^{53}_{44}$iet^{3} ke^{53}ɲin$^{13}_{44}$təu$^{35}_{44}$pʰau^{53}n̩^{13}tau^{21}ke^{0} kai$^{53}_{44}$kei$^{53}_{44}$ʂu^{53}ua^{0},tsʰiəu$^{53}_{44}$ ɔi^{53}iəŋ^{53}tʂʰɔn^{35}tʰəŋ^{13}cie^{53}çi$^{53}_{44}$cie^{53}.

【穿心旁】tʂʰɔn^{35} sin^{35} pʰɔŋ^{13} 名竖心旁：讲一个人个性格个性呢就～，系唔系？姓氏个姓呢就女字旁。kɔŋ^{21}iet^{3} ke^{53}ɲin^{13}ke^{0} sin^{53}kek^{3} ke^{0} sin^{53}ne^{0} tsʰiəu$^{53}_{44}$tʂʰɔn^{35}sin$^{35}_{44}$pʰɔŋ^{13},xei$^{53}_{44}$me$^{53}_{44}$?siaŋ^{53}ʂʅ$^{53}_{44}$ke^{0} siaŋ^{53} ne^{0} tsiəu^{53}ɲy^{21}tsʰɿ$^{53}_{44}$pʰɔŋ$^{13}_{21}$.

【穿衣镜】tʂʰen$^{35}_{44}$i$^{35}_{44}$ciaŋ^{53} 名可以照见全身的大镜子，多安在衣橱门上（后起的）：箇个～都系落尾正来个。长长子，一般呢都放下哪映个呢□□？都放下衣橱门上。安做～唠。本来是穿咁子话又唔系我等客姓人。冇得么人话着衫镜噢。穿衣就着衫嘞，客姓话是着衫呢。因为箇只东西还……以前个人冇得咁大个镜子，只有后背个人系有，只有后背个镜子正长嘿哩，大嘿哩，系唔系？以前正唔系你的咁大子个镜子。铁丝镜子，舞只铁丝子舞个镜子，牚起来个。箇个嘞后背就成哩～唠。就学倒当地人学倒本地人箇个。～唠，学倒本地人箇样讲法唠，又有么人话着衫镜嘞。kai$^{53}_{44}$ke$^{53}_{44}$tʂʰen^{35}i^{35}ciaŋ^{53}təu$^{35}_{44}$xei$^{53}_{44}$lɔk^{5} mi^{35}tʂaŋ$^{53}_{44}$lai^{13}ke$^{53}_{44}$.tʂʰɔŋ^{13}tʂʰɔŋ^{13}tsɿ^{0},iet^{3} pɔn^{35} ne^{0} təu$^{35}_{44}$fɔŋ$^{53}_{44}$xa$^{53}_{44}$lai$^{53}_{44}$iaŋ$^{53}_{44}$ke$^{53}_{44}$le^{0} pʰo$_{44}$fu^{0} ?təu$^{35}_{44}$fɔŋ^{53}xa$^{53}_{44}$i^{35}tʂʰəu$^{13}_{21}$mən^{13}xɔŋ$^{53}_{44}$.ɔn$^{35}_{44}$tso$^{53}_{44}$tʂʰen$^{35}_{44}$i$^{35}_{44}$ciaŋ^{53}lau^{0}.pɔn^{21} nɔi^{13}ʂʅ$^{53}_{44}$tʂʰen^{35}kan^{21}tsɿ^{0} ua^{53}iəu^{53}m̩$^{13}_{21}$pʰe$_{44}$(←xe^{53})ŋai$^{13}_{21}$tien^{0} kʰak^{3} sin^{53}ɲin$^{13}_{21}$.mau^{13}tek^{3} mak^{3} in$^{13}_{44}$ua^{53}tʂɔk^{3} san^{35} ciaŋ^{53}ŋau^{0}.tʂʰen^{35}i^{35}tsʰiəu$^{53}_{44}$tʂɔk^{3} san^{35}nei^{0},kʰak^{3} sin^{53}fa$^{53}_{44}$ʂʅ$^{53}_{44}$tʂɔk^{3} san^{35}nei^{0}.in$^{35}_{21}$uei^{53}kai$^{53}_{21}$tʂak^{3} tɔŋ$^{35}_{44}$si^{0} xai$^{13}_{21}$… i$^{35}_{44}$tsʰien^{13}ke^{53}ɲin$^{13}_{21}$mau^{13}tek^{3} kan^{21}tʰai^{53}ke$^{53}_{44}$ciaŋ^{53}tsɿ^{0},tʂʅ^{21}iəu$^{35}_{44}$xei^{53}pɔi$^{53}_{44}$ke$^{53}_{44}$ɲin$^{13}_{21}$xe$^{53}_{21}$iəu$^{35}_{44}$,tʂʅ^{21}iəu$^{35}_{44}$xei^{53}pɔi$^{53}_{44}$ ke$^{53}_{44}$ciaŋ^{53}tsɿ^{0} tʂaŋ^{53}tʂʰɔŋ^{13}ŋek^{3} (←xek^{3})li^{0},tʰai^{53}xek^{3} li^{0},xei$^{53}_{44}$me$^{53}_{44}$?i$^{35}_{44}$tsʰien$^{13}_{21}$tʂaŋ$^{53}_{44}$m̩$^{13}_{21}$pʰe$_{44}$(←xe^{53})ɲi$^{13}_{21}$tet^{3} kan$^{21}_{13}$tʰai^{53}tsɿ^{0} kei$^{53}_{44}$ciaŋ^{53}tsɿ^{0}.tʰiet^{3} sʅ$^{35}_{44}$ciaŋ^{53}tsɿ^{0},u^{21}tʂak^{3} tʰiet^{3} sʅ$^{35}_{44}$tsɿ^{0} u^{21}ke$^{53}_{44}$ciaŋ^{53}tsɿ^{0},tsʰaŋ^{53}çi^{21}lɔi$^{13}_{21}$ke$^{53}_{44}$.kai$^{53}_{44}$ kei$^{53}_{44}$le^{0} xei^{53}pɔi$^{53}_{44}$tsʰiəu$^{53}_{44}$ʂaŋ$^{53}_{21}$li^{0} tʂʰen^{35}i^{35}ciaŋ^{53}lau^{0}.tsiəu$^{53}_{44}$xɔk^{5} tau$^{21}_{44}$tɔŋ^{35}tʰi$^{53}_{44}$ɲin$^{13}_{21}$xɔk^{5} tau^{21}pɔn^{21}tʰi^{53}ɲin$^{13}_{21}$kai$^{53}_{44}$ ke$^{53}_{21}$.tʂʰen^{35}i$^{35}_{44}$ciaŋ^{53}lau^{0},xɔk^{5} tau^{21}pɔn^{21}tʰi^{53}ɲin$^{13}_{21}$kai$^{53}_{44}$iɔŋ$^{53}_{44}$kɔŋ^{21}fait^{5} lau^{0},iəu$^{53}_{44}$mau^{13}mak^{3} in$^{13}_{44}$ua$^{53}_{44}$tʂɔk^{3} san^{35} ciaŋ^{53}lei^{0}.

【穿着】tʂʰen^{35}tʂɔk^{3} 名 所穿的衣服及所配的装饰品：我是第一唔讲～个人。ŋai^{13}ʂʅ$^{53}_{44}$tʰi^{53}iet^{3} n̩$^{13}_{21}$ kɔŋ^{21}tʂʰen^{35}tʂɔk^{3} ke^{0}ɲin^{13}.｜一个人讲～啦，箇个妹子人呐，有滴咁个妹子啊读书正子个啊，架势讲～了嘞，就冇得么个蛮多心思读书了凑，欸，箇妹子人咯。讲打扮呐，讲～打扮了哇，箇妹子就唔多唔读书就读唔多进了凑，欸。iet^{3} cie^{53}in$^{13}_{21}$kɔŋ^{21}tʂʰen^{35}tʂɔk^{3} la^{0},kai$^{53}_{44}$ke$^{53}_{44}$mɔi^{53}tsɿ^{0}ɲin$^{13}_{21}$ na^{0},iəu^{35}tet^{5} kan^{21}ke^{0} mɔi^{53}tsɿ^{0} a^{0} tʰəuk^{5} ʂəu^{35}tʂaŋ^{53}tsɿ^{0} ke$^{53}_{44}$a^{0},cia^{53}ʂʅ^{53}kɔŋ^{21}tʂʰen^{35}tʂɔk^{3} liau^{0} le^{0},tsʰiəu^{53}mau$^{13}_{21}$ mak^{3} e^{0} man^{13}to$^{35}_{44}$sin$^{35}_{44}$sʅ$^{35}_{44}$tʰəuk^{5} ʂəu^{35}liau^{0} tsʰe^{0},ei$_{53}$,kai$^{53}_{44}$mɔi^{53}tsɿ^{0}ɲin^{13}ko^{0}.kɔŋ^{21}ta^{21}pan^{53}na^{0},kɔŋ^{21}tʂʰen^{35}tʂɔk^{3} ta^{21}pan^{53}niau^{0} ua^{0},kai$^{53}_{44}$mɔi^{53}tsɿ^{0} tsʰiəu$^{53}_{44}$n̩$^{13}_{21}$to$^{35}_{44}$n̩$^{13}_{21}$tʰəuk^{5} ʂəu$^{35}_{44}$tsʰiəu$^{53}_{44}$tʰəuk^{5} n̩$^{13}_{21}$to$^{35}_{44}$tsin^{53}niau^{0} tsʰe^{0},e$_{21}$.

【穿针】tʂʰuɔn^{53}tʂən^{35} 动 使线的一头通过针眼：我如今年纪大个嘞，我最怕～。看唔清哩，～是空个哩，尽来求别人家，欸。～就爱求别人家。ŋai^{13}i$^{13}_{21}$cin$^{35}_{53}$ɲien^{13}ci^{21}tʰai^{53}ke^{0} lei^{0},ŋai$^{13}_{21}$tsei^{53}pʰa$^{53}_{44}$ tʂʰuɔn$^{53}_{44}$tʂən^{35}.kʰɔn^{53}n̩$^{13}_{21}$tsʰin^{35}ni^{0},tʂʰuɔn$^{53}_{44}$tʂən^{35}ʂʅ$^{53}_{44}$kʰəŋ^{35}ke^{0} li^{0},tsʰin^{53}nɔi^{13}cʰiəu^{13}pʰiet^{5} in$^{13}_{21}$ka$^{35}_{53}$,e$_{21}$.tʂʰuɔn$^{53}_{44}$ tʂən^{35}tsiəu^{53}ɔi$^{53}_{44}$cʰiəu^{13}pʰiet^{5} in$^{13}_{21}$ka$^{35}_{53}$.

【传】tʂʰɔn^{13}/tʂʰuɔn^{13} 动 ①由一方交给另一方；递；搬：～过下子来 tʂʰɔn^{13}ko^{53}a^{0} tsɿ^{0} lɔi$^{13}_{21}$｜我箇副料哇我要～起下子箇副料。ŋai^{13}kai$^{53}_{44}$fu$^{53}_{44}$liau^{53}ua^{0} ŋai^{13}iau^{53}tʂʰuɔn^{13}çi^{21}xa^{53}tsɿ^{0} kai$^{53}_{44}$fu$^{53}_{44}$liau^{53}. ②传播：螺丝钉是落尾正～下过来。/了尾个了。了尾正有螺丝钉，以前冇得，冇得螺丝钉。lo^{13}sʅ$^{35}_{44}$ taŋ$^{35}_{44}$sʅ$^{53}_{44}$lɔk^{5} mi$^{35}_{44}$tʂaŋ^{53}tʂʰɔn^{13}xa$^{53}_{44}$ko$^{53}_{44}$lɔi$^{13}_{21}$./liau^{21}mi^{35}ke^{53}liau^{0}.liau^{21}mi^{35}tʂaŋ^{53}iəu$^{35}_{44}$lo^{13}sʅ$^{35}_{44}$taŋ^{35},i$^{35}_{44}$tsʰien^{13}mau^{13} tek^{3},mau^{13}tek^{3} lo^{13}sʅ$^{35}_{44}$taŋ$^{35}_{44}$.

【传去传转】tʂʰuɔn^{13}çi^{53}tʂʰuɔn^{13}tʂuɔn^{21} 搬来搬去：以我娭子就还有副料去横巷里放倒哇。冇哪映放，～一副料。i$^{21}_{44}$ŋai$^{13}_{21}$ɔi^{35}tsɿ^{0} tsʰiəu^{53}xai$^{13}_{21}$iəu$^{35}_{44}$fu$^{53}_{44}$liau^{53}çi$^{53}_{44}$uaŋ^{13}xɔŋ$^{53}_{44}$li^{0} fɔŋ^{53}tau^{21}ua^{0}.mau^{13}lai^{53}iaŋ^{53} fɔŋ^{53},tʂʰuɔn^{13}çi^{53}tʂʰuɔn^{13}tʂuɔn^{21}iet^{3} fu^{53}liau^{53}.

【船】ʂɔn^{13} 名 水上的主要交通工具：～蛮少，我等以个栏场冇得河，箇唔系噢，冇得大河，河水浅哩。～冇用，来唔得。ʂɔn^{13}man^{13}ʂau^{21},ŋai^{13}tien^{0} i$^{21}_{44}$ke$^{53}_{44}$laŋ$^{13}_{21}$tʂʰɔŋ$^{13}_{21}$mau^{13}tek^{3} xo^{13},kai^{53}m̩$^{13}_{21}$pʰe^{53} au^{0},mau^{13}tek^{3} tʰai^{53}xo^{13},xo^{13}ʂei^{21}tsʰien^{21}ni^{0}.ʂɔn^{13}mau^{13}iɔŋ^{53},lɔi^{13}n̩$^{13}_{44}$tek^{3}.

【椽皮】ʂɔn$^{13}_{21}$pʰi^{13} 名 椽子的一种，钉于檩上，在其上直接铺瓦。因其薄，且多用边皮料锯成，故俗称椽皮：箇个钉～个时候子你就爱注意凑，箇个细瓦子嘞安做三寸～四寸沟，咁子个，钉～咯。就放倒咁个青瓦子细瓦子，奔瓦子咯，就三寸个～四寸个沟，所以～就只爱三寸子，箇是板椽皮呀，有三寸子就有哩。kai$^{53}_{44}$ke$^{53}_{44}$taŋ^{35}ʂɔn^{13}pʰi$^{13}_{44}$ke^{0} sʅ^{13}xəu$^{53}_{44}$tsɿ^{0} ɲi^{13}tsʰiəu$^{53}_{44}$ɔi$^{53}_{44}$tʂʮ^{53}i$^{53}_{44}$tsʰe^{0}, kai$^{53}_{44}$ke$^{53}_{44}$sei^{53}ŋa^{21}tsɿ^{0} lei^{0} ɔn^{35}tso$^{53}_{44}$san^{35}tsʰən^{53}ʂɔn^{13}pʰi$^{13}_{44}$si^{53}tsʰən^{53}ciei^{35},kan^{21}tsɿ^{0} ke^{0},taŋ^{35}ʂɔn^{13}pʰi$^{13}_{21}$ko^{0}.tsiəu$^{53}_{44}$ fɔŋ^{53}tau^{21}kan^{21}ke$^{53}_{44}$tsʰiaŋ^{35}ŋa^{21}tsɿ^{0} se^{53}ŋa^{21}tsɿ^{0},tait^{5} ŋa^{21}tsɿ^{0} ko^{0},tsiəu$^{53}_{44}$san^{35}tsʰən$^{53}_{44}$ke^{0} ʂɔn^{13}pʰi$^{13}_{44}$si^{53}tsʰən^{53}ke^{0} ciei^{35},so^{21}i$^{35}_{53}$ʂɔn^{13}pʰi$^{13}_{44}$tsiəu$^{53}_{44}$tʂʅ^{21}ɔi$^{53}_{44}$san^{35}tsʰən^{53}tsɿ^{0},kai^{53}ʂʅ^{53}pan^{21}ʂɔn^{13}pʰi^{13}ia^{0},iəu$^{35}_{44}$san^{35}tsʰən^{53}tsɿ^{0} tsʰiəu$^{53}_{44}$ iəu$^{35}_{44}$li^{0}.

【椽皮钉】ʂɔn^{13}pʰi^{13}taŋ^{35} 名 固定椽子的钉子，长约一寸半：～都系寸半呶。ʂɔn^{13}pʰi^{13}taŋ^{35}təu$^{35}_{44}$ xe$^{53}_{44}$tsʰən^{53}pan^{53}nau^{0}.

【串$_1$】tʂʰen^{53} 动 由这里到那里走动：走家～户 tsei^{21}cia$^{35}_{44}$tʂʰen^{53}fu^{53}

【串$_2$】tʂʰɔn^{53} 量 用于连贯起来的东西：一～葡萄 iet^{3} tʂʰɔn^{53}pʰu$^{13}_{21}$tʰau$^{13}_{21}$｜欸，我等箇映有条我个后背有条狐狸桃。真肯结哦硬哦，年年都箇狐狸桃都一～一～。一～～个狐狸桃，真肯结。唔多大，食就还好食。就系野生个。野生个。咁大一只只子嘞，有几大。嗯。唔系院子里。我屋背，就我老家箇映，欸。我唔系话真想归去屋下做只屋嘞？我打只子棚啊，系唔系？舞滴子钢筋呐，搭兜子树哇，让门子分箇狐狸桃栽倒来。e$_{21}$,ŋai^{13}tien^{0} kai^{53}iaŋ^{53}iəu$^{35}_{44}$tʰiau$^{13}_{21}$ŋai^{13}ke^{0}

xei^{53}pɔi$^{53}_{44}$iəu$^{35}_{44}$tʰiau$^{13}_{21}$fu$^{13}_{21}$li$^{13}_{21}$tʰau^{13}.tʂən^{35}xen^{21}ciet^{3}o^{0}ɲiaŋ$^{53}_{44}$ŋo^{0}, ɲien^{13}ɲien^{13}təu^{35}kai$^{53}_{44}$fu$^{13}_{21}$li$^{13}_{21}$tʰau^{13}təu$^{35}_{44}$iet^{3} tʂʰɔn$^{53}_{44}$iet^{3}tʂʰɔn^{53}.iet^{3}tʂʰɔn^{53}tʂʰɔn^{53}ke^{0}fu$^{13}_{21}$li$^{13}_{21}$tʰau^{13},tʂən^{35}xen^{21}ciet^{3}.n̩$^{13}_{21}$to$^{35}_{44}$tʰai^{53},ʂət^{5}tsʰiəu^{53}xai$^{13}_{21}$xau^{21}ʂət^{5}. tsiəu$^{53}_{21}$xei^{53}ia^{35}saŋ$^{35}_{44}$ke^{0}.ia^{35}saŋ$^{35}_{44}$ke^{0}.kan^{21}tʰai^{53}iet^{3}tʂak^{3}tʂak^{3}tsɿ^{0}lei^{0},mau$^{13}_{21}$ci^{21}tʰai^{53}.n̩$_{21}$.m̩$^{13}_{21}$pʰei^{53}ien^{53}tsɿ^{0}li^{0}. ŋai^{13}uk^{3}pɔi^{53},tsiəu^{53}ŋai^{13}lau^{21}cia^{35}kai$^{53}_{44}$iaŋ$^{53}_{44}$,e$_{21}$.ŋai^{13}m̩$^{13}_{44}$pʰei$^{53}_{44}$ua$^{53}_{44}$tʂən^{35}siɔŋ^{21}kuei^{53}çi^{53}uk^{3}xa^{53}tso^{53}tʂak^{3}uk^{3}lei^{0}? ŋai^{13}ta^{21}tʂak^{3}tsɿ^{0}pʰɔŋ^{13}ŋa^{0},xei^{53}me^{53}?u^{21}tiet^{5}tsɿ^{0}kɔŋ^{35}cin$^{35}_{44}$na^{0},tait^{3}təu$^{35}_{44}$tsɿ^{0}ʂu^{53}ua^{0}, ɲiɔŋ^{53}mən^{0}tsɿ^{0}pɔn^{35}kai$^{53}_{44}$ fu$^{13}_{21}$li$^{13}_{21}$tʰau^{13}tsɔi^{53}tau^{21}lɔi$^{13}_{21}$.

【串串子$_1$】tʂʰɔn^{53}tʂʰɔn^{53}tsɿ^{0} 名连贯起来的东西：欸有箇个结咁个～个箇起就榆树。ei$_{21}$iəu^{35}kai^{53}ke$^{53}_{44}$ciet^{3}kan^{21}ke$^{53}_{44}$tʂʰɔn$^{53}_{44}$tʂʰɔn^{53}tsɿ^{0}ke$^{53}_{44}$kai$^{53}_{44}$çi^{21}tsʰiəu$^{53}_{44}$ɥ^{13}ʂəu^{53}.

【串串子$_2$】tʂʰɔn^{53}tʂʰɔn^{53}tsɿ^{0} 量用于连贯起来的东西：浏阳箇有条街呀以前唔系结倒一～个钱样啊？liəu^{13}iɔŋ^{13}kai^{53}iəu^{35}tʰiau$^{13}_{21}$kai^{35}ia^{0}i^{35}tsʰien$^{13}_{21}$m̩$^{13}_{21}$pʰe$_{44}$(←xe^{53})ciet^{3}tau$^{21}_{44}$iet^{3}tʂʰɔn^{53}tʂʰɔn^{53}tsɿ^{0}ke$^{53}_{44}$tsʰien^{13}iɔŋ$^{53}_{44}$ŋa^{0}?

【篡】tʂʰɔn^{53} 动擀（面）。又称“滚”：又安做～，安做～薄来。～起掀薄子。安做～。～皮子唠安做唠。～饺子皮哟。iəu$^{53}_{44}$ɔn$^{53}_{44}$tso$^{53}_{44}$tʂʰɔn^{53},ɔn$^{53}_{44}$tso$^{53}_{44}$tʂʰɔn^{53}pʰɔk^{5}lɔi$^{13}_{21}$.tʂʰɔn^{53}çi$^{21}_{44}$ʂen^{35}pʰɔk^{5}tsɿ^{0}.ɔn$^{35}_{44}$tso$^{53}_{44}$tʂʰɔn^{53}.tʂʰɔn^{53}pʰi^{13}tsɿ^{0}lau^{0}ɔn$^{53}_{44}$tso^{53}lau^{0}.tʂʰɔn^{53}ciau^{21}tsɿ^{0}pʰi^{13}iau^{0}.

【疮】tsʰɔŋ^{35} 名皮肤或黏膜上发生肿烂溃疡的疾病：生～ saŋ^{35}tsʰɔŋ^{35}｜发只～啊发只疤，欸，敷滴子药去，安做散药。fait^{3}tʂak^{3}tsʰɔŋ^{35}ŋa^{0}fait^{3}tʂak^{3}pa^{35},e$_{21}$,fu^{35}tiet^{5}tsɿ^{0}iɔk$^{5}_{3}$çi$^{53}_{44}$,ɔn$^{53}_{44}$tso$^{53}_{44}$san^{53}iɔk^{5}.

【窗帘】tsʰəŋ^{35}/tsʰɔŋ^{35}lian^{13} 名挂在窗上，用来遮蔽光线或视线的布幔。也称“窗帘子”：我仙姑路个箇只我个～呐十几年了，我爱下斢嘿去了。蛮妁了，蛮□了。我爱分箇～子斢嘿去了。ŋai^{13}sien$^{35}_{44}$ku$^{35}_{44}$lu$^{53}_{44}$ke^{0}kai^{53}tʂak^{3}ŋai^{13}ke^{53}tsʰɔŋ^{35}lian$^{13}_{44}$na^{0}ʂət^{5}ci^{21}ɲien^{13}liau^{0},ŋai^{13}ɔi^{53}xa^{53}tʰiau^{21}xek^{3}çi^{53}liau^{0}.man^{13}ʂo^{13}liau^{0},man^{13}lɔi^{53}liau^{0}.ŋai^{13}ɔi$^{53}_{44}$pən^{35}kai$^{53}_{44}$tsʰɔŋ^{35}lian$^{13}_{21}$tsɿ^{0}tʰiau^{21}xek^{3}çi^{53}liau^{0}.

【窗台】tsʰɔŋ^{35}tʰɔi^{13} 名托着窗框的平面部分：我妹子箇子～就更进深更长啊。箇映就可以畜滴子渠分箇个兰花箇只都栽呀放下箇光窗上啊。ŋai^{13}mɔi^{53}tsɿ^{0}kai$^{53}_{44}$tsɿ^{0}tsʰɔŋ^{35}tʰɔi$^{13}_{21}$tsʰiəu$^{53}_{44}$cien$^{53}_{44}$tsin^{53}ʂən$^{35}_{44}$cien^{53}tʂʰɔŋ^{13}ŋa^{0}.kai$^{53}_{44}$iaŋ$^{53}_{44}$tsʰiəu^{53}kʰo^{21}i^{35}çiəuk^{3}tet^{5}tsɿ^{0}ci$^{13}_{21}$pən$^{35}_{44}$kai$^{53}_{44}$ke^{0}lan^{13}fa$^{35}_{44}$kai$^{53}_{44}$tʂak^{3}təu$^{35}_{44}$tsɔi$^{35}_{44}$ia^{0}fɔŋ^{53}xa$^{53}_{44}$kai$^{53}_{44}$kɔŋ$^{35}_{44}$tsʰəŋ$^{35}_{44}$xɔŋ^{53}ŋa^{0}.

【床$_1$】tsʰɔŋ^{13} 名供人躺在上面睡觉的家具：所以从前个～嘞，以前个箇起么个架子床，欸，荡耙床，猪笼床，都箇从前个～冇得几阔个嘞。四尺阔都，三尺六就系蛮阔个～欸。四尺阔是硬唔知几阔个～了嘞。如今四尺阔是还冇得一米吵，系唔系？一米系四尺五吵。搞……为什么箇起就有咁阔子有哩嘞？唔比得如今个床，如今个床渠如映子边上有边，有得边嘞，所以渠个被窝容易跌下来。从前个是，四周严稳哩，就有咁阔子总够哩。so^{21}i$^{35}_{44}$tsʰɔŋ^{13}tsʰien^{13}ke^{53}tsʰɔŋ^{13}le^{0},i$^{35}_{44}$tsʰien$^{13}_{21}$ke$^{53}_{44}$kai^{53}çi^{21}mak^{3}e^{0}ka^{53}tsɿ^{0}tsʰɔŋ^{13},e$_{21}$,tʰɔŋ^{53}pʰa$^{13}_{21}$tsʰɔŋ^{13},tʂəu^{35}tei$^{35}_{44}$tsʰɔŋ^{13},təu$^{35}_{21}$kai^{53}tsʰəŋ$^{13}_{21}$tsʰien$^{13}_{21}$ke^{53}tsʰɔŋ$^{13}_{44}$mau^{13}tek^{3}ci^{21}kʰɔit^{3}ke^{53}lei^{0}.si^{53}tʂʰak^{3}kʰɔit^{3}təu$^{35}_{44}$,san^{35}tʂʰak^{3}liəuk^{3}tsʰiəu^{53}xe^{53}man^{13}kʰɔit^{3}ke^{53}tsʰɔŋ$^{13}_{44}$ŋei^{0}.si^{53}tʂʰak^{3}kʰɔit^{3}ʂɿ$^{53}_{44}$ɲiaŋ^{53}n̩^{13}ti$^{35}_{53}$ci^{21}kʰɔit^{3}cie^{53}tsʰɔŋ$^{13}_{21}$liau^{0}lei^{0}.i$^{13}_{21}$cin$^{35}_{44}$si^{53}tʂʰak^{3}kʰɔit^{3}ʂɿ$^{53}_{44}$xai$^{13}_{44}$mau$^{13}_{44}$tek^{3}iet^{3}min^{21}(←mi^{21})ʂa^{0},xei$^{53}_{44}$me$^{53}_{44}$?iet^{3}min^{21}(←mi^{21})xe$^{53}_{44}$si^{53}tʂʰak^{3}ŋ̍^{21}ʂa^{0}.kau^{21}u…uei^{53}ʂən$_{21}$mo^{0}kai^{53}çi^{21}tsʰəu$^{53}_{44}$iəu$^{35}_{53}$kan^{21}kʰɔit^{3}tsɿ^{0}iəu^{35}li^{0}lei^{0}?n̩^{13}pi^{21}tek^{3}i$^{13}_{21}$cin$^{35}_{44}$ke^{53}tsʰɔŋ$^{13}_{21}$,i$^{13}_{21}$cin$^{35}_{44}$ke^{53}tsʰɔŋ$^{13}_{21}$ci$^{13}_{44}$i$^{13}_{21}$iaŋ$^{53}_{44}$tsɿ^{0}pien$^{35}_{44}$xɔŋ$^{53}_{44}$mau^{13}pien^{35},mau^{13}tek^{3}pien^{35}nei^{0},so$^{21}_{44}$i$^{35}_{44}$ci$^{13}_{44}$ke$^{53}_{44}$pʰi^{35}pʰo$^{35}_{44}$iɔŋ$^{13}_{21}$i$^{53}_{44}$tet^{3}xa$^{53}_{44}$lɔi$^{13}_{21}$.tsʰɔŋ^{13}tsʰien^{13}ke^{53}ʂɿ$^{53}_{44}$,si^{53}tʂəu$^{35}_{44}$ɲan^{13}uən^{21}ni^{0},tsʰiəu$^{53}_{44}$iəu$^{35}_{53}$kan^{21}kʰɔit$^{3}_{5}$tsɿ^{0}tsəŋ^{21}ciei^{53}li^{0}.

【床$_2$】tsʰɔŋ^{13} 量用于被褥、席子、被子、毯子、褥子等床上用品及晒簟等：铺～被窝棉絮 pʰu^{35}tsʰɔŋ$^{13}_{21}$pʰi^{35}pʰo$^{35}_{44}$mien^{13}si^{53}｜有滴人，有钱，用～毯子啊，蒙稳（棺材）呢。iəu^{35}tet^{5}ɲin$^{13}_{21}$,iəu$^{35}_{44}$tsʰien$^{13}_{21}$,iəŋ^{53}tsʰɔŋ$^{13}_{21}$tʰan^{21}tsɿ^{0}a^{0},maŋ^{35}uən^{21}ne^{0}.｜打～席 ta^{21}tsʰɔŋ^{13}tsʰiak$^{5}_{3}$｜舞～晒簟呐，箇谷就晒下晒簟肚里。u^{21}tsʰɔŋ^{13}sai^{53}tʰian$^{53}_{44}$na^{0},kai$^{53}_{44}$kuk^{3}tsʰiəu$^{53}_{44}$sai$^{53}_{44}$xa$^{53}_{35}$sai^{53}tʰian$^{53}_{44}$təu^{21}li^{0}.

【床笪篾】tsʰɔŋ^{13}tait^{3}miet^{5} 名用粗竹篾编成的床垫：箇阵子我等学堂里个学生床都底下冇得铺板喏，尽用～，欸，学生子自家爱带捆～来。但是唔放秆凑。箇有兜学生子个床是又冇得棉絮垫，箇是箇～你晓得箇篾箦又唔系几平子。箇唔知让门睡得呀箇个学生。席是会带一床嘞。kai^{53}tʂʰən^{53}tsɿ^{0}ŋai$^{13}_{21}$tien^{0}xɔk^{5}tʰɔŋ$^{13}_{21}$li^{0}ke^{0}xɔk^{5}saŋ$^{35}_{44}$tsʰɔŋ$^{13}_{21}$təu$^{35}_{44}$tei^{21}xa^{53}mau$^{13}_{21}$tek^{3}pʰu^{35}pan^{21}no^{0},tsʰin^{53}iəŋ$^{53}_{44}$tsʰɔŋ^{13}tait^{3}miet^{5},e$_{21}$,xɔk^{5}saŋ$^{35}_{44}$tsɿ^{0}tsʰɿ^{53}ka$^{35}_{44}$ɔi^{53}tai^{53}kʰuən^{21}tsʰɔŋ^{13}tait^{3}miet^{5}lɔi$^{13}_{21}$.tan^{53}ʂɿ^{53}n̩^{13}fɔŋ^{53}kɔn^{21}tsʰe^{0}. kai$^{53}_{44}$iəu^{35}te$^{35}_{53}$xɔk^{5}saŋ$^{35}_{44}$tsɿ^{0}ke^{53}tsʰɔŋ$^{13}_{44}$ʂɿ$^{53}_{44}$iəu^{53}mau$^{13}_{21}$tek^{3}mien^{13}si^{53}tʰian^{53},kai$^{53}_{44}$ʂɿ^{53}kai^{53}tsʰɔŋ^{13}tait^{3}miet^{5}ɲi$^{13}_{21}$çiau^{21}tek^{3}kai$^{53}_{44}$miet^{5}sak^{3}iəu^{53}m̩$^{13}_{21}$pʰei^{53}ci^{21}pʰiaŋ^{13}tsɿ^{0}.kai^{53}n̩$^{13}_{21}$ti$^{35}_{44}$ɲiɔŋ$^{53}_{44}$mən$^{13}_{44}$ʂɔi^{53}tek^{3}ia^{0}kai$^{53}_{44}$ke$^{53}_{44}$xɔk^{5}saŋ$^{35}_{44}$. tsʰiak^{5}ʂɿ$^{53}_{44}$uɔi$^{53}_{44}$tai^{53}iet^{3}tsʰɔŋ$^{13}_{21}$le^{0}.

【床秆】ts^{h}ɔŋ^{13}kɔŋ^{21} 名用来铺床的稻草：年年到哩秋天呢，打哩禾以后嘞，就爱纂几只子欸搞兜子留正兜～，留正兜子～。～留哪映个嘞？嗯，干爽兜子个栏场，箇田里干爽兜子个，𫜏多过虫个，箇秆呐𫜏多过虫个，色……就系新色滴子个，箇个秆做～。纂倒渠两十只秆来，安做纂秆。ɲien^{13}ɲien^{13}tau^{53}li^{0} ts^{h}iəu^{35}t^{h}ien$^{35}_{44}$nei^{0},ta^{21}li^{0} uo^{13}i^{35}xei$^{53}_{44}$lei^{0},ts^{h}iəu$^{53}_{44}$ɔi^{53}tsɔn^{21}ci^{21}tʂak^{3} tsɿ^{0} e$_{21}$kau^{21} te$^{35}_{53}$tsɿ^{0} liəu^{13}tʂaŋ^{53}te$^{35}_{53}$ts^{h}ɔŋ^{13}kɔŋ^{21},liəu^{13}tʂaŋ^{53}te$^{35}_{53}$tsɿ^{0} ts^{h}ɔŋ^{13}kɔŋ^{21}.ts^{h}ɔŋ^{13}kɔŋ^{21}liəu^{13}la^{53}iaŋ$^{53}_{44}$ke$^{53}_{44}$lei^{0} ?n̩$_{21}$,kɔn^{35} sɔŋ^{21}te$^{35}_{53}$tsɿ^{0} ke^{53}laŋ$^{13}_{21}$tʂ^{h}ɔŋ$^{13}_{21}$,kai^{53}t^{h}ien^{13}ni^{0} kɔn^{35}sɔŋ^{21}te$^{35}_{53}$tsɿ^{0} ke$^{53}_{44}$,maŋ^{13}to$^{35}_{44}$ko^{53}tʂ^{h}əŋ^{13}ke^{53},kai^{53}kɔn^{21}na^{0} maŋ^{13} to$^{35}_{53}$ko^{53}tʂ^{h}əŋ^{13}ke^{53},sek^{3} ⋯ts^{h}iəu^{53}xei^{53}sin^{35}sek^{3} tiet^{5} tsɿ^{0} ke$^{53}_{44}$,kai^{53}ke^{53}kɔn^{21}tso^{53}ts^{h}ɔŋ^{13}kɔn^{21}.tsɔn^{21}tau^{21}ci$^{13}_{21}$iɔŋ^{21} ʂət^{5} tʂak^{3} kɔn^{21}nɔi$^{13}_{44}$,ɔn$^{35}_{44}$tso^{53}tsɔn^{21}kɔn^{21}.

【床横子】ts^{h}ɔŋ^{13}uaŋ^{53}tsɿ^{0} 名承载铺板的木方：～有五条四条个。一般都五条。我箇到看下子箇张床啊，哎呀，真妁，只有四条～，硬吓死人。咁子～硬系姜筋样，安做姜筋样啊，滴伢大子，咁阔子一条。床也唔宽呶。ts^{h}ɔŋ^{13}uaŋ$^{53}_{44}$tsɿ^{0} iəu^{35}ŋ̍^{21}t^{h}iau^{13}si^{53}t^{h}iau$^{13}_{21}$kei^{0}.iet^{3} pɔn$^{35}_{44}$təu$^{35}_{53}$ŋ̍^{21}t^{h}iau^{13}.ŋai^{13}kai$^{53}_{44}$tau$^{53}_{44}$k^{h}ɔn^{53}na$^{53}_{44}$tsɿ^{0} kai$^{53}_{44}$tʂɔŋ$^{35}_{44}$ts^{h}ɔŋ$^{13}_{44}$ŋa^{0},ai$_{35}$ia^{0},tʂən^{35}ʂo^{13},tʂɿ^{21}iəu$^{35}_{44}$si^{53}t^{h}iau$^{13}_{21}$ts^{h}ɔŋ^{13}uaŋ^{53}tsɿ^{0}, ɲiaŋ$^{53}_{44}$ xak^{3} si^{21}ɲin^{13}.kan^{21}tsɿ^{0}ts^{h}ɔŋ^{13}uaŋ^{53}tsɿ^{0}ɲiaŋ$^{53}_{44}$xei$^{53}_{44}$ciɔŋ^{35}cin$^{35}_{44}$iɔŋ$^{53}_{44}$,ɔn$^{35}_{44}$tso$^{53}_{44}$ciɔŋ^{35}cin$^{35}_{44}$iɔŋ$^{53}_{44}$ŋa^{0},tiet^{5} ŋa$^{13}_{44}$t^{h}ai^{53}tsɿ^{0}, kan$^{21}_{13}$k^{h}ɔit^{3} tsɿ^{0} iet^{3} t^{h}iau^{13}.ts^{h}ɔŋ^{13}ia$^{35}_{53}$n̩$^{13}_{21}$k^{h}ɔn^{35}nau^{0}.

【床板】ts^{h}ɔŋ^{13}pan^{21} 名搭床用的板子：弹簧床嘞底下就底下箇个底下箇开头讲个欸安做么个，安做～嘞。渠个～就用弹簧。t^{h}an^{13}fɔŋ$^{13}_{21}$ts^{h}ɔŋ^{13}lei^{0} te^{21}xa^{53}ts^{h}iəu^{53}te^{21}xa$^{53}_{44}$kai^{53}kei$^{53}_{44}$te^{21}xa$^{53}_{44}$kai^{53}k^{h}ɔi^{35}t^{h}ei$^{13}_{44}$ kɔŋ^{21}ke$^{53}_{44}$e$_{21}$ɔn$^{35}_{44}$tso$^{53}_{44}$mak^{3} ke$^{53}_{44}$,ɔn^{35}tso^{53}ts^{h}ɔŋ^{13}pan^{21}ne^{0} .ci^{13}ke^{53}ts^{h}ɔŋ^{13}pan^{21}ts^{h}iəu$^{53}_{44}$iəŋ^{53}t^{h}an^{13}fɔŋ$^{13}_{44}$.

【床刀】ts^{h}ɔŋ^{13}tau^{35} 名床刀板的简称：～是只有咁阔子。ts^{h}ɔŋ^{13}tau^{35}ʂɿ$^{53}_{44}$tʂɿ^{21}iəu$^{35}_{53}$kan^{21}k^{h}ɔit^{3} tsɿ^{0}.

【床刀板】ts^{h}ɔŋ^{13}tau^{35}pan^{21} 名床沿的木方：渠个就面前个～底下嘞本来是空个吵。ci$^{13}_{21}$ke^{53}tsəu^{0} mien^{53}ts^{h}ien$^{13}_{21}$ke$^{53}_{44}$ts^{h}ɔŋ^{13}tau^{35}pan^{21}te^{21}xa$^{53}_{44}$lei^{0} pən^{21}lɔi^{13}ʂɿ$^{53}_{44}$k^{h}əŋ^{35}ke^{53}ʂa^{0}.

【床底下】ts^{h}ɔŋ^{13}te^{21}xa^{35} 床底：我等以前系啊横巷里个时候子，箇有一回呀，～好像一堆屎，拿倒么个拿倒棍子去摝下子，一条蛇呼射上就搞下来呀，硬吓尽哩命。～箇个十分潮湿嘞，有蛇。乌梢蛇。么个几恶子个冇得。乌梢蛇。ŋai^{13}tien^{0} i^{35}ts^{h}ien$^{13}_{21}$xei$^{53}_{44}$(x)a$^{53}_{44}$e$_{21}$uaŋ^{13}xɔŋ$^{53}_{44}$li^{0} ke$^{53}_{44}$ʂɿ$^{13}_{44}$ xei^{53}tsɿ^{0},kai^{53}iəu^{35}iet^{3} fei$^{13}_{21}$ia^{0},ts^{h}ɔŋ^{13}tei^{21}xa$^{53}_{44}$xau^{21}ts^{h}iɔŋ$^{53}_{44}$iet^{3} tɔi$^{35}_{44}$ʂɿ^{21},lak^{5} tau$^{21}_{44}$mak^{3} e^{0} lak^{5} tau$^{21}_{44}$kuən^{53}tsɿ^{0} çi^{53} ləuk^{3} (x)a^{53}tsɿ^{0},iet^{3} t^{h}iau$^{13}_{21}$ʂa^{13}fu^{53}ʂa^{53}xɔŋ$^{53}_{44}$ts^{h}iəu$^{53}_{44}$kau^{21}ua$_{44}$(←xa^{53})lɔi^{13}ia^{0},niaŋ$^{53}_{44}$xak^{3} ts^{h}in^{53}ni^{0} miaŋ^{53}.ts^{h}ɔŋ^{13} te^{21}xa^{35}kai$^{53}_{44}$ke$^{53}_{44}$ʂət^{5} fən$^{35}_{53}$tʂ^{h}au^{13}ʂət^{3} le^{0},iəu^{35}ʂa^{13}.u^{35}sau$^{35}_{44}$ʂa$^{13}_{21}$.mak^{3} e^{0} ci^{21}ɔk^{3} tsɿ^{0} ke^{0} mau$^{13}_{21}$tek^{3} .u^{35}sau$^{35}_{44}$ʂa$^{13}_{21}$.

【床地下】ts^{h}ɔŋ^{13}t^{h}i$^{53}_{44}$xa^{35} 床下的地上：有只么个歇后语，"～打斧头，碍上碍下"。iəu^{35}tʂak^{3} mak^{3} ke$^{53}_{44}$çiet^{5} xei^{53}ɲy^{21},"ts^{h}ɔŋ^{13}t^{h}i^{53}xa^{35}ta^{21}pu^{21}t^{h}ei^{13},ŋai^{53}ʂɔŋ$^{53}_{44}$ŋai^{53}xa^{35}".

【床架子】ts^{h}ɔŋ^{13}ka^{53}tsɿ^{0} 名床上方用来挂蚊帐的支架：～是指是指箇个挂帐子箇栏场箇只架架。～指顶高箇部分。欸，有有～就有滴就呃我等就做过个箇张床是就有花板呶。ts^{h}ɔŋ^{13}ka^{53} tsɿ^{0} ʂɿ$^{53}_{44}$tʂɿ^{21}ʂɿ$^{53}_{44}$tʂɿ^{21}kai$^{53}_{44}$ke$^{53}_{44}$kua^{53}tʂɔŋ^{53}tsɿ^{0} ke^{53}laŋ$^{13}_{21}$tʂ^{h}ɔŋ$^{13}_{44}$kai^{53}tʂak^{3} ka^{53}ka$^{53}_{44}$.ts^{h}ɔŋ^{13}ka^{53}tsɿ^{0} tʂɿ^{21}taŋ^{21}kau^{35}kai$^{53}_{44}$ p^{h}u$^{53}_{44}$fən$^{53}_{44}$.ei$_{21}$,iəu$^{35}_{44}$iəu$^{35}_{44}$ts^{h}ɔŋ^{13}ka^{53}tsɿ^{0} ts^{h}iəu$^{53}_{44}$iəu^{35}tet^{5} ts^{h}iəu$^{53}_{44}$ə$_{44}$ŋai^{13}tien^{0} ts^{h}iəu^{53}tso^{53}ko^{53}ke^{0} kai$^{53}_{44}$tʂɔŋ$^{35}_{44}$ts^{h}ɔŋ$^{13}_{21}$ ʂɿ$^{53}_{44}$ts^{h}iəu^{53}iəu$^{35}_{44}$fa^{35}pan^{21}nau^{0}.

【床脚】ts^{h}ɔŋ^{13}ciɔk^{3} 名床下部的支撑柱：有两起～呢，我晓得嘞。有两起，欸，一起鼓架脚，一起马蹄脚。iəu^{35}iɔŋ^{21}çi^{21}ts^{h}ɔŋ^{13}ciɔk^{3} nei^{0},ŋai^{13}çiau^{21}tek^{3} lei^{0} .iəu^{35}iɔŋ^{21}çi^{21},e$_{21}$,iet^{3} çi^{21}ku^{21}ka^{53}ciɔk^{3},iet^{3} çi^{21} ma^{35}t^{h}e^{13}ciɔk^{3}.

【床头】ts^{h}ɔŋ^{13}t^{h}ei^{13} 名床的两端：两头呀如个～嘞，渠如映子中间打只眼，插条棍。iɔŋ^{21}t^{h}ei^{13} ia^{0} i$^{13}_{21}$ke^{53}ts^{h}ɔŋ^{13}t^{h}ei^{13}lei^{0} ,ci^{13}i$^{13}_{21}$iaŋ^{53}tsɿ^{0} tʂəŋ$^{35}_{44}$kan$^{35}_{44}$ta^{21}tʂak^{3} ŋan^{21},ts^{h}ait^{3} t^{h}iau^{13}kuən^{53}.

【床头板】ts^{h}ɔŋ^{13}t^{h}ei^{13}pan^{21} 名床两头的挡板：～是有三块嘞～呢。因为一头一块，后背还有块，哦，箇块是背板去哩。只有两块，一边一块，～。ts^{h}ɔŋ^{13}t^{h}ei$^{13}_{44}$pan^{21}ʂɿ$^{53}_{44}$iəu^{35}san^{35}k^{h}uai^{53}le^{0} ts^{h}ɔŋ^{13} t^{h}ei$^{13}_{44}$pan^{21}ne^{0} .in^{35}uei$^{53}_{44}$iet^{3} t^{h}ei$^{13}_{21}$iet^{3} k^{h}uai^{53},xei^{53}pɔi$^{53}_{44}$xai^{13}iəu$^{35}_{44}$k^{h}uai^{53},o$_{53}$,kai^{53}k^{h}uai^{53}ʂɿ$^{53}_{44}$pɔi^{53}pan^{21}çi^{53}li^{0} .tʂɿ^{21} iəu$^{35}_{53}$iɔŋ^{21}k^{h}uai^{53},iet^{3} pien^{35}iet^{3} k^{h}uai^{53},ts^{h}ɔŋ^{13}t^{h}ei^{13}pan^{21}.

【床头镜】ts^{h}ɔŋ^{13}t^{h}ei^{13}ciaŋ^{53} 名嵌在花板床上的镜子：～，箇是有滴人个花板床啊嵌面镜子去嘞。花板床上个花板上啊，舞滴子咁大子个镜子放倒去嘞。嵌面子镜子。ts^{h}ɔŋ^{13}t^{h}ei^{13}ciaŋ^{53},kai$^{53}_{44}$ʂɿ$^{53}_{44}$ iəu^{35}tet^{5} ɲin$^{13}_{44}$ke$^{53}_{44}$fa^{35}pan^{21}ts^{h}ɔŋ^{13}xɔŋ$^{53}_{44}$ŋa$_{44}$(←a^{35})xan^{53}mien$^{53}_{44}$ciaŋ^{53}tsɿ^{0} çi^{53}lei^{0} .fa^{35}pan^{21}ts^{h}ɔŋ$^{13}_{21}$xɔŋ$^{53}_{44}$ke$^{53}_{44}$fa^{35} pan^{21}xɔŋ$^{53}_{44}$ŋa^{0},u^{21}tiet^{5} tsɿ^{0} kan$^{21}_{35}$t^{h}ai$^{53}_{44}$tsɿ^{0} ke$^{53}_{44}$ciaŋ^{53}tsɿ^{0} fɔŋ$^{53}_{44}$tau$^{21}_{44}$çi$^{53}_{44}$lei^{0} .xan$^{53}_{44}$mien$^{53}_{44}$tsɿ^{0} ciaŋ^{53}tsɿ^{0}.

【床头桌子】ts^{h}ɔŋ^{13}t^{h}ei^{13}tsɔk^{3} tsɿ^{0} 名放在床面前的小方桌：～摎床头柜是系一只概念。一只概念个。只系床头柜嘞就底下可以放兜子东西。～也有几大个东西。渠就……～就冇得柜子凑。

正好上背放下子咁个么个眼镜箇只咁个东西放下子啊。就系同箇一张小方桌子样。就一张子细桌子。tsʰɔŋ^{13}tʰei$^{13}_{44}$tsɔk^{3} tsɿ^{0} lau$^{35}_{53}$tsʰɔŋ$^{13}_{21}$tʰei$^{13}_{44}$kʰuei^{53} ʂʅ$^{53}_{44}$xei^{53}iet^{3} tʂak^{3} kʰai^{53}ɲien^{53}.iet^{3} tʂak^{3} kʰai^{53}ɲien$^{53}_{44}$ke^{0}.tʂʅ^{21}xe^{53}tsʰɔŋ$^{13}_{21}$tʰei$^{13}_{44}$kʰuei^{53}lei^{0} tsʰiəu$^{53}_{44}$te^{21}xa^{53}kʰo^{21}i$^{35}_{44}$fɔŋ^{53}təu$^{35}_{53}$tsɿ^{0} təŋ$^{35}_{44}$si^{0}.tsʰɔŋ$^{13}_{21}$tʰei$^{13}_{44}$tsɔk^{3} tsɿ^{0} ia^{35}mau$^{13}_{21}$ci^{21} tʰai$^{53}_{44}$ke^{0} təŋ$^{35}_{44}$si^{0}.ci^{13}tsʰiəu^{53}mə…tsʰɔŋ^{13}tʰei$^{13}_{44}$tsɔk^{3} tsɿ^{0} tsiəu^{53}mau^{13}tek^{3} kʰuei^{53}tsɿ^{0} tsʰe^{0}.tʂaŋ$^{53}_{21}$xau^{21}ʂɔŋ^{53}pɔi$^{53}_{44}$ fɔŋ^{53}ŋa$^{53}_{44}$tsɿ^{0} kan^{21}ke^{0} mak^{3} ke$^{53}_{44}$ŋan^{21}ciaŋ$^{53}_{44}$kai$^{53}_{44}$tʂak^{3} kan^{21}ke^{0} təŋ$^{35}_{44}$si^{0} fɔŋ^{53}ŋa$^{53}_{44}$tsa^{0}.tsʰiəu^{53}xei$^{53}_{44}$tʰəŋ$^{13}_{21}$kai$^{53}_{44}$iet^{3} tʂɔŋ^{35}siau^{21}fɔŋ^{35}tsɔk^{3} tsɿ^{0} iɔŋ^{53}.tsʰiəu^{53}iet^{3} tʂɔŋ$^{35}_{44}$tsɿ^{0} se^{53}tsɔk^{3} tsɿ^{0}.

【吹$_{1}$】tʂʰei^{35} [动]①合拢嘴唇用力出气：就去~气个。爱分气送进去个。tsʰiəu$^{53}_{44}$çi$^{53}_{44}$tʂʰei^{35}çi^{53} ke$^{53}_{44}$.ɔi$^{53}_{44}$pən^{35}çi^{53}sən^{53}tsin^{53}cʰi$^{53}_{44}$ke$^{53}_{44}$. ②吹气使发出声响；吹奏乐器：~口哨 tʂʰei^{35}kʰei^{21}sau^{53} | ~哨子 tʂʰei$^{35}_{44}$sau^{53}tsɿ^{0} | 人老学~笛指唢呐，~起眼白白。ɲin^{13}nau^{21}xɔk^{5}tʂʰei$^{35}_{44}$tʰak^{5},tʂʰei^{35}çi^{21}ŋan^{21}pʰak^{5} pʰak^{5}. | ~箫子就用箇只（鸡嫲竹）。tʂʰei^{35}siau^{35}tsɿ^{0} tsʰiəu$^{53}_{44}$iəŋ$^{53}_{44}$kai^{53}tʂak^{3}. ③（风）流动；刮动：~一阵风 tʂʰei^{35}iet^{3}tʂʰən^{53}fɔŋ^{35} | 舞只茶缸子轧稳下子箇张纸，莫~嘿哩。u^{21}tʂak^{3} tsʰa^{13}kɔŋ$^{35}_{44}$ tsɿ^{0} tsak^{3} uən^{21}na^{53}(←xa^{53})tsɿ^{0} kai$^{53}_{21}$tʂɔŋ$^{35}_{44}$tʂʅ^{21},mɔk^{5} tʂʰei^{35}(x)ek^{3} li^{0}. ④聊天：唔知搞么个舞倒哪到舞倒我（做陪东）？就我更会讲啊，我会~呀。n̩^{13}ti$^{35}_{53}$kau^{21}mak^{3} ke^{53}u^{21}tau^{21}lai^{53}tau$^{53}_{44}$u^{21}tau^{21}ŋai$^{13}_{21}$?tsʰiəu$^{53}_{44}$ ŋai^{13}cien^{53}uɔi^{53}kɔŋ^{21}ŋa^{0},ŋai^{13}uɔi^{53}tʂʰei^{35}ia^{0}.

【吹$_{2}$】tʂʰei^{35} [名]代指吹鼓手：一流举子二流医，三流风水四流推指八字先生，五琴棋，六书画，七僧八道九流~。iet^{3} liəu^{13}ci^{21}tsɿ^{0} ɲi^{53}liəu^{13}i^{35},san^{35}liəu^{13}fɔŋ^{35}ʂei^{21}si^{53}liəu^{13}tʰi^{35},ŋ̍^{21}cʰin^{13}cʰi^{13},liəuk^{3} ʂəu^{35} fa^{53},tsʰiet^{3} sien^{35}pait^{3} tʰau^{53}ciəu^{21}liəu^{13}tʂʰei^{35}.

【吹吹打打】tʂʰei^{35}tʂʰei$^{35}_{44}$ta^{21}ta^{21} 用管乐器和打击乐器演奏：渠就分四个子人就做道场，剩下滴分四个子人呢就专门同你~。用唢呐，用二胡，用笛子，锣鼓，咁子搞，~。就舞丧事，丧事冷冷蓬蓬，丧事，办丧事冰冷个，就热闹下子。ci$^{13}_{21}$tsʰiəu$^{53}_{44}$pən^{35}si^{53}ke^{53}tsɿ^{0} ɲin^{13}tsʰiəu$^{53}_{44}$tso^{53}tʰau^{53} tʂʰɔŋ^{13},ʂən^{53}çia^{53}tet^{3} pən^{35}si^{53}ke^{53}tsɿ^{0} ɲin^{13}ne^{0} tsʰiəu$^{53}_{44}$tʂen^{35}mən$^{13}_{21}$tʰəŋ$^{13}_{21}$ɲi$^{13}_{21}$tʂʰei^{35}tʂʰei$^{35}_{44}$ta^{21}ta^{21}.iəŋ^{53}so^{21}la^{0},iəŋ$^{53}_{44}$ ɲi^{53}fu^{13},iəŋ$^{53}_{44}$tʰiet^{5} tsɿ^{0},lo^{13}ku^{21},kan^{21}tsɿ^{0} kau^{21},tʂʰei^{35}tʂʰei$^{35}_{44}$ta^{21}ta^{21}.tsʰiəu$^{53}_{44}$u^{21}sɔŋ$^{53}_{21}$sɿ$^{53}_{44}$,sɔŋ$^{53}_{21}$sɿ$^{53}_{44}$laŋ^{35}laŋ$^{35}_{44}$pʰaŋ$^{13}_{21}$ pʰaŋ^{13},sɔŋ$^{53}_{21}$sɿ$^{53}_{21}$,pʰan$^{53}_{44}$sɔŋ$^{53}_{44}$sɿ$^{53}_{21}$pin^{35}naŋ^{35}ke^{53},tsʰiəu$^{53}_{44}$ɲiet^{5} lau^{53}a^{0} tsɿ^{0}.

【吹打】tʂʰei^{35}ta^{21} [动]吹奏、敲击各种乐器：我箇只外家侄嘞，阿舅子个赖子啊，渠讨只老婆嘞黄茅个，江西个，两个人谈倒蛮好了。以下嘞，渠箇向唔多同意，女方个家长啊唔多同意，就抚渠。抚渠么个东西嘞？第一只抚渠，渠话渠江西人呢，渠江西卖妹子嘞爱喊~，呣，爱吹唢呐。箇我就话，我话咁个，嗯，你等人卖妹子嘞，你等以向规矩嘞规矩就系爱搞~，爱搞像下子，我理解你。别人家卖妹子都搞~，你卖妹子就唔搞~？系唔系？欸，我理解你。但是我等箇边就唔搞~啦，我话嘞，我等箇你系话吹吹打打搞下我箇向来是，箇就有兜人是还话是一只么个路子去哩哦，系唔系啊？我话箇咁子个，如果你硬爱搞~个话嘞，你以边请，钱就我出，我男家头出，你去你以边请。渠个~是爱路上吹吹打打吵，系啊？我话你请正来，我等人会进门了，我等男家头会来了，你就跍倒箇个跍倒箇隔你屋下里把子路个栏场子等我等人，我等会来了，我等到哩以后你就架势吹，就吹一路进，嗯，归个时候子，你也系送倒我等人送倒箇只里把子路个栏场，你就归，你就不要来哩。我等就箇向是唔爱来啦。你就咁子请。欸，箇是也有办法，箇是也要得，系唔系？也要得。但是结果认真箇晡日嘞，接亲个箇晡嘞，箇是我首先就去哩呀，嗯，认真接亲个箇晡嘞，渠还系唔爱搞了，就算哩哈渠话，冇味道，搞兜咁个冇味。我湖南人箇你搞箇~把做死哩人呢，系唔系唠？ŋai^{13}kai$^{53}_{44}$tʂak^{3} ŋɔi^{53} ka$^{35}_{44}$tʂʰət^{5} le^{0},a^{35}cʰiəu$^{35}_{44}$tsɿ^{0} ke$^{53}_{21}$lai^{53}tsɿ^{0} a^{0},ci$^{13}_{21}$tʰau^{21}(tʂ)ak^{3} lau^{21}pʰo$^{13}_{21}$le^{0} uɔŋ^{13}mau$^{13}_{21}$ke^{53},kɔŋ^{35}si$^{35}_{44}$ke$^{53}_{44}$,iɔŋ^{21}ke^{53} in$^{13}_{44}$tʰan^{13}tau$^{21}_{44}$man^{13}xau^{21}liau^{0}.i^{21}xa$^{53}_{44}$lei^{0},ci^{13}kai^{53}çiɔŋ^{53}n̩$^{13}_{21}$to$^{35}_{44}$tʰəŋ^{13}i^{53}, ɲy^{21}fɔŋ$^{35}_{44}$ke$^{53}_{44}$cia^{35}tʂɔŋ^{21}ŋa^{0} n̩$^{13}_{21}$to$^{35}_{44}$tʰəŋ^{13} i^{53},tsʰiəu^{53}ŋau^{35}ci$^{13}_{21}$.ŋau^{35}ci$^{13}_{21}$mak^{3} e^{0} təŋ$^{35}_{44}$si^{0} lei^{0}?tʰi^{53}iet^{3} tʂak^{3} ŋau^{35}ci$^{13}_{21}$,ci$^{13}_{21}$ua^{53}ci$^{13}_{21}$kɔŋ^{35}si$^{35}_{44}$ɲin$^{13}_{21}$nei^{0},ci$^{13}_{21}$kɔŋ^{35} si$^{35}_{44}$mai$^{53}_{44}$mɔi^{53}tsɿ^{0} lei^{0} ɔi^{53}xan^{53}tʂʰei^{35}ta^{21},m̩$_{21}$,ɔi$^{53}_{44}$tʂʰei^{35}so^{21}la^{53}.kai^{53}ŋai^{13}tsʰiəu$^{53}_{44}$ua$^{53}_{44}$,ŋai^{13}ua^{53}kan$^{21}_{13}$cie^{53},n̩$_{21}$, ɲi^{13} tien^{0} in$^{13}_{21}$mai^{53}mɔi^{53}tsɿ^{0} lei^{0}, ɲi$^{13}_{21}$tien^{0} i^{21}çiɔŋ^{53}kuei^{35}ci^{21}lei^{0} kuei^{35}ci^{21}tsiəu$^{53}_{21}$xe^{53}ɔi^{53}kau^{21}tʂʰei^{35}ta^{21},ɔi$^{53}_{44}$kau^{21} tsʰiɔŋ^{53}xa$^{53}_{21}$tsɿ^{0},ŋai$^{13}_{21}$li^{35}kai^{21}ɲi^{13}.pʰiet^{5} in$^{13}_{21}$ka$^{35}_{44}$mai^{53}mɔi^{53}tsɿ^{0} təu$^{35}_{53}$kau^{21}tʂʰei$^{35}_{44}$ta^{21}, ɲi^{13}mai^{53}mɔi^{53}tsɿ^{0} tsʰiəu^{53}n̩^{13} kau^{21}tʂʰei$^{35}_{44}$ta^{21}?xei^{53}me^{53}?e$_{21}$,ŋai$^{13}_{21}$li^{35}kai^{21}ɲi^{13}.tan^{53}ʂʅ^{53}ŋai^{13}tien^{0} kai$^{53}_{44}$pien^{35}tsʰiəu^{53}n̩^{13}kau^{21}tʂʰei^{35}ta^{21}kei^{53}la^{0}, ŋai^{13}ua^{53}le^{0},ŋai^{13}tien^{0} kai^{53}ɲi^{13}xei^{53}ua^{53}tʂʰei^{35}tʂʰei$^{35}_{44}$ta^{21}ta^{21}kau^{21}ua^{53}ŋai^{13}kai^{53}çiɔŋ^{53}lɔi$^{13}_{21}$ʂʅ$^{53}_{44}$,kai$^{53}_{44}$tsiəu$^{53}_{44}$iəu^{35}tei$^{35}_{53}$ ɲin$^{13}_{44}$ʂʅ$^{53}_{44}$xai$^{13}_{21}$ua^{53}ʂʅ$^{53}_{44}$iet^{3} tʂak^{3} mak^{3} e^{0} ləu^{53}tsɿ^{0} çi^{53}li^{0} o^{0},xei^{53}me^{53}a^{0}?ŋai^{13}ua^{53}kai^{53}kan^{21}tsɿ^{0} ke$^{53}_{44}$,ɥ^{13}ko^{21}ɲi^{13}ɲiaŋ^{53} ɔi$^{53}_{44}$kau^{21}tʂʰei^{35}ta^{21}ke^{53}fa$^{53}_{44}$lei^{0}, ɲi^{13}i^{21}pien$^{35}_{53}$tsʰiaŋ^{21},tsʰien^{13}tsʰiəu^{53}ŋai^{13}tʂʰət^{3},ŋai^{13}lan^{13}ka$^{35}_{53}$tʰei$^{13}_{21}$tʂʰət^{3}, ɲi^{13}çi^{53} ɲi^{13}i^{21}pien$^{35}_{53}$tsʰiaŋ^{21}.ci^{13}ke^{0} tʂʰei^{35}ta^{21}ʂʅ$^{53}_{44}$ɔi$^{53}_{44}$ləu^{53}xɔŋ$^{53}_{44}$tʂʰei^{35}tʂʰei$^{35}_{44}$ta^{21}ta^{21}ʂa^{0},xei^{53}a^{0}?ŋai^{13}ua^{53}ɲi^{13}tsʰiaŋ^{21}tʂaŋ^{53}

lɔi^{13},ŋai^{13}tien^{0}ɲin$^{13}_{21}$uɔi^{53}tsin^{53}mən^{13}liau^{21},ŋai^{13}tien^{0}lan^{13}ka$^{35}_{44}$tʰei$^{13}_{21}$uɔi^{53}lɔi^{13}liau$^{21}_{44}$, ɲi^{13}tsiəu$^{53}_{44}$kʰu^{35}tau^{21}kai^{53}kei$^{53}_{44}$ kʰu^{35}tau^{21}kai$^{53}_{44}$kak^{3}ɲi^{13}uk^{3}xa^{53}li^{35}pa^{21}tsɿ^{0}ləu^{53}ke^{53}laŋ$^{13}_{21}$tʂʰɔŋ$^{13}_{44}$tsɿ^{0}ten^{21}ŋai^{13}tien^{0}ɲin$^{13}_{21}$,ŋai^{13}tien^{0}uɔi^{53}lɔi^{13}liau^{0}, ŋai^{13}tien^{0}tau^{53}li^{0}i$^{35}_{44}$xei^{53}ɲi$^{13}_{21}$tsʰiəu$^{53}_{44}$cia^{53}ʂʅ$^{53}_{21}$tʂʰei^{35},tsʰiəu$^{53}_{44}$tʂʰei^{35}iet^{3}ləu$^{53}_{44}$tsin^{53},n̩$_{21}$,kuei^{35}ke^{53}ʂʅ^{13}xei^{53}tsɿ^{0}, ɲi$^{13}_{21}$ia^{35} xe$^{53}_{44}$səŋ^{53}tau^{21}ŋai^{13}tien^{0}ɲin$^{13}_{44}$səŋ^{53}tau$^{53}_{44}$kai^{53}tʂak^{3}li^{35}pa^{21}tsɿ^{0}ləu^{53}ke^{53}laŋ$^{13}_{21}$tʂʰɔŋ$^{13}_{44}$, ɲi$^{13}_{21}$tsʰiəu$^{53}_{44}$kuei^{35}, ɲi$^{13}_{21}$tsʰiəu$^{53}_{44}$ pət^{3}iau^{53}lɔi$^{13}_{21}$li^{0}.ŋai^{13}tien^{0}tsʰiəu$^{53}_{21}$kai^{53}çiɔŋ^{53}ʂʅ$^{53}_{44}$m̩$^{13}_{21}$mɔi^{53}lɔi$^{13}_{21}$la^{0}. ɲi$^{13}_{21}$tsʰiəu^{53}kan^{21}tsɿ^{0}tsʰiaŋ$^{21}_{44}$.e$_{21}$,kai^{53}ʂʅ^{53}ia^{35} mau$^{13}_{21}$pʰan^{53}fait^{3},kai$^{53}_{44}$ʂʅ$^{53}_{44}$ia^{35}iau^{53}tek^{3},xei^{53}me$^{53}_{44}$?ia^{35}iau^{53}tek^{3}.tan^{53}ʂʅ^{53}ciet^{3}ko^{21}ɲin^{53}tʂən^{35}kai^{53}pu$^{35}_{44}$ɲiet^{3}lei^{0}, tsiait^{3}tsʰin^{35}cie$^{53}_{21}$kai$^{53}_{44}$pu$^{35}_{44}$lei^{0},kai$^{53}_{44}$ʂʅ$^{53}_{44}$ŋai$^{13}_{21}$ʂəu^{21}sien^{35}tsʰiəu$^{53}_{44}$çi^{53}li^{0}ia^{0},n̩$_{21}$, ɲin^{53}tʂən$^{35}_{44}$tsiait^{3}tsʰin^{35}cie$^{53}_{21}$kai^{53} pu$^{35}_{44}$lei^{0},ci^{13}xai$^{13}_{21}$xe^{53}m̩$^{13}_{21}$mɔi^{53}kau^{21}liau^{0},tsʰiəu$^{53}_{44}$sɔn^{53}ni^{0}xa^{0}ci$^{13}_{21}$ua^{53},mau^{13}uei^{53}ua^{53},kau$^{21}_{44}$tei$^{35}_{53}$kan^{21}cie$^{53}_{21}$mau^{13} uei^{53}.ŋai^{13}fu^{13}lan$^{13}_{44}$ɲin$^{13}_{44}$kai$^{53}_{44}$ɲi$^{13}_{21}$kau^{21}kai^{53}tʂʰei^{35}ta^{21}pa^{21}tso^{53}si^{21}li^{0}ɲin^{13}nei^{0},xei$^{53}_{44}$mei$^{53}_{44}$lau^{0}?

【吹风】tʂʰei^{35}fəŋ^{35} [动]让风吹，身体受风寒：我等箇映子得过火眼啦，吹唔得风哦。ŋai$^{13}_{21}$tien^{0} kai$^{53}_{44}$iaŋ$^{53}_{44}$tsɿ^{0}tek^{3}ko^{53}fo^{21}ŋa^{21}la^{0},tʂʰei$^{35}_{44}$n̩$^{13}_{44}$tek^{3}fəŋ^{35}ŋo^{0}.

【吹干】tʂʰei^{35}kɔn$^{35}_{44}$ [动]风吹使干：生烟就爱。渠等人舞倒箇烟呢就有只子箇坠子嘞就如映子有只钩钩样，如底下缔下倒，几皮烟咁子缔下倒，吊起来，吊下起来，等渠～。saŋ^{35}ien$^{35}_{44}$tsʰiəu$^{53}_{44}$ ɔi^{53}.ci^{13}tien^{0}in$^{13}_{21}$u^{21}tau^{21}kai$^{53}_{44}$ien^{35}nei^{0}tsʰiəu$^{53}_{44}$iəu^{35}tʂak^{3}tsɿ^{0}kai$^{53}_{44}$tʂei^{53}tsɿ^{0}lei^{0}tsʰiəu$^{53}_{44}$i$^{13}_{21}$iaŋ$^{53}_{44}$tsɿ^{0}iəu$^{35}_{44}$tʂak^{3}kei^{35} kei$^{35}_{44}$iɔŋ$^{53}_{44}$,i$^{13}_{21}$te^{21}xa$^{53}_{44}$tʰak^{3}(x)a^{53}tau^{21},ci^{21}pʰi^{13}ien$^{35}_{44}$kan^{21}tsɿ^{0}tʰak^{3}(x)a^{53}tau^{21},tiau^{53}çi^{21}lɔi^{13},tiau^{53}ua$_{44}$(←xa^{53})çi^{21} lɔi^{13},ten^{21}ci$^{13}_{44}$tʂʰei^{35}kɔn$^{35}_{44}$.

【吹官】tʂʰei^{35}kɔn^{35} [名]吹鼓手，婚丧礼仪中吹打乐器的人：老哩人就爱请～呐。以前就请～哩，落尾搞几年就尽请道士了呢做道场呢，就唔请～了。如今倒转呢今年旧……如两年子今年起始，我发现又有几只栏场嘞请吹官个呢。就头到我等街上箇映子一只婆婆子死哩，唔做醮，请四只～，搞吹打，尽用咁个唢呐啊民族乐器子。用唢呐，搞～，蛮好嘞。渠箇做道场个咯，你唔晓得，渠箇做道场做醮个，耽搁事。头到我等箇只喊老弟过哩身就咁个，耽搁事。爱打祭了嘞，箇爱打祭了，系唔系？就爱人奏乐啦，嗯，奏大乐奏小乐啦。道士嘞就推西乐队："我等还有道场赠做完呶，你等西乐队箇起搞吵，系唔系？"箇西乐队嘞，"箇我就只搞西乐啦，我就只搞箇个啦，我就唔包我等就唔包唔包打祭个奏乐啦"。硬恼尽闹哩面恼哩瘾呶，是箇你你推渠渠推你哟。推去推转呶。好，如下落尾欸我就话"嫐势渠，包只包封包分箇只箇只做做道场个，嗯，欸做醮个，包只包封分渠，我如个嘞就系替你安排人。"渠又送下转来。"我又唔好安排渠等呢。我等如映唔爱好哩，唔爱如只东西噢，我等搞不成。我等莫爱渠。"因为箇只人是比较熟个人，渠个乐队嘞，渠欸渠只妹子嘞渠两只妹子嫁啊箇个卖呀箇个七宝山箇向，渠请倒箇官渡箇向个，渠话我等箇向是唔包打祭嘞。我等个西乐队唔包打祭个奏乐啦。你爱爱……我等唔搞箇门路子。好，如只道场嘞渠做道场个人嘞，渠话："我等有人工啊，还有道场赠做完啊。"噢，舞只咁个东西搞尽哩命啊搞懒哩，落尾一边出两个人，一边出两个。我箇我都发火了，我话："今日爱我爱另外去请倒来，请倒箇个请倒来奏乐个。"所以如今蛮多人唔做哩道场，唔做哩醮。如到箇街上有只陈医师，陈医师个娭子过哩身呢，也九十岁了嘞。渠唔做哩道场，渠话我请四只子～。lau^{21}li^{0}ɲin^{13}tsʰiəu^{53}ɔi^{53}tsʰiaŋ^{21}tʂʰei^{35}kɔn$^{35}_{44}$ na^{0}.i$^{35}_{53}$tsʰien^{13}tsʰiəu$^{53}_{44}$tsʰiaŋ^{21}tʂʰei^{35}kɔn$^{35}_{44}$ni^{0},lɔk^{5}mi$^{35}_{44}$kau^{21}ci^{21}ɲien^{13}tsʰiəu$^{53}_{44}$tsʰin^{53}tsʰiaŋ^{21}tʰau^{53}sɿ$^{53}_{44}$liau^{21}ne^{0}tso^{53} tʰau^{53}tʂʰɔŋ$^{13}_{21}$nei^{0},tsʰiəu^{53}m̩^{13}tsʰiaŋ^{21}tʂʰei$^{35}_{44}$kɔn$^{35}_{44}$niau^{0}.i$^{13}_{21}$cin$^{35}_{44}$tau^{53}tʂuɔn$^{13}_{44}$nei^{0}cin^{35}ɲien$^{13}_{44}$cʰiəu^{53}···i$^{13}_{21}$iɔŋ^{21}ɲien^{13} tsɿ^{0}cin^{35}ɲien$^{13}_{44}$çi^{21}ʂʅ$^{21}_{44}$,ŋai$^{13}_{21}$fait^{3}çien$^{53}_{44}$iəu^{53}iəu^{35}ci^{21}tʂak^{3}laŋ$^{13}_{21}$tʂʰɔŋ$^{13}_{21}$lei^{0}tsʰiaŋ^{21}tʂʰei^{35}kɔn^{35}cie^{53}nei^{0}.tsʰiəu$^{53}_{44}$tʰei^{13} tau^{53}ŋai^{13}tien^{0}kai$^{35}_{44}$xɔŋ$^{53}_{44}$kai$^{53}_{44}$iaŋ$^{53}_{44}$tsɿ^{0}iet^{3}tʂak^{3}pʰo^{13}pʰo$^{13}_{44}$tsɿ^{0}si^{21}li^{0},n̩^{13}tso^{53}tsiau^{53},tsʰiaŋ^{21}si^{53}tʂak^{3}tʂʰei^{35}kɔn$^{35}_{44}$, kau^{21}tʂʰei^{35}ta^{21},tsʰin^{53}iɔŋ$^{53}_{44}$kan^{21}ke$^{53}_{44}$so^{21}la$^{53}_{44}$a^{0}min^{13}tsʰuk^{5}iɔk^{5}çi^{53}tsɿ^{0}.iɔŋ$^{53}_{44}$so^{21}la$^{53}_{44}$,kau^{21}tʂʰei^{35}kɔn$^{35}_{44}$,man$^{13}_{21}$xau^{21} le^{0}.ci^{13}kai$^{53}_{44}$tso^{53}tʰau^{53}tʂʰɔŋ$^{13}_{21}$ke^{53}ko^{0}, ɲi^{13}n̩$^{13}_{44}$çiau^{21}tek^{3},ci^{13}kai$^{53}_{44}$tso^{53}tʰau^{53}tʂʰɔŋ$^{13}_{21}$tso$^{53}_{44}$tsiau^{53}ke$^{53}_{44}$,tan^{35}kɔk^{3}sɿ^{53}. tʰei^{13}tau^{53}ŋai^{13}tien^{0}kai^{53}tʂak^{3}xan^{53}lau^{21}tʰe^{35}ko^{53}li^{0}ʂən^{35}tsʰiəu^{53}kan^{21}ke^{0},tan^{35}kɔk^{3}sɿ^{53}.ɔi$^{53}_{44}$ta^{21}tsi^{53}liau^{0}le^{0},kai$^{53}_{44}$ ɔi$^{53}_{44}$ta^{21}tsi^{53}liau^{0},xei$^{53}_{44}$me$^{53}_{44}$?tsʰiəu$^{53}_{44}$ɔi^{53}ɲin$^{13}_{44}$tsei$^{53}_{44}$iɔk^{5}la^{0},ŋ̍$_{44}$,tsei^{53}tʰai^{53}iɔk^{5}tsei^{53}siau^{21}iɔk^{5}la^{0}.tʰau^{53}sɿ$^{53}_{44}$le^{0} tsʰiəu$^{53}_{44}$tʰi^{35}si^{35}iɔk^{5}ti^{53}:"ŋai^{13}tien^{0}xai^{13}iəu$^{35}_{44}$tʰau^{53}tʂʰɔŋ^{13}maŋ^{13}tso^{53}ien^{13}nau^{0}, ɲi^{13}ten^{21}si^{35}iɔk^{5}ti^{53}kai$^{53}_{44}$çi$^{21}_{44}$kau^{21} ʂa^{0},xei$^{53}_{44}$me$^{53}_{44}$?"kai$^{53}_{44}$si$^{35}_{44}$iɔk^{5}ti^{53}lei^{0},"kai^{53}ŋai^{13}tsʰiəu^{53}tʂʅ^{21}kau^{21}si^{35}iɔk^{5}la^{0},ŋai^{13}tsʰiəu^{53}tʂʅ^{21}kau^{21}kai^{53}ke^{53}la^{0}, ŋai^{13}tsʰiəu^{53}m̩^{13}pau$^{35}_{44}$ŋai^{13}tien^{0}tsʰiəu^{53}m̩^{13}pau$^{35}_{44}$m̩^{13}pau$^{35}_{44}$ta^{21}tsi^{53}ke$^{53}_{44}$tsei^{53}iɔk^{5}la^{0}". ɲiaŋ^{53}lau^{21}tsʰin^{53}lau^{53}li^{0} mien^{53}lau^{21}li^{0}in^{21}nau^{0},ʂʅ$^{53}_{44}$kai$^{53}_{44}$ɲi$^{13}_{44}$ɲi^{13}tʰi$^{35}_{44}$ci^{21}ci^{21}tʰi$^{35}_{44}$ɲi^{13}io^{0}.tʰi^{35}çi$^{53}_{44}$tʰi^{35}tʂuɔn^{21}nau^{0}.xau^{21},i^{13}xa$^{53}_{44}$lɔk^{5}mi$^{35}_{44}$e^{0} ŋai^{13}tsʰiəu$^{53}_{44}$ua^{53}"tʂʰa^{53}ʂʅ$^{53}_{21}$ci$^{13}_{44}$,pau^{35}tʂak^{3}pau^{35}fəŋ^{35}pau^{35}pən^{35}kai$^{53}_{44}$tʂak^{3}kai$^{53}_{44}$tʂak^{3}tso^{53}tso^{53}tʰau^{53}tʂʰɔŋ$^{13}_{21}$ ke^{0},n̩$_{21}$,e^{0}tso^{53}tsiau^{53}ke^{0},pau^{35}tʂak^{3}pau$^{35}_{44}$fəŋ$^{35}_{44}$pən$^{35}_{44}$ci$^{13}_{44}$,ŋai^{13}i^{13}ke$^{53}_{44}$lei^{0}tsʰiəu$^{53}_{44}$xei$^{53}_{44}$tʰi^{53}ɲi^{13}ŋɔn^{35}pʰai$^{13}_{21}$ɲin^{13}."ci^{13}

iəu$^{53}_{44}$səŋ^{53}xa$^{53}_{44}$tʂuən^{21}nɔi^{13}."ŋai^{13}iəu^{53}m̩$^{13}_{21}$xau^{21}ŋɔn^{35}pʰai$^{13}_{21}$ci^{13}tien^{0}ne^{0}.ŋai^{13}tien^{0}i$^{13}_{21}$iaŋ^{53}m̩$^{13}_{21}$mɔi$^{53}_{44}$xau^{21}li^{0},m̩$^{13}_{21}$mɔi^{13}i$^{13}_{21}$tʂak^{3}təŋ$^{35}_{44}$si^{0}au^{0},ŋai^{13}tien^{0}kau^{21}n̩^{13}ʂaŋ$^{13}_{44}$.ŋai^{13}tien^{0}mɔk$^{5}_{3}$ɔi^{53}ci$^{13}_{44}$."in$^{35}_{44}$uei$^{53}_{44}$kai^{53}tʂak^{3}ɲin$^{13}_{44}$ʂʅ$^{53}_{44}$pi^{21}ciau$^{53}_{44}$ʂəuk^{5}ke^{0}ɲin$^{13}_{44}$,ci^{13}ke$^{53}_{44}$iɔk^{5}tei$^{53}_{44}$lei^{0},ci^{13}e^{0}ci$^{13}_{21}$tʂak^{3}mɔi^{53}tsʅ^{0}lei^{0}ci$^{13}_{21}$iɔŋ^{21}tʂak^{3}mɔi^{53}tsʅ^{0}ka$^{53}_{44}$a^{0}kai^{53}ke$^{53}_{44}$mai$^{53}_{44}$ia^{0}kai^{53}ke$^{53}_{44}$tsʰiet^{3}pau^{21}san^{35}kai$^{53}_{44}$çiɔŋ^{53},ci^{13}tsʰiaŋ^{21}tau^{21}kai$^{53}_{44}$kɔn^{35}tʰəu$^{53}_{44}$kai^{53}çiɔŋ$^{53}_{44}$ke^{0},cia$_{44}$(←ci^{13}ua^{53})ŋai^{13}tien^{0}kai$^{53}_{44}$çiɔŋ$^{53}_{44}$ʂʅ$^{53}_{44}$m̩^{13}pau$^{35}_{44}$ta^{21}tsi^{53}le^{0}.ŋai^{13}tien^{0}ke^{0}si^{35}iɔk^{5}ʂʅ$^{53}_{44}$m̩^{13}pau$^{35}_{44}$ta^{21}tsi^{53}ke$^{53}_{44}$tsei^{53}iɔk^{5}la^{0}. ɲi^{13}ɔi^{53}ɔi^{53}tsʰ…ŋai^{13}tien^{0}n̩^{13}kau^{21}kai^{53}mən^{13}ləu^{53}tsʅ^{0}.xau^{21},i$^{13}_{44}$iak^{3}tʰau^{53}tʂʰɔŋ^{13}lei^{0}ci$^{13}_{21}$tso^{53}tʰau^{53}tʂʰɔŋ$^{13}_{44}$ke^{0}ɲin^{13}lei^{0},ci$^{13}_{44}$ua$^{53}_{44}$:"ŋai^{13}tien^{0}mau^{13}ɲin^{13}kəŋ$^{35}_{53}$ŋa^{0},xai$^{13}_{21}$iəu$^{35}_{44}$tʰau^{53}tʂʰɔŋ$^{13}_{21}$maŋ^{13}tso^{53}ien^{13}a^{0}."au$_{53}$,u^{21}tʂak^{3}kan$^{21}_{13}$ke^{0}təŋ$^{35}_{44}$si^{0}kau^{21}tsʰin$^{35}_{44}$li^{0}miaŋ^{53}ŋa^{0}kau^{21}lan^{35}li^{0},lɔk^{5}mi$^{35}_{53}$iet^{3}pien^{35}tʂʰət^{3}iɔŋ^{21}ke$^{53}_{44}$ɲin^{13},iet^{3}pien^{35}tʂʰət^{3}iɔŋ^{21}ke^{53}.ŋai^{13}kai^{53}ŋai^{13}təu$^{35}_{53}$fait^{3}fo^{21}liau^{0},ŋai^{13}ua$^{53}_{44}$:"cin$^{35}_{53}$ɲiet^{3}ɔi$^{53}_{44}$ŋai^{13}ɔi$^{53}_{44}$lin^{53}uai^{53}çi^{35}tsʰiaŋ^{21}tau^{21}lɔi^{13},tsʰiaŋ^{21}tau^{21}kai$^{53}_{44}$ke$^{53}_{44}$tsʰiaŋ^{21}tau^{21}lɔi^{13}tsei^{53}iɔk^{5}ke^{0}."so^{21}i$^{35}_{53}$i$^{13}_{21}$cin$^{35}_{44}$man^{35}to$^{35}_{44}$ɲin$^{13}_{21}$n̩^{13}tso^{53}li^{0}tʰau^{53}tʂʰɔŋ^{13},n̩^{13}tso^{53}li^{0}tsiau^{53}.i$^{13}_{21}$tau$^{21}_{44}$kai$^{53}_{44}$kai^{35}xɔŋ$^{53}_{44}$iəu$^{35}_{44}$tʂak^{3}tʂʰən^{13}i$^{35}_{44}$sʅ$^{35}_{44}$,tʂʰən^{13}i$^{35}_{44}$sʅ$^{35}_{44}$ke$^{53}_{44}$ɔi^{35}tsʅ^{0}ko^{53}li^{0}ʂən$^{35}_{44}$ne^{0},ia^{35}ciəu^{21}ʂət^{5}sɔi^{53}liau^{21}le^{0}.ci$^{13}_{21}$n̩^{13}tso$^{53}_{44}$li^{0}tʰau^{53}tʂʰɔŋ$^{13}_{44}$,ci^{13}ua^{53}ŋai$^{13}_{21}$tsʰiaŋ^{21}si^{53}tʂak^{3}tsʅ^{0}tʂʰei^{35}kɔn^{35}.

【吹牛】tʂʰei^{35}ɲiəu^{13} 动 说大话，夸口。又称“吹牛皮、吹、打乱话”：我等有只老弟是真喜欢～。ŋai^{13}tien^{0}iəu$^{35}_{44}$tʂak^{3}lau^{21}tʰe^{35}ʂʅ$^{53}_{44}$tʂən^{35}çi^{21}fɔn^{35}tʂʰei^{35}ɲiəu^{13}.

【吹牛皮】tʂʰei$^{35}_{44}$ɲiəu^{13}pʰi^{13} 动 说大话，夸口：我等个万家里个谱我爱修好来。我硬唔系～，我硬有箇个把摸。我唔系～，系啊？我有箇把摸。但是爱分滴子时间分我。箇唔系～箇就，欸，我有把握啊，有把摸啊。ŋai$^{13}_{21}$tien^{0}ke^{53}uan^{53}ka$^{35}_{44}$li^{0}ke^{0}pʰu^{21}ŋai^{13}ɔi$^{53}_{44}$siəu^{35}xau^{21}lɔi$^{13}_{21}$.ŋai^{13}ɲiaŋ^{53}m̩^{13}pʰe$^{53}_{44}$tʂʰei$^{35}_{44}$ɲiəu$^{13}_{21}$pʰi$^{13}_{44}$,ŋai^{13}ɲiaŋ^{53}iəu^{35}kai$^{53}_{44}$ke^{0}pa^{21}mo$^{35}_{44}$.ŋai$^{13}_{21}$m̩^{13}pʰe^{53}tʂʰei^{35}ɲiəu$^{13}_{21}$pʰi$^{13}_{44}$,xei$^{53}_{44}$a^{0}?ŋai$^{13}_{44}$iəu^{35}kai$^{53}_{44}$pa^{21}mo$^{35}_{44}$.tan^{53}ʂʅ^{53}ɔi^{53}pən$^{35}_{44}$tiet^{5}tsʅ^{0}ʂʅ^{13}kan$^{35}_{44}$pən$^{35}_{44}$ŋai$^{13}_{21}$.kai^{53}m̩^{13}pʰe$^{53}_{44}$tʂʰei$^{35}_{44}$ɲiəu$^{13}_{21}$pʰi$^{13}_{44}$kai$^{53}_{44}$tsʰiəu$^{53}_{44}$,e$_{21}$,ŋai^{13}iəu$^{35}_{53}$pa^{21}uɔk^{5}a^{0},iəu^{35}pa^{21}mo$^{35}_{44}$a^{0}.

【吹气】tʂʰei^{35}çi^{53} 动 合拢嘴唇用力出气：猪杀死哩以后，箇只猪杀死哩以后嘞，就箇脚上啊，割条子皮子，用铤剅去打。打打打，打倒搞么个嘞？就去～个。爱分气送进去个。tʂəu^{35}sait^{3}si^{21}li^{0}i^{35}xei$^{53}_{44}$,kai$^{53}_{21}$tʂak^{3}tʂəu^{35}sait^{3}si^{21}li^{0}i^{35}xei$^{53}_{44}$lei^{0},tsʰiəu$^{53}_{44}$kai^{53}ciɔk^{3}xɔŋ^{53}ŋa^{0},kɔit^{3}tʰiau$^{13}_{53}$tsʅ^{0}pʰi^{13}tsʅ^{0},iəŋ^{53}tʰin^{21}tʰɔŋ$_{21}$çi^{53}ta^{21}.ta^{21}ta^{21}ta$^{21}_{44}$,ta^{21}tau^{21}kau^{21}mak^{3}(k)e$^{53}_{44}$lei^{0}?tsʰiəu$^{53}_{44}$çi$^{53}_{44}$tʂʰei^{35}çi^{53}ke$^{53}_{44}$.ɔi$^{53}_{44}$pən^{35}çi^{53}səŋ^{53}tsin^{53}cʰi$^{53}_{44}$ke$^{53}_{44}$.

【垂直角】tʂʰei^{13}tʂʰət^{5}kɔk^{3} 名 指直角：箇起安做角尺欸，角尺，～个，系唔系？kai$^{53}_{44}$çi$^{21}_{44}$ɔn$^{35}_{44}$tso$^{53}_{44}$kɔk^{3}tʂʰak^{3}e^{0},kɔk^{3}tʂʰak^{3},tʂʰei^{13}tʂʰət^{5}kɔk^{3}ke$^{53}_{44}$,xei$^{53}_{44}$me$^{53}_{44}$?

【捶】tʂʰei^{13} ①用拳头或手持器物击打；砸：～背囊tʂʰei^{13}pɔi^{53}lɔŋ^{13} | （细斧子）用来～下子么个个。iəŋ^{53}lɔi$^{13}_{21}$tʂʰei^{13}ia$_{44}$(←xa^{53})tsʅ^{0}mak^{3}(k)e$^{53}_{44}$ke$^{53}_{44}$. ②打人：～你一餐 tʂʰei^{13}ɲi$^{13}_{21}$iet^{3}tsʰɔn$^{35}_{44}$

【捶秆石】tʂʰei^{13}kɔn^{21}ʂak^{5} 名 ①打草鞋时用来槌软稻草的垫石：～嘞本来是就系一只石头。打草鞋个人用个。打草鞋个秆呢，你晓得箇秆绷硬绷硬啊。爱打倒箇草鞋好着，爱打倒箇草鞋落窖，就爱先分箇秆捶软来。箇只捶软来个时候子你就爱跍倒一只栏场捶，跍啊石头上捶。箇只石头就安做～。tʂʰei^{13}kɔn^{21}ʂak^{5}lei^{0}pən^{21}nai^{35}ʂʅ$^{53}_{44}$tsʰiəu^{53}xei^{53}iet^{3}tʂak^{3}ʂak^{5}tʰei^{35}.ta^{21}tsʰau^{21}xai^{35}ke^{53}ɲin^{35}iəŋ^{53}ke^{0}.ta^{21}tsʰau^{21}xai^{35}ke^{53}kɔn^{21}nei^{0}, ɲi$^{13}_{21}$çiau^{21}tek^{3}kai^{53}kɔn^{21}paŋ^{35}ŋaŋ^{35}paŋ^{35}ŋaŋ^{35}ŋa^{0}.ɔi^{53}ta^{21}tau^{21}kai^{53}tsʰau^{21}xai$^{13}_{44}$xau^{21}tʂɔk^{3},ɔi^{53}ta^{21}tau^{21}kai^{53}tsʰau^{21}xai^{35}lɔk^{5}in^{53},tsʰiəu$^{53}_{44}$ɔi$^{53}_{44}$sien^{35}pən^{35}kai^{53}kɔn^{21}tʂʰei^{13}ɲiɔn^{35}nɔi$^{13}_{21}$.kai^{53}tʂak^{3}tʂʰei^{13}ɲiɔn^{35}nɔi$^{13}_{21}$ke$^{53}_{44}$ʂʅ$^{13}_{44}$xəu$^{53}_{44}$tsʅ^{0}ɲi^{35}tsʰiəu$^{53}_{44}$ɔi$^{53}_{44}$ku$^{35}_{44}$tau^{21}iet^{3}tʂak^{3}laŋ^{35}tʂʰɔŋ$^{13}_{44}$tʂʰei^{35},kʰu$^{35}_{44}$a^{0}ʂak^{5}tʰei$^{13}_{44}$xɔŋ$^{53}_{44}$tʂʰei^{13}.kai^{53}tʂak^{3}ʂak^{5}tʰei$^{13}_{44}$tsʰiəu$^{53}_{44}$ɔn$^{35}_{44}$tso$^{53}_{44}$tʂʰei^{13}kɔn^{21}ʂak^{5}. ②喻指被人用来发泄怨气的人，出气筒：但是现在又发展来看呢就系嘞，“你莫么个东西都话我，我又不是只～”，就受气个人。“我又不是只～嘞。”“你分我当作一只～，系唔系？么个都捉倒我来话？”或者“么个钱都爱我出嘞”。“么个唔好个路子都话做系我呀，嘿，我系只～。”或者“我系只出气筒”，系唔系？tan$^{53}_{44}$ʂʅ$^{53}_{44}$çien^{53}tsʰai$^{53}_{44}$iəu^{53}fait^{3}tʂen^{21}nɔi^{13}kʰɔn$^{53}_{44}$ne^{0}tsʰiəu$^{53}_{44}$xe$^{53}_{44}$lei^{0},"ɲi^{13}mɔk^{5}mak^{3}ke$^{53}_{44}$təŋ$^{35}_{44}$si^{0}təu$^{35}_{44}$ua^{53}ŋai^{13},ŋai^{13}iəu^{53}puk^{3}ʂʅ^{53}tʂak^{3}tʂʰei$^{13}_{21}$kɔn^{21}ʂak^{5}",tsʰiəu$^{53}_{21}$ʂəu^{53}cʰi^{53}ke^{0}ɲin^{13}."ŋai^{13}iəu^{53}puk^{3}ʂʅ^{53}tʂak^{3}tʂʰei$^{13}_{21}$kɔn^{21}ʂak^{5}lei^{0}.""ɲi^{13}pən^{35}ŋai$^{13}_{21}$tɔŋ^{35}tsɔk^{3}iet^{3}tʂak^{3}tʂʰei$^{13}_{21}$kɔn^{21}ʂak^{5},(x)ei$^{53}_{44}$mei$^{53}_{44}$?mak^{3}ke^{0}təu$^{35}_{44}$tsɔk^{3}tau^{21}ŋai^{13}lɔi^{13}ua^{53}?"xɔit^{3}tʂa^{21}"mak^{3}ke^{0}tsʰien^{13}təu$^{35}_{44}$ɔi^{53}ŋai^{13}tʂʰət^{3}le^{0}"."mak^{3}ke^{53}n̩$^{13}_{21}$xau^{21}ke^{0}lu^{53}tsʅ^{0}təu^{53}ua^{53}tso^{53}xei^{53}ŋai^{13}ia^{0},xe$_{53}$,ŋai^{13}xei^{53}tʂak^{3}tʂʰei^{13}kɔn^{21}ʂak^{5}."xɔit^{3}tʂak$^{21}_{44}$"ŋai^{13}xei^{53}tʂak^{3}tʂʰət^{3}çi^{53}tʰəŋ^{13}",xei$^{53}_{44}$me$^{53}_{44}$?

【槌】tʂʰei^{13} 名 敲打用的棒，大多一头较大或呈球形。也称“槌子”：箇起唔知喊么啊～子欸？打棋子糕哇，做棋子糕哇，摎打米程箇只～喊么啊～？kai^{53}çi^{21}n̩$^{13}_{21}$ti$^{35}_{53}$xan^{53}mak^{3}a^{0}tʂʰei$^{13}_{21}$tsʅ^{0}e^{0}?ta^{21}cʰi$^{13}_{21}$tsʅ^{0}kau^{35}ua^{0},tso^{53}cʰi$^{13}_{21}$tsʅ^{0}kau^{35}ua^{0},lau^{35}ta^{21}mi^{21}tʂʰaŋ$^{13}_{21}$kai$^{53}_{44}$tʂak^{3}tʂʰei^{13}xan^{53}mak^{3}a^{0}tʂʰei$^{13}_{21}$? | 树做个～

子。ʂəu^{53}tso$^{53}_{44}$ke$^{53}_{44}$tʂʰei^{13}tsɿ^{0}.

【锤$_{1}$】tʂʰei^{13} 名 敲打东西的工具，有铁做的头和与头垂直的柄。也称“锤子”：（木匠）只有只～哟，一张斧头噢。tsɿ^{21}iəu$^{35}_{44}$tʂak^{3} tʂʰei^{13}iau^{0},iet^{3} tʂəŋ^{35}pu^{21}tʰəu^{13}uau^{0}.｜师傅用个细～子唠。单手拿。（徒弟用个）箇只是要双手拿，大～子。sɿ^{35}fu$^{53}_{44}$iəŋ$^{53}_{44}$ke$^{53}_{44}$se^{53}tʂʰei^{13}tsɿ^{0}lau^{0}.tan^{35}ʂəu^{21}la^{53}.kai^{53} tʂak^{3} ʂʅ$^{53}_{44}$iau$^{53}_{44}$səŋ^{35}ʂəu^{21}la^{53},tʰai^{53}tʂʰei^{13}tsɿ^{0}.

【锤$_{2}$】tʂʰei^{13} 动 用锤子敲打：～钉子 tʂʰei$^{13}_{21}$taŋ^{35}tsɿ^{0}｜渠指木匠用的锤子是～箇只长刨个刨铁，～箇只檝楔子。ci^{13}ʂʅ$^{53}_{44}$tʂʰei^{13}kai^{53}tʂak^{3}tʂʰəŋ^{13}pʰau^{13}ke$^{53}_{44}$pʰau^{13}tʰiet^{3},tʂʰei^{13}kai^{53}tʂak^{3}tsian^{35}.

【锤扎子】tʂʰei^{13}tsait^{5}tsɿ^{0} 名 钉竹钉前用以打孔的工具：箇是还有只啊，箇是你讲话钉竹钉是，还有只竹铁扎哟，扎一下正钉得箇只东西。唔系会趵，唔会舞就会趵嘿。/安做竹么个扎系。/安做～。/钉唔进呢你就要扎一下哩啊。唔扎一下来渠慢点会趵哇箇都是。/一只就会趵，二只就渠咁会抵脚哦。/系，橡皮上会扎只子眼子，扎只子凼子。眼是冇得眼，一只凼。/如就我我做个箇只屋个时候子就有就爱用哩如样也打两只扎。用铁匠打个，还爱放钢噢。渠唔放钢是会睏嘿。kai^{53}ʂʅ$^{53}_{44}$xai^{13}iəu$^{35}_{44}$tʂak^{3}a^{53},kai^{53}ʂʅ$^{53}_{44}$ɲi$^{13}_{21}$kəŋ^{21}ua^{53}taŋ^{35}tʂəuk^{3}taŋ^{35}ʂʅ$^{53}_{44}$,xai^{13}iəu$^{35}_{44}$tʂak^{3}tʂəuk^{3}tʰiet^{3}tsait^{5}iau^{0},tsait^{5}iet^{3}xa$^{53}_{44}$tʂaŋ$^{53}_{44}$taŋ^{35}tek^{3}kai$^{53}_{44}$tʂak^{3}təŋ$^{35}_{44}$si^{0},m̩$^{13}_{21}$pʰe$^{53}_{44}$uɔi$^{53}_{44}$pau^{53},m̩$^{13}_{21}$mɔi$^{53}_{44}$u$^{21}_{53}$tsʰiəu$^{53}_{44}$uɔi$^{53}_{44}$pau^{53} xek^{3}./ɔn$^{35}_{44}$tso$^{53}_{44}$tʂəuk^{3}mak^{3}ke$^{53}_{44}$tsait^{5}xei$^{53}_{44}$./ɔn$^{35}_{44}$tso$^{53}_{44}$tʂʰei^{13}tsait^{5}tsɿ^{0}./taŋ^{35}ŋ̍$^{13}_{21}$tsin^{53}ne^{0}ɲi^{13}tsʰiəu^{53}ɔi^{53}tsait^{5}iet^{3}xa^{53} li^{0}a^{0}.n̩^{13}tsait^{5}iet^{3}xa^{53}lɔi^{13}ci$^{13}_{21}$man$^{53}_{44}$tian$^{53}_{44}$uɔi$^{53}_{44}$pau^{53}ua^{0}kai$^{53}_{44}$təu$^{35}_{44}$ʂʅ$^{53}_{21}$./iet^{3}tʂak^{3}tsiəu$^{53}_{44}$uɔi$^{53}_{44}$pau^{53}, ɲi^{53}tʂak^{3} tsʰiəu$^{53}_{44}$ci$^{13}_{21}$kan$^{21}_{44}$uɔi$^{53}_{44}$ti^{21}ciɔk^{3}o^{0}./xei^{53},ʂɔn^{13}pʰi^{13}xɔŋ$^{53}_{44}$uɔi$^{53}_{44}$tsait^{5}tʂak^{3}tsɿ^{0}ŋan^{21}tsɿ^{0},tsait^{5}(tʂ)ak^{3}tsɿ^{0}tʰəŋ^{53} tsɿ^{0}.ŋan^{21}ʂʅ$^{53}_{44}$mau$^{13}_{44}$tek^{3}ŋan^{21},iet^{3}tʂak^{3}tʰəŋ^{53}./i$^{13}_{21}$tsiəu^{53}ŋai^{13}ŋai^{13}tso^{53}ke^{53}kai^{53}tʂak^{3}uk^{3}ke^{53}ʂɿ^{13}xei^{53}tsɿ^{0}tsiəu$^{53}_{44}$ iəu$^{35}_{44}$tsʰiəu$^{53}_{44}$ɔi$^{53}_{44}$iəŋ$^{53}_{44}$li^{0}i^{13}iəŋ$^{53}_{44}$a$^{53}_{44}$ta^{21}liɔŋ^{21}tʂak^{3}tsait^{5}.iəŋ^{53}tʰiet^{3}siɔŋ$^{53}_{44}$ta^{21}ke^{53},xa$^{13}_{21}$ɔi$^{53}_{44}$fɔŋ^{53}kɔŋ^{53}ŋau^{0}.ci^{13}n̩$^{13}_{44}$fɔŋ^{53} kɔŋ^{53}ʂʅ$^{53}_{44}$uɔi$^{53}_{44}$kʰuən^{53}xek^{3}.

【春】tʂʰən^{35} 形 早（指春季里）：一种我等开头讲个箇个是绿茶嘞就系馥嫩子个，摘倒箇芯子唔知几～，唔知几早就爱摘。iet^{3}tʂəŋ^{21}ŋai^{13}tien^{0}kʰɔi^{35}tʰei$^{13}_{21}$kəŋ^{21}ke$^{53}_{44}$kai$^{53}_{44}$ke$^{53}_{44}$ʂʅ$^{53}_{44}$liəuk^{5}tsʰa$^{13}_{21}$le^{0}tsʰiəu$^{53}_{44}$ xe$^{53}_{44}$fət^{5}lən^{53}tsɿ^{0}ke^{53},tsak^{3}tau^{21}kai$^{53}_{44}$sin^{35}tsɿ^{0}n̩$^{13}_{21}$ti$^{35}_{44}$ci$^{13}_{21}$tʂʰən^{35},n̩$^{13}_{21}$ti$^{35}_{53}$ci$^{13}_{21}$tsau^{21}tsʰiəu$^{53}_{44}$ɔi$^{53}_{44}$tsak^{3}.

【春分】tʂʰən^{35}fən^{35} 名 二十四节气之一：～秋分呢日夜平分呶。tʂʰən^{35}fən$^{35}_{44}$tsʰiəu$^{35}_{44}$fən$^{35}_{44}$ne^{0}ɲiet^{3} ia^{53}pʰiaŋ^{13}fən^{35}nau^{0}.

【春耕】tʂʰən^{35}ken^{35}/cien^{35} 动 春季播种之前翻松土地等工作：春天到哩，架势做田里个工夫，都就系～个开始。欸，修水利啦，欸修路啦，斫山墈呐，箇个都就系～个开始。嗯，架势搞～了。唔限定就系犁田。但是犁田呢就系一只最大个标志唠，～个最大个标志。春天耕田。tʂʰən^{35}tʰien^{35}tau^{53}li^{0},cia^{53}ʂɿ^{53}tso^{53}tʰien^{13}li^{0}ke$^{53}_{44}$kəŋ$^{35}_{44}$fu$^{35}_{44}$,təu^{35}tsʰiəu^{53}xe^{53}tʂʰən^{35}cien$^{35}_{44}$ke$^{53}_{44}$kʰɔi^{35}ʂʅ^{21}.e$_{21}$,siəu^{35} ʂei^{21}li^{53}la^{0},e^{0}siəu^{35}ləu^{53}la^{0},tʂɔk^{3}san^{35}kʰan^{53}na^{0},kai$^{53}_{44}$ke$^{53}_{44}$təu^{35}tsʰiəu^{53}xe$^{53}_{44}$tʂʰən^{35}cien$^{35}_{44}$ke^{0}kʰɔi$^{35}_{44}$ʂʅ^{21}.n̩$_{21}$,cia^{53}ʂʅ$^{53}_{44}$ kau^{21}tʂʰən^{35}cien$^{35}_{44}$niau^{0}.n̩^{13}kʰan$^{53}_{21}$tʰiaŋ^{53}tsʰiəu^{53}xe^{53}lai^{13}tʰien^{13}.tan^{53}ʂʅ^{53}lai^{13}tʰien^{13}nei^{0}tsʰiəu$^{53}_{44}$xei$^{53}_{44}$iet^{3}tʂak^{3} tsei^{53}tʰai$^{53}_{44}$ke^{0}piau^{35}tʂʅ$^{53}_{44}$lau^{0},tʂʰən^{35}cien$^{35}_{44}$ke$^{53}_{44}$tsei^{53}tʰai$^{53}_{44}$ke^{0}piau^{35}tʂʅ^{53}.tʂʰən$^{35}_{44}$tʰien$^{35}_{44}$cien$^{35}_{44}$tʰien^{13}.

【春牛灯】tʂʰən^{35}ɲiəu$^{13}_{21}$tien^{35} 名 立春时节举行的迎春仪式上的一种灯彩道具：～，箇我也看过。呣，我𫟃跟倒去出凑。我舅爷就会出～呢。～呐，有一伴人。面前箇个人呢就提盏马灯，到处去照，系唔系啊？到哩你屋下，马灯一照，“请看～”，就意思就咁个，系啊？灯来哩啦。如下第二个人你就牵条牛。硬系真正个一条牛。牵条牛。第三个人就拿张犁。犁上嘞就……箇犁就系假假子个。箇硬爱有牛轭箇个嘞，摞下箇牛身上嘞，一张犁嘞。用呃……水子挽箇只么个都有嘞，都栅齐嘞。噢，舞张子犁嘞欸就用红布子包倒。嗯。喜庆呢，系唔系？喜庆个样子啊 。箇张犁就假假子个凑。渠就做只子箇样子凑。如下第四嘞就扎……扎只小旦呢，舞只妹子呢。扎只小旦，提只篮子呢，送饭呢。欸嘿。如个篮子肚里就……送饭呢。箇系硬舞只妹子嘞。送茶送饭我还唔记得哩，反正要提只篮子凑。如只后背就打锣鼓个呢。看呐，一只提马灯个，一只牵牛个，一只就掌犁个，一只就小旦，如下就四个，如下打锣鼓个四个，后背还一只提马灯个。后背只提马灯个嘞渠就提只篮子专门收别人家红包个，嘿嘿，渠就。面前箇只人唔收红包，分后背箇只人收，收红包。九个子人。tʂʰən^{35}ɲiəu$^{13}_{21}$tien^{35},kai$^{53}_{44}$ŋai^{13}ia$^{35}_{44}$ kʰɔn^{53}ko^{0}.m̩$_{21}$,ŋai^{13}maŋ^{13}cien^{35}tau^{21}çi$^{53}_{44}$tʂʰət^{3}tsʰe^{0}.ŋai$^{13}_{44}$cʰiəu^{35}ia$^{13}_{21}$tsʰiəu^{53}uɔi^{53}tʂʰət^{3}tʂʰən^{35}ɲiəu$^{13}_{21}$tien$^{35}_{44}$nei^{0}. tʂʰən^{35}ɲiəu$^{13}_{21}$tien$^{35}_{44}$na^{0},iəu^{35}iet^{3}pʰɔn^{53}ɲin^{13}.mien^{53}tsʰien^{13}kai^{53}ke^{0}ɲin$^{13}_{21}$ne^{0}tsʰiəu^{53}tʰia^{35}tsan^{21}ma^{35}tien$^{35}_{44}$,tau^{53} tʂʰu$^{53}_{44}$çi$^{53}_{44}$tʂau^{53},xei$^{53}_{44}$me$^{53}_{44}$a^{0}?tau^{53}li^{0}ɲi^{13}uk^{3}xa^{53},ma^{35}tien$^{35}_{44}$iet^{3}tʂau^{53},"tsʰiaŋ^{21}kʰɔn^{53}tʂʰən^{35}ɲiəu$^{13}_{21}$ten^{35}",tsʰiəu$^{53}_{44}$ i^{53}sɿ$^{35}_{44}$tsʰiəu$^{53}_{44}$kan^{21}ke$^{53}_{44}$,xei$^{53}_{44}$a^{0}?ten^{35}lɔi$^{13}_{44}$li^{0}la^{0}.i$^{13}_{21}$xa$^{53}_{44}$tʰi$^{53}_{44}$ɲi^{53}ke$^{53}_{44}$ɲin^{13}nei^{0}tsʰiəu$^{53}_{44}$cʰien^{35}tʰiau$^{13}_{21}$ɲiəu^{13}. ɲiaŋ$^{53}_{44}$xe$^{53}_{44}$

tʂən^{35}tʂən$^{53}_{44}$ke^{53}iet^{3}tʰiau$^{13}_{21}$ɲiəu^{13}.cʰien^{35}tʰiau$^{13}_{21}$ɲiəu^{13}.tʰi^{53}san^{35}ke^{53}ɲin$^{13}_{44}$tsʰiəu$^{53}_{44}$lak^{5}tʂɔŋ$^{35}_{44}$lai^{13}.lai^{13}xɔŋ$^{53}_{44}$lei^{0}tsʰiəu$^{53}_{44}$…kai^{53}lai^{13}tsʰiəu^{53}xei^{53}cia^{21}cia^{21}tsɿ^{0}ke^{0}.kai$^{53}_{44}$ɲiaŋ$^{53}_{44}$ɔi$^{53}_{44}$iəu$^{35}_{44}$ɲiəu^{13}ak^{3}kai^{53}tʂak^{3}lei^{0},kʰuan^{53}na$^{53}_{44}$kai$^{53}_{44}$ɲiəu^{13}ʂən^{35}xɔŋ^{53}lei^{0},iet^{3}tʂɔŋ$^{35}_{44}$lai^{13}lei^{0}.iəŋ^{53}ə$_{44}$…ʂei^{21}tsɿ^{0}uan^{21}kai^{53}tʂak^{3}mak^{3}e^{0}təu$^{35}_{44}$iəu$^{35}_{44}$le^{0},təu$^{35}_{44}$tsait^{5}tsʰe^{13}le^{0}.au$_{21}$,u^{21}tʂɔŋ$^{35}_{44}$tsɿ^{0}lai^{13}lei^{0}e^{0}tsʰiəu^{53}iəŋ^{53}fəŋ^{13}pu^{53}tsɿ^{0}pau^{35}tau^{21}.n̩$_{21}$.çi^{21}cʰin^{53}ne^{0},xei^{53}me^{53}?çi^{21}cʰin^{53}ke^{53}iəŋ^{53}tsa^{0}.kai^{53}tʂɔŋ$^{35}_{53}$lai^{13}tsʰiəu$^{53}_{44}$cia^{21}cia^{21}tsɿ^{0}ke^{0}tsʰe^{0}.ci^{13}tsʰiəu$^{53}_{44}$tso^{53}tʂak^{3}tsɿ^{0}kai$^{53}_{13}$iəŋ^{53}tsɿ^{0}tsʰe^{0}.i$^{13}_{21}$xa$^{53}_{44}$tʰi$^{53}_{44}$si^{53}lei^{0}tsʰiəu^{53}tsek^{3}…tsait^{3}tʂak^{3}siau^{21}tan^{53}nei^{0},u^{21}tʂak^{3}mɔi^{53}tsɿ^{0}nei^{0}.tsait^{3}(tʂ)ak^{3}siau^{21}tan^{53},tʰia^{35}(tʂ)ak^{3}lan^{13}tsɿ^{0}nei^{0},səŋ^{53}fan^{53}nei^{0}.e$_{44}$xe$_{44}$.i$^{13}_{44}$ke$^{53}_{44}$lan^{13}tsɿ^{0}təu^{21}li^{0}tsiəu^{53}…səŋ^{53}fan^{53}nei^{0}.kai$^{53}_{44}$xe$^{53}_{44}$ɲiaŋ^{53}u^{21}tʂak^{3}mɔi^{53}tsɿ^{0}lei^{0}.səŋ^{53}tsʰa^{13}səŋ^{53}fan^{53}ŋai$^{13}_{21}$xai^{13}n̩^{13}ci^{53}tek^{3}li^{0},fan^{21}tʂən^{53}iau$^{53}_{44}$tʰia^{35}(tʂ)ak^{3}lan^{13}tsɿ^{0}tsʰe^{0}.iak^{3}(←i^{13}tʂak^{3})xei^{53}pɔi$^{53}_{44}$tsʰiəu$^{53}_{44}$ta^{21}lo^{13}ku^{21}cie^{53}nei^{0}.kʰɔn$^{53}_{44}$na^{0},iet^{3}tʂak^{3}tʰia^{35}ma^{35}ten$^{35}_{44}$ke^{0},iet^{3}tʂak^{3}cʰien^{35}ɲiəu^{13}ke^{0},iet^{3}tʂak^{3}tsʰiəu^{53}tʂɔŋ^{21}lai^{13}ke^{0},iet^{3}tʂak^{3}tsʰiəu^{53}siau^{21}tan^{53},i$^{13}_{21}$xa$^{53}_{44}$tsʰiəu$^{53}_{44}$si^{53}ke$^{53}_{44}$,i$^{13}_{44}$xa$^{53}_{44}$ta^{21}lo^{13}ku^{21}ke$^{53}_{44}$si^{53}ke^{53},xei^{53}pɔi$^{53}_{44}$xai^{13}iet^{3}tʂak^{3}tʰia^{35}ma^{35}ten$^{35}_{44}$cie^{0}.xei^{53}pɔi$^{53}_{44}$tʂak^{3}tʰia^{35}ma^{35}ten$^{35}_{44}$ke^{0}lei^{0}ci^{13}tsʰiəu$^{53}_{44}$tʰia$^{35}_{44}$(tʂ)ak^{3}lan^{13}tsɿ^{0}tʂen^{35}mən$^{13}_{21}$ʂəu^{35}pʰiet^{5}in$^{13}_{44}$ka$^{35}_{44}$fəŋ^{13}pau$^{35}_{44}$ke^{0},xe$_{44}$xe$_{53}$,ci$^{13}_{21}$tsʰiəu$^{53}_{44}$.mien^{53}tsʰien$^{13}_{21}$kai^{53}tʂak^{3}ɲin$^{13}_{21}$n̩^{13}ʂəu$^{35}_{44}$fəŋ$^{13}_{21}$pau$^{35}_{44}$,pən^{35}xei^{53}pɔi$^{53}_{44}$kai$^{53}_{44}$tʂak^{3}ɲin$^{13}_{21}$ʂəu$^{35}_{44}$,ʂəu$^{35}_{44}$fəŋ$^{13}_{21}$pau^{35}.ciəu^{21}ke^{53}tsɿ^{0}ɲin^{13}.

【春社】tʂʰən^{35}ʂa^{35} 名 指立春后第五个戊日，祭祀土地神，以祈农事丰收：欸，春天就有只～吵。ei$_{44}$,tʂʰən^{35}tʰien$^{35}_{44}$tsʰiəu$^{53}_{44}$iəu$^{35}_{44}$tʂak^{3}tʂʰən^{35}ʂa^{35}ʂa^{0}.

【春笋】tʂʰən^{35}sən^{21} 名 春季成长或挖出的竹笋：渠箇个嘞，一交哩春个笋就喊～了。𫟨交春就唔喊～呢，箇就冬笋呢。如今呢如今箇个以前林管会会管事。一交哩春就唔准你等去挖笋卖了。如下是有人管哩。嗯，林管会都冇得哩了会。林管会都会唔爱哩了。林业部门呢，冇滴搞首了话知你。有生意呀。ci^{13}kai^{53}ke^{53}lei^{0},iet^{3}ciau^{35}li^{0}tʂʰən^{35}ke^{53}sən^{21}tsʰiəu$^{53}_{44}$xan$^{53}_{44}$tʂʰən^{35}sən^{21}niau^{0}.maŋ^{13}ciau$^{35}_{44}$tʂʰən$^{35}_{44}$tsʰiəu^{53}n̩^{13}xan^{53}tʂʰən^{35}sən^{21}ne^{0},kai$^{53}_{44}$tsʰiəu^{53}təŋ^{35}sən^{21}ne^{0}.i$^{13}_{21}$cin$^{35}_{44}$ne^{0}i$^{13}_{21}$cin$^{35}_{53}$kai$^{53}_{44}$ke$^{53}_{44}$i$^{35}_{53}$tsʰien$^{13}_{21}$lin^{13}kɔn^{21}fei^{53}uɔi^{53}kɔn^{21}sɿ^{53}.iet^{3}ciau^{35}li^{0}tʂʰən^{35}tsʰiəu^{53}n̩$^{13}_{44}$tʂən^{21}ɲi^{13}tien^{0}çi^{53}uait^{3}sən^{21}mai^{53}liau^{0}.i$^{13}_{21}$xa^{53}ʂʅ$^{53}_{44}$mau^{13}in$^{13}_{44}$kɔn^{21}li^{0}.n̩$_{21}$,lin^{13}kɔn^{21}fei^{53}təu$^{35}_{44}$mau$^{13}_{21}$tek^{3}li^{0}liau^{0}uɔi^{53}.lin^{13}kɔn^{21}fei^{53}təu$^{35}_{44}$uɔi$^{53}_{44}$m̩$^{13}_{21}$mɔi^{53}li^{0}liau^{0}.lin^{13}ɲiait^{5}pʰu^{53}mən$^{13}_{44}$ne^{0},mau^{13}tiet^{5}kau^{21}tʂʰəu^{21}liau^{0}ua^{53}ti^{35}ɲi$^{13}_{44}$.mau^{13}sen$^{35}_{44}$i^{53}ia^{0}.

【春天】tʂʰən^{35}tʰien^{35} 名 春季，一年四季中的第一个季节：渠箇只花指望春花开哩了嘞就～来了。ci^{13}kai^{53}tʂak^{3}fa^{35}kʰɔi^{35}li^{0}liau^{0}lei^{0}tsʰiəu$^{53}_{44}$tʂʰən^{35}tʰien^{35}lɔi$^{13}_{21}$liau^{0}.｜～呐丝芒正长起来个时候尖尖子个。tʂʰən^{35}tʰien$^{35}_{44}$na^{0}sɿ^{35}mɔŋ$^{13}_{21}$tʂaŋ^{53}tʂɔŋ^{21}çi^{21}lɔi^{13}ke$^{53}_{44}$ʂʅ$^{13}_{44}$xei$^{53}_{44}$tsian^{35}tsian^{35}tsɿ^{0}ke^{53}.

【椿烟】tʂʰən^{35}ien^{35} 名 香椿树的嫩枝叶：～就好食啦，喷香啊。以前我唔食咯。箇东西煎饽饽食得噢。/煎饽饽真香啊。tʂʰən^{35}ien$^{35}_{44}$tsʰiəu$^{53}_{44}$xau^{21}ʂət^{5}la^{0},pʰəŋ$^{35}_{44}$çiɔŋ$^{35}_{44}$ŋa^{0}.i$^{35}_{44}$tsʰien$^{13}_{21}$ŋai$^{13}_{21}$n̩$^{13}_{21}$ʂət^{5}ko^{0}.kai$^{53}_{44}$təŋ$^{35}_{21}$si^{0}tsien^{35}pɔk^{5}pɔk^{5}ʂət^{5}tek^{3}au^{0}./tsien^{35}pɔk^{5}pɔk^{5}tʂən^{35}çiɔŋ$^{35}_{44}$ŋa^{0}.｜～你晓让门食吗？煎饽饽。真贵哟，箇街上卖个～是真贵啦。欸正新出物子是硬一掐咁个～子，咁大一掐子，煎得一碗子饽饽，取只子箇香味，煎一碗子饽饽，十块钱正架势，嗯。tʂʰən^{35}ien$^{35}_{53}$ɲi$^{13}_{21}$çiau^{21}ɲiɔŋ$^{53}_{44}$mən^{0}ʂət^{5}ma^{0}?tsen^{35}pɔk^{5}pɔk^{5}.tʂən^{35}kuei^{53}io^{0},kai$^{53}_{44}$kai$^{35}_{44}$xɔŋ$^{53}_{44}$mai^{53}ke^{0}tʂʰən^{35}ien$^{35}_{44}$ʂʅ$^{53}_{44}$tʂən^{35}kuei^{53}la^{0}.e^{0}tʂaŋ^{53}sin^{35}tʂʰət^{3}uət^{5}tsɿ^{0}ʂʅ$^{53}_{44}$ɲiaŋ^{53}iet^{3}kʰa^{35}kan^{21}ke$^{53}_{44}$tʂʰən^{35}ien$^{35}_{44}$tsɿ^{0},kan^{21}tʰai^{53}iet^{3}kʰa^{35}tsɿ^{0},tsen^{35}tek^{3}iet^{3}uɔn^{21}tsɿ^{0}pɔk^{5}pɔk^{5},tsʰi^{21}tʂak^{3}tsɿ^{0}kai^{53}çiɔŋ^{35}uei$^{53}_{44}$,tsen^{35}iet^{3}uɔn^{21}tsɿ^{0}pɔk^{5}pɔk^{5},ʂət^{5}kʰuai^{21}tsʰien^{13}tʂaŋ$^{53}_{44}$cia$^{53}_{44}$ʂʅ$^{53}_{44}$,n̩$_{21}$.

【椿烟树】tʂʰən^{35}ien^{35}ʂəu^{53} 名 香椿树：以前我等老屋里侧边就有只～。就香椿树，系啊。我也就就分你欸年年都看稳箇个发芽，～发芽。欸，长起来有蛮长子了。长唔赢啊首先呐，你也去摘滴子椿烟食哩，渠也摘滴子椿烟食哩，一条光棍呢，欸摘去哩。如下落尾就慢慢子迟哩滴子了就冇么人摘哩，箇就长起箇㶶大。长起㶶大了就食唔得哩。嘿，箇个就唔好食了，老嘿哩。i$^{35}_{53}$tsʰien$^{13}_{21}$ŋai^{13}tien^{0}lau^{21}uk^{3}li^{0}tsek^{3}pien$^{35}_{44}$tsʰiəu$^{53}_{44}$iəu$^{35}_{44}$tʂak^{3}tʂʰən^{35}ien^{35}ʂəu^{53}.tsʰiəu$^{53}_{44}$çiɔŋ$^{35}_{44}$tʂʰən$^{35}_{44}$ʂu^{53},xei$^{53}_{44}$a^{0}.ŋai^{13}ia$^{35}_{44}$tsʰiəu^{53}tsʰiəu^{53}pən$^{35}_{44}$ɲi$^{13}_{21}$e^{0}ɲien^{13}ɲien^{13}təu$^{35}_{44}$kʰɔn^{53}uən^{21}kai$^{53}_{44}$ke$^{53}_{44}$fait^{3}ŋa^{13},tʂʰən$^{35}_{44}$ien$^{35}_{44}$ʂəu^{53}fait^{3}ŋa^{13}.e$_{21}$,tʂɔŋ^{21}çi^{21}lɔi^{13}iəu$^{35}_{44}$man$^{13}_{21}$tʂʰɔŋ$^{13}_{44}$tsɿ^{0}liau^{0}.tʂɔŋ^{21}n̩^{13}iaŋ^{13}ŋa^{0}ʂəu^{21}sien$^{35}_{44}$na^{0}, ɲi^{13}ia$^{35}_{44}$çi^{53}tsak^{3}tiet^{5}tsɿ^{0}tʂʰən$^{35}_{44}$ien$^{35}_{44}$ʂət^{5}li^{0},ci^{13}ia$^{35}_{44}$tsak^{3}tiet^{5}tsɿ^{0}tʂʰən$^{35}_{44}$ien$^{35}_{44}$ʂət^{5}li^{0},iet^{3}tʰiau^{13}kɔŋ^{35}kuən^{53}nei^{0},e$_{44}$tsak^{3}çi^{53}li^{0}.ia$_{21}$(i^{13}xa^{53})lɔk^{5}mi^{35}tsʰiəu$^{53}_{44}$man^{53}man^{53}tsɿ^{0}tʂʰʅ^{13}li^{0}tiet^{5}tsɿ^{0}liau^{0}tsʰiəu^{53}mau$^{13}_{21}$mak^{3}in$^{13}_{44}$tsak^{3}li^{0},kai$^{53}_{44}$tsʰiəu$^{53}_{44}$tʂɔŋ^{21}çi$^{21}_{44}$kai$^{53}_{44}$mən^{35}tʰai^{53}.tʂɔŋ^{21}çi$^{21}_{44}$mən^{35}tʰai$^{53}_{44}$liau^{0}tsʰiəu$^{53}_{44}$ʂət^{5}n̩$^{13}_{44}$tek^{3}li^{0}.xe$_{53}$,kai$^{53}_{44}$ke$^{53}_{44}$tsʰiəu$^{53}_{44}$n̩$^{13}_{21}$xau^{21}ʂət^{5}liau^{0},lau^{21}xek^{3}li^{0}.

【蠢】tʂʰən^{21} 形 愚笨，笨拙。又称"ʂe^{13}、蒲"：装～tsɔŋ^{35}tʂʰən^{21}｜箇只人真～。kai^{53}tʂak^{3}ɲin^{13}tʂən^{35}tʂʰən^{21}.

【蠢宝】tʂʰən^{21}pau^{21} 名 傻瓜，笨蛋：～嘞又蠢又宝气。"你箇～。"嗯，以前我等有只喊老弟子个，渠就系只～，箇是真系只～。渠蛮□，蛮蠢。渠让门会蠢呢？据说嘞，箇只东西𫟨经过考证个，渠个爷娭也取都嫑箇个。细细子尽病。出世咯，就蛮多病。细细子唔蠢呢。就系箇个四五岁子，三四岁子啊四五岁子起嘞，渠因为病痛多啊，渠爷子买滴鹿茸分渠食，蛮多人都话就系食茸食蠢哩。话哩尽病咯，欸，真多啰嗦啊，真多病啊。食早哩啊，鹿茸是茸食早哩啊。补过哩□啊。如下如今失咁哩咯。硬走失嘿哩。唔知哪去哩。tʂʰən^{21}pau^{21}lei^{0} iəu^{53} tʂʰən^{21}iəu^{53}pau^{21}çi^{53}."ɲi^{13}kai^{53}tʂʰən^{21}pau^{21}."n̩$_{21}$,i^{35}tsʰien$^{13}_{21}$ŋai^{13}tien^{0} iəu$^{35}_{44}$tʂak^{3} xan$^{53}_{44}$lau^{21}tʰe^{35}tsɿ^{0} ke^{0},ci$^{13}_{44}$tsʰiəu$^{53}_{44}$ xei$^{53}_{44}$tʂak^{3} tʂʰən^{21}pau^{21},kai$^{53}_{44}$ʂʅ$^{53}_{44}$tʂən^{35}xe$^{53}_{44}$tʂak^{3} tʂʰən^{21}pau^{21}.ci$^{13}_{21}$man^{13}ʂe^{13},man^{13}tʂʰən^{21}.ci$^{13}_{21}$ɲiəŋ$^{53}_{44}$mən^{0} uɔi^{53} tʂʰən^{21}nei^{0}?tʂʮ^{53}ʂet^{3} lei^{0},kai^{53}tʂak^{3}(t)əŋ$^{35}_{44}$si^{0} maŋ$^{13}_{21}$cin^{35}kuo$^{53}_{44}$kʰau^{21}tʂən$^{53}_{44}$kei^{0},ci^{13}ke^{0} ia^{13}ɔi^{35}ia^{35}tsʰi$^{13}_{21}$təu$^{35}_{53}$maŋ^{13} kai$^{53}_{44}$ke^{0}.se^{53}se^{53}tsɿ^{0} tsʰin^{53}pʰiaŋ^{53}.tʂʰət^{3} ʂʅ$^{53}_{44}$ko^{0},tsʰiəu$^{53}_{44}$man^{13}to^{35}pʰiaŋ^{53}.se^{53}se^{53}tsɿ^{0} n̩^{13}tʂʰən^{21}ne^{0}.tsʰiəu^{53}xe$^{53}_{44}$ kai$^{53}_{44}$kei$^{53}_{44}$si^{53}ŋ̍^{21}sɔi^{53}tsɿ^{0},san^{35}si^{53}sɔi$^{53}_{44}$tsa^{0} si^{53}ŋ̍^{21}sɔi^{53}tsɿ^{0} çi^{21}lei^{0},ci$^{13}_{21}$in^{35}uei$^{53}_{44}$pʰiaŋ^{53}tʰəŋ$^{53}_{44}$to^{35}a^{0},ci$^{13}_{21}$ia^{13}tsɿ^{0} mai^{35} tet$^{5}_{3}$ luk^{5} iəŋ$^{13}_{21}$pən^{35}ci$^{13}_{21}$ʂət^{5},man^{13}to^{35}ɲin$^{13}_{44}$təu$^{35}_{44}$ua$^{53}_{44}$tsʰiəu$^{53}_{44}$xe$^{53}_{44}$ʂət^{5} iəŋ^{13}ʂət^{5} tʂʰən^{21}ni^{0}.ua^{53}li^{0} tsʰin^{53}pʰiaŋ^{53} ko^{0},e$_{44}$,tʂən^{35}to$^{35}_{44}$lo$^{35}_{44}$so$^{35}_{44}$a^{0},tʂən^{35}to^{35}pʰiaŋ^{53}ŋa^{0}.ʂət^{5} tsau^{21}li^{0} a^{0},luk^{5} iəŋ^{13}ʂʅ$^{53}_{44}$iəŋ^{13}ʂət^{5} tsau^{21}li^{0} a^{0}.pu^{21}ko^{53}li^{0} faŋ^{53} ŋa^{0}.i$^{13}_{21}$xa$^{53}_{44}$i$^{13}_{21}$cin$^{35}_{44}$ʂek$^{3}_{5}$ kan^{21}li^{0} ko^{0}. ɲiaŋ^{53}tsei^{21}ʂek^{3} xek^{3} li^{0}.n̩$^{13}_{21}$ti$^{35}_{53}$lai^{53}çi^{53}li^{0}.

【蠢牯】tʂʰən^{21}ku^{21} 名愚笨的人：～，一般指男性个，男个，话别人家～。“你咁个都唔懂，你～吧？”“一只咁个事都唔懂，你～哇？莫咁蠢呢你，～。”tʂʰən^{21}ku^{21},iet^{3} pən^{35}tʂʅ^{21}nan^{13}sin^{53} cie^{0},nan^{13}cie^{53},ua^{53}pʰiet^{5} in$^{13}_{44}$ka$^{35}_{44}$tʂʰən^{21}ku^{21}."ɲi$^{13}_{44}$kan$^{21}_{13}$ke^{53}təu$^{35}_{53}$n̩$^{13}_{21}$təŋ^{21}, ɲi^{13}tʂʰən^{21}ku^{21}pa^{0}?""iet^{3} tʂak^{3} kan$^{21}_{13}$ ke^{53}sɿ^{53}təu$^{35}_{53}$n̩$^{13}_{44}$təŋ^{21}, ɲi$^{13}_{44}$tʂʰən^{21}ku^{21}ua^{0}?mɔk^{5} kan^{21}tʂʰən^{21}nei^{0} ɲi$^{13}_{21}$,tʂʰən^{21}ku^{21}."

【蠢嫲】tʂʰən^{21}ma^{13} 名女性的傻子：箇只妹子就系只～。kai^{53}tʂak^{3} mɔi^{53}tsɿ^{0} tsʰiəu^{53}xe$^{53}_{44}$tʂak^{3} tʂʰən^{21} ma^{13}.

【蠢人】tʂʰən^{21}ɲin^{13} 名傻瓜，笨蛋：人呢爱学雀滴子嘞，莫做～呢。ɲin^{13}ne^{0} ɔi^{53}xɔk^{5} tsʰiɔk^{3} tiet^{5} tsɿ^{0} le^{0},mɔk^{5} tso^{53}tʂʰən^{21}ɲin^{13}ne^{0}.

【蠢事】tʂʰən^{21}sɿ^{53} 名愚蠢的事；傻事：做哩只～。tso^{53}li^{0} tʂak^{3} tʂʰən^{21}sɿ^{53}.

【逴】tʂʰɔk^{3} 动无所事事地闲逛：～上～下 tʂʰɔk^{3} ʂɔŋ^{53}tʂʰɔk^{3} xa^{53}

【戳】tsʰɔk^{3} 动男子的性交动作：～膣 tsʰɔk^{3} tʂʅ^{35}｜～你老妹子啊！tsʰɔk^{3} ɲi^{13}lau^{21}mɔi^{53}tsɿ^{0} a^{0}!｜欸，我讲只笑话。我等如向人呢骂别人家话嘞就骂“～娘”“～你个娘”，系唔系？据说嘞，我系据说，我又唔咁话凑，我等箇哽背江西人呢，渠等箇只“～娘”箇两只字嘞就一只口头禅。“～你个娘。”欸今晡样打比样唔太顺心个事就先就来一句“～娘”，欸。“～你个娘，一条咁个路。”系唔系？唔好咁唔好走，系唔系？“～你娘，车都唔停下子。”系唔系？箇就先……唔顺心个事先就话“～娘”。据说渠等江西人呢渠箇个人呢，～爷就～唔得话。嘿，只好～渠个娘。～渠娘就唔爱紧。欸，你～渠娘～得。要你你是话～渠个爷嘞箇渠就伤心。也唔知到底有么人咁话。e$_{21}$,ŋai$^{13}_{21}$kɔŋ^{21}tʂak^{3} siau^{53}fa$^{53}_{44}$.ŋai^{13}tien^{0} i$^{13}_{21}$çiɔŋ^{53}ɲin^{13}ne^{0} ma^{53}pʰiet^{5} in$^{13}_{44}$ka$^{35}_{44}$fa^{53}le^{0} tsʰiəu$^{53}_{44}$ ma^{53}"tsʰɔk^{3} ɲiɔŋ^{13}""tsʰɔk^{3} ɲi$^{13}_{53}$ke^{0} ɲiɔŋ^{13}",xei$^{53}_{44}$me$^{53}_{44}$?tʂʮ^{53}ʂet^{3} lei^{0},ŋai^{13}xe^{53}tʂʮ^{53}ʂet^{3},ŋai^{13}iəu^{53}n̩$^{13}_{21}$kan^{21}ua^{53}tsʰe^{0}, ŋai^{13}tien^{0} kai$^{53}_{44}$cien^{53}pɔi$^{53}_{44}$kɔŋ^{35}si$^{35}_{44}$ɲin$^{13}_{21}$ne^{0},ci^{13}tien^{0} kai^{53}tʂak^{3}"tsʰɔk^{3} ɲiɔŋ^{13}"kai^{53}iɔŋ^{21}tʂak^{3} tsʰɿ$^{53}_{44}$lei^{0} tsʰiəu^{53}iet^{3} tʂak^{3} kʰei^{21}tʰei^{13}ʂan^{13}."tsʰɔk^{3} ɲi$^{13}_{53}$e^{0} ɲiɔŋ^{13}."ei$_{21}$cin$^{35}_{44}$pu$^{35}_{44}$iɔŋ$^{53}_{44}$ta^{21}pi^{21}iɔŋ$^{53}_{44}$n̩^{13}tʰai$^{53}_{44}$ʂən^{53}sin^{35}ke$^{53}_{44}$sɿ$^{53}_{44}$tsʰiəu$^{53}_{44}$sien^{35} tsʰiəu^{53}lɔi$^{13}_{21}$iet^{3} tʂʮ^{53}"tsʰɔk^{3} ɲiɔŋ$^{13}_{44}$",e$_{21}$."tsʰɔk^{3} ɲi$^{13}_{53}$e^{0} ɲiɔŋ$^{13}_{44}$,iet^{3} tʰiau$^{13}_{21}$kan^{21}cie$^{53}_{44}$ləu^{53}."xei$^{53}_{44}$me$^{53}_{44}$?m̩^{13}xau^{21}kan^{21} n̩^{13}xau^{21}tsei^{21},xei^{53}me^{53}?"tsʰɔk^{3} ɲi$^{13}_{53}$ɲiɔŋ$^{13}_{44}$,tʂʰa^{35}təu$^{35}_{53}$n̩$^{13}_{21}$tʰin^{13}na^{53}tsɿ^{0}."xei$^{53}_{44}$me$^{53}_{44}$?kai$^{53}_{44}$tsʰiəu$^{53}_{44}$sien$^{35}_{44}$…n̩^{13}ʂən^{53} sin^{35}ke$^{53}_{44}$sɿ$^{53}_{44}$sien^{35}tsʰiəu$^{53}_{44}$ua^{53}"tsʰɔk^{3} ɲiɔŋ^{13}".tʂʮ^{53}ʂet^{3} ci^{13}tien^{0} kai^{53}kɔŋ^{35}si$^{35}_{44}$ɲin^{13}nei^{0} ci^{13}kai$^{53}_{44}$ke$^{53}_{44}$ɲin^{13}nei^{0}, tsʰɔk^{3} ia^{13}tsʰiəu^{53}tsʰɔk^{3} n̩$^{13}_{21}$tek^{3} ua^{53}.xe$_{53}$,tʂət^{3}(x)au$^{21}_{44}$tsʰɔk^{3} ci$^{13}_{53}$e^{0} ɲiɔŋ^{13}.tsʰɔk^{3} ci$^{13}_{53}$ɲiɔŋ^{13}tsʰiəu^{53}m̩$^{13}_{21}$mɔi^{53}cin^{21}.e$_{21}$, ɲi$^{13}_{21}$tsʰɔk^{3} ci$^{13}_{53}$ɲiɔŋ^{13}tsʰɔk^{3} tek^{3}.iau^{53}ɲi^{13}ɲi^{13}ʂʅ$^{53}_{44}$ua^{53}tsʰɔk^{3} ci$^{13}_{53}$ke^{0} ia^{13}lei^{0} kai^{53}ci^{13}tsʰiəu^{53}ʂɔŋ$^{35}_{44}$sin$^{35}_{44}$.ia^{35}n̩$^{13}_{21}$ti$^{35}_{44}$tau^{53} ti^{21}mau^{13}mak^{3} in$^{13}_{44}$kan^{21}ua^{53}.

【辵】tʂʰek^{3}/tʂʰət^{3} 动①欺骗；哄骗：我话你搞么个就搞么个，嗯，你莫～我。ŋai^{13}(u)a^{53}ɲi^{13} kau^{21}mak^{3} ke^{0} tsʰiəu^{53}kau^{21}mak^{3} ke^{53},n̩$_{21}$, ɲi^{13}mɔk^{5} tʂʰek^{3} ŋai^{13}.｜我就别人家～我唔倒。也有人～过我，我～就唔倒。ŋai^{13}tsiəu^{53}pʰiet^{5} in$^{13}_{44}$ka$^{35}_{53}$tʂʰət^{3} ŋai^{13}n̩$^{13}_{44}$tau^{21}.ia^{35}iəu$^{35}_{44}$ɲin$^{13}_{21}$tʂʰət^{3} ko^{53}ŋai$^{13}_{44}$,ŋai$^{13}_{44}$tʂʰət^{3} tsʰiəu$^{53}_{44}$n̩$^{13}_{44}$ tau^{21}. ②骗取：～钱 tʂʰek^{3} tsʰien$^{13}_{21}$

【辵黄牛子过岭样】tʂʰet^{3} uɔŋ^{13}ɲiəu$^{13}_{44}$tsɿ^{0} ko^{53}liaŋ^{35}iɔŋ^{53} 比喻过河拆桥，说话不算数：你答应哩个啊，硬自家答应哩，你讲事咁个，～，系唔系？ɲi^{13}tait^{3} in^{53}li^{0} ke$^{53}_{44}$a^{0}, ɲiaŋ$^{53}_{44}$tsʰɿ^{35}ka$^{35}_{53}$tait^{3} in$^{53}_{44}$li^{0}, ɲi$^{13}_{21}$ kɔŋ^{21}sɿ^{53}kan$^{21}_{13}$cie^{53},tʂʰet^{3} uɔŋ^{13}ɲiəu$^{13}_{44}$tsɿ^{0} ko^{53}liaŋ^{35}iɔŋ^{53},xei$^{53}_{44}$me$^{53}_{44}$?

【辵之嗙聒】tʂʰek^{3} tʂʅ^{35}pʰaŋ^{53}kuek^{5} 假话连篇，且又乱说：尽讲假话，～哟。tsʰin^{53}ciaŋ^{21}cia^{21}fa^{53}, tʂʰek^{3} tʂʅ^{35}pʰaŋ^{53}kuek^{5} iau^{0}.｜～箇只人呐。tʂʰek^{3} tʂʅ^{35}pʰaŋ^{53}kuek^{5} kai^{53}(tʂ)ak^{3} ɲin$^{13}_{21}$na^{0}.

【趸子】tʂ^{h}ek^{3} tsɿ^{0} 名骗子：如今个骗子啊～啊如今个～是硬敹防不胜防，我等都爱大家都爱注意，爱多留只心眼，～多，但是唔怕渠凑，系唔系？你只莫贪。你贪财你贪么个东西你就最终会上大当。你莫贪呐，你莫相信天上跌下来个东西呀你就冇事。i$^{13}_{21}$cin$^{35}_{53}$ke$^{53}_{44}$p^{h}ien^{53}tsɿ^{0}a^{0} tʂ^{h}et^{3}tsɿ^{0}a^{0} i$^{13}_{21}$cin$^{35}_{53}$ke^{53}tʂ^{h}ek^{3}tsɿ^{0} ʂʅ$^{53}_{21}$ɲiaŋ^{53}e$_{21}$fɔŋ^{13}pət^{3}ʂən^{53}fɔŋ^{13},ŋai^{13}tien^{0}təu^{35}ɔi$^{53}_{44}$t^{h}ai^{53}cia$^{35}_{44}$təu^{35}ɔi$^{53}_{44}$tʂɥ$^{53}_{44}$i^{53},ɔi$^{53}_{44}$to^{35}liəu$^{13}_{21}$tʂak^{3}sin^{35}ŋan^{21},tʂ^{h}ek^{3}tsɿ^{0}to^{35},tan$^{53}_{44}$ʂʅ$^{53}_{44}$ia^{35}m̩$^{13}_{21}$p^{h}a^{53}ci$^{13}_{21}$ts^{h}e^{0},xei^{53}me^{53}?ɲi$^{13}_{21}$tʂʅ^{21}mɔk^{5}t^{h}an^{35}. ɲi^{13}t^{h}an^{35}ts^{h}ɔi^{13}ɲi$^{13}_{21}$t^{h}an^{35}mak^{3}e^{0}təŋ$^{35}_{53}$si^{0}ɲi$^{13}_{21}$ts^{h}iəu^{53}tsei^{53}tʂəŋ^{35}uɔi$^{53}_{44}$ʂɔŋ^{35}t^{h}ai^{53}tɔŋ^{53}. ɲi^{35}mɔk^{5}t^{h}an^{35}na^{0}, ɲi^{13}mɔk^{5}siɔŋ^{35}sin^{53}t^{h}ien^{35}xɔŋ$^{53}_{44}$tet^{3}xa$^{53}_{44}$lɔi$^{13}_{21}$kei$^{53}_{44}$təŋ^{35}si^{0}ia^{0}ɲi^{13}tsiəu^{53}mau^{13}sɿ^{53}.

【绰】tʂ^{h}ɔk^{3} 动敞开：以皮门～开来分你进。i^{21}p^{h}i^{13}mən^{13}tʂ^{h}ɔk^{3}k^{h}ɔi$^{35}_{44}$lɔi$^{13}_{21}$pən^{35}ɲi$^{13}_{21}$tsin^{53}.

【绰号】tʂ^{h}ɔk^{3}xau^{53} 名外号；别称：我等以前有只亲戚，渠个～就安做土蝈。别人家喊渠个～哇。ŋai$^{13}_{21}$tien^{0}i^{35}ts^{h}ien$^{13}_{21}$iəu^{35}tʂak^{3}ts^{h}in^{35}ts^{h}iet^{3},ci^{13}ke$^{53}_{44}$tʂ^{h}ɔk^{3}xau$^{53}_{44}$tsəu$^{53}_{44}$ɔn$^{35}_{44}$tso$^{53}_{44}$t^{h}əu^{21}kɔk^{3}.p^{h}iek^{5}in$^{13}_{21}$ka$^{35}_{44}$xan^{53}ci$^{13}_{44}$ke$^{53}_{44}$tʂ^{h}ɔk^{3}xau^{53}ua^{0}.

【绰子】tʂ^{h}ɔk^{3}tsɿ^{0} 名长衫：如今只有箇个死哩人请倒箇个做道士个人箇就着起箇长～。着起箇～，就系长衫。咁俪俪哩个做道场个人，欸。i$^{13}_{21}$cin$^{35}_{44}$tʂət^{3}iəu$^{35}_{53}$kai$^{53}_{44}$ke$^{53}_{44}$si^{21}li^{0}ɲin^{13}ts^{h}iaŋ^{21}tau^{21}kai$^{53}_{44}$ke$^{53}_{44}$tso$^{53}_{44}$t^{h}au^{53}sɿ$^{53}_{44}$ke$^{53}_{44}$ɲin$^{13}_{21}$kai$^{53}_{44}$ts^{h}iəu$^{53}_{44}$tʂɔk^{3}çi^{21}kai$^{53}_{44}$tʂ^{h}ɔŋ^{13}tʂ^{h}ɔk^{3}tsɿ^{0}.tʂɔk^{3}çi$^{21}_{44}$(k)ai^{53}tʂ^{h}ɔk^{3}tsɿ^{0},ts^{h}iəu$^{53}_{44}$xei$^{53}_{44}$tʂ^{h}ɔŋ^{13}san$^{35}_{44}$.kan^{21}ɲian^{21}ɲian^{21}li^{0}ke^{0}tso^{53}t^{h}au^{53}tʂ^{h}ɔŋ$^{13}_{44}$ke$^{53}_{44}$ɲin$^{13}_{21}$,e$_{21}$.

【祠堂】ts^{h}ɿ^{13}t^{h}ɔŋ^{13} 名宗祠，族人祭祀祖先或先贤，办理婚、丧、寿、喜等，商议族内重要事务的场所：我等个～肚里还有话嘞还有打屁股个凳呶。ŋai$^{13}_{21}$tien^{0}ke^{53}ts^{h}ɿ$^{13}_{21}$t^{h}ɔŋ$^{13}_{21}$təu^{21}li^{0}xai$^{13}_{21}$iəu$^{35}_{44}$ua^{53}lei^{0}xai$^{13}_{21}$iəu$^{35}_{44}$ta^{21}p^{h}i^{53}ku^{21}ke^{0}tien^{53}nau^{0}.｜箇是～里用个嘞，香几桌子。kai$^{53}_{44}$ʂʅ$^{53}_{44}$ts^{h}ɿ$^{13}_{21}$t^{h}ɔŋ$^{13}_{44}$li^{0}iəŋ^{53}ke$^{53}_{44}$le^{0},çiɔŋ^{35}ci$^{35}_{44}$tsɔk^{3}tsɿ^{0}.

【瓷缸子】(iɔŋ^{13})ts^{h}ɿ^{13}kɔŋ^{35}tsɿ^{0} 名搪瓷缸：瓷钵子，瓷碗子，～，欸箇“搪”字一般都唔读出来。～就系讲搪瓷缸子。瓷钵子就搪瓷钵子。瓷碗子就搪瓷碗子。ts^{h}ɿ^{13}pait^{3}tsɿ^{0},ts^{h}ɿ^{13}uɔn^{21}tsɿ^{0},ts^{h}ɿ^{13}kɔŋ^{35}tsɿ^{0},ei^{0}kai$^{53}_{44}$t^{h}ɔŋ^{13}ts^{h}ɿ^{53}iet^{3}pɔn^{35}təu$^{35}_{53}$n̩^{13}t^{h}əuk^{5}tʂ^{h}ət^{3}lɔi^{13}.ts^{h}ɿ^{13}kɔŋ^{35}tsɿ^{0}ts^{h}iəu^{53}xei^{53}kɔŋ^{21}t^{h}ɔŋ^{13}ts^{h}ɿ$^{13}_{21}$kɔŋ^{35}tsɿ^{0}.ts^{h}ɿ^{13}pait^{3}tsɿ^{0}ts^{h}iəu^{53}t^{h}ɔŋ^{13}ts^{h}ɿ^{13}pait^{3}tsɿ^{0}.ts^{h}ɿ^{13}uɔn^{21}tsɿ^{0}ts^{h}iəu^{53}t^{h}ɔŋ^{13}ts^{h}ɿ^{13}uɔn^{21}tsɿ^{0}.

【瓷器铺】ts^{h}ɿ^{13}çi^{53}p^{h}u^{53} 名买卖瓷器的店铺：我去浏阳看下子箇个～里真多好东西。真有滴好东西，箇～里啊。渠箇个瓷器又做得好嘞箇～个嘞。ŋai^{13}çi^{53}liəu^{13}iɔŋ$^{13}_{44}$k^{h}ɔn^{53}la^{0}tsɿ^{0}kai$^{53}_{44}$ke$^{53}_{44}$ts^{h}ɿ^{13}çi$^{53}_{44}$p^{h}u^{53}li^{0}tʂən^{35}to$^{35}_{44}$xau^{21}təŋ^{35}si^{0}.tʂən^{35}iəu$^{35}_{44}$tiet^{5}xau^{21}təŋ$^{35}_{44}$si^{0},kai$^{53}_{44}$ts^{h}ɿ^{13}çi$^{53}_{44}$p^{h}u^{53}li^{0}a^{0}.ci$^{13}_{21}$kai^{53}ke^{0}ts^{h}ɿ$^{13}_{21}$çi^{53}iəu^{53}tso^{53}tek^{3}xau^{21}le^{0}kai^{53}ts^{h}ɿ^{13}çi^{53}p^{h}u^{53}li^{0}ke^{0}lei^{0}.

【瓷瓦】ts^{h}ɿ^{13}ŋa^{21} 名用瓷土烧制的瓦，表面有釉质：欸如今做屋个人呐，不要哩箇起我开头讲哩个筩瓦。唔爱哩，冇么人爱哩。～，尽滴都用～。箇个细个子细青瓦牵瓦子转个冇人爱哩。搞么个？难捡屋。嗯，～好。～嘞，一只就好看，绿瓦子去，昵绿子个瓦，整整齐齐箇瓦，系啊？欸，第二只嘞，唔爱捡屋，唔得漏水，冇事变质箇只冇事爆箇只。欸，第三只好处么个嘞？同箇筩瓦箇只差唔多个价钱。多唔得几多钱。欸，盖一只屋咯，冇得更贵呀。十分贵哩冇人爱嘞。e$_{44}$i$^{13}_{21}$cin$^{35}_{44}$tso^{53}uk^{3}ke^{0}ɲin$^{13}_{44}$na^{0},pət^{3}iau^{53}li^{0}kai^{53}çi^{21}ŋai^{13}k^{h}ɔi^{35}t^{h}ei$^{13}_{21}$kɔŋ^{21}li^{0}ke^{0}t^{h}əŋ^{21}ŋa^{21}.m̩$^{13}_{21}$mɔi^{53}li^{0},mau^{13}mak^{3}in$^{13}_{44}$ɔi^{53}li^{0}.ts^{h}ɿ^{13}ŋa^{21},ts^{h}in^{53}tet^{5}təu$^{35}_{53}$iəŋ$^{53}_{21}$ts^{h}ɿ^{13}ŋa^{21}.kai$^{53}_{44}$kei$^{53}_{44}$se^{53}ke$^{53}_{44}$tsɿ^{0}se^{53}ts^{h}iaŋ^{35}ŋa^{21}tait^{5}ŋa^{21}tsɿ^{0}tʂuɔn^{21}cie^{53}mau^{13}ɲin$^{13}_{44}$ɔi^{53}li^{0}.kau^{21}mak^{3}e^{0}?lan^{13}cian^{21}uk^{3}.n̩$_{21}$,ts^{h}ɿ^{13}ŋa^{21}xau^{21}.ts^{h}ɿ^{13}ŋa^{21}lei^{0},iet^{3}tʂak^{3}ts^{h}iəu^{53}xau^{21}k^{h}ɔn^{53},liəuk^{5}ŋa^{21}tsɿ^{0}çi$^{53}_{44}$,kuaŋ^{53}liəuk^{5}tsɿ^{0}ke^{0}ŋa^{21},tʂən^{21}tʂən^{21}ts^{h}i^{13}ts^{h}i^{13}kai^{53}ŋa^{21},xei$^{53}_{44}$a^{0}?e$_{21}$,t^{h}i^{53}ɲi^{53}tʂak^{3}le^{0},m̩$^{13}_{21}$mɔi^{53}cian^{21}uk^{3},n̩^{13}tek^{3}lei^{53}ʂei^{21},mau^{13}sɿ$^{53}_{44}$pien^{53}tʂət^{3}kai^{53}tʂak^{3}mau^{13}sɿ$^{53}_{44}$pau^{53}kai$^{53}_{44}$tʂak^{3}.e$_{21}$,t^{h}i$^{53}_{44}$san^{35}tʂak^{3}xau^{21}tʂ^{h}ɥ$^{53}_{44}$mak^{3}e^{0}lei^{0}?t^{h}əŋ^{13}kai^{53}t^{h}əŋ^{21}ŋa^{21}kai$^{53}_{44}$tʂak^{3}tsa$^{35}_{44}$n̩$^{13}_{44}$to^{35}ke^{0}cia^{53}ts^{h}ien$^{13}_{21}$.to^{35}n̩$^{13}_{44}$tek^{3}ci^{21}to$^{35}_{53}$ts^{h}ien^{13}.e$_{21}$,kɔi^{53}iet^{3}tʂak^{3}uk^{3}ko^{0},mau^{13}tek^{3}cien$^{53}_{44}$kuei^{53}ia^{0}.ʂət^{5}fən$^{35}_{44}$kuei^{53}li^{0}mau$^{13}_{21}$ɲin^{13}ɔi^{53}lei^{0}.

【瓷碗】ts^{h}ɿ^{13}uɔn^{21} 名搪瓷碗。也称“瓷碗子”：树碗子唠。一般用细人子用啊，系呀？箇个比箇～都还更贵呀。ʂəu^{53}uɔn^{21}tsɿ^{0}lau^{0}.iet^{3}pɔn^{35}iəŋ$^{53}_{44}$sei^{53}ɲin$^{13}_{21}$tsɿ^{0}iəŋ^{53}ŋa^{0},xei$^{53}_{44}$ia^{0}?kai^{53}ke$^{53}_{44}$pi^{21}kai^{53}ts^{h}ɿ^{13}uɔn^{21}təu$^{35}_{53}$xai$^{13}_{21}$cien$^{53}_{44}$kuei^{53}ia^{0}.

【瓷牙】ts^{h}ɿ^{13}ŋa^{13} 名由陶瓷材料制成的人工牙：～是就系换假牙，系唔系？～就好看呐，雪白子啊。ts^{h}ɿ^{13}ŋa^{13}ʂʅ$^{53}_{44}$ts^{h}iəu^{53}xei^{53}uɔn^{53}cia^{21}ŋa^{13},xei^{53}me^{53}?ts^{h}ɿ^{13}ŋa$^{21}_{44}$ts^{h}iəu^{53}xau^{21}k^{h}ɔn^{53}na^{0},siet^{5}p^{h}ak^{5}tsɿ^{0}a^{0}.

【慈姑子】ts^{h}ɿ^{13}ku^{35}tsɿ^{0} 名荸荠：～，我等如映是撞怕冇冇⿰冇曾⿰冇曾种下有。ts^{h}ɿ^{13}ku^{35}tsɿ^{0},ŋai^{13}tien^{0}i$^{13}_{21}$iaŋ$^{53}_{44}$ʂʅ$^{53}_{44}$ts^{h}ɔŋ$^{21}_{44}$p^{h}a$^{53}_{44}$mau^{13}mau^{13}maŋ^{13}maŋ^{13}tʂəŋ^{53}(x)a$^{53}_{44}$iəu^{35}.

【次】ts^{h}ɿ^{53} 量用于反复出现或可能反复出现的事情或行为：渠都买哩屋唠，买箇只门面唠，又走我手里拿哩一～钱呶。ci$^{13}_{21}$təu$^{35}_{44}$mai^{35}li^{0}uk^{3}lau^{0},mai^{35}kai$^{53}_{44}$tʂak^{3}mən^{13}mien^{53}nau^{0},iəu^{53}tsei^{21}ŋai$^{13}_{44}$

ʂəu21li0 la53li0 iet3 tsʰɿ53tsʰien13nau0.｜每～做道场都爱做醮都爱出榜啊。mei35tsʰɿ53tso53tʰau53tʂʰɔŋ13-21 təu35-44ɔi53-44tso53tsiau53təu35-44ɔi53-44tʂʰət3 pɔŋ21ŋa0.

【葱】tsʰəŋ35 名 多年生草本植物，叶圆筒状，中空，茎叶有辣味，是常用的蔬菜或调味品：箇个嘞箇个面粉肚里还可以放滴～箇只啦。kai53ke53le0 kai53-44ke53-44mien53fən21təu21li0 xai13-21kʰo21i35fɔŋ53tet5 tsʰəŋ35kai53-44tʂak3 la0.｜上街买滴子～蒜，也方便。ʂɔŋ35kai35mai35tiet5 tsɿ0 tsʰəŋ35sən53,ia35fɔŋ35pʰien53.

【葱白】tsʰəŋ35pʰak5 名 葱近根部的茎：如今医师交代嘞就有～唠。/系，～。/箇就系就系硬爱……/就葱蔸下长滴子啊。/箇就硬爱底下箇茎子。不要箇绿个。/欸，莫去青个。/莫……莫……脑高冇得箇只棍子嘞。箇滴子就～。i13-21cin35-44i35sɿ35-44ciau35-44tai35-44lei0 tsʰiəu53-44iəu35tsʰəŋ35pʰak5 lau0./xei53-44,tsʰəŋ35pʰak5./kai53-44tsʰiəu53-21xe53-44tsʰiəu53-44xe53-44ɲiaŋ53ɔi53-44…/tsʰiəu53-44tsʰəŋ13-21tei35-44ia44(←xa53)tʂʰɔŋ13-21tiet5 tsa0./kai53-44tsʰiəu53-44ɲiaŋ53-44ɔi53-44te21xa53kai53-44tsʰo53tsɿ0.pət3 iau35-35kai53liəuk3 ke53-44./e21,mɔk5 çy53-44tsʰiaŋ35ke53-44./mɔk5-44…mɔk5-44…lau21kau35-44mau13-21tek3 kai53-44tʂak3 kuən53tsɿ0 le0.kai53-44tiet5 tsɿ0 tsʰiəu53-44tsʰəŋ35pʰak5.

【葱蔸】tsʰəŋ35tei35 名 葱头：我都分箇一茎茎喊做～。ŋai13təu35pən35-53kai53-44iet3 tsʰo53tsʰo53-44xan53tso53-21 tsʰəŋ35tei35lei0.□

【葱花】tsʰəŋ35fa35 名 ①葱茎上开的花：箇个喊～。/欸，我等就喊～。结只一般结只咁个球球。/欸，结只球球，欸。唔有籽籽啊。kai53ke53-44xan53tsʰəŋ35fa35./e21,ŋai13tien0 tsʰiəu53-44xan53-44tsʰəŋ35-44fa35.ciet3 tʂak3 iet3 pan35ciet3 tʂak3 (k)an21ke53-44cʰiəu13-21cʰiəu13-44./e21,ciet3-5 tʂak3 cʰiəu13-21cʰiəu13-44,e21.n̩13-21iəu35-53tsɿ21tsɿ21a0. ②香葱末：就系欸葱子切得末碎子个唠，就安做～。做厨官个人就“呀，放滴子～去”。切得末碎子。葱子就莫去切得□长一筒筒。tsʰiəu53xei53e21tsʰəŋ35tsɿ0 tsʰiet3 tek3 mait5 sei53tsɿ0 ke0 lau0,tsʰiəu53-44ɔn35-44 tso53-44tsʰəŋ35fa35.tso53tʂʰu13kɔn35ke0 ɲin13tsʰiəu53-44"ia0,faŋ53tiet5 tsɿ0 tsʰəŋ35fa35çi53-44".tsʰiet3 tek3 mait5 sei53tsɿ0.tsʰəŋ35 tsɿ0 tsʰiəu53mɔk5 çi53-44tsʰiet3 (t)ek3 lai35tʂʰɔŋ13-21iet3 tʰəŋ13tʰəŋ13.

【葱叶】tsʰəŋ35iait5 名 葱的叶子，圆筒形，中间空：～就区别于葱蔸。一般都用～唠，冇多么人用葱蔸呀。tsʰəŋ35iait5 tsʰiəu53-44tʂʰɥ44pʰiet5 ɥ13-21tsʰəŋ35tei35.iet3 pən35təu35-44iəŋ53tsʰəŋ35iait5 lau0,mau13to35-53 mak3 ɲin13-44iəŋ53tsʰəŋ35tei35ia0.

【葱油饼】tsʰəŋ35iəu13piaŋ21 名 用面粉和葱花等做成的饼：我喜欢食～。我个外甥子啊我孙子都喜欢食～。那到箇阵子读小学箇时候子，天天带下渠箇个欸超市里去买～食。ŋai13çi21fən35-44ʂət5 tsʰəŋ35-44iəu13-21piaŋ21.ŋai13(k)e0 ŋɔi53saŋ35-44tsɿ0 a0 ŋai13sən35tsɿ0 təu35-44çi21fən35-44ʂət5 tsʰəŋ35-44iəu13-21piaŋ21.lai53tau53-44kai53-44 tʂʰən53-44tsɿ0 tʰəuk5 siau21çiɔk5 (k)ai53ʂɿ13xəu53-44tsɿ0,tʰien35tʰien35-44tai53-44(x)a53-44ci13-21kai53-44ke53-44e21tʂʰau35ʂɿ53li21çi53-44mai35-44 tsʰəŋ35-44iəu13-21piaŋ21ʂət5.

【从】tsʰəŋ13 介 ①引述起始的处所：我觉得（直筒裤）就系～如映子，～屁股头如映子，一直到脚下，一样子大。ŋai13kɔk3 tek3 tsʰiəu53xei53tsʰəŋ13i13-21iaŋ53tsɿ0,tsʰəŋ13pʰi53ku21tʰei13i13-21iaŋ53tsɿ0,iet3 tʂʰət5 tau53ciɔk3 xa53-44,iet3 iɔŋ53tsɿ0 tʰai53. ②表示起始的时间：～我等晓得懂事以来都冇得讲咁个个。tsʰəŋ13ŋai13tien0 çiau21tek3 təŋ21sɿ53i35-44lɔi13-44təu35-44mau13tek3 kɔŋ21kan21-44ke53-44cie53-44. ③表示看待事物的角度：～卖家个角度上来讲，欸，卖嘿哩，就系写嘿哩。tsʰəŋ13mai53cia35-44ke53-44kɔk3 tʰəu53-44xɔŋ53-44lɔi13-21kɔŋ21,e21,mai53xek3 li0,tsʰiəu53-44xe53-44sia21xek3 li0. ④表示事情产生的根源：箇起人呢就安做渠是非蔸。又说明箇只人箇个是非嘞都系～箇只人身上惹出来个，欸，箇是非个起源，欸，是一只蔸。kai53çi21 ɲin13nei0 tsʰiəu53-44ɔn35-44tso53-44ci13-44ʂɿ53fei35tei35.iəu53ʂuek3 min13kai53tʂak3 ɲin13-21kai53-44ke53-44ʂɿ53fei35-44le0 təu35xe53-44tsʰəŋ13 kai53-44tʂak3 ɲin13-21ʂən35xɔŋ53-44ɲia35tʂʰət3 lɔi13-21ke53-44,e21,kai53-44ʂɿ53fei35-44ke53-44çi21vien13,e21,ʂɿ53-21iet3 tʂak3 tei35. ⑤表示根据：唔讲阴关防，硬安做关防。大概就系～箇《西游记》肚里箇样来个样，系吗？n̩13kɔŋ21in35 kuan35fɔŋ13-21,ɲiaŋ53ɔn35-44tso53-44kuan35fɔŋ13-21.tʰai53kʰai53tsʰiəu53xe53-21tsʰəŋ13-21kai53-44si35iəu13-21ci53təu21li0 kai53-44iɔŋ53-44lɔi13-21ke53-44 iɔŋ53-44,xe53-44ma0?

【从场】tsʰəŋ13tʂʰɔŋ13 动 到场，参与：如只事我赠～啊。iak3 (←i13-21tʂak3)sɿ53ŋai13maŋ13tsʰəŋ13tʂʰɔŋ13 ŋa0.｜如只事你也爱从下子场啊。i13-21tʂak3 sɿ53ɲi13ia35-44ɔi53-44tsʰəŋ13ŋa44(←xa53)tsɿ0 tʂʰɔŋ13ŋa0.

【从来】tsʰəŋ13lɔi13 副 从过去到现在；一直。多用于否定式：箇么啊佛手瓜以也以前～也冇得。kai53-44mak3 a0 fət5 ʂəu21kua35i21a35-21i35tsʰien13-21tsʰəŋ13-21lɔi13ia35-53mau13-21tek3.

【从前】tsʰəŋ35tsʰien13 名 时间词。以前，过去。又称“从先、在先”：～作田是欸田里个禾蔸下个草嘞就爱除嘿去，就用脚去耘田。tsʰəŋ35tsʰien13tsɔk3 tʰien13ʂɿ53-44e21tʰien13ni21ke53-44uo13tei35-44xa35ke53-44 tsʰau21le0 tsiəu53ɔi53tʂʰəu13xek3 çi53,tsiəu53iəŋ53ciɔk3 çi53-44in13tʰien13.｜～个枕头就肚里就用秆嘞。tsʰəŋ13 tsʰien13-44ke53tʂən21tʰei13tsʰiəu53-44təu21li0 tsʰiəu53iəŋ53kən21ne0.

【从先】tsʰəŋ^{13}sien^{35} 名时间词。从前，过去的时候。又称“在先”：～是我等横巷里是箇老班子人多，系倒箇上背呀。tsʰəŋ^{13}sen^{35}ʂʅ$^{53}_{44}$ŋai^{13}tien^{0}uaŋ^{13}xɔŋ^{53}li^{0}ʂʅ$^{53}_{44}$kai$^{53}_{44}$lau^{21}pan^{35}tsʅ^{0}ɲin^{13}to^{35},xei^{53}tau^{21}kai$^{53}_{44}$ʂɔŋ$^{53}_{44}$pɔi$^{53}_{44}$ia^{0}.

【凑$_1$】tsʰei^{53} 动拼凑；集聚：欸，加倒去欸～……～……安做凑堆头哇，就更多啊。e$_{21}$,cia^{35}tau^{21}çi^{53}e$_{21}$tsʰei^{53}…tsʰei^{53}…ɔn$^{35}_{44}$tso$^{53}_{44}$tsʰei^{53}tɔi^{35}tʰəu^{0}ua^{0},tsʰiəu$^{53}_{44}$ken$^{53}_{44}$to^{35}a^{0}.

【凑$_2$】tsʰe^{0} 助语气助词。①表加量：欸，也还好啊，你爱买更好个，贵滴～，爱一十五块钱一斤呐。ei$_{44}$,ia^{35}xai$^{13}_{21}$xau^{21}a^{0},ɲi^{13}ɔi$^{53}_{44}$mai^{35}cien$^{53}_{44}$xau^{21}cie^{53},kuei^{53}tiet^{5}tsʰe^{0},ɔi^{53}iet^{3}ʂət^{5}ŋ̍^{21}kʰuai^{53}tsʰien$^{13}_{21}$iet^{3}cin^{35}na^{0}.｜如今唔知还有咁严格吗～。i$^{13}_{21}$cin$^{35}_{44}$n̩$^{13}_{21}$ti$^{35}_{53}$xai^{13}iəu$^{35}_{44}$kan^{21}ɲien^{13}kek^{3}ma^{0}tsʰe^{0}. ②放在陈述句末，有暂且意味：我就唔记得～。ŋai$^{13}_{21}$tsʰiəu^{53}n̩$^{13}_{21}$ci^{53}tek^{3}tsʰe^{0}.｜炙，唔箇只字唔知哪只～。tʂak^{3},n̩$^{13}_{21}$kai^{53}tʂak^{3}tsʰʅ$^{53}_{44}$n̩$^{13}_{21}$ti$^{35}_{44}$lai$^{53}_{44}$tʂak^{3}tsʰe^{0}.｜唔讲递过下子来～。ŋ̍^{13}kɔŋ^{21}tʰi^{53}ko^{53}a^{0}tsʅ^{0}lɔi$^{13}_{21}$tsʰe^{0}.｜临时捉下倒就咁子放～。lin^{13}ʂʅ$^{53}_{44}$tsɔk^{3}a^{53}(←xa^{53})tau^{21}tsʰiəu^{53}kan^{21}tsʅ^{0}fɔŋ^{53}tsʰe^{0}. ③放在陈述句末，用于加强语气：我等讲客家读 si^{53}～。ŋai$^{13}_{21}$tien^{0}kɔŋ^{21}kʰak^{3}ka$^{35}_{44}$tʰəuk$^{5}_{3}$si^{53}tsʰe^{0}.｜话圞凳子个人也有～。ua^{53}lɔn^{13}tien^{53}tsʅ^{0}ke^{53}ɲin$^{13}_{21}$ia^{35}iəu^{35}tsʰe^{0}.｜我等如只栏场冇得～。ŋai^{13}tien^{0}i$^{13}_{21}$tʂak^{3}laŋ$^{13}_{21}$tʂʰɔŋ$^{13}_{44}$mau$^{13}_{44}$tek^{3}tsʰe^{53}.｜爱竹花～。ɔi$^{53}_{44}$tʂəuk^{3}fa^{35}tsʰe$^{53}_{44}$.｜我就𫠊看过～。ŋai^{13}tsʰiəu^{53}maŋ^{13}kʰɔn^{53}ko^{53}tsʰe^{0}. ④放在表假设的分句后：有除哩有滴人硬爱硬硬特事会去搞只咁个事～，渠就临时做一块。iəu^{35}tʂʰəu^{13}li^{0}iəu^{35}tet$^{5}_{3}$ɲin$^{13}_{21}$ŋiaŋ^{53}ɔi^{53}ɲiaŋ^{53}ɲiaŋ^{53}tʰiet^{5}sʅ$^{53}_{44}$uɔi$^{53}_{44}$çi$^{53}_{44}$kau^{21}tʂak^{3}kan^{21}ke$^{53}_{44}$sʅ^{53}tsʰe^{0},ci$^{13}_{21}$tsʰiəu$^{53}_{44}$lin^{13}ʂʅ^{13}tso^{53}iet^{3}kʰuai^{53}.

【凑伴】tsʰei$^{53}_{44}$pʰɔn^{53} 动结伴，给人做伴，又称“打伴”：人少哩就也安做～呢。人少哩，打比你夜晡走路你怕畏呀，我摎你～，我摎你打伴。～，我摎你～。你夜晡走夜路唔敢走呀，或者你一个人做唔到，我等人～。ɲin^{13}ʂau^{21}li^{0}tsʰiəu$^{53}_{44}$ia^{35}ɔn$^{35}_{44}$tso$^{53}_{44}$tsʰei$^{53}_{44}$pʰɔn^{53}nei^{0}.ɲin^{13}ʂau^{21}li^{0},ta^{21}pi$^{21}_{44}$ɲi^{13}ia^{53}pu$^{35}_{44}$tsei^{21}lɔu^{53}ɲi$^{13}_{21}$pʰa$^{53}_{44}$uei^{53}ia^{0},ŋai$^{13}_{21}$lau$^{35}_{44}$ɲi$^{13}_{21}$tsʰei$^{53}_{44}$pʰɔn^{53},ŋai$^{13}_{21}$lau$^{35}_{44}$ɲi$^{13}_{21}$ta^{21}pʰɔn^{53}.tsʰei$^{53}_{44}$pʰɔn^{53},ŋai$^{13}_{21}$lau$^{35}_{44}$ɲi$^{13}_{21}$tsʰei$^{53}_{44}$pʰɔn^{53}. ɲin^{13}ia^{53}pu^{35}tsei^{21}ia^{53}lɔu^{53}ŋ̍^{13}kan^{21}tsei^{21}ia^{0},xɔit^{5}tʂa^{21}ɲi$^{13}_{21}$iet^{3}cie^{53}in$^{13}_{21}$tso^{53}n̩^{13}tau^{53},ŋai^{13}tien^{0}ɲin$^{13}_{21}$tsʰei^{53}pʰɔn^{53}.

【凑秤】tsʰei^{53}tʂʰən^{53} 动增加重量：渠箇卖得贵咯箇起糖指谷麻糖啊，渠就放麻子是又香就又又箇个又～嘛。ci^{13}kai$^{53}_{44}$mai$^{53}_{44}$tek^{3}kuei^{53}ko^{0}kai^{53}çi^{21}tʰɔŋ^{13}ŋa^{0},ci^{13}tsʰiəu$^{53}_{44}$fɔŋ^{53}ma^{13}tsʅ^{21}ʂʅ$^{53}_{44}$iəu^{53}çiɔŋ^{35}tsiəu$^{53}_{44}$iəu$^{53}_{44}$iəu^{53}kai$^{53}_{44}$ke$^{53}_{44}$iəu$^{53}_{44}$tsʰei$^{53}_{44}$tʂʰən^{53}ma^{0}.

【凑堆头】tsʰei^{53}tɔi^{35}tʰəu^{0} 动充数，凑成一定的量：欸，加倒去欸凑……凑……安做～哇，就更多啊，系啊？放滴高粱啊，放滴麦子啊，欸，放滴番薯丝啊。e$_{21}$,cia^{35}tau^{21}çi^{53}e$_{21}$tsʰei^{53}…tsʰei^{53}…ɔn$^{35}_{44}$tso$^{53}_{44}$tsʰei^{53}tɔi^{35}tʰəu^{0}ua^{0},tsʰiəu$^{53}_{44}$ken$^{53}_{44}$to^{35}a^{0},xei$^{53}_{44}$a^{0}?fɔŋ$^{53}_{44}$tet$^{5}_{3}$kau^{35}liɔŋ$^{13}_{21}$ŋa^{0},fɔŋ$^{53}_{44}$tiet$^{5}_{3}$mak^{5}tsʅ^{0}a^{0},e$_{21}$,fɔŋ^{53}tiet$^{5}_{3}$fan^{35}ʂəu$^{13}_{21}$sʅ^{0}a^{0}.

【粗】tsʰʅ^{35}/tsʰəu^{35} 形①（条状物）横剖面大：欸，（秤上）靠～个箇一头个就头荷。e$_{21}$,kʰau^{53}tsʰəu^{35}ke^{53}kai^{53}iet^{3}tʰei^{13}ke^{53}tsʰiəu^{53}tʰei^{13}xo^{13}. ②泛指大：老晒鱼嘞，一般就系唔知几好个鱼箇～鲢鱼。lau^{21}sai^{53}ŋ̍$^{13}_{21}$lei^{0},iet^{3}pɔn^{35}tsʰiəu$^{53}_{44}$xe^{53}n̩$^{13}_{21}$ti$^{35}_{53}$ci^{21}xau^{21}ke$^{53}_{44}$ŋ̍^{13}kai$^{53}_{44}$tsʰʅ^{35}lien^{35}ŋ̍$_{44}$. ③颗粒大的：我等如今就长日到箇大米厂里去寻滴子～糠。寻滴～糠搞么个？炕猪肉嘞，炕鱼子嘞。欸，寻～糠炕猪肉炕鱼子。唔限定嫩糠欸。碎糠就嫩糠，我等话嫩糠呢。馥嫩个糠呢。～沙嫩沙嘞。ŋai^{13}tien^{0}i$^{13}_{21}$cin$^{35}_{44}$tsʰiəu^{53}tʂʰɔŋ^{13}ɲiet^{3}tau$^{53}_{44}$kai$^{53}_{44}$tʰai^{53}mi$^{21}_{44}$tʂʰɔŋ^{21}li^{0}çi^{53}tsʰin$^{13}_{21}$tiet^{5}tsʅ^{0}tsʰʅ^{35}xɔŋ^{35}.tsʰin$^{13}_{21}$tiet^{5}tsʰʅ^{35}xɔŋ^{35}kau^{21}mak^{3}ke^{53}?kʰɔŋ^{53}tʂu^{35}ɲiəuk^{3}lei^{0},kʰɔŋ^{53}ŋ̍^{13}tsʅ^{0}lei^{0}.e$_{44}$,tsʰin^{13}tsʰʅ^{35}xɔŋ$^{35}_{44}$kʰɔŋ^{53}tʂu^{35}ɲiəuk^{3}kʰɔŋ^{53}ŋ̍^{13}tsʅ^{0}.n̩^{13}kʰan$^{21}_{21}$tʰiaŋ^{53}lən^{53}xɔŋ$^{35}_{44}$ŋe^{0}.si^{53}xɔŋ$^{35}_{44}$tsʰiəu$^{53}_{44}$lən^{53}xɔŋ$^{35}_{44}$,ŋai$^{13}_{21}$tien^{0}ua$^{53}_{44}$lən^{53}xɔŋ$^{35}_{44}$ne^{0}.fət^{5}lən^{53}cie$^{53}_{44}$xɔŋ$^{35}_{44}$nei^{0}.tsʰʅ^{35}sa$^{35}_{44}$lən^{53}sa$^{35}_{44}$lei^{0}. ④工料毛糙，不精致：龙头布就是最～个布。liɔŋ^{13}tʰei$^{13}_{21}$pu^{53}tsʰiəu$^{53}_{44}$ʂʅ$^{53}_{44}$tsei^{53}tsʰəu^{35}ke$^{53}_{44}$pu^{53}. ⑤表面不平整光滑：擂钵嘞渠就欸箇肚里吵，就唔系光滑个，□～个。li^{13}pait^{3}lei^{0}ci$^{13}_{21}$tsʰiəu$^{53}_{44}$e$_{21}$kai^{53}təu^{21}li^{0}ʂa^{0},tsʰiəu^{53}m̩^{13}pʰe$_{44}$(←xe^{53})kɔŋ^{35}uait$^{5}_{3}$ke^{53},cʰia^{53}tsʰʅ^{35}ke$^{53}_{21}$.

【粗糙】tsʰəu^{35}tsʰau^{53} 形①不光滑：箇故意搞倒（擂钵）箇个壁上啊，搞倒有咁个欸～个，故意搞倒～。kai$^{53}_{44}$ku^{53}i^{53}kau^{21}tau^{21}kai^{53}ke$^{53}_{44}$piak^{3}xɔŋ^{53}ŋa^{0},kau^{21}tau^{21}iəu$^{35}_{44}$kan^{21}kei$^{53}_{44}$e$_{21}$tsʰəu^{35}tsʰau^{53}ke$^{53}_{21}$,ku^{53}i$^{53}_{44}$kau^{21}tau^{21}tsʰəu^{35}tsʰau^{53}. ②不精细：龙头布就是最粗个布，𫠊……欸，最～个布，本色个。liɔŋ^{13}tʰei$^{13}_{21}$pu^{53}tsʰiəu$^{53}_{44}$ʂʅ$^{53}_{44}$tsei^{53}tsʰəu^{35}ke$^{53}_{44}$pu^{53},maŋ^{13}…e$_{21}$,tsei^{53}tsʰəu^{35}tsʰau$^{53}_{44}$ke$^{53}_{44}$pu^{53},pən^{21}sek^{3}ke^{53}.

【粗茶】tsʰʅ^{35}tsʰa^{13} 名指用来打泡壶的老茶叶：～两只概念。一只嘞，摘茶叶个时候子，先摘个茶叶就嫩茶，就馥嫩子个茶叶。摘到后背嘞就等渠长长兜子了，就摘～，又安做摘老茶。老茶叶，又安做～。～让门子嘞？摘倒箇个□长个蕻箇只个，蛮老子了个箇～，舞倒，我记得嘞，放倒去一炆，洗净来，放下镬里一炆出到水，出一到水嘞如下就舞倒晒燥来。箇个茶叶搞么个嘞？打泡壶。欸，以前是就系食茶是舞只懑大个壶，茶壶，箇系瓦壶嘞，放正茶叶来，煮一壶开水，煮一镬开水，舞下去，热天是硬天天爱食一壶，蛮多个人都食。箇个就系～，又安做老茶。老茶叶。箇个就打泡壶个。还有只意思是粗茶淡饭呐。tsʰɿ^{35}tsʰa$^{13}_{44}$iəŋ^{21} tʂak^{3} kʰai$^{53}_{44}$ɲien$^{53}_{44}$.iet^{3} tʂak^{3} le^{0},tsak^{3} tsʰa^{13}iait^{5} ke^{0} ʂɿ^{13}xəu^{53}tsɿ^{0},sien^{35}tsak^{3} ke^{0} tsʰa^{13}iait^{5} tsʰiəu$^{53}_{44}$lən^{35}tsʰa^{13},tsiəu$^{53}_{44}$ fət^{5} lən^{53}tsɿ^{0} ke^{0} tsʰa$^{13}_{21}$iait^{5}.tsak^{3} tau$^{53}_{44}$xei^{53}pəi$^{53}_{44}$lei^{0} tsʰiəu^{53}ten^{21} ci^{13}tʂəŋ^{21}tʂʰəŋ^{13}təu$^{35}_{53}$tsɿ^{0} liau^{0},tsʰiəu^{53}tsak^{3} tsʰɿ^{35} tsʰa^{13},iəu^{53}ən$^{35}_{53}$tso^{53}tsak^{3} lau^{21}tsʰa^{13}.lau^{21}tsʰa^{13}iait^{5},iəu^{53}ən$^{35}_{53}$tso$^{53}_{21}$tsʰɿ^{35}tsʰa$^{13}_{44}$.tsʰɿ^{35}tsʰa$^{13}_{2}$ɲiəŋ$^{53}_{44}$mən^{0} tsɿ^{0} lei^{0}?tsak^{3} tau$^{21}_{44}$kai$^{53}_{44}$kei$^{53}_{44}$lai^{35}tʂʰəŋ$^{13}_{21}$ke$^{53}_{44}$fəŋ^{53}kai$^{53}_{44}$tʂak^{3} cic$^{53}_{44}$,man^{13}nau^{21}tsɿ^{0} liau^{0} ke^{0} kai^{53}tsʰɿ^{35}tsʰa$^{13}_{21}$,u^{21}tau$^{21}_{44}$,ŋai^{13}ci^{53}tek^{3} le^{0},fəŋ^{53}tau^{21}çi$^{53}_{44}$iet^{3} uən^{13},sei^{21}tsʰiaŋ^{53}ləi^{13},fəŋ^{53}xa^{53}uək^{5} li^{0} iet^{3} uən^{13}tʂʰət^{3} tau^{53}ʂei^{21},tʂʰət^{3} iet^{3} tau^{53}ʂei^{21}lei^{0} i$^{13}_{21}$ xa$^{53}_{44}$tsʰiəu^{53}u^{21}tau^{21}sai^{53}tsau$^{35}_{44}$ləi$^{13}_{21}$.kai^{53}ke^{53}tsʰa$^{13}_{21}$iait^{5} kau^{21}mak^{3} e^{0} lei^{0}?ta^{21}pʰau^{53}fu^{13}.e$_{21}$,i$^{35}_{53}$tsʰien$^{13}_{44}$ʂɿ$^{53}_{44}$tsʰiəu^{53} xei$^{53}_{44}$ʂət^{5} tsʰa^{13}ʂɿ$^{53}_{44}$u^{21}tʂak^{3} mən^{35}tʰai^{53}ke^{0} fu^{13},tsʰa^{13}fu^{13},kai^{53}xei^{53}ŋa^{21}fu^{13}le^{0},fəŋ^{53}tʂaŋ^{53}tsʰa^{13}iait^{5} ləi$^{13}_{21}$,tʂu^{21}iet^{3} fu$^{13}_{21}$kʰəi^{35}ʂei^{21},tʂu^{21}iet^{3} uək^{5} kʰəi$^{35}_{44}$ʂei^{21},u^{21}xa$^{53}_{44}$çi$^{53}_{44}$, ɲiet^{5} tʰien$^{35}_{44}$ʂɿ$^{53}_{44}$ɲiaŋ$^{53}_{44}$tʰien^{35}tʰien$^{35}_{44}$əi$^{53}_{44}$ʂət^{5} iet^{3} fu^{13},man^{13}to^{35} ke^{53}ɲin$^{13}_{21}$təu^{35}ʂət^{5}.kai$^{53}_{44}$ke$^{53}_{44}$tsʰiəu$^{53}_{44}$xe$^{53}_{44}$tsʰɿ^{35}tsʰa^{13},iəu^{53}ən$^{35}_{53}$tso^{53}lau^{21}tsʰa^{13}.lau^{21}tsʰa^{13}iait^{5}.kai$^{53}_{44}$ke$^{53}_{44}$tsʰiəu$^{53}_{44}$ta^{21} pʰau^{53}fu$^{13}_{21}$ke^{0}.xai^{13}iəu$^{35}_{44}$tʂak^{3} i^{53}sɿ$^{35}_{44}$ʂɿ$^{53}_{44}$tsʰu^{35}tsʰa^{13}tʰan^{53}fan^{53}na^{0}.

【粗茶淡饭】tsʰɿ^{35}/tsʰu^{35}tsʰa^{13}tʰan^{53}fan^{53} 指简单的不精致的饮食：～子，嗯，莫见怪。tsʰɿ^{35}tsʰa^{13} tʰan^{53}fan^{53}tsɿ^{0},n$_{21}$.mək$^{5}_{3}$cien$^{53}_{44}$kuai^{53}.

【粗凳】tsʰɿ^{35}tien^{53} 名 木工用的长凳。又称“研凳”：（研凳）又安做～。iəu^{53}ən$^{35}_{44}$tso$^{53}_{44}$tsʰɿ^{35}tien$^{53}_{21}$.

【粗木大料】tsʰɿ^{35}muk^{3} tʰai^{53}liau^{53} 粗大的木材：如今大木匠去做箇～真累人，欸，特别更累人，因为渠～更重。i$^{13}_{21}$cin$^{35}_{44}$tʰai^{53}muk^{3} siəŋ^{53}çi^{53}tso^{53}kai^{53}tsʰɿ^{35}muk^{3} tʰai^{53}liau^{53}tʂən^{35}li^{53}ɲin$^{13}_{21}$,e$_{21}$,tʰek^{5} pʰiet^{5} ken$^{53}_{44}$ li^{53}ɲin$^{13}_{21}$,in^{35}uei$^{53}_{44}$ci$^{13}_{44}$tsʰɿ^{35}muk^{3} tʰai^{53}liau^{53}cien^{53}tʂʰəŋ^{35}.｜欸，一般箇庙肚里嘞庙嘞规模也唔知几大，渠个材料箇兜啦尽系～。e$_{21}$,iet^{3} pən^{35}kai$^{53}_{44}$miau^{53}təu^{21}li^{0} lei^{0} miau^{53}lei^{0} kuei^{35}mo$^{13}_{44}$ia^{35}n̩^{13}ti$^{35}_{53}$ci^{21}tʰai^{53},ci^{13} ke$^{53}_{44}$tsʰəi^{13}liau$^{53}_{44}$kai$^{53}_{44}$te$^{35}_{53}$la^{0} tsʰin^{35}xei$^{53}_{44}$tsʰɿ^{35}muk^{3} tʰai^{53}liau^{53}.

【粗刨】tsʰɿ^{35}pʰau^{13} 名 用来对木料进行初始加工的刨子：木匠师傅肚里蛮累人个嘞除嘿扯锯嘞，就系捴～。捴～就蛮累人呢。muk^{3} tsʰiəŋ^{53}sɿ$^{35}_{44}$fu$^{53}_{44}$təu^{21}li^{0} man^{13}li^{53}ɲin^{13}ke$^{53}_{44}$le^{0} tʂʰəu^{13}uek^{3} tʂʰa^{21}ke^{53}le^{0}, tsʰiəu$^{53}_{44}$xe$^{53}_{44}$tsʰəŋ^{21}tsʰɿ^{35}pʰau$^{13}_{21}$.tsʰəŋ^{21}tsʰɿ^{35}pʰau$^{13}_{21}$tsʰiəu$^{53}_{44}$man^{13}li^{53}ɲin$^{13}_{21}$ne^{0}.

【粗沙】tsʰɿ^{35}sa^{35} 名 颗粒较大的沙子：～就懑大一只个沙唠。～就用来打地面箇只就更好。打禾坪啊。但是用来粉壁就要唔得。渠个忒粗哩。粉壁嘞就爱用碎沙，爱用嫩沙。tsʰɿ^{35}sa^{35} tsʰiəu$^{53}_{44}$mən^{35}tʰai^{53}iet^{3} tʂak^{3} ke^{0} sa^{35}lau^{0}.tsʰɿ^{35}sa^{35}tsʰiəu$^{53}_{44}$iəŋ^{53}ləi$^{13}_{21}$ta^{21}tʰi^{53}mien$^{53}_{44}$kai$^{53}_{44}$tʂak^{3} tsʰiəu$^{53}_{44}$cien^{53} xau^{21}.ta^{21}uo^{13}pʰiaŋ^{13}ŋa^{0}.tan^{53}ʂɿ^{53}iəŋ^{53}ləi$^{13}_{21}$fən^{21}piak^{3} tsʰiəu^{53}iau^{53}n̩$^{13}_{21}$tek^{3} .ci^{13}ke^{53}tʰet^{3} tsʰɿ^{35}li^{0} .fən^{21}piak^{3} lei^{0} tsʰiəu$^{53}_{44}$əi^{53}iəŋ$^{53}_{44}$si^{53}sa^{35},əi$^{53}_{44}$iəŋ$^{53}_{44}$lən^{53}sa$^{35}_{44}$.

【醋】tsʰɿ^{53}/tsʰəu^{53} 名 调味用的有酸味的液体：一坛子～ iet^{3} tʰan^{13}tsɿ^{0} tsʰəu^{53}｜如今个～啊尽系外背买。以前是我娭子等人都还做过～嘞。自家做～。做～有只么东西嘞？爱用桃树枒，桃树，箇只岭上个桃树枒，爱去敹。七七四十九天，天天去敹下子。敹箇个～啊。舞滴酒尾子做个唠。舞滴酒尾子做上。舞滴子醋娘子。醋娘子嘞就系以前留以前做嘿个～。欸，加滴子酒尾子，欸咁个蒸酒个栏场啊，箇个唔爱哩个箇起啊，嗯，酒尾子。用罂子装倒。如下用桃树枒去敹，天天敹一到子呢。欸，箇就自家做～。我娭子做过，我都去敹过。如下是渠还记得。有人做哩。有人做哩。i$^{13}_{21}$cin^{35}ke$^{53}_{44}$tsʰɿ^{53}a^{0} tsʰin^{53}ne$^{53}_{44}$ŋəi^{53}pəi^{53}mai^{35}.i^{35}tsʰien^{13}ʂɿ$^{53}_{44}$ŋai^{13}əi^{13}tsɿ^{0} ten$^{21}_{44}$ɲin$^{13}_{44}$təu$^{35}_{44}$ xai^{13}tso$^{53}_{44}$ko$^{53}_{44}$tsʰɿ^{53}le^{0} .tsʰɿ^{35}ka$^{35}_{44}$tso^{53}tsʰɿ^{53} .tso$^{53}_{44}$tsʰɿ^{53}iəu^{35}tʂak^{3} mak^{3} (t)əŋ$^{35}_{44}$si^{0} lei^{0} ?əi^{53}iəŋ^{53}tʰau^{13}ʂu^{53}kʰua^{21},tʰau^{13} ʂu^{53},kai$^{53}_{44}$tʂak^{3} liaŋ^{35}xəŋ$^{53}_{44}$ke^{0} tʰau^{13}ʂu^{53}kʰua^{21},əi^{53}çi^{53}ləuk^{3} .tsʰiet^{3} tsʰiet^{3} si^{53}ʂət^{5} ciəu^{21}tʰien^{35},tʰien^{35}tʰien$^{35}_{44}$çi^{53} ləuk^{3} a^{0} tsɿ^{0} .ləuk^{3} kai$^{53}_{44}$ke$^{53}_{44}$tsʰɿ^{53}a^{0} .u^{21}tiet^{5} tsiəu^{21}mi^{35}tsɿ^{0} tso$^{53}_{44}$ke$^{53}_{44}$lau^{0} .u^{21}tiet^{5} tsiəu^{21}mi^{35}tsɿ^{0} tso$^{53}_{44}$xəŋ$^{53}_{44}$.u^{21}tiet^{5} tsɿ^{0} tsʰɿ^{53}ɲiəŋ^{13}tsɿ^{0} .tsʰɿ^{53}ɲiəŋ^{13}tsɿ^{0} lei^{0} tsʰiəu^{53}xei^{53}i^{35}tsʰien^{13}liəu^{13}i^{35}tsʰien^{13}tso^{53}xek^{3} ke^{0} tsʰɿ^{53}.e$_{44}$,cia^{35}tiet^{5} tsɿ^{0} tsiəu^{21}mi^{35}tsɿ^{0},e^{0} kan$^{21}_{44}$ke$^{53}_{44}$tʂən^{35}tsiəu^{21}ke^{53}laŋ$^{13}_{44}$tʂʰəŋ$^{13}_{44}$ŋa^{0} ,kai$^{53}_{44}$ke$^{53}_{44}$m̩^{13}məi^{53}li^{0} ke^{0} kai$^{53}_{44}$çi^{21}a^{0} ,n̩$_{21}$,tsiəu^{21}mi^{35}tsɿ^{0}. iəŋ$^{53}_{44}$aŋ^{35}tsɿ^{0} tʂəŋ^{35}tau^{21}.i$^{13}_{21}$xa$^{53}_{44}$iəŋ^{53}tʰau^{13}kʰua^{21}çi^{53}ləu^{21},tʰien^{35}tʰien^{35}ləuk^{3} iet^{3} tau^{53}tsɿ^{0} nei^{0} .e$_{21}$,kai$^{53}_{44}$tsʰiəu$^{53}_{44}$tsʰɿ^{35} ka$^{35}_{44}$tso^{53}tsʰɿ^{53} .ŋai$^{13}_{21}$əi^{35}tsɿ^{0} tso^{53}ko^{0} ,ŋai^{13}təu$^{35}_{53}$çi^{53}ləuk^{3} ko^{0} .i$^{13}_{21}$xa^{53}ʂɿ$^{53}_{44}$ci$^{13}_{21}$xai^{13}ci^{53}tek^{3} .mau$^{13}_{2}$ɲin$^{13}_{44}$tso^{53}li^{0} .mau^{13} ɲin^{13}tso^{53}li^{0} .

【醋娘子】tsʰɿ^{53}ɲiəŋ^{13}tsɿ^{0} 名 做醋时添加的陈醋：～嘞就系以前留以前做嘿个醋。tsʰɿ^{53}ɲiəŋ^{13}tsɿ^{0} lei^{0} tsʰiəu^{53}xei^{53}i^{35}tsʰien^{13}liəu^{13}i^{35}tsʰien^{13}tso^{53}xek^{3} ke^{0} tsʰɿ^{53}.

【氽河】tsʰən^{35}xo^{13} 名 投河自杀：～就系自杀个一种方式啊。～啊，嗯，想唔通哩就去～啊。

欸，渠搇"缔颈"两只字连起来。"你咁想死了是你去～缔颈呢。你咁想死了是嘞，你去～缔颈欸。"如咁多年更少了凑。tsʰɔn^{35}xo^{13}tsʰiəu$^{53}_{44}$xei$^{53}_{44}$tsʰɿ^{53}sait^{3}ke^{53}iet^{3}tʂəŋ^{21}fɔŋ^{35}ʂʅ^{53}a^{0}.tsʰɔn^{35}xo^{13}a^{0},n̩$_{21}$,siɔŋ^{21}n̩^{13}tʰəŋ^{35}li^{0}tsʰiəu$^{53}_{44}$çi$^{53}_{44}$tsʰɔn$^{35}_{44}$xo^{13}a^{0}.e$_{21}$,ci$^{13}_{21}$lau$^{35}_{44}$"tʰak^{3}ciaŋ^{21}"iɔŋ^{21}tʂak^{3}tsʰɿ^{53}lien^{13}çi$^{21}_{44}$lɔi$^{13}_{44}$."ɲi^{35}kan^{21}siɔŋ^{21}si^{21}liau^{0}ʂʅ$^{53}_{44}$ɲi^{13}çi^{53}tsʰɔn^{35}xo$_{21}$tʰak^{3}ciaŋ^{21}ne^{0}. ɲi^{13}kan^{21}siɔŋ^{21}si^{21}liau^{0}ʂʅ^{53}lei^{0}, ɲi$^{13}_{21}$çi^{53}tsʰɔn^{35}xo$^{13}_{21}$tʰak^{3}ciaŋ^{21}ŋe^{0}." i$^{13}_{21}$kan^{21}to$^{35}_{53}$ɲien^{13}cien^{53}ʂau^{21}liau^{0}tsʰe^{0}.

【窜起窜转】tsʰɔn^{53}çi^{21}tsʰɔn^{53}tʂɔn^{21} 穿插交织：就我等个箇古代建筑肚里个斗拱样咁个。～，箇就还好看滴唠。tsʰiəu^{53}ŋai^{13}tien^{0}ke$^{53}_{44}$kai$^{53}_{44}$ku^{21}tʰɔi$^{53}_{44}$cien^{53}tʂəuk^{3}təu^{21}li^{0}ke^{53}tei^{21}kəŋ^{21}iɔŋ$^{53}_{44}$kan^{21}kei$^{53}_{44}$.tsʰɔn^{53}çi^{21}tsʰɔn^{53}tʂɔn^{21},kai^{53}tsʰiəu^{53}xai$^{13}_{21}$xau^{21}kʰɔn^{53}tiet^{5}lau^{0}.

【催】tsʰi^{35} 动 叫人赶快行动或做某事：女方唔得～男方早滴子来嘞。ɲy^{21}fɔŋ^{35}n̩^{13}tek^{3}tsʰi^{35}lan^{13}fɔŋ$^{35}_{44}$tsau^{21}tet^{5}tsɿ^{0}lɔi^{13}le^{0}.

【催请】tsʰi^{35}tsʰiaŋ^{21} 动 宴请宾客至约定时刻，主人再促客驾临：欸，请客唠，系唔系？客还赠来唠，总都唔来哟，就去～下子。欸，客佬子总都唔来，如下是会打只电话唠，系啊？以前是硬爱去，到箇去请渠，～渠。e$_{21}$,tsʰiaŋ^{21}kʰak^{3}lau^{0},xe^{53}me^{53}?kʰak^{3}xai$^{13}_{44}$maŋ$^{13}_{44}$lɔi^{13}lau^{0},tsəŋ^{21}təu$^{35}_{53}$n̩$^{13}_{21}$nɔi^{13}io^{0},tsiəu$^{53}_{44}$çi$^{53}_{44}$tsʰi^{35}tsʰiaŋ^{21}ŋa^{53}tsɿ^{0}.e$_{21}$,kʰak^{3}lau^{21}tsɿ^{0}tsəŋ^{21}təu$^{35}_{53}$n̩$^{13}_{44}$nɔi$^{13}_{44}$,i$^{13}_{21}$xa^{53}ʂʅ$^{53}_{44}$uɔi^{53}ta^{21}tʂak^{3}tʰien^{53}fa$^{53}_{44}$lau^{0},xei$^{53}_{44}$a^{0}?i^{35}tsʰien^{13}ʂʅ$^{53}_{44}$ɲiaŋ^{53}ɔi^{53}çi^{53},tau^{53}kai^{53}çi^{53}tsʰiaŋ^{21}ci$^{13}_{44}$,tsʰi^{35}tsʰiaŋ^{21}ci$^{13}_{21}$.

【脆】tsʰɔi^{53} 形 容易断，容易碎的：饼干是爱～滴子更好食。欸揪韧个唔好食。piaŋ^{21}kɔn^{35}ʂʅ$^{53}_{44}$ɔi^{53}tsʰɔi^{53}tiet^{5}tsɿ^{0}cien$^{53}_{44}$xau^{21}ʂət^{5}.e^{0}tsiəu^{35}ɲin^{53}ke^{0}n̩$^{13}_{21}$xau^{21}ʂət^{5}.

【脆瓜】tsʰi^{53}kua^{35} 名 丝瓜：嗬，箇晡我走啊街上，"哦，你箇～几多钱呶？"箇只人咯，"线瓜咯，让门你等安做～？"本地人就安做线瓜。我等客姓人是安做～，也有蛮多人都就话～都唔晓么个东西了。安做线瓜就线瓜。xo$_{53}$,kai$^{53}_{44}$pu$^{35}_{53}$ŋai$^{13}_{21}$tsei^{21}a^{0}kai$^{35}_{44}$xɔŋ$^{53}_{44}$,"o$_{35}$, ɲi^{13}kai$^{53}_{44}$tsʰi^{53}kua$^{35}_{44}$ci$^{13}_{21}$(t)o$^{35}_{53}$tsʰien$^{13}_{21}$nau^{0}?"kai^{53}tʂak^{3}ɲin$^{13}_{21}$ko^{0},"sien^{53}kua^{35}ko^{0}, ɲiɔŋ$^{53}_{44}$mən^{0}ɲi$^{13}_{21}$tien^{0}ɔn$^{35}_{44}$tso$^{53}_{44}$tsʰi^{53}kua^{35}?"pən^{21}tʰi^{53}ɲin^{13}tsʰiəu$^{53}_{44}$ɔn$^{35}_{44}$tso$^{53}_{44}$sen^{53}kua^{35}.ŋai^{13}tien^{0}kʰak^{3}sin^{53}ɲin$^{13}_{44}$ʂʅ$^{53}_{44}$ɔn$^{35}_{44}$tso$^{53}_{44}$tsʰi^{53}kua^{35},ia$^{35}_{44}$iəu$^{35}_{44}$man$^{13}_{21}$to$^{35}_{53}$ɲin$^{13}_{44}$təu$^{35}_{44}$tsʰiəu$^{53}_{44}$ua$^{53}_{44}$tsʰi^{53}kua$^{35}_{44}$təu$^{35}_{44}$n̩^{13}çiau^{21}mak^{3}e^{0}təŋ^{35}si^{0}liau^{0}.ɔn$^{35}_{44}$tso$^{53}_{44}$sien^{53}kua$^{35}_{44}$tsiəu$^{53}_{44}$sien^{53}kua$^{35}_{44}$.

【翠鸟】tsʰi^{53}tiau^{35} 名 鸟名：～蛮讨嫌呢。你栽滴菜呀，箇～就同你分你叶子食嘿正。tsʰi^{53}tiau^{35}man$^{13}_{44}$tʰau^{21}çian^{13}ne^{0}. ɲi$^{13}_{21}$tsɔi^{35}tiet^{5}tsʰɔi^{53}ia^{0},kai$^{53}_{44}$tsʰi^{53}tiau^{35}tsiəu$^{53}_{44}$tʰəŋ$^{13}_{21}$ɲi$^{13}_{21}$pən$^{35}_{44}$ɲi$^{13}_{44}$iait^{3}tsɿ^{0}ʂət^{5}lek^{3}(←xek^{3})tʂaŋ$^{53}_{21}$.

【村子】tsʰən^{35}tsɿ^{0} 名 村庄，乡民聚居的地方：（屋场）就系一只～样个，系，就系只～。tsʰiəu^{53}xei$^{53}_{21}$iet^{3}tʂak^{3}tsʰən^{35}tsɿ^{0}iɔŋ$^{53}_{44}$ke$^{53}_{44}$,xe$^{53}_{44}$,tsʰiəu^{53}xei$^{53}_{44}$tʂak^{3}tsʰən^{35}tsɿ^{0}.

【存】tsʰən^{13} 动 余留钱款或储蓄：如几个月嘞我赠～倒一滴钱。i$^{13}_{21}$ci^{21}ke^{53}ɲiet^{5}le^{0}ŋai$^{13}_{21}$maŋ$^{13}_{21}$tsʰən$^{13}_{21}$tau^{21}(i)et^{3}tet^{5}tsʰien$^{13}_{21}$.

【寸】tsʰən^{53} 量 中国市制长度单位，一尺的十分之一：一～布 iet^{3}tsʰən^{53}pu^{53} | 橡皮钉都系～半呶。ʂɔn^{13}pʰi^{13}taŋ^{35}təu$^{35}_{44}$xe$^{53}_{44}$tsʰən^{53}pan^{53}nau^{0}.

【寸楷】tsʰən^{53}kʰai^{21} 名 用来写小字的毛笔：～就系欸写细字子个毛笔。写细字子个箇管箇起笔。系用过系箇张笔吧？不是箇个细字子吧？～应该系箇个嘞应该系指箇张笔。tsʰən^{53}kʰai^{21}tsʰiəu^{53}xei^{53}e$_{21}$sia^{21}sei^{53}sɿ$^{53}_{44}$tsɿ^{0}ke^{0}mau^{35}piet^{3}.sia^{21}sei^{53}sɿ$^{53}_{44}$tsɿ^{0}ke^{0}kai$^{53}_{44}$kɔn^{21}kai^{53}çi^{21}piet^{3}.xei^{53}iəŋ$^{53}_{44}$ko$^{53}_{44}$xei^{53}kai^{53}tʂɔŋ$^{35}_{21}$piet^{3}pa^{0}?pət^{3}ʂʅ^{53}kai$^{53}_{44}$ke^{0}sei^{53}sɿ^{53}tsɿ^{0}pa^{0}?tsʰən^{53}kʰai^{21}in^{53}kɔi^{35}xei^{53}kai$^{53}_{44}$cie$^{53}_{44}$lei^{0}in^{53}kɔi$^{35}_{44}$xei^{53}tʂʅ^{21}kai^{53}tʂɔŋ$^{35}_{44}$piet^{3}.

【寸凿】tsʰən^{53}tsʰɔk^{5} 名 一寸宽的凿子：～就一寸子宽个凿子唠。一寸个凿是有蛮阔子啦。tsʰən$^{53}_{44}$tsʰɔk^{5}tsʰiəu$^{53}_{44}$iet^{3}tsʰən^{53}tsɿ^{0}kʰɔn^{35}cie$^{53}_{44}$tsʰɔk^{5}tsɿ^{0}lau^{0}.iet^{3}tsʰən^{53}ke$^{53}_{44}$tsʰɔk^{5}ʂʅ$^{53}_{44}$iəu^{35}man$^{13}_{21}$kʰɔit^{3}tsɿ^{0}la^{0}.

【搓】tsʰo^{35}/tsʰa^{35} 动 两个手掌相对或一个手掌放在别的东西上来回摩擦：咁子去～就洗衫。kan^{21}tsɿ^{0}çi$^{53}_{44}$tsʰo^{35}tsʰiəu$^{53}_{44}$se^{21}san$^{35}_{44}$. | ～背 tsʰa^{35}pɔi^{53}

【撮$_{1}$】tsʰɔit^{3} 动 ①用簸箕等把散碎的东西收集起来：一起～箇个打禾个时候子～箇个禾桶哩～起来个，安做谷撮。iet^{3}çi^{21}tsʰɔit^{3}kai^{53}kei^{53}ta^{21}uo^{13}ke^{53}ʂʅ^{13}xəu$^{35}_{53}$tsɿ^{0}tsʰɔit^{3}kai^{53}ke^{53}uo^{13}tʰəŋ^{21}li^{0}tsʰɔit^{3}çi^{21}lɔi^{13}ke^{53},ɔn^{35}tso^{53}kuk^{3}tsʰait^{3}. ②比喻持家：渠也有只～字嘞。就有滴人会当家咯，屋下搞得好哇，渠会当家个人呢，安做箇只人～得蛮好，～得好。ci$^{13}_{21}$ia^{35}iəu$^{35}_{44}$tʂak^{3}tsʰɔit^{3}sɿ^{53}le^{0}.tsʰiəu^{53}iəu^{35}tet^{5}ɲin$^{13}_{44}$uɔi^{53}tɔŋ$^{35}_{44}$ka^{35}ko^{0},uk^{3}xa^{53}kau^{21}tek^{3}xau^{21}ua^{0},ci^{13}uɔi^{53}tɔŋ^{35}ka^{35}ke^{53}ɲin$^{13}_{44}$ne^{0},ɔn^{35}tso^{53}kai^{53}tʂak^{3}ɲin$^{13}_{44}$tsʰɔit^{3}tek^{3}man^{13}xau^{21},tsʰɔit^{3}tek^{3}xau^{21}.

【撮斗秤】tsʰɔit^{3}tei^{21}tʂʰən^{53} 名 簸箕秤：～呢就系称一滴咁个欸譬如白糖啊盐咁个东西呢，用来称箇起东西个呢。以前箇个欸供销社里啊，卖盐卖糖啊就用咁个～。欸就一只子咁个长长子个斗子，长长子个盘子，也就系种盘秤子。但是渠个盘子嘞做倒嘞一撮下去就撮起滴糖来哩，欸，或者卖糖啊或者卖花生呐卖葵花籽啊，箇都用～。tsʰɔit^{3} tei^{21} tʂʰən^{53} nei^{0} tsʰiəu^{53} xei^{53} tʂʰən^{53} iet^{3} tiet^{5} kan$^{53}_{44}$kei$^{53}_{44}$e$_{21}$pʰi^{53}ʮ$^{13}_{44}$pʰak^{5} tʰɔŋ$^{13}_{44}$ŋa^{0} ian^{13}kan$^{21}_{13}$ke$^{53}_{44}$təŋ$^{35}_{44}$si^{0} nei^{0},iəŋ^{53}lɔi$^{13}_{21}$tʂʰən^{53}kai^{53}çi^{21}təŋ$^{35}_{44}$si^{0} ke^{53}nei^{0}.i^{35} tsʰien^{13}kai$^{53}_{44}$ke$^{53}_{44}$e$_{21}$kəŋ$^{35}_{44}$siau$^{35}_{44}$ʂa^{53}li^{0} a^{0},mai^{53}ian^{13}mai^{53}tʰɔŋ^{13}ŋa^{0} tsʰiəu^{53}iəŋ^{53}kan^{21}ke^{0} tsʰɔit^{3} tei^{21}tʂʰən^{53}.e$_{21}$ tsʰiəu^{53}iet^{3} tʂak^{3} tsɿ^{0} kan$^{21}_{13}$kei^{53}tʂʰɔŋ^{13}tʂʰɔŋ^{13}tsɿ^{0} kei^{53}tei^{21}tsɿ^{0},tʂʰɔŋ^{13}tʂʰɔŋ^{13}tsɿ^{0} ke^{53}pʰan^{13}tsɿ^{0},ia^{13}tsʰiəu^{53}xei^{53} tʂəŋ^{21}pʰan^{13}tʂʰən^{53}tsɿ^{0}.tan^{53}ʂʅ^{53}ci$^{13}_{44}$ke$^{53}_{44}$pʰan^{13}tsɿ^{0} lei^{0} tso^{53}tau^{21}lei^{0} iet^{3} tsʰɔit^{3} ia^{53}çi^{53}tsʰiəu^{53}tsʰɔit^{3} çi^{21}tiet^{5} tʰɔŋ^{13} lɔi$^{13}_{21}$li^{0},e$_{21}$,xɔit^{5} tʂa^{21}mai^{53}tʰɔŋ^{13}ŋa^{0} xɔit^{5} tʂa$^{53}_{44}$mai^{53}fa^{35}sen$^{35}_{44}$na^{0} mai^{53}kʰuci$^{13}_{21}$fa$^{35}_{53}$tsɿ^{21}a^{0},kai$^{53}_{44}$təu^{35}iəŋ$^{53}_{44}$tsʰɔit^{3} tei^{21} tʂʰən^{53}.

【撮子】tsʰait^{3} tsɿ^{0} 名 饭撮的现今别称：饭撮，又安做～，如今就又安做渠～。fan^{53}tsʰait^{3},iəu$^{53}_{44}$ɔn$^{35}_{44}$tso$^{53}_{44}$tsʰait^{3} tsɿ^{0},i$^{13}_{21}$cin$^{35}_{44}$tsʰiəu$^{53}_{21}$iəu$^{53}_{44}$ɔn$^{35}_{44}$tso$^{53}_{44}$ci$^{13}_{21}$tsʰait^{3} tsɿ^{0}.

【莝】tsʰo^{53} 量 用于长条物分成的若干部分或事物的一部分，相当于“段”：分渠指豆角等成一～～。pən^{35}ci$^{13}_{21}$tən^{21}ʂaŋ^{13}iet^{3} tsʰo^{53}tsʰo^{53}.｜渠个袜子嘞箇底下箇～冇哩用，烂到冇哩用了。ci^{13} ke^{53}mait^{3} tsɿ^{0} lei^{0} kai^{53}te^{21}xa^{53}kai^{53}tsʰo^{53}mau^{13}li^{0} iəŋ^{53},lan^{53}tau$^{53}_{44}$mau^{13}li^{0} iəŋ^{53}liau^{21}.｜筑墙是一～～子筑哕。tʂəuk^{3} tsʰiɔŋ^{13}ʂʅ$^{53}_{44}$iet^{3} tsʰo^{53}tsʰo^{53}tsɿ^{0} tʂəuk^{3} ʂa^{0}.｜过河里拦一～唠。ko$^{53}_{44}$xo^{13}li$^{21}_{44}$lan^{13}iet^{3} tsʰo^{53}lau^{0}.

【锉$_{1}$】tsʰo^{53} 名 磨砺锯子、刀具等的工具：～就有几起欸，根据不同个情况下，欸。tsʰo^{53} tsʰiəu$^{53}_{44}$iəu^{35}ci^{21}çi^{21}e$_{21}$,cien$^{35}_{44}$tʂʮ^{53}pət^{3} tʰəŋ^{13}ke$^{53}_{44}$tsʰin^{13}kʰuɔŋ$^{53}_{44}$çia$^{53}_{44}$,e$_{21}$.

【锉$_{2}$】tsʰo^{53} 动 用锉磨砺锯子、刀具等：～箇起咁个馥嫩子个锯子，用丝芒锉。tsʰo^{53}kai^{53}çi^{21} kan^{21}ke$^{53}_{44}$fət^{5} lən^{53}tsɿ^{0} ke$^{53}_{44}$cie^{53}tsɿ^{0},iəŋ$^{53}_{44}$sɿ^{35}mɔŋ^{13}tsʰo^{53}.

【错】tsʰo^{53} 形 不正确，与实际不符：写～哩 sia^{21}tsʰo^{53}li^{0} ｜箇晡有一只东西讲～哩。kai$^{53}_{44}$pu$^{35}_{44}$ iəu$^{35}_{44}$iet^{3} tʂak^{3} təŋ$^{35}_{44}$si^{0} kɔŋ^{21}tsʰo^{53}li^{0}.｜我昨天记～哩。ŋai^{13}tsʰo^{35}tʰien$^{35}_{44}$ci^{53}tsʰo^{53}li^{0}.｜唔知我等搞～哩吗哈。n̩$^{13}_{21}$ti$^{35}_{44}$ŋai$^{13}_{21}$tien^{0} kau^{21}tsʰo^{53}li^{0} mak^{3} xa^{0}.

D

【耷】tait^{5} 动 ①耷拉；下垂：耳朵～下去，唔齿你噢。ɲi^{21}to^{21}tait^{5}xa$^{53}_{44}$çi$^{53}_{44}$,n̩^{13}tʂʰʅ^{21}ɲi^{13}au^{0}. ②掉落：箇个灯盏赠放稳，～嘿地泥下。kai$^{53}_{44}$ke$^{53}_{44}$ten^{35}tsan^{21}maŋ^{13}fɔŋ^{53}uən^{21},tait^{5}(x)ek^{3}tʰi^{53}lai$^{13}_{21}$xa^{35}.｜欸玻璃缸子莫～咁哩，爱放进下子去。e^{0}po^{35}li$^{13}_{44}$kɔŋ$^{35}_{44}$tsɿ^{0}mɔk^{5}tait^{5}kan^{21}ni^{0},ɔi$^{53}_{44}$fɔŋ^{53}tsin^{53}na$^{53}_{44}$tsɿ^{0}çi$^{53}_{44}$. ③击打：～你两耳巴子。tait^{5}ɲi$^{13}_{21}$iɔŋ^{21}ɲi^{21}pa^{35}tsɿ^{0}.｜拿倒手巾～净下子身上个灰尘。la^{53}tau^{21}ʂəu^{21}cin$^{35}_{44}$tait^{5}tsʰiaŋ^{53}xa$^{53}_{21}$tsɿ^{0}ʂən^{35}xɔŋ$^{53}_{44}$ke$^{53}_{44}$fɔi^{35}tʂʰən^{13}. ④扔：细人子总搞手机，搞发哩我火我～咁渠去。sei^{53}ɲin$^{13}_{21}$tsɿ^{0}tsəŋ^{21}kau^{21}ʂəu^{21}ci$^{35}_{53}$,kau^{21}fait^{3}li^{0}ŋai$^{13}_{44}$fo^{21}ŋai$^{13}_{21}$tait^{5}kan^{21}ci$^{13}_{21}$çi^{53}. ⑤双手抱住一团泥之类用力向下甩出：渠个意思就是么啊嘞？搕坨泥，一□下去，～下去。ci$^{13}_{21}$ke$^{53}_{44}$i^{53}sɿ^{0}tsʰiəu$^{53}_{44}$ʂʅ$^{53}_{44}$mak^{3}a^{0}lei^{0}?mən^{35}tʰo$^{13}_{21}$lai^{13},iet^{3}tsʰek^{5}(x)a$^{53}_{21}$çi$^{53}_{44}$,tait^{5}(x)a$^{53}_{44}$çi^{53}. ⑥跌倒；摔跤：咁子一人一顿坐样就会～爆后脑壳。kan$^{21}_{13}$tsɿ^{0}iet^{3}ɲin^{13}iet^{3}tən^{53}tsʰo$^{35}_{44}$iɔŋ$^{53}_{44}$tsʰiəu$^{53}_{44}$uɔi$^{53}_{44}$tait^{5}pau^{53}xei^{53}lau^{21}kʰɔk^{3}. ⑦趿拉：着起箇耷鞋呀～去～转。tʂɔk^{3}çi$^{21}_{44}$kai$^{53}_{44}$tait^{5}xai$^{13}_{21}$ia^{0}tait^{5}çi$^{53}_{44}$tait^{5}tʂuɔn$^{21}_{44}$.

【耷瓦子】tait^{5}ŋa^{21}tsɿ^{0} 名 一种瓦，较小：～一口一口个做。一只箇个模子，系唔系？一块树板，以映斗只把，看呶，以映斗只把，一块子咁个树板，以中间嘞挖只子凼，一块瓦咁大子，渠平个啦。欸，以映就舞饽泥，和正哩，攒劲一耷，钉下去，欸，钉下去。以下拿倒咁个弓子，用钢丝子个，一解下去，搣开。以只东西嘞，倒下去，搕下子，就一口，咁子就一口。箇是～，细瓦子。瓦是圆圆子个吵，系唔系？弯弯子个吵。但是渠以个做个坯子嘞系平个。正做个时候子就箇个泥是苶软个，系唔系？渠是爱拿倒箇块瓦放下以只……底下放嘞一片瓦凑，覆下倒啦，渠就箇个箇软软子一耷嘿去就成哩我箇一熷就成哩圆个子啊。tait^{5}ŋa^{21}tsɿ^{0}iet^{3}xei^{21}iet^{3}xei^{21}ke^{0}tso^{53}.iet^{3}tʂak^{3}kai^{21}kei^{53}mo^{13}tsɿ^{0},xei^{53}me^{53}?iet^{3}kʰuai^{53}ʂəu^{53}pan^{21},i^{21}iaŋ$^{53}_{44}$tei^{53}tʂak^{3}pa^{53},kʰɔn$^{53}_{44}$nau^{0},i^{21}iaŋ$^{53}_{44}$tei^{53}tʂak^{3}pa^{53},iet^{3}kʰuai^{53}tsɿ^{0}kan^{21}ke^{0}ʂəu^{53}pan^{21},i^{21}tʂəŋ$^{35}_{44}$kan$^{35}_{44}$lei^{0}ua^{35}tʂak^{3}tsɿ^{0}tʰɔŋ^{53},iet^{3}kʰuai^{53}ŋa^{21}kan$^{21}_{13}$tʰai^{53}tsɿ^{0},ci$^{13}_{21}$pʰiaŋ^{35}cie^{53}la^{0}.e$_{44}$,i^{21}iaŋ^{53}tsʰiəu^{53}u^{21}pʰɔk^{5}lai^{13},xo^{13}tʂaŋ^{53}li^{0},tsan^{21}cin^{53}iet^{3}tait^{5},taŋ^{35}ŋa$^{53}_{44}$çi$^{53}_{44}$,e^{0}taŋ^{35}ŋa$^{53}_{44}$çi$^{53}_{44}$.i^{21}xa$^{53}_{44}$la^{53}tau^{21}kan^{21}ke$^{53}_{44}$ciəŋ^{35}tsɿ^{0},iəŋ^{53}kɔŋ^{35}sɿ$^{35}_{44}$tsɿ^{0}ke^{53},iet^{3}kai^{53}ia$^{53}_{21}$çi^{53},miet^{3}kʰɔi$^{35}_{44}$.i^{21}(tʂ)ak^{3}(t)əŋ$^{35}_{44}$si^{0}lei^{0},tau^{53}(x)a$^{53}_{44}$çi$^{53}_{44}$,kʰɔk^{3}(x)a^{53}tsɿ^{0},tsʰiəu^{53}iet^{3}xei^{21},kan^{21}tsɿ^{0}tsʰiəu^{53}iet^{3}xei^{21}.kai$^{53}_{21}$ʂʅ$^{53}_{21}$tait^{5}ŋa^{21}tsɿ^{0},sei^{53}ŋa^{21}tsɿ^{0}.ŋa^{21}ʂʅ$^{53}_{44}$ien^{13}ien^{13}tsɿ^{0}ke$^{53}_{44}$ʂa^{0},xei^{53}me^{53}?uan^{35}uan^{35}tsɿ^{0}ke$^{53}_{44}$ʂa^{0}.tan^{53}ʂʅ^{53}ci$^{13}_{21}$i^{21}ke$^{53}_{44}$tso^{53}ke^{0}pʰɔi^{35}tsɿ^{0}lei^{0}xei^{53}pʰiaŋ^{13}ke^{0}.tʂaŋ^{53}tso^{53}ke$^{53}_{44}$ʂʅ$^{13}_{21}$xəu$^{53}_{44}$tsɿ^{0}tsʰiəu$^{53}_{21}$kai$^{53}_{44}$ke$^{53}_{44}$lai^{13}ʂʅ$^{53}_{21}$ɲiet^{5}ɲiɔn^{35}cie^{53},xei$^{53}_{44}$me$^{53}_{44}$?ci^{21}tʂʅ^{21}ɔi^{53}la^{53}tau^{21}kai^{53}kʰuai^{53}ŋa^{21}fɔŋ^{53}ŋa$^{53}_{44}$i^{21}tʂak^{3}…tei^{21}xa$^{53}_{44}$fɔŋ^{53}le^{0}iet^{3}pʰien^{53}ŋa^{21}tsʰe^{0},pʰuk^{3}(x)a^{53}tau^{21}la^{0},ci$^{13}_{21}$tsʰiəu^{53}kai^{53}kei^{53}kai$^{53}_{44}$ɲiɔn^{35}ɲiɔn^{35}tsɿ^{0}iet^{3}tait^{5}(x)ek^{3}çi^{53}tsʰiəu$^{53}_{44}$ʂaŋ$^{13}_{21}$li^{0}ŋai$^{13}_{21}$kai$^{53}_{44}$iet^{3}tsau^{35}tsiəu^{53}ʂaŋ$^{13}_{44}$li^{0}ien^{13}cie^{53}tsɿ^{0}a^{0}.

【耷鞋】tait^{5}xai^{13} 名 拖鞋。又称“半截鞋”：细人子真莫学倒踏鞋踭。着起箇～呀耷去耷转。箇个欸走路都走唔动。箇个样子唔好看。以前个人就蛮讲究箇只咁个东西。以下是有么人讲究了唠。嗯。拖鞋拖去拖转。sei^{53}ɲin$^{13}_{21}$tsɿ^{0}tʂən^{35}mɔk^{5}xɔk^{5}tau^{21}tʰait^{5}xai^{13}tsaŋ^{35}.tʂɔk^{3}çi$^{21}_{44}$kai$^{53}_{44}$tait^{5}xai$^{13}_{21}$ia^{0}tait^{5}çi$^{53}_{44}$tait^{5}tʂuɔn$^{21}_{44}$.kai$^{53}_{44}$ke$^{53}_{44}$e$_{21}$tsei^{21}ləu^{53}təu$^{35}_{44}$tsei^{21}n̩$^{13}_{21}$tʰəŋ^{35}.kai$^{53}_{44}$ke$^{53}_{44}$iɔŋ$^{53}_{44}$tsɿ^{0}m̩$^{13}_{21}$xau^{21}kʰɔn^{53}.i^{35}tsʰien^{13}ke$^{53}_{44}$ɲin$^{13}_{21}$tsʰiəu^{53}man^{13}kɔŋ^{21}ciəu^{53}kai^{53}tʂak^{3}kan^{21}(k)e^{0}təŋ$^{35}_{44}$si^{0}.i^{21}xa^{53}ʂʅ^{53}mau^{13}mak^{3}ɲin$^{13}_{44}$kɔŋ^{21}ciəu^{53}liau^{21}lau^{0}.n̩$_{21}$.

tʰo35xai13/21tʰo35çi53tʰo35tʂuən21.

【搭1】tait3 [动]①把柔软的东西放在支撑物上：有只布袋子，～嘿背囊上。iəu35/21tʂak3pu53tʰɔi53tsɿ0,tait3(x)ek3/5pɔi53lɔŋ13/21xɔŋ53. ②搭建：～只披厦子。tait3tʂak3pʰi35sa21tsɿ0. ③加上，附带：来一碗番薯粉丝。硬系～只粉丝去，渠正系箇个。lɔi13iet3uən21fan35ʂəu13/21fən21sɿ35/44. ɲiaŋ53xe53tait3tʂak3fən21sɿ35çi53,ci13/21tʂaŋ53xei53/44kai53/44cie53/44.｜但是瓦窑也烧砖，也爱～滴子砖。tan53ʂɿ53ŋa21iau13ia35ʂau35/44tʂən35,ia35ɔi53tait3tiet5tsɿ0tʂən35. ④拼合：边搭缝啊？边搭缝就系一边……以边里少留只缺，上背留只缺，以边下背留只缺，～嘿去，这样子，～嘿去。pien35tait3pʰəŋ53ŋa0?pien35tait3pʰəŋ53tsʰiəu53/44xei53/44iet3pien35ts…i21pien35/53ni21ʂau21liəu13tʂak3cʰiek3,ʂɔŋ53pɔi53liəu13tʂak3cʰiek3,i21pien35xa35pɔi53liəu13/21tʂak3cʰiek3,tait3(x)ek3/5çi53/44,tʂe53iɔŋ53tsɿ0,tait3(x)ek3/5çi53/44. ⑤捎带；托付：长日写倒信分我嘞，～别人家寄倒信分我，爱我同渠去买以种买箇种欸。tʂʰɔŋ13ɲiet3sia21tau21sin53pən35/44ŋai13/21lei0,tait3pʰiet5in13/44ka35/53ci53tau21sin53pən35ŋai13/21,ɔi53ŋai13/21tʰəŋ13/44ci13/44çi53mai35i21tsəŋ35/44mai35kai53tsəŋ35/44ŋei0. ⑥固定：渠等指草鞋搭两向都徛得啊。欸，以个箇面前个茎都渠慢点变欸后背箇只脚又吊得稳呶。/两头都～得稳。ci13tien0iɔŋ21çiɔŋ53təu35/44cʰi35tek3a0.e21,i21/13ke53/44kai53/44mien53tsʰien13ke53/44tsʰo35təu35/44ci13man53tian21pien53/44e21xəu53pɔi53/44kai53/44tʂak3ciɔk3iəu53/44tiau53/44tek3uən21nau0./iɔŋ21tʰei13təu35/53tait3tek3uən21. ⑦乘坐：渠系～班车走个。ci13(x)e53/44tait3pan35tʂʰa35/44tsei21cie53. ⑧馈赠：人情～得秋，卖嘿门前猪屎丘。ɲin13tsʰin13tait3tek3tsʰiəu35,mai53xek3mən13tsʰien13tʂəu35ʂɿ21cʰiəu35.

【搭2】tait3 [介]连同：以条横棍，～以只东西也喊水子挽。i21tʰiau13/21uaŋ13kuən53,tait3i21tʂak3təŋ35/44si0ia35xan53ʂei21tsɿ0uan21.

【搭档式子】tait3tɔŋ53ʂɿ53tsɿ0 [副]顺带：就话我姑姑真会搞真会剪花箇兜，箇个就系～搞下子个，系唔系？不能以箇门欸为职业嘞。tsʰiəu53ua53ŋai13/21ku35ku35/44tʂən35/44uɔi53kau21tʂən35/44uɔi53tsien21fa35kai53te53/53,kai53ke53tsʰiəu53xei53tait3tɔŋ53/44ʂɿ53tsɿ0kau21xa53tsɿ0kei53/44,xei53/44me53/44?pət3len13i13/44kai53mən13/21e21uei13/44tʂət3ɲiait5le0.

【搭倒】tait3tau21 [副]顺便，附带：以前就银器店就～卖金子，如今呢金器店呢～卖银子。i35tsʰien13/21tsʰiəu53/44ɲin13çi53tian53tsʰiəu53/44tait3tau21mai53cin35tsɿ0,i13/21cin35/44nei0cin35çi53tian53nei0tait3tau21mai53/44ɲin13tsɿ0.

【搭界】tait3kai53 [动]相连的地区有共同的边界：渠系下箇个江西箇个箇搦我等～个江西箇岭顶上。ci13xei53(x)a53/44kai53/44kei53/44kɔŋ35si35/44kai53ke53/44kai53/44lau35ŋai13/21tien0tait3kai53/44ke53/44kɔŋ35si35/44kai53/44liaŋ35taŋ21xɔŋ53/44.

【搭头】tait3tʰei13 [名]指直接的关联：渠系下浏阳个人，渠冇得哩么个箇个了嘞，渠冇得哩咁个呃农村里个箇只～了嘞，渠搭唔倒哩箇一头嘞。ci13/44xei53(x)a53liəu13iɔŋ13/21ke53ɲin13/21,ci13/21mau13tek3li0mak3ke53kai53ke53liau21/44lei0,ci13/21mau13tek3li0kan21ke53ə21ləŋ13tsʰən35/44li0ke53/44kai53/44tʂak3tait3tʰei13liau0lei0,ci13/21tait3n̩13/21tau21li0kai53iet3tʰei13/44lei0.

【搭嘴】tait3tsi21 [动]在别人说话中间插进去说话（含贬义）：你搭么啊嘴嘞？ɲi13/21tait3mak3a0tsi21le0?

【褡裢】tait3lien13 [名]长方形布口袋，中间开口，两头缝合，一般挂在腰带上或搭在肩上：哦，我等赠见过了。～，欸，～。系，有只布袋子，搭嘿背囊上。哎，箇么个年载看过个？就安做～。裢字系唔系有只衣字旁个唠？箇边有只连字，系唔系？～。o13,ŋai13tien0maŋ13cien53ko53/44liau0.tait3lien13/53,e21,tait3lien13/44.xe53/21,iəu35/21tʂak3pu53tʰɔi53tsɿ0,tait3(x)ek3/5pɔi53lɔŋ13/21xɔŋ53.ai53,kai53/44mak3(k)e53ɲien13tsai21kʰɔn53ko53/44ke53/44?tsʰiəu53/44ɔn35/44tso53/44tait3lien13.lien13tsʰɿ53/44xei53/44mei53/44iəu35tʂak3i35tsʰɿ53/21pʰɔŋ13/21ke53lau0?kai53/44pien35/44iəu35/44tʂak3lien13tsʰɿ53/44,xei53/44me53/44?tait3lien13.

【达嫁场】tʰait5ka53tʂʰɔŋ13 [动]女孩在亲友陪同下去男家相女婿：客姓人就咁子搞嘞，到女家头嘞就过定，到女家头过定，到男家头～。一般情况下，都爱搞餐饭食哩，爱喊家长，双方都爱大人从场，系啊？爱大人在场。都搞餐饭食哩。但是唔搞重个。欸，如果到女家头过定，就搞餐订婚酒，过定酒。箇就唔达哩嫁场了，就唔爱～了。如果达哩嫁场，就唔去女家头过定了。到男家头来达哩嫁场，就唔搞箇餐唔搞唔到女方去食订婚酒了。唔搞重个。只搞一边。可以到女家头，也可以到男家头，但只搞一餐。欸，如果到男家头，去男家头搞箇个～，系唔系？欸，也会去女家头，箇一般呢就唔正式个了，就系就几个子人，几个子人去看下子。系。欸，大人，打比爷娭，去看下子。渠箇嘞也可以招待，也可唔招待。但是箇就双方就箇箇个做介绍个人，做媒人呢，渠就讲正来，还系到男家头～，还系到女家头欸过定。箇就唔搞两餐酒。但是有一只嘞，箇个开支嘞都系男方出。到女家头过定，箇所有个开支都系男家头出。拿钱。打比样，欸，以只过定，我有几多桌，系啊？欸，我爱请滴么人，爱打发，爱箇起箇个，通通归男家头出。食个烟食个酒，打爆竹，么个都归男家头出。欸，也可以男家头渠就话：你去办，我拿几多千块钱，拿两万块钱或者拿几多钱分你，你去办，我来几多个人。我男家头嘞来四个人或者六个子人，来一桌人，咁子个也有。如果系女家头到男家头去～，箇就唔爱讲了，女家头你只爱去人凑，听渠大方了。欸，箇就省事。就到男家头～。kʰak^{3} sin^{53}ɲin$^{13}_{21}$tsʰiəu^{53}kan^{21}tsɿ^{0} kau^{21}lei^{0},tau^{53}ɲi^{21}ka^{35}tʰei$^{13}_{21}$lei^{0} tsʰiəu$^{53}_{44}$ko$^{53}_{44}$tʰin^{53},tau^{53}ɲi^{21}ka^{35}tʰei$^{13}_{21}$ko$^{53}_{44}$tʰin^{53},tau^{53}lan^{13}ka$^{35}_{44}$tʰei$^{13}_{21}$tʰait^{5} ka^{53}tʂʰəŋ^{13}.iet^{3} pən^{35}tsʰin$^{13}_{21}$kʰəŋ$^{53}_{44}$çia$^{53}_{44}$,təu^{35}ɔi$^{53}_{44}$kau^{21}tsʰən^{35}fan^{53}ʂət^{5} li^{0} ,ɔi$^{53}_{44}$xan^{53} cia^{35}tʂəŋ^{21},səŋ^{35}fəŋ$^{35}_{44}$təu$^{35}_{44}$ɔi$^{53}_{44}$tʰai^{53}ɲin$^{13}_{21}$tsʰəŋ^{13}tʂʰəŋ^{13},xei$^{53}_{44}$a^{0} ?ɔi$^{53}_{44}$tʰai^{53}ɲin$^{13}_{21}$tsʰai^{53}tʂʰəŋ$^{13}_{21}$.təu$^{35}_{44}$kau^{21}tsʰən^{35}fan^{53} ʂət^{5} li^{0} .tan^{53}ʂʅ^{53}n̩^{13}kau^{21}tʂʰəŋ^{13}ke^{53}.e$_{21}$,y^{13}ko^{21}tau^{53}ɲi^{21}ka$^{35}_{44}$tʰei$^{13}_{21}$ko$^{53}_{44}$tʰin^{53},tsʰiəu$^{53}_{44}$kau^{21}tsʰən$^{35}_{44}$tin^{53}fən$^{35}_{44}$ tsiəu^{21},ko^{53}tʰin^{53}tsiəu^{21}.kai^{53}tsʰiəu^{53}n̩^{13}tʰait$^{5}_{3}$ li^{0} ka^{53}tʂʰəŋ^{13}liau^{0} ,tsʰiəu^{53}m̩$^{13}_{21}$mɔi$^{53}_{44}$tʰait^{5} ka^{53}tʂʰəŋ$^{13}_{21}$liau^{0} .y^{13}ko^{21} tʰait^{5} li^{0} ka^{53}tʂʰəŋ$^{13}_{44}$,tsʰiəu^{53}ŋ̍^{13}çi^{53}ɲi^{21}ka$^{35}_{44}$tʰei$^{13}_{21}$ko^{53}tʰin^{53}liau^{0} .tau^{53}lan^{13}ka$^{35}_{44}$tʰei$^{13}_{21}$lɔi$^{13}_{44}$tʰait^{5} li^{0} ka^{53}tʂʰəŋ^{13},tsiəu^{53} ŋ̍^{13}kau^{21}kai^{53}tsʰən$^{35}_{44}$ŋ̍^{13}kau^{21}n̩^{13}tau^{53}ɲy^{21}fəŋ$^{35}_{44}$çi^{53}ʂət^{5} tʰin^{53}fən$^{35}_{44}$tsiəu^{21}liau^{0} .ŋ̍^{13}kau^{21}tʂʰəŋ^{13}ke^{53}.tʂʅ^{21}kau^{21}uet^{3} (←iet^{3})pien^{35}.kʰo^{21}i^{35}tau^{53}ɲi^{21}ka^{35}tʰei$^{13}_{21}$,ia^{35}kʰo^{21}i^{35}tau^{53}lan^{13}ka$^{35}_{44}$tʰei$^{13}_{21}$,tan^{53}tʂʅ^{21}kau^{21}iet^{3} tsʰən^{35}.e$_{21}$,y^{13}ko^{21}tau^{53} lan^{13}ka$^{35}_{44}$tʰei$^{13}_{21}$,çi^{53}lan^{13}ka$^{53}_{44}$tʰei$^{13}_{21}$kau^{21}kai$^{53}_{44}$ke$^{53}_{44}$tʰait^{5} ka^{53}tʂʰəŋ^{13},xei$^{53}_{44}$me$^{53}_{44}$?ei$_{21}$,ia^{35}uɔi^{53}çi^{53}ɲi^{21}ka$^{35}_{44}$tʰei$^{13}_{21}$,kai^{53}iet^{3} pən^{35}nei^{0} tsʰiəu^{53}n̩^{13}tʂən^{53}ʂʅ^{53}ke^{53}liau^{0} ,tsʰiəu$^{53}_{44}$xei$^{53}_{44}$tsʰiəu^{53}ci^{21}cie^{53}tsɿ^{0} ɲin^{13},ci^{21}ke^{53}tsɿ^{0} ɲin^{13}çi$^{53}_{44}$kʰən^{53}xa$^{53}_{44}$ tsɿ^{0} .xe$^{53}_{21}$.e$_{21}$,tʰai^{53}ɲin^{13},ta^{21}pi^{21}ia^{13}ɔi^{35},çi$^{53}_{44}$kʰən^{53}xa$^{53}_{44}$tsɿ^{0} .ci$^{13}_{21}$kai$^{53}_{44}$lei^{0} ia^{35}kʰo^{21}i^{35}tʂau$^{35}_{44}$tʰɔi^{53},ia^{35}kʰo^{21}n̩$^{13}_{21}$tʂau$^{35}_{44}$ tʰɔi^{53}.tan$^{53}_{44}$ʂʅ$^{53}_{44}$kai$^{53}_{44}$tsʰiəu^{53}səŋ^{35}fəŋ$^{35}_{44}$tsʰiəu$^{53}_{44}$kai$^{53}_{44}$kai$^{53}_{44}$ke$^{53}_{44}$tso^{53}kai^{53}ʂau^{53}ke$^{53}_{44}$ɲin^{13},tso^{53}mɔi^{13}ɲin^{13}nei^{0} ,ci$^{13}_{21}$tsʰiəu^{53} kəŋ^{21}tʂaŋ^{53}lɔi$^{13}_{21}$,xai^{13}xe$^{53}_{44}$tau^{53}lan^{13}ka$^{35}_{44}$tʰei$^{13}_{21}$tʰait^{5} ka^{53}tʂʰəŋ^{13},xai^{13}xe$^{53}_{44}$tau^{53}ɲi^{21}ka$^{35}_{44}$tʰei$^{13}_{21}$e$_{21}$ko$^{53}_{44}$tʰin^{53}.kai$^{53}_{44}$tsʰiəu$^{53}_{44}$ ŋ̍^{13}kau^{21}iəŋ^{21}tsʰən^{35}tsiəu^{21}.tan$^{53}_{44}$ʂʅ$^{53}_{44}$iəu^{35}iet^{3} tʂak^{3} lei^{0} ,kai$^{53}_{44}$ke$^{53}_{44}$kʰɔi^{35}tʂʅ$^{35}_{44}$lei^{0} təu^{35}xei^{53}lan^{13}fəŋ$^{35}_{44}$tʂʰət^{3} .tau^{53}ɲi^{21} ka^{35}tʰei$^{13}_{21}$ko$^{53}_{44}$tʰin^{53},kai$^{53}_{44}$so^{21}iəu^{35}ke^{53}kʰɔi^{35}tʂʅ^{35}təu$^{35}_{44}$xei$^{53}_{44}$lan^{13}ka$^{35}_{44}$tʰei$^{13}_{21}$tʂʰət^{3} .la^{53}tsʰien^{13}.ta^{21}pi^{21}iəŋ$^{53}_{44}$,e$_{21}$,i^{21}tʂak^{3} ko^{53}tʰin^{53},ŋai^{13}iəu$^{35}_{44}$ci^{21}to^{35}tsɔk^{3} ,xei$^{53}_{44}$a^{0} ?e^{21},ŋai^{13}ɔi^{35}tsʰiaŋ^{21}tet^{5} mak^{3} ɲin^{13},ɔi^{53}ta^{21}fait^{3} ,ɔi$^{53}_{44}$kai$^{53}_{44}$çi^{0} kai$^{53}_{44}$ cie$^{53}_{44}$,tʰəŋ^{35}tʰəŋ$^{35}_{44}$kuei$^{35}_{44}$lan$^{13}_{21}$ka$^{35}_{44}$tʰei$^{13}_{21}$tʂʰət^{3} .ʂət^{5} ke$^{53}_{44}$ien^{35}ʂət^{5} ke$^{53}_{44}$tsiəu^{21},ta^{21}pau^{53}tʂəuk^{3} ,mak^{3} ke$^{53}_{44}$təu$^{35}_{44}$kuei$^{35}_{44}$ lan$^{13}_{21}$ka$^{35}_{44}$tʰei$^{13}_{21}$tʂʰət^{3} .e$_{21}$,ia^{35}kʰo^{21}i$^{35}_{44}$lan$^{13}_{21}$ka$^{35}_{44}$tʰei$^{13}_{21}$ci$^{13}_{21}$tsʰiəu$^{53}_{44}$ua$^{53}_{44}$:ɲi^{13}çi$^{53}_{44}$pʰan^{53},ŋai^{13}la^{53}ci^{21}to$^{35}_{44}$tsʰien^{35}kʰuai^{53} tsʰien^{13},la^{53}liəŋ^{21}uan^{35}kʰuai^{53}tsʰien^{13}xɔit$^{5}_{3}$ tʂa^{21}la^{53}cio$_{44}$(←ci^{21}to^{35})tsʰien^{13}pən^{35}ɲi^{21}, ɲi$^{13}_{21}$çi$^{53}_{44}$pʰan^{53},ŋai^{13}lɔi^{13}cio$_{35}$ (←ci^{21}to^{35})ke^{53}ɲin^{13}.ŋai^{13}lan^{13}ka$^{35}_{44}$tʰei$^{13}_{21}$le^{0} lɔi^{13}si^{53}ke^{53}ɲin^{13}xɔit^{5} tʂa^{21}liəuk^{3} ke^{53}tsɿ^{0} ɲin^{13},lɔi^{13}iet^{3} tsɔk^{3} ɲin^{13},kan^{21}tsɿ^{0} ke$^{53}_{44}$ia^{35}iəu$^{35}_{44}$.y^{13}ko^{21}xei^{53}ɲy^{21}ka$^{35}_{44}$tʰei$^{13}_{21}$tau^{53}lan^{13}ka$^{35}_{44}$tʰei$^{13}_{21}$çi$^{53}_{44}$tʰait^{5} ka^{53}tʂʰəŋ^{13},kai$^{53}_{44}$tsʰiəu$^{53}_{44}$m̩$^{13}_{21}$ mɔi^{53}kəŋ^{21}liau^{0} , ɲi^{21}ka$^{35}_{44}$tʰei$^{13}_{21}$ɲi$^{13}_{44}$tʂʅ^{21}ɔi$^{53}_{44}$çi^{53}ɲin$^{13}_{21}$tsʰe^{0} ,tʰin^{53}ci^{13}tʰai^{53}fəŋ^{35}liau^{0} .e$_{21}$,kai$^{53}_{44}$tsʰiəu$^{53}_{44}$saŋ^{21}sɿ^{53}.tsiəu$^{53}_{21}$ tau^{53}lan^{13}ka$^{35}_{44}$tʰei$^{13}_{21}$tʰait^{5} ka^{53}tʂʰəŋ^{13}.

【达平】tʰait^{5} pʰiaŋ^{13} 形状态词。很平。又称“引平”：经墙就～个，顶高可以～。cin^{35}tsʰiəŋ$^{13}_{21}$ tsʰiəu$^{53}_{44}$tʰait^{5} pʰiaŋ^{13}ke^{53},taŋ^{21}kau$^{53}_{44}$kʰo^{21}i^{35}tʰait^{5} pʰiaŋ^{13}.｜以只口子锯得～子。i^{21}tʂak^{3} xei^{21}tsɿ^{0} cie^{53}tek^{3} tʰait^{5} pʰiaŋ^{13}tsɿ^{0} .

【笪】tait^{3} 名一种用粗竹篾编成的像席的东西，晾晒粮食等用。也指像笪的东西。也称“笪子”：舞床晒簟拦下倒。有滴就舞几块～呀，番薯丝～呀，拦稳呐。u^{21}tsʰəŋ^{13}sai^{53}tʰian$^{13}_{44}$lan$^{13}_{21}$la^{53} tau^{21}ua^{0} .iəu^{35}tet^{5} tsʰiəu$^{53}_{44}$u^{21}ci^{21}kʰuai^{53}tait^{3} ia^{0} ,fan^{35}ʂəu$^{13}_{21}$sɿ^{35}tait^{3} ia^{0} ,lan^{13}uən^{21}na^{0} .｜（鸡甑顶高）开只圆眼嘞，也做只咁个圆圆子个～子，盖下去，唔系箇鸡会飞出来咯。kʰɔi^{35}tʂak^{3} ien^{13}ŋan^{21}nei^{0} ,ia^{35} tso^{53}tʂak^{3} kan$^{21}_{35}$kei^{53}ien^{13}ien^{13}tsɿ^{0} ke$^{53}_{44}$tait^{3} tsɿ^{0} ,kɔi^{53}ia$_{44}$(←xa^{53})çi$^{53}_{21}$,m̩$^{13}_{21}$pʰe$_{44}$(←xe^{53})kai$^{53}_{44}$cie^{35}uɔi$^{53}_{44}$fei^{53}tʂʰət^{3} lɔi$^{13}_{21}$ ko^{0} .

【答哨】tak^{5} sau^{53} 名生长在河中的大虾，有钳：系，还有有起大虾公啊，懑大一只虾公啊，我等嗬又有只名字，安做～。有吗？也有咁个话法吗？懑大一只虾公，安做～。大虾公，懑大个，大虾公，懑大一只个虾公。箇懑大一只个虾公啊。xei$^{53}_{44}$,xai$^{13}_{21}$iəu$^{35}_{44}$iəu^{35}çi^{21}tʰai^{53}xa$^{13}_{21}$kəŋ$^{35}_{44}$ ŋa^{0} ,mən^{35}tʰai^{53}iak^{3} (←iet^{3} tʂak^{3})xa$^{13}_{21}$kəŋ$^{35}_{44}$ŋa^{0} ,ŋai^{13}tien^{0} xo^{0} iəu^{53}iəu$^{35}_{44}$tʂak^{3} miaŋ^{13}tsʰʅ$^{13}_{44}$,ɔn$^{53}_{21}$tso$^{53}_{44}$tak^{5} sau^{53}.iəu^{35}ma^{0} ?ie^{21}iəu^{35}kan^{21}cie$^{53}_{44}$ua^{53}fait^{3} ma^{0} ?mən^{35}tʰai^{53}iak^{3}(←iet^{3} tʂak^{3})xa$^{13}_{21}$kəŋ$^{35}_{44}$,ɔn$^{53}_{21}$tso$^{53}_{44}$tak^{5} sau^{53}.tʰai^{53} xa$^{13}_{21}$kəŋ$^{35}_{44}$,mən^{35}tʰai$^{53}_{44}$ke$^{53}_{44}$,tʰai^{53}xa$^{13}_{21}$kəŋ$^{35}_{44}$,mən^{35}tʰai^{53}iet^{3} tʂak^{3} ke$^{53}_{44}$xa$^{13}_{21}$kəŋ$^{35}_{44}$.ka$^{53}_{44}$mən^{35}tʰai$^{53}_{44}$iet^{3} tʂak^{3} ke$^{53}_{44}$xa$^{13}_{21}$ kəŋ$^{35}_{44}$ŋa^{0} .

【答谢】tait^{3} tsʰia^{53} 动受了别人的好处或招待，表示谢意：你还爱归去～箇起客佬子咯。ɲi$^{13}_{21}$ xa$^{13}_{21}$ɔi$^{53}_{44}$kuei^{35}çi$^{53}_{44}$tait^{3} tsʰia$^{53}_{44}$kai$^{53}_{44}$çi^{21}kʰak^{3} lau^{21}tsɿ^{0} ko^{0} .

【瘩瘩实实】tʰek^{5} tʰek^{5} ʂət^{5} ʂət$^{5}_{3}$ 成形容粗大壮实：一大截都系～个一大截。iet^{3} tʰai^{53}tsiet^{3} təu$^{35}_{44}$xe$^{53}_{44}$

tʰek^{5} tʰek^{5} ʂət^{5} ʂət$^{5}_{3}$ ke$^{53}_{44}$ iet^{3} tʰai^{3} tsiet^{3}.

【瘩古拎重】tek^{5} ku^{21} lin^{35} tʂʰəŋ^{35} 形容很重：苑要搁起来嘞，你苑系黏稳泥是又有熂嘞，慢又你去出杉树又～一条嘞。tei^{35} iau^{53} kɔk^{3} çi^{21} lɔi$^{13}_{21}$ le^{0}, ɲi$^{13}_{21}$ tei^{35} xei^{53} ɲia^{13} uɔn^{21} lai^{13} ʂʅ$^{53}_{44}$ iəu^{53} mau$^{13}_{21}$ tsau$^{35}_{44}$ le^{0}, man$^{53}_{44}$ iəu^{53} ɲi^{13} çi^{35} tʂʰət^{3} sa^{35} ʂəu^{53} iəu^{53} tek^{5} ku^{21} lin$^{35}_{44}$ tʂʰəŋ^{35} iet^{3} tʰiau$^{13}_{44}$ le^{0}.｜欸，以前是唔烧煤呢，解放前是唔哈。箇阵子箇个冇得车路哇，不能拖下来呀，瘩重瘩重个东西啊，～啊，系唔系？～个东西，你话爱到南乡去荷担煤来烧以是箇就输哩命。e$_{21}$, i$^{35}_{53}$ tsʰien^{13} ʂʅ$^{53}_{44}$ n̩^{13} ʂau$^{35}_{44}$ mei$^{13}_{21}$ ne^{0}, kai^{21} fɔŋ^{53} tsʰien^{13} ʂʅ^{53} m̩$^{13}_{21}$ xa^{0}. kai^{53} tʂʰən^{53} tsʅ^{0} kai^{53} ke^{53} mau$^{13}_{21}$ tek^{3} tʂʰa^{35} ləu^{53} ua^{0}, pət^{3} len$^{13}_{21}$ tʰo^{35} xa$^{53}_{44}$ lɔi$^{13}_{21}$ ia^{0}, tek^{3} tʂʰəŋ$^{35}_{44}$ tek^{5} tʂʰəŋ^{35} ke$^{53}_{44}$ təŋ$^{35}_{44}$ si^{0} a^{0}, tek^{5} ku^{21} lin$^{13}_{21}$ tʂʰəŋ$^{35}_{44}$ ŋa^{0}, xei^{53} me^{53}? tek^{5} ku^{21} lin$^{13}_{21}$ tʂʰəŋ$^{35}_{44}$ ke$^{53}_{44}$ təŋ$^{35}_{44}$ si^{0}, ɲi$^{13}_{21}$ ua$^{53}_{44}$ ɔi^{53} tau^{53} lan^{13} çiɔŋ$^{35}_{44}$ çi^{53} kʰai$^{35}_{44}$ tan$^{35}_{44}$ mi^{13} lɔi$^{13}_{21}$ ʂau$^{35}_{44}$ i$^{21}_{53}$ ʂʅ$^{53}_{21}$ kai$^{53}_{44}$ tsʰiəu$^{53}_{44}$ ʂəu$^{35}_{44}$ li^{0} miaŋ^{53}.

【瘩厚】tek^{5} xei^{35} 形 很厚：箇叶子～呀。kai$^{53}_{44}$ iait^{5} tsʅ^{0} tek^{5} xei^{35} ia^{0}.｜（帆布箱）系帆布做个，～子个布。xe$^{53}_{44}$ fan^{35} pu^{35} tso$^{53}_{44}$ ke$^{53}_{44}$, tek^{5} xei$^{35}_{44}$ tsʅ^{0} ke$^{53}_{21}$ pu$^{53}_{44}$.

【瘩满】tek^{5} man^{35} 形 很满：欸，俚俚哩一碗菜，～样唠，底下都爱垫底。e$_{21}$, ɲian^{21} ɲian^{21} ni^{0} iet^{3} uɔn^{21} tsʰɔi$^{53}_{44}$, tek^{5} man$^{35}_{44}$ iɔŋ$^{53}_{44}$ lau^{0}, tei^{21} xa$^{53}_{44}$ təu$^{35}_{44}$ ɔi$^{53}_{44}$ tʰian^{53} tei^{21}.｜猪肉子～一碗呐。tʂəu^{35} ɲiəuk^{3} tsʅ^{0} tek^{5} man$^{35}_{53}$ iet^{3} uɔn^{21} na^{0}.

【瘩懑】tek^{5} mən$^{35}_{53}$ 形 状态词。形容很满：落水天，你去搭车，你就蛮难搭嘞。哪张车都坐得～。尽兜都系一落水了就唔想走路。lɔk^{5} ʂei^{21} tʰien^{35}, ɲi$^{13}_{21}$ çi^{53} tait^{3} tʂʰa^{35}, ɲi$^{13}_{21}$ tsʰiəu^{53} man$^{13}_{44}$ nan$^{13}_{44}$ tait^{3} lei^{0}. lai^{53} tʂɔŋ$^{35}_{44}$ tʂʰa^{35} təu$^{35}_{44}$ tsʰo$^{35}_{44}$ tek^{3} tek^{5} mən$^{35}_{53}$. tsʰin^{53} te$^{35}_{44}$ təu$^{35}_{44}$(x)e$^{53}_{44}$ iet^{3} lɔk^{5} ʂei^{21} liau^{0} tsʰiəu^{53} n̩$^{13}_{21}$ siɔŋ^{21} tsei^{21} ləu^{53}.

【瘩重】tek^{5}/teit^{5} tʂʰəŋ^{35} 形 状态词。很重：（磅锤）～个。tek^{5} tʂʰəŋ$^{35}_{44}$ ke$^{53}_{44}$.｜～噢咁东西指烈杯噢。teit^{5} tʂʰəŋ$^{35}_{44}$ ŋau^{0} kan^{21}(t)əŋ$^{35}_{44}$ si^{0} au^{0}.

【打$_{1}$】ta^{21} 动 ①敲击，捶打：～锣 ta^{21} lo^{13}｜～鼓个鼓槌子系渠指用钻把竹子制作呀。ta^{21} ku^{21} ke^{53} ku^{21} tʂʰei^{13} tsʅ^{0} xei^{53} ci$^{13}_{21}$ ia^{0}.｜轻轻子去搕，去～，～箇只东西。cʰiaŋ^{35} cʰiaŋ^{35} tsʅ^{0} çi^{53} kʰɔk^{3}, çi^{53} ta^{21}, ta^{21} kai^{53} tʂak^{3} təŋ$^{35}_{44}$ si^{0}. ②用手或手拿某些东西猛击，体罚：～你一餐 ta^{21} ɲi$^{13}_{44}$ iet^{3} tsʰɔn^{35}。③拍紧：（用乒槌）～地面唠。ta^{21} tʰi^{53} mien$^{53}_{44}$ nau^{0}. ④通过敲击、捶打来制作：就一只石头，～只咁个碓头。tsʰiəu^{53} iet^{3} tʂak^{3} ʂak^{5} tʰei^{0}, ta^{21} tʂak^{3} kan^{21} ke$^{53}_{44}$ tɔi^{53} tʰei^{13}.｜箇碓头是～竹麻个咯，桶碓箇只。kai$^{53}_{44}$ tɔi^{53} tʰəu$^{13}_{44}$ ʂʅ$^{53}_{44}$ ta^{21} tʂəuk^{3} ma$^{13}_{21}$ ke^{53} ko^{0}, tʰəŋ^{21} tɔi^{53} kai^{53} tʂak^{3}. ⑤舂，捣：～麻糍 ta^{21} ma^{13} tsʰi^{13}｜硇其红～唔白。ləu^{35} ci$^{35}_{44}$ fəŋ$^{13}_{21}$ ta^{21} n̩^{13} pʰak^{5}. ⑥（用机器）粉碎：如今是渠等用机子～，全部成哩化灰。i$^{13}_{21}$ cin^{35} ʂʅ$^{53}_{21}$ ci^{13} tien^{0} iəŋ^{53} ci^{35} tsʅ^{0} ta^{21}, tsʰien^{13} pu^{53} ʂaŋ$^{13}_{21}$ li^{0} fa^{53} fɔi^{35}. ⑦泛指制作，制造：渠个饭甑是用树用木板子～个吵，系唔系啊？木板子～。ci^{13} ke$^{53}_{44}$ fan^{53} tsien^{53} ʂʅ$^{53}_{44}$ iəŋ$^{53}_{44}$ ʂəu^{53} iəŋ^{53} muk^{3} pan^{21} tsʅ^{0} ta^{21} kei^{53} ʂa^{0}, xei^{53} me^{53} a^{0}? muk^{3} pan^{21} tsʅ^{0} ta^{21}.｜箇落尾搞集体个七几年唔系南乡师傅来就尽～个皮箩？kai^{53} lɔk^{5} mi$^{35}_{44}$ kau^{21} tsʰiet^{5} tʰi^{21} ke$^{53}_{44}$ tsʰiet^{3} ci^{21} ɲien^{13} m̩$^{13}_{21}$ pʰe$^{53}_{44}$ lan^{13} çiɔŋ$^{35}_{44}$ sʅ$^{35}_{44}$ fu$^{53}_{44}$ lɔi$^{13}_{21}$ tsʰiəu$^{53}_{44}$ tsʰin^{53} ta^{21} ke$^{53}_{44}$ pʰi^{13} lo^{13}? ⑧建造，搭建：～只厂 ta^{21} tʂak^{3} tʂʰɔŋ^{21}｜只有箇道士～只台唔知几高。tʂʅ^{21} iəu$^{35}_{44}$ kai$^{53}_{44}$ tʰau^{53} sʅ$^{53}_{44}$ ta^{21} tʂak^{3} tʰɔi^{13} n̩$^{13}_{21}$ ti$^{35}_{44}$ ci^{21} kau$^{35}_{44}$. ⑨编结：（络绳是）用棕～个啦。iəŋ$^{53}_{44}$ tsəŋ^{35} ta^{21} ke$^{53}_{44}$ la^{0}.｜黄麻，～绳个。uɔŋ^{13} ma$^{13}_{44}$, ta^{21} ʂən^{13} ke$^{53}_{44}$. ⑩钉入，插入，扎入：湖洋田里～桩篙——轻松。fu^{13} iɔŋ^{13} tʰien^{13} li^{21} ta^{21} tsiɔŋ^{35} kau^{35}—cʰiaŋ^{35} səŋ$^{35}_{33}$.｜～银针 ta^{21} ɲin^{13} tʂən^{35}。⑪宰杀：～牛 ta^{21} ɲiəu^{13}｜～狗 ta^{21} kei^{21}。⑫射击，枪决：铳～伤个 tʂʰəŋ^{53} ta^{21} ʂɔŋ^{35} ke^{53}｜欸，炮子～伤哩呀。e$_{21}$, pʰau^{53} tsʅ^{0} ta^{21} ʂɔŋ^{35} li^{0} ia^{0}. ⑬挖掘：架势～隧道了。cia^{53} ʂʅ^{53} ta^{21} sei^{53} tʰau^{53} liau^{21}. ⑭使用；操弄：床地下～斧头——碍上碍下。tsʰɔŋ^{13} tʰi^{53} xa^{53} ta^{21} pu^{21} tʰei^{13}—ŋai^{53} ʂɔŋ^{35} ŋai$^{53}_{44}$ xa$^{53}_{44}$.形容做事受到掣肘。⑮敲掉；砍去；除去：也分（竹子个）节～嘿哩。ia^{35} pən^{35} tsiet^{3} ta^{21} xek^{3} li^{0}.｜（生杉树）一只搁起来，第二只爱剥皮，第三只莫～楇，放下岭上，放几个月，放两个月。iet^{3} tʂak^{3} kɔk^{3} çi^{21} lɔi$^{13}_{44}$, tʰi^{53} ɲi^{53} tʂak^{3} ɔi^{53} pɔk^{3} pʰi^{13}, tʰi$^{53}_{44}$ san$^{35}_{44}$ tʂak^{3} mɔk^{5} ta^{21} kʰua^{21}, fɔŋ$^{53}_{44}$ xa$^{53}_{44}$ liaŋ^{35} xɔŋ^{53}, fɔŋ^{53} ci^{21} ke$^{53}_{44}$ ɲiet^{5}, fɔŋ^{53} iɔŋ^{21} ke$^{53}_{44}$ ɲiet^{5}. ⑯砸坏，砸破：莫分茶碗～咁哩（啊）！mɔk^{5} pən^{35} tsʰa^{13} uɔn^{21} ta^{21} kan^{21} li^{0}(a^{0})！⑰掷，投，抛：～色 ta^{21} sek^{3} 掷骰子。⑱摆放：一般都～双桌。iet^{3} pɔn^{35} təu$^{35}_{44}$ ta^{21} sɔŋ^{35} tsɔk^{3}. ⑲称量：打比一把秤，有一……～得一百斤个。ta^{21} pi^{21} iet^{3} pa^{21} tʂʰən^{53}, iəu^{35} iet^{3} …ta^{21} tek^{3} iet^{3} pak^{3} cin^{35} ke$^{53}_{44}$.｜头荷更～得更重啊。tʰei^{13} xo^{13} cien^{53} ta^{21} tek^{3} cien^{53} tʂʰəŋ^{35} ŋa^{0}. ⑳冻坏：花麦是怕霜～。fa^{35} mak^{5} ʂʅ$^{53}_{44}$ pʰa^{53} sɔŋ^{35} ta^{21}. ㉑发布：早几年（湘潭镬）都箇个欸箇街上都还～只子广告嘞。tsau^{21} ci^{21} ɲien$^{13}_{21}$ təu$^{35}_{44}$ kai$^{53}_{44}$ ke$^{53}_{44}$ e$_{21}$ kai$^{53}_{44}$ kai$^{35}_{44}$ xɔŋ$^{53}_{44}$ təu$^{35}_{44}$ xai$^{13}_{21}$ ta^{21} tʂak^{3} tsʅ^{0} kɔŋ^{21} kau^{53} lei^{0}. ㉒举行（仪式）：箇～大三献爱几十个人呐。kai$^{53}_{44}$ ta^{21} tʰai$^{53}_{44}$ san$^{35}_{44}$ çien^{53} ɔi$^{53}_{44}$ ci^{21} ʂət$^{5}_{3}$ ke^{53} ɲin$^{13}_{21}$ na^{0}. ㉓举着：以下走最面前个嘞就系～旗个。～旗。i^{21} xa$^{53}_{44}$ tsei^{21} tsei^{53} mien^{53} tsʰien$^{13}_{21}$ ke$^{53}_{44}$ lei^{0} tsʰiəu^{53} xe$^{53}_{44}$ ta^{21} cʰi^{13} ke^{53}. ta^{21} cʰi^{13}. ㉔开具，书写：～白条子 ta^{21} pʰak^{5} tʰiau^{13} tsʅ^{0}。㉕馈赠（礼金）：～……～只子……～渠……～

一千块钱，～两千块钱。ta^{21}…ta^{21}tʂak^{3}tsɿ^{0}…ta^{21}ci$^{13}_{44}$…ta^{21}iet^{3}tsʰien^{35}kʰuai^{53}tsʰien^{13},ta^{21}iɔŋ^{21}tsʰien^{35}kʰuai^{53}tsʰien^{13}. ㉖捞：冬下头～倒（薸子）分猪食。tɔŋ^{35}xa$^{35}_{44}$tʰei$^{13}_{21}$ta^{21}tau^{21}pən^{35}tʂəu^{35}ʂət$^{5}_{3}$. ㉗撒，用网捕捉：～下一网。ta^{21}xa$^{53}_{21}$iet^{3}mɔŋ^{21}.｜～虾公 ta^{21}xa^{13}kəŋ^{35}。㉘零买：～酒 ta^{21}tsiəu^{21}｜～洋油 ta^{21}iɔŋ^{13}iəu^{13}。㉙纳，密密地缝：～鞋底个？钻子啊？ta^{21}xai^{13}tei^{21}ke^{53}?tsɔn^{53}tsa^{0}? ㉚培育：～麦芽 ta^{21}mak^{5}ŋa^{13}。㉛迫使退缩：（下上天棋个时候子）箇我一四七个人走。欸，我走倒你有一只去箇，我又来哩，你箇只爱转去，你箇只转去，～转去。分我～下去哩。kai$^{53}_{44}$ŋai$^{13}_{21}$iet^{3}si^{53}tsʰiet^{3}cie^{53}ɲin$^{13}_{21}$tsei^{21}.e$_{21}$,ŋai^{13}tsei^{21}tau^{53}ɲi^{13}iəu^{35}iet^{3}tʂak^{3}çi$^{53}_{44}$kai$^{53}_{44}$,ŋai^{13}iəu^{53}lɔi$^{13}_{44}$li^{0}, ɲi^{13}kai^{53}tʂak^{3}ɔi$^{53}_{44}$tʂɔn^{21}çi$^{53}_{44}$, ɲi^{13}kai^{53}tʂak^{3}tʂɔn^{21}çi^{53},ta^{21}tʂɔn^{21}çi^{53}.pən^{35}ŋai^{13}ta^{21}xa$^{53}_{44}$çi^{53}li^{0}. ㉜驱除：有虫如蛔虫、绦虫爱～下去。iəu$^{35}_{44}$tʂʰəŋ^{13}ɔi$^{53}_{44}$ta^{21}(x)a$^{53}_{44}$çi^{53}. ㉝生出、长出：渠指梧桐～又～只调羹子唠。ci^{13}ta^{21}iəu^{53}ta^{21}tʂak^{3}tʰiau^{13}kaŋ^{35}tsɿ^{0}lau^{0}. ㉞收割：～早禾 ta^{21}tsau^{21}uo^{13}。㉟水流冲击磨蚀：渠等话打只崩坡要系石头，如果系泥是，欸大水一去又冇得哩，但是石头舞倒嘞就箇个石头～唔走哩。ci^{13}tien^{0}ua^{53}ta^{21}(tʂ)ak^{3}pien^{35}pʰo$^{35}_{44}$iau$^{53}_{44}$xe$^{53}_{44}$ʂak^{5}tʰei$^{13}_{21}$,ɥ^{13}ko$^{21}_{44}$xe^{53}lai^{13}ʂʅ$^{53}_{44}$,e^{0}tʰai^{53}ʂei^{21}iet^{3}çi^{53}iəu^{53}mau^{13}tek^{3}li^{0},tan$^{53}_{44}$ʂʅ$^{53}_{44}$ʂak^{5}tʰei$^{13}_{21}$u^{21}tau^{21}lei^{0}tsʰiəu$^{53}_{44}$kai$^{53}_{44}$ke$^{53}_{44}$ʂak^{5}tʰei$^{13}_{21}$ta^{21}n̩$^{13}_{21}$tsei^{21}li^{0}.｜（河石子）～起溜圆个。(xo^{13}ʂak^{5}tsɿ^{0})ta^{21}çi^{21}liəu^{35}ien$^{13}_{21}$cie$^{53}_{44}$. ㊱玩：～跑和大字牌 ta^{21}pʰau^{21}fu^{13}｜～（纸）板 ta^{21}(tʂʅ^{21})pan^{21}用纸折成方形，互相用来击打，翻者胜｜以映～麻将唔爱箇东西，东西南北啊，发呀，唔用。都拿开。风子，系呀？东西南北风吵，唔用，渠等人。我唔会～。i^{21}iaŋ^{53}ta^{21}ma^{13}tsiɔŋ^{53}m̩$^{13}_{21}$mɔi$^{53}_{44}$kai$^{53}_{21}$(t)əŋ$^{35}_{44}$si^{0},təŋ^{35}si$^{35}_{44}$lan^{13}pɔit^{3}a^{0},fait^{3}ia^{0},n̩^{13}ɲiəŋ^{53}.təu^{35}la^{53}kʰɔi$^{35}_{44}$.fəŋ^{35}tsɿ^{0},xei$^{53}_{44}$ia^{0}?təŋ$^{35}_{44}$si$^{35}_{44}$lan$^{13}_{21}$pɔit^{3}fəŋ^{35}ʂa^{0},n̩^{13}ɲiəŋ^{53},ci$^{13}_{21}$tien^{0}ɲin$^{13}_{21}$.ŋai$^{13}_{21}$m̩$^{13}_{21}$mɔi$^{53}_{44}$ta^{21}. ㊲在黄钱上留下凹痕或印记：（黄钱）上背还～哩几只子印。ʂɔŋ^{53}pɔi$^{53}_{44}$xai$^{13}_{21}$ta^{21}li^{0}ci^{21}tʂak^{3}tsɿ^{0}in^{53}. ㊳粘贴：～只膏药去。ta^{21}tʂak^{3}kau^{35}iɔk^{5}çi$^{53}_{21}$. ㊴燃放：～射花 ta^{21}ʂa^{53}fa^{35}｜如今呢老哩人呐，还山个时候子啊，舞辆车拖倒去～爆竹。专门搞你几个人，搞你七八个人，～个～花炮，～个～爆竹。～爆竹都舞辆车拖倒。i$^{13}_{21}$cin^{35}ne^{0}lau^{21}li^{0}ɲin^{13}na^{0},fan^{13}san^{35}cie^{53}ʂʅ^{13}xei$^{53}_{44}$tsa^{0},u^{21}liɔŋ$^{53}_{44}$tʂʰa^{35}tʰo^{35}tau^{21}çi^{53}ta^{21}pau^{53}tʂuk^{3}.tʂen^{35}mən$^{21}_{44}$kau^{21}ɲi^{13}ci^{21}ke^{53}ɲin^{13},kau^{21}ɲi^{13}tsʰiet^{3}pait^{3}ke^{53}ɲin^{13},ta^{21}cie^{53}ta^{21}fa^{35}pʰau^{53},ta^{21}cie$^{53}_{44}$ta^{21}pau^{53}tʂuk^{3}.ta^{21}pau^{53}tʂuk^{3}təu$^{35}_{53}$u^{21}liɔŋ$^{53}_{44}$tʂʰa^{35}tʰo^{35}tau^{21}. ㊵下中国象棋时用炮吃子：～过去 ta^{21}ko^{53}çi^{53}。㊶表示身体的某些动作：～呃嘟 ta^{21}ek^{5}təu^{21}打饱嗝。㊷放送；发出：我～电话分我赖子看呶。ŋai^{13}ta^{21}tʰien^{53}fa^{53}pən^{35}ŋai$^{13}_{21}$lai^{53}tsɿ^{0}kʰɔn$^{53}_{44}$nau^{0}. ㊸安排住宿：硬舞倒我老弟子～旅社，～倒我两姊妹一个一只间。ɲiaŋ^{53}u^{21}tau^{21}ŋai$^{13}_{21}$lau^{21}tʰe$^{35}_{53}$tsɿ^{0}ta^{21}li^{35}ʂa^{53},ta^{21}tau^{21}ŋai$^{13}_{21}$iɔŋ^{21}tsi^{21}mɔi^{53}iet^{3}ke^{53}iet^{3}tʂak^{3}kan^{35}. ㊹说：～推辞 ta^{21}tʰɔi^{35}tsʰɿ^{13}｜欸，箇个远方人就我就会～起箇普通话来同渠讲箇个。e$_{21}$,kai$^{53}_{44}$ke$^{53}_{44}$ien^{21}fəŋ^{35}ɲin^{13}tsʰiəu$^{53}_{44}$ŋai^{13}tsʰiəu^{53}uɔi^{53}ta^{21}cʰi^{21}kai$^{53}_{44}$pʰu^{21}tʰəŋ^{35}fa^{53}lɔi$^{13}_{21}$tʰəŋ$^{13}_{21}$ci$^{13}_{44}$kɔŋ^{21}kai$^{53}_{44}$ke$^{53}_{44}$. ㊺表演：欸，出狮灯呐，出大狮啊，出大狮个时候子就有一班打师啦。欸，我晓得箇有～凳个，有～箇个么个双节棍个，欸，有～刀个有～棍个，一条棍个嘞，～刀，～梭镖个。～凳个就一张长凳一张梭凳呐，拿倒以映一比箇向一比呀，用梭凳来挡箇个啊。e$_{21}$,tʂʰət^{3}sɿ^{35}ten$^{35}_{44}$na^{0},tʂʰət^{3}tʰai^{53}sɿ$^{35}_{44}$a^{0},tʂʰət^{3}tʰai^{53}sɿ$^{35}_{44}$ke$^{53}_{44}$ʂʅ$^{13}_{44}$xei$^{53}_{44}$tsɿ^{0}tsʰiəu$^{53}_{44}$iəu^{35}iet^{3}pan^{35}ta^{21}sɿ$^{35}_{44}$la^{0}.e$_{21}$,ŋai^{13}çiau^{21}tek^{3}kai$^{53}_{44}$iəu^{35}ta^{21}ten^{53}ke$^{53}_{21}$,iəu^{35}ta^{21}kai^{53}kei^{53}mak^{3}ke$^{53}_{44}$sɔŋ^{35}tset^{3}kuən^{53}cie$^{53}_{44}$,e$_{21}$,iəu^{35}ta^{21}tau^{35}ke$^{53}_{44}$iəu^{35}ta^{21}kuən^{53}cie$^{53}_{44}$,iet^{3}tʰiau^{13}kuən^{53}cie^{53}le^{0},ta^{21}tau^{35},ta^{21}so^{35}piau$^{35}_{44}$ke^{53}.ta^{21}ten^{53}cie$^{53}_{44}$tsʰiəu$^{53}_{44}$iet^{3}tʂɔŋ^{35}tʂʰɔŋ^{13}ten^{53}iet^{3}tʂɔŋ$^{35}_{53}$so^{35}ten^{53}na^{0},la$^{53}_{44}$tau$^{21}_{44}$i^{21}iaŋ^{53}iet^{3}pi^{21}kai$^{53}_{44}$çiɔŋ^{53}iet^{3}pi^{21}ia^{0},iəŋ$^{53}_{44}$so^{35}ten^{53}lɔi$^{13}_{21}$tɔŋ^{21}kai$^{53}_{44}$ke$^{53}_{44}$a^{0}.

【打$_{2}$】ta^{21} 名 武术：会～个人呐我就看过，以前我舅爷等箇向就蛮讲～。uɔi^{53}ta^{21}ke^{53}ɲin$^{13}_{44}$na^{0}ŋai^{13}tsʰiəu$^{53}_{44}$kʰɔn^{53}ko$^{53}_{44}$,i$^{35}_{53}$tsʰien$^{13}_{21}$ŋai$^{13}_{21}$cʰiəu^{35}ia$^{13}_{21}$ten$^{21}_{53}$kai$^{53}_{44}$çiɔŋ$^{53}_{44}$tsʰiəu^{53}man^{13}kɔŋ^{21}ta^{21}.

【打犟塥】ta^{21}tsiaŋ^{53}kak^{3} ①指犁田时犁得过深：犁田犁是犁深滴子好嘞，系唔系？爱深耕细作嘞。但是你犁忒深哩是就唔好哩啊，就～了。lai^{13}tʰien^{13}lai^{13}ʂʅ$^{53}_{44}$lai^{13}tʂʰən^{35}tiet^{5}tsɿ^{0}xau^{21}lei^{0},xei^{53}me^{53}?ɔi$^{53}_{44}$ʂən^{35}cien$^{35}_{44}$si^{53}tsɔk^{3}lei^{0}.tan^{53}ʂʅ^{53}ɲi$^{13}_{21}$lai^{13}tʰet^{3}tʂʰən^{35}ni^{0}ʂʅ$^{53}_{44}$tsʰiəu^{53}n̩^{13}xau^{21}li^{0}a^{0},tsʰiəu$^{53}_{44}$ta^{21}tsiaŋ^{53}kak^{3}liau^{0}. ②比喻人固执己见，脾气倔，易怒，爱钻牛角尖：箇人真～。kai^{53}ɲin$^{13}_{44}$tʂən^{35}ta^{21}tsiaŋ^{53}kak^{3}.

【打巴掌】ta^{21}pa^{35}tʂɔŋ^{21} 掌击以示惩罚：有～，但是～唔系鼓掌个意思啊。就惹打个意思呢。就做哩唔好个事，哎呀，细人子做哩唔好个事，爱惹打呢。打你两巴掌。欸会惹～。打你两巴掌。iəu^{35}ta^{21}pa^{35}tʂɔŋ^{21},tan^{53}ʂʅ^{53}ta^{21}pa^{35}tʂɔŋ^{21}m̩^{13}xei^{53}ku^{21}tʂɔŋ^{21}ke^{0}i^{53}sɿ$^{35}_{44}$a^{0}.tsʰiəu$^{53}_{44}$ɲia^{35}ta^{21}ke^{0}i^{53}sɿ$^{35}_{44}$nei^{0}.tsiəu$^{53}_{44}$tso^{53}li^{0}n̩^{13}xau^{21}ke^{0}sɿ$^{53}_{44}$,ai$_{44}$ia$_{44}$,sei^{53}ɲin$^{13}_{44}$tsɿ^{0}tso^{53}li^{0}n̩$^{13}_{21}$xau^{21}ke^{0}sɿ^{53},ɔi^{53}ɲia^{35}ta^{21}nei^{0}.ta$^{21}_{13}$ɲi$^{13}_{44}$iɔŋ$^{21}_{44}$pa^{35}tʂɔŋ$^{21}_{44}$.e$_{44}$uɔi$^{53}_{44}$ɲia^{35}ta^{21}pa^{35}tʂɔŋ^{21}.ta^{21}ɲi$^{13}_{44}$iɔŋ^{21}pa^{35}tʂɔŋ^{21}.

【打摆子】ta^{21}pai^{21}tsɿ^{0} 发疟疾：唔系系箇昨晡讲哩吧？我看得我等人我等以前叔公就～啊。我就见过。我只一世人只见过一回箇只～个叔公，安做五叔公，～。唔知几热个天，着件袄婆裤喔，坪下冷起撼撼振。m̩$^{13}_{21}$p^{h}ei^{53}xe^{53}kai$^{13}_{44}$ts^{h}o$^{35}_{44}$pu^{35}kəŋ^{21}li^{0}pa^0?ŋai$^{13}_{44}$k^{h}ən^{53}tek^{3}ŋai$^{13}_{21}$tien^{0}in$^{13}_{21}$ŋai$^{13}_{21}$tien^{0}i$^{35}_{53}$ts^{h}ien$^{13}_{44}$ʂəuk^{3}kəŋ$^{35}_{44}$ts^{h}iəu^{53}ta^{21}pai^{21}tsɿ^{0}a^0.ŋai^{13}ts^{h}iəu$^{53}_{44}$cien^{53}ko$^{53}_{44}$.ŋai$^{13}_{44}$tʂʅ$^{21}_{44}$iet^{3}ʂʅ^{53}ɲin$^{13}_{44}$tʂʅ^{21}cien^{53}ko^{53}(i)et^{3}fei^{13}kai$^{53}_{44}$tʂak^{3}ta^{21}pai^{21}tsɿ^{0}ke^{0}ʂəuk^{3}kəŋ^{35},ən$^{35}_{44}$tso^{53}ŋ̍^{21}ʂəuk^{3}kəŋ^{35},ta^{21}pai^{21}tsɿ^0.n̩^{21}ti$^{35}_{53}$ci^{21}ɲiet^{5}ke^{0}t^{h}ien^{35},tʂək^{3}c^{h}ien^{53}au^{21}p^{h}o^{13}k^{h}u^{53}uo^0,p^{h}iaŋ$^{13}_{21}$xa^{53}laŋ^{13}çi^{21}k^{h}an^{53}k^{h}an^{53}tʂ^{h}ən^{35}.

【打板】ta^{21}pan^{21} 动 打纸板，一种儿童游戏：箇细人子啊，舞倒箇个咁个纸折个东西啊，也安做去下～呢。打下去，渠翻转来个，系啊？唔晓让门打凑。kai$^{53}_{44}$sei^{53}ɲin$^{13}_{21}$tsɿ^{0}a^0,u^{21}tau^{21}kai^{53}ke^{53}kan^{21}cie$^{53}_{44}$tʂʅ^{21}tʂait^{3}ke^{0}təŋ$^{35}_{44}$si^{0}a^0,ia^{35}ən$^{35}_{53}$tso^{53}çi^{53}xa^{53}ta^{21}pan^{21}nei^0.ta^{53}xa^{53}c^{h}i^{53},ci$^{13}_{21}$fan^{35}tʂən^{21}nɔi$^{13}_{21}$ke^0,xei^{53}a^0?n̩^{13}çiau^{21}ɲiɔŋ^{53}mən^{0}ta^{21}ts^{h}e^0.

【打板子】ta^{21}pan^{21}tsɿ^0 用板子打，比喻严厉地惩罚：从前个老书先生教学生啊就硬会～。但是好像话，我公太教书哇，取都唔～。渠也唔骂人，唔大声骂人，也唔～。学生真怕渠。真有欸师道尊严。我个公太呀。嗯。渠系老书先生啊。渠取都唔～话，唔打别人家，也唔骂。但是学生又咁怕渠。只爱渠走箇学生子跍倒箇教室里跍下教室里乱个时候子，只爱渠欸嘿咳嗽声，欸，只只子□声默不作声，□静个，尽兜都怕哩渠。ts^{h}əŋ^{13}ts^{h}ien^{13}ke^{53}lau^{21}ʂu$^{35}_{44}$sien$^{35}_{44}$saŋ$^{35}_{44}$kau^{35}xək^{5}saŋ$^{35}_{44}$ŋa^{0}ts^{h}iəu$^{53}_{44}$ɲiaŋ^{53}uɔi$^{53}_{44}$ta^{21}pan^{21}tsɿ^0.tan^{53}sʅ^{53}xau^{21}ts^{h}iɔŋ^{53}ua$^{53}_{44}$,ŋai^{13}kəŋ^{35}t^{h}ai$^{53}_{44}$kau$^{35}_{44}$ʂu$^{35}_{44}$ua^0,ts^{h}i^{21}təu$^{35}_{53}$n̩$^{13}_{44}$ta^{21}pan^{21}tsɿ^0.ci$^{13}_{21}$ia^{35}m̩^{13}ma^{53}ɲin^{13},n̩^{13}t^{h}ai^{53}ʂaŋ$^{35}_{44}$ma^{53}ɲin^{13},ia^{35}n̩^{13}ta^{21}pan^{21}tsɿ^0.xək^{5}saŋ$^{35}_{44}$tʂən^{35}p^{h}a^{53}ci$^{13}_{44}$.tʂən^{35}iəu$^{35}_{44}$e$_{21}$sɿ^{35}t^{h}au$^{53}_{44}$tsən^{35}ɲien^{13}.ŋai^{13}ke$^{53}_{44}$kəŋ^{35}t^{h}ai^{53}ia^0.n̩$_{21}$.ci^{13}xei$^{53}_{44}$lau^{21}ʂu$^{35}_{44}$sien$^{35}_{44}$saŋ$^{35}_{44}$ŋa^0.ci$^{13}_{21}$ts^{h}i$^{21}_{21}$təu$^{35}_{53}$n̩$^{13}_{21}$ta^{21}pan^{21}tsɿ^{0}ua^{53},n̩^{13}ta^{21}p^{h}iet^{5}in$^{13}_{21}$ka$^{35}_{53}$,ia^{35}n̩^{13}ma^{53}.tan$^{53}_{44}$sʅ$^{53}_{44}$xək^{5}saŋ^{35}iəu$^{53}_{44}$kan^{21}p^{h}a$^{53}_{44}$ci$^{13}_{44}$.tʂɿ^{21}ɔi^{53}ci^{13}tsei^{21}kai$^{53}_{44}$xək^{5}saŋ$^{35}_{44}$tsɿ^{0}ku^{35}tau^{21}kai$^{53}_{44}$ciau^{53}ʂət^{5}li$^{35}_{44}$ku^{35}xa$^{53}_{44}$ciau^{53}ʂət^{5}li$^{35}_{44}$lən^{53}cie$^{53}_{44}$ʂʅ$^{13}_{44}$xəu$^{35}_{44}$tsɿ^0,tʂɿ^{21}ɔi^{53}ci$^{13}_{44}$e$_{53}$xe$_{53}$,e$_{21}$,tʂak^{3}tʂak^{3}tsɿ^{0}çiɔŋ$^{53}_{44}$ʂaŋ^{35},tsiək^{5}ts^{h}in^{53}ke^0,ts^{h}in^{53}təu$^{35}_{44}$təu$^{35}_{44}$p^{h}a^{53}li^{0}ci$^{13}_{21}$.

【打伴】ta^{21}p^{h}ən^{53} 动 结伴，给人做伴。又称"凑伴"：人少哩，打比你夜晡走路怕畏呀，我㨃你凑伴，我㨃你～。ɲin^{13}ʂau^{21}li^0,ta^{21}pi$^{21}_{44}$ɲi^{13}ia^{53}pu$^{35}_{44}$tsei^{21}ləu^{53}ɲi$^{13}_{21}$p^{h}a$^{53}_{44}$uei^{53}ia^0,ŋai$^{13}_{21}$lau$^{35}_{44}$ɲi$^{13}_{21}$ts^{h}ei$^{53}_{44}$p^{h}ən^{53},ŋai$^{13}_{21}$lau$^{35}_{44}$ɲi$^{13}_{21}$ta^{21}p^{h}ən^{53}.

【打帮告】ta^{21}pɔŋ^{35}kau^{53} ①帮忙：欸，还有嘞，"你就来打下子帮告也好唠。系啊？你来帮垫下子手哇，帮打……打下子帮告哇"。也不一定系犯事。帮忙也系打下子帮告。e$_{21}$,xai^{13}iəu$^{35}_{44}$lei^0,"ɲi^{13}ts^{h}iəu$^{53}_{44}$lɔi$^{13}_{44}$ta^{21}(x)a$^{53}_{44}$tsɿ^{0}pɔŋ^{35}kau^{53}ua$_{53}$(←ia^{35})xau^{21}lau^0.xe$^{53}_{44}$a^0?ɲi^{13}lɔi$^{13}_{44}$pɔŋ^{35}t^{h}ien^{53}na$_{44}$(←xa^{53})tsɿ^{0}ʂəu^{21}ua^0,pɔŋ^{35}ta^{21}…ta^{21}(x)a$^{53}_{44}$tsɿ^{0}pɔŋ^{35}kau$^{53}_{44}$ua^0".ia^{35}pət^{3}iet^{3}t^{h}in$^{53}_{44}$xei$^{53}_{44}$fan$^{35}_{44}$sɿ^{53}.pɔŋ^{35}mɔŋ^{13}ia^{35}xe^{53}ta^{21}xa$^{53}_{44}$tsɿ^{0}pɔŋ^{35}kau^{53}. ②特指协同他人犯罪：一般呢就指箇起做唔多好个事。"渠唔系为首个，渠只系～，～个。"就从犯呢。"渠唔系为首个，渠系～个。"iet^{3}pɔn^{35}ne^{0}ts^{h}iəu^{53}tʂʅ^{21}kai^{53}çi$^{21}_{44}$tso^{53}n̩^{13}to$^{35}_{53}$xau^{21}ke^{0}sɿ^{53}."ci^{13}m̩^{13}p^{h}e^{53}uei^{13}ʂəu^{21}ke^0,ci^{13}tʂʅ^{21}(x)e^{53}ta^{21}pɔŋ^{35}kau^{53},ta^{21}pɔŋ^{35}kau^{53}ke^0."ts^{h}iəu$^{53}_{44}$ts^{h}əŋ^{13}fan^{53}ne^0."ci$^{13}_{21}$m̩^{13}p^{h}e^{53}uei^{13}ʂəu^{21}ke^0,ci^{13}xe^{53}ta^{21}pɔŋ^{35}kau^{53}ke^0." | 我只系打下子帮告。ŋai^{13}tʂʅ^{21}(x)e$^{53}_{44}$ta^{21}(x)a$^{53}_{44}$tsɿ^{0}pɔŋ^{35}kau^{53}.

【打抱不平】ta^{21}p^{h}au^{53}pət^{3}p^{h}in^{13} 遇到不公平的事时挺身而出，帮助受欺负的一方：我等人有年纪个时候子也喜欢打下子抱不平呢。以下老嘿哩了么个都看得惯了，唔想去搞哩了，唔想去搞。有年纪个时候子会探空事啊，会～呐。以下就唔搞哩。ŋai^{13}tien^{0}in$^{13}_{21}$mau$^{13}_{21}$ɲien^{13}ci$^{21}_{44}$ke$^{53}_{44}$ʂʅ$^{13}_{44}$xəu$^{35}_{44}$tsɿ^{0}a$^{35}_{44}$çi^{21}fɔn$^{35}_{44}$ta^{21}(x)a$^{53}_{44}$tsɿ^{0}p^{h}au^{53}pət^{3}p^{h}in^{13}ne^0.i^{21}xa^{53}lau^{21}xek^{3}li^{0}liau^{0}mak^{3}ke$^{53}_{44}$təu$^{35}_{44}$k^{h}ɔn^{53}tek^{3}kuan^{53}niau^0,n̩^{13}siɔŋ^{21}çi^{53}kau^{21}li^{0}liau^0,n̩^{13}siɔŋ$^{21}_{53}$çi$^{21}_{21}$kau^{21}.mau$^{13}_{21}$ɲien^{13}ci$^{21}_{44}$ke^{53}ʂʅ$^{13}_{44}$xəu$^{35}_{44}$tsɿ^{0}uɔi$^{53}_{44}$t^{h}an$^{53}_{44}$k^{h}əŋ^{53}sɿ$^{53}_{44}$a^0,uɔi^{53}ta^{21}p^{h}au^{53}pət^{3}p^{h}in^{13}na^0.i^{21}xa^{53}ts^{h}iəu^{53}n̩^{13}kau^{21}li^0.

【打暴口】ta^{21}pau^{53}xei^{21} 动 恶心，又称"作肚闷、作呕、反胃"：～哟，想呕样啊，系唔系？～安做。ta^{21}pau^{53}xei^{21}iau^0,siɔŋ^{21}ei^{21}iɔŋ^{53}ŋa^0,xei$^{53}_{44}$me$^{53}_{44}$?ta^{21}pau^{53}xei^{21}ən$^{35}_{44}$tso^{53}.

【打比】ta^{21}pi^{21} 动 用一件事情来说明另一件事情；比如：～有一条树跍倒箇子我箇我唔话剐嘿箇条树去嘞，要话斫树嘞。ta^{21}pi^{21}iəu$^{35}_{44}$iet^{3}t^{h}iau^{13}ʂəu^{53}ku^{35}tau^{21}kai^{53}tsɿ^{0}ŋai$^{13}_{44}$kai$^{53}_{44}$ŋai^{13}n̩$^{13}_{21}$ua$^{53}_{44}$t^{h}iait^{5}iek^3(←xek^3)kai$^{53}_{44}$t^{h}iau^{13}ʂəu^{53}çi$^{53}_{44}$lei^0,iau$^{53}_{44}$ua$^{53}_{44}$tʂək^{3}ʂəu^{53}lei^0.

【打比方】ta^{21}pi^{21}fɔŋ^{35} 动 用一件事情来说明另一件事情；比如：也还有人话，箇城里就，一只城市嘛它就东街上，东街口，欸，～浏阳就有东街口。ia^{35}xai$^{13}_{44}$iəu$^{35}_{53}$ɲin$^{13}_{44}$ua$^{53}_{44}$,kai$^{53}_{44}$tʂ^{h}ən^{13}li^{0}ts^{h}iəu^{53},iet^{3}tʂak^{3}tʂ^{h}ən^{13}sʅ^{53}ma^{0}t^{h}a$^{35}_{44}$ts^{h}iəu$^{53}_{44}$təŋ^{35}kai$^{35}_{44}$xɔŋ$^{53}_{44}$,təŋ^{35}kai$^{35}_{44}$xei^{21},e$_{21}$,ta^{21}pi^{21}fɔŋ$^{35}_{44}$liəu^{13}iɔŋ$^{13}_{44}$ts^{h}iəu$^{53}_{44}$iəu$^{35}_{44}$təŋ$^{35}_{44}$kai$^{35}_{44}$xei^{21}.

【打比样】ta^{21}pi^{21}iɔŋ^{53} 动 用一件事情来说明另一件事情；比如：～泥刀就系泥水个牙业。ta^{21}

pi^{21}iɔŋ^{53}lai^{13}tau$^{35}_{44}$tsʰiəu$^{53}_{44}$xe$^{53}_{44}$lai^{13}ʂei^{21}ke$^{53}_{44}$ŋa^{3}ɲiait^{5}.｜～，看呶，打比以只屋子，渠个桁子系咁子放。ta^{21}pi^{21}iɔŋ^{53},kʰɔn^{35}nau^{0},ta^{21}pi^{21}i^{21}tʂak^{3}uk^{3}tsɿ^{0},ci^{13}ke^{53}xaŋ^{13}tsɿ^{0}xe^{53}kan$^{21}_{13}$tsɿ^{0}fɔŋ^{53}.

【打比样子】ta^{21}pi^{21}iɔŋ$^{53}_{44}$tsɿ^{0} 动 用一件事情来说明另一件事情；比如：～昨晡讲个，沤火土，箇也系沤。ta^{21}pi^{21}iɔŋ$^{53}_{44}$tsɿ^{0}tsʰo$^{35}_{21}$pu$^{35}_{53}$kɔŋ^{21}ke$^{53}_{44}$,ei^{53}fo^{21}tʰəu^{21},kai$^{53}_{21}$ia^{35}xe$^{53}_{44}$ei$^{53}_{44}$.

【打边破】ta^{21}pien^{35}pʰo^{53} 动 山崩：打哩边破以后嘞又成哩边岗。欸打只边破以后箇映就成哩只边岗。ta^{21}li^{0}pien^{35}pʰo^{53}i^{35}xei$^{53}_{44}$lei^{0}iəu$^{35}_{44}$ʂaŋ$^{13}_{21}$li^{0}pien^{35}kɔŋ$^{35}_{44}$.e^{0}ta^{21}tʂak^{3}pien^{35}pʰo^{53}i$^{35}_{44}$xei$^{53}_{44}$kai$^{53}_{44}$iaŋ$^{53}_{44}$tsʰiəu$^{53}_{44}$ʂaŋ$^{13}_{21}$li^{0}tʂak^{3}pien^{35}kɔŋ^{35}.

【打饼子】ta^{21}piaŋ^{21}tsɿ^{0} 动 制作爆竹过程中将纸筒用麻绳扎成六角形的饼状：车筒子以后，欸，以下就打粿子，拼成一饼一饼啊。渠一只一只是难去搞吵，一饼就……一百只或者几多十只啊系唔系？一饼啊。安做～。安做饼子。tʂʰa$^{35}_{44}$tʰəŋ^{13}tsɿ^{0}i^{35}xei^{53},ei$_{21}$,ia^{35}(←i^{35}xa^{53})tsʰiəu$^{53}_{44}$ta^{21}ko^{21}tsɿ^{0},pʰin^{35}ʂaŋ$^{13}_{44}$iet^{3}piaŋ^{21}iet^{3}piaŋ^{21}ŋa^{0}.ci^{13}iet^{3}tʂak^{3}iet^{3}tʂak^{3}ʂɿ$^{53}_{44}$lan^{13}çi^{53}kau^{21}ʂa^{0},iet^{3}piaŋ^{21}tsʰiəu^{53}…iet^{3}pak^{3}tʂak^{3}xɔit^{5}tʂa^{21}ci$^{13}_{21}$to^{35}ʂət^{5}tʂak^{3}a^{0}xei^{53}me$^{53}_{44}$?iet^{3}piaŋ^{21}ŋa^{0}.ɔn^{35}tso$^{53}_{44}$ta^{21}piaŋ^{21}tsɿ^{0}.ɔn^{35}tso$^{53}_{44}$piaŋ^{21}tsɿ^{0}.

【打啵】ta^{21}pu^{35} 动 亲吻：欸，我等箇只孙子我就长日喊："来！同阿公以映打只子啵看呐。亲下子，打只子啵看呐。"渠唔搞路子。e$_{21}$,ŋai^{13}tien^{0}kai^{53}(tʂ)ak^{3}sən^{35}tsɿ^{0}ŋai$^{13}_{21}$tsʰiəu^{53}tʂʰɔŋ^{13}ɲiet^{3}xan^{53}:"lɔi^{13}!tʰəŋ^{13}a^{35}kəŋ$^{35}_{44}$i$^{13}_{44}$iaŋ$^{53}_{44}$ta^{21}tʂak^{3}tsɿ^{0}pu^{35}kʰɔn$^{53}_{44}$na^{0}.tsʰin^{35}na^{53}tsɿ^{0},ta^{21}tʂak^{3}tsɿ^{0}pu^{35}kʰɔn$^{53}_{44}$na^{0}."ci^{13}n̩^{13}kau^{21}ləu^{53}tsɿ^{0}.

【打补子】ta^{21}pu^{21}tsɿ^{0} 打补丁：箇衫烂哩，打只补子。如今是衫烂哩个补子是冇人打。只有么个去打下子补子嘞？咁个行头，咁个有兜比较贵重个东西烂哩滴子，爱比较钱多兜子个东西烂哩滴子嘞，唔舍丢嘿哩，就舞倒箇个么个安做AB胶哇，嗯，欸铁哥们呐，去～。咁个就多。真正话衫裤烂嘿哩～个就冇人补哩。kai$^{53}_{44}$san^{35}nan^{53}li^{0},ta^{21}tʂak^{3}pu^{21}tsɿ^{0}.i$^{13}_{21}$cin$^{35}_{44}$ʂɿ$^{53}_{44}$san^{35}nan^{53}ni^{0}ke$^{53}_{44}$pu^{21}tsɿ^{0}ʂɿ$^{53}_{44}$mau^{13}ɲin$^{13}_{44}$ta^{21}.tʂɿ^{21}iəu$^{35}_{53}$mak^{3}ke^{53}çi^{53}ta^{21}xa^{53}tsɿ^{0}pu^{21}tsɿ^{0}lei^{0}?kan^{21}ke^{53}çin^{13}tʰei$^{13}_{44}$,kan^{21}ke$^{53}_{44}$iəu^{35}təu$^{35}_{53}$pi^{21}ciau$^{53}_{44}$kuei^{53}tʂʰəŋ$^{53}_{44}$ke^{0}təŋ$^{35}_{44}$si^{0}lan^{53}li^{0}tiet^{5}tsɿ^{0},ɔi^{53}pi^{21}ciau$^{53}_{44}$tsʰien$^{13}_{21}$to^{35}təu$^{35}_{53}$tsɿ^{0}ke^{0}təŋ$^{35}_{44}$si^{0}lan^{53}li^{0}tiet^{5}tsɿ^{0}lei^{0},n̩$^{13}_{21}$ʂa^{21}tiəu^{35}uek^{3}(←xek^{3})li^{0},tsʰiəu$^{53}_{44}$u^{21}tau^{21}kai^{53}ke$^{53}_{44}$mak^{3}ke$^{53}_{44}$ɔn$^{35}_{44}$tso$^{53}_{44}$ei$_{44}$pi$_{44}$ciau^{35}ua^{0},n̩$_{21}$,e^{0}tʰiet^{3}ko$^{35}_{44}$mən^{13}na^{0},çi^{53}ta^{21}pu^{21}tsɿ^{0}.kan^{21}cie$^{53}_{44}$tsiəu$^{53}_{44}$to$^{35}_{44}$.tʂən$^{35}_{44}$tʂən^{53}ua^{53}san^{35}fu^{53}lan^{53}nek^{3}(←xek^{3})li^{0}ta^{21}pu^{21}tsɿ^{0}ke^{53}tsʰiəu^{53}mau^{13}ɲin$^{13}_{44}$pu^{21}li^{0}.

【打布骨】ta^{21}pu^{53}kuət^{3} ①制作袼褙：～也只有以前就有，～嘞，以前就有。以下有么人～了。以前是爱做鞋呀，爱做布鞋呀，欸，做布鞋个鞋面子，鞋底子，都系要～。还爱讲吗？讲～让门打吗？唔爱讲了，系啊？ ta^{21}pu^{53}kuət^{3}a$^{35}_{44}$tʂɿ$^{21}_{44}$iəu$^{35}_{44}$i$^{35}_{44}$tsʰien^{13}tsʰiəu$^{53}_{44}$iəu^{35},ta^{21}pu^{53}kuət^{3}le^{0},i$^{35}_{53}$tsʰien^{13}tsʰiəu$^{53}_{44}$iəu$^{35}_{53}$.i^{13}xa^{53}mau^{13}mak^{3}in$^{13}_{44}$ta^{21}pu^{53}kuət^{3}liau^{0}.i$^{35}_{44}$tsʰien^{13}ʂɿ$^{53}_{44}$ɔi$^{53}_{44}$tso^{53}xai^{13}ia^{0},ɔi$^{53}_{44}$tso$^{53}_{44}$pu^{53}xai^{13}ia^{0},e$_{21}$,tso$^{53}_{44}$pu^{53}xai^{13}ke^{0}xai^{13}mien^{53}tsɿ^{0},xai^{13}te^{21}tsɿ^{0},təu^{35}xei$^{53}_{44}$iau$^{53}_{44}$ta^{21}pu^{53}kuət^{3}.xai^{13}ɔi^{53}kɔŋ$^{21}_{44}$ma^{0}?kɔŋ^{21}ta^{21}pu^{53}kuət^{3}ɲiɔŋ^{53}mən^{0}ta^{21}ma^{0}?m̩$^{13}_{21}$mɔi^{53}kɔŋ^{21}liau^{0},xei$^{53}_{44}$a^{0}? ②喻指男孩子遗精：欸，昨晡唔系讲个话欸嘿细人子，欸男孩子遗精呐，"吔欸，箇细子～去哩"，嘿。e$_{21}$,tsʰo^{35}pu$^{35}_{53}$m̩$^{13}_{44}$pʰe$^{53}_{44}$kɔŋ^{21}cie$^{53}_{44}$ua^{53}e$_{21}$xe$_{44}$sei^{53}ɲin$^{13}_{21}$tsɿ^{0},e^{0}lan^{13}xai^{13}tsɿ^{0}i^{13}tsin^{35}na^{0},"ie$_{21}$e^{0},kai$^{53}_{44}$sei$^{53}_{44}$tsɿ^{0}ta^{21}pu^{53}kuət^{3}çi$^{53}_{44}$li^{0}",xe$_{21}$.

【打岔】ta^{21}tsʰa^{53} 动 干涉：如今你去打祭箇兜啦，去庙里箇兜，冇么人～了。冇么人～，你落心去搞。i$^{13}_{21}$cin$^{35}_{44}$ɲi^{13}çi$^{53}_{44}$ta^{21}tsi^{53}kai$^{53}_{44}$te$^{35}_{44}$la^{0},çi$^{53}_{44}$miau^{53}li^{0}kai$^{53}_{44}$te$^{35}_{44}$,mau$^{13}_{21}$mak^{3}in$^{13}_{44}$ta^{21}tsʰa^{53}liau^{0}.mau$^{13}_{21}$mak^{3}in$^{13}_{44}$ta^{21}tsʰa^{53},ɲi^{13}lɔk^{5}sin$^{35}_{53}$çi^{53}kau^{21}.

【打厂】ta^{21}tʂʰɔŋ^{21} 动 搭棚子：老哩人就爱死哩人就爱～噢。lau^{21}li^{0}ɲin^{13}tsʰiəu$^{53}_{44}$ɔi$^{53}_{44}$si^{21}li^{0}ɲin^{13}tsʰiəu$^{53}_{44}$ɔi$^{53}_{44}$ta^{21}tʂʰɔŋ^{21}ŋau^{0}.

【打吵】ta^{21}tsʰau^{21} 动 作祟：渠装神弄鬼，你有么个事嘞慢欸渠就装神弄鬼，去下子同你讲，欸帮你想办法，系唔系？你屋下是么个东西去下～，欸，哪只原因，哪只方道去唔得。箇就安做走阴，就发神祥。ci^{13}tsɔŋ^{35}ʂən^{13}nəŋ^{53}kuei^{21},ɲi$^{13}_{21}$iəu$^{35}_{44}$mak^{3}e^{0}sɿ^{13}lei^{0}man$^{53}_{44}$e^{0}ci$^{13}_{21}$tsʰiəu^{53}tsɔŋ^{35}ʂən$^{13}_{21}$ləŋ^{53}kuei^{21},çi^{53}xa^{53}tsɿ^{0}tʰəŋ$^{13}_{21}$ɲi^{13}kɔŋ^{21},e$_{21}$pɔŋ^{35}ɲi$^{13}_{21}$siɔŋ^{21}pʰan^{53}fait^{3},xei^{53}me^{53}?ɲi$^{13}_{21}$uk^{3}xa^{53}ʂɿ^{53}mak^{3}e^{0}təŋ$^{35}_{44}$si^{0}çi^{53}xa^{53}ta^{21}tsʰau^{21},e$_{21}$,lai^{53}tʂak^{3}vien^{13}in$^{35}_{44}$,lai^{53}tʂak^{3}fɔŋ^{35}tʰau^{53}çi^{53}n̩$^{13}_{21}$tek^{3}.kai$^{53}_{44}$tsiəu^{53}ɔn$^{35}_{44}$tso^{53}tsei^{21}in^{35},tsʰiəu^{53}fait^{3}ʂən^{13}iɔŋ^{53}.

【打秤】ta^{21}tʂʰən^{53} 形 指货品单位体积下相对更重：堆道指有兜东西欸钱又唔多，或者嘞欸唔～，一斤都一大饽。或者一块钱都买得一大蒲，买得唔知几多个东西，箇就是安做有堆道。tɔi^{35}tʰau^{53}tʂɿ^{21}iəu^{35}te$^{35}_{44}$təŋ$^{35}_{44}$si^{0}e$_{21}$tsʰien^{13}iəu^{53}n̩$^{13}_{21}$to^{35},xɔit^{5}tʂa^{21}lei^{0}e$_{21}$n̩^{13}ta^{21}tʂʰən^{53},iet^{3}cin^{35}təu$^{35}_{44}$iet^{3}tʰai^{53}pʰɔk^{5}.xɔit^{5}tʂa^{21}iet^{3}kʰuai^{53}tsʰien$^{13}_{21}$təu$^{35}_{44}$mai^{35}tek^{3}iet^{3}tʰai^{53}pʰu^{13},mai^{35}tek^{3}n̩^{13}ti$^{35}_{53}$ci^{21}to^{35}ke$^{53}_{44}$təŋ$^{35}_{44}$si^{0},kai^{53}tsʰiəu$^{53}_{21}$ʂɿ$^{53}_{21}$ɔn$^{35}_{44}$

tso$^{53}_{44}$iəu^{35}tɔi^{35}t^{h}au^{53}.

【打赤脚】ta^{21}tʂ^{h}ak^{3}ciɔk^{3} 动 光着脚：～，踩倒去都痛。ta^{21}tʂ^{h}ak^{3}ciɔk^{3},ts^{h}ai^{21}tau^{21}çi$^{53}_{44}$təu$^{35}_{44}$t^{h}əŋ^{53}.

【打虫】ta^{21}tʂ^{h}əŋ^{13} 动 用药物驱除消化道寄生虫(如蛔虫、绦虫)：～啊，有兜是爱～啊。有就蛔虫啊。蛔虫多啊，肚子濸大呀。ta^{21}tʂ^{h}əŋ^{13}ŋa^{0},iəu^{35}təu$^{35}_{53}$ʂʅ$^{53}_{44}$ɔi^{53}ta^{21}tʂ^{h}əŋ^{13}ŋa^{0}.iəu$^{35}_{44}$ts^{h}iəu^{53}fei^{13}tʂ^{h}əŋ^{13}ŋa^{0}.fei^{13}tʂ^{h}əŋ^{13}to^{35}a^{0},təu^{21}tsʅ^{0}mən^{35}t^{h}ai^{53}ia^{0}.

【打铳】ta^{21}tʂ^{h}əŋ^{53} 动 ①治丧期间鸣放响铳：就老哩人，死哩人～啊。ts^{h}iəu^{53}lau^{21}li^{0}ɲin^{13},si^{21}li^{0}ɲin^{13}ta^{21}tʂ^{h}əŋ^{53}ŋa^{0}. ②用鸟铳射击；打猎：欸，鸟枪也打伤人，我等箇有打死哩人个。一伴人去打猎，硬明明箇个树蓬里啊一只野猪，一铳打嘿去嘞，捉倒一只侄子打得暋死。判哩刑呢，又赔哩钱呢。一只侄子嘞。箇～真唔爱去打。舞得侄嫂成哩一只寡妇。ei$_{21}$, ɲiau^{21}ts^{h}iɔŋ$^{35}_{53}$a$^{35}_{53}$ta^{21}ʂɔŋ$^{35}_{53}$ɲin$^{13}_{21}$,ŋai^{13}tien^{0}kai^{53}iəu$^{35}_{53}$ta^{21}si^{21}li^{0}ɲin^{13}ke^{53}.iet^{3}p^{h}ɔn^{53}ɲin$^{13}_{21}$c^{h}i$^{53}_{44}$ta^{21}liait^{5}, ɲiaŋ^{53}min^{13}min$^{13}_{21}$kai$^{53}_{44}$ke$^{53}_{44}$ʂəu^{53}p^{h}əŋ$^{13}_{21}$li^{0}a^{0}iet^{3}tʂak^{3}ia^{35}tʂəu$^{35}_{53}$,iet^{3}tʂ^{h}əŋ^{53}ta^{21}(x)ek^{3}çi$^{53}_{44}$lei^{0},tsɔk^{3}tau^{21}iet^{3}tʂak^{3}tʂ^{h}ət^{5}tsʅ^{21}ta^{21}tek^{3}tsiəu^{53}si^{21}.p^{h}ɔn^{53}ni^{0}çin^{13}ne^{0},iəu^{53}p^{h}i^{13}li^{0}ts^{h}ien^{13}ne^{0}.iet^{3}tʂak^{3}tʂ^{h}ət^{5}tsʅ^{21}lei^{0}.kai^{53}ta^{21}tʂ^{h}əŋ^{53}tʂən^{35}m̩$^{13}_{21}$mɔi^{53}çi^{53}ta^{21}.u^{21}(t)ek^{3}tʂ^{h}ət^{5}sau^{21}ʂaŋ$^{13}_{44}$li^{0}iet^{3}tʂak^{3}kua^{21}fu^{53}.

【打出山】ta^{21}tʂ^{h}ət^{3}san^{35} 动 抬棺时位于最前方，安排在这个位置上的人一般要求力气大，比较胖，走路脚步稳：欸，面前箇个人，安做～，最面前，箇只人最……最重要。欸，爱有……爱力气蛮饱个人，爱有力气个人，一般呢就请箇个高大滴子啊，欸，扎实滴子个人。嗯，渠个脚步更稳。渠都走稳哩，箇后背就更稳，更好走，因为也有几百斤。欸，有滴人重个啊，一百几十斤箇个人呐，欸，加上一只棺材嘞四五百斤，一套伙有四五百斤。棺材有滴三百多斤个。e$_{21}$,mien^{53}ts^{h}ien$^{13}_{21}$kai^{53}ke$^{53}_{44}$ɲin$^{13}_{21}$,ɔn^{35}tso$^{53}_{44}$ta^{21}tʂ^{h}ət^{3}san^{35},tsei^{21}mien^{53}ts^{h}ien$^{13}_{21}$,kai^{53}tʂak^{3}ɲin$^{13}_{21}$tsei^{53}…tsei^{53}tʂ^{h}əŋ^{53}iau^{53}.e$_{21}$,ɔi^{53}iəu…ɔi$^{53}_{44}$liet^{5}çi$^{53}_{44}$man$^{13}_{44}$pau^{21}ke^{53}ɲin$^{13}_{21}$,ɔi$^{53}_{44}$iəu^{35}liet^{5}çi^{53}cie$^{5}_{2}$ɲin$^{13}_{21}$,iet^{3}pɔn^{35}ne^{0}ts^{h}iəu$^{53}_{44}$ts^{h}in^{21}kai$^{53}_{44}$ke$^{53}_{44}$kau^{35}t^{h}ai$^{53}_{44}$tiet^{5}tsʅ^{0}a^{0},e$_{21}$,tsait^{3}ʂət^{5}tiet^{5}tsʅ^{0}ke$^{53}_{44}$ɲin$^{13}_{21}$.n̩$_{21}$,ci$^{13}_{21}$ke$^{53}_{44}$ciɔk^{3}p^{h}u^{53}cien$^{53}_{44}$uən^{21}.ci^{13}təu$^{35}_{44}$tsei^{21}uən^{21}ni^{0},kai$^{53}_{44}$xei^{53}pɔi$^{53}_{44}$ts^{h}iəu$^{53}_{44}$cien^{53}uən^{21},cien^{53}xau^{21}tsei^{21},in^{35}uei$^{53}_{21}$ia^{35}iəu$^{35}_{44}$ci^{21}pak^{3}cin^{35}.ei$_{21}$,iəu^{35}tet^{5}ɲin^{13}tʂ^{h}əŋ^{35}ke$^{53}_{44}$a^{0},iet^{3}pak^{3}ci^{21}ʂət^{5}cin$^{35}_{44}$nai$^{53}_{44}$ke$^{53}_{44}$ɲin$^{13}_{21}$na^{0},e$_{21}$,cia$^{35}_{44}$ʂɔŋ$^{53}_{44}$iet^{3}tʂak^{3}kɔn^{35}ts^{h}ɔi$^{13}_{21}$lei^{0}si^{53}ŋ̍^{21}pak^{3}cin^{35},iet^{3}t^{h}au^{53}fo^{21}iəu$^{35}_{44}$si^{53}ŋ̍^{21}pak^{3}cin$^{35}_{44}$.kɔn^{35}ts^{h}ɔi$^{13}_{21}$iəu^{35}tet^{5}san^{35}pak^{3}to$^{35}_{44}$cin$^{35}_{44}$ke$_{44}$.

【打乇】ta^{21}tʂ^{h}ek^{3} 动 讲假话，撒谎：讲假话也系～嘞。"你莫～嘞！"但系为了爱衍文，撞怕会～。嗯，打比样我去哪映子啊，别人家唔知几勤实，喊我食饭，系唔系？我讲到底我唔想去渠箇食饭，我就～啊，打只乇啊："我食哩了。"我就～话我食哩了。kɔŋ^{21}cia^{21}fa^{53}ia^{35}xe^{53}ta^{21}tʂ^{h}ek^{3}le^{0}."ɲi^{13}mɔk^{5}ta^{21}tʂ^{h}ek^{3}le^{0}!"tan$^{53}_{44}$xe$^{53}_{44}$uei^{53}liau^{21}ɔi^{53}ien^{35}uən^{13},ts^{h}ɔŋ^{21}p^{h}a^{53}uɔi^{53}ta^{21}tʂ^{h}ek^{3}.n̩$_{21}$,ta^{21}pi^{21}iɔŋ^{53}ŋai^{13}çi^{53}la^{53}iaŋ^{35}tsʅ^{0}a^{0},p^{h}iet^{5}in$^{13}_{44}$ka$^{35}_{44}$n̩^{13}ti$^{35}_{53}$ci^{21}c^{h}in$^{13}_{21}$ʂət^{5},xan^{53}ŋai$^{13}_{21}$ʂət^{5}fan^{53},xei$^{53}_{44}$me$^{53}_{44}$?ŋai^{13}kɔŋ^{21}tau^{53}ti^{21}ŋai$^{13}_{44}$n̩^{13}siɔŋ^{21}çi^{53}ci^{13}kai$^{53}_{44}$ʂət^{5}fan^{53},ŋai^{13}ts^{h}iəu^{53}ta^{21}tʂ^{h}ek^{3}a^{0},ta^{21}tʂak^{3}tʂ^{h}ek^{3}a^{0}:"ŋai^{13}ʂət^{5}li^{0}liau^{21}."ŋai^{13}ts^{h}iəu^{53}ta^{21}tʂ^{h}ek^{3}ua^{53}ŋai$^{13}_{21}$ʂət^{5}li^{0}liau^{0}.｜打比我孙子等人撞怕我就唔准渠～啊。我孙子等人呐。欸，渠嬲一下昼嘞嘛渠安做看一下昼书哇。系唔系？欸，去嬲去哩嘞去嬲游戏去哩嘞渠安做打球去哩啊。箇就～啊，讲假话。我就唔准渠～啊。ta^{21}pi^{21}ŋai^{13}sən^{35}tsʅ^{0}ten$^{21}_{44}$ɲin$^{13}_{44}$ts^{h}əŋ^{21}p^{h}a^{53}ŋai^{13}ts^{h}iəu^{53}n̩$^{13}_{44}$tʂən$^{21}_{44}$ci$^{13}_{44}$ta^{21}tʂ^{h}ek^{3}a^{0}.ŋai^{13}sən^{35}tsʅ^{0}ten$^{21}_{44}$ɲin$^{13}_{21}$na^{0}.e$_{21}$,ci$^{13}_{21}$liau^{53}iet^{3}xa$^{53}_{44}$tʂəu$^{53}_{44}$le^{0}ma^{0}ci$^{13}_{21}$ɔn$^{35}_{44}$tso$^{53}_{44}$k^{h}ɔn^{53}iet^{3}xa$^{53}_{44}$tʂəu$^{53}_{44}$ʂəu^{35}ua^{0}.xei^{53}me$^{53}_{44}$?e$_{21}$,çi$^{53}_{44}$liau^{53}çi$^{53}_{44}$li^{0}lei^{0}çi$^{53}_{44}$liau^{53}iəu^{13}çi^{53}çi^{53}li^{0}lei^{0}ci^{13}ɔn$^{35}_{44}$tso$^{53}_{44}$ta^{21}c^{h}iəu^{13}çi^{53}li^{0}a^{0}.kai^{53}ts^{h}iəu^{53}ta^{21}tʂ^{h}ek^{3}a^{0},kɔŋ^{21}cia^{21}fa^{53}.ŋai^{13}ts^{h}iəu^{53}n̩^{13}tʂən^{21}ci$^{13}_{44}$ta^{21}tʂ^{h}ek^{3}a^{0}.

【打逴】ta^{21}tʂ^{h}ɔk^{3} 动 ①散步：你食哩饭我等来去打下子逴啊。ɲi$^{13}_{21}$ʂət^{5}li^{0}ia^{53}fan^{53}ŋai$^{13}_{21}$tien^{0}lɔi$^{13}_{21}$çi$^{53}_{44}$ta^{21}(x)a^{53}tsʅ^{0}tʂ^{h}ɔk^{3}a^{0}. ②无所事事地闲逛：欸，箇只老子啊，么个都屋下么个都唔管，长日到处～。e$_{21}$,kai^{53}tʂak^{3}lau^{21}tsʅ^{0}a^{0},mak^{3}e^{0}təu$^{35}_{53}$uk^{3}xa^{53}mak^{3}e^{0}təu$^{35}_{53}$n̩$^{13}_{44}$kɔn^{21},tʂ^{h}əŋ^{13}ɲiet^{3}tau^{53}tʂ^{h}u^{53}ta^{21}tʂ^{h}ɔk^{3}.

【打大刀】ta^{21}t^{h}ai^{53}tau^{35} 动 用大刀表演武术套路：有表演武术个，打棍，打凳，欸，打钩镰，～，三节棍，箇都有。iəu^{35}piau^{21}ien^{21}u^{35}ʂət^{5}ke$^{53}_{21}$,ta^{21}kuən^{53},ta^{21}ten^{53},e$_{21}$,ta^{21}kei^{35}lian$^{13}_{21}$,ta^{21}t^{h}ai^{53}tau^{35},san^{35}tset^{3}kuən^{53},kai$^{53}_{21}$təu$^{35}_{21}$iəu$^{35}_{44}$.

【打弹子】ta^{21}t^{h}an^{53}tsʅ^{21} ①弹玻璃球，一种儿童游戏：𫟼去打凑，有咁个打法，𫟼去打，～。我个大孙子就会去打下子箇弹子。渠就会去会一摎渠个同学子箇只会去打下子弹子，打箇只弹子。maŋ^{13}c^{h}i^{53}ta^{21}ts^{h}e^{0},iəu^{35}kan$^{21}_{44}$ke$^{53}_{44}$ta^{21}fait^{3},maŋ^{13}çi^{53}ta^{21},ta^{21}t^{h}an^{53}tsʅ^{0}.ŋai^{13}ke$^{53}_{44}$t^{h}ai^{53}sən^{35}tsʅ^{0}ts^{h}iəu$^{53}_{44}$uɔi$^{53}_{44}$çi$^{53}_{44}$ta^{21}xa$^{53}_{44}$tsʅ^{0}kai$^{53}_{44}$t^{h}an^{53}tsʅ^{0}.ci^{13}ts^{h}iəu^{53}uɔi$^{53}_{44}$çi$^{53}_{44}$uɔi$^{53}_{44}$iet^{3}lau^{35}ci$^{13}_{21}$ke$^{53}_{44}$t^{h}əŋ^{13}çiɔk^{5}tsʅ^{0}kai$^{53}_{21}$tʂak^{3}uɔi$^{53}_{44}$çi$^{53}_{44}$ta^{21}xa$^{53}_{44}$tsʅ^{0}t^{h}an^{53}tsʅ^{0},ta^{21}kai$^{53}_{44}$tʂak^{3}t^{h}an^{53}tsʅ^{0}. ②一种在游戏机上玩的弹子游戏：以下街上箇只卖欸卖箇个欸卖牛奶个箇只店子，渠就搞倒箇机子分起我等细人子去～。我箇孙子咁大子都喜欢去打

箇弹子。拿一块钱，买六只弹子。以下放倒去打，打倒嘞又有又撞怕又有赢撞怕又输，撞怕搞唔得几多下就冇得哩箇一块钱就。欸，安做～。咁子一扯啊，一就放啊渠就。欸，安做～。冇味道，系唔系？莫去嬲咁个。箇有一种侥幸心理呀。i21ia53(←xa53)kai35xɔŋ53kai53tʂak3mai53e21 mai53kai53ke53-44e21mai53ɲiəu13lai21ke53kai53(tʂ)ak3tian53tsɿ0,ci13tsʰiəu53kau21tau21kai53-35ci35tsɿ0pən35cʰi21ŋai13tien0 se53ɲin13-21tsɿ0çi53-44ta21tʰan53tsɿ0.ŋai13kai53-44sən35tsɿ0kan21-13tʰai53tsɿ0təu35-53çi21fɔn35-44çi53-44ta21kai53-44tʰan53tsɿ0.lak5iet3kʰuai53 tsʰien13,mai35liəuk3tʂak3tʰan53tsɿ0.ia44(←i13xa53)fɔŋ53tau21çi53ta21,ta21tau21lei0iəu53iəu35iəu53-44tsʰɔŋ21pʰa53-44iəu53-44 iəu35iaŋ13tsʰɔŋ21pʰa53-44iəu53-44ʂəu35,tsʰɔŋ21pʰa53-44kau21n̩13tek3cio35(←ci21to35)xa53tsʰiəu53-44mau13tek3li0kai53iet3kʰuai53 tsʰien13-21tsʰiəu53-44.e21,ɔn35-44tso53-44ta21tʰan53tsɿ0.kan21tsɿ0iet3tʂʰa21a0,iet3tsʰiəu53-44fɔŋ53ŋa0ci13-21tsʰiəu53.e21,ɔn35-44tso53-44ta21 tʰan53tsɿ0.mau13uei53-44tʰau53-44,xei53-44me53-44?mɔk5çi53liau53kan21cie53-44.kai53-35iəu35-44iet3tʂəŋ21ciau21çin53sin35-44ni35-44ia0.

【打刀】ta21tau35 耍刀，指旧时艺人以刀为道具进行的表演：要～打凳，欸，打箇个么个，欸我看过，箇有梭镖。iau53-44ta21tau35ta21tien53,e21,ta21kai53ke53mak3ke53,e0ŋai13kʰɔn53-44ko53-44,kai53iəu35-44so35piau35-44.

【打倒退】ta21tau53tʰi53 动向后退：本来是爱读 tʰi53休呢，tʰi53，欸，～，退嘿去。pən21nɔi13ʂɿ53-44 ɔi53-44tʰəuk5-3tʰi53çiəu53-44nei0,tʰi53,e21,ta21tau53tʰi53,tʰi53xek3çi53.

【打凳】ta21ten53 用凳子表演武术套路：有表演武术个，打棍，～，欸，打钩镰，打大刀，三节棍，箇都有。iəu35piau21ien21u35ʂət5ke53-21,ta21kuən53,ta21ten53,e21,ta21kei35lian13-21,ta21tʰai53tau35,san35tset3 kuən53,kai53-21təu35-21iəu35-44.

【打地铺】ta21tʰi53pʰu35 在地上铺床：我想下子箇城里人呢，长沙箇兜，浏阳长沙上海箇个箇来哩客就住旅社唠，系唔系？来哩客就除哩住旅社嘞，箇是爱哪映去嘞？～哦。ŋai13siɔŋ21xa53-44 tsɿ0kai53tʂʰən13li0ɲin13-44ne0,tʂʰɔŋ13sa35kai53təu35-44,liəu13iɔŋ13-21tʂʰɔŋ13sa35-44ʂɔŋ53xɔi21kai53-44kei53-44kai53lɔi13li0kʰak3 tsʰiəu53-44tʂʰɥ53li35ʂa53-44lau0,xei53me53?lɔi13li0kʰak3tsʰiəu53tʂʰəu13-21li0tʂʰɥ53li35ʂa53-44le0,kai53-44ʂɿ53-21ɔi53-44lai53-44iaŋ53-44çi53 lei0?ta21tʰi53pʰu35o0.

【打点】ta21tian21 动一日三餐之间添加餐食：一般是～我等以映打点是就系昼饭前摎夜饭前，就系下昼，食嘿昼饭……食嘿早饭，箇半昼子摎半下昼子，箇就安做～。欸半昼子，上昼个半昼子，摎半下昼，就安做～。打比上昼做四点钟事样，做两点钟，打下点。安做中间子～。iet3pən35ʂɿ53ta21tian21ŋai13tien0i21iaŋ53ta21tian21ʂɿ53-44tsʰiəu53-44xei53-44tʂəu53fan53tsʰien13lau35ia53fan53tsʰien13,tsʰiəu53-21 xei53xa35tʂəu53,ʂət5(x)ek3tʂəu53fan53…ʂət5(x)ek3tsau21fan53,kai53pan53tʂəu53tsɿ0lau35pan53xa35tʂəu53tsɿ0,kai53-44 tsʰiəu53-44ɔn35-44tso53-44ta21tian21.e0pan53tʂəu53tsɿ0,ʂɔŋ53tʂəu53-44ke53-44pan53tʂəu53tsɿ0,lau35pan53xa35tʂəu53-44,tsʰiəu53-44ɔn35-44tso53-44 ta21tian21.ta21pi21ʂɔŋ53tʂəu53-44tso53-44si53tian21tʂəŋ35-44sɿ53iɔŋ53-44,tso53iɔŋ21tian21tʂəŋ35,ta21xa53-44tian21.ɔn35tso53-44tʂəŋ35kan35-44 tsɿ0ta21tian21.

【打吊望个】ta21tiau53uɔŋ53ke53-0 望风的：话哩箇年我等老家箇映子一条岭上有条路咯走岭上过。以下我走箇映子归个时候子嘞，箇个有两只人呢徛倒箇路边上嬲。我话咁个栏场有岭上有么个好嬲？系唔系？嗬，再走下子是箇映有只棚子，棚子肚里有人去下赌钱。𫟪晓得箇两只人就～。欸，我就算咁个栏场有么个好嬲？等人么不是咁子等法哦。有～。箇两只人唔做声呢。渠搞么个？箇两只人认得我。以下走到面前了嘞，渠等就……有兜人就着惊，系唔系？箇肚里有人还有人也认得我，系啊？"噢，以只人唔爱紧。以只人唔爱紧。"我唔探咁个空事。你等放势赌钱，我都唔关咁事。ua53-44li0kai53ɲien13-21ŋai13tien0lau21cia35kai53-44iaŋ53-44tsɿ0iet3tʰiau13-21liaŋ35xɔŋ53 iəu35tʰiau13-21lu53ko0tsei21liaŋ35xɔŋ53ko53.i21xa53ŋai13tsei21kai53-44iaŋ53-44tsɿ0kuei35ke53-44ʂɿ13-44xəu53-44tsɿ0lei0,kai53-44kei53-44iəu35-44 iɔŋ21tʂak3ɲin13nei0cʰi35tau21kai53-44ləu53pien35-44xɔŋ53-44liau53.ŋai13-21ua53kan21ke53laŋ13-21tʂʰɔŋ13-44iəu35-44liaŋ35xɔŋ53-44iəu35-44mak3 e0xau21liau53?xei53-44me53-44?xo53,tsai53tsei21ia44(←xa53)tsɿ0ʂɿ53kai53iaŋ53iəu35-53tʂak3pʰəŋ13tsɿ0,pʰəŋ13tsɿ0təu21li0iəu35-53 ɲin13-21çi53-44xa53-44təu21tsʰien13.maŋ13çiau21tek3kai53iɔŋ21tʂak3ɲin13tsʰiəu53-44ta21tiau53uɔŋ53-44cie0.e21,ŋai13tsʰiəu53sɔn53 kan21cie53laŋ13-21tʂʰɔŋ13-44iəu35-53mak3e0xau21liau53?ten21ɲin13me0pət3ʂɿ53kan21-13tsɿ0tien21fait3o0.iəu35-44ta21tiau53uɔŋ53-44 cie0.kai53iɔŋ21-44tʂak3ɲin13-44n̩13tso53ʂaŋ35nei0.ci13-21kau21mak3e0?kai53iɔŋ21tʂak3ɲin13ɲin53tek3ŋai13-44.i21xa53tsei21tau53-44 mien53tsʰien13-44liau21lei0,ci13-21tien0tsʰiəu53-44…iəu35təu35-53ɲin13-21tsʰiəu53-44tʂʰɔk5ciaŋ35,xei53me53?kai53-44təu21li0iəu35ɲin13-44 xai13-21iəu35ɲin13-21na35(←ia35)ɲin53-44tek3ŋai13-44,xei53-44a0?"au44,i21tʂak3ɲin13-44m̩13mɔi53cin21.i21tʂak3ɲin13-44m̩13mɔi53cin21." ŋai13n̩13-21tʰan53kan21ke0kʰəŋ53sɿ53-44.ɲi13tien0fɔŋ53ʂɿ53-44təu21tsʰien13,ŋai13təu35-53n̩13-21kuan35-44kan21sɿ53.

【打掉手】ta21tʰiau53ʂəu21 ①手中没有拿东西：𫟪拿么个行头，打双掉手。maŋ13la53mak3e0çin13 tʰei13-44,ta21sɔŋ35tʰiau53ʂəu21. ②做客却没带礼物：欸，第二只嘞就表示去人家冇得礼事，～。"我就冇么个来呀，肩膊上捆把嘴。欸，我是肩膊上捆把嘴了，带哩把嘴来哩哈！冇么个礼事来，打双掉手。～来个哈。我赠拿么个。” e$_{21}$,t^{h}i^{53}ɲi^{53}tʂak^3 lei^0 ts^{h}iəu^{53}piau^{21}ʂʅ^{53}çi^{53}ɲin^{13}ka^{35}mau^{13}tek^{3}li^{35} sʅ^{53},ta^{21}t^{h}iau^{53}ʂəu^{21}."ŋai^{13}ts^{h}iəu^{53}mau^{13}mak^3 e^0 lɔi^{13}ia^0,cien^{35}pɔk^3 xɔŋ$^{53}_{44}$kɔŋ^{35}pa^{21}tʂɔi^{53}.e$_{21}$,ŋai^{13}ʂʅ$^{53}_{44}$cien^{35}pɔk^3 xɔŋ$^{53}_{44}$kɔŋ^{35}pa^{21}tʂɔi^{53}liau^0,tai^{53}li^0 pa^{21}tʂɔi^{53}lɔi$^{13}_{21}$li^0 xa^0 !mau^{13}mak^3 e^0 li^{35}sʅ^{53}lɔi$^{13}_{21}$,ta^{21}sɔŋ$^{53}_{44}$t^{h}iau^{53}ʂəu^{21}.ta^{21}t^{h}iau^{53} ʂəu^{21}lɔi$^{13}_{21}$ke^{0}xa^0.ŋai$^{13}_{21}$maŋ^{13}la^{53}mak^{3}ke^0."

【打叮叮】ta^{21}tin$^{35}_{44}$tin$^{35}_{44}$ 动①转圈，反复绕着圈儿走：～就转圈呐。ta^{21}tin^{35}tin$^{35}_{44}$ts^{h}iəu$^{53}_{44}$tʂɔn^{21}c^{h}ien^{35} na^0.｜到箇街子上去～呢。游街。tau^{53}kai^{53}kai^{35}tsʅ^0 xɔŋ$^{53}_{44}$çi$^{53}_{44}$ta^{21}tin$^{35}_{44}$tin$^{35}_{44}$nei^0 .iəu$^{13}_{21}$kai^{35}. ②溜达；闲逛：渠箇个（硒鼓）加粉咁个嘞，拿下来，“你同我加好么，就同我加唠，我到街上打只叮叮呐买兜子东西，转来就带归去哦”。ci$^{13}_{21}$kai^{53}ke$^{53}_{44}$cia^{35}fən^{21}kan$^{21}_{13}$cie^{53}lei^0 ,la^{53}(x)a^{53}lɔi$^{13}_{44}$,"ɲi$^{13}_{21}$t^{h}əŋ$^{13}_{21}$ŋai$^{13}_{21}$cia^{35} xau^{21}mo^0,ts^{h}iəu^{53}t^{h}əŋ$^{13}_{21}$ŋai$^{13}_{21}$cia^{35}lau^0,ŋai^{13}tau^{53}kai^{35}xɔŋ$^{53}_{44}$ta^{21}tʂak^3 tin^{35}tin$^{35}_{44}$na^0 mai^{35}tei$^{35}_{53}$tsʅ^0 təŋ$^{35}_{44}$si^0 ,tʂuɔn^{21} nɔi^{13}ts^{h}iəu^{53}tai^{53}kuei$^{35}_{44}$çi^{53}o^0".

【打定子】pu^{21}uɔn^{21} 动补碗的人将铁丝两端弯成鸠尾形，用以将破裂的陶瓷器皿各部分固定在一起：有句箇个普通话有句名言就让门子啊？冇得金刚钻就莫去揽瓷器活呀，系唔系？箇就系补碗呶。我补倒个碗我就见过。我等补过，我等有，我屋下有碗，补过个碗。从前补碗是箇个嘞，打只定子嘞，以映烂嘿哩，以映烂条圻样，系唔系？烂条圻样，以映子一块脱嘿哩样，以映一边钻只眼呢。钻只眼就彝条子箇铁丝子咁子紧稳下子嘞。以映嘞又紧稳下子嘞，就咁子补嘞。但是你爱补倒唔漏水嘞箇就我就赠看过。我赠看过补碗个他。补瓷器个就安做。嗯，箇阵我等屋下有只滮大个人咁高个净瓶，箇个放下厅下做装饰品个，欸净瓶。净瓶烂哩，净瓶有几块子脱嘿哩，箇脱哩个栏场都补哩。欸～，安做～去补个。箇正我讲个箇咁子就安做～。一边钻只眼，分只铁丝绨下去，最土，也又最靠得住个办法。以前冇得么个胶吵，欸，冇得么个 AB 胶哇。iəu^{35}tʂʅ$^{53}_{44}$kai$^{53}_{44}$ke$^{53}_{44}$p^{h}u^{21}t^{h}əŋ$^{35}_{44}$fa^{53}iəu^{35}tʂʅ$^{53}_{44}$min^{13}ɲien^{13}tsiəu$^{53}_{44}$ɲiɔŋ$^{53}_{44}$mən^{0}tsʅ^{0}a^0?mau$^{13}_{21}$ tek^{3}cin^{35}kɔŋ$^{35}_{44}$tsɔn^{53}ts^{h}iəu$^{53}_{44}$mɔk^{5}çi^{53}lan^{21}ts^{h}ʅ^{13}çi^{53}xɔit^{5}ia^0,xei^{53}me^{53}?kai$^{53}_{44}$ts^{h}iəu^{53}xe^{53}pu^{21}uɔn^{21}nau^0.ŋai^{13}pu^{21} tau^{21}ke^{53}uɔn^{21}ŋai^{13}ts^{h}iəu^{53}cien^{53}ko$^{53}_{44}$.ŋai^{13}tien^{0}pu^{21}ko$^{53}_{44}$,ŋai^{13}tien^{0}iəu^{35},ŋai^{13}uk^{3}xa$^{53}_{44}$iəu^{35}uɔn^{21},pu^{21}ko^{53}ke^{53}uɔn^{21}. ts^{h}əŋ^{13}ts^{h}en^{13}pu^{21}uɔn^{21}ʂʅ$^{53}_{44}$kai^{53}ke^{53}lei^0,ta^{21}tʂak^{3}t^{h}in^{53}tsʅ^{0}lei^0,i^{21}iaŋ^{53}lan^{53}nek^{3}li^0,i^{21}iaŋ^{53}lan^{53}t^{h}iau$^{13}_{21}$ts^{h}ak^{3}iɔŋ$^{53}_{44}$, xei$^{53}_{44}$me$^{53}_{44}$?lan^{53}t^{h}iau$^{13}_{21}$ts^{h}ak^{3}iɔŋ$^{53}_{44}$,i^{21}iaŋ^{53}tsʅ^{0}iet^{3}k^{h}uai^{53}t^{h}ɔit^{3}ek^{3}li^{0}iɔŋ^{53},i^{21}iaŋ^{53}iet^{3}pien^{35}tsɔn^{53}tʂak^{3}ŋan^{21}ne^0. tsɔn^{53}tʂak^{3}ŋan^{21}ts^{h}iəu^{53}u^{21}t^{h}iau^{13}tsʅ^{0}kai$^{53}_{44}$t^{h}iet^{3}sʅ$^{35}_{44}$tsʅ^{0}kan^{21}tsʅ^{0}cin^{21}uɔn^{21}na^{53}tsʅ^{0}le^0.i^{21}iaŋ$^{53}_{44}$lei^{0}iəu^{53}cin^{21}uɔn^{21} a^{53}tsʅ^{0}lei^0,tsiəu^{53}kan$^{21}_{35}$tsʅ^{0}pu^{21}le^0.tan^{53}ʂʅ^{53}ɲi^{13}ɔi^{53}pu^{21}tau^{21}n̩^{13}nei^{53}ʂei^{21}lei^{0}kai$^{53}_{44}$ts^{h}iəu$^{53}_{44}$ŋai^{13}ts^{h}iəu^{53}maŋ^{13}k^{h}ɔn^{53} ko$^{53}_{21}$.ŋai^{13}maŋ^{13}k^{h}ɔn^{53}ko$^{53}_{44}$pu^{21}uɔn^{21}cie^{53}t^{h}e^0.pu^{21}ts^{h}ʅ^{13}çi^{53}ke^{53}tsiəu$^{53}_{44}$ɔn$^{35}_{44}$tso$^{53}_{44}$.n̩$_{21}$,kai^{53}tʂ^{h}ən^{53}ŋai^{13}tien^{0}uk^{3}xa$^{53}_{44}$ iəu$^{35}_{53}$tʂak^{3}mən^{35}t^{h}ai$^{53}_{44}$ke^{0}ɲin^{13}kan^{21}kau$^{35}_{44}$ke^{0}ts^{h}in^{53}p^{h}in^{13},kai$^{53}_{44}$ke$^{53}_{44}$fɔŋ^{53}xa$^{53}_{44}$t^{h}aŋ^{35}xa$^{53}_{44}$tso^{53}tsɔŋ^{35}ʂət^{5}p^{h}in^{21}ke^0,e$_{44}$ ts^{h}in^{53}p^{h}in$^{13}_{21}$.ts^{h}in^{53}p^{h}in$^{13}_{21}$lan^{53}ni^0,ts^{h}in^{53}p^{h}in$^{13}_{21}$iəu^{35}ci^{21}k^{h}uai^{53}tsʅ^{0}t^{h}ɔit^{3}xek^{3}li^0,kai^{53}t^{h}ɔit^{3}li^{0}ke^{53}laŋ$^{13}_{21}$tʂ^{h}ɔŋ$^{13}_{44}$təu^{35} pu^{21}li^0.e$_{44}$ta^{21}t^{h}in^{53}tsʅ^0,ɔn$^{53}_{44}$tso$^{53}_{44}$ta^{21}t^{h}in^{53}tsʅ^{0}çi$^{53}_{44}$pu^{21}ke^0.kai$^{53}_{44}$tʂaŋ$^{53}_{44}$ŋai^{13}kɔŋ^{21}kei$^{53}_{44}$kai$^{53}_{44}$kan^{21}tsʅ^{0}tsiəu$^{53}_{44}$ɔn$^{35}_{44}$tso$^{53}_{44}$ ta^{21}t^{h}in^{53}tsʅ^0.iet^{3}pien^{35}tsɔn^{53}tʂak^{3}ŋan^{21},pən$^{35}_{44}$tʂak^{3}t^{h}iet^{3}sʅ$^{35}_{44}$t^{h}ak^{3}a^{53}çi^{53},tsei^{53}t^{h}əu^{21},ia^{35}iəu^{53}tsei^{53}k^{h}au^{53}tek^3 tʂ^{h}əu^{53}ke$^{53}_{44}$p^{h}an$^{53}_{44}$fait^3.i^{35}ts^{h}ien$^{13}_{44}$mau^{13}tek^{3}mak^{3}e$^{53}_{44}$ciau^{35}ʂa^0,e$_{21}$,mau^{13}tek^{3}mak^{3}e^{0}ei$_{44}$pi$_{44}$ciau^{35}ua^0.

【打洞】ta^{21}t^{h}əŋ^{53} 动挖掘洞穴：有滴还去地泥下～个唠。iəu^{35}tet^{5}xai^{13}çi$^{53}_{44}$t^{h}i$^{53}_{44}$lai$^{13}_{21}$xa^{53}ta^{21}t^{h}əŋ^{53}ke$^{53}_{44}$ lau^0.

【打豆腐】ta^{21}t^{h}əu^{53}fu^{53} 以石磨研碎豆子制作豆腐：三朒蒸酒～。san^{35}lo^{13}tʂən^{35}tsiəu^{21}ta^{21}t^{h}əu^{53}fu^{53}.

【打豆子】ta^{21}t^{h}ei^{53}tsʅ^0 动用工具击打秸秆将黄豆脱粒：我等以映～个东西系用么个嘞？ŋai$^{13}_{21}$ tien^0 i^{21}iaŋ$^{53}_{44}$ta^{21}t^{h}ei^{53}tsʅ^0 ke$^{53}_{44}$təŋ$^{35}_{44}$si^0 xe$^{53}_{44}$iəŋ$^{53}_{44}$mak^3 ke$^{53}_{44}$le^0?

【打短工】ta^{21}tɔn^{21}kəŋ^{35} 为别人做短期雇工：～是就系相对于打长工呢，系唔系？相对打长工而言呢。就系以映做两天子箇映做两天子，欸，以家做两天子箇家做两天子，就安做～。ta^{21} tɔn^{21}kəŋ^{35}ʂʅ$^{53}_{44}$ts^{h}iəu$^{53}_{44}$xei$^{53}_{44}$siɔŋ^{35}tei^{53}y$^{13}_{44}$ta^{21}tʂ^{h}ɔŋ^{13}kəŋ$^{35}_{44}$ne^0 ,xe$^{53}_{44}$me^{53}?siɔŋ$^{35}_{44}$tei^{53}ta^{21}tʂ^{h}ɔŋ$^{13}_{21}$kəŋ$^{35}_{53}$vy$^{13}_{44}$ɲien$^{13}_{44}$ne^0. ts^{h}iəu$^{53}_{44}$xei$^{53}_{44}$i^{21}iaŋ^{53}tso^{53}iɔŋ^{21}t^{h}ien$^{35}_{44}$tsʅ^{0}kai^{53}iaŋ$^{53}_{44}$tso^{53}iɔŋ^{21}t^{h}ien$^{35}_{44}$tsʅ^0 ,e$_{44}$,i^{21}ka$^{35}_{44}$tso^{53}iɔŋ^{21}t^{h}ien$^{35}_{44}$tsʅ^{0}kai^{53}ka$^{35}_{44}$tso^{53} iɔŋ^{21}t^{h}ien$^{35}_{44}$tsʅ^0 ,ts^{h}iəu$^{53}_{44}$ɔn$^{35}_{44}$tso$^{53}_{44}$ta^{21}tɔn^{21}kəŋ$^{35}_{44}$.

【打短命】ta^{21}tɔn^{21}miaŋ^{53} 动早死，少亡（詈语）：有～死个短命鬼。iəu^{35}ta^{21}tɔn^{21}miaŋ^{53}si^{21}ke$^{53}_{44}$tɔn^{21} miaŋ^{53}kuei^{21}.

【打碓子】ta^{21}tɔi^{53}tsʅ^0 用碓捣物：一起水车是就系用来整米个，～个，嗯，碾茶籽箇只个。iet^3 çi$^{21}_{44}$ʂei^{21}tʂ^{h}a^{35}ʂʅ$^{53}_{44}$ts^{h}iəu$^{53}_{44}$xe$^{53}_{44}$iəŋ^{53}lɔi$^{13}_{21}$tʂaŋ^{21}mi^{21}ke^{53},ta^{21}tɔi^{53}tsʅ^0 ke^{53},n̩$_{21}$,ŋan^{35}ts^{h}a^{13}tsʅ^{21}kai$^{53}_{44}$tʂak^3 ke$^{53}_{44}$.

【打呃】ta^{21}o^{53} 动打嗝，呃逆：～是系一种箇个吧？一种病个感觉吧？一种唔正常个感觉吧？我就食哩么个东西就会～啊？我都唔记得哩。有滴东西食哩去会～。欸，箇个筑转一转一股气筑下转来，欸，～。ta^{21}o^{53}ʂʅ$^{53}_{44}$xei^{53}iet^{3}tʂəŋ^{21}kai^{53}cie^{53}pa^{0}?iet^{3}tʂəŋ^{21}pʰiaŋ^{53}cie$^{53}_{44}$kɔn^{21}cʰiɔk^{3}pa^{0}?iet^{3}tʂəŋ^{21}n̩^{13}tʂən^{53}tʂʰɔŋ^{13}cie^{53}kɔn^{21}cʰiɔk^{3}pa^{0}?ŋai^{13}tsʰiəu$^{53}_{44}$ʂət^{5}li^{0}mak^{3}e^{0}təŋ$^{35}_{44}$si^{0}tsʰiəu$^{53}_{44}$uɔi$^{53}_{44}$ta^{21}o^{53}a^{0}?ŋai$^{13}_{21}$təu$^{35}_{44}$n̩^{13}ci^{53}tek^{3}li^{0}.iəu^{53}tiet^{5}təŋ$^{35}_{44}$si^{0}ʂət^{3}li^{0}çi$^{53}_{44}$uɔi$^{53}_{44}$ta^{21}o^{53}.e$_{21}$,kai$^{53}_{44}$ke$^{53}_{44}$tʂəuk^{3}tʂuɔn^{21}iet^{3}tʂuɔn$^{21}_{44}$iet^{3}ku^{21}çi$^{53}_{44}$tʂəuk^{3}(x)a$^{53}_{44}$tʂuɔn^{21}nɔi^{13},e$_{21}$,ta^{21}o^{53}.

【打呃嘟】ta^{21}e$_{53}$tu$_{44}$ 打嗝：也不一定食饱哩是～啦。食饱哩～，嗯。“你食饱哩哈，～去哩。”系唔系？还有嘞，箇阵子我等箇映有只老子咯，一天到夜～呢。你莫话渠也八十几岁正死嘞。一天到欸搞下子又打，一搞下子又打一只嘞，搞下子打只，一只箇老子呢。安做张子龙呢，嘿欸，张子龙老子呢。欸渠话让门渠咯会总～喔？系种病。但是渠也八十几岁死嘿哩呢。ia^{35}pət^{3}iet^{3}tʰin$^{53}_{44}$ʂət^{5}pau^{21}li^{0}ʂʅ$^{53}_{44}$ta^{21}e$_{53}$tu$_{44}$la^{0}.ʂət^{5}pau^{21}li^{0}ta^{21}e$_{53}$təu$_{44}$,ən$_{21}$."ɲi$^{13}_{21}$ʂət^{5}pau^{21}li^{0}xa^{0},ta^{21}e$_{44}$təu$_{44}$çi$^{53}_{44}$li^{0}."xei$^{53}_{44}$me$^{53}_{44}$?xai^{13}iəu$^{35}_{44}$lei^{0},kai$^{53}_{44}$tʂʰən^{53}tsɿ^{0}ŋai^{13}tien^{0}kai$^{53}_{44}$iaŋ$^{53}_{44}$iəu^{35}tʂak^{3}lau^{21}tsɿ^{0}ko^{0},iet^{3}tʰien^{35}tau$^{53}_{44}$ia$^{53}_{44}$ta^{21}e$_{53}$təu$_{53}$nei^{0}. ɲi^{13}mɔk^{5}ua^{53}ci$^{13}_{21}$ia^{35}pait^{3}ʂət^{5}ci^{21}sɔi$^{53}_{44}$tʂaŋ^{53}si^{21}le^{0}.iet^{3}tʰien^{35}tau$^{53}_{44}$e^{0}kau^{21}xa^{53}tsɿ^{0}iəu^{53}ta^{21},iet^{3}kau^{21}xa^{53}tsɿ^{0}iəu^{53}ta^{21}iet^{3}tʂak^{3}lei^{0},kau^{21}xa^{53}tsɿ^{0}ta^{21}tʂak^{3},iet^{3}tʂak^{3}kai^{53}lau^{21}tsɿ^{0}nei^{0}.ɔn$^{35}_{44}$tso$^{53}_{44}$tʂɔŋ$^{35}_{44}$tsɿ^{21}ləŋ^{13}nei^{0},xe$_{21}$e$_{21}$,tʂɔŋ$^{35}_{44}$tsɿ^{21}ləŋ^{13}lau^{21}tsɿ^{21}nei^{0}.ei^{0}ci$^{13}_{21}$ua$^{53}_{44}$ɲiɔŋ^{53}mən^{13}ci$^{13}_{21}$ko^{0}uɔi^{53}tsəŋ^{21}ta^{21}e$_{44}$tu$_{44}$uo^{0}?xei$^{53}_{44}$tʂəŋ^{21}pʰiaŋ^{53}.tan^{53}ʂʅ^{53}ci$^{13}_{21}$ia$^{35}_{44}$pait^{3}ʂət^{5}ci^{21}sɔi$^{53}_{44}$si^{21}xek^{3}li^{0}nei^{0}.

【打发】ta^{21}fait^{3} 动①客人离开时赠与礼物，也代指赠给即将离去的客人的礼物：～哟，安做舞只～哟，离开个时子爱～呀，噢，箇～一滴么啊东西，如今是就系～一只红包啦。如今就系～一只红包嘞，以前也系嘞。渠个～就我等人客姓人就蛮多名堂呢。渠个高亲呢有正高亲。呣，唔同。主高亲。箇主高亲系么人呢？就系新娘个兄弟，新娘个阿哥，欸，就系主高亲。渠个～嘞唔同。新娘个阿哥啊，主高亲个～唔同。渠除哩摎渠等人摎其他人一样个，我先讲其他人啵。其他所有个高亲，欸，都有只红包。其他东西嘞箇就看男方，渠拿么个，有滴～一条子面巾子啦，有滴是还一包子烟呐，系啊？欸，糖子啦。点茶啦。有滴人～一包子换茶啦。箇是所有个都有个。都有。每个，反正系高亲都有。如今是一般就两百块子钱，四百块子钱啵。好，以下你就两十个人就两十起，两十个人都有。以下箇只主高亲呢，箇只新娘个阿哥嘞，渠就又唔同滴子，渠就还有只步仪包封，箇就比箇只钱还更多啦，比箇～个钱还更多啦。你后背来个都有～嘞，但是冇得步仪。还有只猪□子猪肘子，爱～一只猪□子。欸，爱～一块猪肉。箇有几斤啵，食猪□子咯。还有一块猪肉，也三四斤。一块猪肉，一只猪□子，一只步仪，三项东西，渠就会多三项东西。正高亲。ta^{21}fait^{3}iau^{0},ɔn$^{35}_{44}$tso$^{53}_{44}$u^{21}tʂak^{3}ta^{21}fait^{3}iau^{0},li^{13}kʰɔi$^{35}_{44}$ke$^{53}_{44}$ʂʅ$^{13}_{44}$tsɿ^{0}ɔi$^{53}_{44}$ta^{21}fait^{3}ia^{0},au^{21},ka$^{53}_{44}$ta^{21}fait^{3}iet^{3}tet^{5}mak^{3}a^{0}təŋ$^{35}_{44}$si^{0},i$^{13}_{21}$cin$^{35}_{44}$ʂʅ$^{53}_{44}$tsʰiəu^{53}xe^{53}ta^{21}fait^{3}iet^{3}tʂak^{3}fəŋ$^{13}_{21}$pau$^{35}_{44}$la^{0}.i$^{13}_{21}$cin$^{35}_{44}$tsʰiəu^{53}xe$^{53}_{44}$ta^{21}fait^{3}iet^{3}tʂak^{3}fəŋ$^{13}_{21}$pau$^{35}_{44}$lei^{0},i$^{35}_{44}$tsʰien$^{13}_{21}$ia^{35}xe^{53}le^{0}.ci$^{13}_{21}$ke^{53}ta^{21}fait^{3}tsʰiəu^{53}ŋai$^{13}_{21}$tien^{0}in$^{13}_{21}$kʰak^{3}sin^{53}ɲin$^{13}_{21}$tsʰiəu$^{53}_{44}$man$^{13}_{21}$to$^{35}_{44}$min^{13}tʰɔŋ^{13}ne^{0}.ci$^{13}_{21}$ke$^{53}_{44}$kau^{35}tsʰin$^{35}_{44}$nei^{0}iəu^{35}tʂən^{53}kau$^{35}_{44}$tsʰin$^{35}_{44}$.m̩^{21},n̩$^{13}_{21}$tʰəŋ^{13}.tʂʮ^{21}kau$^{35}_{44}$tsʰin$^{35}_{44}$.kai$^{53}_{44}$tʂʮ^{21}kau$^{35}_{44}$tsʰin$^{35}_{44}$xei^{53}mak^{3}ɲin$^{13}_{21}$nei^{0}?tsʰiəu$^{53}_{44}$xe$^{53}_{44}$sin^{35}ɲiɔŋ^{13}ke$^{53}_{44}$çin^{35}tʰi^{53},sin^{35}ɲiɔŋ^{13}ke$^{53}_{44}$a^{35}ko$^{35}_{44}$,e^{21},tsʰiəu$^{53}_{44}$xei$^{53}_{44}$tʂʮ^{21}kau$^{35}_{44}$tsʰin$^{35}_{44}$.ci^{13}ke$^{53}_{44}$ta^{21}fait^{3}lei^{0}n̩^{13}tʰəŋ^{13}.sin^{35}ɲiɔŋ$^{13}_{21}$ke$^{53}_{44}$a^{35}ko$^{35}_{44}$a^{0},tʂʮ^{21}kau$^{35}_{44}$tsʰin$^{35}_{44}$ke$^{53}_{44}$ta^{21}fait^{3}n̩$^{13}_{21}$tʰəŋ$^{13}_{21}$.ci$^{13}_{21}$tʂʰəu$^{13}_{21}$li^{0}lau$^{35}_{44}$ci$^{13}_{21}$tien^{0}ɲin$^{13}_{0}$lau$^{35}_{44}$cʰi^{13}tʰa$^{35}_{44}$ɲin$^{13}_{21}$iet^{3}iɔŋ^{53}ke$^{53}_{44}$,ŋai$^{13}_{21}$sien$^{35}_{44}$kɔŋ^{21}cʰi$^{13}_{21}$tʰa$^{35}_{44}$ɲin$^{13}_{21}$nau^{0}.cʰi$^{13}_{21}$tʰa$^{35}_{44}$so^{21}iəu$^{35}_{44}$ke$^{53}_{44}$kau$^{35}_{44}$tsʰin$^{35}_{44}$,e^{21},təu$^{35}_{44}$iəu$^{35}_{44}$tʂak^{3}fəŋ$^{13}_{21}$pau$^{35}_{44}$.cʰi$^{13}_{21}$tʰa$^{35}_{44}$təŋ$^{35}_{44}$si^{0}lei^{0}kai$^{53}_{44}$tsʰiəu$^{53}_{44}$kʰɔn^{53}nan^{13}fɔŋ$^{35}_{44}$,ci^{13}la^{53}mak^{3}ke^{53},iəu^{35}tet^{5}ta^{21}fait^{3}iet^{3}tʰiau$^{13}_{21}$tsɿ^{0}mien^{53}cin$^{35}_{44}$tsɿ^{0}la^{0},iəu^{35}tet^{5}sɿ$^{53}_{44}$xai^{13}iet^{3}pau$^{35}_{44}$tsɿ^{0}ien^{35}na^{0},xei$^{53}_{44}$a^{0}?e^{21},tʰɔŋ^{13}tsɿ^{0}la^{0}.tian^{21}tsʰa$^{13}_{44}$la^{0}.iəu^{35}tet^{5}n̩$_{21}$(←ɲin^{13})ta^{21}fait^{3}iet^{3}pau$^{35}_{44}$tsɿ^{0}uɔn^{53}tsʰa$^{13}_{21}$la^{0}.kai$^{53}_{44}$ʂʅ$^{53}_{44}$so^{21}iəu^{35}ke$^{53}_{44}$təu$^{35}_{44}$iəu$^{35}_{44}$ke$^{53}_{44}$.təu$^{35}_{44}$iəu$^{35}_{44}$.mei^{35}cie^{53},fan^{21}tʂən^{53}xe^{53}kau$^{35}_{44}$tsʰin$^{35}_{44}$təu$^{35}_{44}$iəu$^{35}_{44}$.i$^{13}_{21}$cin$^{35}_{44}$ʂʅ$^{53}_{44}$iet^{3}pɔn^{35}tsʰiəu$^{53}_{44}$iɔŋ^{21}pak^{3}kʰuai^{53}tsɿ^{0}tsʰien$^{13}_{21}$,si^{53}pak^{3}kʰuai^{53}tsɿ^{0}tsʰien$^{13}_{21}$nau^{0}.xau^{21}, i^{21}xa$^{53}_{44}$ɲi$^{13}_{21}$tsʰiəu$^{53}_{44}$iɔŋ^{21}ʂət^{5}ke^{53}in$^{13}_{21}$tsʰiəu$^{53}_{44}$iɔŋ^{21}ʂət^{5}çi^{21},iɔŋ^{21}ʂət^{5}ke^{53}in$^{13}_{21}$təu$^{35}_{44}$iəu$^{35}_{44}$.i^{21}xa$^{53}_{44}$kai^{53}tʂak^{3}tʂəu^{21}kau$^{35}_{44}$tsʰin$^{35}_{44}$ne^{0},kai^{53}tʂak^{3}sin^{35}ɲiɔŋ$^{13}_{21}$ke$^{53}_{44}$a^{35}ko^{35}le^{0},ci$^{13}_{21}$tsʰiəu$^{53}_{44}$iəu$^{53}_{44}$n̩$^{13}_{21}$tʰəŋ$^{13}_{21}$tiet^{5}tsɿ^{0},ci$^{13}_{21}$tsʰiəu$^{53}_{44}$xai$^{13}_{21}$iəu$^{35}_{44}$tʂak^{3}pʰu^{53}ɲi$^{13}_{21}$pau$^{35}_{44}$fəŋ$^{35}_{44}$,kai$^{53}_{44}$tsʰiəu$^{53}_{44}$pi^{21}kai^{53}tʂak^{3}tsʰien$^{13}_{21}$xai$^{13}_{21}$cien^{53}to^{35}la^{0},pi^{21}kai$^{53}_{44}$ta^{21}fait^{3}ke$^{53}_{44}$tsʰien$^{13}_{21}$xai$^{13}_{21}$cien$^{53}_{44}$to^{35}la^{0}. ɲi$^{13}_{21}$xei^{53}pɔi$^{53}_{44}$lɔi$^{13}_{21}$ke$^{53}_{44}$təu$^{35}_{44}$iəu$^{35}_{44}$ta^{21}fait^{3}lei^{0},tan$^{53}_{44}$ʂʅ$^{53}_{44}$mau$^{13}_{21}$tek^{3}pʰu^{53}ɲi$^{13}_{21}$.xai$^{13}_{21}$iəu$^{35}_{44}$tʂak^{3}tʂəu^{35}kʰu^{53}tsɿ^{0},ɔi^{53}ta^{21}fait^{3}iet^{3}tʂak^{3}tʂəu^{35}kʰu^{53}tsɿ^{0}.e^{21},ɔi$^{53}_{44}$ta^{21}fait^{3}iet^{3}kʰuai^{53}tʂəu^{35}ɲiəuk^{3}.kai$^{53}_{44}$iəu^{35}ci^{21}cin^{35}nau^{0},ʂət$^{5}_{3}$tʂəu^{35}kʰu^{53}tsɿ^{0}ko^{0}.xai$^{13}_{21}$iəu$^{35}_{44}$iet^{3}kʰuai^{53}tʂəu^{35}ɲiəuk^{3},ia^{35}san$^{35}_{44}$si^{53}cin^{35}.iet^{3}kʰuai^{53}tʂəu^{35}ɲiəuk^{3},iet^{3}tʂak^{3}tʂəu^{35}kʰu^{53}tsɿ^{0},iet^{3}tʂak^{3}pʰu^{53}ɲi$^{13}_{21}$,san^{35}xɔŋ^{53}təŋ^{35}si^{0},ci^{13}tsʰiəu$^{53}_{44}$uɔi$^{53}_{44}$to$^{35}_{44}$san$^{35}_{44}$xɔŋ$^{53}_{21}$təŋ$^{35}_{44}$si^{0}.tʂən^{53}kau$^{35}_{44}$tsʰin$^{35}_{44}$. ②亲友馈赠新娘：渠有滴箇个，打比我个妹子出嫁，当姑姑个，我个老妹子箇只，哎，我个阿姐老妹箇只当姑姑个，渠会送滴子东西分渠啊，买滴子东西，送分侄女子啊，～下子渠唠，～新人呐，～侄女子啊。箇是最亲个人呐。横辈人就唔爱呀。最亲个人呐。或者～老妹子啊。欸，打比我等有几姊妹，欸，

面前几只都嫁咁，卖嘿哩了，还有只最细个老妹子，我有最细个老妹子结婚以到，系唔系？渠阿姐，欸，渠个阿姐，买滴子东西～渠呀，～老妹子啊箇就。有滴舅爷～外甥女啊。ci$^{13}_{21}$ iəu^{35} tet^{5} kai$^{53}_{44}$ ke$^{53}_{44}$,ta^{21} pi^{21} ŋai^{13} ke$^{53}_{44}$ mɔi^{53} tsɿ^{0} tʂʰət^{3} ka^{53},tɔŋ$^{53}_{44}$ ku^{35} ku$^{35}_{44}$ ke$^{53}_{44}$,ŋai^{13} ke$^{53}_{44}$ lau^{21} mɔi^{53} tsɿ^{0} kai$^{53}_{44}$ tʂak^{0},ai^{21},ŋai^{13} ke$^{53}_{44}$ a^{35} tsia^{21} lau^{21} mɔi^{53} kai$^{53}_{44}$ tʂak^{0} tɔŋ$^{35}_{44}$ ku^{35} ku$^{35}_{44}$ ke$^{53}_{44}$,ci$^{13}_{21}$ uɔi$^{53}_{44}$ səŋ^{53} tet^{5} tsɿ^{0} təŋ$^{35}_{44}$ si^{0} pən$^{35}_{44}$ ci$^{13}_{21}$ a^{0},mai^{35} tiet^{5} tsɿ^{0} təŋ$^{35}_{44}$ si^{0},səŋ^{53} pən$^{35}_{44}$ tʂət^{5} ŋ̍^{21} tsa^{0},ta^{21} fait^{3} a^{53} tsɿ^{0} ci$^{13}_{21}$ lau^{0},ta^{21} fait^{3} sin^{35} ɲin$^{13}_{21}$ na^{0},ta^{21} fait^{3} tʂət^{5} ŋ̍^{21} tsa^{0}.kai$^{53}_{44}$ ʂʅ$^{53}_{44}$ tsei^{53} tsʰin^{35} cie^{53} ɲin$^{13}_{21}$ na^{0}.uɔŋ^{13} pei$^{53}_{44}$ ɲin$^{13}_{21}$ tsʰiəu$^{53}_{44}$ m̩$^{13}_{21}$ mɔi$^{53}_{44}$ ia^{0}.tsei^{53} tsʰin^{35} cie^{53} ɲin$^{13}_{21}$ na^{0}.xɔit^{5} tʂa^{21} ta^{21} fait^{3} lau^{21} mɔi^{53} tsa^{0}.e^{21},ta^{21} pi^{21} ŋai^{13} tien^{0} iəu$^{35}_{44}$ ci^{21} tsi^{21} mɔi^{53},e^{21},mien^{53} tsʰien$^{13}_{21}$ ci^{21} tʂak^{3} təu$^{35}_{44}$ ka^{53} kan^{21},mai^{53} ek^{3} li^{0} liau^{0},xai$^{13}_{21}$ iəu$^{35}_{44}$ tʂak^{3} tsei^{53} se$^{53}_{44}$ ke$^{53}_{44}$ lau^{21} mɔi^{53} tsɿ^{0},ŋai$^{13}_{21}$ iəu$^{35}_{44}$ tsei^{53} se$^{53}_{44}$ ke$^{53}_{44}$ lau^{21} mɔi^{53} tsɿ^{0} ciet^{3} fən^{35} i^{21} tau$^{53}_{44}$,xei$^{53}_{44}$ me$^{53}_{44}$?ci$^{13}_{21}$ a^{35} tsia^{21},ei^{21},ci$^{13}_{21}$ ke$^{53}_{44}$ a^{35} tsia^{21},mai^{35} tiet^{5} tsɿ^{0} təŋ$^{35}_{44}$ si^{0} ta^{21} fait^{3} ci$^{13}_{21}$ ia^{0},ta^{21} fait^{3} lau^{21} mɔi^{53} tsa^{0} kai$^{53}_{44}$ tsʰiəu$^{53}_{44}$.iəu^{35} tiet^{5} cʰiəu^{35} ia$^{13}_{21}$ ta^{21} fait^{3} ŋɔi^{53} saŋ$^{35}_{44}$ ŋ̍^{21} ŋa^{0}.｜～妹子个他还有只绩笼噢。ta^{21} fait^{3} mɔi^{53} tsɿ^{0} ke^{53} tʰa$^{35}_{21}$ xai^{13} iəu$^{35}_{53}$ tʂak^{3} tsiak^{3} ləŋ^{13} ŋau^{0}.

【打枋】ta^{21} fɔŋ^{35} 动将木材根据实际加工需要锯切成一定规格形状的方形条木。也称“出枋子”：木匠师傅啊爱分你一筒一筒个树，欸，勵圆个树，做成有用个行头，渠第一步就系～来。～。欸，分箇个树打成枋子。muk^{3} siɔŋ$^{53}_{44}$ sɿ$^{35}_{44}$ fu^{53} a^{0} ɔi^{53} pən$^{35}_{44}$ ɲi$^{13}_{44}$ iet^{3} tʰəŋ$^{13}_{21}$ iet^{3} tʰəŋ^{13} ke^{0} ʂəu^{53},e$_{21}$,li^{35} ien^{13} ke$^{53}_{44}$ ʂəu^{53},tso^{53} ʂaŋ$^{13}_{44}$ iəu^{35} iəŋ^{53} ke^{0} çin^{13} tʰei^{13},ci$^{13}_{21}$ tʰi^{53} iet^{3} pʰu^{53} tsʰiəu$^{53}_{44}$ xe$^{53}_{44}$ ta^{21} fɔŋ^{35} lɔi$^{13}_{44}$.ta^{21} fɔŋ^{35}.e$_{21}$,pən^{35} kai$^{53}_{44}$ ke$^{53}_{44}$ ʂəu^{53} ta^{21} ʂaŋ^{13} fɔŋ^{35} tsɿ^{0}.

【打粉】ta^{21} fən^{21} 动加工成粉末：麻糍你晓让门做么？渠就唔爱～呢，就用糯米。ma^{13} tsʰi^{13} ɲi$^{13}_{21}$ çiau^{21} ɲiɔŋ^{53} mən$^{13}_{44}$ tso^{53} mo^{0}?ci$^{13}_{21}$ tsʰiəu^{53} m̩$^{13}_{21}$ mɔi$^{53}_{35}$ ta^{21} fən^{21} nei^{0},tsʰiəu^{53} iəŋ$^{53}_{44}$ lo^{53} mi^{21}.

【打复逃】ta^{21} fuk^{5} tʰau^{13} 动返工的俗称：欸有只箇个嘞，客姓人有只安做～个话法嘞。～。～就系么啊意思嘞就系嘞？～。呣。～就就又转去做哩。就系又倒转去做箇只事哩安做～呢。欸打比样我栽滴树，系唔系？我栽滴杉树。欸栽杉树嘞，嗯，我去铲草。增铲得好唠，增铲净唠。返工个意思。欸，我～。要去～。系再做一次，意思就系再做，重复做一次。ei$_{44}$ iəu^{35} tʂak^{3} kai$^{53}_{44}$ ke$^{53}_{44}$ lei^{0},kʰak^{3} sin^{53} ɲin^{13} iəu^{35} tʂak^{3} ɔn$^{35}_{44}$ tso$^{53}_{44}$ ta^{21} fuk^{5} tʰau^{13} ke^{53} ua^{53} fait^{3} lei^{0}.ta^{21} fuk^{5} tʰau$^{13}_{44}$.ta^{21} fuk^{5} tʰau$^{13}_{44}$ tsʰiəu^{53} xei$^{53}_{44}$ mak^{3} a^{0} i^{53} si^{0} lei^{0} tsʰiəu$^{53}_{44}$ xe$^{53}_{44}$ le^{0}?ta^{21} fuk^{5} tʰau$^{13}_{44}$.m̩$_{21}$.ta^{21} fuk^{5} tʰau$^{13}_{21}$ tsʰiəu$^{53}_{44}$ tsʰiəu$^{53}_{44}$ iəu^{53} tʂɔn^{21} çi$^{53}_{44}$ tso^{53} li^{0}.tsʰiəu$^{53}_{44}$ xe$^{53}_{44}$ iəu^{53} tau^{53} tʂɔn^{21} çi$^{53}_{44}$ tso^{53} kai^{53} tʂak^{3} sɿ^{53} li^{0} ɔn$^{35}_{44}$ tso$^{53}_{44}$ ta^{21} fuk^{5} tʰau$^{13}_{44}$ nei^{0}.e$_{21}$ ta^{21} pi^{21} iɔŋ$^{53}_{44}$ ŋai^{13} tsɔi^{35} tiet$^{5}_{3}$ ʂəu^{53},xei$^{53}_{44}$ me$^{53}_{44}$?ŋai^{13} tsɔi^{35} tiet$^{5}_{3}$ sa^{35} ʂəu^{53}.e$_{21}$ tsɔi^{35} sa^{35} ʂəu^{53} lei^{0},ŋ̍$_{21}$,ŋai$^{13}_{44}$ çi^{53} tsʰan^{21} tsʰau^{21}.maŋ^{13} tsʰan$^{21}_{44}$ tek^{3} xau^{21} lau^{0},maŋ^{13} tsʰan^{21} tsʰiaŋ^{53} lau^{0}.fan^{21} kəŋ^{35} ke$^{53}_{44}$ i$^{53}_{44}$ sɿ^{0}.e$_{21}$,ŋai^{13} ta^{21} fuk^{5} tʰau$^{13}_{21}$.iau$^{53}_{44}$ çi^{53} ta^{21} fuk^{5} tʰau$^{13}_{21}$.xe$^{53}_{21}$ tsai^{53} tso$^{53}_{21}$ iet^{3} tsʰɿ^{53},i$^{53}_{44}$ sɿ^{0} tsʰiəu$^{53}_{44}$ xe$^{53}_{44}$ tsai^{53} tso^{53},tʂʰəŋ^{13} fuk^{5} tso^{53} iet^{3} tsʰɿ^{53}.

【打搞架子】ta^{21} kau^{21} cia^{53} tsɿ^{0} 玩打架游戏：～又安做打耍架子。细人子就喜欢～。但是箇阵我等教书哇，箇细人子～打来打去打痛哩就发气哟。也就到老师箇来告状哦。咁子个真多。还有动物也～嘞。欸，箇个狗子啊，欸，会～。ta^{21} kau^{21} cia^{53} tsɿ^{0} iəu$^{53}_{44}$ ɔn$^{35}_{53}$ tso^{53} ta^{21} sa^{21} cia^{53} tsɿ^{0}.sei^{53} ɲin$^{13}_{21}$ tsɿ^{0} tsʰiəu^{53} çi^{21} fɔn$^{35}_{44}$ ta^{21} kau^{21} cia^{53} tsɿ^{0}.tan$^{53}_{44}$ ʂʅ$^{53}_{44}$ kai$^{53}_{44}$ tʂʰən$^{53}_{44}$ ŋai$^{13}_{21}$ tien^{0} kau^{35} ʂu^{35} ua^{0},kai$^{53}_{44}$ sei^{53} ɲin$^{13}_{21}$ tsɿ^{0} ta^{21} kau^{21} cia^{53} tsɿ^{0} ta^{21} lɔi^{13} ta^{21} çi^{53} ta^{21} tʰəŋ^{53} li^{0} tsʰiəu$^{53}_{44}$ fait^{3} çi^{53} io^{0}.ia^{35} tsʰiəu^{53} tau^{53} lau^{21} sɿ$^{35}_{44}$ kai^{53} lɔi$^{13}_{21}$ kau^{53} tsʰɔŋ^{53} ŋo^{0}.kan^{21} tsɿ^{0} ke$^{53}_{44}$ tʂən^{35} to$^{35}_{44}$.xai$^{13}_{21}$ iəu$^{35}_{44}$ tʰəŋ^{53} u^{35} ia$^{35}_{44}$ ta^{21} kau^{21} cia^{53} tsɿ^{0} lei^{0}.ei$_{21}$,kai$^{53}_{44}$ ke$^{53}_{44}$ kei^{21} tsɿ^{0} a^{0},e$_{21}$,uɔi^{53} ta^{21} kau^{21} cia^{53} tsɿ^{0}.

【打歌】ta^{21} ko^{35} 动唱歌：还有嘞（出春牛灯个时候子）爱唱。让门子唱啊？箇只欸提张犁个人呢，趟牛个箇只人呢，让门子唱啊？唔知让门子唱。爱爱爱念呐。让门子？“～啊唔～啊，打……”呃，让门子啊？“唔～就田里稗子多，～嘞就一年打出两年禾。哎，～～～。”就唱歌个意思啊。唱歌个意思啊，～。我唔多记得哩。唔多记得哩凑。“～啊唔～”，呣，“唔～就田里稗子多，～嘞就一年打出两年禾”。箇就欢喜嘞，系唔系？就讲句子好话唠。xai^{13} iəu$^{35}_{44}$ le^{0} ɔi$^{53}_{44}$ tʂʰɔŋ^{53}. ɲiɔŋ^{53} mən^{0} tsɿ^{0} tʂʰɔŋ^{53} ŋa^{0}?kai^{53} tʂak^{3} e$_{21}$ tʰia^{35} tʂɔŋ$^{35}_{44}$ lai^{13} ke$^{53}_{44}$ ɲin^{13} ne^{0},ciəuk^{5} ɲiəu^{13} ke^{0} kai^{53} tʂak^{3} ɲin$^{13}_{44}$ ne^{0}, ɲiɔŋ^{53} mən^{0} tsɿ^{0} tʂʰɔŋ^{53} ŋa^{0}?n̩^{13} ti$^{35}_{44}$ ɲiɔŋ^{53} mən^{0} tsɿ^{0} tʂʰɔŋ^{53}.ɔi$^{53}_{44}$ ɔi$^{53}_{44}$ ɔi$^{53}_{44}$ ɲian^{53} na^{0}. ɲiɔŋ^{53} mən^{0} tsɿ^{0}?"ta^{21} ko$^{35}_{44}$ a^{0} n̩^{13} ta^{21} ko$^{35}_{44}$ a^{0},ta^{21}⋯"ə$_{21}$, ɲiɔŋ^{53} mən^{0} tsɿ^{0} a^{0}?"n̩^{13} ta^{21} ko$^{35}_{44}$ tsʰiəu^{53} tʰien^{13} ni$^{35}_{44}$ pʰa^{53} tsɿ^{0} to^{35},ta^{21} ko$^{35}_{44}$ le^{0} tsʰiəu^{53} iet^{3} ɲien^{13} ta^{21} tʂʰət^{3} iɔŋ^{21} ɲien^{13} uo^{13}.ai$_{53}$,ta^{21} ko$^{35}_{44}$ ta^{21} ko^{35} ta^{21} ko$^{35}_{44}$."tsʰiəu$^{53}_{44}$ tʂʰɔŋ^{53} ko^{35} ke^{0} i$^{53}_{44}$ sɿ$^{35}_{44}$ a^{0}.tʂʰɔŋ^{53} ko^{35} ke^{0} i$^{53}_{44}$ sɿ$^{35}_{44}$ a^{0},ta^{21} ko^{35}.ŋai$^{13}_{21}$ n̩^{13} to^{35} ci^{53} tek^{3} li^{0}.n̩^{13} to^{35} ci^{53} tek^{3} li^{0} tsʰe^{0}."ta^{21} ko$^{35}_{44}$ a^{0} n̩^{13} ta^{21} ko^{35}",m̩$_{53}$,"n̩^{13} ta^{21} ko$^{35}_{44}$ tsʰiəu^{53} tʰien^{13} ni$^{35}_{44}$ pʰa^{53} tsɿ^{0} to^{35},ta^{21} ko$^{35}_{44}$ le^{0} tsʰiəu^{53} iet^{3} ɲien^{13} ta^{21} tʂʰət^{3} iɔŋ^{21} ɲien^{13} uo^{13}".kai$^{53}_{44}$ tsʰiəu$^{53}_{44}$ fɔn^{35} çi^{21} le^{0},xei$^{53}_{44}$ me$^{53}_{44}$?tsiəu^{53} kɔŋ^{21} ci^{53} tsɿ^{0} xau^{21} fa^{53} lau^{0}.

【打更】ta^{21} kaŋ^{35} 动旧时把一夜分做五更，每到一更，巡夜者敲锣击梆以报时：以前皇碑树下～呶，系哈？i$^{35}_{44}$ tsʰien^{13} uɔŋ^{13} pi$^{35}_{44}$ ʂəu$^{53}_{44}$ xa$^{53}_{44}$ ta^{21} kaŋ$^{35}_{44}$ nau^{0},xei$^{53}_{44}$ xa^{0}?

【打钩镰】ta^{21}kei^{35}lian$^{13}_{21}$ 用钩镰枪表演武术套路：有表演武术个，打棍，打凳，欸，～，打大刀，三节棍，箇都有。iəu^{35}piau^{21}ien^{21}u^{35}ʂət^{5}ke$^{53}_{21}$,ta^{21}kuən^{53},ta^{21}ten^{53},e$_{21}$,ta^{21}kei^{35}lian$^{13}_{21}$,ta^{21}t^{h}ai^{53}tau^{35},san^{35}tset^{3}kuən^{53},kai$^{53}_{21}$təu$^{35}_{21}$iəu$^{35}_{44}$.

【打狗粄】ta^{21}kei^{21}/ciei^{21}pan^{21} 名放在死者手中的米馃：好像嘴里爱放滴米去吧？箇放嘿哩箇起东西以后嘞，手里嘞爱做几只米馃呢。挜下手里，安做～呢。就系到阴间去个时候子怕路上有狗，趟狗个。狗来哩就分只米馃分渠丢下去。～。xau^{21}siəŋ$^{53}_{44}$tʂɔi^{53}li^{21}ɔi$^{53}_{44}$fəŋ^{53}tet$^{5}_{3}$mi^{21}çi$^{53}_{44}$pa^{0}?kai$^{53}_{44}$fəŋ^{53}xek^{3}li^{0}kai^{53}çi^{21}təŋ$^{35}_{44}$si^{0}i$^{35}_{44}$xei$^{53}_{44}$lei^{0},ʂəu^{21}li^{0}lei^{0}ɔi$^{53}_{44}$tso^{53}ci^{21}tʂak^{3}mi^{21}ko^{21}nei^{0}.ia^{21}xa^{0}ʂəu^{21}li^{21},ɔn$^{35}_{44}$tso$^{53}_{44}$ta^{21}ciei^{21}pan^{21}nei^{0}.ts^{h}iəu$^{53}_{44}$xei$^{53}_{44}$tau^{53}in^{35}kan$^{35}_{44}$çi^{53}ke$^{53}_{44}$ʂʅ$^{13}_{44}$xei$^{53}_{44}$tsɿ^{0}p^{h}a^{53}ləu^{53}xɔŋ$^{53}_{44}$iəu^{35}ciei^{21},ciəuk^{5}ciei^{21}ke^{53}.ciei^{21}lɔi^{13}li^{0}ts^{h}iəu$^{53}_{44}$pən^{35}tʂak^{3}mi^{21}ko^{21}pən^{35}ci$^{13}_{21}$tiəu^{35}a^{0}çi$^{53}_{44}$.ta^{21}kei^{21}pan^{21}.

【打构】ta^{21}kəu^{53} 动冰冻：冷天就十分冷个时候子～。有只话法，“落雪名声，～真冷”。嗯，～就真正系冷，落雪就系名声。laŋ^{35}t^{h}ien$^{35}_{44}$ts^{h}iəu^{53}ʂət^{5}fən$^{35}_{44}$naŋ^{35}ke^{0}ʂʅ^{13}xəu$^{53}_{44}$tsɿ^{0}ta^{21}ciei^{53}.iəu^{35}tʂak^{3}ua^{53}fait^{3},"lɔk^{5}set^{3}miaŋ^{13}ʂaŋ$^{35}_{44}$,ta^{21}ciei^{53}tʂən^{35}naŋ^{35}".n̩$_{21}$,ta^{21}ciei^{53}ts^{h}iəu$^{53}_{44}$tʂən^{35}tʂən$^{53}_{44}$xe$^{53}_{44}$laŋ^{35},lɔk^{5}set^{3}ts^{h}iəu$^{53}_{44}$xei$^{53}_{44}$miaŋ^{13}ʂaŋ$^{35}_{44}$.

【打骨都】ta^{21}kuət^{5}təu$^{35}_{44}$ 动打嗝，呃逆，又称“打呃”：～爱屙屎了哇。ta^{21}kuət^{5}təu$^{35}_{44}$ɔi$^{53}_{44}$o$^{35}_{44}$ʂʅ^{21}liau^{21}ua^{0}.

【打卦】ta^{21}kua^{53} 动用两块占具投掷以问神，观其俯仰以占卜吉凶。占具形如剖开的竹笋，一面平坦，有节，为“阳”；一面圆弧状凸出，无节，为“阴”：渠是咁个竹子吵，渠肚里就有节。呀，以向是冇得节，以向就有节，咁子合倒，一只竹系劈开来，系唔系啊？ci^{13}ʂʅ$^{53}_{44}$kan^{21}ke$^{53}_{44}$tʂəuk^{3}tsɿ^{0}ʂa^{0},ci$^{13}_{21}$təu^{21}li^{0}ts^{h}iəu$^{53}_{44}$iəu$^{35}_{44}$tsiet^{3}.ia$_{44}$, i^{21}çiɔŋ$^{53}_{44}$ʂʅ$^{53}_{44}$mau^{13}tek^{3}tsiet^{3},i^{21}çiɔŋ$^{53}_{44}$ts^{h}iəu$^{53}_{44}$iəu^{35}tsiet^{3},kan^{21}tsɿ^{0}xɔit^{5}tau^{21},iet^{3}tʂak^{3}tʂəuk^{3}xei$^{53}_{44}$p^{h}iak$^{3}_{35}$k^{h}ɔi^{35}lɔi$^{13}_{21}$,xei$^{53}_{44}$me$^{53}_{44}$a^{0}?

【打跪】ta^{21}k^{h}uei^{21} 动膝盖发软，好像不由自主地要跪下一样：撞怕唔知几尯疲累个时候子啊，安做膝头都～。ts^{h}ɔŋ^{21}p^{h}a^{53}n̩$^{13}_{21}$ti$^{35}_{44}$ci$^{21}_{44}$c^{h}iɔi^{53}ke$^{53}_{21}$ʂʅ$^{13}_{44}$xəu$^{53}_{44}$tsɿ^{0}a^{0},ɔn$^{35}_{44}$tso$^{53}_{44}$ts^{h}iet^{3}t^{h}ei$^{13}_{21}$təu^{53}ta^{21}k^{h}uei^{21}.

【打官司】ta^{21}kɔn^{35}sɿ^{35} 进行诉讼：如今呢张家坊以映子都有只咁个安做律师事务所，有几个人欸渠啊邹嘞，姓邹个。专门撂别人家～。渠就让门官司渠都接。欸嘿，有兜人爱离婚个官司啊，嗯，你只爱有钱，渠就会同你打。i$^{13}_{21}$cin$^{35}_{44}$ne^{0}tʂɔŋ$^{35}_{44}$ka$^{35}_{44}$fɔŋ^{35}i^{21}iaŋ$^{53}_{44}$tsɿ^{0}təu$^{35}_{44}$iəu^{35}tʂak^{3}kan^{21}ke^{0}ɔn$^{35}_{44}$tso$^{53}_{44}$liet^{5}sɿ$^{35}_{44}$sɿ^{53}u^{53}so^{21},iəu^{35}ci^{21}ke$^{53}_{44}$ɲin^{13}ei$_{44}$ci$^{13}_{21}$a^{0}tsei^{35}lei^{0},siaŋ^{53}tsei^{35}ke^{53}.tʂen^{35}mən$^{13}_{21}$lau^{35}p^{h}iet^{5}in$^{13}_{44}$ka$^{35}_{44}$ta^{21}kɔn$^{35}_{44}$sɿ^{0}.ci^{13}ts^{h}iəu^{53}ɲiɔŋ^{53}mən^{0}kɔn$^{35}_{44}$sɿ$^{35}_{44}$ci$^{13}_{21}$təu$^{35}_{53}$tset^{3}.e$_{21}$xe$_{44}$,iəu^{35}təu$^{35}_{44}$ɲin$^{13}_{21}$ɔi$^{53}_{44}$li^{13}fən^{35}cie^{0}kɔn$^{35}_{44}$sɿ$^{35}_{44}$a^{0},n̩$_{21}$, ɲi$^{13}_{21}$tʂʅ^{21}ɔi$^{53}_{44}$iəu$^{35}_{53}$ts^{h}ien^{13},ci^{13}ts^{h}iəu^{53}uɔi^{53}t^{h}əŋ$^{13}_{44}$ɲi$^{13}_{44}$ta^{21}.

【打滚子】ta^{21}kuən^{21}tsɿ^{0} ①（人，多指小孩）躺在地上来回翻滚：就跍倒地泥下滚去滚转来，就系～。跍下床上～。跍下地泥下～。ts^{h}iəu$^{53}_{44}$ku$^{35}_{44}$tau^{21}t^{h}i^{53}lai$^{13}_{21}$xa^{35}kuən^{21}çi^{53}kuən^{21}tʂuən^{21}nɔi$^{13}_{21}$,ts^{h}iəu$^{53}_{44}$xe$^{53}_{44}$ta^{21}kuən^{21}tsɿ^{0}.k^{h}u$^{35}_{44}$(x)a$^{53}_{44}$ts^{h}ɔŋ^{13}xɔŋ^{53}ta^{21}kuən^{21}tsɿ^{0}.k^{h}u$^{35}_{44}$(x)a$^{53}_{44}$t^{h}i^{53}lai$^{13}_{21}$xa^{35}ta^{21}kuən^{21}tsɿ^{0}. ②用蒲滚平田：欸，从前是以前是作田也～嘞。作田也～嘞。耙嘿哩田以后，舞只箇滚子用牛拖倒。人徛下上背～。又安做蒲滚呢，打蒲滚。～。ei^{0}ts^{h}əŋ^{13}ts^{h}ien^{13}ʂʅ$^{53}_{44}$i$^{35}_{53}$ts^{h}ien$^{13}_{44}$ʂʅ$^{53}_{44}$tsɔk^{3}t^{h}ien$^{13}_{21}$na$_{53}$(←ia^{35})ta^{21}kuən^{21}tsɿ^{0}le^{0}.tsɔk^{3}t^{h}ien$^{13}_{21}$na$_{53}$(←ia^{35})ta^{21}kuən^{21}tsɿ^{0}le^{0}.p^{h}a^{13}xek^{3}li^{0}t^{h}ien^{13}i$^{35}_{44}$xei^{53},u^{21}tʂak^{3}kai^{53}kuən^{21}tsɿ^{0}iəŋ^{53}ɲiəu^{13}t^{h}o^{35}tau^{21}. ɲin^{13}c^{h}i^{35}ia^{53}(←xa^{53})ʂɔŋ$^{53}_{44}$pɔi$^{53}_{44}$ta^{21}kuən^{21}tsɿ^{0}.iəu^{53}ɔn$^{35}_{53}$tso^{53}p^{h}u^{13}kuən^{21}ne^{0},ta^{21}p^{h}u^{13}kuən^{21}. ta^{21}kuən^{21}tsɿ^{0}.

【打棍】ta^{21}kuən^{53} 用棍棒表演武术套路：有表演武术个，～，打凳，欸，打钩镰，打大刀，三节棍，箇都有。iəu^{35}piau^{21}ien^{21}u^{35}ʂət^{5}ke$^{53}_{21}$,ta^{21}kuən^{53},ta^{21}ten^{53},e$_{21}$,ta^{21}kei^{35}lian$^{13}_{21}$,ta^{21}t^{h}ai^{53}tau^{35},san^{35}tset^{3}kuən^{53},kai$^{53}_{21}$təu$^{35}_{21}$iəu$^{35}_{44}$.

【打哈音】ta^{21}xa^{35}in$^{35}_{44}$ 打哈欠：想睡了，～呢。我是天天都到哩八点多钟就即即哩～。唔系输命个吗？即即哩～。siɔŋ^{21}ʂɔi^{53}liau^{0},ta^{21}xa^{35}in$^{35}_{44}$ne^{0}.ŋai^{13}ʂʅ$^{53}_{44}$t^{h}ien^{35}t^{h}ien$^{35}_{44}$təu$^{35}_{44}$tau^{53}li^{0}pait^{3}tian^{21}to$^{35}_{44}$tʂəŋ$^{35}_{44}$ts^{h}iəu$^{53}_{44}$tset^{5}tset^{5}li^{0}ta^{21}xa^{35}in$^{35}_{44}$.m̩$^{13}_{21}$p^{h}e$^{53}_{44}$ʂəu$^{35}_{44}$miaŋ^{53}cie^{0}ma^{0}?tset^{5}tset^{5}li^{0}ta^{21}xa^{35}in$^{35}_{44}$.

【打嗨涕】ta^{21}xai^{53}ts^{h}i^{53} 打喷嚏：～，打得厉害个是就鼻脓口水都来哩噢。打哈欠是打哈音。～嘞就系唔知几响个箇只，欸，受哩刺激，打比炒菜，炒辣哩，跍倒箇即即哩～，系啊？ta^{21}xai^{53}ts^{h}i^{53},ta^{21}tek^{3}li^{53}xɔi$^{53}_{44}$ke^{0}ʂʅ$^{53}_{44}$ts^{h}iəu$^{53}_{44}$p^{h}i^{53}ləŋ$^{13}_{21}$xei^{21}ʂei^{21}təu$^{35}_{53}$lɔi$^{13}_{21}$li^{0}au^{0}.ta^{21}xa^{35}c^{h}ien$^{53}_{44}$ʂʅ$^{53}_{44}$ta^{21}xa^{35}in$^{35}_{44}$.ta^{21}xai^{53}ts^{h}i$^{53}_{44}$lei^{0}ts^{h}iəu$^{53}_{44}$xei$^{53}_{44}$n̩^{13}ti$^{35}_{53}$ci^{21}çiɔŋ^{21}cie$^{53}_{44}$kai^{53}tʂak^{3},e$_{21}$ʂəu^{53}li^{0}ts^{h}ɿ^{53}ciet^{3},ta^{21}pi^{21}ts^{h}au^{21}ts^{h}ɔi^{53},ts^{h}au^{21}lait^{5}li^{0},k^{h}u$^{35}_{44}$tau$^{21}_{44}$kai$^{53}_{44}$tset^{5}tset^{5}li^{0}ta^{21}xai^{53}ts^{h}i^{53},xei$^{53}_{44}$a^{0}?

【打禾】ta^{21}uo^{13} 动收割水稻并脱粒：皮箩嘞可以荷下外背去～。p^{h}i^{13}lo^{13}lei^{0}k^{h}o^{21}i^{35}k^{h}ai^{35}(x)a$^{53}_{44}$

ŋɔi^{53}pɔi$^{53}_{44}$çi^{3}ta^{21}uo^{13}.｜打嘿禾来，再来栽。ta^{21}xek^{3}uo^{13}lɔi$^{13}_{44}$,tsai^{53}lɔi$^{13}_{21}$tsɔi^{35}.

【打禾苗龙】ta^{21}uo^{13}miau^{13}liəŋ^{13} 旧时三、四月插田前后举行群体性灭虫祈福活动：～噢，安做，打龙噢。～。好像话，欸，用秆把，扎倒个龙，扎倒子个秆把子就系一些龙，就箇龙身子样，舞条绳，摞下去，欸，可以打一百节，欸，可以箇去一百个人，跕倒禾田里打叮叮。去田里啊，田中间个小路上啊打叮叮。要转。点着来。有滴是插滴香啊。就安做～啊。最后烧嘿去嘞。最后，开头唔烧。只烧得几多下就冇得哩嘞。渠爱打叮叮咯。开头唔烧，最后烧嘿去。ta^{21}uo^{13}miau^{13}liəŋ^{13}ŋau^{0},ɔn$^{35}_{44}$tso$^{53}_{44}$,ta^{21}liəŋ^{13}ŋau^{0}.ta^{21}uo^{13}miau^{13}liəŋ^{13}.xau^{21}ts^{h}iəŋ^{53}ua$^{53}_{44}$,ei$_{21}$,iəŋ^{53}kɔn^{21}pa^{21},tsait^{3}tau^{21}ke^{53}liəŋ^{13},tsait^{3}tau^{21}tsɿ^{0}ke^{53}kɔn^{21}pa^{21}tsɿ^{0}ts^{h}iəu^{53}xe$^{53}_{21}$iet^{3}sie$^{53}_{44}$liəŋ^{13},ts^{h}iəu$^{53}_{44}$kai$^{53}_{44}$liəŋ^{13}ʂən^{35}tsɿ^{0}iəŋ$^{53}_{44}$,u^{21}t^{h}iau^{13}ʂən^{13},k^{h}uan$^{53}_{44}$na$^{53}_{44}$çi$^{53}_{44}$,ei$_{21}$,k^{h}o^{21}i$^{35}_{44}$ta^{21}iet^{3}pak^{3}tsiet^{3},e$_{21}$,k^{h}o^{21}i$^{35}_{44}$kai$^{53}_{44}$çi^{53}iet^{3}pak^{3}cie^{53}ɲin^{13},ku^{35}tau^{21}uo^{13}t^{h}ien$^{13}_{21}$li^{0}ta^{21}tin^{35}tin$^{35}_{44}$.çi^{53}t^{h}ien^{13}ni^{0}a^{0},t^{h}ien^{13}tʂəŋ$^{35}_{44}$kan$^{35}_{44}$ke$^{53}_{44}$siau^{21}ləu^{53}xɔŋ^{53}ŋa^{0}ta^{21}tin^{35}tin$^{35}_{44}$.iau^{53}tʂɔn^{21}.tian^{21}tʂ^{h}ɔk^{5}lɔi$^{13}_{21}$.iəu^{35}tet$^{5}_{3}$ʂɿ$^{53}_{44}$ts^{h}ait^{3}tiet^{5}çiɔŋ^{35}ŋa^{0}.ts^{h}iəu$^{53}_{44}$ɔn$^{35}_{44}$tso$^{53}_{44}$ta^{21}uo^{13}miau^{13}liəŋ^{13}ŋa^{0}.tsei^{53}xei^{53}ʂau^{35}ek^{3}çi$^{53}_{21}$le^{0}.tsei^{53}xei$^{53}_{44}$,k^{h}ɔi^{35}t^{h}ei$^{13}_{44}$n̩$^{13}_{21}$ʂau$^{35}_{44}$.tʂɿ^{21}ʂau^{35}tek^{3}ci^{21}to$^{35}_{44}$xa^{53}ts^{h}iəu$^{53}_{44}$mau$^{53}_{21}$ek^{3}li^{0}lei^{0}.ci$^{13}_{21}$ɔi^{53}ta^{21}tin^{35}tin$^{35}_{44}$ko^{0}.k^{h}ɔi^{35}t^{h}ei$^{13}_{44}$n̩$^{13}_{21}$ʂau$^{35}_{44}$,tsei^{53}xei$^{53}_{44}$ʂau$^{35}_{44}$ek^{3}çi$^{53}_{21}$.

【打横床】ta^{21}uaŋ^{13}ts^{h}ɔŋ^{13} 随意躺下小睡：～就系随意个跕倒你床上躺下子啊，睡下子啊。欸，就安做～啊。打下子横床啊。我系来去打下子横床正。ta^{21}uaŋ^{13}ts^{h}ɔŋ^{13}ts^{h}iəu^{53}xe^{53}sei^{13}i^{53}ke^{53}k^{h}u^{35}tau^{21}ɲi$^{13}_{21}$ts^{h}ɔŋ$^{13}_{21}$xɔŋ^{53}t^{h}ɔŋ^{21}xa$^{53}_{44}$tsa^{0},ʂɔi^{53}xa$^{53}_{44}$tsa^{0}.e$_{21}$,ts^{h}iəu$^{53}_{44}$ɔn$^{35}_{44}$tso$^{53}_{44}$ta^{21}uaŋ^{13}ts^{h}ɔŋ^{13}ŋa^{0}.ta^{21}xa^{53}tsɿ^{0}uaŋ^{13}ts^{h}ɔŋ^{13}a^{0}.ŋai^{13}xe$^{53}_{44}$lɔi^{13}çi^{53}ta^{21}xa^{53}tsɿ^{0}uaŋ^{13}ts^{h}ɔŋ^{13}tʂaŋ^{53}.

【打火机】ta^{21}fo^{21}ci^{35} 名 内装瓦斯、酒精或汽油，用来点火的器具：以前个～是烧汽油个嘞。我同我舅爷都唔知搞过几多子汽油哇。用～呀。～呀？咁子对……也系咁子对子□嘿子个，铁皮子个，雪白子，铁皮子。爱放汽油嘞。底下有只子咁个圆圆子铁个坨坨子，灌汽油。i^{21}ts^{h}ien$^{13}_{21}$ke^{53}ta^{21}fo^{21}ci^{35}ʂɿ$^{53}_{44}$ʂau$^{35}_{44}$çi^{53}iəu$^{13}_{21}$ke^{53}le^{0}.ŋai^{13}t^{h}əŋ$^{13}_{21}$ŋai$^{13}_{21}$c^{h}iəu^{35}ia$^{13}_{21}$təu$^{35}_{44}$n̩^{13}ti$^{35}_{44}$kau^{21}ko^{53}ci^{21}to^{35}tsɿ^{0}çi^{53}iəu$^{13}_{21}$ua^{0}.iəŋ^{53}ta^{21}fo^{21}ci^{35}ia^{0}.ta^{21}fo^{21}ci^{35}ia^{0}?kan^{21}tsɿ^{0}tɔi⋯ia^{35}xei^{53}kan^{21}tsɿ^{0}tɔi^{53}tsɿ^{0}t^{h}ek^{5}ek^{3}tsɿ^{0}ke$^{53}_{44}$,t^{h}et^{3}p^{h}i^{13}tsɿ^{0}ke^{53},siet^{5}p^{h}ak^{5}tsɿ^{0},t^{h}iet^{3}p^{h}i^{13}tsɿ^{0}.ɔi$^{53}_{44}$fɔŋ$^{53}_{44}$çi^{53}iəu$^{13}_{21}$le^{0}.te^{21}xa$^{53}_{44}$iəu^{35}tʂak^{3}tsɿ^{0}kan^{21}ke^{53}ien^{13}ien^{13}tsɿ^{0}tet^{3}ke^{53}t^{h}o^{13}t^{h}o^{13}tsɿ^{0},kɔn$^{53}_{44}$çi^{53}iəu$^{13}_{21}$.

【打火石】ta^{21}fo^{21}ʂa^{53} 名 火石：～是听讲过，我等是赠用过～打火，欸。哦哦，系系系，以前个打火机爱放～。系系。同箇个火柴棍子咁大子。咁长子一筒子。雪白子。系吗？箇是～，系系。讲起来又晓得。以前个打火机爱～。挖下去就射火星。如今个打火机唔爱了，唔知让门子渠又也会……用么个？用电吗？如今个箇火星哪映来个如今个？如今个打火机唔晓得。系，以前系系系讲起。ta^{21}fo^{21}ʂak^{5}tʂɿ^{21}t^{h}aŋ^{35}kɔŋ^{21}ko^{0},ŋai^{13}tien^{0}ʂɿ$^{53}_{44}$maŋ^{13}iəŋ$^{53}_{44}$ko$^{53}_{44}$ta^{21}fo^{21}ʂak^{5}ta^{21}fo^{21},e$_{21}$.o$_{44}$o$_{21}$,xe^{53}xe$^{53}_{44}$xe$^{53}_{44}$,i^{35}ts^{h}ien^{13}ke^{53}ta^{21}fo^{21}ci$^{35}_{44}$ɔi^{53}fɔŋ^{53}ta^{21}fo^{21}ʂak^{5}.xe$^{53}_{44}$xe$^{53}_{44}$.t^{h}əŋ^{13}kai$^{53}_{44}$ke$^{53}_{44}$xo^{21}ts^{h}ai^{13}kuən^{53}tsɿ^{0}kan^{21}t^{h}ai^{53}tsɿ^{0}.kan$^{21}_{13}$tʂ^{h}ɔŋ$^{35}_{44}$tsɿ^{0}(i)et^{3}t^{h}əŋ^{13}tsɿ^{0}.siet^{5}p^{h}ak^{5}tsɿ^{0}.xei^{53}ma^{0}?kai$^{53}_{44}$ʂɿ$^{53}_{44}$ta^{21}fo^{21}ʂak^{5},xe$^{53}_{44}$xe$^{53}_{44}$.kɔŋ^{21}çi^{21}lɔi^{13}iəu^{53}çiau^{21}tek^{3}.i$^{35}_{53}$ts^{h}ien^{13}ke^{53}ta^{21}fo^{21}ci^{35}ɔi$^{53}_{44}$ta^{21}fo^{21}ʂak^{5}.uait^{3}(x)a^{53}çi^{53}ci$^{13}_{21}$ts^{h}iəu$^{53}_{44}$ʂa^{53}xo^{21}sin^{35}.i$^{13}_{21}$cin$^{35}_{53}$ke^{0}ta^{21}fo^{21}ci$^{35}_{44}$m̩^{13}mɔi$^{53}_{44}$liau^{0},n̩^{13}ti$^{35}_{44}$ɲiɔŋ$^{53}_{44}$mən^{0}tsɿ^{0}ci$^{13}_{44}$iəu$^{53}_{44}$ia^{35}uɔi^{53}⋯iəŋ^{53}mak^{3}ke$^{53}_{44}$?iəŋ$^{53}_{44}$t^{h}ien^{53}ma^{0}?i$^{13}_{21}$cin^{35}ke^{0}kai^{53}fo^{21}sin^{35}la^{53}iaŋ$^{53}_{44}$lɔi$^{13}_{21}$ke^{0}i$^{13}_{21}$cin^{35}ke^{0}?i$^{13}_{21}$cin^{35}ke^{0}ta^{21}fo^{21}ci^{35}n̩^{13}çiau^{21}tek^{3}.xe^{53},i^{35}ts^{h}ien$^{13}_{21}$xe^{53}xe^{53}xe^{53}kɔŋ^{21}çi^{21}.

【打伙】ta^{21}fo^{21} 动 合伙，又称“绞伙”：几家人～，来种菜，搞只蔬菜合作社。ci^{21}ka^{35}ɲin$^{13}_{44}$ta^{21}fo^{21},lɔi$^{13}_{21}$tʂəŋ$^{53}_{44}$ts^{h}ɔi^{53},kau^{21}tʂak^{3}səu^{35}ts^{h}ɔi$^{53}_{44}$xɔit^{5}tsɔk^{3}ʂa^{53}.

【打记】ta^{21}ci^{53} 动 打上标记：你～下子看呐，你加只疑问号放在那里。ɲi^{13}ta^{21}ci^{53}ia$_{21}$(←xa^{53})tsɿ^{0}k^{h}an^{53}na^{0},ɲi$^{13}_{21}$cia$^{35}_{44}$tʂak^{3}ɲi^{13}uən$^{53}_{44}$xau$^{53}_{44}$faŋ$^{53}_{44}$ts^{h}ai$^{53}_{44}$na$^{53}_{44}$li^{0}.

【打祭】ta^{21}tsi^{53} 动 祭奠，为追念死者并安抚其在天之灵而举行仪式：箇是系有蛮多祭哟。成服就有只成服个祭，成服咯～。也系咁子，慢嗯再来讲呶。我先分嗯家祭只讲出来唠。成服爱～。有滴嘞为了表示敬重呢，剮猪，死哩人呐，杀猪杀羊个时候子嘞，爱～，爱监牲安做。监牲，监督个监。监牲要～。成服爱～。成哩服以后，每餐食饭，食饭之前爱打餐祭。欸，以下嘞就，欸，成服，监牲，以下就箇个爱～，箇个最最隆重个嘞就系正斋箇晡夜晡个家奠，就系孝子箇场祭。kai^{53}ʂɿ$^{53}_{21}$xe$^{53}_{44}$iəu$^{35}_{44}$man$^{13}_{21}$to$^{35}_{44}$tsi^{53}iau^{0}.tʂ^{h}ən^{13}fuk^{5}ts^{h}iəu$^{53}_{44}$iəu^{35}tʂak^{3}tʂ^{h}ən^{13}fuk^{5}ke$^{53}_{44}$tsi$^{53}_{44}$,tʂ^{h}ən^{13}fuk^{5}ko^{0}ta^{21}tsi^{53}.ia^{35}xei^{53}kan$^{53}_{44}$tsɿ^{0},man$^{53}_{44}$n̩$_{44}$tsai^{53}lɔi$^{13}_{21}$kɔŋ^{21}nau^{0}.ŋai$^{13}_{21}$sien^{35}pən^{35}n̩$_{44}$ka$^{35}_{44}$tsi^{53}tʂak^{3}kɔŋ^{21}tʂ^{h}ət^{3}lɔi$^{13}_{21}$lau^{0}.tʂ^{h}ən^{13}fuk^{5}ɔi$^{53}_{44}$ta^{21}tsi^{53}.iəu^{35}tet^{5}lei^{0}uei^{53}liau^{0}piau^{21}ʂɿ$^{53}_{44}$cin^{53}tʂ^{h}əŋ$^{53}_{44}$nei^{0},tʂ^{h}ɿ^{13}tʂəu^{35},si^{21}li^{0}ɲin^{13}na^{0},sait^{3}tʂəu^{35}sait^{3}iɔŋ$^{13}_{21}$ke^{53}ʂɿ$^{13}_{21}$xəu$^{53}_{44}$tsɿ^{0}lei^{0},ɔi$^{53}_{44}$ta^{21}tsi^{53},ɔi$^{53}_{44}$kan$^{35}_{44}$sien^{35}ɔn$^{35}_{44}$tso$^{53}_{44}$.kan$^{35}_{44}$sien^{35},kan^{35}təuk^{3}ke$^{53}_{44}$kan^{35}.kan$^{35}_{44}$sien^{35}niau^{53}ta^{21}tsi$^{53}_{44}$.tʂ^{h}ən^{13}fuk^{5}ɔi$^{53}_{44}$ta^{21}tsi$^{53}_{44}$.tʂ^{h}ən^{13}ni^{0}fuk^{5}i$^{35}_{44}$xei$^{53}_{44}$,mei^{35}ts^{h}ɔn^{35}ʂət^{5}fan^{53},ʂət^{5}fan^{53}tʂɿ$^{35}_{44}$

tsʰien$^{13}_{21}$ɔi$^{53}_{44}$ta^{21}tsʰɔn^{35}tsi^{53}.ei$_{21}$,i^{21}xa^{53}lei^{0} tsʰiəu^{53},e$_{21}$,tʂʰən^{13}fuk^{5},kan$^{35}_{44}$sien^{35},i^{21}xa$^{53}_{44}$tsʰiəu$^{53}_{44}$kai^{53}ke$^{53}_{44}$ɔi$^{53}_{44}$ta^{21} tsi^{53},kai$^{53}_{21}$ke$^{53}_{21}$tsei^{53}tsei^{53}ləŋ^{13}tʂʰəŋ^{53}ke$^{53}_{44}$lei^{0} tsʰiəu^{53}xei$^{53}_{44}$tʂən^{53}tsai$^{35}_{44}$kai$^{53}_{44}$pu^{35}ia^{53}pu$^{35}_{44}$kei$^{53}_{21}$cia^{35}tʰien^{53},tsiəu$^{53}_{21}$xei$^{53}_{21}$ çiau^{53}tsɿ^{21}kai$^{53}_{44}$tʂʰɔŋ$^{13}_{21}$tsi^{53}.｜有滴以下是有滴人人数又少少子是有滴就也有唔～个。一堂祭都唔打，孝子都唔～。iəu^{35}tet^{5} i^{21}xa$^{53}_{44}$ʂʅ$^{53}_{44}$iəu^{35}tet^{5}ɲin$^{13}_{21}$ɲin^{13}ʂəu$^{53}_{44}$iəu^{53}ʂau^{21}ʂau^{21}tsɿ^{0} ʂʅ$^{53}_{44}$iəu^{35}tet^{5} tsʰiəu$^{53}_{44}$ia^{35}iəu$^{35}_{44}$ n̩^{13}ta^{21}tsi^{53}ke$^{53}_{44}$.iet^{3} tʰɔŋ^{13}tsi^{53}təu$^{35}_{44}$n̩$^{13}_{21}$ta^{21},çiau^{53}tsɿ^{21}təu$^{35}_{44}$n̩$^{13}_{21}$ta^{21}tsi$^{53}_{21}$.

【打加官】ta^{21}cia^{35}kɔn^{35} 戏曲演出中，忽然停锣息鼓，由戴天官或娘娘面具的演员向特殊身分的观众祝贺加官进爵：～，欸，箇个也只系我听讲个。唱戏个时候子～。让门子安做～我都呢……戏，唱戏肚里。～是大概就系有兜子同如今个节目主持人样，欸，演戏个时候演到演只子段落嘞就箇个节目主持人就出来。“今晡我等以个戏是目的是系祝贺么人，么人么人升哩官，嗯，～，大家都来祝贺渠。”我嫑看过凑嘞。欸。我听讲过。同时在……电视电影肚里我看过，电影肚里看过，电视肚里看过。～。有只么个话法哟都安做～呢。以前我等箇映子有只老子长日会讲～呢。一只么个话法话做安做～呢。拿钱～。就系拿倒钱去，大概哈就系拿倒钱去，请别人家讲几句好话。系咁个意思。嗯，拿钱～，请别人家讲几句子咁个漂亮话，就安做拿钱～。你爱别人家做事冇得白做。欸，就系～咁个路子，讲几句漂亮话，你都爱出钱。安做爱拿钱～。你就爱爱别人家讲句子好话咯，你都爱出钱，爱付出代价。欸，爱拿钱～。ta^{21}cia^{35}kɔn^{35},e$_{21}$,kai^{53}kei$^{53}_{44}$ia^{35}tʂʅ^{21}xe^{53}ŋai$^{13}_{21}$tʰaŋ^{35}kɔŋ^{21}ke^{0}.tʂʰɔŋ$^{53}_{44}$çi^{53}ke^{0} ʂʅ^{13}xei$^{53}_{44}$tsɿ^{0} ta^{21}cia^{35}kɔn$^{35}_{44}$. ɲiɔŋ^{53}mən^{0} tsɿ^{0} ɔn$^{35}_{44}$tso$^{53}_{44}$ta^{21}cia^{35}kɔn^{35}ŋai$^{13}_{21}$təu$^{35}_{53}$ne^{0} ⋯çi^{53},tʂʰɔŋ$^{53}_{44}$çi^{53}tu^{21}li^{0}.ta^{21}cia^{35}kɔn^{35}ʂʅ$^{53}_{44}$tʰai^{53}kʰai$^{53}_{44}$tsʰiəu^{53} xei$^{53}_{44}$iəu^{35}təu$^{35}_{53}$tsɿ^{0} tʰəŋ^{13}i$^{13}_{21}$cin$^{35}_{53}$kei$^{53}_{44}$tset^{3} muk^{5} tʂʅ^{21}tʂʰʅ^{13}ɲin^{13}iɔŋ^{53},e$_{21}$,ien^{21}çi^{53}ke$^{53}_{44}$ʂʅ$^{53}_{44}$xəu$^{53}_{44}$ien^{21}tau$^{53}_{44}$ien^{21}tʂak^{3} tsɿ^{0} tɔn^{53}lɔk^{5} lei^{0} tsʰiəu^{53}kai$^{53}_{44}$ke$^{53}_{44}$tset^{3} muk^{5} tʂʅ^{21}tʂʰʅ^{13}ɲin^{13}tsiəu^{53}tʂʰət^{3} lɔi^{13}."cin^{35}pu$^{35}_{53}$ŋai^{13}tien^{0} i^{21}ke$^{53}_{44}$çi^{53}ʂʅ$^{53}_{44}$ muk^{3} tiet^{3} ʂʅ$^{53}_{44}$xei^{53}tʂuk^{3} xo^{53}mak^{3}ɲin^{13},mak^{3}ɲin$^{13}_{44}$mak^{3}ɲin^{13}ʂən^{35}ni^{0}kɔn^{35},n̩$_{21}$,ta^{21}cia^{35}kɔn^{35},tʰai^{53}cia$^{35}_{44}$təu$^{35}_{44}$lɔi$^{13}_{44}$ tʂuk^{3} xo^{53}ci$^{13}_{44}$."ŋai$^{13}_{21}$maŋ^{13}kʰɔn^{53}ko$^{53}_{44}$tsʰe^{0} le^{0} .e$_{21}$.ŋai$^{13}_{21}$tʰaŋ^{35}kɔŋ^{21}ko^{53}.tʰəŋ$^{13}_{21}$ʂʅ$^{13}_{44}$tsʰe⋯tʰien^{53}ʂʅ^{53}tʰien^{53}iaŋ^{21}təu^{21} li^{0} ŋai^{13}kʰɔn^{53}ko^{0},tʰien^{53}iaŋ^{21}təu^{21}li^{0} kʰɔn$^{53}_{44}$ko^{0},tʰien^{53}ʂʅ$^{53}_{44}$təu^{21}li^{0} kʰɔn$^{53}_{44}$ko^{0}.ta^{21}cia^{35}kɔn$^{35}_{44}$.iəu^{35}tʂak^{3} mak^{3} e^{0} ua^{53} fait^{3} io^{0} təu$^{35}_{44}$ɔn$^{35}_{53}$tso^{53}ta^{21}cia^{35}kɔn$^{35}_{44}$nei^{0} .i$^{35}_{53}$tsʰien$^{13}_{21}$ŋai^{13}tien^{0} kai^{53}iaŋ^{53}tsɿ^{0} iəu^{35}tʂak^{3} lau^{21}tsɿ^{0} tʂʰɔŋ^{13}ɲiet^{3} uɔi^{53} kɔŋ^{21}ta^{21}cia^{35}kɔn$^{35}_{44}$nei^{0} .iet^{3} tʂak^{3} mak^{3} e^{0} ua^{53}fait^{3} ua^{53}tso$^{53}_{44}$ɔn$^{35}_{44}$tso$^{53}_{44}$ta^{21}cia^{35}kɔn$^{35}_{44}$ne^{0} .lak^{5} tsʰien$^{13}_{21}$ta^{21}cia^{35}kɔn$^{35}_{44}$. tsʰiəu$^{53}_{44}$xe$^{53}_{44}$lak^{5} tau^{21}tsʰien^{13}çi^{53},tʰai^{53}kʰai$^{53}_{44}$xa^{0} tsʰiəu$^{53}_{44}$xe$^{53}_{44}$lak^{5} tau^{21}tsʰien^{13}çi^{53},tsʰiaŋ^{21}pʰiet^{5}ɲin$^{13}_{21}$ka$^{35}_{53}$kɔŋ^{21}ci^{21} ci^{53}xau^{21}fa^{53}.xei^{53}kan$^{21}_{13}$cie$^{53}_{44}$i^{53}sɿ^{0} .n̩$_{21}$,lak^{5} tsʰien^{13}ta^{21}cia^{35}kɔn$^{35}_{44}$,tsʰiaŋ^{21}pʰiet^{5}ɲin$^{13}_{44}$ka$^{35}_{44}$kɔŋ^{21}ci^{21}ci^{53}tsɿ^{0} kan^{21}cie$^{53}_{44}$ pʰiau^{53}liɔŋ$^{53}_{21}$fa^{53},tsʰiəu$^{53}_{44}$ɔn$^{35}_{44}$tso$^{53}_{44}$lak^{5} tsʰien^{13}ta^{21}cia^{35}kɔn$^{35}_{44}$. ɲi^{13}ɔi^{53}pʰiet^{5} in$^{13}_{21}$ka$^{35}_{44}$tso^{53}sɿ^{53}mau^{13}tek^{3} pʰak^{5} tso^{53}.e$_{21}$, tsʰiəu^{53}xe^{53}ta^{21}cia^{35}kɔn$^{35}_{44}$kan^{21}cie$^{53}_{44}$lu^{53}tsɿ^{0},kɔŋ^{21}ci^{21}ci^{53}pʰiau^{53}liɔŋ$^{53}_{44}$fa^{53}, ɲi$^{13}_{21}$təu$^{35}_{44}$ɔi^{53}tʂʰət^{3} tsʰien^{13}.ɔn$^{35}_{21}$tso$^{53}_{21}$ɔi$^{53}_{44}$ lak^{5} tsʰien^{13}ta^{21}cia^{35}kɔn$^{35}_{44}$. ɲi$^{13}_{21}$tsʰiəu$^{53}_{44}$ɔi$^{53}_{44}$ɔi$^{53}_{44}$pʰiet^{5} in$^{13}_{44}$ka$^{35}_{44}$kɔŋ^{21}ci^{53}tsɿ^{0} xau^{21}fa$^{53}_{44}$ko^{0}, ɲi$^{13}_{21}$təu$^{35}_{44}$ɔi^{53}tʂʰət^{3} tsʰien^{13}, ɔi$^{53}_{44}$fu^{53}tʂʰət^{3} tʰɔi^{53}cia$^{53}_{44}$.e$_{21}$,ɔi$^{53}_{44}$lak^{5} tsʰien^{13}ta^{21}cia^{35}kɔn$^{35}_{44}$.

【打家祭】ta^{21}cia^{35}tsi^{53} 出殡前一晚上举行隆重的祭祀仪式，持续时间较长，又称“打家奠、行家奠礼”：（治丧期间一般）搞到箇个食嘿夜饭子差唔多就安静下来哩，就唔搞哩。只有正斋箇晡夜晡，就系还山上岭个头晡夜晡，就会～，箇晡夜晡搞夜下子，最后一夜。就系最后一夜就会搞夜下子。打嘿祭嘞还爱化财呀，就烧灵屋啊。箇晡夜晡就会搞倒半夜。……箇只就最隆重个祭祀。kau^{21}tau^{53}kai$^{53}_{44}$ke$^{53}_{44}$ʂət^{5} xek^{3} ia^{53}fan^{53}tsɿ^{0} tsa^{35}n̩$^{13}_{21}$to^{35}tsʰiəu$^{53}_{44}$ŋɔn^{35}tsʰin$^{53}_{44}$xa$^{53}_{44}$lɔi$^{13}_{21}$li^{0} ,tsʰiəu$^{53}_{44}$m̩^{13} kau^{21}li^{0} .tʂʅ^{21}iəu$^{53}_{44}$tʂən^{53}tsai$^{35}_{44}$kai$^{53}_{44}$pu$^{35}_{44}$ia^{53}pu$^{35}_{44}$,tsʰiəu$^{53}_{44}$xe$^{53}_{44}$fan^{13}san^{35}ʂɔŋ^{35}liɔŋ^{35}ke$^{53}_{44}$tʰei^{13}pu$^{35}_{44}$ia^{53}pu$^{35}_{44}$,tsʰiəu$^{53}_{44}$uɔi$^{53}_{44}$ ta^{21}cia^{35}tsi^{53},kai$^{53}_{44}$pu$^{35}_{44}$ia$^{53}_{44}$pu$^{35}_{44}$kau^{21}ia^{53}xa$^{53}_{44}$tsɿ^{0} ,tsei^{53}xei^{53}iet^{3} ia^{53}.tsʰiəu$^{53}_{44}$xe$^{53}_{44}$tsei^{53}xei$^{53}_{44}$iet^{3} ia^{53}tsʰiəu$^{53}_{44}$uɔi$^{53}_{44}$kau^{21} ia^{53}xa$^{53}_{44}$tsɿ^{0} .ta^{21}xek^{3} tsi^{53}le^{0} xa$^{13}_{21}$ɔi$^{53}_{44}$fa^{53}tsʰɔi^{13}ia^{0} ,tsiəu$^{53}_{44}$ʂau$^{35}_{44}$lin^{13}uk^{3} a^{0} .kai$^{53}_{44}$pu$^{35}_{44}$ia$^{53}_{44}$pu$^{35}_{44}$tsʰiəu$^{53}_{44}$uɔi$^{53}_{44}$kau^{21}tau^{21} pan^{53}ia^{53}.⋯kai$^{53}_{44}$tʂak^{3} tsʰiəu$^{53}_{44}$tsei^{53}ləŋ^{13}tʂʰəŋ^{53}ke$^{53}_{44}$tsi^{53}sɿ$^{53}_{44}$.

【打架】ta^{21}cia^{53} 动 ①互相打斗：两只细人子～去哩，舞开一只。iɔŋ^{21}tʂak^{3} sei^{53}ɲin$^{13}_{21}$tsɿ^{0} ta^{53}cia^{53}çi^{53} li^{0} ,u^{21}kʰɔi$^{53}_{44}$iet^{3} tʂak^{3} .｜你去摎渠打一架！ɲi^{13}çi$^{53}_{44}$lau^{35}ci$^{13}_{21}$ta^{21}iet^{3} cia^{53}！②相互冲突造成不和谐：（浅蓝）色调更柔和，又冇事～。sek^{3} tiau^{53}cien^{53}iəu^{13}xo$^{53}_{44}$,iəu^{53}mau$^{13}_{21}$sɿ^{53}ta^{21}cia^{53}.

【打讲】ta^{21}kɔŋ^{21} 动 ①交谈，说话，聊天：一只事唔好明说，摎别人家～个时候子渠就使只子眼色。iet^{3} tʂak^{3} sɿ^{53}n̩^{13}xau^{21}min^{13}ʂek^{3} ,lau^{35}pʰiet^{5}ɲin$^{13}_{44}$ka$^{35}_{44}$ta^{21}kɔŋ^{21}ke$^{53}_{44}$ʂʅ$^{13}_{21}$xəu$^{53}_{21}$tsɿ^{0} ci$^{13}_{21}$tsʰiəu$^{53}_{44}$ʂʅ^{21}tʂak^{3} tsɿ^{0} ŋan^{21}sek^{3} .｜坐正来，打下子讲箇只。tsʰo^{35}tʂaŋ$^{53}_{21}$lɔi$^{13}_{21}$,ta^{21}(x)a$^{53}_{44}$tsɿ^{0} kɔŋ^{21}kai$^{53}_{44}$tʂak^{3} . ②相处：好～xau^{21} ta^{21}kɔŋ^{21}

【打酱油】ta^{21}tsiɔŋ^{53}iəu^{13} ①买酱油：～以前就冇得如……如今箇打酱油就系随意个事吧？做只子箇顺带做做个事吧，系唔系？以前就冇得箇只意思。就系～。～就～。冇得如今箇只意思。

ta^{21}tsiɔŋ^{53}iəu$_{44}^{13}$i^{35}ts^{h}ien^{13}ts^{h}iəu^{53}mau^{13}tek^{3} i$_{21}^{13}$…i$_{21}^{13}$cin^{35}kai^{53}ta^{21}tsiɔŋ^{53}iəu$_{21}^{13}$ts^{h}iəu^{53}xe^{53}sei^{13}i^{53}ke$_{44}^{53}$sɿ^{53}pa^{0}?tso^{53} tʂak^{3} tsɿ^{0} kai$_{44}^{53}$ʂən^{53}tai^{53}tso^{53}tso$_{21}^{53}$ke$_{44}^{53}$sɿ^{53}pa^{0},xei$_{44}^{53}$me$_{44}^{53}$?i$_{53}^{35}$ts^{h}ien$_{21}^{13}$ts^{h}iəu^{53}mau$_{21}^{13}$tek^{3} kai^{53}tʂak^{3} i^{53}sɿ^{0}.ts^{h}iəu^{53}xe$_{44}^{53}$ ta^{21}tsiɔŋ^{53}iəu$_{21}^{13}$.ta^{21}tsiɔŋ^{53}iəu^{13}ts^{h}iəu^{53}ta^{21}tsiɔŋ^{53}iəu$_{21}^{13}$.mau^{13}tek^{3} i$_{21}^{13}$cin$_{53}^{35}$kai^{53}tʂak^{3} i^{53}sɿ^{0}. ②顺道或随意而非专程或认真地做某事：以也我问过渠等搞么个？“我是来～个。”～个就系……就系搞么个？就系安做意思就系来嫐下子个，来凑下子热闹个，系唔系？以前冇得。以前就系打酱油就打酱油。冇得如今箇重意思。i^{21}ia$_{44}^{35}$ŋai^{13}uən^{53}ko$_{44}^{53}$ci$_{21}^{13}$tien^{0} kau^{21}mak^{3} e^{0}?"ŋai^{13}ʂʅ$_{44}^{53}$lɔi$_{44}^{13}$ta^{21}tsiɔŋ^{53}iəu$_{21}^{13}$ ke^{0}."ta^{21}tsiɔŋ^{53}iəu$_{21}^{13}$ke^{0} ts^{h}iəu^{53}xei^{53}…ts^{h}iəu^{53}xei^{53}kau^{21}mak^{3} ke^{53}?ts^{h}iəu$_{44}^{53}$xei$_{44}^{53}$ɔn^{35}tso$_{44}^{53}$i^{53}sɿ^{0} ts^{h}iəu$_{44}^{53}$xe$_{44}^{53}$lɔi^{13} liau^{53}xa$_{21}^{53}$tsɿ^{0} ke^{0},lɔi^{13}ts^{h}ei$_{44}^{53}$xa$_{44}^{53}$tsɿ^{0}ɲiet^{5} lau$_{44}^{53}$ke^{0},xei^{53}me^{53}?i$_{53}^{35}$ts^{h}ien$_{21}^{13}$mau$_{21}^{13}$tek^{3} .i$_{53}^{35}$ts^{h}ien$_{21}^{13}$ts^{h}iəu^{53}xe^{53}ta^{21}tsiɔŋ^{53} iəu^{13}ts^{h}iəu^{53}ta^{21}tsiɔŋ^{53}iəu$_{21}^{13}$.mau^{13}tek^{3} i$_{21}^{13}$cin$_{44}^{35}$kai^{53}tʂ^{h}əŋ^{13}i^{53}sɿ^{0}.

【打交叉】ta^{21}kau^{35}/k^{h}au^{35}ts^{h}a$_{44}^{35}$ 动方向不同的线或条状物互相穿过：我等是安做～噢，交叉噢打，箇帐子布咁子～个。ŋai$_{21}^{13}$tien^{0} ʂʅ$_{44}^{53}$ɔn$_{44}^{35}$tso$_{44}^{53}$kau^{35}ts^{h}a$_{44}^{35}$pu$_{44}^{53}$uau^{0},kau^{35}ts^{h}a$_{44}^{35}$uau^{0} ta^{21},kai$_{44}^{53}$tʂɔŋ^{53}tsɿ^{0} pu^{53} kan^{21}tsɿ^{0} ta^{21}kau^{35}ts^{h}a$_{44}^{35}$ke^{53}.

【打结头】ta^{21}ciet^{3} t^{h}ei^{13}/t^{h}əu^{13} 老派 ①在绳子之类条状物上打疙瘩：本来是就系两条绳子打只结头呀。pən^{21}nɔi^{13}ʂʅ^{53}ts^{h}iəu^{53}uei^{53}(←xei^{53})iɔŋ^{21}t^{h}iau$_{21}^{13}$ʂən^{13}tsɿ^{0} ta^{21}tʂak^{3} ciet^{3} t^{h}ei$_{21}^{13}$ia^{0}. ②比喻事情集中出现，疲于应对：事多哩也系可以讲啦。以发我硬事都～。搞都冇赢。事都～。以发个事啊就系咁多子硬～。箇就系借用嘞，系啊？箇就属于借用。事多哩，各种各样个事堆做一起来，就安做事情都～。sɿ^{53}to$_{44}^{35}$li^{0} ia$_{44}^{35}$xei$_{44}^{53}$k^{h}o$_{44}^{21}$i$_{44}^{35}$kɔŋ^{21}la^{0} .i$_{53}^{13}$fait^{3} ŋai^{13}ɲiaŋ$_{44}^{53}$sɿ$_{44}^{53}$tu$_{44}^{35}$ta^{21}ciet^{3} t^{h}ei^{13}.kau^{21}tu$_{53}^{35}$mau$_{21}^{13}$iaŋ^{13}. sɿ^{53}tu$_{44}^{35}$ta^{21}ciet^{3} t^{h}ei^{13}.i^{21}fait^{3} ke^{0} sɿ^{53}a^{0} ts^{h}iəu^{53}xei^{53}kan^{21}to$_{44}^{35}$tsɿ^{0}ɲiaŋ^{53}ta^{21}ciet^{3} t^{h}ei^{13}.kai$_{44}^{53}$ts^{h}iəu$_{44}^{53}$xei$_{44}^{53}$tsia^{53}iəŋ$_{21}^{53}$ le^{0},xei^{53}a^{0}?kai$_{44}^{53}$ts^{h}iəu$_{44}^{53}$ʂəuk^{5} ɥ$_{21}^{13}$tsia^{53}iəŋ$_{44}^{53}$.sɿ^{53}to^{35}li^{0},kɔk^{3} tʂəŋ^{21}kɔk^{3} iɔŋ$_{44}^{53}$ke^{0} sɿ^{53}tei^{35}tso^{53}iet^{3} çi^{21}lɔi^{13},ts^{h}iəu$_{44}^{53}$ ɔn$_{44}^{35}$tso$_{44}^{53}$sɿ^{53}ts^{h}in^{13}təu$_{53}^{35}$ta^{21}ciet^{3} t^{h}ei^{13}.

【打井】ta^{21}tsiaŋ^{21} ①挖水井：一般呢我等以映子吵～嘞就系以十几两十年咁个事了，以前唔爱～，因为山里，我等箇山里嘞有泉水。看倒有泉水，我就去挖下子，去挖下子，去挖下子就有泉水渠就有只井啊，系唔系？冇得泉水个栏场……你系首先发现哩有泉水，然后再去挖。以几十年来嘞，以再两十年来嘞，就有～个。iet^{3} pən^{35}ne^{0} ŋai^{13}tien^{0} i^{21}iaŋ^{53}tsɿ^{0} ʂa^{0} ta^{21}tsiaŋ^{21}lei^{0} ts^{h}iəu^{53}xei^{53}i^{21}ʂət^{5} ci^{21}iɔŋ^{21}ʂət^{5}ɲien^{13}kan$_{44}^{21}$ke$_{44}^{53}$sɿ^{53}liau^{0},i^{35}ts^{h}ien^{13}n̩^{13}mɔi^{53}ta^{21}tsiaŋ^{21},in^{35}uei^{53}san^{35}ni^{21},ŋai^{13}tien^{0} kai^{53}san^{35}ni^{21}lei^{0} iəu$_{53}^{35}$ts^{h}an^{13}ʂei^{21}.k^{h}ɔn^{53}tau^{21}iəu^{35}ts^{h}an$_{44}^{13}$ʂei$_{44}^{21}$,ŋai$_{21}^{13}$tsiəu^{53}çi^{53}uet^{3} (x)a^{53}tsɿ^{0} ,çi$_{44}^{53}$ua^{35}(x)a^{53}tsɿ^{0} ,çi$_{44}^{53}$ ua^{35}(x)a^{53}tsɿ^{0} ts^{h}iəu^{53}iəu^{35}ts^{h}an$_{44}^{13}$ʂei$_{44}^{21}$ci$_{21}^{13}$ts^{h}iəu$_{44}^{53}$iəu$_{44}^{35}$tʂak^{3} tsiaŋ^{21}ŋa^{0} ,xei^{53}me^{53}?mau^{13}tek^{3} ts^{h}an$_{44}^{13}$ʂei$_{44}^{21}$ke^{53}lan$_{44}^{13}$ tʂ^{h}ɔŋ$_{44}^{13}$…ɲi^{13}xei^{53}ʂəu^{21}sien$_{44}^{35}$fait^{3} çien^{53}ni^{0} iəu^{35}ts^{h}an^{13}ʂei^{21},vien^{13}xei$_{44}^{53}$tsai^{53}çi$_{21}^{53}$ua^{35}.i^{21}ci^{21}ʂət^{5}ɲien$_{44}^{13}$nɔi$_{44}^{13}$le^{0},i^{21} tsai^{53}iɔŋ^{21}ʂət^{5}ɲien$_{21}^{13}$nɔi$_{21}^{13}$le^{0},ts^{h}iəu$_{44}^{53}$iəu^{35}ta^{21}tsiaŋ^{21}ke^{0}. ②打造（竖的）墓穴：还有只就系做坟搞坟墓个时候子，为哩爱放只放进棺材去，就爱挖一只□长个咁个东西，放棺材个井，就安做～。xai^{13}iəu$_{53}^{35}$tʂak^{3} ts^{h}iəu^{53}xei$_{44}^{53}$tso^{53}fən^{13}kau^{21}fən^{13}mu^{53}ke$_{44}^{53}$ʂʅ^{13}xei$_{44}^{53}$tsɿ^{0} ,uei^{53}li^{0} ɔi^{53}fɔŋ^{53}tʂak^{3} fɔŋ^{53}tsin^{53}kɔn^{35}ts^{h}ɔi$_{21}^{13}$ çi$_{44}^{53}$,ts^{h}iəu^{53}ɔi^{53}uait^{3} iet^{3} tʂak^{3} lai^{35}tʂ^{h}ɔŋ$_{21}^{13}$kei$_{44}^{53}$kan^{21}cie$_{44}^{53}$təŋ$_{44}^{35}$si^{0} ,fɔŋ^{53}kɔn^{35}ts^{h}ɔi$_{21}^{13}$ke$_{44}^{53}$tsiaŋ^{21},ts^{h}iəu$_{44}^{53}$ɔn$_{44}^{35}$tso$_{44}^{53}$ta^{21} tsiaŋ^{21}.

【打酒】ta^{21}tsiəu^{21} 买酒：如今我都记得啊，竹筒～哇。i$_{21}^{13}$cin$_{44}^{35}$ŋai$_{21}^{13}$təu$_{44}^{35}$ci^{53}tek^{3} a^{0} ,tʂəuk^{3} t^{h}əŋ^{13}ta^{21} tsiəu^{21}ua^{0}.

【打毂】ta^{21}tsiəu^{53} 动①卷曲变形：今晡早上我话哩洗车，欸咁洗车一条管子□长。我就毂稳来，毂稳箇头上来。欸，毂来毂去，箇映放势～。等倒我放倒箇边来，箇头上又脱嘿哩。cin^{35}pu$_{53}^{35}$tsau^{21}ʂɔŋ$_{44}^{53}$ŋai^{13}ua^{53}li^{0} sei^{21}tʂ^{h}a^{35},e$_{21}$kan^{21}sei^{21}tʂ^{h}a^{35}iet^{3} t^{h}iau^{13}kuɔn^{21}tsɿ^{0} lai^{35}tʂ^{h}ɔŋ$_{44}^{13}$.ŋai^{13}ts^{h}iəu^{53}tsiəu$_{21}^{53}$ uən^{21}nɔi^{13},tsiəu$_{21}^{53}$uən^{21}kai^{53}t^{h}ei^{13}xɔŋ^{53}lɔi$_{44}^{13}$.e$_{44}$,tsiəu$_{21}^{53}$lɔi^{13}tsiəu$_{21}^{53}$çi^{53},kai$_{44}^{53}$iaŋ$_{44}^{53}$xɔŋ^{53}ʂʅ$_{44}^{53}$ta^{21}tsiəu^{53}.tien^{21}tau^{21}ŋai^{13} fɔŋ^{53}tau^{21}kai$_{44}^{53}$pien$_{53}^{35}$lɔi$_{44}^{13}$,kai^{53}t^{h}ei^{13}xɔŋ^{53}iəu^{53}t^{h}ɔit^{3} xek^{3} li^{0}. ②结团：头发都结饽个，系唔系？头发都～哇。卫生唔好。系，系有咁个。t^{h}ei$_{21}^{13}$fait^{3} təu$_{44}^{35}$ciet^{3} p^{h}ɔk^{5} ke^{0},xei^{53}me^{53}?t^{h}ei^{13}fait^{3} təu$_{53}^{35}$ta^{21}tsiəu^{53} ua^{0}.uei^{53}sen$_{44}^{35}$n̩$_{21}^{13}$xau^{21}.xei^{53},xei^{53}iəu^{35}kan^{21}cie$_{44}^{53}$.

【打开】ta^{21}k^{h}ɔi^{35} 动①改变关闭状态：客来哩，有人去箇子，我去～门来。k^{h}ak^{3} lɔi^{13}li^{0},iəu^{35} ɲin$_{21}^{13}$çi^{53}(k)ai^{53}tsɿ^{0},ŋai^{13}çi^{53}ta^{21}k^{h}ɔi$_{44}^{35}$mən^{13}nɔi$_{21}^{13}$.｜以下你爱放鸡了嘞，就～一篾板子来。i^{21}xa^{53}ɲi^{13}ɔi^{53} fɔŋ^{53}cie^{35}liau^{0} lei^{0} ,ts^{h}iəu$_{44}^{53}$ta^{21}k^{h}ɔi^{35}iet^{3} sak^{3} pan^{21}tsɿ^{0} lɔi^{13}. ②改变聚拢状态：散籽渠呢渠首先出下出来就是出下出来就箇个谷子豨拢豨拢吵。系唔系啊？渠还然后渠就会～来去灌浆吵。san^{21}tsɿ^{21} ci$_{21}^{13}$le^{0} ci$_{44}^{13}$ʂəu^{21}sien$_{44}^{35}$tʂət^{3} la$_{44}$(←xa^{53})tʂət^{3} lɔi$_{21}^{13}$ts^{h}iəu$_{44}^{53}$ʂʅ$_{44}^{53}$tʂ^{h}ət^{3} la^{53}(←xa^{53})tʂət^{3} lɔi$_{21}^{13}$ts^{h}iəu$_{21}^{53}$kai^{53}ke^{53}kuk^{3} tsɿ^{0} ɲia$_{21}^{13}$ləŋ$_{44}^{21}$ɲia$_{21}^{13}$ləŋ$_{44}^{21}$ʂa^{0} .xei$_{44}^{53}$me$_{44}^{53}$a^{0} ?ci$_{21}^{13}$xa$_{44}^{13}$ven^{13}xei^{53}ci$_{21}^{13}$ts^{h}iəu$_{44}^{53}$uɔi$_{44}^{53}$ta^{21}k^{h}ɔi^{35}lɔi^{13}çi$_{44}^{53}$kɔn^{53}tsiɔŋ^{35}ʂa^{0}. ③睁开

（眼睛）：～眼珠 ta21kʰɔi35ŋan21tʂəu35

【打开台】ta21kʰɔi35tʰɔi13 动开戏前敲锣打鼓：开戏，开始个时候打锣鼓哇，～呀安做。～呀。欸，搞一阵呶，然后正出台呀。～呀。打你唔知几久哇。欸，正架势就，就放势打，打锣鼓哇。kʰɔi35çi53,kʰɔi$^{35}_{44}$ʂʅ21ke53ʂʅ$^{13}_{21}$xəu$^{53}_{21}$ta21lo13ku$^{21}_{44}$ua0,ta21kʰɔi35tʰɔi$^{13}_{44}$ia0ɔn$^{35}_{44}$tso$^{53}_{44}$.ta21kʰɔi35tʰɔi$^{13}_{21}$ia0.e$_{21}$,kau21iet3tʂʰən53nau0,vien$^{13}_{21}$xei$^{53}_{44}$tʂaŋ53tʂʰət3tʰɔi13ia0.ta21kʰɔi35tʰɔi$^{13}_{21}$ia0.ta21ɲi13n̩13ti$^{35}_{53}$ci$^{13}_{21}$ciəu21ua0.e$_{21}$,tʂaŋ53cia53ʂʅ53tsʰiəu$^{53}_{44}$,tsʰiəu$^{53}_{44}$xɔŋ53ʂʅ$^{53}_{44}$ta21,ta21lo13ku21ua0.

【打空心撳头】ta21kʰəŋ35sin35cʰin53tʰei13 打车轮儿跟头：～嘞就脑壳唔掺么个。全靠手支撑。脑壳去空中转向，就～。如今箇个欸京剧肚里箇个撳头都系空心撳头嘞。嗯，平地，一下要翻下去就转来哩。ta21kʰəŋ35sin$^{35}_{44}$cʰin53tʰei$^{13}_{21}$lei0tsʰiəu53lau21kʰɔk3n̩13ɲia13mak3ke53.tsʰien13kʰau53ʂəu21tʂʅ$^{35}_{44}$tsʰən$^{35}_{44}$.lau21kʰɔk3çi53kʰəŋ35tʂəŋ$^{35}_{44}$tʂuɔn21çiɔŋ53,tsʰiəu53ta21kʰəŋ35sin$^{35}_{44}$cʰin53tʰei$^{13}_{21}$.i$^{13}_{21}$cin35kai$^{53}_{44}$ke$^{53}_{44}$ei$_{21}$,cin35tʂət3təu21li0kai$^{53}_{44}$kei$^{53}_{44}$cʰin53tʰei$^{13}_{21}$təu35ue53(←xe53)kʰəŋ$^{35}_{44}$sin$^{35}_{44}$cʰin53tʰei$^{13}_{21}$lei0.n̩$^{13}_{21}$,pʰiaŋ13tʰi53,iet3xa53iau$^{53}_{44}$fan35na$_{44}$(←xa53)çi53tsʰiəu$^{53}_{44}$tʂuɔn21nɔi13li0.

【打雷】ta21li13 动云层放电产生声响：我等我婈子间里啊，我请倒箇个请只电工师傅啊装只开关，系唔系？落尾嘞我又买只咁个手里捻个咁个，捻下去箇踏碓子个开关子，系啊？我心想话我婈子夜晡睡目嘞，爱开灯呢，只爱摸摸摸倒箇只东西捻，就着哩灯。箇只师傅嘞装灯个师傅嘞渠走个时候子好话唔话嘞话一句子。渠话一句子啊。“雷公大水个时候子你就莫去捻呐。”系唔系？怕打人。好。讲哩箇一句是硬输哩命。我婈子从来𫍘捻过箇只东西。大晴瓦亮子渠都唔敢捻哩。“会打人！箇东西会打人。”打雷公个时候子啊，就爱渠打雷公个时候子莫去捻呐，～呀。～莫去捻。大晴瓦亮都唔敢捻哩。让门讲都空个哩。我话：“只有系话火蛇子曳曳灒个时候子你就莫去捻。”“你同我拆下去啊么个不咯？你同我拆下去啊吗？”真怕。怕哩箇雷公就打下渠脑壳上来哩。ŋai13tien0ŋai$^{13}_{21}$ɔi35tsʅ0kan$^{35}_{44}$ni0a0,(ŋ)ai$^{13}_{44}$tsʰiaŋ21tau21kai$^{53}_{44}$ke$^{53}_{44}$tsʰiaŋ21tʂak3tʰien53kəŋ$^{35}_{44}$sʅ$^{35}_{44}$fu$^{53}_{44}$a$_{21}$tsɔŋ$^{35}_{44}$tʂak3kʰɔi35kuan35,xei$^{53}_{44}$me$^{53}_{44}$?lɔk5mi$^{35}_{53}$lei0ŋai13iəu53mai35tʂak3kan21ke53ʂəu21li0ɲien21cie53kan21cie53, ɲien21na$_{44}$(←xa53)çi$^{53}_{44}$kai$^{53}_{44}$tʰait5tɔi53tsʅ0ke0kʰɔi35kuan35tsʅ0,xei$^{53}_{44}$a0?ŋai$^{13}_{21}$sin$^{35}_{44}$siɔŋ21ua$^{53}_{44}$ŋai$^{13}_{21}$ɔi35tsʅ0ia$^{53}_{44}$pu$^{35}_{44}$ʂɔi53muk3lei0,ɔi$^{53}_{44}$kʰɔi35tien35ne0,tʂʅ21ɔi$^{53}_{44}$mo35mo35mo35tau21kai$^{53}_{44}$tʂak3(t)əŋ$^{35}_{44}$si0ɲien21,tsʰiəu$^{53}_{44}$tʂʰɔk5li0ten35.kai53tʂak3sʅ35fu$^{53}_{44}$lei0tsɔŋ35tʰien53ke0sʅ35fu$^{53}_{44}$lei0ci$^{13}_{21}$tsei21ke53ʂʅ$^{13}_{44}$xəu$^{53}_{44}$tsʅ0xau21ua53n̩13ua$^{53}_{44}$lei0ua53(i)et3ci53tsʅ0.ci13ua53(i)et3ci53tsʅ0a0."li13kəŋ$^{35}_{44}$tʰai53ʂei21ke0ʂʅ13xəu$^{53}_{44}$tsʅ0ɲi13tsʰiəu$^{53}_{44}$mɔk5çi53ɲien21na0."xei$^{53}_{44}$me$^{53}_{44}$?pʰa53ta21ɲin13.xau21,kɔŋ21li0kai53iet3ci53ʂʅ$^{53}_{44}$ɲiaŋ$^{53}_{44}$ʂəu35li0miaŋ53.ŋai13ɔi35tsʅ0tsʰəŋ13lɔi13maŋ13ɲien21ko$^{53}_{44}$kai$^{53}_{44}$(tʂ)ak3təŋ$^{35}_{44}$si0.tʰai53tsʰiaŋ13ŋa21liaŋ$^{53}_{44}$tsʅ0ci13təu$^{35}_{53}$n̩13kan21ɲien21ni0."uɔi53ta21ɲin13!kai$^{53}_{35}$təŋ$^{35}_{44}$si0uɔi53ta21ɲin13."ta21li13kəŋ$^{35}_{44}$ke0ʂʅ13xəu$^{53}_{44}$tsa0,tsʰiəu$^{53}_{44}$ɔi$^{53}_{44}$ci$^{13}_{44}$ta21li13kəŋ$^{35}_{53}$ke0ʂʅ$^{13}_{44}$xəu$^{53}_{44}$tsʅ0mɔk5çi53ɲien21na0,ta21li13ia0.ta21li13mɔk5çi53ɲien21.tʰai53tsʰiaŋ$^{13}_{21}$ŋa21liaŋ$^{53}_{21}$təu$^{35}_{53}$n̩13kan21ɲien21ni0. ɲiɔŋ53mən13kɔŋ21təu$^{35}_{44}$kʰəŋ53ke$^{53}_{44}$li0.ŋai13ua53:"tʂʅ21iəu35xei53ua$^{53}_{44}$fo21ʂa13tsʅ0ia53ia53tsan53ke0ʂʅ13xəu$^{53}_{44}$tsʅ0ɲi13tsiəu$^{53}_{44}$mɔk5çi53ɲien21."""ɲi$^{13}_{21}$tʰəŋ$^{13}_{44}$ŋai$^{13}_{21}$tsʰak3(x)a$^{53}_{21}$çi53a0mak3ke0puk3ko0?ɲi$^{13}_{21}$tʰəŋ$^{13}_{44}$ŋai$^{13}_{44}$tsak3(x)a$^{53}_{21}$çi53a0ma0?"tʂən35pʰa53.pʰa$^{53}_{44}$li0kai$^{53}_{44}$li$^{13}_{21}$kəŋ$^{35}_{44}$tsʰiəu53ta21xa53ci$^{13}_{44}$lau21kʰɔk3xɔŋ53lɔi$^{13}_{21}$li0.

【打雷公】ta21li13kəŋ35 动打雷，云层放电产生声响：吔，～去哩哈！ie$_{35}$,ta21li$^{13}_{21}$kəŋ$^{35}_{44}$çi53li0xa0！｜（雷鸣炮）唔知几响个，像～样。n̩13ti$^{35}_{53}$ci21çiɔŋ21ke53,tsʰiɔŋ$^{53}_{44}$ta21li13kəŋ$^{35}_{44}$iɔŋ$^{53}_{44}$.

【打礼】ta21li35 动送礼：我等唔讲随礼，唔安做随礼，安做～。打……打只子……打渠……打一千块钱，打两千块钱。～。欸，一般都系啰，安做～。欸，渠箇家整酒，我等来去打只礼。请你同我打只礼。自家不能去个时候你同我寄只礼。安做寄只礼。么个就都安做打只礼。ŋai13tien0ŋ̍13kɔŋ21sei13li35,n̩13ɔn$^{35}_{44}$tso$^{53}_{44}$sei13li$^{35}_{44}$,ɔn$^{35}_{44}$tso$^{53}_{44}$ta21li35.ta21…ta21tʂak3tsʅ0…ta21ci$^{13}_{44}$…ta21iet3tsʰien35kʰuai53tsʰien13,ta21iɔŋ21tsʰien35kʰuai53tsʰien13.ta21li35.ei$_{21}$,iet3pɔn35təu35xe$^{53}_{44}$lo0,ɔn$^{35}_{44}$tso$^{53}_{44}$ta21li35.ei$_{21}$,ci$^{13}_{21}$kai53ka35tʂaŋ21tsiəu21,ŋai13tien0lɔi$^{13}_{21}$çi53ta21tʂak3li35.tsʰiaŋ21ɲi$^{13}_{44}$tʰəŋ13ŋai$^{13}_{44}$ta21tʂak3li35.tsʰʅ35ka$^{35}_{44}$puk3len13çi53ke$^{53}_{44}$ʂʅ$^{13}_{44}$xei$^{53}_{44}$ɲi$^{13}_{21}$tʰəŋ$^{13}_{21}$ŋai$^{13}_{21}$ci53tʂak3li35.ɔn$^{35}_{44}$tso$^{53}_{44}$ci53tʂak3li35.mak3(k)e$^{53}_{44}$tsiəu21təu$^{35}_{44}$ɔn$^{35}_{44}$tso$^{53}_{44}$ta21tʂak3li35.

【打莲花落】ta21lien13fa35lau53 一种说唱曲艺。表演者多为一人，自说自唱，自打七件子伴奏：我都只听讲话～。有只咁个嘞，～嘞有只借用嘞。欸，打比样你到浏阳到长沙样，系唔系？你要身上袋兜钱呐。真系冇得钱是你～归啦。就咁子话呢。渠还看稳：“我是箇晡硬冇哩个钱，硬系看稳～归哩噢。”就咁子个呢。箇就有呢。莲花落是我就𫍘看过，欸。ŋai$^{13}_{21}$təu$^{35}_{53}$tʂʅ21tʰaŋ$^{35}_{44}$kɔŋ21ua53ta21lien13fa$^{35}_{44}$lau53.iəu35tʂak3kan$^{21}_{13}$ke53lei0,ta21lien13fa$^{35}_{44}$lau53lei0iəu$^{35}_{44}$tʂak3tsia53iəŋ$^{53}_{21}$lei0.e$_{21}$,ta21pi21iɔŋ53ɲi13tau53liəu13iɔŋ$^{13}_{44}$tau53tʂʰɔŋ$^{13}_{21}$sa$^{35}_{44}$iɔŋ$^{53}_{44}$,xei$^{53}_{44}$me$^{53}_{44}$?ɲi$^{13}_{44}$iau$^{53}_{44}$ʂən$^{35}_{44}$xɔŋ53tʰɔi$^{53}_{44}$təu35tsʰien13na0.tʂən35xe53mau$^{13}_{21}$

tek^{3}ts^{h}ien$^{13}_{44}$ʂʅ$^{53}_{44}$ɲi$^{13}_{44}$ta^{21}lien^{13}fa$^{35}_{44}$lau^{53}kuei$^{35}_{53}$la^{0}.ts^{h}iəu^{53}kan^{21}tsɿ^{0}ua^{53}nei^{0}.ci$^{13}_{21}$xa$^{13}_{21}$k^{h}ɔn^{53}uən^{21}:"ŋai^{13}ʂʅ$^{53}_{44}$kai^{53}pu$^{35}_{53}$ɲiaŋ$^{53}_{44}$mau$^{13}_{21}$li^{0}cie^{53}ts^{h}ien$^{13}_{21}$, ɲiaŋ^{53}xe^{53}k^{h}ɔn^{53}uən^{21}ta^{21}lien^{13}fa$^{35}_{44}$lau^{53}kuei$^{35}_{44}$li^{0}au^{0}."ts^{h}iəu$^{53}_{44}$kan$^{21}_{13}$tsɿ^{0}ke^{53}nei^{0}.kai$^{53}_{44}$ts^{h}iəu^{53}iəu^{35}nei^{0}.lien^{13}fa$^{35}_{44}$lau^{53}ʂʅ$^{53}_{44}$ŋai$^{13}_{21}$ts^{h}iəu$^{53}_{44}$maŋ^{13}k^{h}ɔn^{53}ko^{0},e$_{21}$.

【打凌】ta^{21}lin^{53} 动冰冻：落雪～lɔk^{5}siet^{3}ta^{21}lin^{53}｜打构呀，就又话～。ta^{21}ciei^{53}ia^{0},ts^{h}iəu$^{53}_{44}$iəu^{53}ua^{53}ta^{21}lin^{53}.

【打溜马】ta^{21}liəu^{53}ma^{35} 滑一脚：我等箇到箇阵子栽菜个栏场欸就打过几回溜马。箇有兜人是一只溜马一打就哦嗬中哩风呶，一屁股一顿坐啊，一溜，溜哇下去，顿坐，哦嗬，中哩风呶。我话我是箇咁个咁子冇事。我打过几只溜马嘞，一顿坐嘞，冇事，我也冇事。我也好得长日去运动。ŋai^{13}tien^{0}kai$^{53}_{44}$tau$^{53}_{44}$kai$^{53}_{44}$tʂ^{h}ən$^{53}_{44}$tsɿ^{0}tsɔi$^{35}_{44}$ts^{h}ɔi^{53}ke^{0}laŋ$^{13}_{21}$tʂ^{h}ɔŋ$^{13}_{21}$e^{0}ts^{h}iəu$^{53}_{44}$ta^{21}ko$^{53}_{44}$ci^{21}fei^{13}liəu^{53}ma$^{35}_{44}$.kai$^{53}_{44}$iəu^{35}təu$^{35}_{44}$ɲin$^{13}_{44}$ʂʅ$^{53}_{44}$iet^{3}tʂak^{3}liəu^{53}ma$^{35}_{53}$(i)et^{3}ta^{21}ts^{h}iəu$^{53}_{44}$u$^{35}_{44}$xo$^{53}_{44}$tʂəŋ$^{53}_{44}$li^{0}fəŋ^{35}nau^{0},iet^{3}p^{h}i^{53}ku^{21}iet^{3}tən^{53}ts^{h}o$^{35}_{44}$a^{0},iet^{3}liəu^{53},liəu^{53}ua^{0}xa$^{53}_{44}$çi$^{53}_{44}$,tən^{53}ts^{h}o^{35},o$_{35}$xo$_{53}$,tʂəŋ$^{53}_{44}$ni^{0}fəŋ^{35}nau^{0}.ŋai^{13}ua^{53}ŋai^{13}ʂʅ$^{53}_{44}$kai^{53}kan^{21}ciei$^{53}_{44}$kan^{21}tsɿ^{0}mau$^{13}_{21}$sɿ^{53}.ŋai^{13}ta^{21}ko^{53}ci^{21}tʂak^{3}liəu^{53}ma$^{35}_{44}$lei^{0},iet^{3}tən^{53}ts^{h}o$^{35}_{44}$lei^{0},mau$^{13}_{21}$sɿ^{53},ŋai^{13}a$^{35}_{44}$mau$^{13}_{21}$sɿ^{53}.ŋai^{13}ia$^{35}_{44}$xau^{21}tek^{3}tʂ^{h}ɔŋ^{13}ɲiet^{3}c^{h}i$^{53}_{44}$uən^{53}t^{h}əŋ$^{53}_{44}$.

【打流】ta^{21}liəu^{13} 动到处闲逛而无所事事；流浪：呃，如今教细人子，爱攒劲读书喔，系啊？你唔攒劲读书是听晡大哩是你冇得门一门么个寻得钱到个是你去～嘞。嗯，你就去～。ə$_{21}$,i$^{13}_{21}$cin$^{35}_{44}$kau^{35}sei^{53}ɲin$^{13}_{21}$tsɿ^{0},ɔi$^{53}_{44}$tsan^{21}cin$^{53}_{44}$t^{h}uk^{5}ʂu^{35}uo^{0},xei$^{53}_{44}$a^{0}?ɲi$^{13}_{21}$n̩^{13}tsan^{21}cin$^{53}_{44}$t^{h}uk^{5}ʂu^{35}ʂʅ$^{53}_{44}$t^{h}in$^{35}_{44}$pu^{35}t^{h}ai^{53}li^{0}ʂʅ$^{53}_{44}$ɲi$^{13}_{44}$mau^{13}tek^{3}mən^{13}iet^{3}mən^{13}mak^{3}e^{0}ts^{h}in^{13}tek^{3}ts^{h}ien^{13}tau$^{53}_{44}$ke^{0}ʂʅ$^{53}_{44}$ɲi^{13}çi^{53}ta^{21}liəu^{13}le^{0}.n̩$_{21}$, ɲi$^{13}_{21}$ts^{h}iəu^{53}çi^{53}ta^{21}liəu^{13}.

【打流个】ta^{21}liəu^{13}ke^{53} 无业游民。又称“二流子”：箇只人搞么个个？𫥫看到渠做么个，～。kai$^{53}_{44}$tʂak^{3}ɲin^{13}kau^{21}mak^{3}e^{0}ke^{0}?maŋ^{13}k^{h}ɔn^{53}tau^{53}ci$^{13}_{44}$tso^{53}mak^{3}ke^{0},ta^{21}liəu^{13}cie^{53}.

【打龙】ta^{21}liəŋ^{13} 动耍龙灯（指具体行为）：你搞么啊去哩啊？今晡你搞么啊去哩啊？～去哩。ɲi$^{13}_{21}$kau^{21}mak^{3}a^{0}çi$^{53}_{44}$lia^{0}?cin^{35}pu$^{35}_{44}$ɲi$^{13}_{21}$kau^{21}mak^{3}a^{0}çi$^{53}_{44}$lia^{0}?ta^{21}liəŋ^{13}çi$^{53}_{44}$li^{0}.｜骑龙送子，箇是～个搞法欸。～。出龙。c^{h}i^{13}liəŋ^{13}səŋ^{53}tsɿ^{21},kai$^{53}_{44}$ʂʅ$^{53}_{44}$ta^{21}liəŋ^{13}ke^{53}kau^{21}fait^{3}ei$_{44}$.ta^{21}liəŋ^{13}.tʂ^{h}ət^{3}liəŋ^{13}.

【打路祭】ta^{21}ləu^{53}tsi^{53} 送葬路上在过河过桥时举行祭祀仪式：路远哩个话，过江过河，过河过桥，还爱打祭，安做路祭，还爱～。一般是就系过河过桥就爱～。ləu^{53}ien^{21}li^{0}ke$^{53}_{44}$fa$^{53}_{44}$,ko^{53}ciɔŋ^{35}ko^{53}xo^{13},ko^{53}xo^{13}ko^{53}c^{h}iau^{13},xa$^{13}_{21}$ɔi$^{53}_{44}$ta^{21}tsi^{53},ɔn$^{35}_{44}$tso$^{53}_{44}$ləu^{53}tsi^{53},xa$^{13}_{21}$ɔi$^{53}_{44}$ta^{21}ləu^{53}tsi^{53}.iet^{3}pɔn^{35}ʂʅ$^{53}_{44}$ts^{h}iəu^{53}xe$^{53}_{44}$ko^{53}xo^{13}ko^{53}c^{h}iau^{13}tsiəu$^{53}_{44}$ɔi$^{53}_{44}$ta^{21}ləu^{53}tsi$^{53}_{44}$.

【打乱话】ta^{21}lɔn^{53}ua^{53} 无根无据地乱说话；诬陷他人：你莫～噢。以只事唔系我做个，你莫～。ɲi^{13}mɔk^{5}ta^{21}lɔn^{53}ua^{53}au^{0}.i^{21}tʂak^{3}sɿ^{53}m̩$^{13}_{21}$p^{h}e^{53}ŋai^{13}tso^{53}ke^{0}, ɲi^{13}mɔk^{5}ta^{21}lɔn^{53}ua$^{53}_{44}$.

【打论头】ta^{21}lən^{53}t^{h}ei$^{13}_{21}$ 动测字，巫师或江湖游医称久病难愈者是被鬼魂迷上或者附上并为其禳解：犯倒哩就爱～哟。～呀让门子吵？就系同箇个么啊占卦测字样箇只咁个，欸。～就打比箇只人病哩，总都唔好，欸，或者细人子嘞病痛多，欸，蛮□□，屋下真□□，或者屋下唔顺遂。□□就唔……不顺遂呀。或者月将唔好。欸，真□□，唔顺遂，月将唔好，欸，咁子个，就会去问下子箇个人呐。有滴箇人就同别人家掐下子唠，论下子唠。欸，惹倒哩么啊神，呣，或者屋下个哪只家神作吵。欸，屋下个哪只么人作吵。欸，有滴人渠话，你归去看下子你个床地下，你看，有滴搞神乎其神，你床地下有只金器，啊，或者放哩一只铁东西。你分箇铁东西拿开唠看呶。欸，也就找……搞滴子咁个。欸，箇个就安做～。就系有咁个会搞下子咁个路子个人呢。头到我等一只亲戚，渠个妹子就总系唔好，病哩，总系唔好。搞下，渠就系，欸，就我等一只喊佮下子个，喊姑姑啊，渠搞下，渠江西，是江西咯，搞下宜春，唔好，落尾搞下湘雅医院，还系唔好。总咁子整病啊，总咁子食药，都唔好。爱打电话分我，渠话爱我同渠论下子看呐，爱我请只么人同渠论下子。报倒时生月日分我。呣，一九四六年，比我大六岁，六月十六，嗯，戌时，我如今都记得，嗯。我就问打又又又打只电话就我就打电话□问一只人呐，系啊？问一只我认得个，我喊，喊下子佮下子喊阿叔个。喊阿叔，比我大几岁嘞。渠分呢情况渠……渠第二晡渠就回我信，渠话依论冇么个路子啊。渠话会喊好哇，会好了哇。欸个病会好了哇。冇么个□样，𫥫哪映犯倒么个，安做犯倒么个。𫥫犯倒么个。渠话蛮好哇。欸让门总整唔好呀，会好了哇，依论会好了哇。欸，欸昨晡打电话分我，渠妹子见好哩。哎呀冇要……也蛮灵呶，箇硬要是……分渠讲中了。也𫥫也……渠就系可能就系么啊嘞，可能渠就系食箇药冇得咁快呀，湘雅医院呐，南昌个医院啦，宜春个医院啦，到处整下转。还缯药还缯到哇，系唔系啊？箇食药冇咁快呀，也总系唔好，欸，安做么啊病噢安做？胆管……胆囊炎呐胆么个？胆上个病。肝胆，欸，结石啊么啊吧系。fan^{53}tau^{21}li^{0}tsʰiəu$^{53}_{44}$ɔi$^{53}_{44}$ta^{21}lən^{53}tʰei$^{13}_{21}$iau^{0}.ta^{21}lən^{53}tʰei$^{13}_{21}$ia^{0}ɲiɔŋ^{53}mən^{0}tsɿ^{0}ʂa^{0}?tsʰiəu$^{53}_{44}$xei$^{53}_{44}$tʰəŋ$^{13}_{21}$kai$^{53}_{44}$ke$^{53}_{44}$mak^{3}a^{0}tʂan^{35}kua^{53}tsʰek^{3}sɿ^{53}iɔŋ$^{53}_{21}$kai$^{53}_{44}$tʂak^{3}kan^{21}cie$^{53}_{44}$,e$_{21}$.ta^{21}lən^{53}tʰei$^{13}_{21}$tsʰiəu$^{53}_{44}$ta^{21}pi^{21}kai^{53}tʂak^{3}ɲin$^{13}_{21}$pʰiaŋ^{53}li^{0},tsəŋ^{21}təu$^{35}_{44}$ṃ$^{13}_{21}$xau^{21},e$_{21}$,xɔit^{5}tʂa^{21}sei^{53}ɲin$^{13}_{21}$tsɿ^{0}lei^{0}pʰiaŋ^{53}tʰəŋ^{53}to^{35},e$_{21}$,man^{13}ti^{53}tɔi$^{53}_{44}$,uk^{3}xa$^{53}_{44}$tʂən^{35}ti^{53}tɔi$^{53}_{44}$,xɔit^{5}tʂa^{21}uk^{3}xa$^{53}_{44}$ṇ^{13}ʂən^{53}si^{53}.ti^{53}tɔi$^{53}_{44}$tsʰiəu^{53}ṇ^{13}···pət^{3}ʂən^{53}si^{53}ia^{0}.xɔit$^{5}_{3}$tʂa^{21}ɲiet^{5}tsiɔŋ^{53}ṃ^{13}xau^{21}.e$_{21}$,tʂən^{35}ti^{53}tɔi$^{53}_{44}$,ṇ^{13}ʂən^{53}si^{53}, ɲiet^{5}tsiɔŋ^{53}ṃ^{13}xau^{21},e$_{21}$,kan^{21}tsɿ^{0}ke$^{53}_{44}$,tsʰiəu^{53}uɔi^{53}çi^{53}uən^{53}na$^{53}_{44}$tsɿ^{0}kai$^{53}_{44}$ke$^{53}_{44}$ɲin$^{13}_{21}$na^{0}.iəu^{35}tet^{5}kai$^{53}_{44}$ɲin$^{13}_{21}$tsʰiəu$^{53}_{44}$tʰəŋ$^{13}_{21}$pʰiet$^{5}_{3}$ɲin$^{13}_{21}$ka$^{35}_{44}$kʰait^{3}a$^{53}_{44}$tsɿ^{0}lau^{0},lən^{53}na$^{53}_{44}$tsɿ^{0}lau^{0}.e$_{21}$, ɲia^{35}tau^{21}li^{0}mak^{3}a^{0}ʂən^{13},ṃ$_{21}$,xɔit^{5}tʂa^{21}uk^{3}xa$^{53}_{44}$ke$^{53}_{44}$lai^{53}tʂak^{3}cia^{35}ʂən$^{13}_{21}$tsɔk^{3}tsʰau^{21}.e$_{21}$,uk^{3}xa$^{53}_{44}$ke$^{53}_{44}$lai^{53}tʂak^{3}mak^{3}in$^{13}_{44}$tsɔk^{3}tsʰau^{21}.e$_{21}$,iəu^{35}tet^{5}in$^{13}_{21}$ci$^{13}_{21}$ua$^{53}_{44}$, ɲi^{13}kuei^{35}çi$^{53}_{44}$kʰɔn^{53}na$^{53}_{44}$tsɿ^{0}ɲi^{13}ke$^{53}_{44}$tsʰɔŋ^{13}tʰi$^{53}_{44}$xa^{35}, ɲi^{21}kʰɔn^{53},iəu^{35}tiet^{5}kau^{21}ʂən^{13}fu$^{35}_{44}$cʰi$^{13}_{21}$ʂən^{13}, ɲi$^{13}_{44}$tsʰɔŋ$^{13}_{21}$tʰi$^{53}_{44}$xa^{35}iəu^{35}tʂak^{3}cin^{35}çi^{53},a$_{21}$,xɔit^{5}tʂa^{21}fɔŋ^{53}li^{0}iet^{3}tʂak^{3}tʰiet^{3}təŋ$^{35}_{44}$si^{0}. ɲi$^{13}_{21}$pəŋ$^{35}_{44}$kai$^{53}_{44}$tʰiet^{3}təŋ$^{35}_{44}$si^{0}la^{53}kʰɔi$^{35}_{44}$lau^{0}kʰɔn$^{53}_{44}$nau^{0}.e$_{21}$, ie^{21}tsʰiəu$^{53}_{44}$tsau^{21}···kau^{21}tet^{5}tsɿ^{0}kan^{21}ke$^{53}_{44}$.e$_{21}$.kai$^{53}_{21}$ke$^{53}_{44}$tsʰiəu$^{53}_{44}$ɔn$^{35}_{44}$tso$^{53}_{44}$ta^{21}lən^{53}tʰei$^{13}_{21}$.tsʰiəu$^{53}_{44}$uei$_{44}$(←xei^{53})iəu^{35}kan^{21}ke$^{53}_{44}$uɔi^{53}kau^{21}ua^{53}tsɿ^{0}kan^{21}ke$^{53}_{44}$ləu^{53}tsɿ^{0}ke^{53}ɲin$^{13}_{21}$ne^{0}.tʰei$^{13}_{21}$tau^{53}ŋai$^{13}_{21}$tien^{0}iet^{3}tʂak^{3}tsʰin^{35}tsʰiet^{3},ci$^{13}_{21}$ke$^{53}_{44}$ɔi^{35}tsɿ^{0}tsʰiəu$^{53}_{44}$tsəŋ^{21}xei^{53}ṃ$^{13}_{21}$xau^{21},pʰiaŋ^{53}li^{0},tsəŋ^{21}xei^{53}ṇ$^{13}_{21}$xau^{21}.kau^{21}ua$^{53}_{44}$,ci$^{13}_{21}$tsʰiəu$^{53}_{44}$xe^{53},e$_{21}$,tsʰiəu^{53}ŋai$^{13}_{21}$tien^{0}iet^{3}tʂak^{3}xan^{53}kɔk^{3}a^{53}tsɿ^{0}ke$^{53}_{44}$,xan$^{53}_{44}$ku^{35}ku$^{35}_{44}$a^{0},ci$^{13}_{21}$kau^{21}ua$^{53}_{44}$,ci$^{13}_{21}$kɔŋ^{35}si$^{35}_{44}$,ʂɿ$^{53}_{21}$kɔŋ^{35}si$^{35}_{44}$ko^{0},kau^{21}ua$^{53}_{44}$ɲi^{13}tʂʰən^{35},ṃ$^{13}_{21}$xau^{21},lɔk^{5}mi$^{35}_{44}$kau^{21}ua$^{53}_{44}$siɔŋ^{35}ia^{21}i$^{35}_{44}$vien$^{53}_{44}$,xai$^{13}_{21}$xei^{53}ṇ$^{13}_{21}$xau$^{21}_{44}$.tsəŋ^{21}kan$^{21}_{44}$tsɿ^{0}tʂaŋ^{21}pʰiaŋ^{53}ŋa^{0},tsəŋ^{21}kan$^{21}_{44}$tsɿ^{0}ʂət^{5}iɔk^{5},təu$^{35}_{44}$ṇ$^{13}_{21}$xau$^{21}_{44}$.ɔi$^{53}_{44}$ta^{21}tʰien^{53}fa$^{53}_{44}$pən$^{35}_{44}$ŋai$^{13}_{21}$,ci$^{13}_{21}$ua$^{53}_{44}$ɔi^{53}ŋai$^{13}_{21}$tʰəŋ$^{13}_{21}$ci$^{13}_{21}$lən^{53}na$^{53}_{44}$tsɿ^{0}kʰɔn$^{53}_{44}$na^{0},ɔi^{53}ŋai^{13}tsʰin^{21}tʂak^{3}mak^{3}in$^{13}_{44}$tʰəŋ$^{13}_{21}$ci$^{13}_{21}$lən^{53}na$^{53}_{44}$tsɿ^{0}.pau^{53}tau^{21}ʂɿ^{13}saŋ$^{35}_{44}$ɲiet^{5}ɲiet^{3}pən^{35}ŋai$^{13}_{21}$.ṃ$_{21}$,iet^{3}ciəu^{21}si^{53}liəuk^{3}ɲien^{13},pi^{21}ŋai$^{13}_{21}$tʰai^{53}liəuk^{3}sɔi^{53},liəuk^{3}ɲiet^{5}ʂət^{5}liəuk^{3},ŋ̍$_{21}$,siet^{3}ʂɿ^{13},ŋai$^{13}_{21}$i$^{13}_{21}$cin$^{35}_{44}$təu$^{35}_{44}$ci^{53}tek^{3},ŋ̍$_{21}$.ŋai$^{13}_{21}$tsʰiəu$^{53}_{44}$uən^{53}ta^{21}iəu$^{53}_{21}$iəu$^{53}_{21}$iəu^{53}ta^{21}tʂak^{3}tʰien$^{53}_{44}$fa$^{53}_{44}$tsʰiəu$^{53}_{44}$ŋai^{13}tsʰiəu$^{53}_{44}$ta^{21}tʰien$^{53}_{44}$fa$^{53}_{44}$pu$_{44}$uən^{53}iet^{3}tʂak^{3}ɲin$^{13}_{21}$na^{0},xei$^{53}_{44}$a^{0}?uən^{53}iet^{3}tʂak^{3}ŋai^{13}ɲin^{53}tek^{3}ke$^{53}_{44}$,ŋai^{13}xan^{53},xan^{53}na$^{53}_{44}$tsɿ^{0}kɔk^{3}a$^{53}_{44}$tsɿ^{0}xan$^{53}_{44}$a^{35}ʂəuk^{3}ke$^{53}_{44}$.xan^{53}a^{35}ʂəuk^{3},pi^{21}ŋai^{13}xai^{53}ci$^{13}_{21}$sɔi^{53}le^{0}.ci$^{13}_{21}$pən^{35}ne^{0}tsʰin$^{13}_{21}$kʰɔŋ^{53}ci$^{13}_{21}$···ci$^{13}_{21}$tʰi^{53}ɲi$^{53}_{44}$pu^{35}ci$^{13}_{21}$tsʰiəu$^{53}_{44}$fei$^{13}_{21}$ŋai$^{13}_{44}$sin$^{53}_{44}$,ci$^{13}_{44}$a$^{53}_{44}$i$^{35}_{44}$lən^{53}mau$^{13}_{21}$mak^{3}ke$^{53}_{44}$ləu^{53}tsɿ^{0}a^{0}.ci$^{13}_{21}$a$^{53}_{44}$uɔi^{53}xan$^{53}_{21}$xau^{21}ua^{0},uɔi^{53}xau^{21}liau$^{21}_{44}$ua^{0}.e$_{21}$ke$^{53}_{44}$pʰiaŋ$^{53}_{44}$uɔi^{53}xau^{21}liau$^{21}_{44}$ua^{0}.mau^{13}mak^{3}ke^{53}ue$_{44}$iɔŋ$^{53}_{44}$,maŋ^{13}lai$^{53}_{44}$iaŋ$^{53}_{44}$fan^{53}tau^{21}mak^{3}ke$^{53}_{44}$,ɔn$^{35}_{44}$tso$^{53}_{44}$fan^{53}tau^{21}mak^{3}ke$^{53}_{44}$.maŋ^{13}fan^{53}tau^{21}mak^{3}ke$^{53}_{44}$.ci$^{13}_{21}$ua$^{53}_{44}$man^{13}xau^{21}ua^{0}.e$_{44}$ɲiɔŋ$^{53}_{44}$mən^{0}tsəŋ^{21}tʂaŋ^{21}təu$^{35}_{44}$tʂaŋ^{21}ṇ^{13}xau^{21}ia^{0},uɔi^{53}xau^{21}liau^{21}ua^{0},i$^{35}_{44}$lən$^{53}_{21}$uɔi^{53}xau^{21}liau^{21}ua^{0}.ei$_{21}$,e$_{44}$tsʰo^{35}pu$^{35}_{44}$ta^{21}tʰien^{53}fa$^{53}_{44}$pən$^{35}_{44}$ŋai$^{13}_{21}$,ci$^{13}_{21}$ɔi^{35}tsɿ^{0}cien^{53}xau^{21}li^{0}.ai$_{21}$ia$_{21}$mau^{13}iau$^{53}_{44}$···ia^{35}man$^{13}_{21}$lin$^{13}_{21}$nau^{0},kai^{53}ɲiaŋ$^{53}_{44}$iau$^{53}_{44}$ʂɿ···pən$^{35}_{44}$ci$^{13}_{44}$kɔŋ^{21}tʂəŋ^{53}liau^{0}.ia^{35}maŋ^{35}ia$^{35}_{44}$···ci^{13}tsʰiəu^{53}ue^{53}(←xe^{53})kʰo^{21}len^{13}tsʰiəu^{53}xe^{53}mak^{3}a^{0}le^{0},kʰo^{21}len^{13}ci$^{13}_{21}$tsʰiəu$^{53}_{44}$xe$^{53}_{44}$ʂət^{5}kai$^{53}_{44}$iɔk^{5}mau^{13}tek^{3}kan^{21}kʰuai^{53}ia^{0},siɔŋ^{35}ia^{21}i$^{35}_{44}$vien^{53}na^{0},lan^{13}tʂʰɔŋ$^{35}_{44}$ke^{53}i$^{35}_{44}$vien^{53}la^{0}, ɲi^{13}tʂʰən$^{35}_{44}$ke^{53}i$^{35}_{44}$vien^{53}la^{0},tau^{53}tʂʰəu^{53}tʂaŋ^{21}xa^{53}tʂɔn^{21}.xa$^{13}_{21}$maŋ$^{13}_{21}$iɔk^{5}xa$^{13}_{21}$maŋ$^{13}_{21}$tau^{53}ua^{0},xe$^{53}_{44}$me$^{53}_{44}$a^{0}?kai$^{53}_{21}$ʂət^{5}iɔk^{5}mau^{13}kan^{21}kʰuai^{53}ia^{0},ia$^{35}_{44}$tsəŋ^{21}xei^{53}ṇ$^{13}_{44}$xau^{21},e$_{21}$,ɔn^{35}tso$^{53}_{44}$mak^{3}a^{0}pʰiaŋ$^{53}_{44}$ŋau^{0}ɔn$^{35}_{44}$tso$^{35}_{44}$?tan^{21}kɔn^{21}···tan^{21}nɔŋ^{13}ien^{13}na^{0}tan^{21}mak^{3}ke^{53}?tan^{21}xɔŋ^{53}ke$^{53}_{44}$pʰiaŋ^{53}.kɔn^{35}tan^{21},ei$_{21}$,ciet^{3}ʂak^{5}a^{0}mak^{3}a^{0}pa^{0}xei$^{53}_{21}$.

【打落脚】ta^{21}lɔk^{5}ciɔk^{3} [动]停留、休息或暂住：以下（皇碑树下）倒还有得哩（客栈）呢。如今冇得哩，就冇么人去箇～了哇以下就。i^{21}xa^{53}tau^{53}xai$^{13}_{21}$mau^{13}tek^{3}li^{0}nei^{0}.i$^{13}_{21}$cin$^{35}_{53}$mau$^{13}_{21}$tek^{3}li^{0},tsʰiəu^{53}mau$^{13}_{21}$mak^{3}in$^{13}_{44}$çi^{53}kai^{53}ta^{21}lɔk^{5}ciɔk^{3}liau$^{21}_{44}$ua^{0}i^{21}xa^{53}tsʰiəu^{53}.

【打落山】ta^{21}lɔk^{5}san^{35} “打日头落山”的简称：箇只人是坐正来分你等人打只落山个咯。kai^{53}tʂak^{3}ɲin^{13}ʂɿ$^{53}_{44}$tsʰo^{35}tʂaŋ^{53}lɔi$^{13}_{21}$pən^{35}ɲi$^{13}_{21}$tien^{0}ɲin$^{13}_{21}$ta^{21}tʂak^{3}lɔk^{5}san^{35}cie$^{53}_{44}$ko^{0}.

【打麻纱】ta^{21}ma^{13}sa^{35} 傍晚。又称“临夜、断夜、挨夜子”：～就挨夜子唠，会夜了哇，～了。从前个人呐，欸，早两三十年子啊，欸，哪有如今咁好过日，系唔系？食哩夜饭我等还去散步。从前是唔～就唔归屋，唔落屋，唔归来。硬爱做到～正会归来煮饭，煮夜饭食。昨晡我等散步，箇只夫娘子唔系话从前……我等话以三如今日头还咁高我等就跍倒以映散步喔，系唔系？渠话……箇夫娘子唔系话：“从前是硬爱～，硬爱断黑了正归来，正归来煮饭食啦，铡猪菜呀煮潲哇。”ta^{21}ma^{13}sa$^{35}_{44}$tsʰiəu$^{53}_{44}$ai^{35}ia^{53}tsɿ^{0}lau^{0},uɔi$^{53}_{44}$ia^{53}liau^{0}ua^{0},ta^{21}ma^{13}sa$^{35}_{44}$liau^{21}.tsʰəŋ^{13}tsʰien^{13}ke^{53}ɲin$^{13}_{44}$na^{0},e$_{44}$,tsau^{21}iɔŋ^{21}san$^{35}_{44}$ʂət^{5}ɲien$^{13}_{21}$tsɿ^{0}a^{0},e$_{21}$,la^{53}iəu$^{35}_{53}$i$^{13}_{21}$cin$^{35}_{53}$kan^{21}xau^{21}ko^{53}ɲiet^{3},xei^{53}me^{53}?ʂət^{5}li^{0}ia^{53}fan^{53}ŋai^{13}tien^{0}xai$^{13}_{21}$çi$^{53}_{44}$san^{53}pʰu^{53}.tsʰəŋ^{13}tsʰien^{13}ʂɿ$^{53}_{44}$ṇ^{13}ta^{21}ma^{13}sa^{35}tsʰiəu^{53}ṇ^{13}kuei$^{35}_{44}$uk^{3},ṇ^{13}nɔk^{5}uk^{3},ṇ^{13}kuei^{35}lɔi^{13}.ɲiaŋ^{53}ɔi^{53}tso^{53}tau^{53}ta^{21}ma^{13}sa^{35}tʂaŋ^{53}uɔi$^{53}_{44}$kuei^{35}lɔi$^{13}_{21}$tʂu^{21}fan^{53},tʂu^{21}ia^{53}fan$^{53}_{44}$ʂət^{5}.tsʰo^{35}pu$^{35}_{53}$ŋai^{13}tien^{0}san^{53}pʰu^{53},kai$^{53}_{44}$tʂak^{3}pu^{35}ɲiɔŋ$^{13}_{21}$tsɿ^{0}ṃ$^{13}_{21}$pʰei$^{53}_{44}$ua$^{53}_{44}$tsʰəŋ^{13}tsʰien···ŋai^{13}tien^{0}ua^{53}i^{21}san$^{35}_{44}$i$^{13}_{21}$cin$^{35}_{53}$ɲiet^{3}tʰei$^{13}_{21}$xan^{13}kan^{21}kau^{35}ŋai^{13}tien^{0}tsʰiəu^{53}ku$^{35}_{44}$tau^{21}i^{21}iaŋ$^{53}_{44}$san^{53}pʰu^{53}uo^{0},xei$^{53}_{44}$me$^{53}_{44}$?ci$^{13}_{44}$(u)a$^{53}_{44}$tsʰ···kai^{53}pu^{35}ɲiɔŋ$^{13}_{21}$tsɿ^{0}ṃ$^{13}_{21}$pʰei$^{53}_{44}$ua^{53}:"tsʰəŋ^{13}tsʰien^{13}ʂɿ$^{53}_{44}$ɲiaŋ^{53}ɔi^{53}ta^{21}ma^{13}sa$^{35}_{44}$, ɲiaŋ$^{53}_{44}$ɔi$^{53}_{44}$tʰɔn^{35}xek^{3}liau^{0}tʂaŋ^{53}kuei^{35}lɔi$^{13}_{21}$,tʂaŋ$^{53}_{44}$kuei^{35}lɔi$^{13}_{21}$tʂu^{21}fan^{53}ʂət^{5}la^{0}, tshait53tʂu35tshɔi53ia0tʂu21sau53ua0."

【打麻屎赖】ta21ma13ʂʅ21lai53 耍无赖：渠硬唔～个人。ci13_21ɲiaŋ53ṇ13ta21ma13ʂʅ21lai53ke0ɲin13.

【打麦子】ta21mak5tsʅ0 脱粒（指麦子）：我都打过麦子。箇阵冇饭食个时候子我等青黄不接个时候子啊，就栽哩麦子。箇欸收得兜子麦子到是欸也好打倒箇麦子嘞磨做麦米馃子。欸，磨做粉呐做麦米馃子食。也充得下子饥。ŋai13təu35_53ta21ko53mak5tsʅ0.kai53_44tʂhən53mau13fan53ʂət5cie0ʂʅ13xəu53tsʅ0ŋai13_21tien0tshin35uɔŋ13pət3tset3ke0ʂʅ13xəu53_44tsa0,tshiəu53_44tsɔi35_44li0mak5tsʅ0.kai53_44ie0ʂəu35tek3təu35_53tsʅ0mak5tsʅ0tau53_44ʂʅ53_44ei21ia35xau21ta21tau21kai53_44mak5tsʅ0lei0mo53tso53_44mak5mi21ko21tsʅ0.e21,mo53tso53fən21na0tso53mak5mi21ko21tsʅ0ʂət5.ia35tʂhəŋ35tek3(x)a53_44tsʅ0ci35.

【打脉】ta21mak3 [动]号脉。也称“打手脉”：郎中看病是最……首先就同你打下子脉唠。欸，打手脉，嗯。打手脉。我姆娑……我俟子话从前有只郎中啊，安做戴尹春。渠话：“箇有么个如今咁子看病？”欸，箇晡我俟子去下讲，随便摸下子箇个手就安做箇打嘿哩脉，渠话箇阵子戴尹春等人都硬爱摸半天呐，摸倒箇你箇只脉啊，总去体会呀。以下是……系啊，打手脉。ləŋ13tʂəŋ35_44khɔn53phiaŋ53ʂʅ53_44tsei53…ʂəu21sien35_44tshiəu53thəŋ13_21ɲi13_21ta21xa53_21tsʅ0mak3lau0.e21,ta21ʂəu21mak3,ṇ53.ta21ʂəu21mak3.ŋai13m̩13me…ŋai13ɔi35tsʅ0ua53tshəŋ13tshien13_44iəu35tʂak3ləŋ13tʂəŋ35_44ŋa0,ɔn35tso53_44tai53in21tʂhən35,ci13_21(u)a53_44:"kai53iəu35mak3e0i13_21cin35kan21_13tsʅ0khɔn53phiaŋ53?"e21,kai53_44pu35ŋai13_21ɔi35tsʅ0çi53xa53kɔŋ21_44,sei13phien53mo35xa53tsʅ0kai53ke53ʂəu21tshiəu53ɔn35tso53kai53ta21xek3li0mak3,ci13_44(u)a53_44kai53tʂhən53tsʅ0tai53in21tʂhən35tien21_44ɲin13_44təu35_44ɲiaŋ53ɔi53mo35pan53thien35na0,mo35tau21_44kai53_44ɲi13kai53tʂak3mak3a0,tsəŋ21çi53thi21fei53ia0.i21xa53ke53ʂʅ53_44…xei53_44a0,ta21ʂəu21mak3.

【打梦讲】ta21məŋ53kɔŋ21 ①说梦话：～就讲梦话唠。ta21məŋ53kɔŋ21tshiəu53_44kɔŋ21məŋ53fa53lau0. ②说不切实际的话：也系还有讲呢就系呣嗯不可能实现个事。“你箇～吧？你系去下子～吧？”系唔系？不可能实现呢，你话哪有么个咁个条件来欸做以只事唠？你除哩系去下～。ia35xei53xai13_21iəu35_53kɔŋ21nei0tshiəu53xe53m̩21ṇ21puk3khɔ21nen13ʂət5çien53ke0ʂʅ53."ɲi13kai53ta21məŋ53kɔŋ21pa0?ɲi13xe53_44çi53xa53tsʅ0ta21məŋ53kɔŋ21pa0?"xei53me53?puk3khɔ21len13ʂət5çien53ne0, ɲi13(u)a53_44lai53iəu35_53mak3e0kan21cie53thiau13_21chien53nɔi13_44e21tso53i21tʂak3sʅ53lau0?ɲi13tʂhu13li0(x)e53_44çi53xa53_44ta21məŋ53kɔŋ21.

【打脑壳】ta21lau21khɔk3 [动]头晕：（狗爪豆）食哩～个，食哩脑壳会车昏。ʂət5li0ta21lau21khɔk3ke53_44,ʂət5li0lau21khɔk3uɔi53tʂha35fən13.

【打尿布】ta21ɲiau53pu53 用月经布去打人：还有～。舞倒渠个月经布哇去去是牵。箇是就硬唔知几箇个了，唔知几伤心个了，唔知几泼辣个妹子了，唔知几泼辣个夫娘子正系。箇只系讲下子。𫠣看过。xai13iəu35_53ta21ɲiau53pu53_44.u21tau21ci13_44kei53_44ɲiet5cin35_44pu35ua0çi53_44çi53_44ʂʅ53_44tait5.kai53_44ʂʅ53_44tshiəu53_44ɲiaŋ53ṇ13ti35_53ci21kai53_44ke53_44liau0,ṇ13ti35_53ci21ʂəŋ35_44sin35_44cie53liau0,ṇ13ti35_53ci21phɔit3lait5cie53_44mɔi53tsʅ0liau0,ṇ13ti35_53ci21phɔit3lait5ke53_44pu35ɲiəŋ13_21tsʅ0tʂaŋ53xei53_44.kai53tʂʅ21xei53kɔŋ21xa53_44la0.maŋ13khɔn53ko0.

【打尿噤】ta21ɲiau53tʂən53_21 小便时打冷噤：～，主要是冷天你，冷天屙尿。唔知让门子冷天屙尿更会～呢。热天是气温高。ta21ɲiau53tʂən53,tʂʅ21iau53ʂʅ53laŋ35thien35_44nei0,laŋ35thien35_44o35_44ɲiau53.ṇ13_21ti35_53ɲiɔŋ53mən0tsʅ0laŋ35thien35_44o35_53ɲiau53cien53uɔi35_44ta21ɲiau53tʂən53_44ne0. ɲiet5thien35_44ʂʅ53_44çi53uən35_44kau35.

【打挪】ta21lo13 [动]指人说话口齿不清：我硬跍倒箇映徛哩一阵子嘞，我只徛下子。好像渠讲事都系水……嘴巴都～样嘞，讲事都讲唔出嘞箇只人呢。ŋai13ɲiaŋ53ku35tau21kai53_44iaŋ53_44chi35li0it3tʂhən53tsʅ0le0,ŋai13tʂʅ21chi35ia53tsʅ0.xau21tshiɔŋ53ci13_21kɔŋ21sʅ53təu35_44xei21ʂei21…tsi21pa35_44təu35_53ta21lo13iɔŋ53le0,kɔŋ21sʅ53təu35_53kɔŋ21ṇ13tʂhət3le0kai53(tʂ)ak3ɲin13ne0.

【打哦呵】ta21o53xo21 [动]高声喊叫：哦呵啊，～。～了。o53xo13a0,ta21o53xo21.ta21o53xo21liau0.

【打牌】ta21phai13 [动]用纸牌、排九等消遣或赌博：我等箇映啦，以个乡下，有一宗唔好，有么个唔好哇，你晓得吗？我等屋下唔～，冇么人～，嫐都冇么人来嫐。你喊渠来嫐都唔来嫐。欸，以下我到别人家屋下去嘞也系，因为嘞唔～个人家屋下嘞箇我还坐下子，你碰倒～个屋下是，“哦，你等搞都冇赢啊，欸箇我听晡来嫐下子。”冇得嫐哇，尽系～呀，只讲……讲嫐就系～。嗯呀，会输命个。嗯就咁个。嫐就～。我等一家人就真系冇一个么人～。冇人～就冇人来嫐，嘿嘿，就咁个。ŋai13tien0kai53iaŋ53la0,i21ke53çiɔŋ35xa35_44,iəu35iet3tsəŋ35ṇ13_21xau21,iəu35_53mak3e0ṇ13_21xau21ua0, ɲi13_44çiau21_44tek3ma0?ŋai13tien0uk3xa53ṇ13_21ta21phai13,mau13mak3in13_44ta21phai13,liau53təu35_44mau13_21mak3in13_21lɔi13_21liau53. ɲi13xan53ci13_44lɔi13liau53təu35_53ṇ13_21nɔi13_21liau53.e44,i21xa53ŋai13tau53_44phiet5in13_44ka35_44uk3xa53çi53_44lei0ia35xei53,in35uei53le0ṇ13ta21phai13ke53ɲin13ka35_53uk3xa53lei0kai53ŋai13xai13_21tsho35xa53_44tsʅ0, ɲi13phəŋ53tau21ta21phai13ke53uk3xa53 ʂʅ53,"o53, ɲi13tien0kau21təu35/53mau13/44iaŋ13/44ŋa0,e21kai53ŋai13/21tʰin53pu35/44lɔi13/21liau53xa53/44tsʅ0."mau13tek3liau53ua0,tsʰin53 nei53/44ta21pʰai13ia0,tʂʅ21kɔŋ21…kɔŋ21liau53tsʰiəu53xei53ta21pʰai13.ɳ53ia13,uɔi53ʂəu35miaŋ53ke0.en35tsʰiəu53kan21 cie53.liau53tsʰiəu53/44ta21pʰai13.ŋai13tien0iet3ka35ɲin13/21tsʰiəu53/44tʂən35ne53mau13iet3cie53mak3in13/44ta21pʰai13.mau13in13/44 ta21pʰai13tsʰiəu53mau13in13/21lɔi13/21liau53,xei21xei53,tsʰiəu53kan21/13cie53.

【打盘】ta21pʰan13 动 用条盘将菜从厨房端到桌边，又称"提盘"：箇掇条盘个人安做～。kai53 tɔit3tʰiau13pʰan13/21ke53ɲin13/21ɔn35/21tso53ta21pʰan13.

【打盘子】ta21pʰan13tsʅ0 动 清基的俗称，指建房前三通一平：首先就安做～唠。就是清基呀。就是～，就安做～。打屋盘子啊，分箇屋……箇只所爱用个栏场通通都清开来呀。箇就安做～。ʂəu21sien35/53tsʰiəu53/44ɔn35/44tso53/44ta21pʰan13tsʅ0lau0.tsʰiəu53/44ʂʅ53/44tsʰin35/44ci53/44ia0.tsʰiəu53/44ʂʅ53/44ta21pʰan13tsʅ0,tsʰiəu53/44 ɔn35/44tso53/44ta21pʰan13tsʅ0.ta21uk3pʰan13tsa0,pən35kai53/44uk3…kai53tʂak3so21ɔi53/44iəŋ53ke53/44lɔŋ13tʂʰəŋ13tʰəŋ35tʰəŋ35təu35/21 tsʰin35kʰɔi35lɔi13/21ia0.kai53/44tsʰiəu53/44ɔn35/44tso53/44ta21pʰan13tsʅ0.

【打盘坐】ta21pʰan13tsʰo35 盘腿坐。又称"坐盘脚"：庙里个和尚是会～唠。𫟟多𫟟欸会一般个人老百姓唔多得～，欸。miau53li0ke0uo13ʂɔŋ53ʂʅ53/44uɔi53ta21pʰan13tsʰo35/44lau0.maŋ13to35/53maŋ13ei21uɔi53/44iet3 pɔn35ke53ɲin13lau21pet3sin53ṇ13/21to35/53tek3ta21tʰan13tsʰo35/44,e21.

【打嗙】ta21pʰaŋ53 动 矜持客套而不肯吃或不肯多吃，又称"装假、衍文、衍文施礼、打㱆"：你莫～哦！ɲi13mɔk5ta21pʰaŋ53ŋo0!

【打跑脚】ta21pʰau21ciɔk3 动 飞跑：讲护士是，我去医院里看下子，我老婆去下住院，我去看下子是，我也住过院吵，哎呀，箇阵子我教个初中生子，我话："让门你等唔想去箇个唔想去考护士，唔想去当护士？"以下我晓得哩，箇个护士蛮难当，一只就累人，搞唔赢哩是爱～，爱跑兜子。系唔系？打吊针，以映都𫟟搞正，箇映又捡稳哩了，又冇哩水了。欸，～。第二只又冇假。第三只嘞就责任重大，责任重，你系话打错一瓶药水嘞，搞错一瓶，箇真收拾哩箇就，箇你嘞你去赔呀。kɔŋ21fu53sʅ53/44ʂʅ53/44,ŋai13çi53i53vien53ni0kʰɔn53na53/44tsʅ0,ŋai13lau21pʰo13çi53xa53 tʂʰʮ53vien53,ŋai13çi53/44kʰɔn53xa53/21tsʅ0 ʂʅ53/44,ŋai13ia35/44tʂʰʮ53ko53vien53ʂa0,ai53ia21,kai53tʂʰən53tsʅ0ŋai13kau35/44ke0tsʰəu35/44 tʂəŋ35/44sen35/44tsʅ0,ŋai13ua53:"ɲiɔŋ53mən0ɲi13tien0ṇ13siɔŋ21çi53kai53/44ke53/44ṇ13siɔŋ21çi53kʰau21fu53sʅ53/44,ṇ13siɔŋ21çi53/44təŋ35/44 fu53sʅ53/44?"i21xa53ŋai13/21çiau21tek3li0,kai53ke53/44fu53sʅ53man13/21lan13/21təŋ35/44,iet3tʂak3tsʰiəu53/44li53ɲin13.kau21ṇ13iaŋ13li0ʂʅ53/44 ɔi53ta21pʰau21ciɔk3,ɔi53pʰau21tei35/44tsʅ0.xei53me53?ta21tiau53tʂən35/44,i21iaŋ35təu35/53maŋ13/21kau21tʂaŋ53,kai53iaŋ53/44iəu53 ɲien21uən21li0liau0,iəu53mau13/21li0ʂei21liau0.ei21,ta21/44pʰau21/44ciɔk3.tʰi53ɲi53tʂak3iəu53mau13cia21.tʰi53/44san35tʂak3lei0 tsʰiəu53/44tset3uən53/44tʂʰəŋ53tʰai53/44,tset3uən53/44tʂʰəŋ53, ɲi13/21xei53/44ua53/44ta21tsʰo53iet3pʰin13/21iɔk5ʂei21lei0,kau21tsʰo53iet3 pʰin13/21,kai53tʂən35ʂəu35ʂət5li0kai53/44tsʰiəu53/44,kai53/44ɲi13/21lei0ɲi13/44çi53/44pʰi13ia0.

【打泡壶】ta21pʰau53fu13/21 动 将老叶茶放在茶壶里泡：箇起就讲泡壶茶，～个。kai53çi21tsʰiəu53kɔŋ21 pʰau53fu13tsʰa13,ta21pʰau53fu13/21ke53.

【打皮寒】ta21pʰi13xɔn13 因寒冷或害怕而起鸡皮疙瘩：～，就是起鸡皮疙瘩啊。冷起～呐。就欸感觉到冷啊。还有只嘞就系因为么个事，不可设想个事，不可理解个事，或者蛮突然个事，唔好个事，人都～呐。听倒箇只路子人都～。欸，主要是就蛮血腥个事。听倒听倒都～。听倒都怕，欸，～。ta21pʰi13xɔn13,tsʰiəu53ʂʅ53çi21cie35pʰi13/21ket3tait3a0.laŋ35çi21/44ta21pʰi13xɔn13na0.tsʰiəu53e0kɔn21 cʰiɔk3tau53laŋ35ŋa0.xai13/21iəu53/44tʂak3lei0tsʰiəu53xei53/44in35uei53/44mak3e0sʅ53,puk3kʰo21ʂet3siɔŋ21ke0sʅ53pət3kʰo21li35 kai21ke0sʅ53,xɔit5tʂa21man13tʰəuk5vien13ke0sʅ53,m13xau21ke0sʅ53, ɲin13/21təu35/53ta21pʰi13xɔn13/44na0.tʰaŋ35/44tau21/44kai53/44 (tʂ)ak3lu53tsʅ0ɲin13təu35/53ta21pʰi13xɔn13.ei21,tʂʮ21iau53ʂʅ53tsʰiəu53man13/21çiet3sin35/44ke53sʅ53/44.tʰaŋ35tau21/44tʰaŋ35tau21təu35/44 ta21pʰi13/21xɔn13/21.tʰaŋ35tau21təu35/44pʰa53,e21,ta21pʰi13xɔn13.

【打屁】ta21pʰi53 动 放屁，从肛门排出肠道臭气：箇就黄老鼠会～个。kai53/44tsʰiəu53/44uɔŋ13lau21/44tʂʰəu21 uɔi53/44ta21pʰi53ke53/44.｜雷公先唱歌，有落都冇几多。欸，以个雷公是去下子～安狗心，打只子屁分你等人，响下子雷公，安慰下子你等人。li13kəŋ35/44sien35tʂʰɔŋ53ko35,iəu35lɔk5təu35/44mau13ci21to35.e21,i21 ke53li13kəŋ35/53ʂʅ53/44çi53xa53/44tsʅ0ta21pʰi53ɔn35kei21sin35,ta21tʂak3tsʅ0pʰi53pən35ɲi13tien0in13/44,çiɔŋ21xa53tsʅ0li13kəŋ35/53,ɔn35 uei53ia21/21tsʅ0ɲi13tien0ɲin13/44.

【打屁股】ta21pʰi53ku21 动 一种击打臀部的体罚方式：我等个祠堂肚里还有话嘞还有～个凳呶。ŋai13/21tien0ke53tsʰʅ13/21tʰɔŋ13/21təu21li0xai13/21iəu35/44ua53lei0xai13/21iəu35/44ta21pʰi53ku21ke0tien53nau0.

【打屁爱屎交】ta21pʰi53ɔi53ʂʅ21ciau35 比喻做事就应该付出代价：欸，比方送细人子去读书样啊，你就爱拿学费呀，欸，～，少唔得个。e21,pi21fɔŋ35/44səŋ53sei53ɲin13/21tsʅ0çi53/44tʰəuk5ʂəu35iɔŋ53/44ŋa0, ɲi13/21 tsʰiəu$^{53}_{44}$ɔi$^{53}_{44}$la$^{53}_{44}$çiɔk^{5} fei^{53}ia^{0},e$_{44}$,ta^{21}pʰi^{53}ɔi$^{53}_{44}$ʂɿ^{21}ciau$^{35}_{44}$,ʂau^{21}n̩$^{13}_{21}$tek^{3}ke$^{53}_{21}$.

【打飘石子】ta^{21}pʰiau^{35}ʂak^{5}tsɿ^{0} 打水飘：～就系箇拿只石头咁子平平子去漂喔，欸，去水面上咁子，箇个石头去水面上窜下起来又咁子，咁子，就安做～。要打得好个打得七八下，上十下呢。我会打。ta^{21}pʰiau^{35}ʂak^{5}tsɿ^{0}tsʰiəu$^{53}_{44}$xei$^{53}_{44}$kai^{53}lak^{5}(tʂ)ak^{3}ʂak^{5}tʰei$^{13}_{44}$kan$^{21}_{44}$tsɿ^{0}pʰiaŋ^{13}pʰiaŋ^{13}tsɿ^{0}çi^{53}pʰiau^{35}uo^{0},e$_{21}$,çi$^{21}_{44}$ʂei^{21}mien^{53}xɔŋ^{53}kan^{21}tsɿ^{0},kai$^{53}_{44}$ke$^{53}_{44}$ʂak^{5}tʰei$^{13}_{44}$çi^{53}ʂei^{21}mien^{53}xɔŋ^{53}tsʰɔn^{35}na^{53}çi^{21}lɔi^{13}iəu^{53}kan^{21}tsɿ^{0},kan^{21}tsɿ^{0},tsʰiəu$^{53}_{44}$ɔn$^{35}_{44}$tso$^{53}_{44}$ta^{21}pʰiau^{35}ʂak^{5}tsɿ^{0}.iau$^{53}_{44}$ta^{21}tek^{3}xau^{21}kei$^{53}_{44}$ta^{21}tek^{3}tsʰiet^{3}pait^{3}xa^{53},ʂɔŋ$^{53}_{44}$ʂət^{5}xa^{53}nei^{0}.ŋai^{13}uɔi^{53}ta^{21}.

【打平伙】ta^{21}pʰiaŋ^{13}fo^{21} 平均出钱聚餐：～就系箇个吧？～，大家斗倒钱来买么个食，就安做～。搞只么个食哩，欸，～，大家都出钱，AA 制啊。欸～样。如如今唔系有兜人话：如今做么个好事啦？就系去下～。尽滴都打只红包分你，系唔系？食一餐，冇得么个意义，就系～样。出滴钱～，欸，食一餐。ta^{21}pʰiaŋ^{13}fo^{21}tsʰiəu^{53}xei$^{53}_{44}$kai$^{53}_{44}$ke$^{53}_{44}$pa^{0}?ta^{21}pʰiaŋ^{13}fo$^{21}_{44}$,tʰai^{53}cia$^{35}_{44}$tei^{53}tau^{21}tsʰien^{13}nɔi^{13}mai^{35}mak^{3}e^{0}ʂət^{5},tsʰiəu$^{53}_{44}$ɔn$^{35}_{44}$tso$^{53}_{44}$ta^{21}pʰiaŋ^{13}fo^{21}.kau^{21}tʂak^{3}mak^{3}e^{0}ʂət^{5}li^{0},e$_{21}$,ta^{21}pʰiaŋ^{13}fo$^{21}_{44}$,tʰai^{53}cia$^{35}_{44}$təu$^{35}_{44}$tʂʰət^{3}tsʰien^{13},ei$_{44}$ei$_{44}$tʂɿ^{53}a^{0}.e^{0}ta^{21}pʰiaŋ^{13}fo^{21}iɔŋ$^{53}_{44}$.i^{13}i$^{13}_{21}$cin$^{35}_{44}$m̩^{13}pʰei$^{53}_{44}$iəu^{35}təu$^{35}_{44}$ɲin$^{13}_{21}$ua$^{53}_{44}$i$^{13}_{21}$cin$^{35}_{44}$tso^{53}mak^{3}e^{0}xau^{21}sɿ$^{53}_{44}$la^{0}?tsʰiəu^{53}xe$^{53}_{44}$çi^{53}xa^{53}ta^{21}pʰiaŋ^{13}fo$^{21}_{44}$.tsʰin^{53}tet^{5}təu$^{35}_{53}$ta^{21}tʂak^{3}fəŋ^{13}pau$^{35}_{44}$pən$^{35}_{44}$ɲi$^{13}_{21}$,xei$^{53}_{44}$me$^{53}_{44}$?ʂət^{5}iet^{3}tsʰɔn^{35},mau^{13}tek$^{3}_{5}$mak^{3}e^{0}i^{53}ɲi$^{53}_{44}$,tsʰiəu^{53}xe^{53}ta^{21}pʰiaŋ^{13}fo^{21}iɔŋ^{53}.tʂʰət^{3}tiet^{5}tsʰien$^{13}_{44}$ta^{21}pʰiaŋ^{13}fo^{21},e$_{21}$,ʂət^{5}iet^{3}tsʰɔn^{35}.

【打泼赖】ta^{21}pʰait^{3}lai^{53} 赖着不肯从地上起来（多指小孩子）：～就系讲细人子发气，赖倒唔从地泥上起来。犁地泥哟。有滴细人子真喜欢～。欸有滴细人子嘞更听话，唔得～。我等箇只孙子唔～，爱叫就叫一场。有滴是叫也咁子叫欸犁也咁子犁，嗯，跍下地泥下犁，～。ta^{21}pʰait^{3}lai^{53}tsʰiəu$^{53}_{44}$xei$^{53}_{44}$kɔŋ^{21}se^{53}ɲin$^{13}_{21}$tsɿ^{0}fait^{3}çi^{53},lai^{53}tau^{21}n̩^{13}tsʰəŋ$^{13}_{44}$tʰi^{53}lai$^{13}_{44}$xɔŋ^{53}çi^{21}lɔi^{13}.lai$^{13}_{21}$tʰi^{53}lai^{13}iau^{0}.iəu^{35}tet^{5}se^{53}ɲin$^{13}_{21}$tsɿ^{0}tʂən^{35}çi^{21}fɔn$^{35}_{44}$ta^{21}pʰait^{3}lai^{53}.e^{0}iəu^{35}tet^{5}sei^{53}ɲin$^{13}_{21}$tsɿ^{0}lei^{0}cien$^{53}_{44}$tʰaŋ^{35}ua^{53},n̩$^{13}_{44}$tek^{3}ta^{21}pʰait^{3}lai^{53}.ŋai^{13}tien^{0}kai^{53}tʂak^{3}sən^{35}tsɿ^{0}n̩$^{13}_{21}$ta^{3}pʰait^{3}lai$^{53}_{44}$,ɔi^{53}ciau$^{53}_{44}$tsʰiəu$^{53}_{44}$ciau^{53}iet^{3}tʂʰɔŋ$^{13}_{44}$.iəu^{35}tet^{5}ʂɿ$^{53}_{44}$ciau^{53}a$^{35}_{44}$kan^{21}tsɿ^{0}ciau^{53}e^{0}lai^{13}ia$^{35}_{53}$kan^{21}tsɿ^{0}lai$^{13}_{21}$,n̩$_{21}$,kʰu^{35}xa$^{53}_{44}$tʰi^{53}lai$^{13}_{21}$xa^{53}lai$^{13}_{21}$,ta^{21}pʰait^{3}lai^{53}.

【打棋子】ta^{21}cʰi^{13}tsɿ^{0} 当地客家人的一种特色棋类活动：我等以映子有起就箇个象棋子吵还有起～个打法啦。我发现冇哪映有咁个搞法。三十二只子就墩做八墩，四八三十二吵，系啊？墩做八墩，覆下转来啊，覆转来墩。每个人，四个人打，每个人拿一排，每个人拿一嶙呐，拿八只，就来打，四个人就来打。让门子打法嘞？车马炮系一只组合，将士象系只组合，欸，兵呐卒系只组合，咁子组合。嗯，渠有两只箇个吵，有两只……欸，分红乌来打，打比我一对欸车马炮，就按照箇只顺序，车就更大，车就可以打马，马就可以打炮，炮就可以打兵卒。欸，王头最大，王头就可以打士，士就打象，象就打车，车马炮，兵卒，兵卒最细。嗯，大打细，你出一对兵去，红个，或者乌个，哦兵子一般就系乌个。你就一对乌兵牯去，别人家就系一对乌炮乌马乌车，欸，乌士乌象去打，只能咁子就正打得。别人家出一对红马牯去，一对红马，你就只能红车红象红士就打得，欸。王头是只有只唠，系唔系？红王头一只唠，乌王头一只唠，单只子就打得。好，还有三只个组合，车马炮，将士象，你出三只卒牯，你出三只红卒牯，我就一三车马炮打哩你，好，箇只人呢渠有将士象，渠就一三将士象又打嘿哩你，欸。就咁子打。欸，你系兵卒多嘞你就可以凑，出五只，我以到手里拈倒五只兵牯，我就五只兵牯搞下去，冇么个人打得起。就咁子个。好，打嘿哩以后嘞，打嘿哩一只，四个人每个人出一只吵，系唔系？就打墩子，就墩起来，安做一墩。打倒你打倒有三墩呢就关哩门，就呃“三墩关哩门呢，在乎渠门背打死人”，箇就我就唔论哩输赢了，我一到以手棋就掺我无关了。好，打到最后箇只人就同箇个打跑得快样，打到最后箇只人呢渠就系……好，欸以个嘞就安做摊结，最后以下，打比我也留哩还两只子，你也留哩两只子，渠也留哩两只子，欸，以到轮倒你出了，你手里正好两只兵牯，你手里最后是丢两只兵牯丢下出来，箇我等三个人就爱让门子嘞就爱一对炮子，乌炮子或者乌马子乌车子，乌士乌象，就可以食倒渠，箇我就赢哩，箇我就结哩。我结倒结个时候子系三墩，我手里结个时候子系两墩，我手里又还有……首先还打倒两墩，箇就四结五。还数棍子，每个人数棍子，一个人八条棍子，四结五我就卖嘿……安做卖嘿五棍。等你手里个棍子冇得哩，你就满哩，你就赢哩，就咁个。安做～。只有客家人搞，别么人冇么人搞。如今只有箇老班子会搞咁个，后生人冇么人搞咁个。ŋai^{13}tien^{0}i^{21}iaŋ^{53}tsɿ^{0}iəu^{35}çi^{21}tsʰiəu$^{53}_{44}$kai$^{53}_{44}$ke$^{53}_{44}$siɔŋ^{53}cʰi^{13}tsɿ^{21}ʂa^{0}xai$^{13}_{21}$iəu$^{35}_{53}$çi^{21}ta^{21}cʰi$^{13}_{21}$tsɿ^{0}ke^{53}ta^{21}fait^{3}la^{0}.ŋai^{13}fait^{3}

çien^{53}mau^{13}lai^{53}iaŋ^{53}iəu$^{35}_{44}$kan^{21}ke^{53}kau^{21}fait^{3} .san$^{35}_{44}$ʂət^{5}ɲi^{53}tʂak^{3}tsɿ^{21}tsʰiəu$^{35}_{44}$tən^{35}tso^{53}pait^{3}tən^{35},si^{53}pait^{3}san$^{35}_{44}$ʂət^{5}ɲi^{53}ʂa^{0},xei^{53}a^{0}?tən^{35}tso^{53}pait^{3}tən^{35},pʰuk^{3}(x)a^{53}tʂuən^{21}nɔi^{13}a^{0},pʰuk^{3}tʂuən^{21}nɔi$^{13}_{44}$tən^{35}.mei^{35}ke^{53}ɲin$^{13}_{44}$,si^{53}cie^{53}in$^{13}_{44}$ta^{21},mei^{35}ke^{53}ɲin$^{13}_{44}$la^{53}iet^{3}pʰai^{13},mei^{35}ke^{53}ɲin$^{53}_{44}$la^{53}iet^{3}lin^{13}na^{0},la^{53}pait^{3}tʂak^{3},tsʰiəu^{53}lɔi$^{13}_{21}$ta^{21},si^{53}ke^{53}in$^{13}_{44}$tsʰiəu^{53}lɔi$^{13}_{21}$ta^{21}. ɲiɔŋ^{53}mən$^{13}_{44}$tsɿ^{0}ta^{21}fait^{3}le^{0}?cie^{35}ma^{35}pʰau^{53}xei^{53}iet^{3}tʂak^{3}tsu^{21}xɔit^{5},tsiɔŋ^{53}sɿ^{53}siɔŋ^{53}xei^{53}tʂak^{3}tsu^{21}xɔit^{5},ei$_{21}$,pin^{35}na^{0}tsət^{3}xei^{53}tʂak^{3}tsu^{21}xɔit^{5},kan^{21}tsɿ^{0}tsu^{21}xɔit^{5}.en$_{44}$,ci$^{13}_{21}$iəu^{35}iɔŋ^{21}tʂak^{3}kai$^{53}_{44}$ke$^{53}_{44}$ʂa^{0},iəu^{35}iɔŋ^{21}tʂak^{3}···e$_{21}$,fən$^{35}_{44}$fəŋ^{13}u^{35}lɔi$^{13}_{21}$ta^{21},ta^{21}pi^{21}ŋai^{13}iet^{3}ti^{53}ei$_{21}$,cie^{35}ma^{35}pʰau^{53},tsʰiəu^{53}ŋon^{53}tʂau^{53}kai^{53}tʂak^{3}ʂən^{53}si$^{53}_{44}$,cie^{35}tsʰiəu$^{53}_{44}$cien$^{53}_{44}$tʰai^{53},cie^{35}tsʰiəu^{53}kʰo^{21}i$^{35}_{53}$ta^{21}ma^{35},ma^{35}tsʰiəu$^{53}_{44}$kʰo^{21}i$^{35}_{44}$ta^{21}pʰau^{53},pʰau^{53}tsʰiəu$^{53}_{44}$kʰo^{21}i$^{35}_{44}$ta^{21}pin^{35}tsət^{3}.e$_{21}$,uəŋ^{13}tʰei^{13}tsei^{53}tʰai^{53},uəŋ^{13}tʰei$^{13}_{44}$tsʰiəu^{53}kʰo^{21}i$^{35}_{44}$ta^{21}sɿ^{53},sɿ^{53}tsʰiəu$^{53}_{44}$ta^{21}siɔŋ^{53},siɔŋ^{53}tsʰiəu$^{53}_{44}$ta^{21}cie^{35},cie^{35}ma^{35}pʰau^{53},pin^{35}tsət^{3},pin^{35}tsət^{3}tsei^{53}se^{53}.n̩$_{21}$,tʰai^{53}ta^{21}se^{53}, ɲi^{13}tʂʰət^{3}iet^{3}ti^{53}pin^{35}çi^{53},fəŋ^{13}ke$^{53}_{44}$,xɔit^{5}tʂa^{21}u^{35}ke^{53},o^{0}pin^{35}tsɿ^{0}iet^{3}pɔn^{35}tsʰiəu^{53}xe^{53}u^{35}ke^{53}. ɲi$^{13}_{21}$tʂʰət^{3}iet^{3}ti^{53}u^{35}pin^{35}ku^{21}çi^{53},pʰiet^{5}ɲin$^{13}_{21}$ka$^{35}_{44}$tsʰiəu^{53}xe^{53}iet^{3}ti^{53}u^{35}pʰau^{53}u^{35}ma^{35}u^{35}cie^{35},e$_{21}$,u^{35}sɿ^{53}u^{35}siɔŋ^{53}çi^{53}ta^{21},tʂʅ^{21}len$^{13}_{21}$kan^{21}tsɿ^{0}tsiəu^{53}tʂaŋ$^{53}_{44}$ta^{21}tek^{3}.pʰiet^{5}in$^{13}_{44}$ka$^{35}_{44}$tʂʰət^{3}iet^{3}ti^{53}fəŋ^{13}ma^{35}ku^{21}çi^{53},iet^{3}ti^{53}fəŋ^{13}ma^{35}, ɲi$^{13}_{21}$tsʰiəu^{53}tʂʅ$^{21}_{44}$len$^{13}_{44}$fəŋ^{13}cie^{35}fəŋ^{13}siɔŋ^{53}fəŋ^{13}sɿ^{53}tsiəu^{53}ta^{21}tek^{3},e$_{21}$.uəŋ^{13}tʰei$^{13}_{44}$ʂʅ$^{53}_{44}$tʂʅ$^{21}_{44}$iəu$^{35}_{53}$tʂak^{3}lau^{0},xei$^{53}_{44}$me$^{53}_{44}$?fəŋ^{13}uəŋ$^{13}_{44}$tʰei$^{13}_{44}$iet^{3}tʂak^{3}lau^{0},u^{35}uəŋ$^{13}_{21}$tʰei$^{13}_{21}$iet^{3}tʂak^{3}lau^{0},tan^{35}tʂak^{3}tsɿ^{0}tsʰiəu^{53}ta^{21}tek^{3}.xau^{21},xai$^{13}_{21}$iəu$^{35}_{53}$san^{35}tʂak^{3}ke$^{53}_{44}$tsu^{21}xɔit^{5},cie^{35}ma^{35}pʰau^{53},tsiɔŋ^{53}sɿ$^{53}_{44}$siɔŋ^{53},ɲi^{13}tʂʰət^{3}san^{35}tʂak^{3}tsət^{3}ku^{21}, ɲi$^{13}_{44}$tʂʰət^{3}san^{35}tʂak^{3}fəŋ^{13}tsət^{3}ku^{21},ŋai^{13}tsʰiəu^{53}iet^{3}san^{35}cie$^{35}_{44}$ma$^{35}_{44}$pʰau^{53}ta^{21}li^{0}ɲi$^{13}_{21}$,xau^{21},kai^{53}tʂak^{3}ɲin^{13}nei^{0}ci$^{13}_{21}$iəu^{35}tsiɔŋ^{53}sɿ$^{53}_{44}$siɔŋ^{53},ci$^{13}_{21}$tsʰiəu^{53}iet^{3}san^{35}tsiɔŋ$^{53}_{44}$sɿ$^{53}_{44}$siɔŋ^{53}iəu^{35}ta^{21}xek^{3}li^{0}ɲi$^{13}_{21}$,e$_{21}$.tsiəu^{53}kan^{21}tsɿ^{0}ta^{21}.ei$_{21}$, ɲi^{13}xe$^{53}_{44}$pin^{35}tsət^{3}to^{35}lei^{0}ɲi$^{13}_{44}$tsʰiəu$^{53}_{44}$kʰo^{21}i$^{35}_{44}$tsʰe^{0},tʂʰət^{3}ŋ̍^{21}tʂak^{3},ŋai^{13}i^{21}tau$^{53}_{21}$ʂəu^{21}li^{0}ɲian^{35}tau^{53}ŋ̍^{21}tʂak^{3}pin^{35}ku^{21},ŋai$^{13}_{21}$tsʰiəu^{53}ŋ̍^{21}tʂak^{3}pin^{35}ku^{21}kau^{21}xa$^{53}_{44}$çi^{53},mau$^{13}_{21}$mak^{3}e^{0}in$^{13}_{44}$ta^{21}(t)ek^{3}çi^{21}.tsiəu$^{53}_{21}$kan^{21}tsɿ^{0}ke^{0}.xau^{21},ta^{21}xek^{3}li^{0}i$^{35}_{44}$xei$^{53}_{44}$lei^{0},ta^{21}xek^{3}li^{0}iet^{3}tʂak^{3},si^{53}ke$^{53}_{44}$ɲin$^{13}_{44}$mei^{35}ke^{53}in$^{13}_{44}$tʂʰət^{3}iet^{3}tʂak^{3}ʂa^{0},xei$^{53}_{44}$me$^{53}_{44}$?tsʰiəu$^{53}_{44}$ta^{21}tən^{35}tsɿ^{0},tsʰiəu$^{53}_{44}$tən^{35}cʰi^{21}lɔi$^{13}_{21}$,ɔn$^{35}_{44}$tso^{53}iet^{3}tən^{35}.ta^{21}tau^{21}ɲi^{13}ta^{21}tau^{21}iəu$^{35}_{53}$san^{35}tən$^{35}_{44}$ne^{0}tsʰiəu^{53}kuan$^{35}_{44}$ni^{0}mən^{13},tsʰiəu^{53}ə$_{21}$"san^{35}tən$^{35}_{44}$kuan$^{35}_{44}$ni^{0}mən^{13}ne^{0},tsʰai^{53}fu$^{13}_{21}$ci$^{13}_{21}$mən^{13}pɔi^{53}ta^{21}si^{21}ɲin^{13}",kai$^{53}_{44}$tsʰiəu$^{53}_{44}$ŋai^{13}tsʰiəu^{13}n̩^{13}lən^{13}li^{0}ʂəu^{53}iaŋ$^{13}_{21}$liau^{0},ŋai^{13}iet^{3}tau$^{53}_{44}$i^{21}ʂəu^{21}cʰi^{13}tsʰiəu$^{53}_{44}$lau$^{35}_{44}$ŋai^{13}u^{13}kuan^{35}niau^{0}.xau^{21},ta^{21}tau$^{53}_{44}$tsei^{53}xei$^{53}_{44}$kai^{53}tʂak^{3}ɲin^{13}tsʰiəu^{53}tʰəŋ$^{13}_{21}$kai$^{53}_{44}$ke$^{53}_{44}$ta^{21}pʰau^{21}tek^{3}kʰuai^{53}iɔŋ$^{53}_{44}$,ta^{21}tau$^{53}_{44}$tsei^{53}xei$^{53}_{44}$kai^{53}tʂak^{3}ɲin^{13}nei^{0}ci^{13}tsʰiəu^{53}xe$^{53}_{44}$···xau^{21},ei$_{44}$i^{21}ke$^{53}_{44}$lei^{0}tsʰiəu$^{53}_{44}$ɔn$^{35}_{44}$tso$^{53}_{44}$tʰan^{35}ciet^{3},tsei^{53}xei^{53}iet^{3}xa^{53},ta^{21}pi^{21}ŋai^{13}ia$^{35}_{53}$liəu$^{13}_{21}$li^{0}xai$^{13}_{21}$iɔŋ^{21}tʂak^{3}tsɿ^{21}, ɲi^{13}ia$^{35}_{53}$liəu$^{13}_{21}$li^{0}iɔŋ^{21}tʂak^{3}tsɿ^{21},ci^{13}ia$^{35}_{53}$liəu$^{13}_{21}$li^{0}iɔŋ^{21}tʂak^{3}tsɿ^{21},e$_{21}$,i^{21}tau^{53}lən^{13}tau^{21}ɲi^{13}tʂʰət^{3}liau^{0},ɲi^{13}ʂəu^{21}li^{0}tʂən^{53}xau^{21}iɔŋ^{21}tʂak^{3}pin^{35}ku^{21}, ɲi$^{13}_{21}$ʂəu^{21}li^{0}tsei^{53}xei^{53}ʂʅ$^{53}_{44}$tiəu$^{35}_{44}$iɔŋ^{21}tʂak^{3}pin^{35}ku^{21}tiəu$^{35}_{44}$(x)a$^{53}_{44}$tʂʰət^{3}lɔi$^{13}_{21}$,kai^{53}ŋai^{13}tien^{0}san$^{35}_{44}$ke^{53}in$^{13}_{21}$tsʰiəu^{53}ɔi^{53}ɲiɔŋ^{53}mən$^{13}_{44}$tsɿ^{0}lei^{0}tsʰiəu^{53}ɔi^{53}iet^{3}ti^{53}pʰau^{53}tsɿ^{0},u^{35}pʰau^{53}tsɿ^{0}xɔit^{5}tʂa^{21}u^{35}ma^{35}tsɿ^{0}u^{35}cie^{35}tsɿ^{0},u^{35}sɿ^{53}u^{35}siɔŋ^{53},tsiəu$^{53}_{44}$kʰo^{21}i$^{35}_{44}$ʂət^{5}tau^{21}ci$^{13}_{44}$,kai^{53}ŋai^{13}tsʰiəu^{53}iaŋ^{13}li^{0},kai^{53}ŋai^{13}tsʰiəu^{53}ciet^{3}li^{0}.ŋai^{13}ciet^{3}tau^{21}ciet^{3}ke$^{53}_{44}$ʂʅ$^{13}_{44}$xəu$^{53}_{44}$tsɿ^{0}xei$^{53}_{44}$san^{35}tən^{35},ŋai^{13}ʂəu^{21}li^{0}ciet^{3}ke^{53}ʂʅ$^{13}_{44}$xəu$^{53}_{44}$tsɿ^{0}xei^{53}iɔŋ^{21}tən$^{35}_{44}$,ŋai^{13}ʂəu^{21}li^{0}iəu^{53}xai$^{13}_{21}$iəu$^{35}_{53}$···ʂəu^{21}sien$^{35}_{53}$xai$^{13}_{21}$ta^{21}tau^{21}iɔŋ^{21}tən^{35},kai$^{53}_{44}$tsʰiəu$^{53}_{44}$si^{53}ciet^{3}ŋ̍^{21}.xai^{13}səu^{21}kuən^{35}tsɿ^{0},mei^{35}ke^{53}in$^{13}_{44}$səu^{21}kuən^{35}tsɿ^{0},iet^{3}ke^{53}in$^{13}_{21}$pait^{3}tʰiau^{13}kuən^{53}tsɿ^{0},si^{53}ciet^{3}ŋ̍^{21}ŋai^{13}tsʰiəu^{53}mai^{53}xek^{3}···ɔn^{35}tso^{53}mai$^{53}_{44}$xek^{3}ŋ̍^{21}kuən^{53}.ten^{21}ɲi$^{13}_{44}$ʂəu^{21}li^{0}ke^{0}kuən^{53}tsɿ^{0}mau^{13}tek^{3}li^{0}, ɲi^{13}tsʰiəu^{53}mɔn^{35}ni^{0}, ɲi^{13}tsʰiəu^{53}iaŋ^{13}li^{0},tsʰiəu^{53}kan^{21}cie^{53}.ɔn$^{35}_{44}$tso$^{53}_{44}$ta^{21}cʰi^{13}tsɿ^{0}.tʂʅ^{21}iəu$^{35}_{53}$kʰak^{3}ka^{35}ɲin$^{13}_{21}$kau^{21},pʰiet^{5}mak^{3}ɲin$^{13}_{44}$mau$^{13}_{21}$mak^{3}in$^{13}_{44}$kau$^{21}_{44}$.i$^{13}_{21}$cin$^{35}_{53}$tʂʅ$^{21}_{44}$iəu$^{35}_{44}$kai^{53}lau^{21}pan^{35}tsɿ^{0}uɔi^{53}kau^{21}kan$^{21}_{13}$cie^{53},xei^{53}saŋ$^{35}_{44}$ɲin$^{13}_{21}$mau$^{13}_{21}$mak^{3}in$^{13}_{44}$kau^{21}kan$^{21}_{13}$cie^{53}.

【打跷】ta^{21}kʰau^{35} 动脚发软，站不稳：脚都～哇。ciɔk^{3}tau$^{35}_{44}$ta^{21}kʰau^{35}ua^{0}.形容站不稳的样子

【打揿头】ta^{21}cʰin^{53}tʰei^{13} 翻筋斗：～是就脑壳，打比去床上～样，是脑壳嘞顶下箇床上。系啊？箇就安做～。ta^{21}cʰin^{53}tʰei$^{13}_{44}$ʂʅ$^{53}_{44}$tsʰiəu^{53}lau^{21}kʰɔk^{3},ta^{21}pi^{21}çi^{53}tsʰɔŋ^{13}xɔŋ^{53}ta^{21}cʰin^{53}tʰei$^{13}_{21}$iɔŋ$^{53}_{44}$,ʂʅ^{53}lau^{21}kʰɔk^{3}lei^{0}tin^{21}na^{53}(x)a^{53}kai^{53}tsʰɔŋ^{13}xɔŋ^{53}.xei$^{53}_{44}$a^{0}?kai$^{53}_{44}$tsʰiəu^{53}ɔn$^{35}_{44}$tso$^{53}_{44}$ta^{21}cʰin^{53}tʰei^{13}.｜如今我孙子天天夜晡跍倒箇床上，欸，“阿公，帮我哟！”欸～。箇年我等横巷里一只婆婆子，系啊？我当哩阿公啊，我箇只大孙子出哩世啊，我去请渠食酒，欸，喊叔婆。我话：“叔婆，摎你去我家食酒。”“么个酒哇？”我话我当哩阿公啊，系唔系？“收拾哩！”渠话：“收拾哩！你话我等老哇唔老？系唔系？”只婆婆子真系蛮老。渠话：“你爷子……”我爷子就过哩身呢，箇阵子过哩身了。渠话：“我卖倒来个时候子，你爷子都还跍倒我床上呢～。”渠就十八岁卖倒来个呢。我爷子就成十岁子呢，九岁子八九岁到成十岁子呢，比渠细……爱细八九岁呀，别细成十岁唠。渠话：“收拾哩！我老唔老哇。”欸，渠话：“我卖倒来个时候子，你爷子都去我床上打嘿～。系啊？以下你都当哩阿公了。”i$^{13}_{21}$cin$^{35}_{53}$ŋai$^{13}_{21}$sən^{35}tsɿ^{0}tʰien^{35}tʰien$^{35}_{44}$ia^{35}pu$^{35}_{44}$ku$^{35}_{44}$tau$^{21}_{44}$kai$^{53}_{44}$tsʰɔŋ^{13}xɔŋ^{53},e$_{21}$,"a^{35}kəŋ$^{35}_{53}$,pɔŋ^{35}ŋai^{13}io^{0}!"e^{0}ta^{21}cʰin^{53}tʰei$^{13}_{21}$.kai^{53}ɲien$^{13}_{44}$ŋai^{13}tien^{0}uaŋ^{13}xɔŋ^{53}li^{0}iet^{3}tʂak^{3}pʰo^{13}pʰo$^{35}_{44}$tsɿ^{0},xei$^{53}_{44}$a^{0}?ŋai^{13}tɔŋ$^{35}_{44}$li^{0}a^{35}kəŋ$^{35}_{44}$ŋa^{0},ŋai^{13}kai$^{53}_{44}$tʂak^{3}tʰai^{53}sən$^{35}_{44}$tsɿ^{0}tʂʰət^{3}li^{0}ʂʅ^{53}a^{0},ŋai^{13}çi^{53}tsʰiaŋ^{21}ci$^{13}_{21}$ʂət^{5}tsiəu^{21},e$_{21}$, xan^{53}ʂəuk^{3}p^{h}o^{13}.ŋai^{13}ua$^{53}_{44}$:"ʂəuk^{3}p^{h}o^{13},lau$^{35}_{44}$ŋ$^{13}_{44}$çi^{53}ŋai$^{13}_{21}$ka$^{35}_{44}$ʂət^{5}tsiəu^{21}."" mak^{3}e^{0}tsiəu$^{21}_{44}$ua^{0}?"ŋai^{13}ua$^{53}_{44}$ŋai$^{13}_{21}$təŋ$^{35}_{44}$li^{0}a^{35}kəŋ$^{35}_{44}$ŋa^{0},xei$^{53}_{44}$me$^{53}_{44}$?"ʂəu$^{35}_{44}$ʂət^{5}li^{0}!"ci$^{13}_{44}$ua$^{53}_{44}$:"ʂəu$^{35}_{44}$ʂət^{5}li^{0}!ɲi$^{13}_{44}$ua$^{53}_{44}$ŋai$^{13}_{21}$tien^{0}lau^{21}ua^{0}n̩^{13}nau^{21}?xei$^{53}_{44}$me$^{53}_{44}$?" tʂak$^{3}_{5}$p^{h}o$^{13}_{44}$p^{h}o$^{13}_{44}$tsɿ^{0}tʂən^{35}ne^{53}(←xe^{53})man$^{13}_{21}$nau^{21}.ci^{13}ua^{53}:"ɲi^{13}ia^{13}tsɿ^{0}…"ŋai$^{13}_{21}$ia^{13}tsɿ^{0}tsiəu^{53}ko^{53}li^{0}ʂən^{35}ne^{0},kai^{53}tʂ^{h}ən^{53}tsɿ^{0}ko^{53}li^{0}ʂən$^{35}_{44}$niau^{0}.ci$^{13}_{44}$ua$^{53}_{44}$:"ŋai^{13}mai^{53}tau^{21}lɔi$^{13}_{21}$ke^{53}ʂʅ$^{13}_{44}$xəu^{53}tsɿ^{0}, ɲi$^{13}_{21}$ia^{13}tsɿ^{0}təu$^{35}_{53}$xai$^{13}_{21}$ku$^{35}_{44}$tau^{21}ŋai^{13}ts^{h}ɔŋ^{13}xɔŋ^{53}ne^{0}ta^{21}c^{h}in^{53}t^{h}ei$^{13}_{44}$."ci$^{13}_{21}$ts^{h}iəu$^{53}_{44}$ʂət^{5}pait^{3}sɔi^{53}mai^{53}tau^{21}lɔi^{13}ke^{53}nei^{0}.ŋai^{13}ia^{13}tsɿ^{0}ts^{h}iəu^{53}ʂaŋ^{13}ʂət^{5}sɔi^{53}tsɿ^{0}nei^{0},ciəu^{21}sɔi^{53}tsɿ^{0}pait^{3}ciəu^{21}sɔi^{53}tau^{53}ʂaŋ^{13}ʂət^{5}sɔi^{53}tsɿ^{0}nei^{0},pi^{21}ci$^{13}_{44}$se^{53}…ɔi^{53}se^{53}pait^{3}ciəu^{21}sɔi^{53}ia^{0},p^{h}iet^{5}sei^{53}ʂaŋ$^{13}_{21}$ʂət^{5}sɔi^{53}lau^{0}.ci$^{13}_{44}$(u)a$^{53}_{44}$:"ʂəu$^{35}_{44}$ʂət^{5}li^{0}!ŋai$^{13}_{44}$lau^{21}n̩$^{13}_{44}$lau^{21}ua^{0}."ei$_{21}$,ci$^{13}_{44}$ua$^{53}_{44}$:"ŋai^{13}mai^{53}tau$^{21}_{44}$lɔi^{13}ke^{53}ʂʅ$^{13}_{44}$xəu$^{53}_{44}$tsɿ^{0}, ɲi^{13}ia^{13}tsɿ^{0}təu$^{35}_{53}$çi^{53}ŋai^{13}ts^{h}ɔŋ^{13}xɔŋ^{53}ta^{21}uek^{3}(←xek^{3})ta^{21}c^{h}in^{53}t^{h}ci^{13}.xei$^{53}_{44}$a^{0}?i^{21}xa^{53}ɲi^{13}təu$^{35}_{44}$təŋ$^{35}_{44}$li^{0}a$^{35}_{44}$kəŋ$^{35}_{44}$liau^{0}."

【打清醮】ta^{21}ts^{h}in^{35}tsiau^{53} 九、十月上庙请道士做法事谢神：九月十月，到庙里去啊，～噢安做。就请倒道士来做法事啊。去庙里做。ciəu^{21}ɲiet^{5}ʂət^{5}ɲiet$^{5}_{3}$,tau$^{35}_{44}$miau^{53}li^{21}çi^{53}a^{0},ta^{21}ts^{h}in^{35}tsiau^{53}uau^{0}ɔn$^{35}_{44}$tso$^{53}_{44}$.ts^{h}iəu$^{53}_{44}$ts^{h}iaŋ^{21}tau^{21}t^{h}au^{53}sɿ$^{53}_{44}$lɔi$^{13}_{21}$tso^{53}fait^{3}sɿ^{53}a^{0}.çi$^{53}_{44}$miau^{53}li^{0}tso$^{53}_{44}$.｜～也蛮热闹嘞。ta^{21}ts^{h}in^{35}tsiau^{53}ia$^{35}_{44}$man$^{13}_{21}$ɲiet^{5}lau^{53}le^{0}.

【打清水网】ta^{21}ts^{h}iaŋ^{35}ʂei^{21}mɔŋ^{21} 比喻以言语引诱他人暴露自己的行为：～是系一只么个系一只安做系一只讲一只道理个，讲只事情。～就有一只借用啊。本来是讲箇□清个水，有鱼冇鱼我都打渠一网，系啊？意思就是……打比样，欸，有只么个事，我爱判定是不是你做个，我就就系么啊嘞？讲一句话，同箇～样，在乎渠系你做个唔系你做个，我都一句话放下去，讲下去，有滴人就会表现出来，箇就安做～。听懂哩么？ta^{21}ts^{h}iaŋ^{35}ʂei^{21}mɔŋ^{21}ʂʅ$^{53}_{21}$xei^{53}iet^{3}tʂak^{3}mak^{3}ke$^{53}_{44}$xei^{53}iet^{3}tʂak^{3}ɔn$^{35}_{44}$tso$^{53}_{44}$xei^{53}iet^{3}tʂak^{3}kɔŋ^{21}iet^{3}tʂak^{3}t^{h}au^{53}li^{35}ke$^{53}_{44}$,kɔŋ^{21}tʂak^{3}sɿ^{53}ts^{h}in$^{13}_{21}$.ta^{21}ts^{h}iaŋ^{35}ʂei^{21}mɔŋ^{21}ts^{h}iəu$^{53}_{44}$iəu^{35}iet$^{3}_{5}$tʂak^{3}tsia^{53}iəŋ^{53}ŋa^{0}.pən^{21}nɔi^{13}ʂʅ^{53}kɔŋ^{21}kai$^{53}_{44}$kue^{35}ts^{h}iaŋ$^{35}_{44}$ke$^{53}_{44}$ʂei^{21},iəu^{35}ŋ̍^{13}mau$^{13}_{44}$ŋ̍^{13}ŋai$^{13}_{21}$təu$^{35}_{44}$ta^{21}ci$^{13}_{44}$iet^{3}mɔŋ^{21},xei$^{53}_{44}$a^{0}?i^{53}sɿ^{0}ts^{h}iəu$^{53}_{44}$ʂʅ$^{53}_{44}$…ta^{21}pi^{21}iɔŋ$^{53}_{44}$,e$_{21}$,iəu^{35}tʂak^{3}mak^{3}ke$^{53}_{44}$sɿ^{53},ŋai^{13}ɔi$^{53}_{44}$p^{h}ɔn^{53}t^{h}in$^{53}_{44}$ʂʅ^{53}pət^{3}ʂʅ^{53}ɲi^{13}tso^{53}ke$^{53}_{44}$,ŋai^{13}ts^{h}iəu^{53}ts^{h}iəu^{53}xei$^{53}_{44}$mak^{3}a^{0}lei^{0}?kɔŋ^{21}iet^{3}tʂʮ$^{53}_{44}$fa^{53},t^{h}ɔŋ$^{13}_{21}$kai$^{53}_{44}$ta^{21}ts^{h}iaŋ^{35}ʂei^{21}mɔŋ^{21}iɔŋ^{53},ts^{h}ai^{53}fu$^{35}_{21}$ci$^{13}_{44}$xei^{53}ɲi^{13}tso$^{53}_{44}$ke$^{53}_{44}$m̩^{13}p^{h}ei$_{44}$(←xei^{53})ɲi^{13}tso$^{53}_{44}$ke$^{53}_{44}$,ŋai^{13}təu$^{35}_{44}$iet^{3}tʂʮ^{53}fa^{53}fɔŋ^{53}ŋa$_{44}$(←xa^{53})çi$^{53}_{44}$,kɔŋ^{21}(x)a$^{53}_{44}$çi^{53},iəu^{35}tet^{5}ɲin$^{13}_{21}$ts^{h}iəu$^{53}_{44}$uɔi$^{53}_{44}$piau^{21}çien^{53}tʂ^{h}ət^{3}lɔi$^{13}_{21}$,kai$^{53}_{44}$ts^{h}iəu$^{53}_{44}$ɔn$^{35}_{44}$tso$^{53}_{44}$ta^{21}ts^{h}iaŋ^{35}ʂei^{21}mɔŋ^{21}.t^{h}aŋ^{35}təŋ^{21}li^{0}mo^{0}?

【打圈】ta^{21}c^{h}ien^{35} [动]绕圈：就围倒个棺材打叮叮呐。～呐。ts^{h}iəu$^{53}_{44}$uei^{13}tau^{21}ke^{53}kɔn^{35}ts^{h}ɔi$^{13}_{21}$ta^{21}tin$^{35}_{44}$tin$^{35}_{44}$na^{0}.ta^{21}c^{h}ien^{35}na^{0}.

【打拳】ta^{21}c^{h}ien^{13} [动]练习或表演拳术：以只讲～是系一种武术表演个，欸～。箇个欸嘚武术师傅哇，欸练倒哩武术个师傅，练哩武术个师傅哇，渠打手拳分你看嘿，欸就～。i^{21}tʂak^{3}kɔŋ^{21}ta^{21}c^{h}ien^{13}ʂʅ$^{53}_{44}$xei^{53}iet^{3}tʂəŋ^{21}u^{35}ʂət^{5}piau^{21}ien^{21}ke^{0},e^{0}ta^{21}c^{h}ien^{13}.kai$^{53}_{44}$kei$^{53}_{44}$e$_{21}$m̩$_{21}$u^{35}ʂət^{5}sɿ^{35}fu^{53}ua^{0},e$_{21}$lien^{53}tau^{21}li^{0}u^{35}ʂət^{5}ke^{0}sɿ^{35}fu^{53},lien^{53}li^{0}u^{35}ʂət^{5}ke^{0}sɿ$^{35}_{44}$fu^{53}ua^{0},ci$^{13}_{21}$ta^{21}ʂəu^{21}c^{h}ien^{13}pən^{35}ɲi$^{13}_{44}$k^{h}ɔn^{53}nek^{3},e$_{21}$ts^{h}iəu^{53}ta^{21}c^{h}ien^{13}.

【打日头落山】ta^{21}ɲiet^{3}t^{h}ei^{13}lɔk^{5}san^{35} 一人蹲地，双手手掌在背后交叉，其他人依次头顶前者的手心，从其身上翻过去：渠就唔像搞箇个……就不是欸不是翻山羊，欸，翻山羊是箇个咯，箇是体育项目咯。渠就不是么啊干脆牛下过去，不是么啊不是箇么啊舞倒走渠脑上牛下过去。系走渠脑上翻下过去。背囊对背囊。脑壳对看呶以只背囊就对倒箇只人个背囊，咁子走渠脑壳顶上翻下过。背靠背咁子翻下过，欸。咁子就安做～。箇只人是坐正来分你等人打只落山个咯，渠是坐正来咯咁子，咁子跍正来咯，跍正来咯。剩下个人就走渠以映子啊，脑壳就顶下以映啊。～呐，系啊。ci^{13}ts^{h}iəu^{53}n̩^{13}ts^{h}iɔŋ^{53}kau^{21}kai$^{53}_{44}$ke$^{53}_{44}$…ts^{h}iəu^{53}pət^{3}ʂʅ$^{53}_{44}$e$_{21}$pət^{3}ʂʅ^{53}fan$^{35}_{44}$san^{35}iɔŋ$^{13}_{44}$,e$_{44}$,fan$^{35}_{44}$san^{35}iɔŋ$^{13}_{21}$ʂʅ$^{13}_{44}$kai$^{53}_{44}$ke$^{53}_{44}$ko^{0},kai$^{53}_{44}$ʂʅ$^{53}_{44}$t^{h}i^{21}iɔk^{3}xɔŋ$^{53}_{44}$muk^{5}ko^{0}.ci^{13}ts^{h}iəu$^{53}_{44}$pət^{3}ʂʅ^{53}mak^{3}a^{0}kan$^{35}_{21}$ts^{h}ei$^{53}_{21}$c^{h}ia^{53}xa$^{53}_{44}$ko$^{53}_{44}$çi$^{53}_{44}$,pət^{3}ʂʅ^{53}mak^{3}a^{0}pət^{3}ʂʅ^{53}kai$^{53}_{44}$mak^{3}a^{0}u^{21}tau^{21}tsei^{21}ci$^{13}_{21}$lau^{21}xɔŋ$^{53}_{44}$c^{h}ia^{53}xa$^{53}_{44}$ko$^{53}_{44}$çi$^{53}_{44}$.xe^{53}tsei^{21}ci$^{13}_{21}$lau^{21}xɔŋ$^{53}_{44}$fan^{35}na^{53}ko$^{53}_{44}$çi$^{53}_{44}$.pɔi^{53}lɔŋ^{13}ti$^{53}_{44}$pɔi^{53}lɔŋ^{13}.lau^{21}k^{h}ɔk^{3}ti^{53}k^{h}ɔn$^{53}_{44}$nau^{0}i^{21}tʂak^{3}pɔi^{53}lɔŋ^{13}ts^{h}iəu$^{53}_{44}$ti^{53}tau^{21}kai^{53}tʂak^{3}ɲin^{13}ke$^{53}_{44}$pɔi^{53}lɔŋ^{13},kan^{21}tsɿ^{0}tsei^{21}ci$^{13}_{44}$lau^{21}k^{h}ɔk^{3}taŋ^{21}xɔŋ$^{53}_{44}$fan$^{35}_{44}$na$_{44}$ko$^{53}_{44}$.pɔi^{53}k^{h}au$^{53}_{44}$pɔi^{53}kan^{21}tsɿ^{0}fan^{35}na$_{44}$ko$^{53}_{44}$,e$_{21}$.kan^{21}tsɿ^{0}ts^{h}iəu$^{53}_{21}$ɔn$^{35}_{44}$tso$^{53}_{44}$ta^{21}ɲiet^{3}t^{h}ei^{13}lɔk^{5}san^{35}.kai^{53}tʂak^{3}ɲin^{13}ʂʅ$^{53}_{44}$ts^{h}o^{35}tʂaŋ^{53}lɔi$^{13}_{21}$pən^{35}ɲi$^{13}_{21}$tien^{0}ɲin$^{13}_{21}$ta^{21}tʂak^{3}lɔk^{5}san^{35}cie$^{53}_{44}$ko^{0},ci^{13}ʂʅ$^{53}_{44}$ts^{h}o^{35}tʂaŋ^{53}lɔi$^{13}_{21}$ko^{0}kan^{21}tsɿ^{0},kan^{21}tsɿ^{0}k^{h}u^{35}tʂaŋ^{53}lɔi$^{13}_{21}$ko^{0},k^{h}u^{35}tʂaŋ$^{53}_{44}$lɔi$^{13}_{21}$ko^{0}.ʂən^{53}çia^{53}ke$^{53}_{44}$ɲin^{13}ts^{h}iəu$^{53}_{44}$tsei^{21}ci$^{13}_{21}$i^{21}iaŋ^{53}tsa^{0},lau^{21}k^{h}ɔk^{3}ts^{h}iəu^{53}tin^{21}na$_{44}$i^{21}iaŋ^{53}ŋa^{0}.ta^{21}ɲiet^{3}t^{h}ei^{13}lɔk^{5}san^{35}na^{0},xe$^{53}_{44}$a^{0}.

【打箬】ta^{21}ɲiok^{5} [动]晒谷时将谷箬扫出来，晒干后敲打使其中的谷粒脱下来：晒谷个时候子嘞分箇谷倾下箇晒簟里，晒干下子，然后就拿倒箇个竹槁扫把去～。轻轻子去扫哇，分箇个谷线子箇兜啦禾衣箇兜就扫做一□子啊，安做～。渠咁个啦，～打出来～肚里是不一定尽系有用个啦。渠有兜一串禾个禾串子，也去箇箬肚里。sai^{53}kuk^{3}ke^{0}ʂʅ^{13}xəu$^{53}_{44}$tsɿ^{0}lei^{0}pən^{35}kai^{53}kuk^{3} kʰuaŋ^{35}ŋa$^{53}_{44}$kai^{53}sai^{53}tʰian^{53}ni^{0},sai^{35}kən^{35}na$^{53}_{44}$tsɿ^{0},vien^{13}xei$^{53}_{44}$tsʰiəu^{53}la^{53}tau^{21}kai$^{53}_{44}$kei$^{53}_{44}$tʂəuk^{3}kʰua^{21}sau^{53}pa^{21}çi^{53} ta^{21}ɲiɔk^{5}.cʰiaŋ^{35}cʰiaŋ^{35}tsɿ^{0}çi$^{53}_{44}$sau^{53}ua^{0},pən^{35}kai$^{53}_{44}$kei$^{53}_{44}$kuk^{3}sen^{53}tsɿ^{0}kai$^{53}_{44}$tei$^{35}_{44}$la^{0}uo^{13}i^{35}kai$^{35}_{44}$tei$^{35}_{53}$tsiəu$^{53}_{44}$sau^{53}tso^{53} iet^{3}tsiau^{35}tsa^{0},ɔn$^{35}_{44}$tso$^{53}_{44}$ta^{21}ɲiɔk^{5}.ci$^{13}_{21}$kan$^{21}_{13}$cie^{53}la^{0},ta^{21}ɲiɔk^{5}ta^{21}tʂʰət^{3}lɔi$^{13}_{21}$ta^{21}ɲiɔk^{5}təu^{21}li^{0}ʂʅ$^{53}_{44}$pət^{3}iet^{3}tʰin^{53} tsʰin^{53}xei$^{53}_{44}$mau^{13}iəŋ^{53}ke^{53}la^{0}.ci$^{13}_{21}$iəu$^{35}_{44}$tei$^{35}_{44}$iet^{3}tʂʰuɔn^{53}uo^{13}ke^{53}uo^{13}tʂʰuɔn^{53}tsɿ^{0},ia^{35}çi^{53}kai^{53}ɲiɔk^{5}təu^{21}li^{0}.

【打三角板】ta^{21}san^{35}kɔk^{3}pan^{21} 儿童游戏。将纸折成三角形，用来互相击打，掀翻对方三角板者胜，三角板归其所有：～就细人子唠，欸，学生子细人子啊，用纸折成三只角个形式，咁子去奔哟。～呶。ta^{21}san^{35}kɔk^{3}pan^{21}tsʰiəu$^{53}_{44}$sei^{53}ɲin$^{13}_{44}$tsɿ^{0}lau^{0},e$_{21}$,xɔk^{5}saŋ^{35}tsɿ^{0}sei^{53}ɲin$^{13}_{21}$tsɿ^{0}a^{0},iəŋ^{53}tʂʅ^{21} tʂait^{3}ʂaŋ$^{13}_{44}$san^{35}tʂak^{3}kɔk^{3}kei^{0}çin^{13}ʂʅ^{53},kan^{21}tsɿ^{0}çi^{53}tait^{5}iau^{0}.ta^{21}san$^{35}_{44}$kɔk^{3}pan^{21}nau^{0}.

【打色】ta^{21}sek^{3} 动掷骰子。打麻将时以此决定从何处开始拿牌；也是一种赌博的方式，以骰子点数的大小决定输赢：打麻将个时候子就爱～子啊，～啊。以个～就唔系赌博个方式呢。系只打麻将个一只箇方式呢，就系欸轮头个方式呢。你唔打麻将吧？打麻将嘞，渠排正四向都有麻将子吵，墩正来吵，系唔系啊？四向都有麻将子。打比以到轮倒我拈头个，我～。欸，色打下去，十点，就从我面前，唔知往以向哈往箇向，我唔打麻将欸，数……一二三四五六七八九十，噢就从第十墩开始，咁子拿箇麻将子个顺序。咁子个。赌博个时候子我就赠看过凑。欸，也～嘞，赌博也～嘞。ta^{21}ma^{13}tsiɔŋ^{53}ŋe^{0}ʂʅ$^{13}_{44}$xəu$^{53}_{44}$tsɿ^{0}tsʰiəu^{53}ɔi^{53}ta^{21}sek^{3}tsɿ^{0}a^{0},ta^{21}sek^{3}a^{0}.i^{21} (k)e^{53}ta^{21}sek^{3}tsʰiəu^{53}m̩^{13}pʰe^{53}tu^{21}pɔk^{3}ke^{53}fɔŋ^{35}ʂʅ^{53}nei^{0}.xei^{53}iak^{3}ta^{21}ma^{13}tsiɔŋ^{53}kei^{53}iet^{3}tʂak^{3}kai^{53}fɔŋ^{35}ʂʅ^{53}ne^{0}, tsʰiəu^{53}xe^{53}e$_{21}$lən^{13}tʰei^{13}ke^{0}fɔŋ$^{35}_{44}$ʂʅ^{53}nei^{0}. ɲi^{13}n̩^{13}ta^{21}ma^{13}tsiɔŋ^{53}pa^{0}?ta^{21}ma^{13}tsiɔŋ$^{53}_{44}$lei^{0},ci$^{13}_{21}$pʰai^{13}tʂaŋ$^{53}_{44}$si^{53}çiɔŋ$^{53}_{44}$ təu$^{35}_{44}$iəu$^{35}_{44}$ma^{13}tsiɔŋ^{53}tsɿ^{21}ʂa^{0},tən^{35}tʂaŋ$^{53}_{44}$lɔi^{13}ʂa^{0},xei^{53}mei^{53}a^{0}?si^{53}çiɔŋ$^{53}_{44}$təu$^{35}_{44}$iəu$^{35}_{44}$ma^{13}tsiɔŋ^{53}tsɿ^{21}.ta^{21}pi^{21}i^{21}tau^{53} lən^{13}tau^{21}ŋai^{13}ɲian^{35}tʰei$^{13}_{21}$ke^{0},ŋai^{13}ta^{21}sek^{3}.e$_{21}$,sek^{3}ta^{21}xa$^{53}_{44}$çi$^{53}_{44}$,ʂət^{5}tian^{21},tsʰiəu^{53}tsʰəŋ$^{13}_{44}$ŋai^{13}mien^{53}tsʰien^{13},n̩^{13} ti$^{35}_{53}$uɔŋ^{21}i^{21}çiɔŋ^{53}xa^{0}uɔŋ^{21}kai^{53}çiɔŋ^{53},ŋai^{13}n̩$^{13}_{21}$ta^{21}ma^{13}tsiɔŋ$^{53}_{44}$e^{0},səu^{21}ʂ…iet^{3}ɲi^{53}san$^{35}_{44}$si^{53}ŋ̍^{21}liəuk^{3}tsʰiet^{3}pait^{3} ciəu^{21}ʂət^{5},au^{0}tsʰiəu^{53}tsʰəŋ$^{13}_{21}$tʰi^{53}ʂət^{5}tən^{35}kʰɔi^{35}ʂʅ^{21},kan^{21}tsɿ^{0}lak^{5}kai$^{53}_{44}$ma^{13}tsiɔŋ^{53}tsɿ^{21}ke$^{53}_{44}$ʂən^{53}si$^{53}_{44}$.kan$^{21}_{13}$tsɿ^{0}ke^{53}. təu^{21}pɔk^{3}ke^{0}ʂʅ$^{13}_{44}$xəu$^{53}_{44}$tsɿ^{0}ŋai^{13}tsʰiəu^{53}maŋ^{13}kʰɔn^{53}ko$^{53}_{44}$tsʰe^{0}.e$_{21}$,ia^{35}ta^{21}sek^{3}le^{0},tu^{21}pɔk^{3}a$^{35}_{53}$ta^{21}sek^{3}le^{0}.

【打伤$_{1}$】ta^{21}ʂɔŋ^{35} 动因拳脚或器械击打肢体而引致伤损：竹槁～个 tʂəuk^{3}kʰua^{21}ta^{21}ʂɔŋ$^{35}_{44}$ke^{53} | 就子弹～哩咯，就安做炮子～哩。tsʰiəu$^{53}_{44}$tsɿ^{21}tʰan^{53}ta^{21}ʂɔŋ$^{35}_{44}$li^{0}ko^{0},tsʰiəu$^{53}_{44}$ɔn$^{35}_{44}$tso$^{53}_{44}$pʰau^{53}tsɿ^{0}ta^{21}ʂɔŋ$^{35}_{44}$li^{0}.

【打伤$_{2}$】ta^{21}ʂɔŋ^{35} 名因拳脚或器械击打肢体而引致的伤损：以个是系～，就因为惹打受个伤，或者因为打架受个伤，～。i^{13}ke^{53}ʂʅ$^{53}_{44}$xe^{53}ta^{21}ʂɔŋ^{35},tsʰiəu^{0}in^{35}uei$^{53}_{44}$ɲia^{35}ta^{21}ʂəu^{53}ke$^{53}_{44}$ʂɔŋ^{35},xɔit^{5}tʂa^{21}in^{35}uei$^{53}_{44}$ ta^{21}cia^{53}ʂəu^{53}ke$^{53}_{44}$ʂɔŋ^{35},ta^{21}ʂɔŋ^{35}.

【打伤风】ta^{21}ʂɔŋ^{35}fəŋ^{35} 动患感冒，也泛指患了一般的疾病：钩藤就分细人子做方子食，细人子～啊。kei^{35}tʰien$^{13}_{21}$tsʰiəu$^{53}_{44}$pən^{35}sei^{53}ɲin^{13}tsɿ^{0}tso^{53}fɔŋ^{35}tsɿ^{0}ʂət^{5},sei^{53}ɲin^{13}tsɿ^{0}ta^{21}ʂɔŋ^{35}fəŋ^{35}ŋa^{0}. | 欸细人子病哩啊，～啊，系啊？收惊子啊。e^{21}sei^{53}ɲin$^{13}_{21}$tsɿ^{0}pʰiaŋ^{53}li^{0}a^{0}, ta^{21}ʂɔŋ^{35}fəŋ$^{35}_{44}$ŋa^{0}, xei$^{53}_{44}$a^{0}? ʂəu$^{35}_{44}$ciaŋ^{35} tsɿ^{0}a^{0}.

【打舌声子】ta^{21}ʂait^{5}ʂaŋ^{35}tsɿ^{0} 说悄悄话：钉嘿耳朵边来，细声子讲，莫分别人家听倒哩，就安做～。tiaŋ$^{35}_{44}$ŋek^{3}ɲi^{21}to^{21}pien^{35}nɔi$^{13}_{21}$,se^{53}ʂaŋ^{35}tsɿ^{0}kɔŋ^{21},mɔk^{5}pən$^{35}_{44}$pʰiet^{5}in$^{13}_{44}$ka$^{35}_{44}$tʰaŋ^{35}tau^{21}li^{0},tsiəu$^{53}_{44}$ɔn$^{35}_{44}$tso$^{53}_{44}$ ta^{21}ʂait^{5}ʂaŋ$^{35}_{44}$tsɿ^{0}.

【打蛇打七寸】ta^{21}ʂa^{13}ta^{21}tsʰiet^{3}tsʰən^{53} 俗语。喻指做事要抓住要害：～，指个就系欸爱做么个事嘞，一定爱抓住关键，系唔系？抓住要害来做。你打蛇赠打倒七寸，打下箇腰上，有么个用？箇唔系箇蛇赠打倒样？欸，你做事赠抓住要害也空个。ta^{21}ʂa^{13}ta^{21}tsʰiet^{3}tsʰən^{53},tʂʅ^{21}ke^{0}tsʰiəu^{53}xe^{53} e$_{44}$ɔi^{53}tso^{53}mak^{3}e^{0}sɿ^{53}lei^{0},iet^{3}tʰin$^{53}_{44}$ɔi^{53}tʂa^{35}tʂʰʮ^{53}kuan^{35}cien^{53},xei$^{53}_{44}$me$^{53}_{44}$?tʂa^{35}tʂʰʮ$^{53}_{44}$iau^{53}xɔi$^{53}_{44}$lɔi$^{13}_{21}$tso^{53}. ɲi^{13}ta^{21} ʂa^{13}maŋ^{13}ta^{21}tau^{21}tsʰiet^{3}tsʰən^{53},ta^{21}(x)a$^{53}_{44}$kai$^{53}_{44}$iau^{35}xɔŋ$^{53}_{44}$,iəu^{35}mak^{3}e^{0}iəŋ$^{53}_{44}$?(k)ai$^{53}_{44}$m̩$^{13}_{44}$pei$^{53}_{44}$kai$^{53}_{44}$ʂa^{13}maŋ^{13}ta^{21} tau^{21}iɔŋ^{53}?e$_{21}$, ɲi^{13}tso^{53}sɿ^{53}maŋ^{13}tʂa^{35}tʂʰʮ$^{53}_{44}$iau^{53}xɔi^{53}ia^{35}kʰəŋ$^{53}_{44}$ke^{0}.

【打师】ta^{21}sɿ^{35} 名耍灯时还要表演武术等的人员：箇个出大狮个人呐呃出大狮个人就有爱有一班～跟倒。欸，有一班～来表演，表演箇个武术节目。渠箇班～嘞渠又还爱渠会渠是箇～就一定爱会打，系唔系？爱有箇号武功。欸，但是嘞渠又爱搞只咁个东西，搞只就搞只咁个呃出只么个灯，出只狮灯龙灯，渠就一般就出大狮，狮灯。欸，箇起人呢渠包表演，又爱表演箇个武术，又爱打狮子，又爱表演狮子，又还爱打锣鼓，又还爱背行头，尽系痞重个行头呀，箇大刀箇兜嘞，瘩重个行头呀。kai53/44ke53/44tʂʰət3 tʰai53sɿ35/44ke53ɲin13/21na0 ə21tʂʰət3 tʰai53sɿ35/44ke53ɲin13/21 tsʰiəu13/21iəu35ɔi53/44iəu35iet3 pan35ta21sɿ35/44cien35tau21.e21,iəu35iet3 pan35ta21sɿ35/44lɔi13/21piau21ien21,piau21ien21kai53ke53/44u35 ʂət5 tsiet3 muk5 .ci13kai53pan35/44ta21sɿ35/44lei0 ci13/21iəu53xai13/21ɔi53/44ci13uɔi53ci13/21ʂɿ53/44kai53ta21sɿ35tsʰiəu53iet3 tʰin53ɔi53uɔi53 ta21,xei53me53?ɔi53iəu35kai53xau53/44u35kəŋ35/44.ei21,tan53ʂɿ53lei0 ci13/21iəu53ɔi53kau21tʂak3 kan21ke53/44təŋ35/44si0,kau21tʂak3 tsʰiəu53kau21tʂak3 kan21/13kei53/44ə21tʂʰət3 tʂak3 mak3 e0 ten35,tʂʰət3 tʂak3 sɿ35ten35/44liəŋ13ten35/44,ci13/21tsiəu53iet3 pən35 tsʰiəu53tʂʰət3 tʰai53sɿ35/44,sɿ35/44ten35/44.e21,kai53çi21ɲin13nei0 ci53pau35piau21ien21,iəu53ɔi53piau21ien21kai53/44ke53/44u35ʂət5, iəu53ɔi53ta21sɿ35tsɿ0,iəu53ɔi53piau21ien21sɿ35tsɿ0,iəu53xa13/21ɔi53ta21lo13ku21,iəu53xa13/21ɔi53/44pi53çin13tʰei13,tsʰin53ne53/44tek5 tʂʰəŋ53/44ke53çin13/21tʰei13/21ia0,kai53/44tʰai53tau35/44kai53/21te35/53le0,tek5 tʂʰəŋ53/44kc53çin13/21tʰci13/21ia0.

【打石】ta21ʂak5 动凿开岩石或开采石矿：箇个指锤锤是～用个。kai53/44ke53/44ʂɿ53/44ta21ʂak5 iəŋ53ke53/44.

【打石灰】ta21ʂak5 fɔi35 撒石灰：以前呢耘田个时候子就～呢。嗯，一只就杀草，第二只就做肥料。使箇个草哇，田里个草哇就变成肥料，就沤成肥料哇。但是么个蛮多肥就冇得嘞～就嘞。打哩石灰去耘田是硬输哩命啊，以个脚上是硬穿眼呢。欸，石耘石灰田样啊。i35tsʰien13ne0 in13 tʰien13ke0 ʂɿ13xəu53tsɿ0 tsʰiəu53/44ta21ʂak5 fɔi35/44nei0.n̩44,iet3 tʂak3 tsʰiəu53sait3 tsʰau21,tʰi21ɲi53tʂak3 tsʰiəu53/44tso53fei13 liau53.ʂɿ21kai53ke53tsʰau21ua0,tʰien13li0 ke0 tsʰau21ua0 tsʰiəu53/44pien53tʂʰən13/21fei13liau53,tsʰiəu53/44ei53ʂaŋ53/44fei13liau53 ua0.tan53ʂɿ53mak3 e0 man13to53/44pʰi13tsʰiəu53mau13/21tek3 le0 ta21ʂak5 fɔi35/44tsʰiəu53le0.ta21li0 ʂak5 fɔi35çi53in13tʰien13ʂɿ53/44 ɲiaŋ53ʂəu35/44li0 miaŋ53ŋa0,i21ke53/44ciɔk3 xɔŋ53/44ʂɿ53/44ɲiaŋ53tʂʰuɔn35ŋan21ne0.e21,ʂak5 in13ʂak5 fɔi35/44tʰien13iɔŋ53ŋa0.

【打石头】ta21ʂak5 tʰei0/tʰəu0 开凿石料并用石料制作器物：～个（锤），欸，把就软个啊，爱用篾箩斗个啊，～用嘛。ta21ʂak5 tʰəu13/21ke53/44,e44,pa53tsʰiəu53/44ɲiɔn35ke53/44a0,ɔi53iəŋ53/44miet5 sak3 təu53ke53/44a0,ta21 ʂak5 tʰəu0 iəŋ53/44ma0.｜打只石头。打只咁个四四方方个石头。ta21tʂak3 ʂak5 tʰei0.ta21tʂak3 kan21cie53/44si53 si53/21fɔŋ35fɔŋ35/44ke53/44ʂak5/3tʰei0.

【打耍架子】ta21sa21cia53tsɿ0 玩打架游戏：话哩箇学生子就冇么个事嬲一阵就会～。特别小学生子～，打哩又来告状。ua53/44li0 kai53/44xɔk5 saŋ35/44tsɿ0 tsʰiəu53mau13/21mak3 e0 sɿ53liau53iet3 tʂʰən53tsʰiəu53uɔi53ta21 sa21cia53tsɿ0.tʰek5 pʰiet5 siau21çiɔk5 sen35/44tsɿ0 ta21sa21cia53tsɿ0,ta21li0 iəu53/44lɔi13/21kau53/44tsʰɔŋ53.

【打霜】ta21sɔŋ35 动在气温降至零摄氏度以下时，近地面空气中水汽凝结而成的白色结晶：早上上来，岭上雪白，外背雪白，箇就打哩霜。～。冬下唠。我等个栏场秋天都冇得打啦，秋天都冇得霜打。霜降都冇霜打嘞。硬爱立哩冬正有霜打。以下气候箇个嘞，以下就气候气温高嘿哩嘞。全球变暖呢。tsau21ʂɔŋ53/44xɔŋ53lɔi13/44,liaŋ35xɔŋ53siet5 pʰak5,ŋɔi53pɔi53/44siet5 pʰak5,kai53/44tsʰiəu53/44ta21 li0 sɔŋ35.ta21sɔŋ35.təŋ35xa53/44lau0.ŋai13tien0 ke53/44laŋ13/44tʂʰɔŋ13/44tsʰiəu35tʰien35/44təu35/53mau13/21tek3 ta21la0,tsʰiəu35tʰien35/44təu35/53 mau13/21tek3 sɔŋ35ta21.sɔŋ35kɔŋ53təu35/53mau13sɔŋ35ta21le0. ɲiaŋ53ɔi53liet5 li0 təŋ35tʂaŋ35/44iəu35/44sɔŋ35ta21.i21xa53çi53xei53 kai53ke53le0,i21xa53/44tsʰiəu53/44çi53xei53/44çi53uən35/44kau35uek3 li0 le0.tsʰien13cʰiəu13/44pien53nɔn35ne0.

【打水】ta21ʂei21 动①以手击水：～，欸，一种就系欸洗冷水身个时子用手去掹箇水，造成一种箇响声下子，真有味道，系唔系？ta21ʂei21,e21,iet3 tʂəŋ21tsʰiəu53xei53e44sei21laŋ35ʂei21ʂən35ke0 ʂɿ13/44tsɿ0 iəŋ53ʂəu21çi53ia21kai53ʂei21,tsʰau53tʂʰən13/21iet3 tʂəŋ21kai53/44çiɔŋ21ʂən35xa53/44tsɿ0,tʂən35iəu35/44uei53/44tʰau53/44,xei53me53? ②（鸡、鸭）交配：还有种么个～吗你晓么？鸡公鸡嫲去下子交配安做～。你看看鸡公～去哩啊。鸡啊鸭呀，鸡鸭，也系，鸭子也会～。xai13iəu35/53tʂəŋ21mak3 e0 ta21ʂei21ma0 ɲi13/44çiau21/44mo0?cie35 kəŋ35/44cie35ma13çi53xa53tsɿ0 ciau35pʰei53ɔn35/44tso53/44ta21ʂei21. ɲi13/21kʰɔn53/44kʰɔn53/44cie35/44kəŋ35/44ta21ʂei21çi53lia0.cie35a0 ait3 ia0,cie35ait3,ia35xei53,ait3 tsɿ0 ia35/53uɔi53/44ta21ʂei21.

【打水仗子】ta21ʂei21tʂəŋ53tsɿ0 以水互相泼弄、玩耍：～就箇就洗冷水身箇时候子欸分成两边呐，用手去打水呀，嗯，～啊。ta21ʂei21tʂəŋ53tsɿ0 tsʰiəu53/44kai53/44tsʰiəu53/44sei21laŋ35ʂei21ʂən35kai53ʂɿ13xəu53tsɿ0 e21 fən35tʂʰən13/44iɔŋ21pien35na0,iəŋ53ʂəu21çi53ta21ʂei21ia0,n̩21,ta21ʂei21tʂəŋ53tsɿ0 a0.

【打私讲子】ta21sɿ35kɔŋ21tsɿ0 私下谈话。或称“打私讲”：～就系就莫分别人家听倒哩个，撞怕细声子讲。渠同箇个打欸开头箇打么个打舌声子又有滴子唔多同。～嘞，就打比样欸咁多人去下子，我搿你坐下角子里来～，就唔分别人家听倒凑，细声子讲。就系避开别人家，欸，就系莫分别人家听倒哩个，避开别人家个谈话，就安做～。咁多人去厅下，我搿你两个到哩间里来去打两句私讲嘞。咁个也有，嗯，莫分别人家听倒哩个。打两句私讲。箇不一定爱放下耳朵边，不一定爱细声子讲。箇一般都会细声子讲哦，就莫分别人家听倒哩个。打舌声子就箇是就系就比较短暂个，尽滴都去箇，我搿你两个嘞欸打舌声子，耳朵边讲下子。～嘞就还可以嘞我等人两个人，或者两个人，或者我等几个人，躲啊另外一只地方，地方唔同，箇就打私讲。ta^{21}sɿ^{35}kɔŋ^{21}tsɿ^{0}tsʰiəu$^{53}_{44}$xe^{53}tsʰiəu$^{53}_{44}$mɔk^{5}pən$^{35}_{44}$pʰiet^{5}in$^{13}_{44}$ka$^{35}_{44}$tʰaŋ^{35}tau^{21}li^{0}ke^{0},tsʰɔŋ^{21}pʰa$^{53}_{44}$sei^{53}ʂaŋ$^{35}_{44}$tsɿ^{0}kɔŋ^{21}.ci$^{13}_{21}$tʰəŋ$^{13}_{44}$kai^{53}ke^{0}ta^{21}e$_{21}$kʰɔi^{35}tʰei$^{13}_{44}$kai$^{53}_{44}$ta^{21}mak^{3}ke^{0}ta^{21}ʂait^{5}ʂaŋ^{35}tsɿ^{0}iəu$^{53}_{44}$iəu$^{35}_{44}$tiet^{5}tsɿ^{0}n̩^{13}to$^{35}_{44}$tʰəŋ^{13}.ta^{21}sɿ^{35}kɔŋ^{21}tsɿ^{0}lei^{0},tsiəu$^{53}_{44}$ta^{21}pi^{21}iɔŋ$^{53}_{44}$e^{0}kan^{21}to$^{35}_{44}$ɲin$^{13}_{21}$çi^{53}xa^{53}tsɿ^{0},ŋai^{13}lau$^{35}_{44}$ɲi$^{13}_{21}$tsʰo$^{35}_{44}$xa$^{53}_{44}$kɔk^{3}tsɿ^{0}li^{0}lɔi$^{13}_{21}$ta^{21}sɿ^{35}kɔŋ^{21}tsɿ^{0},tsʰiəu$^{53}_{44}$m̩$^{13}_{21}$pən$^{35}_{44}$pʰiet^{5}in$^{13}_{44}$ka$^{35}_{44}$tʰaŋ^{35}tau^{21}tsʰe^{0},sei^{53}ʂaŋ$^{35}_{44}$tsɿ^{0}kɔŋ^{21}.tsʰiəu$^{53}_{44}$xe$^{53}_{44}$pʰei^{53}kʰɔi$^{35}_{44}$pʰiet^{5}ɲin$^{13}_{21}$ka$^{35}_{44}$,e$_{21}$,tsʰiəu$^{53}_{44}$xe$^{53}_{44}$mɔk^{5}pən$^{35}_{44}$pʰiet^{5}in$^{13}_{44}$ka$^{35}_{44}$tʰaŋ^{35}tau^{21}li^{0}ke^{0},pʰei^{53}kʰɔi$^{35}_{44}$pʰiet^{5}ɲin$^{13}_{21}$ka$^{35}_{44}$ke^{0}tʰan^{13}fa^{53},tsʰiəu$^{53}_{44}$ɔn$^{35}_{44}$tso^{53}ta^{21}sɿ^{35}kɔŋ^{21}tsɿ^{0}.kan^{21}to^{35}ɲin$^{13}_{44}$çi^{53}tʰaŋ^{35}xa$^{53}_{44}$,ŋai$^{13}_{21}$lau$^{35}_{44}$ɲi$^{13}_{21}$iɔŋ^{21}ke$^{53}_{44}$tau$^{53}_{44}$li^{0}kan^{35}li^{0}lɔi^{13}çi^{53}ta^{21}iɔŋ^{21}ci^{53}sɿ^{35}kɔŋ^{21}le^{0}.kan^{21}cie$^{53}_{44}$ia^{35}iəu$^{35}_{44}$,n̩$_{21}$,mɔk^{5}pən$^{35}_{44}$pʰiet^{5}in$^{13}_{44}$ka$^{35}_{44}$tʰaŋ^{35}tau^{21}li^{0}ke^{0}.ta^{21}iɔŋ^{21}ci$^{53}_{44}$sɿ^{35}kɔŋ$^{21}_{44}$.kai$^{53}_{44}$pət^{3}iet^{3}tʰin^{53}ɔi$^{53}_{44}$fɔŋ$^{53}_{44}$xa$^{53}_{44}$ɲi^{21}to^{21}pien^{35},pət^{3}iet^{3}tʰin$^{53}_{44}$ɔi$^{53}_{44}$sei^{53}ʂaŋ$^{35}_{44}$tsɿ^{0}kɔŋ^{21}.kai^{53}iet^{3}pɔn^{35}təu$^{35}_{44}$uɔi$^{53}_{44}$sei^{53}ʂaŋ$^{35}_{44}$tsɿ^{0}kɔŋ^{21}ŋo^{0},tsʰiəu$^{53}_{44}$mɔk^{5}pən$^{35}_{44}$pʰiet^{5}in$^{13}_{44}$ka$^{35}_{44}$tʰaŋ^{35}tau^{21}li^{0}ke^{0}.ta^{21}ʂait^{5}ʂaŋ$^{35}_{44}$tsɿ^{0}tsʰiəu$^{53}_{21}$kai^{53}ʂʅ$^{53}_{44}$tsʰiəu^{53}xe^{53}tsʰiəu^{53}pi^{21}ciau^{53}tɔn^{21}tsʰan$^{53}_{44}$ke^{0},tsʰin^{53}tet^{3}təu$^{35}_{44}$çi^{53}kai$^{53}_{44}$,ŋai^{13}lau^{35}ɲi$^{13}_{21}$iɔŋ^{21}ke$^{53}_{44}$le^{0}e$_{21}$ta^{21}ʂait^{5}ʂaŋ$^{35}_{44}$tsɿ^{0}, ɲi^{21}to^{21}pien^{35}kɔŋ^{21}xa$^{53}_{44}$tsɿ^{0}.ta^{21}sɿ^{35}kɔŋ^{21}tsɿ^{0}lei^{0}tsʰiəu$^{53}_{44}$xai$^{13}_{21}$kʰo^{21}i$^{35}_{44}$lei^{0}ŋai^{13}tien^{0}in$^{13}_{44}$iɔŋ^{21}ke^{53}ɲin$^{13}_{44}$,xɔit^{5}tʂa^{21}iɔŋ^{21}ke^{53}ɲin$^{13}_{44}$,xɔit^{5}tʂa^{21}ŋai^{13}tien^{0}ci^{21}ke^{53}ɲin$^{13}_{44}$,to^{21}a^{0}lin^{53}uai$^{53}_{44}$iet^{3}tʂak^{3}tʰi^{53}fɔŋ$^{35}_{44}$,tʰi^{53}fɔŋ$^{35}_{44}$n̩$^{13}_{21}$tʰəŋ$^{13}_{21}$,kai$^{53}_{44}$tsʰiəu$^{53}_{44}$ta^{21}sɿ^{35}kɔŋ^{21}.

【打死哩叫化子样】ta^{21}si^{21}li^{0}kau^{53}fa^{53}tsɿ^{0}iɔŋ^{53} 形容很凌乱，乱糟糟的样子：欸，屋下捡正下子吵，搞起～。ei$_{21}$uk^{3}xa^{53}cian^{21}tʂaŋ$^{53}_{44}$ŋa$^{53}_{44}$tsɿ^{0}ʂa^{0},kau^{21}çi$^{21}_{53}$ta^{21}si^{21}li^{0}kau^{53}fa^{53}tsɿ^{0}iɔŋ^{53}.｜你看下子看呐，屋下成哩么个样子啊，～。ɲi$^{13}_{21}$kʰɔn^{53}xa$^{53}_{44}$tsɿ^{0}kʰɔn^{53}na^{0},uk^{3}xa^{53}ʂaŋ$^{13}_{21}$li^{0}mak^{3}e^{0}iɔŋ^{53}tsɿ^{0}a^{0},ta^{21}si^{21}li^{0}kau^{53}fa^{53}tsɿ^{0}iɔŋ^{53}.

【打死酸】ta^{21}si^{21}sɔn^{35} 形非常酸，酸极了：渠箇个舞倒卖个酸菜渠就唔晒呀。渠就唔怕酸呐。欸，渠就留唔得，今晡舞个，明晡就酸哩。渠就十分酸呐，安做～呐，酸起唔得了哇。箇个渠就咁子舞倒去卖呀。渠罂头都唔用哦，瓶子都唔用哦，渠有舞倒舞倒就薄膜袋子封得□煞密封很严呀，薄膜袋子包倒，封得□煞呀，就卖哟。酸哩就卖哟。只爱一夜，就以咁热个天是一夜就酸嘿了。渠唔怕……渠唔爱晒呀。渠又又重啊，滦湿个。渠又唔爱留哇。今晡舞倒今晡就卖嘿哩啊。卖倒就别人家就舞倒就今晡早上买倒就今晡就食嘿哩啊，系唔系？渠就唔爱留哇。ci^{13}kai$^{53}_{44}$ke$^{53}_{44}$u^{21}tau^{21}mai^{53}ke$^{53}_{44}$sɔn^{35}tsʰɔi^{53}ci^{13}tsʰiəu$^{53}_{44}$m̩^{13}sai^{53}ia^{0}.ci^{13}tsʰiəu^{53}m̩^{13}pʰa$^{53}_{44}$sɔn^{35}na^{0}.ei^{21},ci^{13}tsʰiəu$^{53}_{44}$liəu^{13}n̩$^{13}_{44}$tek^{3},cin^{35}pu$^{35}_{44}$u^{21}ke^{53},miaŋ^{13}pu^{35}tsʰiəu$^{53}_{44}$sɔn$^{35}_{44}$ni^{0}.ci$^{13}_{21}$tsʰiəu$^{53}_{44}$ʂət^{5}fən$^{35}_{44}$sɔn$^{35}_{44}$na^{0},ɔn$^{35}_{44}$tso$^{53}_{44}$ta^{21}si^{21}sɔn$^{35}_{44}$na^{0},sɔn$^{35}_{44}$çi$^{21}_{44}$n̩$^{13}_{44}$tek^{3}liau^{0}ua^{0}.kai$^{53}_{44}$ke$^{53}_{44}$ci^{13}tsʰiəu^{53}kan^{21}tsɿ^{0}u^{21}tau^{21}çi^{53}mai^{53}ia^{0}.ci$^{13}_{21}$aŋ^{35}tʰei$^{13}_{21}$təu$^{35}_{44}$n̩$^{13}_{21}$iəŋ$^{53}_{44}$ŋo^{0},pʰin^{13}tsɿ^{0}təu$^{35}_{53}$n̩$^{13}_{21}$iəŋ$^{53}_{44}$ŋo^{0},ci$^{13}_{21}$(tsʰ)iəu$^{53}_{44}$u^{21}tau^{21}u^{21}tau^{21}tsʰiəu$^{53}_{44}$pʰɔk^{5}mo^{13}tʰɔi$^{53}_{44}$tsɿ^{0}fəŋ^{35}tek^{3}pu^{53}sait^{3}ia^{0},pʰɔk^{5}mo^{13}tʰɔi^{53}tsɿ^{0}pau^{35}tau^{21},fəŋ^{35}tek^{3}pu^{53}sait^{3}ia^{0},tsʰiəu^{53}mai^{53}iau^{0}.sɔn^{35}ni^{0}tsʰiəu^{53}mai^{53}iau^{0}.tʂʅ^{21}ɔi$^{53}_{44}$iet^{3}ia^{53},tsʰiəu^{53}i^{21}kan^{21}ɲiet^{5}ke$^{53}_{44}$tʰien$^{35}_{44}$ʂʅ$^{53}_{44}$iet^{3}ia^{53}tsʰiəu$^{53}_{44}$sɔn$^{35}_{44}$nek^{3}(←xek^{3})liau^{0}.ci$^{13}_{21}$m̩^{13}pʰa^{53}…ci$^{13}_{44}$m̩$^{13}_{21}$mɔi$_{35}$(←ɔi^{53})sai^{53}ia^{0}.ci$^{13}_{21}$iəu$^{53}_{44}$iəu$^{53}_{44}$tʂʰəŋ^{35}ŋa^{0},tsiet^{5}ʂət^{3}cie^{53}.ci$^{13}_{21}$iəu$^{53}_{44}$m̩$^{13}_{21}$mɔi^{53}liəu^{13}ua^{0}.cin^{35}pu$^{35}_{44}$u^{21}tau^{21}cin^{35}pu$^{35}_{44}$tsʰiəu$^{53}_{44}$mai^{53}xek^{3}li^{0}a^{0}.mai^{53}tau^{21}tsʰiəu$^{53}_{44}$pʰiek^{5}in$^{13}_{21}$ka$^{35}_{44}$tsʰiəu$^{53}_{44}$u^{21}tau^{21}tsʰiəu^{53}cin^{35}pu$^{35}_{44}$tsau^{21}ʂɔŋ$^{53}_{44}$mai^{35}tau^{21}tsʰiəu$^{53}_{44}$cin^{35}pu$^{35}_{44}$tsʰiəu$^{53}_{44}$ʂət^{5}(x)ek^{3}lia^{0},xei$^{53}_{44}$me$^{53}_{44}$?ci$^{13}_{21}$tsʰiəu^{53}m̩$^{13}_{21}$mɔi^{53}liəu^{13}ua^{0}.

【打算】ta^{21}sɔn^{53} 动计划，准备：我～去嫽下子。ŋai$^{13}_{21}$ta^{21}sɔn$^{53}_{44}$çi$^{53}_{44}$liau^{53}xa$^{53}_{44}$tsɿ^{0}.｜你～去啊唔～去？ɲi^{13}ta^{21}sɔn^{53}çi^{53}a^{35}ŋ̍^{13}ta^{21}sɔn^{53}çi^{53}?

【打算盘】ta^{21}sɔn^{53}pʰan^{13} 本指用算盘计算，引申指盘算、算计、打主意：打别人家个算盘 ta^{21}pʰiet^{5}ɲin$^{13}_{21}$ka$^{35}_{44}$ke$^{53}_{44}$sɔn^{53}pʰan^{13}

【打太平讲】ta^{21}tʰai^{53}pʰin^{13}kɔŋ^{21} 闲谈，聊天：你就～样，讲下子，嫽下子。ɲi^{13}tsiəu^{53}ta^{21}tʰai^{53}pʰin^{13}kɔŋ^{21}iɔŋ^{53},kɔŋ^{21}xa^{53}tsɿ^{0},liau^{53}xa$^{53}_{44}$tsɿ^{0}.

【打汤】ta^{21}tʰɔŋ^{35} 动做汤菜：箇起是木耳菜哩。箇叶子痞厚呀。～食啦。kai$^{53}_{44}$çi$^{21}_{44}$ʂʅ$^{53}_{44}$muk^{3}ɲi^{21}tsʰɔi$^{53}_{44}$li^{0}.kai$^{53}_{44}$iait^{5}tsɿ^{0}tek^{5}xei^{35}ia^{0}.ta^{21}tʰɔŋ^{35}ʂət^{5}la^{0}.

【打蹄】ta^{21}tʰai^{13} 动蹄子受到损害：路唔好。咁马子会～。ləu^{53}n̩^{13}xau^{21}.kan$^{21}_{44}$ma^{35}tsɿ^{0}uɔi^{53}ta^{21}tʰai^{13}.

【打铁】ta^{21}tʰiet^{3} 动锻造钢铁工件：（大锤）～个。ta^{21}tʰiet^{3}ke$^{53}_{44}$.

【打铁个】ta^{21}tʰiet^{3}cie^{53} ①指铁匠：我等以前有～，渠就□倒打只子咁个标记子嘞。ŋai$^{13}_{21}$tien^{0}i$^{35}_{44}$tsʰien$^{13}_{21}$iəu$^{35}_{44}$ta^{21}tʰiet^{3}cie$^{53}_{44}$,ci$^{13}_{21}$tsʰiəu^{53}tʰi^{21}tau^{53}ta^{21}tʂak^{3}tsɿ^{0}kan^{21}cie$^{53}_{44}$piau^{35}ci$^{53}_{44}$tsɿ^{0}lei^{0}. ②指铁匠铺：有哇，～有哇。箇街上都有只，渠张坊街上都有几家。iəu^{35}ua^{0},ta^{21}tʰiet^{3}ke$^{53}_{44}$iəu^{35}ua^{0}.kai$^{53}_{21}$kai$^{35}_{44}$xɔŋ$^{53}_{44}$təu$^{35}_{44}$iəu^{35}tʂak^{3},ci$^{13}_{21}$tʂɔŋ^{35}fɔŋ$^{35}_{44}$kai$^{35}_{44}$xɔŋ$^{53}_{44}$təu$^{35}_{44}$iəu$^{35}_{44}$ci^{21}ka^{35}.

【打铁炉】ta^{21}tʰiet^{3}ləu^{13} 名铁匠炉，又称“红炉”：欸，铁匠铺哩就有～哇。箇只白果树下箇只铁匠铺里，渠箇厅下就系一只～。冇么个几多东西。渠箇～嘞烧煤，用煤炭，用烟煤。以前是用火屎嘞，以下冇么人用火屎了。e$_{35}$,tʰiet^{3}tsʰiɔŋ$^{53}_{44}$pʰu^{53}li^{0}tsʰiəu$^{53}_{44}$iəu$^{35}_{44}$ta^{21}tʰiet^{3}ləu^{13}ua^{0}.kai^{53}tʂak^{3}

pʰak^{5} ko^{21}ʂu^{53}xa$^{53}_{44}$kai^{53}tʂak^{3} tʰiet^{3} tsʰiɔŋ$^{53}_{44}$pʰu^{53}li^{0},ci$^{13}_{21}$kai^{53}tʰaŋ^{35}xa$^{53}_{44}$tsʰiəu^{53}xe^{53}iet^{3} tʂak^{3} ta^{21}tʰet^{3} ləu^{13}.mau^{13}mak^{3} e^{0} ci^{21}to$^{35}_{44}$təŋ$^{35}_{44}$si^{0}.ci^{13}kai^{53}ta^{21}tʰiet^{3} ləu^{13}le^{0} ʂau$^{35}_{44}$mei^{13},iəŋ^{53}mei^{13}tʰan^{53},iəŋ^{53}ien^{35}mei^{13}.i$^{35}_{53}$tsʰien^{13}ʂʅ$^{53}_{44}$iəŋ^{53}fo^{21}ʂʅ^{21}le^{0},i^{21}xa^{53}mau^{13}mak^{3} in$^{13}_{44}$iəŋ^{53}fo^{21}ʂʅ^{21}liau^{0}.

【打铜】ta^{21}tʰəŋ^{13} 动铜匠制造或修理铜器：以前是就又还有下乡个嘞，我也𫠊看倒有几大子个铺子咯，我是以前是有下乡～个呢。话哩箇阵子我舅爷箇呀，我就记得嘞，渠就打把铜壶嘞，请倒人来打嘞，打把铜壶嘞。我记得渠箇壶个完身咯就一块铜皮咁长嘞，咁阔子嘞，剪下正，我看稳渠打个。嗯，我如今都记得啊，剪下正，剪下正嘞渠就剁剁剁剁放势捶下子，唔知让捶下子啊让门子又还烧下子让门子，以下子就箇只圈圈呐箇只铜壶个完身就搞正哩。下乡～个有，但是铜匠铺嘞我箇阵子我有几大子，唔晓得。i$^{35}_{53}$tsʰien^{13}ʂʅ$^{53}_{44}$tsʰiəu^{53}iəu^{53}xai$^{13}_{21}$iəu$^{35}_{44}$xa$^{53}_{44}$çiɔŋ^{35}ke^{53}lei^{0},ŋai^{13}ia$^{35}_{53}$maŋ^{13}kʰɔn^{53}tau$^{21}_{44}$iəu$^{35}_{44}$ci^{21}tʰai$^{53}_{44}$tsʅ^{0} ke$^{53}_{44}$pʰu^{53}tsʅ^{0} ko^{0},ŋai^{13}ʂʅ$^{53}_{44}$i$^{35}_{53}$tsʰien^{13}ʂʅ$^{53}_{44}$iəu$^{35}_{44}$xa$^{53}_{44}$çiɔŋ^{35}ta^{21}tʰəŋ^{13}ke^{53}nei^{0}.ua^{53}li^{0} kai$^{53}_{44}$tʂʰən^{53}tsʅ^{0} ŋai$^{13}_{21}$cʰiəu^{35}ia$^{13}_{21}$kai^{53}ia^{0},ŋai$^{13}_{21}$tsʰiəu$^{53}_{44}$ci^{53}tek^{3} lei^{0},ci$^{13}_{21}$tsʰiəu^{53}ta^{21}pa^{21}tʰəŋ^{13}fu$^{13}_{44}$lei^{0},tsʰiaŋ^{21}tau^{21}ɲin^{13}nɔi$^{13}_{44}$ta^{21}lei^{0},ta^{21}pa^{21}tʰəŋ^{13}fu$^{13}_{44}$lei^{0}.ŋai^{13}ci^{53}tek^{3} ci^{13}kai^{53}fu^{13}ke$^{53}_{44}$uɔn^{13}ʂən$^{35}_{44}$ko^{0} tsiəu^{53}iet^{3} kʰuai^{53}tʰəŋ^{13}pʰi^{13}kan^{21}tʂʰɔŋ^{13}lei^{0},kan^{21}kʰɔit^{3} tsʅ^{0} lei^{0},tsien^{21}na^{53}tʂaŋ^{53},ŋai^{13}kʰɔn^{53}uən^{21}ci$^{13}_{44}$ta^{21}ke^{53}.n̩$_{21}$,ŋai^{13}i$^{13}_{21}$cin$^{35}_{44}$təu$^{35}_{44}$ci^{53}tek^{3} a^{0},tsien^{21}na^{53}tʂaŋ^{53},tsien^{21}(x)a$^{53}_{44}$tʂaŋ^{53}lei^{0} ci$^{13}_{21}$tsʰiəu$^{53}_{44}$to$_{53}$to$_{53}$to$_{53}$to$_{53}$fɔŋ^{53}ʂʅ^{53}tʂʰei^{13}ia$^{53}_{44}$tsʅ^{0},n̩$^{13}_{21}$ti$^{35}_{44}$iɔŋ^{53}tʂʰei^{13}ia^{53}tsʅ^{0} a^{0} ɲiɔŋ^{53}mən$^{13}_{44}$tsʅ^{0} iəu^{53}xai$^{13}_{21}$ʂau^{35}ua^{53}tsʅ^{0} ɲiɔŋ^{53}mən$^{13}_{44}$tsʅ^{0},iet^{3} xa^{53}tsʅ^{0} tsʰiəu^{53}kai^{53}tʂak^{3} cʰien^{35}cʰien$^{35}_{44}$na^{0} kai^{53}tʂak^{3} tʰəŋ^{13}fu$^{13}_{21}$ke^{53}uɔn^{13}ʂən$^{35}_{44}$tsʰiəu^{53}kau^{21}tʂaŋ^{53}li^{0}.xa$^{53}_{44}$çiɔŋ^{35}ta^{21}tʰəŋ^{13}ke$^{53}_{44}$iəu^{35},tan$^{53}_{44}$ʂʅ$^{53}_{44}$tʰəŋ^{13}siɔŋ$^{53}_{44}$pʰu^{53}lei^{0} ŋai^{13}kai^{53}tʂʰən^{53}tsʅ^{0} ŋai$^{13}_{21}$mau^{13}ci^{21}tʰai^{53}tsʅ^{0},n̩^{13}çiau^{21}tek^{3}.

【打席】ta^{21}tsʰiak^{5} 动编制席子：以前是我等以映子自家会～咯。i$^{35}_{44}$tsʰien^{13}ʂʅ$^{53}_{44}$ŋai$^{13}_{21}$tien^{0} i^{21}iaŋ^{53}tsʅ^{0} tsʰʅ^{35}ka$^{35}_{44}$uɔi^{53}ta^{21}tsʰiak^{5} ko^{0}.｜中间串几纲啊。然后就自家去～。打床席，箇是草席。tʂəŋ^{35}kan$^{35}_{44}$tʂʰɔn^{53}cʰi^{21}kɔŋ^{35}ŋa^{0}.vien^{13}xei$^{53}_{44}$tsʰiəu$^{53}_{44}$tsʰʅ^{35}ka$^{35}_{53}$çi$^{53}_{44}$ta^{21}tsʰiak^{5}.ta^{21}tsʰɔŋ^{13}tsʰiak$^{5}_{3}$,kai$^{53}_{44}$ʂʅ$^{53}_{44}$tsʰau^{21}tsʰiak^{5}.

【打闲讲】ta^{21}xan^{13}kɔŋ^{21} 聊天。也称“扯卵谈”：我等人天天嘞跍倒街上冇么个事个时候子撂别人家～。也系安做扯卵谈。ŋai^{13}tien^{0} in$^{13}_{21}$tʰien^{35}tʰien^{35}le^{0} kʰu$^{35}_{44}$tau$^{21}_{44}$kai$^{35}_{44}$xɔŋ$^{53}_{44}$mau^{13}mak^{3} e^{0} sʅ^{53}ke^{0} ʂʅ$^{13}_{44}$xəu$^{53}_{44}$tsʅ^{0} lau$^{35}_{44}$pʰiet^{5} in$^{13}_{44}$ka$^{35}_{44}$ta^{21}xan^{13}kɔŋ^{21}.ia^{35}xe^{53}ɔn$^{35}_{44}$tso^{53}tʂʰa^{21}lɔn^{21}tʰan$^{13}_{44}$.

【打线】ta^{21}sien^{53} 动纺线：以前个绩倒个线就绩倒个绩是也爱去～咯。i$^{35}_{44}$tsʰien^{13}ke^{53}tsiak^{3} tau^{21}ke$^{53}_{44}$sien^{53}tsʰiəu$^{53}_{44}$tsiak^{3} tau^{21}ke$^{53}_{44}$tsiak^{3} ʂʅ$^{53}_{44}$ia$^{35}_{44}$ɔi$^{53}_{44}$cʰi$^{53}_{44}$ta^{21}sien^{53}ko^{0}.｜卖妹子是箇就爱打蛮多线呶。mai^{53}mɔi^{53}tsʅ^{0} ʂʅ$^{53}_{44}$kai$^{53}_{44}$tsʰiəu$^{53}_{21}$ɔi^{53}ta^{21}man^{13}to$^{35}_{44}$sien^{53}nau^{0}.

【打小产】ta^{21}siau^{21}tsʰan^{21} 流产：欸，有只妹子擐呐人𫠊擐唔稳呐，～打嘿哩。ei$_{21}$,iəu^{35}tʂak^{3} mɔi^{53}tsʅ^{0} kʰuan^{53}na^{0} ɲin^{13}maŋ^{13}kʰuan^{53}n̩^{13}uən^{21}na^{0},ta^{21}siau^{21}tsʰan^{21}ta^{21}xek^{3} li^{0}.

【打小耙】ta^{21}siau^{21}pʰa^{13} 耙田前后氮磷深施、补田塍、把禾蔸踩入泥中、进一步平整田泥等劳动的统称：我等箇阵子生产队上箇田我等山里是田丘细细子呢，欸□耙就用唔上啊。就安做～呢，就分个人呢分个人咯到箇田里去搋下子呢，分箇……让门搋下子嘞？分箇禾蔸髻箇兜踩下子去嘞，分箇草箇兜啦禾蔸髻箇兜啦欸舞个舞正下子嘞，踩下子去，就爱栽禾了吵，田里就爱搞得泼令子吵。～。有兜田角上冇得泥个爱耙兜子泥去，唔系箇田角上栽嘿哪映去箇蔸禾，系唔系？欸有兜箇田塍上分牛踩只脚踩一踩嘿哩田塍都踩边哩，箇你也补转下子去嘞，舞兜子烂泥子补转下子去。箇个就是都系～个人做个。还有打兜子箇个么个氮磷深施，欸，舞兜子氮肥呀磷肥呀在耙田之前呐曳下去，箇个也系～个人做个。安做～，就搞杂呀。ŋai^{13}tien^{5} kai^{53}tʂʰən^{53}tsʅ^{0} sen^{35}tsʰan^{21}ti^{53}xɔŋ$^{53}_{44}$kai^{53}tʰien$^{13}_{21}$ŋai$^{13}_{21}$tien^{0} san^{35}ni^{21}ʂʅ$^{53}_{44}$tʰien$^{13}_{21}$cʰiəu$^{35}_{44}$se^{53}se^{53}tsʅ^{0} ne^{0},e^{0} lait^{5} pʰa$^{13}_{21}$tsʰiəu$^{53}_{44}$iəŋ^{53}n̩$^{13}_{21}$ʂɔŋ^{35}ŋa^{0}.tsʰiəu^{53}ɔn$^{35}_{53}$tso^{53}ta^{21}siau^{21}pʰa^{13}nei^{0},tsʰiəu$^{53}_{44}$pən^{35}cie^{53}ɲin^{13}nei^{0} pən^{35}cie^{53}ɲin^{13}ko^{0} tau^{53}kai^{53}tʰien$^{13}_{21}$ni^{21}çi^{53}ləuk^{3} (x)a^{53}tsʅ^{0} nei^{0},pən$^{35}_{44}$kai$^{53}_{44}$…ɲiɔŋ$^{53}_{44}$mən$^{13}_{44}$ləuk^{3} (x)a^{53}tsʅ^{0} lei^{0}?pən$^{35}_{44}$kai$^{53}_{44}$uo^{13}tei$^{35}_{44}$ci^{53}kai$^{53}_{44}$te$^{35}_{44}$tsʰai^{21}xa^{53}tsʅ^{0} çi^{53}lei^{0},pən^{35}kai^{53}tsʰau^{21}kai$^{53}_{44}$te$^{35}_{53}$la^{0} o^{13}tei$^{35}_{44}$ci^{53}kai$^{53}_{44}$te$^{35}_{53}$la^{0} e^{0} u^{21}ke^{53}u^{21}tʂaŋ^{53}xa^{53}tsʅ^{0} lei^{0},tsʰai^{21}xa^{53}tsʅ^{0} çi^{53},tsʰiəu^{53}ɔi^{53}tsɔi^{35}uo^{13}liau^{21}ʂa^{0},tʰien^{13}ni^{21}tsʰiəu^{53}ɔi^{53}kau^{21}tek^{3} pʰait^{5} laŋ^{53}tsʅ^{0} ʂa^{0}.ta^{21}siau^{21}pʰa^{13}.iəu^{35}te$^{35}_{53}$tʰien^{13}kɔk^{3} xɔŋ^{53}mau^{13}tek^{3} lai^{13}ke^{53}ɔi$^{53}_{44}$pʰa^{13}te$^{35}_{53}$tsʅ^{0} lai^{13}çi^{53},m̩^{13}pʰei^{53}kai$^{53}_{21}$tʰien$^{13}_{21}$kɔk^{3} xɔŋ^{53}tsɔi^{35}xek^{3} lai^{53}iaŋ^{53}çi^{53}kai$^{53}_{44}$tei$^{35}_{44}$uo$^{13}_{21}$,xei$^{53}_{44}$me$^{53}_{44}$?ei$_{21}$ iəu^{35}te$^{35}_{53}$kai^{53}tʰien^{13}ʂən$^{13}_{21}$xɔŋ^{53}pən$^{35}_{53}$ɲiəu^{13}tsʰai^{21}tʂak^{3} ciɔk^{3} tsʰai^{53}iet^{3} tsʰai^{21}xek^{3} li^{0} tʰien^{13}ʂən$^{13}_{21}$təu$^{35}_{53}$tsʰai^{21}pien^{35}ni^{0},kai^{53}ɲi$^{13}_{21}$ia^{35}pu^{21}tʂuɔn^{21}na^{53}tsʅ^{0} çi^{53}lei^{0},u^{21}te$^{35}_{53}$tsʅ^{0} lan^{53}lai$^{13}_{21}$tsʅ^{0} pu^{21}tʂuɔn$^{21}_{44}$xa$^{53}_{44}$tsʅ^{0} çi$^{53}_{44}$.kai$^{53}_{44}$ke$^{53}_{44}$tsʰiəu$^{53}_{44}$sʅ^{53}təu^{35}xe$^{53}_{44}$ta^{21}siau^{21}pʰa^{13}ke^{53}ɲin$^{13}_{21}$tso$^{53}_{44}$ke$^{53}_{44}$.xai$^{13}_{21}$iəu$^{35}_{53}$ta^{21}te$^{35}_{53}$tsʅ^{0} kai$^{53}_{44}$ke$^{53}_{44}$mak^{3} kei^{53}tʰan^{53}lin$^{13}_{21}$ʂən$^{35}_{44}$sʅ^{35},e$_{21}$,u^{21}te$^{35}_{53}$tsʅ^{0} tʰan^{53}fei$^{13}_{21}$ia^{0} lin^{13}fei$^{13}_{44}$ia^{0} tsʰai^{53}pʰa^{13}tʰien^{13}tʂʅ$^{35}_{44}$tsʰien^{13}na^{0} ie^{53}xa$^{53}_{44}$çi^{53},kai^{53}ke$^{53}_{21}$ia^{35}xe^{53}ta^{21}siau^{21}pʰa$^{13}_{21}$ke^{53}ɲin$^{13}_{21}$tso^{53}ke^{53}.ɔn$^{35}_{44}$tso^{53}ta^{21}siau^{21}pʰa^{13},tsʰiəu^{53}kau^{21}tsʰait^{5} ia^{0}.

【打鞋底】ta^{21}xai^{13}te^{21} 纳鞋底：～就如今就真系冇得哩嘞，以前就有～嘞。箇做鞋个时候子啊，先舞正只鞋底，有滴就用布骨呢，欸，打布骨打倒个布骨嘞剪成只鞋底样，剪成只鞋样。然后，箇唔经呐咁子个鞋是，系唔系？箇踩唔得几多下就磨得都冇得哩啊。爱就用苎麻绳子，用钻子先钻正只眼，苎麻绳子上嘞就头上嘞舞尖来，就用舞枚针，一针一针子去钻，钻一针又箇鞋底又穿一下，欸，钻一针又穿一下，使渠嘞使箇只……打荡底是你见过唠，系唔系？就同箇打荡底样。ta^{21}xai^{13}te^{21}tsʰiəu^{53}i$^{13}_{21}$cin$^{35}_{44}$tsʰiəu^{53}tʂən^{35}xe^{53}mau$^{13}_{21}$tek^{3}li^{0}le^{0},i^{35}tsʰien^{13}tsʰiəu$^{53}_{44}$iəu$^{35}_{44}$ta^{21}xai^{13}te^{21}le^{0}.kai$^{53}_{44}$tso^{53}xai^{13}ke^{53}ʂʅ^{13}xəu$^{53}_{44}$tsʅ^{0}a^{0},sien$^{35}_{44}$u^{21}tʂaŋ^{53}tʂak^{3}xai^{13}te^{21},iəu^{35}tet^{5}tsʰiəu$^{53}_{44}$iəŋ$^{53}_{44}$pu^{53}kuət^{3}nei^{0},e$_{21}$,ta^{21}pu^{53}kuət^{3}ta^{21}tau^{21}ke^{0}pu^{53}kuət^{3}le^{0}tsien^{21}ʂaŋ$^{13}_{21}$tʂak^{3}xai^{13}te^{21}iəŋ^{53},tsien^{21}ʂaŋ$^{13}_{44}$tʂak^{3}xai^{13}iəŋ^{53}.vien^{13}xei$^{53}_{44}$,kai^{53}n̩^{13}cin^{35}na^{0}kan^{21}tsʅ^{0}ke^{53}xai^{13}ʂʅ$^{53}_{44}$,xei^{53}me^{53}?kai$^{53}_{44}$tsʰai^{21}n̩$^{13}_{44}$tek^{3}ci^{13}(t)o$^{35}_{44}$xa^{53}tsʰiəu^{53}mo^{13}tek^{3}təu$^{35}_{44}$mau$^{13}_{44}$tek^{3}li^{0}a^{0}.ɔi$^{53}_{44}$tsʰiəu^{53}iəŋ^{53}tʂʰu^{35}ma$^{13}_{21}$ʂən^{13}tsʅ^{0},iəŋ$^{53}_{44}$tsɔn^{53}tsʅ^{0}sien^{35}tsɔn^{53}tʂaŋ^{53}tʂak^{3}ŋan^{21},tʂʰu^{35}ma$^{13}_{21}$ʂən^{13}tsʅ^{0}xɔŋ$^{53}_{44}$lei^{0}tsʰiəu^{53}tʰei^{13}xɔŋ$^{53}_{44}$lei^{0}u^{21}tsian^{35}lɔi^{13},tsʰiəu^{53}iəŋ^{53}u^{21}mɔi^{13}tʂən^{35},iet^{3}tʂən^{35}iet^{3}tʂən^{35}tsʅ^{0}çi$^{53}_{44}$tsɔn^{53},tsɔn^{53}iet^{3}tʂən^{35}iəu^{53}kai^{53}xai^{13}te^{21}iəu$^{53}_{44}$tʂʰuon^{53}iet^{3}xa^{53},e$_{21}$,tsɔn^{53}iet^{3}tʂən^{35}iəu$^{53}_{44}$tʂʰuon^{53}iet^{3}xa^{53},ʂʅ^{21}ci$^{13}_{21}$lei^{0}ʂʅ^{21}kai^{53}tʂak^{3}…ta^{21}tʰɔŋ^{53}te^{21}ʂʅ$^{53}_{44}$ni$^{13}_{44}$cien^{53}ko^{53}lau^{0},xei^{53}me$^{53}_{44}$?tsʰiəu^{53}tʰəŋ$^{53}_{44}$kai$^{53}_{44}$ta^{21}tʰɔŋ^{53}te^{21}iəŋ$^{53}_{44}$.

【打新房】ta^{21}sin^{35}fɔŋ^{13} 闹洞房，又称"闹新房"：～是就系新郎啊箇些男方啊箇个欸嬲得好个人呐，箇个年纪相差唔大个朋友子箇只啦。欸，如今来闹个舅爷箇就是唔得，让门你会闹哇？爱请倒渠去参加下子就。请倒舅爷去参加。蛮厉害冇得，就系讲下子笑话子箇只唠。咁渠等人呢欸拥抱下子箇只唠。如今就有啊欸箇晡夜晡就去包只歌厅呐，去唱歌啊，去跳舞哇，如今就搞咁个了。ta^{21}sin^{35}fɔŋ^{13}ʂʅ$^{53}_{44}$tsʰiəu$^{53}_{44}$xei$^{53}_{44}$sin^{35}nɔŋ$^{13}_{21}$ŋa^{0}kai$^{53}_{21}$sia$^{35}_{21}$lan^{13}fɔŋ^{35}a^{0}kai^{53}ke$^{53}_{44}$ŋe^{0}liau^{53}tek^{3}xau^{21}ke^{53}ɲin$^{13}_{21}$na^{0},kai$^{53}_{44}$ke$^{53}_{44}$ɲien^{13}ci^{21}siɔŋ^{35}tsʰa$^{35}_{44}$n̩$^{13}_{21}$tʰai^{53}ke$^{53}_{44}$pʰəŋ^{13}iəu^{35}tsʅ^{0}kə^{53}(←kai^{53})tʂak^{3}la^{0}.e^{21},i$^{13}_{21}$cin$^{35}_{44}$nɔi$^{13}_{21}$lau^{53}ke$^{53}_{44}$cʰiəu^{35}ia$^{13}_{21}$kai^{53}tsiəu^{53}ʂʅ^{53}n̩^{13}tek^{3}, ɲiɔŋ^{53}mən^{0}ɲi$^{13}_{0}$uɔi$^{53}_{0}$lau^{53}ua^{0}?ɔ$_{44}$(←ɔi^{53})tsʰiaŋ^{21}tau^{21}ci^{13}çi^{53}tsʰan^{35}cia$^{35}_{44}$(x)a$^{53}_{44}$tsʅ^{0}tsiəu$^{53}_{0}$.tsʰiaŋ^{21}tau^{21}cʰiəu^{35}ia$^{13}_{21}$çi^{53}tsʰan^{35}cia$^{35}_{44}$.man^{13}li^{53}xɔi$^{53}_{44}$mau^{13}tek^{3},tsʰiəu$^{53}_{21}$(x)ei$^{53}_{44}$kɔŋ^{21}(x)a$^{53}_{44}$tsʅ^{0}siau^{53}fa^{53}tsʅ^{0}kai$^{53}_{21}$tʂak$^{3}_{5}$lau^{0}.kan$^{21}_{44}$ci^{13}tien^{0}in$^{13}_{21}$ne^{0}ei$_{21}$iəŋ^{35}pʰau^{53}(x)a$^{53}_{44}$tsʅ^{0}kai$^{53}_{44}$tʂak^{3}lau^{0}.i$^{13}_{21}$cin^{35}tsʰiəu^{53}iəu^{35}a^{0}ei^{0}kai$^{53}_{44}$pu^{35}ia$^{53}_{44}$pu$^{35}_{44}$tsiəu$^{53}_{44}$çi^{53}pau^{35}tʂak^{3}ko^{35}tʰin^{35}na^{0},çi^{53}tʂʰɔŋ^{53}ko^{35}a^{0},çi^{53}tʰiau^{53}u^{35}ua^{0},i$^{13}_{21}$cin^{35}tsʰiəu^{53}kau^{21}kan$^{21}_{35}$cie$^{53}_{44}$liau^{0}.

【打旋】ta^{21}tsʰiən^{53} 动 水流形成旋涡：箇牛轭岭箇映子有只栏场呢，箇箇个水呀唔知几激，走倒箇映子嘞就打只子旋，唔知几大，欸。箇～个栏场底下车成一只潭。如今是冇得哩，如今是壅嘿哩，欸。首先是系只潭呢。箇个栏场就唔好洗冷水身呐，箇去哩就输哩命啦，唔得出哩啦，欸。kai^{53}ɲiəu$^{13}_{21}$ak^{3}liaŋ^{35}kai$^{53}_{44}$iaŋ^{35}tsʅ^{0}iəu^{35}tʂak^{3}laŋ$^{13}_{21}$tʂʰɔŋ$^{13}_{21}$nei^{0},kai$^{53}_{44}$kai$^{53}_{44}$ke$^{53}_{44}$ʂei^{21}ia^{0}n̩^{13}ti$^{35}_{53}$ci^{21}ciet^{3},tsei^{21}tau$^{21}_{44}$kai$^{53}_{44}$iaŋ^{35}tsʅ^{0}lei^{0}tsʰiəu^{53}ta^{21}tʂak^{3}tsʰiən^{53},n̩^{13}ti$^{35}_{53}$ci^{21}tʰai^{53},e$_{21}$.kai^{53}ta^{21}tsʰiən^{53}ke^{0}laŋ$^{13}_{21}$tʂʰɔŋ$^{13}_{44}$tei^{21}xa$^{53}_{44}$tʂʰa^{35}ʂaŋ$^{13}_{21}$iet^{3}tʂak^{3}tʰan^{13}.i$^{13}_{21}$cin$^{35}_{53}$ʂʅ^{53}mau^{13}tek^{3}li^{0},i$^{13}_{21}$cin$^{35}_{53}$ʂʅ^{53}iəŋ^{35}ŋek^{3}li^{0},e$_{21}$.ʂəu^{21}sien$^{35}_{44}$ʂʅ$^{53}_{44}$xei^{53}tʂak^{3}tʰan^{13}ne^{0}.kai^{53}ke^{53}laŋ$^{13}_{21}$tʂʰɔŋ$^{13}_{44}$tsʰiəu^{53}m̩$^{13}_{21}$xau^{21}se^{21}laŋ^{35}ʂei^{21}ʂən^{35}na^{0},kai$^{53}_{44}$çi^{53}li^{0}tsʰiəu$^{53}_{44}$ʂəu$^{35}_{44}$li^{0}miaŋ^{53}la^{0},n̩^{13}tek^{3}tʂət^{3}li^{0}la^{0},e$_{21}$.

【打眼】ta^{21}ŋan^{21} 动 打洞，钻孔：两头呀以个床头嘞，渠以映子中间打只眼。iɔŋ^{21}tʰei^{13}ia^{0}i^{21}ke^{53}tsʰɔŋ^{13}tʰei^{13}lei^{0},ci^{13}i^{21}iaŋ^{35}tsʅ^{0}tʂəŋ$^{35}_{44}$kan$^{35}_{44}$ta^{21}tʂak^{3}ŋan^{21}.

【打秧】ta^{21}iɔŋ^{35} 动 将拔好扎成个的秧苗抛入田中：～是就系丢禾秧啊。就系栽禾之前扯倒箇秧放下田角头，秧放下田角头，人就徛正田塍上来，分箇禾秧尽可能匀称滴子，丢哇田里，欸。～打得匀称个话嘞栽起来更快。唔系是慢呢唔系就秧多哩，爱丢；唔系就秧少哩，好，栽下子又冇得哩秧，又爱徛正来，一个人栽禾是箇只秧到哪映去提？ta^{21}iɔŋ^{35}ʂʅ$^{53}_{44}$tsiəu$^{53}_{44}$xei$^{53}_{44}$tiəu^{35}uo^{13}iɔŋ^{35}ŋa^{0}.tsʰiəu$^{53}_{44}$xei$^{53}_{44}$tsɔi^{35}uo^{13}tʂʅ^{35}tsʰien^{13}tʂʰa^{21}tau^{21}kai$^{53}_{21}$iɔŋ^{35}fɔŋ^{53}xa^{53}tʰien^{13}kɔk^{3}tʰei^{13},iɔŋ^{35}fɔŋ^{53}xa^{53}tʰien$^{13}_{21}$kɔk^{3}tʰei^{13}, ɲin^{13}tsʰiəu^{53}cʰi^{35}tʂaŋ^{53}tʰien^{13}ʂən^{13}xɔŋ^{53}lɔi^{13},pən^{35}kai$^{53}_{44}$uo^{13}iɔŋ$^{35}_{44}$tsʰin^{53}kʰo^{21}len^{13}in^{13}tsʰin^{53}tiet^{5}tsʅ^{0},tiəu^{35}ua^{0}tʰien$^{13}_{21}$ni^{0},e$_{21}$.ta^{21}iɔŋ^{35}ta^{21}tek^{3}in^{13}tsʰin$^{53}_{44}$ke$^{53}_{44}$fa$^{53}_{44}$le^{0}tsɔi^{35}çi^{21}lɔi^{13}cien$^{53}_{44}$kʰuai^{53}.m̩$^{13}_{21}$pʰei$^{53}_{44}$ʂʅ$^{53}_{44}$man$^{53}_{44}$ne^{0}m̩^{13}pʰei$^{53}_{44}$tsʰiəu$^{53}_{44}$iɔŋ^{35}to^{35}li^{0},ɔi^{53}tiəu^{35};m̩^{13}pʰe^{53}tsʰiəu$^{53}_{44}$iɔŋ^{35}ʂau^{21}li^{0},xau^{21},tsɔi^{35}xa$^{53}_{44}$tsʅ^{0}iəu^{53}mau$^{13}_{21}$li^{0}iɔŋ$^{35}_{44}$,iəu^{53}ɔi^{53}cʰi^{35}tʂaŋ^{53}lɔi$^{13}_{44}$,iet^{3}ke^{53}ɲin$^{13}_{21}$tsɔi^{35}uo$^{13}_{21}$ʂʅ$^{53}_{44}$kai$^{53}_{44}$tʂak^{3}iɔŋ^{35}tau^{53}la^{53}iaŋ^{53}çi$^{53}_{44}$tʰia^{35}?

【打秧炮子】ta^{21}iɔŋ^{35}pʰau^{53}tsʅ^{0} 在每四蔸早稻中间栽一把晚稻秧苗，以备分插：箇个～就真复杂个东西嘞。如今根本基本上冇得哩。……箇丫禾系咁个，为了使箇丫禾大……长得更好嘞，在栽丫禾之前，～，安做～。～就系嘞，丫一……栽一大蒲进去，箇一蒲，就一行禾肚里四蔸禾，四蔸肚里嘞，栽一蒲。等渠……又还早滴子栽，比栽丫禾还早滴子栽，栽下去。栽一蒲下去，箇一蒲嘞就栽下去以后嘞，就过得大概系个把子月啊几久子，欸，箇个等箇个早禾嘞架势黄哩稳哩了，会黄了，麻溜就分箇只箇一蒲嘞，就搣开来，扯开……扯起来，分开来，分开来栽，栽作四蔸。欸。欸，首先栽箇一蒲个时候子嘞，就安做～。分开来栽，就安做开秧炮子。欸，我等我都搞过，～，开秧炮子。四蔸禾肚里，四蔸丫禾，栽一蔸。欸，箇一蔸栽大滴子。准备开作四蔸个。准备开作四蔸。目的都系么个嘞？都系使箇丫禾嘞早滴子长大，欸，箇个欸赶上季节嘞。kai53-44ke53-44ta21iəŋ35phau53tsɿ0 tshiəu53-44tʂən35fuk5tshait5ke53-44təŋ35-44si0 le0.i13-21cin35-44cien35 pən21ci35pən21xəŋ53mau13tek3li0.…kai53-44a35uo13-21xe53kan21ke53-44,uei53liau0ʂɿ21kai53-44a35uo13-21thai53…tʂəŋ21tek3 cien53 xau21lei0,tshai53tsɔi35a35uo13-21tʂɿ35tshien13,ta21iəŋ35phau53tsɿ0,ɔn35-44tso53-44ta21iəŋ35phau53tsɿ0.ta21iəŋ35phau53tsɿ0 tshiəu53-44 xei53-44lei0,a35iet3…tsɔi35iet3thai53phu13tsin53çi53-44,kai53iet3phu13,tshiəu53iet3xəŋ13uo13təu21li0 si53tei35uo13,si53tei35 təu21li0 lei0,tsɔi35iet3phu13.tien21ci13…iəu53xai13tsau21tiet5tsɿ0 tsɔi35,pi21tsɔi35a35uo13-21xai13tsau21tiet5tsɿ0 tsɔi35,tsɔi35 xa53-44çi53-44.tsɔi35iet3phu13xa53-44çi53-44,kai53iet3phu13lei0 tshiəu53-21tsɔi35xa53-44çi53-44i35xei53-44lei0,tshiəu53-44ko53tek3thai53khai53xei53-44 cie53pa21tsɿ0ɲiet5-3a0 ci21ciəu21tsɿ0,e21,kai53ke53-44tien21kai53-44ke53-44tsau21uo13lei0 cia53ʂɿ53uəŋ13li0 uən21li0 liau0,uɔi53 uəŋ13liau0,ma13liəu53-44tshiəu53pən35kai53-44tʂak3kai53iet3phu13lei0,tshiəu53-44miek3khɔi35lɔi13-21,tʂha21khɔi…tʂha21çi21 lɔi13,fən35khɔi35lɔi13-21,fən35khɔi35lɔi13-21tsɔi35,tsɔi35tsɔk3si53tei35.e21.e44,ʂəu21sien35tsɔi35kai53iet3phu13ke53-44ʂɿ13xei53-44tsɿ0 lei0,tsiəu53-44ɔn35tso53-21ta21iəŋ35phau53tsɿ0.fən35khɔi35lɔi13-21tsɔi35,tshiəu53ɔn35tso53-21khɔi35iəŋ35phau53tsɿ0.e21,ŋai13tien0 ŋai13təu35-44kau21ko53,ta21iəŋ35phau53tsɿ0,khɔi35iəŋ35phau53tsɿ0.si53tei35uo13təu21li0,si53tei35a35uo13-44,tsɔi35iet3 tei35.e21,kai53iet3tei35tsɔi35thai53tiet5tsɿ0.tʂən21phei53khɔi35tsɔk3si53tei35ke53-44.tʂən21phei53-44khɔi35tsɔk3si53tei35.muk3 tiet3təu35xe53-44mak3ke53-44lei0?təu35xe53-44ʂɿ21kai53-44a35uo13lei0 tsau21tiet5tsɿ0 tʂɔŋ21thai53,e21,kai53-44kei53-44e21kɔn21ʂɔŋ53-44ci53 tsek3lei0.

【打夜摆子】ta21ia53pai21tsɿ0 夜间发作的疟疾：～，箇就系打摆子，渠只系话夜晡发作。～。不过整个打摆子都冇得哩了再以下就，呣，绝哩种。欸，箇以前个事，～。ta21ia53pai21tsɿ0,kai53-44 tshiəu53xe53-44ta21pai21tsɿ0,ci13-44tʂɿ21xe53-44ua53-44ia53pu53-44fait3tsɔk3.ta21ia53pai21tsɿ0.puk3ko53tʂən21ko53ta21pai21tsɿ0 təu35-53 mau13tek3li0 liau0 tsai53i21xa53-44tshiəu53,m̩21,tshiet5li0 tʂəŋ21.e21,kai53-44i35-44tshien13ke53sɿ53-44,ta21ia53pai21tsɿ0.

【打银针】ta21ɲin13tʂən35 扎针：～，就系针灸哇。因为箇针呢雪白子个，就安做～。箇年我得哩腰椎间盘突出啦，有兜人就建议我去中医院里～呶。渠话～也整得好。我就唔信箇只东西。我就赠去打，我赠去～。系话听讲话有人～打好哩个。还有话按摩搞好哩个。ta21ɲin13tʂən35,tshiəu53-44xe53-44tʂən35ciəu21ua0.in35uei53-44kai53-44tʂən35nei0 siet5phak5tsɿ0 ke0,tshiəu53-44ɔn35-44tso53-44ta21ɲin13tʂən35.kai53ɲien13-44 ŋai13tek3li0 iau35tsei35-44kan35phan13thəuk5tʂhət3la0,iəu35təu35-53ɲin13-21tshiəu53-44cien53ɲi53-44ŋai13çi53tʂəŋ35-44i35-44vien53ni21ta21 ɲin13tʂən35-44nau0.ci13ua53ta21ɲin13tʂən35-44na35-53tʂaŋ21tek3xau21.ŋai13tsiəu53n̩13sin53kai53-44tʂak3təŋ35-44si0.ŋai13tshiəu53 maŋ13çi53ta21,ŋai13maŋ13çi53ta21ɲin13-21tʂən35.xei53ua53-44thaŋ35kɔŋ21ua53iəu35ɲin13-44ta21ɲin13tʂən35-44ta21xau21li0 ke0.xai13 iəu35-53ua53iəu35təu35-44ŋɔn53mo13kau21xau21li0 ke53.

【打印】ta21in53 动打上印记：铁器东西上～个就錾子嘞安做嘞。thiet3çi53-44təŋ35-44si35-44xɔŋ53ta21in53ke53-44 tsiəu53-44tshan53tsɿ0 lei0 ɔn35-44tso53-44lei0.

【打映】ta21iaŋ53 动猜谜语：我等细细子就喜欢～呢。我讲只欸我打只映你猜哩，你猜下子看呐看猜得中吗？一估尖尖，二估圆圆，三估打伞，四估划船，五估红艳艳，六估艳艳红，七估双对双，八估欸看嘿呀唔记得哩，后背唔记得哩。我都唔记得哩，我还话～分你听噢。还有只"着屐鞋上瓦屋，么人赌中哩就系渠个亲姐夫"。猫公啊。猫公系唔系上瓦屋啊？渠就上得屋。就咁个就～子。细细子估个映。ŋai13tien0 se53se53tsɿ0 tsiəu53-44çi21fən35-44ta21iaŋ53nei0.ŋai13-21kɔŋ21 tʂak3e0 ŋai13ta21tʂak3iaŋ53ɲi13-21tshai35-44li0, ɲi13-21tshai35-44xa53-44tsɿ0 khɔn53-44na0 khɔn53-44tshai35-44(t)ek3tʂəŋ53ma0?iet3ku21tsian35 tsian35-44, ɲi53ku21ien13ien13-44,san35ku21ta21san53,si53ku21fa13tʂhuən13,ŋ̍21ku21fəŋ13ien53ien53,liəuk3ku21ien53ien53fəŋ13, tshiet3ku21sɔŋ35ti53sɔŋ35,pait3ku21e21khɔn53xe44ia21n̩13ci53(t)ek3li0,xei53pɔi53-44n̩13-21ci53(t)ek3li0.ŋai13təu35-44n̩13-21ci53(t)ek3 li0,ŋai13-21xai13ua53ta21iaŋ53pən35-53ɲi13thaŋ35ŋau0.xai13iəu35-44"tʂɔk3chiak5xai13-21ʂɔŋ35ŋa21uk3,mak3ɲin13təu21tʂəŋ53li0 tshiəu53xei53ci13-44ke0 tshin35tsia21fu35".miau53kəŋ35ŋa0.miau53kəŋ35-44xei53mei53-44ʂɔŋ35ŋa21uk3a0?ci13-21tshiəu53-44ʂɔŋ53-44tek3 uk3.tshiəu53-44kan21ke53-44tshiəu53-44ta21iaŋ53tsɿ0.se53se53tsɿ0 ku21-44ke53-44iaŋ53.

【打油】ta21iəu13 动榨油：欸，以映箇只～个是系冇哩噢。/冇得哩。e21,i21iaŋ53kai53tʂak3ta21iəu13 ke53ʂɿ53xe53mau13-44li0 au0./mau13tek3li0.｜（滚铁环）最好个就油榨下个箇～个圈，铁圈，箇就最好，又大。tsei53xau21ke0 tshiəu53-44iəu13tsa53xa35ke0 kai53-44ta21iəu13ke53-44chien35,thiet3 chien35,kai53-44tsiəu53-44tsei53 xau21,iəu53-44thai53.

【打鱼】ta21ŋ̍13 动捕鱼：三天～，两天晒网。san35-44thien35-44ta21ŋ̍13,iɔŋ21thien35-44sai53uɔŋ21.比喻做事情、做学问没有恒心，时断时续，不能持之以恒｜哎有只我等喊姓万个，渠打嘿几十年个鱼，哎慢点呢问下子渠看呐。打嘿几十年个鱼，如今五十多岁了。ai$_{21}$iəu35tʂak3 ŋai$^{13}_{21}$tien0 xan$^{53}_{44}$siaŋ53uan53cie$^{53}_{44}$,ci13ta21xek3 ci21ʂət5ɲien13ke$^{53}_{44}$ ŋ̍13,ai$_{21}$man$^{53}_{44}$tian$^{21}_{44}$ne0 uən53na$_{44}$(←xa53)tsɿ0 ci$^{13}_{21}$kʰɔn$^{53}_{44}$na0.ta21xek3 ci21ʂət5ɲien13ke$^{53}_{44}$ŋ̍13,i$^{13}_{21}$cin$^{35}_{44}$ŋ̍21ʂət5to$^{35}_{44}$sɔi53 liau0.

【打冤打家】ta21ien35ta21ka35 形容夫妻打架，把家中许多东西打坏了：农村里个偷野老婆个搞起箇扯扯绷绷啊，搞起箇～啊。ləŋ13tsʰən$^{35}_{44}$li21ke$^{53}_{44}$tʰei$^{35}_{44}$ia$^{35}_{44}$lau21pʰo13ke53kau$^{21}_{44}$çi$^{21}_{44}$kai$^{53}_{44}$tʂʰa21tʂʰa21paŋ$^{35}_{53}$ paŋ$^{35}_{44}$ŋa0,kau21çi$^{21}_{44}$kai$^{53}_{44}$ta21ien$^{35}_{44}$ta21ka$^{35}_{44}$a0.

【打冤家】ta21ien35ka35 动指吵架：嗨，两只细子跍倒屋下尽～。xai$_{53}$,iɔŋ21tʂak3 sei53tsɿ0 ku35tau21uk3 xa$^{53}_{44}$tsʰin53ta21ien35ka$^{35}_{44}$.｜欸两公婆去下～。e$_{53}$iɔŋ21kəŋ35pʰo13çi53xa53ta21ien35ka$^{35}_{44}$.

【打杂】ta21tsʰait5 动指干杂活；形容做一些普通的工作：一种就谦虚个讲法。"你去欸单位上搞滴么个啊？""欸，打下子杂唠。"有滴人渠就唔知几谦虚啊，系<u>唔系</u>？还有种嘞就硬系～。呀真正系讲做杂事，就安做～。iet3 tʂəŋ21tsʰiəu53cʰien35ʂʮ$^{35}_{44}$ke0 kɔŋ21fait3."ɲi13çi53e$_{21}$tan35uei$^{53}_{44}$xɔŋ$^{53}_{44}$ kau21tet5 mak3 ke53a0?""e$_{21}$,ta21xa$^{53}_{44}$tsɿ0 tsʰait5 lau0."iəu35tet5ɲin$^{13}_{44}$ci13tsʰiəu53n̩13ti$^{35}_{53}$ci21cʰien35ʂʮ$^{35}_{44}$a0,xei$^{53}_{44}$ me$^{53}_{44}$?xai13iəu$^{35}_{53}$tʂəŋ21lei0 tsʰiəu53ɲiaŋ53xei$^{53}_{44}$ta21tsʰait5.ia$_{44}$tʂən35tʂən53xe53kɔŋ21tso53tsʰait5 sɿ53,tsʰiəu$^{53}_{44}$ɔn$^{35}_{44}$tso$^{53}_{44}$ ta21tsʰait5.

【打早】ta21tsau$^{21}_{53}$ 名时间词。早先，以前：～只有黄个（桂花）。ta21tsau$^{21}_{53}$tʂɿ21iəu$^{35}_{53}$uɔŋ13ke$^{53}_{44}$.

【打栅】ta21tsʰat5 名置于禾桶内用来打禾、脱粒的竹木栅：我等以映打豆子个东西系用么个嘞？系用～。要龏还有禾桶，龏只禾桶，/就分渠围起来。以只东西就喊安做围绞子。/就围稳个意思。/就龏块咁个，篾片编个，分渠围嘿起来。然后以只桶里就放一块让门子个东西嘞？咁个。/箇箇只东西就喊～。/以个系用竹子做个。竹个。侧个放倒。有缝，欸，以个底下以只木框，以只框系木个，以映子嘞搞块篾片，钉稳，钉稳以只东西，包倒以只木。渠底下系一条木个，就箇以只斗以只方架架，以只架子就斗稳。以映搞块竹片包稳，渠就……不竹片更经磨吵？欸，然后打豆子个是咁以个豆苗就打嘿以只上。以只安做～。ŋai$^{13}_{21}$tien0 i21iaŋ$^{53}_{44}$ta21 tʰei53tsɿ0 ke$^{53}_{44}$təŋ$^{35}_{44}$si0 xe$^{53}_{44}$iəŋ$^{53}_{44}$mak3 ke$^{53}_{44}$le0 ?xe$^{53}_{44}$iəŋ$^{53}_{44}$ta21tsʰat5 .iau$^{53}_{44}$u21xa$^{13}_{21}$iəu$^{13}_{44}$uo13tʰəŋ21,u21tʂak3 uo13 tʰəŋ21,/tsiəu$^{53}_{44}$pən$^{35}_{44}$ci$^{13}_{44}$uei13çi21lɔi13.i21tʂak3 təŋ$^{35}_{44}$si0 tsʰiəu$^{53}_{44}$xan$^{53}_{44}$ɔn$^{35}_{44}$tso$^{53}_{44}$uei13ciau21tsɿ0./tsʰiəu$^{53}_{44}$uei13uən21ke$^{53}_{44}$ i53sɿ0./tsʰiəu$^{53}_{44}$u21kʰuai$^{53}_{44}$kan21ke$^{53}_{44}$,miet5 pʰien53pien35ke$^{53}_{44}$,pən35ci$^{13}_{44}$uei13xek3 çi21lɔi13.vien13xei53i21tʂak3 tʰəŋ21 li21tsʰiəu$^{53}_{44}$fɔŋ53iet3 kʰuai$^{53}_{44}$ɲiɔŋ53men0 tsɿ0 ke$^{53}_{44}$təŋ$^{35}_{44}$si0 lei0 ?kan21ke$^{53}_{44}$./kai$^{53}_{21}$kai$^{53}_{21}$tʂak3 (t)əŋ$^{35}_{44}$si0 tsʰiəu$^{53}_{21}$xan53ta21 tsʰat5./i21ke53xei$^{53}_{44}$iəŋ53tʂəuk3 tsɿ0 tso$^{53}_{44}$ke$^{53}_{44}$.tʂəuk3 ke53.tsek3 ke$^{53}_{44}$fɔŋ$^{53}_{44}$tau21.iəu$^{35}_{44}$fəŋ35,e$_{21}$,i21ke53tei53xa$^{53}_{44}$i21tʂak3 muk3 kʰuɔŋ35,i21tʂak3 kʰuɔŋ35xei53muk3 ke53,i21iaŋ$^{53}_{44}$tsɿ0 lei0 kau21kʰuai$^{53}_{44}$miet5 pʰien$^{53}_{44}$,taŋ35uən21,taŋ35uən21i21 tʂak3 (t)əŋ$^{35}_{44}$si0,pau21tau21i21tʂak3 muk3.ci$^{13}_{21}$tei21xa53xei53iet3 tʰiau13muk3 ke53,tsiəu$^{53}_{44}$kai$^{53}_{44}$i21tʂak3 tei53i21tʂak3 fɔŋ35ka53ka53,i21tʂak3 ka53tsɿ0 tsiəu53tei$^{53}_{21}$uən21.i21iaŋ53kau21kʰuai$^{53}_{44}$tʂəuk3 pʰien$^{53}_{44}$pau35uən21,ci$^{13}_{21}$tsʰiəu$^{53}_{44}$⋯puk3 tʂəuk3 pʰien53ken53cin35mo13ʂa0 ?e21,vien13xei53ta21tʰei53tsɿ0 ke$^{53}_{44}$ʂʅ$^{53}_{44}$kan$^{21}_{44}$i21ke$^{53}_{44}$tʰei53miau13tsʰiəu$^{53}_{44}$ta21xek3 i21 tʂak3 xɔŋ$^{53}_{21}$.i21tʂak3 ɔn$^{35}_{44}$tso$^{53}_{44}$ta21tsʰat5.

【打仗】ta21tʂɔŋ53 动进行战争，作战：～个时候<u>子啊</u>，鸣金就收兵了。ta21tʂɔŋ53ŋe$_{44}$(←ke53)ʂʅ13 xəu53tsa0,min13cin35tsʰiəu$^{53}_{44}$ʂəu$^{35}_{44}$pin35liau0.

【打针】ta21tʂən35 动注射，通过注射器把液体输入体内：箇细人子着哩吓啊，夜晡总系，欸，～食药箇只么啊总系咁子夜咖哩叫哇。kai$^{53}_{44}$sei53ɲin$^{13}_{44}$tsɿ0 tʂʰɔk5 li0 xak3 a0,ia$^{53}_{44}$pu$^{35}_{44}$tsəŋ21 xe$^{53}_{44}$,e$_{21}$,ta21tʂən35ʂət5 iɔk5 kai$^{53}_{44}$tʂak3 mak3 a0 tsəŋ21xei53kan21tsɿ0 ia53ka0 li0 ciau53ua0.

【打止】ta21tʂʅ21 动截止，终止：到哪晡～？tau53lai53pu35ta21tʂʅ21?

【打纸煤】ta21tʂʅ21mɔi13 搓制纸媒：箇是我爷子也～嘞。买滴箇草纸去～呀。kai53ʂʅ53ŋai$^{13}_{21}$ia13tsɿ0 a$^{35}_{53}$ta21tʂʅ21mɔi13le0.mai35tiet5kai$^{53}_{44}$tsʰau21tʂʅ21çi53ta21tʂʅ21mɔi13ia0.

【打肿面来称胖子】ta21tʂəŋ21mien53lɔi13tʂʰən35pʰɔŋ53tsɿ0 比喻宁可付出代价而硬充作了不起：～个人，死爱面子个人，系<u>唔系</u>？ta21tʂəŋ21mien53nɔi$^{13}_{21}$tʂʰən$^{35}_{44}$pʰɔŋ53tsɿ0 ke$^{53}_{21}$ɲin13,si21ɔi$^{53}_{44}$mien53tsɿ0 ke$^{53}_{21}$ ɲin13,xe$^{53}_{44}$me$^{53}_{44}$?

【打主意】ta21tʂəu21i53 想办法：～唔定 ta21tʂəu21i$^{53}_{44}$n̩$^{13}_{21}$tʰin53 犹疑｜有兜是咁子个唠，比方我可以打……举只例子唠，欸，有兜事情做一步想一步，嗯，做一步再来想，系<u>唔系</u>？嗯，煨一截食一截。就系嘞欸打比有病……病哩人样，我搞哇医院里去，搞几天再来～，看呐。先唔想咁多正。iəu35təu$^{35}_{53}$sɿ53kan$^{21}_{13}$tsɿ0 ke53lau0,pi21fɔŋ$^{35}_{44}$ŋai$^{13}_{21}$kʰo21i$^{35}_{53}$ta21⋯tʂʮ21tʂak3 li53tsɿ0 lau0,e$_{21}$,iəu35təu$^{35}_{53}$sɿ53 tsʰin$^{13}_{21}$tso53iet3 pʰu53siɔŋ21iet3 pʰu53,n̩$_{21}$,tso53iet3 pʰu53tsai53lai$^{13}_{21}$siɔŋ21,xei$^{53}_{44}$me$^{53}_{44}$?n̩$_{21}$,uɔi35iet3 tset3 ʂət5 iet3 tset3.

tsʰiəu$^{53}_{44}$xe$^{53}_{44}$le^0 e$_{21}$ta^{21}pi^{21}iəu$^{35}_{21}$pʰiaŋ^{53}…pʰiaŋ^{53}li^{0}ɲin^{13}ɲiəŋ^{53},ŋai^{13}kau^{21}ua^0 i$^{35}_{44}$vien$^{53}_{44}$li^{35}çi^{53},kau^{21}ci^{21}tʰien$^{35}_{44}$tsai^{53} lai$^{13}_{21}$ta^{21}tʂəu^{21}i^{53},kʰən$^{53}_{44}$na^0.sen^{35}n̩^{13}siəŋ^{21}kan^{21}to^{35}tʂaŋ^{53}.

【打转】ta^{21}tʂən^{53} 动 回旋：箇个水去啊～呶。kai$^{53}_{21}$ke$^{53}_{44}$ʂei^{21}çi^{53}a^0 ta^{21}tʂən^{53}nau^0.

【打转身$_1$】ta^{21}tʂuən^{21}ʂən^{35} 动 前往某处并随即返回：只能去打只转身，食餐昼饭。你不能去下歇，你去下歇哩嘞老鼠会啮帐子。tʂʅ^{21}len^{13}cʰi^{53}ta^{21}tʂak^3 tʂuən^{21}ʂən^{35},ʂət^5 tsʰən$^{35}_{44}$tʂəu^{53}fan^{53}. ɲi$^{13}_{21}$pət^3 len$^{13}_{21}$çi^{53}xa^{53}çiet^3, ɲi$^{13}_{21}$çi^{53}xa^{53}çiet^3 li^0 lei^0 lau^{21}tʂʰəu^{21}uəi^{53}ŋait^3 tʂəŋ^{53}tsʅ^0.

【打转身$_2$】ta^{21}tʂuən^{21}ʂən^{35} 助 附加在数量短语后，表示概数：如今个屋个横向都系箇四米子～，四米零兜子。i$^{21}_{21}$cin$^{35}_{53}$ke^{53}uk^3 ke^{53}uaŋ^{13}çiəŋ^{53}təu^{35}xe^{53}kai^{53}si^{53}mi^{21}tsʅ^0 ta^{21}tʂuən^{21}ʂən$^{35}_{44}$,si^{53}mi^{21}laŋ^{13}tei$^{35}_{53}$ tsʅ^0. | 五只细人子，箇个送下幼儿园里，尽系都同我箇只孙子咁大子呢，同我等箇只孙子咁大子，两岁多子呢，三岁子～呢，两三岁子。送下箇幼儿园里去。三个人带五只，你话尽哩命嘛。ŋ̍^{21}tʂak^3 sei^{53}ɲin$^{13}_{21}$tsʅ^0,kai$^{53}_{44}$ke$^{53}_{44}$səŋ^{53}xa$^{53}_{44}$iəu^{53}e$^{13}_{21}$vien$^{13}_{21}$ni^0,tsʰin^{53}xe$^{53}_{44}$təu$^{35}_{44}$tʰəŋ^{13}ŋai^{13}kai^{53}sən^{35}tsʅ^0 tʂak^3 kan^{21}tʰai^{53}tsʅ^0 nei^0,tʰəŋ$^{13}_{21}$ŋai^{13}tien^0 kai^{53}tʂak^3 sən^{35}tsʅ^0 kan^{21}tʰai^{53}tsʅ^0,iəŋ^{21}səi$^{53}_{44}$to^{35}tsʅ^0 nei^0,san^{35}səi^{53}tsʅ^0 ta^{21} tʂuən^{21}ʂən^{35}nei^0,iəŋ^{21}san^{35}səi^{53}tsʅ^0.səŋ$^{53}_{44}$ŋa$^{53}_{44}$kai$^{53}_{44}$iəu^{53}e$^{13}_{21}$vien$^{13}_{21}$li^0 çi^{53}.san^{35}ke^{53}ɲin$^{13}_{21}$tai^{53}ŋ̍^{21}tʂak^3, ɲi^{13}ua$^{53}_{44}$tsʰin$^{53}_{44}$ ni^0 miaŋ^{53}ma^0.

【打总荐】ta^{21}tsəŋ^{21}tsien^{53} 动 ①附和媒人并举荐婚配对象：你就安做正式个媒人，我就安做荐媒，～。ɲi^{13}tsʰiəu^{53}ən$^{35}_{44}$tso$^{53}_{44}$tʂən^{53}ʂʅ^{53}ke^0 məi^{13}ɲin$^{13}_{44}$,ŋai^{13}tsʰiəu$^{53}_{44}$ən$^{35}_{44}$tso$^{53}_{44}$tsien^{53}məi^{13},ta^{21}tsəŋ^{21}tsien^{53}. ②认同并支持：～呢还有只啦，以到话，我想开只店子咯，系唔系？比方我想开只店子，我想开只么个欸想开只书店，你～吗唠？就你认为要得吗唠？你支持吗唠？也有只咁个话法呢。欸，你～吗唠？“以只事我唔～。”或者你嘞话：“我唔～。”ta^{21}tsəŋ^{21}tsien^{53}ne^0 xai^{13}iəu$^{35}_{53}$tʂak^3 la^0 ,i^{21} tau^{53}ua$^{53}_{44}$,ŋai$^{13}_{21}$siəŋ^{21}kʰəi$^{35}_{44}$tʂak^3 tian^{53}tsʅ^0 ko^0 ,xei^{53}me$^{53}_{44}$?pi^{21}fəŋ$^{35}_{44}$ŋai$^{13}_{21}$siəŋ^{21}kʰəi$^{35}_{44}$(tʂ)ak^3 tian^{53}tsʅ^0 ,ŋai$^{13}_{21}$siəŋ^{21} kʰəi^{35}tʂak^3 mak^3 ke^0 e$_{21}$siəŋ^{21}kʰəi$^{35}_{44}$(tʂ)ak^3 ʂəu^{35}tian^{53}, ɲi^{13}ta^{21}tsəŋ^{21}tsien^{53}ma^0 lau^0?tsʰiəu$^{53}_{44}$ɲi^{13}ɲin^{53}uei^{13}iau^{53} tek^3 ma^0 lau^0?ɲi^{13}tʂʅ^{35}tʂʰʅ^{13}ma^0 lau^0?ia^{35}iəu$^{35}_{44}$tʂak^3 kan^{21}cie$^{53}_{44}$ua^{53}fait^3 nei^0 .e$_{21}$, ɲi^{13}ta^{21}tsəŋ^{21}tsien^{53}ma^0 lau^0 ?"i^{21} tʂak^3 sʅ^{53}ŋai^{13}n̩$^{13}_{21}$ta^{21}tsəŋ^{21}tsien^{53}."xɔit^5 tʂa^{21}ɲi^{13}lei^0 ua^{53}:"ŋai^{13}n̩$^{13}_{21}$ta^{21}tsəŋ^{21}tsien^{53}."

【打钻】ta^{21}tsən^{53} 名 一种在打鞋底时用来打孔的钻子：～就打鞋底个，钻眼个，在鞋底上钻眼个，箇就～。ta^{21}tsən^{53}tsʰiəu^{53}ta^{21}xai^{13}te^{21}ke^0 ,tsən^{53}ŋan^{21}cie^{53},tsʰai^{53}xai^{13}te^{21}xəŋ^{53}tsən^{53}ŋan^{21}ke^{53},kai$^{53}_{44}$ tsʰiəu$^{53}_{44}$ta^{21}tsən^{53}.

【打嘴巴】ta^{21}tsi^{21}pa^0 掌嘴，批颊。又称“打嘴角”：讲哩伤害别人家个事，欸，惹～。爱～。欸还有啦。打比样，别人家个欸风流韵事啊，你系去讲哩别人家风流韵事啊，你系冤枉哩别人家，或者你𫠛冤枉，箇只人唔知几捉㧐，你去外背宣传哩么人㨃么人真好玩，系唔系？么人偷野老婆啊，系唔系啊？尤其系女方，渠就话“你箇爱～”。kəŋ^{21}li^0 ʂəŋ^{35}xəi^{53}pʰiet^5 in$^{13}_{21}$ka$^{35}_{44}$ke$^{53}_{44}$ sʅ$^{53}_{44}$,e$_{44}$, ɲia$^{35}_{44}$ta^{21}tsi^{21}pa^0 .ɔi^{53}ta^{21}tsi^{21}pa^0 .e$_{44}$xai$^{13}_{21}$iəu^{35}la^0 .ta^{21}pi^{21}iəŋ^{53},pʰiet^5 ɲin$^{13}_{21}$ka^{35}ke$^{53}_{44}$e$_{21}$fəŋ^{13}liəu^{13}uən^{53}sʅ^{53}a^0, ɲi^{13}xei^{53}çi^{53}kəŋ^{21}li^0 pʰiet^5 in$^{13}_{21}$ka$^{35}_{44}$fəŋ^{35}liəu^{13}uən^{53}sʅ^{53}a^0, ɲi^{13}xei^{53}ien^{35}uəŋ^{21}li^0 pʰiet^5 in$^{13}_{21}$ka$^{35}_{44}$,xɔit^5 tʂa^{21}ɲi$^{13}_{21}$maŋ^{13} ien^{35}uəŋ^{21},kai^{53}tʂak^3 ɲin^{13}n̩^{13}ti$^{35}_{53}$ci^{21}tsɔk^3 ti^{21}, ɲi^{13}çi$^{53}_{44}$ŋɔi^{53}pɔi$^{53}_{44}$sien^{35}tʂʰen^{13}ni^0 mak^3 ɲin$^{13}_{44}$lau^{35}mak^3 ɲin$^{13}_{44}$tʂən^{35} xau^{21}uan^{13},xei^{53}me^{53}?mak^3 ɲin$^{13}_{44}$tʰei^{35}ia^{35}lau^{21}pʰo^{13}a^0 ,xei^{53}me^{53}a^0 ?iəu^{13}cʰi$^{13}_{44}$xei$^{53}_{44}$ɲy^{21}fəŋ^{35},ci^{13}tsʰiəu^{53}ua$^{53}_{44}$"ɲi^{13} kai^{53}ɔi^{53}ta^{21}tsi^{21}pa^0".

【打嘴角】ta^{21}tʂɔi^{53}kɔk^3 掌嘴：～嘞。你咁子讲噢打你嘴角嘞。ta^{21}tʂɔi^{53}kɔk^3 lei^0. ɲi$^{13}_{21}$kan^{21}tsʅ^0 kəŋ^{21} ŋau^0 ta^{21}ɲi$^{13}_{44}$tʂɔi^{53}kɔk^3 lei^0.

【打嘬筒】ta^{21}tsɔit^5 tʰəŋ^{13} 拔火罐：欸，以映子嘞，锯得达平子，以只口子锯得达平子。舞细滴子，削细滴子，削薄滴子啊，以只口就削薄滴子。噢，以下就搞滴子草纸，搞咁大子一张子草纸，折正下子来，点着来，放下肚里去。放下肚里。看倒渠烧尽了，把它吹稳渠。烧尽了，箇张纸会烧尽了，麻利室下去，就麻利室下去，打，欸，就～，欸，～。e$_{21}$,i^{21}iaŋ^{53}tsʅ^0 lei^0 ,cie^{53} tek^3 tʰait^5 pʰiaŋ^{13}tsʅ^0 ,i^{21}tʂak^3 xei^{21}tsʅ^0 cie^{53}tek^3 tʰait^5 pʰiaŋ^{13}tsʅ^0 .u^{21}se^{53}tiet^5 tsʅ^0 ,siɔk^3 se^{53}tiet^5 tsʅ^0 ,siɔk^3 pʰɔk^5 tiet^5 tsʅ^0 a^0 ,i^{21}tʂak^3 xei^{21}tsʰiəu^{53}siɔk^3 pʰɔk^5 tet^5 tsʅ^0 .au$_{21}$,i^{21}xa$^{53}_{44}$tsʰiəu$^{53}_{44}$kau^{21}tet^5 tsʅ^0 tsʰau^{21}tʂʅ^{21},kau^{21}kan^{21}tʰai^{53} tsʅ^0 iet^3 tʂəŋ^{35}tsʅ^0 tsʰau^{21}tʂʅ^{21},tʂait^3 tʂəŋ$^{53}_{44}$ŋa$_{44}$(←xa^{53})tsʅ^0 lɔi$^{13}_{21}$,tian^{21}tʂʰɔk^5 lɔi$^{13}_{21}$,fəŋ^{53}ŋa^{53}(←xa^{53})təu^{21}li^0 çi^{53}.fəŋ^{53} ŋa^{53}(←xa^{53})təu^{21}li^0 .kʰən^{53}tau^{21}ci$^{13}_{21}$ʂau^{35}tsʰin^{53}niau^0 ,pa^{21}tʰa$^{35}_{21}$tʂʰʮ^{35}uən^{21}ci$^{13}_{21}$.ʂau^{35}tsʰin^{53}niau^0 ,kai$^{53}_{44}$tʂəŋ^{35}tʂʅ^{21} uɔi$^{53}_{44}$ʂau^{35}tsʰin^{53}niau^0 ,ma$^{13}_{21}$li$^{53}_{44}$tsət^3 la$_{44}$(←xa^{53})çi$^{53}_{44}$,tsiəu$^{53}_{44}$ma$^{13}_{21}$li$^{53}_{44}$tsət^3 la$_{44}$(←xa^{53})çi$^{53}_{44}$,ta^{21},e$_{21}$,tsiəu$^{53}_{44}$ta^{21}tsɔit^5 tʰəŋ$^{13}_{44}$,e$_{21}$,ta^{21}tsɔit^5 tʰəŋ$^{13}_{21}$. | 我等细细子就冇得么个药。肚子痛稳哩就～。ŋai^{13}tien^0 se^{53}se^{53}tsʅ^0 tsiəu$^{53}_{44}$ mau^{13}mak^3 e^0 iɔk^5 .təu^{21}tsʅ^0 tʰəŋ^{53}uən^{21}ni^0 tsʰiəu^{53}ta^{21}tsɔit^5 tʰəŋ^{13}.

【大$_1$】tʰai^{53} 形①指面积、体积、容量、数量、强度、力量超过一般或超过所比较的对象，与"小"相对：箇东西体积比较～。kai$^{53}_{44}$təŋ$^{35}_{44}$si^0 tʰi^{21} tsiet^3 pi^{21} ciau$^{53}_{44}$tʰai^{53}. ②年龄、排行、地位或威力超过比较的对象，尊贵：我个～老妹子就渠等……我三只老妹子吵，箇细老妹子就尽喊渠就喊～阿姐。～阿姐就我箇～老妹子就赠读得书。ŋai^{13}kai$^{53}_{44}$tʰai^{53}lau^{21}mɔi^{53}tsɿ^0 tsʰiəu$^{53}_{44}$ci$^{13}_{21}$tien^0…ŋai$^{13}_{21}$san^{35}tʂak^3 lau^{21}mɔi$^{53}_{44}$tsɿ^0 ʂa^0,kai$^{53}_{44}$se^{53}lau^{21}mɔi^{53}tsɿ^0 tsʰiəu^{53}tsʰin^{53}xan^{53}ci$^{13}_{21}$tsʰiəu$^{53}_{44}$xan^{53}tʰai^{53}a^{35}tsia^{21}.tʰai^{53}a$^{35}_{53}$tsia^{21}tsʰiəu$^{53}_{44}$ŋai^{13}kai$^{53}_{44}$tʰai^{53}lau^{21}mɔi^{53}tsɿ^0 tsʰiəu^{53}maŋ^{13}tʰəuk^5 tek^3 ʂəu^{35}.｜～阿舅子，细阿舅子。也系按排行，嗯，也唔分比老婆～细。tʰai^{53}a$^{35}_{44}$cʰiəu$^{35}_{44}$tsɿ^0,se^{53}a$^{35}_{44}$cʰiəu$^{35}_{44}$tsɿ^0.ia^{35}xei^{53}ŋɔn^{53}pʰai$^{13}_{21}$xɔŋ$^{13}_{21}$,ŋ̍$_{21}$,ia^{35}m̩^{13} fən$^{35}_{44}$pi^{21}lau^{21}pʰo^{13}tʰai^{53}se^{53}.｜总取最～个客请起呀。tsəŋ^{21}tsʰi^{21}tsei^{53}tʰai^{53}ke$^{53}_{44}$kʰak^3 tsʰiaŋ^{21}çi^{21}ia^0.

【大$_2$】tʰai^{53} 动促进生长；有助于长大：以个天就～禾啦，以个天就田里的禾就好哇。i^{21}ke^{53} tʰien^{35}tsʰiəu$^{53}_{44}$tʰai^{53}uo^{13}la^0,i^{21}ke^{53}tʰien^{35}tsʰiəu^{53}tʰien^{13}li^{21}tet^3 uo^{13}tsʰiəu^{53}xau^{21}ua^0.

【大傲】tʰai^{53}ŋau^{53} 形对人很傲慢：欸，一个人是你屋下纵有钱咯，纵有钱有势，你都不能～，欸，莫～，你爱掺箇个欸莫看唔起穷人箇兜。你看唔起穷人呢你……么人屋下都让门子啊？有只么个话法呀？嗯，么人屋下都活唔得三世吧。活唔得三代呀几多代呀。都免唔得会有箇个，会有穷个时候子或者。ei$_{44}$,iet^3 ke^{53}ɲin^{13}ʂɿ$^{53}_{44}$ɲi$^{13}_{44}$uk^3 xa$^{53}_{44}$tsəŋ^{53}iəu^{35}tsʰien^{13}ko^0,tsəŋ^{53}iəu^{35}tsʰien$^{13}_{21}$iəu^{35} ʂɿ^{53}, ɲi$^{13}_{21}$təu$^{35}_{53}$pət^3 len^{13}tʰai^{53}ŋau^{53},e$_{21}$,mɔk^5 tʰai^{53}ŋau^{53}, ɲi$^{13}_{21}$ɔi^{53}lau^{35}kai$^{53}_{44}$kei$^{53}_{44}$e^0 mɔk^5 kʰɔn^{53}n̩$^{13}_{21}$çi^{21}cʰiəŋ^{13}ɲin^{13} kai$^{53}_{44}$te$^{35}_{44}$. ɲi$^{13}_{21}$kʰɔn^{53}n̩$^{13}_{21}$çi^{21}cʰiəŋ^{13}ɲin$^{13}_{44}$nei^{0}ɲi$^{13}_{21}$…mak^3 ɲin$^{13}_{44}$uk^3 xa$^{53}_{44}$təu$^{35}_{44}$ɲiɔŋ$^{53}_{44}$mən$^{13}_{44}$tsɿ^0 a^0?iəu$^{35}_{44}$tʂak^3 mak^3 e^0 ua^{53}fait^3 ia^0?n̩$_{21}$,mak^3 ɲin$^{13}_{44}$uk^3 xa$^{53}_{44}$təu$^{35}_{44}$fɔit^3 n̩$^{13}_{21}$tek^3 san^{35}ʂɿ^{53}pa^0 .fɔit^3 n̩$^{13}_{21}$tek^3 san^{35}tʰɔi^{53}ia^0 ci^{21}to^{35}tʰɔi^{53}ia^0 .təu$^{35}_{44}$ mien^{35}n̩$^{13}_{21}$tek^3 uɔi$^{53}_{44}$iəu^{35}kai$^{53}_{44}$ke$^{53}_{44}$,uɔi^{53}iəu^{35}cʰiəŋ^{13}ke^{53}ʂɿ^{13}xei^{53}tsɿ^0 xɔit^5 tʂa^{21}.

【大班车】tʰai^{53}pan^{35}tʂʰa^{35} 名大客车：我等小河啊有张～开长沙，天天有张～开长沙。欸，天天早去夜归。ŋai^{13}tien^0 siau^{21}xo$^{13}_{44}$a^0 iəu$^{35}_{44}$tʂɔŋ$^{35}_{44}$tʰai^{53}pan$^{35}_{44}$tʂʰa$^{35}_{44}$kʰɔi$^{35}_{44}$tʂʰɔŋ$^{13}_{21}$sa$^{35}_{44}$,tʰien$^{35}_{44}$tʰien$^{35}_{44}$iəu$^{35}_{44}$tʂɔŋ$^{35}_{44}$tʰai^{53} pan$^{35}_{21}$tʂʰa^{35}kʰɔi$^{35}_{44}$tʂʰɔŋ$^{13}_{21}$sa$^{35}_{44}$.e$_{21}$,tʰien$^{35}_{44}$tʰien$^{35}_{44}$tsau^{21}çi$^{53}_{44}$ia$^{53}_{44}$kuei^{35}.

【大半天】tʰai^{53}pan^{53}tʰien^{35} 白天的大部分时间，强调时间很长：以前我等人欸箇阵子路唔好个时候子啊，我等人下转浏阳都爱坐～。坐车，坐～正做得。以下是一点钟就到哩。一个小时都唔爱就到哩浏阳。i$^{35}_{53}$tsʰien$^{13}_{21}$ŋai^{13}tien^{0}ɲin$^{13}_{44}$ei$_{21}$,kai$^{53}_{44}$tʂʰən^{53}tsɿ^0 ləu^{53}n̩^{13}xau^{21}ke^0 ʂɿ$^{13}_{44}$xəu$^{53}_{44}$tsɿ^0 a^0,ŋai^{13}tien^0 in$^{13}_{21}$xa^{35}tʂuɔn^{21}liəu^{13}iɔŋ$^{13}_{21}$təu$^{35}_{44}$ɔi^{53}tsʰo^{35}tʰai^{53}pan$^{53}_{21}$tʰien^{35}.tsʰo^{35}tʂʰa^{35},tsʰo^{35}tʰai^{53}pan$^{53}_{44}$tʰien^{35}tʂaŋ$^{53}_{44}$tso^{53}tek^3.i^{21}xa^{53} ʂɿ$^{53}_{44}$iet^3 tian^{21}tʂəŋ^{35}tsʰiəu$^{53}_{44}$tau^{53}li^0.iet^3 ke^{53}siau^{21}ʂɿ^{13}təu$^{35}_{53}$m̩$^{13}_{21}$mɔi^{53}tsʰiəu^{53}tau^{53}li^0 liəu^{13}iɔŋ$^{13}_{44}$.

【大半夜】tʰai^{53}pan^{53}ia^{53} 夜晚的大部分时间，强调时间很长：～，表示一只上半夜都唔够，还爱搞哇下半夜去，箇就～。搞么个路子去哩搞嘿～正搞正来。tʰai^{53}pan$^{53}_{44}$ia^{53},piau^{21}ʂɿ^{53}iet^3 tʂak^3 ʂɔŋ^{53}pan$^{53}_{44}$ia$^{53}_{44}$təu$^{35}_{44}$n̩$^{13}_{21}$kei^{53},xa$^{13}_{21}$ɔi$^{53}_{44}$kau^{21}ua^0 xa^{53}pan$^{53}_{44}$ia$^{53}_{44}$çi^{53},kai$^{53}_{21}$tsʰiəu$^{53}_{44}$tʰai^{53}pan$^{53}_{44}$ia^{53}.kau^{21}mak^3 ke^0 ləu^{53}tsɿ^0 cʰi$^{53}_{44}$li^0 kau^{21}xek^3 tʰai^{53}pan$^{53}_{44}$ia^{53}tʂaŋ$^{53}_{44}$kau^{21}tʂaŋ^{53}lɔi$^{13}_{21}$.

【大宝】tʰai^{53} pau^{21} 名元宝：噢，箇年我等有只姑姑，我老表哇，去广东打工，捡只咁个滮大个东西，绝像箇～，箇画子上个咁个，黄黄子个。渠么个看呐系系金子话，走呀凤溪中学来呀。我落尾我想一阵欸让门子同你切欸？我话以只东西如果系真正系金子个话，你箇只屋嘞一下就做下就做嘿哩。系唔系？箇抵得几万块钱呢。重又咁重呢。啊如果系假个话，你只好分你孙子做玩具搞。结果我舞滴水银，放下水银肚里，浮下起来唠，放下去，放下去，按呐下去又浮起来，按呐下去浮起来哩。欸，水银个比……密度系……水银个密度系几多子啊？水银个密度系七点八呀么个。箇黄金个密度系十九点几。箇唔系假个唠。我话以个一坨铜欸，我话呢，有么个用？欸嘿，还可能面上镀滴子黄个子，肚里就唔知一坨石头也赠嘞。做装饰品个。呀，我箇老表呀系硬……广东咁远拿归来，你话有咁容易吗？渠么个去外背岭上挖个话呢，挖倒个话嘞。～呢。就做成咁个样子嘞，做成咁个画子上个样个～样个嘞做倒呢。au$_{21}$,kai^{53}ɲien$^{13}_{44}$ŋai^{13}tien^0 iəu$^{35}_{44}$tʂak^3 ku^{35}ku$^{35}_{44}$,ŋai^{13}lau$^{21}_{21}$piau^{21}ua^0,çi$^{53}_{44}$kɔŋ^{21}təŋ^{35}ta^{21}kəŋ^{35},cian^{21}tʂak^3 (k)an$^{21}_{44}$ke$^{53}_{44}$ mən^{35}tʰai$^{53}_{44}$ke^0 təŋ$^{35}_{44}$si^0,tsʰiet^5 tsʰiɔŋ$^{53}_{44}$kai$^{53}_{44}$tʰai^{53}pau^{21},kai$^{53}_{44}$fa^{53}tsɿ^0 xɔŋ$^{53}_{44}$ke^0 kan^{21}cie^0,uɔŋ^{13}uɔŋ^{13}tsɿ^0 ke^0.ci$^{13}_{21}$mak^3 kei$^{53}_{44}$kʰɔn^{53}na^0 xei^{53}xei$^{53}_{44}$cin^{35}tsɿ^0 ua^{53},tsei^{21}ia^0 fəŋ^{53}çi$^{35}_{44}$tʂəŋ$^{35}_{44}$çiok^5 lɔi$^{13}_{21}$ia^0.ŋai^{13}lɔk^5 mi^{35}ŋai$^{13}_{44}$siɔŋ^{21}iet^3 tʂən^{53}e^0 ɲiɔŋ^{53}mən^{0}tsɿ^0 tʰəŋ$^{13}_{44}$ɲi$^{13}_{44}$tsʰiet^3 ei^0?ŋai^{13}ua^{53}i^{21}iak^3 (t)əŋ$^{35}_{44}$si^0 vy^{13}ko^{21}xei^{53}tʂən^{35}tʂən^{53}xei^{53}cin^{35}tsɿ^0 ke^0 fa$^{53}_{44}$, ɲi^{13} kai^{53}tʂak^3 uk^3 lei^0 iet^3 xa^{53}tsʰiəu$^{53}_{44}$tso^{53}(x)a^{53}tsʰiəu$^{53}_{44}$tso^{53}(x)ek^3 li^0 .xei$^{53}_{44}$me$^{53}_{44}$?kai^{53}ti^{21}tek^3 ci^{21}uan^{53}kʰuai$^{53}_{44}$tsʰien$^{13}_{21}$ ne^0 .tʂʰəŋ^{35}iəu^{53}kan^{21}tʂʰəŋ^{35}nei^0 .a$_{53}$vy^{13}ko^{21}xei^{53}cia^{21}ke^{53}fa^{53}, ɲi$^{13}_{21}$tʂɿ^{21}(x)au^{21}pən^{35}ɲi$^{13}_{21}$sən^{35}tsɿ^0 tso^{53}uan$^{13}_{21}$tʂʮ$^{53}_{21}$ kau^{21}.ciet^3 ko^{21}ŋai^{13}u^{21}tet^5 ʂei^{21}ɲin^{13},fəŋ^{53}xa^{53}ʂei^{21}ɲin^{13}tau^{21}li^0,fei^{13}ia^{53}çi^{21}lɔi^{13}lau^0,fəŋ^{53}xa$^{53}_{44}$çi$^{53}_{44}$,fəŋ^{53}xa^{53}çi^{53}, tsʰən^{21}na^0 xa^{53}çi^{53}iəu^{53}fei$^{13}_{44}$çi$^{21}_{44}$lɔi$^{13}_{44}$,tsʰən^{21}na^0 xa^{53}çi^{53}fei^{13}çi$^{21}_{44}$lɔi$^{13}_{44}$li^0 .e$_{21}$,ʂei^{21}ɲin^{13}ke^0 pi^{21}…miet^5 tʰu^{53}xe$^{53}_{44}$…ʂei^{21}

ɲin13ke0 miet5 thu53xei53-44ci21to35tsa0?ʂei21ɲin13(k)e0 miet5 thu53xei53-44tshiet3 tian21pait3 ia0 mak3 e0.kai53-44fɔŋ13cin35-44 ke0 miet5 thu53(x)e53-44ʂət5 ciəu21tian21ci21.kai53-44m̩13-21phei53cia21ke53lau0.ŋai13(u)a53i21ke53iet3 tho13thəŋ13ŋei0,ŋai13ua53 nei0,iəu35mak3 e0 iəŋ53-44?e-44xe-44,xai13kho21len13mien53xɔŋ53thəu53tiet5 tsʅ0 uɔŋ13ke53tsʅ0,təu21li0 tshiəu53n̩13ti35-53iet3 tho13ʂak5 thei13ia35maŋ13le0.tso53tsɔŋ35ʂət5 phin21ke0. ɲia-53,ŋai13(k)ai53-44lau21piau21ia0 xei53ɲiaŋ53…kɔŋ21təŋ35-44kan21 ien21lak5 kuei35-53lɔi13-21, ɲi13-21ua53-44iəu35kan21iəŋ13i53ma0?ci13-21mak3 e0 çi53ŋɔi53pɔi53-44liaŋ35xɔŋ53uait3 ke53ua53nei0,ua35 tau21ke0 ua53lei0.thai53pau21nei0.tshiəu53tso53ʂaŋ13-21kan21cie53-44iɔŋ53tsʅ0 lei0,tso53ʂaŋ13-21kan21ke53-44fa53tsʅ0 xɔŋ53-44ke0 iɔŋ53 ke0 thai53pau21iɔŋ53ke0 lei0 tso53tau21nei0.

【大边】thai53pien35 名上座中的尊位，“第一只位子”的别称，位丁上席左侧的位置：箇只主高亲，为首个高亲呢，就系新娘个阿哥老弟呀，渠坐第一只位子，还系分渠坐～。kai53tʂak3 tʂʯ21kau35-44tshin35-44,uei13ʂəu21ke53-44kau35-44tshin35-44ne0,tshiəu53-44uei53-44sin35ɲiɔŋ13-21ke53a35ko35-44lau21thei35-44ia0,ci13-21tsho35-44thi53iet3 tʂak3 uei53tsʅ0,xai13-21xe53-44pən35-44ci13-21tsho35-44thai53pien35-44.｜一张桌来讲，以只指右边的上座系～。嫪稳箇只位子是小边。欸，第二只位子就小边。箇只也～呐。箇一张桌来讲啊，就箇只就～呐。（第二只位子是）小边呐，箇只就小边。一张桌来讲，那只系～，那只系小边。两张桌来讲，箇就唔同了，两边唔同了。中间系～。两张桌摆倒，中间系～。哎，打比方呢，以映子两张桌，以箇子两张桌，系啊？以向一张桌，以向一张桌，嫪中间以只位子，嫪中间个叫～，以只系～，以只系～。唔嫪中间个就小边。就对箇张桌来讲，就小边。以中间一条巷子啊，以只一二系～呐，以两只系小边呐。iet3 tʂɔŋ35tsɔk3 lɔi13-44kɔŋ21-44,i21tʂak3 xe53-44thai53-44pien35-44. ɲia13uən21kai53tʂak3 uei53tsʅ0 ʂʅ53-44siau21pien35-44.e-21,thi53-44ɲi53-44tʂak3 uei53tsʅ0 tsiəu53-44siau21pien35-44.kai53tʂak3 ia35-44thai53pien35-44na0.kai53iet3 tʂɔŋ35tsɔk3 lɔi13kɔŋ21ŋa0,tshiəu53-44kai53-44tʂak3 tshiəu53-44thai53pien35-44na0.siau21pien35na0,kai53tʂak3 tshiəu53-44siau21pien35.iet3 tʂɔŋ35 tsɔk3 lɔi13-21kɔŋ21,lai53tʂak3 xe53-44thai53pien35,lai53tʂak3 xe53-21siau21pien35-44.iɔŋ21tʂɔŋ35tsɔk3 lɔi13-21kɔŋ21,kai53-44tshiəu53-44m̩13-21 thəŋ13-21liau0,iɔŋ21pien35n̩13-21thəŋ13-21liau0.tʂəŋ35kan35-44xe53thai53pien35.iɔŋ21tʂɔŋ35tsɔk3 pai21tau21,tʂəŋ35kan35-44xe53thai53 pien35.ai-21,ta21pi21fɔŋ35-44nei0,i21iaŋ53-44tsʅ0 iɔŋ21tʂɔŋ35-44tsɔk3,i21ka53tsʅ0 iɔŋ21tʂɔŋ35tsɔk3,xei53-44a0?i21çiɔŋ53iet3 tʂɔŋ35 tsɔk3,i21çiɔŋ53iet3 tʂɔŋ35tsɔk3, ɲia13tʂəŋ35kan35-44i21tʂak3 uei53tsʅ0, ɲia13tʂəŋ35kan35-44ke53-44ciau53-44thai53pien35-44,i21tʂak3 xe53-44thai53-44pien35-44,i21tʂak3 xe53-44thai53pien35-21.ŋ̍13ɲia13tʂəŋ35kan35-44ke53-44tshiəu53-44siau21pien35-44.tshiəu53-21tei53kai53-44tʂɔŋ35-44tsɔk3 lɔi13kɔŋ21,tshiəu53-44siau21pien35.i21tʂəŋ35kan35-44iet3 thiau13-21xɔŋ53tsʅ0 a0,i21tʂak3 iet3 ɲi53xe53-44thai53-44pien35-44na0,i21iɔŋ21 tʂak3(x)e53-44siau21pien35-44na0.

【大饼】thai53 piaŋ53 名①用面粉烙制的大张的饼：～还有箇个街上个～啊，买倒食个饼啊，～啊。以映啊街上啊唔多，浏阳就有。咁大一只。切开来卖。也就葱油饼样。thai53piaŋ21 xai13iəu35-44kai53ke0 kai35xɔŋ53ke0 thai53piaŋ21ŋa0,mai35tau21ʂət5 ke0 piaŋ21ŋa0,thai53piaŋ21ŋa0.i21iaŋ53-44ŋa0 kai35xɔŋ53-44 ŋa0 n̩13to35,liəu13iɔŋ13tshiəu53iəu35-44.kan21thai53iet3 tʂak3.tshiet3 khɔi35lɔi13-21mai53.ia35tshiəu53tshəŋ35iəu13-21piaŋ21iɔŋ53. ②喻指麻将牌中的一饼：～就系箇只一饼。thai53piaŋ21tshiəu53-44xei53-44kai53tʂak3 iet3 piaŋ21.

【大伯】thai53pak3 名大伯父，称父亲的长兄：爷子个阿哥。我老弟子个欸两只妹子，箇唔知几嘴唔知几甜，看呐我倒我就喊～。渠个婿郎也系，看倒我就喊～。ia13tsʅ0 ke0 a35ko35-44.ŋai13lau21 the35tsʅ0 ke53-44ei-44iɔŋ21tʂak3 mɔi53tsʅ0,kai53n̩13ti35-53ci21tʂɔi53n̩13ti35-53ci21thian13,khɔn53na0 ŋai13-44tau21ŋai13tshiəu53xan53 thai53pak3.ci13ke53-44sei53lɔŋ13-21ia35xe53,khɔn53tau21ŋai13tshiəu53xan53-44thai53pak3.

【大伯公】thai53pak3 kəŋ35 名称祖父的长兄：欸，～就，如今都我还冇得喊～个。～就还下一辈呀，老弟子个孙子唠，老弟子个孙子就喊我就喊～啊。e-21,thai53pak3 kəŋ35tshiəu53,i13-21cin35-53təu35-53 ŋai13xai13-44mau13tek3 xan53thai53pak3 kəŋ35ke0.thai53pak3 kəŋ35tshiəu53-44xai13xa35iet3 pei53ia0,lau21the35tsʅ0 ke0 sən35 tsʅ0 lau0,lau21the35tsʅ0 ke0 sən35tsʅ0 tshiəu53-44xan53ŋai13tshiəu53xan53thai53pak3 kəŋ35ŋa0.

【大伯子】thai53pak3 tsʅ0 名称丈夫的哥哥。又称“大郎子”：系啊，～就唔同啦，～就……就又系大郎子，又系老公个阿哥。xei53-44a0,thai53pak3 tsʅ0 tshiəu53n̩13-21thəŋ13-21la0,thai53pak3 tsʅ0 tshiəu53-44…tshiəu53-44 iəu53xe53-44thai53lɔŋ13-21tsʅ0,iəu53-44xe53lau21kəŋ35ke0 a35ko35.

【大布】thai53pu53 名宽幅的棉制土布，又称“大布瘌”：我等嘞我等七十年代个时候子真系尽着～。箇阵子冇得箇个化纤布，很少。真好。箇阵子就系着～，就棉布。ŋai13tien0 le0 ŋai13tien0 tshiet3 ʂət5 ɲien13thɔi53ke0 ʂʅ13xəu53-44tsʅ0 tʂən35ne53-44tshin53tʂɔk3 thai53pu53-44.kai53tʂhən53tsʅ0 mau13tek3 kai53-44ke0 fa53 tshien35-44pu53,xen21ʂau21.tʂən35xau21.kai53tʂhən53tsʅ0 tshiəu53xei53-44tʂɔk3 thai53pu53-21,tshiəu53mien13pu53.

【大布瘌】thai53pu53lait3 名大布的别称：你把做我等还着得么个蛮好个？～呢。欸，客姓人讲箇。ɲi13-21pa21tso53ŋai13tien0 xai13-44tʂɔk3 tek3 mak3 e0 man13-21xau21ke0?thai53pu53lait3 nei0.ei-44,khak3 sin53ɲin13-21kɔŋ21 kai^{53}.

【大布衫】tʰai^{53}pu^{53}san^{35} [名]土布衫：～就箇个土布，棉……最便宜个土布做个衫，～。欸，也就系强调箇只箇件衫欸系唔知几低级个布。我箇是～呐。tʰai^{53}pu$^{53}_{44}$san^{35}tsʰiəu$^{53}_{44}$kai^{53}ke^{0}tʰəu^{21}pu^{53},mien^{13}…tsei^{53}pʰien^{13}ɲin$^{13}_{44}$ke^{0}tʰəu^{21}pu^{53}tso$^{53}_{44}$ke^{0}san^{35},tʰai^{53}pu$^{53}_{44}$san^{35}.ei$_{44}$,ia^{35}tsʰiəu^{53}xei^{53}cʰiɔŋ^{21}tiau^{53}kai^{53}tʂak^{3}kai^{53}cʰien^{53}san^{35}e$_{21}$xei^{53}n̩^{13}ti$^{35}_{53}$ci^{21}te^{35}ciet^{3}ke^{0}pu^{53}.ŋai^{13}kai^{53}ʂʅ$^{53}_{44}$tʰai^{53}pu$^{53}_{44}$san^{35}na^{0}.

【大铲】tʰai^{53}tsʰan^{21} [名]一种板宽且长的锄头，常用铲田塍等：～就箇个呢，比镢头更阔个呢，又更长欸。渠比镰铲更长，比镢头更阔。欸，用来搞么个嘞？用来铲田塍个。一铲下去嘞，咁长一线，咁长一线。铲田塍，铲嘿一只子皮去啊，铲嘿一只草皮去啊。tʰai^{53}tsʰan^{21}tsʰiəu^{53}kai^{53}ke^{0}nei^{0},pi^{21}ciɔk^{3}tʰei^{0}cien^{53}kʰɔit^{3}ke^{0}nei^{0},iəu^{53}cien^{53}tʂʰɔŋ^{13}ŋei^{0}.ci^{13}pi^{21}lien^{13}tsʰan^{21}cien^{53}tʂʰɔŋ^{13},pi^{21}ciɔk^{3}tʰei^{13}cien^{53}kʰɔit^{3}.e$_{21}$,iəŋ^{53}lɔi$^{13}_{21}$kau^{21}mak^{3}e^{0}lei^{0}?iəŋ^{53}lɔi$^{13}_{21}$tsʰan^{21}tʰien^{13}ʂən$^{13}_{44}$ke^{0}.iet^{3}tsʰan^{21}na^{53}çi^{53}lei^{0},kan^{21}tʂʰɔŋ^{13}(i)et^{3}sien^{53},kan^{21}tʂʰɔŋ^{13}(i)et^{3}sien^{53}.tsʰan^{21}tʰien^{13}ʂən^{13},tsʰan^{21}nek^{3}iet^{3}tʂak^{3}tsɿ^{0}pʰi^{13}çi^{53}a^{0},tsʰan^{21}nek^{3}iet^{3}tʂak^{3}tsʰau^{21}pʰi^{13}çi^{53}a^{0}.

【大肠】tʰai^{53}tʂʰɔŋ^{13} [名]消化道的最后肠段：欸，猪子身上有～哦，系唔系？人身上有～哦。我等以映子一碗欸箇个唔知几时兴个就系苦瓜炒腊肠子，欸，炒腊～。用苦瓜去炒腊～子。也食得。e$_{21}$,tʂəu^{35}tsɿ^{0}ʂən$^{35}_{44}$xɔŋ$^{53}_{44}$iəu$^{35}_{44}$tʰai^{53}tʂʰɔŋ$^{13}_{21}$ŋo^{0},xei$^{53}_{44}$me$^{53}_{21}$?ɲin^{13}ʂən$^{35}_{44}$xɔŋ$^{53}_{44}$iəu$^{35}_{44}$tʰai^{53}tʂʰɔŋ$^{13}_{21}$ŋo^{0}.ŋai^{13}tien^{0}i^{21}iaŋ^{53}tsɿ^{0}iet^{3}uɔn^{21}e$_{44}$kai^{53}kei$^{53}_{44}$n̩$^{13}_{21}$ti$^{35}_{53}$ci^{21}ʂʅ^{13}çin^{35}ke^{0}tsʰiəu$^{53}_{44}$xe$^{53}_{44}$fu^{21}kua^{35}tsʰau^{21}lait^{5}tʂʰɔŋ$^{13}_{21}$tsɿ^{0},e$_{21}$,tsʰau^{21}lait^{5}tʰai^{53}tʂʰɔŋ^{13}.iəŋ^{53}fu^{21}kua^{35}çi$^{53}_{44}$tsʰau^{21}lait^{5}tʰai^{53}tʂʰɔŋ$^{13}_{21}$tsɿ^{0}.ia^{35}ʂət^{5}tek^{3}.

【大锤】tʰai^{53}tʂʰei^{13} [名]铁匠双手抡的大铁锤（多由徒弟用）。也称“大锤子”：铁匠还有还有箇个啦，有～。打铁个，欸，箇只副手哇，侧边箇只人嘞，系，帮打个，～。打～。tʰiet^{3}tsʰiɔŋ^{53}xai$^{13}_{21}$iəu$^{35}_{53}$xai$^{13}_{21}$iəu^{35}kai^{53}ke$^{53}_{21}$la^{0},iəu^{35}tʰai^{53}tʂʰei^{13}.ta^{21}tʰiet^{3}ke$^{53}_{44}$,e$_{21}$,kai$^{53}_{44}$tʂak^{3}fu^{53}ʂəu^{21}ua^{0},tsek^{3}pien^{35}kai^{53}tʂak^{3}ɲin$^{13}_{21}$le^{0},xe$^{53}_{44}$,pɔŋ^{35}ta^{21}ke^{53},tʰai^{53}tʂʰei^{13}.ta^{21}tʰai^{53}tʂʰei$^{13}_{44}$.｜箇只是要双手拿，～子。kai^{53}tʂak^{3}ʂʅ$^{53}_{44}$iau$^{53}_{44}$sɔŋ^{35}ʂəu^{21}la^{53},tʰai^{53}tʂʰei^{13}tsɿ^{0}.

【大大后日晡】tʰai^{53}tʰai^{53}xei^{35}ɲiet^{3}pu^{35} 后天的后天；当天之后的第四天：我算下子我老婆还有四包药，～就食得完，还有四包药啊，明晡一包，后日晡一包，大后日晡一包，～一包，嗯，还有四包药。ŋai^{13}sɔn^{53}na$^{53}_{44}$tsɿ^{0}ŋai^{13}lau^{21}pʰo$^{13}_{44}$xai^{13}iəu$^{35}_{44}$si^{53}pau$^{35}_{44}$iɔk^{5},tʰai^{53}tʰai$^{53}_{44}$xei^{35}ɲiet^{3}pu$^{35}_{44}$tsʰiəu$^{53}_{44}$ʂət^{5}tek^{3}ien$^{13}_{21}$,xai^{13}iəu$^{35}_{44}$si^{53}pau$^{35}_{44}$iɔk^{5}a^{0},miaŋ^{13}pu$^{35}_{44}$iet^{3}pau$^{35}_{44}$,xei^{35}ɲiet^{3}pu^{35}iet^{3}pau^{35},tʰai^{53}xei$^{35}_{44}$ɲiet^{3}pu^{35}iet^{3}pau^{35},tʰai^{53}tʰai$^{53}_{44}$xei^{35}ɲiet^{3}pu$^{35}_{44}$iet^{3}pau$^{35}_{44}$,n̩$_{21}$,xai^{13}iəu$^{35}_{44}$si^{53}pau$^{35}_{44}$iɔk^{5}.

【大大前日晡】tʰai^{53}tʰai^{53}tsʰien$^{13}_{21}$ɲiet^{3}pu^{35} 前天的前天；当天之前的第四天：昨晡，前日晡，大前日晡，～，就系倒转去个四天。tsʰo^{35}pu$^{35}_{53}$,tsʰien^{13}ɲiet^{3}pu$^{35}_{53}$,tʰai^{53}tsʰien^{13}ɲiet^{3}pu$^{35}_{53}$,tʰai^{53}tʰai^{53}tsʰien^{13}ɲiet^{3}pu$^{35}_{53}$,tsʰiəu$^{53}_{44}$xe$^{53}_{44}$tau^{53}tʂuɔn^{21}çi$^{53}_{44}$ke^{0}si^{53}tʰien$^{35}_{44}$.｜噢，以咁子算起来是，～是我还跍倒湘雅医院。au$_{21}$,i^{21}kan$^{21}_{44}$tsɿ^{0}sɔn^{53}çi$^{21}_{44}$lɔi$^{13}_{44}$ʂʅ$^{53}_{44}$,tʰai^{53}tʰai^{53}tsʰien^{13}ɲiet^{3}pu$^{35}_{44}$ʂʅ$^{53}_{44}$ŋai^{13}xai$^{13}_{21}$ku$^{35}_{44}$tau$^{21}_{44}$siɔŋ^{35}ia^{21}i$^{35}_{44}$vien^{53}.

【大大子】tʰai^{53}tʰai^{53}tsɿ^{0} [形]状态形容词。大貌：我是就肚子～，食得。我箇只肚子～是食得个意思。肚子～，唔系么个硬系鼓起咁大，欸。我肚子～，冇得半斤米我食唔饱。哼。ŋai^{13}ʂʅ$^{53}_{44}$tsʰiəu^{53}təu^{21}tsɿ^{0}tʰai^{53}tʰai^{53}tsɿ^{0},ʂət^{5}tek^{3}.ŋai^{13}kai^{53}tʂak^{3}təu^{21}tsɿ^{0}tʰai^{53}tʰai^{53}tsɿ^{0}ʂʅ$^{53}_{21}$ʂət^{5}tek^{3}ke^{0}i$^{53}_{44}$sɿ^{0}.təu^{21}tsɿ^{0}tʰai^{53}tʰai^{53}tsɿ^{0},m̩^{13}pʰei^{53}mak^{3}e^{0}ɲiaŋ^{53}xei$^{53}_{44}$ku^{21}çi$^{21}_{44}$kan^{21}tʰai^{53},e$_{21}$.ŋai^{13}təu^{21}tsɿ^{0}tʰai^{53}tʰai^{53}tsɿ^{0},mau^{13}tek^{3}pan^{53}cin$^{35}_{44}$mi^{21}ŋai^{13}ʂət^{5}m̩$^{13}_{21}$pau^{21}.xŋ̍$_{21}$.

【大袋子】tʰai^{53}tʰɔi^{53}tsɿ^{0} [名]中山装上衣下方的口袋：从前个中山装……底下箇只，两只就～。tsʰəŋ^{13}tsʰien^{13}ke$^{53}_{44}$tʂəŋ^{35}san$^{35}_{44}$tsɔŋ$^{35}_{44}$…te^{21}xa^{53}kai^{53}tʂak^{3},iɔŋ^{21}tʂak^{3}tsʰiəu$^{53}_{44}$tʰai^{53}tʰɔi^{53}tsɿ^{0}.

【大胆】tʰai^{53}tan^{21} [形]胆量大；有勇气；不畏缩：～讲吧！tʰai^{53}tan^{21}kɔŋ^{21}pa^{0}！

【大刀】tʰai^{53}tau$^{35}_{44}$ [名]用作武器的单刃厚背短柄长刀：蛮好看呢。三节棍呐，钩镰，～哇。man$^{13}_{21}$xau^{21}kʰɔn^{53}ne^{0}.san^{35}tset^{3}kuən^{53}na^{0},kei^{35}lian^{13},tʰai^{53}tau$^{35}_{44}$ua^{0}.

【大底】tʰai^{53}te^{21} [名]布鞋底和鞋面之间加的一层布骨：噢，我昨晡晓得哩嘞，箇块东西就安做～嘞。加只～去嘞。箇个布鞋呀，底下就系底沙，系唔系？欸，面上就鞋面沙。布鞋底摎鞋面之间，欸，加一只雪白子个边个，露出雪白子边个，箇只东西安做～。au$_{21}$,ŋai$^{13}_{21}$tsʰo$^{35}_{21}$pu$^{35}_{53}$çiau^{21}tek^{3}li^{0}lei^{0},kai^{53}kʰuai^{53}təŋ$^{35}_{44}$si^{0}tsʰiəu$^{53}_{44}$ɔn$^{35}_{44}$tso$^{53}_{44}$tʰai^{53}te^{21}le^{0}.cia^{35}tʂak^{3}tʰai^{53}te^{21}çi$^{53}_{44}$le^{0}.kai$^{53}_{21}$ke$^{53}_{44}$pu^{53}xai$^{13}_{21}$ia^{0},te^{21}xa$^{53}_{44}$tsʰiəu^{53}xe^{53}te^{21}ʂa^{0},xei$^{53}_{44}$me$^{53}_{44}$?e$_{21}$,mien^{53}xɔŋ$^{53}_{44}$tsʰiəu$^{53}_{44}$xai^{13}mien^{53}ʂa^{0}.pu^{53}xai^{13}te^{21}lau^{35}xai^{13}mien^{53}tʂʅ^{35}kan^{35},ei$_{21}$,cia^{35}iet^{3}tʂak^{3}siet^{5}pʰak^{5}tsɿ^{0}ke$^{53}_{21}$pien^{35}ke$^{53}_{44}$,ləu^{53}tʂʰət^{3}siet^{5}pʰak^{5}tsɿ^{0}pien^{35}ke^{53},kai$^{53}_{44}$tʂak^{3}təŋ$^{35}_{44}$si^{0}ɔn$^{35}_{44}$tso$^{53}_{44}$tʰai^{53}te^{21}.

【大底鞋】tʰai53te21xai13 名加了大底的平跟布鞋：我等箇阵子，箇阵子我帮我老婆做过鞋嘞。箇爱好着嘞，就爱加只大底去，做成～，箇就好着。踩就踩下……唔系是你会踩下箇个绱欸打哩个鞋底上哦。有只大底就踩倒去达平子，又唔印脚，系唔系？又好看呶，雪白子个边呶。ŋai13tien0kai53tʂʰən53tsɿ0,kai53tʂʰən53tsɿ0ŋai13pɔŋ35ŋai13-21lau21pʰo13tso53ko53-44xai13lei0.kai53ɔi53xau21tʂɔk3lei0,tsʰiəu53-44ɔi53-44cia35tʂak3tʰai53te21çi53,tso53-44ʂaŋ13-21tʰai53te21xai13,(k)ai53-44tsʰiəu53xau21tʂɔk3.tsʰai21tsʰiəu53tsʰai21ia53…m̩13pʰei53ʂɿ53-44ɲi13uɔi53tsʰai21ia53kai53-44kei53-44ʂɔŋ21e-21ta21li0ke53xai13te21xɔŋ53ŋo0.iəu35tʂak3tʰai53te21tsʰiəu53-44tsʰai21tau21çi53-44tʰait5pʰiaŋ13tsɿ0,iəu53m̩13in53ciɔk3,xei53me53?iəu53-44xau21kʰɔn53nau0,siet5pʰak5tsɿ0ke0pien35nau0.

【大肚】tʰai53tʰəu53 动怀孕：啊，我等箇只老弟嫂哇，结婚几多……几年了，今年总算大哩肚了。a-21,ŋai13tien0kai53tʂak3lau21tʰe35-53sau21ua0,ciet3fən35-44ci21to…ci21ɲien13niau0,cin35ɲien13-44tsəŋ21sɔn53tʰai53li0tʰu53liau0.

【大肚嫲】tʰai53tʰəu53ma13 名孕妇。又称“双身人”：箇路上箇只咁个欸箇只咁夫娘子就一只～。肚子冒冒哩啊。大哩肚哇。kai53-44ləu53xɔŋ53-44kai53tʂak3kan21ke53-44e-44kai53tʂak3kan21-44pu35ɲiɔŋ13-21tsɿ0tsʰiəu53iet3tʂak3tʰai53tʰəu53ma13.təu21tsɿ0mau53mau53li0a0.tʰai53-44li0tʰu53ua0.

【大方】tʰai53fɔŋ35 形不计较、不吝啬财物：如果系女家头到男家头去达嫁场，箇就唔爱讲了，女家头你只爱去人凑，听渠～了。y13ko21xei53ɲy21ka35-44tʰei13-21tau53lan13ka35-44tʰei13-21çi53-44tʰait5ka53tʂʰɔŋ13,kai53-44tsʰiəu53-44m̩13-21mɔi53kɔŋ21liau0,ɲi21ka35-44tʰei13-21ɲi13-44tʂɿ21ɔi53-44çi53ɲin13-21tsʰe0,tʰin53ci13tʰai53fɔŋ35liau0.

【大方好事】tʰai53fɔŋ35xau21sɿ53 指红白喜事：一家人家欸有哩几个人呢就免唔得有～。iet3ka35-44ɲin13-21ka35-44e-21iəu35li0ci21kei53ɲin13-21ne0tsʰiəu53mien35n̩13-21tek3iəu35-44tʰai53fɔŋ35-44xau21sɿ53.

【大风】tʰai53fəŋ35 名强劲的风：欸，头几晡子落水呀，吹～，落大水。e-44,tʰei13ci21-44pu35-44tsɿ0lɔk5ʂei21ia0,tʂʰei35tʰai53fəŋ35-44,lɔk5tʰai53ʂei21.

【大风大水】tʰai53fəŋ35tʰai53ʂei21 狂风暴雨：抢阴天，抓晴天，毛风细雨是好天，～作斗争。tsʰiaŋ21in35tʰien35,tʂa35tsʰiaŋ13tʰien35,mau35fəŋ35se53ʂei21ʂɿ53xau21tʰien35,tʰai53fəŋ35tʰai53ʂei21tsɔk3təu53tsen35.

【大富大贵】tʰai53fu53tʰai53kuei53 祝愿富贵的吉利话：（出春牛灯个时候子）有起撞怕牛子还会屙屎。嗬，箇屙哩屎就欢喜嘞。屙倒渠厅子里一□屎就真欢喜嘞。家家都唔屙啊，让门子屙啊我屋下来哩啊？箇我……箇就高兴呐箇就啦。欸。箇就高兴。你发气唔得嘞。你不能话“哎哟，咁个真豂人”，系啊？欸你，箇你厅子里牛子去啊屙屎，“呀”，箇个出春牛灯个人是就“～呀，来哩哈，～来哩呀”。嗯。屎就爱即即哩装稳，屎就唔装。嗯。屙哩屎就唔装，屎就爱装稳。iəu35-44çi21-44tsʰɔŋ21pʰa53ɲiəu13tsɿ0xa13uɔi53-44o35ʂɿ21.xo-53,kai53-44o35li0ʂɿ21tsʰiəu53-44fɔn35çi21le0.o35tau21-44ci13-44tʰaŋ35tsɿ0li0iet3tsiau35ʂɿ21tsʰiəu53-44tʂən35fɔn35çi21le0.ka35ka35təu35-44n̩13-21o35a0,ɲiɔŋ53-44mən0tsɿ0o35a0ŋai13uk3xa53-44lɔi13-21li0a0?kai53ŋai13-44…kai53-44tsiəu53-44kau35-44çin53na0kai53-44tsʰiəu53-44la0.e-21.kai53-44tsiəu53-44kau35-44çin53.ɲi13-21fait3çi53n̩13-21tek3le0.ɲi13pət3nen13ua53"ai-35iau-21,kan21-13ke53tʂən35ɲia13ɲin13",xei53-44a0?e-44ɲi13,kai53ɲi13tʰaŋ35-44tsɿ0li0ɲiəu13tsɿ0çi53-44a0o35ʂɿ21,"ia-44",kai53-44ke53-44tʂʰət3tʂʰən35ɲiəu13-21ten35ke0ɲin13-44ʂɿ53-44tsiəu53-44"tʰai53fu53-44tʰai53-44kuei53-44ia0,lɔi13li0xa0,tʰai53fu53-44tʰai53-44kuei53-44lɔi13li0ia0".n̩-21.ɲiau53tsʰiəu53ɔi53-44tset5tset5li0tʂɔŋ35uən21,ʂɿ21tsʰiəu53n̩13-21tʂɔŋ35-44.n̩-21.o35li0ʂɿ21tsʰiəu53n̩13-21tʂɔŋ35-44,ɲiau53tsʰiəu53-44ɔi53-44tʂɔŋ35uən21.

【大概】tʰai53kʰai53 副表示不很准确的估计、推测：食哩箇指还唔会啼个鸡公子～就系增强男性功能啰。ʂət5li0kai53-44tʰai53kʰai53-44tsʰiəu53-44xe53-44tsen35cʰiɔŋ13-44lan13sin53kəŋ35len13-21no0.｜沟嘞～嘞也有天生成个。kei35lei0tʰai53kʰai53-44lei0ia35iəu35-44tʰien35saŋ35-44ʂən13-21ke53-44.

【大杠】tʰai53kɔŋ53 名抬棺材时捆在棺材两侧的大而长的木杠：好，箇两条～呢，欸，箇又分只棺材就分做面前一部分，后背一部分。xau21,kai53iɔŋ21tʰiau13tʰai53kɔŋ53-44nei0,e-21,kai53iəu53-35pən35tʂak3kɔn35tsʰɔi13-21tsʰiəu53-44fən35tsɔk3mien53tsʰien13-21iet3pʰu53-44fən0,xei53pɔi53-21iet3pʰu53-44fən0.

【大哥】tʰai53ko35 名称长兄：我就去我等几兄弟……姊妹六……一十二姊妹，我叔叔箇映子也六姊妹，我就系～，一只老～硬系，欸，最大个。可以话老～，一只～。ŋai13tsʰiəu53çi53ŋai13tien0ci21çiɔŋ35tʰi53-44…tsi21mɔi53liəuk3…iet3ʂət5ɲi53tsi21mɔi53,ŋai13-21ʂəuk3ʂəuk3kai53iaŋ53tsɿ0a35-53liəuk3tsi21mɔi53,ŋai13tsʰiəu53xe53tʰai53ko35,iet3tʂak3lau21tʰai53ko35ɲiaŋ53-44xe53-44,e-21,tsei53tʰai53-44ke0.kʰo21i35ua53lau21tʰai53ko35,iet3tʂak3tʰai53ko35.

【大工】tʰai53kəŋ35 名主要的技术工人，如建筑队中泥工、木工等：箇个安做～嘞以下就嘞。泥水肚里有～嘞。～小工嘞。～一百八十块钱一天哩，两百块钱一天哩。小工就一百二哩。kai53-44ke53-44ɔn35-44tso53-44tʰai53kəŋ35lei0i21xa53-44tsʰiəu53-44lei0.lai13ʂei21təu21li0iəu35-44tʰai53kəŋ35lei0.tʰai53kəŋ35siau21kəŋ35 lei^{0} .tʰai^{53}kəŋ^{35}iet^{3} pak^{3} pait^{3} ʂət^{5} kʰuai^{53}tsʰien$^{13}_{21}$iet^{3} tʰien^{35}ni^{0} ,iɔŋ^{21}pak^{3} kʰuai^{53}tsʰien$^{13}_{21}$iet^{3} tʰien^{35}ni^{0} .siau^{21}kəŋ^{35} tsʰiəu^{53}iet^{3} pak^{3} ɲi^{53}li^{0} .

【大姑】tʰai^{53}ku^{35} 名 称排行最大的姑妈：我赖子喊我箇只大老妹子就喊～。ŋai^{13}lai^{53}tsɿ^{0} xan^{53}ŋai^{13} kai^{53}tʂak^{3} tʰai^{53}lau^{21}mɔi^{53}tsɿ^{0} tsʰiəu$^{53}_{44}$xan$^{53}_{44}$tʰai^{53}ku$^{35}_{44}$.

【大谷】tʰai^{53}kuk^{3} 名 一种颗粒较大的杂交稻谷。也称“大谷子”：但是谷又有如今咯又有～子细谷子嘞。谷就有～细谷。细谷子更长，更好食，箇杂交谷肚里个箇个。咁个杂交谷肚里个。有一种～，谷更大。tan^{53}ʂɿ^{53}kuk^{3} iəu$^{53}_{44}$iəu$^{35}_{44}$i$^{13}_{21}$cin$^{35}_{44}$ko^{0} kuk^{3} iəu$^{53}_{44}$iəu^{35}tʰai^{53}kuk^{3} tsɿ^{0} se^{53}kuk^{3} tsɿ^{0} lei^{0} .kuk^{3} tsiəu$^{53}_{44}$iəu^{35}tʰai^{53}kuk^{3} se^{53}kuk^{3} .se^{53}kuk^{3} tsɿ^{0} cien^{53}tʂʰəŋ^{13} ,cien$^{53}_{44}$xau^{21} ʂət^{5} ,kai$^{53}_{44}$tsʰait^{5} ciau$^{35}_{44}$kuk^{3} təu^{21}li^{0} ke^{0} kai^{53} ke$^{53}_{21}$.kan^{21}ke$^{53}_{44}$tsʰait^{5} ciau$^{35}_{44}$kuk^{3} təu^{21}li^{0} ke^{0} .iəu^{35}iet^{3} tʂəŋ^{21}tʰai^{53}kuk^{3} ,kuk^{3} cien$^{53}_{44}$tʰai^{53}.

【大寒】tʰai^{53}xɔn^{13} 名 二十四节气之一：～是系一年最冷个时候子。大暑就最热个时候子。tʰai^{53}xɔn^{13}ʂɿ$^{53}_{44}$xe^{53}iet^{3}ɲien^{13}tsei^{53}laŋ^{35}ke^{0}ʂɿ^{13}xei^{53}tsɿ^{0} .tʰai^{53}tʂʰu^{21}tsʰiəu$^{53}_{44}$tsei$^{53}_{44}$ɲiet^{5}ke^{0}ʂɿ^{13}xəu$^{53}_{44}$tsɿ^{0} .

【大河】tʰai^{53}xo^{13} 宽大的河流：大水搂箕嘞箇就爱～里用个。tʰai^{53}ʂei^{21}lei^{13}ci$^{35}_{44}$lei^{0} kai$^{53}_{21}$tsʰiəu$^{53}_{44}$ɔi$^{53}_{44}$ tʰai^{53}xo^{13}li^{0} iəŋ$^{53}_{44}$ke$^{53}_{44}$.

【大红】tʰai^{53}fəŋ^{13} 名 很红的颜色：～就区别于粉红、水红，欸，个一种颜色。tʰai^{53}fəŋ^{13}tsʰiəu$^{53}_{44}$ tʂʰɥ^{35}pʰiet^{5}ɥ$^{13}_{44}$fən^{21}fəŋ^{13} ,ʂei^{21}fəŋ^{13} ,e$_{21}$,ke$^{53}_{44}$iet^{3} tʂəŋ^{21} ŋan^{13}sek^{3} .

【大红大紫】tʰai^{53}fəŋ^{13}tʰai^{53}tsɿ^{21} 形容声名显赫、引人注目：～是讲箇个人唔知几当红唠，系唔系？唔知几当兴呶。红得发紫。tʰai^{53}fəŋ^{13}tʰai^{53}tsɿ^{21}ʂɿ$^{53}_{44}$kəŋ^{21}kai^{53}ke^{53}ɲin^{13}n̩^{13}ti$^{35}_{53}$ci^{21}təŋ^{35}fəŋ^{13}lau^{0} ,xei^{53} me^{53}?n̩^{13}ti$^{35}_{44}$ci^{21}təŋ$^{35}_{44}$çin^{35}nau^{0} .fəŋ^{13}tek^{3} fait^{3} tsɿ^{21}.

【大后年】tʰai^{53}xəu^{35}ɲien^{13} 名 当年之后的第三年：啊，我今年都六十六了。明年，后年，～，就有六十几呀？六十九了。欸嘿，到哩大大后年就七十岁了。～，六十九了。a$_{53}$,ŋai^{13}cin$^{35}_{44}$ ɲien$^{13}_{21}$təu$^{35}_{44}$liəuk^{3} ʂət^{5} liəuk^{3} liau^{0} .miaŋ^{13}ɲien$^{13}_{44}$,xei^{35}ɲien$^{13}_{44}$,tʰai^{53}xei$^{35}_{44}$ɲien$^{13}_{21}$,tsʰiəu$^{53}_{44}$iəu$^{35}_{44}$liəuk^{3} ʂət^{5} ci^{21}ia^{0}? liəuk^{3} ʂət^{5} ciəu^{21}liau^{0} .e$_{44}$xe$_{53}$,tau^{53}li^{0} tʰai^{53}tʰai^{53}xei^{35}ɲien$^{13}_{44}$tsʰiəu$^{53}_{44}$tsʰiet^{5} ʂət^{5} sɔi^{53}liau^{0} .tʰai^{53}xei^{35}ɲien$^{13}_{21}$,liəuk^{3} ʂət^{5} ci^{21}liau^{0}.

【大后日】tʰai^{53}xəu^{35}ɲiet^{3} 名 大后天：我就正讲个后日晡就爱来去转单子啊，大后日晡嘞就爱渠江西旅……去看下子我等自家屋下箇映啊，噢，摎我老弟子等呐，～啦，欸，约正哩啊。ŋai^{13}tsʰiəu^{53}tʂaŋ^{53}kəŋ^{21}ke^{0} xei^{35}ɲiet^{3} pu$^{35}_{53}$tsʰiəu^{53}ɔi^{53}lɔi$^{13}_{21}$çi^{53}tʂuɔn^{21}tan^{35}tsa^{0} ,tʰai^{53}xei$^{53}_{44}$ɲiet^{3} pu$^{35}_{44}$lei^{0} tsʰiəu^{53}ɔi^{53} çi^{53}kəŋ^{35}si^{35}li^{35}⋯çi^{53}kʰɔn^{53}na$^{35}_{44}$tsɿ^{0} ŋai^{13}tien^{0} tsʰɿ^{35}ka$^{35}_{53}$uk^{3} xa$^{53}_{44}$kai$^{53}_{44}$iaŋ$^{53}_{44}$ŋa^{0} ,au$_{21}$,lau^{35}ŋai$^{13}_{44}$lau^{21}tʰe$^{35}_{44}$tsɿ^{0} tien^{0} na^{0}, tʰai^{53}xei$^{53}_{44}$ɲiet^{3} la^{0} ,e$_{21}$,iɔk^{3} tʂaŋ$^{53}_{21}$li^{0} a^{0} .

【大后日晡】tʰai^{53}xei^{35}ɲiet^{3} pu$^{35}_{44}$ 名 大后天（多）：我后日晡爱去转单子，～嘞欸箇只自家屋下想要我去嬲，要我去看下子江西箇，爱去参观下子渠个现代农业话。总都冇人工去。ŋai^{13} xei^{35}ɲiet^{3} pu$^{35}_{53}$ɔi^{53}çi^{53}tʂuɔn^{21}tan^{35}tsɿ^{0} ,tʰai^{53}xei$^{53}_{44}$ɲiet^{3} pu^{35}lei^{0} ei$_{21}$kai^{53}tʂak^{3} tsʰɿ^{35}ka$^{35}_{53}$uk^{3} xa$^{53}_{44}$siɔŋ^{21}iau$^{35}_{44}$ŋai$^{13}_{21}$çi$^{53}_{44}$ liau^{53},iau$^{35}_{44}$ŋai$^{13}_{21}$çi$^{53}_{44}$kʰɔn^{53}na$^{35}_{44}$tsɿ^{0} kəŋ^{35}si$^{35}_{44}$kai$^{53}_{21}$,ɔi$^{53}_{44}$çi$^{53}_{44}$tsʰan^{35}kuan$^{35}_{44}$na$^{35}_{44}$tsɿ^{0} ci$^{13}_{44}$ke^{0} çien^{53}tʰɔi$^{53}_{44}$ləŋ^{13}ɲiait^{5} ua$^{53}_{44}$. tsəŋ^{21}təu$^{35}_{53}$mau^{13}ɲin^{13}kəŋ$^{35}_{44}$çi^{53}.

【大后生】tʰai^{53}xei^{53}saŋ^{35} 名 小伙子：箇只细子三五年过去啦，～。kai^{53}tʂak^{3} se^{53}tsɿ^{0} san^{35}ŋ̍^{21}ɲien^{13} ko^{53}tʂʰɥ^{53}la^{0} ,tʰai^{53}xei^{53}saŋ^{35}.

【大湖丝】tʰai^{53}fu^{13}sɿ^{35} 名 旱烟的品种之一：～小湖丝产量更高啦。tʰai^{53}fu^{13}sɿ$^{35}_{44}$siau^{21}fu^{13}sɿ$^{35}_{44}$tsʰan^{21} liɔŋ$^{53}_{44}$ken^{53}kau$^{35}_{44}$la^{0}.

【大户人家】tʰai^{53}fu$^{53}_{44}$ɲin^{13}ka$^{35}_{44}$ 有钱人家：真正个～是还系蛮少。有兜人有钱，欸，经济条件唔知几好，但是只有几个人，以下个～，硬爱人也多滴子嘞，人也爱多滴子个人家嘞，正系～嘞。tʂən^{35}tʂən$^{53}_{44}$ke^{0} tʰai^{53}fu^{53}ɲin^{13}ka^{35}ʂɿ$^{53}_{44}$xai$^{13}_{21}$xe^{53}man^{13}ʂau^{21} .iəu^{35}təu$^{35}_{44}$ɲin$^{13}_{44}$iəu^{35}tsʰien^{13} ,e$_{53}$,cin^{35}tsi$^{53}_{44}$tʰiau^{13} cʰien^{53}n̩^{13}ti$^{35}_{53}$ci^{21}xau^{21} ,tan^{53}ʂɿ^{53}tʂət^{3} iəu$^{35}_{53}$ci^{21}ke^{53}ɲin^{13} ,i^{21}xa^{53}ke^{0} tʰai^{53}fu$^{53}_{44}$ɲin^{13}ka$^{35}_{44}$, ɲiaŋ^{53}ɔi$^{53}_{44}$ɲin^{13}na$^{35}_{53}$to^{35}tiet^{5} tsɿ^{0} lei^{0} , ɲin^{13}na$^{35}_{53}$ɔi^{53}to$^{35}_{44}$tiet^{5} tsɿ^{0} ke^{0} ɲin^{13}ka$^{35}_{44}$lei^{0} ,tʂaŋ$^{53}_{44}$xei$^{53}_{44}$tʰai^{53}fu$^{53}_{44}$ɲin^{13}ka$^{35}_{44}$lei^{0}.

【大黄道】tʰai^{53}uɔŋ^{13}tʰau^{53} 名 墓碑中列正文的字数按“道远几时通达，路遥何日还乡”这两句诗十二个字轮回循环，最后一个字应能对应上其中“道、远、通、达、遥、还”六个带走之旁的字。如“显考×公××老大人之墓”，十一个字，末字与诗句中的“还”字能对应上，合乎黄道；又如“显妣×母×老孺人之墓”只有十个字，末字与诗句中的“日”字，“日”字不是走之旁，不合黄道，可在开头加上个“故”字。合乎大黄道的字数可以是 1、2、5、6、8、11 个字。如果碑文字数超过 12 字的话，则循环该诗句后再对应走之旁的字，如 13、

14、17、18、20、23 个字的碑文也都合乎黄道，如此类推即可：～嘞箇就更多啦。道远几时通达，路遥何日还乡。一十二只字。欸，渠就爱落在哪映子嘞？爱落在有走之个字上。落下有走之个字上。欸，根据箇正先是一只字唠，欸，道远几时通达，路遥何日还乡。欸，十一只字，落在还字上，还字系走之，箇就又合只～。又合得～，又合得小黄道。tʰai^{53}uəŋ^{13} tʰau^{53}lei^{0} kai$^{53}_{44}$tsʰiəu$^{53}_{44}$cien^{53}to$^{35}_{44}$la^{0}.tʰau^{53}ien^{21}ci^{21}ʂʅ^{13}tʰəŋ^{35}tʰait^{5},ləu^{53}iau^{13}xo^{13}ɲiet^{3}fan^{13}çiəŋ^{35}.iet^{3}ʂət^{5}ɲi^{53}tʂak^{3} tsʰʅ$_{44}$.e$_{21}$,ci^{13}tsʰiəu$^{53}_{44}$ɔi$^{53}_{44}$lɔk^{5}tsʰai$^{53}_{44}$lai^{53}iaŋ$^{53}_{44}$tsʅ^{0}lei^{0}?ɔi$^{53}_{44}$lɔk^{5}tsʰai$^{53}_{44}$iəu^{35}tsei^{21}tʂʅ$^{35}_{44}$ke$^{53}_{44}$sʅ^{53}xɔŋ$^{53}_{44}$.lɔk^{5}a$^{53}_{44}$iəu^{35}tsei^{21} tʂʅ$^{35}_{44}$ke$^{53}_{44}$sʅ^{53}xɔŋ$^{53}_{44}$.e$_{35}$,cien^{35}tʂʅ^{53}kai$^{53}_{44}$tʂaŋ$^{53}_{44}$sien$^{35}_{44}$ʂʅ^{53}iet^{3}tʂak^{3}tsʰʅ$^{53}_{44}$lau^{0},ei$_{21}$,tʰau^{53}ien^{21}ci^{21}ʂʅ^{13}tʰəŋ^{35}tʰait^{5},ləu^{53} iau^{13}xo^{13}ɲiet^{3}fan^{13}çiəŋ^{35}.e$_{21}$,ʂət^{5}iet^{3}tʂak^{3}tsʰʅ^{53},lɔk^{5}tsʰai$^{53}_{44}$fan^{13}tsʰʅ$^{53}_{44}$xɔŋ$^{53}_{44}$,fan^{13}tsʰʅ^{53}xci^{53}tsei^{21}tʂʅ$^{35}_{44}$,kai$^{53}_{21}$tsʰiəu$^{53}_{44}$ iəu$^{53}_{44}$xɔit^{5}tʂak^{3}tʰai^{53}uəŋ$^{13}_{21}$tʰau$^{53}_{44}$.iəu$^{53}_{44}$xɔit^{5}tek^{3}tʰai^{53}uəŋ$^{13}_{21}$tʰau^{53},iəu$^{53}_{44}$xɔit^{5}tek^{3}siau^{21}uəŋ$^{13}_{21}$tʰau$^{53}_{44}$.

【大活血】tʰai^{53}xɔit^{5}çiet^{3} 名 中药大血藤的俗称：～也系红藤，但是～嘞必须系爱哪种红藤呢？必须爱箇只切开来个切面肚里有放射性个花纹正系～。系味中药，药店里有。tʰai^{53}xɔit^{5}çiet^{3} ia^{35}xe^{53}fəŋ^{13}tʰien^{13},tan$^{53}_{44}$ʂʅ$^{53}_{44}$tʰai^{53}xɔit^{5}çiet^{3}lei^{0}piet^{3}si$^{35}_{44}$xe^{53}ɔi$^{53}_{44}$lai^{53}tʂəŋ^{21}fəŋ$^{13}_{21}$tʰien$^{13}_{21}$nei^{0}?piet^{3}si$^{35}_{44}$ɔi^{53}kai^{53}tʂak^{3} tsʰiet^{3}kʰɔi$^{35}_{44}$lɔi$^{13}_{21}$ke^{0}tsʰet^{3}mien^{53}təu^{21}li^{0}iəu$^{35}_{44}$fəŋ^{53}ʂa^{53}sin^{53}ke^{0}fa$^{35}_{44}$uən$^{13}_{21}$tʂaŋ^{53}xe^{53}tʰai^{53}xɔit^{5}çiet^{3}.xei^{53}uei^{53}tʂəŋ^{35} iɔk^{5},iɔk^{5}tian^{53}ni^{0}iəu^{35}.

【大镬】tʰai^{53}uɔk^{5} 名 大铁锅：以个镬头嘞，我等个细镬子，系唔系？好，大滴子个镬嘞，牛三镬，牛四镬，牛五镬。牛五镬就最大个了。牛五镬就蛮大了。还有起比牛五镬都还更大个安做王镬。箇个就～，王镬就真系～。相比之下嘞，一只细镬，一只～，箇也系～，相比之下更大滴子个镬头就安做～。欸，人家屋下蛮多像农村里乡下蛮多人就一只子细灶子就舞只子细镬子，同时嘞箇映子嘞还打只大灶，有只～，箇个就做好事用个。以下是冇么人炆㴆了唠，以前是～炆㴆哇。i^{13}ke^{53}uɔk^{5}tʰei$^{13}_{21}$lei^{0},ŋai^{13}tien^{0}ke^{0}sei^{53}uɔk^{5}tsʅ^{0},xei^{53}me$^{53}_{44}$?xau^{21},tʰai^{53}tiet^{5}tsʅ^{0}ke^{0} uɔk^{5}lei^{0}, ɲiəu^{13}san^{35}uɔk^{5}, ɲiəu^{13}si^{53}uɔk^{5}, ɲiəu^{13}ŋ̍^{21}uɔk^{5}. ɲiəu^{13}ŋ̍^{21}uɔk^{5}tsʰiəu$^{53}_{44}$tsei^{53}tʰai^{53}ke^{0}liau^{0}. ɲiəu^{13}ŋ̍^{21} uɔk^{5}tsʰiəu$^{53}_{44}$man^{13}tʰai^{53}liau^{0}.xai^{13}iəu$^{35}_{53}$çi^{21}pi^{21}ɲiəu^{13}ŋ̍^{21}uɔk^{5}təu$^{35}_{44}$xan^{13}cien$^{53}_{44}$tʰai$^{53}_{44}$ke^{0}ɔn$^{35}_{44}$tso$^{53}_{44}$uəŋ^{13}uɔk^{5}.kai$^{53}_{44}$ ke$^{53}_{44}$tsʰiəu$^{53}_{44}$tʰai$^{53}_{44}$uɔk^{5},uəŋ^{13}uɔk^{5}tsʰiəu$^{53}_{44}$tʂən^{35}xe$^{53}_{44}$tʰai^{53}uɔk^{5}.siɔŋ^{35}pi^{21}tʂʅ^{53}çia$^{53}_{44}$lei^{0},iet^{3}tʂak^{3}sei^{53}uɔk^{5},iet^{3}tʂak^{3} tʰai^{53}uɔk^{5},kai^{53}ia^{35}xe$^{53}_{44}$tʰai^{53}uɔk^{5},siɔŋ^{35}pi^{21}tʂʅ^{53}çia^{53}cien$^{53}_{44}$tʰai^{53}tiet^{5}tsʅ^{0}ke^{0}uɔk^{5}tʰei$^{13}_{21}$tsʰiəu$^{53}_{44}$ɔn$^{35}_{44}$tso$^{53}_{44}$tʰai^{53}uɔk^{5}. e$_{21}$, ɲin$^{13}_{21}$ka$^{35}_{53}$uk^{3}xa^{53}man$^{13}_{21}$to$^{35}_{53}$siɔŋ$^{53}_{44}$ləŋ$^{13}_{21}$tsʰən$^{35}_{44}$ni^{0}çiɔŋ$^{35}_{44}$xa$^{53}_{44}$man$^{13}_{21}$to$^{35}_{44}$ɲin$^{13}_{21}$tsʰiəu^{53}iet^{3}tʂak^{3}tsʅ^{0}se^{53}tsau^{53}tsʅ^{0} tsʰiəu^{53}u^{21}tʂak^{3}tsʅ^{0}se^{53}uɔk^{5}tsʅ^{0},tʰəŋ^{13}ʂʅ$^{13}_{44}$lei^{0}kai^{53}iaŋ^{53}tsʅ^{0}lei^{0}xai^{13}ta^{21}tʂak^{3}tʰai^{53}tsau^{53},iəu^{35}tʂak^{3}tʰai^{53}uɔk^{5}, kai$^{53}_{44}$ke$^{53}_{44}$tsiəu$^{53}_{44}$tso^{53}xau^{21}sʅ$^{53}_{44}$iəŋ$^{53}_{44}$ke^{0}.i^{21}xa^{53}ʂʅ$^{53}_{44}$mau$^{13}_{21}$mak^{3}in$^{13}_{44}$uən^{13}sau^{53}liau^{0}lau^{0},i$^{13}_{53}$tsʰien$^{13}_{21}$ʂʅ$^{53}_{44}$tʰai^{53}uɔk^{5}uən^{13} sau^{53}ua^{0}.

【大镬饭】tʰai^{53}uɔk^{5}fan^{53} 名 用大铁锅煮的饭：㨃钵子饭相对个就～呶，大甑饭呶。lau^{35}pait^{3}tsʅ^{0} fan^{53}siɔŋ$^{35}_{44}$tei^{53}ke$^{53}_{44}$tsʰiəu$^{53}_{44}$tʰai^{53}uɔk^{5}fan^{53}nau^{0},tʰai^{53}tsien^{53}fan^{53}nau^{0}.

【大家】tʰai^{53}ka^{35}/cia^{35} 代 人称代词。指一定范围内所有的人。又称"咁多人"：如今～如今都安做渠娃娃鱼。i$^{13}_{21}$cin$^{35}_{44}$tʰai$^{53}_{44}$cia$^{35}_{44}$i$^{13}_{21}$cin$^{35}_{44}$təu^{35}ɔn$^{35}_{44}$tso$^{53}_{44}$ci$^{13}_{21}$ua^{13}ua$^{13}_{44}$ŋ̍$^{13}_{21}$.｜还有滴人～来送渠还山咯。xai$^{13}_{21}$ iəu^{35}tet^{5}ɲin^{13}tʰai$^{53}_{44}$cia$^{35}_{44}$lɔi$^{13}_{21}$səŋ^{53}ci$^{13}_{21}$fan$^{13}_{21}$san^{35}ko^{0}.

【大架势】tʰai^{53}cia^{53}ʂʅ^{53} 副 ①形容有多大力使多大力，大力：箇乌石箇向～种魔芋哦。kai$^{53}_{44}$u^{35} ʂak^{5}kai$^{53}_{44}$çiɔŋ$^{53}_{44}$tʰai^{53}cia$^{53}_{44}$ʂʅ$^{53}_{44}$tʂəŋ^{53}mo^{13}u^{53}o^{0}. ②大肆，毫无顾忌：～笑。tʰai^{53}cia^{53}ʂʅ^{53}siau^{53}.

【大脚髀】tʰai^{53}ciɔk^{3}pi^{21} 名 大腿：箇阵子我等学堂里有只老师啊，你话冇滴事呢以个～上发一只瘌㾊大呢，欸，恼哩瘾呐硬啊。硬半年都走唔得啊。箇～上啊发只瘌㾊大。kai$^{53}_{44}$tʂʰən^{53}tsʅ^{0} ŋai^{13}tien^{0}xɔk^{5}tʰɔŋ$^{13}_{44}$li^{0}iəu^{35}tʂak^{3}lau^{21}sʅ$^{35}_{44}$a^{0}, ɲi^{13}ua^{53}mau^{13}tiet^{5}sʅ$^{53}_{44}$nei^{0}i^{21}ke^{0}tʰai^{53}ciɔk^{3}pi^{21}xɔŋ$^{53}_{44}$fait^{3}iet^{3}tʂak^{3} tʂʰɔi^{13}mən^{35}tʰai$^{53}_{44}$nei^{0},e$_{44}$,lau^{21}li^{0}in^{21}na^{0}ɲiaŋ^{53}a^{0}. ɲiaŋ^{53}pan^{53}ɲien^{13}təu$^{35}_{53}$tsei^{21}n̍$^{13}_{44}$tek^{3}a^{0}.kai^{53}tʰai^{53}ciɔk^{3}pi^{21}xɔŋ^{53} ŋa^{0}fait^{3}tʂak^{3}tʂʰɔi^{13}mən^{35}tʰai^{53}.

【大姐】tʰai^{53}tsia^{21} 名 对女性的尊称：如今我新舅等人呐跍倒箇街上啊年纪大滴子个就～，喊～。i$^{13}_{21}$cin$^{35}_{53}$ŋai^{13}sin^{35}cʰiəu^{35}ten$^{21}_{44}$ɲin$^{13}_{21}$na^{0}ku^{35}tau$^{21}_{44}$kai$^{53}_{44}$kai$^{35}_{44}$xɔŋ$^{53}_{44}$a^{0}ɲien^{13}ci^{21}tʰai^{53}tiet^{5}tsʅ^{0}ke^{0}tsiəu$^{53}_{44}$tʰai^{53} tsia^{21},xan$^{53}_{44}$tʰai^{53}tsia^{21}.

【大姐公】tʰai^{53}tsia^{21}kəŋ^{35} 名 外祖父的大哥哥；伯外公：箇就分唔得咁详细了。大个就～，细个就细姐公。kai$^{53}_{44}$tsʰiəu$^{35}_{44}$fən^{35}n̍$^{13}_{21}$tek^{3}kan^{21}tsʰiɔŋ^{13}si^{53}liau^{0}.tʰai^{53}ke$^{53}_{44}$tsʰiəu$^{53}_{44}$tʰai^{53}tsia^{21}kəŋ^{35},sei^{53}ke$^{53}_{44}$tsʰiəu$^{53}_{44}$ sei^{53}tsia^{21}kəŋ^{35}.

【大姐婆】tʰai^{53}tsia^{21}pʰo^{13} 名 外祖父大哥哥的妻子：我老弟子个外甥啊喊我老婆尽喊～。我又比我老弟子更大。渠喊我老弟子个老婆喊姐婆，但是喊我个老婆嘞～，渠就咁子喊个。ŋai^{13}

lau^{21}tʰe$^{35}_{53}$tsɿ^{0}ke$^{53}_{44}$ŋɔi^{53}saŋ^{35}ŋa^{0}xan^{53}ŋai$^{13}_{44}$lau^{21}pʰo^{13}tsʰin^{53}xan$^{53}_{44}$tʰai^{53}tsia^{21}pʰo^{13}.ŋai^{13}iəu^{53}pi^{21}ŋai^{13}lau^{21}tʰe$^{35}_{53}$tsɿ^{0}ken$^{53}_{44}$tʰai^{53}.ci^{13}xan^{53}ŋai$^{13}_{44}$lau^{21}tʰe^{35}tsɿ^{0}ke^{0}lau^{21}pʰo^{13}xan^{53}tsia^{21}pʰo^{13},tan$^{53}_{44}$ʂʅ$^{53}_{44}$xan^{53}ŋai^{13}ke^{53}lau^{21}pʰo^{13}lei^{0}tʰai^{53}tsia^{21}pʰo^{13},ci^{13}tsʰiəu^{53}kan$^{21}_{13}$tsɿ^{0}xan^{53}cie^{0}.

【大金】tʰai^{53}cin^{35} 名 棺材的别称：一般就～就唔竖碑，棺材就唔竖碑。iet^{3}pɔn^{35}tsʰiəu$^{53}_{44}$tʰai^{53}cin^{35}tsʰiəu$^{53}_{44}$n̩$^{13}_{21}$ʂəu^{53}pi^{35},kɔn^{35}tsʰɔi$^{13}_{21}$tsʰiəu$^{53}_{44}$n̩$^{13}_{21}$ʂəu^{53}pi^{35}.

【大襟衫】tʰai^{53}cin^{35}san^{35} 名 纽扣偏在一侧的中式上衣：～就咁子包下转去吵。tʰai^{53}cin$^{35}_{44}$san$^{35}_{44}$tsʰiəu^{53}kan^{21}tsɿ^{0}pau^{35}ua$_{44}$(←xa^{53})tʂɔn^{21}cʰie$^{53}_{44}$ʂa^{0}.

【大颈筋】tʰai^{53}ciaŋ^{21}cin^{35} 名 大脖子病；甲状腺肿大：以前我等箇只屋有只我喊五叔婆，嗬，～呐，以映子两只饽啊。话哩一只笑话唠。渠个赖子唠，以下是……就系箇到去下子唱箇个么个新朝年头个箇只老子啊，比我大几岁，大两三岁吧，大三岁。箇阵子有几大子啊。来只郎中，么个会整肾气，系唔系？渠话："我姆婆就有肾气。"肾气都下身呶，肿下箇男子人箇嘞。渠是颈筋懑大呀，渠娭子，就渠娭子咯，颈筋就懑大。甲状腺肿大呀，系唔系？渠话："我姆婆就有肾气。"笑得你死。女个有么个肾气唠？～，哈，以映子一饽懑大。以映，以映啊。嗯。i^{35}tsʰien$^{13}_{21}$ŋai^{13}tien^{0}kai^{53}tʂak^{3}uk^{3}iəu^{35}tʂak^{3}ŋai^{13}xan^{53}ŋ̍^{21}ʂəuk^{3}pʰo^{13},xo$_{53}$,tʰai^{53}ciaŋ^{21}cin$^{35}_{44}$na^{0},i^{21}iaŋ$^{53}_{44}$tsɿ^{0}iɔŋ^{21}tʂak^{3}pʰɔk^{5}a^{0}.ua^{53}li^{0}iet^{3}tʂak^{3}siau^{53}fa$^{53}_{44}$lau^{0}.ci^{13}ke^{0}lai^{53}tsɿ^{0}lau^{0},i^{21}xa$^{53}_{44}$ʂʅ$^{53}_{44}$…tsʰiəu^{53}xe$^{53}_{44}$kai^{53}tau$^{53}_{44}$çi^{53}xa$^{53}_{44}$tsɿ^{0}tʂʰɔŋ^{53}kai$^{53}_{44}$ke$^{53}_{44}$mak^{3}ke^{0}sin^{35}tʂau^{35}ȵien$^{13}_{21}$tʰei$^{13}_{21}$ke^{0}kai^{53}tʂak^{3}lau^{21}tsɿ^{0}a^{0},pi^{21}ŋai$^{13}_{21}$tʰai^{53}ci^{21}sɔi^{53},tʰai^{53}iɔŋ^{21}san$^{35}_{44}$sɔi^{53}pa^{0},tʰai^{53}san^{35}sɔi^{53}.kai$^{53}_{44}$tʂʰən^{53}tsɿ^{0}mau^{13}ci$^{21}_{44}$tʰai^{53}tsɿ^{0}a^{0}.lɔi^{13}tʂak^{3}lɔŋ^{13}tʂəŋ$^{35}_{44}$,mak^{3}ke$^{53}_{44}$uɔi$^{53}_{44}$tʂaŋ^{21}ʂən^{53}çi$^{53}_{44}$,xei$^{53}_{44}$me$^{53}_{44}$?ci^{13}ua$^{53}_{44}$:"ŋai^{13}m̩^{13}me$^{35}_{53}$tsʰiəu$^{53}_{44}$iəu^{35}ʂən^{53}çi^{53}."ʂən^{53}çi$^{53}_{44}$təu$^{35}_{44}$xa^{35}ʂən$^{35}_{44}$nau^{0},tʂəŋ^{21}ŋa$^{53}_{21}$kai^{53}lan^{13}tsɿ^{0}ȵin^{13}kai^{53}le^{0}.ci^{13}ʂʅ$^{53}_{44}$ciaŋ^{21}cin^{35}mən^{35}tʰai^{53}ia^{0},ci$^{13}_{21}$ɔi^{35}tsɿ^{0},tsʰiəu^{53}ci$^{13}_{21}$ɔi^{35}tsɿ^{0}ko^{0},ciaŋ^{21}cin$^{35}_{44}$tsʰiəu$^{53}_{44}$mən^{35}tʰai^{53}.kait^{3}tsʰɔŋ^{53}sien^{53}tʂəŋ^{21}tʰai^{53}ia^{0},xei^{53}me$^{53}_{21}$?ci$^{13}_{44}$(u)a$^{53}_{44}$:"ŋai$^{13}_{21}$m̩^{13}me$^{35}_{44}$tsʰiəu$^{53}_{44}$iəu$^{35}_{44}$ʂən^{53}cʰi^{53}."siau^{53}tek^{3}ȵi^{13}si^{21}.ȵy^{21}ke^{0}iəu$^{35}_{44}$mak^{3}e^{0}ʂən^{53}cʰi$^{53}_{44}$lau^{0}?tʰai^{53}ciaŋ^{21}cin^{35},xa$_{53}$,i^{21}iaŋ^{53}tsɿ^{0}iet^{3}pʰɔk^{5}mən^{35}tʰai^{53}.i^{21}iaŋ^{53},i^{21}iaŋ^{53}ŋa^{0}.n̩$_{21}$.

【大楷】tʰai^{53}kʰai^{21} 名 用毛笔书写的较大的楷体字：欸，我也经常会去写下子～。欸，买一捆草纸，就……欸，箇个草纸就来写墨笔字，写～。我还有本楷书字帖。e$_{21}$,ŋai^{13}ia$^{35}_{53}$cin$^{35}_{44}$tʂʰɔŋ$^{13}_{44}$uɔi$^{53}_{44}$çi$^{53}_{44}$sia^{21}xa$^{53}_{21}$tsɿ^{0}tʰai^{53}kʰai^{21}.ei$_{21}$,mai^{35}iet^{3}kʰuən^{21}tsʰau^{21}tʂʅ^{21},tsʰiəu$^{53}_{44}$…e$_{21}$,kai^{53}ke^{53}tsʰau^{21}tʂʅ^{21}tsʰiəu^{53}lɔi$^{13}_{21}$sia^{21}mek^{5}piet^{3}tsʰɿ^{53},sia^{21}tʰai^{53}kʰai^{21}.ŋai$^{13}_{21}$xai$^{13}_{21}$iəu^{35}pən^{21}kʰai^{21}ʂəu$^{35}_{44}$tsʰɿ^{53}tʰiait^{3}.

【大考】tʰai^{53}kʰau^{21} 名 ①考高中、考大学等升学考试的统称：～是真正讲起来是……哪起就系～嘞？考高中考大学，箇个就～。平时个么个升学考试子箇都……唔系噢，平时个么个期中，期末考试，箇个都算唔得～。欸，箇个都还算小考子。欸，真正个～是考高中，考大学，欸升学考试。tʰai^{53}kʰau^{21}ʂʅ$^{53}_{21}$tʂən^{35}tʂən$^{53}_{44}$kɔŋ^{21}çi^{21}lɔi$^{13}_{21}$ʂʅ$^{53}_{21}$…lai^{53}çi^{21}tsʰiəu$^{53}_{44}$(x)e$^{53}_{44}$tʰai^{53}kʰau^{21}lei^{0}?kʰau^{21}kau^{35}tʂəŋ$^{35}_{44}$kʰau^{21}tʰai^{53}çiɔk^{5},kai$^{53}_{44}$ke$^{53}_{44}$tsiəu$^{53}_{44}$tʰai^{53}kʰau^{21}.pʰin^{13}ʂʅ^{13}ke^{53}mak^{3}e^{0}ʂən^{35}çiɔk^{5}kʰau^{21}ʂʅ^{53}tsɿ^{0}kai$^{53}_{44}$təu$^{35}_{53}$…m̩$^{13}_{21}$pʰe^{53}au^{0},pʰin^{13}ʂʅ$^{13}_{44}$ke^{53}mak^{3}e^{0}cʰi^{13}tʂəŋ^{35}kʰau^{21}ʂʅ^{53},cʰi^{13}mɔit^{5}kʰau^{21}ʂʅ^{53},kai^{53}ke$^{53}_{44}$təu$^{35}_{44}$sɔn^{53}n̩$^{13}_{21}$tek^{3}tʰai^{53}kʰau^{21}.ei$_{21}$,kai^{53}ke$^{53}_{44}$təu$^{35}_{44}$xai$^{13}_{21}$sɔn^{53}siau^{21}kʰau^{21}tsɿ^{0}.e$_{21}$,tʂən^{35}tʂən$^{53}_{44}$ke^{0}tʰai^{53}kʰau^{21}ʂʅ$^{53}_{44}$kʰau^{21}kau^{35}tʂəŋ^{35},kʰau^{21}tʰai^{53}çiɔk^{5},e$_{21}$ʂən^{35}çiɔk^{5}kʰau^{21}ʂʅ^{53}. ②期中、期考的统称（相对于周考、月考而言）：箇～箇只冇得一只完全准确子个概念。kai^{53}tʰai^{53}kʰau^{21}kai^{53}tʂak^{3}mau^{13}tek^{3}iet^{3}tʂak^{3}xɔn^{13}tsʰien^{13}ci^{21}tʂən^{21}kʰɔk^{3}tsɿ^{0}ke$^{53}_{44}$kʰai^{53}ȵien^{53}.

【大客】tʰai^{53}kʰak^{3} 名 尊贵的客人，主宾：～走咁哩，高亲送走哩了。tʰai^{53}kʰak^{3}tsei^{21}kan^{21}ni^{0},kau^{35}tsʰin$^{35}_{44}$səŋ^{53}tsei^{21}li^{0}liau^{0}.｜我走唔得……欸，我还有～咯。ŋai$^{13}_{21}$tsei^{21}n̩$^{13}_{21}$tek^{3}…e$_{21}$,ŋai$^{13}_{21}$xai$^{13}_{21}$iəu$^{35}_{44}$tʰai^{53}kʰak^{3}ko^{0}.

【大口】tʰai^{53}xei^{21}/kʰei^{21} 名 四框篮儿"口"：同箇国字样啊，外背系框框啊，全包围结构呀，就系就是～，系啊？围字，国字啊，欸，困字啊，困难个困呐，箇个就～。tʰəŋ^{13}kai$^{53}_{44}$kɔit^{3}tsʰɿ$^{53}_{44}$iɔŋ$^{53}_{44}$ŋa^{0},ŋɔi^{53}pɔi$^{53}_{44}$xei^{53}kʰɔŋ^{35}kʰɔŋ$^{35}_{44}$ŋa^{0},tsʰien^{13}pau^{35}uei^{13}ciet^{3}kei^{53}ia^{0},tsʰiəu$^{53}_{44}$xei^{53}tsʰiəu$^{53}_{44}$ʂʅ$^{53}_{44}$tʰai^{53}kʰei^{21},xei^{53}a^{0}?uei^{13}tsʰɿ^{0},kɔit^{3}tsʰɿ^{53}a^{0},e$_{21}$,kʰuən^{53}tsʰɿ$^{53}_{44}$a^{0},kʰuən^{53}nan$^{13}_{44}$ke$^{53}_{44}$kʰuən^{53}na^{0},kai$^{53}_{21}$ke$^{53}_{21}$tsʰiəu$^{53}_{21}$tʰai^{53}xei^{21}.

【大阔】tʰai^{53}kʰɔit^{3} 形 大度，大气：以小人之心度君子之腹啊，唔～呀。i^{35}siau^{21}ȵin^{13}tʂʅ$^{35}_{44}$sin$^{35}_{44}$tʰəu^{53}tʂən^{35}tsɿ^{0}tʂʅ$^{35}_{44}$fuk^{5}a^{0},n̩^{13}tʰai^{53}kʰɔit^{3}ia^{0}.

【大辣椒】tʰai^{53}lait^{5}tsiau^{35} 名 辣椒类别名，果大肉厚，呈扁圆形：箇指灯笼辣椒就是～箇起，属于～类。kai$^{53}_{44}$tsʰiəu$^{53}_{44}$ʂʅ$^{53}_{21}$tʰai^{53}lait$^{5}_{3}$tsiau^{35}kai^{53}çi^{21},ʂəuk^{5}ʮ^{35}tʰai^{53}lait^{5}tsiau^{35}li^{53}.

【大郎】tʰai^{53}lɔŋ^{13} 名 已婚妇女对丈夫的哥哥的叙称。面称"哥哥"：我～ŋai^{13}tʰai^{53}lɔŋ^{13}｜欸～，唔讲大郎子。喊就唔咁子喊呢。喊就喊哥哥啦，一般个喊哥哥。对别人家称呼。e$_{21}$tʰai^{53}

lɔŋ^{13},n̩$^{13}_{21}$kɔŋ^{21}tʰai^{53}lɔŋ^{13}tsɿ^{0}.xan^{53}tsʰiəu^{53}n̩$^{13}_{21}$kan^{21}tsɿ^{0}xan^{53}ne^{0}.xan^{53}tsʰiəu$^{53}_{44}$xan^{53}ko$^{35}_{44}$ko$^{35}_{44}$la^{0},iet^{3}iɔŋ$^{53}_{44}$ke$^{53}_{44}$xan^{53}ko$^{35}_{44}$ko$^{35}_{44}$.tei^{53}pʰiek^{5}in$^{13}_{44}$ka$^{35}_{44}$tʂʰən^{35}fu$^{35}_{44}$.

【大笠嫲】tʰai^{53}liet^{3}ma^{13} 名一种大斗笠（四周平，中部有圆锥形隆起）：～就系咁大。也有一尖尖子个。也有滴中间做得尖尖子个。tʰai^{53}liet^{3}ma$^{13}_{21}$tsʰiəu$^{53}_{44}$xe$^{53}_{44}$kan^{21}tʰai^{53}.ia^{35}iəu^{35}tet^{5}tsian^{35}tsian^{35}tsɿ^{0}ke$^{53}_{44}$.ia^{35}iəu^{35}tet^{5}tʂəŋ^{35}kan$^{35}_{44}$tso^{53}tek^{3}tsian^{35}tsian^{35}tsɿ^{0}ke^{0}.

【大路】tʰai^{53}ləu^{53} 名宽广的道路：徛倒箇～上 cʰi^{35}tau^{21}kai$^{53}_{44}$tʰai^{53}ləu$^{53}_{44}$xɔŋ$^{53}_{44}$｜藉倒以条～笔直走。tʂa^{53}tau^{21}i^{21}tʰiau^{13}tʰai^{53}ləu^{53}piet^{3}tʂʰet^{5}tsei^{21}.

【大硇萁】tʰai^{53}ləu^{35}ci^{35} 名大叶蕨：长大哩就安做～。/蕨子苗就系～。/擤硇萁就唔同啊。硇萁就细个子咯。/欸欸，以个～，像硇萁呀。/渠结果长长大哩就唔像欸。以叶子叶子总都唔同多哩嘞。渠个叶子箇个□阔个嘞，唔系舞滴针样嘞。tʂɔŋ^{21}tʰai^{53}li^{0}tsʰiəu^{53}ɔn$^{35}_{44}$tso$^{53}_{44}$tʰai^{53}ləu$^{35}_{44}$ci$^{35}_{44}$./ciet^{3}tsɿ^{0}miau^{13}tsʰiəu^{53}xe$^{53}_{44}$tʰai^{53}ləu^{35}ci^{35}./lau^{35}ləu^{35}ci^{35}tsʰiəu^{53}n̩$^{13}_{21}$tʰəŋ$^{13}_{21}$ŋa^{0},ləu^{35}ci$^{35}_{44}$tsʰiəu$^{53}_{44}$se^{53}ke^{53}tsɿ^{0}ko^{0}./e$_{21}$e$_{21}$,i^{21}ke$^{53}_{44}$tʰai^{53}ləu$^{35}_{21}$ci$^{35}_{44}$,tsʰiɔŋ^{53}ləu$^{35}_{21}$ci$^{35}_{44}$ia^{0}./ci^{13}ket^{3}ko$^{21}_{44}$tʂɔŋ^{21}tʂɔŋ^{21}tʰai^{53}li^{0}tsiəu$^{53}_{44}$n̩$^{13}_{44}$tsʰiɔŋ^{53}ŋei^{0}.i$^{13}_{44}$iait^{3}tsɿ^{0}iait^{3}tsɿ^{0}tsəŋ^{21}təu$^{35}_{53}$n̩$^{13}_{21}$tʰəŋ^{13}to^{35}li^{0}le^{0}.ci^{13}ke$^{53}_{44}$iait$^{5}_{3}$tsɿ^{0}kai$^{53}_{44}$ke$^{53}_{44}$lai^{35}kʰɔit^{3}ke$^{53}_{44}$lei^{0},m̩$^{13}_{21}$pʰe$_{44}$(←xe^{53})u^{21}tiet^{5}tʂən^{35}iɔŋ$^{53}_{44}$le^{0}.

【大嫲大丘】tʰai^{53}ma^{13}tʰai^{53}cʰiəu^{35} 名面积很大的水田：我等生产队上嘞，我等新家队呀，我等箇老家箇新家队，两条冲，一条冲嘞就尽梯田，箇边一条冲嘞就尽～个湖洋田。我等队上也蛮多湖洋田呢。～个湖洋田，欸，去人都去唔得个。ŋai^{13}tien^{0}sen$^{35}_{44}$tsʰan^{21}ti^{53}xɔŋ$^{53}_{44}$lei^{0},ŋai^{13}tien^{0}sin^{35}cia^{35}ti^{53}ia^{0},ŋai^{13}tien^{0}kai^{53}lau^{21}cia$^{35}_{44}$kai^{53}sin^{35}cia^{35}ti^{53},iɔŋ^{21}tʰiau$^{13}_{21}$tʂʰəŋ^{35},iet^{3}tʰiau$^{13}_{21}$tʂʰəŋ$^{35}_{44}$lei^{0}tsʰiəu^{53}tsʰin^{53}tʰi^{35}tʰien$^{13}_{21}$,kai^{53}pien$^{35}_{44}$iet^{3}tʰiau$^{13}_{21}$tʂʰəŋ$^{35}_{44}$lei^{0}tsʰiəu$^{53}_{21}$tsʰin^{53}tʰai^{53}ma$^{13}_{21}$tʰai^{53}cʰiəu$^{35}_{44}$ke^{0}fu^{13}iɔŋ^{13}tʰien$^{13}_{44}$.ŋai$^{13}_{21}$tien^{0}ti^{53}xɔŋ$^{53}_{44}$ŋa$^{35}_{44}$man$^{13}_{21}$to$^{35}_{53}$fu^{13}iɔŋ$^{13}_{44}$tʰien$^{13}_{21}$ne^{0}.tʰai^{53}ma$^{13}_{21}$tʰai^{53}cʰiəu$^{35}_{44}$ke^{0}fu^{13}iɔŋ$^{13}_{21}$tʰien$^{13}_{21}$,e$_{44}$,çi^{53}ɲin^{13}təu$^{35}_{44}$çi^{53}n̩$^{13}_{21}$tek^{3}ke^{0}.

【大嫲丘】tʰai^{53}ma$^{13}_{21}$cʰiəu^{35} 名大块的水田：～就系懑大一丘个田就安做～。箇只大嘞就系相对而言。～。我等横巷里，我等新家队嘞，箇个栏场冇得～个栏场。我系也有只～，有一亩田，一亩田，安做～。但是凤溪中学个箇映子，乌石箇映子嘞，箇只队上嘞我晓得嘞，也有只～，渠等就两十担谷田，箇～就。欸，如果四担谷田就嘞箇丘田喊四五亩。tʰai^{53}ma$^{13}_{21}$cʰiəu^{35}tsʰiəu^{53}xe^{53}mən^{35}tʰai^{53}iet^{3}cʰiəu^{35}ke^{53}tʰien^{13}tsʰiəu$^{53}_{44}$ɔn$^{35}_{44}$tso$^{53}_{44}$tʰai^{53}ma$^{13}_{21}$cʰiəu^{35}.kai^{53}tʂak^{3}tʰai^{53}lei^{0}tsʰiəu$^{53}_{44}$(x)e^{53}siɔŋ^{35}tei^{53}vy$^{13}_{21}$ɲien^{13}.tʰai^{53}ma$^{13}_{21}$cʰiəu^{35}.ŋai^{13}tien^{0}uaŋ^{13}xɔŋ$^{53}_{44}$li^{0},ŋai^{13}tien^{0}sin^{35}cia$^{35}_{44}$ti^{53}lei^{0},kai^{53}ke^{0}laŋ$^{13}_{44}$tʂʰɔŋ$^{13}_{44}$mau^{13}tek^{3}tʰai^{53}ma^{13}cʰiəu$^{35}_{44}$ke^{53}laŋ$^{13}_{44}$tʂʰɔŋ$^{13}_{44}$.ŋai^{13}xei^{53}ia^{35}iəu$^{35}_{53}$tʂak^{3}tʰai^{53}ma$^{13}_{21}$cʰiəu$^{35}_{44}$,iəu^{35}iet^{3}miau^{35}tʰien$^{13}_{21}$,iet^{3}miau^{35}tʰien$^{13}_{21}$,ɔn$^{35}_{44}$tso$^{53}_{44}$tʰai^{53}ma$^{13}_{21}$cʰiəu^{35}.tan$^{53}_{44}$ʂʅ$^{53}_{44}$fəŋ^{53}çi$^{35}_{44}$tʂəŋ^{35}çiɔk^{5}ke^{0}kai$^{53}_{44}$iaŋ$^{53}_{44}$tsɿ^{0},u^{35}ʂak^{5}kai$^{53}_{44}$iaŋ$^{53}_{44}$tsɿ^{0}lei^{0},kai^{53}tʂak^{3}ti^{53}xɔŋ$^{53}_{44}$lei^{0}ŋai$^{13}_{21}$çiau^{21}tek^{3}lei^{0},ia^{35}iəu$^{35}_{53}$tʂak^{3}tʰai^{53}ma$^{13}_{21}$cʰiəu$^{35}_{44}$,ci^{13}tien^{0}tsʰiəu$^{53}_{44}$iɔŋ^{21}ʂət^{5}tan$^{35}_{44}$kuk^{3}tʰien$^{13}_{44}$,kai$^{53}_{44}$tʰai^{53}ma$^{13}_{21}$cʰiəu$^{35}_{44}$tsiəu$^{53}_{44}$.ei$_{21}$,ɥ^{13}ko$^{21}_{44}$si^{53}tan$^{35}_{44}$kuk^{3}tʰien$^{13}_{21}$tsʰiəu$^{53}_{44}$lei^{0}kai^{53}cʰiəu^{35}tʰien$^{13}_{21}$xan^{53}si^{53}ŋ̍^{21}miau^{35}.

【大门】tʰai^{53}mən^{13} 名整个建筑物通向外面的主要的门，正门：箇～，唔系以顶高就系过砖？kai$^{53}_{21}$tʰai^{53}mən^{13},m̩$^{13}_{21}$me$_{21}$(←xe^{53})i^{21}taŋ^{21}kau$^{35}_{44}$tsʰiəu$^{53}_{44}$xe$^{53}_{21}$ko^{53}tʂɔn^{35}?｜但是你个～屋墙个～就你就爱开狗籁子唠。tan$^{53}_{44}$ʂʅ$^{53}_{44}$ɲi$^{13}_{21}$ke$^{53}_{44}$tʰai^{53}mən$^{13}_{21}$uk^{3}tsʰiɔŋ$^{13}_{44}$ke$^{53}_{44}$tʰai^{53}mən$^{13}_{21}$tsʰiəu$^{53}_{44}$ɲi$^{13}_{21}$tsʰiəu$^{53}_{44}$ɔi$^{53}_{44}$kʰɔi$^{35}_{44}$ciei^{21}lɔi^{53}tsɿ^{0}lau^{0}.

【大门对子】tʰai^{53}mən^{13}ti^{53}tsɿ^{0} 名办丧事时张贴在大门两侧的对联：～啊，欸箇是就系大门口个对子唠。欸，～我等以映我等个习惯一般都写四只子到五只子字。唔留，一般都唔留。箇有一回去我……也有兜留个嘞。有一回去我舅爷箇向，么人过哩身呶？去我舅爷箇向，舞倒箇个舞倒还山箇晡，还山箇晡嘞，哦，就系我舅婆过身呐么个，我去下子，还山箇晡哇，还嘿哩山了，归来，箇我就来帮我舅爷扯对子。“欸耶，莫扯莫扯，莫扯。”舞倒我扯嘿个了都黪转去哩。渠还爱留下子。渠等箇映习惯就爱留下子。我舅爷等人本地人。客姓人唔留，丧事办嘿哩就撕嘿哩，烧嘿哩。（大门对子用）白纸绿纸黄纸，唔用红纸。tʰai^{53}mən$^{13}_{21}$ti^{53}tsɿ^{0}a^{0},e$_{21}$kai^{53}ʂʅ$^{53}_{44}$tsʰiəu^{53}xe$^{53}_{44}$tʰai^{53}mən$^{13}_{21}$xei^{21}ke$^{53}_{44}$ti^{53}tsɿ^{0}lau^{0}.e$_{21}$,tʰai^{53}mən$^{13}_{21}$ti^{53}tsɿ^{0}ŋai^{13}tien^{0}i^{21}iaŋ^{53}ŋai$^{13}_{21}$tien^{0}ke$^{53}_{44}$siet^{5}kuan^{53}iet^{3}pɔn^{35}təu$^{35}_{44}$sia^{21}si^{53}tʂak^{3}tsɿ^{0}tau^{53}ŋ̍^{21}tʂak^{3}tsɿ^{0}sɿ^{53}.n̩^{13}liəu^{13},iet^{3}pɔn^{35}təu$^{35}_{53}$n̩^{13}liəu^{13}.kai$^{53}_{44}$iəu^{35}iet^{3}fei$^{13}_{21}$çi^{53}ŋai$^{13}_{44}$…ia^{35}iəu^{35}te$^{35}_{53}$liəu$^{13}_{21}$ke^{53}lei^{0}.iəu^{35}iet^{3}fei$^{13}_{21}$çi^{53}ŋai$^{13}_{44}$cʰiəu^{35}ia$^{13}_{21}$kai^{53}çiɔŋ$^{53}_{44}$,mak^{3}ɲin$^{13}_{44}$ko^{53}li^{0}ʂən$^{35}_{44}$nau^{0}?çi^{53}ŋai$^{13}_{21}$cʰiəu^{35}ia$^{13}_{21}$kai$^{53}_{44}$çiɔŋ$^{53}_{44}$,u^{21}tau^{21}kai^{53}ke^{53}u^{21}tau^{21}fan$^{13}_{21}$san^{35}kai$^{53}_{44}$pu^{35},fan$^{13}_{21}$san^{35}kai$^{53}_{44}$pu$^{35}_{44}$lei^{0},o$_{21}$,tsʰiəu^{53}xe$^{53}_{21}$ŋai$^{13}_{21}$cʰiəu^{35}me$^{35}_{44}$ko^{53}ʂən$^{35}_{44}$na^{0}mak^{3}ke^{53},ŋai$^{13}_{21}$çi^{53}xa^{53}tsɿ^{0},fan$^{13}_{21}$san^{35}kai$^{53}_{44}$pu^{35}ua^{0},fan^{13}nek^{3}li^{0}san^{35}niau$^{21}_{44}$,kuei^{35}lɔi$^{13}_{21}$,kai$^{53}_{44}$ŋai$^{13}_{21}$tsʰiəu^{53}lɔi$^{13}_{21}$pɔŋ^{35}ŋai$^{13}_{21}$cʰiəu^{35}ia$^{13}_{21}$tʂʰa^{21}ti^{53}tsɿ^{0}."ei$_{21}$iei$_{53}$,mɔk^{5}tʂʰa^{21}mɔk^{5}tʂʰa^{21}tʂa^{0},mɔk^{5}tʂʰa^{21}."u^{21}tau^{21}ŋai$^{13}_{44}$tʂʰa^{21}xek^{3}cie^{53}liau^{0}təu$^{35}_{53}$ɲia^{13}tʂuɔn^{21}çi^{53}li^{0}.ci^{13}xa$^{13}_{21}$ɔi^{53}liəu^{13}ua^{53}tsɿ^{0}.ci$^{13}_{21}$tien^{0}kai$^{53}_{44}$iaŋ$^{53}_{44}$siet^{5}kuan$^{53}_{44}$

tsiəu53ɔi53liəu13ua13tsɿ0.ŋai13-21cʰiəu35-44ia13-44ten21-44ɲin13-21pən21tʰi53ɲin13-21.kʰak3 sin53ɲin13-21n̩13-21liəu13,sɔŋ35sɿ53-44pʰan35nek3 li0 tsʰiəu53-44si35(x)ek3 li0,ʂau35(x)ek3 li0.pʰak5 tʂɿ21liəuk5 tʂɿ21uɔŋ13tʂɿ21,n13niɔŋ53fəŋ13tʂɿ21.

【大门口】tʰai53mən13-21xei21 名大门跟前：面前就～是爱雄伟滴子咯。mien53 tsʰien13-21tsʰiəu53-44tʰai53 mən13-21xei21ʂɿ53-44ɔi53-44çiəŋ13uei21tiet5 tsɿ0 ko0.

【大面积】tʰai53mien53tsiet3 大规模：有是有哇，唔系～栽花生呐。iəu35ʂɿ53-44iəu35ua0,m̩13pʰe44(←xe53) tʰai53mien53tsiet3 tsɔi35fa35-44sen35-44na0.

【大娒】tʰai53me35 名大婶婶：～，唔讲大娒娒。tʰai53me35,ŋ̍13kɔŋ21tʰai53me35me35-44.

【大木】tʰai53muk3 名用来做棺材、房子用材等的圆木：欸做小木个还更赚钱呢，做～个累得尽命。ei0 tso53siau21muk3 ke0 xan13ken53-44tsʰan53tsʰien13ne0,tso53tʰai53muk3 ke0 li53tek3 tsʰin53-44miaŋ53.

【大木匠】tʰai53muk3 siɔŋ53 名做棺材、房子用材等的木匠：以前我等姨夫就唔爱做小木嘞，渠就尽系～欸。渠做大木嘞。i35-53tsʰien13-21ŋai13tien0 i13fu35-44tsʰiəu53-21m̩13uɔi53tso53siau21muk3 lei0,ci13-21tsʰiəu53-44 tsʰin53ne53-44tʰai53muk3 siɔŋ53ŋe0.ci13-21tso53-44tʰai53muk3 lei0.

【大脑壳】tʰai53 lau21 kʰɔk3 名①本指大的脑袋，引申指地位显赫的官员：～就两只概念。一只概念就系脑壳懑大，箇只～。还有只～嘞就系讲大官呢。从前个箇个欸吉普车是～坐个啦。只有～正有坐啦。就当官个人呢。以下乡下所能够看得倒个官呢，以下打比县长样箇就是～了。唔，是箇只概念呢。tʰai53lau21kʰɔk3 tsʰiəu53-44iɔŋ21tʂak3 kʰai53-44ɲien53-44.iet3 tʂak3 kʰai53ɲien53-44tsʰiəu53-44xe53-44 lau21kʰɔk3 mən35tʰai53-44,kai53tʂak3 tʰai53lau21kʰɔk3.xai13iəu53-53tʂak3 tʰai53lau21kʰɔk3 lei0 tsiəu53-44xe53-44kɔŋ21tʰai53kɔn35 ne0.tsʰəŋ13tsʰien13ke53-44kai53-44kei53-44ei21-21ciet3 pʰu21tʂʰa35-44ʂɿ53-44tʰai53lau21kʰɔk3 tsʰo35ke0 la0.tʂɿ21iəu35-44tʰai53lau21kʰɔk3 tʂaŋ53-44iəu35-44tsʰo35la0.tsʰiəu53tɔŋ35-44kɔn35cie53ɲin13-21ne0.i21(x)a53-44çiɔŋ35xa53-44so21len13ciau53-44kʰɔn53tek3 tau21ke0 kɔn35 nei0,i21(x)a53-44ta21pi21çien53tʂɔŋ21iɔŋ53-44kai53-44tsʰiəu53-44ʂɿ53-44tʰai53lau21kʰɔk3 liau0 la0.n̩21,ʂɿ53-44kai53tʂak3 kʰai53ɲien53ne0.
②民国初年发行的铸有袁世凯头像的银圆：有袁世凯个头像个缗花边，嗯，银圆，箇个安做～。～见过。以前我等屋下还有一块。有一块缗花边咯，～个咯。唔知搞下哪去哩落尾。我舅爷分我等个。iəu35ven13ʂɿ53kʰai21ke0 tʰei13siɔŋ53kei53min13fa35-44pien35,n̩21, ɲin13vien13,kai53-44ke0 ɔn35-44tso53-44 tʰai53lau21kʰɔk3.tʰai53lau21kʰɔk3 cien53ko0.i35-53tsʰien13-21ŋai13tien0 uk3 xa53xai13-44iəu35iet3 kʰuai53.iəu35iet3 kʰuai53 min13fa35-44pien35-44ko0,tʰai53lau21kʰɔk3 ke53ko0.n̩13ti35-53kau21xa53-21lai53çi53li0 lɔk5-3 mi35-44.ŋai13cʰiəu35ia13pən35-44ŋai13tien0 ke0.

【大婆】tʰai53pʰo13 名妻，与"妾"相对：渠个我去哪映看倒哇么个箇个小婆小老婆供个细人子咯唔认自家个娭子，唔认自家亲生娭子做娭子，爱认箇只～做娭子话。ci13ke53-44ŋai13-44çi53la53 iaŋ53-44kʰɔn53tau21ua0 mak3 ke53-44kai53-44ke53-44siau21pʰo13siau21lau21pʰo13ciɔŋ53ke53-44sei53ɲin13-21tsɿ0 ko0 n̩13ɲin53tsʰɿ35ka35-53ke0 ɔi35tsɿ0,n̩13ɲin53tsʰɿ35ka35-44tsʰin35sen35-44ɔi35tsɿ0 tso53-44ɔi35-53tsɿ0,ɔi53-44ɲin53-44kai53-44tʂak3 tʰai53pʰo13tso53ɔi35-53tsɿ0 ua53-21.

【大前晡】tʰai53tsʰien13pu35 名大前天。多称"大前日晡"：～就系十五号吧？～就十五号。tʰai53tsʰien13pu35tsʰiəu53xe53-44ʂət5 ŋ̍21xau53pa0? tʰai53tsʰien13pu35-44tsʰiəu53-21ʂət5 ŋ̍21xau53-44.

【大前年】tʰai53tsʰien13ɲien13 名前年的去年。又称"选前年"：旧年就一六年，前年就一五年，～，哦，～我也做哩蛮多只事嘞，欸，一四年呢，欸，我经手做哩只祠堂，我经手修哩谱。欸，做哩祠堂就搞哩完工酒，修谱嘞就整哩一餐接谱个酒。cʰiəu53ɲien13tsʰiəu53iet3 liəuk3 ɲien13,tsʰien13ɲien13tsʰiəu53iet3 ŋ̍21ɲien13,tʰai53tsʰien13ɲien,o21,tʰai53tsʰien13ɲien13-44ŋai13ia35-44tso53li0 man13to35-44tʂak3 sɿ53le0,e21,iet3 si53ɲien13-21ne0,e44,ŋai13cin35-44ʂəu21tso53li0 tʂak3 tsʰɿ13tʰɔŋ13-44,ŋai13cin35-44ʂəu21 siəu35-44li0 pʰu21.e21,tso53li0 tsʰɿ13tʰɔŋ13-44tsʰiəu53-44kau21li0 ien13kəŋ35-44tsiəu21,siəu35pʰu21le0 tsʰiəu53-44tʂaŋ21li0 iet3 tsʰɔn35tset3 pʰu21ke53tsiəu21.

【大前日晡】tʰai53tsʰien13-21ɲiet3 pu35 名大前天（多）。又称"大前晡"：昨晡我就跕倒以映子，系唔系？前日晡也系映子。～我就搞么个？我就擊我老婆去看病来。tsʰo35pu35-53ŋai13tsʰiəu35ku35tau21 i21iaŋ53tsɿ0,xei53-44me53-21?tsʰien13ɲiet3 pu35-53ia35-44xei53-44çi53-44iaŋ53tsɿ0.tʰai53tsʰien13ɲiet3 pu35-44ŋai13tsʰiəu53-44kau21mak3 e0? ŋai13tsʰiəu53-44lau35ŋai13-44lau21pʰo13çi53kʰɔn53pʰiaŋ53lɔi53-21.

【大钱】tʰai53tsʰien13 名大笔的钱；很多的钱：渠又寻么个～唔倒吵。ci13-21iəu53-44tsʰin13mak3 e0 tʰai53 tsʰien13-21n̩13-21tau21ʂa0.｜天好，晴得准，晴得久，（漂流项目）就赚～。tʰien35xau21,tsʰiaŋ13tek3 tʂən21, tsʰiaŋ13tek3 ciəu21,tsiəu53-44tsʰan53tʰai53tsʰien13-21.

【大清明】tʰai53tsʰin35min13 名指农历八月初一，当天可迁葬、立碑（无后者或后人不多者多选此日）。二次葬一般来说都要选好日子，但是大清明那天就无须选，不碍事，可以放心去迁葬、立碑。但是有的人不用那一天，因为觉得那天就是没有子女或子女不多的人用的，他家里还要发更多的人，要发大财，所以另选吉日：八月初一就有只……八月初二呀初一啦？就捡地个日子嘞。安做～呶。欸，阴历八月初一啦。系吧？嗯。pait3 ɲiet5 tsʰɿ35 iet3 tsʰiəu53_44 iəu35 tʂak3 …pait3 ɲiet5 tsʰɿ35 ɲi53_44 ia0 tsʰɿ35 iet3 la0 ?tsʰiəu53_44 cian21 tʰi53 ke53_44 ɲiet3 tsɿ0 lei0 .ɔn35_44 tso53_44 tʰai53 tsʰin35 min13_21 nau0 .ei_21,in35_44 liet3 pait3 ɲiet5 tsʰɿ35 iet3 la0 .xei53_44 pa0 ?ŋ̍_21.

【大清早】tʰai53 tsʰin35 tsau21 名时间词。清晨：我天天～五点钟就跖四点多钟就跖来哩，五点钟我就到牛轭岭去散步去哩。ŋai13 tʰien35 tʰien35_44 tʰai53 tsʰin35_44 tsau21 ŋ̍21 tian21 tʂəŋ35 tsiəu35 xɔŋ53 si53 tian21 to35 tʂəŋ35 tsʰiəu53_44 xɔŋ53 lɔi13_21 li0 ,ŋ̍21 tian21 tʂəŋ35 ŋai13 tsʰiəu53_44 tau53 ɲiəu13 ak3 liaŋ35 çi53_44 san53 pʰu53 çi13_21 li0 .

【大晴】tʰai53 tsʰiaŋ13 形状态词。非常晴朗：认真是以个咁烈个天吵，咁～个天吵，不要烦躁，应该高兴。ɲin53 tʂən53_44 ʂɿ53 i21 ke53 kan21 lait3 ke53_44 tʰien35_44 ʂa0 ,kan21 tʰai53 tsʰiaŋ13 ke53_44 tʰien35_44 ʂa0 ,pət3 iau53 fan13 tsau53 , in53 kɔi35_44 kau35 çin53 .

【大人】tʰai53 ɲin13 名①成年人：～呢有人着背带裤嘞。tʰai53 ɲin13_21 ne0 iəu35_44 ɲin13_21 tʂɔk3 pi35 tai53_44 fu53_44 le0 . ②父母或尊长：就由别么人，或者～，或者横辈人来泡碗茶渠食哩。tsʰiəu53_44 iəu13_21 pʰiek5 mak3 ɲin13_21 ,xɔit3 tʂa21 tʰai53 ɲin13 ,xɔit5 tʂa21 uaŋ13 pei53_44 ɲin13_21 nɔi13_21 pʰau53 uɔn21 tsʰa13 ci13_44 ʂət5 li0 . ③敬称，多用于礼仪活动：最大个就先喊呐。欸，打比样啊，张府上个上亲～请坐！唔爱称张府上，只讲上亲～请坐。tsei53 tʰai53_44 ke53_44 tsʰiəu53_44 sien35 xan53_21 na0 .e_21 ,ta21 pi21 iɔŋ53 ŋa0 ,tʂɔŋ35 fu21 xɔŋ53_44 ke53_44 ʂɔŋ53 tsʰin35_44 tʰai53_44 ɲin13_21 tsʰiaŋ21 tsʰo35 !m̩13_21 mɔi53_44 tʂʰən35_44 tʂɔŋ35 fu21 xɔŋ53_44 ,tʂe21 kɔŋ21 ʂɔŋ53 tsʰin35_44 tʰai53 ɲin13_21 tsʰiaŋ21 tsʰo35 .

【大三献】tʰai53 san35_44 çien53 名出殡前一晚上孝子为逝者举行的家奠：孝子箇场祭，箇就最隆重个。爱摆一十二所，安做～。çiau53 tsɿ21 kai53_44 tʂʰɔŋ13_21 tsi53 ,kai53_44 tsʰiəu53_44 tsei53 ləŋ13 tʂʰəŋ53_44 ke53_44 .ɔi53_44 pai21 iet3 ʂət5 ɲi53 so21 ,ɔn35_44 tso53_44 tʰai53 san35_44 çien53 .

【大嫂】tʰai53 sau21 名嫂嫂的统称：硬爱分呢就大～，打比几只～去作一下样，你向别人介绍，以只是我大个～，大～，二～，三～，细～。ɲiaŋ53 ɔi53_44 fən35 ne0 tsʰiəu53_21 tʰai53 tʰai53_44 sau21 ,ta21 pi21_44 ci21 tʂak3 tʰai53 sau21 çi53_44 tsɔk3 iet3 xa53 iɔŋ53_44 , ɲi13_21 çiɔŋ53_44 pʰiek5_3 in13_21 kai53 ʂau53_44 ,i21 tʂak3 ʂɿ53_21 ŋai13 tʰai53 ke53 tʰai53_44 sau21 ,tʰai53 tʰai53_44 sau21 , ɲi53 tʰai53 sau21 ,san35 tʰai53 sau21 ,se53 tʰai53 sau21 .

【大舌嫲】tʰai53 ʂet5 ma13 名指舌头不灵活、说话不清楚的人：～意思嘞就系么个嘞？讲事唔分相。你系唔系～，系啊？讲事离离罗罗？听都唔清，你系唔系～？系咁个意思。唔系么个舌嫲懑大，箇舌嫲，舌嫲懑大是冇得。就结舌，系啊？～。tʰai53 ʂet5 ma13 ke0 i53 sɿ0 lei0 tsʰiəu53_44 xei53_44 mak3 ke0 lei0 ?kɔŋ21 sɿ53 n̩13 fən35 siɔŋ35_44 . ɲi13 xei53_44 mei53_44 tʰai53 ʂet3 ma13 ,xei53_44 a0 ?kɔŋ21 sɿ53 li13 li13_44 lo13_21 lo13_44 ?tʰaŋ35 təu35_44 n̩13_21 tsʰin35 . ɲi13 xei53_44 mei53_44 tʰai53 ʂet5 ma13 ?xei53 kan21_13 ke0 i53 sɿ0 .m̩13 pʰei53 mak3 e0 ʂet5 ma13 mən35 tʰai53 ,kai53_44 ʂet5 ma13 , ʂet5 ma13 mən35 tʰai53 ʂɿ53_44 mau13 tek3 .tsʰiəu53_44 ciet3 ʂet5 ,xei53_44 a0 ?tʰai53 ʂet5 ma13_21 .

【大舌头】tʰai53_44 ʂet5 tʰei13 形口齿不清，又称“粘舌”：～哟，讲事都讲唔清呶。tʰai53 ʂet5 tʰei13 iau0 ,kɔŋ21 sɿ53_44 təu35_44 kɔŋ21 n̩13_21 tsʰin35_44 nau0 .

【大生日】tʰai53 saŋ35 ɲiet3 名指五十以上的整十岁的生日：～一般是爱从六十岁架势做。三十四十五十，箇个生日做倒都冇么个味道。最少都爱从五十架势做。tʰai53 saŋ35 ɲiet3 iet3 pɔn35 ʂɿ53_21 ɔi53 tsʰəŋ13_21 liəuk3 ʂət5 sɔi53 cia53_44 ʂɿ53_44 tso53_44 .san35_44 ʂət5 si53 ʂət5 ŋ̍21 ʂət5 ,kai53_44 ke53_44 saŋ35 ɲiet3 tso53 tau21 təu35_53 mau13_21 mak3 e0 uei53 tʰau53 .tsei53 ʂau21 təu35_53 ɔi53 tsʰəŋ13_21 ŋ̍21 ʂət5 cia53_44 ʂɿ53_44 tso53_44 .

【大声】tʰai53 ʂaŋ35 形高声，声音宏大、响亮：～喊 tʰai53 ʂaŋ35 xan53

【大师傅】tʰai53 sɿ35 fu53 名①厨师；炊事人员：欸打比样有兜箇个花炮厂子啊有么个几大子，欸，请两个人煮饭食，专门煮饭食，箇两只就又系～，但是渠唔安做主厨。e0 ta21 pi21 iɔŋ53 iəu35 te53_53 kai53_44 ke53_44 fa35_44 pʰau53 tʂʰɔŋ21 tsɿ0 a0 mau13_21 mak3 e0 ci21 tʰai53 tsɿ0 ,ei_21 ,tsʰiaŋ21 iɔŋ21 ke53 in13_44 tʂəu21 fan53 ʂət5 ,tʂen35 mən35_44 tʂəu21 fan53 ʂət5 ,kai53 iɔŋ21 tʂak3 tsʰiəu53 iəu53_44 xe53_44 tʰai53 sɿ35_44 fu53_44 ,tan53 ʂɿ53 ci13_21 n̩13 ɔn35_44 tso53_44 tʂəu21 tʂʰəu13 . ②对保姆的尊称：我等以欸以到吵以到我老婆病哩吵，我老妹子等就同我请一只～服侍我嫔子，煮饭食分渠食。ŋai13 tien0 i21 ei_21 i21 tau53_44 ʂa0 i21 tau53 ŋai13_21 lau21 pʰo13 pʰiaŋ53 li0 ʂa0 ,ŋai13 lau21 mɔi53 tsɿ0 ten21_44 tsʰiəu53 tʰəŋ13_21 ŋai13_21 tsʰiaŋ21 iet3 tʂak3 tʰai53 sɿ35_44 fu53 fuk5 sɿ53 ŋai13_21 ɔi35 tsɿ0 ,tʂəu21 fan53 ʂət5 pən35 ci13_21 ʂət5 .

【大手大脚】tʰai53 ʂəu21 tʰai53 ciɔk3 形容对钱物的使用不知节制：我么耳屎扒子扒下进，你么呀就～就付分渠去哩，就分渠拿稳走嘿哩。ŋai13 me0 ɲi21 ʂɿ21 pʰa13 tsɿ0 pʰa13 (x)a53_44 tsin53 , ɲi13 me0 ia0 tsʰiəu53 tʰai53 ʂəu21 tʰai53 ciɔk3 tsʰiəu53 fu53 pən35_44 ci13_21 çi53 li0 ,tsʰiəu53_44 pən35_53 ci13_21 la13 uən21 tsei21 xek3 li0 .

【大手指】tʰai53 ʂəu21 tʂɿ21 名大拇指：弹下去，有滴用手指公，用～，系唔系？tʰan53 na53_44 çi53_44 ,iəu35 tet5 iəŋ53_44 ʂəu21 tʂɿ21 kəŋ35 ,iəŋ53_44 tʰai53 ʂəu21 tʂɿ21 ,xe53 me53 ?

【大叔】tʰai^{53}ʂəuk^{3} 名称叔叔中排行最大者：欸，几只阿叔肚里最大个箇只叔就系～。如今我赖子话我箇只大老弟子就话～。～细叔哇。有兜是阿叔多啊，三叔啊，四叔哇，细叔啊，最细箇只就细叔哇。e$_{21}$,ci^{21}tʂak^{3}a^{35}ʂəuk^{3}təu^{21}li^{0}tsei^{53}tʰai^{53}ke^{0}kai$^{53}_{44}$tʂak^{3}ʂəuk^{3}tsʰiəu$^{53}_{21}$xe$^{53}_{44}$tʰai^{53}ʂəuk^{3}.i$^{13}_{21}$cin^{53}ŋai^{13}lai^{53}tsɿ^{0}ua^{53}ŋai^{13}kai^{53}tʂak^{3}tʰai^{53}lau^{21}tʰe^{35}tsɿ^{0}tsiəu$^{53}_{44}$ua$^{53}_{21}$tʰai^{53}ʂəuk^{3}.tʰai^{53}ʂəuk^{3}se^{53}ʂəuk^{3}ua^{0}.iəu^{35}təu$^{35}_{53}$ʂʅ$^{53}_{44}$a^{35}ʂəuk^{3}to^{35}a^{0},san^{35}ʂəuk^{3}a^{0},si^{53}ʂəuk^{3}ua^{0},se^{53}tʂəuk^{3}a^{0},tsei^{53}se^{53}kai$^{53}_{44}$tʂak^{3}tsʰiəu$^{53}_{44}$se^{53}ʂəuk^{3}ua^{0}.

【大暑】tʰai^{53}tʂʰəu^{21} 名农历二十四节气之一，每年 7 月 23 日前后：花麦是让门子啊？欸，～前三天就……唔系，唔系，爱爱爱箇个吧？/欸，～，～下土。/啊？/～下土咯。fa^{35}mak^{5}ʂʅ$^{53}_{44}$ɲiɔŋ^{53}mən^{0}tsa^{0}?e$_{21}$,tʰai^{53}tʂʰəu^{21}tsʰien^{13}san$^{35}_{44}$tʰien$^{35}_{44}$tsʰiəu$^{53}_{44}$…m̩$^{13}_{21}$pʰe^{53},m̩$^{13}_{21}$pʰe^{53},ɔi$^{53}_{44}$ɔi$^{53}_{44}$ɔi$^{53}_{21}$kai^{53}ke^{53}pa^{0}?/e$_{21}$,tʰai^{53}tʂʰəu^{21},tʰai^{53}tʂʰəu^{21}xa^{35}tʰəu^{21}./a$_{35}$?/tʰai^{53}tʂʰəu^{21}xa$^{35}_{44}$tʰəu^{21}ko^{0}.

【大水】tʰai^{53}ʂei^{21} 名①大雨：～泼稳来。tʰai^{53}ʂei^{21}pʰait^{3}uən^{21}nɔi$^{13}_{21}$. ②洪水：涨～tʂɔŋ^{21}tʰai^{53}ʂei^{21} | 箇丘田分～浸嘿了。kai$^{53}_{44}$cʰiəu$^{35}_{44}$tʰien$^{13}_{21}$pən^{35}tʰai^{53}ʂei^{21}tsin^{53}nek^{3}(←xek^{3})liau^{0}.

【大水搂箕】tʰai^{53}ʂei^{21}lei^{13}/ləu^{13}老派 ci^{35} 名搂箕的一种：长把搂箕摎～有滴子区别。长把搂箕指个系箇只把唔知几长，欸，就系比喻别人家趁钱个本事或者捞钱个本事唔知几好。欸，唔知几远个钱都捞得倒。箇个箇系一种比喻，还……也就系嘞一种嘞么个箇搂箕大呀细呀，反正就把比较长。欸，～嘞箇就爱大河里用个，打虾公箇只咁个嘞箇就唔系～，搂箕呀。欸，好像唔系一只东西。欸，长把搂箕摎～呀，唔系一只东西。tʂʰɔŋ^{13}pa^{53}lei^{13}ci$^{35}_{44}$lau$^{35}_{44}$tʰai^{53}ʂei^{21}lei^{13}ci$^{35}_{44}$iəu^{35}tiet^{5}tsɿ^{0}tʂʰʮ^{35}pʰiek^{5}.tʂʰɔŋ^{13}pa^{53}lei^{13}ci$^{35}_{44}$tʂʅ^{21}ke^{53}xe^{53}kai$^{53}_{44}$tʂak^{3}pa^{53}n̩$^{13}_{21}$ti$^{35}_{44}$ci^{21}tʂʰɔŋ^{13},e$_{21}$,tsiəu$^{53}_{44}$xe$^{53}_{44}$pi^{21}y^{53}pʰiek^{5}ɲin^{13}ka^{35}tʂʰən^{13}tsʰien^{13}ke^{53}pən^{21}sɿ^{53}xɔit^{5}tʂak^{3}lau^{13}tsʰien^{13}ke^{53}pən^{21}sɿ^{53}n̩$^{13}_{21}$ti^{53}ci^{21}xau^{21}.e$_{21}$,n̩$^{13}_{21}$ti$^{35}_{53}$ci^{21}ien^{21}ke$^{53}_{44}$tsʰien^{13}təu$^{35}_{44}$lau^{13}tek^{3}tau^{21}.kai$^{53}_{44}$ke$^{53}_{44}$kai$^{53}_{44}$xei$^{53}_{44}$iet^{3}tʂəŋ^{21}pi^{21}y^{53},xai$^{13}_{21}$…ia^{35}tsʰiəu$^{53}_{44}$xei$^{53}_{44}$lei^{0}iet^{3}tʂəŋ^{21}lei^{0}mak^{3}ke$^{53}_{44}$kai$^{53}_{44}$lei^{13}ci$^{35}_{44}$tʰai^{53}ia^{0}sei^{53}ia^{0},fan^{21}tʂən^{53}tsʰiəu$^{53}_{44}$pa^{53}pi^{21}ciau$^{53}_{44}$tʂʰɔŋ^{13}.e$_{21}$,tʰai^{53}ʂei^{21}lei^{13}ci$^{35}_{44}$lei^{0}kai$^{53}_{21}$tsʰiəu$^{53}_{44}$ɔi$^{53}_{44}$tʰai^{53}xo^{13}li^{0}iəŋ$^{53}_{44}$ke$^{53}_{44}$,ta^{21}xa^{13}kəŋ^{35}kai$^{53}_{44}$tʂak^{3}kan^{21}ke$^{53}_{44}$lei^{0}kai$^{53}_{44}$tsʰiəu$^{53}_{44}$m̩$^{13}_{21}$pʰe$^{53}_{44}$tʰai^{53}ʂei^{21}ləu^{13}ci$^{35}_{44}$,lei^{13}ci$^{35}_{44}$ia^{0}.e$_{21}$,xau^{21}tsʰiɔŋ^{53}m̩^{13}pʰe^{53}iet^{3}tʂak^{3}təŋ$^{35}_{44}$si^{0}.e$_{21}$,tʂʰɔŋ^{13}pa^{53}lei^{13}ci$^{35}_{44}$lau$^{35}_{44}$tʰai^{53}ʂei^{21}lei^{13}ci$^{35}_{44}$ia^{0},m̩^{13}pʰe^{53}iet^{3}tʂak^{3}təŋ$^{35}_{44}$si^{0}.

【大水芒】tʰai^{53}ʂei^{21}mɔŋ^{13} 名芦苇：～是我觉得就系河坝里个芦苇呢就安做～呢。就芦苇。冇么个用。整柴烧都冇人烧。欸，我等以映箇个箇小溪河个河坝里到处系～啊。tʰai^{53}ʂei^{21}mɔŋ^{13}ʂʅ$^{53}_{44}$ŋai^{13}kɔk^{3}tek^{3}tsʰiəu^{53}xe^{53}xo^{13}pa^{53}li^{0}ke^{0}ləu^{13}uei^{21}nei^{0}tsʰiəu$^{53}_{44}$ɔn$^{35}_{44}$tso$^{53}_{44}$tʰai^{53}ʂei^{13}mɔŋ^{13}nei^{0}.tsiəu^{53}ləu^{13}uei^{21}.mau^{13}mak^{3}e^{0}iəŋ^{53}.tʂən^{21}tsʰai^{13}ʂau$^{35}_{44}$təu$^{35}_{53}$mau$^{13}_{21}$ɲin$^{13}_{44}$ʂau$^{35}_{44}$.e$_{44}$,ŋai^{13}tien^{0}i^{21}iaŋ$^{53}_{44}$kai$^{53}_{44}$ke$^{53}_{44}$kai$^{53}_{44}$siau^{21}çi$^{35}_{44}$xo^{13}ke^{0}xo^{13}pa$^{53}_{44}$li^{0}tau^{53}tʂʰəu$^{53}_{44}$xe$^{53}_{44}$tʰai^{53}ʂei^{21}mɔŋ^{13}ŋa^{0}.

【大水蚊】tʰai^{53}ʂei^{21}mən^{35} 名一种蚊虫，形似蚂蚁：还有起安做～。懑大一只，比较大一只，脚都□长个。在箇个山里有，就比较多个。xai$^{13}_{21}$iəu$^{35}_{44}$çi$^{21}_{44}$ɔn$^{35}_{44}$tso$^{53}_{44}$tʰai^{53}ʂei^{21}mən^{35}.mən^{35}tʰai^{53}iet^{3}tʂak^{3},pi^{21}ciau$^{53}_{44}$tʰai^{53}iet^{3}tʂak^{3},ciɔk^{3}təu$^{35}_{44}$lai^{35}tʂɔŋ$^{13}_{21}$ke$^{53}_{44}$.tsʰai^{53}kai$^{53}_{44}$ke$^{53}_{44}$san^{35}ni^{21}iəu^{35},tsʰiəu$^{53}_{44}$pi^{21}ciau$^{53}_{44}$to$^{35}_{44}$ke$^{53}_{44}$.

【大蒜】tʰai^{53}sɔn^{53} 名蒜类植物的统称：～啊长长长倒蛮大了。tʰai$^{53}_{44}$sɔn$^{53}_{44}$a^{0}tʂɔŋ^{21}tʂɔŋ^{21}tʂɔŋ^{21}tau^{21}man$^{13}_{21}$tʰai^{53}liau^{21}.

【大蒜鼻公】tʰai^{53}sɔn^{53}pʰi^{53}kəŋ^{35} 名蒜头鼻：～吧？就系，鼻公峺唔高，但是唔知几扁，同箇大蒜样，就一楞一楞子。箇就安做～。～，嗯，就系大蒜样子个鼻公，就安做～。有哇，唔多好看呢。tʰai^{53}sɔn^{53}pʰi^{53}kəŋ^{35}pa^{0}?tsʰiəu^{53}xe$^{53}_{44}$,pʰi$^{53}_{44}$kəŋ^{35}cien^{53}n̩^{13}kau^{35},tan^{53}ʂʅ^{53}n̩^{13}ti$^{35}_{53}$ci^{21}pien^{21},tʰəŋ^{13}kai$^{53}_{44}$tʰai^{53}sɔn$^{53}_{44}$iɔŋ^{53},tsiəu$^{53}_{44}$iet^{3}laŋ^{13}iet^{3}laŋ^{13}tsɿ^{0}.kai$^{13}_{21}$tsʰiəu$^{53}_{44}$ɔn$^{35}_{44}$tso$^{53}_{44}$tʰai^{53}sɔn$^{53}_{44}$pʰi$^{53}_{44}$kəŋ^{35}.tʰai^{53}sɔn^{53}pʰi^{53}kəŋ^{35},n̩$_{21}$,tsiəu$^{53}_{44}$xe$^{53}_{44}$tʰai^{53}sɔn^{53}iɔŋ^{53}tsɿ^{0}ke^{0}pʰi^{53}kəŋ^{35},tsiəu$^{53}_{44}$ɔn$^{35}_{44}$tso$^{53}_{44}$tʰai^{53}sɔn$^{53}_{44}$pʰi$^{53}_{44}$kəŋ^{35}.iəu^{35}uau^{0},n̩$^{13}_{21}$to$^{35}_{53}$xau^{21}kʰɔn^{53}ne^{0}.

【大蒜梗】tʰai^{53}sɔn^{53}kuaŋ^{21} 名大蒜的茎：～我等箇只也会话。箇是一般呢大蒜啊长长长倒蛮大了，正有箇茎子～。tʰai$^{53}_{44}$sɔn$^{53}_{44}$kuaŋ^{21}ŋai^{13}tien^{0}kai$^{53}_{44}$tʂak^{3}ia^{35}uɔi$^{53}_{44}$ua^{53}.kai$^{53}_{44}$ʂʅ$^{53}_{44}$iet^{3}pan^{35}nei^{0}tʰai$^{53}_{44}$sɔn$^{53}_{44}$a^{0}tʂɔŋ^{21}tʂɔŋ^{21}tʂɔŋ^{21}tau^{21}man$^{13}_{21}$tʰai^{53}liau^{21},tʂaŋ$^{53}_{21}$iəu$^{35}_{44}$kai$^{53}_{44}$tsʰo$^{53}_{44}$tsɿ^{0}tʰai^{53}sɔn$^{53}_{44}$kuaŋ^{21}.

【大蒜弓子】tʰai^{53}sɔn^{53}ciəŋ^{35}tsɿ^{0} 名蒜薹：还有～嘞，蒜弓子，就蒜薹呀。xai$^{13}_{21}$iəu$^{35}_{53}$tʰai^{53}sɔn^{53}ciəŋ^{35}tsɿ^{0}le^{0},sɔn^{53}ciəŋ^{35}tsɿ^{0},tsiəu$^{53}_{44}$sɔn^{53}tʰɔi^{13}ia^{0}.

【大蒜苗】tʰai^{53}sɔn^{53}miau^{13} 名青蒜：～就从长出来个算起。大蒜球以外个就系～了。欸，就系露出地面上来个，长出地面上来个都系～。tʰai^{53}sɔn^{53}miau^{13}tsʰiəu^{53}tsʰəŋ^{13}tʂɔŋ^{21}tʂʰət^{3}lɔi^{13}ke^{0}sɔn^{53}çi^{21}.tʰai^{53}sɔn^{53}cʰiəu^{13}i^{35}uai^{53}ke^{0}tsʰiəu^{53}xe^{53}tʰai^{53}sɔn^{53}miau^{13}liau^{0}.e$_{21}$,tsiəu$^{53}_{44}$xe$^{53}_{44}$ləu^{53}tʂʰət^{3}tʰi^{53}mien$^{53}_{44}$xɔŋ$^{53}_{44}$lɔi$^{13}_{21}$ke^{0},tʂɔŋ^{21}tʂʰət^{3}tʰi^{53}mien$^{53}_{44}$xɔŋ$^{53}_{44}$lɔi^{13}ke^{0}təu^{35}xe$^{53}_{44}$tʰai$^{53}_{44}$sɔn$^{53}_{44}$miau^{13}.

【大蒜球】(tʰai^{53})sɔn^{53}cʰiəu^{13} 名蒜头：底下就安做～。底下个泥肚里个部分呐安做～。te^{21}xa$^{53}_{44}$

tsʰiəu^{53}ɔn$^{35}_{44}$tso$^{53}_{44}$tʰai^{53}sɔn^{53}cʰiəu^{13}.te^{21}xa^{53}ke^{0}lai^{13}təu^{21}li^{0}ke^{0}pʰu^{53}fən^{53}na^{0}ɔn$^{35}_{44}$tso$^{53}_{44}$tʰai^{53}sɔn^{53}cʰiəu^{13}.

【大蒜叶】tʰai^{53}sɔn$^{53}_{44}$iait^{5} 名 大蒜的叶子：～就除嘿大蒜球大蒜梗，剩下箇两皮叶欸就～。tʰai$^{53}_{44}$sɔn$^{53}_{44}$iait^{5} tsʰiəu$^{53}_{44}$tʂʰu^{13}xek^{3} tʰai^{53}sɔn^{53}cʰiəu^{13}tʰai^{53}sɔn^{53}kuaŋ^{21},ʂən^{53}cia$^{53}_{44}$kai$^{53}_{44}$iɔŋ^{21}pʰi^{13}iait^{5} e$_{21}$tsʰiəu$^{53}_{44}$tʰai$^{53}_{44}$sɔn$^{53}_{44}$iait^{5}.

【大蒜子】tʰai^{53}sɔn^{53}tsɿ^{21} 名 蒜瓣：～嘞以几年炒起唔知几贵。十几块钱一斤都卖过。如今就唔贵了～啊。tʰai^{53}sɔn^{53}tsɿ^{21}lei^{0} i^{21}ci^{21}ȵien^{13}tsʰau^{21}çi$^{21}_{53}$n̩^{13}ti$^{35}_{53}$ci^{21}kuei^{53}.ʂət^{5} ci^{21}kʰuai^{53}tsʰien^{13}iet^{3} cin$^{35}_{44}$təu$^{35}_{44}$mai^{53}ko$^{53}_{21}$.i$^{13}_{21}$cin$^{35}_{53}$tsʰiəu^{53}n̩^{13}kuei^{53}liau^{0} tʰai^{53}sɔn^{53}tsɿ^{21}a^{0}.

【大田当当】tʰai$^{53}_{35}$tʰien$^{13}_{21}$tɔŋ$^{35}_{21}$tɔŋ$^{35}_{21}$ 形容面积大、分布广：（湖藤菜）到处都系哟，～唠。tau$^{53}_{44}$tʂʰəu$^{53}_{44}$təu$^{35}_{44}$xe$^{53}_{44}$iau^{0},tʰai$^{53}_{35}$tʰien$^{13}_{21}$tɔŋ$^{35}_{21}$tɔŋ$^{35}_{21}$lau^{0}.

【大田丘】tʰai^{53}tʰien^{13}cʰiəu^{35} 名 大块的水田：我等还有条冲就尽系湖洋田吵，系啊？尽系就系～。ŋai^{13}tien^{0} xai$^{13}_{21}$iəu$^{35}_{53}$tʰiau$^{13}_{21}$tʂʰəŋ^{35}tsʰiəu$^{53}_{44}$tsʰin^{53}ne$^{53}_{44}$fu^{13}iɔŋ$^{13}_{44}$tʰien$^{13}_{44}$ʂa^{0},xei$^{53}_{44}$a^{0}?tsʰin$^{53}_{44}$nei^{53}tsʰiəu$^{53}_{44}$xei$^{53}_{44}$tʰai^{53}tʰien$^{13}_{21}$cʰiəu^{35}.

【大铁钉】tʰai^{53}tʰiet^{3}taŋ^{35} 名 一种又大又长的铁钉，一般用于制作棺材。又称“棺材钉”：几寸长，有咁大个箇起铁钉就安做～，又安做棺材钉。咁大一条条个。棺材就树蔸咁大一筒吵，系唔系？爱钉稳渠来了爱起码爱钉过去，棺材咁厚个东西。箇个就系～，又安做棺材钉。有多么个别么个地方唔多用咁个咁大个铁钉啊，只有佮料佮棺材就。ci^{21}tsʰən^{53}tʂʰəŋ^{13},iəu^{53}kan^{21}tʰai^{53}ke^{0} kai^{53}çi^{21}tʰiet^{3} taŋ^{35}tsʰiəu$^{53}_{44}$ɔn$^{35}_{44}$tso$^{53}_{44}$tʰai^{53}tʰiet^{3} taŋ^{35},iəu$^{53}_{44}$ɔn$^{35}_{44}$tso$^{53}_{21}$kɔn^{35}tsʰɔi$^{13}_{21}$taŋ^{35}.kan^{21}tʰai^{53}iet^{3} tʰiau^{13}tʰiau^{13}ke^{0}.kɔn^{35}tsʰɔi$^{13}_{21}$tsʰiəu$^{53}_{44}$ʂəu^{53}təu$^{35}_{44}$kan^{21}tʰai^{53}iet^{3} tʰəŋ^{13}ʂa^{0},xei$^{53}_{44}$me$^{53}_{44}$?ɔi$^{53}_{44}$taŋ^{35}uən^{21}ci$^{13}_{21}$lɔi^{13}liau^{0} ɔi^{53}çi^{21}ma$^{35}_{44}$ɔi^{53}taŋ^{35}ko$^{53}_{44}$çi$^{53}_{44}$,kɔn^{35}tsʰɔi$^{13}_{21}$kan^{21}xei^{35}ke^{0} tɔŋ$^{35}_{44}$si^{0}.kai$^{53}_{44}$ke$^{53}_{44}$tsʰiəu$^{53}_{44}$xei$^{53}_{44}$tʰai^{53}tʰiet^{3} taŋ^{35},iəu$^{53}_{44}$ɔn$^{35}_{44}$tso$^{53}_{44}$kɔn^{35}tsʰɔi$^{13}_{21}$taŋ^{35}.mau^{13}to$^{35}_{53}$mak^{3} e^{0} pʰiet^{5} mak^{3} ke^{0} tʰi$^{53}_{44}$fɔŋ$^{35}_{44}$n̩^{13}to$^{35}_{44}$iəŋ^{53}kan^{21}ke^{0} kan^{21}tʰai^{53}ke^{0} tʰiet^{3} taŋ^{35}ŋa^{0},tʂʅ^{21}iəu$^{35}_{53}$kait^{3} liau^{53}kait^{3} kɔn^{35}tsʰɔi$^{13}_{21}$tsʰiəu$^{53}_{44}$.

【大厅】tʰai^{53}tʰaŋ^{35} 名 主厅，多放置祖宗牌位等：以只正面个以只～个后背 i^{21}tʂak^{3} tʂən^{53}mien$^{53}_{44}$ke$^{53}_{44}$i^{21}tʂak^{3} tʰai$^{53}_{44}$tʰaŋ^{35}ke$^{53}_{44}$xei^{53}pɔi^{53}

【大厅下】tʰai^{53}tʰaŋ^{35}xa^{35} 名 主厅，多放置祖宗牌位等：～嘞，放下子祖宗牌位呀举行活动箇只。tʰai^{53}tʰaŋ^{35}xa$^{35}_{44}$lei^{0},fɔŋ^{53}xa^{53}tsɿ^{0} tsəu^{21}tsəŋ^{35}pʰai^{13}uei^{53}ia^{0} tʂʯ^{21}çin^{13}xɔit^{5} tʰəŋ^{53}kai$^{53}_{44}$tʂak^{3}.

【大筒子】tʰai^{53}tʰəŋ^{13}tsɿ^{0} 名 一种琴筒比较大的胡琴：有起～，□□响。iəu^{35}çi^{21}tʰai^{53}tʰəŋ^{13}tsɿ^{0},kəŋ^{13}kəŋ$^{13}_{44}$çiɔŋ^{21}.

【大腿骨】tʰai^{53}tʰei^{21}kuət^{3} 名 股骨：先放脚下个骨头，然后放以个～箇只。sien^{35}fɔŋ^{53}ciɔk^{3} xa^{53}ke^{53}kuət^{3} tʰei^{0},vien^{13}xei$^{53}_{44}$fɔŋ^{53}i^{21}ke$^{53}_{44}$tʰai^{53}tʰei^{21}kuət^{3} kai$^{53}_{21}$tʂak^{3}.

【大坨子】tʰai^{53}tʰo^{13}tsɿ^{0} 名 大团，大块：欸，炒倒～个就安做炆猪肉嘞，炆呢。e$_{44}$,tsʰau^{21}tau^{21}tʰai^{53}tʰo^{13}tsɿ^{0} ke$^{53}_{44}$tsʰiəu$^{53}_{44}$ɔn$^{35}_{44}$tso$^{53}_{44}$uən^{13}tʂəu^{35}ɲiəuk^{3} lei^{0},uən^{13}nei^{0}.

【大豌】tʰai^{53}uan$^{35}_{44}$ 名 蚕豆。又称“大豌豆、大豌子”：～就系加先个讲个就蚕豆。tʰai^{53}uan^{35}tsʰiəu$^{53}_{44}$xe$^{53}_{44}$ka^{35}sien$^{35}_{44}$ke$^{53}_{44}$kɔŋ^{21}ke$^{53}_{44}$tsʰiəu$^{53}_{44}$tsʰan^{13}tʰəu$^{53}_{44}$.

【大晚姑子】tʰai^{53}man$^{53}_{44}$ku$^{35}_{44}$tsɿ^{0} 名 丈夫的姐妹中排行最大者：打比我样，我三只老妹子。欸，我老婆称渠等就系～，第二个晚姑子，细晚姑子。ta^{21}pi^{21}ŋai^{13}iɔŋ^{53},ŋai^{13}san^{35}tʂak^{3} lau^{21}mɔi^{53}tsɿ^{0}.e$_{21}$,ŋai$^{13}_{21}$lau^{21}pʰo^{13}tʂʰən^{35}ci$^{13}_{21}$tien^{0} tsʰiəu$^{53}_{44}$xe$^{53}_{44}$tʰai^{53}man$^{53}_{44}$ku$^{35}_{44}$tsɿ^{0},tʰi$^{53}_{44}$ɲi^{53}ke$^{53}_{44}$man^{35}ku^{35}tsɿ^{0},se^{53}man$^{53}_{44}$ku$^{35}_{44}$tsɿ^{0}.

【大碗】tʰai^{53}uən^{21} 名 用来装汤或菜的碗，又大又深又高。又称“海碗、斗碗、大碗公”：～又安做海碗。两只海碗，～，还系我去凤溪带上来个，咁多年了，十几两十年了，还去下用。～，懑大，又咁深，又更高。欸蛮好用呢，箇个碗就。你晓得吗好处在嘞渠装得更多，冬下头来讲更唔得冷。一大碗装做一下。假设你箇只～煮一碗箇个豆腐花，你装做两只子装做两碗，也装嘿哩嘞，细滴子个碗装做两碗也装嘿哩，但是冷得快，因为渠少哩。一般装汤，装汤用～，用海碗。tʰai^{53}uən^{21}iəu^{53}ɔn$^{35}_{53}$tso^{53}xɔi^{21}uən^{21}.iɔŋ^{21}tʂak^{3} xɔi^{21}uən^{21},tʰai^{53}uən^{21},xai^{13}xe^{53}ŋai^{13}çi^{53}fəŋ^{53}çi$^{35}_{44}$tai$^{53}_{44}$ʂɔŋ$^{53}_{44}$lɔi$^{13}_{21}$ke^{0},kan^{21}to$^{35}_{44}$ɲien^{13}liau^{0},ʂət^{5} ci^{21}iɔŋ^{21}ʂət^{5}ɲien^{13}niau^{0},xai^{13}çi$^{53}_{44}$xa$^{53}_{44}$iəŋ^{53}.tʰai^{53}uən^{21},mən^{35}tʰai^{53},iəu^{53}kan^{21}tʂʰən^{35},iəu$^{53}_{44}$cien$^{53}_{44}$kau^{35}.e$_{53}$man$^{13}_{21}$xau^{21}iəŋ^{53}ne^{0},kai^{53}ke^{53}uən^{21}tsʰiəu$^{53}_{44}$. ɲi^{13}çiau^{21}tek^{3} ma^{0} xau^{21}tʂʰʯ^{53}tsai$^{53}_{44}$le^{0} ci$^{13}_{21}$tʂɔŋ^{35}tek^{3} ken$^{53}_{44}$to^{35},təŋ^{35}xa$^{35}_{44}$tʰei$^{13}_{21}$lɔi$^{13}_{44}$kɔŋ^{21}cien^{53}n̩^{13}tek^{3} laŋ^{35}.iet^{3} tʰai^{53}uən^{21}tʂɔŋ^{35}tso$^{53}_{44}$(i)et^{3} xa^{53}.cia^{21}ʂet$^{5}_{3}$ɲi^{13}kai^{53}(tʂ)ak^{3} tʰai^{53}uən^{21}tʂəu^{21}iet^{3} uən^{21}kai^{53}ke^{53}tʰei^{53}fu^{0} fa^{35}, ɲi^{13}tʂɔŋ^{35}tso^{53}iɔŋ^{21}tʂak^{3} tsɿ^{0} tʂɔŋ^{35}tso^{53}iɔŋ^{21}uən^{21},ia^{35}tʂɔŋ^{35}(x)ek^{3} li^{0} lei^{0},sei^{53}tiet^{5} tsɿ^{0} ke^{0} uən^{21}tʂɔŋ^{35}tso^{53}iɔŋ^{21}uən^{21}ia^{35}tʂɔŋ^{35}(x)ek^{3} li^{0},tan$^{53}_{44}$ʂʅ$^{53}_{44}$laŋ^{35}tek^{3} kʰuai^{53},in^{35}uei$^{53}_{44}$ci$^{13}_{21}$ʂau^{21}li^{0}.iet^{3} pɔn$^{35}_{44}$tʂɔŋ$^{35}_{44}$tʰɔŋ^{35},tʂɔŋ^{35}tʰɔŋ^{35}iəŋ^{53}tʰai^{53}uən^{21},iəŋ^{53}xɔi^{21}uən^{21}.

【大围山】tʰai^{53}uei$^{13}_{21}$san^{35} 名位于浏阳市东北部，是罗霄山脉的支脉，浏阳河的发源地：旧年走下～呐么啊樱花谷安做。cʰiəu^{53}ɲien$^{13}_{21}$tsei^{21}(x)a$^{53}_{44}$tʰai^{53}uei$^{13}_{21}$san^{35}na^{0}mak^{3}a^{0}in^{35}fa$^{35}_{44}$kuk^{3}ɔn$^{35}_{44}$tso$^{53}_{44}$.

【大屋】tʰai^{53}uk^{3} 名规模大、住户多的旧式老宅；大村子：两个人个灶下，中间一只天心，箇～里吵，系唔系？隔只天心，渠就箇只灶下，我就以只灶下。iɔŋ^{21}ke$^{53}_{44}$in$^{13}_{21}$ke^{0}tsau^{53}xa^{53},tʂəŋ^{35}kan$^{35}_{44}$iet^{3}tʂak^{3}tʰien^{35}sin^{35},kai$^{53}_{44}$tʰai^{53}uk^{3}li^{0}ʂa^{0},xei^{53}me^{53}?kak^{3}tʂak^{3}tʰien^{35}sin$^{35}_{44}$,ci$^{13}_{21}$tsʰiəu$^{53}_{44}$kai^{53}tʂak^{3}tsau^{53}xa^{53},ŋai$^{13}_{21}$tsʰiəu^{53}i^{21}tʂak^{3}tsau^{53}xa^{53}.｜欸～就有（碓间）哇。e$_{44}$tʰai^{53}uk^{3}tsʰiəu$^{53}_{44}$iəu^{35}ua^{0}.

【大西式】tʰai^{53}si^{35}ʂʅ^{53} 名一种发型，将头发全部往后梳，又称“大西式头”：～哦，又安做～头，有噢。～头有啊。tʰai^{53}si^{35}ʂʅ^{53}o^{0},iəu$^{53}_{44}$ɔn$^{35}_{44}$tso$^{53}_{44}$tʰai^{53}si$^{35}_{44}$ʂʅ$^{53}_{44}$tʰei^{13},iəu^{35}uau^{0}.tʰai^{53}si$^{35}_{44}$ʂʅ$^{53}_{44}$tʰei^{13}iəu^{35}a^{0}.

【大戏】tʰai^{53}çi^{53} 名情节复杂、角色齐全的大型戏曲：唱～tʂʰɔŋ$^{53}_{44}$tʰai^{53}çi$^{53}_{44}$

【大细】tʰai^{53}sei^{53} ①大与小：也唔分比老婆～。分唔出来，比老婆～分唔出来。ia^{35}m̩^{13}fən$^{35}_{44}$pi^{21}lau^{21}pʰo^{13}tʰai^{53}se^{53}.fən^{35}n̩$^{13}_{21}$tʂʰət^{3}lɔi$^{13}_{21}$,pi^{21}lau^{21}pʰo^{13}tʰai^{53}se$^{53}_{44}$fən^{35}n̩$^{13}_{21}$tʂʰət^{3}lɔi$^{13}_{21}$. ②名指年龄的长幼区别：渠就唔论～啊，唔论箇个比姐公更大呀还更细，都喊姐公。ci^{13}tsʰiəu^{53}n̩^{13}nən$^{53}_{44}$tʰai^{53}se$^{53}_{21}$a^{0},n̩^{13}nən$^{53}_{44}$kai$^{53}_{44}$ke$^{53}_{44}$pi^{21}tsia^{21}kəŋ^{35}cien$^{53}_{44}$tʰai^{53}ia^{0}xai^{13}cien$^{53}_{44}$se^{53},təu^{35}xan^{53}tsia^{21}kəŋ^{35}. ③名指体积、面积、容积等的大小区别：炖钵就有～个唠，有大有细唠。tən^{35}pait^{3}tsʰiəu$^{53}_{44}$iəu^{35}tʰai^{53}sei$^{53}_{44}$ke$^{53}_{44}$lau^{0},iəu$^{35}_{44}$tʰai^{53}iəu^{35}se^{53}lau^{0}. ④名指辈分的高低：（请坐上）欸，我就，爱根据渠指客人个～嘞。e$_{21}$,ŋai^{13}tsʰiəu$^{53}_{44}$,ɔi$^{53}_{44}$cien^{35}tʂʮ^{53}ci$^{13}_{21}$ke$^{53}_{44}$tʰai^{53}se^{53}le^{0}. ⑤名指尊卑：以映四只位子嘞有～嘞。i^{21}iaŋ$^{53}_{44}$si^{53}tʂak^{3}uei^{53}tsɿ^{0}lei^{0}iəu^{35}tʰai$^{53}_{44}$sei$^{53}_{44}$le^{0}. ⑥名指面积：箇是箇只墩个～嘞细滴子个也系。kai$^{53}_{44}$ʂʅ$^{53}_{44}$kai$^{53}_{44}$tʂak^{3}tʰɔn^{53}ke$^{53}_{44}$tʰai$^{53}_{44}$sei$^{53}_{44}$lei^{0}se^{53}tiet^{5}tsɿ^{0}ke^{53}ia^{35}xei$^{53}_{44}$.

【大项下】tʰai^{53}xɔŋ^{53}xa^{53} 名指最主要的项目：呃，纸扎铺就系搞纸扎就系扎咁个迷信东西，欸花圈呐，灵屋啊，衣箱啊，箇三只就～。ə$_{21}$,tʂʅ^{21}tsait^{3}pʰu^{53}tsʰiəu^{53}xei^{53}kau^{21}tʂʅ^{21}tsait^{3}tsʰiəu^{53}xei^{53}tsait^{3}kan$^{21}_{44}$ke^{53}mi^{13}sin^{53}təŋ$^{35}_{44}$si^{0},e$_{21}$fa^{35}cʰien$^{35}_{44}$na^{0},lin^{13}uk^{3}a^{0},i^{35}siɔŋ^{35}ŋa^{0},kai$^{53}_{44}$san^{35}tʂak^{3}tsʰiəu$^{53}_{44}$tʰai^{53}xɔŋ^{53}xa^{53}.

【大雪】tʰai^{53}siet^{3}/set^{3} ①名二十四节气之一：～，两只概念。一只就节气。二十四只节气肚里有只～。～过哩就冬至。tʰai^{53}set^{3},iɔŋ^{21}tʂak^{3}kʰai$^{53}_{44}$ɲien$^{53}_{44}$.iet^{3}tʂak^{3}tsʰiəu$^{53}_{44}$tset^{3}çi^{53}. ɲi^{53}ʂət^{5}si^{53}(tʂ)ak^{3}tset^{3}çi$^{53}_{44}$təu^{21}li^{0}iəu$^{35}_{44}$tʂak^{3}tʰai^{53}set^{3}.tʰai^{53}set^{3}ko^{53}li^{0}tsʰiəu$^{53}_{44}$təŋ^{35}tʂʅ^{53}. ②指降雪量大的雪：还有只就落个～。以几年都𫧮落几大子个雪了。以映几年都𫧮落几大个雪。xai^{13}iəu$^{35}_{53}$tʂak^{3}tsʰiəu$^{53}_{44}$lɔk^{5}ke$^{53}_{44}$tʰai^{53}set^{3}.i^{21}ci^{21}ɲien^{13}təu$^{35}_{53}$maŋ^{13}lɔk^{5}ci^{21}tʰai^{53}tsɿ^{0}ke^{0}siet^{3}liau^{0}.i^{21}iaŋ^{53}ci^{21}ɲien^{13}təu$^{35}_{53}$maŋ^{13}lɔk^{5}ci^{21}tʰai^{53}ke^{0}siet^{3}.

【大叶艾】tʰai^{53}iait^{5}ɲie^{53} 名香艾：（清明时做粑粑）用个箇起细叶艾，细叶子个艾，唔用～。iəŋ$^{53}_{44}$ke$^{53}_{44}$kai$^{53}_{44}$çi^{21}se^{53}iait^{5}ɲie$^{53}_{44}$,se^{53}iait^{5}tsɿ^{0}ke$^{53}_{44}$ɲie^{53},n̩^{13}iəŋ$^{53}_{44}$tʰai^{53}iait^{5}ɲie^{53}.

【大叶椆】tʰai^{53}iet^{5}tʂʰəu^{13} 名椆树的一种，木质硬：椆树有两种。一种～，叶更大。还有起米子椆，箇叶更细。都会结果实呢，椆树籽呢。～米子椆爱到箇岭上我正分得出。tʂʰəu^{13}ʂəu^{53}iəu$^{35}_{44}$iɔŋ^{21}tʂəŋ^{21}.iet^{3}tʂəŋ^{21}tʰai^{53}iait^{5}tʂʰəu^{13},iait$^{5}_{3}$ken$^{53}_{44}$tʰai^{53}.xai^{13}iəu$^{35}_{53}$çi^{21}mi^{21}tsɿ^{0}tʂʰəu^{13},kai$^{53}_{44}$iait^{5}ken$^{53}_{44}$se^{53}.təu^{35}uɔi^{53}ciet^{3}ko^{21}ʂət^{5}nei^{0},tʂʰəu^{13}ʂəu^{53}tsɿ^{21}nei^{0}.tʰai^{53}iait^{5}tʂʰəu$^{13}_{44}$mi^{21}tsɿ^{0}tʂʰəu$^{13}_{21}$ɔi^{53}tau^{53}kai$^{53}_{44}$liaŋ^{35}xɔŋ^{53}ŋai$^{13}_{21}$tʂaŋ^{53}fən^{35}tek^{3}tʂʰət^{3}.

【大姨子】tʰai^{53}i^{13}tsɿ^{0} 名妻子的姐妹中排行最大者：我就冇得～细姨子唠，我只有一只姨子。嫡亲个欸共娘爷，渠她摎我老婆共爷娭个姨子只有一只。但是欸叔伯姨子嘞就还有一只。箇只就～，箇只比我箇只晚姨子更大。ŋai^{13}tsiəu^{53}mau$^{13}_{21}$tek^{3}tʰai^{53}i^{13}tsɿ^{0}se^{53}i^{13}tsɿ^{0}lau^{0},ŋai$^{13}_{21}$tʂʅ^{21}iəu$^{35}_{53}$iet^{3}tʂak^{3}i^{13}tsɿ^{0}.tiet^{3}tsʰin^{35}ke^{0}ie$_{21}$cʰiəŋ^{53}ɲiɔŋ^{13}ia^{13},ci$^{13}_{21}$tʰa$^{35}_{44}$lau$^{35}_{44}$ŋai$^{13}_{44}$lau^{21}pʰo^{13}cʰiəŋ^{53}ia^{13}ɔi^{35}ke^{0}i^{13}tsɿ^{0}tʂʅ^{21}iəu^{53}iet^{3}tʂak^{3}.tan^{53}ʂʅ^{53}e$_{21}$ʂəuk^{3}pak^{3}i^{13}tsɿ^{0}lei^{0}tsiəu^{53}xai$^{13}_{21}$iəu^{35}iet^{3}tʂak^{3}.kai^{53}tʂak^{3}tsʰiəu$^{53}_{44}$tʰai^{53}i^{13}tsɿ^{0},kai^{53}tʂak^{3}pi^{21}ŋai^{13}kai^{53}tʂak^{3}man^{35}i$^{13}_{44}$tsɿ^{0}cien$^{53}_{44}$tʰai^{53}.

【大乐】tʰai^{53}iɔk^{5} 名有唢呐加入演奏的音乐：每次进馔，瘗毛血，欸，箇个么个燎纸，都爱奏～。吹唢呐，打鼓。欸，奏哩～以后嘞停下来，起小乐。起小乐就系起就搞箇个路子，系？就走，走动下子。走动下子，然后起哩小乐就停下哩乐，乐止以后嘞，停下小乐来嘞，就搞么啊嘞？就歌诗。每一只活动都爱歌诗。mei^{35}tsʰɿ$^{53}_{44}$tsin^{53}tsʰɔn^{53},li^{53}mau^{35}çiet^{3},ei$_{53}$,kai$^{53}_{44}$ke^{53}mak^{3}ke^{53}liau^{13}tʂʅ^{21},təu^{35}ɔi$^{53}_{44}$tsei$^{53}_{44}$tʰai^{53}iɔk$^{5}_{3}$.tʂʰei$^{35}_{44}$so^{21}la^{0},ta^{21}ku^{21}.ei$_{21}$,tsei^{53}li^{0}tʰai^{53}iɔk^{5}i^{35}xei$^{53}_{44}$lei^{0}tʰin^{13}xa$^{53}_{44}$lɔi$^{13}_{21}$,çi^{21}siau^{21}iɔk^{5}.çi^{21}siau^{21}iɔk^{5}tsʰiəu^{53}xei$^{53}_{44}$çi^{21}tsʰiəu$^{53}_{44}$kau^{21}kai$^{53}_{44}$ke$^{53}_{44}$ləu^{53}tsɿ^{0},xe$^{53}_{44}$?tsʰiəu$^{53}_{44}$tsei^{21},tsei^{21}tʰəŋ$^{35}_{44}$xa$^{53}_{21}$tsɿ^{0}.tsei^{21}tʰəŋ$^{35}_{44}$xa$^{53}_{21}$tsɿ^{0},vien$^{13}_{21}$xei$^{53}_{44}$çi^{21}li^{0}siau^{21}iɔk^{5}tsʰiəu$^{53}_{44}$tʰin^{13}xa$^{53}_{44}$li^{0}iɔk^{5},iɔk^{5}tʂʅ^{21}i^{35}xei$^{53}_{44}$lei^{0},tʰin^{13}xa$^{53}_{44}$siau^{21}iɔk$^{5}_{3}$lɔi$^{13}_{21}$lei^{0},tsʰiəu$^{53}_{44}$kau^{21}mak^{3}a^{0}le^{0}?tsʰiəu$^{53}_{44}$ko$^{35}_{44}$ʂʅ^{35}.mei^{35}iet^{3}tʂak^{3}xɔit^{5}tʰəŋ$^{53}_{44}$təu$^{35}_{44}$ɔi$^{53}_{44}$ko$^{35}_{44}$ʂʅ^{35}.

【大甑饭】tʰai^{53}tsien^{53}fan^{53} 名用大甑蒸出来的饭：甑饭好食，但是～还更好食。蒸得多，蒸得

□，火蒸得到哇，还更好食。～呐。tsien^{53}fan^{53}xau^{21}ʂət^{5},tan$^{53}_{44}$ʂʅ$^{53}_{44}$t^{h}ai^{53}tsien^{53}fan^{53}xan^{13}cien$^{53}_{44}$xau^{21}ʂət^{5}. tʂən^{35}tek^{3}to^{35},tʂən^{35}tek^{3}let^{5},fo^{21}tʂən^{35}tek^{3}tau^{53}ua^{0},xan^{13}cien$^{53}_{44}$xau^{21}ʂət^{5}.t^{h}ai^{53}tsien^{53}fan^{53}na^{0}.

【大猪】t^{h}ai^{53}tʂəu^{35} 名体重达到一定程度以上的猪：欸，几百斤一只个～哇。欸，～就几百斤一只个。一般是猪是一般爱到两百多斤以上啦，三百多斤，四百多斤，如今个良种猪是四百多斤都有啊，系啊？都要爱两百斤以上，一百七八两百斤以上，箇正系～。e$_{44}$,ci^{21}pak^{3}cin^{35}iet^{3} tʂak^{3}ke^{0}t^{h}ai^{53}tʂəu^{35}ua^{0}.e$_{21}$,t^{h}ai^{53}tʂəu$^{35}_{44}$ts^{h}iəu^{53}ci^{21}pak^{3}cin$^{35}_{44}$iet^{3}tʂak^{3}ke^{0}.iet^{3}pən^{35}ʂʅ$^{53}_{44}$tʂəu^{35}ʂʅ$^{53}_{44}$iet^{3}pən^{35}ɔi^{53}tau^{53} iɔŋ^{21}pak^{3}to$^{35}_{44}$cin$^{35}_{44}$i$^{35}_{44}$ʂɔŋ^{35}la^{0},san^{35}pak^{3}to$^{35}_{44}$cin$^{35}_{44}$,si^{53}pak^{3}to$^{35}_{44}$cin$^{35}_{44}$,i$^{13}_{21}$cin$^{35}_{44}$ke^{0}liɔŋ^{13}tʂəŋ^{21}tʂəu^{35}ʂʅ$^{53}_{44}$si^{53}pak^{3}to$^{35}_{44}$ cin$^{35}_{44}$təu$^{35}_{44}$iəu$^{35}_{44}$a^{0},xei$^{53}_{44}$a^{0}?təu^{35}iau$^{53}_{44}$ɔi^{53}iɔŋ^{21}pak^{3}cin$^{35}_{44}$i$^{35}_{44}$ʂɔŋ$^{53}_{44}$,iet^{3}pak^{3}ts^{h}iet^{3}pait^{3}iɔŋ^{21}pak^{3}cin$^{35}_{44}$i$^{35}_{44}$ʂɔŋ$^{53}_{44}$,kai^{53} tʂaŋ$^{53}_{44}$xei$^{53}_{44}$t^{h}ai^{53}tʂəu^{35}.

【大自家】t^{h}ai$^{53}_{13}$ts^{h}ɿ^{35}ka^{35} 代人称代词。指一定范围内所有的人，相当于“大家，大伙儿”：同～办事。t^{h}əŋ^{13}t^{h}ai$^{53}_{13}$ts^{h}ɿ^{35}ka^{35}p^{h}an^{53}sɿ^{53}.

【大字】t^{h}ai^{53}sɿ^{53} 名用毛笔写的大的汉字：写～sia^{21}t^{h}ai^{53}sɿ^{53}

【大字笔】t^{h}ai^{53}sɿ^{53}piet^{3} 名用于书写大的汉字的毛笔：只爱他写大字个笔，大滴子个笔，就安做～。我只有两支子。买倒箇一支好个呀送过分我亲家老子去哩。tʂʅ^{21}ɔi^{53}t^{h}a$^{35}_{44}$sia^{21}t^{h}ai^{53}ts^{h}ɿ$^{53}_{44}$ke$^{53}_{44}$ piet^{3},t^{h}ai^{53}tiet^{3}tsɿ^{0}ke^{0}piet^{3},ts^{h}iəu^{53}ɔn$^{35}_{53}$tso^{53}t^{h}ai^{53}ts^{h}ɿ$^{53}_{44}$piet^{3}.ŋai^{13}tʂʅ^{21}iəu$^{35}_{53}$iɔŋ^{21}tʂʅ$^{35}_{44}$tsɿ^{0}.mai^{35}tau^{21}kai^{53}iet^{3}tʂʅ$^{35}_{44}$ xau^{21}ke$^{53}_{44}$ia^{0}səŋ^{53}ko$^{53}_{44}$pən^{35}ŋai$^{13}_{21}$ts^{h}in^{35}ka^{35}lau^{21}tsɿ^{0}çi^{53}li^{0}.

【大字牌】t^{h}ai^{53}sɿ^{53}/ts^{h}ɿ^{53}p^{h}ai^{13} 名一种纸牌，又称“跑和”：好像如今打～个多，打骨牌个蛮少。xau^{21}ts^{h}iɔŋ^{53}i$^{13}_{21}$cin$^{35}_{44}$ta^{21}t^{h}ai^{53}ts^{h}ɿ^{53}p^{h}ai$^{13}_{21}$ke$^{53}_{44}$to$^{35}_{21}$,ta^{21}kuət^{3}p^{h}ai^{13}cie^{53}man^{13}ʂau^{21}.

【代】t^{h}ɔi^{53} 名世系的辈分：箇还有只东西嘞，我听讲过我等有只老祖宗个坟墓个碑石打烂哩，有哩用。到我都系几多～了哇？欸，看呐，问字辈，问际昌，培谟昭，我系昭字辈，到我第六～了。还有……我有赖子吵，典，万典松。我有孙子吵，道，欸，我以只孙子安做万道怡。八～人，系啊？八～人。我等是走得最快个。还有啊，总共有百多人。百多人，箇只老子名下有百多两百人了。箇上背就让门子嘞？渠有赖子。箇碑石上啊，有赖子。赖子就写男。男，么啊名字，系啊？欸，孙子就写孙。孙么啊名字。正两～呀。第三～就曾孙。嗯。第四～就玄孙。五～以下嘞？五～以下么啊孙了？还有五～，六～，七～，八～，么啊孙了？我以到就唔记得，我屋下就写记哩。有几种话法就唔知，箇只顺序我就唔记得哩。有喊来孙。有喊昆孙。昆字系哪只嘞？有滴人写箇只昆明个昆。昆明市啊，昆明个昆。有滴人写箇只昆，一只日字，底下一只兄弟的弟字，也系昆字，昆孙。有滴人写仍旧个仍字，仍孙。哈，为到搞以只东西我都只门搞得。我同噢放势去寻。后背还有滴就系统称。反正到哩后背了唔知哪几只孙就系，到哩后背了就都可以用个。八～唠，第八～哟，我唔系正先就讲高曾祖考，系唔系？祖考，子孙，欸，子孙曾玄吧？子孙，儿子，孙子，孙，曾孙，玄孙，子孙曾玄，只有九～。以样子往下第四～就玄孙。第五～么啊孙我唔记得哩，我唔记得哩。欸，根有，根有有有有坟地，有坟地可……我就根据箇坟地上写个。落尾我归去，照倒渠个抄倒以后归去，箇个《辞源》上一查，渠赠写错。赠写错，呣，写对哩。箇也系一只东西嘞。渠咁……渠等咁我写……我等个……咁个卵东西尽规……别家还寻，寻倒我，我就到处也去经历哩下子咯，还晓得下子咯。kai$^{53}_{44}$xai$^{13}_{21}$iəu^{35}tʂak^{3}təŋ$^{35}_{44}$si^{0}le^{0},ŋai$^{13}_{21}$t^{h}in$^{35}_{44}$kɔŋ^{21}ko^{53}ŋai$^{13}_{21}$tien^{0}iəu$^{35}_{44}$tʂak^{3}lau^{21}tsu^{21}tsəŋ$^{35}_{44}$ke$^{53}_{44}$ fən$^{13}_{21}$mu^{53}ke$^{53}_{44}$pi^{35}ʂak^{5}ta^{21}lan^{53}ni^{0},mau$^{13}_{21}$li^{0}iəŋ^{53}.tau^{53}ŋai^{13}təu$^{35}_{44}$xei$^{53}_{44}$ci^{21}to$^{35}_{44}$t^{h}ɔi^{53}liau^{21}ua^{0}?e$_{21}$,k^{h}an$^{53}_{44}$na^{0},uən^{53} ts^{h}ɿ$^{53}_{21}$pi^{53},uən^{53}tsi^{53}tʂ^{h}ɔŋ^{35},p^{h}i^{35}mu^{13}tʂau^{35},ŋai$^{13}_{21}$ie$_{44}$(←xe^{53})tʂau^{35}ts^{h}ɿ$^{53}_{44}$pi$^{53}_{44}$,tau^{53}ŋai^{13}t^{h}i^{53}liəuk^{3}t^{h}ɔi^{53}liau^{21}.xai$^{13}_{21}$ iəu$^{35}_{44}$…ŋai^{13}iəu$^{35}_{44}$lai^{53}tsɿ^{0}ʂa^{0},tian^{21},uan^{53}tian^{21}səŋ^{35}.ŋai$^{13}_{21}$iəu$^{35}_{44}$sən^{35}tsɿ^{0}ʂa^{0},t^{h}au^{53},e$_{21}$,ŋai^{13}i^{21}tʂak^{3}sən$^{35}_{44}$tsɿ^{0}ɔn$^{35}_{44}$ tso$^{53}_{44}$uan^{53}t^{h}au^{53}i^{13}.pait^{3}t^{h}ɔi^{53}ɲin$^{13}_{21}$,xei$^{53}_{44}$a^{0}?pait^{3}t^{h}ɔi^{53}ɲin$^{13}_{21}$.ŋai$^{13}_{21}$tien^{0}ʂʅ$^{53}_{44}$tsei^{21}tek^{3}tsei^{53}k^{h}uai^{53}ke$^{53}_{44}$.xai$^{13}_{21}$iəu$^{35}_{44}$ a^{0},tsəŋ^{21}k^{h}əŋ$^{53}_{44}$iəu$^{35}_{44}$pak^{3}to$^{35}_{44}$ɲin$^{13}_{21}$.pak^{3}to$^{35}_{44}$ɲin$^{13}_{21}$,kai^{53}tʂak^{3}lau^{21}tsɿ^{0}miaŋ$^{13}_{21}$xa^{53}iəu$^{35}_{44}$pak^{3}to$^{35}_{44}$iɔŋ^{21}pak^{3}ɲin$^{13}_{21}$ liau^{0}.kai$^{53}_{44}$ʂɔŋ^{53}pɔi^{53}ts^{h}iəu$^{53}_{44}$ɲiɔŋ$^{53}_{44}$mən^{0}tsɿ^{0}lei^{0}?ci$^{13}_{21}$iəu$^{35}_{44}$lai^{53}tsɿ^{0}.ka$^{53}_{44}$pi^{35}ʂak^{5}xɔŋ$^{53}_{44}$ŋa^{0},iəu^{35}lai^{53}tsɿ^{0}.lai^{53}tsɿ^{0} ts^{h}iəu^{53}sia^{21}lan^{13}.lan^{13},mak^{3}a^{0}miaŋ$^{13}_{21}$ts^{h}ɿ$^{53}_{44}$,xei$^{53}_{44}$a^{0}?e$_{21}$,sən^{35}tsɿ^{0}ts^{h}iəu^{53}sia^{21}sən^{35}.sən^{35}mak^{3}a^{0}miaŋ$^{13}_{21}$ ts^{h}ɿ$^{53}_{44}$.tʂaŋ^{53}iɔŋ^{21}t^{h}ɔi^{53}ia^{0}.t^{h}i^{53}san$^{35}_{44}$t^{h}ɔi^{53}tsiəu$^{53}_{44}$ts^{h}ien^{13}sən$^{35}_{44}$.n̩$_{21}$.t^{h}i$^{53}_{44}$si^{53}t^{h}ɔi$^{53}_{44}$tsiəu$^{53}_{44}$çyn^{13}sən$^{35}_{44}$.ŋ̍^{21}t^{h}ɔi$^{53}_{44}$i^{35}xa$^{53}_{44}$ lei^{0}?ŋ̍^{21}t^{h}ɔi$^{53}_{44}$i^{35}xa$^{53}_{44}$mak^{3}a^{0}sən^{35}liau^{0}?xai$^{13}_{21}$iəu$^{35}_{44}$ŋ̍^{21}t^{h}ɔi^{53},liəuk^{3}t^{h}ɔi^{53},ts^{h}iet^{3}t^{h}ɔi^{53},pait^{3}t^{h}ɔi^{53},mak^{3}a^{0}sən^{35} liau^{0}?ŋai^{13}i^{21}tau^{53}ts^{h}iəu$^{53}_{44}$n̩^{13}ci^{53}tek^{3},ŋai^{13}uk^{3}xa$^{53}_{44}$ts^{h}iəu$^{53}_{44}$sia^{21}ci^{53}li^{0}.iəu^{35}ci^{21}tʂəŋ^{21}ua^{53}fait^{3}ts^{h}iəu$^{53}_{44}$n̩^{13}ti$^{35}_{44}$,kai$^{53}_{44}$ tʂak^{3}ʂən^{53}si$^{53}_{44}$ŋai$^{13}_{21}$ts^{h}iəu$^{53}_{44}$n̩^{13}ci^{53}tek^{3}li^{0}.iəu^{35}xan$^{53}_{44}$lɔi^{13}sən$^{35}_{44}$.iəu^{35}xan^{53}k^{h}uən^{35}sən$^{35}_{44}$.k^{h}uən^{35}ts^{h}ɿ$^{53}_{44}$xe$^{53}_{44}$lai^{53}tʂak^{3} le^{0}?iəu^{35}tet^{5}ɲin$^{13}_{21}$sia^{21}kai^{53}tʂak^{3}k^{h}uən^{35}min$^{13}_{21}$ke$^{53}_{44}$k^{h}uən$^{35}_{44}$.k^{h}uən^{35}min$^{13}_{21}$ʂʅ^{53}a^{0},k^{h}uən^{35}min$^{13}_{21}$ke$^{53}_{44}$k^{h}uən$^{35}_{44}$.iəu^{35}

tet5 ɲin13-21 sia21 kai53 tʂak3 kʰuən35,iet3 tʂak3 ɲiet3 tsʰɿ53,tei21 xa53-44 iet3 tʂak3 çiəŋ35-44 ti53 tet3 ti53 tsʰɿ53,ia35 xe53 kʰuən35 tsʰɿ53-44,kʰuən35 sən35-44.iəu35 tet5 ɲin13-21 sia21 vən13 cʰiəu53 ke53-44 vən13 tsɿ53,uən13 sən35-44.xa-44,uei53 tau21-44 kau21 i21 tʂak3 təŋ35-44 si0 ŋai13-21 təu35-44 tʂʅ21 mən0 kau21 tek3 .ŋai13 tʰəŋ13-21 au0 fɔŋ53 ʂʅ53 çi53 tsʰin13 .xei53 pɔi53 xai13-21 iəu35 tet5 tsʰiəu53-44 xe53-44 tʰəŋ21 tʂʰən35-44.fan21 tʂən53-44 tau53 li0 xei53 pɔi53-44 liau0 n̩13-21 ti35-44 lai53 ci21 tʂak3 sən35 tsʰiəu53-44 xe53-44,tau53-44 li0 xei53 pɔi53-44 liau0 tsʰiəu53-44 təu35 kʰo21 i35-44 iəŋ53-44 ke53 .pait3 tʰɔi53-44 lau0 ,tʰi53-44 pait3 tʰɔi53-44 iau0 ,ŋai13 m̩13-21 pʰe53-44 tʂaŋ53 sien35 tsʰiəu53-44 kɔŋ21-44 kau35 tsien35 tsəu21 kʰau21 ,xei53-44 me53-44 ?tsəu21 kʰau21 ,tsɿ21 sən35 ,e-21,tsɿ21 sən35 tsʰien13 fien13 pa0 ?tsɿ21 sən35 ,e13 tsɿ21 ,sən35-44 tsɿ0 ,sən35-44,tsʰien13 sən35 ,çyen13 sən35-44,tsɿ21 sən35-44 tsʰien13 çyen13 ,tʂʅ21 iəu35-44 ciəu21 tʰɔi53-44.i21 iɔŋ53-44 tsɿ0 uɔŋ21-44 xa35 tʰi53-44 si53 tʰɔi53-44 tsiəu53-44 çyen13 sən35-44.tʰi53 ŋ̍21 tʰɔi53 mak3 a0 sən35 ŋai13-21 n̩13-21 ci53 ek3 li0 ,ŋai13-21 n̩13-21 ci53 tek3 li0 .e-21,ken35-44 iəu35 ,ken35-44 iəu35 iəu35-44 iəu35 iəu35-44 pʰən13-21 tʰi53 ,iəu35-44 pʰən13-21 tʰi53 kʰo21 …ŋai13-21 tsʰiəu53-44 cien35-44 tʂʮ53-44 kai53-44 pʰən13-21 tʰi53 xɔŋ53-44 sia21 ke53-44.lɔk5-3 mi35-44 ŋai13-21 kuei35 çi53 ,tʂau53 tau21 ci13 ke53-44 tsʰau35 tau21 i35 xei53-44 kuei35 çi53 ,kai53-44 ke53-44 tsʰɿ13 vien13 xɔŋ53 iet3 tsʰa13 ,ci13-21 maŋ13-21 sia21 tsʰo53 .maŋ13 sia21 tsʰo53 ,m̩-21,sia21 tei53 li0 .kai53-44 ia35 xei53 iet3 tʂak3 təŋ35-44 si0 lei0 .ci13-21 kan21-35…ci13-21 tien0 kan21-35 ŋai13-21 sia21 …ŋai13-21 tien0 ke53-44… kan21 ke53 lan21 təŋ35-44 si0 tsʰin53 kuei35 …pʰiet5-3 ka35-44 xai13-44 tsʰin13-21,tsʰin13 tau21 ŋai13 ,ŋai13 tsʰiəu53-44 tau53 tʂʰəu53 ia35 çi53-44 cin35 liet3 li0 a53-44 tsɿ0 ko0 ,xai13-44 çiau21 tek3 a53-44 tsɿ0 ko0 .

【带1】tai53 名用皮、布或线等做成的长条物：欸，欸，你供哩安牯头以后呀，缔哩肚子么？箇肚子上羁哩～么？啊，欸，渠等话供哩人个人会去羁条～，箇条～安做么啊～？ei-21,e-44, ɲi13 ciəŋ53 li0 ɔn35 ku21 tʰei13 i35 xei53 ia0 ,tʰak3 li0 təu21 tsɿ0 mo0 ?kai53-44 təu21 tsɿ0 xɔŋ53-44 cie35 li0 tai53 mo0 ?a35 ?e-35,ci13 tien0 ua53 ciəŋ53 li0 ɲin13 ke53 ɲin13 uɔi53 çi53 cie35 tʰiau13-21 tai53 ,kai53-44 tʰiau13 tai53 ɔn35-44 tso53-44 mak3 a0 tai53?

【带2】tai53 动①随身拿着：去个时候子落水，尽滴都～倒蓑衣笠嫲。çi53 ke53-44 ʂʅ13 xəu53-44 tsɿ0 lɔk5 ʂei21, tsʰin53 tet5-3 təu35-44 tai53 tau21 so35 i35-44 liet3 ma13-21. ②捎带：～封信去 tai53 fəŋ35 sin53 çi53。③呈现：（阳钩）有滴子～白色。iəu35 tet5 tsɿ0 tai53-44 pʰak5 sek3 .④含有：～滴子酸味 tai53 tiet5 tsɿ0 sɔn35 uei53。⑤突然向某一方向引导某物：摇倒就一～，箇一只缗钱就跌下出来。iau13 tau21 tsʰiəu53-44 iet3 tai53 ,kai53 iet3 (tʂ)ak3 min13-21 tsʰien13-44 tsʰiəu53-44 tiet3 (x)a53 tʂʰət3 lɔi13. ⑥引领：我就～倒你走。ŋai13 tsʰiəu53-44 tai53 tau21 ɲi13 tsei21. ⑦授业：师傅～出来个就师兄弟呀。sɿ35 fu53-44 tai53 tʂʰət3 lɔi13-21 ke53-44 tsʰiəu53-44 sɿ35 çiəŋ35 tʰi53 ia0. ⑧照看（孩子）：做过家家是有～细人子咯，有细人子～咯。tso53 ko53 cia35 cia35 ʂʅ53-44 iəu35-44 tai53-44 se53 ɲin13-21 tsɿ0 ko0 , iəu35-44 se53 ɲin13-21 tsɿ0 tai53 ko0 . ⑨抚养；养育：我老妹子头只（细子）𫟏～倒，去肚子里就坏咁哩。ŋai13 lau21 mɔi53 tsɿ0 tʰei13 tʂak3 maŋ13 tai53 tau21 ,çi53 təu21 tsɿ0 li0 tsiəu53-44 fai53 kan21 ni0 .⑩特指过继、收养、抱养：渠本人，自家本人冇得生育，𫟏供人，𫟏生人，就～一只，安做捡一只～哩唠，也安做～赖子啊，～只赖子唠，安做～只赖子，～只细人子。ci13-21 pən21 ɲin13 ,tsʰɿ35 ka35-44 pən21 ɲin13 mau13-21 tek3 sən35 iəuk3, maŋ13 ciəŋ53-44 ɲin13, maŋ13 saŋ35-44 ɲin13-21,tsʰiəu53-44 tai53 iet3 tʂak3 ,ɔn35 tso53-44 cian21 iet3 tʂak3 tai53 li0 lau0 , ia35 ɔn35-44 tso53-44 tai53 lai53 tsɿ0 a0 , tai53 tʂak3 lai53 tsɿ0 lau0 ,ɔn35-44 tso53-44 tai53 tʂak3 lai53 tsɿ0 ,tai53 tʂak3 sei53 ɲin13-21 tsɿ0 .｜以只是～我个爷子，就唔系亲生爷子。i21 tʂak3 ʂʅ53-44 tai53 ŋai13-21 ke53 ia13 tsɿ0 ,tsʰiəu53-21 m̩13 pʰe53(←xe53)tsʰin35 sien35-44 ia13 tsɿ0 .

【带开】tai53 kʰɔi35 动将争执中的双方或其中某一方带离：细人子打架去哩，你去～下子啊。sei53 ɲin13-21 tsɿ0 ta53 cia53 çi53 li0 , ɲi13 çi53-44 tai53 kʰɔi35 xa53-21 tsa0 .

【带客】tai53 kʰak3 动宴请活动中由专人安排并引领贵客就坐：第三个人～，啊，～，带路个带呀。第三个人呢徛倒你面前，同你作只揖，作揖。你就回只揖。欸。我就系来～个。我就带倒你走。好，作只揖以后，欸，请，请，请，请坐，系？请去。以下就渠走面前。箇～个人走面前。我带倒你，欸，或者别只厅子，或者去系哪映子，系禾坪下哪映子，寻倒哩你，系唔系？马灯就一照，箇只是寻客个吵，以只～个嘞，渠就跟倒箇只马灯来呀。跟那个马灯来。看渠马灯一照是，就系以只人。欸。渠就同你作只揖，呣，作只揖，你就跟倒欸渠去。跟倒渠去。好，跟倒去嘞，渠就带嘿你，打比以张，以张桌吵，带嘿你以只栏场子来。带你嘞以只栏场子来。□，渠就你，渠就，渠就咁子带唠。打比样带倒渠，带倒你来，你就走后背，系唔系？我带到以映，你爱坐以只位子样，欸，你坐以只位子样，你坐以只位子，我就拿倒以只位子上个碗筷捡正下子，摆正下子。欸，哎，打比个碗，欸，我放正下子。嗯。筷子，我捡正下子。你就去……就爱晓得，你就坐以只位子。就坐以只位子。好，箇你就你就就就请你去，好，你就徛下以只位子以映子。徛倒，你徛倒，面向客佬子，系？你就莫坐正呐！你就莫坐正，你徛倒。渠嘞，就第一……第一下叫子来，又同你作只子揖，欸，好，箇你……你就，你就徛倒箇映子了。嗯，箇只就你个位子。欸，箇就莫，还坐唔得。你就不要即即哩坐正嘞哈。渠等你箇四只位子请齐哩，你爱徛以阵子。等你箇四只位子请，请齐哩，系啊？欸，渠就跑，又跑以映滴席口唠，又请倒，作只子揖。请坐，系，请坐，请坐。欸，请坐。四个人都徛齐哩，徛那个箇肚肚里啦，四个人都徛那个肚肚里啦，欸，你再坐。渠就会请你坐。欸，就系个……渠一般请四只位子吵，箇也只爱徛咁久吵。也只爱下子就系唔系？你就徛倒箇映，你就不能要就坐嘞。箇你坐你就唔懂。坐也坐得唠。你坐哩你就说明你唔懂。就咁子个，箇请客……请坐个就下是就咁子请。箇以咁个东西搞得还系好嘞。尊重别人家，系唔系？欸。尊重别人家。箇也易得嘞都，请四只子位子是易得嘞。有滴请你蛮多位子个就请嘿一轮，又坐下来。又来请第二轮。欸，请嘿以四只位子，等你等坐下来，又来请以四只，第二四只位子。tʰi$^{53}_{44}$san^{35}ke$^{53}_{44}$ɲin$^{13}_{44}$tai^{53}kʰak^{3},a$_{21}$,tai^{53}kʰak^{3},tai$^{53}_{44}$ləu^{53}ke$^{53}_{44}$tai^{53}ia^{0}.tʰi$^{53}_{44}$san^{35}ke$^{53}_{44}$in$^{13}_{21}$ne^{0} cʰi^{35}tau^{21}ɲi$^{13}_{44}$mien^{53}tsʰien$^{53}_{44}$,tʰəŋ^{13}ɲi$^{13}_{44}$tsɔk^{3} tʂak^{3} iet^{3},tsɔk^{3} iet$^{3}_{5}$. ɲi^{13}tsʰiəu$^{53}_{44}$fei^{13}tʂak^{3} iet^{3}.e$_{21}$.ŋai^{13}tsʰiəu$^{53}_{44}$xe^{53}lɔi$^{13}_{44}$tai^{53}kʰak^{3} ke^{53}.ŋai^{13}tsʰiəu$^{53}_{44}$tai^{53}tau^{21}ɲi^{13}tsei^{21}.xau^{21},tsɔk^{3} tʂak^{3} iet^{3} i$^{35}_{44}$xei$^{53}_{44}$,e$_{21}$,tsʰiaŋ^{21},tsʰiaŋ^{21},tsʰiaŋ^{21},tsʰiaŋ^{21}tsʰo^{35},xe$^{53}_{44}$?tsʰiaŋ^{21} çi$^{53}_{44}$.ia^{35}(←i^{13}xa^{35})tsʰiəu$^{53}_{44}$ci$^{13}_{21}$tsei$^{21}_{44}$mien^{53}tsʰien$^{13}_{44}$.kai$^{53}_{44}$tai^{53}kʰak^{3} ke$^{53}_{44}$ɲin$^{13}_{21}$tsei^{21}mien^{53}tsʰien$^{13}_{21}$.ŋai^{13}tai^{53}tau^{21}ɲi$^{13}_{44}$,e$_{21}$,xɔit$^{5}_{3}$ tʂa^{21}pʰiet^{5}tʂak^{3} tʰaŋ^{35}tsɿ^{0},xɔit$^{5}_{3}$ tʂa^{21}çi$^{53}_{44}$xe$^{53}_{44}$lai^{53}iaŋ$^{53}_{44}$tsɿ^{0},xe$^{53}_{44}$uo$^{13}_{21}$pʰiaŋ$^{13}_{21}$xa^{35}lai$^{53}_{44}$iaŋ$^{53}_{44}$tsɿ^{0},tsʰin^{13}tau^{21}li^{0} ɲi$^{13}_{44}$,xei$^{53}_{44}$me$^{53}_{44}$?ma^{35}tien$^{35}_{44}$tsʰiəu$^{53}_{44}$iet^{3} tʂau^{53},kai$^{53}_{21}$tʂak^{3} ʂʅ$^{53}_{44}$tsʰin^{13}kʰak^{3} ke$^{53}_{44}$ʂa^{0},i^{21}(tʂ)ak^{3} tai^{53}kʰak^{3} ke$^{53}_{44}$lei^{0},ci$^{13}_{21}$tsʰiəu$^{53}_{44}$cien^{35}tau^{21}kai^{53}tʂak^{3} ma^{35}tien$^{35}_{44}$lɔi^{13}ia^{0}.cien^{35}na^{21}ke^{0} ma^{35}tien$^{35}_{44}$nɔi$^{13}_{21}$.kʰɔn^{53}ci$^{13}_{21}$ma^{35}tien$^{35}_{44}$iet^{3} tʂau^{53}ʂʅ$^{53}_{44}$,tsʰiəu$^{53}_{44}$xei$^{53}_{44}$i^{21}tʂak^{3}ɲin^{13}.e$_{21}$.ci$^{13}_{21}$tsʰiəu^{53}tʰəŋ$^{13}_{44}$ɲi$^{13}_{44}$tsɔk^{3}(tʂ)ak^{3} iet^{3},m̩$_{21}$,tsɔk^{3}(tʂ)ak^{3} iet^{3}, ɲi^{13}tsʰiəu$^{53}_{44}$cien^{35}tau^{21}e^{0} ci$^{13}_{21}$çi^{53}.cien^{35}tau$^{21}_{44}$ci$^{13}_{21}$çi$^{53}_{44}$.xau^{21},cien^{35}tau$^{21}_{44}$çi$^{53}_{44}$lei^{0},ci$^{13}_{21}$tsʰiəu$^{53}_{44}$tai^{53}(x)ek^{3}ɲi$^{13}_{44}$,ta^{21}pi^{21} i^{21} tʂɔŋ$^{35}_{44}$,i^{21} tʂɔŋ$^{35}_{44}$tsɔk^{3} ʂa^{0},tai^{53}(x)ek^{3} ɲi$^{13}_{44}$i^{21} iak^{3} (←tʂak^{3})laŋ$^{13}_{44}$tʂʰɔŋ$^{13}_{44}$tsɿ^{0} lɔi$^{13}_{44}$.tai^{53}ɲi$^{13}_{44}$le^{0} i^{21} iak^{3}(←tʂak^{3})laŋ$^{13}_{44}$tʂʰɔŋ$^{13}_{44}$tsɿ^{0} lɔi$^{13}_{44}$.tʰei$_{44}$,ci^{13}tsʰiəu^{53}ɲi$^{13}_{21}$,ci^{13}tsʰiəu^{53},ci^{13}tsʰiəu^{53}kan^{21}tsɿ^{0} tai^{53}lau^{0}.ta^{21}pi^{21}iɔŋ$^{53}_{44}$tai^{53}tau^{21}ci$^{13}_{44}$,tai^{53}tau^{21}ɲi$^{13}_{21}$lɔi^{13}, ɲi^{13}tsʰiəu$^{53}_{44}$tsei^{21}xei$^{53}_{44}$pɔi$^{53}_{44}$,xei$^{53}_{44}$me$^{53}_{44}$?ŋai^{13}tai^{53}tau^{53}i^{21}iaŋ$^{53}_{44}$, ɲi$^{13}_{21}$ɔi$^{53}_{44}$tsʰo$^{35}_{44}$i^{21}tʂak^{3} uei$^{53}_{44}$tsɿ^{0}iɔŋ$^{53}_{44}$,e$_{21}$, ɲi$^{13}_{21}$tsʰo$^{35}_{44}$i^{21}tʂak^{3} uei$^{53}_{44}$tsɿ^{0} iɔŋ$^{53}_{44}$, ɲi$^{13}_{21}$tsʰo$^{35}_{44}$i^{21}tʂak^{3} uei^{53}tsɿ^{0},ŋai^{13}tsʰiəu$^{53}_{44}$la^{53}tau^{21}i^{21}tʂak^{3} uei^{53}tsɿ^{0} xɔŋ$^{53}_{44}$ke$^{53}_{44}$uɔn^{21} kʰuai^{53} cian^{21} tʂaŋ^{53} xa$^{53}_{44}$tsɿ^{0} ,pai^{21} tʂaŋ^{53} xa$^{53}_{44}$tsɿ^{0} .e$_{21}$,ai$_{35}$,ta^{21} pi^{21} ke^{53} uɔn^{21} ,e$_{21}$,ŋai$^{13}_{21}$ fɔŋ^{53} tʂaŋ^{53} xa$^{53}_{44}$tsɿ^{0}.n̩$_{21}$.kʰuai^{53}tsɿ^{0},ŋai$^{13}_{21}$cian^{21}tʂaŋ^{53}xa$^{53}_{44}$tsɿ^{0}. ɲi$^{13}_{21}$tsʰiəu$^{53}_{44}$çi…tsʰiəu$^{53}_{44}$ɔi$^{53}_{44}$çiau^{21}tek^{3}, ɲi^{13}tsʰiəu$^{53}_{44}$tsʰo$^{53}_{44}$i^{21}tʂak^{3} uei^{53}tsɿ^{0} .tsʰiəu^{53}tsʰo^{35} i$^{21}_{44}$tʂak^{3} uei^{53}tsɿ^{0} .xau^{21},kai^{53}ɲi^{13}tsʰiəu^{53}ɲi^{13}tsʰiəu$^{53}_{44}$tsʰiəu$^{53}_{44}$tsʰiəu$^{53}_{44}$tsʰiaŋ^{21}ɲi$^{13}_{21}$çi$^{53}_{44}$,xau$^{21}_{44}$,ɲi^{13}tsʰiəu$^{53}_{44}$cʰi$^{35}_{44}$(x)a$^{53}_{44}$i^{21} tʂak^{3} uei^{53}tsɿ^{0} i^{21} iaŋ^{53}tsɿ^{0} .cʰi$^{35}_{44}$tau^{21}, ɲi$^{13}_{21}$cʰi^{35}tau^{21},mien^{53}çiɔŋ$^{53}_{44}$kʰak^{3} lau^{21}tsɿ^{0} ,xe$^{53}_{44}$?ɲi$^{13}_{21}$tsʰiəu$^{53}_{44}$mo$^{53}_{44}$tsʰo^{35}tʂaŋ$^{53}_{21}$na^{0}! ɲi$^{13}_{21}$tsʰiəu$^{53}_{44}$mo$^{53}_{44}$tsʰo^{35}tʂaŋ$^{53}_{21}$,(ɲ)i$^{13}_{21}$cʰi^{35}tau^{21}.ci^{13}lei$_{44}$,tsʰiəu$^{53}_{44}$tʰi^{53}iet^{3} …tʰi^{53}iet^{3} xa$^{35}_{44}$ciau$^{53}_{21}$tsɿ^{0} lɔi$^{13}_{21}$,iəu^{53}tʰəŋ^{13}ɲi$^{13}_{21}$tsɔk^{3} tʂak^{3} tsɿ^{0} iet^{3},ei$_{21}$,xau^{21},kai$^{53}_{44}$ɲi$^{13}_{44}$ts…ɲi^{13}tsʰiəu^{53}, ɲi^{13}tsʰiəu$^{53}_{44}$cʰi$^{35}_{53}$tau^{21}kai$^{53}_{44}$iaŋ$^{53}_{44}$tsɿ^{0} liau^{0} .n̩$_{21}$.kai$^{53}_{44}$tʂak^{3} tsʰiəu$^{53}_{44}$ɲi^{13}(k)e$^{53}_{44}$uei$^{53}_{44}$tsɿ^{0} .e$_{21}$,ke$^{53}_{44}$tsʰiəu$^{53}_{44}$mo$^{53}_{44}$,xai$^{13}_{21}$tsʰo^{35}n̩$^{13}_{21}$tek^{3}. ɲi^{13}(tsʰ)iəu$^{53}_{44}$pət^{3} iau$^{53}_{44}$tsek^{5} tsek^{5} li^{0} tsʰo^{35}tʂaŋ$^{53}_{21}$le^{0} xa^{0} .ci^{13}ten^{21}ɲi^{13}kai$^{53}_{44}$si^{53}tʂak^{3} uei^{53}tsɿ^{0} tsʰiaŋ^{21}tsʰe^{13}li^{0}, ɲi^{13}ɔi$^{53}_{44}$cʰi^{35}i$^{13}_{44}$tʂʰən^{53}tsɿ^{0} .ten^{21}ɲi^{13}kai$^{53}_{44}$si^{53}tʂak^{3} uei^{53}tsɿ^{0} tsʰiaŋ^{21},tsʰiaŋ^{21}tsʰe^{13}li^{0} ,xe$^{53}_{44}$a^{0} ?e$_{21}$,ci^{13}tsʰiəu$^{53}_{44}$pʰau^{13},iəu^{53}pʰau^{13}i^{21}iaŋ$^{53}_{44}$tet^{3} siet$^{5}_{3}$xei^{21}lau^{0} ,iəu^{53}tsʰiaŋ^{21}tau^{21},tsɔk^{3} tʂak^{3} tsɿ^{0} iet^{3} .tsʰiaŋ^{21}tsʰo^{35},xe$^{53}_{21}$,tsʰiaŋ$^{21}_{44}$tsʰo$^{35}_{44}$,tsʰiaŋ^{21}tsʰo^{35}.e$_{44}$,tsʰiaŋ^{21}tsʰo^{35}.si^{53}ke^{53}ɲin$^{13}_{21}$təu$^{35}_{44}$cʰi$^{35}_{44}$tsʰe^{13}li^{0} ,cʰi^{35}la^{53}ke$^{53}_{44}$kai$^{53}_{44}$təu^{21}təu^{21}li^{0} la^{0} ,si^{53}ke^{53}in$^{13}_{21}$təu$^{35}_{44}$cʰi^{35}la^{53}ke$^{53}_{44}$təu^{21}təu^{21}li^{0} la^{0} ,e$_{21}$, ɲi^{13}tsai^{53}tsʰo^{35}.ci$^{13}_{21}$tsiəu^{53}uɔi$^{53}_{44}$tsʰiaŋ^{21}ɲi^{13}tsʰo^{35}.e$_{21}$,tsʰiəu$^{53}_{44}$xe$^{53}_{44}$kai…ci$^{13}_{21}$iet^{3} pɔn^{35}tsʰiaŋ^{21}si^{53}tʂak^{3} uei^{53}tsɿ^{0} ʂa^{0} ,kai$^{53}_{44}$ia^{35}tʂʅ^{21}ɔi$^{53}_{44}$cʰi^{35}kan^{21}ciəu^{21}ʂa^{0} .a^{35}tʂʅ^{21}ɔi$^{53}_{44}$xa^{53}tsɿ^{0} tsʰiəu$^{53}_{21}$xei$^{53}_{44}$me$^{53}_{44}$? ɲi^{13}tsʰiəu$^{53}_{44}$cʰi$^{35}_{44}$tau$^{21}_{44}$kai$^{53}_{44}$iaŋ$^{53}_{44}$, ɲi$^{13}_{21}$tsʰiəu$^{53}_{44}$pət^{3} len^{13}iau$^{53}_{44}$tsʰiəu$^{53}_{44}$tsʰo$^{35}_{44}$le^{0} .kai$^{53}_{44}$ɲi$^{13}_{21}$tsʰo^{35}ɲi$^{13}_{21}$tsʰiəu^{53}n̩$^{13}_{21}$təŋ^{21}.tsʰo^{35}a$^{35}_{53}$tsʰo$^{35}_{44}$tek^{3} lau^{0}. ɲi$^{13}_{21}$tsʰo^{35}li^{0} tsʰiəu^{53}ʂek^{3} min$^{13}_{21}$ ɲi$^{13}_{21}$n̩$^{13}_{44}$təŋ^{21}.tsʰiəu$^{53}_{44}$kan^{21}tsɿ^{0} ke$^{53}_{44}$,kai$^{53}_{44}$tsʰiaŋ^{21}kʰak^{3} …tsʰiaŋ^{21}tsʰo^{35}ke$^{53}_{44}$tsʰiəu$^{53}_{44}$xa^{53}sɿ$^{53}_{44}$tsʰiəu$^{53}_{44}$kan^{21}tsɿ^{0} tsʰiaŋ^{21}.kai$^{53}_{44}$i^{21}kan^{21}ke$^{53}_{44}$təŋ$^{35}_{44}$si^{0} kau^{21}tek^{3} xa$^{13}_{21}$xei^{53}xau^{21}lei^{0} .tsən^{35}tʂʰəŋ^{53}pʰiek^{5}ɲin$^{13}_{21}$ka$^{35}_{44}$,xei$^{53}_{44}$me$^{53}_{44}$?e$_{21}$.tsən^{35}tʂʰəŋ$^{53}_{44}$pʰiek^{5}ɲin$^{13}_{21}$ka$^{35}_{44}$.kai$^{53}_{44}$ia^{35}i^{53}tek^{3} le^{0} təu^{0} ,tsʰiaŋ^{21}si^{53}tʂak^{3} tsɿ^{0} uei^{53}tsɿ^{0} ʂʅ$^{53}_{44}$i^{53}tek^{3} le^{0} .iəu^{35}tet^{5} tsʰiaŋ^{21}ɲi$^{13}_{44}$man^{13}to$^{35}_{44}$uei^{53}tsɿ^{0}ke$^{53}_{44}$tsʰiəu$^{53}_{44}$tsʰiaŋ^{21}xek^{3} iet^{3} lən^{13},iəu^{53}tsʰo^{35}xa$^{53}_{44}$lɔi$^{13}_{21}$.iəu^{53}lɔi$^{13}_{21}$tsʰiaŋ^{21}tʰi$^{53}_{44}$ɲi^{53}lən^{13}.e$_{21}$,tsʰiaŋ^{21}xek^{3} i^{21}si^{53}tʂak^{3}uei^{53}tsɿ^{0},tən$^{21}_{35}$ɲi$^{13}_{21}$tien^{0} tsʰo^{35}xa^{53}lɔi$^{13}_{21}$,iəu^{53}lɔi$^{13}_{21}$tsʰiaŋ^{21}i^{21}si^{53}tʂak^{3},tʰi^{53}ɲi^{53}si^{53}(tʂ)ak^{3} uei$^{53}_{44}$tsɿ^{0}.

【带郎个】tai^{53}lɔŋ^{13}ke^{53} 婚礼仪式上的伴郎。又称“牵新郎个”：渠一般咁个呢，渠一般以只～吵，箇只结婚个时候子吵，箇只郎子啊爱去接渠老婆，系唔系？爱到女家头去。箇蛮多人都要求咁个啦，渠话听晡莫讲……渠话箇接你就爱来接啦。欸，爱老公来接啦，爱箇欸箇郎子爱来接啦。欸，你唔来接是还把做我自家仰啊你屋下个来个啦，我脉把伞来个啦。以个是系你拣时择日欸欸就接倒我归去个啦，系唔系？渠话听晡莫讲筋个时候子，两公婆吵下子筋个时候子嘞，渠还拿出来整道理讲啊。箇是一只。一定爱去接。妹子……去接新人个嘞就安做牵新人个，就另……爱分人去接吵，系唔系？但是箇郎子过去哩，唔爱么人陪倒渠去做得。爱只有么个时候子就爱箇爱箇只～嘞？～就归来哩了，分新人接归来哩了，欸，新人边上爱有只牵新人个吵，系唔系？新人爱举行婚礼吵，爱拜堂吵。箇就同样个箇只郎子边上嘞也爱徛只男子人，一般呢就系两公婆，爱在本家肚里择只欸爱有子女个啦，爱有子女个。如今是箇是唔限定么个有赖子个唠。欸，爱有子女个，爱长得好兜子个，爱灵泛滴子个。最要紧个就爱有子女个。赠供个都唔爱啦，赠供细人子个还唔爱正，欸呀，其实是供得越多个越好。箇是渠咁个啦，去接新人都系啦。哦，还有只，二婚亲唔爱，二婚亲唔请，唔吉利，嗯，二婚亲唔爱。ci^{13}iet^{3} pɔn$^{35}_{53}$kan$^{21}_{13}$ke^{0} nei^{0} ,ci^{13}iet^{3} pɔn$^{35}_{53}$i^{21}tʂak^{3} tai^{53}lɔŋ^{13}cie^{0} ʂa^{0} ,kai^{53}tʂak^{3} ciet^{3} fən^{35}ke^{53}ʂʅ^{13}xəu$^{53}_{44}$ tsɿ^{0} ʂa^{0} ,kai^{53}tʂak^{3} lɔŋ^{13}tsɿ^{0} a^{0} ɔi^{53}çi^{53}tsiait^{3} ci$^{13}_{44}$lau$^{13}_{21}$pʰo^{13} ,xei^{53}me^{53}?ɔi^{53}tau^{53}ɲy^{21}ka$^{35}_{44}$tʰei$^{13}_{21}$çi^{53} .kai^{53}man^{13}to^{35}ɲin$^{13}_{44}$ təu$^{35}_{44}$iau$^{35}_{44}$cʰiəu$^{13}_{21}$kan$^{21}_{44}$ke^{0} la^{0} ,ci^{13}ua^{53}tʰin$^{35}_{53}$pu$^{35}_{44}$mɔk^{5} kɔŋ^{21}···ci$^{13}_{44}$(u)a$^{53}_{44}$kai^{53}tsiait^{3}ɲi^{13}tsʰiəu^{53}ɔi^{53}lɔi$^{13}_{44}$tsiait^{3} la^{0} .e$_{21}$, ɔi^{53}lau^{21}kəŋ^{35}lɔi$^{13}_{21}$tsiait^{3} la^{0} ,ɔi^{53}kai$^{53}_{44}$e^{0} kai^{53}lɔŋ^{13}tsɿ^{0} ɔi^{53}lɔi$^{13}_{44}$tsiait^{3} la^{0} .ei$_{21}$, ɲi^{13}n̩$^{13}_{44}$nɔi^{13}tsiait^{3} ʂʅ$^{53}_{44}$xai^{13}pa^{21}tso^{53}ŋai^{13} tsʰɿ$^{35}_{44}$ka$^{35}_{44}$ɲiɔŋ^{21}ŋa^{0}ɲi^{13}uk^{3} xa$^{53}_{44}$ke^{0} lɔi$^{13}_{21}$ke^{0} la^{0} ,ŋai^{13}cʰiait^{3} pa^{21}san^{53}nɔi^{13}ke^{0} la^{0} .i^{21}ke^{53}ʂʅ$^{53}_{44}$xei^{53}ɲi^{13}kan^{21}ʂʅ^{13}tʰɔk^{5} ɲiet^{3} e$_{21}$ei$_{21}$tsiəu^{53}tsiait^{3} tau^{21}ŋai^{13}kuei$^{35}_{44}$çi^{53}ke^{0} la^{0} ,xei$^{53}_{44}$me$^{53}_{44}$?ci^{13}ua$^{53}_{44}$tʰin$^{35}_{53}$pu$^{35}_{53}$mɔk^{5} kɔŋ^{21}cin^{35}ke^{0} ʂʅ^{13}xəu$^{53}_{44}$tsɿ^{0} , iɔŋ^{21}kəŋ$^{35}_{44}$pʰo$^{13}_{21}$tsʰau^{21}a^{0} tsɿ^{0} cin^{35}ke^{0} ʂʅ^{13}xəu$^{53}_{44}$tsɿ^{0} lei^{0} ,ci^{13}xai$^{13}_{44}$lak^{5} tʂʰət^{3} lɔi^{13}tʂən^{21}tʰau^{53}li^{35}kɔŋ^{21}ŋa^{0} .kai^{53}ʂʅ^{53}iet^{3} tʂak^{3} .iet^{3} tʰin^{53}ɔi^{53}çi^{53}tsiait^{3} .mɔi^{53}tsɿ^{0} ···çi^{53}tsiait^{3} sin^{35}ɲin^{13}ke^{0} lei^{0} tsʰiəu^{53}ɔn$^{35}_{53}$tso^{53}cʰien^{35}sin$^{35}_{44}$ɲin$^{13}_{21}$ke^{0} ,tsʰiəu$^{53}_{44}$ lin^{53}···ɔi$^{53}_{44}$pən^{35}ɲin$^{13}_{21}$çi^{53}tsiait^{3} ʂa^{0} ,xei^{53}me^{53}?tan^{53}ʂʅ^{53}kai^{53}lɔŋ^{13}tsɿ^{0} ko^{53}çi^{53}li^{0} ,m̩$^{13}_{21}$mɔi^{53}mak^{3} ɲin$^{13}_{44}$pʰi^{13}tau^{21}ci$^{13}_{44}$ çi$^{53}_{44}$tso^{53}tek^{3} .ɔi$^{53}_{44}$tʂʅ^{21}iəu$^{35}_{53}$mak^{3} ke^{0} ʂʅ^{13}xei^{53}tsɿ^{0} tsʰiəu$^{53}_{44}$ɔi^{53}kai$^{53}_{44}$ɔi$^{53}_{44}$kai^{53}tʂak^{3} tai^{53}lɔŋ^{13}ke^{0} lei^{0} ?tai^{53}lɔŋ^{13}ke^{0} tsʰiəu$^{53}_{44}$kuei^{35}lɔi$^{13}_{21}$li^{0} liau^{0} ,pən$^{35}_{44}$sin^{35}ɲin$^{13}_{21}$tsiait^{3} kuei^{35}lɔi$^{13}_{21}$li^{0} liau^{0} ,ei$_{21}$,sin^{35}ɲin^{13}pien$^{35}_{44}$xɔŋ^{53}ɔi^{53}iəu^{35}tʂak^{3} cʰien^{35} sin^{35}ɲin$^{13}_{21}$ke^{0} ʂa^{0} ,xei^{53}me^{53}?sin^{35}ɲin$^{13}_{21}$ɔi^{53}tʂʯ^{21}çin^{13}fən^{35}li$^{35}_{44}$ʂa^{0} ,ɔi^{53}pai^{53}tʰɔŋ^{13}ʂa^{0} .kai^{53}tsʰiəu^{53}tʰəŋ^{13}iɔŋ$^{53}_{44}$ke^{0} kai^{53} tʂak^{3} lɔŋ^{13}tsɿ^{0} pien$^{35}_{44}$xɔŋ$^{53}_{44}$lei^{0} ia^{35}ɔi^{53}cʰi^{35}tʂak^{3} lan^{13}tsɿ^{0}ɲin^{13} ,iet^{3} pɔn^{35}ne^{0} tsʰiəu^{53}xe^{53}iɔŋ^{21}kəŋ^{35}pʰo^{13} ,ɔi^{53}tsʰai^{53} pən^{21}ka^{35}təu^{21}li^{0} tʰɔk^{5} tʂak^{3} e$_{21}$ɔi^{53}iəu$^{35}_{53}$tsɿ^{21}ŋ̍^{21}ke^{0} la^{0} ,ɔi^{53}iəu$^{35}_{53}$tsɿ^{21}ŋ̍^{21}ke^{0} .i$^{13}_{21}$cin$^{35}_{44}$ʂʅ$^{53}_{44}$kai^{53}ʂʅ$^{53}_{44}$n̩^{13}kʰan$^{53}_{21}$tʰiaŋ^{53}mak^{3} e^{0} iəu^{35}lai^{53}tsɿ^{0} ke^{0} lau^{0} .e$_{44}$,ɔi^{53}iəu$^{35}_{53}$tsɿ^{21}ŋ̍^{21}ke^{0} ,ɔi^{53}tʂɔŋ^{21}tek^{3} xau^{21}təu$^{35}_{44}$tsɿ^{0} ke^{0} ,ɔi^{53}lin^{13}fan$^{53}_{21}$tiet^{5} tsɿ^{0} ke^{0} .tsei^{53}iau^{53} cin^{21}ke^{0} tsʰiəu$^{53}_{44}$ɔi$^{53}_{44}$iəu$^{35}_{44}$tsɿ^{21}ŋ̍^{21}ke^{0} .maŋ^{13}ciəŋ^{53}ke^{0} təu$^{35}_{44}$m̩^{13}mɔi^{53}la^{0} ,maŋ^{13}ciəŋ^{53}sei^{53}ɲin$^{13}_{44}$tsɿ^{0} ke^{0} xai$^{13}_{44}$m̩$^{13}_{21}$mɔi^{53} tʂaŋ^{53} ,ei$_{44}$ia^{0} ,cʰi$^{13}_{21}$ʂət^{5} ʂʅ$^{53}_{44}$ciəŋ^{53}tek^{3} uet^{5} to^{0} ke^{0} uet^{5} xau^{21} .kai$^{53}_{44}$ʂʅ$^{53}_{44}$ci$^{13}_{44}$kan^{21}cie^{53}la^{0} ,çi^{53}tsiait^{3} sin^{35}ɲin$^{13}_{44}$təu$^{35}_{44}$xei^{53} la^{0} .o$_{53}$,xai^{13}iəu$^{35}_{53}$tʂak^{3} , ɲi^{53}fən$^{35}_{44}$tsʰin$^{35}_{44}$m̩$^{13}_{21}$mɔi^{53} , ɲi^{53}fən$^{35}_{44}$tsʰin$^{35}_{44}$n̩^{13}tsʰiaŋ^{21} ,n̩^{13}ciet^{3} li^{53} ,n̩$_{21}$, ɲi^{53}fən$^{35}_{44}$tsʰin$^{35}_{44}$m̩$^{13}_{21}$ mɔi^{53} .

【带路】tai^{53}ləu^{53} [动]①在前头领路，引路：也有两只概念啦。一只就系真实个～。到哪只栏场去，寻唔倒，我来～。ia^{35}iəu$^{35}_{53}$iɔŋ^{21}tʂak^{3} kʰai^{53}ɲien^{53}la^{0} .iet^{3} tʂak^{3} tsʰiəu^{53}xe^{53}tʂən^{35}ʂət^{5} ke^{0} tai^{53}ləu^{53} .tau^{53} lai^{53}tʂak^{3} laŋ$^{13}_{21}$tʂʰɔŋ$^{13}_{21}$çi^{53} ,tsʰin^{13}n̩$^{13}_{44}$tau^{21} ,ŋai$^{13}_{21}$lai$^{13}_{44}$tai^{53}ləu^{53} . ②引导；指导：还有只嘞，就系欸后生人还正走上社会，箇爷子爱带下子路，或者舞只么人，年长兜子个人～，就系带倒渠走上社会，箇就系～。xai$^{13}_{21}$iəu$^{35}_{53}$tʂak^{3} le^{0} ,tsʰiəu$^{53}_{44}$xe$^{53}_{44}$e$_{21}$xei^{53}saŋ$^{35}_{44}$ɲin$^{13}_{21}$xai$^{13}_{21}$tʂaŋ^{53}tsei^{21}ʂɔŋ$^{53}_{44}$ʂa^{53}fei$^{53}_{44}$,kai$^{53}_{44}$ia^{13}tsɿ^{0} ɔi$^{53}_{44}$tai^{53} xa$^{53}_{44}$tsɿ^{0} ləu^{53} ,xɔit^{5} tʂa^{21}u^{21}tʂak^{3} mak^{3} ɲin^{13} , ɲien^{13}tʂɔŋ^{21}təu$^{35}_{53}$tsɿ^{0} ke^{0} ɲin$^{13}_{44}$tai$^{53}_{44}$ləu^{53} ,tsʰiəu$^{53}_{44}$xei$^{53}_{44}$tai^{53}tau^{21}ci$^{13}_{44}$tsei^{21} ʂɔŋ$^{53}_{44}$ʂa^{53}fei^{53} ,kai$^{53}_{44}$tsiəu$^{53}_{21}$(x)e$^{53}_{44}$tai$^{53}_{44}$ləu^{53} .

【带路鸡】tai^{53}ləu$^{53}_{44}$ke^{35}/cie^{35} [名]结婚礼单中对鸡的美称：箇个结婚个时候子啊，有只～呢。～就系男方爱捉一捉只捉一对呀捉一只唠？一只～。有奉子鸡～。咁个，嗯。kai$^{53}_{44}$ke$^{53}_{44}$ciet^{3} fən^{35} ke^{0} ʂʅ^{13}xəu$^{53}_{44}$tsɿ^{0} a^{0} ,iəu$^{35}_{44}$tʂak^{3} tai^{53}ləu$^{53}_{44}$cie^{35}nei^{0} .tai$^{53}_{44}$ləu$^{53}_{44}$cie^{35}tsiəu$^{53}_{44}$xei$^{53}_{44}$lan^{13}fɔŋ^{35}ɔi^{53}tsɔk^{3} iet^{3} tsɔk^{3} tʂak^{3} tsɔk^{3} iet^{3} ti^{53}ia^{0} tsɔk^{3} iet^{3} tʂak^{3} lau^{0} ?iet^{3} tʂak^{3} tai^{53}ləu$^{35}_{44}$ke^{35} .iəu^{35}fəŋ^{53}tsɿ^{21}ke^{35}tai^{53}lu$^{53}_{44}$ke^{35} .kan$^{21}_{13}$ke^{53} ,n̩$_{21}$.

【带胎来个】tai^{53}tʰɔi^{35}lɔi^{13}ke^{53} 指遗腹子：嗬，箇映有只就笑死人个哦，街上有只笑死人个哦，渠一只大赖子就～，嗯，离嘿两到婚哇，讨嘿三只老婆，系唔系？以下自家舞下以映，就也系卖下么个姓么个个人吵？卖嘿以映来嘞，脚下嘞又供三只，嗯，四只赖子。以大个是斢嘿三只老婆了，箇三只是一只老婆都冇得，三十几岁了，一只老婆都冇得。唔知让门个，以映子传倒来个种嘞就讲事都唔会讲。欸，箇只嘞就咁会讲，箇个就～，欸就遗腹子，渠等学我听。我话："让门去就咁古怪？""渠是～嘞，以系渠嫔子～。" xo$_{53}$,kai$^{53}_{44}$iaŋ$^{53}_{44}$iəu$^{35}_{53}$tʂak^{3} tsʰiəu$^{53}_{44}$ siau^{53}si^{21}ɲin$^{13}_{21}$ke^{53}o^{0} ,kai$^{35}_{44}$xɔŋ^{53}iəu^{35}tʂak^{3} siau^{53}si^{21}ɲin^{13}ke^{53}o^{0} ,ci$^{13}_{44}$iet^{3} tʂak^{3} tʰai^{53}lai^{53}tsɿ^{0} tsʰiəu$^{53}_{44}$tai^{53}tʰɔi^{35}lɔi$^{13}_{21}$ ke^{53},n̩$_{21}$,li^{13}xek^{3} iɔŋ^{21}tau^{53}fən^{35}ua^{53} ,tʰau^{21}xek^{3} san^{35}tʂak^{3} lau^{21}pʰo^{13} ,xei^{53}me^{53}?i^{21}xa$^{53}_{44}$tsʰɿ^{35}ka$^{35}_{53}$u^{21}xa^{53}i^{21}iaŋ^{53}, tsʰiəu^{53}ia^{35}xe^{53}mai^{53}ia$^{53}_{44}$mak^{3} kei^{53}siaŋ^{53}mak^{3} e^{0} ke^{53}ɲin$^{13}_{21}$ʂa^{0} ?mai$^{53}_{44}$xek^{3} i^{21}iaŋ^{53}lɔi$^{13}_{21}$le^{0} ,ciɔk^{3} xa$^{53}_{44}$lei^{0} iəu^{53}ciəŋ^{53} san^{35}tʂak^{3} ,n̩$_{21}$,si^{53}tʂak^{3} lai^{53}tsɿ^{0} .i$^{13}_{21}$tʰai^{53}ke^{53}ʂʅ^{53}tʰiau^{21}xek^{3} san^{35}tʂak^{3} lau^{21}pʰo^{13}liau^{0} ,kai^{53}san^{35}tʂak^{3} ʂʅ$^{53}_{44}$iet^{3} tʂak^{3} lau^{21}pʰo^{13}təu$^{35}_{53}$mau$^{13}_{21}$tek^{3} ,san^{35}ʂət^{5} ci^{21}sɔi^{53}liau^{0} ,iet^{3} tʂak^{3} lau^{21}pʰo^{13}təu$^{35}_{53}$mau$^{13}_{21}$tek^{3} .n̩$^{13}_{21}$ti$^{35}_{53}$ɲiɔŋ^{53}mən$^{13}_{44}$ kei^{0} ,i^{21}iaŋ^{53}tsɿ^{0} tʂʰuɔn^{13}tau^{21}lɔi^{13}ke^{53}tʂəŋ^{21}lei^{0} tsʰiəu^{53}kɔŋ^{21}sɿ^{53}təu$^{35}_{53}$m̩$^{13}_{21}$uɔi^{53}kɔŋ^{21} .e$_{21}$,kai^{53}tʂak^{3} lei^{0} tsʰiəu^{53}kan^{21} uɔi^{53}kɔŋ^{21} ,kai$^{53}_{44}$e^{0} tsʰiəu$^{53}_{44}$tai^{53}tʰɔi^{35}lɔi$^{13}_{21}$ke^{0} ,e^{0} tsʰiəu$^{53}_{21}$i^{13}fuk^{5} tsɿ^{0} ,ci$^{13}_{21}$tien^{0} xɔk^{5} ŋai$^{13}_{21}$tʰaŋ^{35} .ŋai^{13}ua^{53}:"ɲiɔŋ^{53}mən$^{13}_{44}$ ci^{13}tsʰiəu^{53}kan^{21}ku^{21}kuai^{53}?""ci$^{13}_{21}$ʂʅ^{53}tai^{53}tʰɔi^{35}lɔi$^{13}_{21}$ke^{53}lei^{0} ,i$^{21}_{44}$xe$^{53}_{44}$ci$^{13}_{21}$ɔi^{35}tsɿ^{0} tai^{53}tʰɔi^{35}lɔi$^{13}_{21}$ke^{53}."

【带引】tai^{53}in^{21} 名 祭祀时负责引导的礼生，也指其行为：还有～。～就带倒箇孝子啊，去噢走呀。围倒箇厅下哪只地方子啊，去走呀。到哪只到哪张桌子面前呐搞么个活动啊，箇就～呢。xai$^{13}_{21}$iəu$^{35}_{44}$tai^{53}in^{21}.tai^{53}in^{21}tsʰiəu$^{53}_{44}$tai^{53}tau^{21}kai$^{53}_{44}$xau^{53}tsɿ^{21}a^{0},çi$^{53}_{44}$au^{0}tsei^{21}ia^{0}.uei^{13}tau^{21}kai$^{53}_{44}$tʰaŋ^{35}xa$^{53}_{44}$lai^{53}tʂak^{3}tʰi^{53}fɔŋ^{35}tsa^{0},çi$^{53}_{44}$tsei^{21}ia^{0}.tau^{53}lai^{53}tʂak^{3}tau^{53}lai^{53}tʂɔŋ$^{35}_{44}$tsɔk^{3}tsɿ^{0}mien^{53}tsʰien$^{13}_{21}$na^{0}kau^{21}mak^{3}ke$^{53}_{44}$xɔit^{5}tʰəŋ$^{53}_{44}$ŋa^{0},kai$^{53}_{44}$tsʰiəu$^{53}_{44}$tai^{53}in^{21}ne^{0}.

【带子】tai^{53}tsɿ^{0} 名 用布等物做成的窄而长的条状物，用来绑扎：哦，～啊，都系一只，安做～。但是背带就有专门个，安做背带呀。o$_{35}$,tai^{53}tsɿ^{0}a^{0},təu^{35}xei^{53}iet^{3}tʂak^{3},ɔn$^{35}_{44}$tso$^{53}_{44}$tai^{53}tsɿ^{0}.tan$^{53}_{44}$ʂɿ$^{53}_{44}$pi^{53}tai$^{53}_{44}$tsʰiəu^{53}iəu$^{35}_{44}$tʂen^{35}mən$^{13}_{21}$ke$^{53}_{44}$,ɔn$^{35}_{44}$tso$^{53}_{44}$pi^{53}tai^{53}ia^{0}.

【癗】tʂʰɔi^{13} 名 疖子：发～fait^{3}tʂʰɔi^{13}｜发只～fait^{3}tʂak^{3}tʂʰɔi^{13}

【怠慢】tʰai^{53}man^{53} 动 招待不周到或有失礼处，常作谦词用：～哩你。tʰai^{53}man^{53}li^{0}ɲi^{13}.

【袋$_{1}$】tʰɔi^{53} 名 袋子：用箇秆放～筑满来。iəŋ$^{53}_{44}$kai$^{53}_{44}$kɔn^{21}fɔŋ^{53}tʰɔi$^{53}_{21}$tʂəuk^{3}mən^{53}lɔi$^{13}_{44}$.

【袋$_{2}$】tʰɔi^{53} 动 装在袋子里，又称"塞、兜"：箇手机，手机～稳呐！莫跌嘿哩啊！kai$^{53}_{44}$ʂəu^{21}ci^{35},ʂəu^{21}ci^{35}tʰɔi^{53}uən^{21}na^{0}!mɔk^{5}tiet^{3}(x)ek^{3}li^{0}a^{0}!｜一般都系烟包子～嘿身上。iet^{3}pɔn^{35}təu$^{35}_{44}$xei$^{53}_{44}$ien^{35}pau^{35}tsɿ^{0}tʰɔi$^{53}_{44}$(x)ek^{3}ʂən^{35}xɔŋ$^{53}_{44}$.

【袋袋】tʰɔi^{53}tʰɔi$^{53}_{44}$ 名 袋子：舞只～装倒，安做豆腐袋。u^{21}(tʂ)ak^{3}tʰɔi^{53}tʰɔi$^{53}_{44}$tʂɔŋ^{35}tau^{21},ɔn$^{35}_{44}$tso$^{53}_{44}$tʰei^{53}fu$^{53}_{44}$tʰɔi^{53}.

【袋盖子】tʰɔi^{53}kɔi^{53}tsɿ^{0} 名 口袋盖：衫袋子顶高箇块子舌舌就安做～。一般中山装就有哇，系啊？西装也有唠，西服也有唠。san^{35}tʰɔi^{53}tsɿ^{0}taŋ^{21}kau$^{35}_{44}$kai$^{53}_{44}$kʰuai$^{53}_{44}$tsɿ^{0}ʂait^{5}ʂait^{5}tsiəu$^{53}_{44}$ɔn$^{35}_{44}$tso$^{53}_{44}$tʰɔi^{53}kɔi^{53}tsɿ^{0}.iet^{3}pɔn^{35}tʂəŋ^{35}san$^{35}_{44}$tsɔŋ$^{35}_{44}$tsʰiəu^{53}iəu$^{35}_{44}$ua^{0},xei$^{53}_{44}$a^{0}?si^{35}tsɔŋ$^{35}_{44}$ia$^{35}_{44}$iəu$^{35}_{44}$lau^{0},si^{35}fuk^{5}a$^{35}_{44}$iəu$^{35}_{44}$lau^{0}.

【袋子】tʰɔi^{53}tsɿ^{0} 名 ①用布或其他柔软材料制作的盛东西的器物：你搞么啊塞下我～里来？ɲi^{13}kau^{21}mak^{3}a^{0}sek^{3}(x)a$^{53}_{44}$ŋai^{13}tʰɔi^{53}tsɿ^{0}li^{21}lɔi^{13}? ②缝在衣服上用以装东西的袋形部分：从前个中山装是以映有两只～啊。tsʰəŋ^{13}tsʰien^{13}ke$^{53}_{44}$tʂəŋ^{35}san$^{35}_{44}$tsɔŋ$^{35}_{44}$ʂɿ$^{53}_{44}$i^{21}iaŋ^{35}iəu$^{35}_{44}$iɔŋ^{21}tʂak^{3}tʰɔi^{53}tsa^{0}. ③指袋状的东西：鸟砣子$_{指阴囊}$就箇～。tiau^{35}tʰo^{13}tsɿ^{0}tsʰiəu$^{53}_{44}$kai$^{53}_{44}$tʰɔi^{53}tsɿ^{0}.

【袋子布】tʰɔi^{53}tsɿ^{0}pu^{53} 名 用来做口袋的布：～就安做～。唔讲里布。tʰɔi^{53}tsɿ^{0}pu^{53}tsʰiəu$^{53}_{44}$ɔn$^{35}_{44}$tso$^{53}_{44}$tʰɔi^{53}tsɿ^{0}pu^{53}.ŋ̍^{13}kɔŋ^{21}li^{21}pu^{53}.

【戴】tai^{53} 动 把东西加在头、面、颈、手、肩、胸等处：～手套子 tai^{53}ʂəu^{21}tʰau^{53}tsɿ^{0}｜～手铐子 tai^{53}ʂəu^{21}kʰau^{53}tsɿ^{0}｜手锁有。我嬗～过。ʂəu^{21}so^{21}iəu^{35}.ŋai$^{13}_{21}$maŋ^{13}tai^{53}ko$^{53}_{21}$.｜如今我媄子都长日冬下头咯长日喊我去买顶帽子啊，爱～帽哇。我话以只东西我唔信你，帽子一～呀，起码都老嘿十岁，硬他老嘿十岁，箇都～得噢？我唔～。渠就爱我～，么个怕冷话。么个有么个冷唠我？我爱～了我唔爱你喊呐，我会～。i$^{13}_{21}$cin$^{35}_{53}$ŋai$^{13}_{21}$ɔi^{35}tsɿ^{0}təu$^{35}_{44}$tʂʰɔŋ^{13}ɲiet^{3}təŋ^{35}xa$^{53}_{44}$tʰei^{0}ko^{0}tʂʰɔŋ^{13}ɲiet^{3}xan^{53}ŋai$^{13}_{44}$çi^{53}mai^{35}taŋ^{21}mau^{53}tsɿ^{0}a^{0},ɔi^{53}tai^{53}mau^{53}ua^{0}.ŋai^{13}ua$^{53}_{44}$i^{21}tʂak^{3}(t)əŋ$^{35}_{44}$si^{0}ŋai$^{13}_{21}$ŋ̍^{13}sin^{53}ɲi^{13},mau^{53}tsɿ^{0}iet^{3}tai^{53}ia^{0},çi^{21}ma$^{35}_{44}$təu$^{35}_{44}$lau^{21}xek^{3}ʂət^{5}sɔi$^{53}_{44}$,ɲiaŋ^{53}tʰa$^{35}_{44}$lau^{21}xek^{3}ʂət^{5}sɔi$^{53}_{44}$,kai^{53}təu$^{35}_{44}$tai^{53}tek^{3}au$_{21}$?ŋai$^{13}_{21}$ŋ̍^{13}tai^{53}.ci$^{13}_{21}$tsʰiəu$^{53}_{44}$ɔi^{53}ŋai$^{13}_{21}$tai^{53},mak^{3}e^{0}pʰa^{53}laŋ^{35}ua^{53}.mak^{3}ke^{0}iəu$^{35}_{53}$mak^{3}e^{0}laŋ^{35}lau^{0}ŋai$^{13}_{21}$?ŋai^{13}ɔi^{53}tai^{53}liau^{0}ŋai^{13}m̩^{13}mɔi^{53}ɲi^{13}xan^{53}na^{0},ŋai^{13}uɔi^{53}tai$^{53}_{44}$.

【戴孝】tai^{53}xau^{53} 动 穿戴丧服：～就做哩孝子了就爷媄死哩就爱～啦。欸，包括……以前是爱着秆鞋……爱着草鞋哟，冷天都爱着草鞋哟。以下是鞋就冇么人箇个了，但是嘞鞋面上箇鞋面上嘞爱钉块白布去，欸，死哩爷媄呀，钉块白布。欸，爱着白鞋，嗯，着麻衣，欸，箇孝子是爱步条孝堂棍。欸，箇个脑壳上嘞爱戴旋笼。嗯，箇就～。箇就重孝。tai$^{53}_{21}$xau$^{53}_{44}$tsʰiəu$^{53}_{44}$tso$^{53}_{44}$li^{0}xau^{53}tsɿ^{21}liau^{0}tsʰiəu$^{53}_{44}$ia^{13}ɔi$^{35}_{44}$si^{21}li^{0}tsʰiəu$^{53}_{44}$ɔi$^{53}_{44}$tai$^{53}_{44}$xau^{53}la^{0}.e$_{44}$,pau^{35}kuait^{3}…i$^{21}_{44}$tsʰien$^{13}_{21}$ʂɿ$^{53}_{44}$ɔi^{53}tʂɔk^{3}kɔn^{21}xai…ɔi$^{53}_{44}$tʂɔk^{3}tsʰau^{21}xai^{13}iau^{0},laŋ^{35}tʰien$^{35}_{44}$təu$^{35}_{44}$ɔi$^{53}_{44}$tʂɔk^{3}tsʰau^{21}xai^{13}iau^{0}.i^{21}xa$^{53}_{44}$ʂɿ$^{53}_{44}$xai^{13}tsʰiəu^{53}mau$^{13}_{21}$mak^{3}in$^{13}_{44}$kai$^{53}_{44}$ke$^{53}_{44}$liau^{0},tan$^{53}_{44}$ʂɿ$^{53}_{44}$lei^{0}xai^{13}mien^{53}xɔŋ^{53}kai$^{53}_{44}$xai^{13}mien^{53}xɔŋ$^{53}_{44}$lei^{0}ɔi$^{53}_{44}$tin$^{35}_{44}$kʰuai$^{53}_{44}$pʰak^{5}pu$^{53}_{44}$çi$^{53}_{44}$,e$_{21}$,si^{21}li^{0}ia^{13}ɔi$^{35}_{44}$ia^{0},tin$^{35}_{44}$kʰuai$^{53}_{44}$pʰak^{5}pu^{53}.e$_{21}$,ɔi^{53}tʂɔk^{3}pʰak^{5}xai^{13},n̩$_{21}$,tʂɔk^{3}ma^{13}i^{35},e$_{21}$,kai$^{53}_{44}$xau^{53}tsɿ^{21}ʂɿ$^{53}_{44}$ɔi^{53}pʰu^{53}tʰiau$^{13}_{44}$xau^{53}tʰɔŋ^{13}kuən^{53}.ei$_{21}$,kai$^{53}_{44}$kei$^{53}_{44}$lau^{21}kʰɔk^{3}(x)ɔŋ$^{53}_{44}$le^{0}ɔi^{53}tai^{53}sen^{13}nəŋ^{13}.n̩$^{13}_{21}$,kai$^{53}_{44}$tsiəu^{53}tai$^{53}_{44}$xau$^{53}_{44}$.kai$^{53}_{44}$tsʰiəu$^{53}_{44}$tʂʰəŋ^{53}xau^{53}.

【担$_{1}$】tan^{35} 动 ①用肩膀挑：～柴个（禾杠）tan^{35}tsʰai^{13}ke^{53}。②承担：我～倒。ŋai^{13}tan^{35}tau^{21}.

【担待】tan^{35}tai^{53} 动 原谅：多～下子 to^{35}tan^{35}tai^{53}xa$^{53}_{44}$tsɿ^{0}

【担当】tan^{35}tɔŋ^{35} 动 承当：打比箇年我等做祠堂样，就舞倒我～倒箇只牵头个路子，欸，爱钱用啊，让门子设计箇只啦，让门子做啊，都系我～倒去下子搞。ta^{21}pi^{21}kai^{53}ɲien$^{13}_{44}$ŋai^{13}tien^{0}

tso^{53}ts^{h}ɿ^{13}t^{h}ɔŋ^{13}iɔŋ^{53},ts^{h}iəu^{53}u^{21}tau^{21}ŋai^{13}tan^{35}tɔŋ^{35}tau^{21}kai^{53}tʂak^{3} c^{h}ien^{35}t^{h}ei^{13}ke^{0} ləu^{53}tsɿ^{0},e$_{21}$,ɔi^{53}ts^{h}ien^{13}iɔŋ^{53}ŋa^{0}, ɲiɔŋ^{53}mən^{0} tsɿ^{0} ʂet^{3} ci$^{53}_{44}$kai$^{53}_{44}$tʂak^{3} la^{0}, ɲiɔŋ$^{53}_{44}$mən^{0} tsɿ^{0} tso^{53}a^{0},təu^{35}xei^{53}ŋai^{13}tan^{35}tɔŋ^{35}tau^{21}çi^{53}xa$^{53}_{44}$tsɿ^{0}kau$^{21}_{44}$.

【担枷】tan^{35}ka^{35} 动戴上枷锁：木匠～——自造。muk^{3} ts^{h}iɔŋ^{53}tan^{35}ka^{35}—ts^{h}ɿ$^{53}_{44}$ts^{h}au^{53}.歇后语。意思是自己惹的祸自己来承担。

【担脚】tan^{35}ciɔk^{3} 动为别人挑运货物或行装：（浏阳）北乡就出扁担，～个多，欸，从前就苦哇，～个多。pɔit^{3} çiɔŋ$^{35}_{44}$ts^{h}iəu$^{53}_{44}$tʂ^{h}ət^{3} pien^{21}tan^{53},tan^{35}ciɔk^{3} ke$^{53}_{21}$to^{35},e$_{21}$,ts^{h}əŋ^{13}ts^{h}ien^{13}tsiəu$^{53}_{44}$k^{h}u^{21}ua^{0},tan^{35}ciɔk^{3}ke$^{53}_{21}$to^{35}.

【担脚个】tan^{35}ciɔk^{3}ke^{0}/cie^{0} 指挑夫：我有只叔公就系～嘞，渠担一世人脚。担一世人脚。真走得哦。渠八十几岁了，七八十岁了，渠噢讲嘿弄死人呢。渠就箇阵子就欸打铳个响硝哇，打铳啊，老哩人就爱打铳吵，就爱硝，渠就会佮硝。渠长日佮滴子硝去卖，从我等老家荷倒上洪去卖。渠个孙子嘞，箇阵也冇摩托唠，骑单车，渠就骑单车拖兜子硝，走张家坊啊咁子上上洪去卖。渠就走路，荷只担子，渠老嘿哩，唔会骑单车吵，渠走路，走箇小路山路咁子上三窝十二岘咁子插嘿去。两子阿公差唔多到，都系到上洪去，差唔多时候子到哩。ŋai$^{13}_{21}$iəu^{35}tʂak^{3} ʂəuk^{3} kəŋ^{35}ts^{h}iəu$^{53}_{44}$xe$^{53}_{44}$tan^{35}ciɔk^{3}ke^{0}le^{0},ci$^{13}_{21}$tan^{35}iet^{3} ʂʅ^{53}ɲin^{13}ciɔk^{3}.tan^{35}iet^{3} ʂʅ^{53}ɲin^{13}ciɔk^{3}.tʂen^{35}tsei^{21}tek^{3} o^{0}.ci^{13}pait^{3} ʂət^{5} ci^{21}sɔi^{53}liau^{0},ts^{h}iet^{3} pait^{3} ʂət^{5} sɔi^{53}liau^{0},ci^{13}au^{0} kɔŋ^{21}xek^{3} ləŋ^{53}si^{21}ɲin^{13}ne^{0}.ci^{13}ts^{h}iəu^{53}kai^{53}tʂ^{h}ən^{53}tsɿ^{0} ts^{h}iəu^{53}e^{0} ta^{21}tʂ^{h}əŋ^{53}ke^{0} çiɔŋ^{21}siau^{35}ua^{0},ta^{21}tʂ^{h}əŋ^{53}ŋa^{0},lau^{21}li^{0}ɲin^{13}ts^{h}iəu^{53}ɔi^{53}ta^{21}tʂ^{h}əŋ^{53}ʂa^{0},ts^{h}iəu$^{53}_{44}$ɔi$^{53}_{44}$siau^{35},ci^{13}ts^{h}iəu^{53}uɔi^{53}kait^{3} siau^{35}.ci^{13}tʂ^{h}ɔŋ^{13}(ɲ)iet^{3} k^{h}ait^{3} tiet^{5} tsɿ^{0} siau^{35}çi$^{53}_{44}$mai^{53},ts^{h}əŋ$^{13}_{21}$ŋai^{13}tien^{0} lau^{21}cia^{35} k^{h}ai^{35}tau$^{21}_{44}$ʂɔŋ^{53}p^{h}əŋ^{13}çi$^{53}_{44}$mai^{53}.ci^{13}ke^{0} sən^{35}tsɿ^{0} lei^{0},kai$^{53}_{44}$tʂ^{h}ən$^{53}_{44}$ia^{35}mau$^{13}_{21}$mo^{13}t^{h}ɔk^{3} lau^{0},c^{h}i$^{13}_{21}$tan^{35}tʂ^{h}a$^{35}_{44}$,ci^{13} ts^{h}iəu$^{53}_{44}$c^{h}i$^{13}_{21}$tan^{35}tʂ^{h}a$^{35}_{44}$t^{h}o^{35}təu$^{35}_{53}$tsɿ^{0} siau^{35},tsei^{21}tʂɔŋ$^{35}_{44}$ka$^{35}_{44}$fɔŋ^{35}ŋa^{0}kan^{21}tsɿ^{0} ʂɔŋ^{53}ʂɔŋ^{53}p^{h}əŋ^{13}çi$^{53}_{44}$mai$^{53}_{44}$.ci^{13}ts^{h}iəu$^{53}_{44}$ tsei^{21}ləu^{53},k^{h}ai^{35}tʂak^{3} tan^{35}tsɿ^{0},ci$^{13}_{44}$lau^{21}xek^{3} li^{0},m̩^{13}uɔi^{53}c^{h}i$^{13}_{21}$tan$^{35}_{44}$tʂ^{h}a$^{35}_{44}$ʂa^{0},ci^{13}tsei^{21}ləu^{53},tsei^{21}kai$^{53}_{44}$siau^{21}ləu^{53} san^{35}ləu^{53}kan^{21}tsɿ^{0} ʂɔŋ^{35}san^{35}uo^{35}ʂʅt^{5}ɲi^{53}cien$^{53}_{44}$kan^{21}tsɿ^{0} ts^{h}ait^{3} (x)ek^{3} çi^{53}.iɔŋ^{21}tsɿ^{21}a$^{35}_{44}$kəŋ$^{35}_{44}$tsa$^{35}_{44}$n̩$^{13}_{21}$to^{35}tau^{53},təu^{35} xei^{53}tau^{53}ʂɔŋ^{53}p^{h}əŋ^{13}çi$^{53}_{44}$,tsa$^{35}_{44}$n̩$^{13}_{21}$to^{35}ke^{53}ʂʅ^{13}xei$^{53}_{44}$tsɿ^{0}tau^{53}li^{0}.

【担力】tan^{35}liet^{5} 动①（东西）承受大的外力：箇脚踏子真易得坏，十分～啊么个，系唔系？十分～。kai$^{53}_{44}$ciɔk^{3} t^{h}ait^{5} tsɿ^{0} tʂən^{35}i^{53}tek^{3} fai^{53},ʂət^{5} fəŋ$^{35}_{44}$tan^{35}liet^{5} a^{0} mak^{3} ke^{53},xei^{53}me^{53}?ʂət^{5} fəŋ$^{35}_{44}$tan^{35}liet^{5}. ②（人）肩负起重担：箇阵子欸我两十多岁子个时候子啊，我一家九个人，硬就系我～。欸，～个人呐就系我。老个老了，我爷子娭子就年纪大嘿哩哦，欸，老弟老妹就还细哟，我就两十多岁子，就我就～呢。kai^{53}tʂ^{h}ən^{53}tsɿ^{0} e$_{21}$ŋai^{13}iɔŋ^{21}ʂət^{5} to$^{35}_{44}$sɔi^{53}tsɿ^{0} ke$^{53}_{44}$ʂʅ$^{13}_{44}$xei$^{53}_{44}$tsɿ^{0} a^{0},ŋai^{13}iet^{3} ka^{35} ciəu^{21}ke^{53}ɲin$^{13}_{21}$, ɲiaŋ$^{53}_{44}$ts^{h}iəu^{53}xei$^{53}_{44}$ŋai^{13}tan^{35}liet^{5}.e$_{21}$,tan^{35}liet^{5} ke$^{53}_{44}$ɲin$^{13}_{21}$na^{0} ts^{h}iəu^{53}xei$^{53}_{44}$ŋai^{13}.lau^{21}ke^{53}lau^{21}liau^{0}, ŋai$^{13}_{21}$ia^{13}tsɿ^{0} ɔi^{35}tsɿ^{0} ts^{h}iəu^{53}ɲien^{13}ci$^{21}_{44}$t^{h}ai^{53}xek^{3} li^{0} o^{0},e$_{44}$,lau^{21}t^{h}e^{53}lau^{21}mɔi$^{53}_{44}$tsiəu$^{53}_{44}$xan$^{13}_{21}$se^{53}io^{0},ŋai^{13}ts^{h}iəu^{53}iɔŋ^{21} ʂət^{5} to^{35}sɔi^{53}tsɿ^{0},ts^{h}iəu^{53}ŋai$^{13}_{21}$ts^{h}iəu^{53}tan^{35}liet^{5} nei^{0}.

【担心】tan$^{35}_{44}$sin^{35} 动心中不安，放心不下：屋下人真～。uk^{3} xa$^{35}_{44}$ɲin$^{13}_{21}$tʂən^{35}tan$^{35}_{44}$sin^{35}.

【担杂货笼个】tan^{35}ts^{h}ait^{5} fo^{53}ləŋ^{21}ke^{53} 指货郎：箇个荷只担子到乡下去做生意个人呐安做么个啦？我等客姓人安做话渠系咯话渠系么个人晓得？有么啊话法么？我硬想唔起来。爱荷只担子去到买么个卖么箇只，欸，货郎样个，货郎样。我等客姓人有么个话法？～。～。啊。硬想唔倒嗬。kai$^{53}_{44}$ke$^{53}_{44}$k^{h}ai^{35}tʂak^{3} tan^{35}tsɿ^{0} tau^{53}çiɔŋ^{35}xa$^{53}_{44}$c^{h}ie$^{53}_{44}$tso^{53}sen^{35}i$^{53}_{44}$ke$^{53}_{44}$in$^{13}_{21}$na^{0} ɔn$^{35}_{44}$tso$^{53}_{44}$mak^{3} ke$^{53}_{44}$la^{0}?ŋai$^{13}_{21}$tien^{0} k^{h}ak^{3} sin^{53}ɲin$^{13}_{21}$ɔn^{35}tso$^{53}_{44}$ua^{53}ci$^{13}_{21}$xei^{53}ko^{0} ua^{53}ci^{13}xe^{53}mak^{3} (k)e^{53}ɲin^{13}çiau^{21}tek^{3} ?iəu^{35}mak^{3} a^{0} ua^{53}fait^{3} mo^{0} ?ŋai^{13} ɲiaŋ^{53}siɔŋ^{21}n̩^{13}çi^{21}lɔi^{13}.ɔi$^{53}_{44}$k^{h}ai^{35}tʂak^{3} tan^{35}tsɿ^{0} çi$^{53}_{44}$tau$^{53}_{44}$mai^{35}mak^{3} (k)e$^{53}_{44}$mai^{53}mak^{3} kai$^{53}_{44}$tʂak^{3},e$_{21}$,fo^{53}lɔŋ^{13}iɔŋ$^{53}_{44}$ ke$^{53}_{44}$,fo^{53}lɔŋ^{13}iɔŋ$^{53}_{44}$.ŋai$^{13}_{21}$tien^{0} k^{h}ak^{3} sin^{53}ɲin$^{13}_{21}$iəu$^{35}_{44}$mak^{3} (k)e$^{53}_{44}$ua^{53}fait^{3} ?tan^{35}ts^{h}ait^{5} fo^{53}ləŋ^{21}ke$^{53}_{44}$.tan^{35}ts^{h}ait^{5} fo^{53} ləŋ^{21}ke^{53}.a$_{21}$. ɲiaŋ^{53}siɔŋ^{21}n̩^{13}tau^{21}xo^{0}.

【单】tan^{35} 形属性词。奇数的：但是系老哩人个，死哩人个，箇就（作）三只（揖），成～。tan^{53}ʂʅ^{53}xe^{53}lau^{21}li^{0}ɲin^{13}ke^{53},si^{21}li^{0}ɲin^{13}ke^{53},kai$^{53}_{44}$ts^{h}iəu$^{53}_{44}$san^{35}tʂak^{3},tʂ^{h}ən^{13}tan^{35}.

【单抱耳】tan^{35}p^{h}au^{53}ɲi^{21} 名单耳刀儿，汉字偏旁“卩”。又称“单挂耳”：～就系箇只却字有个～。以只～嘞就只弯一下个。箇以只字只有右抱耳吧？欸，却字样啊，退却个却啊。写脚字个脚啊，箇后背就系～，脚字就嘞。tan^{35}p^{h}au^{53}ɲi^{21}ts^{h}iəu^{53}xei^{53}kai^{53}tʂak^{3} c^{h}iɔk^{3} ts^{h}ɿ$^{53}_{44}$iəu$^{35}_{44}$ke$^{53}_{44}$tan^{35} p^{h}au^{53}ɲi^{21}.i^{21}tʂak^{3} tan^{35}p^{h}au^{53}ɲi^{21}lei^{0} ts^{h}iəu$^{53}_{44}$tʂʅ^{21}uan^{35}iet^{3} xa^{53}ke^{0}.kai$^{53}_{44}$i^{21}tʂak^{3} sɿ^{53}tʂʅ^{21}iəu$^{35}_{44}$iəu^{53}p^{h}au$^{53}_{44}$ɲi$^{13}_{21}$ pa^{0}?e$_{44}$,c^{h}iɔk^{3} ts^{h}ɿ^{53}iɔŋ^{53}ŋa^{0},t^{h}ei^{53}c^{h}iɔk^{3} ke^{0} c^{h}iɔk^{3} a^{0}.sia^{21}ciɔk^{3} sɿ^{53}ke^{0} ciɔk^{3} a^{0},kai$^{53}_{44}$xei$^{53}_{44}$pɔi$^{53}_{44}$ts^{h}iəu$^{53}_{44}$xe$^{53}_{44}$tan^{35} p^{h}au^{53}ɲi^{21},ciɔk^{3} ts^{h}ɿ^{53}ts^{h}iəu$^{53}_{44}$le^{0}.

【单背褡子】tan^{35}pɔi^{53}tait^{3} tsɿ^{0} 名单层的背褡：背褡，呣，有棉背褡子，～，皮背褡子。pɔi^{53}

tait^{3},m̩$_{21}$,iəu^{35}mien^{13}pɔi^{53}tait^{3}tsɿ^{0},tan^{35}pɔi^{53}tait^{3}tsɿ^{0},pʰi^{13}pɔi^{53}tait^{3}tsɿ^{0}.

【单车】tan^{35}tʂʰa$^{35}_{44}$ 名自行车：～……摩托车轮胎扭成哩麻花。tan^{35}tʂʰa$^{35}_{44}$…mo^{13}tʰo$^{35}_{44}$tʂʰa$^{35}_{44}$lən^{13}tʰɔi$^{35}_{44}$ɲiəu^{21}ʂaŋ$^{13}_{21}$li^{0} ma^{35}fa$^{35}_{44}$.

【单纯$_{1}$】tan^{35}ʂən^{13} 形简单，纯粹，不复杂：以下就渠$_{指道士}$等就渠等人就～□哩啊，就只搞箇个了哇，渠就只系做道场了。i^{21}xa$^{53}_{44}$tsʰiəu$^{53}_{44}$ci$^{13}_{21}$tien^{0} tsʰiəu$^{53}_{44}$ci$^{13}_{21}$tien^{0} ɲin$^{13}_{21}$tsʰiəu$^{53}_{44}$tan$^{35}_{44}$ʂən$^{13}_{21}$nait^{3} lia^{0},tsʰiəu$^{53}_{44}$tʂʅ^{21}kau^{21}kai^{53}ke$^{53}_{44}$liau^{0} ua^{0},ci^{13}tsʰiəu^{53}tʂʅ^{21}xei^{53}tso$^{53}_{44}$tʰau^{53}tʂʰɔŋ$^{13}_{21}$liau^{0}.

【单纯$_{2}$】tan^{35}tʂʰən^{13} 副仅仅，只是：箇就唔～墨唠。唔系么啊限定限定墨。有蛮多东西忒鲜哩。kai$^{53}_{44}$tsʰiəu$^{53}_{44}$n̩^{13}tan$^{35}_{44}$tʂʰən$^{13}_{44}$mek^{5} lau^{0}.m̩$^{13}_{21}$pʰe$^{53}_{44}$mak^{3} a^{0} kʰan$^{53}_{21}$tʰin$^{53}_{44}$kʰan$^{53}_{44}$tʰin$^{53}_{44}$mek^{5}.iəu^{21}man^{13}to$^{35}_{44}$təŋ$^{35}_{44}$si^{0} tʰiek^{3} sien^{35}ni^{0}.

【单单】tan^{35}tan^{35} 副偏偏：实在是话鸡公是会啼个鸡公是燥性呐，渠～起伏箇晡就会爱食会啼个鸡公。ʂət^{5} tsʰai^{53}ʂʅ^{53}ua^{53}ke^{53}kəŋ$^{35}_{44}$ʂʅ$^{53}_{44}$uɔi^{53}tʰai^{13}kei$^{53}_{44}$ke^{35}kəŋ$^{35}_{44}$ʂʅ$^{53}_{21}$tsau^{53}sin^{53}na^{0},ci$^{13}_{21}$tan^{35}tan$^{35}_{44}$çi^{21}fuk^{5} kai$^{53}_{44}$pu$^{35}_{44}$tsʰiəu^{53}uɔi$^{53}_{44}$ɔi$^{53}_{44}$ʂət^{5} uɔi^{53}tʰai^{13}ke^{0} cie^{35}kəŋ$^{35}_{44}$.

【单独】tan^{35}tʰəuk^{5} 形单纯的，纯粹的，独自的：（我等以映）冇得～个财神庙。mau^{13}tek^{3} tan^{35} tʰəuk^{5} ke$^{53}_{44}$tsʰɔi$^{13}_{21}$ʂən$^{13}_{21}$miau^{53}.

【单挂耳】tan^{35} kua^{53} ɲi^{21} 名单耳刀儿。又称"单抱耳"：却字就系右边个～。cʰiɔk^{3} sɿ^{53}tsʰiəu$^{53}_{44}$xe$^{53}_{44}$iəu^{53}pien$^{35}_{44}$ke^{0} tan^{35}kua^{53}ɲi^{21}.

【单裤子】tan^{35}fu^{53}tsɿ^{0} 名单层的裤子：～就一重子布个裤啊就安做～。tan^{35}fu^{53}tsɿ^{0} tsʰiəu$^{53}_{44}$iet^{3} tʂʰəŋ^{13}tsɿ^{0} pu^{53}ke^{0} fu^{53}a^{0} tsʰiəu$^{53}_{44}$ɔn$^{35}_{44}$tso$^{53}_{44}$tan^{35}fu^{53}tsɿ^{0}.

【单门子】tan^{35}mən^{13}tsɿ^{0} 名只有一块门板的门：～唠，箇就喊～唠。一块门板，～。tan^{35}mən$^{13}_{21}$tsɿ^{0} lau^{0},kai$^{53}_{44}$tsʰiəu$^{53}_{44}$xan$^{53}_{44}$tan^{35}mən$^{13}_{21}$tsɿ^{0} lau^{0}.iet^{3} kʰuai^{53}mən^{13}pan^{21},tan^{35}mən^{13}tsɿ^{0}.

【单衫】tan^{35}san^{35} 名单层的衣：～也系区别于箇起夹衫，欸，一重子布个衫就～。tan^{35}san^{35}ia^{35} xe^{53}tʂʰʮ^{35}pʰiet^{5} ʮ^{13}kai^{53}çi^{21}kait^{3} san$^{35}_{44}$,e$_{21}$,iet^{3} tʂʰəŋ^{13}tsɿ^{0} pu$^{53}_{44}$ke^{0} san^{35}tsiəu$^{53}_{21}$tan^{35}san$^{35}_{44}$.

【单身佬】tan^{35}ʂən$^{35}_{44}$lau^{21} 名没有妻室的男人：以前我等箇映有只是就～嘞。i^{35}tsʰien$^{13}_{21}$ŋai$^{13}_{21}$tien^{0} kai$^{53}_{44}$iaŋ$^{53}_{44}$iəu$^{35}_{44}$tʂak^{3} ʂʅ$^{53}_{44}$tsʰiəu$^{53}_{44}$tan^{35}ʂən$^{35}_{44}$nau^{21}lei^{0}.

【单身嫲】tan$^{35}_{44}$ʂən$^{35}_{44}$ma^{13} 名单身女性：～，嫲就夫娘子，冇得老公个，或者死嘿哩老公个，～。男子人嘞是单身佬，夫娘子系～。tan$^{35}_{44}$ʂən$^{35}_{44}$ma^{13},ma^{13}tsʰiəu^{53}pu^{35}ɲiɔŋ$^{13}_{21}$tsɿ^{0},mau^{13}tek^{3} lau^{21}kəŋ$^{35}_{44}$ke^{0}, xɔit^{5} tʂa^{21}si^{21}xek^{3} li^{0} lau^{21}kəŋ$^{35}_{44}$ke^{0},tan$^{35}_{44}$ʂən$^{35}_{44}$ma^{13}.lan^{13}tsɿ^{0}ɲin^{13}lei^{0} ʂʅ$^{53}_{44}$tan$^{35}_{44}$ʂən$^{35}_{44}$nau^{21},pu^{35}ɲiɔŋ$^{13}_{21}$tsɿ^{0}(x)e$^{53}_{44}$tan$^{35}_{44}$ʂən$^{35}_{44}$ma^{13}.

【单手】tan^{35}ʂəu^{21} 副一只手：师傅用个细锤子唠。～拿。sɿ^{35}fu$^{53}_{44}$iəŋ$^{53}_{44}$ke$^{53}_{44}$se^{53}tʂʰei^{13}tsɿ^{0} lau^{0}.tan^{35}ʂəu^{21} la^{53}.

【单位】tan^{35}uei^{53} 名机关、团体或其部门：如今是有有滴有有工作个人死哩是有～个就又开下子追悼会呀。i$^{13}_{21}$cin$^{35}_{44}$ʂʅ$^{53}_{44}$iəu$^{35}_{44}$iəu$^{35}_{44}$tet^{5} iəu^{35}iəu^{35}kəŋ^{35}tsɔk^{3} ke$^{53}_{44}$ɲin$^{13}_{21}$si^{21}li^{0} ʂʅ$^{53}_{44}$iəu^{35}tan^{35}uei$^{53}_{44}$ke$^{53}_{44}$tsʰiəu$^{53}_{44}$iəu$^{53}_{44}$kʰɔi^{35}xa$^{53}_{44}$tsɿ^{0} tʂei^{35}tiau$^{53}_{44}$fei^{53}ia^{0}.

【单鞋子】tan^{35}xai^{13}tsɿ^{0} 名未放棉花的鞋子。也称"单鞋"：～就不是一重子布个嘞。相对于棉鞋来讲，渠就～。欸，布鞋唔止一重，箇有几重，但是冇棉花，肚里唔放棉花个鞋子就安做～。tan^{35}xai$^{13}_{44}$tsɿ^{0} tsʰiəu$^{53}_{44}$pət^{3} ʂʅ^{53}iet^{3} tʂʰəŋ$^{13}_{21}$tsɿ^{0} pu$^{53}_{44}$ke^{0} le^{0}.siɔŋ^{35}tei^{53}ʮ$^{13}_{44}$mien^{13}xai^{13}lɔi$^{13}_{21}$kɔŋ^{21},ci$^{13}_{21}$tsʰiəu$^{53}_{44}$tan^{35}xai$^{13}_{21}$tsɿ^{0}.e$_{21}$,pu^{53}xai^{13}n̩^{13}tʂʅ^{21}iet^{3} tʂʰəŋ^{13},kai$^{53}_{44}$iəu^{35}ci^{21}tʂʰəŋ^{13},tan$^{53}_{44}$ʂʅ$^{53}_{44}$mau^{13}mien^{13}fa$^{35}_{44}$,təu^{21}li^{0} m̩^{13}fɔŋ^{53}mien^{13}fa$^{35}_{44}$ke^{0} xai$^{13}_{21}$tsɿ^{0} tsʰiəu$^{53}_{44}$ɔn$^{35}_{44}$tso$^{53}_{44}$tan^{35}xai$^{13}_{21}$tsɿ^{0}.

【单旋】tan^{35}tsʰiɔn^{53} 名只有一个的发旋：～就脑壳心里箇个头发卷个圈圈呶，一只旋个就～。tan^{35}tsʰiɔn^{53}tsʰiəu^{53}lau^{21}kʰɔk^{3} sin^{35}ni^{0} kai$^{53}_{44}$ke$^{53}_{44}$tʰei^{13}fait^{3} cien^{21}ke^{0} cʰien^{35}cʰien$^{35}_{44}$nau^{0},iet^{3} tʂak^{3} tsʰiɔn^{53}ke^{0} tsʰiəu$^{53}_{44}$tan^{35}tsʰiɔn^{53}.

【单眼皮】tan^{35}ŋan^{21}pʰi^{13} 名单睑的俗称，眼皮无皱褶：箇～系唔多好看。嘿嘿，渠唔好看。箇我觉得～个人还系很少吗，一般都系双眼皮吗。～就系唔好看。我箇只孙子两只孙子出哩世，我都看下子，我看得，首先点伢大子个时候子眼珠唔睁开来，吔，唔知系唔系～呀？落尾大兜子，唔系，双眼皮子。kai$^{53}_{44}$tan^{35}ŋan^{21}pʰi^{13}xe^{53}n̩$^{13}_{21}$to$^{35}_{44}$xau^{21}kʰɔn^{53}.xe$_{44}$xe$_{53}$,ci$^{13}_{44}$n̩^{13}xau$^{21}_{44}$kʰɔn$^{53}_{44}$.kai^{53}ŋai^{13} kɔk^{3} tek^{3} tan^{35}ŋan^{21}pʰi^{13}ke^{53}ɲin$^{13}_{21}$xai^{13}xei^{53}xen^{21}ʂau^{21}ma^{0},iet^{3} pɔn^{35}təu$^{35}_{44}$xe$^{53}_{44}$sɔŋ^{35}ŋan^{21}pʰi$^{13}_{21}$ma^{0}.tan^{35}ŋan^{21}pʰi^{13} tsʰiəu$^{53}_{44}$xe^{53}n̩$^{13}_{21}$xau^{21}kʰɔn^{53}.ŋai^{13}kai^{53}tʂak^{3} sən^{35}tsɿ^{0} iɔŋ^{21}tʂak^{3} sən$^{35}_{44}$tsɿ^{0} tʂʰət^{3} li^{0} ʂʅ^{53},ŋai^{13}təu$^{35}_{44}$kʰɔn^{53}na^{0} tsɿ^{0},ŋai^{13} kʰɔn$^{53}_{44}$nek^{3},ʂəu^{21}sien$^{35}_{44}$tian^{53}ŋa$^{13}_{44}$tʰai^{53}tsɿ^{0} ke^{0} ʂʅ^{13}xəu$^{53}_{44}$tsɿ^{0} ŋan^{21}tʂəu$^{35}_{44}$n̩$^{13}_{21}$tsen^{35}kʰɔi^{35}lɔi$^{13}_{21}$,ie$_{35}$,n̩$^{13}_{21}$ti$^{35}_{53}$xei^{53}mei^{53}tan^{35}

D

ŋan^{21}pʰi^{13}ia^{0}?lɔk^{5} mi$^{35}_{44}$tʰai^{53}tɔu$^{35}_{44}$tsɿ^{0},m$^{13}_{21}$pʰe^{53},sɔŋ^{35}ŋan^{21}pʰi^{13}tsɿ^{0}.

【单子】tan^{35}tsɿ^{0} 名①分项记载事物的纸条；清单：做好事啊爱采购么个东西啊，就先开～。老哩人呐，办丧事啊，爱采购爱买东西啊，先开正张～来。tso^{53}xau^{21}sɿ^{53}a^{0}ɔi^{53}tsʰai^{21}ciau^{53}mak^{3}e^{0} tɔŋ$^{35}_{44}$si^{0}a^{0},tsʰiɔu^{53}sien^{35}kʰɔi^{35}tan^{35}tsɿ^{0}.lau^{21}li^{0}ɲin^{13}na^{0},pʰan^{53}sɔŋ^{35}sɿ^{53}a^{0},ɔi^{53}tsʰai^{21}ciau^{53}ɔi^{53}mai$^{35}_{44}$tɔŋ^{35}si^{0}a^{0}, sien$^{35}_{44}$kʰɔi^{35}tʂaŋ^{53}tʂɔŋ$^{35}_{44}$tan^{35}tsɿ^{0}lɔi$^{13}_{21}$. ②药方；药单：看哩病就开～，开哩～就捡药。kʰɔn^{53}ni^{0} pʰiaŋ^{53}tsʰiɔu$^{53}_{44}$kʰɔi$^{35}_{44}$tan^{35}tsɿ^{0},kʰɔi^{35}li^{0}tan^{35}tsɿ^{0}tsʰiɔu$^{53}_{44}$cian^{21}iɔk^{5}.

【耽搁】tan^{35}kɔk^{3} 动耽误，拖延：～哩你事啊！tan^{35}kɔk^{3}li^{0}ɲi$^{13}_{44}$sɿ^{53}a$^{53}_{44}$!

【颉转】tan^{35}tʂuɔn^{21} 动头向后转：～脑壳去，回头去看下子。tan^{35}tʂuɔn^{21}nau^{21}kʰɔk^{3}çi^{53},fei^{13}tʰei^{13} çi$^{53}_{44}$kʰɔn^{53}na$^{53}_{44}$tsɿ^{0}.

【胆】tan^{21} 名①人或某些动物体内器官之一，在肝脏右叶的下部：一只人身上个～，欸，胆囊炎呐，系唔系？胆结石啊，欸人身上个～。iet^{3}tʂak^{3}ɲin^{13}ʂən^{35}xɔŋ$^{53}_{44}$ke^{0}tan^{21},e$_{21}$,tan^{21}nɔŋ^{13}ien^{13} na^{0},xei^{53}me^{53}?tan^{21}ciet^{3}ʂak^{5}a^{0},ei^{0}ɲin^{13}ʂən^{35}xɔŋ$^{53}_{44}$ke^{0}tan^{21}. ②胆量；不怕凶暴和危险的精神、勇气：箇细子真有～，冇胆量。kai^{53}se^{53}tsɿ^{0}tʂən^{35}mau^{13}tan^{21},mau^{13}tan^{21}liɔŋ^{53}. ③装在器物内部而中空的东西：热水瓶个～ɲiet^{5}ʂei^{21}pʰin^{13}ke^{0}tan^{21}

【掸】tan^{21} 动细长的软东西中间搭在别的东西上，两端垂下：～条子围巾 tan^{21}tʰiau^{13}tsɿ^{0}uei^{13} cin$^{35}_{44}$｜如今呐箇老哩人就发条子手巾，发条子白啊，系唔系？白布哇。庄重啊。箇只白布就我等是长日都强调嘞，爱～下肩膊上，爱～下肩膊上，莫咁子随随便便啊缔下手上啊。爱～下肩膊上。爱让门～呢？男左女右。死个系男子人，你就～下左边肩膊上，嗯，通通子～下左边肩膊上。死个系夫娘子人，～下右边肩膊上。～。i$^{13}_{21}$cin^{35}na^{0}kai^{53}lau^{21}li^{0}ɲin^{13}tsʰiɔu^{53}fait^{3} tʰiau$^{13}_{21}$tsɿ^{0}ʂəu^{21}cin$^{35}_{44}$,fait^{3}tʰiau$^{13}_{21}$tsɿ^{0}pʰak^{3}a^{0},xei$^{53}_{44}$me$^{53}_{44}$?pʰak^{3}pu$^{53}_{44}$ua^{0}.tsɔŋ^{35}tʂʰəŋ^{53}ŋa^{0}.kai^{53}tʂak^{3}pʰak^{5}pu$^{53}_{44}$ tsʰiɔu$^{53}_{44}$ŋai^{13}tien^{0}ʂɿ$^{53}_{44}$tʂʰɔŋ^{13}ɲiet^{3}tɔu$^{35}_{53}$cʰiɔŋ^{13}tiau^{53}le^{0},ɔi$^{53}_{44}$tan^{21}na$_{44}$cien^{35}pɔk^{3}xɔŋ^{53},ɔi$^{53}_{44}$tan^{21}na$_{44}$cien$^{35}_{44}$pɔk^{3} xɔŋ^{53},mo^{53}kan^{21}tsɿ^{0}sei^{13}sei$^{13}_{44}$pʰien^{53}pʰien^{53}a^{0}tʰak^{3}a$_{53}$ʂəu^{21}xɔŋ^{53}ŋa^{0}.ɔi^{53}tan^{21}na$_{44}$cien^{35}pɔk^{3}xɔŋ^{53}.ɔi$^{53}_{44}$ɲiɔŋ^{53} mən$^{13}_{44}$tan^{21}ne^{0}?lan^{13}tso^{21}ɲy^{21}iəu^{53}.si^{21}ke^{53}xe^{53}lan^{13}tsɿ^{21}ɲin^{13}, ɲi^{13}tsʰiɔu^{53}tan^{21}na$_{53}$tso^{21}pien$^{35}_{44}$cien^{35}pɔk^{3}xɔŋ^{53},ŋ̍$_{21}$, tʰəŋ^{35}tʰəŋ$^{35}_{44}$tsɿ^{0}tan^{21}na$_{35}$tso^{21}pien$^{35}_{44}$cien^{35}pɔk^{3}xɔŋ^{53}.si^{21}ke^{53}xe^{53}pu^{35}ɲiɔŋ$^{13}_{21}$tsɿ^{0}ɲin$^{13}_{21}$,tan^{21}na$_{44}$iəu^{53}pien$^{35}_{44}$cien^{35} pɔk^{3}xɔŋ^{53}.tan^{21}.

【掸巾】tan^{21}cin^{35} 名围巾的旧称：～，又安做～呢，围巾呢，又安做～。箇就系蛮老个话法了。围巾安做～唦。我听讲过。箇阵子系咁子讲。羁条～呐。tan^{21}cin^{35},iəu$^{53}_{44}$ɔn$^{35}_{44}$tso$^{53}_{44}$tan^{21}cin^{35} ne^{0},uei$^{13}_{21}$cin$^{35}_{44}$ne^{0},iəu$^{53}_{44}$ɔn$^{35}_{44}$tso$^{53}_{44}$tan^{21}cin^{35}.kai^{53}tsʰiəu^{53}xei$^{53}_{44}$man^{13}nau^{21}cie$^{53}_{44}$ua^{53}fait^{3}liau^{0}.uei^{13}cin$^{35}_{44}$ɔn$^{35}_{44}$tso$^{53}_{44}$tan^{21} cin^{35}ʂa^{0}.ŋai$^{13}_{21}$tʰaŋ^{35}kɔŋ^{21}ko$^{53}_{44}$.kai$^{53}_{44}$tʂʰən$^{53}_{44}$tsɿ^{0}xei^{53}kan^{21}tsɿ^{0}kɔŋ^{21}.cie^{35}tʰiau$^{13}_{21}$tan^{21}cin^{35}na^{0}.

【但系】tan^{53}xe^{53} 连但是：箇酒就度数就高嘿哩。～还系甜，好食。kai$^{53}_{44}$tsiɔu^{21}tsʰiɔu$^{53}_{44}$tʰəu^{53}səu$^{53}_{44}$ tsʰiɔu$^{53}_{44}$kau^{35}(x)ek^{3}li^{0}.tan$^{53}_{44}$xe$^{53}_{44}$xa^{13}xe^{53}tʰian^{13},xau^{21}ʂət^{5}.

【担$_{2}$】tan^{35} 量①计量单位：一～就十斗。iet^{3}tan^{35}tsʰiɔu$^{53}_{44}$ʂət^{5}tei^{21}. ②用于成挑的东西：搞几～番薯。kau^{21}ci^{21}tan^{35}fan$^{35}_{44}$ʂəu$^{13}_{21}$.｜荷～井水 kʰai$^{35}_{44}$tan$^{35}_{44}$tsiaŋ^{21}ʂei^{21}

【担子$_{1}$】tan^{35}tsɿ^{0} 名①扁担和挂在两头的东西的总称：荷～kʰai^{35}tan^{35}tsɿ^{0}

【担子$_{2}$】tan^{53}tsɿ^{0} 名①用来抬东西的木棒：两条杠，中间呢就一条绳穿下去，穿你几下个绳呐，然后嘞就一条棍子走以绳肚里穿下过，以只就安做～。～穿下过嘞就绞你两下，绞紧来。iɔŋ^{21}tʰiau^{13}kɔŋ^{53},tʂəŋ^{35}kan$^{35}_{44}$nei^{0}tsʰiəu^{53}iet^{3}tʰiau$^{13}_{21}$ʂən^{13}tʂʰuɔn$^{53}_{44}$na$^{53}_{44}$çi^{53},tʂʰuɔn^{53}ɲi$^{13}_{44}$ci^{21}xa^{53}ke^{53}ʂən^{13}na^{0},vien^{13} xei$^{53}_{44}$lei^{0}tsʰiəu^{53}iet^{3}tʰiau$^{13}_{21}$kuən^{53}tsɿ^{0}tsei^{21}i^{21}ʂən^{13}təu^{21}li^{0}tʂʰuɔn^{53}na$^{53}_{44}$ko^{53},i^{21}tʂak^{3}tsʰiəu$^{53}_{44}$ɔn$^{35}_{44}$tso$^{53}_{44}$tan^{53}tsɿ^{0}.tan^{53} tsɿ^{0}tʂʰuɔn^{53}na$^{53}_{44}$ko$^{53}_{44}$lei^{0}tsʰiəu$^{53}_{44}$ciau^{21}ɲi^{13}iɔŋ^{21}xa^{53},ciau^{21}cin^{21}nɔi^{13}. ②秤上连接秤头绳与秤杆子的部件：箇当然有条横～。以条就秤杆子样，系啊？秤杆子。以映爱安只头荷二荷咯，秤头绳咯。先就以映子爱穿过一只～去啊。在以只～上就做只咁个绾子唠以映子唠。以映子会活动个唠。以只～是底下溜尖个噢。我等我欸唔知安做有么个特别个名字，我以映都，～唠。以映子底下溜尖个。锋利子个。锋利子个渠摩擦更小吵，系唔系？欸起发更好吵。以只秤头绳就安下以只栏场子，系唔系？手就揸倒，一只咁个卡子样个，欸秤头绳就安下箇顶高。以映又一只转得会可以转动个，以映也可以转动个。kai$^{53}_{44}$tɔŋ^{35}ien$^{13}_{21}$iəu$^{35}_{44}$tʰiau$^{13}_{44}$uaŋ^{13}tan^{53}tsɿ^{0}.i^{21}tʰiau$^{13}_{44}$tsʰiəu$^{53}_{44}$ tʂʰən^{53}kɔn^{35}tsɿ^{0}iɔŋ$^{53}_{44}$,xei$^{53}_{44}$a^{0}?tʂʰən^{53}kɔn^{35}tsɿ^{0}.i^{21}iaŋ^{53}ɔi^{53}ɔn^{35}tʂak^{3}tʰei^{13}xo^{13}ɲi^{53}xo$^{13}_{21}$ko^{0},tʂʰən^{53}tʰei$^{13}_{21}$ʂən$^{13}_{21}$ko^{0}. sen^{35}tsʰiəu^{53}i$^{21}_{13}$iaŋ^{53}tsɿ^{0}ɔi^{53}tʂʰɔn^{53}ko$^{53}_{44}$iet^{0}tʂak^{3}tan^{53}tsɿ^{0}çi$^{53}_{44}$a^{0}.tsʰai^{53}i^{21}tʂak^{3}tan^{53}tsɿ^{0}xɔŋ$^{53}_{44}$tsʰiəu$^{53}_{44}$tso^{53}tʂak^{3}kan^{21} ke^{53}uan^{21}tsɿ^{0}lau^{0}i$^{21}_{13}$iaŋ^{53}tsɿ^{0}lau^{0}.i^{21}iaŋ$^{53}_{44}$tsɿ^{0}uɔi$^{53}_{44}$xoit^{5}tʰəŋ^{53}ke^{0}lau^{0}.iak^{3}(←i^{21}tʂak^{3})tan^{53}tsɿ^{0}ʂɿ$^{53}_{44}$te^{21}xa$^{53}_{44}$liəu^{35}

tsian^{35}cie$^{53}_{44}$au^{0}.ŋai^{13}tien^{0}ŋai^{13}e$_{44}$n̩^{13}ti$^{35}_{53}$ɔn$^{35}_{44}$tso$^{53}_{44}$iəu^{35}mak^{3}e^{0}tʰek^{5}pʰiet^{5}ke^{0}miaŋ^{13}tsʰɿ^{53},ŋai^{13}i$^{21}_{13}$iaŋ^{53}təu$^{35}_{44}$,tan^{53}tsɿ^{0}lau^{0}.i^{21}iaŋ$^{53}_{44}$tsɿ^{0}te^{21}xa$^{53}_{44}$liəu$^{35}_{44}$tsian$^{35}_{44}$cie^{0}.fəŋ^{35}li^{53}tsɿ^{0}ke^{0}.fəŋ^{35}li^{53}tsɿ^{0}ke^{0}ci$^{13}_{44}$mo^{13}tsʰait^{3}ken^{53}siau^{21}ʂa^{0},xei^{53}me$^{53}_{44}$?e^{0}çi^{21}fait^{3}ken^{53}xau^{21}ʂa^{0}.iak^{3}(←i^{13}tʂak^{3})tʂʰən^{53}tʰei$^{13}_{21}$ʂən^{13}tsʰiəu$^{53}_{44}$ɔn^{35}na^{53}i^{21}tʂak^{3}laŋ^{13}tʂʰəŋ$^{13}_{44}$tsɿ^{0},xei$^{53}_{44}$me$^{53}_{44}$?ʂəu^{21}tsiəu^{53}ia^{21}tau^{21},iet^{3}tʂak^{3}kan^{21}ke^{53}kʰa^{21}tsɿ^{0}iəŋ$^{53}_{44}$ke^{0},e^{0}tʂʰən^{53}tʰei$^{13}_{21}$ʂən$^{13}_{21}$tsʰiəu^{53}ɔn$^{35}_{44}$na^{53}(k)ai$^{53}_{44}$taŋ^{21}kau$^{35}_{44}$.i^{21}iaŋ$^{53}_{44}$iəu^{53}iet^{3}tʂak^{3}tʂən^{21}tek^{3}uɔi^{53}kʰo^{21}i$^{35}_{53}$tʂən^{21}tʰəŋ$^{53}_{44}$ke^{0},i^{21}iaŋ^{53}ŋa$^{35}_{53}$kʰo^{21}i^{35}tʂən^{21}tʰəŋ$^{53}_{44}$ke^{0}.

【淡】tʰan^{35} [形]①不浓，稀，又称“暄”：墨忒～哩。mek^{5}tʰek^{3}tʰan^{35}ni^{0}. ②细腻：吊浆粉更嫩，但是更～呶。tiau^{53}tsiəŋ^{35}fən^{21}cien^{53}nən^{53},tan^{53}ʂɿ$^{53}_{44}$cien^{53}tʰan^{35}nau^{0}.

【淡干鱼子】tʰan^{35}kɔn^{35}ŋ̍^{13}tsɿ^{0} [名]非经加盐腌制的鱼干：～就唔放盐。淡干，掀薄欸掀薄子。tʰan^{35}kɔn$^{35}_{44}$ŋ̍$^{13}_{21}$tsɿ^{0}tsʰiəu$^{53}_{44}$m̩^{13}fəŋ^{53}ian^{13}.tʰan^{35}kɔn$^{35}_{44}$,ʂen^{35}pʰɔk^{5}e$_{21}$ʂen^{35}pʰɔk^{5}tsɿ^{0}.

【淡酒】tʰan^{35}tsiəu^{21} [名]犹“薄酒”，用于待客时的谦辞：还有滴就讲爱食两杯。到我屋下来食两杯呀。客姓是就唔系让门子……除哩箇个非常正式个嘞，一般就唔请呢。只爱话，来食杯子～啊。欸，请就唔请啊。唔好意思请啊。都一般都谦虚滴子。打比欸系爷子八十岁，欸，我爷子八十岁呀，嗯，搞两桌子客，来食杯子～。就咁子话，谦虚滴子。xai$^{13}_{21}$iəu$^{35}_{44}$tet^{5}tsʰiəu$^{53}_{44}$kɔŋ^{21}ɔi$^{53}_{44}$ʂət^{5}iəŋ^{21}pi$^{35}_{44}$.tau^{53}ŋai$^{53}_{44}$uk^{3}xa$^{53}_{44}$lɔi$^{13}_{21}$ʂət^{5}iəŋ^{21}pi^{35}ia^{0}.kʰak^{3}sin^{53}ʂɿ$^{53}_{44}$tsʰiəu$^{53}_{44}$m̩$^{13}_{21}$pʰe$^{53}_{44}$ɲiəŋ$^{53}_{44}$mən^{0}tsɿ^{0}…tʂʰəu^{13}li^{0}kai^{53}ke$^{53}_{44}$fei^{35}tʂʰəŋ$^{13}_{21}$tʂən^{53}ʂɿ^{53}ke$^{53}_{44}$le^{0},iet^{3}pɔn^{35}tsiəu$^{53}_{44}$m̩$^{13}_{21}$tsʰiaŋ^{21}ne^{0}.tʂɿ^{21}ɔi$^{53}_{44}$ua$^{53}_{44}$,lɔi^{13}ʂət^{5}pi$^{35}_{44}$tsɿ^{0}tʰan^{35}tsiəu^{21}a^{0}.e$_{21}$,tsʰiaŋ^{21}tsʰiəu^{53}n̩$^{13}_{21}$tsʰiaŋ^{21}ŋa^{0}.n̩$^{13}_{21}$xau^{21}i^{35}si^{0}tsʰiaŋ^{21}ŋa^{0}.təu$^{35}_{44}$iet^{3}pɔn^{35}təu$^{35}_{44}$cʰien^{35}çy$^{35}_{44}$tiet^{5}tsɿ^{0}.ta^{21}pi^{21}ei$_{21}$,xei^{53}ia^{13}tsɿ^{0}pait^{3}ʂət^{5}sɔi^{53},e$_{21}$,ŋai$^{13}_{21}$ia^{13}tsɿ^{0}pait^{3}ʂət^{5}sɔi^{53}ia^{0},n̩$_{21}$,kau^{21}iɔŋ^{21}tsɔk^{3}tsɿ^{0}kʰak^{3},lɔi^{13}ʂət^{5}pi$^{35}_{44}$tsɿ^{0}tʰan^{35}tsiəu^{21}.tsʰiəu$^{53}_{44}$kan^{21}tsɿ^{0}ua^{53},cʰien^{35}çy$^{35}_{44}$tiet^{5}tsɿ^{0}.

【淡辣子】tʰan^{35}nait^{5}tsɿ^{0} [形]形容盐少而辣：箇炒菜炒辣哩又唔放盐呐就～个辣。kai$^{53}_{44}$tsʰau^{21}tsʰɔi^{21}tsʰau^{21}lait^{5}li^{0}iəu^{53}n̩$^{13}_{21}$fəŋ^{53}ian^{13}na^{0}tsʰiəu$^{53}_{44}$tʰan^{35}lait^{5}tsɿ^{0}ke$^{53}_{44}$lait^{5}.

【淡挖挖哩】tʰan^{35}uait^{3}uait^{3}li^{0} [形]状态形容词，表示味道淡淡的：～就系盐都赠放倒几多唠。油盐都唔欸应该放个就也赠放倒唠。盐也少哩，主要系盐少哩。还有嘞～嘞还有只么个嘞？有兜就油忒少哩，油忒少哩也～嘞。tʰan^{35}uait^{3}uait^{3}li^{0}tsʰiəu^{53}xei^{53}ian^{13}təu$^{35}_{53}$maŋ^{13}fəŋ^{53}tau^{21}ci^{21}to$^{35}_{44}$lau^{0}.iəu^{13}ian$^{13}_{21}$təu$^{35}_{53}$n̩^{13}ei$_{21}$in^{53}kɔi$^{35}_{44}$fəŋ^{53}ke$^{53}_{44}$tsʰiəu$^{53}_{44}$ia$^{53}_{44}$maŋ^{13}fəŋ^{53}tau^{21}lau^{0}.ian^{13}na$^{53}_{53}$ʂau^{21}li^{0},tʂu^{21}iau^{53}xei^{53}ian^{13}ʂau^{21}li^{0}.xai^{13}iəu$^{35}_{44}$lei^{0}tʰan^{35}uait^{3}uait^{3}li^{0}lei^{0}xai^{13}iəu$^{35}_{44}$tʂak^{3}mak^{3}e^{0}lei^{0}?iəu^{35}təu$^{35}_{53}$tsʰiəu$^{53}_{44}$iəu^{13}tʰet^{3}ʂau^{21}li^{0},iəu^{13}tʰet^{3}ʂau^{21}li^{0}ia^{35}tʰan$^{35}_{44}$uait^{3}uait^{3}li^{0}lei^{0}.

【弹弓】tʰan^{13}ciəŋ^{35} [名]在Y形木枝头上拴橡皮筋，用小石子或豆子等当子弹的儿童玩具：～吧？玩过，箇玩过。箇打鸟子箇只，打麻……打树叶子，打比……比赛么人个眼珠，眼法，系唔系？打得更远箇只。舞几只皮箍子啦，系唔系？包倒啦。 tʰan^{13}ciəŋ^{35}pa^{0}?uan^{13}ko$^{53}_{44}$,kai^{53}uan^{13}ko$^{53}_{44}$.kai$^{53}_{44}$ta^{21}tiau^{35}tsɿ^{0}kai$^{53}_{44}$tʂak^{3},ta^{21}ma$^{13}_{21}$…ta^{21}ʂəu^{53}iait$^{5}_{3}$tsɿ^{0},ta^{21}pi^{21}…pi^{21}sai^{53}mak^{3}in$^{13}_{44}$ke$^{53}_{44}$ŋan^{21}tʂəu$^{35}_{44}$,ŋan^{21}fait^{3},xei$^{53}_{44}$me$^{53}_{44}$?ta^{21}tek^{3}cien$^{53}_{44}$ien^{21}kai$^{53}_{21}$tʂak^{3}.u^{21}ci^{21}tʂak^{3}pʰi^{13}ku^{35}tsɿ^{0}la^{0},xei$^{53}_{44}$me$^{53}_{44}$?pau^{35}tau^{21}la^{0}.

【弹子】tʰan^{53}tsɿ^{0} [名]指滚动轴承：讲～个多嘞。放哩～吗嘞？肚里有～啊冇得嘞？放滴～去。有～。kɔŋ^{21}tʰan^{53}tsɿ^{0}ke$^{53}_{21}$to^{35}lei^{0}.fəŋ$^{53}_{44}$li^{0}tʰan^{53}tsɿ^{0}ma^{0}lei^{0}?təu^{21}li^{0}iəu^{35}tʰan^{53}tsɿ^{0}a^{0}mau$^{13}_{21}$tek^{3}lei^{0}?fəŋ$^{53}_{44}$tiet$^{5}_{3}$tʰan^{53}tsɿ^{0}çi$^{53}_{44}$.iəu^{35}tʰan^{53}tsɿ^{0}.

【弹子锁】tʰan^{53}tsɿ^{0}so^{21} [名]弹珠锁。旧称“洋锁”：欸，安做洋锁，系。如今是安做～唠。安做～如今个。唔喊……有么人喊洋锁了。e$_{21}$,ɔn^{35}tso$^{53}_{44}$iɔŋ^{13}so^{21},xe$^{53}_{21}$.i$^{13}_{21}$cin$^{35}_{44}$ʂɿ$^{53}_{21}$ɔn^{35}tso$^{53}_{44}$tʰan^{53}tsɿ^{0}so^{21}lau^{0}.ɔn^{35}tso$^{53}_{44}$tʰan^{53}tsɿ^{0}so^{21}i$^{13}_{21}$cin$^{35}_{44}$ke$^{53}_{44}$.n̩^{13}xan^{53}…mau$^{13}_{21}$mak^{3}in$^{13}_{44}$xan^{53}iɔŋ^{13}so^{21}liau^{0}.

【蛋】tʰan^{53} [名]禽类生的卵，有时特指鸡蛋：如果爱放饽饽个话嘞，爱搞蛋炒饭呢，箇就先炒正～来，先扯正蛋皮来，再放滴饭去炒。y^{13}ko^{21}ɔi$^{53}_{44}$fəŋ$^{53}_{44}$pɔk^{5}pɔk^{0}ke$^{53}_{44}$fa$^{53}_{44}$lei^{0},ɔi$^{53}_{44}$kau^{21}tʰan^{53}tsʰau^{21}fan^{53}nei^{0},kai$^{53}_{44}$tsʰiəu$^{53}_{44}$sien^{35}tsʰau^{21}tʂaŋ$^{53}_{44}$tʰan^{53}nɔi$^{13}_{21}$,sien^{35}tʂʰa^{21}tʂaŋ$^{53}_{44}$tʰan^{53}pʰi^{13}lɔi$^{13}_{21}$,tsai^{53}fəŋ^{53}tet$^{5}_{3}$fan^{53}çi^{53}tsʰau^{21}.

【蛋炒饭】tʰan^{53}tsʰau^{21}fan^{53} [名]以米饭和鸡蛋为主要原料炒制出来的食物：爱搞～呢。ɔi$^{53}_{44}$kau^{21}tʰan^{53}tsʰau^{21}fan^{53}nei^{0}.

【蛋卷】tʰan^{53}tʂen^{21} [名]用摊好的鸡蛋皮裹馅料做成的卷儿：箇就有呢～呢。就同箇做包圆样啊有滴子啊。kai$^{53}_{44}$tsʰiəu$^{53}_{44}$iəu^{35}nei^{0}tʰan^{53}tʂen^{21}nei^{0}.tsʰiəu^{53}tʰəŋ$^{13}_{21}$kai$^{53}_{44}$tso^{53}pau^{35}ien$^{13}_{21}$iɔŋ$^{53}_{44}$ŋa^{0}iəu^{35}tet^{5}tsa^{0}.

【蛋皮】tʰan^{53}pʰi^{13} [名]鲜蛋去壳打成糊状，加入佐料，倒在锅里做成薄片的食物：先扯正～来，再放滴饭去炒。sien^{35}tʂʰa^{21}tʂaŋ$^{53}_{44}$tʰan^{53}pʰi^{13}lɔi$^{13}_{21}$,tsai^{53}fəŋ^{53}tet$^{5}_{3}$fan^{53}çi^{53}tsʰau^{21}.

【当$_{1}$】təŋ^{35} [动] ①担任，充当：～干部 təŋ^{35}kɔn^{53}pʰu^{53}。②成为，做：我老妹子，大老妹子，

就～哩阿婆了哇。ŋai$^{13}_{21}$lau^{21}mɔi^{53}tsɿ^{0},tʰai^{53}lau^{21}mɔi^{53}tsɿ^{0},tsʰiəu^{53}tɔŋ^{35}li^{0}a^{35}pʰo$^{13}_{21}$liau^{0}ua^{0}.

【当$_{2}$】tɔŋ^{35} 介 面对着，朝着：（落气笼）就～天烧咁烧哇。tsʰiəu$^{53}_{44}$tɔŋ^{35}tʰien$^{35}_{44}$ʂau$^{35}_{44}$kan^{0}ʂau^{35}ua^{0}.

【当兵】tɔŋ^{35}pin^{35} 动 参军服役：～个人 tɔŋ^{35}pin^{35}ke^{53}ɲin$^{13}_{21}$ | 和尚难念经，学～。～难讲话，学告化。uo^{13}ʂɔŋ^{35}lan^{13}ɲien^{53}cin^{35},xɔk^{5}tɔŋ^{35}pin^{35}.tɔŋ^{35}pin^{35}lan^{13}kɔŋ^{21}fa^{53},xɔk^{5}kau^{53}fa^{53}.

【当大事】tɔŋ^{35}tʰai^{53}sɿ^{53} 遇丧事时写于大门上方作为白对子的横批：写哩咁个字个栏场，"～"也好，"读礼"也好，写哩咁个字个门……箇个就系就安做么个，横批吵。sia^{21}li^{0}kan^{21}ke$^{53}_{44}$sɿ^{53}ke$^{53}_{44}$laŋ$^{13}_{21}$tʂʰɔŋ$^{13}_{21}$,"tɔŋ^{35}tʰai^{53}sɿ$^{53}_{44}$"a$^{35}_{44}$xau^{21},"tʰəuk^{5}li^{35}"ia$^{35}_{44}$xau^{21},sia^{21}li^{0}kan^{21}ke$^{53}_{44}$sɿ^{53}ke$^{53}_{44}$mən^{13}…kai$^{53}_{44}$ke$^{53}_{44}$tsʰiəu$^{53}_{44}$xe$^{53}_{44}$tsʰiəu$^{53}_{44}$ɔn$^{35}_{44}$tso$^{53}_{44}$mak^{3}ke$^{53}_{44}$,fəŋ^{13}pʰi$^{35}_{44}$ʂa^{0}.

【当地】tɔŋ^{35}tʰi^{53} 名 本地：（土辣椒）就系～个品种。tsʰiəu$^{53}_{44}$xei$^{53}_{44}$tɔŋ^{35}tʰi^{53}ke^{53}pʰin^{21}tʂəŋ^{21}.

【当家】tɔŋ^{35}ka^{35} 动 主持家政：有兜人屋下有兜人真唔会～嘞硬嘞，真系唔会～嘞。我等就晓得啦，真唔会～个。iəu^{35}tei$^{35}_{53}$ɲin$^{13}_{21}$uk^{3}xa$^{53}_{44}$iəu^{35}tei$^{35}_{53}$ɲin$^{13}_{21}$tʂən^{35}m̩$^{13}_{21}$uɔi^{53}tɔŋ$^{35}_{44}$ka^{35}lei^{0}ɲiaŋ^{53}lei^{0},tʂən^{35}xe^{53}m̩$^{13}_{21}$uɔi^{53}tɔŋ$^{35}_{44}$ka^{35}lei^{0}.ŋai^{13}tien^{0}tsʰiəu^{53}çiau^{21}tek^{3}la^{0},tʂən^{35}m̩$^{13}_{21}$uɔi$^{53}_{44}$tɔŋ^{35}ka^{35}ke^{0}.

【当家个】tɔŋ^{35}ka^{35}ke^{53} 指单位的负责人：你等学堂里箇～啊好打讲吗？蛮讨嫌么？ɲi^{13}tien^{0}xɔk^{5}tʰɔŋ$^{13}_{44}$li^{0}kai$^{53}_{44}$tɔŋ$^{35}_{44}$ka$^{35}_{44}$ke^{0}a^{0}xau^{21}ta^{21}kɔŋ^{21}ma^{0}?man^{13}tʰau^{21}çian^{13}mo^{0}?

【当路】tɔŋ^{35}ləu^{53} 动 靠近道路，交通很方便：路头上就系路边上，欸一般系指唔知几～个栏场。欸，交通方便个栏场，～个栏场就安做大路头上。ləu^{53}tʰei^{13}xɔŋ^{53}tsʰiəu$^{53}_{44}$xe$^{53}_{44}$ləu^{53}pien^{35}xɔŋ^{53},e$_{21}$iet^{3}pɔn^{35}ne^{53}tʂɿ^{21}n̩^{13}ti^{35}ci^{21}tɔŋ^{35}ləu^{53}ke^{53}laŋ$^{13}_{21}$tʂʰɔŋ$^{13}_{21}$.e$_{21}$,ciau^{35}tʰəŋ$^{35}_{44}$fɔŋ^{35}pʰien^{53}ke^{0}laŋ$^{13}_{21}$tʂʰɔŋ$^{13}_{21}$,tɔŋ^{35}ləu^{53}ke^{53}laŋ$^{13}_{21}$tʂʰɔŋ$^{13}_{21}$tsʰiəu$^{53}_{44}$ɔn$^{35}_{53}$tso^{53}tʰai^{53}ləu^{53}tʰei^{13}xɔŋ^{53}.

【当面】tɔŋ^{35}mien^{53} 副 ①面对面：～唔喊阿姐，唔喊二阿姐，就二姐。tɔŋ^{35}mien^{53}n̩^{13}xan^{53}a^{35}tsia^{21},m̩^{13}xan^{53}ɲi^{53}a^{35}tsia^{21},tsʰiəu$^{53}_{44}$ɲi^{53}tsia^{21}. ②当着别人的面，公开地：有话～讲，不要偋倒讲。iəu^{35}fa^{53}tɔŋ^{35}mien^{53}kɔŋ^{21},pət^{3}iau^{53}piaŋ^{53}tau^{21}kɔŋ^{21}.

【当面膁】tɔŋ^{35}mien^{53}lian^{13} 名 膝下踝上的小腿朝前部分：～呢就系以只地方嘞～呢。箇脚啊膝头以下，朝外背个，欸，膝头以下一直到以只脚盘，朝外背箇一向就安做～。朝前个，欸。箇映尽系骨头，有么个肉。tɔŋ^{35}mien^{53}lian^{13}ne^{0}tsʰiəu^{53}xei^{53}i^{21}tʂak^{3}tʰi$^{53}_{44}$fɔŋ$^{35}_{44}$lei^{0}tɔŋ^{35}mien$^{53}_{44}$lian^{13}ne^{0}.kai^{53}ciɔk^{3}a^{0}tsʰiet^{3}tʰei^{13}i$^{35}_{44}$xa^{35},tʂʰau^{13}ŋɔi^{53}pɔi$^{53}_{44}$ke^{0},e$_{21}$,tsʰiet^{3}tʰei^{13}i$^{35}_{44}$xa^{35}iet^{3}tʂʰət^{5}tau^{53}i^{21}tʂak^{3}ciɔk^{3}pʰan^{13},tʂʰau^{13}ŋɔi^{53}pɔi$^{53}_{44}$kai$^{53}_{44}$iet^{3}çiɔŋ^{53}tsʰiəu$^{53}_{44}$ɔn$^{35}_{44}$tso$^{53}_{44}$tɔŋ$^{35}_{44}$mien^{53}lian^{13}.tʂʰau^{13}tsʰien^{13}ke^{0},e$_{21}$.kai$^{53}_{44}$iaŋ$^{53}_{44}$tsʰin^{53}nei$^{53}_{21}$kuət^{3}tʰei^{13},mau^{13}mak^{3}e^{0}ɲiəuk^{3}.

【当年】tɔŋ^{35}ɲien$^{13}_{21}$ 名 时间词。指过去的某一时间：箇指跪踏凳子是～系一种笑话唠。kai$^{53}_{44}$ʂɿ$^{53}_{44}$tɔŋ^{35}ɲien$^{13}_{21}$xei^{53}iet^{3}tʂəŋ^{21}siau^{53}fa$^{53}_{21}$lau^{0}.

【当然】tɔŋ^{35}vien^{13} 副 表示合于事理或情理，没有疑问：箇～有利可图哇。kai$^{35}_{44}$tɔŋ^{35}vien$^{13}_{44}$iəu$^{35}_{44}$li$^{53}_{44}$kʰo^{21}tʰəu^{13}ua$_{44}$.

【当唔得】tɔŋ^{35}n̩^{13}tek^{3} 受不了：咁热个天啦，（我娭子）还拖双棉鞋。渠话我唔着是我箇个咯，～咯，冷人咯，欸，硬箇个咯，脚会痛哦。也[illegible]话冷人，欸脚会痛咯。kan^{21}ɲiet^{5}ke^{0}tʰien^{35}la^{0},xai^{13}tʰo^{35}sɔŋ$^{35}_{44}$mien^{13}xai^{13}.ci^{13}ua^{53}ŋai^{13}n̩^{13}tʂɔk^{3}ʂɿ$^{53}_{44}$ŋai^{13}kai^{53}ke^{53}ko$_{44}$,tɔŋ^{35}n̩$^{13}_{44}$tek^{3}ko^{0},laŋ^{35}ɲin$^{13}_{44}$ko$_{44}$,e$_{53}$,ɲiaŋ^{53}kai^{53}ke^{53}ko$_{44}$,ciɔk^{3}uɔi$^{53}_{21}$tʰəŋ^{53}ŋo^{0}.ia^{13}maŋ$^{13}_{21}$ua^{53}laŋ^{35}ɲin$^{13}_{21}$,e^{0}ciɔk^{3}uɔi^{53}tʰəŋ^{53}ko^{0}.

【当西晒】tɔŋ^{35}si^{35}sai^{53} 指房屋朝西的门窗午后受阳光照射，屋里炎热：我等箇只老屋里啊坐东朝西，热天～，热得尽命。ŋai^{13}tien^{0}kai^{53}tʂak^{3}lau^{21}uk^{3}li^{0}a^{0}tsʰo^{53}tɔŋ^{35}tʂʰau^{13}si^{35},ɲiet^{5}tʰien^{35}tɔŋ^{35}si^{35}sai^{53},ɲiet^{5}tek^{3}tsʰin^{53}miaŋ^{53}.

【当阳】tɔŋ^{35}iɔŋ^{13} 动 对着太阳，一般指朝南：唔～ n̩^{13}tɔŋ$^{35}_{44}$iɔŋ^{13}背阳 | ～个栏场 tɔŋ^{35}iɔŋ^{13}ke^{53}laŋ^{13}tʂʰɔŋ$^{13}_{21}$

【当阳晒日】tɔŋ^{35}iɔŋ^{13}sai^{53}ɲiet^{3} 形容日照充足：箇个栏场真好晒谷啊，～唠。kai^{53}e^{0}lan$^{13}_{21}$tʂʰɔŋ$^{13}_{21}$tʂən^{35}xau^{21}sai^{53}kuk^{3}a^{0},tɔŋ^{35}iɔŋ^{13}sai^{53}ɲiet^{3}lau^{0}.

【当中】tɔŋ^{35}tʂəŋ^{35} 名 方位词。指中间、里面：欸讲只故事你听哩嘞箇就好像唔系生活～实实在在个事。e$_{21}$kɔŋ^{21}tʂak^{3}ku^{53}sɿ^{53}ɲi$^{13}_{21}$tʰaŋ^{35}li^{0}le^{0}kai$^{53}_{44}$tsʰiəu$^{53}_{44}$xau^{21}tsʰiɔŋ$^{53}_{44}$m̩$^{13}_{21}$pʰe^{53}sien^{35}xoit^{5}tɔŋ^{35}tʂəŋ^{35}ʂət^{5}ʂət^{5}tsʰai^{53}tsʰai^{53}ke$^{53}_{21}$sɿ^{53}.

【当昼】tɔŋ^{35}tʂəu^{53} 名 正午：当昼个时候子日头最烈。tɔŋ^{35}tʂəu^{53}ke^{0}ʂɿ^{13}xəu^{53}tsɿ^{0}ɲiet^{3}tʰei^{13}tsei^{53}lait^{3}.

【当昼烈日】tɔŋ^{35}tʂəu^{53}lait^{3}ɲiet^{3} 指正午时太阳毒辣气温很高：～，就最热个时候子唠。如今不要出去呀，以只时候子不要出去呀，～啦，咁热呀。就咁个意思，就系当昼个时候子日头最烈，日头最热啊，～。tɔŋ35tʂəu53lait3ɲiet3,tshiəu53-44tsei53ɲiet5ke0ʂʅ13xei53tsʅ0lau0.i13-21cin35-44pət3iau53tʂhət3çi53ia0,i21tʂak3ʂʅ13xəu53-44tsʅ0pət3iau53-44tʂhət3çi53ia0,tɔŋ35tʂəu53lait3ɲiet3la0,kan21ɲiet5ia0.tsiəu53-44kan21-13ke53-44i53sʅ35-44,tsiəu53-44xe53-44tɔŋ35tʂəu53ke0ʂʅ13xəu53tsʅ0ɲiet3thei13tsei53lait3,ɲiet3thei13tsei53ɲiet5a0,tɔŋ35tʂəu53lait3ɲiet3.

【当昼心里】tɔŋ35tʂəu53sin35ni0 正午时分：你～走下马路上去呀，滚气一线一线冲倒来。ɲi13-21tɔŋ35tʂəu53sin35ni21tsei21ia53-44ma35ləu53xɔŋ53-44çi53ia0,kuən21çi53iet3sien53iet3sien53tʂhəŋ35tau21ləi13-21.

【铛】tɔŋ35 [拟声]形容撞击金属器物的声音：还有铛锣子，箇道士用个，咁大子。～～～，铛锣子。xai13-21iəu35-44tɔŋ35lo13-21tsʅ0,kai53-44thau53sʅ53-44iəŋ53ke53-44,kan21-44thai53tsʅ0.tɔŋ44tɔŋ44tɔŋ44,tɔŋ35lo13-21tsʅ0.

【铛锣子】tɔŋ35lo13-21tsʅ0 [名]一种铜制的小锣，道教法器之一：大锣就箇个民族乐器肚里个，中式乐器吧？民族乐器肚里个一只，欸，铜做个。渠有两面锣，一般就有两面锣，一面细锣子，小锣子，还一面大锣。其实就还有一种锣，还有种锣，安做～。箇个做道场个人，咁大子，声音唔知几清脆，当当当当，欸，箇做道场个人就有，～。thai53lo13tshiəu53kai53-44ke0min13tshəuk5iɔk5çi53təu21li0ke0,tʂɔŋ35ʂʅ53iɔk5çi53pa0?min13 tshəuk5iɔk5çi53təu21li0ke0iet3tʂak3,ei21,thəŋ13tso53ke0.ci13iəu35-53iɔŋ21mien53lo13,iet3pɔn35tshiəu53-44iəu35-53iɔŋ21mien53no13,iet3mien53-44se53lo13-21tsʅ0,siau21lo13tsʅ0,xai13iet3mien53thai53lo13.chi13ʂət5tshiəu53-44xai13iəu35-53iet3tʂəŋ21lo13,xai13iəu35-53tʂəŋ21lo13,ɔn35-44tso53-44tɔŋ35lo13-21tsʅ0.kai53-44ke53-44tso53-44thau53tʂhɔŋ13ke0ɲin13-21,kan21-13thai53-44tsʅ0,ʂaŋ35-44in35-44n̩13ti35-53ci21tshin35tshei53,tɔŋ53tɔŋ44tɔŋ44tɔŋ44,e21,kai53-44tso53-44thau53tʂhɔŋ13-21ke0ɲin13-21tshiəu53-44iəu35,tɔŋ35lo13tsʅ0.

【裆】tɔŋ35 [名]裤裆：我走嘿店里去买箇个裤咯，哪条裤我都嫌～浅哩，唔好着，着下箇肚脐底下，～浅哩。如今硬唔知系唔系限定硬爱定做正有～深滴子个，欸。～深滴子好着多哩嘞，着下箇肚子上个嘞，着下腰上呢。如今着倒箇肚子底下，勒勒撂撂。欸有兜箇个胖胖子个人呐，一条裤硬也真滴是撂倒底下滴子唠。唔好着嘞。ŋai13tsei21xek3tian53li0çi53-44mai35kai53-44ke53-21fu53ko0,lai53thiau13-21fu53ŋai13təu35-53çian13tɔŋ35tshien21ni0,m̩13xau21-44tʂɔk3,tʂɔk3(x)a53kai53təu21tshi13-44te21xa53,tɔŋ35tshien21ni0.i13-21cin35-53ɲiaŋ53n̩13ti35-44xei53-44mei53-44khan21-21thiaŋ53-44ɲiaŋ53-44ɔi53-44thin53tso53tʂaŋ53-44iəu35tɔŋ35-44tʂhən35tiet5tsʅ0ke0,e21.tɔŋ35tʂhən35tiet5tsʅ0xau21tʂɔk3to35li0lei0,tʂɔk3(x)a53kai53təu21tsʅ0xɔŋ53ke0lei0,tʂɔk3(x)a53iau35xɔŋ53nei0.i13-21cin35-53tʂɔk3tau21-44kai53-21tu21tsʅ0tei21xa53,lət3lət3-0khuan53khuan53.ei53-44iəu35tei35-53kai53-44ke53-44phɔŋ53phɔŋ53tsʅ0kei53ɲin13-44na0,iet3thiau13fu53ɲiaŋ53-44ia35-53tʂən35tiet5ʂʅ53-44khuan53tau21-44tei21xa53tiet5tsʅ0lau0.n̩13-44xau21-44tʂɔk3lei0.

【挡】thɔŋ21 [动]承担；应对：同箇个牵头个人打讲呐，研究族谱啦，有兜么个事箇兜啦，也甚至于饮酒都我个人～嘿哩。thəŋ13kai53-44ke53-44chien13thei13-21ke53in13-21ta21kɔŋ21na0,ɲien35ciəu35-44tshəuk5phu21la0,iəu35təu35-53mak3e0sʅ53kai53-44təu35-44la0,ia35-44ʂən53tʂʅ53i13-21in21tsiəu21təu35-53ŋai13ke53ɲin13-44thɔŋ21xek3li0.

【挡板】tɔŋ21pan21 [名]床两头及背后的木板。又称“围板”：如今箇席梦思床是冇得么个～了唠。以前个老式床嘞，箇是两重子～呐，欸。欸，床外背一重子～，～肚里挂帐子，帐子肚里又一重子～。两重子～。i13-21cin35kai53siet5məŋ53sʅ35tshɔŋ13-21ʂʅ53-44mau13tek3mak3ke0tɔŋ21pan21liau0lau0.i35-53tshien13ke0lau21ʂʅ53-21tshɔŋ13lei0,kai53ʂʅ53iɔŋ21tʂhəŋ13tsʅ0tɔŋ21pan21na0,e21.e44,tshɔŋ13ŋɔi53pɔi53iet3tʂhəŋ13tsʅ0tɔŋ21pan21,tɔŋ21pan21təu21li0kua53tʂɔŋ53tsʅ0,tʂɔŋ53tsʅ0təu21li0iəu53iet3tʂhəŋ13tsʅ0tɔŋ21pan21.iɔŋ21tʂhəŋ13tsʅ0tɔŋ21pan21.

【当$_3$】tɔŋ53 [动]典当，用实物作抵押向当铺借钱：～屋 tɔŋ53uk3

【当晡】tɔŋ53pu35 [名]时间词。当天：一般唔系几远子是就～早晨去唠。iet3pɔn35m̩13phei53ci21ien21tsʅ0ʂʅ53-44tshiəu53-44tɔŋ53pu35tsau21ʂən13çi53lau0.

【当铺】tɔŋ53phu53 [名]收取贵重物品以为抵押，而出借现款给典当者的店铺：张家坊都开过～哇。现在张家坊是冇得公开个～，冇得。tʂɔŋ35-44ka35-44fɔŋ35təu35-53khɔi35-44ko53-44tɔŋ53phu53ua0.çien53tshai53tʂɔŋ35ka35-44fɔŋ35ʂʅ53-44mau13-21tek3kəŋ35khɔi35-44ke53-44tɔŋ53phu53,mau13-21tek3.

【凼】thɔŋ53 [名]①坑，凹陷：舞只～，长长子，都系长长子挖只～。ua35tʂak3thɔŋ53,tʂhɔŋ13tʂhɔŋ13tsʅ0,təu35xe53tʂhɔŋ13-21tʂhɔŋ13-21tsʅ0ua35tʂak3thɔŋ53. ②点播种子挖的小坑：作挖～tsɔk3thɔŋ53。③指墓坑：先分棺材放好来哟，放下箇～里去噢。有挖正哩～咯，挖正哩放棺材个地方咯。sien35pən35-44kɔn35tshɔi13-21fɔŋ53xau21ləi13iau0,fɔŋ53-44xa53-44kai53-44thɔŋ53li0çi53-44au0.iəu21ua35tʂaŋ53-44li0thɔŋ53ko0,ua35tʂaŋ53-44li0fɔŋ53kɔn35tshɔi13-21ke53-44thi53fɔŋ35-44ko0.

【凼子】thɔŋ53tsʅ0 [名]①坑，凹陷：橡皮上会扎只子眼子，扎只子～。ʂɔn13phi13xɔŋ53-44uɔi53-44tsait5tʂak3tsʅ0ŋan21tsʅ0,tsait5(tʂ)ak3tsʅ0thɔŋ53tsʅ0. ②点播种子挖的小坑：最先呀去箇～里就还要喊萝卜秧箇就。tsei53sien35ia0çi53-44kai53-44thɔŋ53tsʅ0li0tshiəu53-44xai13iau53-44xan53-44lo13phek5iɔŋ35kai53-44tshiəu53-44. ③特指田地里沤肥的坑：一只～就箇里栽一蔸。iet3tʂak3thɔŋ53tsʅ0tsəu53-21kai53-21li0tsɔi35iet3tei35.

【荡】tʰɔŋ^{53} 动①摇动；摆动：～秋千 tʰɔŋ^{53}tsʰiəu^{35}tsʰien$^{35}_{44}$。②把和好的泥或灰涂上后抹开、弄平：爱用铁荡子～第二到嘞箇就搞光滑来。ɔi^{53}iəŋ^{53}tʰiet^{3}tʰɔŋ^{53}tsɿ^{0}tʰɔŋ$^{53}_{44}$tʰi$^{53}_{44}$ɲi^{53}tau$^{53}_{44}$lei^{0}kai$^{53}_{44}$tsʰiəu$^{53}_{44}$kau^{21}kɔŋ^{35}uait^{5}lɔi^{13}.

【荡底】tʰɔŋ^{53}te^{21} 名鞋垫：欸，有底个袜子好着嘞。欸，脚底下感觉好。同箇只～样嘞。e$_{53}$,iəu^{35}te^{21}ke^{53}mait^{3}tsɿ^{0}xau^{21}tʂɔk^{3}le^{0}.e$_{53}$,ciɔk^{3}te^{21}xa^{53}kɔn^{21}ciɔk^{3}xau^{21}.tʰəŋ$^{13}_{21}$kai$^{53}_{44}$cia^{35}tʂak^{3}tʰɔŋ^{53}te^{21}iɔŋ^{53}le^{0}.

【荡耙】tʰɔŋ^{53}pʰa^{13} 名谷耙，一种用于将稻谷整理成堆的农具：一条直棍，一条横棍，以只东西就一只～样。iet^{3}tʰiau^{13}tʂʰət$^{5}_{3}$kuən^{53},iet^{3}tʰiau^{13}uaŋ^{13}kuən^{53},i^{21}tʂak^{3}təŋ$^{35}_{44}$si^{0}tsʰiəu$^{53}_{44}$iet^{3}tʂak^{3}tʰɔŋ^{53}pʰa$^{13}_{21}$iɔŋ$^{53}_{44}$.

【荡耙床】tʰɔŋ^{53}pʰa^{13}tsʰɔŋ^{13} 名两端都有 T 形蚊帐架但无顶架的床，多为机关干部使用：～就系后背个比较简单个床。箇就比架子床就简单多哩个床。欸，简单多哩。渠就是那个箇只荡耙个意思就系么个嘞？就系舞帐子个东西欸，搞帐子个东西。渠就系一只咁个两头呀以个床头嘞，渠以映子中间打只眼，插条棍，棍顶高嘞一条横棍，一条直棍，一条横棍，以只东西就一只荡耙样。欸，荡耙样。就安做～。箇只就～。哼哼，箇是会唔记得了，～。（以前我们刚开始教书的时候都是）都系～啊。欸，公家欸集体个地方就都系～，只有屋下就有架子床啊。tʰɔŋ^{53}pʰa$^{13}_{21}$tsʰɔŋ^{13}tsiəu$^{53}_{44}$xe$^{53}_{44}$xei^{53}pɔi$^{53}_{44}$ke$^{53}_{44}$pi^{21}ciau$^{53}_{44}$kan^{21}tan$^{35}_{44}$ke^{53}tsʰɔŋ$^{13}_{21}$.kai$^{53}_{44}$tsʰiəu$^{53}_{44}$pi^{21}ka^{53}tsɿ^{0}tsʰɔŋ^{13}tsʰiəu$^{53}_{44}$kan^{21}tan$^{35}_{44}$to^{35}li^{0}ke$^{53}_{44}$tsʰɔŋ$^{13}_{21}$.e$_{21}$,kan^{21}tan$^{35}_{44}$to^{35}li^{0}.ci^{13}tsʰiəu^{53}ʂʅ^{53}la$^{53}_{44}$ke$^{53}_{44}$kai$^{53}_{44}$tʂak^{3}tʰɔŋ^{53}pʰa^{13}ke$^{53}_{44}$i^{53}sɿ^{0}tsʰiəu$^{53}_{44}$xei$^{53}_{44}$mak^{3}(k)e$^{53}_{44}$lei^{0}?tsʰiəu$^{53}_{44}$xei$^{53}_{44}$u^{21}tʂɔŋ^{53}tsɿ^{0}ke$^{53}_{21}$təŋ$^{35}_{44}$si^{0}e$_{21}$,kau^{21}tʂɔŋ^{53}tsɿ^{0}ke$^{53}_{44}$təŋ$^{35}_{44}$si^{0}.ci^{13}tsʰiəu^{53}xe$^{53}_{44}$iet^{3}tʂak^{3}(k)an$^{21}_{44}$kei$^{53}_{21}$iɔŋ^{21}tʰei^{13}ia^{0}i^{21}ke^{53}tsʰɔŋ^{13}tʰei^{13}lei^{0},ci^{13}i^{21}iaŋ^{53}tsɿ^{0}tʂəŋ$^{35}_{44}$kan$^{35}_{44}$ta^{21}tʂak^{3}ŋan^{21},tsʰait^{3}tʰiau^{13}kuən^{53},kuən^{53}taŋ^{21}kau$^{35}_{44}$lei^{0}iet^{3}tʰiau$^{13}_{21}$uaŋ^{13}kuən^{53},iet^{3}tʰiau^{13}tʂʰət$^{5}_{3}$kuən^{53},iet^{3}tʰiau^{13}uaŋ^{13}kuən^{53},i^{21}tʂak^{3}təŋ$^{35}_{44}$si^{0}tsʰiəu$^{53}_{44}$iet^{3}tʂak^{3}tʰɔŋ^{53}pʰa$^{13}_{21}$iɔŋ$^{53}_{44}$.e$_{21}$,tʰɔŋ^{53}pʰa$^{13}_{21}$iɔŋ$^{53}_{44}$.tsʰiəu$^{53}_{44}$ɔn^{35}tso$^{53}_{44}$tʰɔŋ^{53}pʰa^{13}tsʰɔŋ^{13}.kai$^{53}_{44}$tʂak^{3}tsiəu$^{53}_{44}$tʰɔŋ^{53}pʰa^{13}tsʰɔŋ^{13}.xŋ̍$_{53}$xŋ̍$_{21}$,kai$^{53}_{21}$ʂʅ$^{53}_{21}$uɔi^{53}n̩^{13}ci^{53}tek^{3}liau^{0},tʰɔŋ^{53}pʰa$^{13}_{21}$tsʰɔŋ^{13}.təu^{35}xe$^{53}_{44}$tʰɔŋ^{53}pʰa$^{13}_{21}$tsʰɔŋ$^{13}_{21}$ŋa^{0}.e$_{21}$,kəŋ^{35}ka$^{35}_{21}$e$_{44}$tsʰiet^{5}tʰi^{21}ke$^{53}_{44}$tʰi$^{53}_{44}$fɔŋ^{35}tsʰiəu$^{53}_{44}$təu^{35}xe$^{53}_{44}$tʰɔŋ^{53}pʰa$^{13}_{21}$tsʰɔŋ$^{13}_{21}$,tʂʅ^{21}iəu$^{35}_{53}$uk^{3}xa$^{53}_{44}$tsʰiəu$^{53}_{44}$iəu$^{35}_{44}$ka^{53}tsɿ^{0}tsʰɔŋ$^{13}_{21}$ŋa^{0}.

【荡子】tʰɔŋ^{53}tsɿ^{0} 名长方形的抹灰工具：一只手就拿欸左手就拿～唠，右手就舞只勺，搲一勺搲□～肚里就揩。木板做个。也有铁做个嘞就箇睛讲个，木板做个就是第一遍就分渠开开来，系啊？拿铁～嘞箇就铁～就更细。铁～光下子。iet^{3}tʂak^{3}ʂəu^{21}tsʰiəu$^{53}_{44}$la$^{53}_{44}$e$_{21}$tso^{21}ʂəu^{21}tsʰiəu$^{53}_{44}$la$^{53}_{44}$tʰɔŋ^{53}tsɿ^{0}lau^{0},iəu^{53}ʂəu^{21}tsʰiəu$^{53}_{44}$u^{21}tʂak^{3}ʂɔk^{5},uet^{3}iet^{3}ʂɔk^{5}uet^{3}lait^{5}tʰɔŋ^{53}tsɿ^{0}təu^{21}li^{0}tsʰiəu$^{53}_{44}$kʰai^{35}.muk^{3}pan^{21}tso$^{53}_{44}$ke$^{53}_{44}$.ia^{35}iəu$^{35}_{44}$tʰiet^{3}tso$^{53}_{44}$ke$^{53}_{44}$le^{0}tsʰiəu$^{53}_{44}$kai$^{53}_{44}$pu$^{35}_{44}$kɔŋ^{21}ke$^{53}_{44}$,muk^{3}pan^{21}tso$^{53}_{44}$ke$^{53}_{44}$tsʰiəu$^{53}_{44}$sɿ$^{53}_{21}$tʰi^{53}iet^{3}pʰien^{53}tsiəu$^{53}_{21}$pən$^{35}_{44}$ci$^{13}_{44}$kʰɔi^{35}kʰɔi^{35}lɔi$^{13}_{21}$,xei$^{53}_{44}$a^{0}?la^{53}tʰiet^{3}tʰɔŋ^{53}tsɿ^{0}le^{0}kai$^{53}_{44}$tsʰiəu$^{53}_{44}$tʰiet^{3}tʰɔŋ^{53}tsɿ^{0}tsʰiəu$^{53}_{44}$ken$^{53}_{44}$se^{53}.tʰiet^{3}tʰɔŋ^{53}tsɿ^{0}kɔŋ^{35}ŋa$_{44}$(←xa^{53})tsɿ^{0}.

【刀$_{1}$】tau^{35} 名泛指用来斩、割、切、削、砍、铡的工具：还有么个～么？冇得了。就系三四张～哇？啊？噢。好。xai$^{13}_{21}$iəu$^{35}_{44}$mak^{3}(k)e$^{53}_{44}$tau^{35}mo^{0}?mau^{13}tek^{3}liau^{0}.tsʰiəu$^{53}_{44}$xe$^{53}_{44}$san^{35}si^{53}tʂɔŋ$^{35}_{21}$tau^{35}ua^{0}?a$_{35}$?au^{21}.xau^{21}.

【刀$_{2}$】tau^{35} 量①名量词：一～纸 iet^{3}tau^{35}tʂʅ^{21} ②动量词，用于使用刀或类似行为的次数：剪箇一～嘞安做开袜底。tsien^{21}kai^{53}iet^{3}tau$^{35}_{44}$le^{0}ɔn$^{35}_{44}$tso$^{53}_{44}$kɔi^{35}mait^{3}te^{21}.｜咁子咁子箇阵子我等咁子去栽一～，剁一下就以映指胳膊处鼓下起来咯。kan^{21}tsɿ^{0}kan^{21}tsɿ^{0}kai^{53}tʂʰən^{53}tsɿ^{0}ŋai^{13}tien^{0}kan^{21}tsɿ^{0}çi^{53}tsʰɔi^{13}iet^{3}tau$^{35}_{44}$,to^{53}iet^{3}xa$^{53}_{44}$tsʰiəu$^{53}_{44}$i^{21}iaŋ$^{53}_{44}$ku^{21}ua^{53}(←xa^{53})çi^{21}lɔi^{13}ko^{0}.

【刀刀子】tau^{35}tau^{35}tsɿ^{0} 名刀：因为渠指关刀像把～。in^{35}uei$^{35}_{44}$ci^{13}tsʰiɔŋ^{53}pa^{21}tau^{35}tau^{35}tsɿ^{0}.

【刀口】tau^{35}xei^{21} 名刀刃：箇个～箇映子嘞就做滴子齿。kai$^{53}_{44}$ke$^{53}_{44}$tau^{35}xei^{21}kai$^{53}_{44}$iaŋ$^{53}_{44}$tsɿ^{0}lei^{0}tsʰiəu$^{53}_{44}$tso^{53}tet^{5}tsɿ^{0}tʂʰʅ^{21}.

【刀篮】tau^{35}lan^{13} 名屠夫用来装刀具等的篮子：～是箇个一般就讲剾猪个人，渠舞只篮子，渠个剾猪刀箇只啦锋利个刀箇只就放下箇篮子里，箇篮子就安做～。tau^{35}lan$^{13}_{21}$ʂʅ$^{53}_{21}$kai^{53}ke^{53}iet^{3}pən^{35}tsʰiəu^{53}kɔŋ^{21}tʂʰʅ^{13}tʂəu^{35}ke^{53}ɲin$^{13}_{44}$,ci$^{13}_{44}$u^{21}tʂak^{3}lan^{13}tsɿ^{0},ci^{13}ke^{0}tʂʰʅ^{13}tʂəu$^{35}_{44}$tau^{35}kai$^{53}_{44}$tʂak^{3}la^{0}fəŋ^{35}li$^{53}_{44}$ke^{0}tau^{35}kai$^{53}_{44}$tʂak^{3}tsiəu$^{53}_{44}$fɔŋ$^{53}_{44}$ŋa$^{53}_{44}$kai^{53}lan^{13}tsɿ^{0}li$^{35}_{44}$,kai^{53}lan^{13}tsɿ^{0}tsʰiəu^{53}ɔn$^{35}_{53}$tso^{53}tau^{35}lan$^{13}_{21}$.

【刀篮肉】tau^{35}lan^{13}ɲiəuk^{3} 名酬谢屠夫的猪肉：还有只咁个啦，以前同别人家剾猪是唔拿工资，割坨子猪肉，箇坨猪肉就安做～。唔拿工资。以下是同别人家剾只猪就两百块钱呐，系唔系？几多钱呢，一只人工钱呐。渠箇阵子就一坨子猪肉，斤多子以前呐，欸，安做～。xai^{13}iəu$^{35}_{53}$tʂak^{3}kan$^{21}_{13}$cie^{53}la^{0},i$^{35}_{53}$tsʰien$^{13}_{21}$tʰəŋ^{13}pʰiet^{5}in$^{13}_{44}$ka$^{35}_{44}$tʂʰʅ$^{13}_{21}$tʂəu^{35}ʂʅ$^{53}_{44}$n̩^{13}lak^{5}kəŋ^{35}tsɿ$^{35}_{44}$,kɔit^{3}tʰo$^{13}_{21}$tsɿ^{0}tʂəu^{35}ɲiəuk^{3},kai^{53}tʰo$^{13}_{21}$tʂəu^{35}ɲiəuk^{3}tsʰiəu$^{53}_{44}$ɔn$^{35}_{44}$tso$^{53}_{44}$tau^{35}lan$^{13}_{21}$ɲiəuk^{3}.n̩$^{13}_{21}$lak^{5}kəŋ^{35}tsɿ$^{35}_{53}$.i^{21}xa^{53}ʂʅ^{53}tʰəŋ^{13}pʰiet^{5}in$^{13}_{44}$ka$^{35}_{44}$tʂʰʅ^{13}tʂak^{3}

tʂəu^{35}ts^{h}iəu^{53}iɔŋ^{21}pak^{3}k^{h}uai^{53}ts^{h}ien^{13}na^{0},xei^{53}me^{53}?cio$_{44}$(←ci^{21}to^{35})ts^{h}ien^{13}ne^{0},iet^{3}tʂak^{3}ɲin^{13}kəŋ$^{35}_{53}$ts^{h}ien^{13}na^{0}.ci^{13}kai^{53}tʂ^{h}ən^{53}tsɿ^{0}ts^{h}iəu^{53}iet^{3}t^{h}o$^{13}_{21}$tsɿ^{0}tʂəu^{35}ɲiəuk^{3},cin^{35}to^{35}tsɿ^{0}i$^{35}_{53}$ts^{h}ien$^{13}_{44}$na^{0},e$_{21}$,ɔn^{35}tso^{53}tau^{35}lan$^{13}_{21}$ɲiəuk^{3}.

【刀山】tau^{35}san^{35} 名佛教语，地狱中的酷刑之一。也比喻极险恶的境地：上～ʂɔŋ^{53}tau$^{35}_{44}$san$^{35}_{44}$

【刀伤】tau^{35}ʂɔŋ^{35} 名刀刃砍割所致的伤：箇细人子就……箇刀是爱收捡起下子嘞。欸，莫分细人子搞倒哩，搞倒哩就𫜩搞得好就有～。kai$^{53}_{44}$se^{53}ɲin$^{13}_{44}$tsɿ^{0}tsiəu$^{53}_{44}$…kai$^{53}_{44}$tau^{35}ʂʅ$^{53}_{44}$ɔi$^{53}_{44}$ʂəu^{35}cian^{21}çi^{21}xa^{53}tsɿ^{0}le^{0}.e$_{21}$,mɔk$^{5}_{44}$pən$^{35}_{44}$sei^{53}ɲin$^{13}_{21}$tsɿ^{0}kau^{21}tau^{21}li^{0},kau^{21}tau^{21}li^{0}tsiəu^{53}maŋ^{13}kau^{21}tek^{3}xau^{21}ts^{h}iəu^{53}iəu$^{35}_{44}$tau^{35}ʂɔŋ^{35}.

【刀石】tau^{35}ʂak^{5} 名磨刀石：～更硬。麻鮎石是挖起来绷硬，但是又真容易风化。tau^{35}ʂak^{5}cien^{53}ŋaŋ^{53}.ma^{13}k^{h}u$^{35}_{44}$ʂak^{5}ʂʅ$^{53}_{44}$uait^{3}çi^{21}lɔi^{13}paŋ^{35}ŋaŋ^{53},tan$^{53}_{44}$ʂʅ$^{53}_{44}$iəu^{53}tʂən^{35}iəŋ$^{13}_{21}$i$^{53}_{44}$fəŋ^{35}fa^{53}.

【刀豌豆】tau^{35}uan$^{35}_{21}$t^{h}ei^{53}/t^{h}əu^{53}老派 名刀豆：（雷公搧屎耙）有滴像～样，长长子。iəu^{35}tet^{5}ts^{h}iɔŋ^{53}tau^{35}uan$^{35}_{21}$t^{h}ei^{53}iɔŋ$^{53}_{44}$,tʂ^{h}ɔŋ^{13}tʂ^{h}ɔŋ^{13}tsɿ^{0}.

【捣】tau^{21} 动砸，舂：箇打麻糍呀，唔系话……渠就舞只碓臼，系<u>唔系</u>？去～。kai^{53}ta^{21}ma^{13}ts^{h}i^{13}ia^{0},m̩^{13}p^{h}e^{53}(←xe^{53})ua^{53}…ci^{13}ts^{h}iəu^{53}u^{21}tʂak^{3}tɔi^{53}c^{h}iəu^{35},xei$^{53}_{44}$me$^{53}_{44}$?c^{h}i^{53}tau^{21}.

【倒$_{1}$】tau^{21} 动①翻覆：怕有滴会撞～个。p^{h}a^{53}iəu^{35}tiet^{5}uɔi$^{53}_{44}$ts^{h}ɔŋ^{53}tau^{21}ke^{53}. ②用在动词后，做补语，表示达到目的或有了结果，相当于“到、着”：猜得～猜唔～？ts^{h}ai^{35}tek^{3}tau^{21}ts^{h}ai^{35}ŋ̍^{13}tau^{21}?｜甘蔗？唔种，种唔～。嗯，种唔好。渠等有人种哩都𫜩成功。kɔn^{35}tʂa$^{53}_{44}$?n̩^{13}tʂəŋ^{53},tʂəŋ^{53}n̩$^{13}_{21}$tau^{21}.n̩$_{53}$,tʂəŋ^{53}n̩$^{13}_{21}$xau^{21}.ci^{13}tien^{0}iəu^{35}ɲin$^{13}_{21}$tʂəŋ^{53}li^{0}təu$^{35}_{53}$maŋ$^{13}_{21}$tʂ^{h}ən$^{13}_{21}$kəŋ$^{35}_{44}$. ③用在动词后，做补语，表示动作完成，相当于“掉”：食～以碗饭！ʂek^{5}tau^{21}i^{21}uɔn^{21}fan^{53}!

【倒$_{2}$】tau^{21} 量名量词，用于房坡：以边一～水，以边一～水，安做两～水吵。i^{21}pien$^{35}_{44}$iet^{3}tau^{21}ʂei^{21},i^{21}pien$^{35}_{44}$iet^{3}tau^{21}ʂei^{21},ɔn$^{35}_{44}$tso$^{53}_{44}$iɔŋ^{21}tau^{21}ʂei^{21}ʂa^{0}.

【倒$_{3}$】tau^{21} 副高程度副词，做补语，前头不能用“得”，后头带“哩”，相当于“极了”：箇只事渠欢喜～<u>哩啊</u>。kai^{53}tʂak^{3}sɿ$^{53}_{44}$ci$^{13}_{21}$fɔn^{35}çi^{21}tau^{21}lia^{0}.｜渠箇赖子考倒哩大学，欸，欢喜～，爱同我等爱搞台电脑。ci$^{13}_{21}$kai^{53}lai^{53}tsɿ^{0}k^{h}au^{21}tau^{21}li^{0}t^{h}ai^{53}çiɔk$^{5}_{44}$,e$_{21}$,fɔn^{35}çi^{21}tau^{21}li^{0},ɔi^{53}t^{h}əŋ$^{13}_{21}$ŋai^{13}tien^{0}ɔi^{53}kau^{21}t^{h}ɔi^{13}t^{h}ien^{53}nau^{21}.

【倒$_{4}$】tau^{21} 助①动态助词，表示动作的持续，相当于“着”：眯～眼珠mi^{35}tau^{21}ŋau^{21}tʂəu^{35}｜你跟～我在一起来。ɲi^{13}cien^{35}tau^{21}ŋai$^{13}_{21}$ts^{h}ai^{53}iet^{3}çi^{21}lɔi^{13}.｜以个都提～走吧？i^{21}ke$^{53}_{21}$təu$^{35}_{44}$t^{h}ia^{35}tau^{21}tsei^{21}pa^{0}? ②动态助词，表示状态的持续，相当于“着”：桌上放～一碗水。tsɔk^{3}xɔŋ^{53}fɔŋ^{53}tau^{21}iet^{3}uɔn^{21}ʂei^{21}.｜门口徛～一伴人。mən^{13}xei^{21}c^{h}i^{35}tau^{21}iet^{3}p^{h}ɔn^{53}ɲin^{13}. ③动态助词，表示动作行为的方式，相当于“着”：坐～食好还系徛～食好？ts^{h}o^{35}tau^{21}ʂek^{5}xau^{21}xai^{13}xe^{53}c^{h}i^{35}tau^{21}ʂek^{5}xau^{21}?

【倒缝】tau^{21}p^{h}əŋ^{53} 名将两块布缝在一起并将边缘分开、压平而形成的衣缝：有两起缝欸。一起包缝，一起～。iəu^{35}iɔŋ^{21}çi^{21}p^{h}əŋ^{53}ŋei^{0}.iet^{3}çi^{21}pau^{35}p^{h}əŋ^{53},iet^{3}çi^{21}tau^{21}p^{h}əŋ^{53}.

【倒横床】tau^{21}uaŋ^{13}ts^{h}ɔŋ^{13} 随意躺下小睡：我如今睡当昼目啊，我侪都唔～。我硬脱嘿衫裤来睡嘿被窝窿里。我就如今睡当昼目啊我侪都硬爱作古认真睡下……硬爱作古认真睡，唔系么个倒下子横床就下得地。唔系～。～系会冷倒。ŋai^{13}i$^{13}_{21}$cin$^{35}_{53}$ʂɔi^{53}tɔŋ^{35}tʂəu^{53}muk^{3}a^{0},ŋai^{13}ts^{h}i$^{13}_{21}$təu$^{35}_{53}$n̩^{13}tau^{21}uaŋ^{13}ts^{h}ɔŋ$^{13}_{21}$.ŋai^{13}ɲiaŋ^{53}t^{h}ɔit^{3}(x)ek^{3}san^{35}fu^{53}lɔi$^{13}_{44}$ʂɔi$^{53}_{44}$xek^{3}p^{h}i$^{35}_{44}$p^{h}o$^{13}_{44}$ləŋ^{13}li^{0}.ŋai^{13}ts^{h}iəu$^{53}_{44}$i$^{13}_{21}$cin$^{35}_{44}$ʂɔi^{53}tɔŋ$^{35}_{44}$tʂəu^{53}muk^{3}a^{0}ŋai^{13}ts^{h}i$^{13}_{21}$təu$^{35}_{53}$ɲiaŋ^{53}ɔi^{53}tsɔk^{3}ku^{21}ɲin^{53}tʂən$^{35}_{44}$ʂɔi^{53}(x)a$^{53}_{44}$…ɲiaŋ^{53}ɔi$^{53}_{44}$tsɔk^{3}ku^{21}ɲin$^{53}_{44}$tʂən$^{35}_{44}$ʂɔi^{53},n̩^{13}xe^{53}mak^{3}e^{0}tau^{21}(x)a^{53}tsɿ^{0}uaŋ^{13}ts^{h}ɔŋ$^{13}_{44}$ts^{h}iəu$^{53}_{44}$xa^{35}tek^{3}t^{h}i^{53}.m̩^{13}p^{h}e^{53}tau^{21}uaŋ^{13}ts^{h}ɔŋ^{13}.tau^{21}uaŋ^{13}ts^{h}ɔŋ^{13}(x)e^{53}uɔi$^{53}_{44}$laŋ^{35}tau^{21}.

【倒霉】tau^{21}mei^{13} 形运气不好；遇事不顺利：唔知几～个样子。n̩^{13}ti$^{35}_{44}$ci^{21}tau^{21}mei^{13}ke$^{53}_{44}$iɔŋ^{53}tsɿ^{0}.

【倒铺子】tau^{21}p^{h}u^{53}tsɿ^{0} 店铺倒闭：～就系铺子开唔下了，关门了，安做～。唔系么个铺子转嘿哩。铺子关门了就～。欸，张家坊街上都经常看倒咁个现象，以边就新铺子开张，箇边就铺子倒，～。以边就新铺子开张，搞下子有开张个，搞下子有关门个，关门就系～。tau^{21}p^{h}u^{53}tsɿ^{0}ts^{h}iəu$^{53}_{44}$xe$^{53}_{44}$p^{h}u^{53}tsɿ^{0}k^{h}ɔi$^{35}_{44}$n̩$^{13}_{21}$xa^{35}liau^{0},kuan^{35}mən^{13}liau^{0},ɔn$^{35}_{44}$tso$^{53}_{44}$tau^{21}p^{h}u^{53}tsɿ^{0}.m̩^{13}p^{h}ei^{53}mak^{3}ke^{0}p^{h}u^{53}tsɿ^{0}tʂɔn^{53}nek^{3}li^{0}.p^{h}u^{53}tsɿ^{0}kuan^{35}mən^{13}liau^{0}ts^{h}iəu$^{53}_{44}$tau^{21}p^{h}u^{53}tsɿ^{0}.e$_{21}$,tʂɔŋ$^{35}_{44}$ka$^{35}_{44}$fɔŋ^{35}kai$^{35}_{44}$xɔŋ$^{53}_{21}$təu$^{35}_{44}$cin^{35}tʂ^{h}ɔŋ$^{13}_{21}$k^{h}ɔn^{53}tau^{21}kan$^{21}_{13}$ke$^{53}_{44}$çien^{53}siɔŋ^{53},i^{21}pien$^{35}_{44}$ts^{h}iəu^{53}sin^{35}p^{h}u^{53}tsɿ^{0}k^{h}ɔi^{35}tʂɔŋ^{35},kai^{53}pien$^{35}_{44}$ts^{h}iəu^{53}p^{h}u^{53}tsɿ^{0}tau^{21},tau^{21}p^{h}u^{53}tsɿ^{0}.i^{21}pien$^{35}_{44}$ts^{h}iəu^{53}sin^{35}p^{h}u^{53}tsɿ^{0}k^{h}ɔi^{35}tʂɔŋ^{35},kau^{21}(x)a$^{53}_{44}$tsɿ^{0}iəu$^{35}_{44}$k^{h}ɔi^{35}tʂɔŋ^{35}ke^{0},kau^{21}(x)a$^{53}_{44}$tsɿ^{0}iəu$^{35}_{44}$kuan$^{35}_{44}$mən^{13}cie^{0},kuan^{35}mən^{13}ts^{h}iəu$^{53}_{44}$xe$^{53}_{44}$tau^{21}p^{h}u^{53}tsɿ^{0}.

【倒树】tau^{21}ʂəu^{53} 动农作物结束生长期，植株枯萎：欸，箇个嘞，秋茄子咯，食就好食，冇几大子，又容易生虫，食就好食，因为过时了，呃过时欸么个？嗯，会～了。e$_{21}$,kai$^{53}_{44}$ke$^{53}_{44}$lei^{0},ts^{h}iəu^{35}c^{h}io$^{13}_{21}$tsɿ^{0}ko^{0},ʂət^{5}ts^{h}iəu$^{53}_{44}$xau^{21}ʂət^{5},mau^{13}ci$^{13}_{21}$t^{h}ai^{53}tsɿ^{0},iəu^{53}iəŋ^{13}i$^{53}_{44}$saŋ$^{35}_{44}$tʂ^{h}əŋ^{13},ʂət^{5}ts^{h}iəu$^{53}_{44}$xau^{21}ʂət^{5},in$^{35}_{44}$uei$^{53}_{44}$ko^{53}ʂʅ^{13}liau^{0},ə^{0}ko^{53}ʂʅ$^{13}_{21}$ei$_{44}$mak^{3}ke^{53}?n̩$_{21}$,uɔi^{53}tau^{21}ʂəu^{53}liau^{0}.

【倒水】tau^{21}ʂei^{21} 动房坡上的雨水流下来：横屋嘞就以咁子～。uaŋ^{13}uk^{3}lei^{0}ts^{h}iəu^{53}i^{21}kan$^{21}_{13}$tsɿ^{0}tau^{21}ʂei^{21}.

【倒头】tau^{21}t^{h}ei^{13} 动死的讳称：倒哩头 tau^{21}li^{0}t^{h}ei^{13}

【倒头饭】tau^{21}t^{h}ei^{13}fan^{53} 名入殓后请相关人员吃的饭，既表示谢意，更是为了商量丧事如何办理。又称“家门饭”：爱请只安做～，有滴又安做家门饭。安做～个多。就系最箇场丧事让门子搞哇，喊倒箇人来呀，磋商下子，安排工夫哇，么人就去……渠爱通知亲友吵，系唔系？么人就为首哇，哪晡日架势啊，么个……哪晡个日子架势搞丧事啊，请几多个人做醮哇，做不做醮哇，系唔系啊？请西乐队吗？箇东西都首先就商量正来就箇晡就公布一下。ɔi$^{53}_{44}$ts^{h}iaŋ^{21}tʂak^{3}ɔn$^{35}_{44}$tso$^{53}_{44}$tau^{21}t^{h}ei^{13}fan^{53},iəu^{35}tet^{5}iəu$^{53}_{44}$ɔn$^{35}_{44}$tso$^{53}_{44}$cia^{35}mən^{13}fan^{53}.ɔn^{35}tso$^{53}_{44}$tau^{21}t^{h}ei^{13}fan^{53}ke^{53}to$^{35}_{44}$.ts^{h}iəu$^{53}_{44}$xe$^{53}_{44}$tsei$^{53}_{44}$kai$^{53}_{44}$tʂ^{h}ɔŋ$^{13}_{21}$sɔŋ^{35}sɿ$^{53}_{44}$ɲiɔŋ^{53}mən$^{13}_{44}$tsɿ^{0}kau^{21}ua^{0},xan^{53}tau^{21}kai^{53}ɲin$^{13}_{21}$lɔi^{13}ia^{0},ts^{h}o^{35}ʂɔŋ$^{35}_{44}$xa^{53}tsɿ^{0},ŋɔn^{35}p^{h}ai$^{13}_{21}$kəŋ^{35}fu^{35}ua^{0},mak^{3}ɲin$^{13}_{21}$ts^{h}iəu^{53}çi^{53}…ci$^{13}_{21}$ɔi$^{53}_{44}$t^{h}əŋ^{35}tʂʅ$^{35}_{44}$ts^{h}in^{35}iəu^{21}ʂa^{0},xei$^{53}_{44}$me$^{53}_{44}$?mak^{3}ɲin$^{13}_{21}$ts^{h}iəu^{53}uei$^{13}_{21}$ʂəu^{21}ua^{0},lai^{53}pu^{35}ɲiet^{3}cia^{53}ʂʅ^{53}a^{0},mak^{3}ke^{53}…lai^{53}pu^{35}ke$^{53}_{44}$ɲiet^{3}tsɿ^{0}cia^{53}ʂʅ^{53}kau^{21}sɔŋ^{35}sɿ$^{53}_{44}$a^{0},ts^{h}iaŋ^{21}ci^{21}to$^{35}_{44}$ke^{53}ɲin$^{13}_{21}$tso^{53}tsiau^{53}ua^{0},tso^{53}pət^{3}tso^{53}tsiau^{53}ua^{0},xei$^{53}_{44}$me$^{53}_{44}$a^{0}?ts^{h}iaŋ^{21}si^{35}iɔk^{5}ti^{53}ma^{0}?kai$^{53}_{44}$təŋ$^{35}_{44}$si^{0}təu^{35}ʂəu^{21}sien^{35}ts^{h}iəu$^{53}_{44}$ʂɔŋ^{35}liɔŋ$^{13}_{21}$tʂaŋ^{53}lɔi$^{13}_{21}$ts^{h}iəu$^{53}_{44}$kai^{53}pu^{35}ts^{h}iəu$^{53}_{44}$kəŋ^{35}pu$^{53}_{44}$iet^{3}xa^{53}.

【倒威】tau^{21}uei^{35} 动失去威风：唔知几～个样子。n̩^{13}ti$^{35}_{44}$ci^{21}tau^{21}uei^{35}ke$^{53}_{44}$iɔŋ^{53}tsɿ^{0}.

【倒转】tau^{21}tʂɔn^{21} 动向……流下去：横屋嘞就以咁子倒水。～两边。uaŋ^{13}uk^{3}lei^{0}ts^{h}iəu^{53}i^{21}kan$^{21}_{13}$tsɿ^{0}tau^{21}ʂei^{21}.tau^{21}tʂɔn^{21}iɔŋ^{21}pien$^{35}_{44}$.

【到$_{1}$】tau^{53} 动①达于（某个位置）：一线风就～哩箇映子。iet^{3}sien^{53}fəŋ^{35}ts^{h}iəu$^{53}_{44}$tau$^{53}_{44}$li^{0}kai$^{53}_{44}$iaŋ$^{53}_{44}$tsɿ^{0}.｜以头望～箇头。i^{21}t^{h}ei^{13}uɔŋ^{53}tau$^{53}_{21}$kai^{53}t^{h}ei^{13}. ②往：你～哪映去哦？ɲi^{13}tau$^{53}_{44}$lai^{53}iaŋ$^{53}_{44}$çi^{53}o^{0}?③达到。用在两个表数量的词语之间，表示两个数量之间的所有情况：四五十斤子～百把斤子，百多斤都还系猪条。～百把斤都喊猪条。si^{53}ŋ̍$^{13}_{21}$ʂət^{5}cin$^{35}_{44}$tsɿ^{0}tau^{53}pak^{3}pa^{21}cin$^{35}_{44}$tsɿ^{0},pak^{3}to$^{35}_{44}$cin$^{35}_{44}$təu$^{35}_{44}$xai$^{13}_{21}$xe$^{53}_{44}$tʂəu$^{35}_{44}$t^{h}iau$^{13}_{21}$.tau$^{53}_{44}$pak^{3}pa^{21}cin$^{35}_{44}$təu^{35}xan$^{53}_{44}$tʂəu$^{35}_{44}$t^{h}iau$^{13}_{21}$. ④放在动词后，做补语，表示周遍：所有个客都爱拜～。so^{21}iəu^{35}ke^{53}k^{h}ak^{3}təu^{35}ɔi$^{53}_{44}$pai^{53}tau^{53}. ⑤放在动词后，做补语，表示动作达到合适或令人满意的程度或效果：你同我磨～下子啦。ɲi$^{13}_{21}$t^{h}əŋ$^{13}_{21}$ŋai$^{13}_{21}$mo^{53}tau^{53}ua$_{44}$(←xa^{53})tsɿ^{0}la^{0}.｜刷牙是还系莫刷咁急，爱慢兜子刷，刷～下子。sɔit^{3}ŋa^{13}ʂʅ$^{53}_{44}$xai^{13}xe$^{53}_{44}$mɔk^{5}sɔit^{3}kan^{21}ciak^{3},ɔi$^{53}_{44}$man^{53}te$^{35}_{53}$tsɿ^{0}sɔit^{3},sɔit^{3}tau^{53}xa$^{53}_{21}$tsɿ^{0}. ⑥点名时的应答用语：箇个读书个时候子用得最多唠，“～”唠，欸。欸，我等如今就我等箇个呢我等打祭个时候子啊，死哩人呐，打祭个时候子啊，打家奠呐，因为爱人多，爱两十多个人，箇个时候子嘞先就搞正一张单子，么人搞个么个，么人搞么个。架势打祭了嘞，喊倒箇个喊倒箇所有爱做事个人到楼上开只子会，每个人发一包子烟，发只子红包细细子，十块子钱个，系啊？欸，就点名，嗯，经常就舞倒我点名。么人么人。“～！”嗯，你来拿包烟去，拿只红包子去。就咁个，“～”。kai$^{53}_{35}$(k)e^{0}t^{h}əuk^{5}ʂəu^{35}ke^{53}ʂʅ^{13}xəu$^{53}_{44}$tsɿ^{0}iəŋ^{53}tek^{3}tsei^{53}to^{35}lau^{0},"tau^{53}"lau^{0},e$_{21}$.e$_{21}$,ŋai^{13}tien^{0}i$^{13}_{21}$cin$^{35}_{44}$ts^{h}iəu^{53}ŋai^{13}tien^{0}kai^{53}ke^{0}nei^{0}ŋai^{13}tien^{0}ta^{21}tsi^{53}ke^{0}ʂʅ^{13}xəu$^{53}_{44}$tsɿ^{0}a^{0},si^{21}li^{0}ɲin^{13}na^{0},ta^{21}tsi^{53}ke^{0}ʂʅ^{13}xəu$^{53}_{44}$tsɿ^{0}a^{0},ta^{21}cia^{35}t^{h}ian^{53}na^{0},in^{35}uei$^{53}_{44}$ɔi^{53}ɲin^{13}to$^{35}_{44}$,ɔi$^{53}_{44}$iɔŋ^{21}ʂət^{5}to$^{35}_{53}$ke^{53}ɲin$^{13}_{21}$,kai^{53}(k)e$^{53}_{44}$ʂʅ^{13}xəu$^{53}_{44}$tsɿ^{0}lei^{0}sien^{35}ts^{h}iəu^{53}kau^{21}tʂaŋ$^{53}_{44}$iet^{3}tʂɔŋ$^{35}_{44}$tan^{35}tsɿ^{0},mak^{3}ɲin$^{13}_{44}$kau^{21}ke^{0}mak^{3}ke^{53},mak^{3}ɲin$^{13}_{44}$kau^{21}mak^{3}ke^{53}.cia^{53}ʂʅ^{53}ta^{21}tsi^{53}liau^{0}lei^{0},xan^{53}tau^{21}kai^{53}ke$^{53}_{44}$xan^{53}tau^{21}kai^{53}so^{21}iəu^{35}ɔi$^{53}_{44}$tso$^{53}_{44}$sɿ^{53}ke^{0}ɲin^{13}tau$^{53}_{44}$lei$^{13}_{21}$xɔŋ$^{53}_{44}$k^{h}ɔi^{35}tʂak^{3}tsɿ^{0}fei^{53},mei^{35}ke$^{53}_{44}$in$^{13}_{44}$fait^{3}iet^{3}pau$^{35}_{44}$tsɿ^{0}ien^{35},fait^{3}tʂak^{3}tsɿ^{0}fəŋ^{13}pau$^{35}_{44}$se^{53}se^{53}tsɿ^{0},ʂət^{5}k^{h}uai^{53}tsɿ^{0}ts^{h}ien^{13}cie$^{53}_{44}$,xei$^{53}_{44}$a^{0}?e$_{21}$,ts^{h}iəu$^{53}_{44}$tian^{21}miaŋ^{13},n̩$_{21}$,cin^{35}tʂ^{h}ɔŋ^{13}ts^{h}iəu^{53}u^{21}tau^{21}ŋai^{13}tian^{21}miaŋ^{13}.mak^{3}ɲin$^{13}_{44}$mak^{3}ɲin$^{13}_{44}$."tau^{53}!"n̩$_{21}$, ɲi^{13}lɔi^{13}lak^{5}pau$^{35}_{44}$ien$^{13}_{44}$çi^{53},lak^{5}tʂak^{3}fəŋ^{13}pau$^{35}_{44}$tsɿ^{0}çi^{53}.ts^{h}iəu$^{53}_{44}$kan^{21}ke^{0},"tau^{53}".

【到$_{2}$】tau^{53} 量动量词，遍、次：读一～t^{h}əuk^{5}iet^{3}tau^{53}｜栽一～禾 tsɔi^{35}iet^{3}tau^{53}uo$^{13}_{21}$｜箇是我是做哩几～。kai$^{53}_{44}$ʂʅ$^{53}_{44}$ŋai^{13}ʂʅ$^{53}_{44}$tso^{53}li^{0}ci^{21}tau$^{53}_{21}$.｜欸，你多讲～子嘞！ei$_{21}$,ɲi$^{13}_{21}$to^{35}kɔŋ^{21}tau^{53}tsɿ^{0}lei^{0}!

【到$_{3}$】tau^{53} 介引述终止的时间：～哪晡打止？tau^{53}lai^{53}pu^{35}ta^{21}tʂʅ^{21}?｜～月底就做完哩。tau^{53}ɲiet^{5}te^{21}ts^{h}iəu^{53}tso^{53}ien^{13}li^{0}.

【到处】tau^{53}tʂ^{h}əu^{53} 副处处，各处，遍地：（裤脚盆）你不能～丢嘞。ɲi$^{13}_{21}$puk^{3}len^{13}tau^{53}tʂ^{h}əu$^{53}_{44}$

tiəu^{35}le^{0}.｜（黄栀子花）唔系～都有。m̩$^{13}_{21}$pʰe$_{44}$(←xe^{53})tau^{53}tʂʰəu$^{53}_{21}$təu$^{35}_{44}$iəu$^{35}_{44}$.

【到得】tau^{53}tek^{3} 动 达到某种状态或程度：冇得大个，因为大哩个唔得～熟。mau^{13}tek^{3}tʰai^{53}ke$^{53}_{44}$,in^{35}uei$^{53}_{44}$tʰai^{53}li^{0}ke$^{53}_{44}$n̩^{13}tek^{3}tau$^{53}_{21}$tek^{3}ʂəuk^{5}.｜（黄檀树）唔得～大呀。生长慢呶。n̩^{13}tek^{3}tau$^{53}_{21}$tek^{3}tʰai^{53}ia^{0}.sen^{35}tʂɔŋ^{21}man^{53}nau^{0}.

【到底】tau^{53}ti^{21} 副 用于问句或疑问结构中，表示深究：𣍐去个映，也𣍐去以映，～系去哪映呢？maŋ^{13}çi^{53}kai^{53}iaŋ^{35},ia^{35}maŋ^{13}çi^{53}i^{21}iaŋ^{53},tau^{53}ti^{21}xe^{53}çi^{53}lai^{53}iaŋ^{35}ne^{0}?｜渠～走哩𣍐，你爱问清楚。ci^{13}tau^{53}ti^{21}tsei^{21}li^{0}maŋ^{53},ɲi^{13}ɔi^{53}mən^{53}tsʰin^{35}tsʰəu^{21}.

【到工】tau^{53}kəŋ^{35} 形 ①严重：个有兜病哩，病到冇么啊整了，就话："蛮～了哈！"蛮～了，就蛮严重了。kai$^{53}_{44}$iəu^{35}tei$^{35}_{44}$pʰiaŋ^{53}li^{0},pʰiaŋ^{53}tau$^{53}_{44}$mau^{13}mak^{3}a^{0}tʂaŋ^{21}liau^{0},tsiəu^{53}ua$^{53}_{44}$:"man^{13}tau^{53}kəŋ^{35}liau^{21}xa^{0}!"man^{13}tau^{53}kəŋ$^{35}_{44}$liau^{0},tsʰiəu^{53}man^{13}ɲien$^{13}_{44}$tʂʰəŋ^{53}liau^{0}. ②达到合适或令人满意的程度：讲得蛮～。kəŋ^{21}tek^{3}man^{13}tau^{53}kəŋ^{35}.｜欸，炆么个东西，炆猪脚哇，炆排骨啦个只啦，欸，看下，看下炆好哩吗，看下炆到哩工吗，看下到哩工𣍐～。也用～。差唔多哩是到哩工，要得哩。嗯，炆到哩工了。啱得进了。e$_{44}$,uən^{13}mak^{3}ke^{0}təŋ$^{35}_{44}$si^{0},uən^{13}tʂəu^{35}ciɔk^{3}ua^{0},uən^{13}pʰai^{13}kuət^{3}la^{0}kai^{53}tʂak^{3}la^{0},e$_{21}$,kʰɔn^{53}na^{53},kʰɔn^{53}na^{53}uən^{13}xau^{21}li^{0}ma^{0},kʰɔn^{53}na^{53}uən^{13}tau^{53}li^{0}kəŋ^{35}ma^{0},kʰɔn^{53}na^{53}tau^{53}li^{0}kəŋ^{35}ŋa^{0}maŋ^{13}tau^{53}kəŋ^{35}.ia^{35}iəŋ$^{53}_{44}$tau^{53}kəŋ^{35}.tsa^{35}n̩$^{13}_{21}$to^{35}li^{0}ʂɿ$^{53}_{44}$tau^{53}li^{0}kəŋ^{35},iau^{53}tek^{3}li^{0}.n̩$_{21}$,uən^{13}tau^{53}li^{0}kəŋ^{35}liau^{0}.ŋait^{3}tek^{3}tsin^{53}niau^{0}.

【到和】tau^{53}xo^{13} 副 一共，总共：渠等人～正十个人。ci^{13}ten$^{21}_{35}$ɲin^{13}tau^{53}xo^{13}tʂaŋ^{53}ʂek^{5}ke^{53}ɲin^{13}.

【到哩顶】tau^{53}li^{0}taŋ^{21} 做程度补语，相当于"极了"：以只事好～。i^{21}tʂak^{3}sɿ^{53}xau^{21}tau^{53}li^{0}taŋ^{21}.｜个只人啦坏～。kai^{53}tʂak^{3}ɲin$^{13}_{21}$la^{0}fai^{53}tau^{53}li^{0}taŋ^{21}.

【到期】tau^{53}cʰi^{13} 动 到了规定的期限：□眼眨眼就～了。ʂait^{3}ŋan^{21}tsʰiəu^{53}tau^{53}cʰi^{13}liau^{21}.

【倒$_5$】tau^{53} 动 ①上下颠倒：～下来，生下水肚里，渠都又会长起来。tau^{53}xa^{35}lɔi^{13},saŋ^{35}ŋa$_{44}$(←xa^{53})ʂei^{21}təu^{21}li^{0},ci$^{13}_{21}$təu$^{35}_{44}$iəu^{53}uɔi$^{53}_{44}$tʂɔŋ^{21}çi^{21}lɔi$^{13}_{21}$. ②颠倒：就个老人家子啊，讲哩个又唔记得，系唔系？又～转去讲。tsʰiəu$^{53}_{21}$kai^{53}lau^{21}ɲin^{13}ka$^{35}_{44}$tsɿ^{0}a^{0},kəŋ^{21}li^{0}ke$^{53}_{44}$iəu$^{53}_{44}$n̩^{13}ci^{53}tek^{3},xei$^{53}_{44}$me$^{53}_{44}$?iəu^{53}tau^{53}tʂən^{21}çi^{53}kəŋ^{21}. ③把容器反转或倾斜，使里面的东西出来：渠就震松哩，震松哩就～得出来。ci^{13}tsʰiəu$^{53}_{44}$tʂən^{53}sən^{35}li^{0},tʂən^{53}sən^{35}li^{0}tsʰiəu$^{53}_{44}$tau^{53}tek^{3}tʂʰət^{3}lɔi^{13}. ④搅拌并浇筑（混凝土）：～地脚梁 tau^{53}tʰi^{53}ciɔk^{3}liɔŋ^{13}。⑤挖松并平整好土地以备种植：荷一担粪，泼嘿去，泼一担粪，系啊？以下就过一夜，等渠晒㸐来，等渠晒，晒哩后，第二晡嘞～一到，用锄头呀去～一下，分渠充分个搅拌，系啊？～正哩嘞又泼一担粪，嗯，又过一夜，又个，泼嘿三担粪呐几多担粪。kʰai^{35}iet^{3}tan$^{35}_{44}$pən$^{53}_{44}$,pʰait^{3}(x)ek^{3}çi^{53},pʰait^{3}iet^{3}tan^{53}pən^{53},xei$^{53}_{44}$a^{0}?i^{21}xa^{53}tsʰiəu^{53}ko^{53}iet^{3}ia^{53},ten^{21}ci^{13}sai^{53}tsau^{35}lɔi$^{13}_{21}$,ten^{21}ci^{13}sai^{53},sai^{53}li^{0}xei$^{53}_{44}$,tʰi$^{53}_{44}$ɲi$^{53}_{44}$pu$^{35}_{44}$lei^{0}tau^{53}iet^{3}tau^{53},iəŋ^{53}ciɔk^{3}tʰei^{13}ia^{0}çi$^{53}_{44}$tau^{53}iet^{3}xa^{53},pən^{35}ci$^{13}_{21}$tʂʰəŋ^{35}fən$^{53}_{44}$ke$^{53}_{44}$ciau^{21}pʰɔn^{53},xei$^{53}_{44}$a^{0}?tau^{53}tʂaŋ$^{53}_{44}$li^{0}lei^{0}iəu^{53}pʰait^{3}iet^{3}tan$^{35}_{44}$pən^{53},n̩$_{21}$,iəu^{53}ko^{53}iet^{3}ia^{53},iəu^{53}kai^{53},pʰait^{3}(x)ek^{3}san^{35}tan$^{35}_{44}$pən^{53}na^{0}ci^{21}(t)o$^{35}_{44}$tan^{35}pən^{53}.

【倒$_6$】tau^{21} 副 表示与一般情理、事理或预料相反：以只东西你要看就我～有有。i^{21}tʂak^{3}(t)əŋ$^{35}_{44}$si^{0}ɲi^{13}iau$^{53}_{44}$kʰɔn^{53}tsəu$^{53}_{44}$ŋai$^{13}_{21}$tau^{21}iəu^{35}iəu^{35}.

【倒草】tau^{53}tsʰau^{21} 动 反刍的俗称：牛子就会～。只有牛子～吧？羊子都唔～。欸牛就会～。欸，食下去个又呕出来又重新嚼下子，嚼下子又～。ɲiəu^{13}tsɿ^{0}tsʰiəu$^{53}_{44}$uɔi$^{53}_{44}$tau^{53}tsʰau^{21}.tʂɿ^{21}iəu$^{35}_{53}$ɲiəu^{13}tsɿ^{0}tau^{53}tsʰau^{21}pʰa^{0}?iəŋ^{13}tsɿ^{0}təu$^{35}_{53}$n̩^{13}tau^{53}tsʰau^{21}.ei$_{53}$ɲiəu^{13}tsʰiəu$^{53}_{44}$uɔi$^{53}_{44}$tau^{53}tsʰau^{21}.e$_{21}$,ʂət^{5}xa$^{53}_{44}$çi$^{53}_{44}$ke$^{53}_{44}$iəu^{53}ei^{21}tʂʰət^{3}lɔi$^{13}_{21}$iəu^{53}tʂʰəŋ$^{13}_{21}$sin^{35}tsiɔk^{3}(x)a^{53}tsɿ^{0},tsiɔk^{3}(x)a^{53}tsɿ^{0}iəu^{53}tau^{53}tsʰau^{21}.

【倒顶】tau^{53}taŋ^{21} 名 天花板：以前个屋是冇得么个几多～啊。以下是就～就熨帖嘿哩啊。欸，楼房呢就用个个倒制个啊欸预制板呐个滴做～，粉得雪白子。欸，有滴是顶上还吊下子，吊下子顶。以个就吊哩下子顶呢，简简单单吊哩下子。用楼栿也有做～个。渠用楼栿做～，打比样欸以只间，楼上还有层吵，楼上做只楼，放兜楼栿，放兜楼板，但是有弱点。渠搞么个？渠人去踩下子会跌灰尘。渠有个个楼板会有缝，个缝里个灰尘跌下来。个有兜人呢，有兜舍得搞个嘞底下又放一层～楼栿，个重楼栿嘞就……一简树样，顶高斫平来，楼板就放下顶高，系唔系？个平顶高正放得楼板。～楼栿就正好相反，底下就要平，㨃个重楼栿嘞㨃个个楼栿嘞算定系只隔开滴子来，平面去下背，走底下用板子钉下去。看肚里个两重楼栿就看唔倒。爱有钱正搞得起，一般是就系一重楼栿。在乎渠，在乎渠……有就算了不得了。i$^{35}_{53}$tsʰien^{13}ke^{53}uk^{3}ʂɿ$^{53}_{44}$mau^{13}tek^{3}mak^{3}e^{0}ci^{21}(t)o^{35}tau^{53}taŋ^{21}ŋa^{0}.i^{21}xa^{53}ʂɿ$^{53}_{44}$tsʰiəu$^{53}_{44}$tau^{53}taŋ^{21}tsiəu^{53}iet^{3}tʰiet^{3}xek^{3}li^{0}a^{0}.e$_{21}$,lei^{13}

fɔŋ$^{13}_{21}$ne^{0} tsʰiəu^{53}iəŋ$^{53}_{44}$kai$^{53}_{44}$ke$^{53}_{44}$tau^{21}tʂʅ^{53}ke$^{53}_{44}$a^{0} e$_{21}$ʅ$_{21}$tʂʅ^{53}pan^{21}na^{0} kai$^{53}_{44}$tiet$^{5}_{3}$tso^{53}tau^{53}taŋ^{21},fən^{21}tek^{3} siet^{5} pʰak^{5} tsʅ^{0}. e$_{21}$,iəu^{35}tet^{5} ʂʅ$^{53}_{44}$taŋ^{21} xɔŋ^{53}xai$^{13}_{21}$tiau^{53}xa$^{53}_{44}$tsʅ^{0} ,tiau^{53}ua$^{53}_{44}$tsʅ^{0} taŋ^{21} .i^{21}ke$^{53}_{44}$tsʰiəu$^{53}_{44}$tiau^{53}li^{0} (x)a$^{53}_{44}$tsʅ^{0} taŋ^{21}ne^{0} ,kan^{21} kan^{21}tan^{35}tan$^{35}_{44}$tiau^{53}li^{0} (x)a$^{53}_{44}$tsʅ^{0} .iəŋ^{53}lei^{13}fuk^{5} ia^{35}iəu$^{35}_{44}$tso^{53}tau^{53}taŋ^{21}ke^{0} .ci^{13}iəŋ$^{53}_{44}$lei^{13}fuk^{5} tso^{53}tau^{53}taŋ^{21},ta^{21}pi^{21} iəŋ^{53}e$_{44}$i^{21}tʂak^{3} kan^{35},lei^{13}xɔŋ^{53}xai$^{13}_{21}$iəu$^{35}_{53}$tsʰien^{13}ʂa^{0} ,lei^{13}xɔŋ^{53}tso^{53}tʂak^{3} lei^{13},fɔŋ^{53}təu$^{35}_{53}$lei^{13}fuk^{5} ,fɔŋ^{53}təu$^{35}_{53}$lei^{13} pan^{21},tan$^{53}_{44}$ʂʅ$^{53}_{44}$iəu^{35}ɲiɔk^{3} ten^{21}.ci$^{13}_{21}$kau^{21}mak^{3} e^{0} ?ci$^{13}_{2}$ɲin^{13}çi^{35}tsʰai^{21}(x)a$^{53}_{44}$tsʅ^{0} uɔi^{53}tet^{3} fɔi^{35}tʂʰən$^{13}_{21}$.ci$^{13}_{21}$iəu^{35}kai^{53}ke^{53} lei^{13}pan^{21}uɔi$^{53}_{44}$iəu$^{35}_{44}$pʰəŋ^{53} ,kai$^{53}_{44}$pʰəŋ^{53}li^{0} ke^{0} fɔi^{35}tʂʰən$^{13}_{21}$tet^{3} xa$^{53}_{44}$lɔi$^{13}_{44}$.kai$^{53}_{44}$iəu^{35}təu$^{35}_{53}$ɲin$^{13}_{44}$nei^{0} ,iəu^{35}təu$^{35}_{53}$ʂa^{21}tek^{3} kau^{21}ke^{0} lei^{0} te^{21}xa$^{35}_{44}$iəu^{53}fɔŋ^{53}iet^{3} tsʰen$^{13}_{44}$tau^{53}taŋ^{21}lei^{13}fuk^{5} ,kai^{53}tʂʰəŋ$^{13}_{21}$lei^{13}fuk^{5} lei^{0} tsʰiəu^{53}…iet^{3} tʰəŋ^{53}ʂəu^{53} iəŋ$^{53}_{44}$,taŋ^{21}kau^{35}tʂɔk^{3} pʰiaŋ^{13}lɔi$^{13}_{44}$,lei^{13}pan^{21}tsʰiəu^{53}fɔŋ^{53}xa$^{53}_{44}$taŋ^{21}kau^{35},xei^{53}me^{53}?kai^{53}pʰiaŋ^{13}taŋ^{21}kau$^{35}_{44}$tʂaŋ^{53} fɔŋ^{53}tek^{3} lei^{13}pan^{21}.tau^{53}pan^{21}nei^{13}fuk^{5} tsʰiəu$^{53}_{44}$tʂən^{53}xau^{21}siɔŋ^{35}fan^{21},te^{21}xa^{35}tsʰiəu^{53}iau$^{53}_{44}$pʰiaŋ^{13} ,lau^{35}kai^{53} tʂʰəŋ$^{13}_{21}$lei^{13}fuk^{5} le^{0} lau^{35}kai^{53}kai$^{53}_{44}$lei^{13}fuk^{5} lei^{0} sɔn^{53}tʰiaŋ$^{53}_{44}$xe$^{53}_{44}$tʂʅ^{21}kak^{3} kʰɔi^{35}tiet^{5} tsʅ^{0} lɔi$^{13}_{21}$,pʰiaŋ^{13}mien^{53}çi^{53}xa^{35} pɔi^{53},tsei^{21}te^{21}xa^{53}iəŋ^{53}pan^{21}tsʅ^{0} taŋ^{35}ŋa$^{53}_{44}$çi$^{53}_{44}$.kʰɔn^{53}təu^{21}li^{0} kai$^{53}_{44}$iɔŋ^{21}tʂʰəŋ^{13}lei^{13}fuk^{5} tsʰiəu^{53}kʰɔn^{53}n̩$^{13}_{21}$tau^{21}.ɔi$^{53}_{44}$ iəu^{35}tsʰien^{13}tʂaŋ^{53}kau^{21}tek^{3} çi^{21},iet^{3} pɔn^{35}ʂʅ$^{53}_{44}$tsʰiəu^{53}xe^{53}iet^{3} tʂʰəŋ^{13}lei^{13}fuk^{5} .tsʰai^{53}fu$^{35}_{44}$ci$^{13}_{21}$,tsʰai^{53}fu$^{35}_{44}$ci$^{13}_{44}$…iəu^{35} tsʰiəu$^{53}_{44}$sɔn^{53}liau^{21}pɔt^{3} tek^{3} liau^{0}.

【倒稿】tau^{53}kau^{21} 动稻子完全成熟。又称“隆稿”：箇只黄个忒熟哩了是就喊成哩么个嘞？/十分熟哩就安做～。/系～。/隆稿，也有。/系，隆稿也有。kai^{53}tʂak^{3} uɔŋ$^{13}_{21}$ke^{53}tʰiet^{3} ʂəuk^{3} li^{0} liau^{0} ʂʅ$^{53}_{44}$tsʰiəu^{53}xan^{53}ʂaŋ$^{13}_{21}$li^{0} mak^{3} ke^{53}le^{0} ?/ʂət^{5} fən$^{35}_{44}$ʂəuk^{5} li^{0} tsʰiəu$^{53}_{44}$ɔn$^{35}_{44}$tso$^{53}_{44}$tau^{53}kau^{21}./xei^{53}tau^{53}kau^{21}./ləŋ^{13} kau^{21},ia^{35}iəu$^{35}_{44}$./xe$^{53}_{21}$,ləŋ^{13}kau^{21}a^{35}iəu$^{35}_{44}$.

【倒归来】tau^{53}kuei$^{35}_{44}$lɔi$^{13}_{21}$ 折返。也称“倒转来”：一般是临时性个安做～。欸，打比你两个人在一起，好，我先走，走哩。噢，你觉得我还有么个事爱同我讲。“你～，你倒转来，还同你讲下子。”如果系按计划去，去哩又归来，箇唔讲～。就临时性个就安做～。iet^{3} pɔn^{35}ʂʅ^{53} lin^{13}ʂʅ^{13}sin^{53}ke^{0} ɔn$^{35}_{44}$tso$^{53}_{44}$tau^{53}kuei$^{35}_{44}$lɔi$^{13}_{21}$.e$_{21}$,ta^{21}pi^{53}ɲi$^{13}_{44}$iɔŋ^{21}ke^{53}ɲin^{13}tsʰai^{53}iet^{3} çi^{21},xau^{21},ŋai^{13}sien^{35}tsei^{21},tsei^{21} li^{0}.au$_{21}$, ɲi^{13}kɔk^{3} tek^{3} ŋai$^{13}_{44}$xai^{13}iəu$^{35}_{53}$mak^{3} e^{0} sʅ^{53}ɔi$^{53}_{44}$tʰəŋ$^{13}_{21}$ŋai$^{13}_{21}$kɔŋ."ɲi^{13}tau^{53}kuei^{35}lɔi$^{13}_{21}$, ɲi^{13}tau^{53}tʂuɔn^{21}nɔi$^{13}_{44}$, xai^{13}tʰəŋ$^{13}_{44}$ɲi$^{13}_{44}$kɔŋ^{21}xa^{53}tsʅ^{0} ."ʅ^{13}ko^{21}xei$^{53}_{44}$ŋɔn$^{53}_{44}$ci^{53}fa$^{53}_{44}$çi^{53},çi^{53}li^{0} iəu^{53}kuei^{35}lɔi$^{13}_{21}$,kai^{53}n̩^{13}kɔŋ^{21}tau^{53}kuei$^{35}_{44}$lɔi$^{13}_{21}$. tsʰiəu^{53}lin^{13}ʂʅ^{13}sin^{53}ke^{0} tsʰiəu$^{53}_{44}$ɔn$^{35}_{44}$tso$^{53}_{44}$tau^{53}kuei$^{35}_{44}$lɔi$^{13}_{21}$.

【倒还】tau^{53}xai$^{13}_{21}$ 副反而：好处赠得倒唠，赠食得羊肉唠，～让门子嘞，～惹倒一只唔好个结果唠。xau^{21}tʂʰəu^{53}maŋ$^{13}_{44}$tek^{3} tau^{21}lau^{0} ,maŋ^{13}ʂət^{5} tek^{3} iɔŋ^{13}ɲiəuk^{3} lau^{0} ,tau^{53}xai$^{13}_{2}$ɲiɔŋ$^{53}_{44}$mən^{0} tsʅ^{0} lei^{0} ,tau^{53} xai$^{13}_{2}$ɲia^{35}tau^{21}iet^{3} tʂak^{3} n̩^{13}xau^{21}ke$^{53}_{44}$ciet^{3} ko^{21}lau^{0}.

【倒奶】tau^{53}lien^{53} 动（婴儿）漾奶：细人子冷倒哩呀就会～。sei^{53}ɲin$^{13}_{21}$tsʅ^{0} laŋ^{35}tau^{21}li^{0} ia^{0} tsʰiəu$^{53}_{44}$ uɔi$^{53}_{44}$tau^{53}lien^{53}.

【倒酸】tau^{53}sɔn^{35} 动泛酸：总咁子倒啊，～呢。tsəŋ^{21}kan$^{21}_{44}$tsʅ^{0} tau$^{53}_{35}$a^{0} ,tau^{53}sɔn^{35}ne^{0}.

【倒土】tau^{53}tʰəu^{21} 动挖松并平整好土地以备种植：～是挖好哩了，挖哩了箇土，欸，一般咁子唠，爱挖土，系唔系？我一般挖土就咁个，大坨大坨一番事挖哩，或者彝牛子一犁，犁哩以后嘞用松耙子用大松耙或者用么个细滴子个东西倒一到，分箇个草筋子捡咁，欸，分箇大石头捡嘿，分箇大饽东西搕碎来，就安做～。tau^{53}tʰəu^{21}ʂʅ$^{53}_{21}$uait^{3} xau^{21}li^{0} liau^{0} ,uait^{3} li^{0} liau^{0} kai^{53}tʰəu^{21}, e$_{21}$,iet^{3} pɔn^{35}kan$^{21}_{13}$tsʅ^{0} lau^{0} ,ɔi^{53}uait^{3} tʰəu^{21},xei^{53}me^{53}?ŋai^{13}iet^{3} pɔn$^{35}_{53}$uait^{3} tʰəu^{21}tsʰiəu^{53}kan$^{21}_{44}$ke$^{53}_{44}$,tʰai^{53}tʰo$^{13}_{21}$tʰai^{53} tʰo$^{13}_{21}$iet^{3} fɔn$^{35}_{53}$sʅ^{53}uait^{3} li^{0} ,xɔit^{5} tʂa^{21}u^{21}ɲiəu^{13}tsʅ^{0} iet^{3} lai^{13},lai^{13}li^{0} i^{35}xei^{53}lei^{0} iəŋ^{53}səŋ^{35}pʰa^{13}tsʅ^{0} iəŋ^{53}tʰai^{53}səŋ^{35}pʰa^{13} xɔit^{5} tʂa^{21}iəŋ^{53}mak^{3} ke^{0} se^{53}tiet^{5} tsʅ^{0} ke^{0} təŋ$^{35}_{44}$si^{0} tau^{53}iet^{3} tau^{53},pən^{35}kai$^{53}_{44}$ke^{0} tsʰau^{21}cin^{35}tsʅ^{0} cian^{21}kan^{21},e$_{21}$,pən^{35} kai$^{53}_{44}$tʰai^{53}ʂak^{5} tʰei^{13}cian^{21}xek^{3} ,pən^{35}kai$^{53}_{44}$tʰai^{53}pʰɔk^{5} təŋ$^{35}_{44}$si^{0} kʰɔk^{3} si^{53}lɔi$^{13}_{21}$,tsʰiəu$^{53}_{44}$ɔn$^{35}_{44}$tso$^{53}_{44}$tau^{53}tʰəu^{21}.

【倒须】tau^{53}si^{35} 名弯形的刺：一般钓鱼个钩子就爱装～呢。渠就啱哩以后扯唔出哩啊。iet^{3} pɔn^{35}tiau^{53}ŋ̍^{13}ke$^{53}_{44}$kei^{35}tsʅ^{0} tsʰiəu$^{53}_{44}$ɔi$^{53}_{44}$tsɔŋ^{35}tau^{53}si^{35}nei^{0} .ci$^{13}_{21}$tsʰiəu^{53}ŋait^{3} li^{0} i^{35}xei^{53}tʂʰa^{21}n̩$^{13}_{21}$tʂət^{3} li^{0} a^{0} .｜有滴么个植物有～个唠？箇个啦，苍耳就有啦。虱嫲草哇。欸就同箇有～样啊。唔知到底有啊有得凑，虱嫲草，彖倒，彖得铁稳。iəu^{35}tiet^{5} mak^{3} e^{0} tʂʰət^{5} uk^{5} iəu^{35}tau^{53}si$^{35}_{44}$ke^{0} lau^{0} ?kai^{53}ke^{0} la^{0} ,tsʰɔŋ^{35}ɲi^{21} tsʰiəu$^{53}_{44}$iəu$^{35}_{44}$la^{0} .set^{3} ma^{13}tsʰau^{21}ua^{0} .e$_{21}$tsʰiəu^{53}tʰəŋ^{13}kai$^{53}_{44}$iəu$^{35}_{44}$tau^{53}si^{35}iɔŋ^{53}ŋa^{0} .n̩$^{13}_{21}$ti^{35}tau^{53}ti^{21}iəu^{35}a^{0} mau$^{13}_{21}$tek^{3} tsʰe^{0} ,set^{3} ma$^{13}_{44}$tsʰau^{21}, ɲia^{13}tau^{21}, ɲia^{13}tek^{3} tʰiet$^{3}_{5}$uən^{21}.｜箇撞怕开玩笑就有～呢。打比样有两个人扯，总扯都扯唔开。“欸，你手下有～，系唔系？”欸，就开玩笑咯。kai^{53}tsʰɔŋ^{21}pʰa^{53}kʰɔi^{35}uan^{13}siau^{53} tsʰiəu$^{53}_{44}$iəu^{35}tau^{53}si$^{35}_{44}$nei^{0} .ta^{21}pi^{21}iɔŋ^{53}iəu$^{35}_{44}$iɔŋ^{21}ke^{53}ɲin$^{13}_{44}$tʂʰa^{21},tsəŋ^{21}tʂʰa^{21}təu$^{35}_{53}$tʂʰa^{21}n̩$^{13}_{21}$kʰɔi$^{35}_{44}$."ei$_{35}$, ɲi^{13}ʂəu^{21}xa$^{53}_{21}$ iəu$^{35}_{44}$tau^{53}si^{35},xei$^{53}_{44}$mei^{0} ?"e$_{44}$tsʰiəu$^{53}_{44}$kʰɔi^{35}uan^{13}siau^{53}.

【倒转来】tau^{53}tʂuɔn^{21}nɔi^{13} ①折返：你～，还同你讲下子。ɲi^{13}tau^{53}tʂuɔn^{21}nɔi$^{13}_{44}$,xai^{13}tʰəŋ$^{13}_{44}$ɲi$^{13}_{44}$kɔŋ^{21}

xa^{53}tsɿ^{0}. ②重新、从头再开始（做某事）：～重写，～写，写过，从头开始～。tau^{53}tʂuən^{21}nɔi$^{13}_{44}$ tʂʰəŋ^{13}sia^{21},tau^{53}tʂuən^{21}nɔi^{13}sia^{53},sia^{53}ko^{53},tsʰəŋ^{13}tʰei^{13}kʰɔi^{35}ʂɿ^{21}tau^{53}tʂuən^{21}nɔi$^{13}_{21}$.

【悼念】tiau^{53}ɲien^{53} [动]追怀死者，表示悲痛：还咁多客佬子啊，食嘿昼饭渠等都来祭奠渠呀，都来～渠呀。xai^{13}kan^{21}to^{35}kʰak^{3}lau^{21}tsɿ^{0}a^{0},ʂət^{5}xek^{3}tʂəu^{53}fan^{53}ci$^{13}_{21}$tien^{0}təu^{35}lɔi$^{13}_{21}$tsi^{53}tʰien^{53}ci$^{13}_{21}$ia^{0},təu^{35}lɔi$^{13}_{21}$ tiau^{53}ɲien^{53}ci$^{13}_{21}$ia^{0}.

【道理】tʰau^{53}li^{35} [名]事物的规律，论点的理由：箇～蛮深。kai$^{53}_{44}$tʰau^{53}li^{35}man$^{13}_{21}$tʂʰən^{35}.

【道人】tʰau^{53}ɲin^{13} [名]道士：哎，以前我去做过事个箇只庙里，箇庙里就安做青阳山庙里，话哩箇老子就系只道士呢，渠就系～呢。掺我两老庚呶。渠如今是如今我头番子看得渠，箇是硬蓄起咁长个胡子，硬欸雪白个胡子，头发也雪白，扎只把子，嗨呀，硬……着身咁个衫跕倒箇张坊街上去下仰欸。以到系蛮久𫟹看得渠了。硬欸箇个扮得蛮像箇只。ai$_{44}$,i$^{35}_{53}$tsʰien$^{13}_{44}$ŋai^{13} çi^{53}tso^{53}ko$^{53}_{44}$sɿ^{53}ke^{0}kai$^{53}_{44}$(tʂ)ak^{3}miau^{53}li^{21},kai$^{53}_{44}$miau^{53}li^{21}tsʰiəu$^{53}_{44}$ɔn$^{35}_{44}$tso$^{53}_{44}$tsʰin$^{35}_{44}$iɔŋ$^{13}_{21}$san^{35}miau^{53}li^{21},ua$^{53}_{44}$li^{0}kai^{53} lau^{21}tsɿ^{0}tsʰiəu$^{53}_{44}$xei$^{53}_{44}$tʂak^{3}tʰau^{53}sɿ^{53}nei^{0},ci^{13}tsʰiəu^{53}xe^{53}tʰau^{53}ɲin$^{13}_{21}$nei^{0}.lau^{35}ŋai$^{13}_{21}$iɔŋ^{21}lau^{21}cien^{35}nau^{0}.ci^{13}i$^{13}_{21}$cin$^{35}_{53}$ ʂɿ$^{53}_{44}$i$^{13}_{21}$cin$^{35}_{53}$ŋai$^{13}_{44}$tʰei^{13}fan$^{35}_{53}$tsɿ^{0}kʰɔn^{53}tek^{3}ci$^{13}_{21}$,kai^{53}ʂɿ$^{53}_{21}$ɲiaŋ^{53}çiəuk^{3}çi$^{21}_{53}$ka:n^{21}tʂʰɔŋ^{13}ke^{53}u^{13}tsɿ^{0}, ɲiaŋ^{53}ei^{0}siet^{5} pʰak^{5}ke^{0}u^{13}tsɿ^{0},tʰei^{13}fait^{3}ia$^{35}_{44}$siet^{5}pʰak^{5},tsait^{3}tʂak^{3}pa^{21}tsɿ^{0},xai$_{53}$ia$_{35}$, ɲiaŋ^{53}…tʂok^{3}ʂən$^{35}_{53}$kan^{21}ke^{0}san^{35}ku^{35} tau^{21}kai$^{53}_{44}$tʂɔŋ$^{35}_{44}$fɔŋ$^{35}_{44}$kai$^{35}_{44}$xɔŋ$^{53}_{44}$çi^{53}xa^{53}ɲiɔŋ^{21}ŋe^{0}.i^{21}tau^{53}xei^{53}man^{13}ciəu^{21}maŋ^{13}kʰɔn^{53}tek^{3}ci$^{13}_{21}$liau^{0}. ɲiaŋ^{53}e$_{21}$kai^{53} cie$^{53}_{44}$pan^{53}tek^{3}man^{13}tsʰiɔŋ^{53}kai^{53}tʂak^{3}.

【道士】tʰau^{53}sɿ^{53} [名]道教徒：和尚～系，系，有只咁，有只咁藨大个（关防）。uo^{13}ʂɔŋ$^{53}_{44}$tʰau$^{53}_{44}$sɿ$^{53}_{44}$ xei$^{53}_{21}$,xei$^{53}_{21}$,iəu$^{35}_{44}$tʂak^{3}kan^{21},iəu$^{35}_{44}$tʂak^{3}kan^{21}mən^{35}tʰai$^{53}_{44}$kei$^{53}_{44}$.

【道长】tʰau^{53}tʂɔŋ^{21} [名]对修道者的敬称：欸，欸欸，黄～噢，嗯，你今去哪映噢？ei$_{53}$,ei$_{44}$ei$_{53}$, uɔŋ$^{13}_{21}$tʰau^{53}tʂɔŋ^{21}au^{0},ŋ̍$_{21}$,ɲi$^{13}_{21}$cin$^{35}_{44}$çi^{53}lai^{53}iaŋ$^{53}_{44}$au^{0}?

【稻子】tʰau^{53}tsɿ^{0} [名]水稻：日里关个，就～成熟了样啊，关鸡呀关鸭呀，箇就用鸡鸭甑，鸡甑。ɲiet^{3}li^{0}kuan^{35}ke$^{53}_{44}$,tsʰiəu$^{53}_{44}$tʰau^{53}tsɿ^{0}tʂʰən^{13}ʂəuk^{5}liau^{0}iɔŋ$^{53}_{44}$ŋa^{0},kuan^{35}cie^{35}ia^{0}kuan^{35}ait^{3}ia^{0},kai$^{53}_{44}$tsʰiəu$^{53}_{44}$ iɔŋ$^{53}_{21}$cie^{35}ait^{3}tsien$^{53}_{21}$,cie^{35}tsien$^{53}_{21}$.

【得$_{1}$】tek^{3} [动]①得到，获得：也有阿公阿婆是爱以～哩孙呐，嗯。ie^{21}iəu^{35}a^{35}kəŋ$^{35}_{44}$a$^{35}_{44}$pʰo$^{13}_{21}$ʂɿ^{0}ɔi$^{53}_{44}$ i^{35}tek^{3}li^{0}sən^{35}na^{0},n̩$_{44}$. ②演算产生结果：二二～四 ɲi^{53}ɲi^{53}tek^{3}si^{53} ③罹患（疾病）：渠姨子病哩呀，～哩癌症呐。ci$^{13}_{21}$ɔi^{35}tsɿ^{0}pʰiaŋ^{53}li^{0}ia^{0},tek^{3}li^{0}ŋai^{13}tʂən^{53}na^{0}.｜我等叔叔就～过一回（拦腰蛇）哟。ŋai^{13}tien^{0}ʂəuk^{3}ʂəuk^{3}tsʰiəu^{53}tek^{3}ko^{53}iet^{3}fei^{13}iau^{0}.

【得$_{2}$】tek^{3} [形]①位列其次的；非最要紧的：欸，别么个讲究都还～，就系热天絮鸡窦嘞，爱放□鸟子箇肚里。ei$_{44}$,pʰiet^{5}mak^{3}e^{0}kɔŋ^{21}ciəu$^{53}_{44}$təu$^{35}_{44}$xan^{13}tek^{3},tsʰiəu$^{53}_{44}$xe$^{53}_{44}$ɲiet^{5}tʰien$^{35}_{44}$si^{53}cie^{35}tei^{53}lei^{0}, ɔi^{53}fɔŋ^{35}lai^{35}tiau$^{35}_{44}$tsɿ^{0}kai^{53}təu^{21}li^{0}. ②不是很严重；还可以接受：（芒花扫把）箇是有兜子（跌毛）啊，不过还好，还～，唔多跌啊。kai^{53}ʂɿ$^{53}_{44}$iəu^{35}tei$^{35}_{53}$tsɿ^{0}a^{0},pət^{3}ko^{53}xan$^{13}_{21}$xau^{21},xan^{13}tek^{3},n̩^{13}to$^{35}_{53}$tet^{3}a^{0}.

【得$_{3}$】tek^{3} [介]①引述行为的主体，相当于"让"：别么个钱～渠过哩手，钱走渠过哩手，渠食一截贪污一截，也安做食筒。pʰiet^{5}mak^{3}ke^{53}tsʰien$^{13}_{21}$tek^{3}ci^{13}ko^{53}li^{0}ʂəu^{21},tsʰien^{13}tsei^{21}ci^{13}ko^{53}li^{0} ʂəu^{21},ci^{13}ʂət^{5}iet^{3}tsiet^{3}tʰan^{35}u$^{35}_{44}$iet^{3}tsiet^{3},ia^{35}ɔn$^{35}_{44}$tso$^{53}_{44}$ʂət^{5}tʰəŋ$^{13}_{21}$. ②引述处所，相当于"在"：叶子生～咁个窝窝里。iait^{5}tsɿ^{0}saŋ$^{35}_{44}$tek^{3}kan^{21}ke$^{53}_{44}$o^{35}o^{35}li^{0}.

【得倒】tek^{3}tau^{21} [动]①获得：好处𫟹～唠。xau^{21}tʂʰəu^{53}maŋ$^{13}_{44}$tek^{3}tau^{21}lau^{0}. ②放在动词后，做补语，表示行为有效果：捉鱼子也捉～，挖笋也挖～。tsɔk^{3}ŋ̍^{13}tsɿ^{0}ia^{35}tsɔk^{3}tek^{3}tau^{21},uait^{3}sən^{21}na$_{44}$(←ia^{35}) uait^{3}tek^{3}tau^{21}.

【得来做】tek^{3}lɔi^{13}tso^{53} 指工作轻松，不需付出什么努力：以个工夫就真松爽，～。i^{21}ke$^{53}_{44}$kəŋ^{35} fu^{35}tsʰiəu$^{53}_{44}$tʂən^{35}səŋ^{35}sɔŋ^{21},tek^{3}lɔi^{13}tso^{53}.

【得了】tek^{3}liau^{21} [形]①用在反问或否定句中，表示情况很严重：让～喔？ɲiɔŋ^{53}tek^{3}liau^{21}uo^{0}? ②用在动词后做补语，表示"好了，完了"：办～丧事 pʰan^{53}tek^{3}liau^{21}sɔŋ^{35}sɿ$^{53}_{44}$

【得闲】tek^{3}xan^{13} [动]有空闲时间：你～就来我箇嫐下子啊。ɲi^{13}tek^{3}xan^{13}tsʰiəu$^{53}_{44}$lɔi$^{13}_{21}$ŋai$^{13}_{21}$kai$^{53}_{44}$liau^{53} ua$^{53}_{21}$tsɿ^{0}a^{0}.

【得意】tek^{3}i^{53} [形]如其心意而有所成就或引以自豪：真～。tʂən^{35}tek^{3}i^{53}.

【得罪】tek^{3}tsʰi^{53} [动]冒犯、触怒：渠就系怕～别人家。ci^{13}tsʰiəu^{53}xe$^{53}_{44}$pʰa^{53}tek^{3}tsʰi$^{53}_{44}$pʰiet^{5}in$^{13}_{21}$ka$^{35}_{44}$.

【德高望重】tek^{3}kau$^{35}_{44}$uɔŋ^{53}tʂʰəŋ^{53} 道德高尚，声望很高：自家屋下爱请一个，～个（发烛）。tsʰɿ^{35}ka$^{53}_{44}$uk^{3}xa^{53}ɔi$^{53}_{44}$tsʰiaŋ^{21}iet^{3}cie^{53},tek^{3}kau$^{35}_{44}$uɔŋ^{53}tʂʰəŋ^{53}ke$^{53}_{44}$.

【得$_4$】tek^3 助①放在动词后，表示能够、可以：箇丘田就栽～七蔸禾。kai$^{53}_{44}$c^{h}iəu$^{35}_{44}$t^{h}ien$^{13}_{44}$tsiəu$^{53}_{44}$tsɔi^{35}tek^3 ts^{h}iet^3 tei^{35}uo^{13}.｜以起水果食～啊食唔～？/以起熟哩，食～；箇起生个，食唔～。i^{21}çi^{21}ʂei^{21}ko^{21}ʂek^5 tek^3 a^{35}ʂek^5 ŋ̍^{13}tek^3?/i^{21}çi^{21}siəuk^3 li^0,ʂek^5 tek^3 ʟkai^{53}çi^{21}saŋ^{35}ke^{53},ʂek^5 ŋ̍^{13}tek^3.｜你来～啊来唔～？ɲi^{13}lɔi^{13}tek^3 a^{35}lɔi^{13}ŋ̍^{13}tek^3？②放在动词和补语之间，表示可能：渠搞～好哇搞唔好哇以只事啊？ci^{13}kau^{21}tek^3 xau^{21}ua^0 kau^{21}m̩^{13}xau^{21}ua^0 i^{21}tʂak^3 sɿ$^{53}_{44}$a^0？③动态助词，放在动词后，表示动作行为的实现、产生影响：渠又怕有滴爱请（坐上）个嫑请～，请多哩嘞会见怪。ci$^{13}_{21}$iəu$^{53}_{44}$p^{h}a^{53}iəu^{35}tet^5 ɔi^{53}ts^{h}iaŋ^{21}ke$^{53}_{44}$maŋ^{13}ts^{h}iaŋ^{21}tek^3,ts^{h}iaŋ^{21}to^{35}li^0 lei^0 uɔi$^{53}_{44}$cien$^{53}_{44}$kuai^{53}.｜羊肉嫑食～惹身臊。iɔŋ^{13}ɲiəuk^3 maŋ^{13}ʂət^5 tek$^3_0$ɲia^{35}ʂən^{35}sau^{35}. ④结构助词，放在动词或形容词后面，连接表示结果或程度的补语：箇个人坏～唔得了。kai^{53}ke$^{53}_{44}$ɲin$^{13}_{21}$fai^{53}tek^3 n̩^{13}tek^3 liau^{21}.｜渠讲～快唔快？ci^{13}kɔŋ^{21} tek^3 k^{h}uai^{53}ŋ̍^{13}k^{h}uai^{53}?问情况 ⑤语气助词，用于句末，表示遗憾的语气：饭甑脚下□煮烂咁哩，嫑摆出来～。fan^{53}tsien^{53}ciɔk^3 xa$^{53}_{44}$sait^5 kan^{21}li^0,maŋ^{13}pai^{21}tʂ^{h}ət^5 lɔi^{13}tek^3.

【嘚】tei$_{44}$/tei$_{13}$ 叹用于指示方向，提请注意：～，以条上，以条就横个了。tei$_{44}$,i^{21}t^{h}iau$^{35}_{44}$ʂɔŋ^{35},i^{21}t^{h}iau$^{35}_{44}$ts^{h}iəu$^{53}_{44}$uaŋ^{13}ke^{53}liau^{21}.｜～，以块，以块，就安做便砖吵。tei$_{13}$,i^{21}k^{h}uai^{53},i^{21}k^{h}uai^{53},ts^{h}iəu$^{53}_{21}$ɔn$^{35}_{44}$tso$^{53}_{44}$p^{h}ien^{53}tʂən^{35}ʂa^0.

【灯】ten^{35} 名照明的器具：神龛上背个就系箇盏咁个～呢，就系……神灯。ʂən^{13}k^{h}an$^{35}_{44}$ʂɔŋ$^{53}_{44}$pɔi$^{53}_{44}$ke^{53}ts^{h}iəu^{53}xei$^{53}_{44}$kai^{53}tsan^{21}kan^{21}ke$^{53}_{44}$ten$^{35}_{44}$nei^0,ts^{h}iəu$^{53}_{44}$xei$^{53}_{44}$…ʂən^{13}ten^{35}.

【灯耳朵】ten^{35}ɲi^{21}to^{21} 名油灯上的把手：一般个～都系也系玻璃做个。爱扼稳呐，箇～就爱扼稳呐，嫑扼稳就灯盏都会打咁。铁个灯盏也有，也有～。iet^3 pɔn^{35}ke^0 ten^{35}ɲi^{21}to^{21}təu^{35}xe$^{53}_{44}$ia^{35}xe$^{53}_{44}$po$^{35}_{44}$li$^{13}_{21}$tso$^{53}_{44}$ke^0 .ɔi^{53}ia^{21}uən^{21}na^0,kai^{53}ten^{35}ɲi^{21}to^{21}tsiəu$^{53}_{44}$ɔi^{53}ia^{21}uən^{21}na^0,maŋ^{13}ia^{21}uən^{21}ts^{h}iəu^{53}ten^{35}tsan^{21}təu$^{35}_{44}$uɔi$^{53}_{44}$ta^{21}kan$^{21}_{44}$.t^{h}iet^3 ke^{53}tien^{35}tsan^{21}a$^{35}_{44}$iəu^{35},ia^{35}iəu$^{35}_{44}$ten$^{35}_{44}$ɲi^{21}to^{21}.

【灯镬子】ten^{35}uɔk^5 tsɿ^0 名油灯上用来盛油的小铁锅：～嘞以只就冇几大子，咁大子，只装得箇两把子油。也唔爱几大。现只嘞浅，箇不能唔知几深，箇舷不能唔知几深，就同一口镬样，浅浅子。tien^{35}uɔk^5 tsɿ^0 lei^0 i^{21}tʂak^3 ts^{h}iəu$^{53}_{44}$mau^{13}ci^{21}t^{h}ai^{53}tsɿ^0,kan$^{21}_{13}$t^{h}ai^{53}tsɿ^0,tʂʅ^{21}tʂɔŋ^{35}tek^3 kai$^{53}_{44}$liɔŋ^{35}pa^{21}tsɿ^0 iəu^{13}.ia^{35}m̩$^{13}_{21}$mɔi$^{53}_{44}$ci^{21}t^{h}ai^{53}.çien$^{53}_{44}$tʂak^3 lei^0 ts^{h}ien^{21},kai^{53}pət^3 len$^{13}_{44}$n̩^{13}ti$^{35}_{53}$ci^{21}tʂ^{h}ən^{35},kai^{53}çien^{13}pət^3 len$^{13}_{44}$n̩^{13}ti$^{35}_{53}$ci^{21}tʂ^{h}ən^{35},ts^{h}iəu^{53}t^{h}əŋ$^{13}_{44}$(i)et^3 xei^{21}uɔk^5 iɔŋ$^{53}_{44}$,ts^{h}ien^{21}ts^{h}ien^{21}tsɿ^0.

【灯笼】tien^{35}lɔŋ$^{13}_{21}$ 名照明用具，有透明的罩防风，通常有支架或提手。也称“灯笼子”：（灯笼辣椒）一只子～样。iet^{3}tʂak^3 tsɿ^0 tien^{35}lɔŋ$^{13}_{21}$iɔŋ$^{53}_{44}$.｜就搞几搞几只年轻漂亮个妹子啊，欸，拿滴子个～子啊，唱下子歌啊，跳下子舞啊。ts^{h}iəu$^{53}_{44}$kau^{21}ci$^{21}_{44}$kau^{21}ci^{21}tʂak^3 ɲien^{13}c^{h}in$^{35}_{44}$p^{h}iau^{53}liɔŋ$^{53}_{44}$ke$^{53}_{44}$mɔi^{53}tsɿ^{0}a^0,e$_{21}$,la^{53}tet^5 tsɿ^{0}ke$^{53}_{44}$tien^{35}lɔŋ$^{13}_{21}$tsa^0,tʂ^{h}ɔŋ^{53}ŋa$_{44}$(←xa^{53})tsɿ^{0}ko^{35}a^0,t^{h}iau^{53}xa$^{53}_{44}$tsɿ^{0}u^{35}a^0.

【灯笼辣椒】ten^{35}/tien^{35}lɔŋ^{13}lait^5 tsiau^{35} 名辣椒品种名，形似灯笼：还有起，箇我等以映子有特殊箇～喔。/欸，～。箇就是大辣椒箇起，属于大辣椒类。/大辣椒箇起。欸，唔大，系啊？/唔大。一只子灯笼样。真贵哟。张家坊卖八块钱一斤，十块钱一斤。张家坊特有个。xai^{13}iəu$^{35}_{44}$çi^{21},kai^{53}ŋai^{13}tien^0 i^{21}iaŋ$^{53}_{44}$tsɿ^0 iəu^{35}t^{h}ek^5 ʂʮ$^{13}_{21}$ke$^{53}_{44}$ten^{35}lɔŋ$^{13}_{21}$lait^5 tsiau$^{35}_{44}$uo^0 ./e$_{21}$,ten^{35}lɔŋ$^{13}_{21}$lait^5 tsiau$^{35}_{44}$.kai$^{53}_{44}$ts^{h}iəu$^{53}_{44}$sɿ$^{53}_{21}$t^{h}ai^{53}lait$^5_{35}$tsiau^{35}kai^{53}çi^{21},ʂəuk^5 ʮ^{35}t^{h}ai^{53}lait^5 tsiau^{35}li^{53}./t^{h}ai^{53}lait$^5_3$ tsiau^{35}kai$^{53}_{44}$çi^{21}.e$_{21}$.n̩^{13}t^{h}ai^{53},xei$^{53}_{44}$a^0?/n̩^{13}t^{h}ai^{53}.iet^3 tʂak^3 tsɿ^0 tien^{35}lɔŋ$^{13}_{21}$iɔŋ$^{53}_{44}$.tʂən^{35}kuei^{53}io^0 .tʂɔŋ$^{35}_{44}$ka$^{35}_{44}$fɔŋ$^{35}_{44}$mai$^{53}_{44}$pait^3 k^{h}uai$^{53}_{44}$ts^{h}ien$^{13}_{21}$iet^3 cin$^{35}_{44}$,ʂət^5 k^{h}uai^{53}ts^{h}ien$^{13}_{21}$iet^3 cin$^{35}_{21}$.tʂɔŋ^{35}ka$^{35}_{44}$fɔŋ^{35}t^{h}iek^5 iəu$^{35}_{44}$ke$^{53}_{44}$.

【灯笼泡】tien^{35}lɔŋ^{13}p^{h}au^{53} 名鱼名，因眼睛大而得名：眼珠濸大个有起，系唔系眼珠濸大？安做～哩。有起安做～哩，眼珠濸大哩。样子我唔记得哩。ŋan^{21}tʂəu^{35}mən^{35}t^{h}ai$^{53}_{44}$ke$^{53}_{44}$iəu^{35}çi^{21},xei$^{53}_{44}$me$^{53}_{44}$ŋan^{21}tʂəu$^{35}_{44}$mən^{35}t^{h}ai$^{53}_{44}$?ɔn$^{35}_{44}$tso$^{53}_{44}$tien^{35}lɔŋ^{13}p^{h}au^{53}li^0 .iəu^{35}çi^{21}ɔn$^{35}_{44}$tso$^{53}_{44}$tien$^{35}_{44}$lɔŋ^{13}p^{h}au^{53}li^0,ŋan^{21}tʂəu$^{35}_{44}$mən^{35}t^{h}ai^{53}li^0 .iɔŋ^{53}tsɿ^0 ŋai^{13}n̩$^{13}_{21}$ci^{53}tek^{3}li^0.

【灯丝】ten^{35}/tien^{35}sɿ^{35} 名灯泡内耐高温的金属丝，多为细钨丝，通电时能直接发光、发热：～啊，安做～，话话系钨丝啊，就都系，钨丝唠，也系话钨丝。～个多。话～个多。蛮多人唔晓得系钨丝啊，么啊铜丝啊么啊丝。唔晓得么啊丝，只晓～。ten^{35}sɿ^{35}a^0 ,ɔn$^{35}_{21}$tso$^{53}_{21}$tien^{35}sɿ^{35},ua^{53}ua$^{53}_{44}$xei$^{53}_{44}$u^{35}sɿ$^{35}_{44}$a^0 ,tsiəu$^{53}_{21}$təu^{35}xei$^{53}_{21}$,u^{35}sɿ$^{35}_{44}$lau^0 ,ia^{35}xei^{53}ua$^{53}_{44}$u^{35}sɿ$^{35}_{44}$.ten^{35}sɿ$^{35}_{44}$ke$^{53}_{44}$to^{35}.ua$^{53}_{44}$ten^{35}sɿ$^{35}_{44}$ke$^{53}_{44}$to$^{35}_{44}$.man^{13}to$^{35}_{44}$ɲin$^{13}_{21}$n̩^{13}çiau^{21}tek^3 xe$^{53}_{44}$u^{35}sɿ$^{35}_{44}$a^0 ,mak^3 a^0 t^{h}əŋ^{13}sɿ$^{35}_{44}$a^0 mak^3 a^0 sɿ$^{35}_{44}$.n̩^{13}çiau^{21}tek^3 mak^3 a^0 sɿ^{35},tʂʅ^{21}çiau^{21}ten^{35}sɿ^{35}.

【灯筒子】tien^{35}t^{h}əŋ^{13}tsɿ^0 名筒状的灯罩：（煤油灯盏）有得～嘞，就咁子，欸箇个煤油烟呢就冲倒你个鼻公墨乌啊，搞你一夜晡就冲倒你鼻公墨乌个，烟更大嘞。有～嘞就烟都冇咁大。mau^{13}tek^3 tien^{35}t^{h}əŋ$^{13}_{21}$tsɿ^0 lei^0 ,ts^{h}iəu^{53}kan^{21}tsɿ^0 ,ei$_{21}$kai^{53}ke$^{53}_{44}$mei^{13}iəu$^{13}_{21}$ien^{35}ne^0 ts^{h}iəu^{53}tʂ^{h}əŋ^{35}tau^{21}ɲi$^{13}_{21}$(k)e$^{53}_{21}$p^{h}i^{53}

kəŋ$^{35}_{44}$mek^{5} u$^{35}_{44}$a^{0} ,kau^{21}ɲi$^{13}_{44}$iet^{3} ia^{53}pu$^{35}_{44}$tsʰiəu^{53}tʂʰəŋ^{35}tau^{21}ɲi$^{13}_{21}$pʰi^{53}kəŋ$^{35}_{44}$mek^{5} u$^{35}_{44}$cie$^{53}_{21}$,ien^{35}cien$^{53}_{44}$tʰai^{53}lei^{0} .iəu^{35} tien^{35}tʰəŋ$^{13}_{21}$tsɿ^{0} lei^{0} tsʰiəu^{53}ien^{35}təu$^{35}_{53}$mau$^{13}_{21}$kan^{21}tʰai^{53}.

【灯芯】tien^{35}sin^{35}tsɿ^{0} 名油灯或酒精灯中用来点火的灯草、纱、线等。也称“灯芯子”：一条子～样个 iet^{3} tʰiau$^{13}_{21}$tsɿ^{0} tien^{35}sin$^{35}_{44}$iɔŋ$^{53}_{44}$ke$^{53}_{44}$ | 舞条～子放倒去个嘞。就多放一条～就更光噢。u^{21} tʰiau$^{13}_{44}$tien^{35}sin^{35}tsɿ^{0} fɔŋ^{53}tau^{21}çi$^{53}_{44}$ke$^{53}_{44}$lei^{0} .tsʰiəu$^{53}_{44}$to^{35}xɔŋ^{53}iet^{3} tʰiau$^{13}_{21}$tien$^{35}_{44}$sin$^{35}_{44}$tsʰiəu$^{53}_{44}$cien$^{53}_{44}$kɔŋ^{35}ŋau^{0} .

【灯芯草】tien^{35}sin$^{35}_{44}$tsʰau^{21} 名多年生草本植物，茎圆细长，茎的中心部分有瓤，可作为灯芯：马嘴葱嘞就有滴子像咁个～样个东西。ma^{35}tsi^{21}tsʰəŋ^{35}lei^{0} tsʰiəu$^{53}_{44}$iəu^{35}tiet^{5} tsɿ^{0} tsʰiɔŋ$^{53}_{44}$kan^{21}ke$^{53}_{44}$tien^{35} sin$^{35}_{44}$tsʰau^{21}iɔŋ$^{53}_{44}$ke$^{53}_{44}$təŋ$^{35}_{44}$si^{0} .

【灯芯管子】ten$^{35}_{44}$sin$^{35}_{44}$kɔn^{21}tsɿ^{0} 名煤油灯座上端放灯芯的通道：煤油灯上就有～，系。有圆个，肚里就放圆灯芯子。有扁个，就放扁灯芯子。欸，两起。一起细个煤油灯子唠，就箇肚里就放条子箇个苎麻绳子也要得唠，就舞滴子箇个草纸挪只子纸煤放下去也要得唠，欸圆个，中间就圆个。扁个就硬放扁个，扁个更光啊，更大呀，面积更大呀。mei^{13}iəu$^{13}_{44}$ten$^{35}_{44}$xɔŋ$^{53}_{44}$tsʰiəu$^{53}_{44}$ iəu$^{35}_{44}$ten$^{35}_{44}$sin$^{35}_{44}$kɔn^{21}tsɿ^{0} ,xe$^{53}_{21}$.iəu^{35}ien^{13}ke^{0} ,təu^{21}li^{0} tsʰiəu$^{53}_{44}$fɔŋ^{53}ien^{13}ten$^{35}_{44}$sin$^{35}_{44}$tsɿ^{0} .iəu^{35}pien^{21}ke^{0} ,tsʰiəu^{53}fɔŋ^{53} pien^{21}tien^{35}sin^{35}tsɿ^{0} .e$_{21}$,iɔŋ^{21}çi^{21}.iet^{3} çi^{21}se^{53}ke^{0} mei^{13}iəu$^{13}_{21}$tien^{35}tsɿ^{0} lau^{0} ,tsʰiəu^{53}kai^{53}təu^{21}li^{0} tsʰiəu$^{53}_{44}$fɔŋ^{53}tʰiau$^{13}_{21}$ tsɿ^{0} kai$^{53}_{44}$ke$^{53}_{44}$tʂʰəu^{35}ma$^{13}_{21}$ʂən^{13}tsɿ^{0} a$^{35}_{44}$iau^{53}tek^{3} lau^{0} ,tsʰiəu^{53}u^{21}tiet^{5} tsɿ^{0} kai$^{53}_{44}$ke$^{53}_{44}$tsʰau^{21}tʂʅ^{21}lo^{13}tʂak^{3} tsɿ^{0} tʂʅ^{21}mɔi^{13} fɔŋ^{53}xa^{53}çi^{53}ia^{35}iau^{53}tek^{3} lau^{0} ,e$_{53}$ien^{13}ke^{0} ,tʂəŋ$^{35}_{44}$kan$^{35}_{44}$tsʰiəu$^{53}_{44}$ien$^{13}_{21}$ke^{0} .pien^{21}ke$^{53}_{44}$tsʰiəu$^{53}_{44}$ɲiaŋ^{53}fɔŋ^{53}pien^{21}ke^{0}, pien^{21}ke^{0} cien$^{53}_{44}$kɔŋ^{35}ŋa^{0} ,cien$^{53}_{44}$tʰai^{53}ia^{0} ,mien^{53}tsiet^{3} cien$^{53}_{44}$tʰai^{53}ia^{0} .

【灯芯呢】tien^{35}sin$^{35}_{44}$ɲi^{13} 名灯芯绒，割纬起绒、表面形成纵向绒条的棉织物：花～fa^{35}tien^{35}sin$^{35}_{44}$ ɲi^{13} | 乌～u^{35}tien^{35}sin$^{35}_{44}$ɲi^{13}

【灯油】ten^{35}iəu$^{13}_{21}$ 名点灯的油：煤油灯个～就系煤油。mei^{13}iəu$^{13}_{44}$ten$^{35}_{44}$ke^{0} ten$^{35}_{44}$iəu$^{13}_{21}$tsʰiəu^{53}xe^{53}mei^{13} iəu^{13}.

【灯盏】tien^{35}tsan^{21} 名油灯的总称：安做～呢，我等是安做安做～。煤油灯……洋油～呢。茶油～呢。欸，有茶油～，就清油～呢。桐油～，有。点桐油个比较多嘞。桐油～呢。舞条灯芯子放倒去个嘞。就多放一条灯芯就更光噢。ɔn$^{35}_{44}$tso$^{53}_{44}$tien^{35}tsan^{21}nei^{0} ,ŋai$^{13}_{21}$tien^{0} ʂɿ$^{53}_{44}$ɔn$^{53}_{21}$tso$^{53}_{44}$ɔn$^{35}_{44}$tso$^{53}_{44}$ tien^{35}tsan^{21}.mei^{13}iəu$^{13}_{21}$tien^{35}ts…iɔŋ^{13}iəu$^{13}_{44}$tien^{35}tsan^{21}nei^{0} .tsʰa^{13}iəu$^{13}_{44}$tien^{35}tsan^{21}nei^{0} .e$_{21}$,iəu$^{35}_{53}$tsʰa^{13}iəu$^{13}_{44}$tien$^{35}_{44}$ tsan^{21},tsʰiəu$^{53}_{44}$tsʰin^{35}iəu$^{13}_{21}$tien$^{35}_{44}$tsan^{21}ne^{0} .tʰəŋ^{13}iəu$^{13}_{44}$tien$^{35}_{44}$tsan^{21},iəu^{35}.tian^{21}tʰəŋ^{13}iəu$^{13}_{44}$ke^{53}pi^{21}ciau$^{53}_{44}$to^{35}lei^{0} .tʰəŋ^{13} iəu$^{13}_{44}$tien$^{35}_{44}$tsan^{21}nei^{0} .u^{21}tʰiau$^{13}_{44}$tien^{35}sin^{35}tsɿ^{0} fɔŋ^{53}tau^{21}çi$^{53}_{44}$ke$^{53}_{44}$lei^{0} .tsʰiəu$^{53}_{44}$to^{35}xɔŋ^{53}iet^{3} tʰiau$^{13}_{21}$tien$^{35}_{44}$sin$^{35}_{44}$tsʰiəu$^{53}_{44}$ cien$^{53}_{44}$kɔŋ^{35}ŋau^{0} .

【灯盏脚子】tien^{35}tsan^{21}ciɔk^{3} tsɿ^{0} 名煤油灯座下端喇叭形的部分：底下箇部分吵？～啊。安做～。te^{21}xa^{53}kai^{53}pʰu^{53}fən$^{35}_{44}$ʂa^{0} ?tien^{35}tsan^{21}ciɔk^{3} tsa^{0} .ɔn$^{35}_{44}$tso$^{53}_{44}$tien^{35}tsan^{21}ciɔk^{3} tsɿ^{0} .

【灯盏捩子】tien^{35}tsan^{21}liet^{3} tsɿ^{0} 名可转动以控制灯芯伸出长短的配件：骰大骰细个，～，安做捩子。捩大捩细。tsiəu^{21}tʰai^{53}tsiəu^{21}se^{53}ke$^{53}_{44}$,ten^{35}tsan^{21}liet^{3} tsɿ^{0} ,ɔn$^{35}_{44}$tso^{53}liet^{3} tsɿ^{0} .liet^{3} tʰai^{53}liet^{3} se^{53}.

【灯罩子】ten^{35}/tien^{35}tsau^{53}tsɿ^{0} 名①指灯筒子：～嘞箇就以只箇筒子也有兜人话～。ten^{35}tsau^{53}tsɿ^{0} lei^{0} kai^{53}tsʰiəu^{53}i^{21}tʂak^{3} kai^{53}tʰəŋ^{13}tsɿ^{0} ia^{35}iəu$^{35}_{44}$təu$^{35}_{53}$ɲin$^{13}_{44}$ua$^{53}_{44}$tien^{35}tsau^{53}tsɿ^{0}. ②加在灯筒子上面用于聚光或遮光的罩子：～嘞还有只话法嘞就系么个嘞？就系箇灯筒子顶高嘞又舞只，为了集光，为了底下好看书，欸，或者嘞为了遮光，遮倒，莫影响别人家，系唔系？我看书，莫影响别人家，顶高用纸剪只咁，用白纸剪只子中间剪只子眼，咁子放下去，渠箇灯盏就去底下畦光，冇使照出外背去。箇只玻璃个东西就系灯筒子。灯筒子摎～就有滴子咁个区别。ten^{35}tsau^{53}tsɿ^{0} le^{0} xai^{13}iəu$^{35}_{44}$tʂəŋ^{21}ua$^{53}_{44}$fait^{3} lei^{0} tsʰiəu^{53}xei^{53}mak^{3} e^{0} lei^{0} ?tsʰiəu$^{53}_{44}$xei$^{53}_{44}$kai^{53}ten^{35}tʰəŋ^{13}tsɿ^{0} taŋ^{21}kau$^{35}_{44}$lei^{0} iəu^{53}u^{21}tʂak^{3}, uei^{53}liau^{0} tsʰiet^{5} kɔŋ^{35},uei^{53}liau^{0} tei^{21}xa$^{53}_{44}$xau^{21}kʰɔn^{53}ʂəu^{35},e$_{21}$,xɔit^{5} tʂa^{21}lei^{0} uei^{53}liau^{0} tʂa^{35}kɔŋ^{35},tʂa^{35}tau^{21},mɔk^{5} in^{21}çiɔŋ^{21}pʰet^{5} ɲin$^{13}_{21}$ka$^{35}_{44}$,xei$^{53}_{44}$me$^{53}_{44}$?ŋai^{13}kʰɔn^{53}ʂəu^{35},mɔk^{5} in^{21}çiɔŋ^{21}pʰet^{5} in$^{13}_{44}$ka$^{35}_{44}$,taŋ^{21}kau$^{35}_{44}$iəŋ^{53}tʂʅ^{21}tsen^{21}tʂak^{3} kan$^{21}_{44}$,iəŋ$^{53}_{44}$pʰak^{5} tʂʅ^{21}tsien^{21}tʂak^{3} tsɿ^{0} tʂəŋ^{35}kan$^{35}_{44}$tsien^{21}tʂak^{3} tsɿ^{0} ŋan^{21},kan^{21}tsɿ^{0} fɔŋ^{53}xa$^{53}_{44}$çi^{53},ci$^{13}_{21}$kai$^{53}_{44}$ten^{35}tsan$^{21}_{44}$ tsʰiəu$^{53}_{44}$çi$^{53}_{44}$te^{21}xa$^{53}_{44}$uaŋ^{35}kɔŋ^{35},mau$^{13}_{21}$sɿ$^{21}_{44}$tʂau^{53}tʂʰət^{3} ŋɔi^{53}pɔi$^{53}_{44}$çi$^{53}_{44}$.kai^{53}tʂak^{3} po^{35}li$^{13}_{21}$ke^{0} təŋ$^{35}_{44}$si^{0} tsʰiəu$^{53}_{44}$xe$^{53}_{44}$ten$^{35}_{44}$ tʰəŋ^{13}tsɿ^{0} .ten$^{35}_{44}$tʰəŋ^{13}tsɿ^{0} lau$^{35}_{44}$tien$^{35}_{44}$tsau^{53}tsɿ^{0} tsʰiəu$^{53}_{44}$iəu^{35}tiet^{5} tsɿ^{0} kan^{21}ke^{0} tʂʰʮ$^{35}_{44}$pʰet^{5} .

【蹬】tən^{53} 动①脚跟用力踩：就用脚睁咁子去～，～响来。tsʰiəu^{53}iəŋ^{53}ciɔk^{3} tsaŋ^{35}kan^{21}tsɿ^{0} çi$^{53}_{44}$tən^{53}, tən^{53}çiɔŋ^{21}lɔi$^{13}_{44}$. ②跺脚：箇冷天冷稳哩呀，欸～下子脚也就好玩啵。～下子脚也就冇咁冷人呐。kai$^{53}_{44}$laŋ^{35}tʰien$^{35}_{44}$laŋ^{35}uən^{21}ni^{0} ia^{0} ,e^{0} tən^{53}xa$^{53}_{44}$tsɿ^{0} ciɔk^{3} a$^{35}_{53}$tsʰiəu^{53}xau^{21}uan^{13}nau^{0} .tən^{53}xa$^{53}_{44}$tsɿ^{0} ciɔk^{3} a$^{35}_{53}$tsʰiəu^{53} mau$^{13}_{21}$kan^{21}naŋ^{35}ɲin$^{13}_{21}$na^{0} .

D

【等$_{1}$】tən^{21} 动①将豆角等掐成一寸左右的段：～呶，分渠～成一莖莖。安做～。～豆角。tən^{21}nau^{0},pən^{35}ci$^{13}_{21}$tən^{21}ʂaŋ^{13}iet^{3}ts^{h}o^{53}ts^{h}o^{53}.ɔn^{35}tso$^{53}_{44}$tən^{21}.tən^{21}t^{h}ei^{53}kɔk^{3}. ②截断（菜苗等）：渠箇个□长得上好个菜，如果中间欸分渠𦧲啊断，就安做～。欸，我滴子辣椒哇分虫子～嘿哩唠，辣椒苗哇分渠～嘿哩唠，就系横横哩𦧲断哩，就～嘿哩。ci^{13}kai^{53}ke$^{53}_{44}$ue$_{44}$tʂɔŋ^{21}tek^{3} ʂɔŋ^{53}xau^{21}ke$^{53}_{44}$ts^{h}ɔi^{53},y^{13}ko^{21}tʂəŋ^{35}kan^{35}e$_{21}$pən^{35}ci$^{13}_{21}$u^{21}a^{0} t^{h}ɔn^{35},ts^{h}iəu^{53}ɔn$^{35}_{44}$tso$^{53}_{44}$tən^{21}.ei$_{21}$,ŋai^{13}tiet^{5} tsɿ^{0} lait^{5} tsiau$^{35}_{44}$ua^{0} pən^{35} tʂ^{h}əŋ^{13}tsɿ^{0} tən^{21}nek^{3} (←xek^{3})li^{0} lau^{0} ,lait^{5} tsiau$^{35}_{44}$miau^{13}ua^{0} pən^{35}ci$^{13}_{21}$tən^{21}nek^{3} (←xek^{3})li^{0} lau^{0},tsiəu^{53}xe$^{53}_{44}$uaŋ^{13} uaŋ^{13}li^{0} u^{21}t^{h}ɔn^{35}ni^{0} ,ts^{h}iəu^{53}tən^{21}nek^{3} (←xek^{3})li^{0}. ③止住：𦧲只豹符子，渠慢就好哩，就～倒哩血。u^{21}tʂak^{3} pau^{53}fu$^{13}_{21}$tsɿ^{0} ,ci$^{13}_{21}$man^{53}ts^{h}iəu^{53}xau^{21}li^{0} ,ts^{h}iəu^{53}tən^{21}tau^{21}li^{0} çiet^{3} .

【等$_{2}$】ten^{21}/tien^{21} 动①让；允许：假释就因为各种原因分箇个关押个犯人呢放出来吧，～渠归去吧？cia^{21}ʂet^{5} ts^{h}iəu$^{53}_{44}$in^{35}uei$^{53}_{21}$kɔk^{3} tʂəŋ^{21}vien^{13}in$^{35}_{44}$pən^{35}kai^{53}ke$^{53}_{21}$kuan^{35}iak^{3} kei$^{53}_{44}$fan^{53}ɲin$^{13}_{21}$ne^{0} fɔŋ^{53}tʂ^{h}ət^{3} lɔi$^{13}_{21}$pa^{0} ,ten^{21}ci$^{13}_{44}$kuei^{35}çi^{53}pa^{0}? ②听任：～渠去嬲哇。tien^{21}ci^{13}çi^{53}liau^{53}ua^{0}.｜～渠去口干下子。ten^{21} ci^{13}çi^{53}c^{h}iei^{21}kɔn^{35}na^{0} tsɿ^{0}.

【等$_{3}$】tien^{21} 连等到，表示时间条件：箇个～箇个早禾嘞架势黄哩稳哩了，会黄了，麻溜就分箇只箇一蒲嘞，就搣开来……栽作四蔸。kai^{53}ke$^{53}_{44}$tien^{21}kai$^{53}_{44}$ke$^{53}_{44}$tsau^{21}uo^{13}lei^{0} cia^{53}ʂɿ^{53}uɔŋ^{13}li^{0} uən^{21} li^{0} liau^{0} ,uɔi^{53}uɔŋ^{13}liau^{0} ,ma^{13}liəu$^{53}_{44}$ts^{h}iəu^{53}pən^{35}kai$^{53}_{44}$tʂak^{3} kai^{53}iet^{3} p^{h}u^{13}lei^{0} ,ts^{h}iəu$^{53}_{44}$miek^{3} k^{h}ɔi^{35}lɔi$^{13}_{21}$⋯tsɔi^{35} tsɔk^{3} si^{53}tei^{35}.

【等$_{4}$】tien^{0} 助附在人名或称谓后，表示复数：欸松牯子人名～还赠走吧？e^{0} səŋ$^{35}_{44}$ku$^{21}_{35}$tsɿ^{0} tien^{0} xai$^{13}_{21}$maŋ^{13}tsei^{21}pa^{0}?｜箇都我妹子～话爱去𦧲兰花啦。kai$^{53}_{44}$təu$^{35}_{44}$ŋai$^{13}_{44}$mɔi^{53}tsɿ^{0} tien^{0} ua$^{53}_{44}$ɔi$^{53}_{44}$çi$^{53}_{44}$u^{21}lan$^{13}_{21}$ fa$^{35}_{44}$la^{0}.

【等到】tien^{21}tau^{53} 连表示时间条件：～鸡啼我跖起来哩。tien^{21}tau^{53}cie^{35}t^{h}ai^{13}ŋai^{13}xɔŋ^{53}çi^{21}lɔi^{13}li^{0}.

【等得】tien^{21}tek^{3} 连表示时间条件：～轮到我讨新舅，你唔会搞转我去啊？tien$^{21}_{44}$tek^{3} lən^{13}tau$^{53}_{44}$ ŋai^{13}t^{h}au^{21}sin$^{35}_{44}$c^{h}iəu$^{35}_{44}$, ɲi^{13}m$^{13}_{21}$mɔi$_{44}$(←ɔi^{53})kau^{21}tʂɔn^{21}ŋai^{13}çi^{53}a^{0}?

【等得到】tien^{21}tek^{3}tau^{53} 连表示另提一事：麦蚊子，我等安做麦蚊子。点伢大子个。～乌蚊子了嘞，箇就有脚箇只个嘞。mak^{5} mən^{35}tsɿ^{0} ,ŋai$^{13}_{21}$tien^{0} ɔn$^{35}_{44}$tso$^{53}_{44}$mak^{5} mən^{35}tsɿ^{0} .tian$^{21}_{53}$ŋa$^{13}_{44}$t^{h}ai^{53}tsɿ^{0} ke$^{53}_{44}$.tien^{21}tek^{3} tau$^{53}_{44}$u^{35}mən^{35}tsɿ^{0} liau^{21}lei^{0} ,kai$^{53}_{44}$ts^{h}iəu$^{53}_{21}$iəu^{35}ciɔk^{3} kai$^{53}_{44}$tʂak^{3} ke$^{53}_{44}$lei^{0}.

【戥子】tian^{21}tsɿ^{0} 名用以称量微量物品的小型杆秤：～吧？药店哩捡药个箇秤砣子唠，唔系，箇把秤，箇把秤都安做～。渠就能够称出几多钱，几多分来，点伢大子个小量，欸。就药店里捡药用个，捡中药个，中药店里捡药个，箇个刻度唔知几小个箇起秤就安做～。tian^{21}tsɿ^{0} pa^{0}?iɔk^{5} tian^{53}ni^{0} cian^{21}iɔk^{5} ke^{0} kai$^{53}_{44}$tʂ^{h}ən^{53}t^{h}o^{13}tsɿ^{0} lau^{0} ,m̩^{13}p^{h}e^{53},kai^{53}pa^{21}tʂ^{h}ən^{53},kai$^{53}_{44}$pa^{21}tʂ^{h}ən^{53}təu$^{35}_{44}$ɔn$^{35}_{53}$tso^{53} tian^{21}tsɿ^{0} .ci$^{13}_{21}$ts^{h}iəu^{53}len^{13}ciau^{53}tʂ^{h}ən^{35}tʂ^{h}ət^{3} ci^{21}to^{35}ts^{h}ien^{13},ci^{21}to$^{35}_{44}$fən^{35}nɔi$^{13}_{21}$,tian^{53}ŋa$^{13}_{44}$t^{h}ai^{53}tsɿ^{0} ke^{0} siau^{21}liɔŋ^{53}, e$_{21}$.ts^{h}iəu$^{53}_{44}$iɔk^{5} tian^{53}ni$^{35}_{44}$cian^{21}iɔk^{5} iəŋ^{53}ke$^{53}_{44}$,cian^{21}tʂəŋ^{35}iɔk^{5} ke^{0} ,tʂəŋ^{35}iɔk^{5} tian^{53}ni^{0} cian^{21}iɔk^{5} kei^{0} ,kai^{53}ke^{53} k^{h}ek^{3} t^{h}əu^{53}n̩$^{13}_{21}$ti$^{35}_{53}$ci^{21}siau^{21}ke^{0} kai$^{53}_{44}$çi^{21}tʂ^{h}ən^{53}ts^{h}iəu$^{53}_{44}$ɔn$^{35}_{44}$tso$^{53}_{44}$tian^{21}tsɿ^{0}.

【凳】tien^{53} 名有腿没有靠背的坐具。也称"凳子"：以个～，你么啊～，你哎成哩摇巾架样。i^{21}ke$^{53}_{35}$tien^{53}, ɲi^{13}mak^{3} a^{0} tien$^{53}_{44}$, ɲi$^{13}_{44}$ai$_{21}$ʂaŋ$^{13}_{21}$li^{0} iau^{13}cin$^{35}_{44}$ka^{53}iɔŋ$^{53}_{44}$.｜揺张～子遮热头。mən^{35}tʂaŋ^{35}tien^{53}tsɿ^{0} tʂak^{3} ɲiet^{3} t^{h}ei^{13}.

【凳板】ten^{53}/tien^{53}pan^{21} 名凳子上部的坐板：欸箇坐屁股个箇块板欸就安做～。有起狭狭子个～，有起大～。大～坐倒更舒服唠。e^{0} kai$^{53}_{44}$ts^{h}o^{35}p^{h}i^{53}ku^{21}ke^{0} kai$^{53}_{44}$k^{h}uai$^{53}_{44}$pan^{21}e$_{21}$ts^{h}iəu$^{53}_{44}$ɔn$^{35}_{44}$tso$^{53}_{44}$ ten^{53}pan^{21}.iəu^{35}çi^{21}c^{h}iait^{5} c^{h}iait^{5} tsɿ^{0} ke^{0} tien^{53}pan^{21},iəu^{35}çi^{21}t^{h}ai^{53}tien^{53}pan^{21}.t^{h}ai^{53}tien$^{53}_{44}$pan^{21}ts^{h}o^{35}tau$^{21}_{44}$ken$^{53}_{44}$ʂʮ$^{35}_{44}$ fuk^{5} lau^{0}.

【凳桄子】tien^{53}kuaŋ^{35}tsɿ^{0} 名凳子上的横木：凳子上个嘞安做～。～，我等硬系咁子话，～。tien^{53}tsɿ^{0} xɔŋ$^{53}_{44}$ke$^{53}_{44}$le^{0} ɔn$^{35}_{44}$tso$^{53}_{44}$tien^{53}kuaŋ^{35}tsɿ^{0} .tien^{53}kuaŋ^{35}tsɿ^{0} ,ŋai$^{13}_{21}$tien^{0} ɲiaŋ^{53}xei^{53}kan^{21}tsɿ^{0} ua$^{53}_{44}$,tien^{53}kuaŋ^{35} tsɿ^{0}.

【凳脚】ten^{53}ciɔk^{3} 名凳子下部像脚一样起支撑作用的部分：底下个就～。te^{21}xa$^{53}_{44}$ke$^{53}_{44}$ts^{h}iəu$^{53}_{44}$ten^{53} ciɔk^{3}.

【凳钳】ten^{53}/tien^{53}c^{h}ian^{13} 名木工用来固定木料的马口钳：～有兜像虎钳样。但是～以只东西渠就系渠就有两只作用。一只嘞分箇个钉啊欸两边两只脚子一钉，张开来，可以分块板子夹稳。欸，夹倒放倒去刨削啊，系<u>唔系</u>？箇是起固定个作用。～还有只用嘞可以撬钉子，起虎钳个作用。虎钳就不能固定吵。箇就起到台虎钳个作用唠，固定的唠。ten^{53}c^{h}ian$^{13}_{21}$iəu^{35}təu$^{35}_{53}$

tsʰiəŋ^{53}fu^{21}cʰian^{13}iəŋ$^{53}_{44}$.tan$^{53}_{44}$ʂʅ$^{53}_{44}$tien^{53}cʰian^{13}i^{21}(tʂ)ak^{3}(t)əŋ$^{35}_{44}$si^{0}ci$^{13}_{21}$tsiəu$^{53}_{44}$xe$^{53}_{44}$ci$^{13}_{21}$tsʰiəu$^{53}_{44}$iəu$^{35}_{44}$iəŋ^{21}tʂak^{3}tsɔk^{3} iəŋ^{53}.iet^{3}tʂak^{3}lei^{0}pən^{35}kai$^{53}_{44}$ke$^{53}_{44}$taŋ^{35}ŋa^{0}e$_{21}$iəŋ^{21}pien$^{35}_{44}$iəŋ^{21}tʂak^{3}ciɔk^{3}tsʅ^{0}iet^{3}taŋ^{35},tʂəŋ^{35}kʰɔi^{35}lɔi$^{13}_{21}$,kʰo^{21}i$^{35}_{44}$pən^{35} kʰuai^{53}pan^{21}tsʅ^{0}kait^{3}uən^{21}.e$_{21}$,kait^{3}tau^{21}fəŋ^{53}tau^{21}çi$^{53}_{44}$pʰau^{13}siɔk^{3}a^{0},xei^{53}me^{53}?kai$^{53}_{44}$ʂʅ$^{53}_{44}$çi^{21}ku^{53}tʰin$^{53}_{44}$ke^{0}tsɔk^{3} iəŋ^{53}.ten^{53}cʰian$^{13}_{21}$xai$^{13}_{21}$iəu$^{35}_{53}$tʂak^{3}iəŋ^{53}lei^{0}kʰo^{21}i$^{21}_{44}$cʰiau^{53}taŋ^{35}tsʅ^{0},çi^{21}fu^{21}cʰian^{13}ke^{0}tsɔk^{3}iəŋ^{53}.fu^{21}cʰian^{13}tsʰiəu^{53} pət^{3}len^{13}ku^{53}tʰin$^{53}_{44}$ʂa^{0}.kai^{53}tsʰiəu^{53}cʰi^{21}tau^{53}tʰɔi^{53}fu^{21}cʰian^{13}ke^{0}tsɔk^{3}iəŋ^{53}lau^{0},ku^{53}tʰin$^{53}_{44}$ti^{0}lau^{0}.

【瞪】tən^{53} 动 怒目直视：～起眼珠 tən^{53}çi^{21}ŋau^{21}tʂəu^{35}

【憕】tʰien^{53} 动 ①环环相扣，互相掣肘；拖累："三脚箐，～尽命。"欸，意思就系三个人做个事同箇流水线样，箇只第一个人做哩，踩竹麻个人踩嘿哩，第二晡嘞箇只做纸个人就硬爱做嘿去，欸，第三晡嘞箇只焙纸个人就硬爱焙嘿去，就咁子安做"三脚箐，～尽命"。好，第一步箇只欸踩竹麻个人赠踩倒冇，冇得苎麻，渠赠来，你第二晡就只好嬲，做纸个就只好嬲，欸，第三晡嘞箇只焙纸个又只好嬲，～死哩，～尽命，～稳去下子，就同流水线样。"san^{35}ciɔk^{3}tsʰaŋ^{53},tʰien^{53}tsʰin^{53}miaŋ^{53}."ei$_{21}$,i^{53}sʅ^{0}tsʰiəu$^{53}_{44}$xei$^{53}_{44}$san^{35}ke^{53}ɲin$^{13}_{21}$tso$^{53}_{44}$ke$^{53}_{44}$sʅ^{53}tʰəŋ^{13}kai$^{53}_{44}$liəu^{13}ʂei^{21} sien^{53}iəŋ$^{53}_{44}$,kai^{53}tʂak^{3}tʰi^{53}iet^{3}ke^{53}ɲin$^{13}_{44}$tso^{53}li^{0},tsʰai^{21}tʂəuk^{3}ma$^{13}_{21}$ke^{53}ɲin$^{13}_{44}$tsʰai^{21}xek^{3}li^{0},tʰi$^{53}_{44}$ɲi^{53}pu$^{35}_{44}$lei^{0}kai^{53} tʂak^{3}tso^{53}tʂʅ^{21}ke^{53}ɲin$^{13}_{21}$tsʰiəu$^{53}_{44}$ɲiaŋ$^{53}_{44}$ɔi$^{53}_{44}$tso^{53}(x)ek^{3}çi^{53},e$_{21}$,tʰi^{53}san^{35}pu$^{35}_{44}$lei^{0}kai$^{53}_{44}$tʂak^{3}pʰɔi^{53}tʂʅ^{21}ke^{53}ɲin$^{13}_{21}$tsʰiəu$^{53}_{44}$ ɲiaŋ$^{53}_{44}$ɔi$^{53}_{44}$pʰɔi^{53}(x)ek^{3}çi^{53},tsʰiəu$^{53}_{44}$kan^{21}tsʅ^{0}ɔn$^{35}_{44}$tso$^{53}_{44}$"san^{35}ciɔk^{3}tsʰaŋ^{53}tʰien^{53}tsʰin^{53}miaŋ^{53}".xau$^{21}_{44}$,tʰi^{53}iet^{3}pʰu^{53} kai^{53}tʂak^{3}e$_{21}$tsʰai^{21}tʂəuk^{3}ma^{13}ke^{53}ɲin$^{13}_{44}$maŋ^{13}tsʰai^{21}tau^{21}iəu$^{35}_{53}$,mau^{13}tek^{3}tʂəuk^{3}ma^{13},ci^{13}maŋ^{13}lɔi^{13}, ɲi$^{13}_{21}$tʰi^{53}ɲi^{53} pu$^{35}_{44}$tsʰiəu$^{53}_{44}$tʂʅ^{21}xau^{21}liau^{53},tso^{53}tʂʅ^{21}ke$^{53}_{44}$tsʰiəu$^{53}_{44}$tʂʅ^{21}xau^{21}liau^{53},e$_{21}$,tʰi^{53}san^{35}pu$^{35}_{44}$lei^{0}kai$^{53}_{44}$tʂak^{3}pʰɔi^{53}tʂʅ^{21}ke$^{53}_{44}$iəu$^{53}_{44}$ tʂʅ^{21}xau^{21}liau^{53},tʰien^{53}si^{21}li^{0},tʰien^{53}tsʰin$^{53}_{44}$miaŋ^{53},tʰien^{53}uən^{21}çi^{53}xa^{53}tsʅ^{0},tsiəu^{53}tʰəŋ$^{13}_{44}$liəu$^{13}_{21}$ʂei^{21}sien^{53}iəŋ^{53}.｜我硬欸打比样我孙子，系唔系啊？我爱带倒渠去哪映子。走又走唔动，走下子又嬲下子，硬真分渠～倒哩。ŋai^{13}ɲiaŋ^{53}e$_{21}$ta^{21}pi^{21}iəŋ^{53}ŋai$^{13}_{21}$sən^{35}tsʅ^{0},xei^{53}mei^{53}a^{0}?ŋai$^{13}_{21}$ɔi^{53}tai^{53}tau^{21}ci$^{13}_{21}$çi^{53}lai$^{53}_{44}$iaŋ$^{53}_{44}$tsʅ^{0}.tsei^{21} iəu^{53}tsei^{21}n̩$^{13}_{21}$tʰəŋ^{35},tsei^{21}xa$^{53}_{44}$tsʅ^{0}iəu^{53}liau^{53}xa$^{53}_{21}$tsʅ^{0}, ɲiaŋ^{53}tʂən^{35}pən$^{35}_{44}$ci$^{13}_{21}$tʰien^{53}tau^{21}li^{0}. ②拖延：特别有病爱上紧，莫～。tʰet^{5}pʰiet^{5}iəu^{35}pʰiaŋ^{53}ɔi$^{53}_{44}$ʂəŋ^{35}cin^{21},mɔk$^{5}_{3}$tʰien^{53}.

【憕平】tʰien^{53}pʰiaŋ^{13} 动 互相比，生怕自己多承担了，吃了亏：有只娭子，娭子病哩爱出钱，你也唔出我也唔出，系唔系？你唔出就我也唔出，几兄弟来几姊妹来憕，～，箇就安做～。欸，几姊妹来～。讲哦，讲咁个噢，讲～个事噢。iəu^{35}tʂak^{3}ɔi^{35}tsʅ^{0},ɔi^{35}tsʅ^{0}pʰiaŋ^{53}li^{0}ɔi^{53}tʂʰət^{3} tsʰien^{13}, ɲi^{13}ia$^{35}_{53}$n̩$^{13}_{44}$tʂʰət^{3}ŋai^{13}ia$^{35}_{53}$n̩$^{13}_{44}$tʂʰət^{3},xei^{53}me^{53}?ɲi^{13}n̩$^{13}_{44}$tʂʰət^{3}tsʰiəu^{53}ŋai^{13}a$^{35}_{53}$n̩$^{13}_{21}$tʂʰət^{3},ci^{21}çiəŋ$^{35}_{44}$tʰi^{53}lɔi$^{13}_{44}$ci^{21} tsi^{21}mɔi^{53}lɔi$^{13}_{21}$tʰien^{53},tʰien^{53}pʰiaŋ^{13},kai$^{53}_{44}$tsʰiəu$^{53}_{44}$ɔn$^{35}_{44}$tso$^{53}_{44}$tʰien^{53}pʰiaŋ^{13}.e$_{21}$,ci^{21}tsi^{21}mɔi^{53}lɔi$^{13}_{21}$tʰien^{53}pʰiaŋ^{13}.kɔŋ^{21} ŋo^{0},kɔŋ^{21}kan$^{21}_{13}$cie^{53}au^{0},kɔŋ^{21}tʰien^{53}pʰiaŋ^{13}kei$^{53}_{44}$sʅ^{53}au^{0}.

【低】te^{35} 形 ①从下向上距离小；离地面近：赠到顶嘞，照枋赠到顶。一唔到顶就二唔～。maŋ^{13}tau^{53}tin^{21}ne^{0},tʂau$^{53}_{44}$fəŋ$^{35}_{44}$maŋ^{13}tau^{53}tin^{21}.iet^{3}n̩^{13}tau^{53}tin^{21}tsʰiəu$^{53}_{44}$ɲi^{53}n̩^{13}te^{35}. ②地势或位置在下：拖斗是平田个唠。有高哩个拖……里背高哩个，高哩个拖下～个栏场去唠。tʰo^{35}təu^{21}ʂʅ$^{53}_{44}$pʰiaŋ^{13} tʰien^{13}ke^{53}lau^{0}.iəu^{35}kau^{35}li^{0}ke$^{53}_{44}$tʰo^{35}…ti^{35}pɔi$^{53}_{44}$kau^{35}li^{0}ke$^{53}_{21}$,kau^{35}li^{0}ke$^{53}_{44}$tʰo$^{35}_{44}$xa$^{53}_{44}$te^{35}ke^{53}lɔŋ$^{13}_{21}$tʂʰəŋ$^{13}_{21}$çi^{53}lau^{0}. ③在一般标准或平均程度之下：箇要讲么个东西产量～嘞，收花麦样。kai$^{53}_{44}$iau$^{53}_{44}$kɔŋ^{21}mak^{3}ke$^{53}_{44}$ təŋ$^{35}_{44}$si^{0}tsʰan^{21}liɔŋ^{53}te^{35}le^{0},ʂəu^{35}fa^{35}mak^{5}iəŋ$^{53}_{44}$.｜硬度比较～。ŋaŋ^{53}tʰəu^{53}pi^{21}ciau$^{53}_{44}$te^{35}.｜磨起来就就效率～啊。mo^{53}çi^{21}lɔi^{13}tsʰiəu^{53}tsʰiəu$^{53}_{21}$çiau^{53}liet^{3}te^{35}a^{0}.

【滴$_{1}$】tet^{3} 动 液体一点一点地向下落：欸，新鲜鱼爱～滗下子水呢。e$_{21}$,sin^{35}sien$^{35}_{44}$ŋ̍$^{13}_{21}$ɔi^{53}tet^{3}lian^{21} xa^{53}tsʅ^{0}ʂei^{21}nei^{0}.

【滴$_{2}$】tiet^{5}/tet^{5} 量 ①放在形容词后或形容词和"子"之间，表示略微的意思：糯谷就柳条糯好食～嘞。lo^{53}kuk^{3}tsʰiəu$^{53}_{44}$liəu^{35}tʰiau$^{13}_{21}$lo^{53}xau^{21}ʂət^{5}tiet^{5}le^{0}.｜目的都系么个嘞？都系使箇丫禾嘞早～子长大，欸，箇个欸赶上季节嘞。muk^{3}tiet^{3}təu^{35}xe$^{53}_{44}$mak^{3}ke$^{53}_{44}$lei^{0}?təu^{35}xe$^{53}_{44}$ʂʅ^{21}kai$^{53}_{44}$a^{35}uo^{13}lei^{0} tsau^{21}tiet^{5}tsʅ^{0}tʂəŋ^{21}tʰai^{53},e$_{21}$,kai$^{53}_{44}$kei$^{53}_{44}$e$_{21}$kən^{21}ʂəŋ$^{53}_{44}$ci^{53}tset^{3}lei^{0}. ②放在名词前，表示量少：底下个死泥骨就冇得～肥。tei^{21}xa^{53}ke^{53}si^{21}lai^{13}kuət^{3}tsiəu$^{53}_{21}$mau^{13}tek^{3}tet^{5}fei^{13}. ③做主语，表示极少或一点儿：我～都唔懂。ŋai^{13}tiet^{5}təu$^{35}_{44}$n̩$^{13}_{21}$təŋ^{21}.｜我等以个栏场嘞，一只就河流细哩，第二只就河里个水嘞水浅哩。河运是唔发达一下，～都唔发达。ŋai^{13}tien^{0}i^{21}ke^{53}laŋ$^{13}_{21}$tʂʰəŋ$^{13}_{21}$lei^{0},iet^{3}tʂak^{3}tsʰiəu^{53}xo^{13}liəu$^{13}_{44}$ se^{53}li^{0},tʰi^{53}ɲi^{53}tʂak^{3}tsʰiəu^{53}xo^{13}li^{0}ke^{53}ʂei^{21}le^{0}ʂei^{21}tsʰien^{21}ni^{0}.xo^{13}uən^{53}ʂʅ$^{53}_{44}$n̩^{13}fait^{3}tʰait^{5}iet^{3}xa^{53},tiet^{5}təu$^{35}_{53}$n̩^{13} fait^{3}tʰait^{5}. ④放在动词后，做补语，表示一些、若干：分箇个青东西割～归来。pən^{35}kai$^{53}_{44}$ke$^{53}_{44}$ tsʰiaŋ^{35}təŋ$^{35}_{44}$si^{0}kɔit^{3}tiet$^{5}_{3}$kuɔi^{35}lɔi$^{13}_{44}$.

【滴$_{3}$】tet^{5} 助 结构助词，相当于"的"：我等以映～拖斗渠就只去哪映用嘞？ŋai$^{13}_{21}$tien^{0}i^{21}iaŋ$^{53}_{44}$

tet$^{5}_{3}$t^{h}o^{35}tei^{21}ci$^{13}_{21}$tsiəu^{53}tʂʅ^{21}çi^{53}lai$^{53}_{44}$iaŋ$^{53}_{44}$iəŋ$^{53}_{44}$lei^{0}?

【滴把子】tiet^{5}pa^{21}tsɿ^{0} 表示所指的量较少：焖饭除哩～，欸斤把子米，箇就可以镬头去焖。mən^{53}fan^{53}tʂ^{h}əu$^{13}_{21}$li^{0}tiet^{5}pa^{21}tsɿ^{0},ei$_{21}$cin^{35}pa^{21}tsɿ^{0}mi^{21},kai$^{53}_{21}$ts^{h}iəu$^{53}_{44}$k^{h}o^{21}i^{35}uɔk^{5}t^{h}ei$^{13}_{21}$çi$^{53}_{44}$mən$^{53}_{21}$.

【滴滴】tiet^{5}tiet^{5} 少许：以几年嘞我等就做买～棒菜做黄菜。i^{21}ci^{21}ɲien^{13}le^{0}ŋai^{13}tien^{0}ts^{h}iəu$^{53}_{44}$tso$^{53}_{21}$mai^{35}tiet$^{5}_{3}$tiet$^{5}_{3}$pɔŋ^{53}ts^{h}ɔi^{53}tso^{53}uɔŋ^{13}ts^{h}ɔi^{53}.

【滴滴子】tiet^{5}tiet^{5}tsɿ^{0} 形容极少：就有～。ts^{h}iəu$^{53}_{44}$iəu^{35}tiet^{5}tiet^{5}tsɿ^{0}.

【滴哋】tiet^{5}ŋait^{5} 量 用在形容词加“子”之前，表示程度很小：箇细子啊～高子。kai$^{53}_{44}$sei^{53}tsɿ^{0}a^{0}tiet^{5}ŋait^{5}kau^{35}tsɿ^{0}.｜结个杨梅～大子。ciet^{3}ke^{53}iɔŋ^{13}mɔi^{13}tiet^{5}ŋait^{5}t^{h}ai^{53}tsɿ^{0}.

【滴哋子】tiet^{5}ŋait^{5}tsɿ^{0} 量 一点点，少量：箇药只有～。kai$^{53}_{44}$iɔk^{5}tʂʅ^{21}iəu$^{35}_{44}$tiet^{5}ŋait^{5}tsɿ^{0}.｜一晒下干来嘞就剩倒～。iet^{3}sai^{53}ia$_{44}$(←xa^{53})kɔn^{35}nɔi^{13}lei^{0}ts^{h}iəu$^{53}_{44}$ʂən^{53}tau^{21}tiet^{5}ŋait$^{5}_{3}$tsɿ^{0}.

【滴屎大子】tiet^{5}ʂʅ^{21}t^{h}ai$^{53}_{44}$tsɿ^{0} 一点点大；体积很小：～个 tiet^{5}ʂʅ^{21}t^{h}ai$^{53}_{44}$tsɿ^{0}ke$^{53}_{44}$

【滴水$_{1}$】tiet^{3}/tet^{3}ʂei^{21} 动 雨水在房坡上聚积后滴落：以边～。我等箇只屋嘞就嘞以边就～要滴下天心里。i^{21}pien$^{35}_{44}$tiet^{3}ʂei^{21}.ŋai^{13}tien^{0}kai^{53}tʂak^{3}uk^{3}lei^{0}ts^{h}iəu$^{53}_{44}$lei^{0}i^{21}pien$^{35}_{44}$ts^{h}iəu$^{53}_{44}$tet^{3}ʂei^{21}iau^{53}tet^{3}(x)a$^{53}_{44}$t^{h}ien^{35}sin$^{35}_{44}$ni^{0}.

【滴水$_{2}$】tiet^{3}ʂei^{21} 名 钉在椽皮头上的封椽板，用油漆涂成鲜红或天蓝色：前檐～ts^{h}ien^{13}ian^{13}tiet^{3}ʂei^{21}｜还有一……箇个椽皮尽系咁子钉出来吵，系唔系啊？以只椽皮头，虽……锯是锯倒达平子，但是唔好看。欸椽皮头唔好看。爱钉一块板子，往往箇块板子嘞漆得鲜红子，爱做油漆。或者做做天蓝色子个漆倒。以咁子钉嘿去，分以只咁个椽皮头呀封煞哩，遮煞哩。就好看，系唔系？箇块安做～。xai$^{13}_{21}$iəu^{35}iet^{3}…kai$^{53}_{44}$ke$^{53}_{44}$ʂɔn^{13}p^{h}i$^{13}_{44}$ts^{h}in^{53}ne$_{21}$(←xe^{53})kan^{21}tsɿ^{0}taŋ^{35}tʂ^{h}ət^{3}lɔi$^{13}_{21}$ʂa^{0},xei$^{53}_{44}$me$^{53}_{44}$a^{0}?i^{21}tʂak^{3}ʂɔn^{13}p^{h}i^{13}t^{h}ei^{13},sei^{35}…cie^{53}ʂʅ$^{53}_{44}$cie^{53}tau^{21}t^{h}ait^{5}p^{h}iaŋ^{13}tsɿ^{0},tan^{53}ʂʅ^{53}n̩^{13}nau^{21}(←xau^{21})k^{h}ɔn^{53}.e$_{44}$ʂɔn^{13}p^{h}i^{13}t^{h}ei^{13}n̩^{13}nau^{21}(←xau^{21})k^{h}ɔn^{53}.ɔi$^{53}_{44}$taŋ^{35}iet^{3}k^{h}uai^{53}pan^{21}tsɿ^{0},uɔŋ^{21}uɔŋ^{21}kai^{53}k^{h}uai^{53}pan^{21}tsɿ^{0}lei^{0}ts^{h}iet^{3}tek^{3}çien^{35}fəŋ^{13}tsɿ^{0},ɔi$^{53}_{44}$tso^{53}iəu^{13}ts^{h}iet^{3}.xɔit^{5}tʂa^{21}tso^{53}tso$^{53}_{44}$t^{h}ien^{35}nan$^{13}_{21}$sek^{3}tsɿ^{0}ke$^{53}_{44}$ts^{h}iet^{3}tau$^{21}_{53}$.i^{21}kan^{21}tsɿ^{0}taŋ^{35}ŋek^{3}(←xek^{3})çi$^{53}_{44}$,pən^{35}i^{21}tʂak^{3}kan$^{21}_{44}$ke$^{53}_{44}$ʂɔn^{13}p^{h}i^{13}t^{h}ei^{13}ia^{0}fəŋ^{35}sait^{3}li^{0},tʂa^{35}sait^{3}li^{0}.ts^{h}iəu$^{53}_{44}$xau^{21}k^{h}ɔn^{53},xei$^{53}_{44}$me$^{53}_{44}$?kai^{53}k^{h}uai$^{53}_{21}$ɔn$^{35}_{44}$tso$^{53}_{44}$tiet^{3}ʂei^{21}.

【滴子】tiet^{5}tsɿ^{0} 量 ①加在形容词前做状语，表示程度很小：～高 tiet^{5}tsɿ^{0}kau^{35}。②加在形容词后做补语，表示“……一些”的意思：箇丘（田）高～，以丘矮～。kai$^{53}_{44}$c^{h}iəu$^{35}_{44}$kau^{35}tiet^{5}tsɿ^{0},i^{21}c^{h}iəu$^{35}_{44}$ai^{21}tiet^{5}tsɿ^{0}.③放在动词后做补语，表示动作行为所涉及的动量、物量、时量等较少：夹稳箇只（锯）齿，欸，往以边扳～，往以边扳～。kait^{3}uən^{21}kai^{53}tʂak^{3}tʂ^{h}ʅ^{21},e$_{21}$,uɔŋ^{21}i^{21}pien$^{35}_{44}$pan^{35}tiet^{5}tsɿ^{0},uɔŋ^{21}i^{21}pien$^{35}_{44}$pan^{35}tiet^{5}tsɿ^{0}.｜放～各种颜色 fɔŋ^{53}tiet$^{5}_{3}$tsɿ^{0}kɔk^{3}tʂəŋ^{21}ŋan^{13}sek^{3}｜我就提前～走。ŋai$^{13}_{21}$ts^{h}iəu^{53}t^{h}i^{13}ts^{h}ien$^{13}_{44}$tiet^{5}tsɿ^{0}tsei^{21}.④加在名词前，表示数量少：都唔系么啊屙～尿嘞，硬系胀啊。təu$^{35}_{44}$m̩$^{13}_{21}$p^{h}e$^{53}_{44}$mak^{3}a^{0}o^{35}tiet^{5}tsɿ^{0}ɲiau^{53}lei^{0},ɲiaŋ^{53}xei$^{53}_{44}$tʂɔŋ^{53}ŋa^{0}.

【的确】tiet^{3}k^{h}ɔk^{3} 形 准确：欸石膏浆子肚里个石膏就爱算～啦，箇个石膏唔算～是就会唔系就忒老哩唔系忒嫩哩。e$_{21}$ʂak^{5}kau$^{35}_{44}$tsiɔŋ^{35}tsɿ^{0}təu^{21}li^{0}ke^{0}ʂak^{5}kau^{35}ts^{h}iəu^{53}ɔi^{53}sɔn^{53}tiet^{3}k^{h}ɔk^{3}lɔi$^{13}_{21}$la^{0},kai$^{53}_{44}$ke$^{53}_{44}$ʂak^{5}kau$^{35}_{44}$n̩^{13}sɔn^{53}tiet^{3}k^{h}ɔk^{3}ʂʅ$^{53}_{21}$ts^{h}iəu^{53}uɔi^{53}m̩^{13}p^{h}ei^{53}ts^{h}iəu^{53}t^{h}et^{3}lau^{21}li^{0}m̩^{13}p^{h}ei^{53}t^{h}et^{3}lən^{53}li^{0}.

【的确卡】tiet^{3}k^{h}ɔk^{3}k^{h}a^{21} 名 用涤纶纱线织造的卡其布：的确凉就更薄，做褂子用个。～就更厚，箇就做罩衫个。tiet^{3}k^{h}ɔk^{3}liɔŋ^{13}ts^{h}iəu$^{53}_{44}$ken$^{53}_{44}$p^{h}ɔk^{5},tso$^{53}_{44}$kua^{53}tsɿ^{0}iəŋ$^{53}_{44}$ke^{0}.tiet^{3}k^{h}ɔk^{3}k^{h}a^{21}ts^{h}iəu$^{53}_{44}$cien$^{53}_{44}$xei^{35},kai$^{53}_{44}$ts^{h}iəu$^{53}_{44}$tso$^{53}_{44}$tsau^{53}san$^{35}_{44}$cie^{0}.

【的确良】tiet^{3}k^{h}ɔk^{3}liɔŋ^{13} 名 涤纶与棉混纺成的一种合成纤维布：七十年代是箇阵子有件～真了不起啊硬啊。～就更薄，做褂子用个。的确卡就更厚，箇就做罩衫个。其实都系一种涤纶呢，系唔系？就系涤纶布哇。其实实在是硬冇滴味道哪映个，着倒身上是也歇死人呢。渠就系抻车，真好看。我箇阵子就话昨晡讲个话讲夜话个箇只老子个赖子啊，擩我等就差唔多年纪子，上下年纪子。我去沙田教书个时候子，渠爷子也长日来嫐是渠也长日来嫐。箇阵子屋下苦，但是渠嘞还赠结婚，我等是结哩婚了嘞。渠是还赠结婚。渠就买件子～个褂子啦，每天都系日里着出来，着得熨熨帖帖子嘞，以个栏场都舞得泼令子，着出来。欸，着出来以后嘞，夜晡就洗倒，渠只有一件，第二件就冇得。嘿嘿，只有一件～。箇是泼令子噢硬，么个都唔搞呶。渠爷子就也系长日喜欢讲话。话屋下唔知几苦嘞。渠娭子又话渠唔信呢，渠唔得做事又。懒呢，箇细子真懒。ts^{h}iet^{3}ʂət^{5}ɲien$^{13}_{21}$t^{h}ɔi$^{53}_{44}$ʂʅ$^{53}_{44}$kai^{53}tʂ^{h}ən^{53}tsɿ^{0}iəu^{35}c^{h}ien^{53}tet^{3}k^{h}ɔk^{3}liɔŋ^{13}tʂən^{35}liau^{21}pət^{3}çi^{21}a^{0}ɲiaŋ$^{53}_{44}$a^{0}.tiet^{3}k^{h}ɔk^{3}liɔŋ^{13}ts^{h}iəu$^{53}_{44}$ken$^{53}_{44}$p^{h}ɔk^{5},tso$^{53}_{44}$kua^{53}tsɿ^{0}iəŋ$^{53}_{44}$ke^{0}.tiet^{3}k^{h}ɔk^{3}k^{h}a^{21}ts^{h}iəu$^{53}_{44}$cien$^{53}_{44}$

xei^{35},kai$^{53}_{44}$tsʰiəu$^{53}_{44}$tso$^{53}_{44}$tsau^{53}san$^{35}_{44}$cie^{0}.cʰi$^{13}_{21}$ʂət^{5} təu^{35}xe^{53}iet^{3} tʂəŋ^{21}tiet^{3} lən^{13}ne^{0},xei^{53}me^{53}?tsʰiəu^{53}xe^{53}tiet^{3} lən^{13} pu^{53}ua^{0}.cʰi$^{13}_{21}$ʂət^{5} ʂət^{5} tsʰɔi^{53} ʂʅ$^{53}_{44}$ɲian^{53}mau^{13}tiet^{5} uei$^{53}_{44}$tʰau$^{53}_{44}$lai^{53}iaŋ^{53}cie^{53},tʂɔk^{3} tau^{21}ʂən^{35}xɔŋ$^{53}_{44}$ʂʅ$^{53}_{44}$ia$^{35}_{53}$çiet^{3} si^{21}ɲin^{13} ne^{0}.ci^{13}tsʰiəu^{53}xe$^{53}_{44}$tʂʰən^{35}tʂʰa$^{35}_{44}$,tʂen^{35}xau^{21}kʰɔn^{53}.ŋai^{13}kai^{53}tʂʰən^{35}tsʅ^{0} tsʰiəu^{53}ua^{53}tsʰo$^{35}_{44}$pu$^{35}_{53}$kɔŋ^{21}ke^{0} ua$^{53}_{44}$kɔŋ^{21} ia^{53}kua$^{53}_{44}$ke^{0} kai$^{53}_{44}$tʂak^{3} lau^{21}tsʅ^{0} ke^{0} lai^{53}tsʅ^{0} a^{0},lau^{35}ŋai$^{13}_{21}$tien^{0} tsiəu$^{53}_{44}$tsa$^{35}_{44}$n̩$^{13}_{21}$to^{35}ɲien$^{13}_{21}$ci$^{21}_{44}$tsʅ^{0},ʂɔŋ^{53}xa^{53}ɲien$^{13}_{21}$ci$^{21}_{44}$ tsʅ^{0}.ŋai^{13}çi^{53}sa$^{35}_{44}$tʰien^{13}kau$^{35}_{44}$ʂəu$^{35}_{44}$ke^{0} ʂʅ^{13}xəu$^{53}_{44}$tsʅ^{0},ci$^{13}_{21}$ia^{13}tsʅ^{0} a$^{35}_{53}$tʂʰɔŋ$^{13}_{44}$ɲiet^{3} lɔi$^{13}_{21}$liau^{53} ʂʅ$^{53}_{44}$ci$^{13}_{21}$ia$^{35}_{53}$tʂʰɔŋ$^{13}_{44}$ɲiet^{3} lɔi$^{13}_{21}$ liau^{53}.kai$^{53}_{44}$tʂʰən^{35}tsʅ^{0} uk^{3} xa^{53}kʰu^{21},tan^{53}ʂʅ^{53}ci^{13}lei^{0} xai$^{13}_{21}$maŋ$^{13}_{21}$ciet^{3} fən^{35},ŋai^{13}tien^{0} ʂʅ^{53}ciet^{3} li^{0} fən^{35}liau^{0} le^{0}.ci$^{13}_{21}$ ʂʅ^{53}xai$^{13}_{53}$maŋ$^{13}_{21}$ciet^{3} fən^{35}.ci^{13}tsʰiəu^{53}mai^{35}cʰien^{53}tsʅ^{0} tet^{3} kʰɔk^{3} liɔŋ^{13}ke^{0} kua^{53}tsʅ^{0} la^{0},mei^{35}tʰien$^{35}_{44}$təu$^{35}_{44}$xei$^{53}_{44}$ɲiet^{3} li^{35}tʂɔk^{3} tʂʰət^{3} lɔi$^{13}_{44}$,tʂɔk^{3} tek^{3} iet^{3} iet^{3} tʰiait^{3} tʰiait^{3} tsʅ^{0} le^{0},i^{21}ke^{53}laŋ$^{13}_{21}$tʂʰɔŋ$^{13}_{21}$təu$^{35}_{53}$u^{21}tek^{3} pʰait^{5} laŋ^{53}tsʅ^{0},tʂɔk^{3} tʂʰət^{3} lɔi$^{13}_{44}$.e$_{21}$,tʂɔk^{3} tʂʰət^{3} lɔi$^{13}_{21}$i$^{35}_{44}$xei$^{53}_{44}$lei^{0},ia^{53}pu$^{35}_{53}$tsʰiəu$^{53}_{44}$sei^{21}tau^{21},ci$^{13}_{21}$tʂʅ^{21}iəu$^{35}_{44}$iet^{3} cʰien^{53},tʰi$^{53}_{44}$ɲi^{53}cʰien$^{53}_{44}$tsʰiəu$^{53}_{44}$ mau$^{13}_{21}$tek^{3}.xe$_{21}$xe$_{53}$,tʂʅ$^{21}_{44}$iəu$^{35}_{44}$iet^{3} cʰien^{53}tiet^{3} kʰɔk^{3} liɔŋ^{13}.kai^{53}ʂʅ$^{53}_{44}$pʰait^{5} laŋ^{53}tsʅ^{0} au^{0}ɲiaŋ$^{53}_{44}$,mak^{3} e^{0} təu^{53}n̩$^{13}_{44}$kau^{21} uau^{0}.ci$^{13}_{21}$ia^{13}tsʅ^{0} tsʰiəu^{53}ia^{35}xei^{53}tʂʰɔŋ^{13}ɲiet^{3} çi^{21}fən$^{35}_{53}$kɔŋ^{21}fa$^{35}_{44}$.ua^{53}uk^{3} xa^{53}n̩^{13}ti$^{35}_{53}$ci^{21}kʰu^{21}le^{0}.ci$^{13}_{21}$ɔi^{35}tsʅ^{0} iəu^{53}ua^{53} ci$^{13}_{21}$n̩^{13}sin^{53}ne^{0},ci$^{13}_{21}$n̩$^{13}_{21}$tek^{3} tso$^{53}_{44}$sʅ^{53}iəu^{53}.lan^{35}ne^{0},kai$^{53}_{44}$sei^{53}tsʅ^{0} tʂən^{35}nan^{35}.

【笛】tʰak^{5} [名]指唢呐：人老学吹～啊。吹～是蛮爱气劲呐，要有肺活量啊。人老学吹～，吹起眼白白。ɲin^{13}nau^{21}xɔk^{5} tʂʰei$^{35}_{44}$tʰak^{5} a^{0}.tʂʰei^{35}tʰak^{5} ʂʅ$^{53}_{44}$man$^{13}_{21}$ɔi$^{53}_{44}$çi^{53}cin^{53}na^{0},iau$^{53}_{44}$iəu^{35}fei^{53}xɔit^{5} liɔŋ^{53}ŋa^{0}.ɲin^{13}nau^{21}xɔk^{5} tʂʰei$^{35}_{44}$tʰak^{5},tʂʰei^{35}çi^{21}ŋan^{21}pʰak^{5} pʰak^{5}.

【笛子】tʰiet^{5}tsʅ^{0} [名]乐器名。以竹做成，上有孔洞，横吹按孔以发声：用唢呐，用二胡，用～，锣鼓，咁子搞，吹吹打打。iɔŋ^{53}so^{21}la^{0},iɔŋ$^{53}_{44}$ɲi^{53}fu^{13},iɔŋ$^{53}_{44}$tʰiet^{5} tsʅ^{0},lo^{13}ku^{21},kan^{21}tsʅ^{0} kau^{21},tʂʰei^{35}tʂʰei$^{35}_{44}$ ta^{21}ta^{21}.

【嫡亲】tiet^{3} tsʰin^{35} [形]至亲；同一血统最亲近的：我是～个姨子嘞就只有箇一只，比我老婆细蛮多。ŋai^{13}ʂʅ$^{53}_{44}$tiet^{3} tsʰin^{35}kei^{53}i^{13}tsʅ^{0} lei^{0} tsʰiəu^{53}tʂʅ^{21}iəu$^{35}_{44}$kai^{53}iet^{3} tʂak^{3},pi^{21}ŋai^{13}lau^{21}pʰo^{13}se^{53}man$^{13}_{21}$to^{35}.

【抵】ti^{21} [动]①凸起的硬东西跟身体接触，使身体感到难受或受到损伤：渠咁会～脚哦。ci$^{13}_{21}$ kan$^{21}_{44}$uɔi$^{53}_{44}$ti^{21}ciɔk^{3} o^{0}. ②价值相当于，值：花生油又只～得咁多钱。fa$^{35}_{44}$sen$^{35}_{44}$iəu^{13}iəu^{53}tʂʅ^{21}ti^{21}tek^{3} kan^{21}to$^{35}_{44}$tsʰien^{13}.

【抵得】ti^{21}tek^{3} [形]值得；合算：欸，置哩东西，系，欠兜子账都～。e$_{21}$,tʂʅ^{53}li^{0} tɔŋ^{35}si^{0},xei^{53}, cʰian^{53}tei$^{35}_{53}$tsʅ^{0} tʂɔŋ^{53}təu$^{35}_{53}$ti^{21}tek^{3}.

【抵钱】ti^{21}tsʰien^{13} [形]值钱，价钱或价值高：早几年呐废品真～，以下越搞来搞去废品硬唔值滴么个钱了。tsau^{21}ci^{21}ɲien^{13}na^{0} fei^{53}pʰin^{21}tʂən^{35}ti^{21}tsʰien^{13},i^{21}xa^{53}viet$^{5}_{3}$kau^{21}lɔi^{13}kau^{21}çi^{53}fei^{53}pʰin^{21}ɲiaŋ^{53}n̩^{13} tʂʰət^{5} tiet^{5} mak^{3} e^{0} tsʰien$^{13}_{21}$niau^{0}.

【底】te^{21} [名]①底部，最下面：塘～都见哩天嘿。tʰɔŋ^{13}te^{21}təu$^{35}_{44}$cien^{53}li^{0} tʰien^{35}xek^{3}. ②特指鞋底：箇个布鞋呀，底下就系～吵。kai$^{13}_{21}$ke$^{53}_{44}$pu^{53}xai$^{13}_{21}$ia^{0},te^{21}xa$^{53}_{44}$tsʰiəu^{53}xe^{53}te^{21}ʂa^{0}.

【底肥】te^{21}fei^{13} [名]基肥；播种或移栽之前施于土壤的肥料：欸，禾栽下去几天子肚里嘞唔限定打肥料，但是你只爱作倒有水嘞，渠稳哩菀了就会翻青。系啊？唔限定打肥料箇只时候子。因为你……你爱打肥料嘞，必须在哪映啊？必须在整田个时候子就打下去，打～，做～打。莫面肥呃面肥就面肥就爱少打滴，面上个肥就。e$_{44}$,uo^{13}tsɔi^{35}xa$^{53}_{44}$çi^{53}ci^{21}tʰien^{35}tsʅ^{0} təu^{21}li^{0} lei^{0} n̩^{13}kʰan$^{53}_{44}$ tʰiaŋ$^{53}_{44}$ta^{21}fei^{13}liau^{53},tan^{53}ʂʅ^{53}ɲi^{13}tʂʅ^{21}ɔi^{53}tsɔk^{3} tau^{21}iəu^{35}ʂei^{21}lei^{0},ci$^{13}_{21}$uən^{21}ni^{0} tei^{35}liau^{0} tsʰiəu^{53}uɔi^{53}fan^{35}tsʰiaŋ^{35}. xei$^{53}_{44}$a^{0}?n̩^{13}kʰan^{53}tʰiaŋ^{53}ta^{21}fei^{13}liau^{53}kai^{53}tʂak^{3} ʂʅ^{13}xəu^{53}tsʅ^{0}.in^{35}uei^{53}ɲi^{13}⋯ɲi^{13}ɔi^{53}ta^{21}fei^{13}liau$^{53}_{44}$le^{0},piet^{3} si^{35} tsʰai$^{53}_{44}$la$^{53}_{44}$iaŋ$^{53}_{44}$ŋa^{0}?piet^{3} si^{35}tsʰai$^{53}_{44}$tʂaŋ^{21}tʰien^{13}ke^{53}ʂʅ^{13}xəu$^{53}_{44}$tsʅ^{0} tsʰiəu$^{53}_{44}$ta^{21}xa$^{53}_{44}$çi$^{53}_{44}$,ta^{21}te^{21}fei$^{13}_{44}$,tso^{53}te^{21}fei$^{13}_{44}$ta^{21}. mɔk^{5} mien^{53}fei^{13}ə$_{21}$mien^{53}fei^{13}tsʰiəu$^{53}_{44}$mien^{53}pʰi^{13}tsʰiəu$^{53}_{44}$ɔi$^{53}_{44}$ʂau^{21}ta^{21}tiet^{5},mien^{53}xɔŋ^{53}ke^{0} fei^{13}tsʰiəu$^{53}_{21}$.

【底下】tei^{21}xa$^{53}_{44}$ [名]方位词。①下面，又称“下背”：箇～有只笋。kai$^{53}_{44}$tei^{21}xa$^{53}_{44}$iəu^{35}tʂak^{3} sən^{21}. ｜渠个意思是说～烧火，脑高就熏么个个。ci^{13}ke$^{53}_{44}$i^{53}sʅ^{0} ʂʅ$^{53}_{44}$ʂek^{3} tei^{21}xa$^{53}_{44}$ʂau^{35}fo^{21},lau^{21}kau^{35}tsiəu$^{53}_{44}$ çin^{35}mak^{3}kei$^{53}_{44}$ke$^{53}_{44}$. ②指之后的时间：～易得了。tei^{21}xa^{35}i^{35}tek^{3} liau^{0}.

【底子】te^{21}tsʅ^{0} [名]特指鞋底：（屐鞋）～用皮子做个。te^{21}tsʅ^{0} iɔŋ^{53}pʰi^{13}tsʅ^{0} tso$^{53}_{44}$ke$^{53}_{44}$.

【地】tʰi^{53} [名]①地面，多指房屋、场院的地面：扫～ sau$^{21}_{44}$tʰi^{53}. ②坟墓：整个箇坟～个范围，箇座坟个范围就安做罗围。tʂən^{21}ko^{53}kai^{53}pʰən^{13}tʰi^{53}ke$^{53}_{44}$fan^{53}uei^{13},kai$^{53}_{44}$tsʰo$^{53}_{44}$fən^{13}cie$^{53}_{44}$fan^{53}uei^{13}tsiəu$^{53}_{44}$ ɔn$^{35}_{44}$tso$^{53}_{44}$lo^{13}uei^{13}.

【地板】tʰi^{53}pan^{21} [名]泛指地面：在箇个～以下个，底下个，安做草脚。tsʰai^{53}kai^{53}ke$^{53}_{21}$tʰi^{53}pan^{21}i^{35} çia^{53}ke$^{53}_{44}$,te^{21}xa^{53}ke^{53},ɔn$^{35}_{44}$tso$^{53}_{44}$tsʰau^{21}ciɔk^{3}.

【地蚕】tʰi^{53}tsʰan^{13} [名]地老虎；夜蛾的幼虫，形如蚕，吃作物的根和苗：～懑大一条，挖土个时候子就挖得可以挖出来。渠会食庄稼。我等栽辣椒哇，就经常会爱淋滴子茶枯去呢，茶枯水呢，渠就痨～。箇～渠就会啱，会分箇个辣椒梗子会啱穿来。但是栽番薯就唔怕渠啱，番薯就有咁通达，渠也唔啱，就系啱辣椒，啱辣椒啱茄子，还有嘞正栽个正发芽长出来个箇起馥嫩子个植物苗子，渠会啱。欸，～就讨嫌。tʰi53 tsʰan13 mən35 tʰai21 iet3 tʰiau13-21, uait3 tʰəu21 ke0 ʂʅ13 xəu53-44 tsʅ0 tsʰiəu53 uait3 tek3 kʰo21 i35-53 uait3 tʂʰət3 lɔi13-21. ci13-21 uɔi13-44 ʂət5 tsɔŋ35 cia53-21. ŋai13 tien0 tsɔi35 lait5 tsiau35-44 ua0, tsʰiəu53-44 cin35 tʂʰəŋ13-21 ɔi53-44 lin13 tiet5 tsʅ0 tsʰa13 kʰu35 çi53 nei0, tsʰa13-21 kʰu35-44 ʂei21 nei0, ci13-21 tsʰiəu53-44 lau53 tʰi53 tsʰan13. kai53-44 tʰi53 tsʰan13-44 ci13-21 tsʰiəu53 uɔi53 ŋait3, uɔi53 pən35 kai53-44 ke53-44 lait5 tsiau35-44 kuaŋ21 tsʅ0 uɔi53 ŋait3 tʂʰuən35 nɔi13-44. tan53 ʂʅ53 tsɔi35-44 fan35 ʂəu13-21 tsʰiəu53-44 m̩13-21 pʰa53 ci13-21 ŋait3, fan35 ʂəu13-21 tsʰiəu53-44 iəu35-44 kan21 tʰəŋ35-44 tʰait5, ci13-21 ia35 n̩13 ŋait3, tsʰiəu53 xei53-44 ŋait3 lait5 tsiau35-44, ŋait3 lait5 tsiau35-44 ŋait3 cʰio13 tsʅ0, xai13 iəu35-44 lei0 tʂaŋ53 tsɔi35 ke53-21 tʂaŋ53 fait3 ŋa13 tʂɔŋ21 tʂʰət3 lɔi13 ke0 kai53-44 çi21-44 fət5 lən53-44 tsʅ0 kei53 tʂʰət5 uk3 miau13 tsʅ0, ci13 uɔi53 ŋait3. e21, tʰi53 tsʰan13-44 tsiəu53-44 tʰau21 çian13.

【地道】tʰi53 tʰau53 形 真正的；纯粹的：到哩广东我就算唔得～个了啦。tau53 li0 kɔŋ21 təŋ35 ŋai13 tsʰiəu53-44 sɔn53 n̩13-21 tek3 tʰi53 tʰau53-44 ke53-44 liau0 la0.

【地地道道】tʰi53 tʰi53-44 tʰau53 tʰau53 非常纯粹：其实我等人讲个客家话因为变哩种，还不是～个客家话。硬爱广东箇起客家话箇就硬还更地道。欸，箇晡我讲哩箇个茶欸欸炎陵县呐，炎陵县个客家更地道嘞。cʰi13 ʂət5 ŋai13 tien0 ɲin13-21 kɔŋ21 ke0 kʰak3 ka35 fa53 in35 uei53-21 pien53 li0 tʂəŋ21, xai13 pət3 ʂʅ53-44 tʰi53 tʰi53-44 tʰau53-44 tʰau53-44 ke0 kʰak3 ka35 fa53. ɲiaŋ53 ɔi21 kɔŋ21 təŋ35 kai53 çi21 kʰak3 ka35 fa53 kai53-44 tsʰiəu53-44 ɲiaŋ53 xai53-21 ken53-44 tʰi53 tʰau53-21. e21, kai53 pu35 ŋai13-21 kɔŋ21 li0 kai53-44 kei53-44 tsʰa13-21 e0 e44 ien13 lin13-44 çien53 na0, ien13-21 lin13-44 çien53 ke0 kʰak3 ka35 ken53 tʰi53 tʰau53 le0.

【地顶】tʰi53 taŋ21 名 坟堆的顶部：地堆个正中就系～。tʰi53 tɔi35 ke0 tʂən53 tʂəŋ35-44 tsʰiəu53-44 xei53-44 tʰi53 taŋ21.

【地顶石】tʰi53 taŋ21 ʂak5 名 置于坟堆顶部的石头：地顶上一般呢就有兜人放只大石头去呢。箇就～。也冇么个用嘛。我觉得就系放倒箇映子看下子个唠，冇么个用嘞。tʰi53 taŋ21 xɔŋ53-44 iet3 pən35 ne0 tsʰiəu53-44 iəu35 təu35-44 ɲin13-44 fɔŋ53 tʂak3 tʰai53 ʂak5 tʰei13 çi53 nei0. kai53-44 tsiəu53-44 tʰi53 taŋ21 ʂak5. ia35 mau13 mak3 e0 iəŋ53 ma0. ŋai13-21 kɔk3 tek3 tsiəu53 xe53 fɔŋ53 tau21 kai53 iaŋ53 tsʅ0 kʰən53 xa53-21 tsʅ0 ke0 lau0, mau13-21 mak3 e0 iəŋ53 lei0.

【地堆】tʰi53 tɔi35 名 坟堆；坟上圆锥形土堆：碑石后背就系～。～个边上就安做罗围。pi35 ʂak5 xei53 pɔi53-44 tsʰiəu53-44 xe53-44 tʰi53 tɔi35. tʰi53 tɔi35 ke0 pien35 xɔŋ53-44 tsʰiəu53-44 ɔn35-53 tso53 lo13 uei13-44.

【地方】tʰi53 fɔŋ35 名 ①处所；所在：百日红以只～有哇。pak3 ɲiet3 fəŋ13 i21 tʂak3-5 tʰi53-44 xɔŋ35-44 iəu35 ua0. | 冬下以个～还算比较气温比较高。təŋ35-44 xa53-44 i21 ke53-44 tʰi53 xɔŋ35-44 xai13-21 sɔn53 pi21 ciau53-44 çi53 uən35-44 pi21 ciau53 kau35-44. ②当地：广柑来渠系广东来个人家～个出产。kɔŋ21 kan35 lɔi13-21 ci13-21 xe53-44 kɔŋ21 təŋ35 lɔi13 ke53-44 in13-21 ka35-44 tʰi53 fɔŋ35-44 ke53-44 tʂʰət3 tsʰan21. ③本地：嗯，～冇得（香蕉）。n̩21, tʰi53 fɔŋ35-44 mau13-21 tek3.

【地方子】tʰi53 fɔŋ35 tsʅ0 名 处所；所在：围倒箇厅下那只～啊，去走呀。uei13 tau21 kai53-44 tʰaŋ35 xa53-44 lai53 tʂak3 tʰi53 fɔŋ35 tsa0, çi53-44 tsei21 ia0. | 你自家看，你自家话，你觉得哪只～要得，你就双方咯，双方……指洽谈协商购买事宜 ɲi13 tsʰʅ35 ka35-44 kʰɔn53, ɲi13-21 tsʰʅ35 ka35-44 ua53, ɲi13 kɔk3 tek3 lai53 tʂak3 tʰi53-44 fɔŋ35-44 tsʅ0 iau53 tek3, ɲi13-21 tsʰiəu53-44 sɔŋ35 fɔŋ35-44 ko0, sɔŋ35 fɔŋ35-44…

【地坟塘】tʰi53 pʰən13/fən13 tʰɔŋ13 名 坟堆前面的半月形坪子，犹如屋前供洗涤排水的池塘，便于祭祀：箇个花圈就不要哩吵，不要带归来吵，放下～里吵。kai53-44 ke53-44 fa35 cʰien35-44 tsʰiəu53-44 pət3 iau53-44 li0 ʂa0, pət3 iau53-44 tai53-44 kuei35 lɔi13-21 ʂa0, fɔŋ53-44 xa53-44 tʰi53 fən13-21 tʰɔŋ13-21 li0 ʂa0. | 一坟地最面前就系么个嘞？就系～。～进滴子就系么个嘞？就碑石。iet3 pʰən13 tʰi53-44 tsei53 mien53 tsʰien13-21 tsʰiəu53-44 xei53-44 mak3 e0 lei0? tsʰiəu53-44 xei53-44 tʰi53 pʰən13 tʰɔŋ13. tʰi53 pʰən13-44 tʰɔŋ13 tsin53 tiet5 tsʅ0 tsʰiəu53-44 xei53-44 mak3 ke0 lei0? tsʰiəu53-44 pi35 ʂak5.

【地脚梁】tʰi53 ciɔk3 liɔŋ13 名 指墙下条形基础，多采用现浇钢筋混凝土，位于正负零以上：就如今个～啊。要倒～个栏场安做明脚。也就系如今讲个正负零以上啊。tsʰiəu53 i13-21 cin35-44 kei53 tʰi53 ciɔk3 liɔŋ13 ŋa0. iau53-44 tau53 tʰi53 ciɔk3 liɔŋ13 ke53 lan13-21 tʂʰɔŋ13-44 ɔn35-44 tso53-21 min13 ciɔk3. ia35 tsʰiəu53 xei53-44 i13-21 cin35-44 kɔŋ21 ke53-44 tʂən53 fu53 lin13 i35 ʂɔŋ53 ŋa0.

【地老鼠子】tʰi53 lau21 tʂʰəu21 tsʅ0 名 一种点燃后能够就地旋转的烟花：有～，安做～。样子老鼠样跕下地泥下到处粈啊，□□响啊。iəu35-44 tʰi53 lau21 tʂʰəu21 tsʅ0, ɔn35-44 tso53-44 tʰi53 lau21 tʂʰəu21 tsʅ0. iɔŋ53-21 tsʅ0 lau21 tʂʰəu21 iɔŋ53-44 ku35-44 xa53-44 tʰi53 lai13-21 xa35-44 tau53 tʂʰəu21 kɔŋ53 ŋa0, tsiɔk5 tsiɔk5 çiɔŋ21 a0.

【地理】tʰi53 li35 名 替人相地、看风水的人：箇个～呀，箇个风水先生啊，渠去掌稳，渠会招呼。kai53-44 ke53-44 tʰi53 li35 ia0, kai53-44 ke53-44 fəŋ35 ʂei21 sien35-44 saŋ35-44 ŋa0, ci13 çie53-44 tʂɔŋ21 uən21, ci13 uɔi53-44 tʂau35-44 fu0.

【地面】tʰi53 mien53 名 建筑物内部和周围地表的铺筑层：（用乒槌）打～唠。ta21 tʰi53 mien53-44 nau0.

【地名】tʰi53 miaŋ13 名 地方的名称：南岭是还有箇～啊，南岭啊。小河就有只南岭。lan13 liaŋ35-44 ʂʅ53/44 xai13/21 iəu35/44 kai53/44 tʰi53 miaŋ13 ŋa0 ,lan13/21 liaŋ35/44 ŋa0 .siau21 xo13 tsʰiəu53/44 iəu35/44 tʂak3 lan13/21 liaŋ35/44.

【地泥】tʰi53 lai13 名 地上的泥灰：棕扫把嘞就系扫下子～个。tsəŋ35 sau53 pa21 lei0 tsʰiəu53/44 xei53/44 sau53 xa53/44 tsɿ0 tʰi53 lai13 ke53.

【地泥下】tʰi53 lai13/21 xa35 名 ①地面上：～有泥。tʰi53 lai13/21 xa35/44 iəu35 lai13. ②地面之下：（土埘）就～个鸡埘。tsʰiəu53/44 tʰi53 lai13/21 xa35 ke53 cie35 tsi53.｜丝芒嘞箇～长起来个时候子嘞……安做丝芒枯。sɿ35 mɔŋ13 lei0 kai53/44 tʰi53 lai13/21 xa35 tʂɔŋ21 çi21 lɔi13 ke53 ʂʅ13 xəu53 tsɿ0 lei0 …ɔn35/44 tso53/44 sɿ35/44 mɔŋ13/21 kʰu35.

【地下】tʰi53 xa35 名 地面上：跌倒～ tiet3 tau21 tʰi53 xa35

【地屑灰】tʰi53 sɔit3 fɔi35 名 垃圾，一般在茅厕的墙角积累起来用做肥料：～，欸，安做～呀。就系去箇只茅司下搞只角，箇渠唔喊么个噢，渠只系话箇墙角上噢，茅司下个墙角上噢。放下墙角，欸，放下箇茅司下箇只唠，箇只角里呀，哪只，哪只墙角里呀。就有只咁子么，冇得，冇得渠……隔开吧。tʰi53 sɔit3 fɔi35,e21,ɔn35/44 tso35/44 tʰi53 sɔit3 fɔi35 ia0 .tsʰiəu53/44 xe53/44 çi53/44 kai53/44 tʂak3 mau13/21 sɿ35/44 xa35 kau21 tʂak3 kɔk3 ,kai53 ci13/21 m13 xan53/44 mak3 ke53 au0 ,ci13/21 tʂek3 (x)e53/44 ua53/44 kai53/44 tsʰiɔŋ13 kɔk3 xɔŋ53 ŋau0 ,mau13/21 sɿ35/44 xa35/44 ke53/44 tsʰiɔŋ13 kɔk3 xɔŋ53 ŋau0 .fɔŋ53/35 ŋa44(←xa35)tsʰiɔŋ13 kɔk3 ,e21,fɔŋ53/35 ia44(←xa53)kai53/44 mau13/21 sɿ35/44 xa35/44 kai53/44 tʂak3 lau0 ,kai53/44 tʂak3 kɔk3 li0 ia0 ,lai53 tʂak3 ,lai53 tʂak3 tsʰiɔŋ13 kɔk3 lia0 .tsʰiəu53/44 iəu35/44 tʂak3 kan21 tsɿ0 mo0 ,mau13/21 tek3,mau13/21 tek3 ci13/44 …kak3 kʰɔi35/44 pa0.

【地屑盆】tʰi53 sɔit3 pʰən13 名 垃圾撮：其实箇只东西是反正以前是～是一……老式个～就树做个，一边一块子板子，一边一块子咁高子个板子，底下一块托板，系唔系？以后背一只以后背是做只把样个，欸，拿手个，提啊顶高，箇是就真正个～。撮斗样个，欸，有兜像撮斗样。系木做个。如今是搞来搞去～就各种各样个嘞。欸塑料个啦，一只箇锹锹样个啦，系啊？cʰi13 ʂət3 kai53 (tʂ)ak3 (t)əŋ35/44 si0 ʂʅ53/44 fan21 tʂən53 i35 tsʰien13 ʂʅ53/44 tʰi53 sɔit3 pʰən13 ʂʅ53/44 iet3 …lau21 ʂʅ53/21 ke0 tʰi53 sɔit3 pʰən13 tsiəu53/44 ʂəu53 tso53/44 ke0 .iet3 pien35 iet3 kʰuai53 tsɿ0 pan21 tsɿ0 ,iet3 pien35 iet3 kʰuai53 tsɿ0 kan21/13 kau35/44 tsɿ0 ke0 pan21 tsɿ0 ,te21 xa35 iet3 kʰuai53 tʰɔk3 pan21 ,xei53 me53 ?i21 xei53 pɔi53 iet3 tʂak3 i21 xei53 pɔi53 ʂʅ53/44 tso53/44 tʂak3 pa53 iɔŋ53/44 ke0 ,e21,la13/44 ʂəu21 ke0 ,tʰia35 a0 taŋ21 kau35/44,kai53/44 ʂʅ53/44 tsʰiəu53/44 tʂən35 tʂən35/44 ke0 tʰi53 sɔit3 pʰən13 .tsʰɔit3 tei21 iɔŋ53/44 ke0 ,e21,iəu35 təu35/44 tsʰiɔŋ53 tsʰɔit3 tei21 iɔŋ53 .xei53 muk3 tso53/44 ke0 .i13/21 cin35/44 ʂʅ53 kau21 lɔi13 kau21 çi53 tʰi53 sɔit3 pʰən13 tsʰiəu53/44 kɔk3 tʂəŋ21 kɔk3 iɔŋ53/44 ke0 le0 .e21 sɔk5 liau53 ke0 la0 ,iet3 tʂak3 kai53/44 tsʰiau35 tsʰiau35 iɔŋ53/44 ke0 la0 ,xei53 a0 ?

【地印子】tʰi53 in53 tsɿ0 名 坟地；坟墓所占地域：渠拣个日子，渠定个方向，你孝家分人去嘞，首先就分人去嘞。箇丧事正架势办，正架势，就早三四天，以映子一架势可以，箇个地理就会来，你请哩渠渠就会来，到你屋下来。你自家看，你自家话，你觉得哪只地方子要得，你就双方咯，双方……地理就话以映要得，或者以映要唔得，要唔得呢，以只栏场要唔得。你就可能还有哪映有吗，还有哪映子要得吗？有滴是冇得先，有滴是买倒别人家个地方，箇就也爱地理先看哩来。那映子，那地方要得吧？你就，打比样，打比，我等系下以个栏场，我屋下要爱……或者我爷娭过哩身，系唔系？我唔想葬归老家去，我就想跍到以近边买只地方葬倒，箇是别人家个地方，你先看正来，那个栏场要得吗？然后就问么人个，欸，你还出滴钱子，买只～。我等是我就唔……欸，一般就会归去老家去唠。ci13 kan21 ke53 ɲiet3 tsɿ0 ,ci13 tʰin53 ke53/44 fɔŋ35 çiɔŋ53, ɲi13 çiau53 cia35/44 pən35 ɲin13/21 çi53 le0 ,ʂəu21 sien35/44 tsʰiəu53/44 pən35 ɲin13/21 çi53 le0 .kai53/44 sɔŋ35 sɿ53 tʂaŋ53 cia53/44 ʂʅ53/44 pʰan53 ,tʂaŋ53/44 cia53/44 ʂʅ53 ,tsʰiəu53/44 tsau21 san35/44 si53 tʰien35 ,i21 iaŋ53/44 tsɿ0 iet3 cia53 ʂʅ53/44 kʰo21 i21/44,kai53/44 ke53/44 tʰi53 li35 tsʰiəu53 uɔi53 lɔi13, ɲi13 tsʰiaŋ21 li0 ci13 ci13 tsʰiəu53 uɔi53 lɔi13 ,tau53 ɲi13/21 uk3 xa35 lɔi13. ɲi13 tsʰɿ35 ka35/44 kʰɔn53, ɲi13/21 tsʰɿ35 ka35/44 ua53, ɲi13 kɔk3 tek3 lai53 tʂak3 tʰi53/44 fɔŋ35/44 tsɿ0 iau53 tek3 , ɲi13/21 tsʰiəu53/44 sɔŋ35 fɔŋ35/44 ko0 ,sɔŋ35 fɔŋ35/44 …tʰi53 li35 tsʰiəu53/44 ua53/44 i21 iaŋ35/44 iau53 tek3 ,xoit3 tʂa21 i21 iaŋ35/44 iau53 n13/21 tek3 ,iau53 n13/21 tek3 ne0 ,i21 tʂak3 laŋ13/21 tʂʰaŋ13/21 iau53 n13/21 tek3 . ɲi13/21 tsʰiəu53 kʰo21/44 lən13/44 xai13 iəu35/44 lai13 iaŋ53/44 iəu35/44 ma0 ,xai13/21 iəu35/44 lai13/44 iaŋ35/44 tsɿ0 iau53 tek3 ma0 ?iəu35 tet5 ʂʅ53/44 mau13 tek3 sien35 ,iəu35 tet5 ʂʅ53/44 mai35 tau21 pʰiet5 in13/44 ka35/44 ke53/44 tʰi53 fɔŋ0 ,kai53/44 tsʰiəu53/44 ia35 ɔi53/44 tʰi53 li35 sien35 kʰɔn53 ni0 lɔi13/21 .lai53 iaŋ53 tsɿ0 ,la21 tʰi53/44 fɔŋ35/44 iau53 tek3 pa0 ? ɲi13/21 tsiəu53/44,ta21 pi21 iɔŋ53 ,ta21 pi21 ,ŋai13 tien0 xei53/44 a0 i21 ke53/44 laŋ13/21 tʂʰɔŋ13/21 ,ŋai13 uk3 xa53/44 iau53 ɔi53/44 …xoit5 tʂa21 ŋai13 ia13 ɔi35/44 ko53 li0 ʂən35/44 ,xei53/44 me53/44 ?ŋai13 n13/21 siɔŋ21 tsɔŋ53 kuei35/44 lau21 cia35/44 çi53/44 ,ŋai13/21 tsʰiəu53/44 siɔŋ21 kʰu35 tau21 i21/21 cʰin35 pien35/44 mai35 tʂak3 tʰi53/44 fɔŋ35/44 tsɔŋ53 tau21 ,kai53/44 ʂʅ53/44 pʰiet5 n13/21 ka35/44 ke53/44 tʰi53/44 fɔŋ35/44, ɲi13 sien35/44 kʰɔn53 tʂaŋ53 lɔi13/21 ,lai53 e0 laŋ13/21 tʂʰɔŋ13/21 iau53 tek3 ma0 ?vien13/21 xei53/44 tsʰiəu53/44 uən53 mak3 ɲin13/21 ke53 ,ei21, ɲi13/21 xai13/44 tʂʰɔt3 tet5 tsʰien13 tsɿ0 ,mai35 tʂak3 tʰi53 in53 tsɿ0 .ŋai13 tien0 ʂʅ53/44 ŋai13 tsʰiəu53 m13/21 …e21 ,iet3 pɔn35 tsʰiəu53/44 uɔi53/44 kuei35 çi53 lau21 cia35/44 çi53 lau0 .

【地主】tʰi53 tʂʮ21/tʂəu21 名 旧时拥有或占有土地并以地租作为主要生活来源的人：以前我等箇只屋就有有只～。i35/44 tsʰien13/21 ŋai13 tien0 kai53 tʂak3 uk3 tsʰiəu53/44 iəu35/44 iəu35/53 tʂak3 tʰi53 tʂʮ21.

【弟子】tʰe^{35}tsɿ^{0} 名弟弟：箇只我～。kai^{53}tʂak^{3}ŋai$^{13}_{21}$tʰe$^{35}_{44}$tsɿ^{0}.

【第】tʰi^{53} 前缀，用于整数的数词或数量短语前表示次序：我读初中个时候子唔高，矮矮子，长日都站队都站～一排。ŋai^{13}tʰəuk^{5}tsʰəu^{35}tʂəŋ^{35}ke^{0}ʂʅ^{13}xəu$^{53}_{44}$tsɿ^{0}n̩^{13}kau^{35},ai$^{21}_{13}$ai^{21}tsɿ^{0},tʂʰəŋ^{13}ɲiet^{3}təu$^{35}_{53}$tsan^{53}ti^{53}təu$^{35}_{44}$tsan^{53}tʰi^{53}iet^{3}pʰai$^{13}_{21}$.｜我等箇阿舅子来讲是～一到坐飞机。ŋai^{13}tien^{0}kai$^{53}_{44}$a^{35}cʰiəu^{35}tsɿ^{0}lɔi$^{13}_{44}$kɔŋ^{21}ʂʅ$^{53}_{44}$tʰi^{53}iet^{3}tau^{53}tsʰo$^{35}_{44}$fei$^{35}_{44}$ci$^{35}_{44}$.

【第二晡】tʰi^{53}ɲi^{53}pu^{35} 第二天，次日：～去收，就有湖鳅，黄鳝。tʰi$^{53}_{44}$ɲi$^{53}_{44}$pu$^{35}_{44}$çi$^{53}_{44}$ʂəu^{35},tsʰiəu$^{53}_{44}$iəu$^{35}_{44}$fu^{13}tsʰiəu$^{53}_{44}$,uɔŋ^{13}ʂen$^{53}_{44}$.

【第二年】tʰi$^{53}_{44}$ɲi^{53}ɲien^{13} 次年：（草籽）种下田里就～就成哩肥料。tʂəŋ^{53}ŋa^{53}(←xa^{53})tʰien^{13}ni^{21}tsʰiəu$^{53}_{44}$tʰi$^{53}_{44}$ɲi^{53}ɲien^{13}tsʰiəu$^{53}_{44}$ʂaŋ$^{13}_{21}$li^{0}fei^{13}liau^{53}.

【第二日】tʰi^{53}ɲi^{53}ɲiet^{3} 次日：听晡又喊少哩肥，～就唔爱咁多肥了。tʰin^{53}pu$^{35}_{44}$iəu^{53}xan$^{53}_{21}$ʂau^{21}li^{0}pʰi^{13},tʰi^{53}ɲi^{53}ɲiet^{3}tsiəu$^{53}_{44}$m̩$^{13}_{21}$mɔi$^{53}_{35}$kan^{21}to^{35}pʰi^{13}liau^{0}.

【第一】tʰi^{53}iet^{3} 副最，无比：放电影个人是～箇个咯，我等～眼热渠呀。fɔŋ$^{53}_{44}$tʰien^{53}iaŋ^{21}ke^{53}ɲin$^{13}_{44}$ʂʅ$^{53}_{44}$tʰi^{53}iet^{3}kai$^{53}_{44}$ke$^{53}_{44}$ko^{0},ŋai$^{13}_{21}$tien^{0}tʰi^{53}iet^{3}ŋan^{21}ɲiet^{5}ci$^{13}_{21}$ia^{0}.｜～硬个是黄檀树。黄檀树～硬。tʰi^{53}iet^{3}ŋaŋ$^{53}_{44}$ke$^{53}_{44}$ʂʅ$^{53}_{44}$uɔŋ^{13}tʰan^{13}ʂəu^{53}.uɔŋ^{13}tʰan^{13}ʂəu^{53}tʰi^{53}iet^{3}ŋaŋ^{53}.｜箇指薯壳斑～毒。kai$^{53}_{44}$tʰi^{53}iet^{3}tʰəuk^{5}.

【蒂把】li^{53}pa^{53} 名花萼、花托、花梗的总称，也指瓜、果等跟茎、枝相连的部分：茄子～cʰio^{13}tsɿ^{0}li^{53}pa$^{53}_{44}$｜底下个萝卜，顶高个叶，中间相黏个箇只～样个就安做萝卜髻。te^{21}xa^{53}ke^{53}lo^{13}pʰek^{5},taŋ^{21}kau$^{35}_{44}$ke$^{53}_{44}$iait^{5},tʂəŋ^{35}kan$^{35}_{44}$siɔŋ^{35}ɲia^{13}ke$^{53}_{44}$kai$^{53}_{44}$tʂak^{3}li^{53}pa^{53}iɔŋ$^{53}_{44}$ke^{53}tsʰiəu^{53}ɔn$^{35}_{44}$tso$^{53}_{44}$lo$^{13}_{21}$pʰek$^{5}_{3}$ci^{53}.

【缔】tʰak^{3} 动捆扎，绑缚，拴：几皮烟咁子～下倒。ci^{21}pʰi^{13}ien$^{35}_{44}$kan^{21}tsɿ^{0}tʰak^{3}(x)a^{53}tau^{21}.｜分皮手巾嘞一～～下箇个顿铲把个顶高。pən^{35}pʰi$^{13}_{21}$ʂəu^{21}cin$^{35}_{44}$nei^{0}iet^{3}tʰak^{3}tʰak^{3}(x)a^{53}kai^{53}kei$^{53}_{44}$tən^{53}tsʰan^{21}pa^{53}ke$^{53}_{44}$taŋ^{21}kau$^{35}_{44}$.

【缔颈】tʰak^{3}ciaŋ^{21} 动自缢：一种就～死个人，安做吊颈鬼。iet^{3}tʂəŋ^{21}tsʰiəu^{53}tʰak^{3}ciaŋ^{21}si^{21}ke^{53}ɲin^{13},ɔn$^{35}_{44}$tso$^{53}_{44}$tiau^{53}ciaŋ^{21}kuei^{21}.

【颠倒颠】tien^{35}tau^{53}tien^{35} 指违背礼数。多用于客气话：我到你箇嬲，系唔系啊？我来到你箇来做客，欸，你还缯发烟分我嘞，我发筒烟分你。"哎呀！～，客光烟。"ŋai^{13}tau^{53}ɲi$^{13}_{21}$kai$^{53}_{44}$liau^{53},xei^{53}mei^{53}a^{0}?ŋai$^{13}_{21}$lɔi$^{13}_{44}$tau^{53}ɲi$^{13}_{21}$kai^{53}lɔi$^{13}_{21}$tso^{53}kʰak^{3},e$_{21}$,ɲi^{13}xai$^{13}_{21}$maŋ$^{13}_{21}$fait^{3}ien$^{35}_{44}$pən$^{35}_{44}$ŋai^{13}lei^{0},ŋai^{13}fait^{3}tʰəŋ^{13}ien^{35}pən$^{35}_{44}$ɲi$^{13}_{21}$."ai$_{21}$ia$_{21}$!tien^{35}tau$^{53}_{44}$tien^{35},kʰak^{3}kɔŋ$^{35}_{44}$ien$^{35}_{44}$."｜或者我更老更大，我七八十岁了，我提兜东西。"收拾哩！～，还破费你，欸，破费你拿东西。"xɔit^{5}tʂa^{21}ŋai^{13}cien^{53}nau^{21}cien^{53}tʰai^{53},ŋai^{13}tsʰiet^{3}pait^{3}ʂət^{5}sɔi^{53}liau^{0},ŋai^{13}tʰia$^{35}_{44}$te$^{35}_{53}$təŋ$^{35}_{44}$si^{0}."ʂəu$^{35}_{44}$ʂət^{5}li^{0}!tien$^{35}_{44}$tau^{53}tien^{35},xai^{13}pʰo^{53}fei^{53}ɲi^{13},e$_{21}$,pʰo^{53}fei^{53}ɲi^{13}la^{53}təŋ$^{35}_{44}$si^{0}."

【颠颠倒倒】tien^{35}tien^{35}tau^{53}tau^{53} ①指说话语无伦次，张冠李戴：老人家讲事或者有兜人讲事～。lau^{21}ɲin^{13}ka$^{35}_{44}$kɔŋ^{21}sɿ^{53}xɔit^{5}tʂa^{21}iəu^{35}tei$^{35}_{53}$ɲin$^{13}_{21}$kɔŋ^{21}sɿ^{53}tien^{35}tien$^{35}_{44}$tau^{53}tau^{53}. ②指不合礼节，用于客气话：第二只～嘞就系客气话呢，欸，客气话。打比样，欸，我摎你两个人，我系长辈，系唔系？你系晚辈，或者，欸，打比我姑姑来哩我箇，系唔系？我姑姑更细，我娭子比渠大多哩，我姑姑六十岁，我娭子八十岁，系唔系？理应当来讲嘞我姑姑就拿礼事分我娭子，大嫂哇，系唔系？拿分大嫂。但是嘞，翻转来，欸，我娭子又……渠拿一百块钱分我娭子用，系唔系？我娭子拿转两百块钱分渠，箇我姑姑就会话："以个搞起～。害死哩！还得你个，系唔系？～。"长日咁子讲噢，我姑姑是硬经常会讲我箇只姑姑就。tʰi$^{53}_{44}$ɲi^{53}tʂak^{3}tien^{35}tien^{35}tau$^{53}_{44}$tau$^{53}_{44}$lei^{0}tsʰiəu^{53}xei^{53}kʰek^{3}çi^{53}fa^{53}nei^{0},ei$_{21}$,kʰek^{3}çi^{53}fa^{53}.ta^{21}pi^{21}iɔŋ^{53},e$_{21}$,ŋai^{13}lau$^{35}_{44}$ɲi$^{13}_{21}$iɔŋ^{21}ke^{53}ɲin$^{13}_{44}$,ŋai^{13}xe^{53}tʂɔŋ^{21}pei^{53},xei$^{53}_{44}$me$^{53}_{44}$?ɲi^{13}xe^{53}uan^{21}pei^{53},xɔit^{5}tʂa$^{21}_{44}$,e$_{44}$,ta^{21}pi^{21}ŋai$^{13}_{21}$ku^{35}ku$^{35}_{44}$lɔi$^{13}_{21}$li^{0}ŋai^{13}kai^{53},xei$^{53}_{44}$me$^{53}_{44}$?ŋai^{13}ku^{35}ku$^{35}_{44}$cien$^{53}_{44}$se^{53},ŋai$^{13}_{21}$ɔi^{35}tsɿ^{0}pi^{21}ci$^{13}_{44}$tʰai^{53}to^{35}li^{0},ŋai$^{13}_{21}$ku^{35}ku$^{35}_{44}$liəuk^{3}ʂət^{5}sɔi^{53},ŋai$^{13}_{21}$ɔi^{35}tsɿ^{0}pait^{3}ʂət^{5}sɔi^{53},xei^{53}me^{53}?li^{35}in^{53}təŋ$^{35}_{44}$lɔi$^{13}_{21}$kɔŋ^{21}lei^{0}ŋai$^{13}_{21}$ku^{35}ku$^{35}_{44}$tsʰiəu^{53}la^{53}li^{53}sɿ^{53}pən^{35}ŋai$^{13}_{21}$ɔi^{35}tsɿ^{0},tʰai^{53}sau^{21}ua^{0},xei^{53}me^{53}?la$^{35}_{44}$pən$^{35}_{44}$tʰai^{53}sau^{21}.tan^{53}ʂʅ^{53}lei^{0},fan^{35}tʂuon^{21}nɔi^{13},e$_{21}$,ŋai$^{13}_{21}$ɔi^{35}tsɿ^{0}iəu^{53}…ci^{13}la^{53}iet^{3}pak^{3}kʰuai^{53}tsʰien$^{13}_{44}$pən$^{35}_{44}$ŋai$^{13}_{21}$ɔi^{35}tsɿ^{0}iɔŋ$^{53}_{44}$,xei$^{53}_{44}$me$^{53}_{44}$?ŋai$^{13}_{21}$ɔi^{35}tsɿ^{0}la^{53}tʂuon^{21}iɔŋ^{21}pak^{3}kʰuai$^{53}_{44}$tsʰien$^{13}_{44}$pən$^{35}_{44}$ci$^{13}_{44}$,kai^{53}ŋai$^{13}_{21}$ku^{35}ku$^{35}_{44}$tsʰiəu$^{53}_{44}$uɔi$^{53}_{44}$ua$^{53}_{44}$:"i^{21}ke^{53}kau^{21}çi$^{21}_{44}$tien^{35}tien$^{35}_{44}$tau$^{53}_{44}$tau$^{53}_{44}$.xɔi^{53}si^{21}li^{0}!xai$^{13}_{21}$tek^{3}ɲi^{13}ke$^{53}_{44}$,xei$^{53}_{44}$me$^{53}_{44}$?tien^{35}tien^{35}tau^{53}tau$^{53}_{44}$."tʂʰɔŋ^{13}ɲiet^{3}kan$^{21}_{44}$tsɿ^{0}kɔŋ^{21}ŋau^{0},ŋai$^{13}_{21}$ku^{35}ku$^{35}_{44}$ʂʅ$^{53}_{21}$ɲiaŋ^{53}cin$^{35}_{44}$tʂʰɔŋ$^{13}_{44}$uɔi^{53}kɔŋ^{21}ŋai^{13}kai^{53}tʂak^{3}ku^{35}ku$^{35}_{44}$tsʰiəu$^{53}_{44}$.

【癫】tien^{35} 形①疯：狗～哩 kei^{21}tien^{35}li^{0}。②莽撞，做事不计后果，又称"猛"：咁～kan^{21}tien^{35}

【癫狗】tien^{35}kei^{21} 名疯狗；狂犬：渠惹～啮哩一口。ci^{13}ɲia^{35}tien^{35}kei^{21}ŋait^{3}li^{0}iet^{3}xei^{21}.

【癫牯】tien^{35}ku^{21} 名疯子，多用作对男性的辱骂用语：骂男个就～哇。你箇～。ma^{53}lan^{13}ke$^{53}_{44}$

tsʰiəu$^{53}_{44}$tien^{35}ku^{21}ua^{0}. ɲi$^{13}_{44}$kai$^{53}_{44}$tien^{35}ku^{21}.

【癫嫲】tien^{35}ma^{13} [名]疯婆，多用做对疯疯癫癫、嘻嘻哈哈、不够庄重的未婚女子的责备用语：你箇～。ɲi$^{13}_{21}$kai^{53}tien^{35}ma^{13}.｜搞起～样。kau^{21}çi$^{21}_{44}$tien^{35}ma^{13}iɔŋ^{53}.｜有兜唔收捡呐，唔打扮呐，头发都弄弄送送啊，箇也安做～样。iəu^{35}təu$^{35}_{53}$n̩^{13}ʂəu^{35}cian^{21}na^{0},n̩^{13}ta^{21}pan^{53}na^{0},tʰei^{13}fait^{3}təu$^{35}_{44}$ləŋ^{53}ləŋ$^{53}_{44}$səŋ^{53}səŋ^{53}ŋa^{0},kai$^{53}_{44}$ia$^{35}_{53}$ɔn$^{35}_{53}$tso$^{53}_{21}$tien^{35}ma^{13}iɔŋ^{53}.

【癫之马性】tien^{35}tʂʅ^{35}ma^{35}sin^{53} 形容神志不清或醉醺醺的样子：我等横巷里有只阿叔啊，年纪又唔大嘞，七十零子嘞，搞起～了哦，么个都唔晓得了。屎尿都搞唔多清哩了。欸，～了。乱搞了。夜了嘞睡目了嘞欸到处走哟，唔晓……时间观念也冇得哩唠。箇就安做～了。ŋai^{13}tien^{0}uaŋ^{13}xɔŋ^{53}li^{0}iəu^{35}tʂak^{3}a^{35}səuk^{3}a^{0}, ɲien^{13}ci^{21}iəu$^{53}_{44}$n̩^{13}tʰai^{53}le^{0},tsʰiet^{3}ʂət^{5}laŋ^{13}tsɿ^{0}le^{0},kau^{21}çi$^{21}_{44}$tien^{35}tʂʅ$^{35}_{44}$ma$^{35}_{44}$sin^{53}niau^{0}o^{0},mak^{3}e^{0}təu$^{35}_{53}$n̩$^{13}_{21}$çiau^{21}tek^{3}liau^{0}.ʂʅ^{21}ɲiau^{53}təu$^{35}_{53}$kau^{21}n̩$^{13}_{44}$to$^{35}_{44}$tsʰin$^{35}_{44}$li^{0}liau^{0}.e$_{21}$,tien$^{35}_{44}$tʂʅ$^{35}_{44}$ma$^{35}_{44}$sin^{53}niau^{0}.lɔn^{53}kau^{21}lau^{0}.ia^{53}liau^{0}lei^{0}ʂɔi^{53}muk^{3}liau^{0}lei^{0}e$_{44}$tau^{53}tʂʰu$^{53}_{44}$tsei^{21}iau^{0},n̩^{13}çiau^{21}…ʂʅ^{13}kan$^{35}_{44}$kɔn$^{35}_{44}$ɲien$^{53}_{44}$na$^{35}_{44}$mau$^{13}_{21}$(t)ek^{3}li^{0}lau^{0}.kai$^{53}_{44}$tsʰiəu^{53}ɔn$^{35}_{44}$tso$^{53}_{44}$tien^{35}tʂʅ$^{35}_{44}$ma$^{35}_{44}$sin^{53}niau^{0}.｜食醉了酒是箇个酒癫子是几多子搞起～个，嘿嘿，我都搞过～，食醉哩酒哇，我也都搞过～个。同头到去上栗市样，爱硬干嘿食，食滴酒，两三杯酒一食，搞起～呐。唔系话本来还爱去哪映嬲个，我唔晓得哩。我唔晓得爱去嬲唔嬲个反正。～了。ʂət^{5}tsi^{53}li^{0}tsiəu^{21}ʂʅ$^{53}_{44}$kai$^{53}_{44}$ke$^{53}_{44}$tsiəu^{21}tien^{35}tsɿ^{0}ʂʅ$^{53}_{44}$ci^{21}to^{35}tsɿ^{0}kau^{21}çi$^{21}_{44}$tien^{35}tʂʅ$^{35}_{44}$ma^{35}sin^{53}ke$^{53}_{44}$,xe$_{44}$xe$_{44}$,ŋai^{13}təu$^{35}_{53}$kau^{21}ko$^{53}_{44}$tien$^{35}_{44}$tʂʅ$^{35}_{44}$ma$^{35}_{44}$sin^{53},ʂət^{5}tsi^{53}li^{0}tsiəu^{21}ua^{0},ŋai^{13}ia$^{35}_{53}$təu$^{35}_{53}$kau^{21}ko$^{53}_{44}$tien$^{35}_{44}$tʂʅ$^{35}_{44}$ma$^{35}_{44}$sin^{53}ke^{0}.tʰəŋ^{13}tʰei^{13}tau$^{53}_{44}$çi$^{53}_{44}$ʂɔŋ^{53}liet^{5}ʂʅ^{53}iɔŋ$^{53}_{44}$,ɔi$^{53}_{44}$ɲiaŋ^{53}kan$^{35}_{44}$xek^{3}ʂət^{5},ʂət^{5}tiet^{5}tsiəu^{21},iɔŋ^{21}san$^{35}_{44}$pei$^{35}_{44}$tsiəu^{21}iet^{3}ʂət^{5},kau^{21}çi$^{21}_{44}$tien$^{35}_{44}$tʂʅ$^{35}_{44}$ma$^{35}_{44}$sin^{53}na^{0}.m̩^{13}pʰei^{53}ua^{53}pən^{21}nɔi^{13}xai^{13}ɔi$^{53}_{44}$çi^{53}lai$^{53}_{44}$iaŋ$^{53}_{44}$liau^{53}ke$^{53}_{44}$,ŋai$^{13}_{21}$n̩^{13}çiau^{21}tek^{3}li^{0}.ŋai$^{13}_{21}$n̩^{13}çiau^{21}tek^{3}ɔi^{53}çi^{53}liau^{53}n̩^{13}liau^{53}ke^{0}fan^{21}tʂən$^{53}_{44}$.tien^{35}tʂʅ$^{35}_{44}$ma$^{35}_{44}$sin^{53}niau^{0}.

【癫子】tien^{35}tsɿ^{0} [名]①疯子：～就发癫呐，发癫个人就安做～。tien^{35}tsɿ^{0}tsʰiəu$^{53}_{44}$fait^{3}tien^{35}na^{0},fait^{3}tien^{35}ke^{0}ɲin$^{13}_{21}$tsʰiəu$^{53}_{44}$ɔn$^{35}_{44}$tso$^{53}_{44}$tien^{35}tsɿ^{0}. ②称做事不计后果的人：欸，也话别人家箇个做事唔计后果吗嘞，就话："你系～吧？你发癫吧？"欸，唔计后果啊，乱搞哇。ei$_{44}$,ia^{35}ua^{53}pʰiet^{5}in$^{13}_{21}$ka$^{35}_{44}$kai$^{53}_{21}$ke$^{53}_{21}$tso^{53}sɿ^{53}n̩^{13}ci^{53}xei^{53}ko^{21}ma^{0}le^{0},tsʰiəu$^{53}_{44}$ua$^{53}_{44}$:"ɲi^{13}xe$^{53}_{44}$tien^{35}tsɿ^{0}pa^{0}?ɲi$^{13}_{21}$fait^{3}tien^{35}pa^{0}?"e$_{21}$,n̩^{13}ci^{53}xei^{53}ko^{21}a^{0},lɔn^{53}kau^{21}ua^{0}.

【典当铺】tian^{21}tɔŋ^{53}pʰu^{53} [名]当铺：～是有喔如今喏。以张家坊冇得，浏阳是有喔，浏阳真多，欸，真多～哇。有兜～里个箇个汽车唠硬烂睡便宜呐。tian^{21}tɔŋ$^{53}_{44}$pʰu^{53}ʂʅ$^{53}_{44}$iəu^{35}uo^{0}i$^{13}_{21}$cin$^{35}_{44}$no^{0}.i^{21}tʂɔŋ$^{35}_{44}$ka$^{35}_{44}$fɔŋ^{35}mau$^{13}_{21}$tek^{3},liəu^{13}iɔŋ$^{13}_{21}$ʂʅ$^{53}_{44}$iəu^{35}uo^{0},liəu^{13}iɔŋ$^{13}_{21}$tʂən^{35}to^{35},e$_{21}$,tʂən^{35}to$^{35}_{44}$tian^{21}tɔŋ^{53}pʰu^{53}ua^{0}.iəu^{35}tei$^{35}_{53}$tian^{21}tɔŋ^{53}pʰu^{53}li^{0}ke^{0}kai$^{53}_{44}$kei$^{53}_{44}$çi^{53}tʂʰa$^{35}_{44}$lau^{0}ɲiaŋ^{53}lan^{53}ʂɔi$^{53}_{44}$pʰien$^{13}_{44}$ɲin$^{13}_{44}$na^{0}.

【点$_{1}$】tian^{21} [动]①引燃，点亮：～着来哩个香啊。tian^{21}tʂʰɔk^{5}lɔi$^{13}_{21}$li^{0}ke$^{53}_{44}$çiɔŋ^{35}ŋa^{0}.｜我等见过～孔明灯呶。ŋai$^{13}_{21}$tien^{0}cien^{53}ko$^{53}_{44}$tian^{21}kʰəŋ^{21}min^{13}ten$^{35}_{44}$nau^{0}. ②蘸：～一点墨水写一阵字个箇笔就点水笔。tian^{21}iet^{3}tian^{21}mek^{5}ʂei^{21}sia^{21}iet^{3}tʂʰən^{53}tsʰɿ^{53}ke^{0}kai$^{53}_{44}$piet^{3}tsʰiəu^{53}tian^{21}ʂei^{21}piet^{3}. ③清点；数数：箇年结一百只啊么个呢，我～哩呢。一百只。kai^{53}ɲien$^{13}_{44}$ciet^{3}iet^{3}pak^{3}tʂak^{3}a^{0}mak^{3}e^{0}nei^{0},ŋai^{13}tian^{21}ni^{0}nei^{0}.iet^{3}pak^{3}tʂak^{3}.

【点$_{2}$】tian^{21} [量]①用于少的或小的东西，表示少量：加～白糖去 cia^{35}tian^{21}pʰak^{5}tʰɔŋ^{13}çi$^{53}_{44}$。②时间单位，点钟，等于时钟每昼夜的二十四分之一：十一～过九分了啊。ʂət^{5}iet^{3}tian^{21}ko$^{53}_{44}$ciəu^{21}fən$^{35}_{44}$niau^{0}a^{0}.｜你五～多钟走，系唔系？ɲi^{13}ŋ̍^{21}tian^{21}to$^{35}_{21}$tʂəŋ^{35}tsei^{21},xei$^{53}_{44}$me$^{53}_{44}$?

【点茶】tian^{21}tsʰa^{13} [名]用来招待客人的自制副食品及炒花生、豆子、瓜子等的总称，又称"换茶子"：箇个玉兰片是～。kai^{53}ke$^{53}_{44}$i^{53}lan$^{13}_{21}$pʰien^{21}ʂʅ$^{53}_{21}$tian^{21}tsʰa^{13}.

【点茶礼】tian^{21}tsʰa^{13}li^{35} [名]丧葬祭祀过程中的一道程序。读完祭文后，孝娘进献茶水和点心：读完哩祭文呢，又还爱搞么啊呢？读完哩祭文呢，有新舅个，有孝娘个，孝娘爱送茶，送杯茶。一杯茶。要搞滴子点心。安做～。tʰəuk^{5}ien$^{13}_{21}$li^{0}tsi^{53}uən$^{13}_{21}$nei^{0},iəu$^{53}_{44}$xa$^{13}_{21}$ɔi$^{53}_{44}$kau^{21}mak^{3}a^{0}ne^{0}?tʰəuk^{5}ien$^{13}_{21}$li^{0}tsi^{53}uən$^{13}_{21}$nei^{0},iəu^{35}sin^{35}cʰiəu$^{35}_{44}$ke^{53},iəu^{35}çiau^{53}siet^{3}cie$^{53}_{44}$,çiau^{53}siet^{3}ɔi$^{53}_{44}$səŋ^{53}tsʰa^{13},səŋ^{53}pei$^{35}_{44}$tsʰa^{13}.iet^{3}pei$^{35}_{44}$tsʰa^{13}.iau$^{53}_{44}$kau^{21}tet^{5}tsɿ^{0}tian^{21}sin$^{35}_{44}$.ɔn$^{35}_{44}$tso$^{53}_{44}$tian^{21}tsʰa$^{13}_{21}$li^{35}.

【点地】tian^{21}tʰi^{53} [动]堪舆，看风水：箇到一只人爱我去做学风水先生，去学～呀，欸，做地理呀。箇我看下子箇个《易经》呐，冇得记性了，我唔得想去搞哩。kai^{53}tau^{53}iet^{3}tʂak^{3}ɲin^{13}ɔi^{53}ŋai$^{13}_{21}$çi^{53}tso^{53}xɔk^{5}fəŋ^{35}ʂei^{21}sien$^{35}_{44}$saŋ$^{35}_{44}$,çi$^{53}_{44}$xɔk^{5}tian^{21}tʰi^{53}ia^{0},e$_{21}$,tso$^{53}_{44}$tʰi^{53}li^{35}ia^{0}.kai^{53}ŋai^{13}kʰɔn^{53}na^{53}tsɿ^{0}kai$^{53}_{44}$ke$^{53}_{44}$iet^{5}cin$^{35}_{44}$na^{0},mau^{13}te$^{35}_{53}$ci^{53}sin$^{53}_{44}$niau^{0},ŋai$^{13}_{21}$n̩^{13}tek^{3}siɔŋ^{21}çi^{53}kau^{21}li^{0}.

【点点】tian^{21}tian^{21} [名]斑点：有箇个有花纹，咁个像草，像咁个像茅草样个，有花纹，有～。

系箬壳，安做箬壳斑。iəu^{35}kai$^{53}_{44}$ke$^{53}_{44}$iəu^{35}fa^{35}uən$^{13}_{21}$,kan^{21}ke^{53}tsʰiɔŋ^{53}tsʰau^{21},tsʰiɔŋ^{53}kan^{21}ke^{53}tsʰiɔŋ^{53}mau^{13} tsʰau^{21}iɔŋ$^{53}_{44}$ke$^{53}_{44}$,iəu^{35}fa^{35}uən$^{13}_{21}$,iəu^{35}tian^{21}tian^{21}.xei^{53}ɲiɔk^{3}kʰɔk^{3},ɔn^{35}tso^{53}ɲiɔk^{3}kʰɔk^{3}pan^{35}.

【点点子】tian^{21}tian^{21}tsʅ^{0} 名 像斑点一样小而密集的东西：一次摘哩豆角就会发虱。尽点伢大子个～。又系种虫子。iet^{3}tsʰʅ$^{53}_{44}$tsak^{3}li^{0}tʰei^{53}kɔk^{3}tsiəu$^{53}_{44}$uɔi$^{53}_{44}$fait^{3}siet^{3}.tsʰin^{53}tien^{53}ŋa$^{13}_{44}$tʰai^{53}tsʅ^{0}ke^{53}tian^{21} tian^{21}tsʅ^{0}.iəu^{53}xe^{53}tʂəŋ^{21}tʂʰəŋ^{13}tsʅ^{0}.

【点名】tian^{21}miaŋ^{13} 动 按名册查点人员时一个个地叫名字：就开头讲哩应事啊，系唔系啊？～就一个一个喊倒去点呐，喊呐，一个一个去喊呐，就安做～啊。tsʰiəu$^{53}_{44}$kʰɔi^{35}tʰei$^{13}_{21}$kɔŋ^{21} li^{0}en^{53}sʅ^{53}a^{0},xei^{53}mei^{53}a^{0}?tian^{21}miaŋ^{13}tsʰiəu$^{53}_{44}$iet^{3}cie^{53}iet^{3}cie^{53}xan^{53}tau$^{21}_{44}$çi$^{53}_{44}$tian^{21}na^{0},xan^{53}na^{0},iet^{3}cie^{53}iet^{3} cie^{53}çi$^{53}_{44}$xan^{53}na^{0},tsʰiəu$^{53}_{21}$ɔn$^{35}_{53}$tso^{53}tian^{21}miaŋ^{13}ŋa^{0}.

【点名册】tien^{21}miaŋ^{13}tsʰet^{3} 名 名册，多用于登记人员的出勤情况：我箇晡翻下子我个欸面前教书个档案子，箇个我当哩班主任个蛮多班个都～都还在。欸，还有，还去箇。翻下子箇～啊，欸，有滴是学生是样子都想唔起哩噢。ŋai^{13}kai$^{53}_{44}$pu$^{35}_{44}$fan^{35}na$^{53}_{44}$tsʅ^{0}ŋai^{13}ke$^{53}_{44}$e$_{21}$mien^{53}tsʰien$^{13}_{21}$kau$^{35}_{44}$ ʂəu^{35}ke$^{53}_{44}$tɔŋ^{53}ŋɔn^{35}tsʅ^{0},kai$^{53}_{44}$ke$^{53}_{44}$ŋai^{13}tɔŋ$^{53}_{44}$li^{0}pan^{35}tʂʮ^{21}uən$^{53}_{44}$ke$^{53}_{44}$man^{13}to$^{35}_{44}$pan$^{35}_{44}$ke^{0}təu$^{35}_{44}$tian^{21}miaŋ^{13}tsʰet^{3}tau$^{35}_{53}$ xa$^{13}_{21}$tsʰɔi$^{53}_{44}$.e$_{21}$,xai$^{13}_{21}$iəu^{35},xai^{13}çi^{53}kai$^{53}_{21}$.fan^{35}na$^{53}_{44}$tsʅ^{0}kai$^{53}_{44}$tian^{21}miaŋ^{13}tsʰet^{3}a^{0},e$_{21}$,iəu^{35}tiet^{5}ʂʅ$^{53}_{44}$xɔk^{5}saŋ^{35}ʂʅ$^{53}_{44}$iɔŋ^{53} tsʅ^{0}təu$^{35}_{53}$siɔŋ^{21}ṇ$^{13}_{21}$çi^{21}li^{0}au^{0}.

【点水笔】tien^{21}ʂei^{21}piet^{3} 名 蘸水笔：我等箇阵子捡倒箇烂钢笔做～。好，落尾就专门有一起～。唔知几简单，一只子管子，底下就一只笔嘴子。点一下又写几只字，点一下又写几只字，箇就安做～子。ŋai^{13}tien^{0}kai^{53}tʂʰən$^{53}_{44}$tsʅ^{0}cian^{21}tau^{21}kai$^{53}_{44}$lan^{53}kɔŋ^{35}piet^{3}tso^{53}tian^{21}ʂei^{21}piet^{3}.xau^{21},lɔk^{5} mi$^{35}_{44}$tsʰiəu$^{53}_{44}$tʂen^{35}mən$^{13}_{21}$iəu^{35}iet^{3}çi^{21}tian^{21}ʂei^{21}piet^{3}.ṇ^{13}ti$^{35}_{53}$ci^{21}kan^{21}tan$^{35}_{44}$,iet^{3}tʂak^{3}tsʅ^{0}kɔn^{21}tsʅ^{0},te^{21}xa$^{53}_{44}$tsʰiəu^{53}iet^{3} tʂak^{3}piet^{3}tsi^{21}tsʅ^{0}.tian^{21}iet^{3}xa^{53}iəu^{53}sia^{21}ci^{21}tʂak^{3}tsʰʅ^{53},tian^{21}iet^{3}xa^{53}iəu^{53}sia^{21}ci^{21}(tʂ)ak^{3}tsʰʅ^{53},kai$^{53}_{44}$tsʰiəu$^{53}_{21}$ɔn$^{35}_{53}$ tso^{53}tian^{21}ʂei^{21}piet^{3}tsʅ^{0}.

【点心】tian^{21}sin^{35} 名 用来招待客人的自制副食品的总称：箇个玉兰片是点茶，～呐。kai^{53}ke$^{53}_{44}$ i^{53}lan$^{13}_{21}$pʰien^{21}ʂʅ$^{53}_{21}$tian^{21}tsʰa^{13},tian^{21}sin^{35}na^{0}.

【点钟】tian^{21}tʂəŋ^{35} 量 计算时间的单位，一点钟为一小时：打比上昼做四～事样，做两～，打下点。ta^{21}pi^{21}ʂɔŋ^{53}tʂəu$^{53}_{44}$tso$^{53}_{44}$si^{53}tian^{21}tʂəŋ$^{35}_{44}$sʅ^{53}iɔŋ$^{53}_{44}$,tso^{53}iɔŋ^{21}tian^{21}tʂəŋ^{35},ta^{21}xa$^{53}_{44}$tian^{21}.｜起码到炆倒半～来唠。çi^{21}ma^{35}tau^{53}uən$^{13}_{21}$tau^{21}pan^{53}tian^{21}tʂəŋ$^{35}_{44}$lɔi$^{13}_{21}$lau^{0}.

【点子$_{1}$】tian^{21}tsʅ^{0} 名 小斑痕：（麻梨子）带～。tai^{53}tian^{21}tsʅ^{0}.

【点子$_{2}$】tian^{21}tsʅ^{0} 量 滴：一～药水 iet^{3}tian^{21}tsʅ^{0}iɔk^{5}ʂei^{21}

【踮】tien^{35} 动 提起脚跟，用脚尖站着：～起脚来 tien^{35}çi^{21}ciɔk^{3}lɔi^{13}

【踮腰踮势】tien^{35}iau^{35}tien^{35}ʂʅ^{53} 形容高度非常适合人做事：箇个洗衫台就设计倒几高子嘞？设计倒箇乒乓球台咁高子，咁高子就真好～子洗衫，真好人～子洗衫裤。渠咁个吵，像我等以个桌咁高子，箇咁高子嘞适合你我等咁子坐正来做事。洗衫裤嘞唔坐正来做事。如果系箇洗衫台系以咁个桌子咁高子，箇你还弯下腰去洗，箇就唔安做～，要还高滴子。你设置得咁高又系忒搞哩，系唔系？爱伸出手去。咁高子，正好有个膝头咁高子，以个手踭角咁高子啊，箇就唔系就～子，正好你徛倒箇映子，咁子就安做～子啊。kai$^{53}_{44}$kei$^{53}_{44}$se^{21}san$^{35}_{44}$tʰɔi^{13}tsʰiəu^{53}ʂet^{3}ci^{53} tau^{21}ci^{21}kau$^{35}_{44}$tsʅ^{0}lei^{0}?ʂet^{3}ci^{53}tau^{21}kai$^{53}_{44}$pʰin$^{35}_{44}$pʰɔŋ$^{35}_{44}$cʰiəu^{13}tʰɔi$^{13}_{21}$kan^{21}kau$^{35}_{44}$tsʅ^{0},kan^{21}kau$^{35}_{44}$tsʅ^{0}tsʰiəu$^{53}_{44}$tʂən^{53}xau^{21} tien^{35}iau$^{35}_{44}$tien$^{35}_{44}$ʂʅ^{53}tsʅ^{0}se^{21}san^{35},tʂən^{53}xau^{21}ɲin^{13}tien$^{35}_{44}$iau$^{35}_{44}$tien$^{35}_{44}$ʂʅ^{53}tsʅ^{0}se^{21}san^{35}fu^{53}.ci$^{13}_{21}$kan$^{21}_{13}$ke^{53}ʂa^{0},tsʰiɔŋ$^{53}_{44}$ ŋai^{13}tien^{0}i^{21}ke^{53}tsɔk^{3}kan^{21}kau^{35}tsʅ^{0},kai$^{53}_{44}$kan^{21}kau^{35}tsʅ^{0}lei^{0}ʂət^{5}xɔit^{5}ɲi$^{13}_{21}$ŋai^{13}tien^{0}kan^{21}tsʅ^{0}tsʰo^{0}tʂaŋ^{53}lɔi$^{13}_{21}$tso^{53} sʅ^{53}.se^{21}san^{35}fu^{53}lei^{0}ṇ^{13}tsʰo^{0}tʂaŋ^{53}lɔi$^{13}_{21}$tso^{53}sʅ^{53}.ʮ^{13}ko^{21}xei^{53}kai$^{53}_{44}$se^{21}san$^{35}_{44}$tʰɔi^{13}xei^{53}i^{21}kan$^{21}_{44}$ke$^{53}_{44}$tsɔk^{3}tsʅ^{0}kan^{21} kau$^{35}_{53}$tsʅ^{0},kai^{53}ɲi$^{13}_{21}$xai$^{13}_{21}$uan^{35}xa$^{53}_{44}$iau^{35}çi^{53}se^{21},kai^{53}tsʰiəu^{53}ṇ^{13}ɔn$^{35}_{44}$tso$^{53}_{44}$tien$^{35}_{44}$iau$^{35}_{44}$tien$^{35}_{44}$ʂʅ^{53},iau^{53}xai$^{13}_{21}$kau^{35}tiet^{5}tsʅ^{0}. ɲi^{13}ʂet^{3}tʂʅ^{53}tek^{3}kan^{21}kau$^{35}_{44}$iəu^{53}xei^{53}tʰet^{3}kau$^{21}_{44}$li^{0},xei$^{53}_{44}$me$^{53}_{44}$?ɔi^{53}tʂʰən^{35}tʂʰət^{3}ʂəu^{21}çi^{53}.kan^{21}kau$^{35}_{44}$tsʅ^{0},tʂən^{53}xau$^{21}_{44}$ iəu^{35}kei^{53}tsʰiet^{3}tʰei$^{13}_{44}$kan^{21}kau$^{35}_{44}$tsʅ^{0},i^{21}ke^{53}ʂəu^{21}tsaŋ$^{35}_{44}$kɔk^{3}kan^{21}kau$^{35}_{44}$tsa^{0},kai^{53}tsʰiəu^{53}m̩$^{13}_{21}$pʰei$^{53}_{44}$tsʰiəu$^{53}_{44}$tien^{35} iau$^{35}_{44}$tien$^{35}_{44}$ʂʅ^{53}tsʅ^{0},tʂən^{53}xau^{21}ɲi$^{13}_{21}$cʰi$^{35}_{44}$tau$^{21}_{44}$kai^{53}iaŋ^{53}tsʅ^{0},kan^{21}tsʅ^{0}tsʰiəu^{53}ɔn$^{35}_{53}$tso^{53}tien^{35}iau$^{35}_{44}$tien$^{35}_{44}$ʂʅ^{53}tsʅ^{0}a^{0}.

【电灯】tʰien^{53}ten^{35} 名 用电做光能源的灯：如今个～真多款式了。以前是只有箇个白炽灯。以下是有日光灯，也系～。么个如今最新式个 LED 个～。啊，还有节能灯，系啊？节能个～。i$^{13}_{21}$cin$^{35}_{44}$ke^{0}tʰien^{53}ten$^{35}_{44}$tʂən^{35}to$^{35}_{44}$kʰɔn^{21}ʂʅ^{53}liau^{0}.i$^{35}_{53}$tsʰien^{13}ʂʅ$^{53}_{44}$tʂʅ^{21}iəu$^{35}_{53}$kai$^{53}_{44}$ke$^{53}_{44}$pʰak^{5}tʂət^{3}ten^{35}.i^{21}xa$^{53}_{44}$ʂʅ$^{53}_{44}$iəu^{35} ɲiet^{3}kɔŋ^{35}ten^{35},ia^{35}xe$^{53}_{44}$tʰien^{53}ten^{35}.mak^{3}e^{0}i$^{13}_{21}$cin$^{13}_{44}$tsei^{53}sin^{35}ʂʅ$^{53}_{21}$ke^{0}e^{35}lo$^{13}_{21}$i^{35}ti^{35}ke^{0}tʰien^{53}ten^{35}.a$_{35}$,xai$^{13}_{21}$iəu$^{35}_{44}$tset^{3} len^{13}ten^{35},xei$^{53}_{44}$a^{0}?tset^{3}len^{13}ke^{0}tʰien^{53}ten$^{35}_{44}$.

【电灯泡】tʰien^{53}tien$^{35}_{44}$pʰau^{35} 名灯泡的旧称：灯泡，也话灯泡。以前是老个客家话是硬话～噢。以下是箇“电”字冇呀，灯泡。tien^{35}pʰau$^{35}_{44}$,ia^{35}ua$^{53}_{44}$ten^{35}pʰau$^{35}_{44}$.i$^{35}_{53}$tsʰien$^{13}_{21}$ʂʅ$^{53}_{44}$lau^{21}ke^{53}kʰak^{3}ka^{35}fa$^{53}_{44}$ʂʅ$^{53}_{44}$ȵiaŋ$^{53}_{44}$ua$^{53}_{44}$tʰien^{53}tien$^{35}_{44}$pʰau^{35}uau^{0}.i^{21}xa$^{53}_{44}$ʂʅ$^{53}_{44}$kai$^{53}_{44}$"tʰien^{53}"tsʅ$^{53}_{21}$mau^{13}ia^{0},tien$^{35}_{44}$pʰau$^{35}_{44}$.

【电风扇】tʰien^{53}fəŋ^{35}ʂen^{53} 名电扇的旧称：～呶，电扇呶。首先是安做～呶。以下就箇风字丢嘿哩了，电扇。最早来安做～。tʰien^{53}fəŋ$^{35}_{44}$ʂen^{53}nau^{0},tʰien^{53}ʂen^{53}nau^{0}.ʂəu^{21}sien$^{35}_{44}$ʂʅ$^{53}_{44}$ən$^{35}_{44}$tso$^{53}_{44}$tʰien^{53}fəŋ^{35}ʂen^{53}nau^{0}.i^{21}ia$_{44}$(←xa^{53})tsʰiəu$^{53}_{44}$kai$^{53}_{44}$fəŋ^{35}tsʰʅ$^{53}_{44}$tiəu^{35}xek^{3}li^{0}liau^{0},tʰien^{53}ʂen^{53}.tsei^{53}tsau^{21}ləi^{13}ən$^{35}_{44}$tso$^{53}_{44}$tʰien^{53}fəŋ$^{35}_{44}$ʂen^{53}.

【电光炮】tʰien^{53}kəŋ$^{35}_{44}$pʰau^{53} 名爆竹品名。燃放时声音响亮且有银光：～也有，欸，会着火个唠，系啊？□光噢。也系同箇间编样啊。一下子又一只～出来哟。箇如今都唔多了，如今都冇多哩。tʰien^{53}kəŋ$^{35}_{44}$pʰau$^{53}_{44}$a$^{35}_{44}$iəu$^{35}_{44}$,e$_{21}$,uəi^{53}tʂʰək^{5}fo^{21}ke$^{53}_{44}$lau^{0},xe$^{53}_{44}$a^{0}?məŋ^{35}kəŋ$^{35}_{44}$ŋau^{0}.ia^{35}xe^{53}tʰəŋ$^{13}_{21}$kai$^{53}_{44}$kan^{53}pien$^{35}_{44}$iəŋ^{53}ŋa^{0}.iet^{3}xa^{53}tsʅ^{0}iəu^{53}iet^{3}tʂak^{3}tʰien^{53}kəŋ$^{35}_{44}$pʰau^{53}tʂʰət^{3}ləi$^{13}_{21}$iau^{0}.kai$^{53}_{44}$i$^{13}_{21}$cin^{35}təu$^{35}_{53}$n̩$^{13}_{21}$to$^{35}_{44}$liau^{0},i$^{13}_{21}$cin$^{35}_{44}$təu$^{35}_{53}$mau$^{13}_{21}$to$^{35}_{44}$li^{0}.

【电话机】tʰien$^{53}_{44}$fa$^{53}_{44}$ci^{35} 名利用电信号的传输来传递话音的装置：欸，以个～放倒以映做样子个。e$_{53}$,i^{21}ke$^{53}_{44}$tʰien$^{53}_{44}$fa$^{53}_{44}$ci^{35}fəŋ$^{53}_{44}$tau^{21}i^{21}iaŋ$^{53}_{44}$tso^{53}iəŋ^{53}tsʅ^{0}ke^{53}.

【电剪】tʰien^{53}tsien^{21} 名电推剪：如今个～真好哇。充电个，我就买哩一把一百块钱买一把～。渠冇得一条带带冇得一条电线拖拖扯扯。我买只把～呢我爱我孙子来剃头，我话你爱学会下子啊，伢子人么个都学会下子啊，我话先同我剪呢，你同阿公剪呢嗯，我话你同我剪看呶。渠剪哩两下渠一□扔，渠就人就一跑，就唔搞哩。舞倒我就系我老婆同我剪欸。买一回剪呐，总爱剃一只子头哟。剃起狗啃哩样，长长短短呐，舞倒我又跑下箇个剃头铺里剃嘿光头硬哈。i$^{13}_{21}$cin$^{35}_{53}$ke^{0}tʰien^{53}tsen^{21}tʂən^{35}xau^{21}ua^{0}.tʂʰəŋ^{35}tʰien^{53}ke^{0},ŋai^{13}tsʰiəu^{53}mai^{35}li^{0}iet^{3}pa^{21}iet^{3}pak^{3}kʰuai^{53}tsʰien$^{13}_{44}$mai^{35}iet^{3}pa^{21}tʰien^{53}tsien^{21}.ci$^{13}_{21}$mau^{13}tek^{3}iet^{3}tʰiau^{13}tai^{53}tai$^{53}_{44}$mau^{13}tek^{3}iet^{3}tʰiau^{13}tʰien^{53}sien$^{53}_{44}$tʰo^{35}tʰo^{35}tʂʰa^{21}tʂʰa^{21}.ŋai^{13}mai^{35}tʂak^{3}pa^{21}tʰien^{53}tsien^{21}nei^{0}ŋai$^{13}_{21}$ɔi^{53}ŋai$^{13}_{44}$sən^{35}tsʅ^{0}ləi$^{13}_{44}$tʰe$^{53}_{44}$tʰei^{13},ŋai^{13}ua$^{53}_{44}$ȵi^{13}ɔi$^{53}_{44}$xɔk^{5}uəi^{53}xa$^{53}_{44}$tsa^{0},ŋa^{13}tsʅ^{0}ȵin^{13}mak^{3}e^{0}təu$^{35}_{44}$xɔk^{5}uəi^{53}xa$^{53}_{21}$tsa^{0},ŋai^{13}ua$^{53}_{44}$sen^{35}tʰəŋ$^{13}_{21}$ŋai^{13}tsien^{21}nei^{0},ȵi$^{13}_{21}$tʰəŋ^{13}a^{35}kəŋ^{35}tsien^{21}nei^{0}n̩$_{21}$,ŋai^{13}ua$^{53}_{44}$ȵi$^{13}_{21}$tʰəŋ$^{13}_{21}$ŋai^{13}tsien^{21}kʰɔn$^{53}_{44}$nau^{0}.ci^{13}tsien^{21}li^{0}iəŋ^{21}xa^{53}ci$^{13}_{44}$iet^{3}fiet^{3},ci^{13}tsʰiəu^{53}ȵin^{13}tsʰiəu^{53}iet^{3}pʰau^{21},tsʰiəu$^{53}_{44}$n̩^{13}kau^{21}li^{0}.u^{21}tau^{21}ŋai^{13}tsʰiəu^{53}xe^{53}ŋai$^{13}_{44}$lau^{21}pʰo^{13}tʰəŋ$^{13}_{44}$ŋai$^{13}_{44}$tsʰien^{21}e^{0}.mai^{35}iet^{3}fei^{13}tsien^{21}na^{0},tsəŋ^{21}ɔi^{53}tʰe^{53}iet^{3}tʂak^{3}tsʅ^{0}tʰei^{13}iau^{0}.tʰe^{53}çi$^{21}_{44}$kei^{21}ŋait^{3}li^{0}iəŋ$^{53}_{44}$,tʂʰəŋ^{13}tʂʰəŋ$^{13}_{44}$tɔn^{21}tɔn^{21}na^{0},u^{21}tau^{21}ŋai$^{13}_{21}$iəu^{53}pʰau^{21}ua$^{53}_{44}$kai$^{53}_{44}$ke$^{53}_{44}$tʰe$^{53}_{44}$tʰei^{13}pʰu^{53}li^{0}tʰe^{53}xek^{3}kəŋ^{35}tʰei^{13}ŋaŋ^{53}xa^{0}.

【电视】tʰien^{53}ʂʅ^{53} 名①指电视接收机：欸，开～，渠晓得让门开。e$_{44}$,kʰɔi^{35}tʰien^{53}ʂʅ$^{53}_{44}$,ci^{13}çiau^{21}tek^{3}ȵiɔŋ$^{53}_{44}$mən^{0}kʰɔi^{35}. ②指电视节目：～肚里唔系陈毅就长日咁子舞只子个短烟筒子啃稳嘴里呀？tʰien^{53}ʂʅ$^{53}_{44}$təu^{21}li^{0}m̩$^{13}_{21}$pʰe$_{44}$(←xe^{53})tʂʰən^{13}ȵi^{53}tsʰiəu$^{53}_{44}$tʂʰɔŋ^{13}ȵiet^{3}kan$^{21}_{44}$tsʅ^{0}u^{21}tʂak^{3}tsʅ^{0}ke$^{53}_{44}$tɔn^{21}ien$^{35}_{44}$tʰəŋ$^{13}_{21}$tsʅ^{0}ŋait^{3}uən^{21}tʂɔi^{53}li^{0}ia^{0}?

【电视柜】tʰien^{53}ʂʅ$^{53}_{44}$kʰuei^{53} 名放置电视机的矮柜：～就箇就八十年代正有个了。呣，呣，～有，有。也安做～呀。箇个嘞八十年代正有个。tʰien^{53}ʂʅ$^{53}_{44}$kʰuei^{53}tsʰiəu$^{53}_{44}$kai$^{53}_{44}$tsʰiəu$^{53}_{44}$pait^{3}ʂʅt^{5}ȵien$^{13}_{21}$tʰɔi$^{53}_{44}$tʂaŋ$^{53}_{44}$iəu$^{35}_{44}$ke$^{53}_{44}$liau^{0}.m̩$_{21}$,m̩$_{21}$,tʰien^{53}ʂʅ$^{53}_{21}$kʰuei^{53}iəu^{35},iəu^{35}.ia^{35}ən$^{35}_{44}$tso$^{53}_{44}$tʰien^{53}ʂʅ$^{53}_{44}$kʰuei^{53}ia^{0}.kai^{53}ke$^{53}_{44}$le^{0}pait^{3}ʂʅt^{5}ȵien$^{13}_{21}$tʰɔi$^{53}_{44}$tʂaŋ$^{53}_{44}$iəu$^{35}_{44}$ke$^{53}_{44}$.

【电线树】tʰien^{53}sien$^{53}_{44}$ʂəu^{53} 名架设电线用的杆子：渠就舞张子红纸子，写几句子话，贴嘿个～上。ci$^{13}_{21}$tsʰiəu^{53}u^{21}tʂəŋ$^{35}_{53}$tsʅ^{0}fəŋ^{13}tʂʅ^{21}tsʅ^{0},sia^{21}ci^{21}tʂʅ$^{53}_{44}$tsʅ^{0}fa^{53},tiet^{3}ek$_{5}$ke$^{53}_{44}$tʰien^{53}sien$^{53}_{44}$ʂəu^{53}xəŋ$^{53}_{44}$.

【电影】tʰien^{53}iaŋ^{21} 名把人物的动作、言语摄制成影片，利用强光映射在银幕上，以供人观赏的活动影戏：看～ kʰɔn^{53}tʰien^{53}iaŋ^{21} | 放～ fəŋ$^{53}_{44}$tʰien^{53}iaŋ^{21}

【电影队】tʰien^{53}iaŋ^{21}ti^{53} 名负责巡回放映电影的队伍：箇阵子公社里有～咯。放电影个人是第一箇个咯，我等第一眼热渠呀。眼热箇放电影个。啊，眼红渠啊。渠又唔爱钱呢看电影啊，又有工资啊，欸。就两个人呢。kai$^{53}_{44}$tʂʰən$^{53}_{44}$tsʅ^{0}kəŋ^{35}ʂa$^{35}_{44}$li^{0}iəu^{35}tʰien$^{53}_{44}$iaŋ^{21}ti^{53}ko^{0}.fəŋ$^{53}_{44}$tʰien^{53}iaŋ^{21}ke^{53}ȵin$^{13}_{44}$ʂʅ$^{53}_{44}$tʰi^{53}iet^{3}kai$^{53}_{44}$ke$^{53}_{44}$ko^{0},ŋai$^{13}_{21}$tien^{0}tʰi^{53}iet^{3}ŋan^{21}ȵiet^{5}ci$^{13}_{21}$ia^{0}.ŋan^{21}ȵiet^{5}kai$^{53}_{44}$fəŋ$^{53}_{44}$tʰien^{53}iaŋ^{21}ke$^{53}_{21}$.ŋa$_{21}$,ŋan^{21}fəŋ^{13}ci$^{13}_{44}$a^{0}.ci^{13}iəu$^{53}_{44}$m̩$^{13}_{21}$məi$^{53}_{44}$tsʰien^{13}ne^{0}kʰɔn^{53}tʰien^{53}iaŋ^{21}a^{0},iəu^{53}iəu^{35}kəŋ^{35}tsʅ^{35}a^{0},e$_{44}$.tsʰiəu^{53}iəŋ^{21}ke^{53}ȵin$^{13}_{21}$ne^{0}.

【电熨斗】tʰien^{53}uən^{53}tei^{21} 名用电加热的熨斗：以后有哩电了正有～。以前冇得～个时候子用烙铁。i^{35}xei$^{53}_{44}$iəu^{35}li^{0}tʰien^{53}niau^{0}tʂaŋ$^{53}_{44}$iəu^{35}tʰien^{53}uən$^{53}_{44}$tei^{21}.i$^{35}_{53}$tsʰien$^{13}_{21}$mau^{13}tek^{3}tʰien^{53}uən^{53}tei^{21}ke^{0}ʂʅ^{13}xəu$^{53}_{44}$tsʅ^{0}iəŋ$^{53}_{44}$lɔk^{5}tʰet^{3}.

【店】tian^{53} 名售卖货物的铺子。也称“店子”：开～ kʰɔi^{35}tian^{53} | 你到我～里去唠。ȵi^{13}tau^{53}ŋai$^{13}_{21}$

tian^{53}li^{0}çi$^{53}_{44}$lau^{0}.｜最好～子莫关门。tsei^{53}xau^{21}tian^{53}tsɿ^{0}mɔk^{5}kuan$^{35}_{44}$mən^{13}.

【垫$_{1}$】tʰian^{53} 动用别的东西衬在下面，使物加高、加厚或起隔离作用：着鞋就一般着箇个跑鞋呀箇只么个皮鞋都爱～鞋底，安做荡底子，我等客姓人就～只荡底子去。tʂɔk^{3}xai^{13}tsʰiəu^{53}iet^{3}pɔn^{35}tʂɔk^{3}kai$^{53}_{44}$ke$^{53}_{44}$pʰau^{21}xai^{13}ia^{0}kai$^{53}_{44}$tʂak^{3}mak^{3}e^{0}pʰi^{13}xai^{13}təu$^{35}_{44}$ɔi^{53}tʰian^{53}xai^{13}te^{21},ɔn$^{35}_{44}$tso$^{53}_{44}$tʰɔŋ^{53}te^{21}tsɿ^{0},ŋai^{13}tien^{0}kʰak^{3}sin^{53}ɲin$^{13}_{44}$tsʰiəu$^{53}_{44}$tʰian^{53}tʂak^{3}tʰɔŋ^{53}te^{21}tsɿ^{0}çi^{53}.

【垫$_{2}$】tʰian^{53} 名垫子：沙发～ sa^{35}fait^{3}tien^{53}

【垫单】tʰian^{53}tan^{35} 名床单：我箇晡洗被窝个时候子啊，我床上一只～呐，中间一只眼懑大。我也赠丢咁，搞么个嘞？面上放床席，我就唔爱紧哩啊。中间一只眼，四向还上好哇。就分箇床个丑就遮咁哩啊。中间箇只眼要么个紧？箇就系～，烂个～我都唔舍得丢嘿哩。ŋai^{13}kai^{53}pu^{35}se^{21}pʰi^{35}pʰo$^{35}_{44}$ke^{0}ʂɿ^{13}xəu$^{53}_{44}$tsɿ^{0}a^{0},ŋai$^{13}_{21}$tsʰɔŋ^{13}xɔŋ^{53}iet^{3}tʂak^{3}tʰian^{53}tan^{35}na^{0},tʂəŋ$^{35}_{44}$kan$^{35}_{44}$iet^{3}tʂak^{3}ŋan^{21}mən^{35}tʰai^{53}.ŋai$^{13}_{21}$ia^{35}maŋ$^{13}_{21}$tiəu$^{35}_{44}$kan$^{21}_{44}$,kau^{21}mak^{3}ke^{0}lei^{0}?mien$^{53}_{44}$xɔŋ$^{53}_{44}$fɔŋ$^{53}_{44}$tsʰɔŋ^{13}tsʰiak^{5},ŋai^{13}tsʰiəu^{53}m̩$^{13}_{21}$mɔi^{53}cin^{21}li^{0}a^{0}.tʂəŋ^{35}kan$^{35}_{53}$iet^{3}tʂak^{3}ŋan^{21},si^{53}çiɔŋ^{53}xai^{13}ʂɔŋ^{53}xau^{21}ua^{0}.tsʰiəu^{53}pən^{35}kai$^{53}_{44}$tsʰɔŋ^{13}ke^{0}tʂʰəu^{21}tsʰiəu$^{53}_{44}$tʂa^{35}kan^{21}li^{0}a^{0}.tʂəŋ^{35}kan$^{35}_{44}$kai^{53}tʂak^{3}ŋan^{21}iau^{53}mak^{3}e^{0}cin^{21}?kai$^{53}_{44}$tsʰiəu$^{53}_{44}$xe$^{53}_{44}$tʰian^{53}tan$^{35}_{44}$,lan^{53}ke^{53}tʰian^{53}tan$^{35}_{44}$ŋai^{13}təu$^{35}_{53}$n̩$^{13}_{21}$ʂa^{21}(t)ek^{3}tiəu^{35}(x)ek^{3}li^{0}.

【垫底】tʰian^{53}tei^{21} 动在底部放上别的东西：欸，俨俨哩一碗菜，瘩满样唠，底下都爱～。e$_{21}$,ɲian^{21}ɲian^{21}ni^{0}iet^{3}uɔn^{21}tsʰɔi$^{53}_{44}$,tek^{5}man$^{35}_{44}$iɔŋ$^{53}_{44}$lau^{0},tei^{21}xa$^{53}_{44}$təu$^{35}_{44}$ɔi$^{53}_{44}$tʰian^{53}tei^{21}.

【垫手】tʰien^{53}/tʰen^{53}ʂəu^{21} 动帮人打架：别人家打你去～。pʰiet^{5}in$^{13}_{44}$ka$^{35}_{44}$ta^{21}ɲi^{13}çi$^{53}_{44}$tʰien^{53}ʂəu^{21}.｜你去垫么啊手喔？ɲi$^{13}_{21}$çi$^{53}_{44}$tʰien^{53}mak^{3}a^{0}ʂəu^{21}uo^{0}?

【淀粉】tʰien^{53}fən^{21} 名某些作物的根、茎、种子经选择、水洗、磨碎、过滤、沉淀、起粉、晒干等工序加工成的粉状物：番薯粉丝是欸用～做出来个。fan$^{35}_{44}$ʂəu$^{13}_{21}$fən^{21}sɿ$^{35}_{44}$ʂɿ$^{53}_{21}$e$_{44}$iɔŋ$^{53}_{44}$tʰien^{53}fən^{21}tso$^{53}_{44}$tʂʰət^{3}lɔi$^{13}_{21}$ke^{53}.

【奠】tian^{53} 动下种（一般指油菜、麦子、蔬菜等作物的种子）：七藠八蒜，九油十麦。七月种藠子，八月种大蒜，九月～油菜，十月～麦子。tsʰiet^{3}cʰiau^{35}pait^{3}sɔn^{53},ciəu^{21}iəu^{13}ʂət^{5}mak^{5}.tsʰiet^{3}ɲiet^{5}tʂəŋ^{53}cʰiau^{35}tsɿ^{21},pait^{3}ɲiet^{5}tʂəŋ^{53}tʰai^{53}sɔn^{53},ciəu^{21}ɲiet^{5}tian^{53}iəu^{13}tsʰɔi^{53},ʂət^{5}ɲiet^{5}tian^{53}mak^{5}tsɿ^{0}.｜欸箇个呢农村里人我等客姓人讲："你种哩萝卜了吗？""你～哩萝卜了吗？"欸。"你～哩辣椒了么？""你～哩包粟了么？"爱讲～呢。就一般都系讲放籽个。e$_{21}$kai^{53}ke^{0}nei^{0}ləŋ^{13}tsʰən$^{35}_{44}$li^{0}ɲin$^{13}_{44}$ŋai^{13}tien^{0}kʰak^{3}sin^{53}ɲin$^{13}_{21}$kɔŋ^{21}:"ɲi^{13}tʂəŋ^{53}li^{0}lo^{13}pʰet^{5}liau^{0}ma^{0}?""ɲi^{13}tian^{53}li^{0}lo^{13}pʰet^{5}liau^{0}ma^{0}?"e$_{21}$."ɲi^{13}tian^{53}li^{0}lait^{5}tsiau$^{35}_{44}$liau^{0}mo^{0}?""ɲi^{13}tian^{53}li^{0}pau^{35}siəuk^{3}liau^{0}mo^{0}?"ɔi$^{53}_{44}$kɔŋ^{21}tian^{53}nei^{0}.tsʰiəu$^{53}_{44}$iet^{3}pɔn^{35}təu$^{35}_{44}$xei$^{53}_{44}$kɔŋ^{21}fɔŋ^{53}tsɿ^{21}ke^{0}.

【奠籽】tian^{53}tsɿ^{21} 动点播蔬菜等的种子：箇油菜，栽油菜咯，有两种栽法。一种栽油菜个方法嘞，就系移栽，就系打正油菜秧来，扯一到，扯倒去栽，系唔系？还有种栽法嘞，我就唔移栽，打正凼子来，每兜每只凼子肚里都奠滴籽去。箇就～。每只……只只凼子里都～。kai^{53}iəu^{13}tsʰɔi^{53},tsɔi^{35}iəu^{13}tsʰɔi$^{53}_{44}$ko^{0},iəu^{35}iɔŋ^{21}tʂəŋ^{21}tsɔi^{35}fait^{3}.iet^{3}tʂəŋ^{21}tsɔi^{35}iəu^{13}tsʰɔi$^{53}_{44}$ke^{0}fɔŋ^{35}fait^{3}lei^{0},tsʰiəu$^{53}_{44}$xe$^{53}_{44}$i^{13}tsɔi^{35},tsʰiəu^{53}xe^{53}ta^{21}tʂaŋ^{53}iəu^{35}tsʰɔi^{53}iɔŋ^{35}lɔi$^{13}_{21}$,tʂʰa^{21}iet^{3}tau^{53},tʂʰa^{21}tau^{21}çi$^{53}_{44}$tsɔi^{35},xei^{53}me^{53}?xai$^{13}_{21}$iəu$^{35}_{53}$tʂəŋ^{21}tsɔi^{35}fait^{3}lei^{0},ŋai$^{13}_{21}$tsʰiəu^{53}n̩^{13}i^{13}tsɔi^{35},ta^{21}tʂaŋ^{53}tʰɔŋ^{53}tsɿ^{0}lɔi$^{13}_{21}$,mei^{35}tei$^{35}_{44}$mei^{35}tʂak^{3}tʰɔŋ^{53}tsɿ^{0}təu^{21}li^{0}təu$^{35}_{44}$tian^{53}tiet^{5}tsɿ^{21}çi^{53}.(k)ai$^{53}_{21}$tsiəu$^{53}_{44}$tian^{53}tsɿ^{21}.mei^{35}tʂak^{3}…tʂak^{3}tʂak^{3}tʰɔŋ^{53}tsɿ^{0}li^{21}təu$^{35}_{44}$tian^{53}tsɿ^{21}.

【奠字】tʰien^{53}tsʰɿ^{53} 名写于灵堂上方以示祭奠的大字"奠"：～啊，箇就死哩人个时候子，一般是贴嘿系箇个贴啊灵堂个顶高，灵堂箇映子。有滴是箇灵堂个正面就欸就系一只懑大个～啊。～面前兜子放只像，欸像有几大子个情况下咯。tʰien^{53}tsʰɿ^{53}a^{0},kai$^{53}_{44}$tsʰiəu^{53}si^{21}li^{0}ɲin^{13}ke^{0}ʂɿ^{13}xəu$^{53}_{44}$tsɿ^{0},iet^{3}pɔn^{35}ʂɿ$^{53}_{44}$tiet^{3}(x)ek^{3}xe$^{53}_{44}$kai$^{53}_{44}$ke^{0}tiet^{3}a^{0}lin^{13}tʰɔŋ$^{13}_{44}$ke^{0}taŋ^{21}kau$^{35}_{44}$,lin^{13}tʰɔŋ$^{13}_{44}$kai$^{53}_{44}$iaŋ$^{53}_{44}$tsɿ^{0}.iəu^{35}tet^{5}ʂɿ$^{53}_{44}$kai^{53}lin^{13}tʰɔŋ^{13}ke^{0}tʂən^{53}mien^{53}tsʰiəu$^{53}_{44}$e$_{44}$tsʰiəu^{53}ue$^{53}_{44}$iet^{3}tʂak^{3}mən^{35}tʰai$^{53}_{44}$ke^{0}tʰien^{53}tsʰɿ$^{53}_{44}$a^{0}.tʰien^{53}tsʰɿ$^{53}_{44}$mien^{53}tsʰien$^{13}_{21}$təu$^{35}_{44}$tsɿ^{0}fɔŋ^{53}tʂak^{3}siɔŋ^{53},e$_{44}$siɔŋ^{53}mau$^{13}_{21}$ci^{21}tʰai^{53}tsɿ^{0}ke^{0}tsʰin$^{13}_{21}$kʰuɔŋ$^{53}_{44}$çia$^{53}_{44}$ko^{0}.

【簟】tʰian^{53} 名竹席：篾匠用箇是箇个补～个东西安做么个？/欸，篾锹。补～呐。miet^{3}siɔŋ^{53}iəŋ^{53}kai$^{53}_{44}$ʂɿ$^{53}_{44}$kai$^{53}_{44}$ke$^{53}_{44}$pu^{21}tʰian^{53}ke$^{53}_{44}$təŋ$^{35}_{44}$si^{0}ɔn$^{35}_{44}$tso$^{53}_{44}$mak^{3}ke$^{53}_{0}$?/e$_{21}$,miet^{5}tsʰiau^{35}.pu^{21}tʰian^{53}na^{0}.

【刁乔】tiau^{35}cʰiau^{13} 形刁钻蛮横：做事爱本分，莫咁～，本分滴子。tso^{53}sɿ^{53}ɔi^{53}pən^{21}fən^{53},mɔk^{5}kan^{21}tiau^{35}cʰiau^{13},pən^{21}fən^{53}tiet^{5}tsɿ^{0}.

【叼】tiau^{35} 动蜇，蜂子用毒刺刺人或动物：蜂子～人。fəŋ^{35}tsɿ^{0}tiau^{35}ɲin$^{13}_{21}$.｜箇个指油箩蜂会～人个，～哩人蛮厉害个。kai$^{53}_{44}$ke$^{53}_{44}$uɔi^{53}tiau$^{35}_{44}$ɲin^{13}ke$^{53}_{44}$,tiau$^{35}_{44}$li^{0}ɲin^{13}man^{13}li^{53}xɔi$^{53}_{44}$ke$^{53}_{44}$.

【雕】tiau^{35} 动①在竹、木、玉、石、金属等上面刻画：我就同我赖子就～过一只私章子啊，渠唔知爱办只么个东西嘞，硬爱私章子话，箇除哩去～一只唠。ŋai^{13}tsʰiəu^{53}tʰəŋ$^{13}_{44}$ŋai$^{13}_{44}$lai^{53}tsɿ^{0} tsʰiəu^{53}tiau$^{35}_{44}$ko^{53}iet^{3} tʂak^{3} sɿ$^{35}_{44}$tʂɔŋ$^{35}_{44}$tsɿ^{0} a^{0} ,ci$^{13}_{21}$n̩^{13}ti$^{35}_{44}$ɔi$^{53}_{44}$pʰan^{53}tʂak^{3} mak^{3} e^{0} təŋ$^{35}_{44}$si^{0} lei^{0}, ɲiaŋ^{53}ɔi$^{53}_{44}$sɿ$^{35}_{44}$tʂɔŋ$^{35}_{44}$tsɿ^{0} ua$^{53}_{44}$,kai$^{53}_{44}$tʂʰəu^{13}li^{0} çi$^{53}_{44}$tiau^{35}iet^{3} tʂak^{3} lau^{0}. ②用针等细长物将小物挑出：～艻就系挑嘞，就系用针去挑。手上有字个时候子用针去挑，嗯，～出来，～出艻来。tiau^{35}let^{3} tsʰiəu^{53}xei^{53}tʰiau^{35}le^{0}, tsʰiəu$^{53}_{44}$xei$^{53}_{44}$iəŋ^{53}tʂən^{35}cʰi$^{53}_{44}$tʰiau^{35}.ʂəu^{21}xɔŋ$^{53}_{44}$iəu^{35}tsʰɿ^{53}ke$^{53}_{44}$ʂɿ^{13}xei^{53}tsɿ^{0} iəŋ^{53}tʂən^{35}cʰi^{53}tʰiau^{35},n̩$_{21}$,tiau^{35}tʂʰət^{3} lɔi^{13},tiau^{35}tʂʰət^{3} let^{3} lɔi^{13}.

【雕花】tiau^{35}fa^{35} 动雕刻图案花纹：木匠师傅呢箇做花板个嘞用箇个嘞用刀子去雕嘞，去木上雕嘞，就安做～呢。muk^{3} tsʰiəŋ$^{53}_{44}$sɿ$^{35}_{44}$fu^{53}nei^{0} kai$^{53}_{44}$tso^{53}fa^{35}pan^{21}ke^{0} lei^{0} iəŋ^{53}kai$^{53}_{44}$ke$^{53}_{44}$lei^{0} iəŋ$^{53}_{44}$tau^{35}tsɿ^{0} çi$^{53}_{44}$ tiau^{35}lei^{0},çi^{53}muk^{3} xɔŋ$^{53}_{44}$tiau$^{35}_{44}$lei^{0},tsʰiəu$^{53}_{44}$ɔn$^{35}_{44}$tso$^{53}_{44}$tiau$^{35}_{44}$fa^{35}nei^{0}.

【雕花绣朵】tiau^{35}fa^{35}siəu^{53}to^{21} 形容雕有精美的图案花纹：你看箇只人箇张床啊，唔但做哩油漆，还～。我等箇只祠堂以前呐箇门顶高哇也～。ɲi$^{13}_{21}$kʰɔn$^{53}_{44}$kai^{53}tʂak^{3} ɲin^{13}kai$^{53}_{44}$tʂɔŋ$^{35}_{44}$tsʰɔŋ^{13}ŋa^{0} ,n̩$^{13}_{21}$ tan$^{35}_{44}$tso^{53}li^{0} iəu^{13}tsʰiet^{3} ,xai$^{13}_{21}$tiau^{35}fa^{35}siəu^{53}to^{21}.ŋai^{13}tien^{0} kai^{53}tʂak^{3} tsʰɿ^{13}tʰɔŋ^{13}i$^{53}_{53}$tsʰien^{13}na^{0} kai$^{53}_{44}$mən^{13}taŋ^{21} kau$^{35}_{44}$ua^{0} ia^{35}tiau$^{35}_{44}$fa$^{35}_{44}$siəu^{53}to^{21}.

【吊$_{1}$】tiau^{53} 动①悬挂：渠个烟袋子渠可以～下箇烟筒上啊。ci^{13}ke$^{53}_{44}$ien^{35}tʰɔi^{53}tsɿ^{0} ci$^{13}_{21}$kʰo^{21}i^{35}tiau^{53} ua$_{44}$(←xa^{53})kai$^{53}_{44}$ien^{35}tʰəŋ$^{13}_{21}$xɔŋ$^{53}_{44}$ŋa^{0}.｜箇个顶高咯～条绳。～条绳下来，～只钩，舞只筛咁大，咁子去筛米。kai$^{53}_{44}$kei^{0} taŋ^{21}kau$^{35}_{44}$ko^{0} tiau^{53}tʰiau$^{13}_{21}$ʂən^{13}.tiau^{53}tʰiau$^{13}_{21}$ʂən^{13}xa^{35}lɔi$^{13}_{21}$,tiau^{53}tʂak^{3} kei^{35},u^{21}tʂak^{3} sai^{35}kan^{21}tʰai^{53},kan^{21}tsɿ^{0} çi$^{53}_{44}$sai^{35}mi^{21}. ②拴：我箇晡到哩我阿舅子箇。就系唔想畜（羊崽子）哇，有哪映～哇，安做有哪映～哇。欸你箇个你唔～嘞又会食别人家个生颜呀，嗯，食别人家个菜草哇。但是你～得来嘞，又有得咁个地方去～。ŋai$^{13}_{21}$kai$^{53}_{21}$pu$^{35}_{44}$tau^{53}li^{0} ŋai$^{13}_{44}$a$^{35}_{44}$cʰiəu$^{35}_{44}$tsɿ^{0} kai^{53}. tsʰiəu^{53}xei^{53}n̩^{13}siɔŋ^{21}çiəuk^{3} ua^{0} ,mau^{13}lai$^{53}_{44}$iaŋ$^{53}_{44}$tiau^{53}ua^{0} ,ɔn$^{35}_{44}$tso^{53}mau^{13}lai$^{53}_{44}$iaŋ$^{53}_{44}$tiau^{53}ua^{0} .ei$_{21}$ɲi^{13}kai^{53}kei^{53}ɲi^{13} n̩^{13}tiau^{53}lei^{0} iəu$^{53}_{44}$uɔi$^{53}_{44}$ʂət^{5} pʰiet^{5} in$^{13}_{44}$ka$^{35}_{44}$ke$^{53}_{44}$sen^{35}ŋai^{13}ia^{0} ,n̩$_{21}$,ʂət^{5} pʰiet^{5} in$^{13}_{44}$ka$^{35}_{44}$ke$^{53}_{44}$tsʰɔi^{53}tsʰau^{21}ua^{0} .tan$^{53}_{44}$ʂɿ$^{53}_{44}$ɲi^{13} tiau^{53}tek^{3} lɔi^{13}lei^{0} ,iəu^{53}mau^{13}tek^{3} kan^{21}ke^{0} tʰi^{13}fɔŋ$^{35}_{44}$çi$^{53}_{44}$tiau^{53}. ③提上来：底下～起水来个很少。te^{21}xa^{35} tiau^{53}çi^{21}ʂei^{21}lɔi$^{13}_{21}$ke^{53}xen^{21}ʂau^{21}.

【吊$_{2}$】tiau^{53} 量旧时钱币单位：十只铜角子就一～钱呐。ʂət^{5} tʂak^{3} tʰəŋ^{13}kɔk^{3} tsɿ^{0} tsʰiəu$^{53}_{44}$iet^{3} tiau^{53} tsʰien$^{13}_{21}$na^{0}.

【吊笪】tiau^{53}tait^{3} 名窗外的遮阳篷：当西晒个栏场啊，有兜屋啊，欸，当西晒，渠就在箇檐头上啊搞块～，放下来，渠就日头就晒下箇条～上，唔得晒下光窗上了。tɔŋ$^{35}_{44}$si^{35}sai^{53}ke^{0} laŋ$^{13}_{21}$ tʂʰɔŋ$^{13}_{21}$ŋa^{0} ,iəu^{35}təu$^{35}_{53}$uk^{3} a^{0} ,e$_{21}$,tɔŋ^{35}si^{35}sai^{53},ci^{13}tsʰiəu$^{53}_{44}$tsʰai$^{53}_{44}$kai$^{53}_{44}$ian^{13}tʰei^{13}xɔŋ^{53}ŋa^{0} kau^{21}kʰuai$^{53}_{44}$tiau^{53}tait^{3},fɔŋ^{53} xa$^{53}_{44}$lɔi$^{13}_{21}$,ci^{13}tsʰiəu^{53}ɲiet^{3} tʰei^{13}tsʰiəu$^{53}_{44}$sai$^{53}_{44}$ia$^{53}_{44}$kai$^{53}_{44}$tiau^{53}tait^{3} xɔŋ^{53},n̩^{13}tek^{3} sai$^{53}_{44}$ia$^{53}_{44}$kɔŋ^{35}tsʰəŋ^{35}xɔŋ^{53}liau^{0}.

【吊浆粉】tiau^{53}tsiɔŋ^{35}fən^{21} 名水磨粉：～箇系。系系系，～欸。tiau^{53}tsiɔŋ$^{35}_{44}$fən^{21}kai^{53}xei$^{53}_{21}$.xei^{53}xei$^{53}_{44}$ xei$^{53}_{21}$,tiau^{53}tsiɔŋ$^{35}_{44}$fən^{21}ei^{0}.

【吊颈鬼】tiau^{53}ciaŋ^{21}kuei^{21} 名①上吊的人死后变成的鬼：～又安做缔颈鬼。一只就系指箇上吊个人死嘿变成个鬼。tiau^{53}ciaŋ^{21}kuei^{21}iəu^{53}ɔn$^{35}_{53}$tso^{53}tʰak^{3} ciaŋ^{21}kuei^{21}.iet^{3} tʂak^{3} tsʰiəu$^{53}_{44}$xei$^{53}_{44}$tʂɿ^{21}kai^{53}ʂɔŋ^{53} tiau^{53}ke^{0} ɲin$^{13}_{44}$si^{21}xei^{53}pien^{53}tʂʰən$^{13}_{21}$ke^{0} kuei^{21}. ②骂人的恶毒话：还有只就骂人个话。你箇短命鬼，～，欸。缔颈鬼，氽河鬼，系唔系？有兜人骂得三十六只鬼出。xai$^{13}_{21}$iəu$^{35}_{53}$tʂak^{3} tsʰiəu$^{53}_{44}$ma^{53} ɲin^{13}ke^{0} fa^{53}. ɲi^{13}kai$^{53}_{44}$tɔn^{21}miaŋ^{53}kuei^{21},tiau^{53}ciaŋ^{21}kuei^{21},e$_{21}$.tʰak^{3} ciaŋ^{21}kuei^{21},tsʰən^{35}xo$^{13}_{21}$kuei^{21},xei$^{53}_{44}$me$^{53}_{44}$? iəu^{35}təu$^{35}_{44}$ɲin$^{13}_{21}$ma^{53}tek^{3} san^{35}ʂət^{5} liəuk^{3} tʂak^{3} kuei^{21}tʂʰət^{3}.

【吊酒】tiau^{53}tsiəu^{21} 动蒸酒，用传统方法酿酒：我等以映子过年了，渠等有兜人就箇个嘞，要请倒呢你只爱拿倒钱去嘞，渠同你跍倒屋下同你～嘞。箇只划到六七块子钱一斤呶，蛮好个酒喔。ŋai^{13}tien^{0} i^{21}iaŋ^{53}tsɿ^{0} ko^{53}ɲien^{13}niau^{0},ci$^{13}_{21}$tien^{0} iəu$^{35}_{44}$təu$^{35}_{44}$ɲin$^{13}_{21}$tsʰiəu^{53}kai^{53}ke^{53}le^{0},iau$^{53}_{44}$tsʰiaŋ^{21}tau$^{21}_{44}$ə$_{21}$ɲi$^{13}_{21}$ tʂɿ^{21}ɔi$^{53}_{44}$la^{35}tau^{21}tsʰien^{13}çi^{53}lei^{0},ci^{13}tʰəŋ$^{13}_{44}$ɲi$^{13}_{44}$kʰu^{35}tau^{21}uk^{3} xa^{53}tʰəŋ$^{13}_{21}$ɲi^{13}tiau^{53}tsiəu^{21}le^{0}.kai^{53}tʂɿ^{21}fa^{53}tau^{53}liəuk^{3} tsʰiet^{3} kʰuai^{53}tsɿ^{0} tsʰien^{13}iet^{3} cin^{35}nau^{0},man^{13}xau^{21}ke^{53}tsiəu^{21}uo^{0}.

【吊楼】tiau^{53}lei^{13} 名一种木制建筑形式，有墙和地板，用来住人：从前个土墙屋嘞就箇阳台就系安做晒楼呢。欸，又安做～呢，吊起来个，吊出来个。tsʰəŋ^{13}tsʰien$^{13}_{21}$ke^{53}tʰəu^{21}tsʰiɔŋ^{13}uk^{3} lei^{0} tsʰiəu^{53}kai^{53}iɔŋ^{13}tʰɔi^{13}tsʰiəu$^{53}_{44}$xei$^{53}_{44}$ɔn$^{35}_{44}$tso$^{53}_{44}$sai^{53}lei$^{13}_{21}$nei^{0}.e$_{21}$,iəu^{53}ɔn$^{35}_{44}$tso$^{53}_{44}$tiau^{53}lei$^{13}_{21}$nei^{0},tiau^{53}çi^{21}lɔi^{13}ke^{53},tiau^{53} tʂʰət^{3} lɔi^{13}ke^{53}.

【吊筛】tiau^{53}sai^{35}/si^{35}老派 名一种使用时悬挂起来的筛子：除哩手里掇倒个还有么个嘞？还有～。

箇个屋上啊楼栿上啊吊只钩钩，缩只钩钩下来，箇个筛上筛米个时候子嘞欸钩钩箇只筛顶高嘞就舞三条舞只咁个舞只咁耳朵，缩下箇钩上，咁子缩咁子来筛。就吊稳来筛，安做～。箇个筛米是忒重哩啊，一担米，系唔系？一担米欸七八十斤呐，你就只好做三四到子筛呀，箇就掇唔起呀。tʂʰəu^{13} li^{0} ʂəu^{21} li^{0} tɔit^{3} tau^{21} ke^{53} xai$^{13}_{21}$ iəu$^{35}_{53}$ mak^{3} e^{0} le^{0} ?xai^{13} iəu$^{35}_{44}$ tiau^{53} sai^{35}.kai^{53} ke^{53} uk^{3} xɔŋ^{53} ŋa^{0} lei$^{13}_{21}$ fuk^{5} xɔŋ^{53} ŋa^{0} tiau^{53} tʂak^{3} kei^{35} kei$^{35}_{44}$,uan^{21} tʂak^{3} kei^{35} kei$^{35}_{44}$ xa$^{53}_{44}$ lɔi$^{13}_{21}$,kai$^{53}_{44}$ ke$^{53}_{44}$ sai^{35} xɔŋ^{35} sai^{35} mi^{21} ke$^{53}_{44}$ ʂʅ$^{13}_{44}$ xei$^{53}_{44}$ tsʅ^{0} lei^{0} e$_{21}$ kei^{35} kei$^{35}_{44}$ kai$^{53}_{44}$ tʂak^{3} sai^{35} taŋ^{21} kau$^{35}_{44}$ lei^{0} tsʰiəu^{53} u^{21} san^{35} tʰiau$^{13}_{21}$ u^{21} tʂak^{3} kan^{21} ke^{53} u^{21} tʂak^{3} kan$^{21}_{44}$ ɲi^{21} to^{21},uan^{21} na^{53} kai^{53} kei$^{35}_{44}$ xɔŋ$^{53}_{44}$,kan$^{21}_{13}$ tsʅ^{0} uan^{21} kan^{21} tsʅ^{0} lɔi$^{13}_{21}$ sai$^{35}_{44}$.tsʰiəu$^{53}_{44}$ tiau^{53} uən^{21} nɔi$^{13}_{21}$ sai$^{35}_{44}$,ɔn$^{35}_{44}$ tso$^{53}_{44}$ tiau^{53} sai^{35}.kai$^{53}_{44}$ ke$^{53}_{44}$ sai^{35} mi^{21} ʂʅ$^{53}_{44}$ tʰiet^{3} tʂʰəŋ^{35} li^{0} a^{0},iet^{3} tan^{35} mi^{21},xei^{53} me^{53}?iet^{3} tan^{35} mi^{21} e$_{44}$ tsʰiet^{3} pait^{3} ʂət^{5} cin^{35} na^{0},ɲi^{13} tsʰiəu^{53} tʂʅ^{21} (x)au^{21} tso^{53} san^{35} si^{53} tau^{53} tsʅ^{0} sai^{35} ia^{0},kai$^{53}_{44}$ tsʰiəu^{53} tɔit^{3} n̩^{13} çi^{21} ia^{0}.

【吊桶】tiau^{53} tʰəŋ^{21} 名 桶梁上拴着绳子的小桶，用来从井中打水（客家人多直接引山上的泉水使用，吊桶少用少见）：～，我等以边唔多。因为深井冇……我等以映到处都有水，有泉水，系啊？也有～嘞。也有啊。tiau^{53} tʰəŋ^{21},ŋai^{13} tien^{0} i^{21} pien$^{35}_{44}$ n̩^{13} to^{35}.in^{35} uei$^{53}_{44}$ tʂʰən^{35} tsiaŋ^{21} mau^{13}…ŋai^{13} tien^{0} i^{21} iaŋ$^{53}_{44}$ tau^{53} tʂʰəu$^{53}_{21}$ təu$^{35}_{44}$ iəu$^{35}_{44}$ ʂei^{21},iəu$^{35}_{44}$ tsʰan^{13} ʂei^{21},xei$^{53}_{44}$ a^{0} ?ia^{35} iəu$^{35}_{44}$ tiau^{53} tʰəŋ^{21} lei^{0}.ia^{35} iəu$^{35}_{44}$ a^{0}.

【吊孝】tiau$^{53}_{44}$ çiau^{53} 动 到有丧的人家去祭奠慰问：烧倒头香也系～凑。欸，我等有咁个习惯子，就系一家人家死哩人呢，渠还赠架势举行追悼活动，还赠架势整箇只白喜事，或者架哩势做白喜事，箇个亲戚朋友嘞就到渠箇……一死就分箇个死尸就放下厅下来吵，就布置只灵堂吵，在乎渠简单也好唔简单也好，就布置只灵堂，箇就接受亲戚朋友个～，就接受亲戚朋友来烧倒头香，安做倒头香，就系正死个时候子就去烧第一只香。～是从头到尾都可以吧？正斋箇晡也有兜人跑倒来～。ʂau^{35} tau^{21} tʰei$^{13}_{21}$ çiɔŋ^{35} ia^{35} xe^{53} tiau^{53} çiau^{53} tsʰe^{0}.e$_{21}$,ŋai^{13} tien^{0} iəu^{35} kan^{21} ke^{0} siet^{5} kuan$^{53}_{44}$ tsʅ^{0},tsʰiəu^{53} xei$^{53}_{44}$ iet^{3} ka$^{35}_{44}$ ɲin$^{13}_{21}$ ka$^{35}_{44}$ si^{21} li^{0} ɲin^{13} nei^{0},ci^{13} xan$^{13}_{21}$ maŋ^{13} cia^{53} ʂʅ^{53} tʂʯ^{21} çin^{13} tʂei^{35} tiau^{53} xɔit^{5} tʰəŋ^{53},xai^{13} maŋ^{13} cia^{53} ʂʅ^{53} tʂaŋ^{21} kai^{53} tʂak^{3} pʰak^{5} çi^{21} sʅ^{53},xɔit^{5} tʂa^{21} cia^{53} li^{0} ʂʅ$^{53}_{44}$ tso$^{53}_{44}$ pʰak^{5} çi^{21} sʅ^{53},kai$^{53}_{44}$ ke^{0} tsʰin^{35} tsʰiet^{3} pʰəŋ$^{13}_{21}$ iəu^{35} lei^{0} tsʰiəu^{53} tau^{53} ci$^{13}_{21}$ kai$^{53}_{44}$…iet^{3} si^{21} tsʰiəu$^{53}_{44}$ pən^{35} kai$^{53}_{44}$ ke$^{53}_{44}$ si^{21} ʂʅ$^{35}_{44}$ tsʰiəu^{53} fɔŋ$^{53}_{44}$ ŋa$^{53}_{44}$ tʰaŋ^{35} xa$^{53}_{44}$ lɔi$^{13}_{21}$ ʂa^{0},tsiəu^{53} pu^{53} tʂʅ^{53} tʂak^{3} lin^{13} tʰɔŋ^{13} ʂa^{0},tsʰai^{53} fu$^{35}_{44}$ ci$^{13}_{44}$ kan^{21} tan^{35} na$^{35}_{53}$ xau^{21} n̩^{13} kan^{21} tan^{35} na$^{35}_{53}$ xau^{21},tsʰiəu$^{53}_{44}$ pu^{53} tʂʅ^{53} tʂak^{3} lin^{13} tʰɔŋ^{13},kai$^{53}_{44}$ tsʰiəu$^{53}_{44}$ tsiait^{3} ʂəu^{53} tsʰin^{35} tsʰiet^{3} pʰəŋ$^{13}_{21}$ iəu$^{35}_{44}$ ke^{0} tiau^{53} çiau^{53},tsʰiəu^{53} tsiait^{3} ʂəu^{53} tsʰin^{35} tsʰiet^{3} pʰəŋ$^{13}_{21}$ iəu^{35} lɔi$^{13}_{21}$ ʂau^{35} tau^{21} tʰei$^{13}_{21}$ çiɔŋ^{35},ɔn$^{35}_{44}$ tso^{53} tau^{21} tʰei$^{13}_{21}$ çiɔŋ^{35},tsʰiəu$^{53}_{44}$ xei$^{53}_{44}$ tʂaŋ^{53} si^{21} ke^{0} ʂʅ^{13} xei$^{53}_{44}$ tsʅ^{0} tsʰiəu^{53} çi^{53} ʂau^{35} tʰi^{53} iet^{3} tʂak^{3} çiɔŋ^{35}.tiau^{53} çiau^{53} ʂʅ$^{53}_{44}$ tsʰəŋ$^{13}_{21}$ tʰei$^{13}_{21}$ tau^{53} mi^{35} təu$^{35}_{53}$ kʰo^{21} i$^{35}_{44}$ pa^{0} ?tʂən^{53} tsai$^{35}_{44}$ kai$^{53}_{44}$ pu$^{35}_{44}$ ia^{35} iəu$^{35}_{44}$ təu$^{35}_{44}$ ɲin$^{13}_{21}$ pʰau^{21} tau^{21} lɔi^{13} tiau^{53} çiau^{53}.

【吊竹】tiau^{53} tʂəuk^{3} 动 儿童的一种游乐行为。爬到竹尾上，松开脚，靠体重让竹子尾梢垂下：～啊，我等山里是蛮多竹吵。□攀援上去，□上竹上去。□嘿箇竹尾巴上去。总□总尾呀，箇尾巴就受唔了哩啊，就驼下来吵。～哇，去吊。脚一松啊，分箇条竹尾巴就吊下来呀。吓死人呢。tiau^{53} tʂəuk^{3} a^{0},ŋai$^{13}_{21}$ tien^{0} san^{35} li^{21} ʂʅ$^{53}_{44}$ man$^{13}_{21}$ to$^{35}_{44}$ tʂəuk^{3} ʂa^{0}.cʰiet^{5} ʂɔŋ$^{53}_{44}$ çi$^{53}_{44}$,cʰiet$^{5}_{3}$ ʂɔŋ^{53} tʂəuk^{3} xɔŋ$^{53}_{44}$ çi^{53}.cʰiet$^{5}_{3}$ (x)ek$^{3}_{5}$ kai$^{53}_{44}$ tʂəuk^{3} mi$^{35}_{44}$ pa^{35} xɔŋ$^{53}_{21}$ çi^{53}.tsəŋ^{21} cʰiet^{5} tsəŋ^{21} mi^{35} ia^{0},kai$^{53}_{44}$ mi^{35} pa$^{35}_{44}$ tsʰiəu$^{53}_{44}$ ʂəu^{53} n̩$^{13}_{21}$ liau^{21} li^{0} a^{0},tsʰiəu$^{53}_{44}$ tʰo^{13} xa$^{53}_{44}$ lɔi$^{13}_{21}$ ʂa^{0}.tiau^{53} tʂəuk^{3} ua^{0},çi$^{53}_{21}$ tiau^{53}.ciɔk^{3} iet^{3} səŋ^{35} ŋa^{0},pəŋ^{35}(←pən^{35})kai$^{53}_{44}$ tʰiau$^{13}_{21}$ tʂəuk^{3} mi$^{35}_{44}$ pa^{35} tsʰiəu$^{53}_{44}$ tiau^{53} xa$^{53}_{44}$ lɔi$^{13}_{21}$ ia^{0}.xak^{3} si$^{21}_{44}$ ɲin^{13} nei^{0}.

【钓】tiau^{53} 动 以钩饵取鱼：～倒有鱼子。tiau^{53} tau^{21} iəu$^{35}_{44}$ ŋ̍^{13} tsʅ^{0}.丨我也去～过咯，跟倒去～过鱼咯，细细子啊。ŋai$^{13}_{21}$ ia^{35} çi$^{53}_{44}$ tiau^{53} ko^{53} ko^{0},cien^{35} tau^{21} çi^{53} tiau^{53} ko^{53} ŋ̍$^{13}_{21}$ ko^{0},sei^{53} sei^{53} tsʅ^{0} a^{0}.

【钓鞭】tiau^{53} pien^{35} 名 钓鱼竿：做过，我等做过，到岭上挖条细竹子呢，剐嘿桠箇只啦，揪韧子啊，挖倒箇就做～，哪有如今箇么个买条～要千多块？以前是就系咁个嘞，舞条竹子嘞，舞条子线呢。如今个硬会输哩命个，渠话两百多块钱个～都有用话。爱上千多块，爱几千块个～。箇有只人置一万多块钱牙业话，为倒钓鱼，真系有钱。tso$^{53}_{44}$ ko$^{53}_{44}$,ŋai^{13} tien^{0} tso$^{53}_{44}$ ko$^{53}_{44}$,tau$^{53}_{44}$ liaŋ$^{35}_{44}$ xɔŋ$^{53}_{44}$ uait^{3} tʰiau$^{13}_{21}$ se^{53} tʂəuk^{3} tsʅ^{0} nei^{0},tʰiait^{5} xek^{3} kʰua^{21} kai$^{53}_{44}$ tʂak^{3} la^{0},tsiəu^{35} ɲin$^{53}_{44}$ tsa^{0},ua$^{35}_{44}$ tau$^{21}_{44}$ kai$^{53}_{44}$ tsʰiəu$^{53}_{44}$ tso$^{53}_{44}$ tiau^{53} pien^{35},la^{53} iəu^{35} i$^{13}_{21}$ cin$^{35}_{44}$ kai^{53} mak^{3} e^{0} mai^{35} tʰiau$^{13}_{21}$ tiau^{53} pien$^{35}_{44}$ iau$^{53}_{44}$ tsʰien^{35} to$^{35}_{44}$ kʰuai^{53}?i$^{35}_{53}$ tsʰien^{13} ʂʅ$^{53}_{44}$ tsiəu^{53} xei$^{53}_{44}$ kan^{21} ke^{53} lei^{0},u^{21} tʰiau^{13} tʂəuk^{3} tsʅ^{0} lei^{0},u^{21} tʰiau^{13} tsʅ^{0} sen^{53} ne^{0}.i$^{13}_{21}$ cin^{35} ke^{0} ɲiaŋ$^{53}_{44}$ uɔi$^{53}_{44}$ ʂəu^{35} li^{0} miaŋ^{53} ke^{0},ci$^{13}_{44}$ ua$^{53}_{44}$ iɔŋ^{21} pak^{3} to^{35} kʰuai^{53} tsʰien^{13} ke^{0} tiau^{53} pien$^{35}_{44}$ təu$^{35}_{44}$ mau^{13} iəŋ^{53} ua$^{53}_{21}$.ɔi$^{53}_{44}$ ʂɔŋ^{35} tsʰien^{35} to$^{35}_{44}$ kʰuai^{53},ɔi^{53} ci^{21} tsʰien^{35} kʰuai$^{53}_{44}$ ke^{0} tiau^{53} pien$^{35}_{44}$.kai$^{53}_{44}$ iəu^{35} tʂak^{3} ɲin$^{13}_{21}$ tʂʅ^{53} iet^{3} uan^{53} to$^{35}_{44}$ kʰuai$^{53}_{44}$ tsʰien$^{13}_{21}$ ŋa^{13} ɲiait^{5} ua^{53},uei^{53} tau^{21} tiau^{53} ŋ̍^{13},tʂən^{35} ne$^{53}_{44}$ iəu^{35} tsʰien$^{13}_{21}$.

【钓钩】tiau^{53} kei^{35} 名 鱼钩：我等细细子让门做～？如今是有卖呀。我等细细子买倒箇针呢，买倒箇补衫裤个针呢，用火一烧，嗯，摊冷来，就去拐。火一烧你就莫放嘿水肚里去淬嘞。

一淬就□错，就会断嘿。火烧哩以后渠就会软，渠就拐得转。你咁子欸唔烧一到嘞，你拐紧转会断嘿，箇针是钢针吵，系唔系？会断咁。火烧，唔知系唔系火烧哩就拐得转了。ŋai13 tien0 se53 se53 tsɿ0 ɲiɔŋ53/44 mən0 tso53 tiau53 kei35/44 ʔi13/21 cin35/44 ʂʅ53/44 iəu35 mai53 ia0 .ŋai13 tien0 sei53 sei53 tsɿ0 mai35 tau21 kai53/44 tʂən35 nei0 ,mai35 tau21 kai53/44 pu21 san35 fu53/44 ke0 tʂən35 ne0 ,iəŋ53 fo21 iet3 ʂau35 ,n̩21 ,than35 naŋ35 ləi13/21 ,tshiəu53 çi53 uət3 .fo21 (i)et3 ʂau35 ɲi13/21 tshiəu53/44 mək5 fəŋ53 xek3 ʂei21 təu21 li0 çi53/44 tshi53 le0 .iet3 tshi53 tshiəu53/44 kuet5 tsan53/44 ,tshiəu53/44 uəi53/44 thən35 xek3 .fo21 ʂau35 li0 i35/44 xei53/44 ci13/21 tshiəu53/44 uəi53 ɲiən35 ,ci13/21 tshiəu53 uət3 tek3 tʂuən21 . ɲi13 kan53/44 tsɿ0 e21 n̩13 ʂau35 iet3 tau3 lei0 , ɲi13 uət3 cin21 tʂuən21 uəi53 thən35 nek3 ,kai53 tʂən35 ʂʅ53/44 kəŋ35 tʂən35 ʂa0 ,xei53 me53 ?uəi53 thən35 kan21 .fo21 ʂau35 ,n̩13 ti35/53 xei53 mei53 fo21 ʂau35 li0 tshiəu53 uət3 tek3 tʂuən21 niau0 .

【钓鱼】tiau53 ŋ̍13 动①用饵诱鱼上钩：箇只么啊都唔想搞，欸只～渠就重瘾呢。kai53 tʂak3 mak3 a0 təu35/44 n̩13/21 siəŋ21 kau21 ,e44 tʂʅ21 tiau53 ŋ̍13 ci13 tshiəu53/44 tʂhəŋ53 in13/21 nei0 .｜你～吗？有人工，哪有人工～？还有人工～是。ɲi13 tiau53 ŋ̍13 ma0 ?mau13/21 ɲin13 kəŋ35/44 ,la53 iəu35 ɲin13 kəŋ35/44 tiau53 ŋ̍13 ?xai13 iəu35/44 ɲin13 kəŋ35/44 tiau53 ŋ̍13 ʂʅ53/44 .②喻指打瞌睡：打瞌睡，有人就用～。"你看呶，渠等跍倒坐倒箇映子就～去哩。"嗯，～就打瞌睡去哩，就咁脑壳放势啄啊啄哩。我都今晡上昼有兜～噢。ta21 khɔk3 ʂɔi53 ,iəu35 ɲin44 tshiəu53/44 iəŋ53 tiau53 ŋ̍13 ."ɲi13 khɔn53 nau0 ,ci13/21 tien0 khu35/44 tau35/44 tsho35 tau21 kai53 iaŋ53 tsɿ0 tshiəu53/21 tiau53 ŋ̍13 çi53/44 li0 ."ən44 ,tiau53/44 ŋ̍13 tshiəu53/44 ta21 khɔk3 ʂei53 çi53 li0 ,tsiəu53/44 kan21/44 nau21 khɔk3 xəŋ53/44 ʂʅ53/44 təuk5 a0 təuk5 li0 .ŋai13 təu35/44 cin35/44 pu35/53 ʂəŋ53/44 tʂəu53/44 iəu35 təu35/44 tiau53 ŋ̍13 ŋau0 .

【调】tiau53 动调剂：分箇个壁下箇高个箇个泥，有多个欸泥，一铁扎一铁扎～下外背去，～下田中间去。pən35 kai53/44 ke53/44 piak3 xa53 ke53 kau35 ke53 kai53 cie53/44 lai13 ,iəu35/44 to35 ke0 e53 lai13/21 ,iet3 thiet3 tsait3 iet3 thiet3 tsait3 tiau53 ua53/44 ŋɔi53 pɔi53/21 çi53/21 ,tiau53 ua53/44 thien13/21 tʂəŋ35/44 kan35 çi53 .

【调货】tiau53 fo53 动本指外出进货，喻指勾引异性：箇个后生人，箇嬲伴子肚里就经常会笑别人家出门呢就系去～，欸，～就勾引女性。箇当然有兜嘞系笑别人家，也唔排除确实系有出去勾引女性个。渠到一只栏场嘞渠又欸渠箇个人晓得啊，渠箇人喜欢搞箇只路子。到一只栏场嘞又找一只地方个女性欸～。我是觉得有假，也冇得咁箇冇得咁神通个人，么啊走一只栏场打比今晡走下是长沙，长沙又～，欸走下么个欸万载，万载又～，走下湘潭，湘潭又～，啊不可能，系唔系？冇得咁神通广大个人吗？kai53/44 ke53/44 xei53 saŋ35/44 ɲin13/21 ,kai53/44 liau53 phɔn53 tsɿ0 təu21 li0 tshiəu53/44 cin35 tʂhəŋ13 uəi53 siau53 phiet5 in13/21 ka35/44 tʂhət3 mən13 nei0 tshiəu53/44 xei53/44 çi53/44 tiau53/44 fo53 ,ei21 ,tiau53 fo53 tshiəu53/44 kei35 in21 ɲy21 sin53 .kai53/44 təŋ35 vien13/44 iəu35 te35/53 lei0 xei53 siau53 phiet5 in13/21 ka35/44 ,ia35 m̩21 phai13 tʂhʮ13 khɔk3 ʂət5 xei53 iəu35/44 tʂhət3 çi53/44 kei35 in21 ɲy21 sin53/44 ke0 .ci13/21 tau53 iet3 tʂak3 laŋ13/21 tʂhəŋ13/21 lei0 ci13/21 iəu53 ei21 ci13/21 kai53 ke53 ɲin13/21 çiau21 tek3 a0 ,ci13/21 kai53 ɲin13/44 çi21 fən35/53 kau21 kai53/44 (tʂ)ak3 ləu53 tsɿ0 .tau53 iet3 tʂak3 laŋ13/21 tʂhəŋ13/21 lei0 iəu53 tsau21 iet3 tʂak3 thi53 fəŋ35/44 ke53 ɲy21 sin53 e21 tiau53/44 fo53 .ŋai13 ʂʅ53 kɔk3 tek3 iəu35/44 cia21 ,ia35 mau13 tek3 kan21 kai53 mau13 tek3 kan21 ʂən13 thəŋ35/44 ke53 ɲin13/44 ,mak3 a0 tsei21 iet3 tʂak3 laŋ13/21 tʂhəŋ13/44 ta21 pi21 cin35 pu35/53 tsei21 (x)a53 ʂʅ53/44 tʂhəŋ13 sa35/44 ,tʂhəŋ13 sa35/44 iəu53 tiau53 fo53 ,e21 tsei21 ia53 mak3 ke53/44 e21 uan53 tsai21 ,uan53 tsai21 iəu53/44 tiau53/44 fo53 ,tsei21 ia53/44 siəŋ35 than13/21 ,siəŋ35 than13/21 iəu53/44 tiau53/44 fo53 ,a53 pət3 kho21 len13 ,xei53 me53 ?mau13/21 tek3 kan21 ʂən13 thəŋ35/53 kəŋ21 thai53 ke0 ɲin13/44 ma0 ?

【调货单】tiau53 fo53 tan35 名提货单：调货就如今开店子个人渠爱去进货啊，爱去调货啊，就系～呐，就开张单子啊，爱滴么个东西呀，箇张就～。tiau53 fo53 tshiəu35/44 i13/21 cin35/44 khɔi35 tian53 tsɿ0 ke0 ɲin13/21 ci13/21 ɔi53/44 çi53/44 tsin53 fo53 a0 ,ɔi53/44 çi53/44 tiau53 fo53 a0 ,tsiəu53/44 xe53/44 tiau53 fo53 tan35 na0 ,tsiəu53/21 khɔi35/44 tʂəŋ35/44 tan35 tsɿ0 a0 ,ɔi53 tiet5 mak3 e0 təŋ35 si0 ia0 ,kai53/44 tʂəŋ35/44 tshiəu53/21 tiau53 fo53/21 tan35 .

【调子】tiau53 tsɿ0 名论调，说话时所持有的态度、语气：噢，～啊莫咁高。au21 ,tiau53 tsɿ0 a0 mɔk5 kan21 kau35 .

【掉】thiau53 动①摆动：～脑壳 thiau53 lau21 khɔk3 摇头｜～手 thiau53/21 ʂəu21 手向下和前后摇摆。②以手掌击打：～你两耳巴 thiau53 ɲi13/21 iəŋ21 ɲi21 pa35/44 。◇《说文》："掉，摇也。"

【掉头掉脑】thiau53 thei13/21 thiau53 lau21 摇晃着头，表示没有或反对：就滴都冇得，滴都唔赞成，或者欸唔同意，欸，就～。tshiəu53/44 tiet5 təu35/53 mau13 tek3 ,tiet5 təu35/53 n̩13 tsan53 tʂhən13/21 ,xɔit5 tʂa21 ei44 n̩13/21 thən13 i53 ,e21 ,tshiəu53/44 thiau53 thei13/21 thiau53 lau21 .｜打比样你同我借钱，系唔系？你爱同我借钱，箇我真唔想借，～，冇得冇得冇得。ta21 pi21 iəŋ53 ɲi13 thəŋ13/21 ŋai13/21 tsia53 tshien13 ,xei53 me53 ?ɲi13/21 ɔi53 thəŋ13/21 ŋai13/21 tsia53 tshien13/21 ,kai53 ŋai13/21 tʂən35 n̩13/21 siəŋ53 tsia53 ,thiau53 thei13/21 thiau53 lau21 ,mau13 tek3 mau13 tek3 mau13 tek3 .

【跌】tiet3 /tiait3 /tet3 动①（固体物）掉落，脱落：（梓木树）会～叶子冬下。uɔi53/44 tiait3 iait5 tsɿ0 təŋ35/44 xa53/44 .｜～嘿两只纽子。tiet3 (x)ek3 iəŋ21 tʂak3 lei21 tsɿ0 .｜当箇个东西游过来个时候子，正好～下

以只眼肚里。toŋ35kai53/21ke53/21təŋ35/44si0 iəu13ko53ləi13/21ke53/44ʂʅ13xei53tsʅ0,tʂən53xau21tet3 (x)a53i21tʂak3 ŋan21təu21li0. ②（液体）滴落：～口水 tet3xei21ʂei21形容很想吃或贪婪的样子。③失足摔倒：～一跤～伤哩，手骨都～断哩。跑下哪映啊？跑下社港去整。tet3iet3kau35/44tet3 ʂəŋ35li0.ʂəu21kuət3təu35/44tet3 tʰən35ni0,pʰau21ua53/44 la53iaŋ53/44ŋa0?pʰau21ua53/44ʂak5kəŋ21çi53tʂaŋ21.｜一～～下番薯窖肚里。iet3tet3tet3 (x)a53/44fan35ʂəu13/21kau53təu21 li0. ④遗失：箇手机，手机袋稳呐！莫～嘿哩啊！kai53/44ʂəu21ci35,ʂəu21ci35tʰəi53uən21na0 !mək5tiet3 (x)ek3li0a0!

【跌饭】tet3fan53（吃饭的时候）掉饭粒：莫～！mək5tet3fan53!｜跌倒个饭爱捡倒食起来唠，捡起来食嘿去啊。tet3tau21ke53/44fan53əi53cian21tau21ʂət5çi21ləi13/21lau0,cian21çi21ləi13ʂət5xek3çi53/44a0.

【跌价】tet3cia53 动 商品价格下降：～就卖嘿去 tet3cia53/44tsʰiəu53/44mai53xek3çi53｜硬屋下兑倒箇废品呐即即哩～。ɲiaŋ53/21uk3xa53tən21tau21kai53/44fei53pʰin21na0tset5tset5li3tet3cia53.

【跌跤】tiet3kau35 动 摔跤：跌哩跤 tiet3li0kau35

【跌死人】tet3si21ɲin13 形容极易使人摔倒：箇指木拖板就～呢，溜滑嘞。(k)ai53tsiəu53/44tet3 si21ɲin13 ne0,liəu53uait5le0.

【跌头发】tet3tʰei13fait3 脱发；因皮肤病、衰老等原因造成的头发大量脱落现象：～有兜是一种病啊，系唔系？有兜就系老嘿哩～呀。tet3tʰei13fait3 iəu35təu35/53ʂʅ13/44iet3tʂəŋ21pʰiaŋ53ŋa0,xei53/44me53/44? iəu35təu35/53tsʰiəu53xe53lau21xek3li0tet3tʰei13/44fait3ia0.｜我头番我看下子箇洗头呀，我头番洗头呀，让门子跌倒唔知几多头发哈，箇面盆里跌倒唔知几多头发。ŋai13tʰei13fan35/44ŋai13kʰən53xa53tsʅ0kai53/44se21 tʰei13ia0,ŋai13/21tʰei13fan35/44se21tʰei13ia0, ɲiəŋ53mən13/44tsʅ0tet3tau21n̩13ti35/53ci21to35/53tʰei13/21fait3xa0,kai53/44mien53pʰən13/44li0 tet3tau21n̩13ti35/53ci21(t)o35/53tʰei13/21fait3.

【叠₁】tiet5 形 紧实：箇豆腐哇欸上哩箱以后呀，舞倒么个东西轧～来。kai53/44tʰei53fu53/21ua0e0ʂəŋ35 li0siəŋ35i35/44xei53/44ia0,u21tau21mak3e0(t)əŋ35/44si0tsak3tiet5ləi13/21.

【叠₂】tʰet5 量 名量词，用于码放在一起的大量薄片状东西：渠都带滴带一～纸。ci13/21təu35tai53 tiet3tai53iet3tʰet5tʂʅ21.

【碟】tʰiait5 量 名量词，用于计算碟装物：一～菜 iet3tʰiait5tsʰəi53

【碟子】tʰiait5tsʅ0 名 盛食物或调味品的器皿，比盘子小，底平而浅：～就同碗一样个东西唠，系唔系？装菜个唠，装东西个唠。我觉得～炒菜系有渠个好处。搞么个嘞？渠冇事歇倒箇个菜。箇菜呀炒啊倒，欸，因为～个面大呀，系唔系？搞么个饭店里爱用～嘞？渠就箇个菜嘞冇事歇倒，更好食。碗公更深呶，装倒会歇倒哇。tʰiait5tsʅ0tsiəu53/44tʰəŋ13/21uən21iet3iəŋ53/44ke0təŋ35/44si0 lau0,xei53/44me53/44?tʂəŋ35tsʰəi53ke0lau0,tʂəŋ35təŋ35si0ke0lau0.ŋai13kək3tek3tʰiait5tsʅ0tsʰau21tsʰəi53xei53iəu35ci13/44ke0 xau21tʂʰʅ53.kau21mak3ke0lei0?ci13/21mau13sʅ53/44çiet3tau21kai53/44ke0tsʰəi53.kai53/44tsʰəi53ia0tsʰau21a0tau21,ei44,in35uei53/21 tʰiait5tsʅ0ke0mien53tʰai53ia0,xei53/44me53/44?kau21mak3ke53fan53tian35li0əi53/44iəŋ53/44tʰiait5tsʅ0lei0?ci13tsʰiəu53/44kai53/44ke53/44 tsʰəi53lei0mau13sʅ53/44çiet3tau21,cien53/44xau21ʂət5.uən21kəŋ35cien53tʂʰən35nau0,tʂəŋ35tau21tsiəu53/44uəi53çiet3tau21ua0.

【咄】te21 叹 用于提请对方注意看和听：啊，看呐！～，一双手就合拢来，咁子斜斜子。a21,kʰən53na0!te21,iet3səŋ35ʂəu21tsʰiəu53/44xəit5ləŋ35ləi13/21,kan21tsʅ0tsʰia13tsʰia13tsʅ0.

【丁】tin35 动 肉、瓜果、蔬菜等切成的小方块儿：切成～，系，也安做坨，切成坨。切成～还更细，切成坨还更大。一般么个东西就会切成～呢？萝卜嘞可以切成～。欸，或者嘞，切大滴子一坨嘞，交倒去炆排骨。tsʰiet3tʂʰən13tin35,xe53/21,ia35ən35/53tso53tʰo13,tsʰiet3tʂʰən13tʰo13.tsʰiet3tʂʰən13 tin35xan13ken53/44se53,tsʰiet3tʂʰən13/44tʰo13xan13ken53/44tʰai53.iet3pən35mak3e0təŋ35/44si0tsʰiəu53/44uəi53/44tsʰiet3tʂʰən13tin35 ne0?lo13pʰet5lei0kʰo21i35/53tsʰiet3tʂʰən13/21tin35.e44,xəit5tʂa21lei0,tsʰiet3tʰai53tiet5tsʅ0iet3tʰo13lei0,ciau35tau21çi53 uən13pʰai13kuət3.

【丁啮子】tin35ŋait5tsʅ0 表示数量少：我爱渠拿滴子饼干分我食，他拿倒～。ŋai13əi53ci13/21la53tiet5 tsʅ0piaŋ21kən35pən35/44ŋai13/21ʂət5,tʰa35/44la53tau21tin35/44ŋait5tsʅ0.

【丁子】tin35tsʅ0 量 一点儿，形容很少或很小：火笼顶高还稍微高～嘞。fo35ləŋ35taŋ21kau35/44xai13/21 sau21uei13/21kau35tin35tsʅ0lei0.

【叮】tin35 动 转动：下槛磨子就只好听上槛去～。xa35kʰan21mo53tsʅ0tsʰiəu53/44tʂʅ21xau21tʰin53ʂəŋ53 kʰan21çi53/44tin35.

【叮叮吊吊】tin35tin35tiau53tiau53 形容下垂并互相撞击发声的样子：我看下子箇个有滴箇明星箇耳坠子啊，滮大一只圈圈，～吊倒箇映子。ŋai13kʰən53xa53/44tsʅ0kai53/44ke53/44iəu35tiet5kai53/44min13sin35/44kai53/44 ɲi^{21}tʂei^{53}tsɿ^{0}a^{0},mən^{35}t^{h}ai^{53}iet^{3}tʂak^{3}c^{h}ien^{35}c^{h}ien$^{35}_{44}$,tin$^{35}_{44}$tin$^{35}_{44}$tiau^{53}tiau$^{53}_{44}$tiau^{53}tau^{21}kai$^{53}_{44}$iaŋ^{53}tsɿ^{0}.

【叮叮转$_{1}$】tin^{35}tin^{35}tʂuən^{21} 名处所词。周边，附近：打比我做只屋做下以映，个～都冇得泉水或者泉水唔知几细，泉水井唔知几细，个就请人打只井。ta^{21}pi^{21}ŋai^{13}tso^{53}tʂak^{3}uk^{3}tso^{53}(x)a$^{53}_{44}$i^{21}iaŋ^{53},kai$^{53}_{44}$tin^{35}tin^{35}tʂuən^{21}təu^{35}mau^{13}tek^{3}ts^{h}an^{13}ʂei^{21}xɔit^{5}tʂa^{21}ts^{h}an^{13}ʂei^{21}n̩^{13}ti$^{35}_{53}$ci^{21}se^{53},ts^{h}an^{13}ʂei^{21}tsiaŋ^{21}n̩^{13}ti$^{35}_{53}$ci^{21}se^{53},kai^{53}ts^{h}iəu^{53}ts^{h}iaŋ^{21}ɲin^{13}ta^{21}tʂak^{3}tsiaŋ^{21}.

【叮叮转$_{2}$】tin^{35}tin^{35}tʂuən^{21} 副围绕、旋转的样子：欸，个踏盆架子放倒个映子，面上放只踏盆去，铲兜火去炙，就～坐得七八个人。e$_{21}$,kai$^{53}_{44}$t^{h}ait^{53}p^{h}ən$^{13}_{21}$ka^{53}tsɿ^{0}fɔŋ^{53}tau^{21}kai$^{53}_{44}$iaŋ$^{53}_{44}$tsɿ^{0},mien^{53}xɔŋ$^{53}_{44}$fɔŋ$^{53}_{44}$tʂak^{3}t^{h}ait^{5}p^{h}ən^{13}çi^{53},ts^{h}an^{21}tɕi$^{35}_{53}$fo^{21}çi^{53}tʂak^{3},ts^{h}iəu$^{53}_{44}$tin^{35}tin$^{35}_{44}$tʂuən^{21}ts^{h}o^{35}tek^{3}ts^{h}iet^{3}pait^{3}ke^{53}ɲin$^{13}_{21}$.

【钉$_{1}$】taŋ^{35} 名钉子，竹木或金属制成的、可以打入或贯穿他物的细棍形物件：个底让门搞嘞？就搞滴～钉倒。kai$^{53}_{44}$te^{21}ɲiɔŋ^{53}mən$^{13}_{53}$kau^{21}lei^{0}?ts^{h}iəu$^{53}_{44}$kau^{21}tet$^{5}_{3}$taŋ^{35}taŋ^{35}tau^{21}.

【钉$_{2}$】taŋ^{35} 动（尾巴、秤尾等）往上翘，向上直立：～起尾巴来 taŋ^{35}çi^{21}mi^{35}pa^{0}lɔi$^{13}_{21}$ | 秤尾都～～哩啊！～起来呀安做。tʂ^{h}ən^{53}mi$^{35}_{44}$təu$^{35}_{44}$taŋ^{35}taŋ$^{35}_{44}$lia^{0}!taŋ^{35}çi^{21}lɔi$^{13}_{21}$ia^{0}ɔn$^{35}_{44}$tso$^{53}_{44}$.

【钉锤】taŋ^{35}tʂ^{h}ei^{13} 名一种小锤。锤头一端呈方柱形，一端扁平，有的中间有起钉子用的狭缝，多用于钉钉子：撬钉子个欸安做……有起铁锤子，系，安做么个？羊角，羊角锤子吧？个只羊角。系唔系安做羊角锤子？安做么个锤子个只东西啊？开丫个，开丫锤吧？顶高有只丫。起得钉子起个，欸舞下去就分以个钉子撬起来哩。安做么个锤个起？一般是就安做铁锤子了以下就。～，嗯。c^{h}iau$^{53}_{44}$taŋ^{35}tsɿ^{0}ke$^{53}_{44}$e$_{21}$ɔn$^{35}_{44}$tso$^{53}_{44}$…iəu$^{35}_{44}$çi$^{21}_{44}$t^{h}iet^{3}tʂ^{h}ei^{13}tsɿ^{0},xe$^{53}_{44}$,ɔn$^{35}_{44}$tso$^{53}_{44}$mak^{3}(k)e$^{53}_{44}$?iɔŋ^{13}kɔk^{3},iɔŋ^{13}kɔk^{3}tʂ^{h}ei^{13}tsɿ^{0}pa^{0}?kai$^{53}_{44}$tʂak^{3}iɔŋ^{13}kɔk^{3}.xei$^{53}_{44}$me$^{53}_{44}$ɔn$^{35}_{44}$tso$^{53}_{44}$iɔŋ^{13}kɔk^{3}tʂ^{h}ei^{13}tsɿ^{0}?ɔn$^{35}_{44}$tso$^{53}_{44}$mak^{3}(k)e$^{53}_{44}$tʂ^{h}ei^{13}tsɿ^{0}kai^{53}tʂak^{3}təŋ$^{35}_{44}$si^{0}a^{0}?k^{h}ɔi$^{35}_{44}$a^{35}ke$^{53}_{44}$,k^{h}ɔi^{35}a^{35}tʂ^{h}ei$^{13}_{21}$pa^{0}?taŋ^{21}kau$^{35}_{44}$iəu$^{35}_{44}$tʂak^{3}a^{35}.çi^{21}tek^{3}taŋ^{35}tsɿ^{0}çi^{21}ke^{53},e$_{21}$u^{21}(x)a^{53}çi$^{53}_{44}$ts^{h}iəu$^{53}_{44}$pən^{35}i$^{13}_{44}$ke$^{53}_{44}$taŋ$^{35}_{44}$tsɿ^{0}c^{h}iau^{53}c^{h}i^{21}lɔi$^{13}_{21}$li^{0}.ɔn$^{35}_{44}$tso$^{53}_{44}$mak^{3}(k)e$^{53}_{44}$tʂ^{h}ei^{13}kai^{53}çi^{21}?iet^{3}pɔn^{35}ʂɿ^{53}tsiəu^{53}ɔn$^{35}_{44}$tso$^{53}_{44}$t^{h}iet^{3}tʂ^{h}ei$^{13}_{21}$tsɿ^{0}liau^{0}i$^{13}_{44}$xa$^{53}_{44}$tsiəu$^{53}_{44}$.taŋ^{35}tʂ^{h}ei$^{13}_{21}$,n̩$_{21}$.

【钉椒子】taŋ^{35}tsiau^{35}tsɿ^{0} 名①一种朝天椒，个儿小，极辣：还有如今么个～。/渠其实就钉起来。/渠个欸是呢向下上。钉辣椒是钉下子就翘……其实就就翘下上。xai$^{13}_{21}$iəu$^{35}_{44}$i$^{13}_{21}$cin$^{35}_{53}$mak^{3}ke^{53}taŋ^{35}tsiau$^{35}_{44}$tsɿ^{0}./ci^{13}c^{h}i$^{13}_{21}$ʂɿ^{53}ts^{h}iəu$^{53}_{44}$taŋ^{35}çi^{21}lɔi$^{13}_{21}$./ci^{13}ke$^{53}_{44}$e$_{21}$ʂɿ$^{53}_{35}$ni^{0}çiɔŋ$^{53}_{44}$ŋa$_{44}$(←xa^{53})ʂɔŋ^{35}.taŋ^{35}lait^{5}tsiau$^{35}_{44}$ʂɿ$^{53}_{21}$taŋ^{35}ŋa$_{44}$(←xa^{53})tsɿ^{0}ts^{h}iəu$^{53}_{44}$c^{h}iau^{53}…c^{h}i^{13}ʂət^{5}ts^{h}iəu$^{53}_{44}$ts^{h}iəu$^{53}_{44}$c^{h}iau$^{53}_{44}$xa$^{53}_{44}$ʂɔŋ^{35}. ②喻指能干泼辣的妇女、泼妇：唔系话个有滴妇女唔知几煞个子个她是～钉啊。m̩$^{13}_{21}$p^{h}e$_{44}$(←xe^{53})ua$^{53}_{44}$ke$^{53}_{44}$iəu^{35}tet^{5}fu^{53}ɲi^{21}n̩^{13}ti$^{35}_{44}$ci^{21}sait^{3}kai$^{53}_{44}$tsɿ^{0}ke$^{53}_{44}$t^{h}a$^{35}_{44}$ʂɿ$^{53}_{44}$taŋ^{35}tsiau$^{35}_{44}$tsɿ^{0}taŋ$^{35}_{44}$ŋa^{0}. | ～，话别人家～。～啊，你个个～样唠。taŋ^{35}tsiau^{35}tsɿ^{0},ua$^{53}_{44}$p^{h}iek^{5}in$^{13}_{44}$ka$^{35}_{44}$taŋ^{35}tsiau^{35}tsɿ^{0}.taŋ^{35}tsiau^{35}tsa^{0},ɲi$^{13}_{21}$kai$^{53}_{44}$ke$^{53}_{44}$taŋ^{35}tsiau^{35}tsɿ^{0}iɔŋ$^{53}_{44}$lau^{0}. | 你屋下个只～啊。ɲi^{13}uk^{3}xa^{53}kai$^{53}_{21}$tʂak^{3}taŋ^{35}tsiau$^{35}_{44}$tsa^{0}.

【钉鞋】taŋ^{35}xai^{13} 名屐鞋的别称：又安做～，又安做屐鞋。iəu$^{53}_{44}$ɔn$^{35}_{53}$tso$^{53}_{21}$taŋ^{35}xai$^{13}_{21}$,iəu$^{53}_{44}$ɔn$^{35}_{53}$tso$^{53}_{21}$c^{h}iak^{5}xai^{13}.

【钉子】taŋ^{35}tsɿ^{0} 名铁钉：以前是做屋就冇得～咯。i^{35}ts^{h}ien^{13}ʂɿ$^{53}_{44}$tso^{53}uk^{3}ts^{h}iəu^{53}mau$^{13}_{21}$tek^{3}taŋ^{35}tsɿ^{0}ko^{0}.

【疔】taŋ^{35} 名疔疮：发～ fait^{3}taŋ^{35} | ～就更大了啦，规模更大了。疖子就最细。欸，疮也蛮大个规模了。个～，～就更大个规模了。taŋ^{35}ts^{h}iəu$^{53}_{44}$ken^{53}t^{h}ai^{53}liau^{21}la^{0},kuei^{35}mo$^{13}_{21}$cien^{53}t^{h}ai^{53}liau^{21}.tset^{3}tsɿ^{0}ts^{h}iəu$^{53}_{44}$tsei^{53}se^{53}.e$_{44}$,ts^{h}ɔŋ^{35}ŋa^{35}(←ia^{35})man^{13}t^{h}ai^{53}ke$^{53}_{44}$kuei^{35}mo$^{13}_{21}$liau^{21}.kai^{53}taŋ$^{35}_{21}$,taŋ^{35}ts^{h}iəu$^{53}_{44}$cien^{53}t^{h}ai^{53}ke$^{53}_{21}$kuei^{35}mo$^{13}_{21}$liau^{21}.

【顶$_{1}$】taŋ^{21} 名顶部：比～嘞，又低滴子。pi^{21}taŋ^{21}lei^{0},iəu$^{53}_{44}$te^{35}tiet^{5}tsɿ^{0}.

【顶$_{2}$】tin^{21} 动①以头支承：拼只杆，舞只杆来～着。təŋ^{35}tʂak^{3}kɔn^{21},u^{21}tʂak^{3}kɔn^{21}lɔi^{13}tin^{21}tʂ^{h}ɔk$^{5}_{3}$. ②支撑，抵住：扛下棺材底下去帮以映背颈帮渠～呐。kəŋ^{53}xa$^{53}_{44}$kɔn$^{35}_{44}$ts^{h}ɔi$^{13}_{21}$te^{21}xa$^{53}_{44}$çi$^{53}_{44}$pɔŋ$^{35}_{44}$i^{21}iaŋ$^{53}_{44}$pɔi^{53}ciaŋ^{21}pɔŋ^{35}ci$^{13}_{21}$tin^{21}na^{0}. | 就以只东西就～稳个只头上啊。～稳个。ts^{h}iəu$^{53}_{44}$i^{21}tʂak^{3}təŋ$^{35}_{44}$si^{0}ts^{h}iəu$^{53}_{44}$tin^{21}uən^{21}kai^{53}tʂak^{3}t^{h}ei$^{13}_{21}$iɔŋ^{53}(←xɔŋ^{53})ŋa^{0}.tin^{21}uən^{21}ke^{53}. ③顶推：～出去 tin^{21}tʂ^{h}ət^{3}çi^{53}

【顶$_{3}$】taŋ^{21} 量名量词，用于某些有顶的东西：一～笠嫲 iet^{3}taŋ^{21}liet^{3}ma^{13} | 一～草帽 iet^{3}taŋ^{21}ts^{h}au^{21}mau^{53}

【顶顶碓碓】taŋ^{21}taŋ^{21}tɔi^{53}tɔi^{53} 形容说话语无伦次，前言不搭后语：个只老子真系老咁哩，懵懵懂懂了哈，欸～，讲起事来牛卵都扯啊马胯里去哩。kai^{53}(tʂ)ak^{3}lau^{21}tsɿ^{0}tʂən^{35}xe$^{53}_{44}$lau^{21}kan^{21}li^{0},məŋ$^{21}_{44}$məŋ$^{21}_{44}$təŋ^{21}təŋ^{21}liau^{21}xa^{0},e^{0}taŋ^{21}taŋ^{21}tɔi^{53}tɔi^{53},kɔŋ^{21}çi^{21}sɿ^{53}lɔi$^{13}_{44}$ɲiəu^{13}lin^{21}təu$^{35}_{53}$tʂ^{h}a^{21}a^{0}ma^{35}k^{h}a^{53}li^{0}çi^{53}li^{0}.

【顶碓】taŋ^{21}tɔi^{53} 形说话语无伦次，前言不搭后语：真～了喔。话个只老子懵懵懂懂了，又真～了。tʂən^{35}taŋ^{21}tɔi^{53}liau^{21}uo^{0}.ua^{53}kai^{53}tʂak^{3}lau^{21}tsɿ^{0}məŋ^{21}məŋ^{21}təŋ^{21}təŋ^{21}liau^{0},iəu$^{53}_{44}$tʂən^{35}taŋ^{21}tɔi^{53}liau^{0}.

【顶多】tin^{21}to^{35} 副最多，充其量：～还带滴子白菜。tin^{21}to^{35}xai$^{13}_{21}$tai$^{53}_{44}$tiet^{5}tsɿ^{0}p^{h}ak^{5}ts^{h}ɔi$^{53}_{44}$.

【顶风】tin^{21}fəŋ^{35} 动迎着风：我等客家人只有一只～，就系顶倒风走。ŋai^{13}tien^{0}k^{h}ak^{3}ka$^{35}_{53}$ɲin$^{13}_{21}$tʂʅ^{21}iəu$^{53}_{53}$iet^{3}tʂak^{3}tin^{21}fəŋ^{35},tsiəu$^{53}_{44}$xei$^{53}_{44}$tin^{21}tau^{21}fəŋ^{35}tsei^{21}.

【顶高】taŋ^{21}kau$^{35}_{44}$ 名方位词。上边；顶上；顶部。又称“上背、顶高、脑高”：（石锤）～是铁。taŋ^{21}kau$^{35}_{44}$ʂʅ$^{53}_{44}$t^{h}iet^{3}.｜（千鸭子）髻冠～就鲜红子个。ci^{53}kən^{35}taŋ^{21}kau$^{35}_{44}$ts^{h}iəu$^{53}_{44}$çien$^{35}_{44}$fəŋ$^{13}_{21}$tsɿ^{0}ke^{53}.

【顶力】tin^{21}lit^{5} 动受力：还有滴人（打鞋底）呢就以个踩脚个栏场以只栏场打更密。以个脚凹里箇映子唔～个栏场打更蘼，有滴甚至也唔打都做得了。xai^{13}iəu$^{35}_{44}$tet^{5}ɲin^{13}ne^{0}ts^{h}iəu^{53}i^{21}ke^{53}ts^{h}ai^{21}ciɔk^{3}ke^{53}laŋ$^{13}_{21}$tʂ^{h}ɔŋ$^{13}_{44}$i^{21}iak^{3}laŋ$^{13}_{21}$tʂ^{h}ɔŋ$^{13}_{44}$ta^{21}cien$^{53}_{44}$miet^{5}.i^{21}ke^{53}ciɔk^{3}au^{35}li^{21}kai^{53}iaŋ^{53}tsɿ^{0}n̩^{13}tin^{21}lit^{5}ke^{0}laŋ$^{13}_{21}$tʂ^{h}ɔŋ$^{13}_{44}$ta^{21}cien$^{53}_{44}$nau^{35},iəu^{35}tet^{5}ʂən^{53}tʂʅ$^{53}_{44}$ia$^{35}_{44}$n̩^{13}ta^{21}təu$^{35}_{44}$tso^{53}tek^{3}liau^{0}.

【顶上】taŋ^{21}xɔŋ^{53} 名方位词。顶头，高处：鸡公髻蛇，好像箇脑壳～有只咁个同箇鸡公样有只髻，有只冠。cie^{35}kəŋ^{35}ci^{53}ʂa^{13},xau^{21}siɔŋ^{53}kai$^{53}_{44}$lau^{21}k^{h}ɔk^{3}taŋ^{21}xɔŋ^{53}iəu$^{35}_{53}$tʂak^{3}kan$^{21}_{44}$cie$^{21}_{21}$t^{h}əŋ^{13}kai$^{53}_{44}$cie^{35}kəŋ$^{35}_{44}$iɔŋ$^{53}_{21}$iəu$^{35}_{44}$tʂak^{3}ci^{53},iəu^{35}tʂak^{3}kən^{35}.

【顶针】tin^{21}tʂən^{35} 名缝纫时套在手指上的金属环：一只就讲～呶，箇缝衣服用个，掇啊手指上个，就～呶。iet^{3}tʂak^{3}ts^{h}iəu^{53}kɔŋ^{21}tin^{21}tʂən^{35}nau^{0},kai$^{53}_{44}$fəŋ^{13}i$^{35}_{44}$fuk^{5}iəŋ$^{53}_{44}$ke^{0},ts^{h}əŋ$^{21}_{13}$a^{0}ʂəu^{21}tʂʅ^{21}xɔŋ$^{53}_{44}$ke^{0},tsiəu$^{53}_{44}$tin^{21}tʂən^{35}nau^{0}.

【顶针子】tin^{21}tʂən^{35}tsɿ^{0} 名小舌：以个喉咙肚里有只么个～子。i^{21}ke^{53}xei^{13}ləŋ$^{13}_{44}$təu^{21}li^{0}iəu$^{35}_{44}$tʂak^{3}mak^{3}e^{0}tin^{21}tʂən$^{35}_{44}$tsɿ^{0}.

【顶真】tin^{21}tʂən^{35} 副的确；确实：你读书，你爱走咁远呢，你读书哇，带滴多带兜子钱去啊，～有哩钱是也好用下子啊。ɲi$^{13}_{21}$t^{h}əuk^{5}ʂəu^{35},ɲi^{13}ɔi^{53}tsei^{21}kan^{21}ien^{21}ne^{0},ɲi$^{13}_{21}$t^{h}əuk^{5}ʂəu^{35}ua^{0},tai^{53}tiet^{5}to^{35}tai$^{53}_{44}$təu$^{35}_{53}$tsɿ^{0}ts^{h}ien$^{13}_{21}$çi^{53}a^{0},tin^{21}tʂən^{35}mau^{13}li^{0}ts^{h}ien$^{13}_{44}$ʂʅ$^{53}_{44}$ia^{35}xau^{21}iəŋ^{53}ŋa$^{53}_{21}$tsa^{0}.｜今晡你拿把子伞去啊，～落起水来哩是也好擎下子啊。cin$^{35}_{44}$pu$^{35}_{44}$ɲi^{13}la^{53}pa^{21}tsɿ^{0}san^{35}çi$^{53}_{44}$a^{0},tin^{21}tʂən$^{35}_{44}$lɔk^{5}çi^{21}ʂei^{21}lɔi^{13}li^{0}ʂʅ$^{53}_{44}$ia$^{35}_{44}$xau^{21}c^{h}iaŋ^{13}xa^{53}tsa^{0}.

【订婚】t^{h}in^{53}fən^{35} 动男女双方举办仪式，订立婚约：过定就系～呢，～就爱食餐饭呐。ko^{53}t^{h}in^{53}ts^{h}iəu$^{53}_{44}$xe$^{53}_{44}$tin^{53}fən^{35}ne^{0},tin^{53}fən^{35}ts^{h}iəu$^{53}_{44}$ɔi$^{53}_{44}$ʂət^{5}ts^{h}ɔn$^{35}_{44}$fan^{53}na^{0}.｜就系举行～仪式个时候，～个时候子，摎达嫁场箇时候子，三当六面来讲（红单个事情）。ts^{h}iəu^{53}xe^{53}tʂɥ^{21}çin^{13}t^{h}in^{53}fən$^{35}_{44}$ɲi^{13}ʂʅ$^{53}_{44}$ke$^{53}_{44}$ʂʅ$^{13}_{21}$xei$^{53}_{44}$,t^{h}in^{53}fən^{35}ke^{53}ʂʅ^{13}xei$^{53}_{44}$tsɿ^{0},lau^{35}t^{h}ait^{5}ka^{53}tʂ^{h}ɔŋ^{13}ke$^{53}_{44}$ʂʅ^{13}xei$^{53}_{44}$tsɿ^{0},san^{35}tɔŋ$^{35}_{44}$liəuk^{3}mien^{53}lɔi$^{13}_{21}$kɔŋ^{21}.

【订婚酒】tin^{53}fən$^{35}_{44}$tsiəu^{21} 名男女双方订立婚约时举办的筵席：欸，如果到女家头过定，就搞餐～，过定酒。e$_{21}$,y^{13}ko^{21}tau^{53}ɲi^{21}ka$^{35}_{44}$t^{h}ei$^{13}_{21}$ko$^{53}_{44}$t^{h}in^{53},ts^{h}iəu$^{53}_{44}$kau^{21}ts^{h}ɔn$^{35}_{44}$tin^{53}fən$^{35}_{44}$tsiəu^{21},ko^{53}t^{h}in^{53}tsiəu^{21}.

【钉$_{3}$】taŋ^{35} 动把钉子捶打进别的东西里；用钉子等把东西固定在一定的位置或把分散的东西组合起来：箇个～橡皮个时间呶，渠都用箇用箇竹钉子嘞。kai$^{53}_{44}$ke$^{53}_{44}$taŋ^{35}ʂɔn$^{13}_{21}$p^{h}i^{13}ke$^{53}_{44}$ʂʅ$^{13}_{21}$kan^{35}nau^{0},ci$^{13}_{21}$təu^{35}iəŋ$^{53}_{44}$kai$^{53}_{44}$iəŋ$^{53}_{44}$kai$^{53}_{44}$tʂəuk^{3}taŋ^{35}tsɿ^{0}le^{0}.｜做只～只四四方方个架架，放下箇只放下箇床上。tso^{53}tʂak^{3}taŋ^{35}tʂak^{3}si^{53}si$^{53}_{44}$fəŋ$^{35}_{44}$fəŋ$^{35}_{44}$ke$^{53}_{44}$ka^{53}ka$^{53}_{44}$,fəŋ^{53}xa^{53}kai$^{53}_{21}$tʂak^{3}fəŋ^{53}xa$^{53}_{44}$kai$^{53}_{44}$ts^{h}əŋ$^{13}_{21}$xɔŋ$^{53}_{44}$.

【钉被窝】tin^{53}p^{h}i^{35}p^{h}o$^{35}_{44}$ 用针线将被面、棉絮和被单缝在一起：欸，从前呢还有还有箇个咯，还有中间放印心咯，还爱摊床晒簟来～咯。欸，放下厅下来哟，阔地方哦，舞床晒簟呶。e$_{21}$,ts^{h}əŋ^{13}ts^{h}ien^{13}ne^{0}xa$^{13}_{44}$iəu^{35}xai$^{13}_{21}$iəu^{35}kai^{53}cie$^{53}_{44}$ko^{0},xai$^{13}_{21}$iəu^{35}tʂəŋ^{35}kan$^{35}_{44}$fəŋ^{53}in^{53}sin^{35}ko^{0},xai$^{13}_{21}$ɔi$^{53}_{44}$t^{h}an^{35}ts^{h}ɔŋ$^{13}_{21}$sai^{53}t^{h}ian$^{53}_{44}$lɔi$^{13}_{21}$tin^{53}p^{h}i^{35}p^{h}o$^{35}_{44}$ko^{0}.e$_{21}$,fəŋ$^{53}_{44}$(x)a$^{53}_{44}$t^{h}aŋ^{35}xa$^{53}_{44}$lɔi$^{13}_{21}$io^{0},k^{h}ɔit^{3}t^{h}i$^{53}_{44}$fəŋ^{35}ŋo^{0},u^{21}ts^{h}əŋ^{13}sai^{53}t^{h}ian^{53}nau^{0}.

【钉单】tin^{53}tan^{35} 名被单：要从前个钉被窝就唔比得如今个咁子捅啊去唠。从前就硬爱舞倒箇个～呢摊正席上来，放倒棉絮摊倒，再放印心，再包转来，用针线钉。箇个就真正系～。iau$^{53}_{44}$ts^{h}əŋ^{13}ts^{h}ien^{13}ke^{0}tin^{53}p^{h}i^{35}p^{h}o$^{35}_{44}$ts^{h}iəu^{53}n̩^{13}pi^{21}tek^{3}i$^{13}_{21}$cin$^{35}_{44}$ke^{0}kan^{21}tsɿ^{0}t^{h}əŋ^{21}ŋa^{0}çi^{53}lau^{0}.ts^{h}əŋ^{13}ts^{h}ien$^{13}_{21}$ts^{h}iəu$^{53}_{44}$ɲiaŋ^{53}ɔi^{53}u^{21}tau^{21}kai$^{53}_{44}$ke$^{53}_{44}$tin^{53}tan$^{35}_{44}$ne^{0}t^{h}an^{35}tʂaŋ$^{53}_{44}$ts^{h}iak^{5}xɔŋ$^{53}_{44}$lɔi$^{13}_{21}$,fəŋ^{53}tau^{21}mien^{13}si^{53}t^{h}an^{35}tau^{21},tsai^{53}fəŋ^{53}in^{53}sin$^{35}_{44}$,tsai^{53}pau^{35}tʂuɔn^{21}nɔi^{13},iəŋ^{53}tʂən$^{35}_{44}$sien^{53}tin^{35}.kai$^{53}_{44}$ke$^{53}_{44}$tsiəu$^{53}_{44}$tʂən^{35}tʂəŋ$^{53}_{44}$xe$^{53}_{44}$tin^{53}tan$^{35}_{44}$.

【定】t^{h}in^{53} 动①使不动：莫分渠动啊，～稳哪。mɔk^{5}pən$^{35}_{44}$ci$^{13}_{44}$t^{h}əŋ^{35}ŋa^{0},t^{h}in^{53}uən^{21}na^{0}. ②确定：但是箇只比例蛮难～。tan$^{53}_{44}$ʂʅ$^{53}_{44}$kai^{53}tʂak^{3}pi^{21}li^{53}man^{13}lan^{13}t^{h}in^{53}. ③预先约定：～倒我两公婆要系呀爱我，欸，我老婆去接新人。t^{h}in^{53}tau^{21}ŋai^{13}iɔŋ^{21}kəŋ$^{35}_{44}$p^{h}o$^{13}_{21}$iau$^{53}_{44}$xei^{53}ia^{0}ɔi^{53}ŋai$^{13}_{21}$,e$_{21}$,ŋai^{13}lau^{21}p^{h}o^{13}çi$^{53}_{44}$tsiet^{3}sin$^{35}_{44}$ɲin$^{13}_{21}$.

【定金】t^{h}in^{53}cin^{35} 名用作抵押或保证的钱：欸，我等买屋就付哩～呢。e$_{21}$,ŋai^{13}tien^{0}mai^{35}uk^{3}ts^{h}iəu$^{53}_{44}$fu^{53}li^{0}t^{h}in^{53}cin$^{35}_{44}$nei^{0}.

【丢】tiəu^{35} 动 ①用力投掷：徛倒田角头～禾秧，～倒分渠等栽。c^{h}i^{35}tau^{21}t^{h}ien$^{13}_{21}$kɔk^{3} t^{h}ei$^{13}_{21}$tiəu^{35} uo^{13}iɔŋ$^{35}_{44}$,tiəu^{35}tau^{21}pən^{35}ci$^{13}_{21}$tien^{0}tsɔi^{35}. ②扔掉，抛弃：只爱食哩桃子个骨头～倒箇岭上，就会生。tʂʅ^{21}ɔi$^{53}_{44}$ʂət^{5}li^{0}t^{h}au$^{13}_{21}$tsɿ^{0}ke$^{53}_{44}$kuət^{3}t^{h}ei^{13}tiəu^{35}tau^{21}kai$^{53}_{44}$liaŋ^{35}xɔŋ$^{53}_{44}$,ts^{h}iəu$^{53}_{44}$uɔi$^{53}_{44}$saŋ^{35}. ③随意放置：（裤脚盆）你不能到处～嘞。ɲi$^{13}_{21}$puk^{3}len^{13}tau^{53}tʂ^{h}əu$^{53}_{44}$tiəu^{35}le^{0}.｜乱～，么啊东西乱～。lɔn^{53}tiəu$^{35}_{44}$,mak^{3}a^{0}tɔŋ$^{35}_{44}$ si^{0}lɔn^{53}tiəu^{35}. ④失去，遗失：就会～咖，会～净嘞。tsiəu^{53}uɔi^{53}tiəu^{35}ka^{0},uɔi^{53}tiəu^{35}ts^{h}iaŋ$^{53}_{21}$le^{0}.｜～下街上了。tiəu^{35}a^{35}kai^{35}xɔŋ^{53}liau^{21}.

【丢面子】tiəu^{35}mien^{53}tsɿ^{0} 丢脸，出丑。又称“失面子”：真～ tʂən^{35}tiəu^{35}mien^{53}tsɿ^{0}｜箇只人丢哩面子。kai$^{53}_{44}$tʂak^{3}ɲin$^{13}_{21}$tiəu^{35}li^{0}mien^{53}tsɿ^{0}.

【丢石子】tiəu^{35} ʂak^{5}tsɿ^{0} 一种儿童游戏。抓子：细人子搞个，～，就系操练箇手势箇灵活性，操练手个灵活性。妹子人喜欢搞咁个。se^{53}ɲin$^{13}_{21}$tsɿ^{0}kau^{21}ke^{0},tiəu^{35}ʂak^{5}tsɿ^{0},ts^{h}iəu^{53}xe^{53}ts^{h}au^{35}lien$^{53}_{44}$kai$^{53}_{44}$ʂəu^{21}ʂʅ^{53}kai$^{53}_{44}$lin^{13}xɔit^{5}sin^{35},ts^{h}au^{35}lien$^{53}_{44}$ʂəu^{21}ke^{0}lin^{13}xɔit^{5}sin^{53}.mɔi^{53}tsɿ^{0}ɲin^{13}çi^{21}fɔn$^{35}_{44}$kau^{21}kan^{21}cie^{0}.

【东】tɔŋ^{35} 名 方位词。四个主要方向之一。太阳升起的一边，与“西”相对：厢房对面个？一般都隔只天心对面也应该系厢房噢。欸，～厢房西厢房啊。siɔŋ^{35}fɔŋ^{13}ti^{53}mien$^{53}_{44}$ke$^{53}_{44}$?iet^{3}pɔn^{35} tɔu$^{35}_{44}$kak^{3}tʂak^{3}t^{h}ien^{35}sin$^{35}_{44}$ti^{53}mien^{53}ia^{35}in$^{35}_{44}$kɔi$^{35}_{44}$xe^{53}siɔŋ^{35}fɔŋ^{13}ŋau^{0}.e$_{21}$,tɔŋ^{35}siɔŋ$^{35}_{44}$fɔŋ$^{13}_{21}$si^{35}siɔŋ$^{35}_{44}$fɔŋ$^{13}_{21}$ŋa^{0}.｜（野菊花）～一朵西一朵唠，到处开得。tɔŋ^{35}iet^{3}to^{21}si^{35}iet^{3}to^{21}lau^{0},tau^{53}tʂ^{h}əu$^{53}_{44}$k^{h}ɔi^{35}tek^{3}.

【东北】tɔŋ^{35}pɔit^{3} 名 方位词。介于东和北之间的方位：～方向 tɔŋ^{35}pɔit^{3}fɔŋ$^{35}_{44}$çiɔŋ^{53}

【东北帽】tɔŋ^{35}pɔit^{3}mau^{53} 名 雪帽：～嘞就系箇起戴棉帽个，就系么个嘞？就系箇个电视电影啊雷锋戴个箇种咁个帽就系～。雷锋个电影肚里，我只看倒雷锋个箇形象肚里，欸，欸冷天戴个。黄个子，一般～就黄个子，黄布，要雷锋戴个就黄布吵，系唔系？两边呢有舌舌，放下来两边有舌舌，两边有耳朵，包括后背放下来有舌舌。面上也有只，面上嘞本来也有只带绒子个也可以放下来。好，冇咁热人个时候子嘞分箇个两边个耳朵舌，分箇后背个，分顶高个，缔做一下，收下上。箇起就～。我戴是也戴过，戴倒搞再讲。我爷子箇阵子是老哩就戴呀。渠就戴。tɔŋ^{35}pɔit^{3}mau$^{53}_{44}$lei^{0}ts^{h}iəu$^{53}_{44}$xei$^{53}_{44}$kai^{53}çi^{21}tai^{53}mien^{13}mau$^{53}_{35}$ke^{0},ts^{h}iəu^{53}xei$^{53}_{44}$mak^{3}e^{0}lei^{0}?ts^{h}iəu^{53} xei$^{53}_{44}$kai$^{53}_{44}$ke$^{53}_{44}$t^{h}ien^{53}ʂʅ^{53}t^{h}ien^{53}iaŋ^{21}ŋa^{0}lei^{13}fəŋ^{35}tai^{53}ke^{0}kai^{53}tʂəŋ^{21}kan^{21}ke^{0}mau^{53}tsiəu$^{53}_{21}$xei$^{53}_{44}$tɔŋ^{35}pɔit^{3} mau^{53}.lei^{13}fəŋ^{35}ke^{0}t^{h}ien^{53}iaŋ^{21}təu^{21}li^{0},ŋai$^{13}_{44}$tʂʅ^{21}k^{h}ɔn^{53}tau^{21}lei^{13}fəŋ^{35}ke^{0}kai^{53}çin^{13}siɔŋ^{53}təu^{21}li^{0},e$_{44}$,e^{0}laŋ^{35}t^{h}ien$^{35}_{44}$ tai$^{53}_{44}$ke^{0}.uɔŋ^{13}ke^{53}tsɿ^{0},iet^{3}pɔn^{35}tɔŋ^{35}pɔit^{3}mau$^{53}_{44}$ts^{h}iəu$^{53}_{44}$uɔŋ^{13}ke^{53}tsɿ^{0},uɔŋ^{13}pu^{53},iau^{53}lei^{13}fəŋ^{35}tai^{53}ke^{0}ts^{h}iəu$^{53}_{44}$ uɔŋ^{13}pu$^{53}_{44}$ʂa^{0},xei$^{53}_{44}$me$^{53}_{44}$?iɔŋ^{21}pien^{35}nei^{0}iəu^{35}ʂait^{5}ʂait^{5},fɔŋ^{53}xa$^{53}_{44}$lɔi$^{13}_{21}$iɔŋ^{21}pien^{35}iəu^{35}ʂait^{5}ʂait^{5},iɔŋ^{21}pien$^{35}_{44}$iəu$^{35}_{44}$ ɲi^{21}to^{21},pau^{35}kuait^{3}xei^{53}pɔi$^{53}_{44}$fɔŋ^{53}xa$^{53}_{44}$lɔi$^{13}_{44}$iəu$^{35}_{44}$ʂait^{5}ʂait^{5}.mien^{53}xɔŋ^{53}ia^{35}iəu$^{35}_{44}$tʂak^{3},mien^{53}xɔŋ$^{53}_{44}$lei^{0}pɔn^{21}nɔi$^{13}_{21}$ ia^{35}iəu$^{35}_{44}$tʂak^{3}tai^{53}iɔŋ^{13}tsɿ^{0}ke^{0}ia^{35}k^{h}o^{21}i$^{21}_{44}$fɔŋ^{53}xa$^{53}_{44}$lɔi$^{13}_{21}$.xau^{21},mau^{13}kan^{21}ɲiet^{5}ɲin$^{13}_{44}$ke^{0}ʂʅ^{13}xəu$^{53}_{44}$tsɿ^{0}lei^{0}pən^{35}kai$^{53}_{44}$ ke^{0}iɔŋ^{21}pien^{35}ke^{0}ɲi^{21}to^{21}ʂait^{5},pən^{35}kai$^{53}_{44}$xei^{53}pɔi$^{53}_{44}$ke^{0},pən$^{35}_{44}$taŋ^{21}kau$^{35}_{44}$ke^{0},t^{h}ak^{3}tso^{53}(i)et^{3}xa^{53},ʂəu^{35}ua^{0}ʂɔŋ^{35}. kai^{53}çi$^{21}_{44}$ts^{h}iəu$^{53}_{44}$tɔŋ^{35}pɔit^{3}mau^{53}.ŋai^{13}tai^{53}ʂʅ$^{53}_{44}$a$^{35}_{44}$tai$^{53}_{44}$ko^{0},tai^{53}tau$^{21}_{44}$kau^{21}tsai$^{53}_{44}$kɔŋ^{21}.ŋai$^{13}_{21}$ia^{13}tsɿ^{0}kai^{53}tʂ^{h}ən^{53}tsɿ^{0}ʂʅ$^{53}_{44}$ lau^{21}li^{0}ts^{h}iəu$^{53}_{44}$tai^{53}ia^{0}.ci$^{13}_{21}$tsiəu^{53}tai$^{53}_{44}$.

【东边】tɔŋ^{35}pien^{35} 名 方位词。东方，东侧：箇嶂岭个～呀。kai$^{53}_{44}$tʂɔŋ^{21}liaŋ^{35}ke$^{53}_{44}$tɔŋ^{35}pien$^{35}_{44}$ia^{0}.｜～箇只间赠系过人。tɔŋ^{35}pien^{35}kai^{53}tʂak^{3}kan^{35}maŋ^{13}xe^{53}ko^{53}ɲin^{13}.

【东家】tɔŋ^{35}ka^{35} 名 旧时称聘用、雇用自己的人：食完饭以后就媒人公就出发啦，媒人就摎～个代表哇。ʂət^{5}ien^{13}fan^{53}i^{35}xei$^{53}_{44}$ts^{h}iəu$^{53}_{44}$mɔi^{13}ɲin$^{13}_{21}$kəŋ^{35}ts^{h}iəu^{53}tʂ^{h}ət^{3}fait^{3}la^{0},mɔi^{13}ɲin$^{13}_{21}$ts^{h}iəu$^{53}_{44}$lau^{35}tɔŋ^{35}ka$^{35}_{44}$ ke$^{53}_{44}$t^{h}ɔi^{53}piau^{21}ua^{0}.

【东角上】tɔŋ^{35}kɔk^{3}xɔŋ^{53} 名 方位词。①东边：欸东边呢又往往又话～。e$_{21}$tɔŋ^{35}pien$^{35}_{44}$ne^{0}iəu$^{53}_{44}$uɔŋ$^{35}_{21}$ uɔŋ^{35}iəu$^{53}_{44}$ua$^{53}_{44}$tɔŋ^{35}kɔk^{3}xɔŋ^{53}. ②东边头上：箇条街个～ kai^{53}t^{h}iau$^{13}_{21}$kai^{35}ke^{53}tɔŋ^{35}kɔk^{3}xɔŋ^{53}

【东街口】tɔŋ^{35}kai$^{35}_{44}$xei^{21} 街道的东头上：也还有人话，箇城里就，一只城市嘛它就东街上，～，欸，打比方浏阳就有～。箇是比较箇个，箇比较固定地址。一般硬话东角上西角上。ia^{35}xai$^{13}_{44}$ iəu$^{35}_{53}$ɲin$^{13}_{44}$ua$^{53}_{44}$,kai$^{53}_{44}$tʂ^{h}ən^{13}li^{0}ts^{h}iəu^{53},iet^{3}tʂak^{3}tʂ^{h}ən^{13}ʂʅ^{53}ma^{0}t^{h}a$^{35}_{44}$ts^{h}iəu$^{53}_{44}$tɔŋ^{35}kai$^{35}_{44}$xɔŋ$^{53}_{44}$,tɔŋ^{35}kai$^{35}_{44}$xei^{21},e$_{21}$,ta^{21} pi^{21}fɔŋ$^{35}_{44}$liəu^{13}iɔŋ$^{13}_{44}$ts^{h}iəu$^{53}_{44}$iəu$^{35}_{44}$tɔŋ$^{35}_{44}$kai$^{35}_{44}$xei^{21}.kai$^{53}_{44}$ʂʅ$^{53}_{44}$pi^{21}ciau$^{53}_{44}$kai^{53}ke$^{53}_{21}$,kai$^{53}_{44}$pi^{21}ciau$^{53}_{44}$ku^{53}t^{h}in$^{53}_{21}$t^{h}i^{53}tʂʅ^{21}.iet^{3} pɔn^{35}ɲiaŋ^{53}ua$^{53}_{44}$tɔŋ^{35}kɔk^{3}xɔŋ^{53}si^{35}kɔk^{3}xɔŋ^{53}.

【东南】tɔŋ^{35}lan^{13} 名 方位词。介于东和南之间的方位：～箇边 tɔŋ^{35}lan^{13}ka$_{44}$(←kai^{53})pien$^{35}_{44}$｜～方向 tɔŋ^{35}lan^{13}fɔŋ$^{35}_{44}$çiɔŋ^{53}

【东坡肉】tɔŋ^{35}po^{35}ɲiəuk^{3} 名 一种方块形的猪肉菜肴：如今是酒席上都用～嘞。选倒箇个欸安做五花肉，切成方坨，就放下镬里去焯到水，然后面上码兜酒娘箇兜吧？码兜白搞兜糖搞兜酒娘箇兜，搞兜甜酒娘啊去码一到，箇个皮上码一到，然后放下油肚里去炮。炮哩以后掇起来，蒸，放兜盐菜呀放兜么个，蒸，蒸倒食，箇就～。～蛮多箇个噢蛮多酒席上都用～。i$^{13}_{21}$ cin$^{35}_{44}$ʂʅ$^{53}_{44}$tsiəu^{21}siet^{5} xɔŋ$^{53}_{44}$təu$^{35}_{44}$iɔŋ$^{53}_{21}$təŋ$^{35}_{44}$po$^{35}_{44}$ɲiəuk^{3} le^{0}.sien^{21}tau^{21}kai^{53}ke^{53} e$_{21}$ɔn$^{35}_{44}$tso$^{53}_{44}$ŋ̍^{21} fa$^{35}_{44}$ɲiəuk^{3},tsʰiet^{3} ʂən$^{13}_{21}$ fɔŋ^{35}tʰo^{13},tsʰiəu^{53}fɔŋ^{53}xa^{53}uɔk^{5}li^{0}çi^{53}tʂʰɔk^{3} tau^{53}ʂei^{21},vien^{13}xei$^{53}_{44}$mien^{53}xɔŋ^{53}ma^{35}təu$^{35}_{53}$tsiəu^{21}ɲiɔŋ^{13}kai$^{53}_{44}$təu$^{35}_{44}$ pa^{0}?ma^{35}təu$^{35}_{44}$pʰak^{5}kau^{21}təu$^{35}_{53}$tʰɔŋ^{13}kau^{21}təu$^{35}_{53}$tsiəu^{21}ɲiɔŋ^{13}kai$^{53}_{44}$təu$^{35}_{44}$,kau^{21}təu$^{35}_{53}$tʰian^{13}tsiəu^{21}ɲiɔŋ^{13}ŋa^{0}çi$^{53}_{44}$ma^{35} iet^{3}tau^{53},kai$^{53}_{44}$ke$^{53}_{44}$pʰi^{13}xɔŋ^{53}ma^{35}iet^{3}tau^{53},vien$^{13}_{21}$xei$^{53}_{44}$fɔŋ^{53}xa^{53}iəu^{13}təu^{21}li^{0}çi^{53}pʰau^{13}.pʰau^{13}li^{0}i$^{35}_{44}$xei^{53}tɔit^{3}çi^{21}lɔi^{13}, tʂən^{35},fɔŋ^{53}təu$^{35}_{53}$ian^{13}tsʰɔi^{53}ia^{0}fɔŋ$^{53}_{44}$təu$^{35}_{53}$mak^{3}kei$^{53}_{44}$,tʂən^{35},tʂən^{35}tau^{21}ʂət^{5},kai$^{53}_{44}$tsʰiəu$^{53}_{44}$təŋ$^{35}_{44}$po$^{35}_{44}$ɲiəuk^{3}.təŋ^{35}po$^{35}_{44}$ ɲiəuk^{3}man^{13}to$^{53}_{44}$kai^{53}ke^{53}au^{0}man$^{13}_{21}$to$^{35}_{44}$tsiəu^{21}siet^{5}xɔŋ$^{53}_{44}$təu^{35}iɔŋ$^{53}_{44}$təŋ$^{35}_{44}$po$^{35}_{44}$ɲiəuk^{3}.

【东西】təŋ$^{35}_{44}$si^{0} 名物品，泛指各种具体或抽象的事物：鸡髀是比较重视个～。cie^{35}pi^{21}ʂʅ$^{53}_{44}$pi^{21} ciau$^{53}_{44}$tʂʰəŋ^{53}ʂʅ$^{53}_{44}$ke$^{53}_{44}$təŋ$^{35}_{44}$si^{0}.｜我就话你派出所里搞以只～指抓打麻将赌博的人是积极性高啊。ŋai^{13}tsiəu$^{53}_{44}$ ua^{53}ɲi^{13}pʰai^{53}tʂʰət^{3}so^{21}li^{0}kau^{21}i^{21}(tʂ)ak^{3}təŋ$^{35}_{44}$si^{0}ʂʅ$^{53}_{44}$tsiet^{3}cʰiet^{5}sin^{53}kau^{35}a^{0}.

【东乡】təŋ^{35}çiɔŋ^{35} 名指县境的东部地区：渠指道士就写长沙府，呣，浏阳县，～第一都，新安社令。渠照老个写。ci$^{13}_{21}$tsʰiəu^{53}sia^{21},tʂʰɔŋ^{13}sa$^{35}_{44}$fu^{21},m̩$_{21}$,liəu^{13}iɔŋ^{13}çien^{53},təŋ^{35}çiɔŋ$^{35}_{44}$tʰi^{53}iet^{3}təu^{35},sin^{35}ŋɔn$^{35}_{44}$ʂa^{35} lin^{53}.ci^{13}tʂau^{53}lau^{21}ke^{53}sia^{21}.

【东岳大帝】təŋ^{35}ŋɔk^{5}tʰai^{53}ti^{53} 名指泰山神：我老表箇向啊，我娭子个外家，老表箇向，严坪啊，就有只东岳庙，欸肚里就有～。我等也会去敬下子嘞。让门以映子有么个～，让门有西岳大帝？ŋai$^{13}_{44}$lau^{21}piau^{21}kai^{53}çiɔŋ^{53}ŋa^{0},ŋai$^{13}_{21}$ɔi^{35}tsʅ^{0}ke^{0}ŋɔi^{53}ka$^{35}_{44}$,lau^{21}piau^{21}kai^{53}çiɔŋ^{53},ɲien^{13}pʰiaŋ$^{13}_{44}$ŋa^{0},tsʰiəu$^{53}_{44}$ iəu$^{35}_{44}$tʂak^{3}təŋ^{35}ŋɔk^{5}miau^{53},e^{0}təu^{21}li^{0}tsʰiəu$^{53}_{44}$iəu$^{35}_{44}$təŋ^{35}ŋɔk^{5}tʰai^{53}ti^{53}.ŋai$^{13}_{21}$tien^{0}ia$^{35}_{44}$uɔi$^{53}_{44}$çi$^{53}_{44}$cin^{53}xa$^{53}_{44}$tsʅ^{0}lei^{0}. ɲiɔŋ^{53}mən^{0}i^{21}iaŋ^{53}tsʅ^{0}iəu^{35}mak^{3}e^{0}təŋ^{35}ŋɔk^{5}tʰai^{53}ti^{53},ɲiɔŋ$^{53}_{44}$mən^{0}mau^{13}si^{35}ŋɔk^{5}tʰai$^{53}_{44}$ti$^{53}_{44}$?

【东岳庙】təŋ^{35}ŋɔk^{5}miau^{53} 名供奉东岳大帝的神庙：严坪箇阵有只～。ɲien^{13}pʰiaŋ$^{13}_{21}$kai$^{53}_{44}$tʂʰən$^{53}_{44}$ iəu$^{35}_{44}$tʂak^{3}təŋ^{35}ŋɔk^{5}miau^{53}.

【冬瓜】təŋ^{35}kua^{35} 名瓜名，一种普通蔬菜：～做甑就做甑，蒲子挖勺就挖勺。təŋ^{35}kua^{35}tso^{53} tsien^{53}tsʰiəu^{53}tso^{53}tsien^{53},pʰu^{13}tsʅ^{0}ua^{35}ʂɔk^{5}tsʰiəu^{53}ua^{35}ʂɔk^{5}.指人做事没有主见，别人怎么说自己就怎么做，人云亦云。

【冬芒】təŋ^{35}mɔŋ$^{13}_{21}$ 名矮蒲苇的俗称：就在河里水多个栏场个就是芦苇，系唔系？以个在干地方个嘞就系～。tsʰiəu^{53}sai^{53}xo^{13}li^{0}ʂei^{21}to$^{35}_{44}$ke$^{53}_{44}$laŋ$^{13}_{21}$tʂʰɔŋ$^{13}_{21}$ke^{53}tsʰiəu$^{53}_{44}$ʂʅ$^{53}_{44}$ləu^{13}uei^{21},xe$^{53}_{44}$me$^{53}_{44}$?i^{21}ke^{53}tsʰai$^{53}_{44}$ kɔn^{35}tʰi$^{53}_{44}$fɔŋ$^{35}_{44}$ke$^{53}_{44}$lei^{0}tsʰiəu$^{53}_{44}$xe$^{53}_{44}$təŋ^{35}mɔŋ$^{13}_{21}$.

【冬芒菌】təŋ^{35}mɔŋ^{13}cʰin^{35} 名长在冬茅里或用冬茅培育的食用菌：冬芒肚里箇芒头肚里哕，大芒头就安做冬芒哕，大芒头肚里有兜唔知几老个了，渠十几年几下年都赠去动渠个箇个，箇芒头棍芒头梗就年年会发笋哕，年年会发笋，赠去挖个时候子箇老个就死嘿哩，老个死嘿哩就殊啦底下，殊啦底下也会长菌子。箇系芒头菌呐，芒头菌子啊，就～呐。təŋ^{35}mɔŋ^{13}təu^{21}li^{0} kai^{53}mɔŋ^{13}tʰei$^{13}_{44}$təu^{21}li^{0}ʂa^{0},tʰai^{53}mɔŋ^{13}tʰei$^{13}_{44}$tsʰiəu$^{53}_{44}$ɔn$^{35}_{44}$tso$^{53}_{44}$təŋ^{35}mɔŋ$^{13}_{21}$ʂa^{0},tʰai^{53}mɔŋ$^{13}_{44}$tʰei$^{13}_{44}$təu^{21}li^{0}iəu^{35}təu$^{35}_{53}$n̩^{13} ti$^{35}_{53}$ci^{21}lau^{21}ke^{53}liau$^{21}_{44}$,ci^{13}ʂət^{5}ci^{21}ɲien^{13}ci^{53}xa^{53}ɲien^{13}təu$^{35}_{53}$maŋ^{13}çi^{53}tʰəŋ^{35}ci$^{13}_{21}$ke^{0}kai$^{53}_{44}$ke$^{53}_{44}$,kai^{53}mɔŋ^{13}tʰei$^{13}_{44}$kuən^{53} mɔŋ^{13}tʰei$^{13}_{44}$kuaŋ^{21}tsʰiəu^{53}ɲien^{13}ɲien$^{13}_{44}$uɔi^{53}fait^{3}sən^{21}ʂa^{0},ɲien^{13}ɲien$^{13}_{44}$uɔi^{53}fait^{3}sən^{21},maŋ^{13}çi^{53}ua^{35}ke^{0}ʂʅ^{13}xəu$^{53}_{44}$ tsʅ^{0}kai$^{53}_{44}$lau^{21}ke^{0}tsʰiəu^{53}si^{21}xek^{3}li^{0},lau^{21}ke^{53}si^{21}xek^{3}li^{0}tsʰiəu^{53}mət^{3}la^{0}te^{21}xa^{53},mət^{3}la^{0}te^{21}xa$^{53}_{44}$ia^{35}uɔi^{53}tʂɔŋ^{21} cʰin^{35}tsʅ^{0}.kai$^{53}_{44}$xei$^{53}_{44}$mɔŋ^{13}tʰei$^{13}_{21}$cʰin^{35}na^{0},mɔŋ^{13}tʰei$^{13}_{21}$cʰin^{35}tsa^{0},tsʰiəu^{53}təŋ^{35}mɔŋ$^{13}_{21}$cʰin^{35}na^{0}.

【冬笋】təŋ^{35}sən^{21} 名冬季挖的竹笋：～就冬下头个笋呶，竹子冬下头生个笋呶。还赠交春个笋都安做～。交哩春就安做春笋。我等以映子就年年都收～呐。～送下哪映去卖呀？送下上海，欸，送下上海去卖。以下真方便了啊，以张家坊就上高速，直通高速直通上海，真快。渠等年年赚蛮多钱呢。təŋ^{35}sən^{21}tsʰiəu$^{53}_{44}$təŋ^{35}xa$^{53}_{44}$tʰei$^{13}_{21}$ke^{0}sən^{21}nau^{0},tʂəuk^{3}tsʅ^{0}təŋ^{35}xa$^{53}_{44}$tʰei$^{13}_{21}$saŋ^{35}ke^{0}sən^{21} nau^{0}.xan^{13}maŋ^{13}ciau^{35}tʂʰən^{35}ke^{0}sən^{21}təu^{35}ɔn$^{35}_{44}$tso$^{53}_{44}$təŋ^{35}sən^{21}.ciau^{35}li^{0}tʂʰən^{35}tsʰiəu$^{53}_{44}$ɔn$^{35}_{44}$tso$^{53}_{44}$tʂʰən^{35}sən^{21}.ŋai^{13} tien^{0}i^{21}iaŋ^{53}tsʅ^{0}tsʰiəu$^{53}_{44}$ɲien^{13}ɲien$^{13}_{44}$təu$^{35}_{53}$ʂəu$^{35}_{44}$təŋ^{35}sən^{21}na^{0}.təŋ^{35}sən^{21}səŋ^{53}xa$^{53}_{44}$la^{53}iaŋ$^{53}_{44}$çi$^{53}_{44}$mai^{53}ia^{0}?səŋ$^{53}_{44}$ŋa$^{53}_{44}$ ʂɔŋ^{53}xɔi^{21},e$_{21}$,səŋ$^{53}_{44}$ŋa$^{53}_{44}$ʂɔŋ^{53}xɔi^{21}çi$^{53}_{44}$mai$^{53}_{44}$.i^{21}xa$^{53}_{44}$tʂən^{35}fɔŋ^{35}pʰien$^{53}_{44}$niau^{21}a^{0},i^{21}tʂɔŋ$^{35}_{44}$ka$^{35}_{44}$fɔŋ^{35}tsʰiəu$^{53}_{44}$ʂɔŋ$^{53}_{44}$kau$^{35}_{44}$ səuk^{5},tʂʰət^{5}tʰəŋ$^{35}_{44}$kau$^{35}_{44}$səuk^{5}tʂʰət^{5}tʰəŋ$^{35}_{44}$ʂɔŋ^{53}xɔi^{21},tʂən^{35}kʰuai$^{53}_{44}$.ci$^{13}_{21}$tien^{0}ɲien^{13}ɲien$^{13}_{44}$tsʰan$^{53}_{44}$man^{13}to$^{35}_{44}$tsʰien^{13} ne^{0}.

【冬下】təŋ^{35}xa^{35} 名冬天：（梓木树）会跌叶子～。uɔi$^{53}_{44}$tiait^{3}iait^{5}tsʅ^{0}təŋ$^{35}_{44}$xa$^{53}_{44}$.｜腊梅是渠就到哩～十二月开个哦。lait^{5}mɔi^{13}ʂʅ$^{53}_{44}$ci$^{13}_{21}$tsʰiəu$^{53}_{44}$tau^{53}li^{0}təŋ^{35}xa$^{53}_{44}$ʂət^{5}ɲi$^{53}_{44}$ɲiet$^{5}_{3}$kʰɔi^{35}ke$^{53}_{44}$o^{0}.

【冬下天】təŋ^{35}xa^{35}tʰien^{35} 名冬天：我以边个梅花树就安做就～开哟。ŋai^{13}i^{21}pien$^{35}_{44}$ke$^{53}_{44}$mɔi^{13}fa$^{35}_{44}$ ʂəu$^{53}_{44}$tsʰiəu$^{53}_{44}$ɔn^{35}tso$^{53}_{44}$tsʰiəu$^{53}_{44}$təŋ$^{35}_{44}$xa$^{53}_{44}$tʰien$^{35}_{21}$kʰɔi$^{35}_{21}$io^{0}.

【冬下头】tɔŋ^{35}xa$^{53}_{44}$tʰei$^{13}_{21}$ 名冬季，冬天：～（牛）就食秆。tɔŋ^{35}xa$^{53}_{44}$tʰei$^{13}_{21}$tsʰiəu$^{53}_{21}$ʂek^{5}kɔn^{21}.｜～打倒（藻子）分猪食。tɔŋ^{35}xa$^{35}_{44}$tʰei$^{13}_{21}$ta^{21}tau^{21}pən^{35}tʂəu^{35}ʂət$^{5}_{3}$.

【冬苋】tɔŋ^{35}xan^{53} 名蔬菜名，冬葵的俗称。也称“冬苋菜”：我就唔多喜欢食～菜，我咯。我老婆就话我：“你自家唔食个东西你就栽都唔栽。”渠就喜欢食～菜。欸渠就话我，渠话：“栽～吗？”我话：“唔栽咁个，唔栽～。”因为我唔喜欢食。唔系么个唔食，但是唔喜欢食。ŋai^{13}tsʰiəu^{35}n̩^{13}to$^{35}_{44}$çi^{21}fɔn^{35}ʂət^{5}tɔŋ^{35}xan$^{53}_{44}$tsʰɔi$^{53}_{44}$,ŋai^{13}ko^{0}.ŋai^{13}lau^{21}pʰo^{13}tsʰiəu^{53}ua^{53}ŋai$^{13}_{44}$:"ɲi$^{13}_{21}$tsʰɿ^{35}ka$^{35}_{53}$n̩$^{13}_{21}$ʂət^{5}ke^{0}tɔŋ$^{35}_{44}$si^{0}ɲi$^{13}_{21}$tsʰiəu$^{53}_{44}$tsɔi^{35}təu$^{35}_{44}$n̩$^{13}_{21}$tsɔi$^{35}_{44}$."ci^{13}tsʰiəu^{53}çi^{21}fɔn$^{35}_{44}$ʂət^{5}tɔŋ$^{35}_{44}$xan$^{53}_{44}$tsʰɔi^{53}.e^{0}ci$^{13}_{21}$tsiəu$^{53}_{44}$ua^{53}ŋai$^{13}_{44}$,ci^{13}ua$^{53}_{44}$:"tsɔi^{35}tɔŋ^{35}xan^{53}ma^{0}?"ŋai$^{13}_{21}$ua$^{53}_{44}$:"n̩^{13}tsɔi$^{35}_{44}$kan^{21}ke^{0},n̩^{13}tsɔi$^{35}_{44}$tɔŋ$^{35}_{44}$xan$^{53}_{44}$."in^{35}uei$^{53}_{44}$ŋai$^{13}_{21}$n̩$^{13}_{44}$çi^{21}fɔn$^{35}_{44}$ʂət^{5}.m̩^{13}pʰei^{53}mak^{3}e^{0}n̩^{13}ʂət^{5},tan^{53}ʂɿ^{53}ŋai$^{13}_{21}$n̩^{13}çi^{21}fɔn$^{35}_{44}$ʂət^{5}.

【冬至】tɔŋ^{35}tʂɿ^{53} 名二十四节气之一。当天多举办宗族祭祀活动即冬至会；杀食狗肉，天气冷，借以增强抵抗力；做腊肉、腊鸡、腊鸭及腐乳等，蒸酒，据说不会腐败变质：过哩～ko^{53}li^{0} tɔŋ^{35}tʂɿ^{53}

【冬至会】tɔŋ^{35}tʂɿ^{53}fei^{53} 名冬至节举行的祭祀祖先的宗族活动：冬至祭祖唠，做～呀。tɔŋ$^{35}_{44}$tʂɿ$^{53}_{44}$tsi^{53}tsəu^{21}lau^{0},tso$^{53}_{44}$tɔŋ$^{35}_{44}$tʂɿ$^{53}_{44}$fei^{53}ia^{0}.

【懂】tɔŋ^{21} 动①了解；知道：么个都唔～。mak^{3}(k)e^{53}təu$^{35}_{53}$n̩$^{13}_{21}$tɔŋ^{21}.｜渠更～啊。ci$^{13}_{21}$cien^{53}tɔŋ^{21}ŋa^{0}.②理解，明白：听～哩吗？tʰaŋ^{35}tɔŋ^{21}li^{0}ma^{0}?

【懂事】tɔŋ^{21}sɿ^{53} 动明白事理：药碱有哇。也系落尾蛮迟了的。欸我等都～了噢晓得了。iɔk^{5}kan^{21}iəu^{35}ua^{0}.ia^{35}xe^{53}lɔk^{3}mi$^{35}_{44}$man^{13}tʂʰɿ^{13}liau^{0}tet^{3}.e^{0}ŋai^{13}tien^{0}təu$^{35}_{44}$tɔŋ^{21}sɿ^{53}liau^{0}au$^{35}_{35}$çiau^{21}tek^{3}liau^{0}.

【懂味】tɔŋ^{21}uei^{53} 动知趣，会看场合，不给人添麻烦、惹人讨厌：欸，打比样啊，陪媒酒样啊，陪媒酒箇餐酒，你当舅爷都冇得第一只位子坐。冇得。箇餐硬系陪媒酒。你就爱～。你，你莫，你系发气你就唔～。e$_{44}$,ta^{21}pi^{21}iɔŋ^{53}ŋa^{0},pʰi^{13}mɔi^{13}tsiəu^{21}iɔŋ^{53}ŋa^{0},pʰi^{13}mɔi^{13}tsiəu^{21}ka$^{53}_{44}$tsʰɔn$^{35}_{44}$tsiəu^{21},ɲi^{13}tɔŋ$^{35}_{44}$cʰiəu^{35}ia$^{13}_{21}$təu$^{35}_{44}$mau^{13}tek^{3}tʰi^{3}iet^{3}tʂak^{3}uei^{53}tsɿ^{0}tsʰo^{35}.mau^{13}tek^{3}.kai$^{53}_{21}$tsʰɔn$^{35}_{44}$ɲiaŋ^{53}xai$^{53}_{44}$pʰi^{13}mɔi^{13}tsiəu^{21}.ɲi^{13}tsʰiəu$^{53}_{44}$ɔi$^{53}_{44}$tɔŋ^{21}uei^{53}.ɲi^{13},ɲi^{13}mɔk^{5},ɲi^{13}xe$^{53}_{44}$fait^{3}çi^{53}ɲi^{13}tsʰiəu$^{53}_{44}$n̩^{13}tɔŋ^{21}uei^{53}.

【动】tʰəŋ^{35} 动①改变原来位置或脱离静止状态：棋盘蛇也唔多～呐，盘倒箇映子。欸。一只棋盘样。睡倒箇～都唔～。cʰi^{13}pʰan$^{13}_{44}$ʂa$^{13}_{44}$ia$^{35}_{53}$n̩$^{13}_{21}$to$^{35}_{44}$tʰəŋ^{35}na^{0},pʰan$^{13}_{21}$tau$^{21}_{44}$kai$^{53}_{44}$iaŋ$^{53}_{44}$tsɿ^{0}.e$_{21}$.iet^{3}tʂak^{3}cʰi^{13}pʰan^{13}iɔŋ^{53}.ʂɔi^{53}tau^{21}kai$^{53}_{44}$tʰəŋ^{35}təu$^{35}_{53}$n̩$^{13}_{21}$tʰəŋ^{35}.②改变（事物）原来位置或样子：（以只东西）我拿得～，渠拿唔～。ŋai^{13}la^{53}tek^{3}tʰəŋ^{35},ci^{13}la^{53}ŋ̍^{13}tʰəŋ^{35}.③触碰：～下子渠啊。tʰəŋ^{35}ŋa$^{53}_{21}$tsɿ^{0}ci$^{13}_{44}$a^{0}.④使用；使起作用：～哩脑筋嘞。tʰəŋ^{53}li^{0}lau^{21}cin$^{35}_{44}$nei^{0}.

【动花$_{1}$】tʰəŋ^{35}fa^{35} 名①含羞草的别称：我等去浏阳箇就栽过含羞草，又安做～。ŋai^{13}tien^{0}çi^{53}liəu^{13}iɔŋ$^{13}_{44}$kai^{53}tsʰiəu$^{53}_{44}$tsɔi^{35}ko^{0}xɔn$^{13}_{21}$siəu$^{35}_{44}$tsʰau^{21},iəu$^{53}_{44}$ɔn$^{35}_{44}$tso$^{53}_{44}$tʰəŋ^{35}fa$^{35}_{44}$.②喻指招惹不得、批评不得的人：细人子莫搞起～样，欸，挨下子挨唔得。sei^{53}ɲin$^{13}_{21}$tsɿ^{0}mɔk^{5}kau^{21}çi$^{21}_{44}$tʰəŋ^{35}fa$^{35}_{44}$iɔŋ$^{53}_{44}$,e$_{21}$,ŋai^{35}ia^{53}tsɿ^{0}ŋai^{35}n̩$^{13}_{21}$tek^{3}.｜你系只～吧？ɲi$^{13}_{53}$xei$^{53}_{21}$tʂak^{3}tʰəŋ^{35}fa$^{35}_{44}$pa^{0}?

【动花$_{2}$】tʰəŋ^{35}fa^{35} 形形容人招惹不得、批评不得：一个人就莫咁～。iet^{3}ke^{53}ɲin^{13}tsʰiəu$^{53}_{44}$mɔk^{5}kan^{21}tʰəŋ^{35}fa$^{35}_{44}$.｜真～，你硬真系～。tʂən^{35}tʰəŋ^{35}fa$^{35}_{44}$, ɲi^{13}ɲiaŋ^{53}tʂən^{35}ne$^{53}_{44}$tʰəŋ^{35}fa$^{35}_{44}$.

【动手】tʰəŋ^{35}ʂəu^{21} 动指打架、打人：你莫～，嘴巴讲下子就要得哩，莫～。ɲi$^{13}_{21}$mɔk^{5}tʰəŋ$^{35}_{44}$ʂəu^{21},tsei^{21}pa$^{35}_{44}$kɔŋ^{21}xa$^{53}_{44}$tsɿ^{0}tsʰiəu$^{53}_{44}$iau^{53}tek^{3}li^{0},mɔk^{5}tʰəŋ$^{35}_{44}$ʂəu^{21}.

【动手动脚】tʰəŋ^{35}ʂəu^{21}tʰəŋ^{35}ciɔk^{3} 指手脚不安分，喜欢挑逗戏弄他人：双手真贱，喜欢～，箇双手。sɔŋ$^{35}_{44}$ʂəu^{21}tʂən^{35}tsʰien^{53},çi^{21}fɔn$^{35}_{44}$tʰəŋ^{35}ʂəu^{21}tʰəŋ^{35}ciɔk^{3},kai$^{53}_{44}$sɔŋ^{35}ʂəu^{21}.

【冻】tɔŋ^{53} 动使受寒冷的影响：剩饭呢，去～一下嘞。ʂən^{53}fan^{53}nei^{0},çi$^{53}_{44}$tɔŋ^{53}iet^{3}xa^{53}lei^{0}.

【冻饽饽】tɔŋ^{53}pɔk^{5}pɔk^{0} 名蛋羹。鲜蛋去壳打成糊状，加入适当的水和佐料，蒸成的食物：蒸～ tʂʰəŋ^{35}tɔŋ^{53}pɔk^{5}pɔk^{0}

【冻米】tɔŋ^{53}mi^{21} 名冷天时将剩饭或馊饭冻一下然后晒干，再用油炸或用沙炒，作为零食：好，还有种欸就系舞倒箇个饭呢，𫠊食完个饭呢，剩饭呢，去冻一下嘞，冷天咯，冷天呐，又从前冇冰箱吵，冷天，就冻一下，嗯，冻一下又去晒，也系同炒米样咁子个搞，系唔系？欸，落雪打凌呢去冻，冻，欸，冻一下，安做～嘞。xau^{21},xai^{13}iəu^{35}tʂəŋ^{21}ŋei^{0}tsʰiəu^{53}xei^{53}u^{21}tau^{21}kai^{53}cie$^{53}_{44}$fan^{53}nei^{0},maŋ$^{13}_{21}$ʂət^{5}ien^{13}ke^{53}fan^{53}ne^{0},ʂən^{53}fan^{53}nei^{0},çi$^{53}_{44}$tɔŋ^{53}iet^{3}xa^{53}lei^{0},laŋ^{35}tʰien$^{35}_{44}$ko^{0},laŋ^{35}tʰien$^{35}_{44}$na^{0},iəu$^{53}_{44}$tsʰəŋ^{13}tsʰien$^{13}_{21}$mau^{13}pin^{35}siɔŋ$^{35}_{44}$ʂa^{0},laŋ^{35}tʰien$^{35}_{44}$,tsʰiəu$^{53}_{44}$tɔŋ^{53}iet^{3}xa^{53},n̩$_{21}$,tɔŋ^{53}iet^{3}xa^{53}iəu$^{53}_{44}$çi$^{53}_{44}$sai^{53},ia^{35}xe^{53}tʰəŋ$^{13}_{21}$tsʰau^{21}mi^{21}iɔŋ$^{53}_{44}$kan^{21}tsɿ^{0}ke^{53}kau^{21},xei^{53}me^{53}?e$_{21}$,lɔk^{5}siet^{3}ta^{21}lin^{53}ne^{0}çi$^{53}_{21}$tɔŋ^{53},tɔŋ^{53},e$_{21}$,tɔŋ^{53}iet^{3}

xa^{53},ɔn$^{35}_{44}$tso$^{53}_{44}$təŋ^{53}mi^{21}le^{0}.

【冻米糖】təŋ^{53}mi^{21}tʰəŋ^{13} [名]用冻米和糖加工成的小吃：冻米一炒哇，经过炒或者一炮啊，可以做成～嘞。𫢗食完个饭可以搞做冻米。热天就系炒米吵，就系，系唔系啊？米子吵。饭干米吵。饭干米啊。冷天也可以做冻米，安做～。Təŋ^{53}mi^{21}iet^{3}tsʰau^{21}ua^{0},cin^{35}ko$^{35}_{44}$tsʰau^{21}xɔit^{5}tʂa^{21}iet^{3}pʰau^{13}ua^{0},kʰo^{21}i^{35}tso^{53}ʂaŋ$^{13}_{21}$təŋ^{53}mi^{21}tʰəŋ^{13}lei^{0}.maŋ^{13}ʂət^{5}ien^{13}ke$^{53}_{44}$fan^{53}kʰo^{21}i^{35}kau^{21}tso$^{53}_{44}$təŋ^{53}mi^{21}.ɲiet^{5}tʰien^{35}tsʰiəu$^{53}_{44}$xe$^{53}_{44}$tsʰau^{21}mi^{21}ʂa^{0},tsʰiəu$^{53}_{44}$xe$^{53}_{44}$,xei$^{53}_{44}$me$^{53}_{44}$a^{0}?mi^{21}tsɿ^{0}ʂa^{0}.fan^{53}kɔn^{35}mi^{21}ʂa^{0}.fan^{53}kɔn^{35}mi^{21}a^{0}.laŋ^{35}tʰien$^{35}_{44}$ia$^{35}_{44}$kʰo^{21}i^{35}tso$^{53}_{44}$təŋ^{53}mi^{21},ɔn$^{35}_{44}$tso$^{53}_{44}$təŋ^{53}mi^{21}tʰəŋ^{13}.

【冻桐花】təŋ^{53}tʰəŋ^{13}fa^{35} 指油桐开花的时候降温降水的天气现象：开桐子花个时候子会冷，系只寒潮，安做～，箇时候子安做～。会落水啦，嗯，冷。kʰɔi^{35}tʰəŋ^{13}tsɿ^{0}fa^{35}ke^{53}ʂɿ^{13}xei^{53}tsɿ^{0}uɔi^{53}laŋ^{35},xei^{53}tʂak^{3}xɔn^{13}tʂʰau^{13},ɔn$^{35}_{44}$tso$^{53}_{44}$təŋ^{53}tʰəŋ^{13}fa$^{35}_{44}$,kai^{53}ʂɿ^{13}xei$^{53}_{44}$tsɿ^{0}ɔn$^{35}_{44}$tso$^{53}_{44}$təŋ^{53}tʰəŋ^{13}fa$^{35}_{44}$.uɔi$^{53}_{44}$lɔk^{5}ʂei^{21}la^{0},n̩$_{21}$,laŋ^{35}.

【栋$_{1}$】təŋ^{53} [名]扉墙的最高处：你箇只～啊，正最高个地方啊，箇只～啊，不是在一丈个地方，爱往面前砌滴子，正好看。ɲi^{13}kai$^{53}_{44}$tʂak^{3}təŋ^{53}ŋa^{0},tʂən^{53}tsei^{53}kau$^{35}_{44}$ke$^{53}_{44}$tʰi$^{53}_{44}$fɔŋ$^{35}_{44}$ŋa^{0},kai$^{53}_{44}$tʂak^{3}təŋ^{53}ŋa^{0},pʰət^{3}ʂɿ^{53}tsʰai$^{53}_{44}$iet^{3}tʂʰɔŋ^{53}ke$^{53}_{21}$tʰi$^{53}_{44}$fɔŋ^{0},ɔi^{53}uɔŋ^{21}mien^{53}tsʰien$^{13}_{21}$tsʰi^{13}tiet^{5}tsɿ^{0},tʂaŋ^{53}xau^{21}kʰɔn^{53}.

【栋$_{2}$】təŋ^{53} [动]安放屋栋：箇个屋啊～起正中间。kai^{53}ke^{53}uk^{3}a^{0}təŋ^{53}çi$^{21}_{44}$tʂən^{53}tʂəŋ^{35}kan$^{35}_{44}$.

【栋$_{3}$】təŋ^{53} [量]名量词，用于房子，幢：一～屋 iet^{3}təŋ^{53}uk^{3} | 中间箇～屋 tʂəŋ^{35}kan$^{35}_{44}$kai$^{53}_{44}$təŋ$^{53}_{44}$uk^{3}

【栋栋哩】təŋ^{53}təŋ^{53}li^{0} [形]状态词。①比一般的更高：你箇兜子辣椒真好哈，硬～哈。ɲi^{13}kai^{53}te$^{35}_{53}$tsɿ^{0}lait^{5}tsiau$^{35}_{44}$tʂən^{35}xau^{21}xa^{0},ɲiaŋ$^{53}_{44}$təŋ^{53}təŋ^{53}li^{0}xa^{0}. ②形容植物非常茂盛：～，就系长得唔知几高哇，长得唔知几茂盛呐。～个草。təŋ^{53}təŋ^{53}li^{0},tsʰiəu^{53}xei^{53}tʂɔŋ^{21}tek^{3}n̩^{13}ti$^{35}_{53}$ci^{21}kau^{35}ua^{0},tʂɔŋ^{21}tek^{3}n̩^{13}ti$^{35}_{53}$ci^{21}miau^{53}ʂən^{53}na^{0}.təŋ^{53}təŋ^{53}li^{0}ke$^{53}_{44}$tsʰau^{21}.

【栋对】təŋ^{53}ti^{53} [名]灵堂里高高悬挂的大幅挽联：～嘞渠就咁个呢，箇只灵堂啊，一般就布置在厅下，系唔系？一般布置在厅下。布置厅下嘞一般都就系老屋，系老屋里个话，箇是以前去下老屋吵，老屋个厅下是冇得楼，唔比得如今，如今箇就唔同。老屋个厅下冇得楼，冇得楼呀箇条箇只栋啊，箇厅下箇扇墙箇两扇扉墙啊就唔知几高，所以就爱箇……高巅巅哩个扉墙嘞䆲空䆲空唔好，爱搞副长对子，□长个对子，几十只字个，欸，两张甚至三张红纸驳下去个，三张红纸驳长来写。箇副就安做～。箇只唔爱挂咁高唠，就系挂蛮高凑，比一般个对子都更高。təŋ^{53}ti$^{53}_{44}$lei^{0}ci$^{21}_{21}$tsʰiəu$^{53}_{44}$kan$^{21}_{13}$cie^{53}nei^{0},kai^{53}tʂak^{3}lin^{13}tʰəŋ^{13}ŋa^{0},iet^{3}pɔn^{35}tsʰiəu^{53}pu^{53}tʂɿ^{53}tsʰai$^{53}_{44}$tʰaŋ^{35}xa$^{53}_{44}$,xei$^{53}_{44}$me$^{53}_{44}$?iet^{3}pɔn^{35}pu^{53}tʂɿ^{53}tsʰai$^{53}_{21}$tʰaŋ^{35}xa$^{53}_{44}$.pu^{53}tʂɿ^{53}tʰaŋ^{35}xa$^{53}_{44}$lei^{0}iet^{3}pɔn^{35}təu$^{35}_{44}$tsʰiəu^{53}xei^{53}lau^{21}uk^{3},xei^{53}lau^{21}uk^{3}li^{21}ke^{53}fa^{53},kai$^{53}_{44}$ʂɿ$^{53}_{44}$i^{35}tsʰien$^{13}_{21}$çi^{53}xa^{53}lau^{21}uk^{3}ʂa^{0},lau^{21}uk^{3}ke^{53}tʰaŋ$^{35}_{44}$xa$^{53}_{44}$ʂɿ^{53}mau^{13}tek^{3}lei^{13},m̩^{13}pi^{21}tek^{3}i$^{13}_{21}$cin$^{35}_{53}$,i$^{13}_{21}$cin$^{35}_{53}$ke$^{53}_{44}$tsiəu^{53}n̩$^{13}_{21}$tʰəŋ$^{13}_{21}$.lau^{21}uk^{3}ke^{53}tʰaŋ$^{35}_{44}$xa$^{53}_{44}$mau^{13}tek^{3}lei^{13},mau^{13}tek^{3}lei^{13}ia^{0}kai^{53}tʰiau$^{13}_{21}$kai$^{53}_{44}$tʂak^{3}təŋ^{53}ŋa^{0},kai$^{53}_{44}$tʰaŋ^{35}xa$^{53}_{44}$kai^{53}ʂen^{53}tsʰiɔŋ^{13}kai^{53}iɔŋ^{21}ʂen^{53}fei^{35}tsʰiɔŋ$^{13}_{21}$ŋa^{0}tsʰiəu^{53}n̩^{13}ti$^{35}_{53}$ci^{21}kau^{35},so^{21}i^{35}tsʰiəu^{53}ɔi$^{53}_{44}$kai$^{53}_{44}$…kau^{35}tien^{35}tien^{35}li^{0}ke$^{53}_{44}$fei^{35}tsʰiɔŋ$^{13}_{21}$lei^{0}lau^{35}kʰəŋ$^{35}_{44}$lau$^{35}_{44}$kʰəŋ$^{35}_{44}$n̩$^{13}_{21}$xau^{21},ɔi^{53}kau^{21}fu^{53}tʂʰɔŋ^{13}ti^{53}tsɿ^{0},lai^{35}tʂʰɔŋ$^{13}_{21}$ke$^{53}_{21}$ti$^{53}_{44}$tsɿ^{0},ci^{21}ʂət^{5}tʂak^{3}sɿ^{53}ke^{53},e$_{21}$,iɔŋ^{21}tʂɔŋ$^{35}_{44}$ʂən^{53}tʂɿ^{53}san^{35}tʂɔŋ$^{35}_{44}$fəŋ^{13}tʂɿ^{21}pɔk^{3}(x)a^{53}çi^{53}ke^{0},san^{35}tʂɔŋ$^{35}_{44}$fəŋ$^{13}_{21}$tsɿ^{0}pɔk^{3}tʂʰɔŋ$^{13}_{21}$lɔi$^{13}_{44}$sia^{21}.kai^{53}fu^{53}tsʰiəu$^{53}_{44}$ɔn$^{35}_{44}$tso$^{53}_{44}$təŋ^{53}ti$^{53}_{44}$.kai$^{53}_{44}$tʂak^{3}m̩$^{13}_{21}$mɔi$^{53}_{44}$kua^{53}kan^{21}kau$^{35}_{44}$lau^{0},tsʰiəu$^{53}_{44}$xei$^{53}_{44}$kua^{53}man^{13}kau^{35}tsʰe^{0},pi^{21}iet^{3}pɔn^{35}ke^{53}ti^{53}tsɿ^{0}təu^{35}cien^{53}kau$^{35}_{44}$.

【栋桁】təŋ^{53}xaŋ^{13} [名]正厅桁子中位置最高者：就系起分水个栏场箇映，欸，最高箇条桁子，安做～。tsʰiəu$^{53}_{44}$xe$^{53}_{44}$çi^{21}fən^{35}ʂei^{21}ke^{53}lɔŋ^{13}tʂʰɔŋ$^{13}_{21}$kai^{53}iaŋ$^{53}_{44}$,e$_{21}$,tsei^{53}kau$^{35}_{44}$kai$^{53}_{44}$tʰiau$^{13}_{21}$xaŋ$^{13}_{21}$tsɿ^{0},ɔn$^{35}_{44}$tso$^{53}_{44}$təŋ^{53}xaŋ^{13}.

【栋脊】təŋ^{53}tsit^{3} [名]屋顶相对的房坡之间顶端的交会线：安做安做爱往箇只，也就系箇～往面前一滴子。安做参栋。ɔn$^{35}_{44}$tso$^{53}_{44}$ɔn^{35}tso^{53}ɔi$^{53}_{44}$uɔŋ^{21}kai^{53}tʂak^{3},ia^{35}tsʰiəu^{53}xe$^{53}_{44}$kai$^{53}_{44}$təŋ^{53}tsit^{3}uɔŋ^{21}mien^{53}tsʰien^{13}i^{13}tiet^{5}tsɿ^{0}.ɔn$^{35}_{44}$tso$^{53}_{44}$tsʰan^{35}təŋ^{53}.

【栋梁】təŋ^{53}liɔŋ^{13} [名]正厅栋桁下面的三条梁：栋桁底下箇条，箇映有三条梁，你系咁子写，栋桁底下有三条梁，三条梁，箇就安做～。təŋ^{53}xaŋ^{13}te^{21}xa$^{53}_{44}$kai^{53}tʰiau$^{13}_{21}$,kai$^{53}_{44}$iaŋ$^{53}_{44}$iəu$^{35}_{44}$san^{35}tʰiau$^{13}_{21}$liɔŋ^{13},ɲi^{13}(x)e^{53}kan^{21}tsɿ^{0}sia^{21},təŋ^{53}xaŋ^{13}te^{21}xa$^{53}_{44}$iəu$^{35}_{44}$san^{35}tʰiau$^{13}_{21}$liɔŋ^{13},san^{35}tʰiau$^{13}_{21}$liɔŋ^{13},kai$^{53}_{44}$tsʰiəu$^{53}_{44}$ɔn$^{35}_{44}$tso$^{53}_{44}$təŋ^{53}liɔŋ^{13}. | 箇三条梁，放箇三条梁，～，系系最庄重个一只仪式。爱举行一只仪式样。欸，还爱请倒箇师傅食一餐场伙。下整。kai$^{53}_{21}$san$^{35}_{44}$tʰiau^{21}liɔŋ^{13},fɔŋ^{53}kai^{53}san^{35}tʰiau$^{13}_{21}$liɔŋ^{13},təŋ^{53}liɔŋ^{13},xei$^{53}_{44}$xei$^{53}_{44}$tsei^{53}tsɔŋ^{35}tʂʰəŋ$^{35}_{44}$ke$^{53}_{44}$iet^{3}tʂak^{3}ɲi^{13}ʂɿ^{53}.ɔi^{53}tʂɿ^{21}çin^{13}iet^{3}tʂak^{3}ɲi^{13}ʂɿ^{53}iɔŋ$^{53}_{44}$.e$_{21}$,xa$^{13}_{21}$ɔi$^{53}_{44}$tsʰiaŋ^{21}tau^{21}kai$^{53}_{44}$sɿ^{35}fu$^{53}_{44}$ʂət^{5}iet^{3}tsʰɔn^{13}tʂʰɔŋ^{13}fo^{21}.xa^{53}tʂaŋ^{21}.

【崠】təŋ^{53} 名山顶，山脊：岭岗～上 liaŋ^{35}kɔŋ^{35}təŋ^{53}xɔŋ$^{53}_{21}$

【洞】tʰəŋ^{53} 名①物体中间穿通的或凹入较深的部分：土蜂子，欸，土蜂子。会做泥个噢，有滴还去地泥下打～个唠。tʰəu^{21}fəŋ$^{35}_{44}$tsɿ^{0},e$_{21}$,tʰəu^{21}fəŋ^{35}tsɿ^{0}.uɔi^{53}tso^{53}lai^{13}ke$^{53}_{44}$au^{0},iəu^{35}tet^{5}xai^{13}çi$^{53}_{44}$tʰi$^{53}_{44}$lai$^{13}_{21}$xa^{35}ta^{21}tʰəŋ^{53}ke$^{53}_{44}$lau^{0}. ②指峡谷，用作地名中的通名：严坪～ɲien^{13}pʰiaŋ^{13}təŋ^{53}｜晏光～an^{53}kɔŋ^{35}tʰəŋ^{53}｜两边都系岭岗，中间一只冲进。欸，进去箇里背嘞就系懑大个岭，黄石～进去啊。哎，包括两边个岭啊，中间箇条沟，都安做黄石～。iɔŋ^{21}pien^{35}təu$^{35}_{44}$xei$^{53}_{44}$liaŋ^{35}kɔŋ$^{35}_{44}$,tʂəŋ^{35}kan$^{35}_{44}$iet^{3}tʂak^{3}tʂʰəŋ^{35}tsin^{53}.e$_{21}$,tsin^{53}çi$^{53}_{44}$kai$^{53}_{44}$ti^{35}pɔi$^{53}_{44}$lei^{0}tsʰiəu$^{53}_{44}$xei$^{53}_{44}$mən^{35}tʰai^{53}ke$^{53}_{21}$liaŋ^{35},uɔŋ^{13}ʂak^{5}tʰəŋ^{53}tsin$^{53}_{44}$çi$^{53}_{44}$a^{0}.ai$_{44}$,pau^{35}kʰuak^{3}iɔŋ^{21}pien$^{35}_{44}$ke$^{53}_{44}$liaŋ^{35}a^{0},tʂəŋ^{35}kan$^{35}_{44}$kai$^{53}_{44}$tʰiau$^{13}_{21}$kei^{35},təu^{35}ɔn$^{35}_{44}$tso$^{53}_{44}$uɔŋ$^{13}_{21}$ʂak^{5}tʰəŋ^{53}.

【洞房】tʰəŋ^{53}fɔŋ^{13} 名新婚夫妇的居室：进～tsin^{53}tʰəŋ^{53}fɔŋ^{13}

【都$_1$】təu^{35} 副①表示总括。全部：几个人～来哩。ci^{21}ke^{53}ɲin$^{13}_{21}$təu^{35}lɔi$^{13}_{21}$li^{0}.｜我等人两个人～姓王。ŋai^{13}ten^{35}ɲin^{13}iɔŋ^{21}ke^{53}ɲin^{13}təu^{35}siaŋ^{53}uɔŋ^{13}. ②用在肯定句中，表示让步，陈述某事物极端的、异常的或不大可能有的情况或事例，相当于"也"，有加强语气的作用：用镢头～挖得开 iɔŋ^{53}ciɔk^{3}tʰei^{13}təu$^{35}_{53}$uait^{3}tek^{3}kʰɔi^{35}｜一跌跌下番薯窖肚里，人～磕懵。iet^{3}tet^{3}tet^{3}(x)a$^{53}_{44}$fan^{35}ʂəu$^{13}_{21}$kau^{53}təu^{21}li^{0}, ɲin^{13}təu$^{35}_{44}$kʰɔk$^{3}_{5}$mən$^{35}_{21}$. ③用在否定句中，表示让步，有加强语气的作用：看～赠看过。kʰɔn^{53}təu$^{35}_{53}$maŋ^{13}kʰɔn^{53}ko$^{53}_{21}$.｜睡倒箇动～唔动。ʂɔi^{53}tau^{21}kai$^{53}_{44}$tʰəŋ^{35}təu$^{35}_{53}$n̩$^{13}_{21}$tʰəŋ^{35}.

【兜$_1$】tei^{35} 动装：欸，两块钱你～倒噢！你～倒！ei$_{21}$,iɔŋ^{21}kʰuei^{53}tsʰien$^{13}_{21}$ɲi$^{13}_{21}$tei^{35}tau^{21}uau^{0}!ɲi$^{13}_{21}$tei^{35}tau^{21}!

【兜$_2$】tei^{35}/təu^{35} 量①脬，用于屎和尿：我夜晡睡目睡着哩个话，一觉睡到四五点钟屙～尿。你系睡唔着个话，半点钟都冇得又屙～尿。ŋai^{13}ia$^{53}_{44}$pu$^{35}_{44}$ʂɔi^{53}muk^{3}ʂɔi^{53}tʂʰɔk^{5}li^{0}ke^{0}fa$^{53}_{44}$,iet^{3}kau$^{53}_{44}$ʂɔi^{53}tau$^{53}_{44}$si^{53}ŋ̍^{21}tian^{21}tʂəŋ^{35}o$^{35}_{44}$təu$^{35}_{44}$ɲiau^{53}. ɲi^{13}xe$^{53}_{44}$ʂɔi^{53}n̩$^{13}_{21}$tʂʰɔk^{5}ke^{0}fa$^{53}_{44}$,pan^{53}tian^{21}tʂəŋ^{35}təu$^{35}_{53}$mau$^{13}_{21}$tek^{3}iəu^{53}o$^{35}_{44}$təu$^{35}_{44}$ɲiau^{53}. ②表示不定的量：你讲得真好，你还会讲～么个呢？ɲi^{13}kɔŋ^{21}tek^{3}tʂən^{35}xau^{21},ɲi^{13}xai^{13}uɔi^{53}kɔŋ^{21}təu^{35}mak^{3}ke^{53}ne^{0}?

【兜巾】tei^{35}cin^{35} 名放在豆腐箱内包住豆腐的白布块：肚里就蒙块蒙块安做蒙块～，就白布哇。蒙块白布哇。～。以下分豆腐就舀倒去，分箇个豆腐脑就舀倒去。舀倒去就分四只角牵拢来，舀满哩了分四只角牵拢来，哦豆腐箱盖盖倒去，欸，然后就压滴东西。爱压。……箇我等唔……我等赠看倒咁子搞过。我等个都就系咁子一箱。一箱用～装倒。təu^{21}li^{0}tsʰiəu^{53}maŋ^{35}kʰuai^{53}maŋ^{35}kʰuai^{53}ɔn^{35}tso$^{53}_{44}$maŋ^{35}kʰuai^{53}tei^{35}cin^{35},tsʰiəu$^{53}_{44}$pʰak^{5}pu^{53}ua^{0}.maŋ^{35}kʰuai$^{53}_{44}$pʰak^{5}pu^{53}ua^{0}.tei^{35}cin$^{35}_{44}$.i^{21}(x)a$^{53}_{44}$pən^{35}tʰei^{53}fu$^{53}_{44}$tsʰiəu$^{53}_{44}$iau^{21}tau^{21}çi^{53},pən^{35}kai$^{53}_{44}$ke$^{53}_{44}$tʰei^{53}fu^{53}nau^{21}tsʰiəu^{53}iau^{21}tau^{21}çi^{53}.iau^{21}tau^{21}çi$^{53}_{44}$tsʰiəu$^{53}_{44}$pən^{35}si^{53}tʂak^{3}kɔk^{3}cʰien^{35}nəŋ^{35}lɔi^{13},iau^{21}mən^{53}li^{0}liau^{0}pən^{35}si^{53}tʂak^{3}kɔk^{3}cʰien^{35}nəŋ^{35}lɔi^{13},o$_{21}$tʰei$^{53}_{44}$fu$^{53}_{44}$siɔŋ^{35}kɔi$^{53}_{44}$kɔi^{53}tau^{21}çi^{53},e$_{21}$,vien^{13}xei$^{53}_{44}$tsʰiəu$^{53}_{44}$iak^{3}tiet^{5}təŋ^{35}si^{0}.ɔi^{53}iak^{3}.…kai^{53}ŋai$^{13}_{21}$tien^{0}m̩$^{13}_{44}$…ŋai$^{13}_{21}$tien^{0}maŋ^{13}kʰɔn^{53}tau^{21}kan^{21}tsɿ^{0}kau^{21}ko^{53}.ŋai^{13}tien^{0}ke^{53}təu^{35}tsʰiəu^{53}xe^{53}kan^{21}tsɿ^{0}iet^{3}siɔŋ^{35}.iet^{3}siɔŋ^{35}iəŋ$^{53}_{44}$tei^{35}cin$^{35}_{44}$tʂɔŋ$^{35}_{44}$tau$^{21}_{44}$.

【蔸$_1$】tei^{35}/təu^{35} 名指某些植物的根和靠近根的茎。也称"蔸子"：底下树梗撂～下起到尾上都尽赘。tei^{21}xa$^{53}_{44}$ʂəu^{53}kuaŋ^{21}lau^{35}təu^{35}xa$^{35}_{44}$çi^{21}tau$^{53}_{44}$mi^{35}xɔŋ$^{53}_{44}$təu^{35}tsʰin^{53}nek^{3}.｜麦子也爱有～嘞，欸，有～子嘞。我等就话栽倒有～子正有麦子嘞，～都冇得是你麦子就也就冇……欸，更冇得嘞。欸，从何而来？系<u>唔系</u>？～都冇得是就空个，欸。mak^{5}tsɿ^{0}ia^{35}ɔi^{53}iəu$^{35}_{44}$tei^{35}le^{0},e$_{21}$,iəu^{35}tei^{35}tsɿ^{21}le^{0}.ŋai^{13}tien^{0}tsʰiəu$^{53}_{44}$ua$^{53}_{44}$tsɔi^{35}tau^{21}iəu^{35}tei^{35}tsɿ^{0}tʂaŋ^{53}iəu^{35}mak^{5}tsɿ^{0}le^{0},tei^{35}təu$^{35}_{53}$mau$^{13}_{21}$tek^{3}ʂɿ$^{53}_{44}$ɲi$^{13}_{44}$mak^{5}tsɿ^{0}tsʰiəu$^{53}_{44}$ia^{35}tsʰiəu^{53}mau^{13}…e$_{21}$,cien^{53}mau^{13}tek^{3}le^{0}.e$_{21}$,tsʰəŋ$^{13}_{21}$xo$^{13}_{21}$e$^{13}_{21}$lɔi^{13}?xei^{53}me^{53}?tei^{35}təu$^{35}_{53}$mau$^{13}_{21}$tek^{3}ʂɿ$^{53}_{21}$tsʰiəu^{53}kʰəŋ^{53}ke^{53},e$_{21}$.

【蔸$_2$】tei^{35} 量株；棵；丛：种一～花 tʂəŋ^{53}iet^{3}tei^{35}fa^{35}｜一～菜 iet^{3}tei^{35}tsʰɔi^{53}｜～～每一蔸禾蔸下都窒，都窒一蒲灰。tei^{35}tei^{35}uo^{13}tei$^{35}_{44}$xa^{35}təu$^{35}_{44}$tsət^{5},təu$^{35}_{44}$tsət^{5}iet^{3}pʰu$^{13}_{21}$fɔi^{35}.

【蔸蔸】tei^{35}tei^{35} 名比喻事物产生的根源：又说明箇只人箇个是非嘞都系从箇只人身上惹出来个，欸，箇是非个起源，欸，是一只蔸。系只～。iəu^{53}ʂuek^{3}min^{13}kai^{53}tʂak^{3}ɲin$^{13}_{21}$kai$^{53}_{44}$ke$^{53}_{44}$ʂɿ^{53}fei$^{35}_{44}$le^{0}təu^{35}xe$^{53}_{44}$tsʰəŋ^{13}kai$^{53}_{44}$tʂak^{3}ɲin$^{13}_{21}$ʂən^{35}xɔŋ$^{53}_{44}$ɲia^{35}tʂʰət^{3}lɔi$^{13}_{21}$ke$^{53}_{44}$,e$_{21}$,kai$^{53}_{44}$ʂɿ^{53}fei$^{35}_{44}$ke$^{53}_{44}$çi^{21}vien^{13},e$_{21}$,ʂɿ$^{53}_{21}$iet^{3}tʂak^{3}tei^{35}.xei^{53}tʂak^{3}tei^{35}tei$^{35}_{44}$.

【篼子】tei^{35}tsɿ^{0} 名小孩用的小饭碗。又简称"篼"或称"篼篼"：噢，篼篼吧？～唠，～，饭～，欸，也系箇意思，讲～，篼篼。篼篼也会讲。以只篼呀！以只篼，系。au$_{21}$,tei$^{35}_{44}$tei$^{35}_{44}$pa^{0}?tei^{35}tsɿ^{0}lau^{0},tei^{35}tsɿ^{0},fan^{53}tei^{35}tsɿ^{0},e$_{21}$,ia^{35}xei^{53}kai^{53}i$^{53}_{44}$sɿ^{0},kɔŋ^{21}tei^{35}tsɿ^{0},tei^{35}tei$^{35}_{44}$.tei^{35}tei$^{35}_{44}$ia^{35}uɔi^{53}kɔŋ^{21}.iak^{3}

(←i13tʂak3)tei35ia0!iak3(←i13tʂak3)tei35,xei53-44.

【斗$_1$】tei21 名形状略像斗的器物，或器物上形状如斗的部分：风车脑高箇只装谷个箇只～ fəŋ35tʂha35lau21kau35-44kai53-44tʂak3tʂɔŋ35kuk3ke53kai53-44tʂak3tei21

【斗$_2$】tei21 量容量单位：一～米 iet3tei21mi21｜一～就十升。iet3tei21tshiəu53-44ʂət5ʂən35-44.

【斗方蛇】tei21fɔŋ35ʂa13 名蛇名，皮上有四方形花纹：～，系系有，欸。四四方方个样，格子系方格子。渠个花纹呈四方个格子啊。tei21fɔŋ35-44ʂa13-21,xei53-44xei53-44iəu35,e21.si53-44si53-44fɔŋ35fɔŋ35ke53-44iɔŋ53-44,kak3tsɿ0xe53fɔŋ35kak3tsɿ0.ci13ke53fa35uən13-21tʂhən13si53fɔŋ35ke53kak3tsɿ0a0.

【斗桶】tei21thəŋ21 名旧时量具，容积为一斗：～就系从前量谷个装置。欸，十升就为一斗。一只桶，我等以前老家我等屋下有嘞。一只桶，一只木桶，同箇水桶样个东西，撮撮哩，我见过嘞。底下更大，顶高更细，有兜在以映子还也弯下子。tei21thəŋ21tshiəu53xe53tshəŋ13tshien13liɔŋ13kuk3ke0tsɔŋ35tʂɿ53.e21,ʂət5ʂən35-44tshiəu53uei13iet3tei21.iet3tʂak3thəŋ21,ŋai13tien0i35-44tshien13-21nau21cia35-44ŋai13tien0uk3xa53-44iəu35le0.iet3tʂak3thəŋ21,iet3tʂak3muk3thəŋ21,thəŋ13kai53ʂei21thəŋ21iɔŋ35-44ke0təŋ35-44si0,tsɔit3tsɔit3li0,ŋai13cien53ko53lei0.te21xa53-44ken53-44thai53,taŋ21kau35-44ken53-44se53,iəu35təu35-53tshai53i21iaŋ53tsɿ0xan13-44na35-44uan35na53tsɿ0.

【斗碗$_1$】tei21uɔn21 名海碗的别称：～呢一起就系……大碗安做～。箇就我等客姓人就咁子。本地人是箇装菜个碗就系安做～，渠就区别于饭碗，就安做～。我等客姓人就～就硬系只大碗，～就大碗。tei21uɔn21ne0iet3çi21tshiəu53xe53…thai53uɔn21ɔn35-44tso53tei21uɔn21.kai53tshiəu53ŋai13tien0khak3sin53ɲin13-21tshiəu53kan21tsɿ0.pən21thi21ɲin13-44ʂɿ13-44kai53-44tʂɔŋ35tshɔi53ke0uɔn21tshiəu53xe53ɔn35-44tso53-44tei21uɔn21,ci13tshiəu53tʂhʮ35phiet5ʮ13-21fan53uɔn21,tshiəu53ɔn35-53tso53tei21uɔn21.ŋai13tien0khak3sin53ɲin13-44tshiəu53-44tei21uɔn21tshiəu53-44ɲiaŋ53xe53iak3thai53uɔn21,tei21uɔn21tshiəu53-44thai53uɔn21.｜箇碗豆腐花是用～装，爱用～装。kai53uɔn21thei53fu0fa35ʂɿ53-44iəŋ53tei21uɔn21tʂɔŋ35,ɔi53iəŋ53tei21uɔn21tʂɔŋ35.

【斗碗$_2$】tei21uɔn21 量指装满一个斗碗的量：以前个以前我老弟子等读高中个时候子归来呀，爱食一～饭都唔够，一大～都唔够，真食得，箇阵子肚饥呀。i35tshien13kei53-44i35-44tshien13-21ŋai13lau21the35-44tsɿ0tien0thəuk5kau35-44tʂəŋ35-44ke0ʂɿ13xəu53tsɿ0kuei35-44lɔi13-21ia0,ɔi53-44ʂət5iet3tei21uɔn21fan53təu35-53ṇ13-21kei53,iet3thai53tei21uɔn21təu35ṇ13kei53,tʂən35ʂət5tek3,kai53-44tʂhən53-44tsɿ0təu21ci35-44ia0.

【陡】tei21 形坡度很大，近于垂直：蛮～man13tei21＝真～tʂən35tei21很陡

【陡锯】tei21ke53/cie53 动锯板子时两人一高一低配合着拉锯：～就让门子嘞？就一个人在上，一人在下。一块板，一筒树，爱箑个就咁子斜斜子放倒。我就跍倒以上背扯，打比样以映子箑开来，系就以映箑开来。以筒系树样，欸我就去上背扯，你就去下背绷，就以个就安做～。～嘞箇只爱箑个树嘞就唔系平个放倒，平锯就平个放倒。以映子以映舞只三角杈撑稳。欸，以映子嘞，一条斜树撑下一头地泥下，一头去顶呐木马上，三角杈上。以只栏场子嘞以个树嘞就去以筒树上用码钉钉稳，箇就安做～。tei21cie53tshiəu53-44ɲiɔŋ53-44mən0tsɿ0lei0?tshiəu53-44iet3ke53ɲin13-44tshai53ʂɔŋ35,iet3in13-44tshai53-44xa35.iet3khuai53pan21,iet3thəŋ13ʂəu53,ɔi53sak3ke0tshiəu53kan21-13tsɿ0tshia13tshia13tsɿ0fɔŋ53tau21.ŋai13tshiəu53-44khu35tau21i21ʂɔŋ21pɔi53-44tʂha21,ta21pi21iɔŋ53i21iaŋ53tsɿ0sak3khɔi35-44lɔi13-21,(x)ei53tshiəu53-21i21iaŋ53-44sak3khɔi35-44lɔi13-21.i21thəŋ13xe53-44ʂəu53iɔŋ53-44,e53ŋai13tshiəu53-44çi53-44ʂɔŋ53pɔi53-44tʂha21,ɲi13tshiəu53-44çi53-44xa35pɔi53paŋ35,tshiəu53-44i21ke53-44tshiəu53-44ɔn35-44tso53-44tei21cie53.tei21cie53-44lei0kai53-44tʂak3ɔi53sak3ke0ʂəu53lei0tshiəu53ṃ13phe53phiaŋ13ke0fɔŋ53tau21,phiaŋ13cie53tshiəu53-44phiaŋ13ke0fɔŋ53tau21.i21iaŋ53tsɿ0i21iaŋ53u21tʂak3san35kɔk3tsha35tshaŋ35uən21.e21,i21iaŋ53tsɿ0lei0,iet3thiau13tshe13ʂəu53tshaŋ53xa53-44iet3thei13thi53lai13-21xa35,iet3thei13çi53tin53-44na0muk3ma35xɔŋ53-44,san35kɔk3tsha35xɔŋ53-44.i21tʂak3laŋ13tʂhɔŋ13-44tsɿ0lei0i21ke53-44ʂəu53lei0tshiəu53çi53i21thəŋ13ʂəu53-44xɔŋ53-44iɔŋ53ma35taŋ35taŋ35uən21,kai53-21tshiəu53-44ɔn35-44tso53-44tei21cie53.

【陡箑锯】tei21sak3cie53 名箑锯的一种：～嘞就一个人也扯得。tei21sak3cie53-44lei0tshiəu53iet3ke53ɲin13-21na35-53tʂha21tek3.

【豆豉】thei53ʂɿ53 名把黄豆或黑豆泡透蒸熟或煮熟，经过发酵而成的食品：欸，浏阳出～唠。～，我等安做～。浏阳～，欸，太平桥喔，浏阳哦，太平桥个～更好喔。唔系噢！唔系太平桥。南市街个～更好。e21,liəu13iɔŋ13-44tʂhət3thei53-44ʂɿ53-44lau0.thei53ʂɿ53,ŋai13-21tien0ɔn35-44tso53-44thei53ʂɿ53.liəu13iɔŋ13-44thei53ʂɿ53,e21,thai53phin13-44chiau13uo0,liəu13iɔŋ13-44ŋo0,thai53phin13-44chiau13ke53-44thei53ʂɿ53-44cien53xau21uo0.ṃ13-21phe53(←xe53)au0!,ṃ13phe53(←xe53)thai53phin13-44chiau13-44.lan13ʂɿ53kai35ke53-44thei53ʂɿ53-44cien53xau21.

【豆豉油】thei53ʂɿ53-44iəu13 名黄豆经蒸煮、发酵熬制出来的一种深棕色固体膏状调味品：～本地方冇得，都系买倒个来个，就～哇。有卖呀。～有卖。我等人唔多买倒食，好像硬太黟人哩

样。太怀疑渠个卫生。tʰei^{53}ʂʅ$^{53}_{44}$iəu^{13}pən^{21}tʰi$^{53}_{44}$fəŋ$^{35}_{44}$mau$^{13}_{21}$tek^{3},təu$^{35}_{44}$xe$^{53}_{44}$mai^{35}tau^{21}ke$^{53}_{44}$lɔi$^{13}_{21}$ke$^{53}_{44}$,tsiəu$^{53}_{44}$tʰei^{53}ʂʅ^{53}iəu$^{13}_{21}$ua^{0}.iəu^{35}mai^{35}ia^{0}.tʰei^{53}ʂʅ$^{53}_{44}$iəu^{13}iəu^{35}mai^{53}.ŋai^{13}tien^{0}ȵin$^{13}_{21}$n̩$^{13}_{21}$to$^{35}_{44}$mai^{35}tau^{21}ʂət$^{5}_{3}$,xau^{21}tsʰiəŋ$^{53}_{44}$ȵiaŋ^{53}tʰai^{53}ȵia^{13}ȵin^{13}li^{0}iəŋ^{53}.tʰai^{53}fai^{13}ȵi^{53}ci$^{13}_{21}$ke$^{53}_{44}$uei^{53}sien^{35}.

【豆豉庄】tʰei^{53}ʂʅ^{53}tsəŋ^{35} 名 旧时经营豆豉的铺子：～箇就同爆竹庄一样个，欸，么个布庄一样个，卖豆豉个，专门用来卖豆豉个店子，安做～。以前有，以下是冇得哩。tʰei^{53}ʂʅ^{53}tsəŋ^{35}kai$^{53}_{44}$tsʰiəu$^{53}_{44}$tʰəŋ^{13}pau^{53}tʂuk^{3}tsəŋ^{35}iet^{3}iəŋ^{53}ke^{0},e$_{21}$,mak^{3}ke^{53}pu^{53}tsəŋ^{35}iet^{3}iəŋ^{53}ke^{0},mai$^{53}_{44}$tʰei^{53}ʂʅ$^{53}_{21}$ke^{0},tʂen^{35}mən$^{13}_{21}$iəŋ$^{53}_{44}$lɔi$^{13}_{44}$mai$^{53}_{44}$tʰei^{53}ʂʅ$^{53}_{44}$ke^{0}tian^{53}tsʅ^{0},ɔn$^{35}_{44}$tso$^{53}_{44}$tʰei^{53}ʂʅ$^{53}_{44}$tsəŋ^{35}.i$^{35}_{44}$tsʰien$^{13}_{21}$iəu$^{35}_{44}$,i^{21}xa$^{53}_{44}$ʂʅ$^{53}_{44}$mau$^{13}_{44}$tek^{3}li^{0}.

【豆粉】tʰei^{53}fən^{21} 名 将炒熟的黄豆磨成的粉：麻糍硬爱放～，正香。……唔放～就渠会黏做一坨啊唔放～就。～呢一只就好香啊，第二只就也系隔开渠来，使渠莫黏做一坨啊。ma^{13}tsʰi^{13}ȵiaŋ^{53}ɔi^{53}fəŋ^{53}tʰei^{53}fən^{21},tʂaŋ$^{53}_{44}$çiəŋ^{35}.…n̩^{13}fəŋ^{53}tʰei^{53}fən^{21}tsʰiəu$^{53}_{44}$ci^{13}uɔi^{53}ȵia^{13}tso^{53}iet^{3}tʰo^{13}a^{0}n̩^{13}fəŋ^{53}tʰei^{53}fən^{21}tsʰiəu^{53}.tʰei^{53}fən^{21}nei^{0}iet^{3}tʂak^{3}tsʰiəu$^{53}_{44}$xau^{21}çiəŋ^{35}ŋa^{0},tʰi$^{53}_{44}$ȵi$^{53}_{44}$tʂak^{3}tsʰiəu$^{53}_{44}$ia^{35}xei$^{53}_{44}$kak^{3}kʰɔi^{35}ci$^{13}_{21}$lɔi$^{13}_{21}$,ʂʅ^{21}ci$^{13}_{21}$mo^{53}ȵia$^{13}_{44}$tso^{53}iet^{3}tʰo^{13}a^{0}.

【豆腐】tʰei^{53}fu^{53} 名 豆浆煮开后加入石膏或盐卤使之凝结成块，压去一部分水分而成的食品：如今～只有三种，水豆腐，嗯，四种唠，一种豆浆，嘿，第二种水豆腐。第三种嘞干豆腐。第四种嘞欸炮豆腐。i$^{13}_{21}$cin$^{35}_{44}$tʰei^{53}fu^{53}tʂʅ^{21}iəu$^{35}_{44}$san$^{35}_{44}$tʂəŋ^{21},ʂei^{21}tʰei^{53}fu^{53},n̩$_{21}$,si^{53}tʂəŋ^{21}lau^{0},iet^{3}tʂəŋ^{21}tʰei^{53}tsiəŋ^{35},xei$_{44}$,tʰi^{53}ȵi^{53}tʂəŋ^{21}ʂei^{21}tʰei$^{53}_{44}$fu$^{53}_{44}$.tʰi$^{53}_{44}$san$^{35}_{44}$tʂəŋ^{21}lei^{0}kən^{35}tʰei$^{53}_{44}$fu$^{53}_{44}$.tʰi$^{53}_{44}$si^{53}tʂəŋ^{21}lei^{0}e^{0}pʰau^{13}tʰei$^{53}_{44}$fu$^{53}_{44}$.

【豆腐袋】tʰei^{53}fu^{53}tʰɔi^{53} 名 用来过滤豆浆的布袋：舞只袋袋装倒（豆浆），安做～。舀下～肚里。嗯。u^{21}(tʂ)ak^{3}tʰɔi^{53}tʰɔi$^{53}_{44}$tʂəŋ^{35}tau^{21},ɔn$^{35}_{44}$tso$^{53}_{44}$tʰei^{53}fu$^{53}_{44}$tʰɔi^{53}.iau^{21}(x)a$^{53}_{44}$tʰei$^{53}_{44}$fu$^{53}_{44}$tʰɔi^{53}təu^{21}li^{0}.n̩$_{21}$.

【豆腐店】tʰei^{53}fu^{0}tian^{53} 名 豆腐作坊：～欸就系卖豆腐个店子，专门卖豆腐个店子，如今有哇，都包括也卖水豆腐哇，卖豆腐干呐，卖炮豆腐哇。tʰei^{53}fu^{0}tian^{53}e$_{21}$tsiəu$^{53}_{44}$xe$^{53}_{44}$mai^{53}tʰei^{53}fu$^{53}_{44}$ke^{0}tian^{53}tsʅ^{0},tʂen^{35}mən^{13}mai^{53}tʰei^{53}fu$^{53}_{44}$ke^{0}tian^{53}tsʅ^{0},i$^{13}_{21}$cin$^{35}_{44}$iəu^{35}ua^{0},təu$^{35}_{44}$pau^{35}kuait^{3}ia$^{35}_{44}$mai^{53}ʂei^{21}tʰei^{53}fu^{53}va^{0},mai^{53}tʰei^{53}fu^{53}kən^{35}na^{0},mai^{53}pʰau^{13}tʰei$^{53}_{44}$fu$^{53}_{44}$va^{0}.

【豆腐干】tʰei^{53}fu^{53}kən^{35} 名 烤或焙干的豆腐：欸，箇就系豆腐滴溓水来就炼个咁啵。以陈家桥箇映子专门有只店卖豆腐干个。作豆腐也只厂噢，用锅炉箇只来做，一天都做几百斤豆子，还像啊。e$_{21}$,kai$^{53}_{44}$tsʰiəu$^{53}_{44}$xe$^{53}_{44}$tʰei^{53}fu$^{53}_{44}$tet^{3}lian^{21}ʂei^{21}lɔi$^{13}_{44}$tsʰiəu$^{53}_{44}$xɔk^{3}ke^{0}kən^{35}nau^{0}.i$^{21}_{13}$tʂʰən$^{13}_{21}$ka$^{35}_{44}$cʰiau^{13}kai$^{53}_{44}$iaŋ$^{53}_{44}$tsʅ^{0}tʂen^{35}mən$^{13}_{21}$iəu$^{35}_{44}$tʂak^{3}tian^{53}mai^{53}tʰei^{53}fu$^{53}_{21}$kən^{35}ke^{0}.tso^{53}tʰei$^{53}_{44}$fu$^{53}_{44}$ia$^{35}_{44}$tʂak^{3}tʂʰəŋ^{21}ŋau^{0},iəŋ^{53}ko^{35}ləu$^{13}_{21}$kai$^{53}_{44}$tʂak^{3}lɔi$^{13}_{21}$tso^{53},iet^{3}tʰien^{35}təu$^{35}_{44}$tso^{53}ci^{21}pak^{3}cin$^{35}_{44}$tʰei^{53}tsʅ^{0},xan$^{13}_{21}$tsʰiəŋ^{53}ŋa^{0}.

【豆腐花】tʰei^{53}fu^{53}fa^{35} 名 豆腐脑：豆腐脑就安做～呢我等。也有安做水豆腐呢。可能莫写水豆腐，水豆腐系本地人讲个，水豆腐哩，水豆腐。我等讲～。渠等本地人就唔讲～。变成哩豆腐，欸，只差舀倒去，舀下箱里去了。欸，它就箇起。就咁子食唠，呣，街上有卖。tʰei^{53}fu^{53}nau^{21}tsʰiəu$^{53}_{44}$ɔn$^{35}_{44}$tso$^{53}_{44}$tʰei^{53}fu^{53}fa^{35}nei^{0}ŋai$^{13}_{21}$tien^{0}.ia^{35}iəu$^{35}_{44}$ɔn$^{35}_{44}$tso$^{53}_{44}$ʂei^{21}tʰei$^{53}_{44}$fu^{53}nei^{0}.kʰo^{21}len^{13}mɔk^{5}sia^{21}ʂei^{21}tʰei$^{53}_{44}$fu^{53},ʂei^{21}tʰei$^{53}_{44}$fu^{53}xe^{53}pən^{21}tʰi^{53}ȵin$^{13}_{21}$kəŋ^{21}ke^{53},çy$_{35}$tʰiau$_{44}$fu$_{21}$li^{0},çy$_{35}$tʰiau$_{44}$fu$_{21}$.ŋai^{13}tien^{0}kəŋ^{21}tʰei^{53}fu$^{53}_{44}$fa^{35}.ci^{13}tien^{0}pən^{21}tʰi^{53}ȵin$^{13}_{21}$tsʰiəu^{53}n̩^{13}kəŋ^{21}tʰei^{53}fu$^{53}_{44}$fa^{35}.pien^{53}tʂʰən$^{13}_{21}$ni^{0}tʰei^{53}fu$^{53}_{44}$,e$_{21}$,tʂʅ^{21}tsa^{35}iau^{21}tau^{21}çi^{53},iau^{21}ua$_{44}$(←xa^{53})siəŋ^{35}li^{0}çi$^{53}_{44}$liau^{0}.e$_{21}$,tʰa$^{35}_{21}$tsiəu$^{53}_{44}$kai^{53}çi^{21}.tsiəu^{53}kan^{21}tsʅ^{0}ʂət^{5}lau^{0},m̩$_{21}$,kai^{35}xəŋ$^{53}_{44}$iəu^{35}mai^{53}.

【豆腐浆】tʰei^{53}fu$^{53}_{44}$tsiəŋ^{35} 名 以黄豆泡透磨成的浆汁：榨出～来。tsa^{53}tʂʰət^{3}tʰei^{53}fu$^{53}_{44}$tsiəŋ^{35}lɔi$^{13}_{21}$.

【豆腐泡】tʰei^{53}fu$^{53}_{44}$pʰau^{35} 名 磨好的豆浆装桶，冲入开水后，豆浆上层形成的泡沫：放下开水一冲下去，箇只时候子嘞还𫠨煮嘞，开水冲下去箇时候子，渠就形成……形……搞出唔知几多泡来哩。搞出蛮多泡。泡泡哇。箇就安做～。箇～一般都会舞嘿去。分猪食，唔爱哩。唔系特事子做，于是做豆腐个过程中产生个～。唔系特事为了爱箇滴子泡。fəŋ^{53}ŋa$_{44}$(←xa^{53})kʰɔi^{35}ʂei^{21}iet^{3}tʂʰəŋ^{35}ŋa^{53}(←xa^{53})çi^{53},kai^{53}tʂak^{3}ʂʅ^{13}xei^{53}tsʅ^{0}le^{0}xai$^{13}_{21}$maŋ^{13}tʂəu^{21}le^{0},kʰɔi^{35}ʂei^{21}tʂʰəŋ^{35}ŋa^{53}(←xa^{53})çi$^{53}_{44}$kai$^{53}_{44}$ʂʅ^{13}xei^{53}tsʅ^{0},ci^{13}tsʰiəu^{53}çin$^{13}_{21}$tʂʰən$^{13}_{44}$…çin$^{13}_{21}$…kau^{21}tʂʰət^{3}n̩$^{13}_{21}$ti$^{35}_{13}$ci^{21}to^{35}pʰau^{35}lɔi$^{13}_{21}$li^{0}.kau^{21}tʂʰət^{3}man$^{13}_{21}$to$^{35}_{44}$pʰau^{35}.pʰau^{35}pʰau$^{35}_{44}$ua^{0}.kai$^{53}_{21}$tsʰiəu$^{53}_{21}$ɔn$^{35}_{44}$tso$^{53}_{44}$tʰei^{53}fu$^{53}_{44}$pʰau^{35}.kai$^{53}_{44}$tʰei^{53}fu$^{53}_{44}$pʰau^{35}iet^{3}pən^{35}təu$^{35}_{44}$uɔi^{53}u^{21}(x)ek^{3}çi^{53}.pən^{35}tʂəu^{35}ʂət^{5},m̩$^{13}_{21}$mɔi$^{53}_{35}$li^{0}.m̩^{13}pʰe$_{44}$(←xe^{53})tʰiet^{5}sʅ$^{53}_{44}$tsʅ^{0}tso^{53},ɥ^{13}ʂʅ$^{53}_{44}$tso^{53}tʰei^{53}fu$^{53}_{44}$ke$^{53}_{44}$ko^{53}tʂʰən^{13}tʂəŋ$^{35}_{44}$tsʰan^{21}sen$^{35}_{44}$ke$^{53}_{44}$tʰei^{53}fu$^{53}_{44}$pʰau^{35}.m̩^{13}pʰe$_{44}$(←xe^{53})tʰiet^{5}sʅ$^{53}_{44}$uei^{53}liau^{0}ɔi^{53}kai$^{53}_{44}$tiet$^{5}_{3}$tsʅ^{0}pʰau^{35}.

【豆腐皮】tʰei^{53}fu^{53}pʰi^{13} 名 煮豆浆时表面凝成的膜状物，晒干即成豆笋：箇分豆浆，豆子浸正来以后就磨一到吵，系唔系？欸，磨一到，磨好哩以后嘞，就放下镬里去煮，就爱煮泡来，唔煮泡来冇用嘞，要煮泡来。煮泡来嘞再放箇个么个石膏，去作，安做作豆腐。磨豆腐，煮豆腐，作豆腐。当渠煮豆腐个时候子，箇面上嘞就有～，就会现重皮。箇～用筷子夹起来就系豆笋。好，如今是专门有做豆笋个，渠箇镬头个豆腐欸箇个欸磨正个豆腐嘞，渠就慢慢子嘞一重一重子嘞做做～。kai$^{53}_{44}$pən$^{35}_{44}$tʰei^{53}tsiɔŋ^{35},tʰei^{53}tsɿ^{0} tsin^{53}tʂaŋ^{53}lɔi$^{13}_{21}$i$^{35}_{44}$xei$^{53}_{44}$tsʰiəu$^{53}_{44}$mo^{53}iet^{3} tau$^{53}_{44}$ʂa^{0}, xei^{53}me^{53}?e$_{21}$,mo^{53}iet^{3} tau^{53},mo^{53}xau^{21}li^{0} i^{35}xei^{53}lei^{0},tsʰiəu$^{53}_{44}$fɔŋ$^{53}_{44}$xa$^{53}_{44}$uɔk^{5} li^{0} çi$^{53}_{44}$tʂəu^{21},tsʰiəu$^{53}_{44}$ɔi$^{53}_{44}$tʂəu^{21}pʰau^{35} lɔi$^{13}_{21}$,n̩^{13}tʂəu^{21}pʰau^{35}lɔi$^{13}_{21}$mau^{13}iəŋ^{53}le^{0},iau$^{53}_{44}$tʂəu^{21}pʰau^{35}lɔi$^{13}_{21}$.tʂəu^{21}pʰau^{35}lɔi^{13}le^{0} tsai^{53}fɔŋ^{53}kai$^{53}_{44}$ke$^{53}_{44}$mak^{3} ke^{0} ʂak^{5} kau^{35},çi^{53}tsɔk^{3},ɔn$^{35}_{44}$tso$^{53}_{44}$tsɔk^{3} tʰei$^{53}_{44}$fu$^{53}_{44}$.mo^{53}tʰei$^{53}_{44}$fu$^{53}_{44}$,tʂəu^{21}tʰei$^{53}_{44}$fu$^{53}_{44}$,tsɔk^{3} tʰei$^{53}_{44}$fu$^{53}_{44}$.tɔŋ^{35}ci$^{53}_{44}$tʂəu^{21}tʰei^{53}fu$^{53}_{44}$ke$^{53}_{44}$ ʂɿ^{13}xei$^{53}_{44}$tsɿ^{0},kai$^{53}_{44}$mien^{53}xɔŋ$^{53}_{44}$lei^{0} tsʰiəu$^{53}_{44}$iəu^{35}tʰei^{53}fu$^{53}_{44}$pʰi^{13},tsʰiəu^{53}uɔi^{53}çien^{53}tʂʰəŋ$^{13}_{21}$pʰi^{13}.kai^{53}tʰei^{53}fu$^{53}_{44}$pʰi^{13} iəŋ$^{53}_{44}$kʰuai^{53}tsɿ^{0}kait^{3} çi^{21}lɔi^{13}tsʰiəu$^{53}_{44}$xe$^{53}_{44}$tʰei^{53}sən^{21}.xau^{21},i$^{13}_{21}$cin$^{35}_{44}$ʂɿ$^{53}_{44}$tʂen^{35}mən$^{13}_{44}$iəu$^{35}_{44}$tso^{53}tʰei^{53}sən^{21}ke^{0},ci$^{13}_{21}$kai$^{53}_{44}$ uɔk^{5} tʰei$^{53}_{21}$ke$^{53}_{44}$tʰei^{53}fu$^{53}_{44}$e$_{44}$kai$^{53}_{44}$ke$^{53}_{44}$e$_{21}$mo^{53}tʂaŋ$^{53}_{44}$ke$^{53}_{44}$tʰei$^{53}_{44}$fu$^{53}_{44}$lei^{0},ci$^{13}_{21}$tsiəu$^{53}_{44}$man^{53}man$^{53}_{44}$tsɿ^{0} lei^{0} iet^{3} tʂʰəŋ^{13}iet^{3} tʂʰəŋ^{13}tsɿ^{0} lei^{0} tso^{53}tso^{53}tʰei^{53}fu$^{53}_{44}$pʰi^{13}.

【豆腐摊】tʰei^{53}fu^{53}tʰan^{35} 名 专门售卖豆腐的摊子：箇只老子唠，姓曾呶，渠就专门卖（豆腐）。渠箇个是只能算～。渠就卖水豆腐啊。kai^{53}(tʂ)ak^{3} lau^{21}tsɿ^{0} lau^{0},siaŋ^{53}tsien^{35}nau^{0},ci$^{13}_{21}$tsiəu$^{53}_{44}$tʂen^{35} mən$^{13}_{21}$mai$^{53}_{44}$.ci$^{13}_{21}$kai$^{53}_{44}$ke$^{53}_{44}$ʂɿ$^{53}_{44}$tʂɿ^{21}len^{13}sɔn^{53}tʰei^{53}fu^{53}tʰan^{35}.ci$^{13}_{21}$tsʰiəu$^{53}_{44}$mai^{53}ʂei^{21}tʰei^{53}fu^{53}a^{0}.

【豆腐桶】tʰei^{53}fu$^{53}_{44}$tʰəŋ^{21} 名 用来泡豆腐的桶：我等一般是咁子，磨正哩就磨倒就放下箇欸～里。ŋai^{13}tien^{0} iet^{3} pɔn^{35}ʂɿ^{53}kan^{21}tsɿ^{0},mo^{53}tʂaŋ^{53}li^{0} tsʰiəu$^{53}_{44}$mo^{53}tau^{21}tsʰiəu$^{53}_{44}$fɔŋ$^{53}_{44}$xa$^{53}_{44}$kai$^{53}_{44}$e$_{21}$tʰei^{53}fu$^{53}_{44}$tʰəŋ^{21}li^{0}.

【豆腐箱】tʰei^{53}fu^{53}siɔŋ^{35} 名 用来控干豆腐水分的箱子：安做～噢，舞只～肚里啊。舞只箱子嘞，装倒啦。箇箱子就会出水个。系唔系？会出水呀。欸，舞嘿～啊，系，舞嘿～。ɔn$^{35}_{44}$tso$^{53}_{44}$tʰei^{53} fu$^{53}_{44}$siɔŋ^{35}ŋau^{21},u^{21}tʂak^{3} tʰei^{53}fu$^{53}_{44}$siɔŋ^{35}təu^{21}li^{0} a^{0}.u^{21}tʂak^{3} siɔŋ^{35}tsɿ^{0} le^{0},tʂɔŋ^{35}tau^{21}la^{0}.kai$^{53}_{44}$siɔŋ^{35}tsɿ^{0} tsʰiəu$^{53}_{44}$uɔi$^{53}_{44}$ tʂʰət^{3} ʂei^{21}cie^{53}.xei$^{53}_{44}$me$^{53}_{44}$?uɔi$^{53}_{44}$tʂʰət^{3} ʂei^{21}ia^{0}.e$_{44}$,u^{21}(x)ek^{3} tʰei^{53}fu$^{53}_{44}$siɔŋ^{35}ŋa^{0},xe$^{53}_{44}$,u^{21}(x)ek^{3} tʰei^{53}fu$^{53}_{44}$siɔŋ^{35}.

【豆腐渣】tʰei^{53}fu$^{53}_{44}$tsa^{35} 名 制豆浆剩下的渣滓：好，～就可以分猪食嘞，可以搞箇么个，系啊？也可以唔爱哩，就丢嘿去。xau^{21},tʰei$^{53}_{44}$fu$^{53}_{44}$tsa^{35}tsʰiəu$^{53}_{44}$kʰo^{21}i^{35}pən^{35}tʂəu^{35}ʂət^{5} le^{0},kʰo^{21}i^{35}kau^{21}kai^{53}mak^{3} ke^{53},xei$^{53}_{44}$a^{0} ?ia$^{35}_{44}$kʰo^{21}i^{35}m̩$^{13}_{21}$mɔi$^{53}_{44}$li^{0},tsʰiəu$^{53}_{21}$tiəu^{35}uek^{3}(←xek^{3})çi^{53}.

【豆稿】tʰei^{53}kau^{21} 名 大豆的秸秆：～就系黄豆子去嘿哩豆子以后个苗就～。欸，以前是做灶樵呶，就烧哇，做整柴烧哇。tʰei^{53}kau^{21}tsiəu$^{53}_{44}$xe$^{53}_{44}$uɔŋ^{13}tʰei^{53}tsɿ^{0} tʂʰɥ^{53}xek^{3} li^{0} tʰei^{53}tsɿ^{0} i^{35}xei$^{53}_{44}$ke^{0} miau^{13} tsʰiəu$^{53}_{44}$tʰei^{53}kau^{21}.e$_{21}$,i^{35}tsʰien$^{13}_{21}$ʂɿ$^{53}_{44}$tso$^{53}_{44}$tsau^{53}tsian^{35}nau^{0},tsʰiəu$^{53}_{44}$ʂau^{35}ua^{0},tso^{53}tʂən^{21}tsʰai^{13}ʂau^{35}ua^{0}.

【豆浆】tʰei^{53}tsiɔŋ^{35} 名 用黄豆泡透磨成的浆汁：舞倒箇豆子啊磨……浸胀来磨倒个～刷一到。u^{21}tau^{21}kai$^{53}_{44}$tʰei^{53}tsɿ^{0} a^{0} mo^{53}…tsin^{53}tʂɔŋ^{53}lɔi^{13}mo^{53}tau^{21}ke^{53}tʰei^{53}tsiɔŋ^{35}sɔit^{3} iet^{3} tau$^{53}_{44}$.

【豆角】tʰei^{53}kɔk^{3} 名 豆荚的俗称，多指鲜嫩可做菜者：落水天莫去摘～。lɔk^{5} ʂei^{21}tʰien^{35}mɔk^{5} çi$^{53}_{44}$tsak^{3} tʰei^{53}kɔk^{3}.

【豆角干】tʰei^{53}kɔk^{3} kɔn^{35} 名 将豆角用开水焯过后晒干而成的菜干：箇个么个～呐，辣椒筒啊，苦瓜筒啊，箇就安做盐换茶。kai$^{53}_{44}$cie$^{53}_{44}$mak^{3}(k)e$^{53}_{44}$tʰei^{53}kɔk^{3} kɔn^{35}na^{0},lait^{5} tsiau$^{35}_{44}$tʰəŋ^{13}ŋa^{0},fu^{21}kua$^{35}_{44}$ tʰəŋ^{13}ŋa^{0},kai$^{53}_{44}$tsʰiəu$^{53}_{44}$ɔn$^{35}_{44}$tso$^{53}_{44}$ian^{13}uɔn^{53}tsʰa^{13}.

【豆壳】tʰei^{53}kʰɔk^{3} 名 脱粒以后的黄豆荚：～也有么个用嘞，做灶樵都唔好做嘞。～是有么个用，做灶樵都唔想烧，只好沤火土，沤灰，沤做灰，渠会歇火。箇个东西密密麻麻咁子□做一下个渠会歇火。tʰei^{53}kʰɔk^{3} a$^{35}_{53}$mau$^{13}_{21}$mak^{3} e^{0} iəŋ^{53}lei^{0},tso^{53}tsau^{53}tsian$^{35}_{44}$təu$^{35}_{53}$n̩$^{13}_{21}$(x)au^{21}tso^{53}lei^{0}.tʰei^{53}kʰɔk^{3} ʂɿ$^{53}_{21}$mau^{13}mak^{3} e^{0} iəŋ^{53},tso^{53}tsau^{53}tsian$^{35}_{44}$təu$^{35}_{53}$n̩$^{13}_{21}$siɔŋ^{21}ʂau^{35},tʂɿ^{21}xau^{21}ei^{53}fo^{21}tʰəu^{21},ei^{53}fɔi^{35},ei^{53}tso$^{53}_{44}$fɔi^{35},ci$^{13}_{21}$uɔi^{53} çiet^{3} fo^{21}.kai$^{53}_{44}$ke^{0} təŋ$^{35}_{44}$si^{0} miet^{5} miet^{5} ma^{13}ma^{13}kan^{21}tsɿ^{0} tsiau^{35}tso^{53}iet^{3} xa$^{53}_{44}$ko^{0} ci$^{13}_{21}$uɔi^{53}çiet^{3} fo^{21}.

【豆苗】tʰei^{53}miau^{13} 名 黄豆的茎叶：然后打豆子个是咁以个～就打嘿以只上。vien^{13}xei^{53}ta^{21}tʰei^{53} tsɿ^{0} ke$^{53}_{44}$ʂɿ$^{53}_{44}$kan$^{21}_{44}$i^{21}ke$^{53}_{44}$tʰei^{53}miau^{13}tsʰiəu$^{53}_{44}$ta^{21}xek^{3} i^{21}tʂak^{3} xɔŋ$^{53}_{21}$.

【豆笋】tʰei^{53}sən^{21} 名 腐竹：～呐其实是就我等平时作豆腐个豆腐皮嘞，嗯，就系～呢。tʰei^{53} sən^{21}na^{0} cʰi^{13}ʂət^{5} ʂɿ$^{53}_{44}$tsʰiəu^{53}ŋai^{13}tien^{0} pʰin$^{13}_{21}$ʂɿ$^{13}_{44}$tsɔk^{3} tʰei^{53}fu$^{53}_{44}$ke^{0} tʰei^{53}fu^{53}pʰi^{13}le^{0},n̩$_{21}$,tsʰiəu$^{53}_{44}$xei$^{53}_{44}$tʰei^{53}sən^{21}ne^{0}.

【豆叶饭】tʰei^{53}iait^{5} fan^{53} 名 搀有焯过并被切碎的豆叶的饭：～呶，也有人食。tʰei^{53}iait^{5} fan^{53} nau^{0},ia^{35}iəu^{35}ɲin$^{13}_{21}$ʂət^{5}.

【豆油】tʰei^{53}iəu^{13} 名 大豆油：～就只有以咁多年间子就正街上有卖呢，箇一蹚蹚个油～卖。以前我等以映子冇么人榨～。黄豆子也唔多，也冇多么人榨豆子油。赠听讲过榨油个豆子咯。黄豆子榨油咯赠听讲么人榨油。tʰei^{53}iəu^{13}tsʰiəu$^{53}_{44}$tʂɿ^{21}iəu$^{35}_{53}$i^{21}kan^{21}to$^{35}_{53}$ɲien^{13}kan$^{35}_{44}$tsɿ^{0} tsʰiəu$^{53}_{21}$tʂaŋ^{53}kai$^{35}_{44}$ xɔŋ$^{53}_{44}$iəu^{35}mai^{53}nei^{0},kai$^{53}_{44}$iet^{3} ku^{21}ku^{21}ke$^{53}_{44}$iəu$^{13}_{21}$tʰei^{53}iəu^{13}mai^{53}.i$^{35}_{53}$tsʰien$^{13}_{21}$ŋai^{13}tien^{0} i^{21}iaŋ^{35}tsɿ^{0} mau$^{13}_{21}$mak^{3} in$^{13}_{44}$tsa^{53} tʰei^{53}iəu$^{13}_{44}$.uɔŋ^{13}tʰei$^{53}_{44}$tsɿ^{0} a$^{35}_{53}$n̩$^{13}_{21}$to^{35},ia^{35}mau^{13}to$^{35}_{53}$mak^{3}ɲin$^{13}_{44}$tsa^{53}tʰei^{53}tsɿ^{0} iəu^{13}.maŋ^{13}tʰaŋ^{35}kɔŋ^{21}ko^{0} tsa^{53}iəu^{13}ke^{0} tʰei^{53}tsɿ^{0} ko^{0}.uɔŋ^{13}tʰei^{53}tsɿ^{0} tsa^{53}iəu^{13}ko^{0} maŋ^{13}tʰaŋ^{35}kɔŋ^{21}mak^{3} in$^{13}_{44}$tsa^{53}iəu^{13}.

【豆子】tʰei^{53}/tʰəu^{53}老派 tsɿ^{0} [名]①豆类作物，多特指黄豆：～蔸下是有蛮多咁个一坨坨子个啦。箇个一坨坨子个是就系一种么个维生素啊么个东西啊唔系？呣，箇个对田里有肥。欸，么个东西啊？就系氮吧？箇东西就肚里就储存哩蛮多氮。tʰei^{53}tsɿ^{0}tei^{35}xa$^{53}_{44}$ʂʅ$^{53}_{44}$iəu^{35}man^{13}to$^{35}_{44}$kan^{21}ke^{53}iet^{3} tʰo^{13}tʰo^{13}tsɿ^{0}ke^{53}la^{0}.kai^{53}ke^{53}iet^{3} tʰo^{13}tʰo^{13}tsɿ^{0}ke^{53}ʂʅ$^{53}_{44}$tsʰiəu^{53}xei^{53}iet^{3} tʂəŋ^{21}mak^{3} ke^{0}uei^{13}sen$^{35}_{44}$su^{53}a^{0}mak^{3} e^{0} təŋ$^{35}_{44}$si^{0}a^{0}m̩$^{13}_{21}$pʰe$^{53}_{44}$?m̩$_{21}$,kai$^{53}_{44}$ke$^{53}_{44}$tei^{53}tʰien^{13}ni^{0}iəu^{35}pʰi^{13}.e$_{21}$,mak^{3} e^{0}(t)əŋ$^{35}_{44}$si^{0}a^{0}?tsʰiəu$^{53}_{44}$xei$^{53}_{44}$tʰan^{53}pa^{0}?kai$^{53}_{44}$ (t)əŋ$^{35}_{44}$si^{0}tsʰiəu$^{53}_{44}$təu^{21}li^{0}tsʰiəu$^{53}_{44}$tʂʰəu^{21}tsʰən^{13}ni^{0}man^{13}to$^{35}_{44}$tʰan^{53}. ②豆类作物的种子，一般特指黄豆种子：食哩箇～啊嘴糟。ʂek^{5}li^{0}kai$^{53}_{44}$tʰei^{53}tsɿ^{0}a^{0}tʂɔi^{53}tsau^{35}.

【豆子土】tʰei^{53}tsɿ^{0}tʰəu^{21} [名]种植黄豆的土地：～爱当阳，唔当阳个栏场豆子产量唔多。～唔爱肥哩，唔怕刮瘦。tʰei^{53}tsɿ^{0}tʰəu^{21}ɔi$^{53}_{44}$təŋ$^{35}_{44}$iɔŋ^{13},n̩^{13}təŋ$^{35}_{44}$iɔŋ^{13}ke^{53}laŋ$^{13}_{21}$tʂʰɔŋ$^{13}_{44}$tʰei^{53}tsɿ^{0}tsʰan^{21}liɔŋ^{53}m̩$^{13}_{21}$to$^{35}_{44}$.tʰei^{53} tsɿ^{0}tʰəu^{21}m̩$^{13}_{21}$mɔi^{53}pʰi^{13}li^{0},m̩^{13}pʰa$^{53}_{44}$kuait^{5}sei^{53}.

【豆子粥】tʰei^{53}tsɿ^{0}tʂəuk^{3} [名]加黄豆熬的粥：噢，箇是有喔，箇番薯粥啊，～哇。au$_{21}$,kai^{53}ʂʅ$^{53}_{44}$ iəu^{35}uo^{0},kai$^{53}_{21}$fan^{35}ʂəu^{13}tʂəuk^{3}a^{0},tʰei^{53}tsɿ^{0}tʂəuk^{3}ua^{0}.

【逗】tei^{35} [动]招引：专门～别人家笑 tʂen^{35}mən$^{13}_{21}$tei^{35}pʰiek^{5}in$^{13}_{44}$ka$^{35}_{44}$siau^{53}

【逗霸】tei^{53}/təu^{53}pa^{53} [动]违背别人意思，反其道而为之，或故意做些让人恼怒、难堪的事：有滴人本身渠自家喜欢～，喜欢搞哇。iəu^{35}tet^{5}ɲin^{13}pən^{21}ʂən$^{35}_{44}$ci^{21}tsʰɿ^{35}ka$^{35}_{44}$çi^{21}fɔn^{35}tei^{53}pa^{53},çi^{21}fɔn$^{35}_{44}$kau^{21} ua^{0}.

【斗$_{3}$】tei^{53} [动]①（木匠将榫卯）拼合在一起：如今个木匠做行头是有几多只～榫个？洋钉子一□，就几枚钉子一□下去，就咁个。i$^{13}_{21}$cin$^{35}_{44}$ke^{0}muk^{3}siɔŋ$^{53}_{44}$tso^{53}çin^{13}tʰei$^{13}_{44}$ʂʅ$^{53}_{44}$iəu^{35}ci^{21}to^{35}tʂak^{3}tei^{53} sən^{21}cie^{53}?iɔŋ^{13}taŋ^{35}tsɿ^{0}iet^{3}tsʰɔn^{21},tsʰiəu$^{53}_{44}$ci^{21}mɔi^{13}taŋ$^{35}_{44}$tsɿ^{0}iet^{3}tsʰɔn^{21}na^{53}çi^{53},tsʰiəu$^{53}_{44}$kan^{21}ke^{0}. ②（裁缝将裁剪好的布料）拼接在一起：以下个裁缝师傅跍倒箇个工厂里都，尽裁正哩，布都裁正哩，只爱～得东西了。i^{21}xa^{53}ke^{53}tsʰɔi$^{13}_{21}$fəŋ$^{13}_{21}$sɿ$^{35}_{53}$fu$^{53}_{44}$ku^{35}tau^{21}kai$^{53}_{44}$ke$^{53}_{44}$kəŋ^{35}tʂʰɔŋ^{21}li^{0}təu$^{35}_{44}$,tsʰin^{53}tsʰɔi^{13}tʂaŋ^{53} li^{0},pu^{53}təu$^{35}_{53}$tsʰɔi^{13}tʂaŋ^{53}li^{0},tʂʅ^{21}ɔi^{53}tei^{53}tek^{3}təŋ^{35}si^{0}liau^{0}. ③将柄安装到工具上：（铲子）～只把咁子去科。tei^{53}tʂak^{3}pa^{53}kan^{21}tsɿ^{0}çi$^{53}_{44}$kʰo^{35}. ④凑，筹集：尽滴～倒钱来，搞只么个路子。tsʰin^{53}tet$^{5}_{3}$tei^{53} tau^{21}tsʰien^{13}lɔi$^{13}_{44}$,kau^{21}tʂak^{3}mak^{3}ke$^{53}_{44}$ləu^{53}tsɿ^{0}.｜靠渠等人～钱，难。kʰau^{53}ci^{13}tien^{0}ɲin$^{13}_{21}$tei^{53}tsʰien^{13},lan^{13}. ⑤闹矛盾：（渠箇家人）长日𢯺别人家～呀。tʂʰɔŋ^{13}ɲiet^{3}lau^{35}pʰiet^{5}in$^{13}_{44}$ka$^{35}_{44}$tei^{53}ia^{0}. ⑥批斗：有两只老师生活作风唔好，走一只学堂嘞就偷一只学堂个附近个夫娘子，偷野老婆，以下就舞倒大会上来～呀。iəu^{35}iɔŋ^{21}tʂak^{3}lau^{21}sɿ$^{35}_{53}$sen$^{35}_{44}$xɔit^{5}tsɔk^{3}fəŋ$^{35}_{53}$n̩$^{13}_{21}$xau^{21},tsei^{21}iet^{3}tʂak^{3}xɔk^{5}tʰɔŋ$^{13}_{21}$lei^{0}tsʰiəu$^{53}_{44}$ tʰei^{35}iet^{3}tʂak^{3}xɔk^{5}tʰɔŋ$^{13}_{21}$ke^{53}fu^{53}cʰin$^{53}_{44}$ke$^{53}_{44}$pu^{35}ɲiɔŋ$^{13}_{21}$tsɿ^{0},tʰei^{35}ia$^{35}_{44}$lau^{21}pʰo$^{13}_{21}$,i^{21}xa^{53}tsʰiəu^{53}u^{21}tau^{21}tʰai^{53}fei$^{53}_{44}$xɔŋ$^{53}_{44}$ lɔi$^{13}_{21}$tei^{53}ia^{0}.

【斗鸡】tei^{53}cie^{35} [动]一种儿童游戏。将一腿弯曲，用膝盖互相碰撞，被撞倒者输：细人子就喜欢～。欸，一只脚落地，系唔系啊？分只脚弯起来，分只脚提起来。咁子去我两个人用膝头咁子去顶。系。么人先跌一跤就输哩。系唔系？看细人子平衡性。我也斗过，以下就唔想斗。箇还斗得是？以下就以下老嘿哩了，慢一跤跌哩中风是拐咁哩噢。sei^{53}ɲin$^{13}_{44}$tsɿ^{0}tsʰiəu$^{53}_{44}$çi^{21}fɔn$^{35}_{44}$ tei^{53}cie^{35}.e$_{21}$,iet^{3}tʂak^{3}ciɔk^{3}lɔk^{5}tʰi^{53},xei^{53}mei^{53}a^{0}?pən^{35}tʂak^{3}ciɔk^{3}uan^{35}çi^{21}lɔi^{13},pən$^{35}_{44}$tʂak^{3}ciɔk^{3}tʰia^{35}çi^{21}lɔi$^{13}_{44}$. kan^{21}tsɿ^{0}çi^{53}ei$_{21}$iɔŋ^{21}ke^{53}ɲin^{13}iəŋ^{53}tsʰiet^{3}tʰei^{13}kan^{21}tsɿ^{0}çi^{53}tin^{21}.xe$^{53}_{44}$.mak^{3}ɲin$^{13}_{44}$sen^{35}tet^{3}iet^{3}kau^{35}tsʰiəu^{53}ʂəu^{35} li^{0}.xei^{53}me^{53}?kʰɔn^{53}sei^{53}ɲin$^{13}_{21}$tsɿ^{0}pʰin^{13}xen^{13}sin^{53}.ŋai^{13}a$^{35}_{44}$tei^{53}ko^{0}.i^{21}xa^{53}tsʰiəu^{53}n̩$^{13}_{21}$siɔŋ^{21}tei^{53}.kai^{53}xai^{13}tei^{53}tek^{3} ʂʅ$^{53}_{44}$?i^{21}xa^{53}tsiəu$^{53}_{44}$i^{21}xa^{53}lau^{21}xek^{3}li^{0}liau^{0},man$^{53}_{44}$iet^{3}kau$^{35}_{44}$tet^{3}li^{0}tʂəŋ$^{53}_{44}$fəŋ^{35}ʂʅ^{53}kuai^{21}kan^{21}li^{0}au^{0}.

【斗人】tei^{53}ɲin^{13} 指公牛顶撞攻击人：欸，搞集体个时候子就箇牛牯就爱阉呐，会～呐，唔阉个就会～呐。e$_{44}$,kau^{21}tsʰiet^{5}tʰi^{21}ke^{53}ʂʅ^{13}xei^{53}tsɿ^{0}tsʰiəu$^{53}_{44}$kai$^{53}_{44}$ɲiəu^{13}ku^{21}tsʰiəu^{53}ɔi^{53}ian^{35}na^{0},uɔi^{53}tei^{53}ɲin^{13} na^{0},n̩^{13}ian^{35}ke$^{53}_{44}$tsʰiəu$^{53}_{44}$uɔi$^{53}_{44}$tei^{53}ɲin^{13}na^{0}.

【斗嘴巴尧】tei^{53}tsi^{21}pa^{35}ɲiau^{13} 顶嘴；抬杠：～就一个一句转呐。你看箇那只细子牙尖齿利，长日～，𢯺别人家～，牙尖齿利，喜欢争。tei^{53}tsi^{21}pa$^{35}_{44}$ɲiau^{13}tsiəu$^{53}_{44}$iet^{3}ke^{53}iet^{3}ci^{53}tʂuən^{21}na^{0}. ɲi^{13} kʰɔn^{53}kai^{53}lai^{53}tʂak^{3}sei^{53}tsɿ^{0}ŋa^{13}tsian$^{35}_{44}$tʂʰʅ^{21}li^{53},tʂʰɔŋ^{13}ɲiet^{3}tei^{53}tsi^{21}pa$^{35}_{44}$ɲiau^{13},lau^{35}pʰiet^{5}in$^{13}_{44}$ka$^{35}_{44}$tei^{53}tsi^{21}pa$^{35}_{44}$ ɲiau^{13},ŋa^{13}tsian$^{35}_{44}$tʂʰʅ^{21}li^{53},çi^{21}fɔn$^{35}_{44}$tsaŋ^{35}.｜你莫只会～喔，真本事又冇得一滴唠。ɲi^{13}mɔk^{5}tʂət^{3}uɔi^{53} tei^{53}tsi^{21}pa$^{35}_{44}$ɲiau^{13}uo^{0},tʂən^{35}pən^{21}sɿ$^{53}_{44}$iəu$^{53}_{44}$mau^{13}tek^{3}iet^{3}tiet^{5}lau^{0}.

【斗散缝子】tei^{53}san^{21}pʰəŋ^{53}tsɿ^{0} 开玩笑：有兜人喜欢～。iəu^{35}təu$^{35}_{53}$in$^{13}_{44}$çi^{21}fɔn^{35}tei^{53}san^{21}pʰəŋ^{53}tsɿ^{0}.｜箇只人真开心，真喜欢～。kai^{53}tʂak^{3}ɲin$^{13}_{21}$tʂən^{35}kʰɔi^{35}sin^{35},tʂən^{35}çi^{21}fɔn$^{35}_{44}$tei^{53}san^{21}pʰəŋ$^{53}_{44}$tsɿ^{0}.

【斗耍缝子】tei^{53}sa^{21}pʰəŋ^{53}tsɿ^{0} 开玩笑：以下我等退哩休了吵，我等箇个退哩休咯，我等几只退休个老师啊，欸以前在一只学堂教书个，长日打电话肚里就～。i^{21}xa^{53}ŋai^{13}tien^{0}tʰi^{53}li^{0}çiəu^{35}liau^{21}ʂa^{0},ŋai$^{13}_{21}$tien^{0}kai$^{53}_{44}$ke$^{53}_{44}$tʰi^{53}li^{0}çiəu^{35}ko^{0},ŋai^{13}tien^{0}ci^{21}tʂak^{3}tʰei$^{53}_{44}$çiəu^{35}ke^{53}lau^{21}sɿ$^{35}_{44}$a^{0},e^{0}i$^{35}_{44}$tsʰien$^{13}_{21}$tsʰai^{53}iet^{3}tʂak^{3}xɔk^{5}tʰɔŋ$^{13}_{21}$kau$^{35}_{44}$ʂəu$^{35}_{44}$ke^{53},tʂʰɔŋ^{13}ɲiet^{3}ta^{21}tʰien^{53}fa^{53}təu^{21}li^{0}tsiəu^{53}tei^{53}sa^{21}pəŋ^{53}tsɿ^{0}.

【斗外角】tei^{53}uai^{53}kɔk^{3} 动与人闹矛盾：（渠）又系归本地来，又家家都～，家家都搞惹哩。iəu$^{53}_{44}$xei^{53}kuei$^{35}_{44}$pən^{21}ti^{53}lɔi$^{13}_{44}$,iəu^{53}ka^{35}ka$^{35}_{44}$təu$^{35}_{44}$tei^{53}uai^{53}kɔk^{3},ka^{35}ka$^{35}_{44}$təu$^{35}_{44}$kau^{21}ɲia$^{35}_{53}$li^{0}.

【窦$_1$】tei^{53} 名①禽兽虫豸的窠巢。也称“窦子”：鸟～子 tiau^{35}tei^{53}tsɿ^{0} | 鸡～ke^{35}tei^{53}鸡窝（下蛋处） | 你箇输哩命，你个屋下狗～样，咁豺人。ɲi$^{13}_{44}$kai$^{53}_{44}$ʂəu$^{35}_{44}$li^{0}miaŋ^{53}, ɲi^{13}(k)e^{0}uk^{3}xa$^{53}_{44}$kei^{21}tei$^{53}_{44}$iɔŋ$^{53}_{44}$,kan^{21}ɲia^{13}ɲin^{13}. | 燕蜂子去箇墙上，作箇个窠子。舞倒箇窠子来，欸，泡水食，是整细人子个嗯箇个么个欸伤风感冒子。噢，燕蜂子～呀安做，燕蜂子～。渠作个窠就像箇燕子作个窠。安做燕蜂子。ien^{53}fəŋ^{35}tsɿ^{0}çi$^{53}_{44}$kai$^{53}_{44}$tsʰiɔŋ^{13}xɔŋ^{53},tsɔk^{3}kai$^{53}_{44}$kei$^{53}_{44}$kʰo^{35}tsɿ^{0}.u^{21}tau^{21}kai$^{53}_{44}$kʰo^{35}tsɿ^{0}lɔi$^{13}_{21}$,e$_{21}$,pʰau^{53}ʂei^{21}ʂət^{5},ʂɿ$^{53}_{44}$tʂaŋ^{21}sei^{53}ɲin$^{13}_{21}$tsɿ^{0}ke$^{53}_{44}$n$_{21}$kai$^{53}_{44}$ke$^{53}_{44}$mak^{3}ke$^{53}_{44}$e$_{21}$ʂɔŋ^{35}fəŋ^{35}kɔn^{21}mau^{53}tsɿ^{0}.au$_{21}$,ien^{53}fəŋ^{35}tsɿ^{0}tei^{53}ia^{0}ɔn$^{35}_{44}$tso$^{53}_{44}$,ien^{53}fəŋ^{35}tsɿ^{0}tei^{53}.ci^{13}tsɔk^{3}kei$^{53}_{44}$kʰo^{35}tsʰiəu^{53}tsʰiɔŋ$^{53}_{44}$kai$^{53}_{44}$ien^{53}tsɿ^{0}tsɔk^{3}kei$^{53}_{44}$kʰo$^{35}_{44}$.ɔn$^{35}_{21}$tso$^{53}_{44}$ien^{53}fəŋ^{35}tsɿ^{0}. ②貌似窠巢的东西：酒窦嘞，安做酒窦，做只～。tsiəu^{21}tei^{53}nei^{0},ɔn$^{35}_{44}$tso$^{53}_{44}$tsiəu^{21}tei^{53},tso$^{53}_{21}$tʂak^{3}tei^{53}. ③喻指人的居所：我硬爱来去做只屋，唔系硬～都冇一只。ŋai^{13}ɲiaŋ^{53}ɔi^{53}lɔi$^{13}_{21}$çi$^{53}_{44}$tso^{53}tʂak^{3}uk^{3},m$^{13}_{21}$pʰei^{53}ɲiaŋ^{53}tei^{53}təu$^{35}_{44}$mau^{13}iet^{3}tʂak^{3}.

【窦$_2$】tei^{53} 量窝：一～猫崽子 iet^{3}tei^{53}miau^{53}tse^{21}tsɿ^{0} | 一～狼蜂 iet^{3}tei^{53}lɔŋ^{13}fəŋ^{35} | 我檐头下一～燕子。ŋai$^{13}_{21}$ian$^{13}_{21}$tʰei$^{13}_{21}$xa$^{53}_{44}$iet^{3}tei^{53}ien^{53}tsɿ^{0}. | 菢～鸡子来只出倒几只子。pʰu^{53}tei^{53}cie^{35}tsɿ^{0}lɔi$^{13}_{21}$tʂɿ^{21}tʂʰət^{3}tau^{21}ci^{21}tʂak^{3}tsɿ^{0}.

【都$_2$】təu^{35} 名道士等所沿袭的旧时地域概念，所谓“都”是等级在县和社令之间的行政区域名：渠指道士就写，长沙府，呣，浏阳县，东乡第一～，新安社令。渠照老个写。ci$^{13}_{21}$tsʰiəu^{53}sia^{21},tʂʰɔŋ^{13}sa$^{35}_{44}$fu^{21},m$_{21}$,liəu^{13}iɔŋ^{13}çien^{53},təŋ^{35}çiɔŋ$^{35}_{44}$tʰi^{53}iet^{3}təu^{35},sin^{35}ŋɔn$^{35}_{44}$ʂa^{35}lin^{53}.ci^{13}tʂau^{53}lau^{21}ke^{53}sia^{21}.

【豛】təuk^{5} 动用尖的工具去戳：有兜一昼边都～得几只（脚鱼）个噢碰得好是噢。iəu^{35}tei$^{35}_{44}$iet^{3}tʂəu^{53}pien$^{35}_{44}$təu$^{35}_{44}$təuk^{5}tek^{3}ci^{21}tʂak^{3}ke^{53}au^{0}pʰən^{53}tek^{3}xau^{21}ʂɿ^{53}au^{0}. | 轻滴子个就～你一下唠。cʰiaŋ^{35}tiet^{5}tsɿ^{0}ke$^{53}_{44}$tsʰiəu$^{53}_{44}$təuk^{5}ɲi$^{13}_{21}$iet^{3}xa$^{53}_{44}$lau^{0}. | ～你一下嘞就指比方拿管笔～一下。təuk^{5}ɲi$^{13}_{21}$iet^{3}xa$^{53}_{44}$lei^{0}tsʰiəu^{53}tʂe^{21}pi^{21}fɔŋ$^{35}_{44}$la^{53}kɔn^{21}piet^{3}təuk^{5}iet^{3}xa^{53}.◇豛，《说文》：“椎毃物也。”

【豚】təuk^{3} 名①容器或某些器物的底部：篓公～li^{21}kəŋ^{35}təuk^{3} | 看呶就系一种容器个底部就安做～。嘞，茶缸子样，以底下就～。kʰɔn^{53}nau^{0}tsʰiəu^{53}xei^{53}iet^{3}tʂəŋ^{21}iəŋ^{13}çi^{53}ke^{0}te^{21}pʰu^{53}tsiəu^{53}ɔn$^{35}_{53}$tso^{53}təuk^{3}.le$_{35}$,tsʰa^{13}kɔŋ^{35}tsɿ^{0}iɔŋ$^{53}_{44}$,i^{21}te^{21}xa^{53}tsʰiəu^{53}təuk^{3}. ②物体底部或顶部比较尖的部分：箇笠嫲有笠嫲～。欸，草帽～，镬～。就圆圆子，又深下凑，同镬头样个东西，有只～。脑壳～，有只脑壳～。kai^{53}liet^{3}ma^{13}iəu^{35}liet^{3}ma^{13}təuk^{3}.e$_{21}$,tsʰau^{21}mau^{53}təuk^{3},uɔk^{5}təuk^{3}.tsʰiəu^{53}ien^{13}ien^{13}tsɿ^{0},iəu^{53}tʂʰən^{35}xa$^{53}_{21}$tsʰe^{0},tʰəŋ^{13}uɔk^{5}tʰei$^{13}_{21}$iɔŋ$^{53}_{21}$ke^{0}təŋ$^{35}_{44}$si^{0},iəu^{35}tʂak^{3}təuk^{3}.lau^{21}kʰɔk^{3}təuk^{3},iəu^{35}tʂak^{3}lau^{21}kʰɔk^{3}təuk^{3}.

【豚底下】təuk^{3}te^{21}xa^{35} 名方位词。下面，指靠近容器或某些器物底部的位置：～看下去箇底下看下去咯雪白个，但是顶高看下去嘞就墨乌个。təuk^{3}te^{21}xa^{35}kʰɔn^{53}na$^{53}_{44}$çi$^{53}_{44}$kai$^{53}_{44}$tei^{21}xa^{35}kʰɔn^{53}na$^{53}_{44}$çi$^{53}_{44}$ko^{0}siet^{5}pʰak$^{5}_{3}$ke^{0},tan$^{53}_{44}$ʂɿ$^{53}_{44}$taŋ^{21}kau^{35}kʰɔn$^{53}_{44}$na$^{53}_{44}$çi$^{53}_{44}$le^{0}tsʰiəu$^{53}_{44}$mek$^{5}_{3}$u^{35}ke^{0}.

【豚名】təuk^{3}miaŋ^{13} 名末名，倒数第一名：考试考倒倒数第一名，箇就系～。kʰau^{21}ʂɿ^{53}kʰau^{21}tau^{21}tau^{53}sɿ^{21}tʰi^{53}iet^{3}miaŋ^{13},kai$^{53}_{44}$tsʰiəu$^{53}_{44}$xe$^{53}_{44}$təuk^{3}miaŋ$^{13}_{44}$.

【豚下】təuk^{3}xa^{53} 名方位词。下面，指靠近容器或某些器物底部的位置：我箇瓶矿泉水放下袋～，袋子～。分重东西放下袋子个～。ŋai^{13}kai^{53}pʰin$^{13}_{21}$kʰɔŋ^{53}tsʰen$^{13}_{21}$ʂei^{21}fɔŋ$^{53}_{44}$ŋa$^{53}_{44}$tʰɔi^{53}təuk^{3}xa$^{53}_{35}$,tʰɔi^{53}tsɿ^{0}təuk^{3}xa$^{53}_{44}$.pən^{35}tʂʰəŋ^{35}təŋ$^{35}_{44}$si$^{35}_{44}$fɔŋ^{53}ŋa$^{53}_{44}$tʰɔi^{53}tsɿ^{0}ke^{0}təuk^{3}xa$^{53}_{44}$. | 欸，箇只烧茶个东西用久哩箇～一层个油癞样个东西，一层个墨乌个东西。e$_{21}$,kai^{53}tʂak^{3}ʂau^{35}tsʰa^{13}ke^{0}təŋ$^{35}_{44}$si^{0}iəŋ^{53}ciəu^{21}li^{0}kai^{53}təuk^{3}xa$^{53}_{44}$iet^{3}tsʰien^{13}ke^{53}iəu^{13}lai$^{53}_{44}$iɔŋ$^{53}_{44}$ke^{0}təŋ$^{35}_{44}$si^{0},iet^{3}tsʰien$^{13}_{21}$ke^{0}me^{35}u$^{35}_{44}$ke^{0}təŋ$^{35}_{44}$si^{0}.

【豚下个】təuk^{3}xa^{53}ke^{0} 指排行最小者：我等六姊妹啊，我箇只老弟子就最～。ŋai^{13}tien^{0}liəuk^{3}tsi^{21}mɔi^{53}a^{0},ŋai^{13}kai^{53}tʂak^{3}lau^{21}tʰe$^{35}_{44}$tsɿ^{0}tsʰiəu$^{53}_{44}$tsei^{53}təuk^{3}xa$^{53}_{44}$ke^{0}.

【嘟】təu^{35} 动两唇闭合而向前突出，多表示生气：～起嘴巴 təu^{35}çi^{21}tsi^{21}pa$^{35}_{0}$

【毒$_1$】tʰəuk^{5} 名①进入人体或其他生命体后能跟有机体起化学变化，破坏体内组织和生理机能的物质：有滴（菌子）是有～个。iəu^{35}tet^{5}ʂɿ$^{53}_{44}$iəu^{35}tʰəuk^{5}ke$^{53}_{44}$. ②中国传统医学指风、寒、暑、湿、燥、热（火）、食积、痰饮等伤人致病的因素：败～pʰai^{53}tʰəuk^{5}

【毒$_2$】tʰəuk^{5} 形①有毒的：烙铁头箇蛇子蛮～。lɔk^{5}tʰiet^{3}tʰei^{13}kai^{53}ʂa$^{13}_{21}$tsɿ^{0}man^{13}tʰəuk$^{5}_{3}$. | 系箬壳，

安做箬壳斑。箇第一～。xei^{53}ɲiɔk^{3} kʰɔk^{3},ɔn^{35}tso^{53}ɲiɔk^{3} kʰɔk^{3} pan^{35}.kai$^{53}_{44}$tʰi^{53}iet^{3} tʰəuk^{5}. ②指人歹毒，又称"恶毒、恶"：箇只人心里也咁～就手段也咁～。kai^{53}tʂak^{3}ɲin^{13}sin^{35}ni^{21}ia^{35}kan^{21}tʰəuk^{5} tsʰiəu$^{53}_{44}$ʂəu^{21}tən$^{53}_{44}$na$^{35}_{44}$kan^{21}tʰəuk^{5}.

【独凳子】tʰəuk^{5} ten^{53}tsɿ^{0} 名单人板凳：有坐一个人个安做～。坐一个人个安做～。iəu$^{35}_{44}$tsʰo$^{35}_{44}$ iet^{3} ke^{53}ɲin$^{13}_{21}$ke$^{53}_{44}$ɔn$^{35}_{44}$tso$^{53}_{44}$tʰəuk^{5} ten^{53}tsɿ^{0}.tsʰo^{35}iet^{3} cie^{53}ɲin$^{13}_{21}$ke$^{53}_{44}$ɔn$^{35}_{44}$tso$^{53}_{44}$tʰəuk^{5} ten^{53}tsɿ^{0}.

【独杠】tʰəuk^{5} kɔŋ^{53} 名指本地人抬棺材只用一条杠的习俗：（本地人）箇棺材顶高嘞，棺材顶高系舞一条杠，安做～。……就一条～。kai$^{53}_{44}$kɔn^{35}tsʰɔi$^{13}_{21}$taŋ^{21}kau$^{35}_{44}$le^{0},kɔn^{35}tsʰɔi$^{13}_{21}$taŋ^{21}kau$^{35}_{44}$xe$^{53}_{44}$u^{21}iet^{3} tʰiau^{13}kɔŋ^{53},ɔn^{35}tso$^{53}_{44}$tʰəuk^{5} kɔŋ^{53}.…tsʰiəu$^{53}_{44}$iet^{3} tʰiau$^{13}_{21}$tʰəuk^{5} kɔŋ^{53}.

【独行市】tʰuk^{5} xɔŋ^{13}ʂɿ^{53} 名①独家生意：箇是我赖子如今搞电脑哇，欸，搞箇个么个监控器呀，做箇个电子屏呐，去张家坊来讲系～。有别么人搞。kai$^{53}_{44}$ʂɿ$^{53}_{44}$ŋai^{13}lai^{53}tsɿ^{0} i$^{13}_{21}$cin$^{35}_{44}$kau^{21}tʰien^{53}nau^{21} ua^{0},e$_{44}$,kau^{21}kai^{53}ke^{53}mak^{3} kei$^{53}_{44}$kan^{35}kʰəŋ^{53}cʰi^{53}ia^{0},tso^{53}kai$^{53}_{44}$ke$^{53}_{44}$tʰien^{53}tsɿ^{0} pʰin^{13}na^{0},çi$^{53}_{44}$tʂɔŋ$^{35}_{44}$ka$^{35}_{44}$fɔŋ^{35}lɔi$^{13}_{21}$ kɔŋ^{21}xei$^{53}_{44}$tʰəuk^{5} xɔŋ^{13}ʂɿ^{53}.mau$^{13}_{21}$pʰiet^{5} mak^{3} in$^{13}_{44}$kau^{21}. ②与人不同的定价：我等请过一只木匠嘞，渠就有只～，硬比么人都更贵，别人家三百块子钱一天搞得吵，渠个～，渠要搞四百块钱一天。我等做张书桌都系去嘿千多块钱硬。ŋai^{13}tien^{0}tsʰiaŋ^{21}ko^{53}iet^{3} tʂak^{3} muk^{3} siɔŋ^{53}lei^{0},ci$^{13}_{21}$tsʰiəu$^{53}_{44}$iəu$^{35}_{44}$ tʂak^{3} tʰəuk^{5} xɔŋ^{13}ʂɿ^{53}, ɲiaŋ^{53}pi^{21}mak^{3} in$^{13}_{44}$təu$^{35}_{44}$ken$^{53}_{44}$kuei^{53},pʰiet^{5} in$^{13}_{21}$ka$^{35}_{44}$san^{35}pak^{3} kʰuai^{53}tsɿ^{0} tsʰien$^{13}_{21}$iet^{3} tʰien^{35} kau^{21}tek^{3} ʂa^{0},ci$^{13}_{21}$ke$^{53}_{44}$tʰəuk^{5} xɔŋ^{13}ʂɿ^{53},ci$^{13}_{21}$iau^{53}kau^{21}si^{53}pak^{3} kʰuai^{53}tsʰien$^{13}_{21}$iet^{3} tʰien^{35}.ŋai$^{13}_{21}$tien^{0}tso^{53}tʂɔŋ$^{35}_{44}$ʂəu^{35} tsɔk^{3} təu$^{35}_{44}$çi^{53}xek^{3} tsʰien^{35}to$^{35}_{44}$kʰuai^{53}tsʰien$^{13}_{44}$ɲiaŋ^{53}.

【读】tʰəuk^{5} 动①依照文字念：～诗章 tʰəuk^{5} ʂɿ$^{35}_{44}$tʂɔŋ$^{35}_{44}$｜"光绪皇帝"个"绪"也系～si^{53}。kɔŋ^{35}si$^{53}_{44}$fɔŋ$^{13}_{21}$tʰi$^{53}_{44}$ke$^{53}_{44}$si^{53}ia^{35}xe$^{53}_{44}$tʰəuk$^{5}_{3}$ si^{53}. ②求学；上学：～老书 tʰəuk^{5} lau^{21}ʂəu^{35}念私塾｜博士啊？～大学个都有几多个。pɔk^{3} sɿ$^{53}_{44}$a^{0}?tʰəuk$^{5}_{3}$tʰai^{53}çiɔk$^{5}_{3}$ke^{53}təu$^{35}_{44}$mau$^{13}_{21}$ci^{21}to$^{35}_{44}$ke^{53}.

【读礼】tʰəuk^{5} li^{35} 遇丧事时用纸将这两个字书写于大门上方作为白对子的横批：写哩咁个字个栏场，"当大事"也好，"～"也好，写哩咁个字个门……箇个就系就安做么个，横批吵。sia^{21}li^{0} kan^{21}ke$^{53}_{44}$sɿ^{53}ke$^{53}_{44}$laŋ$^{13}_{21}$tʂʰɔŋ$^{13}_{21}$,"tɔŋ^{35}tʰai^{53}sɿ$^{53}_{44}$"a$^{35}_{44}$xau^{21},"tʰəuk^{5} li^{35}"ia$^{35}_{44}$xau^{21},sia^{21}li^{0} kan^{21}ke$^{53}_{44}$sɿ^{53}ke$^{53}_{44}$ mən^{13}…kai$^{53}_{44}$ke$^{53}_{44}$tsʰiəu$^{53}_{44}$xe$^{53}_{44}$tsʰiəu$^{53}_{44}$ɔn$^{35}_{44}$tso$^{53}_{44}$mak^{3} ke$^{53}_{44}$,fɔŋ^{13}pʰi$^{35}_{44}$ʂa^{0}.

【读书】tʰəuk^{5} ʂəu^{35} 动上学念书，接受学校教育：去学堂里～ çi$^{53}_{44}$xɔk^{5} tʰɔŋ$^{13}_{21}$li^{0} tʰəuk^{5} ʂəu^{35}｜所以南乡～就唔爱讲啊。南乡人～就唔读哟。so^{21}i^{35}lan^{13}çiɔŋ$^{35}_{44}$tʰəuk^{5} ʂəu^{35}tsʰiəu^{53}m̩$^{13}_{21}$mɔi$^{53}_{44}$kɔŋ^{21}ŋa^{0} .lan^{13} çiɔŋ$^{35}_{44}$ɲin$^{13}_{21}$tʰəuk^{5} ʂəu^{35}tsʰiəu$^{53}_{44}$n̩^{13}tʰəuk^{5} iau^{0}.｜我又有文化，读哩书。ŋai^{13}iəu$^{53}_{44}$iəu$^{35}_{44}$uən^{13}fa^{53},tʰəuk^{3} li^{0} ʂəu^{35}.

【读书人】tʰəuk^{5} ʂəu^{35}ke^{53} 名在看书或上学的人，也特指知识分子：箇只范围也蛮宽泛呢～都。欸，老老少少都系都可以称为～。如今在学堂里读书个也～。欸，食箇门书个饭个人也安做～，箇只～呐。kai^{53}tʂak^{3} fan^{53}uei^{13}ia^{35}man$^{13}_{21}$kʰɔn$^{35}_{44}$fan^{53}ne^{0} tʰəuk^{5} ʂəu$^{35}_{44}$ɲin$^{13}_{21}$təu$^{35}_{44}$.e$_{21}$,lau^{21}lau^{21}ʂau^{53}ʂau$^{53}_{44}$ təu$^{35}_{44}$xe^{53}təu$^{35}_{44}$kʰo^{21}i^{35}tʂʰən$^{35}_{44}$uei$^{13}_{21}$tʰəuk^{5} ʂəu$^{35}_{44}$ɲin$^{13}_{21}$.i$^{13}_{21}$cin^{35}tsʰai^{53}xɔk^{5} tʰɔŋ$^{13}_{44}$li^{0} tʰəuk^{5} ʂəu^{35}ke^{0} ia^{35}tʰəuk^{5} ʂəu^{35}ɲin$^{13}_{21}$. ei$_{21}$,ʂət^{5} kai^{53}mən$^{13}_{21}$ʂəu^{35}ke^{0} fan^{53}ke^{0}ɲin$^{13}_{21}$ia^{35}ɔn$^{35}_{44}$tso$^{53}_{44}$tʰəuk^{5} ʂəu$^{35}_{44}$ɲin$^{13}_{21}$,kai^{53}tʂak^{3} tʰəuk^{5} ʂəu^{35}ɲin$^{13}_{21}$na^{0}.

【读书人家】tʰəuk^{5} ʂu^{35}ɲin^{13}ka^{35} 书香门第：欸箇家人舍得缴书个人，蛮多靠读书读出去哩个人，箇个就系～。e^{0}kai^{53}ka$^{35}_{44}$ɲin$^{13}_{44}$ʂa^{21}tek^{3} ciau^{21}ʂəu^{35}ke^{53}ɲin^{13},man^{13}to$^{35}_{44}$kʰau^{53}tʰəuk^{5} ʂəu^{35}tʰəuk^{5} tʂʰət^{3} çi$^{53}_{44}$li^{0}ke^{0} ɲin^{13},kai^{53}ke$^{53}_{44}$tsiəu$^{53}_{44}$xe$^{53}_{44}$tʰəuk^{5} ʂəu^{35}ɲin^{13}ka^{35}.

【肚子₁】təu^{21}tsɿ^{0} 名①人和动物的胃：～痛 təu^{21}tsɿ^{0}tʰəŋ^{53}胃痛｜～真饥了。təu^{21}tsɿ^{0} tʂən^{35}ci^{35}liau^{0}. ②指腹部：破开（猪个）～来时候子用么个刀哇？pʰo^{53}kʰɔi$^{35}_{44}$təu^{21}tsɿ^{0} lɔi$^{13}_{21}$ʂɿ$^{13}_{21}$xei$^{53}_{44}$tsɿ^{0} iəŋ^{53}mak^{3} (k)e$^{53}_{44}$tau^{35}ua^{0}? ③物体的内部：机关就去在（锁）箇～里。ci^{35}kuan^{35}tsʰiəu$^{53}_{44}$çi$^{53}_{44}$kai$^{53}_{44}$təu^{21}tsɿ^{0} li^{0}.

【笃笃哩】təuk^{3} təuk^{3} li^{0} 形状态词。保持原来的状态不动的样子：（客佬子来哩）你不能坐正～，当主人个爱跣身。ɲi$^{13}_{21}$pət^{3} len$^{13}_{21}$tsʰo^{35}tʂaŋ$^{53}_{44}$təuk^{3} təuk^{3} li^{0} ,tɔŋ^{35}tʂəu^{21}ɲin$^{13}_{21}$ke$^{53}_{44}$ɔi$^{53}_{44}$xɔŋ$^{53}_{44}$ʂən^{35}.

【笃目睡】təuk^{3} muk^{3} ʂɔi^{53} 想睡觉，打瞌睡：我今晡昼边都去下子～哟。我今晡昼边坐倒以映子有兜子～哟。唔知搞么个昨两晡更好喔。ŋai^{13}cin$^{35}_{44}$pu$^{35}_{44}$tʂəu^{53}pien$^{35}_{44}$təu$^{35}_{44}$çi^{53}xa^{53}tsɿ^{0} təuk^{3} muk^{3} ʂɔi^{53} iau^{0}.ŋai$^{13}_{21}$cin^{35}pu$^{35}_{44}$tʂəu^{53}pien$^{35}_{44}$tsʰo^{35}tau^{21}i^{21}iaŋ^{53}tsɿ^{0} iəu^{35}təu$^{35}_{53}$tsɿ^{0} təuk^{3} muk^{3} ʂɔi^{53}iau^{0}.n̩^{13}ti$^{35}_{53}$kau^{21}mak^{3} ke^{0} tsʰo^{35} iɔŋ^{21}pu^{35}cien^{53}xau^{21}uo^{0}.

【赌鬼】təu^{21}kuei^{21} 名对爱赌钱的人的鄙称：赌钱都做得，赌下子钱箇只做得，莫做～。～嘞就硬唔晓得日夜个，一天一心汐倒箇只路子个人，箇就系～。təu^{21}tsʰien^{13}təu$^{35}_{44}$tso^{53}tek^{3},təu^{21}xa^{53} tsɿ^{0} tsʰien^{13}kai$^{53}_{44}$tʂak^{3} tso^{53}tek^{3},mɔk^{5} tso^{53}təu^{21}kuei^{21}.təu^{21}kuei^{21}le^{0} tsʰiəu^{53}ɲiaŋ^{53}m̩^{13}çiau^{21}tek^{3}ɲiet^{3} ia^{53}ke^{0},iet^{3}

tʰien^{35}iet^{3}sin$^{35}_{44}$mi^{53}tau^{21}kai^{53}tʂak^{3}ləu^{53}tsɿ^{0}ke^{0}ɲin$^{13}_{21}$,kai^{53}tsʰiəu^{53}xe^{53}təu^{21}kuei^{21}.

【赌钱】təu^{21}tsʰien^{13} [动]用钱作注以一定方式争输赢：～赌输哩，屋都写嘿哩。təu^{21}tsʰien^{13}təu^{21}ʂəu$^{35}_{44}$li^{0},uk^{3}təu$^{35}_{44}$sia^{21}xek^{3}li^{0}.

【赌钱鬼】təu^{21}tsʰien^{13}kuei^{21} [名]对爱赌钱的人的鄙称：欸上洪箇映就有几只～。我晓得欸，我晓得有几只～。只有一只就赚哩钱。剩下个赌鬼，～，都系赌起箇呜呼哀哉，么个都冇得哩。e$_{44}$ʂɔŋ^{53}pʰəŋ^{13}kai^{53}iaŋ^{53}tsʰiəu^{53}iəu$^{35}_{53}$ci^{21}tʂak^{3}təu^{21}tsʰien$^{13}_{21}$kuei^{21}.ŋai^{13}çiau^{21}tek^{3}e^{0},ŋai^{13}çiau^{21}tek^{3}iəu$^{35}_{53}$ci^{21}(tʂ)ak^{3}təu^{21}tsʰien^{13}kuei^{21}.tʂət^{3}iəu$^{35}_{53}$iet^{3}tʂak^{3}tsʰiəu$^{53}_{44}$tsʰan^{53}ni^{0}tsʰien$^{13}_{21}$.ʂən^{53}çia$^{53}_{44}$ke^{0}təu^{21}kuei^{21},təu^{21}tsʰien^{13}kuei^{21},təu^{35}xe$^{53}_{44}$təu^{21}çi$^{53}_{44}$kai$^{53}_{44}$u^{35}fu$^{13}_{21}$ŋai$^{35}_{44}$tsai$^{35}_{44}$,mak^{3}e^{0}təu$^{35}_{53}$mau$^{13}_{21}$tek^{3}li^{0}.

【赌咒】təu^{21}tʂəu^{53} [动]①对某事做出承诺，并发誓如果不能做到或不是自己说的情况则甘愿遭受报应。又称“发愿、发誓”：别人家冤枉哩我，我也赌得咒咯，系啊？我～都做得。以只事不是我搞个。我斩只鸡都做得。pʰiet^{5}in$^{13}_{44}$ka$^{35}_{44}$ien^{35}uɔŋ^{21}li^{0}ŋai$^{13}_{44}$,ŋai^{13}ia$^{35}_{44}$təu^{21}tek^{3}tʂəu^{53}ko^{0},xei$^{53}_{44}$a^{0}?ŋai^{13}təu^{21}tʂəu^{53}təu$^{35}_{44}$tso^{53}tek^{3}.i^{21}tʂak^{3}sɿ^{53}puk^{3}ʂʅ^{53}ŋai^{13}kau^{21}ke^{53}.ŋai$^{13}_{44}$tsan^{21}tʂak^{3}ke^{35}təu$^{35}_{44}$tso^{53}tek^{3}. ②吊孝（含诙谐意味）：哦，我都有只咁个话法呢，渠烧香咯去吊孝咯也安做去赌下咒。欸。“箇映老哩人，我是来去赌下咒。”安做赌只么个咒嘞？本来就系去烧香，去吊孝，系唔系？我来去一脚，去脚，箇老哩人个栏场我来去一脚，去赌下咒。赌只么个咒系？就系赌只咒：箇只人唔系我打死个。箇个是系逗霸个，欸，箇个是系斗散缝子个话法咯。搞笑个说法呀。就系去吊啦孝嘞也安做渠赌啦咒。箇映么人死哩，我嘞去赌下咒，我爱来去赌只咒。o$_{21}$,ŋai^{13}tien^{0}iəu$^{35}_{44}$tʂak^{3}kan$^{21}_{13}$cie$^{53}_{44}$ua^{53}fait^{3}nei^{0},çi^{53}ʂau$^{35}_{44}$çiɔŋ^{35}ko^{0}çi$^{53}_{44}$tiau$^{53}_{44}$çiau^{53}ko^{0}ia^{35}ɔn$^{35}_{44}$tso$^{53}_{44}$çi$^{53}_{44}$təu^{21}(x)a$^{53}_{21}$tʂəu^{53}.e$_{21}$."kai^{53}iaŋ^{53}lau^{21}li^{0}ɲin^{13},ŋai^{13}ʂʅ$^{53}_{44}$lɔi^{13}çi^{53}təu^{21}xa$^{53}_{21}$tʂəu^{53}."ɔn$^{35}_{44}$tso$^{53}_{44}$təu^{21}tʂak^{3}mak^{3}e^{0}tʂəu$^{53}_{44}$lei^{0}?pən^{21}lɔi^{13}tsʰiəu^{53}xei$^{53}_{44}$çi$^{53}_{44}$ʂau$^{35}_{44}$çiɔŋ^{35},çi$^{53}_{44}$tiau^{53}çiau^{53},xei$^{53}_{44}$me$^{53}_{44}$?ŋai^{13}lɔi$^{13}_{21}$çi^{53}iet^{3}ciɔk^{3},çi^{53}ciɔk^{3},kai^{53}lau^{21}li^{0}ɲin^{13}ke^{53}laŋ$^{13}_{44}$tʂʰɔŋ$^{13}_{44}$ŋai$^{13}_{21}$lɔi$^{13}_{44}$çi^{53}iet^{3}ciɔk^{3},çi^{53}təu^{21}xa$^{53}_{44}$tʂəu^{53}.təu^{21}tʂak^{3}mak^{3}e^{0}tʂəu^{53}xe$^{53}_{44}$?tsʰiəu$^{53}_{44}$xe$^{53}_{44}$təu^{21}tʂak^{3}tʂəu^{53}:kai^{53}tʂak^{3}ɲin^{13}m̩^{13}pʰe^{53}ŋai^{13}ta^{21}si^{21}cie^{53}.kai$^{53}_{44}$ke$^{53}_{44}$ʂʅ$^{53}_{44}$xei$^{53}_{44}$tei^{53}pa^{53}ke^{0},e$_{21}$,kai^{53}ke^{53}ʂʅ$^{53}_{44}$xe^{53}tei^{53}san^{21}pʰəŋ^{53}tsɿ^{0}ke^{0}ua^{53}fait^{3}ko^{0}.kau^{21}siau^{53}ke^{0}ʂet^{3}fait^{3}ia^{0}.tsʰiəu$^{53}_{44}$uei$_{44}$(←xei^{53})çi$^{53}_{44}$tiau^{53}la^{0}çiau^{53}lei^{0}ia^{35}ɔn$^{35}_{53}$tso^{53}çi^{53}təu^{21}la^{0}tʂəu^{53}.kai^{53}iaŋ^{53}mak^{3}ɲin$^{13}_{44}$si^{21}li^{0},ŋai$^{13}_{21}$le^{0}çi$^{53}_{44}$təu^{21}xa$^{53}_{21}$tʂəu^{53},ŋai^{13}ɔi^{53}lɔi$^{13}_{21}$çi$^{53}_{44}$təu^{21}tʂak^{3}tʂəu^{53}.

【赌咒发誓】təu^{21}tʂəu^{53}fait^{3}ʂʅ^{53} 对某事做出承诺，并发誓如果不能做到或不是自己说的情况则甘愿遭受报应：欸，以只事系你做个就系你做个，不要～。嗯，你～也冇灵。e$_{44}$i^{21}tʂak^{3}sɿ^{53}xei^{53}ɲi^{13}tso$^{53}_{44}$ke$^{53}_{44}$tsʰiəu$^{53}_{44}$xei$^{53}_{44}$ɲi^{13}tso$^{53}_{44}$ke$^{53}_{44}$,pət^{3}iau$^{53}_{44}$təu^{21}tʂəu^{53}fait^{3}ʂʅ^{53}.n̩$_{21}$, ɲi$^{13}_{44}$təu^{21}tʂəu^{53}fait^{3}ʂʅ^{53}ia$^{35}_{53}$mau$^{13}_{21}$lin^{13}.

【杜鹃】tʰəu^{53}tʂen^{35} [名]子规。又称“布谷鸟子”：子规，安做么个鸟子去哩嘞？叫啊就会出血个。子规，又系～呶，～鸟唠。也喊～，欸，我等喊～。一种鸟子安做～。tsɿ^{21}kuei$^{35}_{44}$,ɔn$^{35}_{44}$tso$^{53}_{44}$mak^{3}ke$^{53}_{44}$tiau^{35}tsɿ^{0}çi^{53}li^{0}lei^{0}?ciau^{53}a^{0}tsʰiəu$^{53}_{44}$uɔi$^{53}_{44}$tʂʰət^{3}çiet^{3}ke^{53}.tsɿ^{21}kuei$^{35}_{44}$,iəu$^{53}_{44}$xe$^{53}_{44}$tʰəuk^{5}tʂen^{35}nau^{0},tʰəuk^{5}tʂen^{35}ɲiau^{21}lau^{0}.ia^{35}xan$^{53}_{44}$tʰəu^{53}tʂen$^{35}_{44}$,e$_{21}$,ŋai$^{13}_{21}$tien^{0}xan$^{53}_{44}$tʰəu^{53}tʂen$^{35}_{44}$.iet^{3}tʂəŋ^{21}tiau^{35}tsɿ^{0}ɔn$^{35}_{44}$tso$^{53}_{44}$tʰəu^{53}tʂen$^{35}_{44}$.

【杜鹃花】tʰəu^{53}tʂuen^{35}fa^{35} [名]一种花卉植物。又称“映山红”：～有两起呢我觉得呢。一起就安做红花子，箇鲜红子个，渠冇么个叶都冇么个叶。还有起嘞就安做羊角柴。羊角柴所开个花嘞就紫色子个花。～嘞，箇红花子嘞开个花嘞就硬鲜红子个。两起都喊～嘞。tʰəu^{53}tʂuen$^{35}_{44}$fa^{35}iəu$^{35}_{44}$iɔŋ^{21}çi^{21}nei^{0}ŋai^{13}kɔk^{3}tek^{3}nei^{0}.iet^{3}çi^{21}tsʰiəu$^{53}_{44}$ɔn$^{35}_{53}$tso^{53}fəŋ^{13}fa^{35}tsɿ^{0},kai$^{53}_{44}$çien^{35}fəŋ$^{13}_{44}$tsɿ^{0}ke^{0},ci$^{13}_{21}$mau^{13}mak^{3}e^{0}iait^{5}təu$^{35}_{53}$mau$^{13}_{21}$mak^{3}ke$^{53}_{44}$iait^{5}.xai^{13}iəu$^{35}_{44}$çi^{21}lei^{0}tsʰiəu^{53}ɔn$^{35}_{53}$tso^{53}iɔŋ^{13}kɔk^{3}tsʰai^{13}.iɔŋ^{13}kɔk^{3}tsʰai^{13}so^{21}kʰɔi^{35}ke^{0}fa^{35}lei^{0}tsʰiəu^{53}tsɿ^{21}sek^{3}tsɿ^{0}ke^{0}fa$^{35}_{44}$.tʰəu^{53}tʂen$^{35}_{44}$fa$^{35}_{44}$lei^{0},kai$^{53}_{44}$fəŋ^{13}fa^{35}tsɿ^{0}lei^{0}kʰɔi$^{35}_{44}$ke^{0}fa$^{35}_{44}$lei^{0}tsʰiəu$^{53}_{44}$ɲiaŋ^{53}çien^{35}fəŋ^{13}tsɿ^{0}ke^{0}.iɔŋ^{21}çi^{21}təu^{35}xan$^{53}_{44}$tʰəu^{53}tʂen$^{35}_{44}$fa$^{35}_{44}$lei^{0}.

【肚】təu^{21} [名]①腹：邻舍～饥，嫁分米筛。lin^{13}ʂa^{53}təu^{21}ci^{35},ka^{53}pən^{35}mi^{21}si^{35}. ②方位词。“肚里”的简称，里面：（放块木坨）筑嘿泥～去。tʂəuk$^{3}_{35}$xek^{3}lai$^{13}_{21}$təu^{21}çi^{53}.

【肚褡子】təu^{21}tait^{3}tsɿ^{0} [名]肚兜儿：～，箇是分细人子羁个，细人子夜晡睡目，怕冷倒肚子，就用箇个欸肚里放兜子棉花，用布子做倒个围倒箇只肚子，后背嘞舞条子松紧带子个缔稳。就冇事冷倒。细人子会戽被窝啊。təu^{21}tait^{3}tsɿ^{0},kai$^{53}_{44}$ʂʅ$^{53}_{44}$pən^{35}se^{53}ɲin$^{13}_{21}$tsɿ^{0}cie^{35}ke^{0},sei^{53}ɲin$^{13}_{21}$tsɿ^{0}ia^{53}pu^{35}ʂɔi^{53}muk^{3},pʰa^{53}laŋ^{35}tau^{21}təu^{21}tsɿ^{0},tsʰiəu^{53}iəŋ^{53}kan$^{21}_{13}$ke$^{53}_{44}$e$_{21}$təu^{21}li^{0}fɔŋ^{53}təu$^{35}_{53}$tsɿ^{0}mien^{13}fa^{35},iəŋ^{53}pu^{53}tsɿ^{0}tso^{53}tau^{21}ke^{53}uei^{13}tau^{21}kai^{53}tʂak^{3}təu^{21}tsɿ^{0},xei^{53}pɔi$^{53}_{44}$lei^{0}u^{21}tʰiau^{13}tsɿ^{0}səŋ$^{35}_{44}$cin^{21}tai^{53}tsɿ^{0}ke^{0}tʰak^{3}uən^{21}.tsiəu$^{53}_{44}$mau$^{13}_{21}$sɿ$^{53}_{44}$laŋ^{35}tau^{21}.sei^{53}ɲin$^{13}_{44}$tsɿ^{0}uɔi^{53}fu^{53}pʰi^{35}pʰo$^{35}_{44}$a^{0}.

【肚肚里】təu^{21}təu^{21}li^{0} [名]方位词。里面：四个人都徛齐哩，徛那个箇～啦，四个人都徛那个～啦，欸，你再坐。si^{53}ke^{53}ɲin$^{13}_{21}$təu$^{35}_{44}$cʰi$^{35}_{44}$tsʰe^{13}li^{0},cʰi^{35}la^{53}ke$^{53}_{44}$kai$^{53}_{44}$təu^{21}təu^{21}li^{0}la^{0},si^{53}ke^{53}in$^{13}_{21}$təu$^{35}_{44}$cʰi^{35}

la^{53}ke$^{53}_{44}$tɔu^{21}tɔu^{21}li^{0} la^{0} ,e$_{21}$,ɲi^{13}tsai^{53}tsʰo^{35}.

【肚箇里】tɔu^{21}kai$^{53}_{21}$li^{0} [名]方位词。里面：以只耙包～箇条。i^{21}tʂak^{3}pʰa^{13}pau^{35}tɔu^{21}kai$^{53}_{21}$li^{0} kai^{53}tʰiau$^{13}_{21}$.

【肚里】tɔu^{21}li^{0} [名]方位词，附在某些名词后边。①表示位置、处所之内：包子～有肉哦，包子～有糖哦。pau^{35}tsɿ^{0} tɔu^{21}li^{0} iəu$^{35}_{44}$ɲiəuk^{3} o^{0} ,pau^{35}tsɿ^{0} tɔu^{21}li^{0} iəu$^{35}_{44}$tʰəŋ^{13}ŋo^{0}.｜水～也有老鼠。ʂei^{21}tɔu^{21}li^{0} ia$^{35}_{44}$iəu$^{35}_{44}$lau$^{21}_{53}$tʂʰəu^{21}.｜箇是一只窑～烧出来个。kai$^{53}_{44}$ʂɿ$^{53}_{44}$iet^{3} tʂak^{3} iau^{13}tɔu^{21}li^{0} ʂau$^{35}_{44}$tʂʰət^{3} lɔi$^{13}_{21}$ke$^{53}_{44}$. ②内侧，里侧：妹子人系个间呢一般都系靠只～，唔得靠外背。mɔi^{53}tsɿ^{0}ɲin^{13}xei^{53}kei$^{53}_{44}$kan^{35}nei^{0} iet^{3} pɔn^{35}tɔu$^{35}_{53}$xei$^{53}_{44}$kʰau$^{53}_{44}$tʂak^{3} tɔu^{21}li^{0} ,n^{13}tek^{3} kʰau$^{53}_{44}$ŋɔi^{53}pɔi$^{53}_{44}$.｜箇檐头就比较宽，～好放晒下子衫裤箇只，过人。kai^{53}ian^{13}tʰei$^{13}_{21}$tsʰiəu^{53}pi^{21}ciau$^{53}_{44}$kʰɔn^{35},tɔu^{21}li^{0} xau^{21}fɔŋ^{53}sai^{53}xa$^{53}_{21}$tsɿ^{0} san^{35}fu^{53}kai$^{53}_{21}$tʂak^{3} ,ko^{53}ɲin^{13}. ③指某个范围内：泥水～有大工嘞。lai^{13}ʂei^{21}tɔu^{21}li^{0} iəu$^{35}_{44}$tʰai^{53}kəŋ^{35}lei^{0}.

【肚闷翻翻哩】tɔu^{21}mən^{53}fan^{35}fan^{35}li^{0} 形容极恶心想吐的感觉：头番子落水呀，我就想去散步。我就着倒一双咁个凉鞋，藉箇水肚里踩嘿过，系唔系？藉箇水肚里走。渠就冇事湿鞋湿裤吵，欸，着条短裤子。归来是～噢，唔好过啊。冷唔得。落尾我就尽着箇个了，尽着筒子套鞋去散步了。溻唔得水呀，就溻哩水。水凉，欸，箇个落下来个水呀还系凉。欸，冷倒哩，就～。tʰei^{13}fan$^{35}_{44}$tsɿ^{0} lɔk^{5} ʂei^{21}ia^{0} ,ŋai^{13}tsiəu^{53}siɔŋ^{21}çi$^{53}_{44}$san$^{53}_{44}$pʰu^{53}.ŋai^{13}tsʰiəu^{53}tʂɔk^{3} tau^{21}iet^{3} səŋ$^{35}_{44}$kan$^{21}_{44}$ke$^{53}_{44}$liɔŋ^{13}xai^{13}, tʂa^{53}kai$^{53}_{44}$ʂei^{21}tɔu^{21}li^{0} tsʰai^{21}(x)ek^{3} ko^{53} ,xei$^{53}_{44}$me$^{53}_{44}$?tʂa^{53}kai$^{53}_{44}$ʂei^{21}tɔu^{21}li^{0} tsei^{21}.ci^{13}tsʰiəu^{53}mau^{13}sɿ$^{53}_{44}$ʂət^{3} xai^{13}ʂət^{3} fu^{53}ʂa^{0} ,e$_{21}$,tʂɔk^{3} tʰiau^{13}tɔn^{21}fu^{53}tsɿ^{0}.kuei^{35}lɔi$^{13}_{44}$ʂɿ$^{53}_{44}$tɔu^{21}mən^{53}fan^{35}fan^{35}ni^{0} au^{0} ,n$^{13}_{21}$xau^{21}ko^{53}a^{0} .laŋ^{35}n$^{13}_{44}$tek^{3} .lɔk^{5} mi$^{35}_{44}$ŋai$^{13}_{21}$tsʰiəu$^{53}_{44}$tsʰin^{53}tʂɔk^{3} kai$^{53}_{44}$ke$^{53}_{44}$liau^{0} ,tsʰin^{53}tʂɔk^{3} tʰəŋ^{21}tsɿ^{0} tʰau$^{53}_{44}$xai$^{13}_{21}$çi^{53}san$^{53}_{44}$pʰu$^{53}_{44}$liau^{0} .tʰait^{3} n$^{13}_{44}$tek^{3} ʂei^{21} ia^{0} ,tsʰiəu^{53}tʰait^{3} li^{0} ʂei^{21}.ʂei^{21}liɔŋ^{13},e$_{21}$,kai$^{53}_{44}$ke^{0} lɔk^{5} xa^{53}lɔi$^{13}_{44}$ke$^{53}_{44}$ʂei^{21}ia^{0} xai^{13}xe^{53}liɔŋ^{13}.ei$_{21}$,laŋ^{35}tau^{21}li^{0} ,tsʰiəu$^{53}_{44}$ tɔu^{21}mən^{53}fan^{35}fan^{35}ni^{0}.｜看倒箇有咁个死个东西啊，系唔系？欸，或者有咁个唔知几愁人个，有咁别人家地泥有痰箇兜咁个啊，一□哇，㤘死人呐，也～。嗯。也会～，系。系箇只感觉。kʰɔn^{53}tau$^{21}_{44}$kai$^{53}_{44}$iəu^{35}kan$^{21}_{44}$ke$^{53}_{44}$si^{21}ke$^{53}_{44}$təŋ$^{35}_{44}$si^{0} a^{0} ,xei^{53}me^{53}?e$_{21}$,xɔk^{5} tʂa^{21}iəu^{35}kan^{21}ke$^{53}_{44}$n^{13}ti$^{35}_{53}$ci^{21}tsʰei^{13}ɲin$^{13}_{44}$ke^{53}, iəu$^{35}_{44}$kan^{21}pʰiet^{5} in$^{13}_{44}$ka$^{35}_{44}$tʰi^{53}lai$^{13}_{21}$iəu^{35}tʰan^{13}kai$^{53}_{44}$təu$^{35}_{44}$kan^{21}cie$^{53}_{44}$a^{0} ,iet^{3} tsiau^{35}ua^{0} ,ɲia^{13}si^{21}ɲin^{13}na^{0} ,ia^{35}tɔu^{21}mən^{53} fan^{35}fan^{35}ni^{0}.n$_{21}$.ia^{35}uɔi^{53}tɔu^{21}mən$^{53}_{44}$fan$^{35}_{44}$fan$^{35}_{44}$ni^{0} ,xe$^{53}_{21}$.xei^{53}kai^{53}tʂak^{3} kɔn^{21}ciɔk^{3}.

【肚皮】tɔu^{21}pʰi^{13} [名]指腹部：箇阵子冇衫着个时候子～都打出来唠。kai^{53}tʂʰən^{53}tsɿ^{0} mau$^{13}_{21}$san^{35} tʂɔk^{3}ke^{0} ʂɿ^{13}xəu$^{53}_{44}$tsɿ^{0} tɔu^{21}pʰi^{13}təu$^{35}_{53}$ta^{21}tʂʰət^{3} lɔi$^{13}_{44}$lau^{0}.

【肚脐眼】tɔu^{21}tsʰi^{13}ŋan^{21} [名]脐带脱落后在腹部留下的痕迹：如今个妹子人着裤是着箇衫裤是特事都爱现出～。唔知一只么个好看她，欸，箇个时髦个妹子，系唔系？i$^{13}_{21}$cin$^{35}_{44}$ke^{0} mɔi^{53}tsɿ^{0} ɲin$^{13}_{21}$ tʂɔk^{3} fu^{53}ʂɿ$^{53}_{44}$tʂɔk^{3} kai$^{53}_{44}$san^{35}fu^{53}ʂɿ$^{53}_{44}$tʰek^{5} sɿ$^{53}_{44}$təu$^{35}_{44}$ɔi$^{53}_{44}$çien^{53}tʂʰət^{3} tɔu^{21}tsʰi^{35}ŋan^{21}.n$^{13}_{21}$ti$^{35}_{53}$iet^{3} tʂak^{3} mak^{3} e^{0} xau^{21} kʰɔn^{53}tʰa$^{35}_{44}$,e$_{44}$,kai$^{53}_{44}$ke$^{53}_{44}$ʂɿ^{13}mau^{13}ke^{0} mɔi^{53}tsɿ^{0} ,xei^{53}me$^{53}_{44}$?

【肚脐子】tɔu^{21}tsʰi^{13}tsɿ^{0} [名]肚子中间脐带脱落的地方：细人子都真爱……唔系话爱舞只箇个肚褡子遮稳箇～，莫冷倒哩。第一……～最容易着凉哟，容易惹寒呢，系唔系？惹哩寒就会肚子痛。sei^{53}ɲin$^{13}_{44}$tsɿ^{0} tɔu$^{35}_{44}$tʂən^{35}ɔi^{53}…m^{13}pʰei^{53}ua^{53}ɔi^{53}u^{21}tʂak^{3} kai$^{53}_{44}$ke$^{53}_{44}$tɔu^{21}tait^{3} tsɿ^{0} tʂa^{35}uən^{21}kai^{53}tɔu^{21}tsʰi^{13}tsɿ^{0}, mɔk^{5} laŋ^{35}tau^{21}li^{0} .tʰi^{53}iet^{3} …tɔu^{21}tsʰi^{13}tsɿ^{0} tsei^{53}iəŋ^{13}i^{53}tʂɔk^{3} liɔŋ^{13}iau^{0} ,iəŋ^{13}i^{53}ɲia^{35}xɔn^{13}ne^{0} ,xei^{53}me^{53}?ɲia^{13}li^{0} xɔn^{13}tsiəu$^{53}_{44}$uɔi$^{53}_{44}$tɔu^{21}tsɿ^{0} tʰəŋ^{53}.

【肚沿】tɔu^{21}ian$^{13}_{21}$ [名]肋骨下方：～痛 tɔu^{21}ian$^{13}_{21}$tʰəŋ^{53}｜有滴～胀。iəu^{35}tiet^{5} tɔu^{21}ian$^{13}_{21}$tʂɔŋ^{53}.

【肚子$_2$】tɔu^{21}tsɿ^{0} [量]多用于心理现象：一～（个）歪主意 iet^{3} tɔu^{21}tsɿ^{0} (ke$^{53}_{44}$)uai^{35}tʂəu^{21}i^{53}

【度】tʰəu^{53} [量]表示动作行为的次数：（杉壳）用棕叶子缔倒缔几～，缔几下。iəŋ^{53}tsəŋ^{35}iait^{5} tsɿ^{0} tʰak^{3} tau^{21}tʰak^{3} ci^{21}tʰəu^{53},tʰak^{3} ci^{21}xa^{53}.

【渡$_1$】tʰəu^{53} [动]利用山区落差，以竹筒引山泉水：底下吊起水来个很少，唔爱。可以～自己。te^{21}xa^{35}tiau^{53}çi^{21}ʂei^{21}lɔi$^{13}_{21}$ke^{53}xen^{21}ʂau^{21},m$^{13}_{21}$mɔi$^{53}_{44}$.kʰo^{21}i^{21}tʰəu^{53}tsʰɿ^{53}ci^{21}.

【渡$_2$】tʰəu^{53} [量]用于桥梁等：一～桥 iet^{3} tʰəu^{53}cʰiau$^{13}_{21}$

【渡船】tʰəu^{53}ʂuən^{13} [名]用以摆渡行人、货物等过江河等的船只：以下是到处都系水泥桥了啰。以前冇得咁多桥，就系用～。i^{21}xa$^{53}_{44}$ʂɿ$^{53}_{44}$tau^{53}tʂʰəu$^{53}_{44}$təu$^{35}_{53}$xei^{53}ʂei^{21}lai$^{13}_{21}$cʰiau^{13}liau^{0} lo^{0} .i$^{35}_{53}$tsʰien^{13}mau^{13}tek^{3} kan^{21}to$^{35}_{53}$cʰiau^{13},tsʰiəu$^{53}_{44}$xei$^{53}_{44}$iəŋ$^{53}_{44}$tʰəu^{53}ʂuən^{13}.

【渡口】tʰəu^{53}xəu^{21}/xei^{21}/kʰei^{21} [名]有船摆渡过河的地方：以前是我等以映条河下小河吵，系唔系？以条河下小河。爱到红沙，爱到田心，爱到陈家坊，箇都冇都系么个都系墩水桥子。一落大水，桥打嘿去哩。箇～上就冇办法过去了。嗯，～又冇得桥，船又冇得。箇都有几只栏场都有～。～是有一只，冇船。过唔得啊。爱等渠……好得以个栏场个水嘞冇得搞几多天，只搞得天把两天，你就涨得纵大个水，一漾水就小嘿哩，欸，一停水就小嘿哩。渠又可以架正桥去。i$^{35}_{44}$tsʰien^{13}ʂʅ$^{53}_{44}$ŋai^{13}tien^{0}i^{21}iaŋ^{53}tʰiau$^{13}_{21}$xo^{13}xa$^{53}_{44}$siau^{21}xo$^{13}_{21}$ʂa^{0},xei^{53}me^{53}?i^{21}tʰiau$^{13}_{21}$xo$^{13}_{21}$xa^{53}siau^{21}xo^{13}.ɔi^{53} tau^{53}fəŋ^{13}sa$^{35}_{44}$,ɔi$^{53}_{44}$tau^{53}tʰien^{13}sin$^{35}_{44}$,ɔi^{53}tau^{53}tʂʰən$^{13}_{21}$ka$^{35}_{44}$fəŋ^{35},kai$^{53}_{44}$təu^{35}mau^{13}təu^{35}xei^{53}mak^{3}ke^{0}təu^{35}xei$^{53}_{44}$tien^{35} ʂei^{21}cʰiau^{13}tsʅ^{0}.iet^{3}lɔk^{5}tʰai^{53}ʂei^{21},cʰiau^{13}ta^{21}(x)ek^{3}li^{0}.kai^{53}tʰəu^{53}xei^{21}xɔŋ$^{53}_{44}$tsʰiəu$^{53}_{44}$mau$^{13}_{21}$pʰan^{53}fait^{3}ko^{53}çi$^{53}_{44}$ liau^{0}.n̩$_{21}$,tʰəu^{53}xei^{21}iəu$^{53}_{44}$mau$^{13}_{21}$tek^{3}cʰiau^{13},ʂɔn^{13}iəu$^{53}_{44}$mau$^{13}_{21}$tek^{3}.kai$^{53}_{44}$təu^{35}iəu$^{35}_{44}$ci^{21}tʂak^{3}laŋ$^{13}_{21}$tʂʰɔŋ$^{13}_{44}$təu$^{35}_{44}$iəu$^{35}_{44}$ tʰəu^{53}kʰei^{21}.tʰəu^{53}xei^{21}ʂʅ$^{53}_{21}$iəu^{35}iet^{3}tʂak^{3},mau$^{13}_{44}$ʂɔn^{13}.ko^{53}n̩^{13}tek^{3}a^{0}.ɔi^{53}ten^{21}ci$^{13}_{44}$…xau^{21}tek^{3}i^{21}ke^{53}laŋ$^{13}_{21}$tʂʰɔŋ$^{13}_{44}$ke^{0} ʂei^{21}lei^{0}mau^{13}tek^{3}kau^{21}ci^{21}to$^{35}_{44}$tʰien^{35},tʂʅ^{21}kau^{21}tek^{3}tʰien^{35}pa^{21}iɔŋ^{21}tʰien$^{35}_{44}$, ɲi^{13}tsʰiəu^{53}tʂɔŋ^{21}tek^{3}tsəŋ^{53}tʰai$^{53}_{44}$ke^{0} ʂei^{21},iet^{3}lian^{21}ʂei^{21}tsʰiəu$^{53}_{44}$siau^{35}(x)ek^{3}li^{0},e$_{21}$,iet^{3}tʰin^{13}ʂei^{21}tsʰiəu^{53}siau^{35}(x)ek^{3}li^{0}.ci$^{13}_{21}$iəu^{53}kʰo^{21}i$^{35}_{44}$ka^{53}tʂaŋ$^{53}_{21}$ cʰiau^{13}çi^{53}.

【端阳】tɔn^{35}iɔŋ^{13} 名端午节：箇个过～用个几长个薪艾。kai^{53}ke$^{53}_{44}$ko^{53}tɔn^{35}iɔŋ^{13}iəŋ$^{53}_{44}$ke$^{53}_{44}$ci^{21}tʂʰɔŋ^{13} ke^{53}cʰi^{13}ɲie^{53}.

【短】tɔn^{21} 形①两端之间的空间距离小，与“长”相对：坐一个子人个沙发就安做～沙发呀我等是。就系相比之下一套沙发肚里有几多张，长兜子个就长沙发，～兜子个就～沙发。tsʰo^{35}iet^{3}ke^{53}tsʅ^{0}ɲin$^{13}_{21}$ke^{0}sa^{35}fait^{3}tsʰiəu$^{53}_{44}$ɔn$^{35}_{44}$tso$^{53}_{44}$tɔn^{21}sa^{35}fait^{3}ia^{0}ŋai^{13}tien^{0}ʂʅ^{53}.tsʰiəu$^{53}_{44}$xei$^{53}_{44}$siɔŋ^{35}pi^{21}tʂʅ$^{35}_{44}$çia^{53} iet^{3}tʰau^{53}sa$^{35}_{44}$fait^{3}təu^{21}li^{0}iəu^{35}ci^{21}to$^{35}_{44}$tʂɔŋ^{35},tʂʰɔŋ^{13}təu$^{35}_{53}$tsʅ^{0}ke^{0}tsʰiəu$^{53}_{44}$tʂʰɔŋ^{13}sa$^{35}_{44}$fait^{3},tɔn^{21}təu$^{35}_{53}$tsʅ^{0}ke^{0}tsiəu$^{53}_{44}$ tɔn^{21}sa$^{35}_{44}$fait^{3}. ②时间不长：（花麦的）生长期～。sen^{35}tʂɔŋ^{21}cʰi^{13}tɔn^{21}.

【短矲矲哩】tɔn^{21}kʰuət^{5}kʰuət^{5}li^{0} 形状态词。很短的样子：箇个高龄岭上啊箇崠岗顶上啊有竹，但是崠岗顶上个竹一般都系～个。长唔高，嗯，唔知搞么个，长唔高。崠岗顶上个竹～。又钻蔸。杉树也系咁个嘞。崠岗顶上个竹啊树啊都有兜子咁个，就～。kai$^{53}_{44}$ke$^{53}_{44}$kau^{35}liaŋ^{35}taŋ^{21} xɔŋ^{53}ŋa^{0}kai$^{53}_{44}$cien^{53}kɔŋ$^{35}_{44}$taŋ^{21}xɔŋ^{53}ŋa^{0}iəu^{35}tʂəuk^{3},tan$^{53}_{44}$ʂʅ$^{53}_{44}$cien^{53}kɔŋ^{35}taŋ^{21}xɔŋ^{53}ke^{0}tʂəuk^{3}iet^{3}pɔn^{35}təu$^{35}_{44}$xe$^{53}_{44}$ tɔn^{21}kʰuət^{5}kʰuət^{5}li^{0}ke^{0}.tʂɔŋ^{21}n̩$^{13}_{44}$kau^{35},n̩$_{21}$,n̩^{13}ti$^{35}_{53}$kau^{21}mak^{3}ke^{0},tʂɔŋ^{21}n̩$^{13}_{44}$kau^{35}. cien^{53}kɔŋ$^{35}_{44}$taŋ^{21}xɔŋ^{53}ke^{0}tʂəuk^{3} tɔn^{21}kʰuət^{5}kʰuət^{5}li^{0}.iəu^{53}tsɔn^{53}tei^{35}.sa^{35}ʂəu$^{53}_{44}$a$^{35}_{44}$xei^{53}kan$^{21}_{44}$cie$^{53}_{44}$lei^{0}.cien^{53}kɔŋ$^{35}_{44}$taŋ^{21}xɔŋ^{53}ke^{0}tʂəuk^{3}a^{0}ʂəu^{53}a^{0} təu^{35}iəu$^{35}_{44}$təu$^{35}_{53}$tsʅ^{0}kan^{21}ke^{0},tsʰiəu$^{53}_{44}$tɔn^{21}kʰuət^{5}kʰuət^{5}li^{0}.

【短短子】tɔn^{21}tɔn^{21}tsʅ^{0} 形短貌：（板胡个）琴筒子～，但系也蛮大。cʰin^{13}tʰəŋ^{13}tsʅ^{0}tɔn^{21}tɔn^{21} tsʅ^{0},tan$^{53}_{44}$xe$^{53}_{44}$ie$^{21}_{44}$man$^{13}_{21}$tʰai^{53}.｜米筒瓜子嘞就系～。mi^{21}tʰəŋ^{13}kua$^{35}_{44}$tsʅ^{0}lei^{0}tsʰiəu$^{53}_{44}$xe$^{53}_{44}$tɔn$^{21}_{35}$tɔn^{21}tsʅ^{0}.

【短个子】tɔn^{21}cie^{53}tsʅ^{0} 名指短的物体：你抽中箇条～你就爱追哟。ɲi$^{13}_{21}$tʂʰəu^{35}tʂəŋ$^{53}_{44}$kai^{53}tʰiau$^{13}_{21}$tɔn^{21} cie^{53}tsʅ^{0}ɲi$^{13}_{21}$tsʰiəu$^{53}_{44}$ɔi$^{53}_{44}$tʂei^{35}iau^{0}.

【短斤少两】tɔn^{21}cin^{35}ʂau^{21}liɔŋ^{35} 所售物品重量不给足：如今我等人到上街上去买东西呀，从来也冇么人去计较斤两准唔准确唠，系唔系？你就有～个人我等都唔晓得，也唔得去计较，好像唔好意思样，唔好意思咁厉害样，系吗？称滴子么个东西都还爱复……过秤，还爱渠还爱复下秤。渠就～我也发现唔了。买猪肉样啊，我斫一斤猪肉，你分九两子分我八两子分我，我还唔系都把做一斤，又冇么人去复秤。所以嘞～我等也唔得去追究。i$^{13}_{21}$cin$^{35}_{53}$ŋai^{13}tien^{0}in$^{13}_{44}$tau$^{53}_{44}$ ʂɔŋ^{35}kai^{35}xɔŋ$^{53}_{44}$çi$^{53}_{44}$mai^{35}təŋ$^{35}_{44}$si^{0}ia^{0},tsʰəŋ$^{13}_{21}$lɔi$^{13}_{21}$ia$^{35}_{53}$mau$^{13}_{21}$mak^{3}ɲin$^{13}_{44}$çi^{53}ci^{53}ciau$^{53}_{44}$cin^{35}liɔŋ^{35}tʂən^{21}n̩^{13}tʂən^{21}kʰɔk^{3} lau^{0},xei^{53}me^{53}?ɲi^{13}tsʰiəu^{53}iəu^{35}tɔn^{21}cin^{35}ʂau^{21}liɔŋ^{35}ke^{0}ɲin$^{13}_{21}$ŋai^{13}tien^{0}təu$^{35}_{53}$n̩^{13}çiau^{21}tek^{3},ia^{35}n̩^{13}tek^{3}çi$^{53}_{44}$ci^{53} ciau^{53},xau^{21}tsʰiɔŋ^{53}n̩^{13}xau^{21}i^{53}sʅ$^{35}_{44}$iɔŋ^{53},n̩^{13}xau^{21}i^{53}sʅ$^{35}_{44}$kan^{21}li^{53}xɔi$^{53}_{44}$iɔŋ$^{53}_{44}$,xei^{53}ma^{0}?tʂʰən^{53}tiet^{5}tsʅ^{0}mak^{3}e^{0}təŋ$^{35}_{44}$si^{0} təu$^{35}_{44}$xai$^{13}_{21}$ɔi$^{53}_{44}$fuk^{5}…ko^{53}tʂʰən^{53},xai$^{13}_{21}$ɔi$^{53}_{44}$çi$^{53}_{44}$xai$^{13}_{21}$ɔi^{53}fuk^{5}(x)a$^{53}_{44}$tʂʰən^{53}.ci^{13}tsʰiəu^{53}tɔn^{21}cin^{35}ʂau^{21}liɔŋ^{35}ŋai^{13}ia$^{35}_{53}$ fait^{3}çien^{53}n̩$^{13}_{21}$liau^{0}.mai^{35}tʂəu^{35}ɲiəuk^{3}iɔŋ^{53}ŋa^{0},ŋai$^{13}_{21}$tʂɔk^{3}iet^{3}cin$^{35}_{44}$tʂəu$^{35}_{44}$ɲiəuk^{3}, ɲi^{13}pən^{35}ciəu^{21}liɔŋ^{35}tsʅ^{0}pən^{35} ŋai$^{13}_{21}$pait^{3}liɔŋ^{35}tsʅ^{0}pən^{35}ŋai$^{13}_{21}$,ŋai$^{13}_{21}$xai$^{13}_{21}$m̩^{13}pʰe$^{53}_{44}$təu^{35}pa^{21}tso$^{53}_{21}$iet^{3}cin^{35},iəu^{53}mau^{13}mak^{3}ɲin$^{13}_{44}$çi^{53}fuk^{5}tʂʰən^{53}.so^{21} i$^{35}_{44}$lei^{0}tɔn^{21}cin^{35}ʂau^{21}liɔŋ^{35}ŋai^{13}tien^{0}ia^{35}n̩^{13}tek^{3}çi$^{53}_{44}$tʂei^{35}ciəu^{53}.

【短裤子】tɔn^{21}fu^{53}tsʅ^{0} 名指内裤或裤腿短的外裤。也简称“短裤”：着下肚里个也短裤，着下外背个也短裤。欸，我等人，箇客姓人好像着下肚里个箇条～搂着下外背个箇条半截～都安做～。tʂɔk^{3}(x)a^{53}təu^{21}li^{0}ke^{53}a$^{35}_{53}$tɔn^{21}fu^{53},tʂɔk^{3}(x)a^{53}ŋɔi^{53}pɔi$^{53}_{44}$ke$^{53}_{44}$a$^{35}_{44}$tɔn^{21}fu^{53}.e$_{21}$,ŋai^{13}tien^{0}in$^{13}_{44}$,kai$^{53}_{44}$kʰak^{3}sin^{53} ɲin$^{13}_{44}$xau^{21}tsʰiɔŋ$^{53}_{44}$tʂɔk^{3}(x)a^{53}təu^{21}li^{0}ke^{0}kai^{53}tʰiau$^{13}_{44}$tɔn^{21}fu^{53}tsʅ^{0}lau^{35}tʂɔk^{3}(x)a$^{53}_{44}$ŋɔi^{53}pɔi$^{53}_{44}$ke$^{53}_{44}$kai$^{53}_{44}$tʰiau$^{13}_{44}$pan^{53} tset^{3}tɔn^{21}fu^{53}tsʅ^{0}təu^{35}ɔn$^{35}_{44}$tso^{53}tɔn^{21}fu^{53}tsʅ^{0}.

【短命鬼】tɔn^{21}miaŋ^{53}kuei^{21} 名不幸早死的人。也用做咒骂人早死的话，多用来责骂小孩：有打短命死个～。也系骂人个话～是。iəu^{35}ta^{21}tɔn^{21}miaŋ^{53}si^{21}ke$^{53}_{44}$tɔn^{21}miaŋ^{53}kuei^{21}.ia^{35}xei$^{53}_{44}$ma^{53}ɲin^{13} cie$^{53}_{44}$fa^{53}tɔn^{21}miaŋ^{53}kuei^{21}ʂʅ$^{53}_{21}$.

【短西式】tɔn^{21}si^{35}ʂʅ^{53} 名一种发型，西式短头：我就第一讨嫌箇头发长哩个情况。耳朵边呢我只爱长滴子我就爱剪嘿去。所以我一直都系哪阵我都剪～子，都系～，我从来都唔蓄长西式，都系～。冷天我都唔蓄长头发，唔蓄长西式。欸，只蓄～子，短头发子。ŋai13 tsiəu$^{53}_{44}$ tʰi53 iet3 tʰau21 çian13 kai53 tʰei13 fait3 tʂʰɔŋ$^{13}_{21}$ li0 ke53 tsʰin13 kʰɔŋ53. ɲi21 to21 pien35 nei0 ŋai$^{13}_{21}$ tʂʅ21 ɔi53 tʂʰɔŋ13 tiet5 tsɿ0 ŋai13 tsʰiəu53 ɔi53 tsien21 nek3 çi53.so21 i$^{35}_{53}$ ŋai$^{13}_{21}$ iet3 tʂʰət5 təu$^{35}_{44}$ xei$^{53}_{44}$ lai53 tʂʰən53 ŋai$^{13}_{21}$ təu$^{35}_{53}$ tsien21 tɔn21 si$^{35}_{44}$ ʂʅ53 tsɿ0,təu35 xe53 tɔn21 si$^{35}_{44}$ ʂʅ53, ŋai$^{13}_{21}$ tsʰəŋ$^{13}_{21}$ lɔi$^{13}_{21}$ təu$^{35}_{53}$ n̩$^{13}_{44}$ çiəuk3 tʂʰɔŋ13 si$^{35}_{44}$ ʂʅ53,təu$^{35}_{44}$ xe$^{35}_{44}$ tɔn21 si$^{35}_{44}$ ʂʅ53.laŋ35 tʰien$^{35}_{44}$ ŋai$^{13}_{21}$ təu$^{35}_{44}$ n̩13 çiəuk3 tʂʰɔŋ13 tʰei$^{13}_{44}$ fait3,n̩13 çiəuk3 tʂʰɔŋ13 si$^{35}_{44}$ ʂʅ53.e$_{21}$,tʂʅ$^{21}_{44}$ çiəuk3 tɔn21 si$^{35}_{44}$ ʂʅ53 tsɿ0,tɔn21 tʰei13 fait3 tsɿ0.

【段】tɔn53 [量]①指长条形物件分成的若干部分：（一筒树）我爱舞做两～，三～，四～。ŋai13 ɔi53 u21 tso53 iɔŋ21 tɔn53,san35 tɔn$^{53}_{44}$,si53 tɔn53. ②表示一定的空间距离：分禾蔸挖起来，从箇割嘿哩个栏场到地泥下箇一～安做禾蔸髻。pən35 uo13 tei$^{35}_{44}$ uait3 çi21 lɔi$^{13}_{44}$,tsʰəŋ13 kai$^{53}_{44}$ kɔit3 (x)ek3 li0 ke53 lɔŋ$^{13}_{21}$ tʂʰɔŋ$^{13}_{44}$ tau53 tʰi53 lai$^{13}_{21}$ xa35 kai$^{53}_{44}$ iet3 tɔn53 ɔn$^{35}_{44}$ tso$^{53}_{44}$ uo13 tei$^{35}_{44}$ ci53. ③表示事物整体中的一部分：一～文章 iet3 tɔn53 uən13 tʂɔŋ35。④表示时间的一节：过～时间 ko53 tɔn53 ʂʅ$^{13}_{21}$ kan$^{35}_{44}$

【段子】tʰɔn53/tɔn53 tsɿ0 [量]①指时间的一节：过～时间就箇个就酸嘿哩。ko53 tɔn53 tsɿ0 ʂʅ$^{13}_{21}$ kan$^{35}_{44}$ tsʰiəu$^{53}_{44}$ kai$^{53}_{44}$ ke$^{53}_{44}$ tsʰiəu$^{53}_{44}$ sɔn35 nek3 (←xek3)li0. ②指整体中的一部分：一～故事 iet3 tɔn53 tsɿ0 ku$^{53}_{44}$ sɿ$^{53}_{44}$。③指刀斧的锋刃与安柄的孔之间的距离：（开山子）口狭狭子，箇只～蛮长。xei21 cʰiait5 cʰiait5 tsɿ0,kai$^{53}_{44}$ tʂak3 tʰɔn53 tsɿ0 man$^{13}_{21}$ tʂʰɔŋ13.

【断】tʰɔn35 [动]长形的东西分成两段或几段：一瓬竹，唔讲一节，咁子咁长子一垄子啊，咁子个～来，一瓬。iet3 siɔŋ21 tʂəuk3,ŋ̍13 kɔŋ21 iet3 tset3,kan21 tsɿ0 kan21 tʂʰɔŋ13 tsɿ0 iet3 tsʰo53 tsa0,kan21 tsɿ0 cie53 tʰɔn35 nɔi$^{13}_{21}$,iet3 siɔŋ21.｜就系横横哩舞～哩，就等嘿哩。tsiəu53 xe$^{53}_{44}$ uaŋ13 uaŋ13 li0 u21 tʰɔn35 ni0,tsʰiəu53 tən21 nek3 (←xek3)li0.

【断根】tʰɔn35 cien35 [动]断绝病根，使疾病不再发生：一个人整病嘞食药嘞就爱食好来，如果赠～个话嘞，一翻呢，问题就严重嘿哩，箇病就严重嘿哩。iet3 ke53 ɲin$^{13}_{44}$ tʂaŋ53 pʰiaŋ53 le0 ʂət5 iɔk5 le0 tsʰiəu$^{53}_{44}$ ɔi$^{53}_{44}$ ʂət5 xau21 lɔi13,ʮ13 ko21 maŋ13 tʰɔn35 cien35 cie0 fa$^{53}_{44}$ lei0,iet3 fan35 ne0,uən53 tʰi$^{13}_{21}$ tsʰiəu$^{53}_{44}$ ɲien13 tʂʰəŋ53 (x)ek3 li0,kai53 pʰiaŋ53 tsʰiəu$^{53}_{44}$ ɲien13 tʂʰəŋ53 (x)ek3 li0.

【断气】tʰɔn35 çi53 [动]咽气。又称"落气"：～，欸，就人呐冇哩气，死嘿哩，就安做～。我就亲眼看过两个人～。一只就我等喊二叔公，欸，我爷子个二叔啊，我阿公是两兄弟呀。我阿公是，我爷子都正十岁，我阿公就死嘿哩。我个二叔公过身，我看稳渠～个。我爷子过身，我掌稳～个。一～就箇个啦，搞手脚冇赢了啦。即即哩就舞倒嘞就舞块门板呐么个东西，铺滴摊滴布，放下门板上，捆下门板上放倒，赶快拿倒箇装死衫同渠着。搞么个爱咁急嘞？硬哩就唔好着，硬哩尸就着唔进哩。渠个手哇拐唔转来哩，你箇衫就冇办法着哩。tʰɔn35 çi53,e$_{21}$, tsʰiəu53 ɲin13 na0 mau13 li0 çi53,si21 xek3 li0,tsʰiəu$^{53}_{44}$ ɔn$^{35}_{44}$ tso$^{53}_{44}$ tʰɔn35 çi53.ŋai13 tsʰiəu53 tsʰin35 ŋan21 kʰɔn53 ko53 iɔŋ21 ke0 ɲin$^{13}_{21}$ tʰɔn35 çi53.iet3 tʂak3 tsʰiəu53 ŋai13 tien0 xan53 ɲi53 ʂəuk3 kəŋ35,e$_{21}$,ŋai$^{13}_{21}$ ia13 tsɿ0 ke0 ɲi53 ʂəuk3 a0,ŋai$^{13}_{21}$ a35 kəŋ$^{35}_{44}$ ʂʅ$^{53}_{44}$ iɔŋ21 çiɔŋ$^{35}_{44}$ tʰi53 ia0.ŋai$^{13}_{21}$ a35 kəŋ$^{35}_{44}$ ʂʅ$^{53}_{44}$,ŋai$^{13}_{21}$ ia13 tsɿ0 təu$^{35}_{44}$ tʂaŋ$^{53}_{44}$ ʂət5 sɔi53,ŋai$^{13}_{21}$ a$^{35}_{44}$ kəŋ$^{35}_{44}$ tsʰiəu53 si21 xek3 li0.ŋai13 ke0 ɲi53 ʂəuk3 kəŋ35 ko53 ʂən35,ŋai13 kʰɔn53 uən21 ci$^{13}_{21}$ tʰɔn35 çi$^{53}_{44}$ ke0.ŋai13 ia13 tsɿ0 ko53 ʂən$^{35}_{44}$,ŋai$^{13}_{21}$ tʂɔŋ21 uən21 tʰɔn35 çi53 ke0.iet3 tʰɔn35 çi53 tsʰiəu$^{53}_{44}$ kai$^{53}_{44}$ ke$^{53}_{44}$ la0,kau21 ʂəu21 ciɔk3 mau$^{13}_{44}$ iaŋ$^{13}_{44}$ liau0 la0.tset5 tset5 li0 tsʰiəu$^{53}_{44}$ u21 tau21 le0 tsʰiəu53 u21 kʰuai53 mən13 pan21 na0 mak3 ke0 təŋ$^{35}_{44}$ si0,pʰu35 tiet5 tʰan$^{35}_{44}$ tiet5 pu53,fɔŋ53 xa$^{53}_{44}$ mən13 pan21 xɔŋ53,kɔŋ35 ŋa$^{53}_{44}$ mən13 pan21 xɔŋ$^{53}_{44}$ fɔŋ53 tau21,kɔn21 kʰuai53 la53 tau$^{21}_{44}$ kai$^{53}_{44}$ tsɔŋ$^{35}_{44}$ si21 san$^{35}_{44}$ tʰəŋ$^{13}_{21}$ ci$^{13}_{21}$ tʂɔk3.kau21 mak3 ke53 ɔi53 kan21 ciet3 lei0?ŋaŋ53 li0 tsʰiəu53 m̩$^{13}_{21}$ xau21 tʂɔk3,ŋaŋ53 li0 ʂʅ35 tsʰiəu53 tʂɔk3 n̩$^{13}_{44}$ tsin53 ni0.ci13 ke53 ʂəu21 ua0 uət3 n̩$^{13}_{44}$ tʂuɔn21 nɔi13 li0, ɲi13 kai$^{53}_{44}$ san35 tsʰiəu53 mau13 pʰan53 fait3 tʂɔk3 li0.

【断夜】tʰɔn35 ia53 [名]时间词。指天色完全黑了的时候。又称"临夜、打麻纱、挨夜子"：以前搞集体个时候子啊，天天爱出工，欸，夫娘子人真多事。又爱畜猪，又爱斫柴，又爱种菜，又爱荷水，欸，我等箇夫娘子人呢又还爱出工。天天都唔～就唔进门，真辛苦哇。唔～就唔进门，你话下子还有散步箇只么个就箇是忒奢侈哩个路子。i$^{35}_{44}$ tsʰien$^{13}_{21}$ kau21 tsʰiet5 tʰi21 ke0 ʂʅ13 xəu53 tsa0,tʰien$^{35}_{44}$ tʰien$^{35}_{44}$ ɔi$^{53}_{44}$ tʂʰət3 kəŋ35,e$_{44}$,pu35 ɲiɔŋ$^{13}_{21}$ tsɿ0 ɲin$^{13}_{21}$ tʂən35 to35 sɿ53.iəu53 ɔi53 çiəuk3 tʂəu35,iəu53 ɔi53 tʂɔk3 tsʰai13, iəu$^{53}_{44}$ ɔi$^{53}_{44}$ tʂəŋ$^{53}_{44}$ tsʰɔi53,iəu53 ɔi53 kʰai35 ʂei21,e$_{21}$,ŋai13 tien0 kai$^{53}_{44}$ pu35 ɲiɔŋ$^{13}_{21}$ tsɿ0 ɲin13 nei0 iəu$^{53}_{44}$ xa$^{13}_{21}$ ɔi53 tʂʰət3 kəŋ35.tʰien35 tʰien$^{35}_{44}$ təu$^{35}_{44}$ n̩13 tʰɔn35 ia53 tsʰiəu$^{53}_{44}$ n̩13 tsin53 mən13,tʂən35 sin$^{35}_{44}$ kʰu21 ua0.n̩13 tʰɔn35 ia53 tsʰiəu$^{53}_{44}$ n̩13 tsin53 mən13, ɲi13 ua$^{53}_{44}$ (x)a$^{53}_{44}$ tsɿ0 xai13 iəu$^{35}_{44}$ san$^{53}_{44}$ pʰu53 kai$^{53}_{44}$ tʂak3 mak3 e0 tsiəu53 kai53 ʂʅ$^{53}_{44}$ tʰet3 ʂa35 tʂʰʅ$^{21}_{44}$ li0 ke0 ləu$^{53}_{44}$ tsɿ0.

【断掌$_{1}$】tʰɔn35 tʂɔŋ21 [名]命理手相学中对通贯掌纹的一种称呼，这种掌纹上所谓的感情线和智慧线合二为一，横贯于手掌中，好像一条横纹将手掌分成两部分。此外，感情线横贯手掌或智慧线横贯手掌则属于"非典型"断掌：箇个以映穿过来个就安做～。以个就系掌纹。一条掌纹从以边搞下以边来哩就安做～。kai53 ke53 i21 iaŋ53 tʂhuən53 ko53/44 lɔi13/21 ke0 tshiəu53/44 ən35/53 tso53 thən35 tʂəŋ21.i21 ke53 tshiəu53 xei53 tʂəŋ21 uən13.iet3 thiau13/44 tʂəŋ21 uən13 tshəŋ13/21 i21 pien35/44 kau21 ua53/44 i21 pien35/44 nɔi13/21 li0 tshiəu53/21 ən35/53 tso53 thən35 tʂəŋ21.

【断掌2】thən35 tʂəŋ21 动 手掌上生有通贯掌纹：欸，让门子啊？嗯，断哩掌是会打死人呢么个。嗯，～个人就会打死人。e21,ɲiəŋ53 mən13/44 tsɿ0 a0 ?n̩21,thən35 ni0 tʂəŋ21 ʂɿ53/44 uɔi53 ta21 si21 ɲin13/21 ne0 mak3 e0.n̩21,thən35 tʂəŋ21 ke53 ɲin13/44 tshiəu53/44 uɔi53 ta21 si21 ɲin13.

【塅】thən53 名 ①坑，凹处：箇映一只～。箇是箇只～个大细嘞细滴子个也系。欸，只爱上哩咁大子个正话箇映有只～哈。kai53 iaŋ53/44 iet3 tʂak3 thən53.kai53/44 ʂɿ53/44 kai53/44 tʂak3 thən53 ke53/44 thai53/44 sei53/44 lei0 se53 tiet5 tsɿ0 ke53 ia35 xei53/44.e21,tʂek3 ɔi53/44 ʂəŋ35 li0 kan21 thai53 tsɿ0 ke53/44 tʂaŋ53/44 ua53/44 kai53/21 iaŋ53/44 iəu35/44 tʂak3 thən53 xa0. ②山区的小平原；山间盆地：我等横巷里吵渠就系一条冲。我等箇条冲里，横巷里箇条冲里到～里有几里路。ŋai13 tien0 uaŋ13 xəŋ53 li0 ʂa0 ci13/21 tshiəu53 xei53/44 iet3 thiau13/21 tʂhəŋ35.ŋai13 tien0 kai53 thiau13/21 tʂhəŋ35 li21/44,uaŋ13 xəŋ53 li0 kai53 thiau13/21 tʂhəŋ35 li0 tau53 thən53 li0 iəu35 ci21 li35 ləu53.｜箇只地方落哩～。就比周围更低。欸，箇就落哩～。kai53 tʂak3 thi53 fəŋ35/44 lɔk5 li0 thən53.tshiəu53/44 pi21 tʂəu35 uei13/21 ken53 te35.e21,kai53/21 tsiəu53/44 lɔk5 li0 thən53. ③在地名中用作通名：易家～iet5 ka35/44 thən53

【磴子】tən53 tsɿ0 名 台阶：正好人个脚咁高子个，正好咁子上个，一脚一脚子上个，台阶样，一脚脚子上个，就箇就安做～。正讲～。tʂən53 xau21 ɲin13 kei53/44 ciɔk3 kan21 kau35/44 tsɿ0 ke53/44,tʂən53 xau21 kan21 tsɿ0 ʂəŋ35 ke53/44,iet3 ciɔk3 iet3 ciɔk3 tsɿ0 ʂəŋ35 ke53/44,thɔi13 kai35/44 iəŋ53,iet3 ciɔk3 ciɔk3 tsɿ0 ʂəŋ35 ke53/44,tshiəu53/44 kai53/44 tshiəu53/44 ən35/44 tso53/44 tən53 tsɿ0.tʂaŋ53/44 kəŋ21/35 tən53 tsɿ0.｜～，石～，～，不是石头个就是安做～，是石头个就石～。上～。tən53 tsɿ0,ʂak5 tən53 tsɿ0,tən53 tsɿ0,pət3 ʂɿ53/44 ʂak5 thei13/21 ke53/44 tshiəu53/44 ʂɿ53/44 ən35/44 tso53/44 tən53 tsɿ0,ʂɿ53/44 ʂak5 thei13/21 ke53/44 tshiəu53/44 ʂak5 tən53 tsɿ0.ʂəŋ35 tən53 tsɿ0.

【堆1】ti35/tei35 动 堆积，集中成堆放置：～起来 ti35 çi21 lɔi13｜舞滴箇个欸人粪尿哇，猪粪尿哇，去去和啊，和倒～倒箇映啊。u21 tiet5 kai53/44 kei53/44 e21 ɲin13 fən53 ɲiau53 ua0,tʂəu35 fən53/44 ɲiau53 ua0,çi53/44 çi53 xo13 a0,xo13 tau21 tei35 tau21 kai53/44 iaŋ53/44 ŋa0.

【堆2】tɔi35 名 堆积成的东西：现只咁个～样啊，土～样啊。çien53 tʂak3 kan21 ke53/44 tɔi35 iəŋ53 ŋa0,thəu21 tɔi35 iəŋ53 ŋa0.

【堆3】tɔi35 量 ①用于成堆的东西：一～牛屎 iet3 tɔi35 ɲiəu13 ʂɿ21｜一～沙 iet3 tɔi35 sa35. ②指屙尿的次数：我屙三～尿你都赠屙一～。ŋai13/21 o35/44 san35 tɔi35/44 ɲiau53 ɲi13/21 təu35/53 maŋ13/21 o35/44 iet3 tɔi35.｜屙～尿正。o35 tɔi35/44 ɲiau53 tʂaŋ53/21.

【堆道】tɔi35 thau53 名 指货品单位重量或价格下的不同体积：打比你买箇个饼子样啊，有兜饼子唔知几泡个东西啊，系唔系？称一斤都一大饽，嘿嘿，有～。欸，有兜嘞你买箇起箇个欸买箇起么个鱼子箇兜你称一斤看呐，箇真有几多，就渠有～，箇起安做有～。ta21 pi21 ɲi13/21 mai35 kai53/44 ke53/44 piaŋ21 tsɿ0 iəŋ53/44 ŋa0,iəu35 tei35/44 piaŋ21 tsɿ0 n̩ ti35/44 ci21 phau53 ke53/44 təŋ35/44 si0 a0,xei53 me53?tʂhən35 iet3 cin35 təu35/53 iet3 thai53 phɔk5,xe53 xe21,iəu35 tɔi35/44 thau53.e21,iəu35 te35/44 lei0 ɲi13/21 mai35 kai53 çi21 kai53/44 ke53/44 e21 mai35 kai53 çi21 mak3 e0 ŋ13 tsɿ0 kai53/44 tei35/53 ɲi13 tʂhən53 iet3 cin35 khən53 na0,kai53 tʂən35 mau13/21 ci21 to35/44,tshiəu53/44 ci13/21 mau13 tɔi35 thau53,kai53/44 çi21/44 ən35/44 tso53/44 mau13 tɔi35 thau53.

【堆头】tɔi35 thəu0 名 物品的总量：欸，加倒去欸凑……凑……安做凑～哇，就更多啊。e21,cia35 tau21 çi53 e21 tshei53…tshei53…ən35/44 tso53/44 tshei53 tɔi35 thəu0 ua0,tshiəu53/44 ken53/44 to35 a0.

【对1】ti53 动 ①婚配：箇只妹子啊～只郎子蛮跳皮呀。kai53 tʂak3 mɔi53 tsɿ0 a0 ti53 tʂak3 lɔŋ13 tsɿ0 man13 thiau53 phi13/21 ia0. ②相互接触抵住：背囊～背囊。脑壳～看呶以只背囊就～倒箇只人个背囊，咁子走渠脑壳顶上翻下过。pɔi53 lɔŋ13 ti53/44 pɔi53 lɔŋ13.lau21 khɔk3 ti53 khən53/44 nau0 i21 tʂak3 pɔi53 lɔŋ13 tshiəu53/44 ti53 tau21 kai53 tʂak3 ɲin13 ke53/44 pɔi53 lɔŋ13,kan21 tsɿ0 tsei21 ci13/44 lau21 khɔk3 taŋ21 xɔŋ53/44 fan35/44 na44 ko53/44. ③对换；相互交换：我个东西分你，你个东西分我，两个人～一下。ŋai13 ke53/44 təŋ35/44 si0 pən35/44 ɲi13/21,ɲi13 (k)e53/44 təŋ35/44 si0 pən35 ŋai13/21,iəŋ21 ke53/44 in13/44 ti53 iet3 xa53/21.｜欸，我同你～倒箇双过河袜哟。ei21,ŋai13 thəŋ13 ɲi13/44 ti53 tau21/44 kai53/44 səŋ35/44 ko53 xo13 mait3 iau0.

【对2】tei53 形 正确：系系系有系有，～，系有。xe53 xe53 xe53 iəu35/21 xe53/44 iəu35/21,tei53,xe53 iəu35/44.

【对3】ti53 介 ①引述动作的方向，表示朝着、向着的意思：～咁……～岭肚里挖。ti53 kan21…ti53 liaŋ35 təu21 li0 ua35.｜渠～倒我总笑。ci13 ti53/21 tau21 ŋau13 tsəŋ21 siau53. ②引述对象，表示对待的意思：

你～渠好，渠也就～你好。ɲi^{13}ti^{21}ci^{13}xau^{21},ci^{13}ia^{35}tsʰiəu^{53}ti^{53}ɲi^{13}xau^{21}.

【对$_4$】ti^{53}/tei^{53} 量 双。用于成对的事物：一～鸳鸯 iet^{3}ti^{53}ien^{35}iɔŋ^{35}｜一～夫妇 iet^{3}tei^{53}fu^{35}fu^{53}｜箇个讨老婆个时候子……欸欸箇个办婚丧喜庆呐，丧事爱一～白烛，欸，一～么个，安做一～么个烛哇？嗯，欸，做生日就一～寿烛，讨老婆就一～喜烛，丧事就一～么个烛去啊？唔记得哩。孝烛哇？唔系孝烛吧？唔记得哩。kai^{53}ke$^{53}_{44}$tʰau^{21}lau^{21}pʰo^{13}ke^{0}ʂʅ^{13}xəu$^{53}_{44}$tsʅ…e$_{44}$ei$_{44}$kai$^{53}_{44}$ke$^{53}_{44}$pʰan^{53}fən^{35}sɔŋ^{35}çi^{21}cʰin^{53}na^{0},saŋ^{35}sʅ^{53}ɔi$^{53}_{44}$iet^{3}ti^{53}pʰak^{5}tʂəuk^{3},e$_{21}$,iet^{3}ti^{53}mak^{3}ke^{0},ɔn^{35}tso^{53}iet^{3}ti^{53}mak^{3}e^{0}tʂəuk^{3}ua^{0}?n̩$_{44}$,e$_{44}$,tso^{53}saŋ^{35}ɲiet^{3}tsʰiəu$^{53}_{44}$iet^{3}ti$^{53}_{44}$ʂəu^{53}tʂəuk^{3},tʰau^{21}lau^{21}pʰo^{13}tsʰiəu^{53}iet^{3}ti^{53}çi^{21}tʂəuk^{3},sɔŋ^{35}sʅ^{53}tsʰiəu^{53}iet^{3}ti^{53}mak^{3}e^{0}tʂʰəuk^{3}cʰi^{53}a^{0}?n̩^{13}ci^{53}tek^{3}li^{0}.xau^{53}tʂəuk^{3}ua^{0}?n̩^{13}tʰe$^{53}_{44}$xau^{53}tʂəuk^{3}pa^{0}?n̩^{13}ci^{53}tek^{3}li^{0}.

【对拜】ti^{53}pai^{53} 动 相互以鞠躬的方式行礼：两公婆就～。iɔŋ^{21}kəŋ^{35}pʰo$^{13}_{21}$tsiəu$^{53}_{44}$ti^{53}pai^{53}.

【对打】ti^{53}ta^{21} 动 互相殴打：我等教过一只学生，渠长日摎别人家搞筋，一搞筋就～。落尾以后落尾查下子，箇是祖传父教，渠个娭子也咁厉害个，娭子去屋下也系咁个。笑死人，咁个真系以个真系是有遗传。ŋai^{13}tien^{0}kau^{35}ko^{53}iet^{3}tʂak^{3}xɔk^{5}saŋ^{35},ci^{13}tʂʰɔŋ^{13}ɲiet^{3}lau$^{35}_{44}$pʰiet^{5}n̩$^{13}_{44}$ka$^{35}_{44}$kau^{21}cin^{35},iet^{3}kau^{21}cin^{35}tsʰiəu$^{53}_{44}$ti^{53}ta^{21}.lɔk^{5}mi$^{35}_{44}$i^{21}xəu^{53}lɔk^{5}mi$^{35}_{44}$tsʰa^{13}xa$^{53}_{44}$tsʅ^{0},kai^{53}ʂʅ^{53}tsəu^{21}tʂʰuən^{13}fu^{53}kau^{53},ci^{13}ke^{53}ɔi^{35}tsʅ^{0}a$^{35}_{44}$kan^{21}li$^{53}_{44}$xɔi$^{53}_{44}$kei$^{53}_{44}$,ɔi^{35}tsʅ^{0}çi^{53}uk^{3}xa$^{53}_{44}$ia^{35}xei^{53}kan$^{21}_{44}$cie^{53}.siau^{53}si^{21}ɲin^{13},kan^{21}ke$^{53}_{44}$tʂən^{35}ne^{53}i^{21}ke$^{53}_{44}$tʂən^{35}xei^{53}ʂʅ^{53}iəu$^{35}_{53}$i$^{13}_{21}$tʂʰuən$^{13}_{21}$.

【对碓】ti^{53}tɔi^{53} 形 诸事不顺：蛮～，屋下真～，或者屋下唔顺遂。～就唔……不顺遂呀。man^{13}ti^{53}tɔi$^{53}_{44}$,uk^{3}xa$^{53}_{44}$tʂən^{35}ti^{53}tɔi$^{53}_{44}$,xɔit^{5}tʂa^{21}uk^{3}xa$^{53}_{44}$n̩^{13}ʂən^{53}si^{53}.ti^{53}tɔi$^{53}_{44}$tsʰiəu^{53}n̩^{13}…pət^{3}ʂən^{53}si^{53}ia^{0}.

【对方】tei^{53}fɔŋ$^{35}_{44}$ 名 处于与行为主体相对地位的一方：问～个时生月日。uən^{53}tei^{53}fɔŋ$^{35}_{44}$ke$^{53}_{44}$ʂʅ^{13}saŋ$^{35}_{44}$ɲiet^{5}ɲiet^{3}.

【对襟】tei^{53}cin$^{35}_{44}$ 名 中装上衣的一种式样，两襟相对，纽扣在胸前正中：～个就安做开胸衫。tei^{53}cin$^{35}_{44}$ke$^{53}_{44}$tsʰiəu$^{53}_{21}$ɔn$^{35}_{44}$tso$^{53}_{21}$kʰɔi^{35}çiɔŋ$^{35}_{44}$san$^{35}_{44}$.

【对路】tei^{53}ləu^{53} 动 认同；相处融洽：撞怕两个唔太～个话，两个人关系唔太好个话，系啊？看个眼神呢就看别人家就鼓下子渠，鼓下子眼珠。嗯，箇三时嘞渠也会话，也可能也就会咁子讲，欸。“你鼓么个嘞？么个咁纳我唔得嘞？你鼓么个眼珠嘞？”tsʰɔŋ^{21}pʰa$^{53}_{44}$iɔŋ^{21}ke^{53}ɲin$^{13}_{44}$n̩^{13}tʰai$^{53}_{44}$tei^{53}ləu^{53}ke$^{53}_{44}$fa$^{53}_{44}$,iɔŋ^{21}kei^{53}ɲin$^{13}_{21}$kuan$^{35}_{44}$çi$^{53}_{44}$n̩^{13}tʰai$^{53}_{44}$xau^{21}ke^{53}fa^{53},xei$^{53}_{44}$a^{0}?kʰɔn^{53}ke$^{53}_{44}$ŋan^{21}ʂən^{13}ne^{0}tsʰiəu$^{53}_{44}$kʰɔn^{53}pʰiet^{5}in$^{13}_{44}$ka$^{35}_{44}$tsiəu^{53}ku^{21}ua^{53}tsʅ^{0}ci^{21},ku^{21}ua^{53}tsʅ^{0}ŋan^{21}tʂəu$^{35}_{44}$.n̩$_{21}$,kai^{53}san$^{35}_{44}$ʂʅ$^{13}_{21}$lei^{0}ci$^{13}_{21}$a$^{35}_{53}$uɔi$^{53}_{44}$ua$^{53}_{44}$,ia^{35}kʰo^{21}len$^{13}_{21}$ia^{35}tsʰiəu^{53}uɔi$^{53}_{44}$kan^{21}tsʅ^{0}kɔŋ^{21},e$_{21}$."ɲi^{13}ku^{21}mak^{3}e^{0}lei^{0}?mak^{3}ke^{0}kan^{21}lait^{5}ŋai$^{13}_{21}$n̩$^{13}_{21}$tek^{3}lei^{0}?ɲi$^{13}_{21}$ku^{21}mak^{3}e^{0}ŋan^{21}tʂəu$^{35}_{44}$lei^{0}?"

【对骂】ti^{53}ma^{53} 动 面对面地相互用恶言攻击：农村里就有咁个啊，有兜两子嫂～个，两子嫂～，邻舍～个。ləŋ^{13}tsʰən^{35}ni^{0}tsʰiəu$^{53}_{44}$iəu^{35}kan^{21}cie^{53}a^{0},iəu^{35}təu$^{35}_{44}$iɔŋ^{21}tsʅ^{21}sau^{21}ti^{53}ma^{53}ke^{0},iɔŋ^{21}tsʅ^{21}sau^{21}ti^{53}ma$^{53}_{44}$,lin^{13}ʂa$^{53}_{44}$ti^{53}ma^{53}ke^{0}.

【对门】ti^{53}mən^{13} 名 ①大门相对的房子或人家：以映有只人呢，就系昨晡箇只曾蒙酋个～一只人，一只人，二十二岁，欸，死嘿哩唠，当时死嘿哩。i^{21}iaŋ$^{53}_{44}$iəu^{35}tʂak^{3}ɲin$^{13}_{21}$ne^{0},tsʰiəu$^{53}_{44}$xe$^{53}_{44}$tsʰo$^{35}_{21}$pu$^{35}_{44}$kai^{53}tʂak^{3}tsien$^{35}_{44}$məŋ$^{13}_{21}$tsʰiəu^{13}ke$^{53}_{44}$ti^{53}mən^{13}iet^{3}tʂak^{3}ɲin$^{13}_{21}$,iet^{3}tʂak^{3}ɲin$^{13}_{21}$,ɲi^{53}ʂət$^{5}_{3}$ɲi^{53}sɔi$^{53}_{21}$,ei$_{21}$,si^{21}xek^{3}li^{0}lau^{0},tɔŋ^{35}ʂʅ$^{13}_{44}$si^{21}xek^{3}li^{0}.｜我老婆就话：“箇～箇只邻舍嘞渠会去买（百合），欸，请渠同我等搭倒渠买几斤子也要得，正几块钱一斤。”箇我就：“系啊，我还𫠛想倒嗬。我𫠛想倒～箇只人也会去买。”ŋai^{13}lau^{21}pʰo^{13}tsʰiəu$^{53}_{44}$ua$^{53}_{44}$:"kai$^{53}_{44}$ti^{53}mən$^{13}_{21}$kai$^{53}_{44}$tʂak^{3}lin^{13}ʂa$^{53}_{44}$lei^{0}ci$^{13}_{21}$uɔi^{53}çi$^{53}_{44}$mai^{35},e$_{21}$,tsʰiaŋ^{21}ci^{13}tʰəŋ$^{13}_{21}$ŋai$^{13}_{21}$tien^{0}tait^{3}tau^{21}ci^{13}mai^{35}ci^{21}cin$^{35}_{44}$tsʅ^{0}ia^{35}iau^{53}tek^{3},tʂaŋ$^{53}_{44}$ci^{21}kʰuai^{53}tsʰien$^{13}_{21}$iet^{3}cin$^{35}_{44}$."kai^{53}ŋai$^{13}_{21}$tsiəu$^{53}_{44}$:"xei^{53}ia^{0},ŋai^{13}xai$^{13}_{44}$maŋ^{13}siɔŋ^{21}tau$^{21}_{44}$xo^{0}.ŋai$^{13}_{21}$maŋ^{13}siɔŋ^{21}tau^{21}ti^{53}mən^{13}kai$^{53}_{44}$tʂak^{3}ɲin^{13}na^{35}uɔi^{53}çi^{53}mai^{35}." ②对面：前向噢，就～呐，就～。tsʰien^{13}çiɔŋ^{53}ŋau^{0},tsʰiəu$^{53}_{44}$ti^{53}mən^{13}na^{0},tsʰiəu$^{53}_{44}$ti^{53}mən^{13}.

【对面$_1$】ti^{53}mien^{53} 名 在街道、天井等的一边称另一边：一般都隔只天心～也应该系厢房噢。iet^{3}pɔn^{35}təu$^{35}_{44}$kak^{3}tʂak^{3}tʰien^{35}sin$^{35}_{44}$ti^{53}mien^{53}ia^{35}in$^{35}_{44}$kɔi$^{35}_{44}$xe^{53}siɔŋ^{35}fɔŋ^{13}ŋau^{0}.

【对面$_2$】tei^{53}mien$^{53}_{44}$ 副 当面，面对面：～喊（晚姑子老公）喊姐夫。tei^{53}mien$^{53}_{44}$xan$^{53}_{44}$xan$^{53}_{44}$tsia^{21}fu^{35}.

【对生对死】ti^{53}saŋ$^{35}_{44}$ti^{53}si^{21} 形容寻死觅活，闹得很凶：有兜人完全话下子都话唔得，一话就叫嘴，呀，一话就～。iəu^{35}tei$^{53}_{53}$ɲin$^{13}_{21}$xɔn$^{13}_{21}$tsʰien$^{13}_{44}$ua^{53}xa^{53}tsʅ^{0}təu$^{35}_{44}$ua^{53}n̩$^{13}_{21}$tek^{3},iet^{3}ua^{53}tsʰiəu$^{53}_{44}$ciau$^{53}_{44}$tʂɔi^{53},ia$_{21}$,iet^{3}ua^{53}tsiəu^{53}ti^{53}saŋ$^{35}_{44}$ti^{53}si^{21}.

【对头】ti^{53}tʰei^{13} 名 仇敌；敌对的方面；对手：我话箇阵子我系讲过，我话箇一只国家摎国家咯，硬还冇硬还唔系硬还当两家人都当唔得。我晓得我等两只舅爷，两只舅婆，箇两只舅爷都箇都还好，箇都见得。欸，两只舅爷个老婆，两只舅婆，硬一世人个～。几十年，死了渠都唔去。硬嫡亲兄弟咯，嫡亲子嫂咯，系做一只屋咯，死～。死哩都唔去硬，死都唔原谅渠，欸。我话两只国家啊，你像嫪越南样啊，好个时候子同志加兄弟，搞逆哩咯八九年个一架一仗打哩，系唔系？哦，落尾又同志加兄弟了，又唔知几好了。ŋai^{13}ua^{53}kai^{53}tʂʰən^{53}tsɿ^{0}ŋai^{13}xe^{53}kəŋ^{21}ko^{53},ŋai^{13}ua^{53}kai$^{53}_{44}$iet^{3}tʂak^{3}kɔit^{3}cia$^{35}_{44}$lau$^{35}_{44}$kɔit^{3}cia$^{35}_{44}$ko^{0}, ɲiaŋ^{53}xai$^{13}_{21}$mau^{13}ɲiaŋ^{53}xai$^{13}_{21}$n̩^{13}xe^{53}ɲiaŋ^{53}xai$^{13}_{44}$təŋ^{53}iəŋ^{21}ka^{35}ɲin^{13}təu$^{35}_{44}$təŋ^{53}n̩$^{13}_{21}$tek^{3}.ŋai^{13}çiau^{21}tek^{3}ŋai^{13}tien^{0}iəŋ^{21}tʂak^{3}cʰiəu^{35}ia$^{13}_{21}$,iəŋ^{21}tʂak^{3}cʰiəu$^{35}_{21}$mei^{35},(k)ai^{53}iəŋ^{21}tʂak^{3}cʰiəu^{35}ia$^{13}_{21}$təu$^{35}_{44}$kai^{53}təu^{35}xai$^{13}_{21}$xau^{21},kai$^{53}_{44}$təu$^{35}_{44}$cien^{53}tek^{3}.e$_{44}$,iəŋ^{21}tʂak^{3}cʰiəu^{35}ia$^{13}_{21}$ke^{0}lau^{21}pʰo^{13},iəŋ^{21}tʂak^{3}cʰiəu^{35}me$^{35}_{44}$, ɲiaŋ^{53}(i)et^{3}ʂʅ^{53}ɲin$^{13}_{21}$ke^{0}ti^{53}tʰei$^{13}_{21}$.ci^{21}ʂət^{5}ɲien^{13},si^{21}liau^{0}ci^{13}təu$^{35}_{53}$n̩^{13}çi^{53}. ɲiaŋ^{53}tet^{3}tsʰin$^{35}_{44}$çiəŋ$^{35}_{44}$tʰi^{53}ko^{0},tiet^{3}tsʰin^{35}tsɿ^{21}sau^{21}ko^{0},xe^{53}tso^{53}iet^{3}tʂak^{3}uk^{3}ko^{0},si^{21}ti^{53}tʰei$^{13}_{44}$,si^{21}li^{0}təu$^{35}_{53}$n̩^{13}çi^{53}ɲiaŋ^{53},si^{21}təu$^{35}_{53}$n̩^{13}vien^{13}liəŋ^{53}ci$^{13}_{44}$,e$_{21}$.ŋai^{13}ua^{53}iəŋ^{21}tʂak^{3}kɔit^{3}cia$^{35}_{44}$a^{0}, ɲi$^{13}_{21}$tsʰiəŋ$^{53}_{44}$lau$^{35}_{44}$viet^{5}lan^{13}iəŋ$^{53}_{44}$ŋa^{0},xau^{21}ke^{53}ʂʅ^{13}xəu^{53}tsɿ^{0}tʰəŋ^{13}tʂʅ^{53}cia$^{35}_{44}$çiəŋ$^{35}_{44}$tʰi^{53},kau^{21}ɲiak^{5}li^{0}ko^{0}pait^{3}ciəu^{21}ɲien^{13}ke^{0}iet^{3}cia^{53}iet^{3}tʂəŋ^{53}ta^{21}li^{0},xei$^{53}_{44}$me$^{53}_{44}$?o$_{44}$,lɔk^{5}mi$^{35}_{44}$iəu^{53}tʰəŋ^{13}tʂʅ^{53}cia$^{35}_{44}$çiəŋ$^{35}_{44}$tʰi$^{53}_{21}$liau^{0},iəu^{53}n̩^{13}ti$^{35}_{53}$ci^{21}xau^{21}liau^{0}.

【对唔起】tei^{53}ŋ̍$^{13}_{21}$çi^{21} 动 对不起，用于表示歉意、愧疚：～哈！tei^{53}ŋ̍$^{13}_{21}$çi^{21}xa^{0}！

【对象】ti^{53}siəŋ^{53} 名 特指恋爱的对方：渠找～。好，找只妹子归来。ci$^{13}_{21}$tsau^{21}ti^{53}siəŋ$^{53}_{21}$.xau^{21},tsau^{21}tʂak^{3}mɔi^{53}tsɿ^{0}kuei^{35}lɔi$^{13}_{44}$.

【对质】ti^{53}tʂət^{3} 动 使关联方当面对证：我就碰过一回咁个路子。渠么个让门子个路子去哩嘞？欸，么个我话哩渠么个东西，落尾渠落尾喊倒箇只人来～，渠话哪有咁个事唠？你自家疑神疑鬼呀，系唔系？其实我硬系嬒讲渠么个东西嘞，渠疑神疑鬼。ŋai^{13}tsiəu^{53}pʰəŋ^{53}ko^{53}(i)et^{3}fei^{13}kan$^{21}_{13}$ke^{0}ləu^{53}tsɿ^{0}.ci$^{13}_{21}$mak^{3}e$^{53}_{44}$ɲiəŋ^{53}mən^{0}tsɿ^{0}ke^{0}ləu^{53}tsɿ^{0}çi^{53}li^{0}lei^{0}?e$_{21}$,mak^{3}e^{0}ŋai^{13}ua^{53}li^{0}ci$^{13}_{44}$mak^{3}ke$^{53}_{44}$təŋ$^{35}_{44}$si^{0},lɔk^{5}mi$^{35}_{44}$ci^{13}lɔk^{5}mi$^{35}_{44}$xan^{53}tau^{21}kai^{53}tʂak^{3}ɲin^{13}lɔi^{13}ti^{53}tʂət^{3},ci$^{13}_{21}$ua$^{53}_{44}$la^{53}iəu^{35}kan^{21}ke^{0}sɿ$^{53}_{44}$lau^{0}?ɲi$^{13}_{21}$tsʰɿ^{35}ka$^{35}_{44}$ɲi^{13}ʂən^{13}ɲi^{13}kuei^{21}ia^{0},xei$^{53}_{44}$me$^{53}_{44}$?cʰi$^{13}_{21}$ʂət^{3}ŋai^{13}ɲiaŋ^{53}xei^{53}maŋ^{13}kəŋ^{21}ci$^{13}_{21}$mak^{3}e^{0}təŋ$^{35}_{44}$si^{0}le^{0},ci$^{13}_{44}$ɲi^{13}ʂən^{13}ɲi^{13}kuei^{21}.

【对子】ti^{53}tsɿ^{0} 名 对联：哦，搞副长～□。系唔系今晡个酒哇？哦哦，舞副～啊，舞两只气球哇？一副～爱一十一只字个～。噢，一边爱十一只字。供哩赖子吧？噢，调子啊莫咁高。哦就爱同你想哩来正啊？我反正食昼饭子来同你想要得吧？o$_{21}$,kau^{21}fu$^{53}_{44}$tʂʰɔŋ^{13}ti$^{53}_{44}$tsɿ^{0}ʂe^{53}.xe$^{53}_{44}$me$^{53}_{44}$cin^{35}pu$^{35}_{44}$ke$^{53}_{44}$tsiəu^{21}ua^{0}?o$_{44}$o$_{21}$,u^{21}fu$^{53}_{44}$ti^{53}tsa^{0},u^{21}iəŋ^{21}tʂak^{3}çi^{53}cʰiəu$^{13}_{21}$ua^{0}?iet^{3}fu^{53}ti^{53}tsɿ^{0}ɔi$^{53}_{44}$iet^{3}ʂət^{5}iet^{3}tʂak^{3}sɿ^{53}ke$^{53}_{44}$ti^{53}tsɿ^{0}.au$_{21}$,iet^{3}pien^{35}ɔi$^{53}_{44}$ʂət^{5}iet^{3}tʂak^{3}sɿ^{53}.ciəŋ^{53}li^{0}lai^{53}tsɿ^{0}pa^{0}?au$_{21}$,tiau^{53}tsɿ^{0}a^{0}mɔk^{5}kan^{21}kau^{35}.o^{0}tsʰiəu^{53}ɔi$^{53}_{44}$tʰəŋ$^{13}_{44}$ɲi$^{13}_{44}$siəŋ^{21}li^{0}lai^{13}tʂaŋ^{53}a^{0}?ŋai^{13}fan$^{21}_{44}$tʂən$^{53}_{44}$ʂət^{5}tʂəu^{53}fan$^{53}_{44}$tsɿ^{0}lɔi$^{13}_{21}$tʰəŋ$^{13}_{21}$ɲi$^{13}_{21}$siəŋ^{21}iau$^{53}_{44}$tek^{3}pa^{0}?

【对子眼】ti^{53}tsɿ^{0}ŋan^{21} 名 斗鸡眼；内斜视：～我看过一个，只看过一个，小河中学一只学生，渠两只眼珠咯，渠硬么个都搞唔得嘞。两只眼珠生做咁个。我等是往以边眙就两只眼珠都眙……跑转以边来哩，系唔系？往以边眙就两只眼珠子都跑转以边来哩。渠个两只眼珠子都眙倒中间。～。我看倒有只咁个一只妹子嘞。硬么个都做唔得噢，尽嬲喔。么个都搞唔得，渠眼珠不行。ti^{53}tsɿ^{0}ŋan^{21}ŋai^{13}kʰɔn$^{53}_{44}$ko$^{53}_{44}$(i)et^{3}cie^{53},tʂʅ^{21}kʰɔn$^{53}_{44}$ko$^{53}_{44}$(i)et^{3}cie^{53},siau^{21}xo^{13}tʂəŋ$^{35}_{44}$çiɔk^{5}iet^{3}tʂak^{3}xɔk^{5}saŋ$^{35}_{44}$,ci$^{13}_{21}$iəŋ^{21}tʂak^{3}ŋan^{21}tʂəu$^{35}_{44}$ko^{0},ci$^{13}_{21}$ɲiaŋ^{53}mak^{3}e^{0}təu$^{35}_{53}$kau^{21}n̩$^{13}_{21}$tek^{3}le^{0}.iəŋ^{21}tʂak^{3}ŋan^{21}tʂəu$^{35}_{44}$saŋ$^{35}_{44}$tso^{53}kan$^{21}_{44}$kei$^{53}_{44}$.ŋai^{13}tien^{0}ʂʅ^{53}uəŋ^{21}i^{21}pien$^{35}_{53}$tʂʰʅ$^{35}_{44}$tsʰiəu$^{53}_{44}$iəŋ^{21}tʂak^{3}ŋan^{21}tʂəu^{35}təu$^{35}_{53}$tʂʰʅ$^{35}_{44}$…pʰau^{21}tʂuən^{21}i^{21}pien$^{35}_{44}$nɔi$^{13}_{21}$li^{0},xei^{53}me^{53}?uəŋ^{21}i^{21}pien$^{35}_{44}$tʂʰʅ$^{35}_{44}$tsʰiəu$^{53}_{44}$iəŋ^{21}tʂak^{3}ŋan^{21}tʂəu^{35}tsɿ^{21}təu$^{35}_{53}$pʰau^{21}tʂuən^{21}i^{21}pien$^{35}_{53}$nɔi$^{13}_{44}$li^{0}.ci^{13}ke^{53}iəŋ^{21}tʂak^{3}ŋan^{21}tʂəu^{35}tsɿ$^{21}_{44}$təu$^{35}_{44}$tʂʰʅ$^{35}_{53}$tau^{21}tʂəŋ^{35}kan$^{35}_{44}$.ti^{53}tsɿ^{0}ŋan^{21}.ŋai^{13}kʰɔn^{53}tau^{21}iəu^{35}tʂak^{3}kan$^{21}_{44}$ke$^{53}_{44}$iet^{3}tʂak^{3}mɔi^{53}tsɿ^{0}le^{0}. ɲiaŋ^{53}mak^{3}e^{0}təu$^{35}_{53}$tso^{53}n̩$^{13}_{44}$tek^{3}au^{0},tsʰin^{53}liau^{53}uo^{0}.mak^{3}e^{0}təu$^{35}_{53}$kau^{21}n̩$^{13}_{21}$tek^{3},ci$^{13}_{44}$ŋan^{21}tʂəu$^{35}_{44}$puk^{3}çin$^{13}_{21}$.

【对坐】ti^{53}/tei^{53}tsʰo^{53} 名 裤子上最宽的部位：哎，还有，裤是还有宽宽窄，以映子就安做～啦。就以只最大个栏场啊，安做～。ai$_{21}$,xai$^{13}_{21}$iəu$^{35}_{44}$,fu^{53}ʂʅ$^{53}_{44}$xai$^{13}_{21}$iəu$^{35}_{44}$kʰɔn^{35}kʰuan^{35}tsek^{3},i^{21}iaŋ^{53}tsɿ^{0}tsʰiəu$^{53}_{44}$ɔn$^{35}_{44}$tso$^{53}_{44}$ti^{53}tso^{53}la^{0}.tsʰiəu^{53}i^{21}tʂak^{3}tsei^{53}tʰai^{53}ke^{53}lɔŋ$^{13}_{21}$tʂʰɔŋ$^{13}_{21}$ŋa^{0},ɔn$^{35}_{44}$tso$^{53}_{44}$ti^{53}tso^{53}.｜你几大子个～？ɲi^{13}ci^{21}tʰai^{53}tsɿ^{0}ke^{53}tei^{53}tsʰo^{53}?

【碓$_{1}$】tɔi^{53} 名 木石做成的捣米器具：大概系六十年代七十年代，七十年代以前，我等老家尽用～整米。tʰai^{53}kʰai$^{53}_{44}$xe^{53}liəuk^{3}ʂət^{5}ɲien$^{13}_{21}$tʰɔi$^{53}_{44}$tsʰiet^{3}ʂət^{5}ɲien$^{13}_{21}$tʰɔi$^{53}_{44}$,tsʰiet^{3}ʂət^{5}ɲien$^{13}_{21}$tʰɔi$^{53}_{44}$i$^{35}_{44}$tsʰien$^{13}_{21}$,ŋai$^{13}_{21}$tien^{0}lau^{21}cia$^{35}_{44}$tsʰin^{53}iəŋ^{53}tɔi^{53}tʂaŋ^{21}mi^{21}.

【碓$_{2}$】tɔi^{53} 动 ①冲撞、冒犯（神明）：神明，蛮多人都只有咁信，眙神咯蛮多人都只有咁信。但是嘞又怕自家个子女嘞有么个眙记，系唔系？有么个破相，我等讲有么个破相，所以么人唔信也唔敢去～渠，欸，尽管唔信，也唔敢去～渠。毕竟只有箇几个月，让门我都会过嘿去，系啊？欸，毕竟如果万一一系有，箇让门搞嘞？ʂən^{13}min^{13},man^{13}to$^{35}_{44}$ɲin$^{13}_{21}$təu$^{35}_{44}$tʂʅ^{21}iəu$^{35}_{44}$kan^{21}sin^{53},tʰɔi^{35}ʂən$^{13}_{21}$ko^{0} man^{13}to$^{35}_{44}$ɲin$^{13}_{21}$təu$^{35}_{44}$tʂʅ^{21}iəu$^{35}_{44}$kan^{21}sin^{53}.tan$^{53}_{44}$ʂʅ$^{53}_{44}$lei^{0} iəu^{53}pʰa^{53}tsʰʅ^{35}ka$^{35}_{44}$ke$^{53}_{44}$tsʅ^{21}ŋ̍^{21}lei^{0} iəu^{35}mak^{3} ke^{53}tʰɔi^{35}ci$^{53}_{44}$,xei^{53}me^{53}?iəu^{35}mak^{3} e^{0} pʰo^{53}siɔŋ^{53},ŋai^{13}tien^{0} kɔŋ^{21}iəu^{35}mak^{3} e^{0} pʰo^{53}siɔŋ^{53},so^{21}i$^{35}_{53}$mak^{3}ɲin$^{13}_{44}$n̩^{13}sin^{53} ia^{35}n̩^{13}kan^{21}çi$^{53}_{44}$tɔi^{53}ci$^{13}_{21}$,e$_{21}$,tsʰin^{53}kɔn^{21}n̩^{13}sin^{53},ia^{35}n̩^{13}kan^{21}çi$^{53}_{44}$tɔi^{53}ci$^{13}_{21}$.piet^{3} cin^{53}tʂʅ^{21}iəu$^{35}_{53}$kai^{53}ci^{21}ke$^{53}_{44}$ɲiet^{5},ɲiɔŋ^{53}mən$^{13}_{44}$ŋai$^{13}_{21}$təu$^{35}_{53}$uɔi^{53}ko^{53}xek^{3} çi^{53},xei^{53}a^{0}?e$_{21}$,piet^{3} cin^{53}ʮ^{13}ko^{21}uan^{53}it^{3} iet^{3} xei^{53}iəu^{35},kai^{53}ɲiɔŋ^{53}mən$^{13}_{44}$ kau^{21}lei^{0}？②偶然遇见：今晡我跍啊街上走啊走哩，～倒哩我舅爷咯。cin^{35}pu$^{35}_{53}$ŋai$^{13}_{44}$ku$^{35}_{44}$a^{0} kai$^{35}_{44}$ xɔŋ^{53}tsei^{21}a^{0} tsei^{21}li^{0},tɔi^{53}tau^{21}li^{0} ŋai$^{13}_{21}$cʰiəu^{35}ia$^{13}_{21}$ko^{0}.

【碓担子】tɔi^{53}tan^{53}tsʅ^{0} 名承载脚碓的碓杆并充当转轴的横木：所有个碓都有～。箇只～个作用嘞就系支撑箇只碓杆个。欸，箇碓杆个一上一下个同箇个跷跷板样，一上一下，通过外部个力量使以……压下去，箇碓头就向上，欸一放，就通过自然个力量嘞就箇只碓头就挖下箇米肚里，就使箇米就慢慢就摩擦，就整熟来，以只碓担子嘞就起倒箇只轴哇旋转个作用。so^{21}iəu^{35}ke^{0} tɔi^{53}təu$^{35}_{44}$iəu$^{35}_{44}$tɔi^{53}tan^{53}tsʅ^{0}.kai$^{53}_{44}$tʂak^{3} tɔi^{53}tan^{53}tsʅ^{0}ke^{0} tsɔk^{3} iəŋ$^{53}_{44}$lei^{0} tsʰiəu$^{53}_{44}$xei$^{53}_{21}$tʂʅ^{35}tsʰəŋ$^{35}_{44}$kai^{53}tʂak^{3} tɔi^{53}kɔn^{35}cie^{53}.e$_{21}$,kai$^{53}_{44}$tɔi^{53}kɔn^{35}cie$^{53}_{44}$iet^{3} ʂɔŋ^{35}iet^{3} xa^{35}ke^{53}tʰəŋ$^{13}_{21}$kai$^{53}_{44}$kei$^{53}_{44}$cʰiau^{35}cʰiau$^{35}_{44}$pan^{21}iɔŋ^{53},iet^{3} ʂɔŋ$^{53}_{44}$iet^{3} xa^{35},tʰəŋ^{35}ko$^{53}_{44}$uai^{53}pʰu^{53}ke^{0} liet^{5} liɔŋ$^{53}_{44}$ʂʅ^{21}i^{21}…iak^{3} xa^{53}çi^{53},kai$^{53}_{44}$tɔi^{53}tʰei^{13}tsʰiəu$^{53}_{44}$çiɔŋ$^{53}_{44}$ʂɔŋ^{35},e$_{21}$,iet^{3} fɔŋ^{53},tsʰiəu$^{53}_{44}$ tʰəŋ^{35}ko$^{53}_{44}$tsʰʅ^{53}vien$^{13}_{21}$ke$^{53}_{44}$liet^{5} liɔŋ$^{53}_{44}$lei^{0} tsiəu$^{53}_{44}$kai$^{53}_{44}$tʂak^{3} tɔi^{53}tʰei^{13}tsʰiəu$^{53}_{44}$uait^{3} (x)a^{53}kai^{53}mi^{21}təu^{21}li^{0},tsiəu^{53}ʂʅ^{21} kai^{53}mi^{21}tsiəu$^{53}_{44}$man^{53}man$^{53}_{44}$tsʰiəu$^{53}_{44}$mo^{13}tsʰait^{3},tsʰiəu$^{53}_{44}$tʂaŋ^{21}ʂəuk^{5} lɔi$^{13}_{44}$,i^{21}tʂak^{3} tɔi^{53}tan^{53}tsʅ^{0}lei^{0} tsiəu^{53}çi^{21}tau^{53} kai^{53}tʂak^{3} tʂʰəuk^{5} ua^{0} sien^{13}tʂuɔn^{21}ke^{0} tsɔk^{3} iəŋ^{53}.

【碓杆】tɔi^{53}kɔn^{35} 名碓上的一条木杆，一头安有碓头，另一头用于施加动力：～有只特点，碓担子总系在受力个箇欸加力个箇只方向，靠近加力个箇只方向。碓担子不能放下～个中间。放下中间呢欸箇只碓头就冇么个力。整米嘞就冇咁煞。～用箇个唔知几扎实个杂树做。tɔi^{53} kɔn$^{35}_{44}$iəu$^{35}_{44}$tʂak^{3} tʰek^{5} tien^{21},tɔi^{53}tan^{53}tsʅ^{0} tsəŋ^{21}xe^{53}tsʰai^{53}ʂəu^{53}liet^{3} ke^{0} kai^{53}e^{0} cia^{35}liet^{5} ke^{0} kai$^{53}_{44}$iak^{3} fɔŋ$^{35}_{44}$çiɔŋ^{53},kʰau^{53}cʰin^{53}cia^{35}liet^{5} ke^{0} kai$^{53}_{44}$iak^{3} fɔŋ$^{35}_{44}$çiɔŋ^{53}.tɔi^{53}tan^{53}tsʅ^{0} pət^{3} len^{13}fɔŋ$^{53}_{44}$xa$^{53}_{44}$tɔi^{53}kɔn^{35}ke^{0} tʂəŋ^{35}kan$^{35}_{44}$.fɔŋ$^{53}_{44}$xa$^{53}_{44}$ tʂəŋ^{35}kan$^{35}_{44}$nei^{0} e$_{21}$kai^{53}tʂak^{3} tɔi^{53}tʰei^{13}tsʰiəu$^{53}_{44}$mau$^{13}_{21}$mak^{3} ke^{0} liet^{5}.tʂaŋ^{21}mi^{21}lei^{0} tsiəu^{53}mau^{13}kan^{21}sait^{3}.tɔi^{53} kɔn^{35}iəŋ^{53}kai$^{53}_{44}$ke$^{53}_{44}$n̩^{13}ti^{53}ci^{21}tsait^{3} ʂət^{5} ke^{0} tsʰait^{5} ʂəu$^{53}_{44}$tso^{53}.

【碓间】tɔi^{53}kan^{35} 名碓屋：～就有嘞。用脚碓呀，去整米呀。欸大屋就有哇。有～嘞。tɔi^{53} kan^{35}tsʰiəu$^{53}_{44}$iəu$^{35}_{44}$lei^{0} .iəŋ$^{53}_{44}$ciɔk^{3} tɔi^{53}ia^{0} ,çi^{53}tʂaŋ^{21}mi^{21}ia^{0} .e$_{44}$tʰai^{53}uk^{3} tsʰiəu$^{53}_{44}$iəu^{35}ua^{0} .iəu^{35}tɔi^{53}kan^{35}ne^{0} .

【碓臼】tɔi^{53}cʰiəu^{35} 名中部下凹的舂米器具：箇打麻糍呀，唔系话……渠就舞只～，系<u>唔系</u>？去捣。kai^{53}ta^{21}ma^{13}tsʰi^{13}ia^{0} ,m̩^{13}pʰe^{53}(←xe^{53})ua^{53}…ci^{13}tsʰiəu^{53}u^{21}tʂak^{3} tɔi^{53}cʰiəu^{35},xei$^{53}_{44}$me$^{53}_{44}$?cʰi^{53}tau^{21}.

【碓嘴】tɔi^{53}tsi^{21} 名碓槌：欸，～嘞就系铁个。顶高一只一茎唔知几扎实个树。底下嘞就系舞只～，就铁个。箇只～就跍倒箇个米肚里去挖。箇米就正会熟。e$_{21}$,tɔi^{53}tsi^{21}lei^{0} tsʰiəu$^{53}_{44}$xe$^{53}_{44}$tʰiet^{3} ke^{0} .taŋ^{21}kau$^{35}_{44}$iet^{3} tʂak^{3} iet^{3} tsʰo^{53}n̩^{13}ti$^{35}_{53}$ci^{21}tsait^{3} ʂət^{5} ke^{0} ʂəu^{53}.te^{21}xa$^{53}_{44}$le^{0} tsʰiəu^{53}xe^{53}u^{21}tʂak^{3} tɔi^{53}tsi^{21},tsiəu$^{53}_{44}$tʰiet^{3} ke^{53}.kai^{53}tʂak^{3} tɔi^{53}tsi^{21}tsʰiəu$^{53}_{44}$kʰu^{35}tau^{21}kai$^{53}_{44}$ke$^{53}_{44}$mi^{21}təu^{21}li^{0} çi^{53}uait^{3} .kai$^{53}_{44}$mi^{21}tsʰiəu$^{53}_{44}$tʂaŋ$^{53}_{44}$uɔi$^{53}_{44}$ʂəuk^{5} .

【碓头】tɔi^{53}tʰei^{13} 名碓杵：～就系包括碓嘴摎箇只摎箇条唔知几扎实个箇只树箇筒树，加在一起，就安做～。<u>以只</u>～蛮重。重个整起米来正更煞，忒轻哩冇用。tɔi^{53}tʰei^{13}tsʰiəu$^{53}_{44}$xe$^{53}_{44}$pau^{35} kuait^{3} tɔi^{53}tsi^{21}lau^{35}kai^{53}tʂak^{3} lau^{35}kai^{53}tʰiau$^{13}_{44}$n̩^{13}ti^{53}ci^{21}tsait^{3} ʂət^{5} ke^{0} kai^{53}tʂak^{3} ʂəu^{53}kai$^{53}_{44}$tʰəŋ^{13}ʂəu^{53},cia^{35}tsʰai^{53} iet^{3} çi^{21},tsʰiəu$^{53}_{44}$ɔn^{53}tso$^{53}_{44}$tɔi^{53}tʰei^{13}.iak^{3} (←i^{21}tʂak^{3})tɔi^{53}tʰei$^{13}_{21}$man$^{13}_{21}$tʂʰəŋ^{35}.tʂʰəŋ^{35}ke^{0} tʂaŋ^{21}çi^{21}mi^{21}lɔi^{13}tʂaŋ$^{53}_{44}$ ken$^{53}_{44}$sait^{3},tʰet^{3} cʰiaŋ^{35}li^{0} mau^{13}iəŋ^{53}.

【碓下】tɔi^{53}xa^{35} 名碓房。也称"碓下屋"：箇就～唠。碓下屋啊。～。kai$^{53}_{44}$tsʰiəu$^{53}_{44}$tɔi^{53}xa$^{35}_{44}$ lau^{0} .tɔi^{53}xa$^{35}_{44}$uk^{3} a^{0} .tɔi^{53}xa^{35}.

【碓枕】tɔi^{53}tʂən^{21} 名碓枕石上用来放置碓担子的缺口。也称"碓枕子"：箇只承箇只碓担子个箇样东西安做么个？/～子。/～呐。/～，欸。kai$^{53}_{44}$tʂak^{3} ʂən^{13}kai^{53}tʂak^{3} tɔi^{53}tan^{53}tsʅ^{0} ke$^{53}_{44}$kai^{53}iɔŋ^{53} təŋ$^{35}_{44}$si^{0} ɔn$^{35}_{44}$tso$^{53}_{44}$mak^{0} e^{0} ?/tɔi^{53}tʂən^{21}tsʅ^{0} ./tɔi^{53}tʂən^{21}na^{0} ./tɔi^{53}tʂən^{21},e$_{21}$. | 箇只～子就爱放下碓枕石上。kai$^{53}_{44}$tʂak^{3} tɔi^{53}tʂən^{21}tsʅ^{0} tsʰiəu$^{53}_{44}$ɔi$^{53}_{44}$fɔŋ$^{53}_{44}$(x)a$^{53}_{44}$tɔi$^{53}_{44}$tʂən^{21}ʂak^{5} xɔŋ$^{53}_{44}$.

【碓枕石】tɔi^{53}tʂən^{21}ʂak^{5} 名承载碓担子的石头，一侧一块：底下箇只石头就安做～。/箇只碓枕子就爱放下～上。羊角是卡倒渠冇分渠两头走。/羊角就打下～上。/欸，羊角打啦碓枕上，～上就有眼。/渠下面有个石头，欸，以个系咁个，以下是只石头，石头上是哩舞只哩有只眼。以下有只眼。/一只眼。就系只咁个缺。/欸，四只眼。/冇得四只眼。就一只眼，一边一只眼。/以只就碓枕，然后，以下就搞一条就斗下去啦，慢点个以下嘞咁个斜个。一只咁个斜个，一卡下来。以两只东西就安做羊角，以只就碓枕，底下个就～。以只～欸非……蛮难做。唔系两只眼冇做得好，以个就……羊角是钉唔稳。tei^{21}xa$^{53}_{44}$kai^{53}tʂak^{3}ʂak^{5}t^{h}əu^{0} ts^{h}iəu$^{53}_{44}$ɔn$^{35}_{44}$tso$^{53}_{44}$tɔi^{53}tʂən^{21}ʂak^{5}./kai$^{53}_{44}$tʂak^{3} tɔi^{53}tʂən^{21}tsɿ^{0} ts^{h}iəu$^{53}_{44}$ɔi$^{53}_{44}$fɔŋ$^{53}_{44}$(x)a$^{53}_{44}$tɔi$^{53}_{44}$tʂən^{21}ʂak^{5} xɔŋ$^{53}_{44}$.iɔŋ^{13}ciɔk^{3}ʂʅ$^{53}_{44}$ k^{h}a^{21}tau^{21}ci$^{13}_{44}$mau^{13}pən$^{35}_{44}$ci$^{13}_{21}$iɔŋ^{21}t^{h}ei^{13}tsei^{21}./iɔŋ^{13}kɔk^{3} tsiəu$^{53}_{44}$ta^{21}(x)a$^{53}_{44}$tɔi^{53}tʂən^{21}ʂak^{5} xɔŋ$^{53}_{44}$./e$_{21}$,iɔŋ^{13}kɔk^{3} ta^{21}la^{0} tɔi^{53}tʂən^{21} ʂaŋ$^{53}_{44}$,tɔi^{53}tʂən^{21} ʂak^{5} xɔŋ$^{53}_{44}$ts^{h}iəu$^{53}_{44}$iəu^{35}ŋan^{21}./ci$^{13}_{44}$çia^{53}mien$^{53}_{44}$iəu$^{35}_{44}$ke$^{53}_{44}$ʂʅ^{13}t^{h}əu^{0},e$_{44}$,i^{13}ke$^{53}_{44}$xe$^{53}_{44}$kan^{21} ke$^{53}_{44}$,i^{21}xa$^{53}_{44}$ʂʅ^{53}tʂak^{3} ʂak^{5}t^{h}ei^{0},ʂak^{5}t^{h}ei^{0} xɔŋ$^{53}_{44}$ʂʅ$^{53}_{44}$li^{0} u^{21}tʂak^{3} li^{0} iəu$^{35}_{44}$tʂak^{3} ŋan^{21}.i^{21}(x)a$^{53}_{44}$iəu$^{35}_{53}$tʂak^{3} ŋan^{21}./iet^{3} tʂak^{3} ŋan^{21}.ts^{h}iəu^{53}xei$^{53}_{21}$tʂak^{3} kan^{21}ke^{53}k^{h}ek^{3}./e$_{21}$,si^{53}tʂak^{3} ŋan^{21}./mau^{13}tek^{3} si^{53}tʂak^{3} ŋan^{21}.tsiəu$^{53}_{44}$iet^{3} tʂak^{3} ŋan$^{21}_{35}$,iet^{3} pien^{35}iet^{3} tʂak^{3} ŋan^{21}./i^{21}tʂak^{3} ts^{h}iəu$^{53}_{44}$tɔi^{53}tʂən^{21},vien^{13}xei$^{53}_{44}$,i^{21}ia$_{44}$(←xa^{53})ts^{h}iəu$^{53}_{44}$kau^{21}iet^{3} t^{h}iau^{13}ts^{h}iəu$^{53}_{44}$tei^{53} çia$_{44}$(←xa^{53})çi$^{53}_{21}$la^{0},man$^{53}_{21}$tian^{21}ke$^{53}_{44}$i^{21}ia$_{44}$(←xa^{53})le^{0} kan^{21}ke$^{53}_{44}$ts^{h}ia^{13}ke$^{53}_{44}$.iet^{3} tʂak^{3} kan^{21}ke^{53}ts^{h}ia^{13}ke$^{53}_{44}$,iet^{3} k^{h}a^{21} xa^{53}lɔi$^{13}_{21}$.i^{21}iɔŋ^{21}tʂak^{3} təŋ$^{35}_{44}$si^{0} ts^{h}iəu$^{53}_{44}$ɔn$^{35}_{44}$tso$^{53}_{44}$iɔŋ^{13}kɔk^{3},i^{21}tʂak^{3} ts^{h}iəu$^{53}_{44}$tɔi^{53}tʂən^{21},tei^{21}xa$^{53}_{44}$kai$^{53}_{21}$tsiəu$^{53}_{44}$tɔi$^{53}_{44}$tʂən^{21} ʂak^{5}.i^{21}tʂak^{3} tɔi^{53}tʂən^{21}ʂak^{5} e$_{44}$fei^{35}f…man^{13}lan^{13}tso^{53}.m̩$^{13}_{21}$p^{h}e^{53}iɔŋ^{21}tʂak^{3} ŋan^{21}mau^{13}ts^{h}ɔk^{5} tek^{3} xau^{21},i$^{21}_{44}$ke$^{53}_{44}$ tsiəu$^{53}_{44}$…iɔŋ^{13}kɔk^{3} sɿ$^{53}_{44}$taŋ$^{35}_{44}$ŋ̍$^{13}_{44}$uən^{21}.

【碓资】tɔi^{53}tsɿ^{35} 名使用碓子后付给主人的费用：箇辆碓子我记得唔知系唔系公家个嘞，唔爱～呢，我记得嘞，唔爱～啊么个嘞，公家个。kai^{53}liɔŋ^{21}tɔi^{53}tsɿ^{0} ŋai^{13}ci^{53}tek^{3} n̩^{13}ti$^{35}_{53}$xei^{53}mei^{53}kəŋ^{35} cia$^{35}_{44}$ke^{53}lei^{0},m̩^{13}mɔi$^{53}_{44}$tɔi^{53}tsɿ$^{35}_{44}$nei^{0},ŋai^{13}ci^{53}tek^{3} lei^{0},m̩^{13}mɔi$^{53}_{44}$tɔi^{53}tsɿ$^{35}_{44}$a^{0} mak^{3} e^{0} lei^{0},kəŋ^{35}cia$^{35}_{44}$ke^{53}.

【碓子】tɔi^{53}tsɿ^{0} 名①木石做成的捣米器具：专门用来整米呀，砻啊，～啊。tʂen^{35}mən$^{13}_{21}$iəŋ^{53}lɔi$^{13}_{21}$ tʂaŋ^{21}mi^{21}ia^{0},ləŋ^{13}ŋa^{0},tɔi^{53}tsɿ^{0} a^{0}. ②像碓的东西：我一抠，（箇个响铳鸟铳）箇顶高就一只咁个～嘞砸下去嘞。ŋai$^{13}_{53}$iet^{3} k^{h}ei^{35},kai$^{53}_{44}$taŋ^{21}kau$^{35}_{44}$ts^{h}iəu^{53}iet^{3} tʂak^{3} kan^{21}ke$^{53}_{44}$tɔi^{53}tsɿ^{0} le^{0} tsait^{5} ia$^{53}_{44}$çi^{53}le^{0}.

【墩墩哩】tən^{35}tən^{35}li^{0} 形坐着不动的样子：欸，（细人子）猫头牯样剁剁哩坐倒～坐倒有么个用？e$_{21}$,miau^{53}t^{h}ei$^{13}_{21}$ku^{21}iɔŋ^{53}to^{53}to^{53}li^{0} ts^{h}o^{35}tau^{21}tən^{35}tən^{35}li^{0} ts^{h}o^{35}tau^{21}iəu^{35}mak^{3} e^{0} iəŋ^{53}?

【墩水桥子】ten^{35}/tien^{35}ʂei^{21}c^{h}iau^{13}tsɿ^{0} 名一种简易的木桥：你晓得么个安做～吗？～，唔知几简单，两种东西，一只就桥板。桥板让门子做个嘞？五条子树，五条树个是还蛮好个，五条杉树，欸，闩下去，五条杉树打几只缲，以映打几只缲，就系五个啦，以个就桥板。还有只嘞就桥脚。桥脚嘞就一只咁个么个东西，就系咁个架，就咁子个架呢。以映子搞么个嘞，以映子就放倒箇块板去，箇块板放下以映子，桥板就放下以映。好，渠箇个欸呣以个上背嘞都打滴钩钉滴铁圈去，钉滴铁圈，嗯，以个桥板上爱钉只铁圈。舞倒铁圈让门嘞？用铁丝摞稳，用铁丝摞稳。一直嘞摞到头，头上嘞打只子箇头上河……坝筑边上嘞打只桩篙，也一条□长个铁丝摞稳。一涨水，渠就箇桥就转嘿哩，但是桥板桥脚就随水去下漂，漂倒，冇事打走，因为特事摞稳哩。好，一濂水，分箇个桥板桥脚拖下拢来又架起箇，又架起来。就咁子搁倒，就咁子架倒去下子，搁倒去下子。所以箇桥吓死人呐，蛮多人唔敢过啊，老人家子唔敢过啊。欸，箇阵子我一只老妹子嫁下皇碑树，你到过唠箇只老妹嫁到箇映唠，冇得桥，尽系箇～。每次我娭子到我老妹子箇嘞，都爱，都让门子，唔系就我老妹婿去，过来牵，牵倒渠过桥，吓死人呢，会晃晃动嘞。ɲi$^{13}_{21}$çiau^{21}tek^{3} mak^{3} e^{0} ɔn$^{35}_{44}$tso$^{53}_{44}$ten^{35}ʂei^{21}c^{h}iau$^{13}_{44}$tsɿ^{0} ma^{0}?tien^{35}ʂei^{21}c^{h}iau$^{13}_{44}$tsɿ^{0},n̩^{13} ti$^{35}_{53}$ci^{21}kan^{21}tan^{35},iɔŋ^{21}tʂəŋ^{21}təŋ^{35}si$^{35}_{44}$,iet^{3} tʂak^{3} ts^{h}iəu^{53}c^{h}iau^{13}pan^{21}.c^{h}iau^{13}pan^{21}ɲiɔŋ^{53}mən^{0} tsɿ^{0} tso$^{53}_{44}$ke$^{53}_{44}$lei^{0}?ŋ̍^{21} t^{h}iau^{13}tsɿ^{0} ʂəu^{53},ŋ̍^{21}t^{h}iau^{13}ʂəu^{53}ke^{0} ʂʅ$^{53}_{44}$xai$^{13}_{44}$man$^{13}_{44}$xau^{21}kei^{53},ŋ̍^{21}t^{h}iau^{13}sa$^{35}_{44}$ʂəu^{53},e$_{21}$,ts^{h}ɔn^{35}na$^{53}_{44}$çi$^{53}_{44}$,ŋ̍^{21}t^{h}iau^{13}sa$^{35}_{44}$ ʂəu^{53}ta^{21}ci^{21}tʂak^{3} ts^{h}iau^{35},i^{21}iaŋ^{53}ta^{21}ci^{21}tʂak^{3} ts^{h}iau^{35},ts^{h}iəu^{53}uei^{53}ŋ̍$^{21}_{44}$ke^{0} la^{0},i^{21}ke^{53}ts^{h}iəu^{53}c^{h}iau^{13}pan^{21}.xai^{13}iəu$^{35}_{44}$ tʂak^{3} lei^{0} ts^{h}iəu^{53}c^{h}iau^{13}ciɔk^{3}.c^{h}iau^{13}ciɔk^{3} lei^{0} ts^{h}iəu^{53}iet^{3} tʂak^{3} kan^{21}ke^{0} mak^{3} e^{0} təŋ$^{35}_{44}$si^{0},ts^{h}iəu^{53}xei$^{53}_{21}$kan$^{21}_{44}$cie$^{53}_{44}$ ka^{53},ts^{h}iəu^{53}kan^{21}tsɿ^{0} ke$^{53}_{44}$ka^{53}ne^{0}.i^{21}iaŋ^{53}tsɿ^{0} kau^{21}mak^{3} e^{0} lei^{0},i^{21}iaŋ^{53}tsɿ^{0} ts^{h}iəu$^{53}_{44}$fɔŋ^{53}tau^{21}kai$^{53}_{44}$k^{h}uai$^{53}_{44}$pan^{21}c^{h}i^{53}, kai^{53}k^{h}uai^{53}pan^{21}fɔŋ$^{53}_{44}$xa$^{53}_{44}$i^{21}iaŋ^{53}tsɿ^{0},c^{h}iau^{13}pan^{21}tsiəu$^{53}_{44}$fɔŋ^{53}xa^{53}i^{21}iaŋ^{53}.xau^{21},ci^{13}kai^{53}ke$^{53}_{44}$e$_{21}$m̩$_{21}$i^{21}ke$^{53}_{44}$ʂɔŋ^{53}pɔi$^{53}_{44}$ lei^{0} təu^{35}ta^{21}tet^{5} kei^{35}taŋ^{35}tet^{5} t^{h}iet^{3} c^{h}ien$^{35}_{44}$çi$^{53}_{44}$,taŋ^{35}tet^{5} t^{h}iet^{3} c^{h}ien^{35},n̩$_{21}$,i^{21}ke^{53}c^{h}iau^{13}pan^{21}xɔŋ$^{53}_{44}$ɔi$^{53}_{44}$taŋ$^{35}_{44}$tʂak^{3} t^{h}iet^{3} c^{h}ien^{35}.u^{21}tau^{21}t^{h}iet^{3} c^{h}ien^{35}ɲiɔŋ$^{53}_{44}$mən^{0} le^{0}?iəŋ^{53}t^{h}iet^{3} sɿ^{35}k^{h}uan^{53}uən^{21},iəŋ^{53}t^{h}iet^{3} sɿ$^{35}_{44}$k^{h}uan^{53}uən^{21}.iet^{3} tʂ^{h}ət^{5} le^{0} k^{h}uan^{53}tau$^{53}_{44}$t^{h}ei^{13},t^{h}ei^{13}xɔŋ$^{53}_{44}$lei^{0} ta^{21}tʂak^{3} tsɿ^{0} kai^{53}t^{h}ei^{13}xɔŋ^{53}xo^{13}…pa^{53}tʂəuk^{3} pien$^{35}_{44}$xɔŋ$^{53}_{44}$le^{0} ta^{21}tʂak^{3} tsiɔŋ^{35}kau$^{35}_{44}$,ia^{35}iet^{3} t^{h}iau$^{13}_{21}$lai^{35}tʂ^{h}ɔŋ$^{13}_{21}$ke^{0} t^{h}iet^{3} sɿ$^{35}_{44}$k^{h}uan^{53}uən^{21}.iet^{3} tʂɔŋ^{21}ʂei^{21},c^{h}i$^{13}_{21}$ts^{h}iəu$^{53}_{44}$kai^{53}c^{h}iau$^{13}_{21}$ts^{h}iəu$^{53}_{44}$ tʂuɔn^{53}nek^{3} li^{0},tan^{53}ʂʅ^{53}c^{h}iau^{13}pan^{21}c^{h}iau^{13}ciɔk^{3} ts^{h}iəu^{53}sei^{13}ʂei^{21}çi^{53}xa$^{53}_{21}$p^{h}iau^{35},p^{h}iau^{35}tau^{21},mau^{13}sɿ$^{53}_{44}$ta^{21}tsei^{21}, in^{35}uei$^{53}_{44}$t^{h}et^{3} sɿ$^{35}_{44}$k^{h}uan^{53}uən^{21}ni^{0}.xau^{21},iet^{3} lian^{21}ʂei^{21},pən^{35}kai$^{53}_{44}$ke$^{53}_{44}$c^{h}iau^{13}pan^{21}c^{h}iau^{13}ciɔk^{3} t^{h}o^{35}(x)a$^{53}_{44}$ləŋ$^{35}_{44}$lɔi$^{13}_{21}$ iəu^{53}ka^{53}çi^{21}kai$^{53}_{21}$,iəu$^{53}_{44}$ka^{53}çi^{21}lɔi$^{13}_{44}$.ts^{h}iəu^{53}kan^{21}tsɿ^{0} kɔk^{3} tau^{21},ts^{h}iəu^{53}kan^{21}tsɿ^{0} ka^{53}tau^{21}çi^{53}xa^{53}tsɿ^{0},kɔk^{3} tau^{21}çi^{53} xa^{53}tsɿ^{0}.so^{21}i$^{35}_{44}$kai^{53}c^{h}iau^{13}xak^{3} si^{21}ɲin^{13}na^{0},man^{13}to$^{35}_{44}$ɲin$^{13}_{44}$n̩^{13}kan^{21}ko^{53}a^{0},lau^{21}ɲin^{13}ka$^{35}_{44}$tsɿ^{0} n̩^{13}kan^{21}ko^{53} a^{0}.e$_{21}$,kai^{53}tʂ^{h}ən^{53}tsɿ^{0} ŋai^{13}iet^{3} tʂak^{3} lau^{21}mɔi$^{53}_{44}$tsɿ^{0} ka$^{53}_{44}$(x)a$^{53}_{44}$uɔŋ^{13}pi^{35}ʂəu^{53}, ɲi^{13}tau^{53}ko^{53}lau^{0} kai^{53}(tʂ)ak^{3} lau^{21}

mɔi$^{53}_{44}$ka53tau$^{53}_{44}$kai$^{53}_{44}$iaŋ$^{53}_{44}$lau0,mau13tek3 chiau13,tshin53ne$^{53}_{44}$kai$^{53}_{44}$ten35ʂei21chiau$^{13}_{21}$tsɿ0.mei35tshɿ53ŋai$^{13}_{44}$ɔi35tsɿ0tau$^{53}_{44}$ ŋai$^{13}_{21}$lau21mɔi53tsɿ0kai$^{53}_{44}$lei0,təu35ɔi$^{53}_{44}$,təu35ɲiɔŋ$^{53}_{44}$mən0tsɿ0,m13phe53tshiəu53ŋai$^{13}_{44}$lau21mɔi35se53çi$^{53}_{21}$,ko53lɔi$^{13}_{21}$chien35, chien35tau21ci$^{13}_{21}$ko53chiau$^{13}_{44}$,xak3 si21ɲin13nei0,fei$^{53}_{44}$fɔŋ53fɔŋ$^{53}_{44}$thəŋ$^{53}_{44}$lei0.

【不板】tən21pan21 形短而粗壮：蛮～ man13tən21pan21

【不不】tən21tən21 名起承重托垫作用的厚而粗的整块木头、石头：门槛底下一只～。mən13 chian$^{21}_{44}$tei21xa53iet3tʂak3tən21tən21.

【笪₁】tɔi21 形①整的，不零散：放哩假哩时间～滴子嘞，时间长滴子个你有个时间呢你就去就到处去走。fɔŋ53li0cia21li0ʂɿ$^{13}_{21}$kan$^{35}_{44}$tɔi21tiet5tsɿ0lei0,ʂɿ$^{13}_{21}$kan$^{35}_{44}$tʂhɔŋ13tiet5tsɿ0ke$^{53}_{44}$ɲi$^{13}_{21}$iəu$^{35}_{44}$ke$^{53}_{44}$ʂɿ$^{13}_{21}$kan$^{35}_{44}$ne0 ɲi$^{13}_{21}$tshiəu$^{53}_{44}$çi$^{53}_{44}$tshiəu$^{53}_{44}$tau53tʂhəu$^{53}_{44}$çi$^{53}_{44}$tsei21.｜～个进呐，零个出，店子里一般就系咁子个。tɔi21ke$^{53}_{44}$ tsin53na0,laŋ13ke53tʂhət3,tian53tsɿ0li0iet3pɔn35tsiəu$^{53}_{44}$xei$^{53}_{44}$kan21tsɿ0ke0.②大面额的；币值大的：～钱就～票子。欸，如今呢如今是～钱唔～钱，都系一百块个最大个面值。早几十年来是箇阵子工资一个月都只有百把块子钱。箇就系用十块钱个五块钱个箇个就零钱。一百块个就～钱。如今是反正……以前是最先是一百块钱个票子都冇得唠箇阵子。tɔi21tshien13tshiəu$^{53}_{44}$tɔi21phiau53tsɿ0. e21,i$^{13}_{21}$cin$^{35}_{44}$nei0 i$^{13}_{21}$cin$^{35}_{44}$ʂɿ$^{53}_{44}$tɔi21tshien13n̩$^{13}_{44}$tɔi21tshien13,təu$^{35}_{44}$xei53iet3pak3khuai53ke$^{53}_{44}$tsei$^{53}_{44}$thai$^{53}_{44}$ke$^{53}_{44}$mien53tʂhət5. tsau21ci21ʂət5ɲien$^{13}_{21}$nɔi$^{13}_{44}$ʂɿ$^{53}_{44}$kai53tʂhən53tsɿ0kɔŋ35tsɿ35iet3ke$^{53}_{44}$ɲiet5təu$^{35}_{44}$tʂɿ21iəu$^{35}_{44}$pak3pa21khuai53tsɿ0tshien$^{13}_{21}$.kai$^{53}_{21}$ tshiəu$^{53}_{44}$xei$^{53}_{44}$iəŋ$^{53}_{44}$ʂət5khuai53tshien$^{13}_{21}$ke0ŋ̍21khuai53tshien13ke0kai$^{53}_{44}$ke$^{53}_{44}$tsiəu$^{53}_{44}$laŋ13tshien13.iet3pak3khuai53ke0 tsiəu53tɔi21tshien13.i$^{13}_{21}$cin53ʂɿ53fan21tʂən53…i$^{13}_{53}$tshien$^{13}_{21}$ʂɿ$^{53}_{44}$tsei53sien$^{35}_{44}$ʂɿ$^{53}_{44}$iet3pak3khuai53tshien13ke0phiau53tsɿ0təu$^{35}_{53}$ mau13tek3lau0kai$^{53}_{21}$tʂhən53tsɿ0.

【笪₂】tɔi21 副整批地；批量地：～进 tɔi21tsin53批量进货｜比方我等人撞怕买饽饽样啊，一买就系一板，要对比箇起买几只子饽饽个人，箇就系～买了唠。pi21fɔŋ$^{35}_{44}$ŋai13tien0ɲin$^{13}_{21}$tshɔŋ21pha$^{53}_{44}$mai35 pɔk5pɔk$^{5}_{0}$iɔŋ$^{53}_{44}$ŋa0,iet3mai35tshiəu$^{53}_{44}$xei$^{53}_{44}$iet3pan21,iau$^{53}_{44}$tei53pi21kai53çi$^{21}_{44}$mai35ci21tʂak3tsɿ0pɔk5pɔk5ke0ɲin$^{13}_{44}$, kai$^{53}_{44}$tshiəu$^{53}_{44}$xe$^{53}_{44}$tɔi21mai35liau0lau0.

【笪₃】tən21 动①存放：～货个仓库 tən21fo53ke$^{53}_{44}$tshɔŋ35khu53｜～潲个箇缸子安做潲缸。tən21sau53 ke$^{53}_{44}$kai$^{53}_{44}$kɔŋ35tsɿ0ɔn$^{35}_{44}$tso$^{53}_{44}$sau53kɔŋ35.②截流蓄水：我看下子箇个河里个水唔知几浅，河里有么个水。顶高～嘿哩啊，顶高个坝～嘿哩。ŋai13khɔn53xa$^{53}_{44}$tsɿ0kai$^{53}_{44}$kei$^{53}_{44}$kai53xo13li0ke53ʂei21n̩13ti$^{35}_{53}$ci21tshien21, xo13li0mau13mak3e0ʂei21.taŋ21kau$^{35}_{53}$tən21nek3li0a0,taŋ21kau$^{35}_{44}$ke0pa53tən21nek3li0.③堵人嘴，要某人别作声：～稳冇渠讲 tən21uən21mau13ci$^{13}_{44}$kɔŋ21。④表情上保持严肃：～起一块面 tən21çi21iet3khuai53 mien53板着脸

【笪₄】tən21 量指捆做圆形的花炮或鞭炮：一～花炮 iet3tən21fa35phau53｜一～呐？就系分蛮多只爆竹，几十只或者一百多吵捆做一捆。就安做一～。呣，圆形个，圆个多。就系一捆爆竹啊。就安做一～呐。iet3tən21na0?tshiəu$^{53}_{21}$xe$^{53}_{21}$pən35man13to$^{35}_{44}$tʂak3pau53tʂəuk3,ci21ʂət5tʂak3xɔit5tʂa21iet3pak3 to$^{35}_{44}$ʂa0khuən21tso53iet3khuən21.tshiəu$^{53}_{44}$ɔn$^{35}_{44}$tso$^{53}_{44}$iet3tən21.m21,ien13çin$^{13}_{21}$cie53,ien13ke$^{53}_{44}$to$^{35}_{44}$.tshiəu53ue44(←xe53)iet3 khuən21pau53tʂəuk3a0.tshiəu$^{53}_{21}$ɔn$^{35}_{44}$tso$^{53}_{44}$iet3tən21na0.｜如今来讲是有箇个一～一～个炮，花炮哇。i$^{13}_{21}$ cin$^{35}_{44}$nɔi$^{13}_{21}$kɔŋ21ʂɿ$^{53}_{44}$iəu$^{35}_{44}$kai$^{53}_{44}$ke$^{53}_{44}$iet3tən21iet3tən21cie$^{53}_{44}$phau$^{53}_{44}$,fa35phau$^{53}_{44}$ua0.

【笪客】tən21khak3 动供客人聚集住宿：客栈就系～个栏场嘛。khak3tsan53tshiəu53xe53tən21khak3 ke53laŋ$^{13}_{21}$tʂhɔŋ$^{13}_{21}$ma0.

【炖】tən35 动煨煮食品使烂，熬：～药 tən35iɔk5｜欸，我娭子就十分怕热呢，渠就食菜就尽～倒食呢。e44,ŋai$^{13}_{21}$ɔi35tsɿ0tshiəu53ʂət5fən$^{35}_{44}$pha35ɲiet5nei0,ci$^{13}_{21}$tshiəu$^{53}_{44}$ʂət5tshɔi53tshiəu$^{53}_{44}$tshin53tən35tau21ʂət5nei0.

【炖钵】tən35pait3 名大陶钵，用来装菜：～就有大细个唠，有大有细唠。～呀，系，～，冇得箇只“子”，～。炖，就是炖呐。～呀。欸，箇个～就大个嘞，指大个。咁大一只个～呀。瓦个。也系陶瓷个。箇就用来比方说欸上哩几桌人，系啊？几十个人食饭，或者百多人食饭。箇就用～，大～。所以讲～就讲大～。tən35pait3tshiəu$^{53}_{44}$iəu35thai53sei$^{53}_{44}$ke$^{53}_{44}$lau0,iəu$^{35}_{44}$thai53iəu35se53 lau0.tən35pait3ia0,xei$^{53}_{21}$,tən35pait3,mau13tek3kai53tʂak3"tsɿ21",tən35pait3.tən35,tshiəu$^{53}_{21}$ʂɿ$^{53}_{21}$tən53na0.tən35pait3 ia0.ei21,kai53ke$^{53}_{44}$tən35pait3tshiəu$^{53}_{44}$thai53cie$^{53}_{44}$le0,tʂɿ21thai53cie$^{53}_{44}$.kan21thai53iet3tʂak3ke53tən35pait3ia0.ŋa21ke53.ia35 xei$^{53}_{44}$thau13tshɿ$^{13}_{21}$ke53.kai53tshiəu53iəŋ53lɔi$^{13}_{21}$pi21fɔŋ35ʂuo21ei21ʂɔŋ35li0ci21tsɔk3ɲin13,xei$^{53}_{44}$a0?ci21ʂət5kei53ɲin13ʂət5 fan53,xɔit5tʂa21pak3to$^{35}_{44}$in$^{13}_{21}$ʂət5fan53.kai$^{53}_{21}$tshiəu53iəŋ$^{53}_{44}$tən35pait3,thai53tən35pait3.so21i$^{35}_{44}$kɔŋ21tən35pait3tshiəu$^{53}_{44}$ kɔŋ21thai53tən35pait3.

【顿】tən53 动①立起来：耳朵～起来 ɲi21to21tən53çi21lɔi$^{13}_{21}$｜一只火柴盒子放倒箇火柴边子上，舞

根火柴咁子～倒，系唔系？放倒箇映子，一弹来，哟，就着哩啊。iet^{3} tʂak^{3} fo^{21}tsʰai^{13}xait^{5} tsɿ^{0} fɔŋ^{53}nau^{21}(←tau^{21})kai^{53}fo^{21}tsʰai^{13}pien^{35}tsɿ^{0} xɔŋ^{53},u^{21}cien$^{35}_{44}$fo^{21}tsʰai$^{13}_{21}$kan^{21}tsɿ^{0} tən^{53}tau^{21},xe^{53}me$^{53}_{44}$?fɔŋ$^{53}_{44}$tau$^{21}_{44}$kai$^{53}_{44}$ iaŋ$^{53}_{44}$tsɿ^{0},iet^{3} tʰan^{53}nai^{13},iau$_{44}$,tsʰiəu$^{53}_{44}$tʂʰɔk^{5} li^{0} a^{0}. ②锋刃向下用力地切、铲削：徛倒顶高来～（枯草），徛倒田塍往下背～。cʰi^{35}tau^{21}taŋ^{21}kau^{35}lɔi$^{13}_{21}$tən^{53},cʰi^{35}tau^{21}tʰien^{13}tʂʰən$^{13}_{44}$uɔŋ^{21}xa^{35}pɔi$^{53}_{21}$tən^{53}. ③以锐器撞击（较重，锐锋不进入）：箇就～你一下唠。箇就更重了唠。kai$^{53}_{21}$tsʰiəu$^{53}_{44}$tən^{53}ɲi$^{13}_{21}$iet^{3} xa^{53} lau^{0}.kai$^{53}_{44}$tsʰiəu$^{53}_{44}$cien^{53}tʂʰəŋ^{35}liau^{21}lau^{0}.

【顿铲】tən^{53}tsʰan^{21} 名顿田墈、下青草墈时用的一种工具：以映子仰几下嘞渠箇～箇手巾嘞就咁子就咁子仰上仰下就搧风啊。i^{21}iaŋ$^{53}_{44}$tsɿ^{0} ɲiɔŋ^{21}ci^{21}xa$^{53}_{44}$lei^{0} ci$^{13}_{21}$kai$^{53}_{44}$tən^{53}tsʰan^{21}kai$^{53}_{44}$ʂəu^{21}cin^{35}nei^{0} tsʰiəu^{53}kan^{21}tsɿ^{0} tsʰiəu^{53}kan^{21}tsɿ^{0} ɲiɔŋ^{21}ʂɔŋ^{35}ɲiɔŋ^{21}xa^{35}tsʰiəu$^{53}_{44}$ʂen^{53}fəŋ^{35}ŋa^{0}.

【顿脚】tən^{53}ciɔk^{3} 动跺脚：冷稳哩会～。脚冷稳哩啊，就顿下子脚。冇咁冷。还有只十分着急个事，急起～。laŋ^{35}uən^{21}ni^{0} uɔi$^{53}_{44}$tən^{53}ciɔk^{3}.ciɔk^{3} laŋ^{35}uən^{21}ni^{0} a^{0},tsʰiəu$^{53}_{44}$tən^{53}na$^{53}_{44}$tsɿ^{0} ciɔk^{3}.mau$^{13}_{21}$kan^{21} laŋ^{35}.xai^{13}iəu$^{35}_{44}$tʂak^{3} ʂət^{5} fən$^{35}_{44}$tʂʰɔk^{5} ciet^{3} ke$^{53}_{44}$sɿ^{53},ciet^{3} cʰi$^{21}_{44}$tən^{53}ciɔk^{3}.

【顿领子】tən^{53}liaŋ^{35}tsɿ^{0} 名竖领，整体直立不翻转的领子：假如冇得箇一块翻下去个，冇得箇一块翻下去，就成哩～。cia^{21}ʮ^{13}mau^{13}tek^{3} kai^{53}iet^{3} kʰuai^{53}fan^{35}xa$^{53}_{44}$çi$^{53}_{44}$ke$^{53}_{44}$,mau^{13}tek^{3} kai^{53}iet^{3} kʰuai^{53} fan^{35}xa$^{53}_{44}$çi$^{53}_{44}$,tsiəu^{53}ʂaŋ$^{13}_{21}$li^{0} tən^{53}liaŋ^{35}tsɿ^{0}.

【顿手】tən^{53}ʂəu^{21} 动给手较大的反作用力：大篾篓个正系更软呐。/渠指石锤的把正唔～。tʰa^{35}miet^{5} sak^{3} ke$^{53}_{21}$tʂaŋ$^{53}_{44}$xe$^{53}_{44}$ken^{53}ɲiɔn^{35}na^{0}./ci$^{13}_{21}$tʂaŋ^{53}n̩$^{13}_{21}$tən$^{53}_{44}$ʂəu^{21}.

【顿田墈】tən^{53}tʰien^{13}kʰan^{53} 铲除田墈上的杂草：～揫下青草墈都系欸箇个田里田墈上个草蛮盛了，分箇草铲嘿去，就安做～。冬下个就系死草，箇只时候子嘞～。搞么个要安做～呢？因为箇山里个墈蛮高，走一张镰铲徛下田里，铲顶高唔倒。就专门有一项工具，安做顿铲。就同有滴子像箇个锹样个，欸，北方人用个锹咁子个东西。徛倒顶高来顿，徛倒田塍往下背顿。冬下头个草就死草，箇只时候子安做～。tən^{53}tʰien^{13}kʰan^{53}lau^{35}xa^{35}tsʰiaŋ^{35}tsʰau^{21}kʰan^{53}təu^{35}xe^{53}e$_{21}$ kai$^{53}_{44}$ke$^{53}_{44}$tʰien^{13}ni^{21}tʰien^{13}kʰan^{53}xɔŋ$^{53}_{44}$ke$^{53}_{44}$tsʰau^{21}man^{13}ʂən^{53}niau^{21},pən^{35}kai$^{53}_{44}$tsʰau^{21}tsʰan^{21}nek^{3}(←xek^{3})çi^{53}, tsiəu$^{53}_{21}$ɔn$^{35}_{44}$tso$^{53}_{44}$tən^{53}tʰien^{13}kʰan^{53}.təŋ^{35}xa^{35}ke$^{53}_{44}$tsʰiəu^{53}xe^{53}si^{21}tsʰau^{21},kai^{53}tʂak^{3} sɿ^{13}xei^{53}tsɿ^{0} lei^{0} tən^{53}tʰien^{13} kʰan^{53}.kau^{21}mak^{3} ke$^{53}_{44}$iau$^{53}_{44}$ɔn$^{35}_{44}$tso$^{53}_{44}$tən^{53}tʰien^{13}kʰan$^{53}_{44}$nei^{0}?in^{35}uei$^{53}_{44}$kai$^{53}_{44}$san^{35}ni^{21}ke$^{53}_{44}$kʰan^{53}man^{13}kau^{35},tsei^{21}iet^{3} tʂɔŋ^{35}lien^{13}tsʰan^{21}cʰi^{35}xa$^{53}_{44}$tʰien^{13}ni^{21},tsʰan^{21}taŋ^{21}kau$^{35}_{44}$n̩^{13}tau^{21}.tsʰiəu^{53}tʂen^{35}mən$^{13}_{21}$iəu$^{35}_{44}$iet^{3} xɔŋ^{53}kəŋ^{35}tʂʮ^{53},ɔn$^{35}_{44}$ tso$^{53}_{44}$tən^{53}tsʰan^{21}.tsiəu^{53}tʰəŋ$^{13}_{21}$iəu^{35}tet^{5} tsɿ^{0} tsʰiɔŋ^{53}kai$^{53}_{44}$ke$^{53}_{44}$tsʰiau^{35}iɔŋ$^{53}_{44}$ke$^{53}_{44}$,e$_{21}$,pɔit^{3} fɔŋ$^{35}_{44}$ɲin$^{13}_{21}$iəŋ^{53}ke$^{53}_{21}$tsʰiau^{35} kan^{21}tsɿ^{0} ke$^{53}_{44}$təŋ^{35}si^{0}.cʰi^{35}tau^{21}taŋ^{21}kau^{35}lɔi$^{13}_{21}$tən^{53},cʰi^{35}tau^{21}tʰien^{13}tʂʰən$^{13}_{44}$uɔŋ^{21}xa^{35}pɔi$^{53}_{21}$tən^{53}.təŋ^{35}xa$^{35}_{44}$tʰei$^{13}_{21}$ke$^{53}_{44}$ tsʰau^{21}tsʰiəu$^{53}_{44}$si^{21}tsʰau^{21},kai$^{53}_{44}$tʂak^{3} sɿ$^{13}_{21}$xei$^{53}_{44}$tsɿ^{0} ɔn$^{35}_{44}$tso$^{53}_{44}$tən^{53}tʰien^{13}kʰan$^{53}_{44}$.

【多$_{1}$】to^{35} 形①数量大，与“少”相对：～得唔得了 to^{35}tek^{3} n̩^{13}tek^{3} liau^{21}｜街上真～人。kai$^{35}_{44}$ ʂɔŋ$^{53}_{44}$tʂən^{35}to$^{35}_{44}$ɲin$^{13}_{21}$. ②相差的程度大：嗯，好坐～哩！n̩$_{53}$,xau^{21}tsʰo$^{53}_{44}$to^{35}li^{0}！｜箇指荡耙床就比架子床就简单～哩个床。kai$^{53}_{44}$tsʰiəu$^{53}_{44}$pi^{21}ka^{53}tsɿ^{0} tsʰɔŋ^{13}tsʰiəu$^{53}_{44}$kan^{21}tan$^{35}_{44}$to^{35}li^{0} ke$^{53}_{44}$tsʰɔŋ$^{13}_{21}$.｜今晡比昨晡好～哩。cin^{35}pu$^{35}_{53}$pi^{21}tsʰo^{35}pu$^{35}_{53}$xau^{21}to^{35}li^{0}. ③放在位数词后表示有余：两千～个 iɔŋ^{21}tsʰien^{35}to^{35}ke^{53}｜十～晡 ʂət^{5} to^{35}pu^{35}｜我等都欸晓得有扫把草都好像还系十～年子两十年子个事。ŋai^{13}tien^{0} təu$^{35}_{44}$e$_{21}$çiau^{21} tek^{3} iəu$^{35}_{44}$sau^{53}pa^{21}tsʰau^{21}təu$^{35}_{44}$xau^{21}siɔŋ^{53}xai$^{13}_{21}$xe^{53}ʂət^{5} to^{35}ɲien^{13}tsɿ^{0} iɔŋ^{21}ʂət^{5}ɲien^{13}tsɿ^{0} ke$^{53}_{44}$sɿ^{53}. ④超过正确的或需要的数目：箇是～一条少一条，都安做椅桄子。kai$^{53}_{44}$ʂɿ$^{53}_{21}$to^{35}iet^{3} tʰiau$^{13}_{21}$ʂau^{21}iet^{3} tʰiau$^{13}_{21}$,təu^{35}ɔn$^{35}_{44}$ tso$^{53}_{44}$i^{21}kuaŋ^{35}tsɿ^{0}. ⑤（情况）常见：也有咁子人搞法，但唔～。ia^{35}iəu^{35}kan^{21}tsɿ^{0}ɲin^{13}kau^{21}fait^{3},tan^{53} n̩$^{13}_{21}$to^{35}.

【多$_{2}$】to^{35} 副很，非常：我搞唔～清呢。ŋai^{13}kau^{21}n̩^{13}to$^{35}_{44}$tsʰin$^{35}_{44}$nei^{0}.｜也可能我唔～了解。ia^{35} kʰo^{21}len$^{13}_{21}$ŋai$^{13}_{21}$n̩$^{13}_{21}$to$^{35}_{44}$liau^{21}kai$^{21}_{44}$.

【多半】to^{35}pan^{53} 副很可能：箇只人呐到哩时间都还赠来，欸，箇只人又唔得迟到个人，又十分讲……时间观念强个人，～系跍啊路上堵哩车。kai^{53}tʂak^{3}ɲin$^{13}_{44}$na^{0} tau^{53}li^{0} ʂɿ^{13}kan$^{35}_{44}$təu$^{35}_{53}$xai$^{13}_{21}$maŋ$^{13}_{21}$ lɔi^{13},e$_{21}$,kai^{53}tʂak^{3}ɲin^{13}iəu^{53}n̩^{13}tek^{3} tʂʰʅ^{13}tau^{53}ke^{0}ɲin$^{13}_{44}$,iəu$^{53}_{44}$ʂət^{5} fən$^{35}_{44}$kɔŋ^{21}…ʂɿ^{13}kan$^{35}_{44}$kɔn$^{35}_{44}$ɲien$^{53}_{44}$cʰiɔŋ^{13}ke^{0}ɲin$^{13}_{21}$, to^{35}pan^{53}xe^{53}ku$^{35}_{44}$a^{0} ləu^{53}xɔŋ$^{53}_{44}$təu^{21}li^{0} tʂʰa^{35}.

【多舌】to^{35}ʂait^{5} 形形容人声鼎沸，声音嘈杂：六十八只学生跍下箇教室里硬很多舌呀硬。liəuk^{3} ʂət^{5} pait^{3} tʂak^{3} xɔk^{5} saŋ$^{35}_{53}$ku^{35}(x)a$^{53}_{44}$kai$^{53}_{44}$ciau^{53}ʂət^{5} li^{0}ɲiaŋ^{53}xen^{21}to^{35}ʂait^{5} ia^{0}ɲiaŋ^{53}.

【多时】to^{35}ʂɿ^{13} 副早已经：我～我都爱搞过一只书橱子了。ŋai$^{13}_{21}$to^{35}ʂɿ$^{13}_{21}$ŋai^{13}təu$^{35}_{53}$ɔi^{53}kau^{21}ko^{53}iet^{3} tʂak^{3} ʂəu^{35}tʂʰəu$^{13}_{21}$tsɿ^{0} liau^{0}.

【多谢】to^{35}tsʰia^{53} 动①表示感谢的客套话：～哩！to^{35}tsʰia^{53}li^{0}！②死的讳称：～哩 to^{35}tsʰia^{53}li^{0}

【多嘴】to^{35}tsi^{21} 动插嘴；不该说而说：早几年呐搞计划生育啊，搞得蛮厉害箇阵子。如果你横边人插哩句子空话，欸，你去为箇个计划生育对象啊讲下子情呐，搞箇么个，罚你个～费。欸，有罚过咁个钱呐。～费。你不要乱□嘞。tsau^{21}ci^{21}ɲien$^{13}_{44}$na^{0}kau^{21}ci$^{53}_{44}$fa$^{53}_{44}$sen$^{35}_{44}$iəuk^{3}a^{0},kau^{21}tek^{3}man^{13}li$^{53}_{44}$xɔi$^{53}_{44}$kai^{53}tʂʰən$^{53}_{44}$tsɿ^{0}.ɥ^{13}ko^{21}ɲi^{13}uaŋ^{13}pien$^{35}_{44}$ɲin$^{13}_{21}$tsʰait^{3}li^{0}ci^{53}tsɿ^{0}kʰəŋ^{53}fa^{53},ei$_{21}$, ɲi^{13}çi$^{53}_{44}$uei^{53}kai$^{53}_{44}$ke$^{53}_{44}$ci^{53}fa$^{53}_{44}$sen$^{35}_{44}$iəuk^{3}ke$^{53}_{44}$tei^{53}siɔŋ$^{53}_{44}$ŋa^{0}kɔŋ^{21}xa^{53}tsɿ^{0}tsʰin^{13}na^{0},kau^{21}kai^{53}mak^{3}ke^{0},fait^{5}ɲi$^{13}_{44}$ke^{0}to^{35}tsi^{21}fei^{53}.e$_{21}$,iəu$^{35}_{44}$fait^{5}ko^{53}kan^{21}ke^{53}tsʰien$^{13}_{44}$na^{0}.to^{35}tsi^{21}fei^{53}. ɲi$^{13}_{21}$puk^{3}iau^{53}lɔn^{53}tʂet^{5}le^{0}.

【多嘴婆】to^{35}tsi^{21}pʰo^{13} 名对多嘴的妇女的贬称：你个真系只～！ɲi$^{13}_{21}$ke^{53}tʂən^{35}ne^{53}(←xe^{53})tʂak^{3}to^{35}tsi^{21}pʰo^{13}!

【掇$_1$】tɔit^{3} 动端：用角撮～下～倒倾下箩里。iəŋ$^{53}_{35}$kɔk^{3}tsʰait^{3}tɔit^{3}ia^{53}(←xa^{53})tɔit^{3}tau$^{21}_{44}$kʰuaŋ^{35}ŋa$_{44}$(←xa^{53})lo^{13}li^{0}.

【掇$_2$】tɔit^{3} 名器具侧面凸起便于端起来的部件：饭甑上啊，渠有只有只耳吵，有只咁个耳吵，系啊？有只～呀，安做～。欸，有只～，唔系耳，有只～。箇～系么啊嘞？就系以以……渠个饭甑是用树用木板子打个吵，系唔系啊？木板子打。以块木板子，以块木板子，以外背，以外背，以滴箇滴木板子系咁个薄薄子咯，系唔系？以块木板更厚。以外背嘞，就锯只缺样个，手就掇嘿箇缺上。以向一块，以向一块，欸，伸出滴子来，对。就等渠留滴子扶。欸，一咁子掇，一边舞个～。饭甑大哩个嘞，箇只～上嘞，钻只眼。～上啊，车只眼。咁子车啦，唔系咁子去车啦。唔系么啊车过以种去来啦。就以咁子车。渠箇只～有咁厚。也就～咯，箇上背车只眼，舞条绳，欸舞条绳。人多哩个，打比样四五桌人做工夫个箇只人家，捆下去，舞条绳捆下去。箇掇是一个人掇呀，掇远哩又累人吵，系啊？欸，就两个人捆。捆起走。fan^{53}tsien^{53}xɔŋ$^{53}_{44}$a^{0},ci$^{13}_{21}$iəu^{35}tʂak^{3}iəu^{35}tʂak^{3}ɲi^{21}ʂa^{0},iəu^{35}tʂak^{3}kan^{21}ke$^{53}_{44}$ɲi^{21}ʂa^{0},xei$^{53}_{44}$a^{0}?iəu$^{35}_{53}$tʂak^{3}tɔit^{3}ia^{0},ɔn$^{35}_{44}$tso$^{53}_{44}$tɔit^{3}.ei^{21},iəu$^{35}_{53}$tʂak^{3}tɔit^{3},m̩^{13}pʰei^{53}(←xei^{53})ɲi^{21},iəu$^{35}_{53}$tʂak^{3}tɔit^{3}.ka^{53}tɔit^{3}xei^{53}mak^{3}a^{0}lei^{0}?tsʰiəu$^{53}_{44}$xei$^{53}_{44}$i^{21}i^{21}…ci^{13}ke$^{53}_{44}$fan^{53}tsien^{53}ʂʅ$^{53}_{44}$iəŋ$^{53}_{44}$ʂəu^{53}iəŋ^{53}muk^{3}pan^{21}tsɿ^{0}ta^{21}kei^{53}ʂa^{0},xei^{53}me^{53}a^{0}?muk^{3}pan^{21}tsɿ^{0}ta^{21}.i^{21}kʰuai^{53}muk^{3}pan^{21}tsɿ^{0},i^{21}kʰuai^{53}muk^{3}pan^{21}tsɿ^{0},i^{21}ŋɔi^{53}pɔi^{53},i^{21}ŋɔi^{53}pɔi^{53},i^{21}tiet^{5}kai^{53}tiet^{5}muk^{3}pan^{21}tsɿ^{0}xei^{53}kan^{21}kei$^{53}_{44}$pʰɔk^{5}pʰɔk^{5}tsɿ^{0}ko^{0},xei$^{53}_{44}$me$^{53}_{44}$?i^{21}kʰuai^{53}muk^{3}pan^{21}cien^{53}xei^{35}.i^{21}ŋɔi^{53}pɔi$^{53}_{44}$lei^{0},tsʰiəu$^{53}_{44}$cie^{53}tʂak^{3}cʰiet^{3}iɔŋ$^{53}_{44}$ke$^{53}_{44}$,ʂəu^{21}tsʰiəu^{53}tɔit^{3}(x)ek^{3}kai^{53}cʰiet^{3}xɔŋ$^{53}_{44}$.i^{21}çiɔŋ$^{53}_{44}$iet^{3}kʰuai^{53},i^{21}çiɔŋ$^{53}_{44}$iet^{3}kʰuai^{53},e$_{21}$,tʂʰən^{35}tʂʰət^{3}tiet^{5}tsɿ^{0}lɔi^{13},tei^{53}.tsʰiəu^{53}ten^{21}ci$^{13}_{44}$liəu^{13}tiet^{5}tsɿ^{0}fu^{13}.e$_{21}$,iet^{3}kan^{21}tsɿ^{0}tɔit^{3},iet^{3}pien$^{35}_{53}$u^{21}cie^{53}tɔit^{3}.fan^{53}tsien$^{53}_{44}$tʰai^{53}li^{0}ke$^{53}_{44}$lei^{0},kai^{53}tʂak^{3}tɔit^{3}xɔŋ$^{53}_{44}$lei^{0},tsɔn^{53}tʂak^{3}ŋan^{21}.tɔit^{3}xɔŋ^{53}ŋa^{0},tʂʰa^{35}tʂak^{3}ŋan^{21}.kan$^{21}_{13}$tsɿ^{0}tʂʰa^{35}la^{0},m̩^{13}pʰe^{53}(←xe^{53})kan$^{21}_{13}$tsɿ^{0}çi^{53}tʂʰa$^{35}_{44}$la^{0}.m̩$^{13}_{21}$pʰe$_{44}$(←xe^{53})mak^{3}a^{0}tʂʰa^{35}ko^{53}i^{21}tʂəŋ^{21}çi^{53}lɔi$^{13}_{21}$la^{0}.tsiəu^{53}i^{21}kan$^{21}_{13}$tsɿ^{0}tʂʰa^{35}.ci$^{13}_{21}$kai^{53}tʂak^{3}tɔit^{3}iəu^{35}kan^{21}xei^{35}.ia^{35}tsiəu^{53}tɔit^{3}ko^{0},kai$^{53}_{44}$ʂɔŋ^{53}pɔi$^{53}_{44}$tʂʰa^{35}tʂak^{3}ŋan^{21},u^{21}tʰiau^{13}ʂən^{13},e$_{44}$u^{21}tʰiau^{13}ʂən^{13}. ɲin^{13}to^{35}li^{0}ke$^{53}_{44}$,ta^{21}pi^{21}iɔŋ$^{53}_{44}$si^{53}ŋ̍^{21}tsɔk^{3}ɲin^{13}tso$^{53}_{44}$kɔŋ^{35}fu$^{35}_{44}$ke$^{53}_{44}$kai$^{53}_{44}$tʂak^{3}in$^{13}_{21}$cia$^{35}_{44}$,kɔŋ^{35}ŋa$_{44}$(←xa^{53})çi$^{53}_{44}$,u^{21}tʰiau$^{13}_{21}$ʂən^{13}kɔŋ^{35}ŋa$_{44}$(←xa^{53})çi$^{53}_{44}$.kai$^{53}_{44}$tɔit^{3}ʂʅ$^{53}_{44}$iet^{3}cie^{53}ɲin$^{13}_{21}$tɔit^{3}ia^{0},tɔit^{3}ien^{21}ni^{0}iəu$^{53}_{44}$li^{53}ɲin$^{13}_{21}$ʂa^{0},xe$^{53}_{44}$a^{0}?e$_{21}$,tsʰiəu^{53}iɔŋ^{21}cie^{53}in$^{13}_{21}$kɔŋ^{35}.kɔŋ^{35}çi$^{21}_{44}$tsei^{21}.

【惵服】tɔk^{5}fuk^{5} 动服气；变得服服帖帖：有只亲戚嘞，嗯，两公婆真唔和气，长日怪渠老婆，系啊？长日怪渠老婆。以下渠老婆过唔下去哩，各人就离婚。离嘿哩以后，以下是呃五十几岁了都讨老婆唔转去哩啰，冇哩老婆啦。～啊，以下就～个了。有哪人话了，系唔系？～个了。iəu^{35}tʂak^{3}tsʰin^{35}tsʰiet^{3}le^{0},n̩$_{44}$,iɔŋ^{21}kəŋ$^{35}_{44}$pʰo$^{13}_{44}$tʂən^{35}n̩$^{13}_{44}$fo$^{13}_{21}$çi$^{53}_{44}$,tʂʰɔŋ^{13}ɲiet^{3}kuai^{53}ci$^{13}_{44}$lau^{21}pʰo$^{13}_{44}$,xei$^{53}_{44}$a^{0}?tʂʰɔŋ^{13}ɲiet^{3}kuai^{53}ci$^{13}_{44}$lau^{21}pʰo$^{13}_{44}$.i$^{13}_{44}$(x)a$^{53}_{44}$ci$^{13}_{21}$lau^{21}pʰo^{13}ko^{53}n̩$^{13}_{21}$xa$^{53}_{44}$çi^{53}li^{0},kɔk^{3}ɲin$^{13}_{21}$tsʰiəu^{53}li$^{13}_{21}$fən^{35}.li^{13}xek^{3}li^{0}i^{35}xei^{53},i^{21}xa$^{53}_{44}$ʂʅ^{53}ə$_{44}$ŋ̍^{21}ʂət^{5}ci^{21}sɔi^{53}liau^{0}təu$^{35}_{53}$tʰau^{21}lau^{21}pʰo^{13}n̩$^{13}_{21}$tʂuɔn^{21}çi^{53}li^{0}lo^{0},mau$^{13}_{21}$li^{0}lau^{21}pʰo$^{13}_{21}$la^{0}.tɔk^{5}fuk^{5}a^{0},i^{21}xa$^{53}_{44}$tsʰiəu$^{53}_{44}$tɔk^{5}fuk^{5}cie^{53}liau^{0}.mau^{13}la$^{53}_{44}$in$^{13}_{44}$ua$^{53}_{44}$liau^{0},xei^{53}me$^{53}_{44}$?tɔk^{5}fuk^{5}cie^{53}liau^{0}.

【朵】to^{21} 量用于花朵：（野菊花）东一～西一～唠，到处开得。təŋ^{35}iet^{3}to^{21}si^{35}iet^{3}to^{21}lau^{0},tau^{53}tʂʰəu$^{53}_{44}$kʰɔi^{35}tek^{3}.

【朵子】to^{21}tsɿ^{0} 名指花朵的大小：箇起野菊花更细唠。～更细唠。kai$^{53}_{44}$çi$^{21}_{44}$ia^{35}cʰiəuk^{3}fa^{35}ken$^{53}_{44}$sei^{53}lau^{0}.to^{21}tsɿ^{0}ken$^{53}_{44}$sei^{53}lau^{0}.

【躲】to^{21} 动躲避：也系叫雨棚唠，～雨个啦。ia^{35}xe$^{53}_{44}$ciau^{53}ɥ^{21}pʰəŋ^{13}lau^{0},to^{21}ɥ^{21}ke^{53}la^{0}.

【秼】tʰo^{53} 动①摞；层层堆叠：一格一格子～上去。iet^{3}kak^{3}iet^{3}kak^{3}tsɿ^{0}tʰo$^{53}_{44}$ʂɔŋ$^{53}_{44}$cʰi$^{53}_{44}$.｜正讲个，碗底下硬爱洗净下子，唔系是一～下上去箇时候子箇碗底下就搞下底下箇只碗去哩啊。tʂaŋ^{53}kɔŋ^{21}ke^{0},uɔn^{21}tei^{21}xa$^{53}_{44}$ɲiaŋ^{53}ɔi^{53}se^{21}tsʰiaŋ^{53}xa$^{53}_{21}$tsɿ^{0},m̩$^{13}_{21}$pʰei^{53}ʂʅ^{53}iet^{3}tʰo^{53}xa$^{53}_{44}$ʂɔŋ$^{53}_{44}$çi$^{53}_{44}$kai$^{53}_{44}$ʂʅ^{13}xei$^{53}_{44}$tsɿ^{0}kai^{53}uɔn^{21}

tei^{21}xa$^{53}_{44}$tsʰiəu^{53}kau^{21}ua$^{53}_{44}$tei^{21}xa^{53}kai^{53}tʂak^{3}uɔn^{21}çi^{53}li^{0}a^{0}. ②引申指丛生：～起来个吧？稌栗吧？tʰo^{53}çi^{21}lɔi^{13}ke$^{53}_{44}$pa^{0}?tʰo^{53}liet^{5}pa^{0}? ③把炊具放在火上：分箇只砂炉子～下（炉子脚）面上。pən^{35}kai^{53}tʂak^{3}sa^{35}ləu$^{13}_{21}$tsɿ^{0}tʰo^{53}(x)a$^{53}_{44}$mien$^{53}_{44}$xɔŋ$^{53}_{44}$.◇稌，《集韵》徒卧切：“禾积也。”

【稌栗】tʰo^{53}liet^{5} 名栗子的一种，果实丛生：有一只蒲有两三只个是～。系系，也是一只名堂啊。/稌起来个吧？～吧？/去手唔得个是喊呢。/一蒲哇。iəu^{35}iet^{3}tʂak^{3}pʰu$^{13}_{21}$iəu^{35}iɔŋ^{21}san^{35}tʂak^{3}ke^{53}ʂʅ$^{53}_{21}$tʰo^{53}liet^{5}.xe$_{53}$xe$_{21}$,ia^{35}sɿ^{53}iet^{3}tʂak^{3}min^{13}tʰɔŋ$^{13}_{21}$ŋa^{0}./tʰo^{53}çi^{21}lɔi^{13}ke$^{53}_{44}$pa^{0}?tʰo^{53}liet^{5}pa^{0}?/çi^{53}ʂəu^{21}n̩$^{13}_{44}$tek^{3}ke^{53}ʂʅ$^{53}_{21}$xan$^{53}_{21}$ne^{0}./iet^{3}pʰu^{13}ua^{0}.

【剁】to^{53} 动①用刀向下砍：如果系绷硬个，骨头箇只就爱用刀～。ʮ^{13}ko^{21}xe$^{53}_{44}$paŋ^{35}ŋaŋ^{53}ke$^{53}_{44}$,kuət^{3}tʰei^{13}kai$^{53}_{44}$tʂak^{3}tsʰiəu$^{53}_{21}$ɔi$^{53}_{44}$iəŋ$^{53}_{44}$tau^{35}to^{53}.｜我等年年都爱～辣椒。我旧年～嘿有差一百斤辣椒吧，八十斤。二块五角钱一斤买个。买两百块钱辣椒。下～倒，舞做几十只矿泉水瓶子装倒。唔想切了嘞就跑下市场里请箇个……专门渠就买架机子专门同别人家～辣椒。ŋai^{13}tien^{0}ɲien^{13}ɲien$^{13}_{44}$təu^{35}ɔi$^{53}_{44}$to^{53}lait^{5}tsiau$^{35}_{44}$.ŋai$^{13}_{44}$cʰiəu$^{53}_{44}$ɲien$^{13}_{44}$to^{53}xek^{3}iəu^{35}tsa$^{35}_{44}$iet^{3}pak^{3}cin$^{35}_{44}$nait^{5}tsiau$^{35}_{44}$pa^{0},pait^{3}ʂət^{5}cin$^{35}_{44}$.ɲi^{53}kʰuai^{53}ŋ̍^{21}kɔk^{3}tsʰien$^{13}_{21}$iet^{3}cin^{35}mai$^{35}_{44}$ke^{0}.mai^{35}iɔŋ^{21}pak^{3}kʰuai$^{53}_{44}$tsʰien^{13}nait^{5}tsiau$^{35}_{44}$.xa^{53}to^{53}tau^{21},u^{21}tso$^{53}_{44}$ci^{21}ʂət^{5}tʂak^{3}kʰɔŋ^{53}tsʰien^{13}ʂei^{21}pʰin^{13}tsɿ^{0}tʂuɔŋ^{35}tau^{21}.n̩^{13}siɔŋ^{21}tsʰiet^{3}liau^{0}lei^{0}tsiəu$^{53}_{21}$pʰau^{21}(x)a$^{53}_{44}$ʂʅ^{53}tʂʰɔŋ$^{13}_{21}$ni^{0}tsʰiaŋ^{21}kai$^{53}_{44}$kei$^{53}_{44}$…tʂen^{35}mən$^{13}_{21}$ci$^{13}_{21}$tsʰiəu$^{53}_{44}$mai^{35}ka$^{53}_{44}$ci^{35}tsɿ^{0}tʂen^{35}mən$^{13}_{21}$tʰəŋ$^{13}_{21}$pʰiet$^{5}_{3}$in$^{13}_{44}$ka$^{35}_{44}$to$^{53}_{44}$lait$^{5}_{3}$tsiau$^{35}_{44}$.②斫：～柴 to^{53}tsʰai^{13}。③类似用刀砍的行为，如立起手掌用其靠近小指一侧去击打：我细细子就会去～啊。～下去就箇老鼠子就出来哩。ŋai^{13}se^{53}se^{53}tsɿ^{0}tsiəu$^{53}_{44}$uɔi$^{53}_{44}$çi$^{53}_{44}$to^{53}a^{0}.to^{53}xa$^{53}_{44}$çi$^{53}_{44}$tsʰiəu$^{53}_{44}$kai$^{53}_{44}$lau^{21}tʂʰəu^{21}tsɿ^{0}tsʰiəu^{53}tʂʰət^{3}lɔi$^{13}_{21}$li^{0}.

【剁剁】to^{53}to^{53} 拟声像东西接连掉落的声音：你等渠熷哩了嘞就就整唔成哩，～跌啊。ɲi^{13}tien^{21}ci^{13}tsau^{35}li^{0}liau^{0}le^{0}tsʰiəu$^{53}_{44}$tsʰiəu$^{53}_{44}$tʂaŋ^{21}n̩^{13}ʂaŋ^{13}li^{0},to^{53}to^{53}tet^{3}a^{0}.

【剁剁哩】to^{53}to^{53}li^{0} 形坐着不动的样子：欸，（细人子）猫头牯样～坐倒墩墩哩坐倒有么个用？e$_{21}$,miau^{53}tʰei$^{13}_{21}$ku^{21}iɔŋ^{53}to^{53}to^{53}li^{0}tsʰo^{35}tau^{21}tən^{35}tən^{35}li^{0}tsʰo^{35}tau^{21}iəu^{35}mak^{3}e^{0}iəŋ^{53}?

【剁辣椒】to^{53}lait^{5}tsiau^{35} 名剁碎后腌制而成的辣椒：～还系蛮好食，只爱留得好，就～就好食。～蒸鱼子好食嘞。今晡昼边个就～炒饽饽皮呀，蛮好食。to$^{53}_{44}$lait$^{5}_{3}$tsiau$^{35}_{44}$xai$^{13}_{21}$xei$^{53}_{44}$man$^{13}_{21}$xau^{21}ʂət^{5},tʂʅ^{21}ɔi^{53}liəu^{13}tek^{3}xau^{21},tsiəu^{53}to$^{53}_{44}$lait$^{5}_{3}$tsiau$^{35}_{44}$tsiəu$^{53}_{44}$xau^{21}ʂət^{5}.to$^{53}_{44}$lait$^{5}_{3}$tsiau$^{35}_{44}$tʂən$^{35}_{44}$ŋ̍^{13}tsɿ^{0}xau^{21}ʂət^{5}le^{0}.cin^{35}pu$^{35}_{44}$tʂəu^{53}pien$^{35}_{44}$ke$^{53}_{44}$tsʰiəu$^{53}_{44}$to^{53}lait$^{5}_{3}$tsiau$^{35}_{44}$tsʰau^{21}pɔk^{5}pɔk^{5}pi^{13}ia^{0},man$^{13}_{21}$xau^{21}ʂət^{5}.

【剁脑鬼】to^{53}lau^{21}kuei^{21} 名被砍头的人死后变成的鬼：有脑壳分人家杀嘿哩个～。剁嘿哩脑壳个，～。iəu^{35}lau^{21}kʰɔk^{3}pən^{35}ŋa$_{44}$(←ɲin^{13}ka^{35})sait^{3}xek^{3}li^{0}ke$^{53}_{44}$to^{53}lau^{21}kuei^{21}.to^{53}ek^{3}li^{0}lau^{21}kʰɔk^{3}ke$^{53}_{44}$,to^{53}nau^{21}kuei^{21}.

【舵】tʰo^{53} 动下坠：（装水个箱箱）探没满哩了，以头就更重了就一～嘿下嘞，水就放跑咁哩。tʰan$^{53}_{44}$mət^{5}li^{0}liau$^{21}_{44}$,i$^{13}_{21}$tʰei^{13}tsʰiəu^{53}cien^{53}tʂʰəŋ^{35}liau^{21}tsʰiəu$^{53}_{44}$iet^{3}tʰo^{53}(x)ek^{3}xa$^{53}_{44}$lei^{0},ʂei^{21}tsʰiəu$^{53}_{44}$fɔŋ^{53}pʰau$^{21}_{44}$kan^{21}ni^{0}.

E

【阿弥陀佛】o^{35}mi$^{13}_{44}$t^{h}o^{13}fət^{5} 形①大笑貌：还有就话笑得唔知几厉害笑得～。xai^{13}iəu$^{35}_{44}$ts^{h}iəu$^{53}_{44}$ua$^{53}_{44}$siau^{53}tek^{3} n̩$^{13}_{21}$ti$^{35}_{44}$ci^{21}li^{53}xai$^{53}_{44}$siau^{53}tek^{3} o^{35}mi$^{13}_{44}$t^{h}o^{13}fət^{5}. ②气极貌：气得～ çi^{53}tek^{3} o^{35}mi$^{13}_{44}$t^{h}o^{13}fət^{5}。③形容哭得很厉害的样子：叫得～ ciau^{53}tek^{3} o^{35}mi$^{13}_{44}$t^{h}o^{13}fət^{5}。④可怜巴巴：靠我滴子工资更～，系唔系？k^{h}au^{53}ŋai^{13}tiet^{5} tsɿ^{0} kəŋ^{35}tsɿ$^{35}_{44}$cien^{53}o^{35}mi$^{13}_{44}$t^{h}o$^{13}_{21}$fət^{5},xei^{53}me^{53}?

【屙】o^{35} 动人或动物自己排泄（大小便）：食多哩茶，又想～尿。ʂət^{5} to$^{35}_{44}$li^{0} ts^{h}a^{13},iəu^{53}siɔŋ^{21}o^{35}ɲiau$^{53}_{44}$.｜打嗗嘟爱～屎了哇。ta^{21}kuət^{5} təu$^{35}_{44}$ɔi$^{53}_{44}$o$^{35}_{44}$ʂʅ^{21}liau^{21}ua^{0}.｜又怕～鸡屎。iəu^{53}p^{h}a^{53}o^{35}cie^{35}ʂʅ^{21}.

【屙血】o^{35}çiet^{3} 动便血的俗称：箇个呣解手哇～呀。kai$^{53}_{44}$ke$^{53}_{44}$m̩$_{44}$kai^{21}ʂəu^{21}ua^{0}o^{35}çiet^{3}ia^{0}.

【鹅饽饽】ŋo^{13}pɔk^{5}pɔk^{5} 名鹅蛋：以个街上个～卖倒几多钱呐？最贵时候子硬卖十块钱一只。么人买嘞？就系有咁个有需要，有咁个市场，所以渠就卖得咁贵。搞么个？我等以映子有只么个规……有只么个传说，欸，话法。么个细欸让门子啊？怀哩孕个夫娘子多食～对细人子好话。呢八块钱十块钱一只个～有人买倒来食。i^{21}(k)e$^{53}_{44}$kai$^{35}_{44}$xɔŋ$^{53}_{44}$ke^{0}ŋo^{13}pɔk^{5}pɔk^{5}mai^{53}tau$^{21}_{44}$ci^{21}(t)o^{35}ts^{h}ien$^{13}_{21}$na^{0}?tsei^{53}kuei^{53}ʂʅ$^{13}_{44}$xəu$^{53}_{44}$tsɿ^{0} ŋaŋ$^{53}_{44}$mai$^{53}_{44}$ʂət^{5} k^{h}uai$^{53}_{21}$ts^{h}ien$^{13}_{21}$iet^{3} tʂak^{3}.mak^{3}ɲin$^{13}_{21}$mai^{35}lei^{0}?ts^{h}iəu$^{53}_{44}$ue$^{53}_{44}$iəu$^{35}_{44}$kan^{21}ke$^{53}_{44}$iəu^{35}si^{35}iau^{53},iəu^{35}kan^{21}ke$^{53}_{44}$ʂʅ^{53}tʂ^{h}ɔŋ$^{13}_{21}$,so^{21}i$^{35}_{53}$ci$^{13}_{21}$ts^{h}iəu$^{53}_{44}$mai^{53}tek^{3} kan^{21}kuei^{53}.kau^{21}mak^{3}ke^{53}?ŋai^{13}tien^{0} i$^{21}_{44}$iaŋ^{53}tsɿ^{0} iəu$^{35}_{44}$tʂak^{3} mak^{3} e^{0} kuei^{35}…iəu^{35}tʂak^{3} mak^{3} e^{0} tʂ^{h}uən^{13}ʂet^{3},e$_{21}$,ua^{53}fait^{3}.mak^{3}ke^{0} se^{53}ei$_{21}$ɲiɔŋ^{53}mən^{0}tsa^{0}?fai^{13}li^{0} uən^{53}ke$^{53}_{44}$pu^{35}ɲiɔŋ$^{13}_{21}$tsɿ^{0} to^{35}ʂət^{5} ŋo^{13}pɔk^{5} pɔk^{5} tei^{53}se^{53}ɲin$^{13}_{21}$tsɿ^{0} xau^{21}ua^{53}.ne^{0} pait^{3} k^{h}uai^{53}ts^{h}ien$^{13}_{21}$ʂət^{5} k^{h}uai^{53}ts^{h}ien$^{13}_{21}$iet^{3} tʂak^{3} ke^{0} ŋo^{13}pɔk^{5} pɔk^{5} iəu$^{35}_{53}$ɲin$^{13}_{21}$mai^{35}tau^{21}lɔi$^{13}_{21}$ʂət^{5}.

【鹅不食草】ŋo^{13}pət^{3} ʂət^{5} ts^{h}au^{21} 名中药名：我唔记得哩，以前我都认得～，以下唔记得哩，冇哩记性。可以做药啊，唔记得做只么个药去哩。ŋai$^{13}_{21}$n̩^{13}ci^{53}tek^{3} li^{0},i^{35}ts^{h}ien^{13}ŋai^{13}təu$^{35}_{53}$ɲin^{53}tek^{3} ŋo^{13}puk^{3} ʂət^{5} ts^{h}au^{21},i^{21}xa^{53}n̩^{13}ci^{53}tek^{3} li^{0},mau$^{13}_{21}$li^{0} ci^{53}sin^{53}.k^{h}o^{21}i$^{35}_{44}$tso^{53}iɔk^{5} a^{0} n̩^{13}ci^{53}tek^{3} tso^{53}tʂak^{3} mak^{3} e^{0} iɔk^{5} çi$^{53}_{44}$li^{0}.

【鹅公】ŋo^{13}kəŋ^{35} 名公鹅：一般人呢，刣倒食个嘞就畜～。就系～多就更好。鹅崽子咯，首先看唔多出。看唔多出～啊系鹅嫲子。同样个去畜，畜箇个，你系话刣倒食箇起人，渠就希望～多就好。畜鸭子个人就希望鸭公多。欸，～嘞就长得更快。鹅嫲子嘞就能够生饽饽啊能够繁殖唠。箇就各取所需，系唔系？有兜人唔想生渠唔想去自家繁殖，唔想去菢鹅崽子，渠就肯做～多。欸，畜鸭子个人呢肯也肯做鸭公呢。iet^{3} pən^{35}ɲin$^{13}_{21}$nei^{0},tʂ^{h}ʅ^{13}tau^{21}ʂət^{5} ke$^{53}_{44}$lei^{0} ts^{h}iəu$^{53}_{44}$çiəuk^{3} ŋo^{13}kəŋ^{35}.ts^{h}iəu^{53}xe^{53}ŋo^{13}kəŋ^{35}to^{35}ts^{h}iəu$^{53}_{44}$cien$^{53}_{44}$xau^{21}.ŋo^{13}tse^{21}tsɿ^{0} ko^{0},ʂəu^{21}sien$^{35}_{44}$k^{h}ɔn^{53}n̩$^{13}_{21}$to$^{35}_{44}$tʂ^{h}ət^{3}.k^{h}ɔn^{53}n̩$^{13}_{21}$to^{35}tʂ^{h}ət^{3} ŋo$^{13}_{21}$kəŋ^{35}ŋa^{0} xe$^{53}_{44}$ŋo^{13}ma^{13}tsɿ^{0}.t^{h}əŋ$^{13}_{21}$iɔŋ$^{53}_{44}$ke^{0} çi^{53}çiəuk^{3},çiəuk^{3} kai^{53}ke^{53}, ɲi^{13}xei$^{53}_{44}$ua$^{53}_{44}$tʂ^{h}ʅ$^{13}_{21}$tau^{21}ʂət^{3} kai^{53}çi^{21}ɲin^{13},ci^{13}ts^{h}iəu$^{53}_{44}$çi^{35}uɔŋ$^{53}_{44}$ŋo^{13}kəŋ^{35}to^{35}ts^{h}iəu^{53}xau^{21}.çiəuk^{3} ait^{3} tsɿ^{0} ke$^{53}_{44}$ɲin$^{13}_{44}$ts^{h}iəu$^{53}_{44}$çi$^{35}_{44}$uɔŋ$^{53}_{44}$ait^{3}kəŋ$^{35}_{44}$to$^{35}_{44}$.e$_{21}$,ŋo^{13}kəŋ$^{35}_{44}$le^{0} tsiəu^{53}tʂɔŋ^{21}tek^{3} cien$^{53}_{44}$k^{h}uai^{53}.ŋo^{13}ma^{13}tsɿ^{0} le^{0} ts^{h}iəu^{53}len^{35}ciau$^{53}_{44}$saŋ$^{35}_{44}$pɔk^{5} pɔk^{5} a^{0} len^{13}ciau$^{53}_{44}$fan^{13}tʂ^{h}ət^{5} lau^{0}.kai^{53}ts^{h}iəu^{53}kɔk^{3} ts^{h}i^{21}so^{21}si^{35},xei$^{53}_{44}$mei$^{53}_{44}$?iəu^{35}təu$^{35}_{53}$ɲin$^{13}_{21}$n̩^{13}siɔŋ^{21}saŋ^{35}ci$^{13}_{21}$n̩^{13}siɔŋ^{21}çi^{53}ts^{h}ɿ^{35}ka$^{35}_{44}$fan^{13}tʂ^{h}ət^{5},n̩^{13}siɔŋ^{21}çi^{53}p^{h}u^{53}ŋo^{13}tse^{21}tsɿ^{0},ci$^{13}_{21}$ts^{h}iəu^{53}xen^{21}tso^{53}ŋo^{13}kəŋ^{35}to^{35}.e$_{21}$,çiəuk^{3} ait^{3} tsɿ^{0} ke^{53}ɲin$^{13}_{44}$ne^{0} xen^{21}a$^{35}_{44}$xen^{21}tso^{53}ait^{3} kəŋ^{35}nei^{0}.

【鹅嫲子】ŋo13ma13tsɿ0 名 母鹅：～就会生饽饽。ŋo13ma13tsɿ0 tsʰiəu53uɔi53saŋ35pɔk5 pɔk5.

【鹅毛扇】ŋo13mau35ʂen53 名 一种羽扇，以鹅毛为材料编制而成：以前蛮少，以下就有卖了嘞。街上都有卖哩。我都话来买把～来搧。～呢，诸葛亮用个。以个就以个栏场有买了。i35(53) tsʰien13man13ʂau21,i21xa(44)tsʰiəu53(44)iəu53(44)mai35liau21le0.kai35(44)xɔŋ53(44)təu35(44)iəu53(44)mai35li0.ŋai13təu35(44)ua53(44)lɔi35(21)mai35pa21ŋo13 mau35ʂen53lɔi(21)ʂen35(21).ŋo13mau35ʂen53ne0,tʂəu35(44)kɔk3 liɔŋ53iəŋ35(21)ke53(21).i21ke53(44)tsʰiəu53i21ke53lan13(21)tʂʰɔŋ35(44)iəu35mai53 liau0.

【鹅毛雪花】ŋo13mau35siet3 fa35 纷飞如鹅毛的白雪：以咁多年都𫞼落箇～了，咁多年都，落还落哩雪，𫞼落几大。i21kan21to35(53)ɲien13(21)təu35(44)maŋ13lɔk5 kai53ŋo13mau35siet3 fa35(53)liau0,kan21to35(44)ɲien13(21)təu35(53),lɔk5 xai13(44)lɔk5 li0 set3,maŋ13(21)lɔk5 ci21tʰai53.

【鹅崽子】ŋo13tse21tsɿ0 名 小鹅：鹅饽饽上十块钱一只，～嘞也还系两十块钱一对。ŋo13pɔk5 pɔk5 ʂɔŋ53(44)ʂət5 kʰuai53tsʰien13(44)iet3 tʂak3,ŋo13tse21tsɿ0 le0 ia13xai13(21)xei53iɔŋ21ʂət5 kʰuai53(44)tsʰien13(21)iet3 ti53.

【鹅子】ŋo13tsɿ0 名 鹅：（水鸭子）就更像～个。tsʰiəu53(44)cien53tsʰiɔŋ53ŋo13tsɿ0 ke53.

【额角】ŋait3/ɲiait3 kɔk3 名 鬓角：洗面就洗～，睡目就睡壁角。洗面就爱洗～，～，以个额门角上，就系意思嘞就箇角上，箇个额门角上箇个栏场嘞爱洗净来，唔爱偷懒，莫就□倒箇鼻公边箇呀，箇下子，箇一坨子。分额门角上～上洗净。se21mien53tsʰiəu53se21ŋait3 kɔk3,ʂɔi53muk3 tsiəu53ʂɔi53piak3 kɔk3.sei21mien53tsʰiəu53ɔi53sei21ŋait3 kɔk3, ɲiait3 kɔk3,i21ke53ɲiait3 mən13(21)kɔk3 xɔŋ53,tsʰiəu53(44) xei53i53sɿ35(44)lei0 tsiəu53(44)kai53(44)kɔk3 xɔŋ53,kai53ke53ɲiait3 mən13kɔk3 xɔŋ53kai53ke53laŋ13(21)tʂʰɔŋ13(44)le0 ɔi53(44)sei21tsʰiaŋ53lɔi13(21), mɔi53tʰɔi53(44)lan35,mɔk5 tsʰiəu53fiet3 tau21kai53(44)pʰi53kɔŋ35(44)pien35(44)kai53ia0,kai53xa53(44)tsɿ0,kai53iet3 tʰo13tsɿ0.pən35(44)ɲiait3 mən13kɔk3 xɔŋ53ŋait3 kɔk3 xɔŋ53sei21tsʰiaŋ53.

【额门】ɲiait3 mən13 名 额头：整个以映都喊～。额角嘞就只有以角子上，欸，太阳穴箇一带子。tʂən53ko53i21iaŋ53təu35(44)xan53(44)ɲiait3 mən13(44).ŋait3 kɔk3 lei0 tsʰiəu53tʂɿ21iəu35(53)i21kɔk3 tsɿ0 xɔŋ53,e(53),tʰai53iɔŋ13(44)çiet5 kai53 iet3 tai53tsɿ0.｜欸，教细人子啊，嗯，箇个欸坏人呐～上又𫞼贴只记号，欸，所以箇个箇唔认得个人呢就爱提防，箇肚里如果有坏人呢你就……渠自家唔得话起你知，冇得记认。欸，冇得记认你就不能……你就爱注意啊，爱防备呀，系唔系？e44,kau35sei53ɲin13(21)tsa0,n(21),kai53(44)ke53(44)e(21)fai53 ɲin13(21)na0ɲiait3 mən13xɔŋ53iəu53maŋ13tiait3 tʂak3 ci53xau53(44),e(21),so21i35(44)kai53(44)ke53(44)kai53(44)n13ɲin13tek3 ke0ɲin13ne0tsʰiəu53 ɔi53cʰi13(21)fɔŋ13,kai53(44)təu21li0ʮ13ko21iəu53(44)fai53ɲin13(44)nei0ɲi53(44)tsiəu53(44)⋯ci13(21)tsʰɿ35(44)ka35(53)n13(21)tek3 ua53çi21ɲi13ti35(53),mau13tek3 ci53 ɲin53(44).e(21),mau13tek3 ci53ɲin53(44)ɲi13tsiəu53(44)pət3 nen13(44)⋯ɲi13tsʰiəu53(44)ɔi53(44)tʂʮ53i53(44)a0,ɔi53fɔŋ13pʰei53(44)ia0,xei53(44)me53(44)?

【恶1】ɔk3 动 胃逆而吐：倒酸也安做恶酸呢。本来应该下去个唔下去，～转来。tau53sɔn35ia35(44) ɔn35(44)tso53(44)ɔk3 sɔn35ne0.pən21nɔi13in53kɔi35(44)xa35çi53(44)ke0 n13xa53(44)çi53(44),ɔk3 tʂuɔn21nɔi13(44).

【恶嬿】ɔk3 lien53 动（婴儿）漾奶：倒嬿又安做～。tau53lien53iəu53(44)ɔn35(44)tso53(44)ɔk3 lien53.｜客姓人硬话～呶，唔讲倒嬿呶。kʰak3 sin53ɲin13ɲiaŋ53ua53ɔk3 lien53nau0,n13kɔŋ21tau53lien53nau0.

【恶酸】ɔk3 sɔn35 动 泛酸：冷倒哩就会～呶。laŋ35tau21li0 tsʰiəu53uɔi53ɔk3 sɔn35nau0.

【扼】ak5 动 反手去拔或抓（秧苗）：箇只～禾秧把个时候子是系欸工作最紧张个。kai53(21)tʂak3 ak5 uo13iɔŋ35pa21ke53ʂʅ13xei53(44)tsɿ0 ʂʅ53(21)xe53e(21)kɔŋ35tsɔk3 tsei53cin21tʂɔŋ35ke53.

【恶2】ɔk3 形 歹毒，又称“恶毒、毒”：箇人蛮～，忒～哩，手段也～，心肝也～。kai53ɲin13(21) man13ɔk3,tʰet3 ɔk3 li0,ʂəu21tʰɔn35ia35ɔk3,sin35kɔn35(44)na44(←ia35)ɔk3.

【恶3】ɔk3 副 做程度补语，说明程度很高：坏得～ fai53tek3 ɔk3

【恶霸】ɔk3 pa53 名 称霸一方，作威作福，欺压群众的人：欸，正解放个时候子啊，就有兜地主就吓得唔得了，嗯，评倒～地主。e44,tʂaŋ53kai21fɔŋ53(44)ke0 ʂʅ13xei53tsa0,tsʰiəu53(44)iəu35təu35(44)tʰi35tʂʮ21 tsʰiəu53xak3 tek3 n44tek3 liau21,n(21),pʰin13tau21(44)ɔk3 pa53(44)tʰi53tʂʮ21.

【恶病】ɔk3 pʰiaŋ53 名 恶性疾病：渠只外甥子啊，得哩～唠。ci13(21)tʂak3 ŋɔi53saŋ35(44)tsɿ0 a0,tek3 li0 ɔk3 pʰiaŋ53(44)lau0.

【恶毒】ɔk3 tʰəuk5 形 歹毒。又称“恶、毒”：开头讲个箇只两子嫂咁我两只舅婆咁纳唔得个啊，箇有一只就蛮～啦渠就啦。箇只舅婆箇只冇咁恶个箇只舅婆屋下嘞畜兜子头牲，长日都畜唔顺，畜兜鸡子箇只。我箇只大滴子个舅婆渠会搞兜箇农药去痨，痨渠个鸡子。咁唔系箇就是讲到底嘞是也蛮～嘞。kʰɔi35tʰei13(21)kɔŋ21ke0 kai53tʂak3 iɔŋ21tsɿ21sau21kan21ŋai13iɔŋ21tʂak3 cʰiəu35me35(44)kan21 lait5 n(21)tek3 ke53a0,kai53(44)iəu35(44)iet3 tʂak3 tsʰiəu53man13ɔk3 tʰəuk5 la0 ci13(21)tsʰiəu53(44)la0.kai53tʂak3 cʰiəu35me35(44)kai53tʂak3 mau13kan21ɔk3 ke0 kai53tʂak3 cʰiəu35me35(44)uk3 xa53lei0 çiəuk3 təu35(53)tsɿ0 tʰei13saŋ35,tʂʰɔŋ13ɲiet3 təu35(53)çiəuk3 n13ʂən53, çiəuk^{3} təu$^{35}_{53}$cie^{35}tsɿ^{0} kai^{53}tʂak^{3}.ŋai^{13}kai^{53}tʂak^{3} t^{h}ai^{53}tiet^{5} tsɿ^{0} ke^{0} c^{h}iəu$^{35}_{44}$mei$^{35}_{44}$ci$^{13}_{21}$uɔi^{53}kau^{21}təu$^{35}_{53}$kai^{53}ləŋ^{13}iɔk$^{5}_{3}$çi$^{53}_{44}$ lau^{53},lau^{53}ci$^{13}_{21}$ke^{0} cie$^{35}_{44}$tsɿ^{0}.kan^{21}m̩^{13}p^{h}e$^{53}_{44}$kai^{53}ts^{h}iəu$^{53}_{44}$ʂʅ$^{53}_{44}$kɔŋ^{21}tau^{53}ti^{21}le^{0} ʂʅ$^{53}_{44}$ia^{35}man$^{13}_{21}$ɔk^{3} t^{h}əuk^{5} lei^{0}.

【恶梦】ɔk^{3} məŋ^{53} 名可怕的梦：做梦就撞怕就会做～唠。欸，梦肚里箇个么个坏人拿刀来杀哟，吓得尽命唠。tso^{53}məŋ^{53}ts^{h}iəu$^{53}_{44}$ts^{h}ɔŋ^{21}p^{h}a$^{53}_{44}$tsiəu$^{53}_{44}$uɔi$^{53}_{44}$tso^{53}ɔk^{3} məŋ^{53}lau^{0}.e$_{21}$,məŋ^{53}təu^{21}li^{0} kai$^{53}_{44}$ke$^{53}_{44}$ mak^{3} e^{0} fai^{53}ɲin$^{13}_{21}$la^{53}tau^{35}lɔi$^{13}_{21}$sait^{3} iau^{0},xak^{3} tek^{3} ts^{h}in^{53}miaŋ^{53}lau^{0}.

【恶形恶相】ɔk^{3}çin^{13}ɔk^{3} siɔŋ^{53} 形容凶恶的样子：教细人子应该是也爱善良滴子，也爱讲究下子箇个表情。爱和善滴子，和蔼滴子，欸呀，莫～个骂细人子。kau^{35}sei^{53}ɲin$^{13}_{21}$tsɿ^{0} in^{53}kɔi$^{35}_{44}$ʂʅ$^{53}_{21}$ia^{35}ɔi$^{53}_{44}$ ʂen^{53}liɔŋ$^{13}_{21}$tiet^{5} tsɿ^{0},ia^{35}ɔi^{53}kɔŋ^{21}ciəu^{53}ua^{53}tsɿ^{0} kai$^{53}_{44}$ke$^{53}_{44}$piau^{21}ts^{h}in^{13}.ɔi^{53}xo^{13}ʂen^{53}tiet^{5} tsɿ^{0},xo^{13}ai$^{21}_{44}$tiet^{5} tsɿ^{0},ei$_{44}$ ia^{0},mɔk^{5} ɔk^{3} çin^{13}ɔk^{3} siɔŋ^{53}ke^{0} ma^{53}sei^{53}ɲin$^{13}_{21}$tsɿ^{0}.

【欸$_{1}$】ei^{53} 叹①招呼用语：也话～。有滴晓得名字个就喊名字嘛，系啊？老张老李哟，么啊陈老师李老师唠，嗯，么啊老板呶。唔晓得名字唔认得就～下子唠。ia^{35}ua$^{53}_{44}$ei^{53}.iəu^{35}tiet^{5} çiau^{21} tek^{3} miaŋ^{13}ts^{h}ɿ$^{53}_{44}$ke$^{53}_{44}$ts^{h}iəu$^{53}_{44}$xan$^{53}_{44}$miaŋ^{13}ts^{h}ɿ^{53}ma^{0},xe$^{53}_{44}$a^{0}?lau^{21}tʂɔŋ$^{35}_{44}$lau^{21}li^{21}iau^{0},mak^{3} a^{0} tʂ^{h}ən$^{13}_{21}$nau^{21}sɿ$^{35}_{44}$li^{21}lau^{21} sɿ$^{35}_{44}$lau^{0},n̩$_{21}$,mak^{3} a^{0} lau^{21}pan^{21}nau^{0}.n̩^{13}çiau^{21}tek^{3} miaŋ^{13}ts^{h}ɿ^{53}n̩^{13}ɲin^{53}tek^{3} ts^{h}iəu$^{53}_{44}$ei^{53}ia$^{53}_{21}$tsɿ^{0} lau^{0}.丨别人家～一声，打比～一声～我呀。p^{h}iet$^{5}_{3}$ in$^{13}_{21}$ka$^{35}_{44}$ei^{53}iet^{3} ʂaŋ$^{35}_{44}$,ta^{21}pi^{21}ei^{53}iet^{3} ʂaŋ$^{35}_{44}$ei^{53}ŋai^{13}ia^{0}.②应答用语：我就～一声唠，箇我也～一声唠。ŋai^{13}ts^{h}iəu$^{53}_{44}$ei^{53}iet^{3} ʂaŋ$^{35}_{44}$lau^{0},kai$^{53}_{44}$ŋai^{13}ia$^{35}_{44}$ei^{53}iet^{3} ʂaŋ$^{35}_{44}$lau^{0}.

【欸$_{2}$】e$_{21}$ 叹表示提醒：～，只要上哩咁大子个正话箇映有只墩哈。e$_{21}$,tʂʅ^{21}ɔi$^{53}_{44}$ʂɔŋ^{35}li^{0} kan^{21}t^{h}ai^{53} tsɿ^{0} ke$^{53}_{44}$tʂaŋ$^{53}_{44}$ua$^{53}_{44}$kai$^{53}_{21}$iaŋ$^{53}_{44}$iəu$^{35}_{44}$tʂak^{3} t^{h}ɔn^{53}xa^{0}.

【欸耶】ei$_{21}$iei$_{53}$ 叹表示惊讶、惋惜、着急：欸耶，莫扯莫扯者，莫扯。ei$_{21}$iei$_{53}$,mɔk^{5} tʂ^{h}a^{21}mɔk^{5} tʂ^{h}a^{21}tʂa^{0},mɔk^{5} tʂ^{h}a^{21}.

【恩】ɲien^{35} 名恩情，恩惠：感谢渠救命之～呐。kɔn^{21}ts^{h}ia$^{53}_{44}$ci^{13}ciəu^{53}miaŋ^{53}tʂʅ$^{35}_{44}$ɲien^{35}na^{0}.

【恩养钱】ŋen^{35}/en^{35}iɔŋ^{35}ts^{h}ien^{13} 名婚俗中男方用于感谢女方父母养育之恩而付给的特别礼金，又称“离娘钱”：箇只嘞就系正式个聘金。渠还爱讲滴子么个。你爱拿滴……箇就各欸具体个各欸冇得一只统一个话法就，冇得统一……就具体个讲几多子就几多子。箇是最……欸如今系咁子讲个。欸，就系嘞我爷娭呀带一场啊，带一场妹子啊，你爱拿滴子～。有滴人又话～。kai^{53}tʂak^{3} le^{0} ts^{h}iəu$^{53}_{44}$xe$^{53}_{44}$tʂən^{53}ʂʅ$^{53}_{44}$ke$^{53}_{44}$p^{h}in^{53}cin^{35}.ci$^{13}_{21}$xa$^{13}_{21}$ɔi^{53}kɔŋ^{21}tet^{5} tsɿ^{0} mak^{3} ke^{53}. ɲi$^{13}_{21}$ɔi$^{53}_{44}$la$^{53}_{44}$tet^{5} … kai$^{53}_{44}$ts^{h}iəu$^{53}_{44}$kɔk^{3} e^{0} tʂ^{h}ɥ^{53}t^{h}i^{21}ke^{53}kɔk^{3} e^{0} mau^{13}tek^{3} iet^{3} tʂak^{3} t^{h}əŋ^{21}iet^{3} ke$^{53}_{44}$ua^{53}fait^{3} ts^{h}iəu^{53},mau^{13}tek^{3} t^{h}əŋ^{21} iet^{3} …ts^{h}iəu$^{53}_{44}$tʂ^{h}ɥ^{53}t^{h}i^{21}ke$^{53}_{44}$kɔŋ^{21}ci^{21}to^{35}tsɿ^{0} tsiəu$^{53}_{44}$ci^{21}to^{35}tsɿ^{0} .kai$^{53}_{21}$ʂʅ$^{53}_{21}$tsei^{53}…ei$_{21}$i$^{13}_{21}$cin^{35}xei^{53}kan^{21}tsɿ^{0} kɔŋ^{21} ke$^{53}_{44}$.e$_{21}$,ts^{h}iəu$^{53}_{44}$xei$^{53}_{44}$lei^{0} ŋai^{13}ia^{13}ɔi^{35}ia^{0} tai^{53}iet^{3} tʂ^{h}ɔŋ^{13}ŋa^{0},tai^{53}iet^{3} tʂ^{h}ɔŋ^{13}mɔi^{53}tsɿ^{0} a^{0}, ɲi^{13}ɔi$^{53}_{44}$la^{53}tiet^{5} tsɿ^{0} ŋen^{35} iɔŋ$^{35}_{44}$ts^{h}ien^{13}.iəu^{35}tet^{5}ɲin$^{13}_{21}$iəu$^{35}_{44}$ua$^{53}_{44}$en^{35}iɔŋ$^{35}_{44}$ts^{h}ien^{13}.

【儿菜】ɥ^{13}ts^{h}ɔi^{53} 名抱子芥。又称“娃娃菜”：（娃娃菜）又叫做～。iəu^{53}ciau$^{53}_{44}$tso$^{53}_{44}$ɥ^{13}ts^{h}ɔi^{53}.

【耳】ɲi^{21} 名器具侧面凸起便于端或提的部分：饭甑上啊，渠有只有只～吵，有只咁个～吵，系啊？fan^{53}tsien^{53}xɔŋ$^{53}_{44}$a^{0},ci$^{13}_{21}$iəu^{35}tʂak^{3} iəu^{35}tʂak^{3}ɲi^{21}ʂa^{0},iəu^{35}tʂak^{3} kan^{21}ke$^{53}_{44}$ɲi^{21}ʂa^{0},xei$^{53}_{44}$a^{0}?

【耳巴】ɲi^{21}pa^{35} 名耳刮子。也称“耳巴子”；耳光：划你两～ fak^{3}ɲi$^{13}_{21}$iɔŋ^{21}ɲi^{21}pa$^{35}_{44}$丨搧你～子啊！ ʂen^{35}ɲi$^{13}_{2}$ɲi^{21}pa$^{35}_{44}$tsa^{0}!

【耳朵】ɲi^{21}to^{21} 名①人和哺乳动物的听觉与平衡器官：聋子个～，做样子个。ləŋ^{35}tsɿ^{0} ke$^{53}_{44}$ɲi^{21} to^{21},tso^{53}iɔŋ^{53}tsɿ^{0} ke^{53}. ②物件两边似耳朵样供人端或提的突出部分：两耳镬，有～个镬头呀。iɔŋ^{21}ɲi^{21}uɔk^{5},iəu^{35}ɲi^{21}to^{21}ke^{53}uɔk^{5} t^{h}ei^{0} ia^{0}.丨（粪箕）箇箇向咯，以向，往箇边，往上背装～。kai$^{53}_{44}$ kai^{53}çiɔŋ$^{53}_{44}$ko^{0},i^{21}çiɔŋ^{53},uɔŋ^{21}kai^{53}pien^{35},uɔŋ^{21}ʂɔŋ^{53}pɔi$^{53}_{44}$tsɔŋ^{35}ɲi^{21}to^{0}.

【耳朵背】ɲi^{21}to^{21}p^{h}ɔi^{53}/pei^{53} 指听力不好：我叔叔就有兜子～了，摎渠讲么个东西就听唔多倒了。渠手机都唔用哩。九十岁了。手机都唔爱哩，欸几年前就唔爱哩。我都听晡会同我阿叔样哦，到哩八十几嘞，系有八十几岁有咁长个命是，我都听晡几年嘞，我都听晡手机我都会唔爱哩。如今是还会去听下子么个微信箇兜么个，听晡是么个都唔爱哩。ŋai^{13}ʂəuk^{3} ʂəuk^{3} ts^{h}iəu^{53}iəu$^{35}_{44}$təu$^{35}_{53}$tsɿ^{0}ɲi$^{13}_{21}$to^{21}p^{h}ɔi^{53}liau^{0},lau^{35}ci$^{13}_{21}$kɔŋ^{21}mak^{3} e^{0} təŋ$^{35}_{44}$si^{0} ts^{h}iəu$^{53}_{44}$t^{h}aŋ^{35}n̩$^{13}_{21}$to^{35}tau^{21}liau^{0}.ci^{13}ʂəu^{21}ci$^{35}_{44}$ təu$^{35}_{53}$n̩^{13}iəŋ^{53}li^{0}.ciəu^{21}ʂət^{5} sɔi^{53}liau^{0}.ʂəu^{21}ci$^{35}_{53}$təu$^{35}_{53}$m̩$^{13}_{21}$mɔi^{53}li^{0},e^{0} ci^{21}ɲien^{13}ts^{h}ien^{13}tsiəu^{53}m̩$^{13}_{44}$mɔi^{53}li^{0}.ŋai^{13}təu$^{35}_{44}$ t^{h}in$^{35}_{44}$pu$^{35}_{44}$uɔi^{53}t^{h}əŋ$^{13}_{21}$ŋai$^{13}_{21}$a^{35}ʂəuk^{3} iɔŋ^{53}ŋo^{0},tau$^{53}_{44}$li^{0} pait^{3} ʂət^{5} ci^{21}lei^{0},xei$^{53}_{44}$iəu^{35}pait^{3} ʂət^{5} ci^{21}sɔi$^{53}_{44}$iəu^{35}kan^{21}tʂ^{h}ɔŋ^{13} ke^{0} miaŋ^{53}ʂʅ$^{53}_{44}$,ŋai^{13}təu$^{35}_{53}$t^{h}in$^{35}_{53}$pu$^{35}_{53}$ci^{21}ɲien^{13}le^{0},ŋai^{13}təu$^{35}_{44}$t^{h}in$^{35}_{53}$pu$^{35}_{53}$ʂəu^{21}ci^{35}ŋai$^{13}_{44}$təu$^{35}_{53}$uɔi^{53}m̩$^{13}_{21}$mɔi^{53}li^{0} .i$^{13}_{21}$cin$^{35}_{53}$ʂʅ^{53} xai$^{13}_{21}$uɔi$^{53}_{44}$çi$^{53}_{44}$t^{h}aŋ^{35}xa$^{53}_{44}$tsɿ^{0} mak^{3} ke^{0} uei^{13}sin^{53}kai$^{53}_{44}$təu$^{35}_{44}$mak^{3} ke^{0},t^{h}in$^{35}_{53}$pu$^{35}_{53}$ʂʅ$^{53}_{44}$mak^{3} e^{0} təu$^{35}_{53}$m̩$^{13}_{21}$mɔi^{53}li^{0}.

【耳朵边】ɲi^{21}to^{21}pien^{35} 名耳轮：冷天呢骑摩托啊就系烂～。我年年都箇只～会烂。旧年冬下蹭烂，我就磬稳哩我唔骑摩托。唔骑摩托就冇事。laŋ^{35}t^{h}ien$^{35}_{44}$ne^{0}c^{h}i$^{13}_{21}$mo^{13}t^{h}o$^{13}_{21}$a^{0}ts^{h}iəu^{53}(x)e$^{53}_{44}$lan^{53}ɲi^{21}to^{21}pien^{35}.ŋai$^{13}_{21}$ɲien^{13}ɲien$^{13}_{21}$təu$^{35}_{53}$kai$^{53}_{44}$tʂak^{3}ɲi$_{21}$to^{21}pien^{35}uɔi^{53}lan^{53}.c^{h}iəu^{53}ɲien$^{13}_{21}$təŋ$^{35}_{44}$xa$^{35}_{44}$maŋ^{13}lan^{53},ŋai$^{13}_{21}$tsiəu$^{53}_{44}$c^{h}iaŋ^{53}uən^{21}ni^{0}ŋai$^{13}_{44}$n̩^{13}c^{h}i^{13}mo^{13}t^{h}ɔk^{3}.n̩^{13}c^{h}i^{13}mo^{13}t^{h}ɔk^{3}ts^{h}iəu^{53}mau$^{13}_{44}$sɿ$^{53}_{44}$.

【耳朵帽子】ni^{21}to^{21}mau^{53}tsɿ^{0} 名 耳衣，戴在耳朵上御寒的用具：冬下头爱保护耳朵唠，保护耳朵就爱戴～。我又唔想戴，戴倒真唔舒服。təŋ^{35}xa$^{53}_{44}$t^{h}ei^{0}iəu^{53}ɔi^{53}pau^{21}fu^{53}ɲi^{21}to^{21}lau^{0},pau^{21}fu^{53}ɲi^{21}to^{21}ts^{h}iəu$^{53}_{44}$ɔi$^{53}_{44}$tai^{53}ɲi^{21}to^{21}mau^{53}tsɿ^{0}.ŋai^{13}iəu^{53}n̩^{13}siɔŋ^{21}tai^{53},tai^{53}tau^{21}tʂən^{35}n̩$^{13}_{21}$ʂɥ$^{35}_{44}$fuk^{5}.

【耳朵尾】ɲi^{21}to^{21}mi^{35} 名 耳轮；耳廓的上部：～软软子唠话别人家唠。以只系唔系安做～？以只就怕安做～，欸欸，怕系就以只就安做～。～软软子比喻容易受他人言语影响而不坚持原则。ɲi^{21}to^{21}mi^{35}ɲiɔn^{35}ɲiɔn^{35}tsɿ^{0}lau^{0}ua$^{53}_{44}$p^{h}iek^{5}in$^{13}_{44}$ka$^{13}_{44}$lau^{0}.i^{21}tʂak^{3}xei$^{53}_{44}$mei$^{53}_{44}$ɔn$^{35}_{44}$tso$^{53}_{44}$ɲi^{21}to^{21}mi^{35}?i^{21}tʂak^{3}ts^{h}iəu$^{53}_{44}$p^{h}a$^{53}_{44}$ɔn$^{35}_{44}$tso$^{53}_{44}$ɲi^{21}to^{21}mi^{35},e$_{44}$e$_{44}$,p^{h}a^{53}xe^{53}ts^{h}iəu^{53}i^{21}tʂak^{3}ts^{h}iəu^{53}ɔn$^{35}_{53}$tso$^{53}_{21}$ɲi^{21}to^{21}mi^{35}. ɲi^{21}to^{21}mi^{35}ɲiɔn^{35}ɲiɔn^{35}tsɿ^{0}.

【耳朵子】ɲi^{21}to^{21}tsɿ^{0} 名 ①人和哺乳动物的听觉与平衡器官：狗头帽嘞就做只子狗～样，欸，狗～样，狗头帽。ciei^{21}t^{h}ei^{13}mau^{53}lei^{0}ts^{h}iəu$^{53}_{44}$tso^{53}tʂak^{3}tsɿ^{0}kei^{21}ɲi^{21}to^{21}tsɿ^{0}iɔŋ^{53},e$_{21}$,kei^{21}ɲi^{21}to^{21}tsɿ^{0}iɔŋ^{53},ciei^{21}t^{h}ei^{13}mau^{53}. ②物件两边似耳朵样的部分：兔子帽嘞渠就做成做两只～顿起来，兔子样，可爱，系啊？t^{h}əu^{53}tsɿ^{0}mau$^{53}_{44}$lei^{0}ci$^{13}_{21}$ts^{h}iəu$^{53}_{44}$tso^{53}tʂ^{h}ən^{13}tso^{53}iɔŋ^{21}tʂak^{3}ɲi^{21}to^{21}tsɿ^{0}tən^{53}c^{h}i^{21}lɔi$^{13}_{21}$,t^{h}əu^{53}tsɿ^{0}iɔŋ^{53},k^{h}o^{21}ŋai^{53},xei^{53}a^{0}?

【耳环】ɲi^{21}fan^{13} 名 用金属或玉石制成的戴在耳垂上的装饰品：我记得我娭子六十岁箇年，首先我娭子就话，唔知嗅，唔知么人话，渠话爱同我娭子买一对～，欸。我话："箇有么个买得？嗯，几十岁哩还戴么个～呢，做么个？"落尾我老妹子话，我细老妹子话，渠话硬来同姆娑买一对～。我姆娑是十八岁就穿正哩耳朵啦，几十年都蹭戴～呐，冇得～来戴呀。落尾就买哩，欸，箇我话箇真系，十八岁就穿正哩耳朵，一直都唔知几苦哇。ŋai$^{13}_{21}$ci^{53}tek^{3}ŋai$^{13}_{21}$ɔi^{35}tsɿ^{0}liəuk^{3}ʂət^{5}sɔi^{53}kai^{53}ɲien$^{13}_{21}$,ʂəu^{21}sien$^{35}_{53}$ŋai$^{13}_{21}$ɔi^{35}tsɿ^{0}ts^{h}iəu$^{53}_{44}$ua$^{53}_{44}$,n̩^{13}ti$^{35}_{53}$au^{0},n̩^{13}ti$^{35}_{53}$mak^{3}ɲin$^{13}_{44}$ua^{53},ci$^{13}_{21}$ua$^{53}_{44}$ɔi^{53}t^{h}əŋ$^{13}_{21}$ŋai$^{13}_{21}$ɔi^{35}tsɿ^{0}mai^{35}iet^{3}ti^{53}ɲi$^{13}_{21}$fan^{13},e$_{21}$.ŋai^{13}ua$^{53}_{44}$:"kai^{53}iəu$^{35}_{53}$mak^{3}e^{0}mai^{35}tek^{3}?n̩$_{21}$,ci^{21}ʂət^{5}sɔi^{53}li^{0}xai^{13}tai^{53}mak^{3}e^{0}ɲi^{21}fan^{13}ne^{0},tso^{53}mak^{3}e^{0}?"lɔk^{5}mi$^{35}_{44}$ŋai$^{13}_{21}$lau^{21}mɔi$^{53}_{44}$tsɿ^{0}ua^{53},ŋai$^{13}_{21}$se^{53}lau^{21}mɔi$^{53}_{44}$tsɿ^{0}ua^{53},ci$^{13}_{21}$ua$^{53}_{44}$ɲiaŋ^{53}lɔi$^{13}_{21}$t^{h}əŋ$^{13}_{21}$m̩^{13}me$^{35}_{44}$mai^{35}iet^{3}ti^{53}ɲi^{21}fan^{13}.ŋai$^{13}_{21}$m̩^{13}me$^{35}_{44}$ʂɿ$^{53}_{44}$ʂət^{5}pait^{3}sɔi^{53}ts^{h}iəu^{53}tʂ^{h}uən^{53}tʂaŋ^{53}li^{0}ɲi^{21}to^{21}la^{0},ci^{21}ʂət^{5}ɲien^{13}təu$^{35}_{53}$maŋ^{13}tai^{53}ɲi^{21}fan^{13}na^{0},mau^{13}tek^{3}ɲi^{21}fan^{13}nɔi$^{13}_{44}$tai^{53}ia^{0}.lɔk$^{5}_{3}$mi^{35}ts^{h}iəu$^{53}_{44}$mai^{35}li^{0},ei$_{53}$,kai^{53}ŋai^{13}ua$^{53}_{44}$kai$^{53}_{44}$tʂən^{35}xe$^{53}_{44}$,ʂət^{5}pait^{3}sɔi^{53}ts^{h}iəu^{53}tʂ^{h}uən^{53}tʂaŋ^{53}li^{0}ɲi^{21}to^{21},iet^{3}tʂ^{h}ət^{5}təu$^{35}_{53}$n̩^{13}ti$^{35}_{53}$ci^{21}k^{h}u^{21}ua^{0}.

【耳环眼】ɲi^{21}fan^{13}ŋan^{21} 名 妇女耳垂上钻的用来戴耳环的孔：安做穿耳朵嘞，穿耳朵眼呢。安做穿耳朵嘞它箇只眼。就系耳朵眼呶。呣。又唔系，又唔系耳朵眼。～呶，～呶。呣。ɔn$^{35}_{44}$tso$^{53}_{44}$tʂ^{h}ən^{53}ɲi^{21}to^{21}lei^{0},tʂ^{h}ən^{53}ɲi^{21}to^{21}ŋan^{21}nei^{0}.ɔn^{35}tso$^{53}_{44}$tʂ^{h}ən^{53}ɲi^{21}to^{21}lei^{0}t^{h}a^{0}kai^{53}tʂak^{3}ŋan^{21}.ts^{h}iəu^{53}ue^{53}(←xe^{53})ɲi^{21}to^{21}ŋan^{21}nau^{0}.m̩$_{21}$.iəu$^{53}_{44}$m̩^{13}p^{h}e^{53}(←xe^{53}),iəu$^{53}_{44}$m̩^{13}p^{h}e^{53}(←xe^{53})ɲi^{21}to^{21}ŋan^{21}. ɲi^{21}fan^{13}ŋan^{21}nau^{0},ɲi^{21}fan^{13}ŋan^{21}nau^{0}.m̩$_{21}$.

【耳机子】ɲi^{21}ci^{35}tsɿ^{0} 名 戴在耳上或塞入耳中的受音器：我侪都唔惯呢舞只箇个箇滴啃大子个～塞嘿耳朵眼里来听歌。听还系好听，但是我侪都唔听。撞怕我爱保护下子我自家个耳朵。ŋai$^{13}_{21}$ts^{h}i$^{13}_{21}$təu$^{35}_{53}$n̩^{13}kuan^{53}ne^{0}u^{21}tʂak^{3}kai^{53}ke$^{53}_{44}$kai$^{53}_{44}$tiet^{5}ŋait^{5}t^{h}ai^{53}tsɿ^{0}ke^{0}ɲi^{21}ci^{35}tsɿ^{0}set^{3}(x)ek^{3}ɲi^{21}to^{21}ŋan^{21}li^{0}lɔi$^{13}_{21}$t^{h}aŋ^{35}ko$^{35}_{44}$.t^{h}aŋ^{35}xai$^{13}_{44}$xe$^{53}_{44}$xau^{21}t^{h}aŋ$^{35}_{44}$,tan$^{53}_{44}$ʂɿ$^{53}_{44}$ŋai$^{13}_{21}$ts^{h}i$^{13}_{21}$təu$^{35}_{53}$n̩$^{13}_{21}$t^{h}aŋ^{35}.ts^{h}ɔŋ^{21}p^{h}a^{53}ŋai^{13}ɔi^{53}pau^{21}fu^{53}xa$^{53}_{44}$tsɿ^{0}ŋai$^{13}_{21}$ts^{h}ɿ^{35}ka$^{35}_{53}$ke^{0}ɲi^{21}to^{21}.

【耳扒子】ɲi^{21}p^{h}a^{13}tsɿ^{0} 名 用来掏耳的工具：用～去挖耳朵。iəŋ^{53}ɲi^{21}p^{h}a$^{13}_{21}$tsɿ^{0}çi^{53}ua^{35}ɲi^{21}to^{21}.

【耳屎】ɲi^{21}ʂʅ^{21} 名 耳垢：不要去挖～嘞，一个人呐。我等有只老妹子，就我箇只么个干爷呣玄谟伯个妹子，欸，细细子个时候子渠爷娭呀，欸，我爸爸十分喜欢渠，长日睡正来同渠挖～，哦嗬，挖成哩只聋子唠。如今三十几岁子，四十岁子吧？三四十……三十几子，硬箇个嘞爱戴箇个助听器嘞，就渠等话就系细细子挖坏个。pət^{3}iau$^{53}_{44}$çi^{53}ua$^{35}_{44}$ɲi^{21}ʂʅ^{21}le^{0},iet^{3}ke^{53}ɲin$^{13}_{21}$na^{0}.ŋai$^{13}_{21}$tien^{0}iəu$^{35}_{53}$tʂak^{3}lau^{21}mɔi^{53}tsɿ^{0},ts^{h}iəu^{53}ŋai^{13}kai^{53}tʂak^{3}mak^{3}e^{0}kɔn^{35}ia$^{13}_{21}$m̩$_{21}$fen^{13}mu$^{13}_{44}$pak^{3}ke^{0}mɔi^{53}tsɿ^{0},ei$_{35}$,sei^{53}sei^{53}tsɿ^{0}ke^{0}ʂʅ^{13}xəu$^{53}_{44}$tsɿ^{0}ci$^{13}_{21}$ia^{13}ɔi$^{35}_{44}$ia^{0},e$_{35}$,ŋai$^{13}_{21}$pa$^{35}_{21}$pa$^{35}_{44}$ʂət^{5}fən$^{35}_{44}$çi^{21}fɔn$^{35}_{44}$ci$^{13}_{21}$,tʂ^{h}ɔŋ^{13}ɲiet^{3}ʂɔi^{53}tʂaŋ^{53}lɔi$^{13}_{21}$t^{h}əŋ$^{13}_{21}$ci$^{13}_{44}$ua^{35}ɲi^{21}ʂʅ^{21},o$_{21}$xo$_{35}$,ua^{35}ʂaŋ$^{13}_{21}$li^{0}tʂak^{3}ləŋ^{35}tsɿ^{0}lau^{0}.i$^{13}_{21}$cin$^{35}_{44}$san^{35}ʂət^{5}ci^{21}sɔi^{53}tsɿ^{0},si^{53}ʂət^{5}sɔi$^{53}_{44}$tsɿ^{0}pa^{0}?san^{35}si^{53}ʂ⋯san^{35}ʂət^{5}ci^{21}tsɿ^{0}, ɲiaŋ^{53}kai^{53}ke^{53}le^{0}ɔi^{53}tai$^{53}_{44}$kai$^{53}_{44}$ke$^{53}_{44}$ts^{h}u^{53}t^{h}in$^{35}_{44}$çi^{53}le^{0},ts^{h}iəu^{53}ci$^{13}_{21}$tien^{0}ua^{53}ts^{h}iəu^{53}xe$^{53}_{44}$se^{53}se^{53}tsɿ^{0}ua^{35}fai$^{53}_{44}$ke^{0}.

【耳屎扒】ɲi^{21}ʂʅ^{21}p^{h}a^{13} 名 耳挖子。也称"耳扒子"：我等箇阵子就也去搞下子箇个～。～就有用来扒耳屎个东西。我等有只咁个话法，我老弟子箇映子咯，渠箇有只过房个阿婆，渠箇只小郎子啊唔多为正业，长日到处走，好，冇得钱归来嘞，冇得钱了嘞归来嘞，就寻阿哥爱，向阿哥爱，以下爷子死哩，娭子死哩嘞，渠一分钱都冇得，归来洗手唱揖，以下渠箇只婆婆就话：“我么～子扒下进，你么呀就大手大脚就付分渠去哩，就分渠拿稳走嘿哩。”渠是安做么个？我是～子扒下进，你就用铁扎调下出。用铁就铁扎咁长个铁扎呀，欸。渠老婆蛮能干呐，渠箇只欸我老弟子箇只婆婆啊唔知几省磬又发狠呐，欸，但是渠又寻么个大钱唔倒吵，渠唔系话：“我～扒下进，你就一铁扎一铁扎调下出。” ŋai^{13}tien^{0}kai^{53}tʂʰən^{53}tsɿ^{0}tsʰiəu$^{53}_{44}$ia^{35}cʰi^{53} kau^{21}(x)a^{53}tsɿ^{0}kai^{53}ɲi^{21}ʂʅ^{21}pʰa^{13}. ɲi^{21}ʂʅ^{21}pʰa^{13}tsʰiəu^{53}iəŋ^{53}lɔi$^{13}_{21}$pʰa^{13}ɲi^{21}ʂʅ^{21}ke^{0}təŋ$^{35}_{44}$si^{0}.ŋai^{13}tien^{0}iəu^{35}tʂak^{3}kan^{21} ke$^{53}_{44}$ua^{53}fait^{3},ŋai$^{13}_{21}$lau^{21}tʰe^{35}tsɿ^{0}kai$^{53}_{44}$in^{53}tsɿ^{0}ko^{0},ci$^{13}_{21}$kai$^{53}_{44}$iəu$^{35}_{44}$tʂak^{3}ko^{53}fɔŋ^{13}ke^{0}a^{35}pʰo$^{13}_{21}$,ci^{13}kai^{53}tʂak^{3}siau^{21}lɔŋ^{13} tsɿ^{0}a^{0}n̩^{13}to$^{35}_{44}$uei^{53}tʂən^{53}ɲiait^{5},tʂʰɔŋ^{13}ɲiet^{3}tau^{53}tʂʰu^{53}tsei^{21},xau$^{21}_{44}$,mau^{13}tek^{3}tsʰien$^{13}_{21}$kuei^{35}lɔi$^{13}_{21}$le^{0},mau^{13}tek^{3} tsʰien$^{13}_{21}$liau^{0}lei^{0}kuei^{35}lɔi$^{13}_{21}$lei^{0},tsʰiəu^{53}tsʰin$^{13}_{21}$a^{35}ko$^{35}_{44}$a^{0},çiɔŋ^{53}a$^{35}_{44}$ko$^{35}_{44}$ɔi^{53},i^{21}xa$^{53}_{44}$ia^{13}tsɿ^{0}si^{21}li^{0},ɔi^{35}tsɿ^{0}si^{21}li^{0}lei^{0},ci^{13} iet^{3}fən^{35}tsʰien$^{13}_{44}$təu$^{35}_{53}$mau$^{13}_{44}$tek^{3},kuei^{35}lɔi$^{13}_{21}$se^{21}ʂəu^{21}tʂʰɔŋ^{53}ia^{35},i^{21}xa$^{53}_{44}$ci^{13}kai^{53}tʂak^{3}pʰo^{13}pʰo$^{13}_{44}$tsʰiəu^{53}ua^{53}:"ŋai^{13} me^{0}ɲi^{21}ʂʅ^{21}pʰa^{13}tsɿ^{0}pʰa^{13}(x)a$^{53}_{44}$tsin^{53}, ɲi^{13}me^{0}ia^{0}tsʰiəu^{53}tʰai^{53}ʂəu^{21}tʰai^{53}ciɔk^{3}tsʰiəu^{53}fu^{53}pən$^{35}_{44}$ci$^{13}_{21}$çi^{53}li^{0},tsʰiəu$^{53}_{44}$ pən$^{35}_{53}$ci$^{13}_{21}$la^{53}uən^{21}tsei^{21}xek^{3}li^{0}."ci$^{13}_{21}$ʂʅ$^{53}_{44}$ɔn$^{35}_{44}$tso$^{53}_{44}$mak^{3}ke$^{53}_{44}$?ŋai^{13}ʂʅ^{53}ɲi^{21}ʂʅ^{21}pʰa^{13}tsɿ^{0}pʰa^{13}(x)a$^{53}_{44}$tsin^{53}, ɲi^{13}tsʰiəu^{53} iəŋ^{53}tʰet^{3}tsait^{3}tiau^{53}ua$^{53}_{44}$tʂʰət^{3}.iəŋ^{53}tʰiet^{3}tsiəu$^{53}_{44}$tʰiet^{3}tsait^{3}kan^{21}tʂʰɔŋ^{13}ke^{0}tʰiet^{3}tsait^{3}ia^{0},e$_{21}$.ci$^{13}_{44}$lau^{21}pʰo$^{13}_{44}$man^{13} lien^{13}kɔn^{53}na^{0},ci^{13}kai^{53}tʂak^{3}e$_{13}$ŋai$^{13}_{44}$lau^{21}tʰe$^{35}_{53}$tsɿ^{0}kai^{53}tʂak^{3}pʰo^{13}pʰo^{13}a^{0}n̩^{13}ti$^{35}_{53}$ci^{21}saŋ^{21}cʰiaŋ$^{53}_{44}$iəu^{53}fait^{3}xen^{21} na^{0},e$_{21}$,tan$^{53}_{44}$ʂʅ$^{53}_{44}$ci$^{13}_{21}$iəu$^{53}_{44}$tsʰin^{13}mak^{3}e^{0}tʰai^{53}tsʰien$^{13}_{21}$n̩$^{13}_{21}$tau^{21}ʂa^{0},ci$^{13}_{21}$m̩^{13}pʰei$^{53}_{44}$ua$^{53}_{44}$:"ŋai^{13}ɲi^{21}ʂʅ^{21}pʰa^{13}tsɿ^{0}pʰa^{13}(x)a$^{53}_{44}$ tsin^{53}, ɲi^{13}tsʰiəu^{53}iet^{3}tʰiet^{3}tsait^{3}iet^{3}tʰiet^{3}tsait^{3}tiau^{53}ua$^{53}_{44}$tʂʰət^{3}."

【耳坠子】ɲi^{21}tʂei^{53}tsɿ^{0} 名 妇女佩戴的下垂的耳饰：我看下子箇个有滴箇明星箇～啊，滮大一只圈圈，叮叮吊吊吊倒箇映子。啊渠可能系追求箇只搞下子又捉倒渠面上撞一下，追求箇只感受吗，哈？欸，看还系看得嘞。欸，～滮大，看还系看得嘞。ŋai^{13}kʰɔn^{53}xa$^{53}_{44}$tsɿ^{0}kai$^{53}_{44}$ke$^{53}_{44}$iəu^{35} tiet^{5}kai$^{53}_{44}$min^{13}sin$^{35}_{44}$kai$^{53}_{44}$ɲi^{21}tʂei^{53}tsɿ^{0}a^{0},mən^{35}tʰai^{53}iet^{3}tʂak^{3}cʰien^{35}cʰien$^{35}_{44}$,tin$^{35}_{44}$tin$^{35}_{44}$tiau^{53}tiau$^{53}_{44}$tiau^{53}tau^{21}kai$^{53}_{44}$ iaŋ^{53}tsɿ^{0}.a^{0}ci$^{13}_{21}$kʰo^{21}len$^{13}_{44}$xe$^{53}_{21}$tʂei^{35}cʰiəu$^{13}_{21}$kai^{53}tʂak^{3}kau^{21}(x)a^{53}tsɿ^{0}iəu^{53}tsɔk^{3}tau^{21}ci$^{13}_{44}$mien^{53}xɔŋ^{53}tsʰɔŋ^{53}iet^{3}xa^{53}, tʂei^{35}cʰiəu$^{13}_{21}$kai^{53}tʂak^{3}kɔn^{21}ʂəu^{53}ma^{0},xa$_{35}$?ei$_{21}$,kʰɔn^{53}xai$^{13}_{21}$xe$^{53}_{44}$kʰɔn^{53}tek^{3}le^{0}.e$_{44}$, ɲi^{21}tʂei^{53}tsɿ^{0}mən^{35}tʰai$^{53}_{44}$,kʰɔn^{53} (x)ai$^{13}_{21}$xe$^{53}_{44}$kʰɔn^{53}tek^{3}le^{0}.

【二】ɲi^{53} 数 ①一加一后所得的数字：～丈～ɲi^{53}tʂʰɔŋ^{53}ɲi^{53}。②加在动量词前，表示第二次、第二遍：箇～到就蛮多么个～到啦。以前耘田爱耘～到，整田爱整～到。蛮多东西爱搞一次不能完成个东西就爱搞～到，但是头到赠搞得好，返工，也可以讲啊搞～到。kai$^{53}_{44}$ɲi^{53}tau^{53} tsʰiəu$^{53}_{44}$man^{13}to$^{35}_{53}$mak^{3}e^{0}ɲi^{53}tau$^{53}_{44}$la^{0}.i$^{35}_{53}$tsʰien$^{13}_{21}$in$^{53}_{21}$tʰien^{13}ɔi$^{53}_{44}$in^{13}ɲi^{53}tau^{53},tʂaŋ^{21}tʰien^{13}ɔi$^{53}_{44}$tʂaŋ^{21}ɲi^{53}tau^{53}.man^{13} to$^{35}_{44}$təŋ$^{35}_{44}$si^{0}ɔi$^{53}_{44}$kau^{21}iet^{3}tsʰɿ^{53}pət^{3}len$^{13}_{44}$xɔn^{13}tʂʰən^{13}ke^{0}təŋ$^{35}_{44}$si^{0}tsʰiəu$^{53}_{44}$ɔi$^{53}_{44}$kau^{21}ɲi^{53}tau$^{53}_{44}$,tan$^{53}_{44}$ʂʅ$^{53}_{44}$tʰei^{13}tau^{53}maŋ$^{13}_{21}$ kau$^{21}_{44}$tek^{3}xau^{21},fan^{21}kəŋ^{35},ia^{35}kʰo^{21}i$^{35}_{44}$kɔŋ^{21}ŋa^{0}kau^{21}ɲi^{53}tau$^{53}_{44}$. ③加在亲属称谓前，表示排行第二：～叔婆ɲi^{53}ʂəuk^{3}pʰo^{13}二叔公的妻子｜～伯姿ɲi^{53}pak^{3}me^{35}二伯母｜～叔 ɲi^{53}ʂəuk^{3}｜～妹子 ɲi^{53}mɔi^{53}tsɿ^{0}二女儿｜～姨娭 ɲi^{53}i^{13}ɔi^{35}二姨｜～老弟 ɲi^{53}lau^{21}tʰe^{35}二弟。④加在普通名词前，表示次序为第二：～更是还系上半夜嘞，系唔系？ɲi^{53}kaŋ^{35}ʂʅ^{53}xai$^{13}_{21}$xe$^{53}_{44}$ʂɔŋ^{53}pan$^{53}_{44}$ia^{53}lei^{0},xei$^{53}_{44}$me$^{53}_{44}$?｜（煎中药）头汤，～汤，头水，～水，都话。tʰei^{13}tʰɔŋ^{35}, ɲi^{53}tʰɔŋ^{35},tʰei^{13}ʂei^{21}, ɲi^{53}ʂei^{21},təu^{35}ua^{53}.

【二茶】ɲi^{53}tsʰa^{13} 名 一年中第二次摘取的茶叶：摘啊头茶就摘～，摘啊～就摘老叶茶噢。tsak^{3} a^{0}tʰei^{13}tsʰa^{13}tsʰiəu$^{53}_{44}$tsak^{3}ɲi^{53}tsʰa^{13},tsak^{3}a^{0}ɲi^{53}tsʰa^{13}tsʰiəu$^{53}_{44}$tsak^{3}lau^{21}iait^{5}tsʰa^{13}au^{0}.

【二斗子】ɲi^{53}təu^{21}/tei^{21}tsɿ^{0} 名 风车分离出的有实但不饱满的稻谷：风车车谷，欸，最好个嘞就精谷，就系装啊箩里装倒。欸，尾巴上个就安做风车尾。半壮半精半仁子个半精半瘪子个箇个就安做～。～嘞，欸，就可以，人是唔都唔想食唠，欸，打做糠哦，分猪食唠。～，又安做，又有一种话法安做二度子。fəŋ^{35}tʂʰa$^{35}_{44}$tʂʰa^{35}kuk^{3},e$_{21}$,tsei^{53}xau^{21}ke^{0}lei^{0}tsʰiəu$^{53}_{44}$tsin^{35}kuk^{3},tsʰiəu^{53}xe$^{53}_{44}$ tʂɔŋ^{35}a^{0}lo^{13}li^{0}tʂɔŋ^{35}tau^{21}.e$_{21}$,mi^{35}pa$^{35}_{44}$xɔŋ$^{53}_{44}$ke^{0}tsʰiəu$^{53}_{44}$ɔn$^{35}_{44}$tso$^{53}_{44}$fəŋ^{35}tʂʰa$^{35}_{44}$mi^{35}.pan^{53}tʂɔŋ^{53}pan^{53}tsin^{35}pan^{53}in^{13}tsɿ^{0} ke^{0}pan^{53}tsin^{35}pan^{53}iait^{3}tsɿ^{0}ke^{0}kai$^{53}_{44}$ke$^{53}_{44}$tsʰiəu$^{53}_{44}$ɔn$^{35}_{44}$tso$^{53}_{44}$ɲi^{53}tei^{21}tsɿ^{0}. ɲi^{53}tei^{21}tsɿ^{0}lei^{0},ei$_{21}$,tsʰiəu$^{53}_{44}$kʰo^{21}i$^{35}_{44}$, ɲin^{13} ʂʅ$^{53}_{44}$n̩$^{13}_{44}$təu$^{35}_{44}$n̩$^{13}_{44}$siɔŋ^{21}ʂət^{5}lau^{0},e$_{21}$,ta^{21}tso^{53}xɔŋ^{35}ŋo^{0},pən$^{35}_{44}$tʂəu^{35}ʂət^{5}lau^{0}. ɲi^{53}tei^{21}tsɿ^{0},iəu$^{53}_{44}$ɔn$^{35}_{44}$tso$^{53}_{44}$,iəu^{53}iəu^{35}iet^{3} tʂəŋ^{21}ua^{53}fait^{3}ɔn$^{35}_{44}$tso$^{53}_{44}$ɲi^{53}tʰəu^{53}tsɿ^{0}.

【二度斗】ɲi^{53}tʰəu^{53}təu^{21}/tei^{21} 名 风车底部不太饱满的粮食的出口。又称“二斗”：有三只。一只就出二仁谷个风车斗哟。/欸，一只是箇映子箇映子是出二欸欸欸胖谷，出胖谷个。/就成哩冇得区别唠，都喊风车斗唠。/欸，冇么啊区别。爱区别啊？爱区别只有只出二度……～。/一只就～唠。/系，二斗哦。/就箇……就系出箇只胖个唔好个。iəu$^{35}_{44}$san^{35}tʂak^{3}.iet^{3}tʂak^{3}tsʰiəu$^{53}_{44}$

tʂʰət^{3} ɲi^{53} in$^{13}_{21}$kuk^{3} ke$^{53}_{44}$fəŋ$^{35}_{44}$tʂʰa$^{35}_{44}$tei^{21} iau^{0} ./e$_{21}$,iet^{3} tʂak^{3} ʂʅ$^{53}_{44}$kai$^{53}_{44}$iaŋ$^{53}_{44}$tsɿ^{0} kai$^{53}_{44}$iaŋ$^{53}_{44}$tsɿ^{0} ʂʅ$^{53}_{44}$tʂʰət^{3} ɲi^{53} e$_{21}$e$_{21}$e$_{21}$pʰaŋ^{53} kuk^{3} ,tʂʰət^{3} pʰaŋ^{53} kuk^{3} ke$^{53}_{44}$./tsʰiəu$^{53}_{44}$ ʂaŋ$^{13}_{44}$ li^{0} mau^{13} tek^{3} tʂʰɥ$^{35}_{44}$ pʰiek^{5} lau^{0} ,təu$^{35}_{21}$ xan^{53} fəŋ^{35} tʂʰa$^{35}_{44}$ tei^{21} lau^{0} ./e$_{44}$,mau^{13}mak^{3} a^{0} tʂʰɥ$^{35}_{44}$pʰiek^{5} .ɔi^{53} tʂʰɥ^{35} pʰiek^{5} a^{0} ?ɔi^{53} tʂʰɥ^{35} pʰiek^{5} tʂek^{3} iəu$^{35}_{44}$tʂak^{3} tʂʰət^{3} ɲi^{53} tʰəu^{53}…ɲi^{53} tʰəu^{53} təu^{21} ./iet^{3} tʂak^{3} tsʰiəu$^{53}_{44}$ɲi^{53} tʰəu$^{53}_{44}$tei^{21} lau^{0} ./xe$^{53}_{44}$, ɲi^{53} təu^{21} o^{0} ./tsiəu$^{53}_{21}$kai$^{53}_{44}$…tsʰiəu$^{53}_{44}$xe$^{53}_{44}$tʂʰət^{3} kai$^{53}_{44}$tʂak^{3} pʰaŋ^{53}kei$^{53}_{44}$n̩^{13}xau^{21}ke^{53}.

【二度子】ɲi^{53}tʰəu^{53}tsɿ^{0} 名有实但不饱满的谷子。又称“二斗子”：风车车谷，最重个最精壮个就系好谷。最靥个，风车下吹走哩个，箇个就系胩谷，风车尾。好，在胩谷同精谷中间有滴子半靥半精子个，以只就～，又安做二斗子。fəŋ^{35}tʂʰa$^{35}_{44}$tʂʰa^{35}kuk^{3} ,tsei^{53}tʂʰəŋ^{35}ke^{0} tsei^{53}tsin^{35}tʂəŋ$^{53}_{44}$ ke^{0} tsʰiəu^{53}xe^{53}xau^{21}kuk^{3}.tsei^{53}iait^{3}kei^{53},fəŋ^{35}tʂʰa^{35}xa^{53}tʂʰei^{35}tsei^{21}li^{0}ke^{0},kai^{53}ke^{53}tsʰiəu$^{53}_{44}$xe$^{53}_{44}$pʰan^{53}kuk^{3} ,fəŋ$^{35}_{44}$ tʂʰa$^{35}_{44}$mi^{35} .xau^{21},tsʰai$^{53}_{44}$pʰan^{53}kuk^{3} tʰəŋ$^{13}_{21}$tsin^{35}kuk^{3} tʂəŋ^{35}kan$^{35}_{44}$iəu$^{35}_{44}$tiet^{5} tsɿ^{0} pan^{53}iait^{3} pan^{53}tsin^{35}tsɿ^{0}ke^{0} ,i^{21}tʂak^{3} tsiəu$^{53}_{44}$ɲi^{53}tʰəu$^{53}_{21}$tsɿ^{0} ,iəu$^{53}_{44}$ɔn$^{35}_{44}$tso$^{53}_{44}$ɲi^{53}tei^{21}tsɿ^{0} .

【二伏】ɲi^{53}fuk^{3} 名中伏：欸十天以后就系～。～到三伏箇只阶段呢就可能唔止十天，箇阶段有时候就两十天，因为箇只算法唔同。e$_{21}$ʂət^{5} tʰien$^{35}_{44}$i$^{35}_{44}$xei$^{53}_{44}$tsʰiəu$^{53}_{21}$xe$^{53}_{21}$ɲi^{53} fuk^{5} . ɲi^{53}fuk^{5} tau$^{53}_{44}$san^{35}fuk^{5} kai$^{53}_{44}$tʂak^{3} kai^{35}tɔn$^{53}_{44}$nei^{0} tsʰiəu^{53}kʰo^{21}len^{13}n̩^{13}tʂʅ^{21} ʂət^{5} tʰien$^{35}_{44}$,kai$^{53}_{44}$kai$^{35}_{44}$tɔn$^{53}_{44}$iəu$^{35}_{44}$ʂʅ$^{13}_{44}$xei$^{53}_{44}$tsiəu$^{53}_{44}$iɔŋ^{21} ʂət^{5} tʰien$^{35}_{44}$, in^{35}uei$^{53}_{44}$kai$^{53}_{44}$tʂak^{3} sɔn^{53}fait^{3} n̩$^{13}_{44}$tʰəŋ^{13} .

【二禾】ɲi^{53}uo^{13} 名晚稻：～就晚稻就～就最迟啊。ɲi^{53}uo^{13}tsʰiəu$^{53}_{44}$uan^{21}tʰau$^{53}_{44}$tsʰiəu$^{53}_{44}$ɲi^{53}uo^{13}tsʰiəu$^{53}_{44}$ tsei^{53}tʂʰʅ^{13}ʐa^{0} .｜渠就硬爱栽哩早禾收嘿哩以后再栽个，如今是栽哩烤烟以后，收嘿哩烤烟再栽个箇只禾就安做～。ci^{13}tsʰiəu^{53}ɲiaŋ^{53}ɔi^{53}tsɔi^{35}li^{0} tsau^{21}uo^{13}ʂəu^{35}xek^{3} li^{0} i$^{35}_{44}$xei$^{53}_{44}$tsai^{53}tsɔi^{35}kei^{0} ,i$^{13}_{21}$cin$^{35}_{44}$ʂʅ$^{53}_{44}$ tsɔi$^{35}_{44}$li^{0} kʰau^{21}ien$^{35}_{44}$i$^{35}_{44}$xei^{53} ,ʂəu^{35}xek^{3} li^{0} kʰau^{21}ien$^{35}_{44}$tsai^{53}tsɔi^{35}kei$^{53}_{44}$kai$^{53}_{44}$tʂak^{3} uo$^{13}_{21}$tsʰiəu$^{53}_{44}$ɔn$^{35}_{44}$tso$^{53}_{44}$ɲi^{53}uo$^{13}_{21}$.

【二禾谷】ɲi^{53}uo^{13}kuk^{3} 名晚稻谷：～就爱播种，下秧个，箇起就喊二禾。ɲi^{53}uo^{13}kuk^{3} tsʰiəu$^{53}_{44}$ɔi$^{53}_{44}$ po^{53}tʂəŋ^{21} ,xa^{35}iɔŋ^{35}ke^{53} ,kai^{53}çi^{21}tsʰiəu$^{53}_{44}$xan$^{53}_{44}$ɲi^{53}uo$^{13}_{21}$.

【二禾米】ɲi^{53}uo^{13}mi^{21} 名晚稻米：用二禾谷整出来个米就安做～。如今有只咁个下数，箇个烟田里栽个禾箇个谷啊冇么个人食，不食，也唔也冇人买，尽系尽兜卖呀卖嘿箇个卖谷卖嘿箇粮卖嘿箇个收谷个人箇映去哩。搞么个嘞？你晓吗？打药。栽烤烟个时候子有烤烟就专门有种肥料，烤烟肥。渠等话箇烤烟肥肚里有重金属。栽哩烤烟，渠还吸收唔了，还赠吸收尽，你箇只时候子你去你舞倒箇个二禾去栽呀，箇个箇谷肚里难免有得重金属。所以蛮多人渠就唔买箇起米食。箇起～渠唔买，有重金属哇。iəŋ^{53}ɲi^{53}uo$^{13}_{44}$kuk^{3} tʂaŋ^{21}tʂʰət^{3} lɔi$^{13}_{21}$ke^{0} mi^{21}tsʰiəu$^{53}_{44}$ɔn$^{35}_{44}$ tso$^{53}_{44}$ɲi^{53}uo^{13}mi^{21} .i$^{13}_{21}$cin$^{35}_{44}$iəu$^{35}_{44}$tʂak^{3} kan^{21}cie$^{53}_{44}$xa$^{53}_{44}$sɿ$^{53}_{44}$,kai$^{53}_{44}$ke$^{53}_{44}$ien^{35}tʰien$^{13}_{21}$ni^{0} tsɔi^{35}ke$^{53}_{44}$uo^{13}kai$^{53}_{44}$ke$^{53}_{44}$kuk^{3} a^{0} mau$^{13}_{21}$ mak^{3} in$^{13}_{21}$ʂət^{5} ,puk^{3} ʂət^{5} ,ia^{35}n̩$^{13}_{44}$ia^{35}mau$^{13}_{21}$ɲin$^{13}_{21}$mai^{35} ,tsʰin$^{53}_{44}$xe$^{53}_{44}$tsʰin$^{53}_{44}$təu$^{35}_{44}$mai^{53}ia^{0} mai^{53}xek^{3} kai^{53}ke$^{53}_{44}$mai^{53}kuk^{3} mai^{53}xek^{3} kai^{53}liɔŋ$^{13}_{44}$mai^{53}xek^{3} kai$^{53}_{44}$ke$^{53}_{44}$ʂəu^{35}kuk^{3} ke^{53}ɲin$^{13}_{21}$kai$^{53}_{44}$iaŋ$^{53}_{44}$çi^{53}li^{0} .kau^{21}mak^{3} e^{0} lei^{0} ?ɲi$^{13}_{21}$çiau$^{21}_{44}$ma^{0} ?ta^{21} iɔk^{5} .tsɔi^{35}kʰau^{21}ien$^{35}_{44}$ke^{0} ʂʅ^{13}xəu$^{53}_{44}$tsɿ^{0} iəu^{35}kʰau^{21}ien$^{35}_{44}$tsʰiəu^{53}tʂen^{35}mən$^{13}_{21}$iəu$^{35}_{44}$tʂəŋ^{21}fei^{13}liau^{53},kau^{21}ien$^{35}_{44}$fei$^{13}_{21}$.ci$^{13}_{21}$ tien^{0} ua$^{53}_{44}$kai$^{53}_{44}$kʰau^{21}ien$^{35}_{44}$fei$^{13}_{21}$təu^{21}li^{0} iəu^{35}tʂʰəŋ^{53}cin^{35}ʂəuk^{5} .tsɔi^{35}li^{0} kʰau^{21}ien^{35} ,ci$^{13}_{21}$xai^{13}cʰiet^{5} ʂəu$^{35}_{44}$n̩$^{13}_{21}$liau^{21} ,xai^{13} maŋ^{13}cʰiet^{5} ʂəu$^{35}_{44}$tsʰin^{53}, ɲi^{13}kai^{53}tʂak^{3} ʂʅ^{13}xei^{53}tsɿ^{0}ɲi^{13}çi^{53}ɲi$^{13}_{44}$u^{21}tau^{21}kai$^{53}_{44}$ke$^{53}_{44}$ɲi^{53}uo$^{13}_{21}$çi$^{53}_{44}$tsɔi$^{35}_{44}$ia^{0} ,kai$^{53}_{44}$ke$^{53}_{44}$kai$^{53}_{44}$ kuk^{3} təu^{21}li^{0} nan^{13}mien$^{21}_{44}$mau$^{13}_{21}$tek^{3} tʂʰəŋ^{53}cin$^{35}_{44}$ʂəuk^{5} .so^{21}i$^{35}_{53}$man$^{13}_{21}$to$^{35}_{53}$ɲin$^{13}_{21}$ci$^{13}_{44}$tsʰiəu$^{53}_{44}$m̩$^{13}_{21}$mai^{35}kai^{53}çi^{21}mi^{21}ʂət^{5} . kai^{53}çi^{21}ɲi^{53}uo$^{13}_{21}$mi^{21}ci$^{13}_{21}$m̩$^{13}_{21}$mai^{35} ,iəu^{35}tʂʰəŋ^{53}cin$^{35}_{44}$ʂəuk^{5} ua^{0} .

【二荷】ɲi^{53}xo^{13} 名靠近秤尾的提绳：靠近秤尾个，就～。kʰau$^{53}_{44}$cʰin$^{53}_{44}$tʂʰən^{53}mi^{35}ke$^{53}_{44}$,tsiəu$^{53}_{44}$ɲi^{53}xo$^{13}_{21}$. ｜称细滴子个就～。tʂʰən^{35}se^{53}tiet^{5} tsɿ^{0} ke$^{53}_{44}$tsʰiəu$^{53}_{44}$ɲi^{53}xo$^{13}_{21}$.

【二胡】ɲi^{53}fu^{13} 名二弦胡琴：用唢呐，用～，用笛子，锣鼓，咁子搞，吹吹打打。iəŋ^{53}so^{21} la^{0} ,iəŋ$^{53}_{44}$ɲi^{53}fu^{13} ,iəŋ$^{53}_{44}$tʰiet^{5} tsɿ^{0} ,lo^{13}ku^{21} ,kan^{21}tsɿ^{0} kau^{21} ,tʂʰei^{35}tʂʰei$^{35}_{44}$ta^{21}ta^{21} .

【二婚亲】ɲi^{53}fən$^{35}_{44}$tsʰin^{35} 名再醮的妇女：～, 打比样，讨老婆，欸，讨只嫁过一嫁个夫娘子，就安做讨只～呢。ɲi^{53}fən$^{35}_{44}$tsʰin^{35} ,ta^{21}pi^{21}iɔŋ^{53} ,tʰau^{21}lau^{21}pʰo$^{13}_{44}$,e$_{21}$,tʰau^{21}tʂak^{3} ka^{53}ko$^{53}_{44}$iet^{3} ka^{53}kei$^{53}_{44}$pu^{35}ɲiɔŋ$^{13}_{21}$ tsɿ^{0} ,tsʰiəu$^{53}_{44}$ɔn$^{35}_{53}$tso^{53}tʰau^{21}tʂak^{3} ɲi^{53}fən$^{35}_{44}$tsʰin$^{53}_{44}$nei^{0} .

【二镬头】ɲi^{53}uɔk^{5} tʰei^{13} 名二锅头：最好个就～。tsei^{53}xau^{21}ke$^{53}_{44}$tsʰiəu$^{53}_{44}$ɲi^{53}uɔk^{5} tʰei^{13}.

【二架楼栿】ɲi^{53}ka^{53}lei$^{13}_{21}$fuk^{5} 名不承载楼板，只起牵引扉墙的作用的栿梁：～，一般子个土墙屋，土砖屋搀土墙屋，都只做两层子，做三层个蛮少。第一层就一层个楼栿。也唔安做一架楼栿，那就楼栿。第二层个，顶高有得哩屋了，系唔系？箇就安做～。噢，箇只正系～嘞，唔系以只不是～嘞。楼面上唔起作用个，起……只起到扯通下子箇个，扯稳墙个，箇就安做～。系，箇只就安做～。起到分箇两只扉呀扯稳下子，箇就安做～。ɲi^{53}ka^{53}lei$^{13}_{21}$fuk^{5} ,iet^{3}

pən^{35}tsɿ^{0} ke$^{53}_{44}$tʰəu^{21}tsʰiɔŋ^{13}uk^{3},tʰəu^{21}tʂɔn^{35}uk^{3} lau$^{35}_{44}$tʰəu^{21}tsʰiɔŋ^{13}uk^{3},təu^{35}tʂʅ^{21}tso^{53}iɔŋ^{21}tsʰien^{13}tsɿ^{0},tso$^{53}_{44}$san^{35} tsʰien$^{13}_{21}$ke$^{53}_{44}$man^{13}ʂau^{21}.tʰi^{53}iet^{3} tsʰien^{13}tsʰiəu$^{53}_{44}$iet^{3} tsʰien^{13}ke$^{53}_{44}$lei$^{13}_{21}$fuk^{5}.ia^{35}m̩^{13}ɔn^{35}tso$^{53}_{44}$iet^{3} ka^{53}lei$^{13}_{21}$fuk^{5},lai^{53} tsʰiəu^{53}lei$^{13}_{21}$fuk^{5}.tʰi$^{53}_{44}$ɲi^{53}tsʰien$^{13}_{21}$ke$^{53}_{44}$,taŋ^{21}kau$^{35}_{44}$mau^{13}tek^{3} li^{0} uk^{3} liau^{0},xe$^{53}_{44}$me$^{53}_{44}$?kai$^{53}_{44}$tsʰiəu$^{53}_{44}$ɔn$^{35}_{44}$tso$^{53}_{44}$ɲi^{53}ka^{53}lei$^{13}_{21}$ fuk^{5}.au$_{21}$,kai^{53}tʂak^{3} tʂaŋ$^{53}_{44}$xei$^{53}_{44}$ɲi^{53}ka^{53}lei$^{13}_{21}$fuk^{5} lei^{0},m̩$^{13}_{21}$pʰe$_{44}$(←xe^{53})i^{21}tʂak^{3} puk^{3} ʂʅ^{53}ɲi^{53}ka^{53}lei$^{13}_{21}$fuk^{5} lei^{0}.lei^{13} mien^{53}xɔŋ^{53}m̩^{13}çi^{21}tsɔk^{3} iəŋ^{53}ke^{53},çi^{21}…tʂʅ^{21}çi^{21}tau^{53}tʂʰa^{21}tʰəŋ^{35}ŋa^{53}(←xa^{53})tsɿ^{0} kai^{53}kei$^{53}_{21}$,tʂʰa^{21}uən^{21}tsʰiɔŋ^{13} ke^{53},kai$^{53}_{44}$tsʰiəu$^{53}_{44}$ɔn$^{35}_{44}$tso$^{53}_{44}$ɲi^{53}ka^{53}lei$^{13}_{21}$fuk^{5}.xe$^{53}_{21}$,kai^{53}tʂak^{3} tsʰiəu$^{53}_{44}$ɔn$^{35}_{44}$tso$^{53}_{44}$ɲi^{53}ka^{53}lei$^{13}_{21}$fuk^{5}.çi^{21}tau^{53}pən^{35}kai$^{53}_{21}$ iɔŋ^{21}tʂak^{3} fei^{35}ia^{0} tʂʰa^{21}uən^{21}na^{53}(←xa^{53})tsɿ^{0},kai$^{53}_{44}$tsʰiəu$^{53}_{44}$ɔn$^{35}_{44}$tso$^{53}_{44}$ɲi^{53}ka^{53}lei$^{13}_{21}$fuk^{5}.

【二流子】ɲi^{53}liəu$^{13}_{21}$tsɿ^{0} 名无业游民。又称“打流个”：也话别人家～唠，同～样个。游野浪荡哦。ia^{35}ua$^{53}_{44}$pʰiek^{5} in$^{13}_{44}$ka$^{35}_{44}$ɲi^{53}liəu^{13}tsɿ^{0} lau^{0},tʰəŋ^{13}ɲi^{53}liəu^{13}tsɿ^{0} iɔŋ$^{53}_{44}$ke$^{53}_{44}$.iəu^{13}ia^{35}lɔŋ^{53}tʰɔŋ^{53}ŋo^{0}.

【二眠】ɲi^{53}min^{13} 动蚕第二次蜕皮：～是箇个吧讲畜蚕虫吧？头眠～吧？蚕虫唔知爱睡几多到目哇正可以结成窠子？唔记得，我是唔晓得，赠畜过蚕虫。唔知爱睡几多到目。第一到目就头眠，第二到目就～。唔食唔动嘞，就睡倒肚里嘞。ɲi^{53}min^{13}ʂʅ$^{53}_{44}$kai^{53}kei^{53}pa^{0} kɔŋ^{21}çiəuk^{3} tsʰan^{13} tʂʰəŋ^{13}pa^{0}?tʰei^{13}min^{13}ɲi^{53}min^{13}pa^{0}?tsʰan^{13}tʂʰəŋ$^{13}_{44}$n̩$^{13}_{21}$ti$^{35}_{44}$ɔi^{53}ʂɔi^{53}ci^{21}to^{35}tau^{53}muk^{3} ua^{0} tʂaŋ^{53}kʰo^{21}i$^{35}_{44}$ciet^{3} ʂaŋ$^{13}_{21}$ kʰo^{35}tsɿ^{0}?n̩^{13}ci^{53}tek^{3},ŋai^{13}ʂʅ$^{53}_{44}$n̩^{13}çiau^{21}tek^{3},maŋ^{13}çiəuk^{3} ko^{53}tsʰan$^{13}_{44}$tʂʰəŋ$^{13}_{44}$.n̩^{13}ti$^{35}_{53}$ɔi^{53}ʂɔi^{53}ci^{21}(t)o^{35}tau^{53}muk^{3}.tʰi^{53} iet^{3} tau^{53}muk^{3} tsʰiəu^{53}tʰei^{13}min^{13},tʰi^{53}ɲi^{53}tau^{53}muk^{3} tsʰiəu^{53}ɲi^{53}min^{13}.n̩^{13}ʂət^{5} n̩$^{13}_{21}$tʰəŋ^{35}lei^{0},tsʰiəu$^{53}_{44}$ʂɔi^{53}tau$^{21}_{44}$təu^{21} li^{0} le^{0}.

【二青】ɲi^{53}tsʰiaŋ^{35} 名第二层青篾，材质最好：～（篾）是最好。ɲi^{53}tsʰiaŋ^{35}ʂʅ$^{53}_{44}$tsei^{53}xau^{21}.

【二仁谷】ɲi^{53}in$^{13}_{21}$kuk^{3} 名不太饱满的稻谷：一只就出～个风车斗哟。iet^{3} tʂak^{3} tsʰiəu$^{53}_{44}$tʂʰət^{3}ɲi^{53}in$^{13}_{21}$ kuk^{3} ke$^{53}_{44}$fəŋ$^{35}_{44}$tʂʰa$^{35}_{44}$tei^{21}iau^{0}.

【二仁子】ɲi^{53}in^{13}tsɿ^{0} 名有实但不饱满的谷子。又称“二度子”：～就系二度子啊，欸，打做粉分猪食唠，打做糠哦分猪食唠。ɲi^{53}in^{13}tsɿ^{0} tsʰiəu$^{53}_{44}$xei$^{53}_{44}$ɲi^{53}tʰəu^{53}tsɿ^{0} a^{0},ei$_{44}$,ta^{21}tso^{53}fən^{21}pən^{35}tʂəu^{35}ʂət^{5} lau^{0},ta^{21}tso^{53}xɔŋ^{35}ŋo^{0} pən^{35}tʂəu^{35}ʂət^{5} lau^{0}.

【二十四只蛤蟆卵】ɲi^{53}ʂət^{5} si^{53}tʂak^{3} kʰa^{13}ma^{13}lɔn^{21} 指二十四个节气：作田个人呢爱讲究节气，欸，讲究季节啊，栽种箇只都讲究，硬爱晓得下子～，爱懂得下子。tsɔk^{3} tʰien^{13}ke^{0}ɲin$^{13}_{21}$ne^{0}ɔi$^{53}_{44}$ kɔŋ^{21}ciəu^{53}tset^{3} çi^{53},e$_{21}$,kɔŋ^{21}ciəu^{53}ci^{53}tset^{3} a^{0},tsɔi^{35}tʂəŋ$^{53}_{44}$kai$^{53}_{44}$tʂak^{3} təu$^{35}_{44}$kɔŋ^{21}ci^{53}tset^{3}, ɲiaŋ^{53}ɔi^{53}çiau^{21}tek^{3}(x)a^{53} tsɿ^{0}ɲi^{53}ʂət^{3} si^{53}tʂak^{3} kʰa^{13}ma$^{13}_{44}$lɔn^{21},ɔi^{53}təŋ^{21}tek^{3} xa^{53}tsɿ^{0}.

【二四八月】ɲi^{53}si^{53}pait^{3}ɲiet^{5} 较凉爽的季节：～乱穿衣。ɲi^{53}si^{53}pait^{3}ɲiet^{5} lɔn^{53}tʂʰɔn^{35}i^{35}.

【二只】ɲi^{53}tʂak^{3} 第二点，第二方面：渠指土辣椒箇只品种唔同。就系栽嘿出来，渠冇咁长。～嘞，晒成个干个时间渠都现纵个，有一段段子咁个折转来咁个。ci^{13}kai^{53}tʂak^{3} pʰin^{21}tʂəŋ^{21}n̩^{13} tʰəŋ^{13}.tsʰiəu$^{53}_{44}$xe$^{53}_{44}$tsɔi^{35}xek^{3} tʂʰət^{3} lɔi^{13},ci$^{13}_{21}$mau^{13}kan^{21}tʂʰɔŋ^{13}. ɲi^{53}tʂak^{3} lei^{0},sai^{53}ʂaŋ^{13}ke$^{53}_{44}$kɔn^{35}ke^{53}ʂʅ$^{13}_{21}$kan$^{35}_{44}$ci$^{13}_{21}$ təu^{35}çien^{53}tsəŋ^{53}ke$^{53}_{44}$,iəu^{35}iet^{3} tɔn^{53}tɔn^{53}tsɿ^{0} kan$^{21}_{35}$ke$^{53}_{44}$tʂait^{3} tʂɔn^{21}nɔi^{13}kan$^{21}_{35}$ke$^{53}_{44}$.

F

【发$_1$】pɔit3/fɔit3/fait3/fait5 动①萌生：黄檀树最唔得倒来开叶，欸，唔得倒来～芽咯，渠是～芽就第一迟。uɔŋ13tʰan13ʂəu53tsei53n̩13tek3tau21lɔi$^{13}_{21}$kʰɔi35iait5,e$_{21}$,n̩13tek3tau21lɔi13fait3ŋa13ko0,ci13ʂʅ$^{53}_{44}$fait3ŋa13tsʰiəu$^{53}_{44}$tʰi53iet3tʂʰʅ13. ②滋生：我等就系分哪种树上～个蚕，就喊么个蚕。ŋai13tien0tsʰiəu53xe53pən35lai53tʂəŋ21ʂəu53xɔŋ53fait3ke53tsʰan13,tsʰiəu53xan53mak3ke53tsʰan13.｜落水天莫去摘豆角，摘哩豆角会～虱。lɔk5ʂei21tʰien35mɔk5çi$^{53}_{44}$tsak3tʰei53kɔk3,tsak3li0tʰei53kɔk3uɔi53fait3siet3. ③（疾病）发作：～杨梅疮 fait3iɔŋ13mɔi13tsʰɔŋ35｜～疔 fait3taŋ35｜～瘌痢 fait3lait3li35。④春天泉水再次从地下涌出：等得黄檀树都发哩芽了，你箇管泉水还冇得，箇年就冇哩泉水～，冇哩泉～。ten21tek3uɔŋ13tʰan13ʂəu53təu$^{35}_{53}$fait3li0ŋa13liau0, ɲi13kai53kɔn21tsʰan13ʂei21xai$^{13}_{44}$mau13tek3,kai53ɲien$^{13}_{44}$tsʰiəu53mau13li0tsʰan13ʂei21fait3,mau13li0tsʰan13fait3. ⑤发酵：不过渠个麻花有一点，我觉得渠还爱～哩。puk3ko53ci$^{13}_{44}$ke$^{53}_{44}$ma13fa$^{35}_{44}$iəu$^{35}_{44}$iet3tian21,ŋai13kɔk3tek3ci$^{13}_{44}$xai$^{13}_{44}$ɔi$^{53}_{44}$fait3li0. ⑥发财，发达，多指因得到大量财富而兴旺：你～哩就请我等食一餐呶。ɲi13fait3li0tsʰiəu$^{53}_{44}$tsʰiaŋ21ŋai$^{13}_{21}$tien0ʂət5iet3tsʰɔn$^{35}_{44}$nau0. ⑦点燃：～着来个香 fɔit3tʂʰɔk5lɔi$^{13}_{44}$ke$^{53}_{44}$çiɔŋ35。⑧散发，发放：～请贴fait3tsʰiaŋ21tʰiait3｜如今呐箇老哩人就～条子手巾，～条子白孝布啊。i$^{13}_{21}$cin35na0kai53lau21li0ɲin13tsʰiəu53fait3tʰiau$^{13}_{21}$tsʅ0ʂəu21cin$^{35}_{44}$,fait3tʰiau$^{13}_{21}$tsʅ0pʰak3a0. ⑨交付，送出：～嫁妆 fait3ka53tsɔŋ35结婚时女方家让人将嫁妆抬到新郎家。⑩传递：你慢滴问倒哩，你～短信～过来唠。ɲi13man$^{53}_{44}$tet$^{5}_{3}$uən53tau21li0, ɲi13fait3tɔn21sin53fait3ko$^{53}_{44}$lɔi$^{13}_{21}$lau0. ⑪洒水使之湿润；用水浸泡使之膨胀：舞兜子泥～兜子水呀，放下阳台上啊，（白果种子）就生哩。u21te$^{35}_{53}$tsʅ0lai13fait3tei$^{35}_{53}$tsʅ0ʂei21ia0,fɔŋ53ŋa53iɔŋ13tʰɔi$^{13}_{44}$xɔŋ53ŋa0,tsiəu53saŋ35li0.｜（豆笋）我等有么个让门做？～正下子，切倒，交兜辣椒一炒个。ŋai$^{13}_{21}$tien0iəu$^{35}_{44}$mak3e0ɲiɔŋ$^{53}_{44}$mən0tso53?fait3tʂaŋ53xa$^{53}_{44}$tsʅ0,tsʰiet3tau21,ciau35təu$^{35}_{44}$lait5tsiau$^{35}_{44}$iet3tsʰau21cie0. ⑫培育幼苗：我～滴子菜秧卖哩。ŋai13fait5tiet5tsʅ0tsʰɔi53iɔŋ35mai53li0.｜我～滴子鱼苗。ŋai13fait5tiet5tsʅ0ŋ̍13miau13.

【发$_2$】fait3 名指麻将牌中的发字牌：以映打麻将唔爱箇东西，东西南北啊，～呀，唔用。i21iaŋ53ta21ma13tsiɔŋ53m̩$^{13}_{21}$mɔi$^{53}_{44}$kai$^{53}_{21}$(t)əŋ$^{35}_{44}$si0,təŋ35si$^{35}_{44}$lan13pɔit3a0,fait3ia0,ŋ̍13ɲiəŋ53.

【发笔】fait3piet3 动用水润湿毛笔尖：一管新笔嘞不绷硬个，系唔系？舞滴子水呀，欸，舞湿下，然后正蘸得墨上啊，箇就～唠。有滴人是用牙齿啮下子唠。用口水，舞滴子口水子。我也会用过牙齿用过口水唠。每样个用过。iet3kɔn21sin35piet3le0puk3paŋ35ŋaŋ53ke$^{53}_{21}$,xei$^{53}_{44}$me$^{53}_{44}$?u21tet5tsʅ0ʂei21ia0,ei$_{21}$,u21ʂət3(x)a53,vien13xei53tʂaŋ53tsian21tek3mek5ʂɔŋ35ŋa0,kai$^{53}_{44}$tsʰiəu$^{53}_{44}$fait3piet3lau0.iəu35tet$^{5}_{3}$ɲin$^{13}_{44}$ʂʅ$^{53}_{44}$iəŋ53ŋa13tʂʰʅ21ŋait3(x)a$^{53}_{44}$tsʅ0lau0.iəŋ$^{53}_{44}$xei21ʂei21,u21tet5tsʅ0xei21ʂei21tsʅ0.ŋai13ia$^{35}_{44}$uɔi$^{53}_{44}$iəŋ53ko$^{53}_{44}$ŋa13tʂʰʅ21iəŋ53ko53xei21ʂei21lau0.mei35iɔŋ53ke$^{53}_{44}$iəŋ$^{53}_{44}$ko$^{53}_{44}$.

【发病】fait3pʰiaŋ53 动生病：姜太公到哩，你箇个头牲就会顺遂，冇事～。ciɔŋ35tʰai53kəŋ35tau53li0, ɲi13kai$^{53}_{44}$ke$^{53}_{44}$tʰei13saŋ$^{35}_{44}$tsʰiəu53uɔi53ʂən53si53,mau13sʅ$^{53}_{44}$fait3pʰiaŋ53.

【发财】fait3tsʰɔi13 动获得大量钱财：渠有滴人也唔系么啊～唠，渠就有滴人渠就专门搞箇样路子啊。ci^{13}iəu^{35}tet^{5}ȵin$^{13}_{21}$ia^{35}m̩$^{13}_{21}$me^{53}mak^{3}a^{0} fait^{3} tsʰɔi$^{13}_{21}$lau^{0} ,ci^{13}tsiəu$^{53}_{44}$iəu^{35}tet^{5}ȵin$^{13}_{21}$ci$^{13}_{21}$tsʰiəu$^{53}_{44}$tʂen^{35}mən$^{13}_{21}$ kau^{21}kai$^{53}_{21}$iəŋ$^{53}_{44}$ləu^{53}tsɿ^{0}a^{0}.｜发哩财个吧？财佬哇。fait^{3}li^{0}tsʰɔi^{13}cie$^{53}_{44}$pa^{0}?tsʰɔi^{13}lau^{21}ua^{0}.

【发虫】fait^{3}tʂʰəŋ^{13} 动生虫；发生虫害：会～个时候子 uɔi^{53}fait^{3}tʂʰəŋ^{13}ke$^{53}_{44}$ʂɿ$^{13}_{21}$xei^{53}tsɿ^{0}｜（梨子）尽～。tsʰin^{53}fait^{3}tʂʰəŋ^{13}.

【发单】fait^{3}tan^{35} 名发票：爱箇卖东西个人开张～，爱开张发票唠，做账啊。ɔi^{53}kai^{53}mai^{53}təŋ$^{35}_{44}$ si^{0}ke^{53}ȵin$^{13}_{21}$kʰɔi$^{35}_{44}$tʂəŋ$^{35}_{44}$fait^{3}tan^{35},ɔi$^{53}_{44}$kʰɔi$^{35}_{44}$tʂəŋ$^{35}_{44}$fait^{3}pʰiau^{53}lau^{0},tso$^{53}_{44}$tʂəŋ^{53}ŋa^{0}.

【发癫】fait^{3}tien^{35} 动喻指做不可思议的事情：呃，～呶，我是去下～呶。ə$_{21}$,fait^{3}tien^{35}nau^{0},ŋai^{13} ʂɿ$^{53}_{44}$çi^{53}xa^{53}fait^{3}tien^{35}nau^{0}.

【发莌】fait^{3}tei^{35} 动分蘖：你舞滴水去渠指水稻总～。爱晒水，莫分渠～了。ȵi^{13}u^{21}tet^{5}ʂei^{21}çi^{53}ci^{13} tsəŋ^{21}fait^{3}tei^{35}.ɔi$^{53}_{44}$sai^{53}ʂei^{21},mɔk^{5}pən$^{35}_{44}$ci$^{13}_{44}$fait^{3}tei^{35}liau^{0}.

【发饭尴】fait^{3}fan^{53}cʰiɔi^{53} 饭后犯困：食饱哩饭以后坐倒唔想动，箇就系～。其实～嘞也系么个嘞？也系就系做尴哩以后，箇做尴哩就长日会～。你像如今样，我等长日事都赠做，食哩饭呶就冇得箇只～了。ʂət^{5}pau^{21}li^{0}fan^{53}i$^{35}_{44}$xei$^{53}_{44}$tsʰo^{35}tau^{21}n̩^{13}siəŋ^{21}tʰəŋ^{35},kai$^{53}_{44}$tsʰiəu$^{53}_{44}$(x)e$^{53}_{44}$fait^{3}fan^{53}cʰiɔi^{53}. cʰi^{13}ʂət^{5}fait^{3}fan^{53}cʰiɔi^{53}lei^{0}ia^{35}xei^{53}mak^{3}ke$^{53}_{44}$le^{0}?ia^{35}xe^{53}tsʰiəu^{53}xe$^{53}_{44}$tso^{53}cʰiɔi^{53}li^{0}i^{35}xei^{53},kai^{53}tso^{53}cʰiɔi^{53}li^{0} tsiəu^{53}tʂʰəŋ^{13}ȵiet^{3}uɔi^{53}fait^{3}fan^{53}cʰiɔi^{53}. ȵi^{13}tsʰiəŋ^{53}i$^{13}_{21}$cin$^{35}_{44}$iəŋ^{53},ŋai^{13}tien^{0}tʂʰəŋ^{13}ȵiet^{3}sɿ^{53}təu$^{35}_{53}$maŋ^{13}tso^{53},ʂət^{5}li^{0} fan^{53}nau^{0}tsʰiəu^{53}mau^{13}tek^{3}kai^{53}tʂak^{3}fait^{3}fan^{53}cʰiɔi^{53}liau^{0}.

【发粉】fait^{3}fən^{21} 动使面粉发酵：我等以个栏场唔做包子，我只系看箇做包子个人就发下子粉。我等唔做包子，也唔爱～。ŋai^{13}tien^{0}i$^{21}_{44}$ke^{0}laŋ$^{13}_{21}$tʂʰəŋ$^{13}_{21}$n̩^{13}tso^{53}pau^{35}tsɿ^{0},ŋai^{13}tʂɿ^{21}(x)e$^{53}_{44}$kʰɔn^{53}kai$^{53}_{44}$ tso^{53}pau^{35}tsɿ^{0}ke^{0}ȵin$^{13}_{21}$tsiəu$^{53}_{44}$fait^{3}(x)a^{53}tsɿ^{0}fən^{21}.ŋai^{13}tien^{0}n̩^{13}tso$^{53}_{44}$pau$^{35}_{44}$tsɿ^{0},ia^{35}m̩^{13}mɔi$^{53}_{44}$fait^{3}fən^{21}.

【发汗】fait^{3}xɔn^{53} 动用药物等使身体出汗：欸，惹哩寒个人呢就爱食兜子箇个么个食兜芫荽汤嘞。食倒一碗芫荽汤食嘿去出发呀发出身汗呢，发哩汗，就感冒寒气就冇得哩。就感冒就见好哩。e$_{21}$, ȵia^{35}li^{0}xɔn^{13}ke^{0}ȵin^{13}nei^{0}tsʰiəu$^{53}_{44}$ɔi$^{53}_{44}$ʂət^{5}təu$^{35}_{44}$tsɿ^{0}kai$^{53}_{44}$ke$^{53}_{44}$mak^{3}ke$^{53}_{44}$ʂət$^{5}_{3}$təu$^{35}_{44}$ien$^{13}_{21}$si$^{35}_{44}$tʰəŋ^{35}lei^{0}. ʂət^{5}tau^{21}iet^{3}uən^{21}ien^{13}si$^{35}_{44}$tʰəŋ^{35}ʂət^{5}xek^{3}çi$^{53}_{44}$tʂʰət^{3}fait^{3}ia^{0}fait^{3}tʂʰət^{3}ʂən^{35}xɔn^{53}nei^{0},fait^{3}li^{0}xɔn^{53},tsʰiəu$^{53}_{44}$kɔn^{21} mau^{53}xɔn^{13}çi^{53}tsʰiəu^{53}mau$^{13}_{21}$tek^{3}li^{0}.tsʰiəu$^{53}_{44}$kɔn^{21}mau$^{53}_{44}$tsʰiəu$^{53}_{44}$cien^{53}xau^{21}li^{0}.

【发狠】fait^{3}xen^{21} 动下力气；努力：真～，渠两公婆硬真～。tʂən^{35}fait^{3}xen^{21},ci$^{13}_{21}$iəŋ^{21}kəŋ$^{35}_{53}$pʰo^{13} ȵiaŋ^{53}tʂən^{35}fait^{3}xen^{21}.

【发火】fait^{3}xo^{21} 动发脾气，动怒。又称“发躁”：（饭撮）你讲筲箕箇不客姓人就～啊？ȵi^{13} kəŋ^{21}sau^{35}ci$^{35}_{44}$kai^{53}puk^{3}kʰak^{3}sin^{53}ȵin$^{13}_{44}$tsʰiəu$^{53}_{44}$fait^{3}xo^{21}a^{0}?

【发火攒天】fait^{3}xo^{21}tsen^{53}tʰien^{35} 形容怒气冲天的样子：箇个马路边上两个人跍倒去下吵架，吵起箇红面胀颈，～。kai$^{53}_{44}$ke$^{53}_{44}$ma^{35}ləu$^{53}_{21}$pien$^{35}_{44}$xəŋ$^{53}_{44}$iəŋ^{21}ke^{53}ȵin$^{13}_{21}$ku^{35}tau^{21}çi$^{53}_{44}$xa$^{53}_{44}$tsʰau^{21}cia^{53},tsʰau^{21}çi$^{21}_{44}$ kai$^{53}_{44}$fəŋ^{13}mien^{53}tʂəŋ^{53}ciaŋ^{53},fait^{3}xo^{21}tsen$^{53}_{44}$tʰien^{35}.｜欸，一只书生，读书人呐，看得箇只欸做工夫个人唔知几辛苦，渠就写只“命也”两只字，欸，以下写哩嘞，以只欸做工夫个人唔认得啰，渠归去～，渠话：“欸，装张犁，扎把伞，渠还写啊我簿上。”ei$_{21}$,iet^{3}tʂak^{3}ʂəu^{35}sen$^{35}_{44}$,tʰəuk^{5}ʂəu^{35} ȵin$^{13}_{21}$na^{0},kʰɔn^{53}tek^{3}kai^{53}tʂak^{3}e$_{21}$tso^{53}kəŋ^{35}fu$^{35}_{53}$ke^{53}ȵin$^{13}_{21}$n̩^{13}ti$^{35}_{53}$ci^{21}sin^{35}kʰu^{21},ci$^{13}_{21}$tsʰiəu^{53}sia^{21}tʂak^{3}"miaŋ^{53}ia^{35}" iəŋ^{21}tʂak^{3}sɿ^{53},e$_{21}$,i^{21}xa^{53}sia^{21}li^{0}lei^{0},i^{21}tʂak^{3}e$_{44}$tso^{53}kəŋ^{35}fu$^{35}_{53}$ke^{53}ȵin$^{13}_{44}$n̩^{13}ȵin^{53}tek^{3}lo^{0},ci$^{13}_{21}$kuei$^{35}_{44}$çi^{53}fait^{3}xo^{21}tsen^{53} tʰien$^{35}_{44}$,ci$^{13}_{21}$ua^{53}:"e$_{44}$,tsəŋ^{35}tʂəŋ$^{35}_{44}$lai^{13},tsait^{3}pa^{21}san^{53},ci$^{13}_{44}$xai$^{13}_{21}$sia^{21}a^{0}ŋai^{13}pʰu^{35}xəŋ^{53}."

【发轿】fait^{3}cʰiau^{53} 动送亲队伍出发，又称“发轿”：新人早滴子～哇。sin^{35}ȵin^{13}tsau^{21}tet^{5}tsɿ^{0} fait^{3}cʰiau^{53}ua^{0}.

【发教】fait^{3}kau^{35} 动教牛条子干农活：～哇就系教渠指牛条子犁田呐，教渠拖犁呀，教渠拖轭。fait^{3}kau^{35}ua^{0}tsʰiəu^{53}xei^{53}kau$^{35}_{44}$ci$^{13}_{21}$lai^{13}tʰien^{13}na^{0},kau$^{35}_{44}$ci$^{13}_{21}$tʰo$^{35}_{44}$lai^{13}ia^{0},kau$^{35}_{44}$ci$^{13}_{21}$tʰo$^{35}_{53}$ak^{3}.

【发教牛子】fait^{3}kau^{35}ȵiəu^{13}tsɿ^{0} 名被教干农活的牛条子：发教了个牛子又安做～。箇起～嘞就唔知几跳皮。fait^{3}kau^{35}liau^{21}ke^{0}ȵiəu$^{13}_{21}$tsɿ^{0}iəu^{53}ɔn$^{35}_{53}$tso^{53}fait^{3}kau$^{35}_{44}$ȵiəu$^{13}_{21}$tsɿ^{0}.kai^{53}çi$^{21}_{44}$fait^{3}kau$^{35}_{44}$ȵiəu$^{13}_{21}$tsɿ^{0}lei^{0} tsʰiəu^{53}n̩^{13}ti$^{35}_{53}$ci^{21}tʰiau^{53}pʰi^{13}.

【发料】fait^{3}liau^{53} 动将用来制作食品的面粉等材料发酵：我觉得（做茴饼）首先爱～呢，也爱～呢。ŋai^{13}kɔk^{3}tek^{3}ʂəu^{21}sien$^{35}_{44}$ɔi^{53}fait^{3}liau^{53}nei^{0},ia^{35}ɔi^{53}fait^{3}liau^{53}nei^{0}.

【发蒙】fait^{3}məŋ^{13} 动旧时指教儿童开始识字读书：正架势去读蒙学馆又安做～呢。tʂaŋ^{53}cia$^{53}_{44}$ ʂɿ$^{53}_{44}$çi$^{53}_{44}$tʰəuk^{5}məŋ^{13}xɔk^{5}kɔn^{21}iəu$^{53}_{44}$ɔn$^{35}_{53}$tso$^{53}_{21}$fait^{3}məŋ^{13}nei^{0}.

【发梦】pɔit^{3}/fait^{3}məŋ^{53} 动做梦：以发精神状态唔佳，天天夜晡～。～就碰倒我爷子等人。我

经常做～啊，～就梦倒我看倒我爷子呢。侪都我爷子唔做声。渠侪都唔做声凑。渠等话～看倒箇个亡人唔好。我有么个好唔好咁个，系唔系？咁个要么个紧？我梦倒哩，长日看得爷子倒，几好子啊？i^{21} fait^{3} tsin^{35} ʂəŋ$^{13}_{21}$ tsʰəŋ^{53} tʰai^{53} n̩$^{13}_{21}$ cia^{35}, tʰien^{35} tʰien$^{35}_{44}$ ia^{53} pu$^{35}_{44}$ pɔit^{3} məŋ^{53}. pɔit^{3} məŋ^{53} tsʰiəu^{53} pʰəŋ^{53} tau^{21} ŋai$^{13}_{21}$ ia^{13} tsɿ^{0} ten$^{21}_{44}$ ɲin$^{13}_{44}$. ŋai$^{13}_{21}$ cin^{35} tʂʰəŋ$^{13}_{21}$ tso^{53} fait^{3} məŋ^{53} ŋa^{0}, fait^{3} məŋ^{53} tsʰiəu$^{53}_{44}$ məŋ^{53} tau^{21} ŋai^{13} kʰɔn^{53} tau^{21} ŋai^{13} ia^{13} tsɿ^{0} nei^{0}. tsʰi$^{13}_{21}$ təu$^{35}_{53}$ ŋai$^{13}_{21}$ ia^{13} tsɿ^{0} n̩^{13} tso$^{53}_{44}$ ʂaŋ^{35}. ci$^{13}_{21}$ tsʰi$^{13}_{21}$ təu$^{35}_{53}$ n̩^{13} tso$^{53}_{44}$ ʂaŋ^{35} tsʰe^{0}. ci$^{13}_{21}$ tien^{0} ua$^{53}_{44}$ fait^{3} məŋ^{53} kʰɔn^{53} tau$^{21}_{44}$ kai$^{53}_{44}$ ke$^{53}_{44}$ məŋ^{13} ɲin$^{13}_{44}$ n̩^{13} xau^{21}. ŋai^{13} iəu$^{35}_{53}$ mak^{3} e^{0} xau^{21} m̩$^{13}_{44}$ xau^{21} kan$^{21}_{13}$ cie$^{53}_{44}$, xei^{53} me^{53}? kan$^{21}_{13}$ cie$^{53}_{44}$ iau^{53} mak^{3} e^{0} cin^{21}? ŋai^{13} məŋ^{53} tau^{21} li^{0}, tʂʰəŋ^{13} ɲiet^{3} kʰɔn^{53} tek^{3} ia^{13} tsɿ^{0} tau^{21}, ci^{21} xau^{21} tsɿ^{0} a^{0}? | 昨晡夜晡发只梦。tsʰo^{35} pu$^{35}_{44}$ ia$^{53}_{44}$ pu$^{35}_{44}$ pɔit^{3} tʂak^{3} məŋ^{53}.

【发面】fait^{3} mien^{53} 动 使面粉发酵：～是箇个就安做～咯，舞倒面粉，放上老面，咁子和哩以后，或者过一夜，或者过段时间等渠膨胀，发酵，箇就安做～呢。要做包子箇过程呐，做包子馒坨啊，发酵个过程就安做～。fait^{3} mien^{53} ʂɿ$^{53}_{44}$ kai^{53} ke$^{53}_{44}$ tsʰiəu$^{53}_{44}$ ɔn$^{35}_{44}$ tso$^{53}_{44}$ fait^{3} mien^{53} ko^{0}, u^{21} tau^{21} mien^{53} fən^{21}, fɔŋ^{53} ʂɔŋ^{53} lau^{21} mien^{53}, kan^{21} tsɿ^{0} xo^{13} li^{0} i^{35} xei^{53}, xɔit$^{5}_{3}$ tʂa^{21} ko^{53} iet^{3} ia^{53}, xɔit^{5} tʂa^{21} ko^{53} tɔn^{53} ʂɿ$^{13}_{21}$ kan$^{35}_{44}$ tien^{21} ci^{13} pʰɔn^{13} tʂɔŋ^{53}, fait^{3} çiau^{53}, kai$^{53}_{44}$ tsiəu$^{53}_{44}$ ɔn$^{35}_{44}$ tso$^{53}_{44}$ fait^{3} mien^{53} nei^{0}. iau$^{53}_{44}$ tso^{53} pau^{35} tsɿ^{0} kai^{53} ko^{53} tʂʰən$^{13}_{44}$ na^{0}, tso^{53} pau^{35} tsɿ^{0} mɔn^{13} tʰo^{13} a^{0}, fait^{3} çiau^{53} ke$^{53}_{44}$ ko^{53} tʂʰən^{13} tsʰiəu$^{53}_{44}$ ɔn$^{35}_{44}$ tso$^{53}_{44}$ fait^{3} mien^{53}.

【发气】fait^{3} çi^{53} 动 发怒；生气：你系～你就唔懂味。ɲi^{13} xe$^{53}_{44}$ fait^{3} çi^{53} ɲi^{13} tsʰiəu$^{53}_{44}$ n̩^{13} təŋ^{21} uei^{53}.

【发亲】fait^{3} tsʰin^{35} 动 送亲队伍出发。又称"发轿"：箇只接亲个队伍就派嗒箇只荷担子人就做代表唦，就男方个代表唦，由渠去交涉，拿滴么啊东西啊，发滴子烟，或者拿滴子么啊烟个的："请你等早滴子～呐。" kai^{53} tʂak^{3} tsiet^{3} tsʰin^{35} ke$^{53}_{44}$ tei^{53} u^{21} tsʰiəu^{53} pʰai^{53} ta^{0} kai^{53} tʂak^{3} kʰai$^{35}_{44}$ tan^{35} tsɿ^{0} ɲin$^{13}_{21}$ tsʰiəu$^{53}_{44}$ tso$^{53}_{44}$ tʰɔi^{53} piau^{21} ʂa^{0}, tsiəu$^{53}_{44}$ lan^{13} fɔŋ$^{35}_{44}$ ke$^{53}_{44}$ tʰɔi^{53} piau^{21} ʂa^{0}, iəu^{13} ci^{13} çi^{53} ciau^{35} ʂek^{3}, la^{35} tiet^{5} mak^{3} a^{0} təŋ^{35} si^{0} a^{0}, fait^{3} tiet^{5} tsɿ^{0} ien^{35}, xɔit^{5} tʂa^{21} la^{53} tiet^{5} tsɿ^{0} mak^{3} a^{0} ien^{35} ke$^{53}_{44}$ tet^{3}: "tsʰiaŋ^{21} ɲi^{13} tien^{0} tsau^{21} tet^{5} tsɿ^{0} fait^{3} tsʰin^{35} na^{0}."

【发泉】fait$^{3}_{5}$ tsʰan^{13} 动 春天泉水再次从地下涌出：黄檀树都开哩叶了，还𫠊～，箇年个泉水就有滴发了。uɔŋ^{13} tʰan^{13} ʂəu^{53} təu$^{35}_{44}$ kʰɔi^{35} li^{0} iait^{5} liau^{0}, xai^{13} maŋ^{13} fait$^{3}_{5}$ tsʰan^{13}. kai^{53} ɲien^{13} ke^{53} tsʰan^{13} ʂei^{21} tsʰiəu^{53} mau$^{13}_{21}$ tiet^{5} fait^{3} liau^{0}.

【发人】fait^{3} ɲin^{13} 动 使后代人丁兴旺：你等箇坟地就硬系蛮好，龙脉好，～。ɲi^{13} tien^{0} kai^{53} pʰən^{13} tʰi^{53} tsʰiəu$^{53}_{44}$ ɲiaŋ^{53} xei$^{53}_{44}$ man$^{13}_{21}$ xau^{21}, liəŋ^{13} mak^{3} xau^{21}, fait^{3} ɲin^{13}.

【发痧】fait^{3} sa^{35} 动 中暑。又称"闭痧"：就系～，欸，闭哩痧。tsʰiəu^{53} xe^{53} fait^{3} sa^{35}, e$_{21}$, pi^{53} li^{0} sa^{35}.

【发烧】fait^{3} ʂau^{35} 动 体温异常增高，是疾病的一种症状：细人子～就……细人子别么个病都唔爱紧呢，肚子痛下子箇只唔爱紧，就怕～，细人子啊。～就爱上紧呐。𫠊搞得好嘞发……烧久哩嘞就怕成箇个就怕成肺炎呐。se^{53} ɲin$^{13}_{21}$ tsɿ^{0} fait^{3} ʂau^{35} tsʰiəu$^{53}_{44}$ … sei^{53} ɲin$^{13}_{21}$ tsɿ^{0} pʰiet^{5} mak^{3} e^{0} pʰiaŋ$^{53}_{44}$ təu$^{35}_{44}$ m̩$^{13}_{21}$ mɔi$^{53}_{44}$ cin^{21} ne^{0}, təu^{21} tsɿ^{0} tʰəŋ^{53} ŋa$^{53}_{44}$ tsɿ^{0} kai$^{53}_{44}$ tʂak^{3} m̩$^{13}_{21}$ mɔi$^{53}_{44}$ cin$^{21}_{44}$, tsʰiəu^{53} pʰa^{53} fait^{3} ʂau^{35}, sei^{53} ɲin$^{13}_{21}$ tsɿ^{0} a^{0}. fait^{3} ʂau^{35} tsʰiəu^{53} ɔi$^{53}_{44}$ ʂɔŋ^{35} cin^{21} na^{0}. maŋ^{13} kau^{21} tek^{3} xau^{21} lei^{0} fait^{3} … ʂau^{35} ciəu^{21} li^{0} le^{0} tsʰiəu^{53} pʰa^{53} ʂaŋ$^{13}_{44}$ kai$^{53}_{44}$ ke$^{53}_{44}$ tsiəu$^{53}_{44}$ pʰa$^{53}_{44}$ ʂaŋ$^{13}_{21}$ fei^{53} ien$^{13}_{21}$ na^{0}.

【发神】fait^{3} ʂən^{13} 动 民间迷信活动，召请神灵以求保佑，指示吉凶：～就搞迷信活动哦。昨晡唔系我就带倒箇只夫娘子去寻箇～个。箇就～个。我𫠊看凑。系话我唔习……我跍倒箇外背嬲一阵子。我唔想去看咁个。我看也都唔想看，看我都唔想。头到掺我老妹子去，我也𫠊去看，我也𫠊看，等渠两个人跍下箇间里搞箇么个，在乎渠。我只系认得箇只夫娘子，以下就认得了，昨晡就认得了。面前是我唔认，昨晡舞倒我又问哩一到唠。一只咁个夫娘嫲，也几十岁啦，四五十岁了哇渠箇箇只夫娘子啊，江西人呶，冇得么个唔同，就系只普通个。fait^{3} ʂən^{13} tsʰiəu$^{53}_{44}$ kau^{21} mei^{13} sin^{53} xɔit^{5} tʰəŋ^{53} ŋo^{0}. tsʰo^{35} pu$^{35}_{53}$ m̩^{13} pʰe$^{53}_{44}$ ŋai^{13} tsʰiəu^{53} tai^{53} tau^{21} kai$^{53}_{44}$ tʂak^{3} pu^{35} ɲiɔŋ$^{13}_{21}$ tsɿ^{0} çi$^{53}_{44}$ tsʰin^{13} kai^{53} fait^{3} ʂən^{13} ke$^{53}_{44}$. kai^{53} tsʰiəu^{53} fait^{3} ʂən^{13} ke^{0}. ŋai^{13} maŋ$^{13}_{44}$ kʰɔn^{53} tsʰe^{0}. xei^{53} ua^{53} ŋai^{13} n̩$^{13}_{44}$ siet^{5} … ŋai^{13} ku^{35} tau$^{21}_{44}$ kai$^{53}_{44}$ ŋɔi^{53} pɔi$^{53}_{44}$ liau$^{53}_{44}$ iet^{3} tʂʰən^{53} tsɿ^{0}. ŋai^{13} n̩^{13} siɔŋ$^{21}_{44}$ çi$^{53}_{44}$ kʰɔn^{53} kan$^{21}_{44}$ ke^{0}. ŋai^{13} kʰɔn^{53} a$^{35}_{44}$ təu$^{35}_{44}$ n̩$^{13}_{21}$ siɔŋ^{21} kʰɔn^{53}, kʰɔn^{53} ŋai^{13} təu$^{35}_{53}$ n̩$^{13}_{21}$ siɔŋ^{21}. tʰei^{13} tau^{53} lau^{53} ŋai$^{13}_{21}$ lau^{21} mɔi^{53} tsɿ^{0} çi^{53}, ŋai$^{13}_{21}$ ia^{35} maŋ$^{13}_{21}$ çi^{53} kʰɔn^{53}, ŋai^{13} ia$^{35}_{53}$ maŋ^{13} kʰɔn^{53}, ten^{21} ci^{13} iɔŋ^{21} ke^{53} in$^{13}_{44}$ kʰu^{35} xa$^{53}_{44}$ kai$^{53}_{44}$ kan$^{35}_{44}$ ni^{0} kau^{21} kai$^{53}_{44}$ mak^{3} ke^{0}, tsʰai^{53} fu$^{13}_{44}$ ci$^{13}_{44}$. ŋai$^{13}_{21}$ tʂɿ^{21} xei$^{53}_{44}$ ɲin^{53} tek^{3} kai^{53} (tʂ)ak^{3} pu^{35} ɲiɔŋ$^{13}_{21}$ tsɿ^{0}, i^{21} xa$^{53}_{44}$ tsʰiəu$^{53}_{44}$ ɲin^{53} tek^{3} liau^{0}, tsʰo$^{35}_{44}$ pu$^{35}_{53}$ tsʰiəu$^{53}_{44}$ ɲin^{53} tek^{3} liau^{0}. mien^{53} tsʰien$^{13}_{44}$ ʂɿ$^{53}_{44}$ ŋai$^{13}_{21}$ n̩$^{13}_{21}$ ɲin^{53}, tsʰo$^{35}_{44}$ pu$^{35}_{53}$ u^{21} tau^{21} ŋai^{13} iəu^{53} uən^{53} ni^{0} iet^{3} tau^{53} lau^{0}. iet^{3} tʂak^{3} kan^{21} ke^{0} pu^{35} ɲiɔŋ$^{13}_{21}$ ma^{13}, ia^{35} ci^{21} ʂət^{5} sɔi^{53} la^{0}, si^{53} ŋ̍^{21} ʂət^{5} sɔi^{53} liau^{21} ua^{0} ci$^{13}_{44}$ kai$^{53}_{44}$ kai$^{53}_{44}$ (tʂ)ak^{3} pu^{35} ɲiɔŋ$^{13}_{21}$ tsɿ^{0} a^{0}, kɔŋ^{35} si$^{35}_{44}$ ɲin$^{13}_{44}$ nau^{0}, mau^{13} tek^{3} mak^{3} e^{0} n̩^{13} tʰəŋ^{13}, tsʰiəu^{53} xei$^{53}_{44}$ (tʂ)ak^{3} pʰu^{21} tʰəŋ$^{35}_{44}$ ke^{0}.

【发誓】fait^{3} ʂɿ^{53} 动 发誓言。又称"赌咒"：箇各种各样个～。有兜就赌咒，嗯，～啊。欸，

“我系讲哩以句事都唔得好死”，系唔系？“死过月首”，“死过月眼”，箇是一种赌咒个。欸，还有就让门子啊？一般就爱就系爱洗清自家对箇只事个欸做哩箇事，否认自家，一般蛮多就否认自家。“你箇只事我都都箇个我我看倒哩我都瞎眼。听倒哩我都欸唔得好死。我做哩我都唔得好死。”箇咁子。kai^{53}kɔk^{3}tʂəŋ^{21}kɔk^{3}iɔŋ$^{53}_{44}$ke^{0}fait^{3}ʂɿ^{53}.iəu^{35}təu$^{35}_{53}$tsʰiəu$^{53}_{44}$təu^{21}tʂəu^{53},n̩$_{21}$,fait^{3}ʂɿ^{53} a^{0}.e$_{21}$,"ŋai^{13}xe^{53}kɔŋ^{21}li^{0}i^{21}ci^{53}sɿ^{53}təu$^{35}_{53}$n̩^{13}tek^{3}xau^{21}si^{21}","xei$^{53}_{44}$me$^{53}_{44}$?"si^{21}ko^{53}ɲiet^{5}ʂəu^{21}","si^{21}ko^{53}ɲiet^{5}ŋan^{21}",kai$^{53}_{21}$ ʂɿ$^{53}_{21}$iet^{3}tʂəŋ$^{21}_{44}$təu^{21}tʂəu^{53}ke^{0}.e$_{44}$,xai$^{13}_{21}$iəu$^{35}_{53}$tsʰiəu^{53}ɲiɔŋ^{53}mən^{0}tsa^{0}?iet^{3}pən^{35}tsʰiəu^{53}ɔi^{53}tsʰiəu^{53}xe^{53}ɔi^{53}se^{21}tsʰin^{35} tsʰɿ^{35}ka$^{35}_{44}$tei^{53}kai^{53}tʂak^{3}sɿ^{53}kei^{53}e$_{21}$tso^{53}li^{0}kai$^{53}_{44}$sɿ$^{53}_{44}$,fei^{21}ɲin$^{53}_{44}$tsʰɿ$^{35}_{44}$ka$^{35}_{44}$,iet^{3}pən^{35}man^{13}to$^{35}_{44}$tsʰiəu^{53}fei^{21}ɲin$^{53}_{21}$tsʰɿ$^{35}_{44}$ ka$^{35}_{44}$."ɲi^{13}kai^{53}(tʂ)ak^{3}sɿ^{53}ŋai^{13}təu$^{35}_{53}$təu$^{35}_{44}$kai$^{53}_{44}$ke^{0}ŋai$^{13}_{44}$ŋai^{13}kʰɔn^{53}tau^{21}li^{0}ŋai^{13}təu$^{35}_{53}$xait^{3}ŋan^{21}.tʰaŋ^{35}tau^{21}li^{0}ŋai^{13} təu$^{35}_{53}$e$_{44}$n̩^{13}tek^{3}xau^{21}sɿ^{21}.ŋai^{13}tso^{53}li^{0}ŋai^{13}təu$^{35}_{53}$n̩^{13}tek^{3}xau^{21}sɿ^{21}."kai$^{53}_{44}$kan$^{21}_{13}$tsɿ^{0}.

【发誓愿】fait^{3}ʂɿ^{53}ɲien^{53} 动 发誓言：爱证明自家掺箇只事冇得关系呀，就蛮多人～。ɔi^{53}tʂən^{53} min$^{13}_{21}$tsʰɿ^{35}ka$^{35}_{44}$lau^{35}kai^{53}tʂak^{3}sɿ^{53}mau^{13}tek^{3}kuan$^{35}_{44}$çi^{53}ia^{0},tsiəu$^{53}_{44}$man^{13}to$^{35}_{53}$ɲin$^{13}_{21}$fait^{3}ʂɿ^{53}ɲien^{53}.

【发水】fait^{3}ʂei^{21} 动 ①洒水：就～呢我等话。地泥下尽灰尘，爱发滴子水去啊。tsʰiəu^{53}fait^{3}ʂei^{21} nei^{0}ŋai$^{13}_{21}$tien^{0}ua$^{53}_{21}$.tʰi^{53}lai$^{13}_{21}$xa^{35}tsʰin^{53}fɔi^{35}tʂʰən$^{13}_{21}$,ɔi$^{53}_{44}$fait^{3}tiet^{5}tsɿ^{0}ʂei^{21}çi$^{53}_{44}$a^{0}. ②用水泡发：买滴子笋干，浸下水肚里去，～。浸下水肚里。mai^{35}tiet^{5}tsɿ^{0}sən^{21}kɔn$^{35}_{44}$,tsin^{53}na$_{44}$(←xa^{53})ʂei^{21}təu^{21}li^{0}çi$^{53}_{44}$,fait^{3} ʂei^{21}.tsin^{53}na$_{44}$(←xa^{53})ʂei^{21}təu^{21}li^{0}.

【发笋】fait^{3}sən^{21} 动（植物靠近根部处）长出嫩芽：杉树发个笋咯，也会长大吵。箇笋材质唔好哇。唔好哇。～咯，长大个笋咯唔好，箇个质量唔好。sa^{35}ʂəu^{53}fait^{3}ke$^{53}_{44}$sən^{21}ko^{0},ia^{35}uɔi^{53} tʂəŋ^{21}tʰai^{53}ʂa^{0}.kai^{53}sən^{21}tsʰai^{13}tʂət^{3}n̩$^{13}_{21}$xau^{21}ua^{0}.n̩$^{13}_{21}$xau^{21}ua^{0}.fait^{3}sən^{21}ko^{0},tʂəŋ^{21}tʰai^{53}ke$^{53}_{44}$sən^{21}ko^{0}n̩$^{13}_{21}$ xau^{21},kai$^{53}_{44}$ke$^{53}_{44}$tʂət^{3}liɔŋ^{53}n̩$^{13}_{21}$xau^{21}.｜箇个冬芒啊，冬下头嘞也会发滴子笋。kai$^{53}_{44}$ke$^{53}_{44}$təŋ^{35}mɔŋ$^{13}_{44}$ ŋa^{0},təŋ^{35}xa$^{53}_{44}$tʰei$^{13}_{21}$lei^{0}ia^{35}uɔi^{53}fait^{3}tiet^{5}tsɿ^{0}sən^{21}.

【发芽】fait^{3}ŋa^{13} 动 落叶树枝干春天萌发嫩芽：箇只东西指丝芒枯𠜱脚。就丝芒正～个，正～班出土面上来个。kai$^{53}_{44}$tʂak^{3}təŋ$^{35}_{44}$si^{0}tsʰan^{13}ciɔk^{3}.tsʰiəu$^{53}_{44}$sɿ^{35}mɔŋ$^{13}_{44}$tʂaŋ^{53}fait^{3}ŋa^{13}ke^{53},tʂaŋ^{53}fait^{3}ŋa^{13}kɔŋ^{53}tʂʰət^{3} tʰəu^{21}mien$^{53}_{44}$xɔŋ$^{53}_{44}$lɔi$^{13}_{21}$ke^{53}.

【发烟】fait^{3}ien^{35} 动 分发香烟以示敬意。又称“光烟”：光烟在如今个人是唔多讲哩啊。讲发，～呐，发筒子……发轮子烟呐，系啊？kɔŋ^{35}ien$^{35}_{44}$tsʰai$^{53}_{44}$i$^{13}_{21}$cin$^{35}_{44}$ke$^{53}_{44}$ɲin$^{13}_{21}$ʂɿ$^{53}_{44}$m̩^{13}to$^{35}_{44}$kɔŋ^{21}lia^{0}.kɔŋ^{21} fait^{3},fait^{3}ien^{35}na^{0},fait^{3}tʰəŋ$^{13}_{44}$tsɿ^{0}…fait^{3}lən$^{13}_{21}$tsɿ^{0}ien^{35}na^{0},xei$^{53}_{44}$a^{0}?｜渠指新郎就爱发下子烟。ci^{13}tsʰiəu^{53}ɔi^{53} fait^{3}a^{53}tsɿ^{0}ien^{35}.

【发愿】fait^{3}ien^{53} 动 赌咒：我系拿哩你个东西嘞我硬发得愿咯。我～呐，我拿哩都唔得好死。ŋai^{13}xe^{53}la^{53}li^{0}ɲi^{13}ke$^{53}_{44}$təŋ$^{35}_{44}$si^{0}le^{0}ŋai^{13}ɲiaŋ^{53}fait^{3}tek^{3}ɲien^{53}ko^{0}.ŋai^{13}fait^{3}ɲien^{53}na^{0},ŋai^{13}la^{53}li^{0}təu$^{35}_{53}$n̩$^{13}_{44}$tek^{3}xau$^{21}_{13}$ si^{21}.

【发躁】fait^{3}tsau^{53} 动 发脾气。又称“发火”：我爱归屋下，以下你又总一只么个事总拖倒我。我有只要紧事我爱归去了，你总拖倒我，我就～哇。ŋai$^{13}_{21}$ɔi$^{53}_{44}$kuei^{35}uk^{3}xa^{53},ia$_{44}$(←i^{21}xa^{53})ɲi^{13}iəu^{53} tsəŋ^{21}iet^{3}tʂak^{3}mak^{3}e^{0}sɿ^{53}tsəŋ^{21}tʰo^{35}tau^{21}ŋai$^{13}_{44}$.ŋai$^{13}_{21}$iəu^{35}tʂak^{3}iau^{53}cin^{21}sɿ^{53}ŋai$^{13}_{21}$ɔi^{53}kuei^{35}çi^{53}liau^{0}, ɲi^{13}tsəŋ^{21}tʰo^{35} tau^{21}ŋai$^{13}_{44}$,ŋai$^{13}_{44}$tsiəu$^{53}_{44}$fait^{3}tsau^{53}ua^{0}.

【发着】pɔit^{3}tʂʰɔk^{5} 动 点燃：～灯盏来渠指走马灯就会走呢。pɔit^{3}tʂʰɔk^{5}tien^{35}tsan^{21}lɔi$^{13}_{44}$ci$^{13}_{21}$tsʰiəu$^{53}_{44}$uɔi$^{53}_{44}$ tsei^{21}nei^{0}.

【发烛】fait^{3}tʂəuk^{3} 动 在拜祖之前请尊贵的客人点燃蜡烛：在拜祖之前呢，还爱请尊贵个客～啊。请么人呢？一只就最大个客，欸，一般是就系请舅爷～，请姐公，请舅爷，就系箇只新郎个外公或者舅爷。箇系一只。箇就各姓个吵，外姓个吵，系唔系啊？请外氏。本姓还爱请一只。自家屋下爱请一个，德高望重个，年纪大滴子，还爱有子女个，莫离婚个。欸，离哩婚个唔爱。箇有滴子歧视嘞，系唔系？舞下唔好哇，硬舞倒。欸，都吉祥啊，系啊。舞下离哩婚个唔好。箇是接新人都一般都就箇离哩婚个唔去噢。一般人还系唔见离婚呢，唔系好事嘞。tsʰɔi$^{53}_{44}$pai^{53}tsəu^{21}tʂɿ$^{35}_{44}$tsʰien^{13}ne^{0},xa$^{13}_{21}$ɔi^{53}tsʰiaŋ^{21}tsən^{35}kuei^{53}ke$^{53}_{44}$kʰak^{3}fait^{3}tʂəuk^{3}a^{0}.tsʰiaŋ^{21}mak^{3}ɲin^{13} ne^{0}?iet^{3}tʂak^{3}tsʰiəu$^{53}_{44}$tsei^{53}tʰai^{53}ke$^{53}_{44}$kʰak^{3},ei$_{21}$,iet^{3}pən^{35}ʂɿ$^{53}_{44}$tsʰiəu^{53}xe^{53}tsʰiaŋ^{21}cʰiəu^{35}ia$^{13}_{21}$fait^{3}tʂəuk^{3},tsʰiaŋ^{21} tsia^{21}kəŋ$^{35}_{44}$,tsʰiaŋ^{21}cʰiəu^{35}ia$^{13}_{21}$,tsʰiəu^{53}xe^{53}kai^{53}tʂak^{3}sin^{35}nɔŋ$^{13}_{21}$ke^{53}ŋɔi^{53}kəŋ^{35}xɔit^{5}tʂa^{21}cʰiəu^{35}ia$^{13}_{21}$.kai$^{53}_{44}$xei$^{53}_{44}$iet^{3} tʂak^{3}.kai$^{53}_{44}$tsʰiəu$^{53}_{44}$kɔk^{3}siaŋ$^{53}_{44}$ke$^{53}_{44}$ʂa^{0},uai^{53}siaŋ^{53}ke$^{53}_{44}$ʂa^{0},xei$^{53}_{44}$mei$_{44}$(←m̩^{13}xei^{53})a^{0}?tsʰiaŋ^{53}ŋɔi^{53}ʂɿ$^{53}_{44}$.pən^{21}siaŋ^{53} xa$^{13}_{21}$ɔi^{53}tsʰiaŋ^{21}iet^{3}tʂak^{3}.tsʰɿ^{35}ka$^{35}_{44}$uk^{3}xa^{53}ɔi$^{53}_{44}$tsʰiaŋ^{21}iet^{3}cie^{53},tek^{3}kau$^{35}_{44}$uɔŋ^{53}tʂʰəŋ^{53}ke$^{53}_{44}$, ɲien^{13}ci^{21}tʰai^{53}tiet^{5} tsɿ^{0},xa$^{13}_{44}$ɔi$^{53}_{44}$iəu$^{35}_{44}$tsɿ^{21}ŋ̍^{21}ke^{53},mɔk^{5}li$^{13}_{21}$fən^{35}cie^{53}.e$_{21}$,li^{13}li^{0}fən^{35}cie^{53}m̩$^{13}_{21}$mɔi$_{44}$(←ɔi^{53}).kai^{53}iəu^{35}tet$^{5}_{3}$tsɿ^{0}cʰi^{13}ʂɿ^{53}

le^{0},xei$^{53}_{44}$me$_{44}$(←m̩^{13}xei^{53})?u^{21}xa^{53}n̩$^{13}_{44}$xau^{21}ua^{0}, ɲiaŋ^{53}u^{21}tau^{21}.e$_{21}$,təu$^{35}_{44}$ciet^{3} sioŋ$^{13}_{44}$a^{0} ,xei^{53}a^{0} .ua^{21}(←u^{21}xa^{53})li$^{13}_{44}$li^{0} fən^{35}cie^{53}n̩$^{13}_{44}$xau^{21}.ka$^{53}_{44}$ʂɿ$^{53}_{44}$tsiet^{3} sin^{35}ɲin$^{13}_{21}$təu$^{35}_{44}$iet^{3} pən^{35}təu$^{35}_{44}$tsiəu$^{53}_{0}$kai$^{53}_{44}$li$^{13}_{21}$li^{0} fən^{35}cie^{53}n̩$^{13}_{21}$çi^{21}au^{0} .iet^{3} pən^{35}ɲin$^{13}_{21}$ xai^{13}xe$^{53}_{44}$m̩^{13}cien^{53}li^{13}fən^{35}ne^{0},m̩^{13}pʰe^{53}(←xei^{53})xau^{21}sɿ^{53}le^{0}.

【罚跪】fait^{5} kʰuei^{21} [动]要求被处罚者跪下以示处罚：惩罚细人子或者惩罚比自家辈分更细更年轻个人呶，就会罚下子跪。箇比你更老更大个你能罚唔倒渠个跪，系唔系？只有罚细人子个跪，罚箇个比自家更年轻更欸一般来讲就更年轻个人呶，就会～。tʂʰən$^{13}_{21}$fait^{3} sei^{53}ɲin$^{13}_{21}$tsɿ^{0} xɔit^{5} tʂa^{21}tʂʰən$^{13}_{21}$fait^{5} pi^{21}tsʰɿ^{35}ka$^{35}_{44}$pei^{53}fən$^{53}_{44}$cien$^{53}_{44}$se^{53}cien^{53}ɲien^{13}cʰin$^{35}_{44}$ke^{0}ɲin$^{13}_{21}$nau^{0} ,tsʰiəu$^{53}_{44}$uɔi$^{53}_{44}$fait^{5} (x)a$^{53}_{44}$tsɿ^{0} kʰuei^{21}.kai$^{53}_{44}$pi^{21}ɲi^{13}cien^{53}nau^{21}cien$^{53}_{44}$tʰai^{53}ke^{0}ɲi^{13}lən^{13}fait^{5} n̩$^{13}_{21}$tau^{21}ci$^{13}_{44}$(k)e^{0} kʰuei^{21},xei^{53}me$^{53}_{44}$?tʂɿ^{21}iəu$^{35}_{44}$fait^{5} sei^{53} ɲin$^{13}_{21}$tsɿ^{0} ke$^{53}_{44}$kʰuei^{21},fait^{5} kai$^{53}_{44}$ke$^{53}_{44}$pi^{21}tsʰɿ^{35}ka$^{35}_{44}$cien^{53}ɲien^{13}cʰin^{35}cien^{53}ei$_{21}$iet^{3} pən^{35}nɔi$^{13}_{21}$kɔŋ^{21}tsʰiəu$^{53}_{44}$cien^{53}ɲien^{13} cʰin$^{35}_{44}$ke^{0} ɲin^{13}nau^{0} ,tsiəu$^{53}_{44}$uɔi$^{53}_{44}$fait^{5} kʰuei^{21}.

F

【罚站】fait^{5} tsan^{53} [动]体罚的一种形式，要求被罚者站着，到规定的时间为止：～呐，晒太阳还冇事。晒日头唔得。箇是晒太阳冇得，箇唔得。一般就系会罚下子站。fait^{5} tsan^{53}na^{0} ,sai^{53} tʰai^{53}iɔŋ$^{13}_{21}$xai^{13}mau$^{13}_{21}$sɿ^{53} .sai^{53}ɲiet^{3} tʰei^{13}n̩^{13}tek^{3} .kai^{53}ʂɿ$^{53}_{44}$sai$^{53}_{44}$tʰai^{53}iɔŋ$^{13}_{21}$mau$^{13}_{21}$tek$^{3}_{5}$,kai^{53}n̩$^{13}_{21}$tek^{3} .iet^{3} pən^{35}tsʰiəu$^{53}_{44}$ xe$^{53}_{44}$uɔi^{53}fait^{5} (x)a$^{53}_{44}$tsɿ^{0} tsan^{53}.

【法币】fait^{3} pʰi^{53} [名]1935年11月4日，国民政府规定以中央银行、中国银行、交通银行三家银行（后增加中国农民银行）发行的钞票为法币，禁止白银流通，发行国家信用法定货币，取代银本位的银圆。1948年8月19日被金圆券替代。又称“老票子”：老票子，欸，指箇起国民党手里个～。一万一万呐，买盒火柴都爱……买盒洋柴都爱一百块钱呐，爱两百块钱呐。一万块就抵一块呀。lau^{21}pʰiau^{53}tsɿ^{0} ,e^{53},tʂɿ^{21}kai$^{53}_{44}$çi$^{21}_{44}$kuɔk^{3} min$^{13}_{21}$tɔŋ^{21}ʂəu^{21}li$^{35}_{44}$ke$^{53}_{44}$fait^{3} pʰi^{53} .iet^{3} uan^{53}iet^{3} uan^{53}na^{0} ,mai$^{35}_{44}$xek^{5} fo^{21}tsʰai$^{13}_{21}$təu$^{35}_{44}$ɔi$^{53}_{44}$…mai$^{35}_{44}$xek^{5} iɔŋ$^{13}_{21}$tsʰai$^{13}_{44}$təu$^{35}_{44}$ɔi$^{53}_{44}$iet^{3} pak^{3} kʰuai^{53}tsʰien$^{13}_{21}$na^{0} ,ɔi$^{53}_{44}$iɔŋ^{21}pak^{3} kʰuai^{53}tsʰien$^{13}_{21}$na^{0} .iet^{3} uan^{53}kʰuai$^{53}_{44}$tsʰiəu$^{53}_{44}$ti^{21}iet^{3} kʰuai^{53}ia^{0}.

【法饼】fait^{3} piaŋ^{21} [名]地方小吃。主要原料为精面粉、饴糖、奶粉、甜酒、纯碱、苏打等，经面团调制、甜酒发酵、腌糖、切块、成型、烘烤等工序精制而成。饼呈扁圆形，表面乳白色，底面棕黄色：让门做个我就唔晓得，欸，我娭子就我长日买～分渠食。因为渠箇～让门子嘞？我娭子食得烂，嗯，泡松个，系唔系啊？箇起绷硬个箇起茴饼箇兜渠食唔烂呢，唔好食，唔好食，我也唔喜欢食，我肯做食～。真贵呀，还冇得以个好食。以个食滴子茶子去呀，箇～好食。ɲiɔŋ$^{53}_{44}$mən$^{13}_{44}$tso^{53}ke^{0}ŋai^{13}tsʰiəu^{53}n̩$^{13}_{21}$çiau^{21}tek^{3} ,e$_{21}$,ŋai$^{13}_{21}$ɔi^{35}tsɿ^{0} tsʰiəu^{53}ŋai$^{13}_{21}$tʂʰɔŋ$^{13}_{21}$ɲiet^{3} mai^{35}fait^{3} piaŋ^{21} pən$^{35}_{44}$ci$^{13}_{21}$ʂət^{5} .in^{35}uei$^{53}_{44}$ci$^{13}_{44}$kai^{53}fait^{3} piaŋ^{21}ɲiɔŋ^{53}mən$^{13}_{44}$tsɿ^{0} lei^{0} ?ŋai$^{13}_{21}$ɔi^{35}tsɿ^{0} tʂaŋ$^{53}_{44}$ʂət^{5} tek^{3} lan^{53} ,n̩$_{21}$,pʰau^{35}sɔŋ^{35} ke$_{44}$,xei$^{53}_{44}$me$^{53}_{44}$a^{0} ?kai$^{53}_{44}$çi$^{21}_{44}$paŋ^{53}ŋaŋ^{53}ke^{0} kai$^{53}_{44}$çi$^{21}_{44}$fei^{13}piaŋ^{21}kai$^{53}_{44}$təu$^{35}_{44}$ci^{13}ʂət^{5} n̩^{13}lan^{53}ne^{0} ,n̩^{13}xau^{21}ʂət^{5} ,n̩^{13}xau^{21}ʂət^{5}, ŋai^{13}a$^{35}_{53}$n̩$^{13}_{44}$çi^{21}fɔn$^{35}_{44}$ʂət^{5} ,ŋai$^{13}_{21}$xen^{21}tso$^{53}_{44}$ʂət^{5} fait^{3} piaŋ^{21}.tʂən^{35}kuei^{53}ia^{0} ,xai^{13}mau^{13}tek^{3} i^{21}ke^{53}xau^{21}ʂət^{5} .i^{21}ke^{53}iəu$^{53}_{44}$ ʂət^{5} tiet^{5} tsɿ^{5} tsʰa^{13}tsɿ^{0} çi^{53}ia^{0} ,kai^{53}fait^{3} piaŋ^{21}xau^{21}ʂət^{5}.

【法事】fait^{3} sɿ^{53} [名]僧道设坛祈福、禳灾等事：请哩一通，请哩滴么啊神呶，做哩滴么啊～噢，都爱出神榜啊。tsʰiaŋ^{21}li^{0} iet^{3} tʰəŋ$^{35}_{44}$,tsʰiaŋ^{21}li^{0} tiet^{5} mak^{3} a^{0} ʂən^{13}nau^{0} ,tso^{53}li^{0} tiet^{5} mak^{3} a^{0} fait^{3} sɿ^{53}au^{0} ,təu^{35} ɔi$^{53}_{44}$tʂʰət^{3} ʂən^{13}pɔŋ^{21}ŋa^{0}.

【帆布凳子】fan^{35}pu^{53}ten^{53}/tien^{53}tsɿ^{0} [名]用帆布制作的凳子：～就一起比较方便个折叠个唠，一块子帆布就绷下倒唠，系啊？就坐人个箇起就安做～吧？欸，我等婿郎就买两张咁个～唠。搞么个？去钓鱼啊。欸，钓鱼就方便。fan^{35}pu^{53}tien^{53}tsɿ^{0} tsʰiəu$^{53}_{44}$iet^{3} çi^{21}pi^{21}ciau^{53}fəŋ^{35}pʰien$^{53}_{44}$ke$^{53}_{44}$tʂet^{3} tʰiet^{5} ke$^{53}_{44}$lau^{0} ,iet^{3} kʰuai^{53}tsɿ^{0} fan^{35}pu^{53}tsʰiəu$^{53}_{44}$paŋ^{35}ŋa$^{53}_{44}$tau^{21}lau^{0} ,xei^{53}a^{0} ?tsʰiəu$^{53}_{44}$tsʰo^{35}ɲin^{13}ke^{0} kai^{53}çi^{21}tsʰiəu$^{53}_{44}$ ɔn$^{35}_{44}$tso$^{53}_{44}$fan^{35}pu^{53}ten^{53}tsɿ^{0} pa^{0} ?e$_{44}$,ŋai^{13}tien^{0} sei^{53}lɔŋ$^{13}_{21}$tsiəu^{53}mai^{35}iɔŋ^{21}tʂɔŋ^{35}kan^{21}ke$^{53}_{44}$fan^{35}pu$^{53}_{44}$ten^{53}tsɿ^{0} lau^{0}.kau^{21}mak^{3}ke^{0} ?çi$^{53}_{44}$tiau^{53}ŋ̍^{13}ŋa^{0} .e^{0} ,tiau^{53}ŋ̍^{13}tsiəu$^{53}_{44}$fəŋ$^{35}_{44}$pʰien$^{53}_{44}$.

【帆布箱】fan^{35}pu^{53}siɔŋ^{35} [名]用帆布制作的箱子：帆布做个箱子啊？我也𫟾听𫟾看过，冇冇冇得，我等箇栏场冇得。帆……噢哦，也系做倒皮箱样个，系唔系？用帆布做个啊？系有，系有，讲起是系有。咁大个有，系，蛮大子。欸，用帆布做个皮子，～哦。系帆布做个，痞厚子个布。fan^{35}pu$^{53}_{44}$tso$^{53}_{44}$ke$^{53}_{44}$siɔŋ^{35}tsa^{0} ?ŋai^{13}ia^{35}maŋ^{13}tʰaŋ$^{35}_{44}$maŋ^{13}kʰɔn$^{53}_{44}$ko$^{53}_{44}$,mau$^{13}_{21}$mau$^{13}_{21}$mau^{13}tek^{3} ,ŋai$^{13}_{21}$tien^{0} kai^{53} lɔŋ$^{13}_{21}$tʂʰɔŋ$^{13}_{21}$mau^{13}tek^{3} .fan$^{35}_{21}$…au$_{44}$o$_{21}$,ia^{35}xei^{53}tso^{53}tau^{21}pʰi^{13}siɔŋ^{35}iɔŋ$^{53}_{44}$ke$^{53}_{44}$,xei$^{53}_{44}$me$^{53}_{44}$?iɔŋ$^{53}_{44}$fan^{35}pu^{53}tso^{53}ke$_{44}$ a^{0} ?xei$^{53}_{44}$iəu$^{35}_{44}$,xei$^{53}_{44}$iəu$^{35}_{21}$,kɔŋ^{21}çi^{21}ʂɿ$^{53}_{44}$xei$^{53}_{44}$iəu$^{35}_{44}$.kan^{21}tʰai^{53}ke$^{53}_{21}$iəu$^{35}_{21}$,xe$^{53}_{21}$,man^{13}tʰai^{53}tsɿ^{0} .e$_{13}$,iɔŋ$^{53}_{44}$fan^{35}pu$^{53}_{44}$tso$^{53}_{44}$ke$^{53}_{44}$ pʰi^{13}tsɿ^{0} ,fan^{35}pu^{53}siɔŋ^{35}ŋo^{0} .xe$^{53}_{44}$fan^{35}pu^{53}tso$^{53}_{44}$ke$^{53}_{44}$,tek^{5} xei$^{35}_{44}$tsɿ$^{35}_{44}$ke$^{53}_{21}$pu$^{53}_{44}$.

【番蒲】fan^{35}pʰu^{13} [名]南瓜。又称“黄蒲”：其实我等以映客家人讲～个唔多。只系也有人话凑，老辈子等人有人话～。后生人都冇么人讲～了，只讲黄蒲。渠系只有江西人呢渠就后生人都，就哽背个，渠后生人都还讲～。我等以向后生人唔讲～了，只讲黄蒲。c^{h}i^{13}ʂət^{5}ŋai^{13}tien^{0}i^{21}iaŋ^{53} k^{h}ak^{3}ka$^{35}_{53}$ɲin$^{13}_{44}$kɔŋ^{21}fan^{35}p^{h}u$^{13}_{21}$ke^{53}ṇ$^{13}_{21}$to$^{35}_{44}$,tʂʅ^{21}xe^{53}ia^{35}iəu^{35}ɲin^{13}ua^{53}ts^{h}e^{0},lau^{21}pi^{53}tsʅ^{0}ten$^{21}_{44}$ɲin$^{13}_{44}$iəu^{35}ɲin^{13}ua^{53}fan^{35} p^{h}u^{13}.xei^{53}saŋ$^{35}_{44}$ɲin$^{13}_{21}$təu$^{35}_{53}$mau^{13}mak^{3}in$^{13}_{44}$kɔŋ^{21}fan^{35}p^{h}u^{13}liau^{0},tʂʅ$^{21}_{44}$kɔŋ^{21}uɔŋ^{13}p^{h}u^{13}.ci^{13}(x)e$^{53}_{44}$tʂʅ^{21}iəu$^{35}_{44}$kɔŋ^{35}si$^{35}_{53}$ ɲin$^{13}_{21}$nei^{0}ci$^{13}_{21}$tsiəu$^{53}_{44}$xei^{53}saŋ$^{35}_{44}$ɲin$^{13}_{21}$təu$^{35}_{44}$,ts^{h}iəu$^{53}_{21}$cien^{53}pɔi$^{53}_{44}$ke^{0},ci$^{13}_{21}$xei^{53}saŋ$^{35}_{44}$ɲin$^{13}_{21}$təu$^{35}_{53}$xai$^{13}_{21}$kɔŋ^{21}fan^{35}p^{h}u^{13}.ŋai^{13} tien^{0}i^{21}çiɔŋ^{53}xei^{53}saŋ$^{35}_{44}$ɲin$^{13}_{21}$ṇ^{13}kɔŋ^{21}fan^{35}p^{h}u^{13}liau^{0},tʂʅ^{21}kɔŋ^{21}uɔŋ^{13}p^{h}u^{13}.

【番薯】fan^{35}ʂəu$^{13}_{21}$ [名]红薯：～就煮熟来炆熟来，交番薯粉去搋。fan^{35}ʂəu$^{13}_{21}$ts^{h}iəu$^{53}_{44}$tʂəu^{21}ʂəuk^{5}lɔi$^{13}_{21}$ uən^{13}ʂəuk^{5}lɔi$^{13}_{21}$,ciau^{35}fan$^{35}_{44}$ʂəu$^{13}_{21}$fən^{21}çi$^{53}_{44}$ts^{h}ai^{35}.

【番薯饼】fan^{35}ʂəu$^{13}_{21}$piaŋ^{21} [名]红薯蒸熟后捣烂，掺入糯米粉，经油炸而成的饼：欸，舞滴番薯，交滴糯……糯……蒸熟来以后，捣烂，交滴糯米，做～。e$_{21}$,u^{21}tet$^{5}_{3}$fan^{35}ʂəu$^{13}_{21}$,ciau^{35}tet$^{5}_{3}$lo^{53}…lo^{53}…tʂən^{35}ʂəuk^{5}lɔi$^{13}_{21}$i^{35}xei^{53},tau^{21}lan^{53},ciau^{35}tet$^{5}_{3}$lo^{53}mi^{21},tso$^{53}_{44}$fan^{35}ʂəu$^{13}_{21}$piaŋ^{21}.

【番薯丁子】fan^{35}ʂəu$^{13}_{21}$tin^{35}tsʅ^{0} [名]红薯丁儿：做成一坨坨子个是～，安做～。tso^{53}ʂaŋ$^{13}_{21}$iet^{3}t^{h}o^{13} t^{h}o^{13}tsʅ^{0}ke$^{53}_{44}$ʂʅ$^{53}_{44}$fan^{35}ʂəu$^{13}_{21}$tin^{35}tsʅ^{0},ɔn$^{35}_{44}$tso$^{53}_{44}$fan^{35}ʂəu$^{13}_{21}$tin^{35}tsʅ^{0}.

【番薯饭】fan^{35}ʂəu^{13}fan^{53} [名]掺有块状红薯的米饭：就～。～，系有。一块一块都唔多讲嘞，就系讲箇番薯箇切做箇坨坨子，欸，切做坨坨子，交倒去蒸呢，～。ts^{h}iəu$^{53}_{44}$fan^{35}ʂəu$^{13}_{21}$fan^{53}.fan^{35} ʂəu^{13}fan^{53},xei$^{53}_{44}$iəu^{35}.iet^{3}k^{h}uai$^{53}_{44}$iet^{3}k^{h}uai^{53}təu$^{35}_{53}$ṇ^{13}to$^{35}_{44}$kɔŋ^{21}lei^{0},ts^{h}iəu^{53}xei^{53}kɔŋ^{21}kai$^{53}_{44}$fan$^{35}_{44}$ʂəu$^{13}_{21}$kai$^{53}_{44}$ts^{h}iet^{3}tso^{53} kai$^{53}_{44}$t^{h}o^{13}t^{h}o$^{13}_{44}$tsʅ^{0},e$_{21}$,ts^{h}iet^{3}tso^{53}t^{h}o^{13}t^{h}o$^{13}_{44}$tsʅ^{0},ciau$^{35}_{44}$tau^{21}çi$^{53}_{44}$tʂən^{35}nei^{0},fan^{35}ʂəu^{13}fan^{53}.

【番薯粉】fan^{35}ʂəu$^{13}_{21}$fən^{21} [名]红薯淀粉：加工出来个就～呶。……～，你要讲～又唔系箇样子嘞。～有箇雪白个～呢。cia^{35}kɔŋ$^{35}_{44}$tʂ^{h}ət^{3}lɔi$^{13}_{21}$ke$^{53}_{44}$ts^{h}iəu$^{53}_{44}$fan$^{35}_{44}$ʂəu$^{13}_{21}$fən^{21}nau^{0}.…fan^{35}ʂəu$^{13}_{21}$fən^{21},ɲi^{13}iau$^{53}_{44}$ kɔŋ$^{21}_{44}$fan^{35}ʂəu$^{13}_{21}$fən^{21}iəu$^{53}_{44}$m$^{13}_{21}$p^{h}e$_{44}$(←xe^{53})kai$^{53}_{44}$iɔŋ$^{53}_{44}$tsʅ^{0}lei^{0}.fan^{35}ʂəu$^{13}_{21}$fən^{21}iəu$^{35}_{44}$kai$^{53}_{44}$siet^{5}p^{h}ak^{5}cie$^{53}_{44}$fan^{35}ʂəu$^{13}_{21}$ fən^{21}ne^{0}.

【番薯粉皮】fan^{35}ʂəu$^{13}_{21}$fən^{21}p^{h}i^{13} [名]红薯粉皮儿：一块一块个？也系淀粉做出来个，做成咁大子个一块块子个，一块块子。～。iet^{3}k^{h}uai^{53}iet^{3}k^{h}uai^{53}ke$^{53}_{44}$?ia^{35}xei^{53}t^{h}ien^{53}fən^{21}tso$^{53}_{44}$tʂ^{h}ət^{3}lɔi$^{13}_{21}$ke^{53},tso^{53} tʂ^{h}ən$^{13}_{21}$kan^{21}t^{h}ai^{53}tsʅ^{0}ke$^{53}_{44}$iet^{3}k^{h}uai^{53}k^{h}uai^{53}tsʅ^{0}ke$^{53}_{21}$,iet^{3}k^{h}uai^{53}k^{h}uai^{53}tsʅ^{0}.fan^{35}ʂəu$^{13}_{21}$fən^{21}p^{h}i^{13}.

【番薯粉丝】fan^{35}ʂəu$^{13}_{21}$fən^{21}sʅ^{35} [名]红薯粉条儿：但是粉丝嘞就有粮食做个，有米……有大米做个，有番薯做个，番薯粉做个，有大米粉做个，箇你就爱加只"番薯"两只字。欸，～。你唔加就别人家就拿倒箇起么个欸南粉呶，系，箇起雪白子个粉呶。tan$^{53}_{44}$sʅ$^{53}_{44}$fən^{21}sʅ^{35}lei^{0}ts^{h}iəu$^{53}_{44}$ iəu^{35}liɔŋ^{13}ʂət^{5}tso^{53}ke$^{53}_{44}$,iəu^{35}mi…iəu^{35}t^{h}ai^{53}mi^{21}tso$^{53}_{44}$ke$^{53}_{44}$,iəu^{35}fan^{35}ʂəu$^{13}_{21}$tso$^{53}_{44}$ke$^{53}_{44}$,fan^{35}ʂəu$^{13}_{21}$fən^{21}tso$^{53}_{44}$ke$^{53}_{44}$,iəu^{35} t^{h}ai^{53}mi^{21}fən^{21}tso$^{53}_{44}$ke$^{53}_{44}$,kai^{53}ɲi$^{13}_{21}$ts^{h}iəu$^{53}_{44}$ɔi^{53}cia^{35}tʂak^{3}fan^{35}ʂəu$^{13}_{21}$iɔŋ^{21}tʂak^{3}ts^{h}ʅ^{53}.e$_{21}$,fan^{35}ʂəu$^{13}_{21}$fən^{21}sʅ^{35}.ɲi^{13}ṇ^{13}cia$^{35}_{44}$ ts^{h}iəu$^{53}_{44}$p^{h}iek^{5}in$^{13}_{21}$ka$^{35}_{44}$ts^{h}iəu^{53}la^{53}tau^{21}kai^{53}çi^{21}mak^{3}ke$^{53}_{44}$e$_{44}$lan^{13}fən^{21}nau^{0},xe$^{53}_{21}$,kai$^{53}_{21}$çi^{21}siet^{5}p^{h}ak^{5}tsʅ^{0}ke$^{53}_{44}$fən^{21} nau^{0}.

【番薯干】fan^{35}ʂəu$^{13}_{21}$kɔn^{35} [名]红薯干，将红薯蒸熟后切成条状并晒干而成：以下有人做搞搞咁子搞下子个。以前冇么人做。如今有人做了。学倒别人家箇只搞个。安做～，啊，系安做～。i^{21}xa$^{53}_{44}$iəu^{35}ɲin$^{13}_{21}$tso$^{53}_{44}$kau^{21}kau^{21}kan^{21}tsʅ^{0}kau^{21}xa$^{53}_{44}$tsʅ^{0}ke^{53}.i$^{13}_{21}$ts^{h}ien^{13}mau^{13}mak^{3}in$^{13}_{44}$tso^{53}.i$^{13}_{21}$cin$^{35}_{44}$iəu^{35}ɲin$^{13}_{21}$tso^{53} liau^{0}.xɔk^{5}tau^{21}p^{h}iek$^{5}_{3}$in$^{13}_{44}$ka$^{35}_{44}$kai$^{53}_{44}$tʂak^{3}kau^{21}ke^{53}.ɔn$^{35}_{44}$tso$^{53}_{44}$fan$^{35}_{44}$ʂəu$^{13}_{21}$kɔn^{35},a$_{21}$,xei^{53}ɔn$^{35}_{44}$tso$^{53}_{44}$fan^{35}ʂəu$^{13}_{21}$kɔn^{35}.

【番薯糕】fan^{35}ʂəu$^{13}_{21}$kau^{35} [名]红薯蒸熟后去皮捣烂，加糯米粉、香料、辣椒、糖之类，搅拌均匀，做成片状：渠以个就唔同噢。分箇番薯吵，煮熟，炆熟来以后，炆熟来以后捣烂，系唔系？捣烂，做成片。你话，加……箇时还加滴么啊糯米粉呐，加滴喷香个东西啊，甚至可以加滴辣椒，加糖啊，加滴么啊东西，也系番薯片个一种啊，做……安做～。渠等如今做，做倒卖呀，十块钱一斤呶。就以几年子正兴个嘞。ci^{13}i^{21}ke^{53}ts^{h}iəu^{53}ṇ$^{13}_{21}$t^{h}əŋ^{13}ŋau^{0}.pən^{35}kai$^{53}_{44}$fan^{35}ʂəu$^{13}_{21}$ ʂa^{0},tʂəu^{21}ʂəuk^{5},uən^{13}ʂəuk^{5}lɔi$^{13}_{21}$i$^{35}_{44}$xei$^{53}_{44}$,uən^{13}ʂəuk^{5}lɔi$^{13}_{21}$i$^{35}_{44}$xei$^{53}_{44}$tau^{21}lan^{53},xei$^{53}_{44}$me$^{53}_{44}$?tau^{21}lan^{53},tso^{53}ʂaŋ^{13}pien^{21}. ɲi^{13}ua^{53},cia^{35}…kai^{53}ʂʅ$^{13}_{21}$xai$^{13}_{44}$cia^{35}tet^{5}mak^{3}a^{0}lo^{53}mi^{21}fən^{21}na^{0},cia^{35}tet$^{5}_{3}$p^{h}ən^{35}çiɔŋ^{35}ke$^{53}_{21}$təŋ$^{35}_{44}$si^{0}a^{0},ʂən^{53}tʂʅ^{53}k^{h}o^{21} i$^{35}_{44}$cia^{35}tet$^{5}_{3}$lait^{5}tsiau$^{35}_{44}$,cia$^{35}_{44}$t^{h}ɔŋ^{13}ŋa^{0},cia^{35}tiet$^{5}_{3}$mak^{3}a^{0}təŋ$^{35}_{44}$si^{0},ia^{35}xei^{53}fan$^{35}_{44}$ʂəu$^{13}_{21}$p^{h}ien^{21}ke^{53}iet^{3}tʂəŋ^{21} ŋa^{0},tso^{53}…ɔn^{35}tso^{53}fan$^{35}_{44}$ʂəu$^{13}_{21}$kau^{35}.ci$^{13}_{21}$tien^{0}i$^{13}_{21}$cin$^{35}_{44}$tso^{53},tso^{53}tau^{21}mai^{53}ia^{0},ʂət^{5}k^{h}uai^{53}ts^{h}ien$^{13}_{21}$iet^{3}cin^{35} nau^{0}.ts^{h}iəu^{53}i^{21}ci^{21}ɲien^{13}tsʅ^{0}tʂaŋ^{53}çin$^{35}_{44}$ɲie^{0}(←cie^{53})le^{0}.

【番薯窖】fan^{35}ʂəu$^{13}_{21}$kau^{53} [名]收藏红薯的地窖。一般是水平挖成的（山区雨水多，地下水也很丰富，仰天窖不利于红薯的保存）：～都系要横个。欸，箇只横窖就～。一般呢搞～。渠个作用就～。系人个冇得。我等箇栏场系唔得，潮湿。fan^{35}ʂəu$^{13}_{21}$kau$^{53}_{44}$təu$^{35}_{44}$xe$^{53}_{44}$iau$^{53}_{44}$uaŋ^{13}ke$^{53}_{44}$.e$_{21}$,kai^{53}

F

tʂak^{3} uaŋ^{13}kau$^{53}_{44}$tsʰiəu$^{53}_{44}$fan^{35}ʂəu$^{13}_{21}$kau^{53}.iet^{3} pan^{35}ne^{0} kau^{21}fan^{35}ʂəu$^{13}_{21}$kau$^{53}_{44}$.ci$^{13}_{44}$ke$^{53}_{44}$tsɔk^{3} iəŋ$^{53}_{44}$tsʰiəu$^{53}_{21}$fan^{35}ʂəu$^{13}_{21}$kau$^{53}_{44}$.xei^{53}ɲin^{13}cie^{53}mau$^{13}_{21}$tek^{3}.ŋai$^{13}_{21}$tien^{0} kai$^{53}_{44}$laŋ$^{13}_{21}$tʂʰɔŋ$^{13}_{44}$xei^{53}n̩$^{13}_{21}$tek^{3},tʂʰau^{13}ʂət^{3}.

【番薯酒】fan^{35}ʂəu^{13}tsiəu^{21} 名用红薯酿造的酒：我就讲下我头到食哩～哇。好食嘞，唔觉得箇个唔觉得难食嘞。欸渠我等自家箇个家门话，渠等人上栗市箇映子招待外背来个领导，招待外背来个客佬子，一般都用当地个～。箇县里呀省里来个到渠箇映子，到渠上栗市，都食～也。ŋai^{13}tsʰiəu^{53}kɔŋ^{21}ŋa$^{53}_{44}$ŋai$^{13}_{44}$tʰei^{13}tau^{53}ʂət^{5} li^{0} fan$^{35}_{44}$ʂəu$^{13}_{21}$tsiəu^{21}ua^{0}.xau^{21}ʂət^{5} le^{0},n̩^{13}kɔk^{3} tek^{3} kai$^{53}_{44}$cie$^{53}_{44}$n̩^{13}kɔk^{3} tek^{3} lan^{13}ʂət^{5} le^{0}.e$_{21}$ci^{13}ŋai^{13}tien^{0} tsʰɿ^{35}ka$^{35}_{44}$kai$^{53}_{44}$kei$^{53}_{44}$cia^{35}mən^{13}ua$^{53}_{44}$,ci^{13}tien^{0} in$^{13}_{44}$ʂɔŋ^{53}liet^{5} ʂɿ^{53} kai$^{53}_{44}$iaŋ$^{53}_{44}$tsɿ^{0} tʂau^{35}tʰɔi$^{53}_{44}$ŋɔi^{53}pɔi$^{53}_{44}$lɔi^{13}ke^{53}lin^{35}tʰau^{53},tʂau^{35}tʰɔi^{53}ŋɔi^{53}pɔi$^{53}_{44}$lɔi^{13}ke^{53}kʰak^{3} lau^{21}tsɿ^{0},iet^{3} pɔn^{35}təu$^{35}_{44}$iəŋ^{53}tɔŋ^{35}tʰi^{53}ke$^{53}_{44}$ fan^{35}ʂəu$^{13}_{21}$tsiəu^{21}.kai$^{53}_{44}$çien^{53}ni^{0} ia^{0} sen^{21}ni^{21}lɔi^{13}ke^{53}tau^{53}ci$^{13}_{21}$kai^{53}iaŋ^{53}tsɿ^{0},tau^{53}ci$^{13}_{21}$ʂɔŋ^{53}liet^{5} ʂɿ$^{53}_{44}$,təu^{35}ʂət^{5} fan^{35} ʂəu$^{13}_{21}$tsiəu^{21}ia^{35}.

【番薯篓】fan^{35}ʂəu$^{13}_{21}$lei^{21} 名底部有孔，用于洗红薯的篓子：箇个就～哟，洗番薯个唠。/底下有眼个嘞就安做～。/渠是洗番薯哕。挖归来就有泥，系唔系？有泥，放下河里去洗，有泥沙，放下河里去洗嘞，箇泥沙就走底下个眼肚里跌咁哩。番薯就跌唔下。渠咁大一只子个眼。kai$^{53}_{44}$ke$^{53}_{44}$tsiəu$^{53}_{44}$fan^{35}ʂəu$^{13}_{21}$lei^{21}iau^{0},se^{21}fan^{35}ʂəu$^{13}_{21}$ke$^{53}_{44}$lau^{0}./te^{21}xa$^{53}_{44}$iəu^{35}ŋan^{21}ke$^{53}_{44}$le^{0} tsʰiəu$^{53}_{44}$ɔn$^{35}_{44}$tso^{53}fan^{35}ʂəu$^{13}_{21}$ ləu^{21}./ci$^{13}_{44}$ʂɿ$^{53}_{44}$se^{21}fan^{35}ʂəu$^{13}_{21}$ʂa^{0}.uait^{3} kuei^{35}lɔi$^{13}_{21}$tsʰiəu$^{53}_{44}$iəu^{35}lai$^{13}_{21}$,xe$^{53}_{44}$me^{53}?iəu^{35}lai^{13},fɔŋ^{53}(x)a^{53}xo^{13}li^{0} çi^{53} sei^{21},iəu^{35}lai^{13}sa$^{35}_{44}$,fɔŋ^{53}(x)a^{53}xo^{13}li^{0} çi^{53}se^{21}le^{0},kai$^{53}_{44}$lai^{13}sa$^{35}_{44}$tsʰiəu^{53}tsei^{21}ti^{21}xa^{53}ke^{53}ŋan^{21}təu^{21}li^{0} tiet^{3} kan^{21} li^{0}.fan^{35}ʂəu$^{13}_{21}$tsʰiəu$^{53}_{44}$tet^{3} n̩$^{13}_{21}$xa$^{53}_{44}$.ci$^{13}_{44}$kan^{21}tʰai^{53}iet^{3}tʂak^{3} tsɿ^{0} ke^{53}ŋan^{21}.

【番薯米馃】fan^{35}ʂəu$^{13}_{21}$mi^{21}ko^{21} 名掺入了熟红薯的米馃，番薯饼的俗称：番薯饼噢。就搞糯米粉，欸，搞倒箇番薯蒸熟来以后交滴糯米哟，欸，舞滴番薯，交滴糯……糯……蒸熟来以后，捣烂，交滴糯米，做番薯饼。……开头我就舞箇样子就混淆哩噢。箇番薯饼啊，黄蒲饼啊，其实就～嘞，黄蒲米馃嘞。饼摎米馃样子就一样个。可能叫米馃个叫得多。莫咁要饼。箇栏场还系莫写饼。写做～。fan^{35}ʂəu$^{13}_{21}$piaŋ^{21}ŋau^{0}.tsʰiəu^{53}kau^{21}lo^{53}mi^{21}fən^{21},e$_{44}$,kau^{21}tau^{21}kai^{53}fan^{35}ʂəu$^{13}_{21}$ tʂən$^{35}_{44}$ʂəuk^{5} lɔi$^{13}_{21}$i^{35}xei$^{53}_{44}$ciau$^{35}_{44}$tet$^{5}_{3}$ lo^{53}mi^{21}iau^{0},e$_{21}$,u^{21}tet$^{5}_{3}$ fan^{35}ʂəu$^{13}_{21}$,ciau^{35}tet$^{5}_{3}$ lo^{53}⋯lo^{53}⋯tʂən^{35}ʂəuk^{5} lɔi$^{13}_{21}$i^{35} xei^{53},tau^{21}lan^{53},ciau^{35}tet$^{5}_{3}$ lo^{53}mi^{21},tso$^{53}_{44}$fan^{35}ʂəu$^{13}_{21}$piaŋ^{21}.⋯kʰɔi^{35}tʰei$^{13}_{21}$ŋai$^{13}_{21}$tsʰiəu^{53}u^{21}kai$^{53}_{44}$iɔŋ$^{53}_{44}$tsɿ^{0} tsiəu^{53}fən^{21} cʰiau^{13}li^{0} au^{0}.kai$^{53}_{44}$fan^{35}ʂəu$^{13}_{21}$piaŋ^{21}ŋa^{0},uɔŋ^{13}pʰu^{13}piaŋ^{21}ŋa^{0},cʰi$^{13}_{21}$ʂət^{5} tsʰiəu$^{53}_{44}$fan^{35}ʂəu$^{13}_{21}$mi^{21}ko^{21}lei^{0},uɔŋ^{13}pʰu^{13} mi^{21}ko^{21}lei^{0}.piaŋ^{21}lau^{35}mi^{21}ko^{21}iɔŋ^{53}tsɿ^{0} tsʰiəu$^{53}_{21}$iet^{3} iɔŋ^{53}ke$^{53}_{44}$.kʰo^{21}len^{13}ciau^{53}mi^{21}ko^{21}ke$^{53}_{44}$ciau^{53}tek^{3} to$^{35}_{44}$.mɔk^{5} kan$^{21}_{44}$iau$^{53}_{44}$piaŋ^{21}.kai^{53}lɔŋ$^{13}_{21}$tʂʰɔŋ$^{13}_{21}$xai$^{13}_{21}$xe$^{53}_{44}$mɔk^{5} sia^{21}piaŋ^{21}.sia^{21}tso$^{53}_{44}$fan^{35}ʂəu$^{13}_{21}$mi^{21}ko^{21}.

【番薯苗】fan^{35}ʂəu^{13}miau^{13} 名红薯藤：箇个～哇有兜真长个。kai$^{53}_{44}$ke$^{53}_{44}$fan^{35}ʂəu$^{13}_{21}$miau^{13}ua^{0} iəu^{35}te$^{35}_{53}$ tʂən^{35}tʂʰɔŋ^{13}ke^{53}.

【番薯片】fan$^{35}_{44}$ʂəu$^{13}_{21}$pʰien^{21} 名红薯经清洗、切片、漂烫、晒干、油炸或炒制而成的副食品：就系～呐。不过渠个～个做法唔同啊。面前我等个～是分番薯切成片，再去煮熟，再去炮，煮熟晒干再去炮。tsʰiəu^{53}xe$^{53}_{44}$fan$^{35}_{44}$ʂəu$^{13}_{21}$pʰien^{21}na^{0}.puk^{3} ko^{53}ci$^{13}_{21}$ke$^{53}_{44}$fan$^{35}_{44}$ʂəu$^{13}_{21}$pʰien^{21}ke$^{53}_{44}$tso^{53}fait^{3} n̩$^{13}_{44}$tʰəŋ^{13} ŋa^{0}.mien^{53}tsʰien$^{13}_{44}$ŋai^{13}tien^{0} ke$^{53}_{44}$fan$^{35}_{44}$ʂəu$^{13}_{21}$pʰien^{21} ʂɿ$^{53}_{44}$pən^{35}fan^{35}ʂəu$^{13}_{21}$tsʰiet^{3} ʂaŋ^{13}pʰien^{21},tsai^{53}çi^{53}tʂəu^{21} ʂəuk^{5},tsai^{53}çi^{53}pʰau^{13},tʂəu^{21}ʂəuk^{5} sai^{53}kɔn^{35}tsai^{53}çi^{53}pʰau^{13}.

【番薯丝】fan^{35}ʂəu^{13}sɿ^{35} 名加工成的细丝状的红薯：做～噢，有番薯即即哩搞倒做～。tso$^{53}_{21}$fan$^{35}_{44}$ ʂəu$^{13}_{21}$sɿ^{35}au^{0},iəu$^{35}_{44}$fan$^{35}_{44}$ʂəu$^{13}_{44}$tset^{5} tset^{5} li^{0} kau^{21}tau^{21}tso$^{53}_{44}$fan$^{35}_{44}$ʂəu$^{13}_{21}$sɿ^{35}.｜只有～就可以就咁子晒干下子，欸，留倒放倒箇映子。箇渠个番薯丁子、番薯条子、番薯片，都做成哩箇只形状以后，爱搞熟哩，爱搞熟来，正能够留。tʂɿ^{21}iəu$^{35}_{53}$fan$^{35}_{44}$ʂəu$^{13}_{21}$sɿ^{35}tsʰiəu^{53}kʰo^{21}i$^{35}_{44}$tsʰiəu^{53}kan^{21}tsɿ^{0} sai^{53}kɔn$^{35}_{44}$na^{53} (←xa^{53})tsɿ^{0},e$_{53}$,liəu$^{13}_{21}$tau^{21}fɔŋ^{53}tau^{21}kai^{53}iaŋ$^{53}_{44}$tsɿ^{0}.kai^{53}ci$^{13}_{21}$ke$^{53}_{44}$fan^{35}ʂəu$^{13}_{21}$tin^{35}tsɿ^{0},fan^{35}ʂəu$^{13}_{21}$tʰiau^{13}tsɿ^{0},fan^{35}ʂəu$^{13}_{21}$ pʰien^{21},təu^{35}tso^{53}ʂaŋ$^{13}_{21}$li^{0} kai^{53}tʂak^{3} çin^{13}tsʰɔŋ^{53}i^{35}xei$^{53}_{44}$,ɔi^{53}kau^{21}ʂəuk^{5} li^{0},ɔi$^{53}_{44}$kau^{21}ʂəuk^{5} lɔi$^{13}_{44}$,tʂaŋ^{53}lən$^{13}_{21}$kei^{53} liəu^{13}.

【番薯丝笪】fan^{35}ʂəu$^{13}_{21}$sɿ^{35}tait^{3} 名用来晾晒红薯丝的篾笪：舞床晒簟拦下倒哇。有滴就舞几块笪呀，～呀，拦稳呐。u^{21}tsʰɔŋ^{13}sai^{53}tʰian$^{53}_{44}$lan$^{13}_{21}$la^{53}tau^{21}ua^{0}.iəu^{35}tet^{5} tsʰiəu$^{53}_{44}$u^{21}ci^{21}kʰuai^{53}tait^{3} ia^{0},fan^{35} ʂəu$^{13}_{21}$sɿ^{35}tait^{3} ia^{0},lan^{13}uən^{21}na^{0}.

【番薯丝饭】fan^{35}ʂəu^{13}sɿ^{35}fan^{53} 名掺有红薯丝的米饭：我等就食～长大个。ŋai^{13}tien^{0} tsiəu^{53}ʂət^{5} fan$^{35}_{44}$ʂəu$^{13}_{21}$sɿ$^{35}_{44}$fan^{53}tʂɔŋ^{21}tʰai$^{53}_{44}$ke$^{53}_{44}$.

【番薯糖】fan^{35}ʂəu$^{13}_{21}$tʰɔŋ^{13} 名红薯糖：最多个就么个糖嘞？～，就栽倒箇番薯，晒番薯片，或者舞倒舞……晒番薯片个时候子舞倒去，舞滴番薯去，加倒去熬糖，爱剁兜麦芽去唠，就更好喔。tsei^{53}to^{35}ke^{0}tsʰiəu^{53}_{44}mak^{3}e^{0}tʰəŋ^{13}_{21}lei^{0}?fan^{35}ʂəu^{13}_{21}tʰəŋ^{13}_{44},tsʰiəu^{53}_{44}tsəi^{35}tau^{21}kai^{53}_{44}fan^{35}ʂəu^{13}_{21},sai^{53}fan^{35}_{44}ʂəu^{13}_{21}pʰien^{21},xəit^{5}tʂa^{21}u^{21}tau^{21}u^{21}…sai^{53}fan^{35}_{44}ʂəu^{13}_{21}pʰien^{21}ke^{0}ʂʅ^{53}_{44}xəu^{53}_{44}tsʅ^{0}u^{21}tau^{21}çi^{53},u^{21}tiet^{5}fan^{35}ʂəu^{13}_{21}çi^{53}_{44},cia^{35}tau^{21}çi^{53}ŋau^{13}_{21}tʰəŋ^{13}_{21},əi^{53}to^{35}_{44}təu^{35}_{44}mak^{5}ŋa^{13}_{44}çi^{53}_{44}lau^{0},tsʰiəu^{53}cien^{53}xau^{21}uo^{0}.

【番薯条】fan^{35}ʂəu^{13}_{21}tʰiau^{13} [名]红薯条儿。也称“番薯条子”：～喔有起。fan^{35}ʂəu^{13}_{21}tʰiau^{13}uo^{0}iəu^{35}_{44}çi^{21}_{44}.｜箇渠个番薯丁子、～子、番薯片，都做成哩箇只形状以后，爱搞熟哩，爱搞熟来，正能够留。kai^{53}ci^{13}_{21}ke^{13}_{44}fan^{35}ʂəu^{13}_{21}tin^{35}tsʅ^{0},fan^{35}ʂəu^{13}_{21}tʰiau^{13}tsʅ^{0},fan^{35}ʂəu^{13}_{21}pʰien^{21},təu^{35}tso^{53}ʂaŋ^{13}_{21}li^{0}kai^{53}tʂak^{3}çin^{13}tsʰəŋ^{13}i^{35}xei^{53}_{44},əi^{53}kau^{21}ʂəuk^{5}li^{0},əi^{53}_{44}kau^{21}ʂəuk^{5}ləi^{13}_{44},tʂaŋ^{53}lən^{13}_{21}kei^{53}liəu^{13}.

【番薯种】fan^{35}_{44}ʂəu^{13}_{21}tʂəŋ^{21} [名]用来培育种苗的红薯：～我等一般是窖乎窖进去嘞。fan^{35}ʂəu^{13}_{21}tʂəŋ^{21}ŋai^{13}_{21}tien^{0}iet^{3}pən^{35}ʂʅ^{53}_{44}kau^{53}pʰiaŋ^{35}kau^{53}tsin^{53}çi^{53}_{44}lei^{0}.

【番薯粥】fan^{35}ʂəu^{13}tʂəuk^{3} [名]加番薯熬的粥：噢，箇是有喔，箇～啊，豆子粥哇。au_{21},kai^{53}ʂʅ^{53}_{44}iəu^{35}uo^{0},kai^{53}_{21}fan^{35}ʂəu^{13}tʂəuk^{3}a^{0},tʰei^{53}tsʅ^{0}tʂəuk^{3}ua^{0}.

【番鸭】fan^{35}ait^{3} [名]干鸭子的别称：箇起鸭子嘞渠就唔下水个，干鸭就唔下水。又安做～。有兜人安做～。以前也喊～嘞。kai^{53}çi^{21}ait^{3}tsʅ^{0}lei^{0}ci^{21}tsʰiəu^{53}n̩^{13}xa^{53}_{44}ʂei^{21}ke^{0},kən^{35}nait^{3}tsʰiəu^{53}n̩^{13}_{21}xa^{53}ʂei^{21}.iəu^{53}_{44}ən^{35}_{44}tso^{53}_{44}fan^{35}nait^{3}.iəu^{35}təu^{35}_{53}ɲin^{13}_{21}ən^{35}_{44}tso^{53}_{44}fan^{35}nait^{3}.i^{35}_{53}tsʰien^{13}ia^{35}xan^{53}fan^{35}ait^{3}le^{0}.

【幡竹】fan^{35}tʂəuk^{35} [名]招魂幡：～啊，哦，死哩人个死哩人欸招魂个唠，系唔系？斫条子竹，栽嘿尾巴去，舞几条子咁个画几只子符子挂倒箇上背，就安做～，做醮个人用个。fan^{35}tʂəuk^{3}a^{0},o_{53},si^{21}li^{0}ɲin^{13}kei^{53}_{44}si^{21}li^{0}ɲin^{13}e_{21}tʂau^{35}fən^{13}cie^{53}lau^{0},xe^{53}me^{53}?tʂək^{3}tʰiau^{13}tsʅ^{0}tʂəuk^{3},tsʰəi^{13}xek^{3}mi^{35}pa^{35}_{44}çi^{53}_{44},u^{21}ci^{21}tʰiau^{13}tsʅ^{0}kan^{21}_{13}ke^{53}_{44}fa^{53}ci^{21}tʂak^{3}tsʅ^{0}fu^{13}tsʅ^{0}kua^{53}tau^{21}kai^{53}_{44}ʂəŋ^{53}_{44}pəi^{53}_{44},tsʰiəu^{53}_{44}ən^{35}_{44}tso^{53}_{44}fan^{35}ʂəuk^{3},tso^{53}tsiau^{53}ke^{0}ɲin^{13}iəŋ^{53}_{44}ke^{0}.

【翻$_1$】fan^{35} [动]①翻转：～下转来 fan^{35}na^{53}(←xa^{53})tʂən^{21}nəi^{13}｜（打日头落山）系走渠脑上～下过去。xe^{53}tsei^{21}ci^{13}_{21}lau^{21}xəŋ^{53}_{44}fan^{35}na^{53}ko^{53}_{44}çi^{53}_{44}. ②旧事重提：哎呀，么个盘古开天地个东西都记忆都分你～出来哩。ai^{53}ia^{0},mak^{3}ke^{53}pʰan^{13}ku^{21}kʰəi^{35}_{44}tʰien^{35}_{44}tʰi^{53}ke^{53}_{44}təŋ^{35}_{44}si^{0}təu^{35}_{53}ci^{53}i^{53}_{44}təu^{35}_{44}pən^{35}ɲi^{13}_{21}fan^{35}tʂʰət^{3}ləi^{13}_{21}li^{0}. ③病愈又复发：箇就一个人病哩以后，好哩，好哩嘞箇就系好嘿哩吵，但是又病哩，箇就病就～嘿哩唠。箇就～哩病。kai^{53}tsiəu^{53}iet^{3}ke^{53}ɲin^{13}_{44}pʰiaŋ^{53}li^{0}i^{35}xei^{53},xau^{21}li^{0},xau^{21}li^{0}lei^{0}kai^{53}tsʰiəu^{53}xei^{53}xau^{21}xek^{3}li^{0}ʂa^{0},tan^{53}_{44}ʂʅ^{53}_{44}iəu^{53}pʰiaŋ^{53}li^{0},kai^{53}_{44}tsʰiəu^{53}_{44}pʰiaŋ^{53}tsʰiəu^{53}fan^{35}nek^{3}li^{0}lau^{0}.(k)ai^{53}_{44}tsʰiəu^{53}_{44}fan^{35}_{44}ni^{0}pʰiaŋ^{53}.

【翻$_2$】fan^{35} [形]表示相反的、颠倒的：上背个胡子，下背个须。系咁子说他。箇唔知搞～哩吗啦？唔知下背个胡子啊，上背喊胡子。ʂəŋ^{53}pəi^{53}ke^{53}_{44}u^{13}tsʅ^{0},xa^{35}pəi^{53}ke^{53}_{21}si^{35}.xei^{53}kan^{21}tsʅ^{0}ʂuo_{44}tʰa_{44}.kai^{53}_{44}n̩^{13}ti^{35}_{53}kau^{21}fan^{35}ni^{0}ma^{0}la^{0}?n̩^{13}ti^{35}_{53}xa^{35}pəi^{53}ke^{53}_{44}u^{13}tsʅ^{0}a^{0},ʂəŋ^{53}pəi^{53}xan^{53}_{44}u^{13}tsʅ^{0}.

【翻$_3$】fən^{35} [量]①指蓑衣：一～蓑衣 iet^{3}fən^{35}so^{35}i^{35}_{44}｜着～蓑衣去个啦今晡啦！tʂək^{3}fən^{35}so^{35}i^{35}_{44}çi^{53}_{44}ke^{53}_{44}la^{0}cin^{35}_{44}pu^{35}_{44}la^{0}！②指被子等：一～被窝 iet^{3}fən^{35}pʰi^{35}pʰo^{35}_{44}

【翻白】fan^{35}pʰak^{5} [动]翻白眼：眼珠～ ŋan^{21}tʂəu^{35}fan^{35}pʰak^{5}

【翻车撳头】fan^{35}tʂʰa^{35}cʰin^{35}tʰei^{13} 侧空翻或侧手翻：以个就唔系～。～是一个人打。咁子侧空翻呢，咁子侧翻就～唠。i^{21}ke^{53}tsʰiəu^{53}m̩^{13}pʰe^{53}_{44}fan^{35}tʂʰa^{35}cʰin^{35}tʰei^{13}_{21}.fan^{35}tʂʰa^{35}cʰin^{53}tʰei^{13}_{21}ʂʅ^{53}_{44}iet^{3}ke^{53}ɲin^{13}_{21}ta^{21}.kan^{21}_{35}tsʅ^{0}tsek^{3}kʰəŋ^{35}_{44}fan^{35}_{44}ne^{0},kan^{21}tsʅ^{0}tsek^{3}fan^{35}_{44}tsʰiəu^{53}_{44}fan^{35}tʂʰa^{35}cʰin^{53}tʰei^{13}_{21}lau^{0}.

【翻覆覆哩】fan^{35}pʰuk^{3}pʰuk^{3}li^{0} [形]状态词。上下颠倒放置的样子：咁子～欸咁子张张哩放咯，放就放唔稳，只好挂下壁上。kan^{21}tsʅ^{0}fan^{35}_{44}pʰuk^{3}pʰuk^{3}li^{0}e_{21}kan^{21}tsʅ^{0}tʂəŋ^{35}tʂəŋ^{35}_{44}li^{0}fəŋ^{53}ko^{0},fəŋ^{53}tsʰiəu^{53}_{44}fəŋ^{53}n̩^{13}_{21}uən^{21},tʂʅ^{21}(x)au^{21}kua^{53}(x)a^{53}_{44}piak^{3}xəŋ^{53}.

【翻杠子】fan^{35}_{44}kəŋ^{53}tsʅ^{0} [动]练习单杠。又称“舞单杠”：～就系么个翻单杠哦。以个栏场双杠就很少。我等细细子也喜欢～。箇阵我等我去我正架势教书个时候子，箇阵子也唔重视教育，么个体育器具都冇得，乒乓球都爱你自家去买，上头冇得。以下我等就搞兜么个，除哩买几只乒乓球，箇是省钱，系唔系？欸，买两只篮球嘞又冇篮球架。我就请只木匠斫两条箇个尖栗树呢，请倒木匠嘞就挖几只眼呢，做两条咁个牛栏栅样个东西做单杠，分细人子去翻呢。箇是也蛮懵呢，箇阵子当老师真系蛮懵呐。你把做底下还有么个垫子放下么个，就系绷硬个子。泥地的嘞。不是水泥地，系泥地。欸跌倒哩还唔系就跌倒哩？如今是箇收拾哩，箇吓人子。箇就爱放倒爱放垫子啦，爱海绵垫子放倒箇地下唠。我等箇阵冇得嘞。fan^{35}kəŋ^{53}tsʅ^{0}tsʰiəu^{53}_{44}xei^{53}_{44}mak^{3}ke^{0}fan^{35}tan^{35}kəŋ^{53}ŋo^{0}.i^{21}ke^{53}laŋ^{13}_{44}tʂʰəŋ^{13}_{44}səŋ^{35}kəŋ^{53}tsʰiəu^{53}xen^{21}ʂau^{21}.ŋai^{13}tien^{0}se^{53}se^{53}tsʅ^{0}a^{35}_{53}çi^{21}fən^{35}_{44}fan^{35}_{44}kəŋ^{53}tsʅ^{0}.kai^{53}tʂʰən^{53}ŋai^{13}_{21}tien^{0}ŋai^{13}_{21}çi^{53}ŋai^{13}tʂaŋ^{53}cia^{53}_{44}ʂʅ^{53}_{44}kau^{35}_{44}ʂəu^{35}_{44}ke^{0}ʂʅ^{13}xəu^{53}_{44}tsʅ^{0},kai^{53}_{44}tʂʰən^{53} tsɿ^{0}ia^{35}n̩^{13}tʂʰəŋ$^{53}_{44}$ʂʅ$^{53}_{44}$ciau^{53}iəuk^{3},mak^{3}ke^{53}tʰi^{21}iəuk^{3}çi^{53}tʂʮ^{53}təu$^{35}_{53}$mau$^{13}_{21}$tek^{3},pʰin$^{35}_{44}$pʰaŋ$^{35}_{44}$cʰiəu^{13}təu$^{35}_{53}$ɔi^{53}ɲi$^{13}_{21}$tsʰɿ$^{35}_{44}$ka$^{35}_{53}$çi$^{53}_{44}$mai^{35},ʂɔŋ^{53}tʰei$^{13}_{21}$mau^{13}tek^{3}.i^{21}xa^{53}ŋai^{13}tien^{0}tsʰiəu$^{53}_{44}$kau^{21}təu$^{35}_{53}$mak^{3}ke^{0},tʂʰəu^{13}li^{0}mai^{35}ci^{21}(tʂ)ak^{3}pʰin$^{35}_{44}$pʰaŋ$^{35}_{44}$cʰiəu^{13},kai$^{53}_{44}$ʂʅ$^{53}_{44}$saŋ^{21}tsʰien^{13},xei$^{53}_{44}$me$^{53}_{44}$ʔe$_{21}$,mai^{35}iɔŋ^{21}tʂak^{3}lan^{13}cʰiəu$^{13}_{21}$lei^{0}iəu^{53}mau$^{13}_{21}$lan$^{13}_{21}$cʰiəu$^{13}_{21}$ka^{53}.ŋai^{13}tsʰiəu^{53}tsʰiaŋ^{21}tʂak^{3}muk^{3}siɔŋ^{53}tʂɔk^{3}iɔŋ^{21}tʰiau^{13}kai$^{53}_{44}$ke$^{53}_{44}$tsian^{35}liet$^{5}_{3}$ʂəu^{53}nei^{0},tsʰiaŋ^{21}tau^{21}muk^{3}siɔŋ$^{53}_{44}$le^{0}tsʰiəu$^{53}_{44}$ua^{35}ci^{21}tʂak^{3}ŋan^{21}ne^{0},tso^{53}iɔŋ^{21}tʰiau$^{13}_{44}$kan^{21}ke^{53}ɲiəu^{13}lan^{13}tsʰak^{5}iɔŋ$^{53}_{44}$ke^{0}təŋ$^{35}_{44}$si^{0}tso^{53}tan^{35}kɔŋ$^{53}_{44}$,pən^{35}sei^{53}ɲin$^{13}_{21}$tsɿ^{0}çi^{53}fan^{35}ne^{0}.kai$^{53}_{44}$ʂʅ$^{53}_{44}$ia^{35}man^{13}məŋ^{53}nei^{0},kai$^{53}_{44}$tʂʰən$^{53}_{44}$tsɿ^{0}tɔŋ^{35}lau^{21}sɿ^{35}tʂən^{35}xe^{53}man^{13}məŋ^{53}na^{0}.ɲi^{13}pa^{21}tsɿ^{53}tei^{21}xa^{53}xai^{13}iəu$^{35}_{53}$mak^{3}e^{0}tʰian^{53}tsɿ^{0}fɔŋ$^{53}_{44}$ŋa$^{53}_{44}$mak^{3}e^{0},tsʰiəu^{53}xe$^{53}_{44}$paŋ^{35}ŋaŋ$^{53}_{44}$kei^{53}tsɿ^{0}.lai^{13}tʰi^{53}tet^{3}le^{0}.pət^{3}ʂʅ^{53}ʂei^{21}lai^{13}tʰi^{53},xe^{53}lai^{13}tʰi^{53}.e^{0}tet^{3}tau^{21}li^{0}xai^{13}m̩^{13}me^{53}tsʰiəu^{53}tet^{3}tau^{21}li^{0}ʔi$^{13}_{21}$cin^{35}ʂʅ$^{53}_{44}$kai^{53}ʂəu^{35}ʂət^{5}li^{0},kai$^{53}_{44}$xak^{3}ɲin^{13}tsɿ^{0}.kai$^{53}_{44}$tsiəu$^{53}_{21}$ɔi^{53}fɔŋ^{53}tau^{21}ɔi$^{53}_{44}$fɔŋ^{53}tʰian^{53}tsɿ^{0}la^{0},ɔi$^{53}_{44}$xɔi^{21}mien^{13}tʰian^{53}tsɿ^{0}fɔŋ$^{53}_{44}$tau^{21}kai^{53}tʰi$^{53}_{21}$xa^{53}lau^{0}.ŋai^{13}tien^{0}kai^{53}tʂʰən^{53}mau$^{13}_{21}$tek$^{3}_{5}$le^{0}.

【翻领子】fan^{35}liaŋ^{35}tsɿ^{0} 名外折的衣领一种衣服领子的样式。领子的上部翻转向外，或全部翻转向外，领口敞开：～，嗯，衫领个一种形式。系要往外背翻。㨮～相对个嘞就顿领子，笔顿个，顿领子。我以个就算～吧？翻转来个。fan^{35}liaŋ^{35}tsɿ^{0},n̩$_{21}$,san^{35}liaŋ$^{35}_{44}$ke^{0}iet^{3}tʂəŋ^{21}çin$^{13}_{21}$ʂʅ^{53}.xe$^{53}_{21}$iau^{53}uɔŋ^{21}ŋɔi^{53}pɔi$^{53}_{44}$fan^{35}.lau^{35}fan^{35}liaŋ^{35}tsɿ^{35}siɔŋ^{35}tei^{53}ke^{0}lei^{0}tsʰiəu$^{53}_{44}$tən^{53}liaŋ$^{35}_{44}$tsɿ^{0},piet^{3}tən^{53}cie^{0},tən^{53}liaŋ$^{35}_{44}$tsɿ^{0}.ŋai^{13}i^{21}ke^{53}tsʰiəu^{53}sɔn^{53}fan^{35}liaŋ^{35}tsɿ^{0}pa^{0}?fan^{35}tʂuɔn^{21}nɔi$^{13}_{21}$ke^{0}.

【翻青】fan^{35}tsʰiaŋ^{35} 动秧苗插下后成活，叶子变青。也称“返青”：深水就～，禾栽下去就爱保持一定深度个水，又安做返青呢，深水就～，返青，浅水就分蘖。分蔸个时候子不能咁深个水了，发蔸个时候子啊，就爱浅水。tʂʰən^{35}ʂei^{21}tsʰiəu^{53}fan^{35}tsʰiaŋ^{35},uo^{13}tsɔi$^{35}_{44}$xa$^{53}_{44}$çi^{53}tsʰiəu$^{53}_{44}$ɔi$^{53}_{44}$pau^{21}tʂʰʅ^{13}iet^{3}tʰin^{53}ʂən^{35}tʰəu$^{53}_{44}$ke^{0}ʂei^{21},iəu^{53}ɔn$^{35}_{44}$tso$^{53}_{44}$fan^{21}tsʰiaŋ^{35}ne^{0},tʂʰən^{35}ʂei^{21}tsʰiəu^{53}fan^{35}tsʰiaŋ^{35},fan^{21}tsʰiaŋ^{35},tsʰien^{21}ʂei^{21}tsʰiəu$^{53}_{44}$fən^{35}ɲiet^{3}.fən^{35}tei^{35}ke^{53}ʂʅ^{13}xəu$^{53}_{44}$tsɿ^{0}pət^{3}len^{13}kan^{21}tʂʰən^{35}ke^{0}ʂei^{21}liau^{0},fait^{3}tei^{35}ke^{53}ʂʅ^{13}xəu$^{53}_{44}$tsɿ^{0}a^{0},tsiəu^{53}ɔi^{53}tsʰien^{21}ʂei^{21}.

【翻秋】fan^{35}tsʰiəu^{35} 动用前一季收获的种子来种植下一季；作物的种子当年再种一季：～哇，也就系欸反季节，有兜子反季节个意思。渠咁个呢，以前呐，以前栽禾啊就有咁个嘞，有～嘞。头到收倒个种子，以前都人家硬冇食嘞，种子都冇得吵，硬冇饭食嘞，当时也冇杂交种吵，以下是有杂交种，从前是硬系早禾栽嘿哩以后，收打倒箇早禾了，收嘿哩早禾了，在箇早禾个田里，用早禾谷做种子来栽二到，箇就安做～。欸，立哩秋再来种，箇就安做～。箇年八三年咯，我老妹子等箇系啊横江箇映子就涨大水呀，箇禾下打咁哩，箇禾秧啊，迟禾秧箇只，壅倒咁深个油泥，箇迟禾秧是二禾秧是栽唔下去了喔。箇迟禾栽唔下去了。栽唔下去了就让门子搞哇？就去搞～呢。fan^{35}tsʰiəu^{35}ua^{0},ia^{35}tsʰiəu^{53}xe^{53}e$_{21}$fan^{21}ci^{53}tset^{3},iəu^{35}təu$^{35}_{53}$tsɿ^{0}fan^{21}ci^{53}tset^{3}ke^{0}i^{53}sɿ^{0}.ci$^{13}_{21}$kan$^{21}_{13}$ke^{53}nei^{0},i$^{35}_{53}$tsʰien^{13}na^{0},i$^{35}_{53}$tsʰien^{13}tsɔi^{35}uo^{13}a^{0}tʰiəu^{53}iəu$^{35}_{53}$kan^{21}ke^{53}lei^{0},iəu$^{35}_{53}$fan^{35}tsʰiəu^{35}le^{0}.tʰei^{13}tau^{53}ʂəu^{35}tau^{21}cie^{53}tʂəŋ^{21}tsɿ^{0},i$^{35}_{53}$tsʰien$^{13}_{21}$təu$^{35}_{44}$in$^{13}_{21}$cia$^{35}_{44}$ɲiaŋ^{53}mau^{13}ʂət^{5}le^{0},tʂəŋ^{21}tsɿ^{0}təu$^{35}_{53}$mau$^{13}_{44}$tek^{3}ʂa^{0},ɲiaŋ^{53}mau^{13}fan^{53}ʂət^{5}le^{0},tɔŋ^{35}ʂʅ$^{13}_{44}$ia^{35}mau$^{13}_{21}$tsʰait^{5}ciau$^{35}_{44}$tʂəŋ^{21}ʂa^{0},i^{21}çia^{53}ʂʅ$^{53}_{44}$iəu^{35}tsʰait^{5}ciau$^{35}_{44}$tʂəŋ^{21},tsʰəŋ^{13}tsʰien^{13}ʂʅ$^{53}_{44}$ɲiaŋ^{53}xe^{53}tsau^{21}uo^{13}tsɔi^{35}xek^{3}li^{0}i^{35}xei^{53},ʂəu^{35}ta^{21}tau^{21}kai^{53}tsau^{21}uo^{13}liau^{0},ʂəu^{35}xek^{3}li^{0}tsau^{21}uo^{13}liau^{0},tsʰai^{53}kai$^{53}_{44}$tsau^{21}uo^{13}ke^{53}tʰien^{13}ni^{0},iəŋ^{53}tsau^{21}uo^{13}kuk^{3}tso^{53}tʂəŋ^{21}tsɿ^{0}lɔi^{13}tsɔi^{35}ɲi^{53}tau$^{53}_{44}$,kai$^{53}_{44}$tsʰiəu$^{53}_{44}$ɔn$^{35}_{44}$tso$^{53}_{44}$fan^{35}tsʰiəu^{35}.ei$_{21}$,liet^{5}li^{0}tsʰiəu^{35}tsai^{53}lai$^{13}_{21}$tʂəŋ^{53},kai$^{53}_{44}$tsʰiəu$^{53}_{44}$ɔn$^{35}_{44}$tso$^{53}_{44}$fan^{35}tsʰiəu$^{35}_{44}$.kai^{53}ɲien$^{13}_{44}$pait^{3}san^{35}ɲien$^{13}_{44}$ko^{0},ŋai$^{13}_{21}$lau^{21}mɔi$^{53}_{44}$tsɿ^{0}ten$^{21}_{44}$kai$^{53}_{44}$xei^{53}a^{0}uaŋ^{13}kɔŋ$^{53}_{44}$kai$^{53}_{44}$iaŋ$^{53}_{44}$tsɿ^{0}tsʰiəu^{53}tʂɔŋ^{21}tʰai^{53}ʂei^{21}ia^{0},kai^{53}uo^{13}xa^{53}ta^{21}kan^{21}ni^{0},kai$^{53}_{44}$uo^{13}iɔŋ^{35}ŋa^{0},tʂʰʅ^{13}uo^{13}iɔŋ^{35}kai$^{53}_{44}$tʂak^{3},iəŋ^{35}tau^{21}kan^{21}tʂʰən^{35}cie^{53}iəu$^{13}_{21}$lai^{13},kai$^{53}_{44}$tʂʰʅ$^{13}_{21}$uo$^{13}_{21}$iɔŋ^{35}ʂʅ$^{53}_{44}$ɲi^{53}uo$^{13}_{21}$iɔŋ^{35}ʂʅ$^{53}_{44}$tsɔi^{35}n̩$^{13}_{21}$xa$^{53}_{44}$çi$^{53}_{44}$liau^{0}uo^{0}.kai$^{53}_{44}$tʂʰʅ$^{13}_{21}$uo$^{13}_{44}$tsɔi^{35}n̩$^{13}_{21}$xa$^{53}_{44}$çi$^{53}_{44}$liau^{0}.tsɔi^{35}n̩$^{13}_{21}$xa$^{53}_{44}$çi$^{53}_{44}$liau^{0}tsʰiəu^{53}ɲiɔŋ^{53}mən^{0}tsɿ^{0}kau^{21}ua^{0}?tsʰiəu^{53}çi^{53}kau^{21}fan$^{35}_{44}$tsʰiəu^{35}ne^{0}.

【翻去翻转】fan^{35}çi$^{53}_{44}$fan^{35}tʂɔn^{21} 翻过来翻过去：箇个米馃子去～。kai$^{53}_{44}$ke$^{53}_{44}$mi^{21}ko^{21}tsɿ^{0}çi$^{53}_{44}$fan^{35}çi$^{53}_{44}$fan^{35}tʂɔn^{21}.

【翻山羊】fan$^{35}_{44}$san^{35}iɔŋ^{13} 名一种模拟山羊跳跃的儿童游戏。一个人当“山羊”，其他人助跑一段后，撑住“山羊”的背或双肩，双腿分开从“山羊”头上越过：渠指打日头落山就唔像搞箇个……就不是欸不是～，欸，～是箇个咯，箇是体育项目咯。ci^{13}tsʰiəu^{53}n̩^{13}tsʰiɔŋ^{53}kau^{21}kai$^{53}_{44}$ke$^{53}_{44}$…tsʰiəu^{53}pət^{3}ʂʅ$^{53}_{44}$e$_{21}$pət^{3}ʂʅ^{53}fan$^{35}_{44}$san^{35}iɔŋ$^{13}_{44}$,e$_{44}$,fan$^{35}_{44}$san^{35}iɔŋ$^{13}_{21}$ʂʅ$^{53}_{44}$kai$^{53}_{44}$ke$^{53}_{44}$ko^{0},kai$^{53}_{44}$ʂʅ$^{53}_{44}$tʰi^{21}iɔk^{3}xɔŋ$^{53}_{44}$muk$^{3}_{5}$ko^{0}.

【翻转】fan^{35}tʂɔn^{21} 动①反转，里外互换：（秆 tsiau^{35} 帽）可以～起个。kʰo^{21}i$^{35}_{44}$fan^{35}tʂɔn^{21}çi^{21}ke^{53}. ②转向相反的方向：～脑壳去看 fan^{35}tʂɔn^{21}nau^{21}kʰɔk^{3}çi$^{53}_{21}$kʰɔn^{53} | 可以以只丫开一边，也可以～

箇向来只丫开箇边。k^{h}o^{21}i$^{35}_{53}$i^{21}tʂak^{3}a^{35}k^{h}ɔi^{35}i$^{13}_{21}$pien$^{35}_{44}$,ia^{35}k^{h}o^{21}i$^{35}_{44}$fan^{35}tʂɔn^{21}kai^{53}çiɔŋ$^{53}_{44}$lɔi$^{13}_{21}$tʂak^{3}a$^{35}_{44}$k^{h}ɔi^{35}kai^{53}pien$^{35}_{44}$.

【烦人】fan^{13}ɲin^{13} 形让人心烦：落水天有兜子～。lɔk^{5}ʂei^{21}t^{h}ien^{35}iəu$^{35}_{53}$tei$^{35}_{53}$tsɿ^{0}fan^{13}ɲin^{13}.

【反背】fan^{21}pɔi^{53} 名反面；背面：打比样以只栏场爱～以映子就有滴就衬块里布嘞。ta^{21}pi^{21}iɔŋ$^{53}_{44}$i^{21}tʂak^{3}lɔŋ^{13}tʂ^{h}ɔŋ^{13}ɔi$^{53}_{44}$fan^{21}pɔi^{53}i^{21}iaŋ$^{53}_{44}$tsɿ^{0}ts^{h}iəu$^{53}_{44}$iəu^{35}tet^{5}ts^{h}iəu$^{53}_{44}$ts^{h}ən$^{53}_{44}$k^{h}uai$^{53}_{44}$li^{35}pu$^{53}_{44}$le^{0}.

【反悔】fan^{21}fei^{21} 动后悔；收回以前的约定或承诺：如果你指华佗仙师～嘞，欸，你就降只阳卦下来。ʮ^{13}ko^{21}ɲi^{13}fan^{21}fei^{21}lei^{0},e$_{21}$, ɲi^{13}ts^{h}iəu^{53}kɔŋ^{53}tʂak^{3}iɔŋ^{13}kua$^{53}_{44}$xa$^{53}_{44}$lɔi$^{13}_{44}$.

【反水】fan^{21} ʂei^{21} 动当兵的反戈：只有战争年代呀，系唔系？你死我活个时候子，箇时候子有兜人就会～呀。tʂʅ^{21}iəu$^{35}_{44}$tʂen^{53}tsen$^{35}_{44}$ɲien$^{13}_{21}$t^{h}ɔi^{53}ia^{0},xei^{53}me^{53}?ɲi^{13}si^{21}ŋo^{21}xɔit^{5}ke^{0}ʂʅ^{13}xei^{53}tsɿ^{0},kai^{53}ʂʅ^{13}xəu$^{53}_{44}$tsɿ^{0}iəu^{35}təu$^{35}_{53}$ɲin$^{13}_{44}$tsiəu$^{53}_{44}$uɔi$^{53}_{44}$fan^{21}ʂei^{21}ia^{0}.

【反胃】fan^{21}vei^{53} 动恶心。又称"打爆口、作肚闷、作呕"：一般冷倒哩，冷天惹哩寒，就会～呀，就有打爆口呀，作肚闷咁个现象。iet^{3}pɔn^{35}laŋ^{35}tau^{21}li^{0},laŋ^{35}t^{h}ien^{35}ɲia^{35}li^{0}xɔn^{13},ts^{h}iəu$^{53}_{44}$uɔi$^{53}_{44}$fan^{21}vei^{53}ia^{0},ts^{h}iəu$^{53}_{44}$iəu^{35}ta^{21}pau^{53}xei^{21}ia^{0},tsɔk^{3}təu^{21}mən^{53}kan^{21}ke$^{53}_{44}$çien^{53}siɔŋ^{53}.

【反文】fan^{21}uən^{13} 名斜文旁：～就同箇政府个政字样啊，箇右边就系～。fan^{21}uən^{13}ts^{h}iəu$^{53}_{44}$t^{h}əŋ^{13}kai$^{53}_{44}$tʂən^{53}fu^{21}ke$^{53}_{44}$tʂən^{53}ts^{h}ʅ$^{53}_{44}$iɔŋ$^{53}_{44}$a^{0},kai$^{53}_{44}$iəu^{53}pien$^{35}_{44}$ts^{h}iəu^{53}xe^{53}fan^{21}uən^{13}.

【反正】fan^{21}tʂən^{53} 副①表示情况虽然不同但实质或结果并无区别：箇搂箕大呀细呀，～就把比较长。kai$^{53}_{44}$lei^{13}ci$^{35}_{44}$t^{h}ai^{53}ia^{0}sei^{53}ia^{0},fan^{21}tʂən^{53}ts^{h}iəu$^{53}_{44}$pa^{53}pi^{21}ciau$^{53}_{44}$tʂ^{h}ɔŋ^{13}.｜米粉店，早餐店，夜宵店，～都系搞食个。mi^{21}fən^{21}tian^{53},tsau^{21}ts^{h}ɔn^{35}tian^{53},ia^{53}siau$^{35}_{44}$tian^{53},fan^{21}tʂən$^{53}_{44}$təu$^{35}_{44}$uei$_{44}$(←xei^{53})kau^{21}ʂət^{5}ke$^{53}_{44}$. ②表示坚决肯定的语气：百多斤咯，喊渠去背哟，～就是取笑嘞。pak^{3}to$^{35}_{44}$cin^{35}ko^{0},xan$^{53}_{44}$ci^{21}çi$^{53}_{44}$pi^{53}iau^{0},fan^{21}tʂən^{53}tsiəu$^{53}_{44}$ʂʅ$^{53}_{44}$ts^{h}i^{21}siau^{53}lei^{0}.

【返归】fan^{21}kuei^{35} 动返回去：你即即哩～。ɲi$^{13}_{21}$tset^{5}tset^{5}li^{0}fan^{21}kuei^{35}.

【返青】fan^{21}ts^{h}iaŋ^{35} 动秧苗插下后成活，叶子变青：栽禾栽下去箇几晡子，箇只把星期，田里不能干，硬爱深滴子个水，欸，深水就～，浅水就分蘖。tsɔi^{35}uo^{13}tsɔi^{35}xa$^{53}_{44}$çi$^{53}_{44}$kai^{53}ci^{21}pu^{35}tsɿ^{0},kai^{53}tʂak^{3}pa^{21}sin^{35}c^{h}i$^{13}_{21}$,t^{h}ien^{13}ni^{0}pət^{3}len^{13}kɔn^{35}, ɲiaŋ^{53}ɔi^{53}tʂ^{h}ən^{35}tiet^{5}tsɿ^{0}ke^{0}ʂei^{21},e$_{21}$,tʂ^{h}ən^{35}ʂei^{21}ts^{h}iəu^{53}fan^{21}ts^{h}iaŋ^{35},ts^{h}ien^{21}ʂei^{21}ts^{h}iəu$^{53}_{21}$fən^{35}ɲiet^{3}.

【犯】fan^{53} 动①违反：犯人就系～哩法惹捉起来哩个人正安做犯人，系啊？fan^{53}ɲin$^{13}_{21}$ts^{h}iəu$^{53}_{44}$xe$^{53}_{44}$fan^{53}li^{0}fait^{3}ɲia^{35}tsɔk^{3}çi^{21}lɔi$^{13}_{21}$li^{0}ke^{53}ɲin$^{13}_{21}$tʂaŋ$^{53}_{21}$ɔn$^{35}_{44}$tso$^{53}_{44}$fan^{53}ɲin$^{13}_{21}$,xei$^{53}_{44}$a^{0}? ②因不当言行得罪了鬼神。又称"惹"：嫚哪映～倒么个，安做～倒么个。嫚～倒么个。maŋ^{13}lai$^{53}_{44}$iaŋ$^{53}_{44}$fan^{53}tau^{21}mak^{3}ke$^{53}_{44}$,ɔn$^{35}_{44}$tso$^{53}_{44}$fan^{53}tau^{21}mak^{3}ke$^{53}_{44}$.maŋ^{13}fan^{53}tau^{21}mak^{3}ke$^{53}_{44}$.

【犯人】fan^{53}ɲin^{13} 名犯罪的人；囚犯：我等张家坊以映子还是比较安定呢。以下欸不过也会出兜子事。欸箇两年子就出只事啊，一只～，一只犯哩法个，犯哩事个人，打架个，犯哩事个人，捉起来哩，捉倒关下张坊派出所。你话一下嫚招呼得倒，来只咁个人哦。以下一只人是惹捉稳呢，铐稳哩吵，缔下箇个栏杆上啊是缔下光窗上啊，铐子铐稳呐。铐下箇个上楼梯个栏杆上。来只箇人呶，一刀噢，捉倒箇分渠一杀杀下死唠。箇就麻嘞箇就好得嫚让门跑，箇只人就唔知系唔系自哩首哇让门子凑，就转去自首。哎呀，冲动蛮大呀箇只事。所以箇～也系爱保护嘞。你唔保护渠是，系唔系？硬分渠杀死哩嘞。ŋai^{13}tien^{0}tʂɔŋ$^{35}_{44}$ka$^{35}_{44}$fɔŋ^{35}i^{21}iaŋ^{53}tsɿ^{0}xai^{13}ʂʅ$^{53}_{44}$pi^{21}ciau^{53}ŋɔn^{35}t^{h}in$^{53}_{44}$nei^{0}.i^{21}xa$^{53}_{44}$e$_{21}$puk^{3}ko^{53}ia^{35}uɔi^{53}tʂ^{h}ət^{3}təu$^{35}_{44}$tsɿ^{0}sɿ^{53}.e^{0}kai^{53}iɔŋ^{21}ɲien$^{13}_{21}$tsɿ^{0}ts^{h}iəu^{53}tʂ^{h}ət^{3}tʂak^{3}sɿ^{53}a^{0},iet^{3}tʂak^{3}fan^{53}ɲin^{13},iet^{3}tʂak^{3}fan^{53}ni^{0}fait^{3}ke^{0},fan^{53}ni^{0}sɿ^{53}ke^{0}ɲin$^{13}_{44}$,ta^{21}cia^{53}ke^{0},fan^{53}ni^{0}sɿ^{53}ke^{0}ɲin$^{13}_{44}$,tsɔk^{3}çi^{21}lɔi^{13}li^{0},tsɔk^{3}tau$^{21}_{44}$kuan^{35}na$^{53}_{44}$tʂɔŋ^{35}fɔŋ$^{35}_{44}$p^{h}ai^{53}tʂ^{h}ət^{3}so^{21}. ɲi^{13}ua$^{53}_{44}$iet^{3}xa^{53}maŋ^{13}tʂau^{35}fu$^{35}_{44}$tek^{3}tau^{21},lɔi^{13}tʂak^{3}kan^{21}ke^{53}ɲin$^{13}_{44}$no^{0}.i^{21}xa^{53}i^{21}tʂak^{3}ɲin$^{13}_{44}$ʂʅ$^{53}_{44}$ɲia^{35}tsɔk^{3}uən^{21}ne^{0},k^{h}au^{53}uən^{21}ni^{0}ʂa^{0},t^{h}ak^{3}(x)a$^{53}_{44}$kai$^{53}_{44}$ke$^{53}_{44}$lan^{13}kɔn$^{35}_{44}$xɔŋ$^{53}_{44}$ŋa^{0}ʂʅ$^{53}_{44}$t^{h}ak^{3}(x)a$^{53}_{44}$kɔŋ^{35}ts^{h}ɔŋ$^{35}_{44}$xɔŋ$^{53}_{44}$ŋa^{0},k^{h}au^{53}tsɿ^{0}k^{h}au^{53}uən^{21}na^{0}.k^{h}au^{53}ua^{53}kai$^{53}_{44}$ke$^{53}_{44}$ʂɔŋ^{35}lei^{13}t^{h}ɔi$^{35}_{44}$ke^{0}lan^{13}kɔn$^{35}_{44}$xɔŋ$^{53}_{44}$.lɔi^{13}tʂak^{3}kai^{53}ɲin^{13}nau^{0},iet^{3}tau^{35}uau^{0},tsɔk^{3}tau^{21}kai$^{53}_{44}$pən$^{35}_{44}$ci$^{13}_{21}$iet^{3}sait^{3}sait^{3}(x)a^{53}si^{21}lau^{0}.kai$^{53}_{44}$ts^{h}iəu$^{53}_{44}$ma^{13}le^{0}kai^{53}ts^{h}iəu^{53}xau^{21}tek^{3}maŋ^{13}ɲiɔŋ$^{53}_{44}$mən$^{13}_{44}$p^{h}au^{21},kai^{53}tʂak^{3}ɲin^{13}tsiəu^{53}n̩^{13}ti^{53}xei^{53}mei^{53}ts^{h}ɿ^{53}li^{0}ʂəu^{21}ua^{0}ɲiɔŋ^{53}mən$^{13}_{44}$tsɿ^{0}ts^{h}e^{0},tsiəu$^{53}_{44}$tʂuɔn^{21}çi$^{53}_{44}$ts^{h}ɿ^{53}ʂəu^{21}.ai$_{44}$ia^{0},ts^{h}əŋ$^{35}_{44}$t^{h}əŋ$^{53}_{44}$man^{13}t^{h}ai^{53}ia^{0}kai$^{53}_{21}$tʂak^{3}sɿ^{53}.so^{21}i$^{35}_{44}$kai$^{53}_{44}$fan^{53}ɲin$^{13}_{21}$ia^{35}xe$^{53}_{44}$ɔi$^{53}_{44}$pau^{21}fu^{53}le^{0}. ɲi$^{13}_{21}$m̩^{13}pau^{21}fu^{53}ci$^{13}_{21}$ʂʅ$^{53}_{44}$,xei^{53}me^{53}?ɲiaŋ^{53}pən^{35}ci$^{13}_{21}$sait^{3}si^{21}li^{0}le^{0}.

【饭】fan^{53} 名煮熟的谷类食物，多指米饭，又泛指为了满足饥饿或食欲，在一个特定的时间吃进的一份食物：～夹生熟子。fan^{53}kait^{0}saŋ^{35}ʂəuk^{5}tsɿ^{0}.｜渠就爱靠箇只东西呀去寻～食唠。ci$^{13}_{21}$ts^{h}iəu$^{53}_{44}$ɔi$^{53}_{44}$k^{h}au^{53}kai^{53}tʂak^{3}təŋ$^{35}_{44}$si^{0}ia^{0}çi$^{53}_{44}$ts^{h}in^{13}fan^{53}ʂət^{5}lau^{0}.

【饭钵子】fan^{53}pait^{3} tsʅ^{0} 名黑色陶钵，用来蒸饭。又称“瓦钵子”：蒸饭个钵子啊？还安做话～吧。安做～，欸。安做瓦钵子呢。箇个陶瓷个呢，系呀？瓦钵子，箇就安做瓦钵子。箇也～。也安做也可以安话系～唠。～。tʂən^{35} fan^{53} cie$^{53}_{44}$pait^{3} tsa^{0} ?xai$^{13}_{21}$ɔn^{35} tso^{53} ua^{53} fan^{53} pait^{3} tsʅ^{0} pa^{0} .ɔn^{35} tso$^{53}_{44}$fan^{53} pait^{3} tsʅ^{0} ,e$_{21}$.ɔn^{35} tso^{53} ŋa^{21} pait^{3} tsʅ^{0} nei^{0} .kai^{53} ke^{53} tʰau^{13} tsʰʅ$^{13}_{21}$ke^{53} nei^{0} ,xei$^{53}_{44}$ia^{0} ?ŋa^{21} pait^{3} tsʅ^{0} ,kai$^{53}_{44}$tsʰiəu$^{53}_{44}$ɔn$^{35}_{44}$tso$^{53}_{44}$ŋa^{21}pait^{3} tsʅ^{0} .kai$^{53}_{44}$ia^{35}fan^{53} pait^{3} tsʅ^{0} .ia^{35}ɔn$^{35}_{53}$tso$^{53}_{21}$ia^{35}kʰo^{21}i^{35}ɔn$^{35}_{53}$ua^{53}xei^{53}fan^{53}pait^{3} tsʅ^{0} lau^{0} .fan^{53}pait^{3} tsʅ^{0} .

【饭饽】fan^{53}pʰɔk^{5} 名饭团：一般个～是我嘞话你知嘞，一般个～是系还嬒蒸，嬒放下甑里去蒸，就做～。煮，去镬里煮，煮倒搂起来，系唔系啊？搂起来，分饭汤……分饭汤搂嘿去。箇只时候子，夹生熟子个时候子，箇只时候子就搭～，安做搭～。放势去搭啊，爱搭久滴子啊。欸，还嬒蒸，就咁子食咁个饭。iet^{3} pən^{35}ke$^{53}_{44}$fan^{53} pʰɔk^{5} ʂʅ$^{53}_{44}$ŋai^{13}le^{0} ua$^{53}_{44}$ɲi$^{13}_{21}$ti$^{35}_{44}$le^{0} ,iet^{3} pən^{35}ke$^{53}_{44}$fan^{53} pʰɔk^{5} ʂʅ$^{53}_{44}$xei^{53}xai^{13}maŋ^{13}tʂən^{35} ,maŋ^{13}fɔŋ$^{53}_{44}$ŋa$_{44}$(←xa^{53})tsen^{53}ni^{0} çi^{53}tʂən^{35} ,tsʰiəu$^{53}_{44}$tso^{53}fan^{53} pʰɔk^{5} .tʂəu^{21} ,çi^{53}uɔk^{5} li^{0} tʂəu^{21} ,tʂəu^{21}tau^{21}lei^{13}çi^{21}lɔi^{13} ,xei^{53}mei^{53}a^{0} ?lei^{13}çi^{21}lɔi^{13} ,pən^{35}fan^{53}tʰɔŋ$^{35}_{44}$…pən$^{35}_{44}$fan^{53}tʰɔŋ$^{35}_{44}$lei^{13}iek^{3}（←xek^{3}）çi^{53} .kai^{53} tʂak^{3} ʂʅ^{13}xei$^{53}_{44}$tsʅ^{0} ,kait^{3} saŋ$^{35}_{44}$ʂəuk^{5} tsʅ^{0} ke$^{53}_{44}$ʂʅ^{13}xei$^{53}_{44}$tsʅ^{0} ,kai^{53} tʂak^{3} ʂʅ^{13}xəu$^{53}_{44}$tsʅ^{0} tsʰiəu$^{53}_{44}$kʰak^{5} fan^{53} pʰɔk^{5} ,ɔn$^{53}_{44}$tso$^{53}_{44}$kʰak^{5} fan^{53} pʰɔk^{5} .xɔŋ^{53} ʂʅ$^{53}_{44}$çi$^{53}_{44}$kʰak^{5} a^{0} ,ɔi$^{53}_{44}$kʰak^{5} ciəu^{21}tiet^{5} tsʅ^{0} a^{0} .e$_{21}$,xai$^{13}_{21}$maŋ^{13}tʂən^{35} ,tsʰiəu^{53} kan^{21}tsʅ^{0} ʂət^{5} kan^{21}ke$^{53}_{44}$fan^{53}.

【饭撮】fan^{53}tsʰait^{3} 名一种篾器，底部弧形，出口处收缩，用来将煮好的米沥去饭汤，也可用来装青菜等物：欸，一起就系安做～呀。煮啦饭呐，分箇饭擲饭汤啊一下搂下起来，放下箇～肚里，底下就放只饭汤盆。箇就用～。ei$_{21}$,iet^{3} çi^{21}tsʰiəu^{53}xe$^{53}_{44}$ɔn$^{35}_{44}$tso$^{53}_{44}$fan^{53}tsʰait^{3} ia^{0} .tʂəu^{21}la^{0} fan^{53}na^{0} ,pən^{35}kai$^{53}_{44}$fan^{53}nau^{35}fan^{53}tʰɔŋ^{35}ŋa^{0} iet^{3} xa^{53}lei^{13}ia^{53}(←xa^{53})çi^{21}lɔi^{13},fɔŋ$^{53}_{44}$ŋa$_{44}$(←xa^{53})kai$^{53}_{44}$fan^{53}tsʰait^{3} təu^{21}li^{0} ,te^{21}xa$^{53}_{44}$tsʰiəu^{53}fɔŋ^{53}tʂak^{3} fan^{53}tʰɔŋ^{35}pʰən^{13}.kai$^{53}_{44}$tsʰiəu$^{53}_{44}$iəŋ$^{53}_{44}$fan^{53}tsʰait^{3} .

【饭店】fan^{53}tian^{53} 名经营饭菜的店铺：有滴炒菜个唠，就～。iəu^{35}tet^{5} tsʰau^{21}tsʰɔi^{53}ke$^{53}_{21}$lau^{0} ,tsʰiəu$^{53}_{44}$ fan^{53}tian$^{53}_{21}$.

【饭豆子】fan^{53}tʰei^{53}tsʅ^{0} 名一种豆类：～就不是红小豆啦，系种细欸小豆子，系种小豆子，但不是红个。白白子个。有种安做白饭豆。长长子。但是你讲～就，～就硬系白个。但是咁个豆子嘞也有红个凑，也有还有红个讲起来咯。本来是还有乌豆子啊，还有墨乌个，但是乌个唔喊～。～可以整饭食。箇唔得擲米一起煮，单独煮。你爱让门到底让门子安做渠系～我唔晓得箇只来路哇。唔晓得。唔知让门子来个安做～。fan^{53}tʰei^{53}tsʅ^{0} tsʰiəu$^{53}_{44}$pət^{3} ʂʅ^{53}fəŋ^{13}siau^{21}tʰei^{53} la^{0} ,xei^{53}tʂəŋ^{21}se^{53}e$_{21}$siau^{21}tʰei^{53}tsʅ^{0} ,xei$^{53}_{44}$tʂəŋ^{21}siau^{21}tʰei^{53}tsʅ^{0} ,tan^{53}pət^{3} ʂʅ^{53}fəŋ^{13}ke^{0} .pʰak^{5} pʰak^{5} tsʅ^{0} ke^{0} .iəu^{35} tʂəŋ^{21}ɔn$^{35}_{44}$tso$^{53}_{44}$pʰak^{5} fan^{53}tʰei^{53}.tʂʰɔŋ^{13}tʂʰɔŋ^{13}tsʅ^{0} .tan^{53}ʂʅ^{53}ɲi$^{13}_{44}$kɔŋ^{21}fan^{53}tʰei^{53}tsʅ^{0} tsʰiəu$^{53}_{44}$,fan^{53}tʰei^{53}tsʅ^{0} tsʰiəu$^{53}_{44}$ ɲiaŋ^{53}xe$^{53}_{44}$pʰak^{5} ke^{0} .tan^{53}ʂʅ^{53}kan$^{21}_{13}$ke$^{53}_{44}$tʰei^{53}tsʅ^{0} lei^{0} ia^{35}iəu^{35}fəŋ^{13}ke$^{53}_{44}$tsʰe^{0} ,ia^{35}iəu^{35}xai$^{13}_{44}$iəu$^{35}_{44}$fəŋ^{13}ke^{0} ciɔŋ^{21}cʰi^{21} lɔi^{13}ko^{0} .pən^{21}nɔi^{13}ʂʅ$^{53}_{44}$xai$^{13}_{21}$iəu$^{35}_{44}$u^{35}tʰei^{53}tsʅ^{0} a^{0} ,xai^{13}iəu$^{35}_{44}$met^{5} u^{35}ke^{0} ,tan$^{53}_{44}$ʂʅ$^{53}_{44}$u^{35}ke^{0} n̩^{13}xan$^{53}_{44}$fan^{53}tʰei^{53}tsʅ^{0} .fan^{53} tʰei^{53}tsʅ^{0} kʰo^{21}i$^{35}_{53}$tʂən^{21}fan^{53}ʂət$^{5}_{3}$ .kai^{53}n̩^{13}tek^{3} lau$^{35}_{44}$mi^{21}iet^{3} çi^{21}tʂəu^{21},tan^{35}tʰəuk^{5} tʂəu^{21}. ɲi^{13}ɔi$^{53}_{44}$ɲiɔŋ^{53}mən$^{13}_{44}$tau^{53} tei^{21}ɲiɔŋ^{53}mən$^{13}_{44}$tsʅ^{0} ɔn$^{35}_{44}$tso$^{53}_{44}$ci$^{13}_{21}$xe$^{53}_{44}$fan^{53}tʰei$^{53}_{44}$tsʅ^{0} ŋai^{13}n̩^{13}çiau^{21}tek^{3} kai^{53}tʂak^{3} lɔi^{13}ləu^{53}ua^{0} ,n̩^{13}çiau^{21}tek^{3} .n̩^{13}ti$^{35}_{53}$ ɲiɔŋ^{53}mən$^{13}_{44}$tsʅ^{0} lɔi$^{13}_{21}$ke^{0} ɔn$^{35}_{44}$tso$^{53}_{44}$fan^{53}tʰei^{53}tsʅ^{0}.

【饭干米】fan^{53}kɔn^{35}mi^{21} 名将过夜的剩饭或馊饭晒干后用油炸或用沙炒制的副食。又称“炒米”：箇个馊嘿哩个饭，箇个饭呐，过哩夜以后，或者嬒馊唠，你可以分箇个饭呢，就爱晒干来，晒燥来，安做～。从前个～，就我等食个以个，箇个食饭个时候子掇一盘子个以咁个东西呀，炒米。从前个炒米呀，其实就系～。就先分箇饭，嬒食完个饭，就晒干来，晒燥来，晒燥来用油去炮，或者用沙去炒，就又安做炒米。kai$^{53}_{44}$ke$^{53}_{44}$sei^{35}(x)ek^{3} li^{0} ke$^{53}_{44}$fan^{53} ,kai$^{53}_{44}$ke$^{53}_{44}$fan^{53}na^{0} , ko$^{53}_{44}$li^{0} ia^{53}i$^{21;35}$xei$^{53}_{44}$,xɔit^{5} tʂa^{21}maŋ^{13}sei^{35}lau^{0} , ɲi$^{13}_{21}$kʰo$^{21;35}$i^{35}pən^{35}kai$^{53}_{44}$ke$^{53}_{44}$fan^{53}nei^{0} ,tsʰiəu$^{53}_{44}$ɔi$^{53}_{44}$sai^{53}kɔn^{35}nɔi$^{13}_{21}$,sai^{53} tsau^{35}lɔi$^{13}_{21}$,ɔn^{35}tso$^{53}_{44}$fan^{53}kɔn^{35}mi^{21} .tsʰəŋ^{13}tsʰien^{13}ke$^{53}_{44}$fan^{53}kɔn^{35}mi^{21} ,tsʰiəu^{53}ŋai$^{13}_{21}$tien^{0} ʂət^{5} ke^{53}i^{21}ke^{53} ,kai$^{53}_{44}$ke$^{53}_{44}$ ʂət^{5} fan^{53}ke^{53}ʂʅ^{13}xei$^{53}_{44}$tsʅ^{0} tɔit^{3} iet^{3} pʰan^{13}tsʅ^{0} ke$^{53;21}_{44}$i^{21}kan^{21}cie$^{53}_{44}$təŋ$^{35}_{44}$si^{0} ia^{0} ,tsʰau^{21}mi^{21} .tsʰəŋ^{13}tsʰien^{13}ke^{53}tsʰau^{21}mi^{21} ia^{0} ,cʰi^{13}ʂət^{5} tsʰiəu^{53}xe$^{53}_{44}$fan^{53}kɔn^{35}mi^{21} .tsʰiəu$^{53}_{44}$sien^{35}pən$^{35}_{44}$kai$^{53}_{44}$fan^{53} ,maŋ^{13}ʂət^{5} ien^{13}ke$^{53}_{44}$fan^{53} ,tsʰiəu$^{53}_{44}$sai^{53}kɔn^{35} nɔi$^{13}_{21}$,sai^{53}tsau$^{35}_{44}$lɔi$^{13}_{21}$,sai^{53}tsau$^{35}_{44}$lɔi$^{13}_{21}$iəŋ^{53}iəu^{13}çi^{53}pʰau^{13},xɔit^{5} tʂa^{21}iəŋ^{53}sa^{35}çi^{53}tsʰau^{21} ,tsʰiəu$^{53}_{44}$iəu$^{53}_{35}$ɔn$^{35}_{53}$tso$^{53}_{44}$tsʰau^{21} mi^{21}.

【饭镬】fan^{53}uɔk^{5} 名饭锅：～擲菜镬冇得专门个镬，就系一口镬。fan^{53}uɔk^{5} lau^{35}tsʰɔi^{53}uɔk^{5} mau^{13} tek^{3} tʂen^{35}mən$^{13}_{21}$ke$^{53}_{44}$uɔk^{5} ,tsʰiəu^{53}xei^{53}iet^{3} xei^{21}uɔk^{5} .

【饭瘌】fan^{53}lait^{3} 名锅巴。又称“镬瘌”：～嘞，实在也系喷香个东西。你舞倒悠悠子个火啊，等渠熟哩来以后呀，你是铲开来嘞，你系唔怕热个话，欸，喷香，～。但是箇阵子我等箇有只咁个长沙人，望城人，就昨晡打电话来个箇只夫娘子个渠个老公啊掺渠个家娘老子啊，就系望城系过来个，渠等箇阵子唔用饭甑呢，尽用镬头焖饭，用镬头去焖。欸，先就放兜水呀，放镬里一煮，系啊？煮哩以后嘞，易得会煮熟了嘞，就分箇饭汤舞嘿兜去，舞嘿兜饭汤去，你唔舞嘿兜饭汤去是炆成哩羹吵，系唔系？舞嘿兜饭汤去，饭汤就少嘿哩吵。渠就又放兜子火子去焖。焖饭。焖饭嘞就一下add搞得赢嘞，就底下就有～。渠哦分箇兜子饭铲下出来哩，一角水一舞下去，箇～呀，箇个锅巴，就舞兜水一炆，唔知系唔系渠等食得，我等是真食唔得。分猪食样，系。～本来是好食，但是你放兜水渠就食唔得哩。～本来是系好食嘞，就锅巴嘞，欸，有起么个如今还有起么个卖个么个东西啊？卖个箇锅巴样个，安做么个东西啊？哈？也安做锅巴吧？好食嘞，喷香呢，但是你只爱爱唔怕热凑，箇只东西就真系有热。fan^{53} lait^{3} lei^{0} ,ʂət^{5} tsʰɔi^{53} ia^{35} xe$^{53}_{44}$pʰəŋ^{35} çiɔŋ$^{35}_{44}$ke^{0} təŋ^{35} si^{0} . ɲi^{13} u^{21} tau^{21} iəu^{13} iəu$^{13}_{44}$tsɿ^{0} ke^{53} fo^{21} a^{0} ,ten^{21} ci$^{13}_{44}$ʂəuk^{5} li^{0} lɔi$^{13}_{21}$i$^{35}_{44}$ xei^{53} ia^{0} , ɲi^{13} sɿ$^{53}_{44}$tsʰan^{21} kʰɔi^{35} lɔi$^{13}_{21}$le^{0} , ɲi^{13} xe^{53} m̩^{13} pʰa$^{53}_{44}$ɲiet^{5} ke^{0} fa$^{53}_{44}$,e$_{21}$,pʰəŋ^{35} çiɔŋ$^{35}_{44}$,fan^{53} lait^{3} .tan$^{53}_{44}$ʂʅ$^{53}_{44}$kai^{53} tʂʰən^{53} tsɿ^{0} ŋai^{13} tien^{0} kai^{53} iəu^{35} tʂak^{3} kan^{21} ke^{0} tʂʰɔŋ^{13} sa$^{35}_{44}$ɲin$^{13}_{21}$,uɔŋ^{53} tʂʰən$^{13}_{21}$ɲin^{13} ,tsiəu$^{53}_{44}$tsʰo^{35} pu$^{35}_{53}$ta^{21} tʰien^{53} fa^{53} lɔi$^{13}_{21}$ke^{0} kai^{53}(tʂ)ak^{3} pu^{35} ɲiɔŋ$^{13}_{21}$tsɿ^{0} ke$^{53}_{44}$ci$^{13}_{21}$ke$^{53}_{44}$lau^{21} kəŋ$^{35}_{44}$ŋa^{0} lau^{35} ci$^{13}_{21}$ke^{0} ka^{35} ɲiɔŋ^{13} lau^{21} tsa^{0} ,tsʰiəu$^{53}_{44}$xei$^{53}_{44}$uɔŋ^{53} tʂʰən$^{13}_{21}$xe^{53} ko$^{53}_{44}$lɔi$^{13}_{21}$ke^{0} ,ci^{13} tien^{0} kai^{53} tʂʰən^{53} tsɿ^{0} n̩^{13} iəŋ^{53} fan^{53} tsien^{53} ne^{0} ,tsʰin^{53} iəŋ$^{53}_{44}$uɔk^{5} tʰei$^{13}_{21}$mən^{35} fan^{53} ,iəŋ^{53} uɔk^{5} tʰei$^{13}_{21}$cʰi$^{53}_{44}$ mən^{35} .e$_{21}$,sien^{35} tsʰiəu$^{53}_{44}$fɔŋ$^{53}_{44}$təu$^{35}_{44}$ʂei^{21} ia^{0} ,fɔŋ^{53} uɔk^{5} li^{0} iet^{3} tʂəu^{21} ,xei^{53} a^{0} ?tʂəu^{21} li^{0} i$^{35}_{44}$xei$^{53}_{44}$le^{0} ,i^{53} tek^{3} uɔi^{53} tʂəu^{21} ʂəuk^{5} liau^{21} lei^{0} ,tsʰiəu$^{53}_{44}$pən$^{35}_{44}$kai$^{53}_{44}$fan^{53} tʰɔŋ$^{35}_{44}$u^{21} xek^{3} tei$^{35}_{53}$çi^{53} ,u^{21} xek^{3} tei$^{35}_{53}$fan^{53} tʰɔŋ$^{35}_{44}$çi$^{53}_{44}$, ɲi$^{13}_{21}$n̩^{13} u^{21} xek^{3} tei$^{35}_{53}$fan^{53} tʰɔŋ$^{35}_{44}$çi$^{53}_{44}$ʂʅ$^{53}_{44}$uən$^{13}_{21}$ʂaŋ$^{13}_{21}$li^{0} kaŋ^{35} ʂa^{0} ,xei$^{53}_{44}$me$^{53}_{44}$?u^{21} xek^{3} tei$^{35}_{53}$fan^{53} tʰɔŋ$^{35}_{44}$çi$^{53}_{44}$,fan^{53} tʰɔŋ^{35} tsʰiəu$^{53}_{44}$ʂau^{21} xek^{3} li^{0} ʂa^{0} .ci$^{13}_{21}$ tsiəu$^{53}_{44}$iəu^{53} fɔŋ^{53} təu$^{35}_{53}$tsɿ^{0} fo^{21} tsɿ^{0} çi^{53} mən^{35} .mən^{35} fan^{53} .mən^{35} fan$^{53}_{44}$lei^{0} tsʰiəu$^{53}_{44}$iet^{3} xa^{53} maŋ$^{13}_{21}$kau^{21} tek^{3} iaŋ^{13} lei^{0} , tsiəu$^{53}_{44}$tei^{21} xa$^{53}_{44}$tsʰiəu$^{53}_{44}$iəu^{35} fan^{53} nait^{3} .ci$^{13}_{21}$o$_{21}$pən^{35} kai$^{53}_{44}$təu$^{35}_{53}$tsɿ^{0} fan^{53} tsʰan^{21} na^{53} tʂʰət^{3} lɔi$^{13}_{21}$li^{0} ,iet^{3} kɔk^{3} ʂei^{21} iet^{3} u^{21} (x)a$^{53}_{44}$çi^{53} ,kai$^{53}_{44}$fan^{53} lait^{3} ia^{0} ,kai$^{53}_{44}$ke$^{53}_{44}$ko^{35} pa^{35} ,tsʰiəu^{53} u^{21} tei$^{35}_{53}$ʂei^{21} iet^{3} uən^{13} ,n̩^{13} ti$^{35}_{53}$xei^{53} mei^{53} ci$^{13}_{21}$tien^{0} ʂət^{5} tek^{3} ,ŋai^{13} tien^{0} ʂʅ^{53} tʂən^{35} ʂət^{5} n̩$^{13}_{21}$tek^{3} .pən$^{35}_{44}$tʂəu^{35} ʂət^{5} iɔŋ$^{53}_{44}$,xe$^{53}_{44}$.fan^{53} lait^{3} pən^{21} nɔi^{13} ʂʅ^{53} xau^{21} ʂət^{5} ,tan^{53} ʂʅ^{53} ɲi$^{13}_{21}$fɔŋ^{53} təu$^{35}_{44}$ʂei^{21} ci$^{13}_{44}$tsʰiəu$^{53}_{44}$ʂət^{5} n̩$^{13}_{21}$tek^{3} li^{0} .fan^{53} lait^{3} pən^{21} nɔi^{13} ʂʅ^{53} xei$^{53}_{44}$xau^{21} ʂət^{5} le^{0} ,tsiəu$^{53}_{44}$ko^{35} pa$^{35}_{44}$le^{0} ,e$_{21}$,iəu^{35} çi^{21} mak^{3} ke$^{53}_{44}$i$^{13}_{21}$cin$^{35}_{44}$ xai$^{13}_{21}$iəu^{35} çi^{21} mak^{3} e^{0} mai^{53} ke^{0} mak^{3} e^{0} təŋ$^{35}_{44}$si^{0} a^{0} ?mai^{53} ke^{0} kai$^{53}_{44}$ko$^{35}_{44}$pa$^{35}_{44}$iɔŋ^{53} ke^{0} ,ɔn$^{35}_{44}$tso$^{53}_{44}$mak^{3} e^{0} təŋ$^{35}_{44}$si^{0} a^{0} ?xa$_{35}$?ia^{35} ɔn$^{35}_{53}$tso$^{53}_{44}$ko$^{35}_{44}$pa$^{35}_{44}$pa^{0} ?xau^{21} ʂət^{5} le^{0} ,pʰəŋ^{35} çiɔŋ$^{35}_{44}$ne^{0} ,tan$^{53}_{44}$ʂʅ$^{53}_{44}$ɲi$^{13}_{21}$tʂʅ^{21} ɔi^{53} ɔi^{53} m̩$^{13}_{21}$pʰa$^{53}_{44}$ɲiet^{5} tsʰe^{0} ,kai$^{53}_{44}$ (tʂ)ak^{3} (t)əŋ$^{35}_{44}$si^{0} tsiəu$^{53}_{44}$tʂən^{35} xe$^{53}_{44}$iəu^{35} ɲiet^{5} .

【饭络子】fan^{53}lɔk^{5} tsɿ^{0} 名学生带饭用的篼器，有盖子和提梁，正方形：～。箇就有几多个人个唠。两个子人食饭呐。两三个子人食饭舞只子络子唠。个把子人。我等读滴书都带过～嘞。～带饭嘞，我等都带过嘞。用篾箕织个。fan$^{53}_{44}$lɔk^{5} tsɿ^{0} .kai^{53} tsʰiəu^{53} mau^{13} ci^{21} to$^{35}_{44}$cie^{53} in$^{13}_{21}$cie$^{53}_{44}$ lau^{0} .iɔŋ^{21} ke^{53} tsɿ^{0} ɲin^{13} ʂət^{5} fan^{53} na^{0} .iɔŋ^{21} san$^{35}_{44}$ke^{53} tsɿ^{0} ɲin^{13} ʂət^{5} fan^{53} u^{21} tʂak^{3} tsɿ^{0} lɔk^{5} tsɿ^{0} lau^{0} .cie^{53} pa^{21} tsɿ^{0} ɲin^{13} .ŋai^{13} tien^{0} tʰəuk^{5} tet^{5} ʂəu^{35} təu$^{35}_{44}$tai^{53} ko$^{53}_{44}$fan^{53} lɔk^{5} tsɿ^{0} lei^{0} .fan^{53} lɔk^{5} tsɿ^{0} tai^{53} fan^{53} lei^{0} ,ŋai$^{13}_{21}$tien^{0} təu$^{35}_{44}$tai^{53} ko$^{53}_{44}$ lei^{0} .iəŋ$^{53}_{44}$miet^{5} sak^{3} tʂek^{3} cie$^{53}_{44}$.

【饭盆子】fan^{53} pʰən^{13} tsɿ^{0} 名装饭的盆子：哦，箇是用，系，箇阵子用～。一个人一只～，自家买呀。渠就你就去买饭个时候子啊，系啊？渠舞一饽饭呐，面上又搞兜菜分你呀，箇系～，箇算是的，用哩～。系系系。读师范还系用哩～箇。o$_{21}$,kai^{53} ʂʅ$^{53}_{44}$iəŋ^{53} ,xe^{53} ,kai^{53} tʂʰən$^{53}_{44}$tsɿ^{0} iəŋ^{53} fan^{53} pʰən^{13} tsɿ^{0} .iet^{3} cie^{53} in$^{13}_{44}$iet^{3} tʂak^{3} fan^{53} pʰən$^{13}_{21}$tsɿ^{0} ,tsʰɿ^{35} ka$^{35}_{53}$mai$^{35}_{44}$ia^{0} .ci$^{13}_{21}$tsʰiəu$^{53}_{44}$ɲi^{13} tsʰiəu$^{53}_{44}$çi$^{53}_{44}$mai^{35} fan^{53} kei$^{53}_{44}$ʂʅ^{13} xei$^{53}_{44}$tsɿ^{0} a^{0} ,xei^{53} a^{0} ?ci$^{13}_{21}$u^{21} iet^{3} pʰɔk^{5} fan^{53} na^{0} ,mien$^{53}_{44}$xɔŋ$^{53}_{44}$iəu$^{53}_{44}$kau^{21} təu$^{35}_{44}$tsʰɔi^{53} pən^{35} ɲi$^{13}_{21}$ia^{0} ,kai$^{53}_{44}$xei^{53} fan^{53} pʰən$^{13}_{21}$ tsɿ^{0} ,kai$^{53}_{44}$sɔn$^{53}_{44}$ʂʅ$^{53}_{21}$tet^{3} ,iəŋ^{53} li^{0} fan^{53} pʰən^{13} tsɿ^{0} .xe$^{53}_{44}$xe$^{53}_{21}$xe^{53} .tʰəuk$^{5}_{3}$ sɿ^{35} fan^{53} xai$^{13}_{21}$xe$^{53}_{44}$iəŋ$^{53}_{44}$li^{0} fan^{53} pʰən^{13} tsɿ^{0} kai^{53} .

【饭铺】fan^{53} pʰu^{53} 名餐馆：我很少到～里食饭。我归倒哩张家坊我就很少去～里食饭了，归倒哩屋下就……隔屋下近了，我就尽量唔去～里食饭。因为～里个菜嘞硬确实系么个确实系味精多哩，调料多哩。也唔讲味精多哩唠，调料多哩唠。ŋai^{13} xen^{21} ʂau^{21} tau$^{53}_{44}$fan^{53} pʰu$^{53}_{21}$li^{0} ʂət^{5} fan^{53} . ŋai^{13} kuei^{35} tau^{21} li^{0} tʂɔŋ$^{35}_{44}$ka$^{35}_{44}$fɔŋ^{35} ŋai$^{13}_{44}$tsiəu$^{53}_{44}$xen^{21} ʂau^{21} çi^{53} fan^{53} pʰu^{53} li^{0} ʂət^{5} fan^{53} liau^{0} ,kuei^{35} tau^{21} li^{0} uk^{3} xa$^{53}_{44}$ tsiəu$^{53}_{21}$…kak^{3} uk^{3} xa$^{53}_{44}$cʰin^{35} niau^{0} ,ŋai^{13} tsʰin^{53} liɔŋ^{53} n̩^{13} çi^{53} fan^{53} pʰu^{53} li^{0} ʂət^{5} fan^{53} .in^{35} uei^{53} fan^{53} pʰu$^{53}_{44}$li^{21} ke$^{53}_{44}$tsʰɔi^{53} lei^{0} ɲiaŋ^{53} kʰɔk^{3} ʂət^{5} xei^{53} mak^{3} ke^{0} kʰɔk^{3} ʂət^{5} xe$^{53}_{44}$uei^{53} tsin$^{35}_{44}$to$^{35}_{44}$li^{0} ,tʰiau^{13} liau^{53} to^{35} li^{0} .ia^{35} n̩$^{13}_{21}$kɔŋ^{21} uei^{53} tsin$^{35}_{44}$to$^{35}_{44}$li^{0} lau^{0} ,tʰiau^{13} liau$^{53}_{44}$to^{35} li^{0} lau^{0} .

【饭勺子】fan^{53} ʂɔk^{5} tsɿ^{0} 名专门用来盛饭的勺子：～是如今都还有，嗯，木勺。木～是如今都还有。用来装饭个晚姨子啊如今都还有。fan^{53} ʂɔk^{5} tsɿ^{0} ʂʅ$^{53}_{44}$i$^{13}_{21}$cin$^{35}_{53}$təu$^{35}_{53}$xai$^{13}_{21}$iəu$^{35}_{44}$,n̩$_{21}$,muk^{3} ʂɔk^{5} .muk^{3} fan^{53} ʂɔk^{5} tsɿ^{0} ʂʅ$^{53}_{44}$i$^{13}_{21}$cin$^{35}_{44}$təu$^{35}_{53}$xai$^{13}_{21}$iəu$^{35}_{44}$.iəŋ$^{53}_{44}$lɔi$^{13}_{21}$tʂɔŋ^{35} fan^{53} ke^{0} man^{35} i$^{13}_{21}$tsɿ^{0} a^{0} i$^{13}_{21}$cin$^{35}_{53}$təu$^{35}_{53}$xai$^{13}_{21}$iəu$^{35}_{53}$.

【饭食】fan53ʂət5 名餐饭的通称：煮好哩～。tʂəu21xau21li0 fan53ʂət5.

【饭汤】fan53tʰɔŋ35 名煮饭时的米汤，可喝，也可用来浆洗被子或喂猪：米汤就安做～嘞。客姓人安做～嘞。只有本地人就安做米汤嘞。～是蛮有用嘞。欸，煮碗～嘞。有滴，有滴就箇个啦，欸，～是有滴有滴煮豆子还放滴子～去个嘞。天天早晨食碗～啦。一般呢来讲嘞～是分猪食唠。畜猪哇。mi21tʰɔŋ35tsiəu53-44ɔn35-44tso53-44fan53tʰɔŋ35lei0 .kʰak3 sin53-44ɲin13-21ɔn35-44tso53-44fan53tʰɔŋ35lei0 .tʂʅ21 iəu35-53pən21tʰi53-44ɲin13-21tsʰiəu53-44ɔn35-44tso53-44mi21tʰɔŋ35-44lei0 .fan53tʰɔŋ35-44ʂʅ53-44man13-21iəu35-44iəŋ53le0 .e21,tʂəu21uɔn21fan53tʰɔŋ35-44 le0 .iəu35tet3 ,iəu35tet3 tsʰiəu53-44kai53-44ke53-44la0 ,e21,fan53tʰɔŋ35-44ʂʅ53-21iəu35tet3 iəu35-44tet3 tʂəu21tʰei53tsʅ0 xai13fɔŋ53-44tet3 tsʅ0 fan53tʰɔŋ35çi53-44ke53-44le0 .tʰien35tʰien35-44tsau21ʂən13ʂət5 uɔn21fan53tʰɔŋ35-44la0 .iet3 pən35ne0 lɔi13-21kɔŋ21le0 fan53tʰɔŋ35-44ʂʅ53-44 pən35-44tʂəu35ʂət5 lau0 .çiəuk3 tʂəu35ua0 .

【饭汤盆】fan53tʰɔŋ35pʰən13 名装饭汤的盆子：以前我等个水桶脚盆～箇兜就用铁圈呐（来箍）。i35tsʰien13-21ŋai13tien0 ke53ʂei21tʰəŋ21ciɔk3 pʰən13fan53tʰɔŋ35-44pʰən13kai53-44təu35-44tsʰiəu53-44iəŋ53tʰiet3 cʰien35na0 .

【饭桶】fan53tʰəŋ21 名装饭的木桶：唔爱～，我等以映冇得人用～。m̩13-21mɔi53-44fan53tʰəŋ21,ŋai13-21tien0 i21-44iaŋ53-44mau13-21mak3 in13-44iəŋ53fan53tʰəŋ21.

【饭碗】fan53uɔn21 名盛饭的碗：如今个饭店里个～是……以映子唔系拿只大碗去下食，系唔系？箇饭店里个箇个消哩毒个啊，封正熨是八帖呀，我就侪都唔相信。一只～咁大子，系唔系？如果我系肚饥个话就食得七八碗呶硬噢。欸，咁大子个～呶。如今是冇咁食得唠，以前呢我等是～就懑大个～呢。爱食三碗呢。i13-21cin35-44ke0 fan53tian53li0 ke0 fan53uɔn21ʂʅ53-44…i21iaŋ53tsʅ0 m̩13 pʰe53-44la53tʂak3 tʰai53uɔn21çi53-44xa53-44ʂət5 ,xei53-44me53-44?kai53-44fan53tian53-44li0 ke0 kai53-44ke53-44siau35-44li0 tʰəuk5 ke53-44a0 ,fəŋ35tʂaŋ53 iet3 tsʰʅ53-44pait3 tʰiait5 ia0 ,ŋai13tsʰiəu53-44tsʰi13-21təu35-53n̩13-21siɔŋ35-44sin53 .iet3 tʂak3 fan53uɔn21kan21-13tʰai53tsʅ0 ,xei53-44me53-44?ʯ13ko21 ŋai13xe53təu21ci35ke0 fa53-44tsʰiəu53-44ʂət5 tek3 tsʰiet3 pait3 uɔn21nau0 ɲiaŋ53-44ŋau0 .e44,kan21-13tʰai53tsʅ0 ke0 fan53uɔn21 nau0 .i13-21cin35-44ʂʅ53mau13-21kan21-44ʂʅt5 tek3 lau0 ,i35tsʰien13ne0 ŋai13tien0 ʂʅ53-44fan53uɔn21tsʰiəu53-44mən35tʰai53-44ke0 fan53uɔn21 ne0 .ɔi53ʂət5 san35-44uɔn21ne0 .

【饭甑】fan53tsen53/tsien53 名蒸饭的木器。略像木桶，有屉子而无底。也称“饭甑子”：和～拥倒去啊，唔用饭桶噢。和倒箇只～拥倒去啊，分～都拥倒去啊。系多爱多滴子就用～拥倒去啊。欸，拥倒去啊。欸，箇是要，你怕人多时候，箇就两个人抬哟。uo53fan53tsien53kɔŋ35tau21 çi53a0 ,n̩13niəŋ53fan53tʰəŋ21ŋau0 .uo53tau21kai53-21tʂak3 fan53tsien53kɔŋ35tau21çi53a0 ,pən35fan53tsien53-44təu35-44kɔŋ35tau21 çi53-44a0 .xe53-44to35ɔi53-44to35tiet5 tsʅ0 tsʰiəu53-44iəŋ53-44fan53tsien53-44kɔŋ35tau21çi53-21a0 .e21,kɔŋ35tau21çi53a0 .e21,kai53-44ʂʅ53-44iau53, ɲi13 pʰa53ɲin13to35ʂʅ13-44xei53-44,kai53tsʰiəu53iɔŋ21ke53in13-21tʰɔi13-21iau0.（人少的时候呢？）用细～子啊。细～子啊。欸，都咁大子个～子啊。咁大子，一般都有咁大子，都煮得几升米。唔爱饭桶，我等以映冇么人用饭桶。渠会冷啊。蒸好哩，□盖住稳盖子□倒。舞块舞条舞皮手巾蒙稳，就冇事冷咁就～就。就咁子～拥下去。iəŋ53-44se53fan53-44tsien53tsa0 .se53fan53-44tsien53tsa0 .e21,təu35kan21-35tʰai53tsʅ0 ke53-44fan53 tsien53tsa0 .kan21-35tʰai53tsʅ0 ,iet3 pɔn35təu35-44iəu35-53kan21-35tʰai53tsʅ0 ,təu35tʂəu21tek3 ci21ʂən35-44mi21 .m̩13-21mɔi53-44fan53 tʰəŋ21,ŋai13-21tien0 i21-44iaŋ53-44mau13-21mak3 in13-44iəŋ53fan53tʰəŋ21 .ci13uɔi53laŋ35ŋa0 .tʂən35xau21li0 ,cʰiet3 uən21-44kɔi53tsʅ0 cʰiet3 tau21 .u21kʰuai53u21tʰiau13-44u21pʰi13ʂəu21cin35-44maŋ35uən21,tsiəu53mau13sʅ53laŋ35kan21tsʰiəu53-44fan53tsien53 tsʰiəu53-44.tsʰiəu53kan21tsʅ0 fan53-44tsien53-44kɔŋ35(x)a53-44çi53-44.

【饭甑箅】fan53tsen53/tsien53pi53 名饭甑的屉子：以前煮饭食嘞就……如今也蛮多人咁子煮，就确实系好食。以前煮饭食嘞，爱经过两步。第一步爱煮一到，煮一到分渠搂起来，煮倒剩倒滴子米心了，分渠搂起来，摭啦饭撮肚里，分箇米汤滤干，好，然后就放下镬里嘞放正一只饭甑。箇饭甑让门子，就一只水桶样，系唔系？顶高就有盖，底下嘞就系～。箇～嘞有一条条个痕。如果冇得箇个痕呐，箇个气就不可能冲上去，系啊？以下饭倾倒去，倾倒去以后嘞扒松下子，□倒盖一□大火就蒸熟起来。箇饭好食。渠等话最好个～系么个～嘞？就系安做么个树去哩啊？哦嗬，正想安做么个树去哩？么个树做个？蒸个饭就喷香。布荆子树。布荆子树就系冇得大个。寻条子做～咁大子个都蛮难寻，只系听讲。一般是都系用杉树做唠。新饭甑就有兜子触杉木气，用哩一段时间就冇事了。箇箇个饭甑蒸个，有～，箇蒸个饭比箇么个电饭煲个饭好食多哩。i35-53tsʰien13tʂəu21fan53ʂʅt5 le0 tsʰiəu53-44…i13-21cin35na35-53man13to35-44ɲin13-21kan21tsʅ0 tʂəu21, tsiəu53-44kʰɔk3 ʂət5 xe53xau21ʂət5 .i35-53tsʰien13tʂəu21fan53ʂʅt5 le0 ,ɔi53-44cin35ko53-44iɔŋ21pʰu53 .tʰi53iet3 pʰu53ɔi53tʂəu21iet3 tau53,tʂəu21iet3 tau53pən35-44ci13-21lei13çi21lɔi13-44,tʂəu21tau21ʂən53tau21tiet5 tsʅ0 mi21sin35niau0 ,pən35-44ci13-21lei13çi21lɔi13-44,uət3 la0 fan53tsʰait3 təu21li0 ,pən35kai53-44mi21tʰɔŋ35lei53kan21,xau21,vien13-21xei53-44tsʰiəu53-44fɔŋ53-44xa53-44uɔk5 li0 lei0 fɔŋ53tʂaŋ53-44iet3 tʂak^{3} fan^{53}tsien^{53}.kai$^{53}_{44}$fan^{53}tsien$^{53}_{44}$ȵiɔŋ$^{53}_{44}$mɔn$^{13}_{44}$tsɿ^{0},tsʰiəu^{53}iet^{3} tʂak^{3} ʂei^{21}tʰɔŋ^{21}iɔŋ^{53},xei^{53}me^{53}?taŋ^{21}kau$^{35}_{44}$tsʰiəu$^{53}_{44}$iəu$^{35}_{44}$kɔi^{53},te^{21}xa$^{53}_{44}$le^{0} tsʰiəu$^{53}_{44}$xe$^{53}_{44}$fan^{53}tsien$^{53}_{44}$pi^{53}.kai$^{53}_{44}$fan$^{53}_{44}$tsien$^{53}_{44}$pi^{53}lei^{0} iəu^{35}iet^{3} tʰiau$^{13}_{44}$tʰiau$^{13}_{21}$ke^{0} çin^{35}.ɻ̩^{13}ko^{21}mau^{13}tek^{3} kai^{53}ke^{0} çin^{35}na^{0},kai$^{53}_{44}$ke$^{53}_{44}$çi^{53}tsiəu$^{53}_{44}$puk^{3} kʰo^{21}len^{13}tʂʰəŋ^{35}ʂɔŋ$^{53}_{44}$çi$^{53}_{44}$,xei^{53}a^{0} ?ia$_{44}$(←i^{21}xa^{53})fan^{53}kʰuaŋ^{35}tau^{21}çi$^{53}_{44}$,kʰuaŋ^{35}tau^{21}çi$^{53}_{44}$i$^{35}_{44}$xei$^{53}_{44}$lei^{0} pʰa^{13}səŋ^{35}ŋa$^{53}_{21}$tsɿ^{0},cʰiet^{3} tau^{21}kɔi^{53}iet^{3} tsiau$^{35}_{44}$tʰai^{53}fo^{21}tsʰiəu$^{53}_{21}$tʂən^{35}ʂəuk^{5} cʰi^{21}lɔi$^{13}_{21}$.kai$^{53}_{44}$fan$^{53}_{44}$xau^{21}ʂət^{5} .ci^{13}tien^{0} ua$^{53}_{44}$tsei^{53}xau^{21}ke^{0} fan^{53}tsen^{53}pi^{53}xei^{53}mak^{3} e^{0} fan$^{53}_{44}$tsen$^{53}_{44}$pi^{53}le^{0}?tsiəu$^{53}_{44}$xe$^{53}_{44}$ɔn^{35}tso^{53}mak^{3} e^{0} ʂəu^{53}çi$^{53}_{44}$li^{0} a^{0} ?o$_{44}$xo$_{53}$,tʂaŋ^{53}siɔŋ^{21}ɔn$^{35}_{44}$tso$^{53}_{44}$mak^{3} e^{0} ʂəu^{53}çi^{53}li^{0} ?mak^{3} e^{0} ʂəu^{53}tso^{53}ke^{0}?tʂən^{35}ke^{0} fan$^{53}_{44}$tsʰiəu$^{53}_{44}$pʰəŋ^{35}çiɔŋ^{35}.pu^{53}ciaŋ$^{35}_{44}$tsɿ^{0} ʂəu^{53}.pu$^{53}_{44}$ciaŋ$^{35}_{44}$tsɿ^{0} ʂəu$^{53}_{44}$tsʰiəu^{53}xe^{53}mau^{13}tek^{3} tʰai^{53}ke^{0}.tsʰin^{13}tʰiau^{13}tsɿ^{0} tso^{53}fan^{53}tsien$^{53}_{44}$pi^{53}kan^{21}tʰai$^{53}_{44}$tsɿ^{0} ke^{0} təu$^{53}_{53}$man$^{13}_{21}$nan$^{13}_{21}$tsʰin^{13},tʂɿ^{21}xe$^{53}_{44}$tʰaŋ^{35}kɔŋ^{21}.iet^{3} pɔn^{35}ʂɿ$^{53}_{44}$təu$^{35}_{44}$xei$^{53}_{44}$iɔŋ^{53}sa^{35}ʂəu^{53}tso^{53}lau^{0}.sin^{35}fan^{53}tsien^{53}tsʰiəu^{53}iəu$^{35}_{53}$təu$^{35}_{53}$tsɿ^{0} tʂʰəuk^{5} sa^{35}muk^{3} çi^{53},iɔŋ^{53}li^{0} iet^{3} tɔn^{53}ʂɿ$^{13}_{21}$kan$^{35}_{44}$tsʰiəu^{53}mau^{13}sɿ^{53}liau^{0}.kai^{53}kai$^{53}_{44}$ke$^{53}_{44}$fan^{53}tsen$^{53}_{21}$tʂən^{35}ke^{0},iəu^{35}fan$^{53}_{44}$tsen$^{53}_{44}$pi^{53},kai^{53}tʂən^{35}ke$^{53}_{44}$fan$^{53}_{44}$pi^{21}kai$^{53}_{44}$mak^{3}ke$^{53}_{44}$tʰien^{53}fan$^{53}_{44}$pau^{21}ke$^{53}_{44}$fan^{53}xau^{21}ʂət^{5} to^{35}li^{0}.

【饭桌子】fan^{53}tsɔk^{3} tsɿ^{0} 名日常在食饭厅子里用的小而矮的四方形餐桌。又称“食饭桌”：箇食饭厅子里，哦，安做～。矮滴子唠，系唔系？也系四方。安做～。kai$^{53}_{44}$ʂət^{5} fan^{53}tʰaŋ^{35}tsɿ^{0} li^{0},o$_{21}$,ɔn$^{35}_{44}$tso$^{53}_{44}$fan^{53}tsɔk^{3} tsɿ^{0}.ai^{21}tiet^{5} tsɿ^{0} lau^{0},(x)e$^{53}_{44}$me^{53}?ia^{35}xei^{53}si^{53}fɔŋ^{35}.ɔn^{35}tso$^{53}_{44}$fan^{53}tsɔk^{3} tsɿ^{0}.

【贩】fan^{53} 动买货出售；贩卖：有么啊～菜个菜贩子啦。iəu$^{35}_{44}$mak^{3} a^{0} fan^{53}tsʰɔi^{53}ke^{0} tsʰɔi^{53}fan^{53}tsɿ^{0} la^{0}.

【贩子】fan^{53}tsɿ^{0} 名往来各地贩卖东西的人：嗬有么人话摊贩呢，又系是系摊贩呶。就～呢安做呢。有么啊贩菜个菜～啦，欸，鱼～啊，箇咁个是安做～呢。菜～啊，鱼～啊，水果～啊。嗯。～。m̩$_{44}$mau^{13}mak^{3} in$^{13}_{44}$ua^{53}tʰan^{35}fan^{53}nei^{0},iəu$^{53}_{44}$xei^{53}ʂɿ$^{53}_{44}$xei$^{53}_{44}$tʰan^{35}fan^{53}nau^{0}.tsiəu$^{53}_{44}$fan^{53}tsɿ^{0} nei^{0} ɔn^{35}tso^{53} nei^{0}.iəu$^{35}_{44}$mak^{3} a^{0} fan^{53}tsʰɔi^{53}ke^{0} tsʰɔi^{53}fan^{53}tsɿ^{0} la^{0},e$_{21}$,ŋ̍^{13}fan^{53}tsɿ^{0} a^{0},kai$^{53}_{44}$kan^{21}cie$^{53}_{44}$ʂɿ$^{53}_{44}$ɔn^{35}tso$^{53}_{44}$fan^{53}tsɿ^{0} nei^{0}.tsʰɔi^{53}fan^{53}tsɿ^{0} a^{0},ŋ̍^{13}fan^{53}tsɿ^{0} a^{0},ʂei^{21}ko^{21}fan^{53}tsɿ^{0} a^{0}.n̩$_{21}$.fan^{53}tsɿ^{0}.

【方$_{1}$】fɔŋ^{35} 形方形的，四边形中四个角都是90度直角的：～镜子 fɔŋ^{35}ciaŋ$^{53}_{44}$tsɿ^{0}｜以只～架架 i^{21}tʂak^{3} fɔŋ^{35}ka^{53}ka^{53}｜用树子做只～框框。iɔŋ$^{53}_{44}$ʂəu^{53}tsɿ^{0} tso^{53}tʂak^{3} fɔŋ^{35}kʰɔŋ^{35}kʰɔŋ^{35}.

【方$_{2}$】fɔŋ^{35} 量块，礼单中用作对猪肉量的美称：猪肉就讲几多～。tʂəu^{35}ȵiəuk^{3} tsʰiəu^{53}kɔŋ^{21}ci^{21}to$^{35}_{44}$fɔŋ^{35}.

【方便】fɔŋ^{35}pʰien^{53} 形便利的，省事的：食纸烟呶，几～子。ʂət^{5} tʂɿ^{21}ien^{35}nau^{0},ci^{21}fɔŋ^{35}pʰien^{53}tsɿ^{0}.｜上街买滴子葱蒜，也～。ʂɔŋ^{35}kai^{35}mai^{35}tiet^{5} tsɿ^{0} tsʰəŋ^{35}sɔn^{53},ia^{35}fɔŋ^{35}pʰien^{53}.

【方道】fɔŋ^{35}tʰau^{53} 名指某个方位所在的地区：星子箇屎泻屎泻转哪向哩，“欸，箇只～是招呼死人哈！” sin^{35}tsɿ^{0} kai^{53}ʂɿ^{21}sia^{53}ʂɿ^{21}sia^{53}tʂuon^{21}lai^{53}çiɔŋ^{53}li^{0},"e$_{13}$,kai$^{53}_{44}$tʂak^{3} fɔŋ^{35}tʰau^{53}ʂɿ$^{53}_{44}$tʂau^{35}fu$^{35}_{44}$si^{21}ȵin^{13}xa^{0}!"

【方方子】fɔŋ^{35}fɔŋ^{35}tsɿ^{0} 形方形貌：咁子～个嘞，长长子，系欸？kan^{21}tsɿ^{0} fɔŋ^{35}fɔŋ^{35}tsɿ^{0} ke$^{53}_{44}$le^{0},tʂʰɔŋ^{13}tʂʰɔŋ^{13}tsɿ^{0},xe$^{53}_{44}$e^{0}?

【方格子】fɔŋ^{35}kak^{3} tsɿ^{0} 名方形的格子：（斗方蛇个）格子系～。kak^{3} tsɿ^{0} xe^{53}fɔŋ^{35}kak^{3} tsɿ^{0}.

【方角】fɔŋ^{35}kɔk^{3} 名90度的角：篓嘞就底下方角个。lei^{21}lei^{0} tsʰiəu$^{53}_{44}$te^{21}xa$^{53}_{44}$fɔŋ^{35}kɔk^{3} ke^{53}.

【方角箩】fɔŋ^{35}kɔk^{3} lo^{13} 名底部方形的箩筐：箩是一般都系圆个，圆箩，嗯，篾丝织个圆箩。箇起就更经。～嘞就更省更便宜。也一样个，实在作用是一样个。底下方个，底下四只角。顶高圆个，欸，箩嘴就圆个。箇篾丝箩嘞就一路上都系圆个。lo^{13}ʂɿ$^{53}_{44}$iet^{3} pɔn^{35}təu$^{35}_{53}$xei^{53}ien^{13}ke^{53},ien^{13}lo^{13},n̩$_{21}$,met^{5} sɿ$^{35}_{44}$tʂet^{3} ke^{0} ien^{13}lo^{13}.kai^{53}çi^{21}tsʰiəu$^{53}_{44}$cien^{53}cin^{35}.fɔŋ^{13}kɔk^{3} lo^{13}le^{0} tsʰiəu^{53}cien^{53}saŋ^{21}cien^{53}pʰien^{13}ȵin^{13}.ia^{35}iet^{3} iɔŋ^{53}ke^{0},ʂət^{5} tsʰai$^{53}_{21}$tsɔk^{3} iɔŋ$^{53}_{44}$ʂɿ$^{53}_{44}$iet^{3} iɔŋ^{53}ke^{0}.te^{21}xa$^{53}_{44}$fɔŋ^{35}ke^{0},te^{21}xa$^{53}_{44}$si^{53}tʂak^{3} kɔk^{3}.taŋ^{21}kau$^{35}_{44}$ien^{13}ke^{0},e$_{53}$,lo^{13}tʂɔi^{13}tsʰiəu$^{53}_{44}$ien^{13}ke^{0}.kai$^{53}_{44}$miet^{5} sɿ$^{35}_{44}$lo^{13}lei^{0} tsʰiəu$^{53}_{44}$iet^{3} ləu^{53}ʂɔŋ$^{53}_{44}$təu$^{35}_{44}$xei$^{53}_{44}$ien$^{53}_{21}$ke^{0}.

【方坨子】fɔŋ^{35}tʰo$^{13}_{21}$tsɿ^{0} 名方形的大块：（肉）切成～啰。tsʰiet^{3} tʂʰən^{13}fɔŋ^{35}tʰo$^{13}_{44}$tsɿ^{0} lo^{0}.

【方坨子肉】fɔŋ^{35}tʰo$^{13}_{21}$tsɿ^{0}ȵiəuk^{3} 名四方形的大块红烧肉：～就是四四方方一坨个红烧肉哇。红烧哇。欸，四四方方一坨啊切起个。fɔŋ^{35}tʰo$^{13}_{21}$tsɿ^{0}ȵiəuk^{3} tsʰiəu$^{53}_{21}$ʂɿ$^{53}_{21}$si^{53}si^{53}fɔŋ$^{35}_{44}$fɔŋ$^{35}_{44}$iet^{3} tʰo$^{13}_{44}$ke$^{53}_{44}$fɔŋ^{13}ʂau$^{35}_{44}$ȵiəuk^{3} ua^{0}.fɔŋ^{13}ʂau^{35}ua^{0}.e$_{21}$,si^{53}si^{53}fɔŋ$^{35}_{44}$fɔŋ$^{35}_{44}$iet^{3} tʰo$^{13}_{44}$a^{0} tsʰiet^{3} çi^{21}ke^{0}.

【方向】fɔŋ^{35}çiɔŋ^{53} 名①指向：流水杠啊，就系同箇只橡皮一只～样。liəu^{13}ʂei^{21}kɔŋ^{53}ŋa^{0},tsʰiəu$^{53}_{44}$xei$^{53}_{44}$tʰəŋ$^{13}_{21}$kai$^{53}_{44}$tʂak^{3} ʂɔn^{13}pʰi^{13}iet^{3} tʂak^{3} fɔŋ^{35}çiɔŋ$^{53}_{44}$iɔŋ$^{53}_{44}$. ②正对着的方位：以只～，垂直，摎渠垂直个以另外一只～。i^{21}tʂak^{3} fɔŋ^{35}çiɔŋ^{53},tʂʰei^{13}tʂʰət^{5},lau^{35}ci$^{13}_{21}$tʂʰei^{13}tʂʰət^{5} cie^{53}i^{21}lin^{53}uai$^{53}_{44}$iet^{3} tʂak^{3} fɔŋ^{35}çiɔŋ$^{53}_{44}$. ③物体两侧所指的方位：以只～放倒个桁子 i^{21}tʂak^{3} fɔŋ^{35}çiɔŋ$^{53}_{21}$fɔŋ^{53}tau^{21}ke$^{53}_{44}$xaŋ^{13}tsɿ^{0}

【方形】fɔŋ^{35}çin^{13} 形 四个角都是直角的四边形：我等以映子都系咁个，都系～个。～个，欸。ŋai^{13}tien^{0} i^{21}iaŋ^{53}tsɿ^{0} təu^{35}xei$^{53}_{44}$kan^{21}cie^{53},təu^{35}xe^{53}fɔŋ^{35}çin$^{13}_{21}$ke$^{53}_{44}$.fɔŋ^{35}çin$^{13}_{21}$ke$^{53}_{44}$,e$_{21}$.

【方眼】fɔŋ^{35}ŋan^{21} 名 方形的孔：以映子打只子眼，打只子～，一般都打下子～。i^{21}iaŋ^{53}tsɿ^{0} ta^{21} tʂak^{3}tsɿ^{0} ŋan^{21},ta^{21}tʂak^{3}tsɿ^{0} fɔŋ^{35}ŋan^{21},iet^{3} pən^{35}təu$^{35}_{53}$ta^{21}(x)a$^{53}_{21}$tsɿ^{0} fɔŋ^{35}ŋan^{21}.

【方章子】fɔŋ^{35}tʂɔŋ^{35}tsɿ^{0} 名 正方形的印章：有只咁个下数啦，你到银行里去取款个话，必须爱正方形个印章，～。扁章子你取唔倒。你系有支票个话，你必须要刻都爱去刻一只四方个章子，你系有支票咯，你正能够正系规范个印鉴。iəu$^{35}_{44}$tʂak^{3}kan^{21}ke^{0}xa^{53}sɿ^{53}la^{0}, ɲi^{13}tau^{53}ɲin^{13}xɔŋ$^{13}_{21}$li^{0} çi^{53}tsʰi^{21}kʰɔn^{21}ke$^{53}_{44}$fa^{53},piet^{3} si$^{35}_{44}$ɔi$^{35}_{44}$tʂən^{53}fɔŋ$^{35}_{44}$çin^{13}ke$^{53}_{44}$in^{53}tʂɔŋ^{35},fɔŋ^{35}tʂɔŋ^{35}tsɿ^{0}.pien^{21}tʂɔŋ^{35}tsɿ^{0}ɲi$^{13}_{21}$tsʰi^{21}ŋ$^{13}_{44}$tau^{21}. ɲi^{13}xei$^{53}_{44}$iəu^{35}tʂɿ^{35}pʰiau$^{53}_{44}$ke$^{53}_{44}$fa$^{53}_{44}$, ɲi^{13}piet^{3} si$^{35}_{44}$iau^{53}kʰek^{3} təu$^{35}_{53}$ɔi^{53}çi^{53}kʰek^{3} iet^{3}tʂak^{3} si^{53}fɔŋ^{35}ke^{0} tʂɔŋ^{35}tsɿ^{0}, ɲi$^{13}_{21}$ xei$^{53}_{44}$iəu$^{35}_{44}$tʂɿ^{35}pʰiau$^{53}_{44}$ko^{0}, ɲi^{13}tʂaŋ^{53}lien$^{13}_{21}$ciau$^{53}_{44}$tʂaŋ^{53}xe^{53}kuei^{35}fan$^{53}_{44}$ke^{0} in^{53}kan^{53}.

【方竹】fɔŋ^{35}tʂəuk^{3} 名 一种竹子，成材时竹身呈四方形。也称“方竹子”：我就看过～子啊。中塘箇肚里就有～子啦。以三时节去有～笋子食啦。ŋai^{13}tsʰiəu$^{53}_{44}$kʰɔn^{53}ko$^{53}_{44}$fɔŋ^{35}tʂəuk^{3} tsa^{0}.tʂəŋ^{35} tʰɔŋ$^{13}_{44}$kai^{53}təu^{21}li^{0} tsʰiəu$^{53}_{44}$iəu$^{35}_{44}$fɔŋ$^{35}_{44}$tʂəuk^{3} tsɿ^{0}la^{0}.i^{21}san$^{35}_{53}$ʂɿ$^{13}_{21}$tsiet^{3} çi^{53}iəu$^{35}_{44}$fɔŋ$^{35}_{44}$tʂəuk^{3} sən^{21}tsɿ^{0} ʂɿt^{5} la^{0}.

【方竹山】fɔŋ^{35}tʂəuk^{3}san^{35} 名 地名：～属小河，唔属张坊。小河严坪箇向。因为我舅爷系严坪箇向啊。我就晓得箇映～呐。一只地名啊。箇嶂岭唔知箇箇一嶂懑大个岭。岭背就系江西黄茅了。以向有只栏场就安做～。我等有只亲戚去箇呀。也唔系么个我个亲戚唠。就认得个人去箇，～呶。fɔŋ^{35}tʂəuk^{3} san^{35}ʂəuk^{5} siau^{21}xo^{13},ṇ^{13}ʂəuk^{5} tʂɔŋ$^{35}_{44}$fɔŋ$^{35}_{44}$.siau^{21}xo^{13}ɲien^{13}pʰiaŋ$^{13}_{44}$kai^{53}çiɔŋ^{53}.in^{35} uei$^{53}_{44}$ŋai$^{13}_{44}$cʰiəu^{35}ia$^{13}_{21}$xei^{53}ɲien$^{13}_{21}$pʰiaŋ$^{13}_{21}$kai^{53}çiɔŋ^{53}ŋa^{0}.ŋai^{13}tsʰiəu^{53}çiau^{21}tek^{3} kai^{53}iaŋ^{53}fɔŋ^{35}tʂəuk^{3} san^{35}na^{0}.iet^{3} tʂak^{3} tʰi^{53}miaŋ^{13}ŋa^{0}.kai^{53}tʂɔŋ^{53}liaŋ^{35}ṇ^{13}ti$^{35}_{53}$kai^{53}kai^{53}iet^{3} tʂɔŋ^{53}mən^{35}tʰai^{53}ke^{0} liaŋ^{35}.liaŋ^{35}pɔi^{53}tsʰiəu$^{53}_{44}$xe$^{53}_{44}$kɔŋ^{35} si$^{35}_{44}$uɔŋ^{13}mau^{13}liau^{0}.i^{21}çiɔŋ^{53}iəu^{35}tʂak^{3} laŋ$^{13}_{21}$tʂʰɔŋ$^{13}_{21}$tsʰiəu^{53}ɔn$^{35}_{44}$tso^{53}fɔŋ^{35}tʂəuk^{3} san^{35}.ŋai^{13}tien^{0} iəu^{35}tʂak^{3} tsʰin^{35} tsʰiet^{3} çi^{53}kai^{53}ia^{0}.i^{35}ṃ^{13}pʰei^{53}mak^{3} e^{0} ŋai^{13}ke$^{53}_{44}$tsʰin$^{35}_{44}$tsʰiet^{3} lau^{0}.tsiəu$^{53}_{44}$ɲin^{53}tek^{3} ke^{0} ɲin^{13}çi^{53}kai$^{53}_{44}$,fɔŋ^{35}tʂəuk^{3} san^{35}nau^{0}.

【方桌】fɔŋ^{35}tsɔk^{3} 名 桌面是方形的桌子：我等个～都有两种嘞。ŋai^{13}tien^{0} ke$^{53}_{44}$fɔŋ^{35}tsɔk^{3} təu$^{35}_{44}$iəu$^{35}_{44}$ iɔŋ^{21}tʂəŋ^{21}lei^{0}.

【方子】fɔŋ^{35}tsɿ^{0} 名 ①药方，偏方：韭菜蔸是另外有只～。ciəu^{21}tsʰɔi$^{53}_{44}$tei^{35}ʂɿ$^{53}_{44}$(l)in$^{53}_{44}$uai$^{53}_{44}$iəu$^{35}_{44}$tʂak^{3} fɔŋ^{35}tsɿ^{0}. ②代指药：钩藤就分细人子做～食，细人子打伤风啊。kei^{35}tʰien$^{13}_{21}$tsʰiəu$^{53}_{44}$pən^{35}sei^{53}ɲin^{13} tsɿ^{0} tso^{53}fɔŋ^{35}tsɿ^{0} ʂət^{5},sei^{53}ɲin^{13}tsɿ^{0} ta^{21}ʂɔŋ^{35}fəŋ^{35}ŋa^{0}.

【坊】fɔŋ^{35} 名 地名中的通名之一：彭家～ pʰaŋ^{13}ka$^{35}_{44}$fɔŋ^{35}

【防】fɔŋ^{13} 动 提防；小心防备；警惕：小胆破心就处处都～别人家唠。siau^{21}tan^{21}pʰo^{53}sin^{35} tsʰiəu$^{53}_{44}$tʂʰəu^{53}tʂʰəu$^{53}_{44}$təu$^{35}_{44}$fɔŋ^{13}pʰiet^{5}ɲin$^{13}_{21}$ka$^{35}_{44}$lau^{0}.

【防风镜】fɔŋ^{13}fəŋ^{35}ciaŋ^{53} 名 风镜：～我看过，包倒一只眼珠包得饽煞个。包倒以只边呐，边上包得饽煞。就咁子戴倒。因为眼珠是大概唔爱呼吸做得咁东西。我看倒有人戴过咁个眼镜。系以边呐。唔知搞么个爱戴副咁个眼镜，箇～。哦，箇只人眼珠怕风，系，箇只人眼珠怕风吹，吹哩会流眼泪，渠就只好戴副箇个眼镜。fɔŋ^{13}fəŋ^{35}ciaŋ^{53}ŋai^{13}kʰɔn^{53}ko$^{53}_{44}$,pau^{35}tau^{21}iet^{3} tʂak^{3} ŋan^{21} tʂəu^{35}pau^{35}tek^{3} pək^{5} sait^{3} ke^{0}.pau^{35}tau^{21}i^{21}tʂak^{3} pien^{35}na^{0},pien^{35}xɔŋ$^{53}_{44}$pau^{35}tek^{3} pək^{5} sait^{3}.tsiəu$^{53}_{44}$kan^{21}tsɿ^{0} tai^{53} tau^{21}.in^{35}uei$^{53}_{44}$ŋan^{21}tʂəu^{35}ʂɿ^{53}tʰai^{53}kʰai^{53}ṃ$^{13}_{21}$mɔi$^{53}_{44}$fu^{35}cʰiet^{5} tso^{53}tek^{3} kan$^{21}_{44}$təŋ$^{35}_{44}$si^{0}.ŋai^{13}kʰɔn^{53}tau^{21}iəu^{35}ɲin$^{13}_{21}$tai^{53} ko$^{53}_{44}$kan$^{21}_{44}$ke$^{53}_{44}$ŋan^{21}ciaŋ^{53}.xei^{53}i^{21}pien$^{35}_{44}$na^{0}.ṇ$^{13}_{21}$ti$^{35}_{53}$kau^{21}mak^{3} ke^{0} ɔi^{53}tai^{53}fu^{53}kan^{21}ke^{0} ŋan^{21}ciaŋ^{53},kai^{53}fɔŋ^{13}fəŋ^{35} ciaŋ^{53}.o$_{21}$,kai^{53}tʂak^{3}ɲin$^{13}_{44}$ŋan^{21}tʂəu^{35}pʰa^{53}fəŋ^{35},xe$^{53}_{44}$,kai^{53}tʂak^{3}ɲin$^{13}_{44}$ŋan^{21}tʂəu^{35}pʰa^{53}fəŋ^{35}tʂʰei$^{35}_{44}$,tʂʰei$^{35}_{44}$li^{0} uɔi$^{53}_{44}$ liəu^{13}ŋan^{21}li^{53},ci$^{13}_{21}$tsʰiəu^{53}tʂɿ^{21}(x)au$^{21}_{44}$tai^{53}fu^{53}kai$^{53}_{44}$ke$^{53}_{44}$ŋan^{21}ciaŋ^{53}.

【防老个】fɔŋ^{13}lau^{21}ke^{53} 指人死后需要用到的各种东西：箇就包括帽子箇兜么个都么东西寿被箇兜么个东西都包括去下肚里，安做防老个。包括留兜子钱呢，都系～嘞。我要留正兜子～嘞。～，就系防死个。箇养老个在外，养老个又还养老个。渠就～，～就系死哩爱用个，防老衫呐，欸，防老个纸啊，欸买正兜草纸箇兜嘞，舞正笼嘞有兜人是嘞。欸，以前打铳是还买正硝嘞，买正两十斤硝放倒去箇子嘞。我箇到我话买正一箱爆竹放倒去下，渠话箇就唔爱，箇就留唔得。kai^{53}tsʰiəu$^{53}_{44}$pau$^{35}_{44}$kuait^{3} mau^{53}tsɿ^{0} kai^{53}tei$^{35}_{53}$mak^{3} e^{0} təu$^{35}_{44}$mak^{3} təŋ$^{35}_{44}$si^{0} ʂəu^{53}pʰi^{35}kai$^{53}_{44}$tei$^{35}_{44}$mak^{3} e^{0} təŋ$^{35}_{44}$si^{0} təu$^{35}_{44}$pau$^{35}_{21}$kuait^{3} çi^{53}xa^{53}təu^{21}li^{0} ,ɔn$^{35}_{44}$tso^{53}fɔŋ^{13}lau^{21}ke^{53}.pau$^{35}_{44}$kuait^{3} liəu^{13}te$^{35}_{53}$tsɿ^{0} tsʰien^{13}ne^{0} ,təu^{35}xe$^{53}_{44}$ fɔŋ^{13}lau^{21}ke^{0} lei^{0} .ŋai^{13}iau^{53}liəu^{13}tʂaŋ^{53}te^{53}tsɿ^{0} fɔŋ^{13}lau^{21}ke^{53}lei^{0} .fɔŋ^{13}lau^{21}ke^{53},tsʰiəu^{53}(x)e^{53}fɔŋ^{13}si^{21}ke^{53}.kai^{53} iɔŋ^{35}lau^{21}ke^{53}tsʰai^{53}uai^{53},iɔŋ^{35}lau^{21}ke^{53}iəu^{53}uan$^{13}_{21}$iɔŋ^{35}lau^{21}ke^{53}.ci^{13}tsʰiəu^{53}fɔŋ^{13}lau^{21}ke^{53},fɔŋ^{13}lau^{21}ke^{53}tsʰiəu^{53}

xei^{53}si^{21}li^{0} ɔi$^{53}_{44}$iəŋ^{53}ke^{0},fɔŋ^{13}lau^{21}san^{35}na^{0},e$_{21}$,fɔŋ^{13}lau^{21}ke^{53}tʂʅ^{21}ʐa^{0},e^{0} mai^{35}tʂaŋ^{53}te$^{35}_{53}$tsʰau^{21}tʂʅ^{21}kai$^{53}_{44}$te$^{35}_{53}$lei^{0},u^{21} tʂaŋ^{53}ləŋ^{21}lei^{0} iəu^{35}tei$^{35}_{53}$ɲin$^{13}_{44}$ʂʅ$^{53}_{44}$lei^{0} .e$_{21}$,i$^{35}_{53}$tsʰien$^{13}_{21}$ta^{21}tʂʰəŋ^{53}ʂʅ$^{53}_{44}$xai$^{13}_{21}$mai^{35}tʂaŋ^{53}siau^{35}lei^{0},mai^{35}tʂaŋ$^{53}_{44}$iɔŋ^{21}ʂət^{5} cin$^{35}_{44}$siau^{35}fɔŋ^{53}tau^{21}çi^{53}kai^{53}tsʅ^{0} lei^{0} .ŋai^{13}kai^{53}tau^{53}ŋai^{13}ua^{53}mai^{35}tʂaŋ^{53}iet^{3} siɔŋ^{35}pau^{53}tʂəuk^{3} fɔŋ^{53}tau^{21}çi^{53} xa$^{53}_{21}$,ci$^{13}_{44}$(u)a$^{53}_{44}$kai^{53}tsʰiəu$^{53}_{44}$m̩$^{13}_{21}$mɔi^{53},kai^{53}tsʰiəu$^{53}_{44}$liəu^{13}n̩$^{13}_{44}$tek^{3} .

【防老衫】fɔŋ^{13}lau^{21}san^{35} 名 人过世后穿戴的衣物等：一般老人家七八十岁了个老人家都留正～。我都我姠子个～我爱捡正下子来，啊八十八九十岁了。iet^{3} pɔn^{35}lau^{21}ɲin^{13}ka$^{35}_{44}$tsʰiet^{3} pait^{3} ʂət^{5} sɔi^{53} liau^{0} ke$^{53}_{44}$lau^{21}ɲin^{13}ka$^{35}_{44}$təu$^{35}_{44}$liəu^{13}tʂaŋ^{53}fɔŋ^{13}lau^{21}san^{35}.ŋai^{13}təu$^{35}_{53}$ŋai$^{13}_{21}$ɔi$^{35}_{44}$tsʅ^{0} ke$^{53}_{44}$fɔŋ^{13}lau^{21}san$^{35}_{44}$ŋai$^{13}_{21}$ɔi^{53}cian^{21} tʂaŋ^{53}ŋa^{53}tsʅ^{0} lɔi$^{13}_{21}$,a^{0} pait^{3} ʂʅt^{5} pait^{3} ciəu^{21}ʂət^{5} sɔi^{53}liau^{0}.

【房】fɔŋ^{13} 名 房桶的简称，大木桶：我等屋下有只欸㵘大个～啊，安做猪腰～。ŋai$^{13}_{21}$tien^{0} uk^{3} xa$^{53}_{44}$iəu$^{35}_{44}$tʂak^{3} ei$_{21}$mən^{35}tʰai$^{53}_{44}$ke$^{53}_{44}$fɔŋ^{13}ŋa^{0} ,ɔn$^{35}_{44}$tso$^{53}_{44}$tʂəu$^{35}_{44}$iau$^{35}_{44}$fɔŋ$^{13}_{21}$.

【房桶】fɔŋ^{13}tʰəŋ^{21} 名 大木桶：（豆腐浆）泡哩了，就又搲～肚里去。～肚里放上石膏。就安做作豆腐。pʰau^{35}li^{0} liau^{0} ,tsʰiəu$^{53}_{44}$iəu^{53}ua^{53}fɔŋ^{13}tʰəŋ^{21}təu^{21}li^{0} çi^{53}.fɔŋ^{13}tʰəŋ^{21}təu^{21}li^{0} fɔŋ^{53}ʂɔŋ$^{53}_{44}$ʂak^{5} kau^{35}.tsʰiəu$^{53}_{44}$ ɔn$^{35}_{44}$tso$^{53}_{44}$tsɔk^{3} tʰei^{53}fu$^{53}_{44}$.

【房子】fɔŋ^{13}tsʅ^{0} 名 房屋：渠买哩～箇。ci$^{13}_{21}$mai^{35}li^{0} fɔŋ^{13}tsʅ^{0} kai^{53}.

【纺车】fɔŋ^{21}tʂʰa^{35} 名 旧时手握摇把带动轮子旋转的纺纱器具：我等以前箇屋下箇楼角里就有一辆～嘞。ŋai^{13}tien^{0} i^{35}tsʰien$^{13}_{21}$kai$^{53}_{44}$uk^{3} xa^{53}kai^{53}lei^{13}kɔk^{3} li^{0} tsʰiəu$^{53}_{44}$iəu^{35}iet^{3} liɔŋ^{21}fɔŋ^{21}tʂʰa$^{35}_{44}$le^{0}.

【纺绸】fɔŋ^{21}tʂʰəu^{13} 名 一种平纹丝织品，质地薄而细软：哎，箇阵着～是蛮有钱个人呐。ai$_{44}$,kai^{53}tʂʰən^{53}tʂɔk^{3} fɔŋ^{21}tʂʰəu^{13}ʂʅ$^{53}_{44}$man^{13}iəu$^{35}_{53}$tsʰien^{13}ke^{0}ɲin^{13}na^{0}.

【放】fɔŋ^{53} 动 ①放置；安放：簸箕～下摸篮肚箇里～得倒。pɔit^{5} ci$^{35}_{44}$fɔŋ^{53}xa$^{53}_{44}$mo^{35}lan$^{13}_{21}$təu^{21}kai$^{53}_{21}$li^{0} fɔŋ^{53}tek^{3} tau^{21}. ②加入，添加：淡干鱼子就唔～盐。tʰan^{35}kɔn$^{35}_{44}$ŋ̍$^{13}_{21}$tsʅ^{0} tsʰiəu$^{53}_{44}$m̩^{13}fɔŋ^{53}ian^{13}.｜（打火机）爱～汽油嘞。ɔi$^{53}_{44}$fɔŋ$^{53}_{44}$çi^{53}iəu$^{13}_{21}$le^{0}. ③说出，传出：一句话～下去 iet^{3} tʂʮ^{53}fa^{53}fɔŋ^{53}ŋa$_{44}$(←xa^{53})çi$^{53}_{44}$。④解除约束，使自由：以下你爱～鸡了嘞，就打开一篷板子来。i^{21}xa^{53}ɲi^{13}ɔi^{53}fɔŋ^{53} cie^{35}liau^{0} lei^{0} ,tsʰiəu$^{53}_{44}$ta^{21}kʰɔi^{35}iet^{3} sak^{3} pan^{21}tsʅ^{0} lɔi^{13}. ⑤放映：～电影 fɔŋ$^{53}_{44}$tʰien^{53}iaŋ^{21}。⑥在一定的时间停止（学习或工作）：～农忙假 fɔŋ^{53}ləŋ^{13}mɔŋ^{13}ka^{21}｜～暑假 fɔŋ^{53}tʂʰəu^{21}ka^{21}

【放狗屁】fɔŋ^{53}kei^{21}pʰi^{53} 骂人用语，用于责备人家言语不当：以个～。i^{21}ke$^{53}_{44}$fɔŋ^{53}kei^{21}pʰi^{53}.

【放禾掐】fɔŋ^{53}uo^{13}kʰa^{35} 割稻并一掐掐地放好：～就系打禾个时候子，拿张禾刀子，先分箇禾先分箇田里个禾割下来，割做一掐掐子。然后拿倒去打。箇就安做～。fɔŋ^{53}uo^{13}kʰa^{35}tsʰiəu^{53}xe^{53} ta^{21}uo^{13}ke^{53}ʂʅ^{13}xei^{53}tsʅ^{0},la$^{53}_{44}$tʂɔŋ$^{35}_{44}$uo^{13}tau$^{35}_{44}$tsʅ^{0},sien^{35}pən$^{35}_{44}$kai$^{53}_{44}$uo^{13}sien^{35}pən$^{35}_{44}$kai$^{53}_{44}$tʰien^{13}ni$^{35}_{44}$ke^{53}uo^{13}kɔit^{3} xa$^{53}_{44}$ lɔi$^{13}_{21}$,kɔit^{3} tso$^{53}_{44}$iet^{3} kʰa$^{35}_{44}$kʰa^{35}tsʅ^{0}.vien^{13}xei$^{53}_{44}$la^{53}tau^{21}çi^{53}ta^{21}.kai$^{53}_{44}$tsʰiəu$^{53}_{44}$ɔn$^{35}_{44}$tso$^{53}_{44}$fɔŋ^{53}uo^{13}kʰa^{35}.

【放假】fɔŋ^{53}ka^{21}/cia^{21} 动 假日停止工作或学习：～归转去上课就安做复课。fɔŋ^{53}cia^{21}kuei^{35}tʂɔn^{21} çi$^{53}_{44}$ʂɔŋ$^{53}_{35}$kʰo^{53}tsʰiəu$^{53}_{44}$ɔn$^{53}_{44}$tso$^{53}_{44}$fuk^{5} kʰo^{53}.｜放哩假哩时间𡚸滴子嘞，时间长滴子个你有个时间呢你就去就到处去走。fɔŋ^{53}li^{0} cia^{21}li^{0} ʂʅ$^{13}_{21}$kan$^{35}_{44}$tɔi^{21}tiet^{5} tsʅ^{0} lei^{0} ,ʂʅ$^{13}_{21}$kan$^{35}_{44}$tʂʰɔŋ^{13}tiet^{5} tsʅ^{0} ke$^{53}_{44}$ɲi$^{13}_{21}$iəu$^{35}_{44}$ke$^{53}_{44}$ʂʅ$^{13}_{21}$kan$^{35}_{44}$ ne^{0}ɲi$^{13}_{21}$tsʰiəu$^{53}_{44}$çi$^{53}_{44}$tsʰiəu$^{53}_{44}$tau^{53}tʂʰəu$^{53}_{44}$çi$^{53}_{44}$tsei^{21}.｜以到放几多天假？i^{21}tau$^{53}_{44}$fɔŋ^{53}cio^{35}(←ci^{21}to^{35})tʰien^{35}cia^{21}?

【放空】fɔŋ^{53}kʰəŋ^{35} 动 空着不放东西：箇衣橱肚里嘞，不能𥨪空个啦，爱放滴子东西……不能～个。kai$^{53}_{44}$i^{35}tʂʰəu$^{13}_{21}$təu^{21}li^{0} le^{0},pət^{3} lən$^{13}_{44}$lau^{35}kʰəŋ^{35}ke$^{53}_{44}$la^{0} ,ɔi$^{53}_{44}$fɔŋ^{53}tiet^{5} tsʅ^{0} təŋ^{35}si^{0} …pət^{3} lən^{13}fɔŋ^{53}kʰəŋ^{35} ke^{53}.

【放排】fɔŋ^{53}pʰai^{13} 动 将竹子、木材编扎在一起，从水路运送：欸，以前张坊下，欸，以前上洪起，箇个竹哇树哇，箇个马路交通唔发达呀，就走水路，～。箇是十几只树就扎一挂排，嗯，箇就安做一节吧，一节排吧？箇是一……几十节啦。几十节排啦。打比样三十节排样啊，一节排就系十只树样啊，一下就三百只树哇。三百只树，两个人就放嘿哩。爱放大水个欸落……涨大水个时候子就好～呀。安做涨漂江水呀，皇碑树下都渺渺茫茫个时候子，箇三时就～就又危险呢就又刺激又快。欸，我等有只喊叔公个，渠就去林业站里，渠等箇阵子就长日～。真好嬲喔，渠等呐嬲个人就更多。如今平时就以咁子样。箇阵子河里，真古怪，箇阵河里水也更大呢。以咁子平时唔涨水是箇就爱六七天正到得浏阳啦，～呀，爱六七天。鳌胁里就最危险个栏场，就如今株树桥水电站箇映子，安做有只安做鳌胁里，啊最危险，两边岭岗笔顿，箇个河面又狭，水又急，又弯，弯多，箇是最危险呐。箇有有兜人是命都送嘿哩个。e$_{21}$,i^{35}tsʰien$^{13}_{21}$tʂɔŋ^{35}fɔŋ^{35}xa^{35},ei$_{21}$,i^{35}tsʰien$^{13}_{21}$ʂɔŋ^{53}pʰəŋ^{13}çi^{21},kai$^{53}_{44}$ke$^{53}_{44}$tʂəuk^{3} ua^{0} ʂəu^{53}ua^{0},kai$^{53}_{44}$ke$^{53}_{44}$ma^{35}ləu^{53}ciau$^{35}_{44}$ tʰəŋ$^{35}_{44}$n̩^{13}fait^{3} tʰait^{5} ia^{0},tsʰiəu$^{53}_{44}$tsei^{21}ʂei^{21}ləu^{53},fɔŋ^{53}pʰai^{13}.kai^{53}ʂʅ$^{53}_{44}$ʂət^{5} ci^{21}tʂak^{3} ʂəu^{53}tsʰiəu^{53}tsait^{3} iet^{3} kua^{53}pʰai^{13},

F

ɳ21,kai5344tsʰiəu5344ɔn3544tso53iet3tset3pa0,iet3tset3pʰai13pa0?kai5344ʂʅ5344iet3…ci21ʂət5tset3la0.ci21ʂət5tsiet3pʰai1344la0.ta21pi21iəŋ53san35ʂət5tset3pʰai13iəŋ5344ŋa0,iet3tset3pʰai13tsʰiəu53xe5344ʂət5tʂak3ʂəu5344iəŋ53ŋa0,iet3xa35tsʰiəu5344san35pak3tʂak3ʂəu53ua0.san35pak3tʂak3ʂəu53,iəŋ21ke53ɲin1321tsʰiəu53fɔŋ53xek3li0.ɔi53fɔŋ53tʰai53ʂei53ke53e21lɔk5…tʂəŋ21tʰai53ʂei21ke0ʂʅ13xəu5344tsʅ0tsʰiəu5344xau21fɔŋ53pʰai13ia0.ɔn3544tso5344tʂəŋ21pʰiau2113kɔŋ3544ʂei21ia0,uəŋ5321pi3544ʂəu5344xa5344təu3553miau21miau21məŋ13məŋ1344ke0ʂʅ13xəu5344tsʅ0,kai53san3544ʂʅ1321tsʰiəu5321fɔŋ53pʰai13tsʰiəu5344iəu53uei13çien21nei0tsʰiəu53iəu53tsʰʅ53ciet3iəu53kʰuai53.e21,ŋai13tien0iəu5353tʂak3xan53ʂəuk3kɔŋ3544ke0,ci13tsiəu53çi53lin13ɲiait5tsan53ni21,ci13tien0kai53tʂʰən5344tsʅ0tsiəu5344tʂʰəŋ13ɲiet3fɔŋ5344pʰai13.tʂən35xau21liau53uo0,ci1321tien0na0liau53ke5344ɲin1321tsʰiəu5344cien5344to35.i1321cin3553pʰin13ʂʅ1344tsʰiəu53i21kan2144tsʅ0iəŋ5344.kai53tʂʰən53tsʅ0xo13li0,tʂən35ku21kuai53,kai53tʂʰən53xo13li0ʂei21a5353cien5344tʰai53nei0.i21kan2144tsʅ0pʰin13ʂʅ13ɳ13tʂəŋ21ʂei21ʂʅ5344kai53tsʰiəu53ɔi5344liəuk3tsʰiet3tʰien35tʂaŋ53tau53tek3liəu13iəŋ13la0,fɔŋ53pʰai13ia0,ɔi53liəuk3tsʰiet3tʰien35.ŋau13cʰiet3li0tsʰiəu5344tsei53uei1321çien21ke0laŋ1321tʂʰəŋ1344,tsʰiəu53i1321cin3544tʂəu5344ʂəu53cʰiau13ʂei21tʰien35tsan53kai5344iaŋ5344tsʅ0,ɔn3544tso5344iəu35tʂak3ɔn3544tso5344ŋau13cʰiet3li0,a0tsei53uei13çien21,iəŋ21pien3544liaŋ35kɔŋ3544piet3tən53,kai5344ke5344xo13mien5344iəu5344cʰiait5,ʂei21iəu53ciet3,iəu53uan35,uan35to35,kai5344ʂʅ5344tsei53uei13çien21na0.kai5344iəu5344iəu35təu5321ɲin1344ʂʅ5344miaŋ53təu5344səŋ53xek3li0ke0.

【放炮】fɔŋ53pʰau53 动①点燃火药使之爆炸：～个引线 fɔŋ53pʰau53ke5344in21sien5344。②鸣放响铳或爆竹：（行家奠礼）爱击鼓鸣金～哇。ɔi5344ciet3ku21min1321cin3544fɔŋ53pʰau53ua0.

【放让】fɔŋ53ɲiɔŋ53 动让步，又称“让、相让”：唔～ ɳ13fɔŋ53ɲiɔŋ53

【放痧】fɔŋ53sa35 动用推拿的方法治疗中暑患者：有咁……咁子去欸咁子去～。iəu35kan21…kan21tsʅ0çi53e21kan21tsʅ0çi5344fɔŋ53sa35.

【放势】fɔŋ53/xɔŋ53ʂʅ53 副用最大的力气；拼命地：～去搭（饭饽）啊。xɔŋ53ʂʅ53çi5344kʰak5a0.｜～问。xɔŋ53ʂʅ5321uən53.｜脚～踩。ciɔk3xɔŋ53ʂʅ53tsʰai21.

【放手】fɔŋ53ʂəu21 动①松开手；撒手：别人家就捉稳我手嘞我就：“你放开手来，放嘿手，～。欸，莫捉稳我了。” pʰiet5in1344ka3544tsiəu53tsɔk3uən21ŋai13ʂəu21lei0ŋai13tsiəu53:"ɲi1321fɔŋ53kʰɔi35ʂəu21lɔi13,fɔŋ53xek3ʂəu21,fɔŋ53ʂəu21.e21,mɔk5tsɔk3uən21ŋai1321liau0." ②比喻解除顾虑或限制：同我孙子样咁大子，初中生子啊，应该～分渠去做下子家务活动，家务劳动，～锻炼下子渠。tʰəŋ1321ŋai1321sən35tsʅ0iəŋ53kan21tʰai53tsʅ0,tsʰəu3544tʂəŋ3544sien3544tsa0,in3544kɔi3544fɔŋ53ʂəu21pən35ci1321çi5344tso53xa5344tsʅ0cia35u53xɔit5tʰəŋ5321,cia35u53lau1321tʰəŋ5344,fɔŋ53ʂəu21tən53lien53na5344tsʅ0ci1321.

【放松】fɔŋ53səŋ35 动罢手；不再追究：你不要～渠呀，你去摎渠打一架！ɲi1321pət3iau5344fɔŋ53səŋ35ci1321ia0, ɲi13çi5344lau53ci1321ta21iet3cia53!

【放下】fɔŋ53xa53 动放在；放入；放到。后接处所名词或表处所的短语：～墙角 fɔŋ5335ŋa44(←xa53)tsʰiɔŋ13kɔk3｜箇只砉～（砉盘）肚箇里。kai5344tʂak3ləŋ13fɔŋ53xa53təu21kai5321li0.｜（秆）一般就～牛栏楼上唠。iet3pən35tsʰiəu53fɔŋ5344xa5344ɲiəu13lan13lei13xɔŋ5344lau0.

【放心账】fɔŋ53sin35tʂɔŋ53 名不用担心要不回来的账：箇只人有钱。箇只人唔单是有钱，渠硬唔打麻屎赖个人，本忠人，你～。系啊？以个账你放心，有事箇个有事扯麻纱。～。kai53tʂak3ɲin1321iəu35tsʰien1344.kai53tʂak3ɲin1321ɳ13tan3544ʂʅ5344iəu35tsʰien1344,ci1321ɲiaŋ53ɳ13ta21ma13ʂʅ21lai53ke0ɲin13,pən21tʂəŋ35ɲin13, ɲi1321fɔŋ53sin3544tʂəŋ53.xei5344a0?i21ke5321tʂəŋ53ɲi13fɔŋ53sin35,mau13sʅ53kai5344cie5344mau13sʅ53tʂʰa21ma13sa3553.fɔŋ35sin3544tʂəŋ53.

【放一身】fɔŋ53iet3ʂən35 指按摩：以前个剃头师傅是欸剪鼻毛，取耳，欸，还有欸到箇背囊上安做么个安做～，欸同你～，就系按摩。i3553tsʰien13ke5344tʰe53tʰei2153sʅ5344fu53ʂʅ5321e21tsien21pʰiet3mau35,tsʰi21ɲi21,e21,xai1321iəu3544e21tau5321kai5344pɔi53lɔŋ1321xɔŋ5344ɔn3544tso5344mak3ke5344ɔn35tso5344fɔŋ53iet3ʂən35,e21tʰəŋ21ɲi1321fɔŋ53iet3ʂən35,tsʰiəu53xei53ŋan53mo13.

【放油】fɔŋ53iəu13 动采脂；开割松树树干并收集泌出的松脂全部作业：有起专门裁倒～个啊。iəu35çi21tʂen35mən0tsɔi35tau21fɔŋ53iəu13ke53a0.

【放罾】fɔŋ53tsien35 动用罾捕鱼：沉下水底下去呀，用绳一吊下上来呀。/欸，箇就安做～。tʂʰən1321xa35ʂei21tei21xa35çi53ia0,iəŋ53ʂən13iet3tiau53xa5344ʂɔŋ35lɔi1321ia0./e21,kai5344tsiəu5344ɔn3544tso5344fɔŋ53tsien35.

【飞】fei35 动①禽类、虫类等借助翅膀在空中往来活动：箇鸡会～出来咯。kai5344cie35uɔi5344fei35tʂʰət3lɔi1321ko0.｜（猪屎蚊子）去你面前～。çi53ɲi1321mien53tsʰien1321fei35. ②指下中国象棋时用象（相）去吃对方的子：用象子～嘿渠去 iəŋ53siɔŋ53tsʅ0fei35(x)ek3ci1321çi1321

【飞蛾子】fei35ŋo1321tsʅ0 名指蛾类，属于昆虫纲中之鳞翅目：（蚕蛹）会成～个。uɔi5344ʂaŋ1321fei35ŋo1321 tsɿ^{0} ke$^{53}_{44}$.

【飞飞走】fei^{35}fei^{35}tsei^{21} 形容清凉生风的感觉：食哩仁丹丸子啊，欸，嘴里就会～。ʂət^{5} li^{0} vən^{13} tan$^{35}_{44}$ien^{13}tsɿ^{0} a^{0} ,ei$_{21}$,tʂɔi^{53}li^{21}ts^{h}iəu^{53}uɔi^{53}fei^{35}fei^{35}tsei^{21}.

【飞快】fei^{35}k^{h}uai^{53} 形状态词。很快：以下我孙子走路就咁个嘞，欸，手一放就～个跑嘿哩。ia$_{44}$(←i^{21}xa^{53})ŋai$^{13}_{21}$sən^{35}sɿ$^{21}_{44}$tsei^{21}ləu$^{53}_{44}$ts^{h}iəu^{53}kan^{21}ke^{53}lei^{0} ,e$_{21}$,ʂəu^{21}iet^{3} fɔŋ^{53}ts^{h}iəu$^{53}_{21}$fei^{35}k^{h}uai$^{53}_{44}$ke^{0} p^{h}au^{21}xek^{3} li^{0}.

【飞去飞转】fei^{35}çi^{53}fei^{35}tʂuən^{21} 飞来飞去：夜晡哇，箇个电……路灯开哩以后啊，我等看倒箇羊翼子跍倒箇～。ia^{53}pu$^{35}_{44}$ua^{0} ,kai$^{53}_{44}$ke$^{53}_{44}$t^{h}ien^{53}…ləu^{53}ten$^{35}_{44}$k^{h}ɔi^{35}li^{0} i$^{35}_{44}$xei$^{53}_{44}$a^{0} ,ŋai^{13}tien^{0} k^{h}ɔn^{53}tau^{21}kai$^{53}_{44}$iɔŋ^{13} iet^{5} tsɿ^{0} ku$^{35}_{44}$tau$^{21}_{44}$kai$^{53}_{44}$fei^{35}çi^{53}fei^{35}tʂuən^{21}.

【飞象】fei^{35}siɔŋ^{53} 动下象棋时移动象（相）：箇象子一走，欸，象飞田吵，系唔系？象子一走就系～。kai$^{53}_{21}$siɔŋ^{53}tsɿ^{0} iet^{3} tsei^{21},e$_{21}$,siɔŋ^{53}fei$^{35}_{44}$t^{h}ien^{13}ʂa^{0} ,xei^{53}me^{53}?siɔŋ^{53}tsɿ^{0} iet^{3} tsei^{21}ts^{h}iəu^{53}xe^{53}fei^{35}siɔŋ^{53}.

【非常】fei^{35}ʂɔŋ$^{13}_{21}$ 副很；特别；极其：箇木锁就渠个保密效果就～差。kai^{53}muk^{3} so^{21}ts^{h}iəu^{53}ci^{13} ke$^{53}_{44}$pau^{21}miet^{5} çiau^{53}ko^{21}ts^{h}iəu^{53}fei^{35}ʂɔŋ$^{13}_{21}$ts^{h}a^{53}.｜箇起叶～软。kai$^{53}_{44}$çi^{21}iait^{5} fei^{35}ʂɔŋ$^{13}_{21}$ɲiɔn^{35}.

【扉】fei^{35} 名扉墙的简称。也称“扉墙”：承重墙吧？安做～呀。我等安做～呀，～墙呀。打比样，看呶，打比以只屋子，渠个桁子系咁子放，咁子放倒，欸，以只方向放倒个，以只方向放倒个桁子，欸桁子，桁子咁子放倒，系啊？椽皮担嘿上背，椽皮担嘿，瓦盖上背。所以嘞，只有以扇墙，搿以边以扇墙，就系承受哩压力，就承重墙吵，系啊？以扇墙搿以扇墙是𫠊承受压力，渠只爱渠自家承受倒。箇桁子𫠊搁下箇上背。以两扇墙就安做承重墙，以两扇墙就安做～，～墙。户字旁，～墙。tʂ^{h}ən^{13}tʂ^{h}əŋ^{53}ts^{h}iɔŋ^{13}pa^{0} ?ɔn$^{35}_{44}$tso$^{53}_{44}$fei^{35}ia^{0} .ŋai$^{13}_{21}$tien^{0} ɔn$^{35}_{44}$tso$^{53}_{44}$fei^{35} ia^{0} ,fei^{35}ts^{h}iɔŋ^{13}ŋa^{0} .ta^{21}pi^{21}iɔŋ^{53},k^{h}ɔn^{53}nau^{0} ,ta^{21}pi^{21}i^{21}tʂak^{3} uk^{3} tsɿ^{0} ,ci^{13}ke^{53}xaŋ^{13}tsɿ^{0} xe^{53}kan$^{21}_{13}$tsɿ^{0} fɔŋ^{53},kan$^{21}_{13}$tsɿ^{0} fɔŋ^{53}tau^{21},ei$_{21}$,i^{21}tʂak^{3} fɔŋ^{35}çiɔŋ$^{53}_{21}$fɔŋ^{53}tau^{21}ke$^{53}_{44}$,i^{21}tʂak^{3} fɔŋ^{35}çiɔŋ$^{53}_{21}$fɔŋ^{53}tau^{21}ke$^{53}_{44}$xaŋ^{13}tsɿ^{0} ,e$_{44}$xaŋ^{13}tsɿ^{0} ,xaŋ^{13}tsɿ^{0} kan^{21}tsɿ^{0} fɔŋ^{53}tau^{21},xe$^{53}_{44}$a^{0} ?ʂɔn^{13}p^{h}i^{13}tan^{35}xek^{3} ʂɔŋ$^{53}_{44}$pɔi$^{53}_{21}$,ʂɔn^{13}p^{h}i^{13}tan^{35}xek^{3} ,ŋa^{21}kɔi^{53}ʂɔŋ$^{53}_{44}$pɔi$^{53}_{44}$.so^{21}i^{35}lei^{0} ,tʂɿ^{21} iəu$^{35}_{44}$i^{21}ʂen^{53}ts^{h}iɔŋ^{13},lau^{35}i^{21}pien$^{35}_{44}$i^{21}ʂen^{53}ts^{h}iɔŋ$^{13}_{21}$,ts^{h}iəu$^{53}_{44}$xei$^{53}_{44}$tʂ^{h}ən^{13}ʂəu^{53}li^{0} iak^{3} liet^{5},ts^{h}iəu$^{53}_{44}$tʂ^{h}ən^{13}tʂ^{h}əŋ^{53} ts^{h}iɔŋ^{13}ʂa^{0} ,xe$^{53}_{44}$a^{0} ?i^{21}ʂen^{53}ts^{h}iɔŋ$^{13}_{21}$lau^{35}i^{21}ʂen^{53}ts^{h}iɔŋ$^{13}_{21}$sɿ$^{53}_{44}$maŋ^{13}tʂ^{h}ən$^{13}_{21}$ʂəu^{53}iak^{3} liet^{5},ci$^{13}_{21}$tʂɿ^{21}ɔi^{53}ci$^{13}_{21}$ts^{h}ɿ^{35}ka$^{35}_{53}$ tʂ^{h}ən$^{13}_{21}$ʂəu^{53}tau^{21}.kai$^{53}_{44}$xaŋ^{13}tsɿ^{0} maŋ^{13}kɔk^{3} (x)a^{53}kai^{53}ʂɔŋ$^{53}_{44}$pɔi$^{53}_{44}$.i^{21}iɔŋ^{21}ʂen^{53}ts^{h}iɔŋ^{13}tsiəu$^{53}_{44}$ɔn$^{35}_{44}$tso$^{53}_{44}$tʂ^{h}ən^{13}tʂ^{h}əŋ^{53} ts^{h}iɔŋ$^{13}_{21}$,i^{21}iɔŋ^{21}ʂen^{53}ts^{h}iɔŋ^{13}tsiəu$^{53}_{44}$ɔn$^{35}_{44}$tso$^{53}_{44}$fei^{35},fei^{35}ts^{h}iɔŋ^{13}.fu^{53}ts^{h}ɿ$^{53}_{21}$p^{h}ɔŋ$^{13}_{21}$,fei^{35}ts^{h}iɔŋ^{13}.

【扉子】fei^{35}tsɿ^{0} 名指花箱上贴的一张红纸，上写有时间、缘由等信息：（花箱）顶高爱写张子～，呃，系么个时候烧个，你就第一句话就用直行写“为周年之期”，或者嘞“为中元之期”，中元呢就系七月半，欸，生日嘞“冥诞之期”，因为冥诞个箇只日子……时间，或者因为七月半中元之期，欸，“阳之”，系下阳间个嗯么人，你个赖子或者你个孙子么人么人，“虔备”，虔诚，唔知几虔诚个准备哩，“衣箱一只”，花箱又安做衣箱，欸，“内有衫裤”或者“银钱”，嗯，有兜么个东西，“一心奉与”，欸，烧分爷子个嘞“显考”么个公么个么个老人“冥中受用”，死哩以后冥中受用，后背还加兜子“别神毋分”，别只神明冇份，冇份呐，好，以下就“公元么个年”，写日子，唔写“公元”，写“天运”，“天运某年某月某日”，“化”，火化个化字。箇个就～，渠爱写张子～贴倒。～用红纸写，用红纸。爱教渠等写花箱。如今是箇个卖花箱个栏场是渠也印正来嘞，渠个就简单呐，冇得么个“期”哟，冇得么个“之期”哟，欸，就系么人么人，欸，顶高有只称呼，或者孝子孝孙么人，系唔系？某某某，就么人，欸，备衣箱一只，一心奉与么人，箇得衣箱个人，底下就天运么个年，就咁简单了。taŋ^{21}kau$^{35}_{44}$ɔi^{53}sia^{21}tʂɔŋ$^{35}_{44}$tsɿ^{0} fei^{35}tsɿ^{0} ,e$_{21}$,xei^{53}mak^{3} ke^{53}ʂɿ^{13}xei^{53}ʂau^{35}ke^{0} , ɲi$^{13}_{21}$ts^{h}iəu^{53}t^{h}i^{53}iet^{3} tʂʅ^{53}fa^{53}ts^{h}iəu$^{53}_{44}$iɔŋ$^{53}_{44}$ tʂ^{h}ət^{5} xɔŋ$^{13}_{21}$sia^{21}"uei^{53}tʂəu^{35}ɲien$^{13}_{21}$tʂʅ$^{35}_{44}$c^{h}i$^{13}_{21}$",xɔk^{5} tʂa^{21}lei^{0} "uei^{53}tʂɔŋ^{35}ɲien^{13}tʂʅ$^{35}_{44}$c^{h}i$^{13}_{21}$",tʂɔŋ^{35}ɲien^{13}ne^{0} ts^{h}iəu$^{53}_{44}$ xei$^{53}_{44}$ts^{h}iet^{3} ɲiet^{5} pan^{53},e$_{21}$,saŋ^{35}ɲiet^{3} lei^{0} "min^{13}tan^{53}tʂʅ$^{35}_{44}$c^{h}i$^{13}_{21}$",in^{35}uei$^{53}_{44}$min^{13}tan^{35}ke^{53}kai^{53}tʂak^{3} ɲiet^{3} ts…ʂɿ^{13} kan$^{35}_{44}$,xɔk^{5} tʂa$^{21}_{44}$in^{35}uei$^{53}_{44}$ts^{h}iet^{3}ɲiet^{5} pan^{53}tʂɔŋ^{35}ɲien$^{13}_{21}$tʂʅ$^{35}_{44}$c^{h}i$^{13}_{21}$,e$_{21}$,"iɔŋ^{13}tʂʅ^{35}",xei$^{53}_{44}$(x)a$^{53}_{44}$iɔŋ^{13}kan$^{35}_{44}$cie^{0} ṇ$_{21}$mak^{3} ɲin$^{13}_{44}$, ɲi^{13}ke$^{53}_{21}$lai^{53}tsɿ^{0} xɔit^{5} tʂa^{21}ɲi^{13}ke^{0} sən^{35}tsɿ^{0} mak^{3} ɲin$^{13}_{44}$mak^{3} ɲin$^{13}_{44}$,"c^{h}ien^{13}p^{h}ei^{53}",c^{h}ien^{13}tʂ^{h}ən^{13},ṇ^{13}ti$^{35}_{53}$ci^{21} c^{h}ien^{13}tʂ^{h}ən$^{13}_{21}$ke^{53}tʂən^{21}p^{h}ei^{53}li^{0} ,"i^{35}siɔŋ$^{35}_{44}$iet^{3} tʂak^{3} ",fa^{35}siɔŋ$^{35}_{44}$iəu$^{53}_{44}$ɔn$^{35}_{44}$tso$^{53}_{44}$i^{35} siɔŋ$^{35}_{44}$,e$_{21}$,"lei^{53}iəu^{35}san^{35}fu^{53}" xɔit^{5} tʂa^{21}"ɲin^{13}ts^{h}ien^{13}",ṇ$_{21}$,iəu^{35}tei$^{35}_{53}$mak^{3} e^{0} təŋ^{35}si^{0} ,"iet^{3} sin^{35}fəŋ^{53}ʮ^{21}",e$_{21}$,ʂau$^{35}_{44}$pən$^{35}_{44}$ia^{13}tsɿ^{0} ke^{0} lei^{0} ,"çien^{21} k^{h}au^{21}"mak^{3} e^{0} kəŋ$^{35}_{44}$mak^{3} e^{0} mak$^{3}_{44}$e^{0} lau^{21}ɲin$^{13}_{44}$"min^{13}tʂəŋ$^{35}_{44}$ʂəu^{53}iəŋ^{53}",si^{21}li^{0} i$^{35}_{53}$xei^{53}min^{13}tʂəŋ$^{35}_{44}$ʂəu^{53}iəŋ^{53},xei^{53} pɔi^{53}xai$^{13}_{21}$cia$^{35}_{44}$təu$^{35}_{21}$tsɿ^{0} "p^{h}iet^{5} ʂən^{13}u^{13}fən^{35}",p^{h}iet^{5} tʂak^{3} ʂən^{13}min$^{13}_{21}$mau^{13}fən^{53},mau^{13}fən^{53}na^{0} ,xau^{21},i^{21}xa$^{53}_{44}$ ts^{h}iəu$^{53}_{44}$"kəŋ^{35}vien$^{35}_{44}$mak^{3} e^{0}ɲien^{13}",sia$^{21}_{44}$ɲiet^{3} tsɿ^{0} ,ṇ$^{13}_{21}$sia^{21}"kəŋ^{35}vien$^{13}_{44}$",sia^{21}"t^{h}ien^{35}vən^{53}","t^{h}ien^{35}vən^{53}miau^{35} ɲien$^{13}_{21}$miau^{35}ɲiet^{5} miau^{35}ɲiet^{3} ","fa^{53}",xo^{21}fa^{53}ke^{0} fa^{53}ts^{h}ɿ$^{53}_{21}$.kai$^{53}_{44}$ke$^{53}_{44}$ts^{h}iəu^{53}fei^{35}tsɿ^{0} ,ci$^{13}_{44}$ɔi$^{53}_{44}$sia^{21}tʂɔŋ$^{35}_{44}$tsɿ^{0} fei^{35}

F

tsɿ0 tiait3 tau21.fei35tsɿ0 iəŋ53fəŋ13tʂʅ21sia21,iəŋ53fəŋ13tʂʅ21.ɔi53_44kau35_44ci13_21tien0 sia21fa35siɔŋ35_44.i13_21cin35_53ʂʅ53kai53_44ke53_44mai53fa35_44siɔŋ35_44ke53laŋ13_21tʂʰɔŋ13_21ʂʅ53_44ci13_21ia35in53tʂaŋ53lɔi13_21le0,ci13ke53tsʰiəu53kan21tan35_44na0,mau13_21tek3 mak3 e0 "cʰi13"io0,mau13_21tek3 mak3 e0 "tʂʅ35_44cʰi13"io0,e_21,tsʰiəu53xe53mak3 ɲin13_44mak3 ɲin13_44,ei_21taŋ21kau35_44iəu35_44tʂak3 tʂʰən35fu35,xɔit5 tʂak3 çiau53tsɿ21çiau53sən35mak3 ɲin13_44,xei53me53?miau35miau35miau35,tsiəu53mak3 ɲin13,e_21,pʰei53i35siɔŋ35_44iet3 tʂak3,iet3 sin35_44fəŋ53ɥ21_44mak3 ɲin13_44,kai53_44tek3 i35_44siɔŋ35_44ke53ɲin13_44,tei21xa53tsʰiəu53_44tʰien35vən53_44mak3 e0 ɲien13,tsʰiəu53_44kan21kan21tan35_44liau0.

【霏霏】fei35fei35 形雨雪烟云盛密的样子：毛水～ mau35ʂei21fei35fei35

【肥1】pʰi13/fei13 名肥料；田地的养分：（牛骨头粉）也有滴子～。ia35iəu35tiet5 tsɿ0 pʰi13.｜底下个死泥骨就冇得滴～。tei21xa53ke53si21lai13kuət3 tsiəu53_21mau13tek3 tet5 fei13.

【肥2】pʰi13 形①肉的脂肪多：真～ tʂən35pʰi13。②肥沃：～田就生蕹菜，瘦田就生马嘴葱。pʰi13_21tʰien13_44tsʰiəu53_44saŋ35xɔk5 tsʰɔi53,sei53tʰien13tsʰiəu53_44saŋ35ma35tsi21tsʰəŋ35.｜分面上个箇一层～泥舞嘿哩。pən35mien53xɔŋ53_44ke53_44kai53iet3 tsʰien13fei13lai13u21(x)ek3 li0.

【肥3】pʰi13 动增加田地中的养分，使变得肥沃：箇草可以～田。kai53tsʰau21kʰo21i35_44pʰi13tʰien13.

【肥膘肉】fei13piau35ɲiəuk3 名肥肉：么个死猪子肉箇只么个东西渠只爱系～箇只都可以榨出油来。mak3 ke53si21tʂəu35tsɿ0 ɲiəuk3 kai53_21tʂak3_5 mak3 (k)e53_44təŋ35_44si0 ci13_21tʂʅ21ɔi53_44xei53fei13piau35ɲiəuk3 kai53_44tʂak3 təu35_44kʰo21i35tsa53tʂʰət3 iəu13lɔi13_21.

【肥料】fei13liau53 名用来给土壤施肥以供给植物养分的物质：作田就爱爱～哇。tsɔk3 tʰien13tsʰiəu53ɔi53ɔi53fei13liau53ua0.｜杀青是分箇个青东西割滴归来唠，舞倒去做～哇。sait3 tsʰiaŋ35ʂʅ53_44pən35kai53_44ke53_44tsʰiaŋ35təŋ35_44si0 kɔit3 tiet5_3 kuɔi35lɔi13_44lau0,u21tau21çi53_44tso53_44fei13_21liau53_44ua0.

【肥皂】fei13tsʰau53 名洗涤去污用的化学制品，通常制成块状：最早是用箇皮槠荚做～哇。tsei53tsau21ʂʅ53_44iəŋ53_44kai53_44pʰi13tʂəu35_44kait3 tso53fei13tsʰau53ua0.

【肥猪肉】pʰi13tʂəu35ɲiəuk3 名多脂肪质的猪肉：油多个？～哇，安做～。肥肉是我学倒讲个。iəu13to35ke53_44?pʰi13tʂəu35ɲiəuk3 ua0,ɔn35tso53pʰi13tʂəu35ɲiəuk3.fei13ɲiəuk3 ʂʅ53_44ŋai13xɔk5 tau21kɔŋ21ke53.

【肺】fei53 名动物呼吸器官之一，位于胸腔：以前我新舅正来个时候子渠等广东人就喜欢炖老火汤啊。渠长日到街上去买猪～。又便宜，五角钱，渠正来个时候子五角钱一副。撞怕是不要渠个钱，都分渠，分渠，因为冇人食猪～。渠就舞倒箇个菜干箇兜交倒去炖老火汤食。我等也食过啦。落尾是渠也唔想食哩，冇人爱哩。以下箇猪～分狗食了，冇人爱哩，卖钱唔倒。i35tsʰien13_21ŋai13_21sin35cʰiəu35_44tʂaŋ53lɔi13_21ke0 ʂʅ35xəu53_44tsɿ0 ci13_21tien0 kɔŋ21təŋ35_44ɲin13_21tsiəu53_44çi21fɔn35_44tən53nau21fo21tʰɔŋ35ŋa0.ci13_21tʂʰɔŋ13ɲiet3 tau53kai35_44xɔŋ53_44çi53_44mai35tʂəu35fei53.iəu53pʰien13ɲin13_44,ŋ̍21kɔk3 tsʰien13_44,ci13_21tʂaŋ53lɔi13ke0 ʂʅ13xəu53_44tsɿ0 ŋ̍21kɔk3 tsʰien13_44iet3 fu53.tsʰɔŋ21pʰa53ʂʅ53_44pət3 iau53_44ci13_44(k)e0 tsʰien13_44,təu35_44pən35_44ci13_44,pən35ci13_21,in35uei53_44mau13ɲin13_21ʂət5 tʂəu35_44fei53.ci13tsʰiəu53u21tau21_44kai53_21ke0 tsʰɔi53kɔn35_44kai53_44təu35_44ciau35_44tau21çi53_44tən53lau21fo21tʰɔŋ35ʂət5.ŋai13tien0 a35_44ʂət5 kuo53la0.lɔk5 mi35_53ʂʅ53_44ci13_21ia35_53n̩13_21siɔŋ21ʂət5 li0,mau13_21ɲin13_53ɔi53_44li0.i13_21xa53_44kai53_44tʂəu35fei53pən35ciei21ʂət5 liau0,mau13_21ɲin13_44ɔi53li0,mai53tsʰien13_44n̩13_44tau21.

【肺家】fei53ka35_44 名指肺脏：肺病就～个病唠。以到我老婆就疑心渠系肺病啊。渠就促哇，咳嗽哇，咳嗽咯痰呐咯血啊。fei53pʰiaŋ53tsʰiəu53_44fei53ka35_44ke0 pʰiaŋ53lau0.i21tau53_44ŋai13_21lau21pʰo13tsʰiəu53_44ɲi13sin35_44ci13_21xe53_44fei53pʰiaŋ53a0.ci13_21tsiəu53_44tsʰəuk5 ua0,kʰek3 səu53ua0,kʰek3 səu53kʰa21tʰan13na0 kʰa21çiet3 a0.

【废】fei53 形扔掉的；无用的：以下箇～钢铁都冇人爱哩咯，冇滴价钱咯。因为以下炼钢铁唔用～钢铁了。系唔系？以前是话么个加兜子～钢铁，我等细细子是老师讲哦，爱我等人爱去捡倒箇～钢铁就爱卖分国家啊，欸，舞倒箇～钢铁炼个钢铁就更好哇。以下么个唔爱哩，唔用哩～钢铁。i13_21xa53_44kai53_44fei53kɔŋ35tʰiet3 təu35_53mau13_21ɲin13_44ɔi53li0 ko0,mau13tiet5 cia53tsʰien13_44ko0.in35uei53i21xa53_44lien53kɔŋ35tʰiet3 n̩13iəŋ53_44fei53kɔŋ35tʰiet3 liau0.xei53_44me53_44?i35_53tsʰien13ʂʅ53_44ua53_44mak3 e0 cia35təu35_53tsɿ0 fei53kɔŋ35tʰiet3,ŋai13tien0 sei53sei53tsɿ0 ʂʅ53_44lau21sɿ35_44kɔŋ21ŋo0,ɔi53ŋai13_21tien0 in13_44ɔi53_44çi53_44cian21tau21kai53_44fei53kɔŋ35tʰiet3 tsʰiəu53_44ɔi53_44mai53pən35kɔit3 cia35_44a0,e_44,u21tau21kai53_44fei53kɔŋ35_44tʰiet3 lien53kei0 kɔŋ35tʰiet3 tsʰiəu53_21cien53xau21ua0.i13_21xa53_44mak3 ke53m̩13_21mɔi53li0,n̩13iəŋ53li0 fei53kɔŋ35tʰiet3.

【沸】pi53 动沸腾：～水 pi53ʂei21 开水｜泡泡～个水，饽饽哩泡哇。pʰau35pʰau35pi53ke53ʂei21,pɔk5 pɔk5 li0 pʰau35ua0

【费烦】fei53fan13 形麻烦，不容易做：噢，咁～个，冇得，冇得。冇么人咁子搞哇。冇得么人咁子搞。au_53,kan21fei53fan13_21ke53_44,mau13_21tek3_5,mau13_21tek5_3.mau13_21mak3 in13_44kan21tsɿ0 kau21ua0.mau13tek5_3mak3 in13_44 kan^{21}tsɿ^{0}kau^{21} .

【痱子粉】fei^{35}tsɿ^{0}fən^{21} 名用来治疗痱子的粉状药物：箇又话～个多嘞，话爽身粉个唔多。kai$^{53}_{44}$iəu$^{53}_{44}$ua^{53}fei^{35}tsɿ^{0}fən^{21}ke$^{53}_{44}$to$^{35}_{44}$le^{0},ua^{53}sɔŋ^{21}ʂən$^{35}_{44}$fən^{21}ke^{53}n̩$^{13}_{21}$to$^{35}_{44}$.

【分$_{1}$】fən^{35} 动①使整体事物变成几部分或使连在一起的事物离开：（亲戚）～厅子坐。fən^{35}t^{h}aŋ^{35}tsɿ^{0}ts^{h}o$^{35}_{44}$. ②区别；将整体辨别出部分：我等～都～唔出呢。ŋai$^{13}_{21}$tien^{0}fən$^{35}_{44}$təu$^{35}_{44}$fən^{35}n̩$^{13}_{21}$tʂ^{h}ət^{3}nei^{0}.｜（碾船）你～出两样东西来，箇就安做碾公搒碾槽。ɲi^{13}fən^{35}tʂ^{h}ət^{3}iɔŋ^{21}iɔŋ^{53}təŋ^{35}si^{0}lɔi$^{13}_{21}$,kai^{53}ts^{h}iəu^{53}ɔn$^{35}_{44}$tso$^{53}_{44}$ŋan^{35}kəŋ^{35}lau^{35}ŋan^{35}ts^{h}au^{13}.

【分$_{2}$】pən^{35} 动①给予：～本书我。我冇冇得书咯。pən^{35}pən^{21}ʂəu^{35}ŋai^{13}.ŋai^{13}mau^{13}mau^{13}tek^{3}ʂəu^{35}ko^{0}.｜搞滴子细茶叶子～你啊。kau^{21}tet$^{5}_{3}$tsɿ^{0}se^{53}ts^{h}a^{13}iait^{5}tsɿ^{0}pən$^{35}_{44}$ɲi$^{13}_{44}$a^{0}.｜你画只图～渠看呶。ɲi^{13}fa^{53}(tʂ)ak^{3}t^{h}əu^{13}pən^{35}ci$^{13}_{21}$k^{h}ɔn^{53}nau^{0}. ②指派：～只人司仪哟。pən^{35}tʂak^{3}ɲin$^{13}_{21}$sɿ^{35}ɲi^{13}iau^{0}.｜孝家又～人去呀。xau^{53}ka$^{35}_{44}$iəu^{53}pən$^{35}_{44}$ɲin$^{13}_{21}$çi$^{53}_{44}$ia^{0}. ③让，容许；听任；致使：就莫～狗进去。ts^{h}iəu$^{53}_{44}$mo$^{53}_{44}$pən^{35}ciei^{21}tsin^{53}çi$^{53}_{44}$.｜就密封啊，莫～渠出气呀。ts^{h}iəu$^{53}_{44}$miet^{5}fəŋ^{35}ŋa^{0},mo$^{53}_{44}$pən$^{35}_{44}$ci$^{13}_{44}$tʂ^{h}ət^{3}çi^{53}ia^{0}.｜外背～渠厚，肚里箇边更薄。ŋɔi^{53}pɔi^{53}pən$^{35}_{44}$ci$^{13}_{44}$xei^{35},təu^{21}li^{0}kai$^{53}_{44}$pien$^{35}_{44}$cien$^{53}_{44}$p^{h}ɔk^{5}.

【分$_{3}$】fən^{35} 表示数学中的分数：二～之一 ɲi^{53}fən^{35}tsɿ^{35}iet^{3}｜五～之三 ŋ̍^{21}fən^{35}tsɿ^{35}san^{35}

【分$_{4}$】fən^{35} 量①时间单位，等于 1/60 小时或 60 秒：十一点过九～了啊。ʂət^{5}iet^{3}tian^{21}ko$^{53}_{44}$ciəu^{21}fən$^{35}_{44}$niau^{0}a^{0}.｜巡哩所以后休息几～子钟，就进行第二只步骤。sən^{13}ni^{0}so^{21}i^{35}xei$^{53}_{44}$çiəu^{35}siet^{3}ci^{21}fən^{35}tsɿ^{0}tʂəŋ^{35},ts^{h}iəu$^{53}_{44}$tsin^{53}çin$^{13}_{21}$t^{h}i$^{53}_{44}$ɲi^{53}tʂak^{3}p^{h}u^{53}ts^{h}əu$^{53}_{21}$. ②货币单位：一～钱 iet^{3}fən^{35}ts^{h}ien^{13}。③长度单位，寸的十分之一：八～凿就箇凿子个宽度哦。pait^{3}fən^{35}ts^{h}ɔk^{5}tsiəu$^{53}_{44}$kai$^{53}_{44}$ts^{h}ɔk^{5}tsɿ^{0}ke$^{53}_{44}$k^{h}ɔn^{35}t^{h}u^{53}o^{0}.

【分$_{5}$】pən^{35} 介①表处置，引介受事，相当于“把”：～光窗打开来。pən^{35}kɔŋ^{35}ts^{h}əŋ^{35}ta^{21}k^{h}ɔi^{35}lɔi^{13}.｜～箇只坏人捉起来。pən^{35}kai$^{53}_{44}$tʂak^{3}fai^{53}ɲin$^{13}_{21}$tsɔk^{3}çi^{21}lɔi$^{13}_{21}$. ②表被动，引介施事，相当于“被”：～派出所里一围哟，二十几个人下捉起来哩。pən^{35}p^{h}ai^{53}tʂ^{h}ət^{3}so^{21}li^{0}iet^{3}uei^{13}io^{0}, ɲi^{53}ʂət^{5}ci^{21}ke^{53}ɲin$^{13}_{44}$xa^{53}tsɔk^{3}çi^{21}lɔi^{13}li^{0}.｜（洋瓷碗）爱～箇个铝个呀，欸，不锈钢个，～渠代替咁咧。ɔi$^{53}_{44}$pən^{35}kai^{53}ke$^{53}_{44}$lei^{21}ke^{53}ia^{0},e$_{21}$,pət^{3}siəu^{53}kɔŋ^{35}ke$^{53}_{44}$,pən^{35}ci$^{13}_{44}$t^{h}ɔi^{53}t^{h}i^{53}kan^{21}lie^{0}. ③表示动作行为的方向或对象，相当于“给”：我打电话～我赖子看呶。ŋai^{13}ta^{21}t^{h}ien^{53}fa^{53}pən^{35}ŋai$^{13}_{21}$lai^{53}tsɿ^{0}k^{h}ɔn$^{53}_{44}$nau^{0}.｜继父来讲，就系我娭子第二嫁嫁～渠，咁就我继父。ci^{53}fu^{53}lɔi^{13}kɔŋ^{21},ts^{h}iəu^{53}xe^{53}ŋai$^{13}_{21}$ɔi^{35}tsɿ^{0}t^{h}i$^{53}_{44}$ɲi^{53}ka^{53}ka^{53}pən^{35}ci$^{13}_{21}$,kan^{21}ts^{h}iəu$^{53}_{44}$ŋai^{13}ci^{53}fu$^{53}_{44}$. ④介引工具，相当于“用”：～箇胡子夹就扯胡子嘞。pən$^{35}_{44}$kai$^{53}_{44}$u$^{13}_{21}$tsɿ^{0}kait^{3}ts^{h}iəu^{53}tʂ^{h}a^{21}u^{13}tsɿ^{0}lei^{0}.｜还有只就打石灰，耘田个时候子～石灰咬死渠指田里的草去。xai^{13}iəu$^{35}_{53}$tʂak^{3}ts^{h}iəu^{53}ta^{21}ʂak^{5}fɔi$^{35}_{21}$,in$^{13}_{21}$t^{h}ien$^{13}_{21}$ke^{0}ʂɿ$^{13}_{44}$xei$^{53}_{44}$tsɿ^{0}pən$^{35}_{44}$ʂak^{5}fɔi$^{35}_{53}$ŋau^{21}si^{21}ci$^{13}_{21}$çi^{53}.

【分别】fən^{35}p^{h}iet^{5} 名不同；差别：以下冇得咁个～了唠。i^{21}xa^{53}mau$^{13}_{21}$tek^{3}kan^{21}cie$^{53}_{44}$fən^{35}p^{h}iet^{5}liau^{21}lau^{0}.

【分蔸】fən^{35}tei^{35} 动分蘖，禾本科等植物在地面以下或接近地面处发生分枝：渠箇一蔸做作两蔸啦，箇就安做～啦。ci^{13}kai^{53}iet^{3}tei^{35}tso$^{53}_{44}$tsɔk^{3}iɔŋ^{21}tei^{35}la^{0},kai$^{53}_{21}$ts^{h}iəu$^{53}_{21}$ɔn$^{35}_{44}$tso$^{53}_{44}$fən$^{35}_{44}$tei$^{35}_{44}$la^{0}.

【分开】fən^{35}k^{h}ɔi^{35} 动使彼此分离、相互不合在一起：～来栽，栽作四蔸。fən^{35}k^{h}ɔi^{35}lɔi$^{13}_{21}$tsɔi^{35},tsɔi^{35}tsɔk^{3}si^{53}tei^{35}.

【分数册】fən^{35}səu^{53}ts^{h}ɛt^{3} 名记分册；成绩册：欸，我箇晡看下子我等人我我个教哩书个箇起东西放下箇肚里，还蛮多咁个～箇兜去箇呀。e$_{21}$,ŋai^{13}kai^{53}pu$^{35}_{53}$k^{h}ɔn^{53}na$^{53}_{44}$tsɿ^{0}ŋai^{13}tien^{0}in$^{13}_{44}$ŋai^{13}ŋai^{13}ke$^{53}_{44}$kau$^{35}_{44}$li^{0}ʂəu^{35}ke$^{53}_{44}$kai$^{53}_{44}$çi$^{21}_{44}$təŋ$^{35}_{44}$si^{0}fɔŋ^{53}xa$^{53}_{21}$kai^{53}təu^{21}li^{0},xai$^{13}_{21}$man^{13}to$^{35}_{44}$kan^{21}ke^{0}fən^{35}səu^{53}ts^{h}et^{5}kai$^{53}_{44}$təu$^{35}_{44}$çi^{53}kai^{53}ia^{0}.

【分水】fən^{35}ʂei^{21} 名屋脊，房顶的高起处：起～个栏场 çi^{21}fən^{35}ʂei^{21}ke^{53}lɔŋ^{13}tʂ^{h}ɔŋ$^{13}_{21}$

【分头】fən^{35}t^{h}ei^{13} 名一种将短发分开梳向两边的发型：以前是～是系只蛮时髦个发型。以下有多么人理有多么人搞了，有多么人剃～了。i$^{35}_{53}$ts^{h}ien^{13}ʂɿ$^{53}_{44}$fən^{35}t^{h}ei^{13}ʂɿ$^{53}_{44}$xei^{53}tʂak^{3}man^{13}ʂɿ^{13}mau^{13}kei^{53}fait^{3}çin^{13}.i^{21}xa^{53}mau^{13}to$^{35}_{53}$mak^{3}in$^{13}_{21}$li^{21}mau^{13}to$^{35}_{53}$mak^{3}in$^{13}_{21}$kau^{21}liau^{0},mau^{13}to$^{35}_{53}$mak^{3}in$^{13}_{44}$t^{h}e^{53}fən^{35}t^{h}ei$^{13}_{44}$liau^{0}.

【分之】fən^{35}tsɿ^{35} 量放在数词后表示程度，相当于“成”：我搒渠八～熟哇，七～熟。ŋai$^{13}_{21}$lau$^{35}_{44}$ci$^{13}_{21}$pait^{3}fən$^{35}_{44}$tsɿ$^{35}_{44}$ʂəuk^{5}ua^{0},ts^{h}iet^{3}fən$^{35}_{44}$tsɿ$^{35}_{44}$ʂəuk^{5}.

【分子】fən^{35}tsɿ^{0} 名考试分数；成绩：欸，打比我等教书个人呢，箇就也系唠，箇个外行人呐渠就搞唔清，只讲爱考头名，嗯，只讲爱欸考倒好～来。e$_{21}$,ta^{21}pi^{21}ŋai^{13}tien^{0}kau$^{35}_{44}$ʂəu^{35}ke^{53}ɲin$^{13}_{21}$ne^{0},kai$^{53}_{44}$ts^{h}iəu$^{53}_{44}$ia^{35}xe$^{53}_{44}$lau^{0},kai$^{53}_{44}$ke$^{53}_{44}$ŋɔi^{53}xɔŋ$^{13}_{21}$ɲin$^{13}_{21}$na^{0}ci$^{13}_{44}$ts^{h}iəu$^{53}_{44}$kau^{21}n̩^{13}ts^{h}in$^{35}_{44}$,tʂɿ^{21}kɔŋ^{21}ɔi^{53}k^{h}au^{21}t^{h}ei^{13}

F

miaŋ$^{13}_{44}$,ṇ$_{21}$,tʂʅ^{21}kɔŋ^{21}ɔi^{53}e$_{21}$k^{h}au^{21}tau^{21}xau^{21}fən^{35}tsʅ^{0}lɔi$^{13}_{44}$.

【赠】maŋ^{13} 副未曾，没有，表示对“已经”的否定：唔知（渠）走哩～。ṇ$^{13}_{21}$ti$^{35}_{53}$tsei^{21}li^{0}maŋ^{13}.｜～食过。maŋ$^{13}_{21}$ʂət^{5}ko^{53}.｜总都～想倒哇。tsəŋ^{21}təu$^{35}_{53}$maŋ$^{13}_{21}$siɔŋ^{21}tau^{21}ua^{0}.｜～好啊，～熟个嘞。maŋ^{13}xau^{21}a^{0},maŋ^{13}ʂəuk^{5}ke^{53}lei^{0}.

【赠多】maŋ^{13}to$^{35}_{44}$ 副不多，较少：我等也～烧煤。ŋai$^{13}_{21}$tien^{0}ia^{35}maŋ^{13}to$^{35}_{44}$ʂau$^{35}_{44}$mei$^{13}_{21}$.

【赠话起】maŋ^{13}ua^{53}çi^{21} 表示离结束时间还早：还～唠。xai$^{13}_{21}$maŋ^{13}ua^{53}çi^{21}lau^{0}.

【赠晓得】maŋ^{13}çiau^{21}tek^{3} 没想到；不料：我有一回去箇有一回去浏阳剃头，～渠箇个渠同我拿倒剪两下剪，就唔剃哩。么个就搞正哩话。我话箇我爱同我刮胡子噢，欸就系喜欢刮胡子啊，刮寒毛哇。嗬哦，渠箇唔刮胡子寒毛个。渠个咁个都刮啊？渠箇个么个美容院呐。落尾我话箇我就系爱刮胡子个，爱刮胡子爱刮寒毛。～渠真唔会呀，硬系同箇斫茅柴样啊。箇手势么重又咁重。ŋai$^{13}_{21}$iəu^{35}iet^{3}fei$^{13}_{21}$çi^{53}kai^{53}iəu^{35}iet^{3}fei^{13}çi^{53}liəu^{13}iɔŋ^{13}t^{h}e^{53}t^{h}ei^{13},maŋ^{13}çiau^{21}tek^{3}ci^{13}kai$^{53}_{44}$ke$^{53}_{44}$ci$^{13}_{21}$t^{h}əŋ$^{13}_{21}$ŋai$^{13}_{21}$la^{53}tau^{21}tsien^{21}iɔŋ^{21}xa^{53}tsien^{21},ts^{h}iəu^{53}m̩^{13}t^{h}e^{53}li^{0}.mak^{3}e^{0}ts^{h}iəu^{53}kau^{21}tʂaŋ^{53}li^{0}ua^{53}.ŋai^{13}ua$^{53}_{44}$kai^{53}ŋai$^{13}_{21}$ɔi^{53}t^{h}əŋ$^{13}_{44}$ŋai$^{13}_{44}$kuait^{3}u^{13}tsʅ^{0}au^{0},e$_{21}$ts^{h}iəu^{53}xei^{53}çi^{21}fən$^{35}_{44}$kuait^{3}u^{13}tsʅ^{0}a^{0},kuait^{3}xɔn^{13}mau^{35}ua^{0}.xo$_{53}$o$_{35}$,ci^{13}kai^{53}ṇ^{13}kuait^{3}fu^{13}tsʅ^{0}xɔn$^{13}_{21}$mau$^{35}_{44}$ke^{53}.ci^{13}ke^{53}kan$^{21}_{13}$ke^{53}təu$^{35}_{53}$kuait^{3}a^{0}?ci^{13}kai^{53}ke^{53}mak^{3}ke$^{53}_{44}$mei^{35}iɔŋ^{13}vien^{53}na^{0}.lɔk^{5}mi$^{35}_{53}$ŋai^{13}ua^{53}kai^{53}ŋai^{13}ts^{h}iəu^{53}xe^{53}ɔi^{53}kuait^{3}u$^{13}_{21}$tsʅ^{0}ke^{0},ɔi^{53}kuait^{3}u^{13}tsʅ^{0}ɔi^{53}kuait^{3}xɔn$^{13}_{21}$mau$^{35}_{44}$.maŋ^{13}çiau$^{21}_{44}$(t)ek^{3}ci$^{13}_{44}$tʂən^{35}ṇ$^{13}_{21}$uɔi^{53}ia^{0},ɲiaŋ^{53}(x)e^{53}t^{h}əŋ^{13}kai$^{53}_{44}$tʂɔk^{3}mau^{13}ts^{h}ai$^{13}_{21}$iɔŋ^{53}ŋa^{0}.kai$^{53}_{21}$ʂəu^{21}ʂʅ$^{53}_{21}$me^{0}tʂ^{h}əŋ^{35}iəu^{53}kan^{21}tʂ^{h}əŋ^{35}.

【坟$_1$】fən^{13} 名坟墓：箇座～个范围就安做罗围。kai$^{53}_{44}$ts^{h}o$^{53}_{44}$fən^{13}cie$^{53}_{44}$fan^{53}uei^{13}tsiəu$^{53}_{44}$ɔn$^{35}_{44}$tso$^{53}_{44}$lo^{13}uei^{13}.

【坟$_2$】p^{h}ən^{13} 量用于坟墓：一～地$_{坟墓}$ iet^{3}p^{h}ən^{13}t^{h}i^{53}｜整个箇～地个范围，箇座坟个范围就安做罗围。tʂən^{21}ko^{53}kai^{53}p^{h}ən^{13}t^{h}i^{53}ke$^{53}_{44}$fan^{53}uei^{13},kai$^{53}_{44}$ts^{h}o$^{53}_{44}$fən^{13}cie$^{53}_{44}$fan^{53}uei^{13}tsiəu$^{53}_{44}$ɔn$^{35}_{44}$tso$^{53}_{44}$lo^{13}uei^{13}.

【粉$_1$】fən^{21} 名①粉末：牛骨头呀打做～呐。ɲiəu^{13}kuət^{3}t^{h}ei^{13}ia^{0}ta^{21}tso$^{53}_{44}$fən^{21}na^{0}.｜分箇个～呐，交哩糖个米粉呢印得去，做成箇个糕子。做成咁个糕子。pən^{35}kai$^{53}_{44}$ke$^{53}_{44}$fən^{21}na^{0},ciau^{35}li^{0}t^{h}ɔŋ$^{13}_{21}$ke$^{53}_{44}$mi^{21}fən^{21}nei^{0}in^{53}tek^{3}çi$^{53}_{44}$,tso^{53}tʂ^{h}ən$^{13}_{21}$kai$^{53}_{44}$ke$^{53}_{44}$kau^{35}tsʅ^{0}.tso^{53}tʂ^{h}ən$^{13}_{21}$kan^{21}ke$^{53}_{44}$kau^{35}tsʅ^{0}. ②粉丝：你唔加（番薯两只字）就别人家就拿倒箇起么个欸南粉呶，系，箇起雪白子个～呶。ɲi^{13}ṇ^{13}cia$^{35}_{44}$ts^{h}iəu$^{53}_{44}$p^{h}iek^{5}in$^{13}_{21}$ka$^{35}_{44}$ts^{h}iəu^{53}la^{53}tau^{21}kai^{53}çi^{21}mak^{3}ke$^{53}_{44}$e$_{44}$lan^{13}fən^{21}nau^{0},xe$^{53}_{21}$,kai$^{53}_{21}$çi^{21}siet^{5}p^{h}ak^{5}tsʅ^{0}ke$^{53}_{44}$fən^{21}nau^{0}.

【粉$_2$】fən^{21} 动粉刷墙壁，又称“粉壁、做粉刷”：～哩个屋就安做粉白到栋个屋啊。赠～个屋嘞就安做么个屋？就是赠～个屋，赠～个屋就只有讲赠～个屋。fən^{21}ni^{0}ke^{53}uk^{3}ts^{h}iəu$^{53}_{44}$ɔn$^{35}_{44}$tso$^{53}_{44}$fən^{21}p^{h}ak^{5}tau^{53}təŋ^{53}ke$^{53}_{44}$uk^{3}a^{0}.maŋ^{13}fən^{21}ke^{53}uk^{3}lei^{0}ts^{h}iəu$^{53}_{44}$ɔn$^{35}_{44}$tso$^{53}_{44}$mak^{3}ke$^{53}_{44}$uk^{3}?ts^{h}iəu^{53}ʂʅ$^{53}_{21}$maŋ^{13}fən^{21}ke^{53}uk^{3},maŋ^{13}fən^{21}ke^{53}uk^{3}ts^{h}iəu^{53}tʂʅ^{21}iəu$^{35}_{53}$kɔŋ^{21}maŋ^{13}fən^{21}ke^{53}uk^{3}.

【粉白到栋】fən^{21}p^{h}ak^{5}tau^{53}təŋ^{53} 房子的墙壁经过全面的粉刷：粉哩个屋就安做～个屋啊。fən^{21}ni^{0}ke^{53}uk^{3}ts^{h}iəu$^{53}_{44}$ɔn$^{35}_{44}$tso$^{53}_{44}$fən^{21}p^{h}ak^{5}tau^{53}təŋ^{53}ke$^{53}_{44}$uk^{3}a^{0}.

【粉肠子】fən^{21}tʂ^{h}ɔŋ^{13}tsʅ^{0} 名本指猪的前段即胃接下来的这一段小肠。浏阳客家人多不分前后段，都称为“粉肠子”：小肠又安做～嘞，我等又安做～。其实不一样，但是我等客姓人呢，欸，买小肠子就：“欸同你买莖子～啰！同你买滴子～啰！”欸，箇个据说箇个剮猪个人渠话小肠不等于～，但系一般人都系咁子话，小肠就系～，就买～，买小肠就买～。siau^{21}tʂ^{h}ɔŋ^{13}iəu^{53}ɔn$^{35}_{53}$tso^{53}fən^{21}tʂ^{h}ɔŋ^{13}tsʅ^{0}lei^{0},ŋai$^{13}_{21}$tien^{0}iəu^{53}ɔn$^{35}_{53}$tso^{53}fən^{21}tʂ^{h}ɔŋ^{13}tsʅ^{0}.c^{h}i^{13}ʂət^{5}pət^{3}iet^{3}iɔŋ^{53},tan^{53}ʂʅ^{53}ŋai$^{13}_{21}$tien^{0}k^{h}ak^{3}sin^{53}ɲin$^{13}_{21}$nei^{0},e$_{21}$,mai^{35}siau^{21}tʂ^{h}ɔŋ^{13}tsʅ^{0}ts^{h}iəu^{53}:"e^{0}t^{h}əŋ$^{13}_{21}$ɲi$^{13}_{21}$mai^{35}ts^{h}o^{53}tsʅ^{0}fən^{21}tʂ^{h}ɔŋ^{13}tsʅ^{0}lo^{0}!t^{h}əŋ$^{13}_{21}$ɲi$^{13}_{21}$mai^{35}tiet^{5}tsʅ^{0}fən^{21}tʂ^{h}ɔŋ^{13}tsʅ^{0}lo^{0}!"e$_{21}$,kai$^{53}_{44}$ke$^{53}_{44}$tʂʯ^{53}ʂet^{3}kai$^{53}_{44}$ke$^{53}_{44}$tʂ^{h}ʅ$^{13}_{21}$tʂəu^{35}ke^{53}ɲin$^{13}_{21}$ci$^{13}_{21}$ua^{53}siau^{21}tʂ^{h}ɔŋ^{13}pət^{3}ten^{21}ʯ^{13}fən^{21}tʂ^{h}ɔŋ^{13}tsʅ^{0},tan$^{53}_{44}$xei^{53}iet^{3}pɔn^{35}ɲin$^{13}_{21}$təu^{35}xei^{53}kan^{21}tsʅ^{0}ua^{53},siau^{21}tʂ^{h}ɔŋ^{13}ts^{h}iəu^{53}xe^{53}fən^{21}tʂ^{h}ɔŋ^{13}tsʅ^{0},ts^{h}iəu^{53}mai^{35}fən^{21}tʂ^{h}ɔŋ^{13}tsʅ^{0},mai^{35}siau^{21}tʂ^{h}ɔŋ$^{13}_{21}$ts^{h}iəu$^{53}_{44}$mai$^{35}_{44}$fən^{21}tʂ^{h}ɔŋ^{13}tsʅ^{0}.｜小肠子欸箇～是就咁子切倒呀，舞兜子交兜子酸菜子箇兜去炒倒食，蛮好食。siau^{21}tʂ^{h}ɔŋ^{13}tsʅ^{0}e^{0}kai^{53}fən^{21}tʂ^{h}ɔŋ^{13}tsʅ^{0}ʂʅ$^{53}_{44}$ts^{h}iəu^{53}kan^{21}tsʅ^{0}ts^{h}iet^{3}tau$^{21}_{44}$ia^{0},u^{21}te$^{35}_{53}$tsʅ^{0}ciau^{35}te$^{35}_{53}$tsʅ^{0}sɔn^{35}ts^{h}ɔi^{53}tsʅ^{0}kai$^{53}_{44}$te$^{35}_{44}$çi^{53}ts^{h}au^{21}tau^{21}ʂət^{5},mau$^{13}_{21}$xau^{21}ʂət^{5}.

【粉袋子】fən^{21}t^{h}ɔi^{53}tsʅ^{0} 名装有红石粉的小包，用来打粉线：我看过嘞，箇起咁个～嘞。ŋai^{13}k^{h}ɔn^{53}ko^{53}lei^{0},kai$^{53}_{44}$çi^{21}kan^{21}ke^{53}fən^{21}t^{h}ɔi^{53}tsʅ^{0}lei^{0}.

【粉粉】fən^{21}fən^{21} 名细末儿，粉末：包装个盐就粉盐唠，以个～样个唠。pau^{35}tsɔŋ$^{35}_{44}$ke$^{53}_{44}$ian$^{13}_{21}$ts^{h}iəu^{53}fən^{21}ian^{13}nau^{0},i^{21}ke$^{53}_{44}$fən^{21}fən^{21}iɔŋ$^{53}_{44}$ke$^{53}_{44}$lau^{0}.

【粉红】fən^{21}fəŋ^{13} 形红中透白的颜色。有“ABAB”重叠式：夜挂树会开花吧？/欸，～～嘞。

ia$^{53}_{44}$kua$^{53}_{44}$ʂəu$^{53}_{44}$uɔi$^{53}_{44}$kʰɔi^{35}fa^{35}pa^{0}?/e$_{21}$,fən^{21}fəŋ^{13}fən^{21}fəŋ^{13}lei^{0}.

【粉牌】fən^{21}pʰai^{13} 名 临时记账用的木牌或铁牌，也泛指临时的记事牌：～呀就临时记个，临时记事个，欸，用粉笔嘞。如果系白牌就用箇个用火屎啊，我等用火屎也写过嘞。要是白牌嘞就用……墨乌吵，火屎是墨乌吵。用火屎也写过。粉牌就记下子数个栏场爱用。打比方工地上啊爱记下子箇个记下子你做哩几多子事渠做哩几多子事啊。就～呀，用～记呀。还有只搞选举也用下子～唠，渠就要打正字啊，系唔系？一般是就系记下子箇只事，记下子工地上记下子事。还有就欸做下子备忘录，写记下子。也有记下子账，箇临时记个账。打比今晡欸么人拿哩一只箇个呃拖哩一包水泥去哩，系唔系？欸，还赠拿钱，渠还爱会来拖，还会来拖，箇就临时记个。如今是也唔多用～写了唠。如今是舞张纸写记下子。fən^{21}pʰai^{13}ia^{0}tsʰiəu^{53}lin^{13}ʂʅ^{13}ci^{53}ke^{0},lin^{13}ʂʅ^{13}ci^{53}sʅ^{53}ke^{0},e$_{21}$,iəŋ^{53}fən^{21}piet^{3}le^{0}.ɥ^{13}ko^{21}xe^{53}pʰak^{5}pʰai^{13}tsʰiəu^{53}iəŋ^{53}kai$^{53}_{44}$ke^{0}iəŋ^{53}fo^{21}ʂʅ^{21}a^{0},ŋai^{13}tien^{0}iəŋ^{53}fo^{21}ʂʅ^{21}a$^{35}_{53}$sia^{21}ko^{53}le^{0}.iau$^{53}_{44}$ʂʅ$^{53}_{44}$pʰak^{5}pʰai$^{13}_{21}$le^{0}tsʰiəu$^{53}_{44}$iəŋ$^{53}_{44}$…mek^{5}u^{35}ʂa^{0},fo^{21}ʂʅ^{21}ʂʅ$^{53}_{21}$mek^{5}u^{35}ʂa^{0}.iəŋ^{53}fo^{21}ʂʅ^{21}a$^{35}_{53}$sia^{21}ko^{53}. fən^{21}pʰai^{13}tsʰiəu$^{53}_{44}$ci^{53}(x)a$^{53}_{21}$tsʅ^{0}səu^{53}ke^{0}laŋ$^{13}_{21}$tʂʰɔŋ$^{13}_{21}$ɔi^{53}iəŋ^{53}.ta^{21}pi^{21}fɔŋ$^{35}_{44}$kəŋ^{35}tʰi$^{53}_{44}$xɔŋ^{53}ŋa^{0}ɔi^{53}ci^{53}ia$^{53}_{44}$tsʅ^{0}kai^{53}cie^{53}ci^{53}ia$^{53}_{44}$tsʅ^{0}ɲi^{13}tso^{53}li^{0}ci$^{21}_{44}$(t)o$^{35}_{44}$tsʅ^{0}sʅ^{53}ci$^{13}_{21}$tso^{53}li^{0}ci^{21}(t)o$^{35}_{44}$tsʅ^{0}sʅ^{53}a^{0}.tsiəu^{53}fən^{21}pʰai^{13}ia^{0},iəŋ^{53}fən^{21}pʰai^{13}ci^{53}ia^{0}.xai^{13}iəu$^{35}_{53}$tʂak^{3}kau^{21}sen^{21}tʂʅ^{21}a$^{35}_{53}$iəŋ^{53}ŋa$^{53}_{44}$tsʅ^{0}fən^{21}pʰai^{13}lau^{0},ci^{13}tsiəu^{53}iau$^{53}_{44}$ta^{21}tʂən^{53}tsʰʅ$^{53}_{44}$a^{0},xei^{53}me^{53}?iet^{3}pən^{35}ʂʅ$^{53}_{44}$tsʰiəu$^{53}_{44}$xei$^{53}_{44}$ci^{53}ia$^{53}_{21}$tsʅ^{0}kai^{53}tʂak^{3}sʅ^{53},ci^{53}ia$^{53}_{44}$tsʅ^{0}kəŋ^{35}tʰi$^{53}_{44}$xɔŋ$^{53}_{44}$ci^{53}ia$^{53}_{21}$tsʅ^{0}sʅ^{53}.xai$^{13}_{21}$iəu$^{35}_{53}$tsʰiəu^{53}e$_{44}$tso^{53}xa$^{53}_{21}$tsʅ^{0}pʰei^{53}uɔŋ$^{53}_{21}$ləuk^{5},sia^{21}ci^{53}xa$^{53}_{21}$tsʅ^{0}.ia^{35}iəu^{35}ci^{53}(x)a$^{53}_{21}$tsʅ^{0}tʂɔŋ^{53},kai$^{53}_{44}$lin^{13}ʂʅ^{13}ci^{53}ke$^{53}_{44}$tʂɔŋ^{53}.ta^{21}pi^{21}cin^{35}pu^{35}e$_{21}$mak^{3}ɲin$^{13}_{44}$la^{53}li^{0}iet^{3}tʂak^{3}kai$^{53}_{44}$ke$^{53}_{44}$ə$_{44}$tʰo^{35}li^{0}iet^{3}pau^{35}ʂei^{21}lai^{13}çi^{53}li^{0},xei^{53}me$^{53}_{21}$?e$_{21}$,xai$^{13}_{21}$maŋ$^{13}_{44}$la^{53}tsʰien^{13},ci$^{13}_{21}$xai^{13}ɔi$^{53}_{44}$uɔi$^{53}_{44}$lɔi$^{13}_{21}$tʰo^{35},xai$^{13}_{21}$uɔi^{53}lɔi$^{13}_{21}$tʰo^{35},kai$^{53}_{44}$tsʰiəu$^{53}_{44}$lin^{13}ʂʅ$^{13}_{44}$ci^{53}ke^{0}.i^{21}cin^{35}ʂʅ$^{53}_{44}$ia^{35}n̩$^{13}_{21}$to$^{35}_{44}$iəŋ^{53}fən^{21}pʰai^{13}sia^{21}liau^{0}lau^{0}.i$^{13}_{21}$cin$^{35}_{44}$ʂʅ^{53}u^{21}tʂɔŋ$^{35}_{44}$tʂʅ^{21}sia^{21}ci^{53}(x)a^{53}tsʅ^{0}.

【粉牌上个话】fən^{21}pʰai^{13}xɔŋ^{53}ke^{53}fa^{53} 喻指非正式、日后不可作为依据的话：有只话法，“～”，就系讲嘿哩可以唔作底。箇个讲倒都可以唔作底。只有哪起嘞？白纸黑字个纸上个箇就系讲事就爱作底个。～唔作底。有只咁个话法，客姓人有只话法啊，“我个～哈”，进得出得，也可以唔讲，也抹嘿去啊，可以抹嘿去啊，随时就抹嘿去。只有箇白纸黑字，箇个就作对个，就不能改变。iəu^{35}tʂak^{3}ua^{53}fait^{3},"fən^{21}pʰai^{13}xɔŋ$^{53}_{44}$ke$^{53}_{44}$fa^{53}",tsʰiəu$^{53}_{44}$xe$^{53}_{44}$kɔŋ^{21}xek^{3}li^{0}kʰo^{21}i$^{35}_{53}$n̩^{13}tsɔk^{3}te^{21}.kai^{53}ke^{53}kɔŋ^{21}tau^{21}təu$^{35}_{53}$kʰo^{21}i$^{35}_{53}$n̩^{13}tsɔk^{3}te^{21}.tʂʅ^{21}iəu$^{35}_{53}$lai^{53}çi$^{21}_{44}$lei^{0}?pʰak^{5}tʂʅ^{21}xek^{3}sʅ^{53}ke^{0}tʂʅ^{21}xɔŋ$^{53}_{44}$ke^{53}kai^{53}tsʰiəu$^{53}_{44}$xe^{53}kɔŋ^{21}sʅ^{53}tsʰiəu^{53}ɔi^{53}tsɔk^{3}te^{21}ke^{0}.fən^{21}pʰai^{13}xɔŋ$^{53}_{44}$ke$^{53}_{44}$fa^{53}n̩^{13}tsɔk^{3}te^{21}.iəu^{35}tʂak^{3}kan^{21}ke$^{53}_{44}$ua^{53}fait^{3},kʰak^{3}sin^{53}ɲin$^{13}_{21}$iəu$^{35}_{44}$tʂak^{3}ua^{53}fait^{3}a^{0},"ŋai^{13}ke^{53}fən^{21}pʰai^{13}xɔŋ$^{53}_{44}$ke$^{53}_{44}$fa^{53}xa^{0}",tsin^{53}tek^{3}tʂʰət^{3}tek^{3},ia$^{35}_{44}$kʰo^{21}i$^{35}_{44}$n̩^{13}kɔŋ^{21},ia$^{35}_{44}$mait^{3}iek^{3}cʰi$^{53}_{44}$a^{0},kʰo^{21}i$^{35}_{53}$mait^{3}(x)ek^{3}çi^{53}a^{0},sei^{13}ʂʅ^{13}tsʰiəu^{53}mait^{3}(x)ek^{3}çi^{53}.tʂʅ^{21}iəu$^{35}_{53}$kai$^{53}_{44}$pʰak^{5}tʂʅ^{21}xek^{3}sʅ^{53},kai$^{53}_{44}$ke$^{53}_{44}$tsʰiəu$^{53}_{44}$tsɔk^{3}ti^{53}ke^{0},tsiəu^{53}pət^{3}lien$^{13}_{21}$kɔi^{21}pien^{53}.

【粉皮】fən^{21}pʰi^{13} 名 番薯粉皮的简称：蛮多人就话～嘞。安做～嘞。渠等煮羊肉就放咁个嘞。做成～。就指箇番薯粉皮。man$^{13}_{21}$to$^{35}_{53}$in$^{13}_{44}$tsʰiəu^{53}ua^{53}fən^{21}pʰi^{13}le^{0}.ɔn^{35}tso^{53}fən^{21}pʰi^{13}lei^{0}.ci^{13}tien^{0}tʂəu^{21}iɔŋ^{13}ɲiəuk^{3}tsʰiəu^{53}fɔŋ^{53}kan$^{21}_{44}$cie$^{53}_{44}$lei^{0}.tso^{53}ʂaŋ$^{13}_{21}$fən^{21}pʰi^{13}.tsʰiəu^{53}tʂʅ^{21}kai$^{53}_{44}$fan^{35}ʂəu$^{13}_{21}$fən^{21}pʰi^{13}.

【粉石子】fən^{21}ʂak^{5}tsʅ^{0} 名 风化页岩：～河坝里有捡呶。硬度比较低。有一页页子箇样。fən^{21}ʂak^{5}tsʅ^{0}xo^{13}pa^{53}li^{0}iəu^{35}cian^{21}nau^{0}.ŋaŋ^{53}tʰəu^{53}pi^{21}ciau$^{53}_{44}$te^{35}.iəu^{35}iet^{3}iait$^{5}_{3}$iait^{5}tsʅ^{0}kai$^{53}_{44}$iɔŋ$^{53}_{44}$.

【粉丝】fən^{21}sʅ^{35} 名 ①南粉：慢是我等今晡夜晡就来去点碗～。man^{53}ʂʅ^{53}ŋai^{13}tien^{0}cin^{35}pu^{35}ia^{53}pu$^{35}_{44}$tsʰiəu$^{53}_{44}$lɔi$^{13}_{21}$çi^{53}tian^{21}uɔn^{21}fən^{21}sʅ$^{35}_{44}$. ②某些淀粉制成的长丝状干食品的通称：但是～嘞就有粮食做个，有米……有大米做个，有番薯做个，番薯粉做个，有大米粉做个。tan$^{53}_{44}$ʂʅ$^{53}_{44}$fən^{21}sʅ^{35}lei^{0}tsʰiəu$^{53}_{44}$iəu^{35}liɔŋ^{13}ʂət^{5}tso^{53}ke$^{53}_{44}$,iəu^{35}mi…iəu^{35}tʰai^{53}mi^{21}tso$^{53}_{44}$ke$^{53}_{44}$,iəu^{35}fan^{35}ʂəu$^{13}_{21}$tso$^{53}_{44}$ke$^{53}_{44}$,fan^{35}ʂəu$^{13}_{21}$fən^{21}tso$^{53}_{44}$ke$^{53}_{44}$,iəu$^{35}_{44}$tʰai^{53}mi^{21}fən^{21}tso$^{53}_{44}$ke$^{53}_{44}$.

【粉碎】fən^{21}sei^{53} 动 使碎成粉末：羹，系米粉，分箇米～哩以后，调出来个。kaŋ^{35},xei^{53}mi^{21}fən^{21},pən^{35}kai^{53}mi^{21}fən^{21}sei^{53}li^{0}i^{35}xei^{53},tʰiau^{13}tʂʰət^{3}lɔi$^{13}_{21}$ke^{53}.

【粉线】fən^{21}sien^{53} 名 粘有滑石粉等的粗线，用于裁衣时打底样：打～我也看过。以前个裁缝师傅爱打～。一只布袋子，肚里装兜箇个系唔知滑石粉呐还系石膏粉呐么个粉粉凑。反正是么个粉个。啊，滑石粉吧？系，滑石粉。以下嘞有一条线去下肚里。两头扎稳下子嘞，箇条线拖去拖转。欸，拖下以向，拖下出来，箇个布上嘞一扱倒倒，一弹下去，同箇个弹墨斗线样，箇就打～。欸，打哩一下，第二下，又拖下转，又以边又打得，安做打～。箇我看过渠等打过。欸，箇只布袋子肚里嘞箇布袋子两边都留滴子眼子，箇条线就抽去抽转个，嗯。欸，落尾就有箇个了嘞，落尾就有箇个画粉了嘞。首先冇得嘞，尽是尽打～呢。ta^{21}fən^{21}sien^{53}

ŋai^{13}ia$^{35}_{44}$kʰɔn$^{53}_{44}$ko^{0}.i^{35}tsʰien^{13}ke^{0}tsʰai^{13}fəŋ$^{13}_{44}$sɿ$^{35}_{44}$fu$^{53}_{44}$ɔi$^{53}_{44}$ta^{21}fən^{21}sien^{53}.iet^{3}tʂak^{3}pu^{53}tʰɔi^{53}tsɿ^{0},təu^{21}li^{0}tʂɔŋ^{35}təu$^{35}_{44}$kai$^{53}_{44}$ke$^{53}_{44}$xei^{53}n̩^{13}ti$^{35}_{44}$uait^{5}ʂak^{5}fən^{21}na^{0}xai$^{13}_{21}$xe$^{53}_{44}$ʂak^{5}kau$^{35}_{44}$fən^{21}na^{0}mak^{3}e^{0}fən^{21}fən^{21}tsʰe^{0}.fan^{21}tʂən^{53}ʂʅ$^{53}_{35}$mak^{3}e^{0}fən^{21}cie^{0}.a$_{35}$,uait^{5}ʂak^{5}fən^{21}pa^{0}?xe$^{53}_{44}$,uait^{5}ʂak^{5}fən^{21}.i^{21}xa$^{53}_{44}$lei^{0}iəu$^{35}_{44}$iet^{3}tʰiau$^{13}_{21}$sen^{53}çi^{53}xa^{53}təu^{21}li^{0}.iɔŋ^{21}tʰei^{13}tsait^{3}uən^{21}xa$^{53}_{44}$tsɿ^{0}lei^{0},kai$^{53}_{44}$tʰiau$^{13}_{21}$sien^{53}tʰo^{35}çi$^{53}_{44}$tʰo$^{35}_{44}$tʂɔn^{21}.ei$_{21}$,tʰo^{35}(x)a$^{53}_{44}$i^{21}çiɔŋ^{53},tʰo^{35}(x)a$^{53}_{44}$tʂʰət^{3}lɔi$^{13}_{44}$,kai$^{53}_{44}$kei$^{53}_{44}$pu^{53}xɔŋ$^{53}_{44}$lei^{0}iet^{3}tsʰəŋ^{21}tau$^{21}_{44}$tau^{21},iet^{3}tʰan^{13}na^{53}(←xa^{53})çi^{53},tʰəŋ$^{13}_{44}$kai$^{53}_{44}$ke^{0}tʰan^{13}miet^{5}tei^{21}sen^{53}iɔŋ$^{53}_{44}$,kai$^{53}_{44}$tsʰiəu$^{53}_{44}$ta^{21}fən^{21}sien^{53}.e$_{21}$,ta^{21}li^{0}iet^{3}xa^{53},tʰi$^{53}_{44}$ɲi^{53}xa^{53},iəu^{53}tʰo$^{35}_{44}$(x)a$^{53}_{44}$tʂuən^{21},iəu$^{53}_{44}$i^{21}pien^{35}iəu^{53}ta^{21}tek^{3},ɔn$^{35}_{44}$tso$^{53}_{44}$ta^{21}fən^{21}sien^{53}.kai$^{53}_{44}$ŋai^{13}kʰɔn^{53}ko$^{53}_{44}$ci$^{13}_{21}$tien^{0}ta^{21}ko$^{53}_{44}$.e$_{21}$,kai$^{53}_{44}$tʂak^{3}pu^{53}tʰɔi^{53}tsɿ^{0}təu^{21}li^{0}lei^{0}kai$^{53}_{44}$pu^{53}tʰɔi^{53}tsɿ^{0}iɔŋ^{21}pien$^{35}_{44}$təu$^{35}_{44}$liəu^{13}tiet^{5}tsɿ^{0}ŋan^{21}tsɿ^{0},kai$^{53}_{44}$tʰiau^{13}sen^{53}tsʰiəu$^{53}_{44}$tʂʰəu^{35}çi$^{53}_{44}$tʂʰəu^{35}tʂɔn^{21}cie^{0},n̩$_{21}$.e$_{35}$,lɔk^{5}mi^{35}tsʰiəu$^{53}_{44}$iəu^{35}kai^{53}ke$^{53}_{44}$liau^{21}lei^{0},lɔk^{5}mi^{35}tsʰiəu$^{53}_{44}$iəu^{35}kai^{53}ke$^{53}_{44}$fa^{53}fən^{21}niau$^{21}_{44}$lei^{0}.ʂəu^{21}sien^{35}mau$^{13}_{21}$tek^{3}lei^{0},tsʰin^{53}ʂʅ$^{53}_{44}$tsʰin^{53}ta^{21}fən^{21}sien^{53}nei^{0}.

【粉盐】fən^{21}ian^{13} 名包装出售的细盐：包装个盐就～唠，以个粉粉样个唠。～，我等安做～。以下是粉字也冇么人话了，因为区别箇起咁个一坨坨箇大晶体个盐呶。pau^{35}tsɔŋ$^{35}_{44}$ke$^{53}_{44}$ian$^{13}_{21}$tsʰiəu^{53}fən^{21}ian^{13}nau^{0},i^{21}ke$^{53}_{44}$fən^{21}fən^{21}iɔŋ$^{53}_{44}$ke$^{53}_{44}$lau^{0}.fən^{21}ian^{13},ŋai^{13}tien^{0}ɔn$^{35}_{44}$tso$^{53}_{44}$fən^{21}ian^{13}.i^{21}xa$^{53}_{44}$ʂʅ$^{53}_{44}$fən^{21}tsʰɿ^{53}a$^{35}_{53}$mau^{13}mak^{3}in$^{13}_{44}$ua^{53}liau^{0},in^{35}uei$^{53}_{21}$tʂʰʯ^{35}pʰiek^{5}kai^{53}çi^{21}kan^{21}ke$^{53}_{44}$iet^{3}tʰo$^{13}_{21}$tʰo$^{13}_{21}$ke$^{53}_{44}$tʰai^{53}tsin^{35}tʰi^{21}cie$^{53}_{44}$ian^{13}nau^{0}.

【粉蒸肉】fən^{21}tʂən^{35}ɲiəuk^{3} 名一种菜肴。把肉切成块，加蒸肉粉、作料蒸熟：～啊？蒸呶。fən^{21}tʂən^{35}ɲiəuk^{3}a^{0}?tʂən^{35}nau^{0}.

【分$_{6}$】fən^{53} 名权限，资格：你就冇得你个～。箇就爱让分长辈坐。ɲi^{13}tsʰiəu$^{53}_{44}$mau$^{13}_{21}$tek^{3}ɲi$^{13}_{44}$e$^{53}_{44}$fən^{53}.kai^{53}tsʰiəu$^{53}_{44}$ɔi$^{53}_{44}$ɲiɔŋ^{53}mən^{35}(←pən^{35})tʂɔŋ^{21}pei^{53}tsʰo^{35}.

【分头】fən^{53}tʰei$^{13}_{21}$ 名职分；正业：你系想嫽，你系想打球，想搞手机，休息个时候子你想打下子牌，但是你爱记得～，你自家个职责莫□记哩，莫□记哩自家系搞么个个人。ɲi^{13}xe^{53}siɔŋ^{21}liau^{53}, ɲi^{13}xe^{53}siɔŋ^{21}ta^{21}cʰiəu^{13},siɔŋ^{21}kau^{21}ʂəu^{21}ci^{35},siəu^{35}siet^{3}ke^{53}ʂʅ^{13}xei^{53}tsɿ^{0}ɲi^{13}siɔŋ^{21}ta^{21}xa^{53}tsɿ^{0}pʰai^{13}, tan$^{53}_{44}$ʂʅ$^{53}_{44}$ɲi$^{13}_{21}$ɔi^{53}ci^{53}tek^{3}fən^{53}tʰei$^{13}_{21}$, ɲi^{13}tsʰɿ^{35}ka$^{35}_{44}$ke^{53}tʂət^{3}tsek^{3}mɔk^{5}lai^{13}ci^{53}li^{0},mɔk^{5}lai^{13}ci^{53}li^{0}tsʰɿ^{35}ka$^{35}_{44}$xei^{53}kau^{21}mak^{3}ke^{53}ke^{53}ɲin^{13}.｜就系打比嫽手机样，你嫽一阵子你就莫嫽哩，你莫唔记得～，总嫽稳去，饭都唔记得食了。tsʰiəu^{53}xei^{53}ta^{21}pi^{21}liau^{53}ʂəu^{21}ci$^{35}_{44}$iɔŋ^{53}, ɲi$^{13}_{21}$liau^{53}iet^{3}tʂʰən^{53}tsɿ^{0}ɲi$^{13}_{21}$tsʰiəu^{53}mɔk^{5}liau^{53}li^{0}, ɲi^{13}mɔk^{5}n̩^{13}ci^{53}tek^{3}fən^{53}tʰei$^{13}_{44}$,tsəŋ^{21}liau^{53}uən^{21}cʰi^{53},fan^{53}təu$^{35}_{44}$n̩$^{13}_{21}$ci^{53}tek^{3}ʂət^{5}liau^{0}.

【份】fən^{53} 量用于按比例搭配的东西，有时特指其中的十分之一：三沙一土就四～吵。san^{35}sa$^{35}_{44}$iet^{3}tʰəu^{21}tsʰiəu$^{53}_{44}$si^{53}fən$^{53}_{21}$ʂa^{0}.

【粪】pən^{53} 名人或动物的排泄物，或专指大便：舀～个粪角 iau^{21}pən^{53}ke$^{53}_{44}$pən^{53}kɔk^{3}

【粪凼】pən^{53}/fən^{53}tʰɔŋ^{53} 名积粪便的坑，包括田中的粪坑：粪缸下是箇只～。pən^{53}kɔŋ$^{35}_{44}$xa^{35}ʂʅ$^{53}_{44}$kai$^{53}_{44}$tʂak^{3}fən^{53}tʰɔŋ^{53}.｜～里个箇起就安做屎蛆。pən^{53}tʰɔŋ$^{53}_{44}$li^{0}ke$^{53}_{44}$kai^{53}çi^{21}tsʰiəu$^{53}_{44}$ɔn$^{35}_{44}$tso$^{53}_{44}$ʂʅ^{21}tsʰi^{35}.｜人屙个人屎嘞，但是嘞，你舞下箇个～里去哩以后就喊人粪。ɲin^{13}o$^{35}_{44}$ke$^{53}_{44}$ɲin^{13}ʂʅ^{21}lei^{0},tan^{53}ʂʅ$^{53}_{44}$lei^{0}, ɲi$^{13}_{21}$u^{21}xa$^{53}_{44}$kai$^{53}_{44}$ke$^{53}_{44}$pən^{53}tʰɔŋ^{53}li^{0}çi$^{53}_{44}$li^{0}i$^{35}_{44}$xei$^{53}_{44}$tsʰiəu$^{53}_{44}$xan$^{53}_{44}$ɲin^{13}pən^{53}.

【粪端】pən^{53}tɔn^{35} 名舀粪用的竹筒，外壁安有长柄。又称“粪角”：（粪角）也有人讲～，～。ia^{35}iəu$^{35}_{44}$ɲin$^{13}_{21}$kɔŋ^{21}fən^{53}tɔn^{35},pən^{53}tɔn^{35}.

【粪缸】pən^{53}kɔŋ^{35} 名粪坑。又称“粪缸下、粪凼”：以前是人畜个粪便是爱留……粪呐，屙个屎啊，人屙个屎啊，动物屙个屎……牛……猪子牛子屙个屎啊，都爱留起来，只爱特别人屙个屎摎猪子屙个屎爱留起来。留下哪映子嘞？留下～里。如今是冇么人留哩，尽系搞下化粪池肚里下哩河。唔系所以如今个河就安做富营养化。欸，箇化粪池个水下下哩河嘞，尽系有肥嘞。i$^{35}_{53}$tsʰien^{13}ʂʅ$^{53}_{44}$ɲin^{13}cʰiəuk^{3}kei^{53}fən^{53}pʰien^{53}ʂʅ$^{53}_{21}$ɔi^{53}liəu$^{13}_{21}$…pən^{53}na^{0},o^{35}ke^{53}ʂʅ^{21}ʐa^{0}, ɲin^{13}o^{35}ke^{53}ʂʅ^{21}ʐa^{0}, tʰəŋ^{53}uk^{5}o$^{35}_{44}$ke^{53}ʂ…ɲiəu$^{13}_{21}$…tʂəu^{35}tsɿ^{0}ɲiəu^{13}tsɿ^{0}o$^{35}_{44}$ke^{53}ʂʅ^{21}ʐa^{0},təu^{35}ɔi$^{53}_{44}$liəu^{13}çi^{21}lɔi^{13},tʂʅ^{21}ɔi$^{53}_{44}$tʰet^{5}piet^{5}ɲin^{13}o$^{35}_{44}$ke$^{53}_{44}$ʂʅ^{21}lau^{35}tʂəu^{35}tsɿ^{0}o^{35}ke^{53}ʂʅ^{21}ɔi^{53}liəu^{13}çi^{21}lɔi$^{13}_{44}$.liəu^{13}(x)a$^{53}_{44}$la^{53}iaŋ^{53}tsɿ^{0}lei^{0}?liəu^{13}(x)a$^{53}_{44}$pən^{53}kɔŋ^{35}li^{0}.i$^{13}_{21}$cin$^{35}_{44}$ʂʅ$^{53}_{44}$mau^{13}mak^{3}ɲin$^{13}_{44}$liəu^{13}li^{0},tsʰin^{53}ne$^{53}_{44}$kau^{21}(x)a$^{53}_{44}$fa^{53}fən^{53}tʂʰʅ^{13}təu^{21}li^{0}xa^{35}li^{0}xo^{13}.m̩$^{13}_{21}$pʰe^{53}so^{21}i$^{35}_{53}$i$^{13}_{21}$cin$^{35}_{44}$ke^{0}xo^{13}tsʰiəu$^{53}_{21}$ɔn$^{35}_{53}$tso^{53}fu^{53}in^{13}iɔŋ^{35}fa^{53}.e$_{21}$,kai$^{53}_{44}$fa^{53}fən^{53}tʂʰʅ^{13}ke^{53}ʂei^{21}xa^{53}xa^{35}li^{0}xo^{13}lei^{0},tsʰin^{53}ne$^{53}_{44}$iəu$^{35}_{44}$pʰi$^{13}_{21}$le^{0}.

【粪缸下】pən^{53}kɔŋ$^{35}_{44}$xa^{35} 名厕所中积粪便的坑：系啊？渠话～，～是箇只粪凼。哎，就箇凼。就是。欸，凼正系～。xe$^{53}_{44}$a^{0}?ci$^{13}_{21}$ua$^{53}_{44}$pən^{53}kɔŋ$^{35}_{44}$xa^{35},pən^{53}kɔŋ$^{35}_{44}$xa^{35}ʂʅ$^{53}_{44}$kai$^{53}_{44}$tʂak^{3}fən^{53}tʰɔŋ^{53}.ai$_{21}$,tsiəu$^{53}_{44}$kai$^{53}_{21}$tʰɔŋ^{53}.tsiəu$^{53}_{21}$sɿ$^{53}_{44}$.e$_{21}$,tʰɔŋ^{53}tʂaŋ$^{53}_{44}$ŋe$_{44}$(←xe^{53})pən$^{53}_{44}$kɔŋ$^{35}_{44}$xa^{35}.

【粪箕】pən^{53}ci^{35} 名运送泥土、粪肥的篾制农具，形如撮箕，有耳子或提梁，可双挑可单提：如今荷牛屎荷箇只么个，三担牛屎六～。箇是～，蛮大个，有两只耳朵，系啊？～。i$^{13}_{21}$cin$^{35}_{53}$

kʰai^{35}ɲiəu^{13}ʂʅ^{21}kʰai$^{35}_{44}$kai$^{35}_{44}$tʂak^{3}mak^{3}e^{0},san$^{35}_{44}$tan$^{35}_{44}$ɲiəu$^{13}_{21}$ʂʅ^{21}liəuk^{3}pən^{53}ci$^{35}_{44}$.kai$^{53}_{44}$ʂʅ$^{53}_{44}$pən^{53}ci$^{35}_{44}$,man^{13}tʰai^{53}ke^{0},iəu^{35}iəŋ^{21}tʂak^{3}ɲi^{21}to^{0},xei$^{53}_{44}$a^{0}?pən^{53}ci$^{35}_{44}$.

【粪角】pən^{53}kɔk^{3} [名]舀粪用的竹筒，外壁安有长柄。又称“粪端”：舀粪个～，舀尿个尿角，系，有尿角～。iau^{21}pən^{53}ke$^{53}_{21}$pən^{53}kɔk^{3},iau^{21}ɲiau$^{53}_{44}$ke$^{53}_{44}$ɲiau^{53}kɔk^{3},xe$^{53}_{44}$,iəu^{35}ɲiau^{53}kɔk^{3}pən^{53}kɔk^{3}.

【粪勺】pən^{53}ʂɔk^{5} [名]舀粪用的木制工具，大而浅，有把穿透勺壁：我等以样讲个，～擗粪角系唔同，两只东西。粪角指竹子做个，一只筒筒个，就粪角。～就系用木做只箇圆筒筒子，中间舞一条，舞条棍，□下去个，箇只是～。嘞，就同以只东西样个，以中间打只眼，以映打只眼，咁子，勺子就冲上去，冲倒以向。欸，就～。咁子，欸，就咁子，咁子拿倒舀个，～。我等个是硬硬硬非常明显个，～擗粪角就根本系两回事，两只东西。如今就有塑料个了。ŋai$^{13}_{21}$tien^{0}i$^{21}_{44}$iəŋ$^{53}_{44}$kɔŋ^{21}ke$^{53}_{44}$,pən^{53}ʂɔk^{5}lau^{35}pən^{53}kɔk^{3}xe^{53}n̩^{13}tʰəŋ^{13},iəŋ^{21}tʂak^{3}təŋ$^{35}_{44}$si^{0}.pən^{53}kɔk^{3}tʂʅ^{21}tʂəuk^{3}tsʅ^{0}tso$^{53}_{44}$ke$^{53}_{44}$,iet^{3}tʂak^{3}tʰəŋ^{13}tʰəŋ$^{13}_{44}$ke$^{53}_{44}$,tsiəu$^{53}_{44}$pən^{53}kɔk^{3}.pən^{53}ʂɔk^{5}tsʰiəu$^{53}_{44}$(x)e$^{53}_{44}$iəŋ^{53}muk^{3}tso^{53}tʂak^{3}kai^{53}ien^{13}tʰəŋ$^{13}_{21}$tʰəŋ$^{13}_{21}$tsʅ^{0},tʂəŋ^{35}kan$^{35}_{44}$u^{21}iet^{3}tʰiau^{13},u^{21}tʰiau^{13}kuən^{53},iəu$_{21}$ua$^{53}_{44}$çi$^{53}_{44}$ke$^{53}_{44}$,kai$^{53}_{44}$tʂak^{3}ʂʅ$^{53}_{44}$pən$^{53}_{44}$ʂɔk^{5}.lei$_{35}$,tsʰiəu^{53}tʰəŋ$^{13}_{21}$i^{21}tʂak^{3}təŋ^{35}si^{0}iəŋ$^{53}_{44}$ke$^{53}_{44}$,i^{21}tʂəŋ^{35}kan$^{35}_{44}$ta^{21}tʂak^{3}ŋan^{21},i^{21}iaŋ^{53}ta^{21}tʂak^{3}ŋan^{21},kan^{21}tsʅ^{0},ʂɔk^{5}tsʅ^{0}tsəu$^{53}_{21}$tʂʰəŋ^{53}ʂəŋ$^{53}_{21}$çi$^{53}_{44}$,tʂʰəŋ^{53}tau^{21}i^{21}çiəŋ$^{53}_{44}$.e$_{21}$,tsiəu$^{53}_{21}$pən$^{53}_{44}$ʂɔk^{5}.kan^{21}tsʅ^{0},e$_{44}$,tsʰiəu^{53}kan^{21}tsʅ^{0},kan^{21}tsʅ^{0}la^{53}tau^{21}iau^{21}ke$^{53}_{44}$,pən^{53}ʂɔk^{5}.ŋai^{13}tien^{0}ke$^{53}_{44}$ʂʅ$^{53}_{44}$ɲiaŋ$^{53}_{44}$ɲiaŋ$^{53}_{44}$ɲiaŋ$^{53}_{44}$fei^{35}ʂəŋ$^{13}_{21}$min^{13}çien^{21}ke$^{53}_{44}$,pən^{53}ʂɔk^{5}lau$^{35}_{44}$pən^{53}kɔk^{3}tsʰiəu$^{53}_{44}$cien^{35}pən^{21}xe$^{53}_{44}$iəŋ^{21}fei^{35}sʅ^{53},iəŋ^{21}tʂak^{3}təŋ^{35}si^{0}.i$^{13}_{21}$cin^{35}tsʰiəu$^{53}_{44}$iəu$^{35}_{44}$sɔk^{3}liau$^{53}_{44}$ke$^{53}_{44}$liau^{21}.

【粪桶】pən^{53}tʰəŋ^{21} [名]用来装粪挑粪的桶：以前就有～是用树做个，以下是唔爱哩，尽系箇个唔知几……欸，尽系塑料个～。i^{35}tsʰien^{13}tsʰiəu$^{53}_{44}$iəu$^{35}_{44}$pən^{53}tʰəŋ^{21}ʂʅ$^{53}_{21}$iəŋ^{53}ʂəu^{53}tso$^{53}_{44}$ke^{0},i^{21}xa$^{53}_{44}$ʂʅ^{53}m̩$^{13}_{21}$mɔi$^{53}_{44}$li^{0},tsʰin^{53}xe$^{53}_{44}$kai$^{53}_{44}$ke$^{53}_{44}$n̩^{13}ti$^{35}_{53}$ci^{21}…e$_{44}$,tsʰin^{53}xe$^{53}_{44}$sɔk^{3}liau$^{53}_{44}$ke^{0}pən^{53}tʰəŋ^{21}.

【风$_{1}$】fəŋ^{35} [名]①空气流动的现象：～停哩。fəŋ^{35}tʰin^{13}li^{0}. ②麻将牌中的东、西、南、北的泛称：风子，系呀？东西南北～吵，唔用，渠等人。fəŋ^{35}tsʅ^{0},xci$^{53}_{44}$ia^{0}?təŋ$^{35}_{44}$si$^{35}_{44}$lan$^{13}_{21}$pɔit^{3}fəŋ^{35}ʂa^{0},n̩^{13}ɲiəŋ^{53},ci$^{13}_{21}$tien^{0}ɲin$^{13}_{21}$.

【风$_{2}$】fəŋ^{35} [动]风瘫：一边～嘿哩。iet^{3}pien^{35}fəŋ^{35}xek^{3}li^{0}. 半身不遂

【风雹】fəŋ^{35}pʰau^{53} [名]冰雹：～我看过只看过箇个欸几大子个？我只我还赠看过几大子，只看咁大子，大概系几大子个？嗯，比黄豆子大滴子个。渠等话看过乒乓球咁大个。fəŋ^{35}pʰau^{53}ŋai^{13}kʰɔn$^{53}_{44}$ko$^{53}_{44}$tʂʅ^{21}kʰɔn$^{53}_{44}$ko$^{53}_{44}$kai$^{53}_{44}$kei$^{53}_{44}$e$_{44}$ci^{21}tʰai^{53}tsʅ^{0}ke^{0}?ŋai^{13}tʂʅ^{21}ŋai^{13}xai^{13}maŋ^{13}kʰɔn^{53}ko$^{53}_{44}$ci^{21}tʰai^{53}tsʅ^{0},tʂʅ^{21}kʰan^{53}kan^{21}tʰai$^{53}_{44}$tsʅ^{0},tʰai^{53}kʰai^{53}xei^{53}ci^{21}tʰai^{53}tsʅ^{0}ke^{0}?ən$_{21}$,pi$^{13}_{21}$uəŋ^{13}tʰei$^{53}_{44}$tsʅ^{0}tʰai^{53}tiet^{5}tsʅ^{0}ke^{0}.ci$^{13}_{21}$tien^{0}ua^{53}kʰɔn^{53}ko^{53}pʰin$^{35}_{53}$pʰəŋ$^{35}_{53}$cʰiəu^{13}kan^{21}tʰai^{53}ke^{0}.

【风瀑】fəŋ^{35}pʰuk^{5} [名]荨麻疹：起～啊，身上起倒一坨坨个子子啊。我起过。尤其系学堂里个学生子起得多。渠就卫生条件唔好唠，赠搞得好嘛。同时嘞渠等睡倒箇床上吵，睡倒箇寝室里吵，唔像我等我睡以张床就睡以张床。渠等睡倒箇寝室里，好搞样，你就到我床上睡，我就到渠床上睡，结果就交叉传染感染。只爱有一个人，箇寝室里就唔止一个了。只爱有一个人带倒来哩，架哩势，箇寝室里就唔止哩。～长在身上，手脚上见得，就系身上。çi^{21}fəŋ^{35}pʰuk^{5}a^{0},ʂən^{35}xəŋ$^{53}_{44}$çi^{21}tau^{21}iet^{3}tʰo^{13}tʰo^{13}ke^{53}tsʅ^{21}tsʅ^{21}a^{0}.ŋai^{13}çi^{21}ko^{53}.iəu^{35}cʰi^{13}xe^{53}xɔk^{5}tʰɔŋ$^{13}_{44}$li^{0}ke^{0}xɔk$^{5}_{3}$saŋ^{35}tsʅ^{0}çi^{21}tek^{3}to^{35}.ci^{13}tsʰiəu$^{53}_{44}$uei^{53}sen$^{35}_{44}$tʰiau^{13}cʰien^{53}n̩$^{13}_{21}$xau^{21}lau^{0},maŋ^{13}kau^{21}tek^{3}xau$^{21}_{44}$ma^{0}.tʰəŋ^{13}ʂʅ$^{13}_{44}$lei^{0}ci^{13}tien^{0}ʂɔi^{53}tau^{21}kai$^{53}_{21}$tsʰɔŋ^{13}xɔŋ$^{53}_{44}$ʂa^{0},ʂɔi$^{53}_{44}$tau$^{21}_{44}$kai$^{53}_{44}$tsʰin^{21}ʂət^{3}li^{0}ʂa^{0},n̩^{13}tsʰiəŋ^{53}ŋai^{13}tien^{0}ŋai^{13}ʂɔi^{53}i^{21}tʂəŋ$^{35}_{44}$tsʰɔŋ$^{13}_{21}$tsʰiəu^{53}ʂɔi^{53}i^{21}tʂəŋ^{35}tsʰɔŋ$^{13}_{21}$.ci$^{13}_{21}$tien^{0}ʂɔi^{53}tau$^{21}_{44}$kai$^{53}_{44}$tsʰin^{21}ʂət^{3}li^{0},xau^{21}kau^{21}iəŋ^{53}, ɲi^{13}tsʰiəu^{53}tau^{53}ŋai^{13}tsʰɔŋ^{13}xɔŋ^{53}ʂɔi^{53},ŋai^{13}tsʰiəu^{53}tau^{53}ci$^{13}_{21}$tsʰɔŋ^{13}xɔŋ^{53}ʂɔi^{53},ciet^{3}ko^{21}tsiəu$^{53}_{44}$ciau^{35}tsʰa^{35}tʂʰen$^{35}_{21}$vien^{21}kan^{21}vien^{21}.tʂʅ^{21}ɔi$^{53}_{44}$iəu$^{35}_{44}$iet^{3}cie^{53}ɲin^{13},kai^{53}tsʰin^{21}ʂət^{3}li^{21}tsʰiəu^{53}n̩^{13}tʂʅ^{21}iet^{3}cie^{53}liau^{0}.tʂʅ^{21}ɔi$^{53}_{44}$iəu$^{35}_{44}$iet^{3}cie^{53}ɲin^{13}tai^{53}tau^{21}lɔi^{13}li^{0},cia^{53}li^{0}ʂʅ^{53},kai^{53}tsʰin^{21}ʂət^{5}li^{0}tsʰiəu^{53}n̩^{13}tʂʅ^{21}li^{0}.fəŋ^{35}pʰuk^{5}tʂəŋ^{21}tsʰai$^{53}_{21}$ʂən^{35}xəŋ^{53},ʂəu^{21}ciɔk^{3}xəŋ^{53}cien^{53}tek^{3},tsiəu^{53}xe^{53}ʂən^{35}xəŋ^{53}.

【风车】fəŋ^{35}tʂʰa^{35} [名]用来去除秕糠的农具：～是我等指个我等南方以只栏场个～是就系箇车谷个～嘞。fəŋ^{35}tʂʰa^{35}ʂʅ$^{53}_{44}$ŋai^{13}tien^{0}tʂʅ^{21}ke^{0}ŋai^{13}tien^{0}lan^{13}fəŋ^{35}i^{21}tʂak^{3}laŋ$^{13}_{21}$tʂʰəŋ$^{13}_{44}$ke^{0}fəŋ^{35}tʂʰa^{35}ʂʅ$^{53}_{44}$tsʰiəu$^{53}_{44}$xe$^{53}_{44}$kai$^{53}_{44}$tʂʰa^{35}kuk^{3}ke^{0}fəŋ$^{35}_{44}$tʂʰa$^{35}_{44}$lei^{0}.

【风车斗】fəŋ^{35}tʂʰa^{35}tei^{21}/təu^{21} 老派 [名]①风车顶部的斗：风车脑高箇只装谷个箇只斗呀。/喊～。/安做～。/脑高咁个箇，箇顶高箇只就～哇。fəŋ^{35}tʂʰa^{35}lau^{21}kau$^{35}_{44}$kai$^{53}_{44}$tʂak^{3}tʂəŋ^{35}kuk^{3}ke^{53}kai$^{53}_{44}$tʂak^{3}tei^{21}ia^{0}./xan^{53}fəŋ$^{35}_{44}$tʂʰa$^{35}_{44}$təu^{21}./ən$^{35}_{44}$tso$^{53}_{44}$fəŋ^{35}tʂʰa^{35}tei^{21}./lau$^{21}_{53}$kau^{35}kan^{21}ke$^{53}_{44}$ka$^{53}_{44}$,kai$^{53}_{44}$taŋ^{21}kau^{35}kai^{53}tʂak^{3}tsiəu^{53}fəŋ$^{35}_{44}$tʂʰa$^{35}_{44}$təu^{21}ua^{0}. ②风车底部壮实粮食的出口：一只就出二仁谷个～哟。iet^{3}tʂak^{3}tsʰiəu$^{53}_{44}$tʂʰət^{3}ɲi^{53}in$^{13}_{21}$kuk^{3}ke$^{53}_{44}$fəŋ$^{35}_{44}$tʂʰa$^{35}_{44}$tei^{21}iau^{0}.

【风车鼓子】fəŋ^{35}tʂʰa^{35}ku^{21}tsɿ^{0} [名]风车上鼓风用的圆形部分：箇只鼓子面上箇只就系～。kai$^{53}_{44}$tʂak^{3}ku^{21}tsɿ^{0}mien^{53}xɔŋ$^{53}_{44}$kai$^{53}_{44}$tʂak^{3}tsʰiəu$^{53}_{44}$xe$^{53}_{44}$fəŋ$^{35}_{44}$tʂʰa^{35}ku^{21}tsɿ^{0}.

【风车扭】fəŋ^{35}tʂʰa^{35}ɲiəu^{21} [名]摇动风车叶轮的把手：～，渠拿倒咁个去趟去趟转呢就系扭嘛。fəŋ^{35}tʂʰa^{35}ɲiəu^{21},ci$^{13}_{44}$la$^{53}_{21}$tau$^{21}_{44}$kan$^{21}_{44}$ŋe$_{44}$(←ke^{53})cʰi$^{53}_{44}$ciəuk^{5}çi$^{53}_{44}$ciəuk^{5}tʂən^{21}ne^{0}tsʰiəu$^{53}_{44}$xe$^{53}_{44}$ɲiəu^{21}ma^{0}.

【风车尾】fəŋ^{35}tʂʰa^{35}mi^{35} [名]从风车尾部飞出来的秕谷等：～就箇个冇滴用个只好沤火□个箇起箇个瘪谷。滴子米都冇得个，箇个就瘪谷。就胖谷啊，冇滴子肉个。fəŋ^{35}tʂʰa^{35}mi^{35}tsʰiəu$^{53}_{44}$kai$^{53}_{44}$ke$^{53}_{44}$mau^{13}tiet^{5}iəŋ$^{53}_{44}$ke^{0}tʂɿ^{21}xau^{21}ei^{53}fo^{21}tsʰiau$^{35}_{44}$ke^{0}kai$^{53}_{44}$çi$^{21}_{44}$kai$^{53}_{44}$ke$^{53}_{44}$iait^{3}kuk^{3}.tiet^{5}tsɿ^{0}mi^{21}təu$^{35}_{53}$mau$^{13}_{21}$tek^{3}ke^{0},kai$^{53}_{44}$ke$^{53}_{44}$tsiəu$^{53}_{21}$iait^{3}kuk^{3}.tsiəu$^{53}_{44}$pʰaŋ^{53}kuk^{3}a^{0},mau^{13}tiet^{5}tsɿ^{0}ɲiəuk^{3}ke^{0}.

【风车叶子】fəŋ^{35}tʂʰa^{35}iait^{5}tsɿ^{0} [名]风车的叶片：箇只车箇只就～。/箇就一皮皮子个。kai$^{53}_{44}$tʂak^{3}tʂʰa^{35}kai$^{53}_{44}$tʂak^{3}tsʰiəu$^{53}_{44}$fəŋ$^{35}_{44}$tʂʰa$^{35}_{44}$iait^{5}tsɿ^{0}./kai$^{53}_{44}$tsʰiəu$^{53}_{44}$iet^{3}pʰi^{13}pʰi^{13}tsɿ^{0}ke^{53}.

【风家子】fəŋ^{35}cia^{35}tsɿ^{0} [名]瘫痪的人：瘫痪个人就安做～。风嘿哩就成哩～。一个人风嘿哩，成哩～。tʰan^{35}xɔn^{53}ke$^{53}_{44}$ɲin$^{13}_{21}$tsʰiəu$^{53}_{44}$ɔn$^{35}_{44}$tso$^{53}_{44}$fəŋ^{35}cia^{35}tsɿ^{0}.fəŋ^{35}xek^{3}li^{0}tsʰiəu^{53}ʂaŋ$^{13}_{21}$li^{0}fəŋ^{35}cia^{35}tsɿ^{0}.iet^{3}ke^{53}ɲin$^{13}_{21}$fəŋ^{35}xek^{3}li^{0},ʂaŋ^{13}li^{0}fəŋ^{35}cia^{35}tsɿ^{0}.

【风帽】fəŋ^{35}mau^{53} [名]冬日御寒避风的帽子，戴上时连耳朵、颈后都能遮住：～就系……很少用呢，我等以个栏场风唔大。有就有，～有就有。一只～，细人子个～，细人子～嘞以个用咁个针织织个，织个～，咁子包倒一只脑壳。后背缔下后背吊下倒，箇就～。还有兜夫娘子有戴～。欸，一般中年人欸青年人个男子人就冇么人戴～。渠就系包稳只脑壳，挡风个，咁做～。露出只脸来。欸，渠箇个颈筋上就咁子一缔下转呐，～撂围巾搞做一下去哩啊，缔下倒哇。fəŋ^{35}mau^{53}tsʰiəu^{53}xe$^{53}_{44}$…xen^{21}ʂau^{21}iəŋ^{53}ne^{0},ŋai^{13}tien^{0}i^{21}ke^{53}laŋ$^{13}_{21}$tʂʰɔŋ$^{13}_{21}$fəŋ^{35}n̩$^{13}_{21}$tʰai^{53}.iəu^{35}tsʰiəu$^{53}_{21}$iəu$^{35}_{53}$,fəŋ^{35}mau$^{53}_{44}$iəu^{35}tsʰiəu$^{53}_{21}$iəu$^{35}_{44}$.iet^{3}tʂak^{3}fəŋ^{35}mau$^{53}_{44}$,se^{53}ɲin$^{13}_{21}$tsɿ^{0}ke^{0}fəŋ^{35}mau$^{53}_{44}$,sei^{53}ɲin$^{13}_{21}$tsɿ^{0}fəŋ^{35}mau$^{53}_{44}$lei^{0}i^{21}kei$^{53}_{44}$iəŋ^{53}kan^{21}ke$^{53}_{44}$tʂən^{35}tʂət^{3}tʂət^{3}ke^{53},tʂət^{3}ke^{0}fəŋ^{35}mau$^{53}_{44}$,kan^{21}tsɿ^{0}pau^{35}tau^{21}iet^{3}tʂak^{3}lau^{21}kʰɔk^{3}.xei$^{53}_{44}$pɔi$^{53}_{44}$tʰak^{3}a^{0}xei^{53}pɔi$^{53}_{44}$tiau^{53}ua$^{53}_{44}$tau^{21},kai$^{53}_{44}$tsʰiəu$^{53}_{44}$fəŋ^{35}mau$^{53}_{44}$.xai$^{13}_{21}$iəu$^{35}_{44}$təu$^{35}_{44}$pu^{35}ɲiɔŋ$^{13}_{21}$tsɿ^{0}iəu$^{35}_{44}$tai^{53}fəŋ^{35}mau$^{53}_{44}$.e$_{21}$,iet^{3}pɔn$^{35}_{44}$tʂəŋ^{35}ɲien^{13}ɲin$^{13}_{21}$e^{0}tsʰin^{35}ɲien$^{13}_{21}$ɲin$^{13}_{21}$ke^{53}lan^{13}tsɿ^{0}ɲin^{13}tsʰiəu$^{53}_{21}$mau$^{13}_{21}$mak^{3}in$^{13}_{44}$tai$^{53}_{44}$fəŋ^{35}mau^{53}.ci^{13}tsʰiəu$^{53}_{44}$xe$^{53}_{44}$pau^{35}uən^{21}tʂak^{3}lau^{21}kʰɔk^{3},tɔŋ^{21}fəŋ^{35}ke^{0},kan^{21}tso$^{53}_{21}$fəŋ^{35}mau^{53}.ləu^{53}tʂʰət^{3}tʂak^{3}lien^{21}nɔi$^{13}_{44}$.ei$_{21}$,ci$^{13}_{21}$kai^{53}ke^{0}ciaŋ^{21}cin$^{35}_{44}$xɔŋ^{53}tsʰiəu$^{53}_{44}$kan^{21}tsɿ^{0}iet^{3}tʰak^{3}(x)a^{53}tʂuən^{21}na^{0},fəŋ^{35}mau$^{53}_{44}$lau$^{35}_{44}$uei^{13}cin$^{35}_{44}$kau^{21}tso^{53}iet^{3}xa^{53}çi^{53}li^{0}a^{0},tʰak^{3}(x)a^{53}tau^{21}ua^{0}.

【风皮】fəŋ^{35}pʰi^{13} [名]头屑：脑壳上起～。lau^{21}kʰɔk^{3}xɔŋ^{53}çi^{21}fəŋ^{35}pʰi$^{13}_{44}$.｜箇个洗头个东西呀硬爱买好兜子个。我洗过一回箇个便宜个，洗哩时硬就系咁多子～，欸，脑壳上就咁多子～，雪白个，剁剁跌。以下我再都唔用箇，我冇得哩我就会用水，我就洗清水。冇得哩，我冇得～了。一般系冷天更多，热天更冇事。kai$^{53}_{44}$ke$^{53}_{44}$se^{21}tʰei^{13}ke$^{53}_{44}$təŋ$^{35}_{44}$si$^{35}_{44}$ia^{0}ɲiaŋ^{53}ɔi^{53}mai^{35}xau^{21}təu$^{35}_{53}$tsɿ^{0}ke^{0}.ŋai^{13}se^{21}ko^{53}iet^{3}fei^{13}kai$^{53}_{44}$ke$^{53}_{44}$pʰien^{13}ɲin^{13}ke^{53},se^{21}li^{0}ʂɿ^{13}ɲiaŋ^{53}tsʰiəu^{53}xei$^{53}_{44}$kan^{21}to$^{35}_{44}$tsɿ^{0}fəŋ^{35}pʰi$^{13}_{44}$,e$_{21}$,lau^{21}kʰɔk^{3}xɔŋ^{53}tsʰiəu^{53}kan^{21}to$^{35}_{53}$tsɿ^{0}fəŋ^{35}pʰi$^{13}_{44}$,siet^{5}pʰak^{5}ke^{0},to^{53}to^{53}tet^{3}.i^{21}xa^{53}ŋai$^{13}_{21}$tsai^{53}təu$^{35}_{53}$n̩^{13}iəŋ^{53}kai^{53},ŋai^{13}mau^{13}tek^{3}li^{0}ŋai^{13}tsʰiəu^{53}uɔi^{53}iəŋ^{53}ʂei^{21},ŋai^{13}tsiəu^{53}sei^{21}tsʰiaŋ^{35}ʂei^{21}.mau$^{13}_{21}$tek^{3}li^{0},ŋai^{13}mau$^{13}_{21}$tek^{3}fəŋ$^{35}_{44}$pʰi$^{13}_{21}$liau^{0}.iet^{3}pɔn^{35}xe^{53}laŋ^{35}tʰien$^{35}_{44}$cien$^{53}_{44}$to$^{35}_{44}$,ɲiet^{5}tʰien$^{35}_{44}$cien^{53}mau^{13}sɿ$^{53}_{21}$.

【风煞】fəŋ^{35}sait^{3} [名]指风带来的煞气：我等箇映有只箇个岭岗嘴上啊就安做……安做么个？一只圆墩，欸一只溜圆个一只箇墩墩，箇岭岗嘴上一只墩墩，安做圆墩，圆墩上，安做圆墩上。箇映做只屋啊冇哩一个人，箇只屋都朽嘿哩，冇得一个人，系人唔适箇栏场，～重哩，两个嘴上咯，～重哩。箇屋坐下箇岭岗嘴上唔好，四向来风啊。ŋai^{13}tien^{0}kai$^{53}_{44}$iaŋ$^{53}_{44}$iəu^{35}tʂak^{3}kai$^{53}_{44}$kei$^{53}_{44}$liaŋ^{35}kɔŋ$^{35}_{44}$tsi^{21}xɔŋ^{53}ŋa^{0}tsʰiəu$^{53}_{44}$ɔn$^{35}_{53}$tso$^{53}_{44}$…ɔn^{35}tso$^{53}_{44}$mak^{3}ke$^{53}_{44}$?iet^{3}tʂak^{3}ien^{13}tən$^{35}_{44}$,ei$_{53}$iet^{3}tʂak^{3}liəu^{35}ien$^{13}_{21}$ke^{53}iet^{3}tʂak^{3}kai^{53}tən$^{35}_{21}$tən$^{35}_{21}$,kai$^{53}_{21}$liaŋ$^{35}_{44}$kɔŋ$^{35}_{44}$tsi^{21}xɔŋ^{53}iet^{3}tʂak^{3}tən$^{35}_{21}$tən$^{35}_{21}$,ɔn$^{35}_{44}$tso^{53}ien^{13}tən$^{35}_{21}$,ien^{13}tən^{35}xɔŋ^{53},ɔn$^{35}_{44}$tso$^{53}_{44}$ien^{13}tən$^{35}_{44}$xɔŋ$^{53}_{44}$.kai$^{53}_{44}$iaŋ^{53}tso^{53}tʂak^{3}uk^{3}a^{0}mau^{13}li^{0}iet^{3}cie^{53}ɲin$^{13}_{21}$,kai^{53}tʂak^{3}uk^{3}təu$^{35}_{53}$çiəu^{21}xek^{3}li^{0},mau^{13}tek^{3}iet^{3}cie^{53}ɲin$^{13}_{44}$,xei^{53}ɲin^{13}n̩$^{13}_{21}$ʂət^{5}kai^{53}laŋ$^{13}_{44}$tʂʰɔŋ$^{13}_{44}$,fəŋ^{35}sait^{3}tʂʰəŋ^{53}li^{0},liaŋ^{35}kɔŋ$^{35}_{53}$tsi^{21}xɔŋ$^{53}_{44}$ko^{0},fəŋ^{35}sait^{3}tʂʰəŋ^{53}li^{0}.kai$^{53}_{44}$uk^{3}tso^{53}(x)a$^{53}_{44}$kai^{53}liaŋ^{35}kɔŋ$^{35}_{53}$tsi^{21}xɔŋ^{53}m̩$^{13}_{21}$xau^{21},si^{53}çiɔŋ^{53}lɔi$^{13}_{21}$fəŋ^{35}ŋa^{0}.

【风水】fəŋ^{35}ʂei^{21} [名]①指风雨：箇个电影电视肚里啊，皇帝老子出门呐就有只人打眼伞，就有只人箇个唠有人擎把伞同渠遮箇个唠遮日头遮～个唠。kai$^{53}_{44}$ke$^{53}_{44}$tʰien^{53}iaŋ^{21}tʰien^{53}ʂɿ$^{53}_{44}$təu^{21}li^{0}a^{0},fəŋ^{13}tʰi^{53}lau^{21}tsɿ^{0}tʂʰət^{3}mən^{13}na^{0}tsʰiəu$^{53}_{44}$iəu^{35}tʂak^{3}ɲin$^{13}_{44}$ta^{21}lɔŋ^{53}san^{53},tsʰiəu^{53}iəu^{35}tʂak^{3}ɲin$^{13}_{44}$kai^{53}ke^{53}lau^{0}iəu^{35}ɲin$^{13}_{21}$cʰiaŋ^{13}pa^{21}san^{53}tʰəŋ$^{13}_{21}$ci$^{13}_{21}$tʂa^{35}kai^{53}cie$^{53}_{44}$lau^{0}tʂa^{35}ɲiet^{3}tʰei$^{13}_{21}$tʂa^{35}fəŋ^{35}ʂei^{21}ke^{53}lau^{0}. ②指地理先生：三流～四流推。san^{35}liəu^{13}fəŋ^{35}ʂei^{21}si^{53}liəu^{13}tʰi^{35}.

【风水先生】fəŋ^{35}ʂei^{21}sien$^{35}_{44}$saŋ$^{35}_{44}$ 名替人勘察风水的人：箇个～啊，渠去掌稳，渠会招呼。kai$^{53}_{44}$ke$^{53}_{44}$fəŋ^{35}ʂei^{21}sien$^{35}_{44}$saŋ$^{35}_{44}$ŋa^{0},ci^{13}çie$^{53}_{44}$tʂɔŋ^{21}uən^{21},ci^{13}uɔi$^{53}_{44}$tʂau$^{35}_{44}$fu^{0}.

【风箱】fəŋ^{35}siɔŋ^{35} 名可鼓动空气以生风的箱形装置：扯～ tʂ^{h}a^{21}fəŋ^{35}siɔŋ^{35}

【风子】fəŋ^{35}tsɿ^{0} 名麻将牌中的东、西、南、北的泛称：～，系呀？东西南北风吵，唔用，渠等人。fəŋ^{35}tsɿ^{0},xei$^{53}_{44}$ia^{0}?təŋ$^{35}_{44}$si$^{35}_{44}$lan$^{13}_{21}$pɔit^{3} fəŋ^{35}ʂa^{0},n̩^{13}ɲiəŋ^{53},ci$^{13}_{21}$tien^{0}ɲin$^{13}_{21}$.

【枫树】fəŋ^{35}ʂəu^{53} 名一种槭属高大乔木：～嘞一只就大，欸，～就大，箇适合做咁个桁子箇只呢。但是渠就爱搁起来呢。渠就黪哩地呀，扯哩水气呀，会易得殊。你舞做楼栿唠欸做桁子来，你伸出去，箇一截子就殊嘿哩。渠就会殊。fəŋ^{35}ʂəu^{53}lei^{0} iet^{3} tʂak^{3} tsiəu$^{53}_{44}$t^{h}ai^{53},e$_{21}$,fəŋ^{35}ʂəu$^{53}_{44}$ tsiəu$^{53}_{44}$t^{h}ai^{53},kai$^{53}_{21}$ʂət^{5} xɔit^{5} tso^{21}kan^{21}kei^{53}xaŋ^{13}tsɿ^{0} kai^{53}tʂak^{3} nei^{0}.tan^{53}ʂɿ^{53}ci$^{13}_{21}$ts^{h}iəu^{53}ɔi^{53}kɔk^{3} çi^{21}lɔi$^{13}_{21}$nei^{0}.ci$^{13}_{21}$ ts^{h}iəu^{53}ɲia^{13}li^{0} t^{h}i^{53}ia^{0},tʂ^{h}a^{21}li^{0} ʂei^{21}çi^{53}ia^{0},uɔi^{53}i^{53}tek^{3} mət^{3}. ɲi^{13}u^{21}tau^{21}tso^{53}lei^{13}fuk^{5} lau^{0} e$_{21}$tso^{53}xaŋ^{13}tsɿ^{0} lau^{0}, ɲi$^{13}_{21}$tʂ^{h}ən^{35}tʂ^{h}ət^{3} c^{h}i^{53},kai^{53}(i)et^{3} tsiet^{3} tsɿ^{0} ts^{h}iəu^{53}mət^{3} lek^{3} li^{0} .ci$^{13}_{21}$ts^{h}iəu^{53}uɔi^{53}mət^{3}.

【枫树蚕】fəŋ^{35}ʂəu^{53}ts^{h}an^{13} 名枫树上的蚕虫：枫树个就～。欸，～有。fəŋ^{35}ʂəu$^{53}_{44}$ke$^{53}_{44}$ts^{h}iəu$^{53}_{21}$fəŋ^{35} ʂəu^{53}ts^{h}an^{13}.e$_{21}$,fəŋ^{35}ʂəu^{53}ts^{h}an$^{13}_{21}$iəu$^{35}_{44}$.

【枫树菌】fəŋ^{35}ʂəu^{53}c^{h}in^{35} 名一种长在枫树下的菌子：有，～有。～唔知食得食唔得嘞，我就唔晓得。我唔记得欸哪起菌子食唔得。爱我老婆就晓得。渠就晓得箇起事。iəu$^{35}_{44}$,fəŋ^{35}ʂəu^{53} c^{h}in$^{35}_{44}$iəu^{35}.fəŋ^{35}ʂəu^{53}c^{h}in$^{35}_{44}$n̩$^{13}_{21}$ti^{35}ʂət^{5} tek^{3} ʂət^{5} n̩$^{13}_{21}$tek^{3} le^{0},ŋai$^{13}_{21}$tsiəu^{53}n̩$^{13}_{44}$çiau^{21}tek^{3}.ŋai^{13}n̩$^{13}_{44}$ci^{53}tek^{3} e$_{21}$lai^{53}çi^{21}c^{h}in^{35} tsɿ^{0} ʂət^{5} n̩$^{13}_{21}$tek^{3}.ɔi^{53}ŋai$^{13}_{21}$lau^{21}p^{h}o^{13}tsiəu^{53}çiau^{21}tek^{3}.ci$^{13}_{21}$ts^{h}iəu$^{53}_{44}$çiau^{21}tek^{3}kai^{53}çi^{21}ʂɿ^{53}.

【枫树球】fəŋ^{35}ʂəu^{53}c^{h}iəu^{13} 名枫树的果实：～哇也系用来箇个呢用来熏下子呢，用来消毒样嘞我记得呢。渠有只香味呀，烧倒咯有只香味，～咯。fəŋ^{35}ʂəu^{53}c^{h}iəu^{13}ua^{0}ia^{35}xei^{53}iəŋ^{53}lɔi$^{13}_{21}$kai^{53}ke^{53} nei^{0} iəŋ^{53}lɔi$^{13}_{21}$çiəŋ^{35}xa$^{53}_{21}$tsɿ^{0} nei^{0},iəŋ^{53}lɔi$^{13}_{21}$siau^{35}t^{h}əuk^{5} iəŋ^{53}lei^{0} ŋai^{13}ci^{53}tek^{3} nei^{0} .ci^{13}iəu$^{35}_{53}$tʂak^{3} çiɔŋ^{35}uei^{53}ia^{0}, ʂau^{35}tau^{21}ko^{0} iəu$^{35}_{44}$tʂak^{3} çiɔŋ^{35}uei^{53},fəŋ^{35}ʂəu^{53}c^{h}iəu^{13}ko^{0}.｜枫树就有～。箇～可以做药，洗身，唔知整么个病去哩，整痒病。fəŋ^{35}ʂəu^{53}ts^{h}iəu$^{53}_{44}$iəu^{35}fəŋ^{35}ʂəu^{53}c^{h}iəu^{13}.kai$^{53}_{44}$fəŋ^{35}ʂəu^{53}c^{h}iəu^{13}k^{h}o^{21}i^{35}tso^{53}iɔk^{5}, se^{21}ʂən^{35},n̩^{13}ti$^{35}_{53}$tʂaŋ^{21}mak^{3} e^{0} p^{h}iaŋ$^{53}_{44}$çi^{53}li^{0},tʂaŋ^{21}iɔŋ^{35}p^{h}iaŋ^{53}.

【枫树油】fəŋ^{35}ʂəu^{53}iəu^{13} 名枫树分泌的油脂：～唔记得哩，唔知搞么个用去哩，我等细细子就去搞过。特事拿张刀子去，割开下子箇个树皮来，渠就会出油，同箇松油样。捣乱，欸，欸，有瘾呐。喷香呢，～喷香个嘞。fəŋ$^{35}_{44}$ʂəu^{53}iəu^{13}n̩^{13}ci^{53}tek^{3} li^{0},n̩^{13}ti$^{35}_{53}$kau^{21}mak^{3} e^{0} iəŋ^{53}çi^{53}li^{0},ŋai^{13}tien^{0} se^{53} se^{53}tsɿ^{0} ts^{h}iəu$^{53}_{44}$çi$^{53}_{44}$kau^{21}ko^{53}.t^{h}et^{5} sɿ$^{53}_{44}$la^{53}tʂɔŋ$^{35}_{44}$tau^{35}tsɿ^{0} çi$^{53}_{44}$,kɔit^{3} k^{h}ɔi^{35}xa^{53}tsɿ^{0} kai$^{53}_{44}$ke$^{53}_{44}$ʂəu^{53}p^{h}i^{13}lɔi$^{13}_{44}$,ci$^{13}_{21}$ts^{h}iəu^{53} uɔi^{53}tʂ^{h}ət^{3} iəu^{13},t^{h}əŋ^{13}kai$^{53}_{44}$səŋ^{13}iəu^{13}iɔŋ$^{53}_{44}$.tau^{21}lɔn^{53},e$_{21}$,ei$_{53}$,iəu^{35}in^{21}na^{0}.p^{h}əŋ^{35}çiɔŋ^{35}ne^{0},fəŋ^{35}ʂəu^{53}iəu$^{13}_{21}$p^{h}əŋ^{35} çiɔŋ^{35}ke^{0}le^{0}.

【封$_{1}$】fəŋ^{35} 动封闭，使不外露，不能动用、通行或随便打开：以头就也～嘿哩个。i^{21}t^{h}ei^{13} ts^{h}iəu^{53}ia^{35}fəŋ^{35}ŋek^{3}(←xek^{3})li^{0} ke$^{53}_{44}$.｜～嘿火气。fəŋ^{35}ŋek^{3}(←xek^{3})fo^{21}çi^{53}.

【封$_{2}$】fəŋ^{35} 量用于封装好的东西：一～爆竹 iet^{3} fəŋ^{35}pau^{53}tʂəuk^{3}｜写一～信 sia^{21}iet^{3} fəŋ$^{35}_{44}$sin^{53}｜欸，还有只人箇有一年呢有唔知一只么人送一～饼分我嘞，肚里还带一细瓶子茅台酒个。e$_{44}$,xai$^{13}_{21}$iəu$^{35}_{53}$tʂak^{3} ɲin$^{13}_{44}$kai^{53}iəu$^{35}_{53}$iet^{3} ɲien$^{13}_{21}$nei^{0} iəu$^{35}_{21}$n̩$^{13}_{21}$ti$^{35}_{53}$iet^{3} tʂak^{3} mak^{3}ɲin$^{13}_{44}$səŋ^{53}iet^{3} fəŋ^{35}piaŋ^{21}pən^{35}ŋai$^{13}_{21}$ lei^{0},təu^{21}li^{0} xai$^{13}_{21}$tai^{53}iet^{3} sei^{53}p^{h}in$^{13}_{21}$tsɿ^{0} mau^{13}t^{h}ɔi^{13}tsiəu^{21}cie^{53}.｜（米程）搞成一～～子唠。kau^{21}ʂaŋ^{13}iet^{3} fəŋ^{35}fəŋ^{35}tsɿ^{0} lau^{0}.

【封廒】fəŋ^{35}ŋau^{13} 名博风板，即钉在外山墙外桁子顶端的板条：廒，来看啦，以映子嘞，以只栏场子是渠就爱爱放桁子吵？一条一条个桁子放出来吵。然后就钉椽皮。椽皮面上就盖瓦。要以只廒上啊唔系舞以映子会以映子会尽系桁子头，系呀？桁子，一条一条个桁子咁子伸出来，系唔系？以只桁子头也唔好看。也爱钉块板，做做油漆，漆得鲜红子，欸。钉稳渠。以只就安做～。以块板子就安做～。xau^{21},lɔi^{13}k^{h}ɔn^{53}la^{0},i^{21}iaŋ^{53}tsɿ^{0} lei^{0},i^{21}tʂak^{3} lɔŋ^{13}tʂ^{h}ɔŋ^{13}tsɿ^{0} ʂɿ$^{53}_{44}$ci^{13} ts^{h}iəu^{53}ɔi$^{53}_{44}$ɔi^{53}fɔŋ^{53}xaŋ^{13}tsɿ^{0} ʂa^{0}?iet^{3} t^{h}iau$^{13}_{21}$iet^{3} t^{h}iau$^{13}_{21}$ke^{53}xaŋ^{13}tsɿ^{0} fɔŋ^{53}tʂ^{h}ət^{3} lɔi$^{13}_{21}$ʂa^{0}.vien^{13}xei$^{53}_{44}$ts^{h}iəu$^{53}_{44}$taŋ$^{35}_{44}$ ʂɔn^{13}p^{h}i$^{13}_{44}$.ʂɔn^{13}p^{h}i$^{13}_{44}$mien^{53}xɔŋ$^{53}_{44}$ts^{h}iəu$^{53}_{44}$kɔi^{53}ŋa^{21}.iau^{53}i^{21}tʂak^{3} ŋau^{13}xɔŋ^{53}ŋa^{0} m̩$^{13}_{21}$p^{h}e^{53}(←xe^{53})u^{21}i^{21}iaŋ$^{53}_{44}$tsɿ^{0} uɔi$^{53}_{44}$ i^{21}iaŋ$^{53}_{44}$tsɿ^{0} uɔi$^{53}_{44}$ts^{h}in^{53}xe$^{53}_{44}$xaŋ^{13}tsɿ^{0} t^{h}ei^{13},xei$^{53}_{44}$ia^{0}?xaŋ^{13}tsɿ^{0},iet^{3} t^{h}iau$^{13}_{21}$iet^{3} t^{h}iau$^{13}_{21}$ke^{53}xaŋ^{13}tsɿ^{0} kan^{21}tsɿ^{0} ʂən^{35} tʂ^{h}ət^{3} lɔi^{13},xei$^{53}_{44}$me$^{53}_{44}$?i^{21} tʂak^{3} xaŋ^{13}tsɿ^{0} t^{h}ei^{13}ia^{35}n̩$^{13}_{21}$xau^{21}k^{h}ɔn^{53}.ia^{35}ɔi^{53}taŋ^{35}k^{h}uai^{53}pan^{21},tso^{53}tso^{53}iəu^{13} ts^{h}iet^{3},ts^{h}iet^{3}tek^{3} çien^{35}fəŋ$^{13}_{21}$tsɿ^{0},e$_{21}$.taŋ^{35}uən^{21}ci$^{13}_{21}$.i^{21}tʂak^{3} ts^{h}iəu$^{53}_{44}$ɔn$^{35}_{44}$tso$^{53}_{44}$fəŋ^{35}ŋau$^{13}_{21}$.i^{21}k^{h}uai^{53}pan^{21}tsɿ^{0} ts^{h}iəu$^{53}_{44}$ ɔn$^{35}_{44}$tso$^{53}_{44}$fəŋ^{35}ŋau^{13}.

【封殡】fəŋ^{35}pin^{53} 动盖棺钉钉：入哩棺就可以盖呀。正讲个怕老鼠啮呀。只盖稳，还可以打开来。渠还爱打开来。就系埋个头晡夜晡还爱打开来。埋个箇晡早晨，安做～。箇就最后了。箇就有多个寿被拿出来。好像个打狗粄要丢嘿去了嘞，欸，唔爱哩嘞。箇就～就系分渠肚里整理好哇，整理一下。整理一下就分箇棺材盖盖上去呀，盖眯来呀。渠肚里又还有闩子啊，又还有榫子啊。用棺材钉分渠钉死来呀，分箇盖钉死来，就唔再开了。就送下岭上去了，唔再开了。如今有火化个事嘞就唔系咁子个嘞吵。ɲiet^{5} li^{0} kɔn^{35} tsʰiəu$^{53}_{44}$kʰo^{21}i$^{35}_{44}$kɔi^{53}ia^{0}.tʂaŋ^{53}kɔŋ$^{21}_{44}$ke$^{53}_{44}$ pʰa^{53}lau^{21}tʂʰəu^{21}ŋait^{3}ia^{0}.tʂʅ^{21}kɔi^{53}uən^{21},xai$^{13}_{21}$kʰo^{21}i^{35}ta^{21}kʰɔi^{35}lɔi$^{13}_{21}$.ci$^{13}_{21}$xai$^{13}_{21}$ɔi^{53}ta^{21}kʰɔi$^{35}_{44}$lɔi$^{13}_{21}$.tsʰiəu$^{53}_{44}$xei$^{53}_{44}$mai^{13} ke$^{53}_{44}$tʰei^{13}pu$^{35}_{44}$ia^{53}pu^{35}xai$^{13}_{21}$ɔi$^{53}_{44}$ta^{21}kʰɔi$^{35}_{44}$lɔi$^{13}_{21}$.mai^{13}ke$^{53}_{44}$kai$^{53}_{44}$pu$^{35}_{44}$tsau^{21}ʂən^{13},ɔn$^{35}_{44}$tso$^{53}_{44}$fəŋ^{35}pin^{53}.kai$^{53}_{44}$tsʰiəu$^{53}_{44}$tsei^{53} xei$^{53}_{44}$liau^{0}.kai$^{53}_{44}$tsʰiəu$^{53}_{44}$iəu^{35}to^{35}ke$^{53}_{44}$ʂəu^{53}pʰi^{35}la^{53}tʂʰət^{3} lɔi$^{13}_{21}$.xau^{21}siɔŋ$^{53}_{44}$ke$^{53}_{44}$ta^{21}ciei^{21}pan^{21}iau$^{53}_{44}$tiəu^{35}xek^{3} çi^{53}liau^{0} lei^{0},e^{21},m̩$^{13}_{21}$mɔi$^{53}_{44}$li^{0} lei^{0}.kai$^{53}_{44}$tsʰiəu$^{53}_{44}$fəŋ^{35} pin^{53} tsʰiəu$^{53}_{44}$xe$^{53}_{44}$pən^{35} ci$^{13}_{21}$təu^{21}li^{0} tʂən^{21}li^{35}xau^{21}ua^{0},tʂən^{21}li^{35}iet^{3} xa^{53}.tʂən^{21}li^{35}iet^{3} xa$^{53}_{44}$tsʰiəu$^{53}_{44}$pən^{35}kai$^{53}_{44}$kɔn^{35}tsʰɔi$^{13}_{21}$kɔi$^{53}_{44}$kɔi^{53} ʂɔŋ$^{53}_{44}$çi$^{53}_{44}$ia^{0},kɔi^{53}mi^{35}lɔi$^{13}_{21}$ia^{0}.ci$^{13}_{21}$təu^{21}li^{0} iəu$^{53}_{44}$xai$^{13}_{21}$ iəu$^{35}_{44}$tsʰɔn^{35}tsʅ^{0} a^{0},iəu$^{53}_{44}$xai$^{13}_{21}$iəu$^{35}_{44}$sien^{21}tsʅ^{0} a^{0}.iəŋ^{53} kɔn^{35} tsʰɔi$^{13}_{21}$taŋ^{35} pən$^{35}_{44}$ci$^{13}_{21}$taŋ^{35} si^{21} lɔi$^{13}_{21}$ia^{0},pən$^{35}_{44}$kai$^{53}_{44}$kɔi^{53}taŋ^{35} si^{21}lɔi$^{13}_{21}$,tsʰiəu$^{53}_{44}$m̩^{13}tsai^{53}kʰɔi$^{35}_{44}$liau^{0}.tsʰiəu$^{53}_{44}$səŋ$^{53}_{44}$xa$^{53}_{44}$liaŋ^{35}xɔŋ$^{53}_{44}$çi^{53}liau^{0},m̩^{13}tsai^{53}kʰɔi$^{35}_{44}$liau^{0}.i$^{13}_{21}$cin$^{35}_{44}$iəu$^{35}_{44}$xo^{21}fa^{53} ke$^{53}_{44}$ʂʅ$^{53}_{44}$le^{0} tsʰiəu$^{53}_{44}$m̩$^{13}_{21}$pʰe$^{53}_{44}$kan^{21}cie^{53}le^{0} ʂa^{0}.

【封火】fəŋ^{35}fo^{21}/xo^{21} 动盖住炉火，以减慢燃烧速率，使不灭也不旺：（烧窑）～个时候子就爱灌水，系。哦，唔灌水就成哩红个。fəŋ^{35}xo^{21}ke$^{53}_{44}$ʂʅ$^{13}_{21}$xei$^{53}_{44}$tsʅ^{0} tsʰiəu$^{53}_{44}$ɔi$^{53}_{44}$kɔn$^{53}_{44}$ʂei^{21},xe$^{53}_{21}$.o$_{21}$,n̩^{13}kɔn^{53}ʂei^{21} tsʰiəu^{53}ʂaŋ$^{13}_{21}$li^{0} fəŋ^{13}ke$^{53}_{44}$.｜渠封哩火啊……正我走我正扯开煤盖子来呀。ci$^{13}_{21}$fəŋ^{35}li^{0} fo^{21}a^{0}…tʂaŋ^{53} ŋai^{13}tsei^{21}ŋai^{13}tʂaŋ^{53}tʂʰa^{21}kʰɔi$^{35}_{44}$mei^{13}kɔi^{53}tsʅ^{0} lɔi$^{13}_{21}$ia^{0}.

【封口】fəŋ^{35}xei^{21} 动指制作爆竹过程中封闭纸筒：插哩引就～。tsʰait^{3} li^{0} in^{21}tsʰiəu$^{53}_{44}$fəŋ^{35}xei^{21}.

【封皮】fəŋ^{35}pʰi^{13} 名封闭门户或器物时粘贴的字条：（落气笼）还爱上背搞块子～呢。安做“起身之期”。xai$^{13}_{21}$ɔi$^{53}_{44}$ʂɔŋ$^{53}_{44}$pɔi$^{53}_{44}$kau^{21}kʰuai^{53}tsʅ^{0} fəŋ^{35}pʰi$^{13}_{44}$nei^{0}.ɔn$^{35}_{44}$tso$^{53}_{44}$"çi^{21}ʂən$^{35}_{44}$tʂʅ$^{35}_{44}$cʰi^{13}".

【封首】fəŋ^{35}ʂəu^{21} 名封面：～写倒。礼帖，写“礼”字也做得。请帖嘞，然后就写只子“请柬”。fəŋ^{35}ʂəu^{21}sia^{21}tau^{21}.li^{35}tʰiait^{3},sia^{21}li^{35}sʅ$^{53}_{44}$a^{0} tso^{53}tek^{3}.tsʰiaŋ^{21}tʰiait^{3} lei^{0},ien^{13}xei$^{53}_{44}$tsʰiəu$^{53}_{44}$sia^{21}tʂak^{3} tsʅ^{0} "tsʰiaŋ^{21}kan^{21}".

【锋口】fəŋ^{35}kʰei^{21} 名刀刃：抢子，开～个，欸。tsʰiɔŋ^{21}tsʅ^{0},kʰɔi^{35}fəŋ^{35}kʰei^{21}ke^{53},e$_{21}$.

【锋利】fəŋ^{35}li^{53} 形指锋刃尖而快，锐利：用～个东西溜尖个东西就安做□。iəŋ^{53}fəŋ^{35}li^{53}ke$^{53}_{21}$təŋ$^{35}_{44}$ si^{0} liau^{35}tsian^{35}ke^{53}təŋ$^{35}_{44}$si^{0} tsʰiəu$^{53}_{44}$ɔn$^{35}_{44}$tso$^{53}_{44}$tsio^{35}.

【蜂窦子】fəŋ^{35}tei^{53}tsʅ^{0} 名①蜂巢：欸细细子就喜欢到箇岭上看倒欸有～。有箇个～就舞倒去敹。同时嘞还有欸屋下也有～嘞。间个间哩有几久子欸间哩蛮久子嬒去摝动个箇个檐头下，就有～嘞。我等先就分箇个舞兜水一射，舞倒箇水嘬筒去射，射倒渠湫湿，好，或者去揰下子箇个以狼蜂啊，狼蜂就跑嘿哩飞嘿哩，系唔系？我等就揰倒箇～来，但是唔敢走前去，唔敢拿倒手里去搞，因为还怕有嬒飞稳走个，欸，分渠叼一针就唔得了哩。箇就～。大哩个唔敢舞，大哩个我等就舞倒去烧，舞只火把，欸，烧嘿去。箇冇么个用，只爱嬲下子。箇又冇糖。箇就嬒去做过药，我等嬒搞过。其实细细子系下山里更丰富多彩嘞。如今个细人子有么个嬲嘞，系唔系？e^{0} se^{53}se^{53}tsʅ^{0} tsʰiəu$^{53}_{44}$çi^{21}fɔn$^{35}_{44}$tau$^{53}_{44}$kai$^{53}_{44}$liaŋ^{35}xɔŋ$^{53}_{44}$kʰɔn^{53}tau^{21}ei$_{44}$iəu$^{35}_{44}$fəŋ^{35}tei^{53}tsʅ^{0}.iəu^{35} kai$^{53}_{44}$ke$^{53}_{44}$fəŋ^{35}tei^{53}tsʅ^{0} tsʰiəu$^{53}_{44}$u^{21}tau^{21}çi^{53}ləuk^{3}.tʰəŋ^{13}ʂʅ$^{13}_{44}$lei^{0} xai$^{13}_{21}$iəu$^{35}_{53}$ei$_{44}$uk^{3} xa$^{53}_{44}$ia$^{35}_{44}$iəu$^{35}_{44}$fəŋ^{35}tei^{53}tsʅ^{0}le^{0}.kan$^{53}_{44}$ ke$^{53}_{44}$kan^{53}ni^{0} mau^{13}ci^{21}ciəu^{21}tsʅ^{0} ei$_{44}$kan^{53}ni^{0} man^{13}ciəu^{21}tsʅ^{0} maŋ^{13}çi^{53}ləuk^{3} tʰəŋ$^{53}_{44}$ŋe^{0} kai$^{53}_{44}$ke$^{53}_{44}$ian^{13}tʰei$^{13}_{21}$xa^{35}, tsʰiəu$^{53}_{44}$iəu^{35}fəŋ^{35}tei^{53}tsʅ^{0}le^{0}.ŋai^{13}tien^{0} sien^{35}tsʰiəu$^{53}_{44}$pən^{35}kai$^{53}_{44}$ke$^{53}_{44}$u^{21}təu$^{35}_{53}$ʂei^{21}iet^{3}ʂa^{53},u^{21}tau^{21}kai^{53}ʂei^{21}tsɔit^{5} tʰəŋ^{13}çi$^{53}_{44}$ʂa^{53},ʂa^{53}tau^{21}ci$^{13}_{21}$tset^{5} ʂət^{3},xau^{21},xɔit^{5} tʂa^{21}çi^{53}kʰɔk^{3}(x)a^{53}tsʅ^{0} kai$^{53}_{44}$ke$^{53}_{44}$i^{21}lɔŋ^{13}fəŋ^{35}ŋa^{0},lɔŋ^{13}fəŋ^{35}tsʰiəu$^{53}_{44}$ pʰau^{21}xek^{3}li^{0} fei^{35}xek^{3}li^{0},xei$^{53}_{44}$me$^{53}_{44}$?ŋai^{13}tien^{0} tsʰiəu^{53}kʰɔk^{3} tau^{21}kai$^{53}_{44}$fəŋ^{35}tei^{53}tsʅ^{0}lɔi$^{13}_{21}$,tan^{53}ʂʅ^{53}n̩^{13}kan^{21}tsei^{21} tsʰien^{13}çi^{53},n̩^{13}kan^{21}la^{53}tau$^{21}_{44}$ʂəu^{21}li^{0} çi^{53}kau^{21},in^{35}uei$^{53}_{44}$xai^{13}pʰa^{53}iəu^{35}maŋ^{13}fei^{35}uən^{21}tsei^{21}ke^{0},e$_{53}$,pən^{35}ci$^{13}_{21}$tiau^{35} uet^{3} tʂən$^{35}_{44}$tsiəu^{53}n̩$^{13}_{44}$tek^{3} liau^{21}li^{0}.kai$^{53}_{44}$tsʰiəu$^{53}_{44}$fəŋ^{35}tei^{53}tsʅ^{0}.tʰai^{53}li^{0}ke^{0}n̩^{13}kan^{21}u^{21},tʰai^{53}li^{0}ke^{0}ŋai^{13}tien^{0} tsʰiəu^{53} u^{21}tau^{21}çi$^{53}_{44}$ʂau^{35},u^{21}tʂak^{3} fo^{21}pa^{21},e$_{21}$,ʂau^{35}(x)ek^{3} çi^{53}.kai^{53}mau$^{13}_{21}$mak^{3} e^{0} iəŋ^{53},tʂʅ^{21}ɔi$^{53}_{44}$liau^{53}xa$^{53}_{44}$tsʅ^{0}.kai$^{53}_{44}$iəu^{53} mau$^{13}_{21}$tʰɔŋ^{13}.kai^{53}tsʰiəu$^{53}_{44}$maŋ^{13}çi$^{53}_{44}$tso$^{53}_{44}$ko$^{53}_{44}$iɔk^{5},ŋai^{13}tien^{0} maŋ^{13}kau^{21}ko$^{53}_{21}$.cʰi^{13}ʂət^{5} se^{53}se^{53}tsʅ^{0} xe^{53}(x)a^{53}san^{35}ni^{21} cien^{53}fəŋ^{35}fu^{53}to$^{35}_{44}$tsʰai^{21}le^{0}.i$^{13}_{21}$cin$^{35}_{44}$ke^{0} sei^{53}ɲin$^{13}_{21}$tsʅ^{0} mau^{13}mak^{3} e^{0} liau^{53}le^{0},xei^{53}me^{53}? ②蜜蜂的蜂房：我等捡倒箇个蜂镜肚里个欸去搞哇，去搣箇～，搣出～来，一只只子搣出来。箇细细子搞个，以下大了唔得搞。ŋai^{13}tien^{0} cian^{21}tau^{21}kai$^{53}_{44}$ke$^{53}_{44}$fəŋ^{35}ciaŋ^{53}təu^{21}li^{0} ke^{53} e$_{21}$çi^{53}kau^{21}ua^{0},çi^{53}met^{3} kai$^{53}_{44}$fəŋ^{35}tei^{53} tsʅ^{0},met^{3} tʂʰət^{3} fəŋ^{35}tei^{53}tsʅ^{0} lɔi$^{13}_{44}$,iet^{3} tʂak^{3} tʂak^{3} tsʅ^{0} met^{3} tʂət^{3} lɔi$^{13}_{44}$.kai$^{53}_{44}$se^{53}se^{53}tsʅ^{0} kau^{21}ke^{0},i^{21}xa$^{53}_{44}$tʰai^{53}liau^{0} n̩$^{13}_{21}$ tek^{3} kau^{21}.

【蜂镜】fəŋ^{35}ciaŋ^{53} 名蜜蜂巢脾：渠个～唔知系唔系舞得咁匀称咯，系唔系？咁整齐咯。硬整整齐齐，箇只东西系一只非常古怪个东西。ci^{13}ke$^{53}_{44}$fəŋ^{35}ciaŋ^{53}n̩$^{13}_{21}$ti$^{35}_{53}$xei^{53}mei^{53}u^{21}tek^{3}kan^{21}in^{13}tsʰin^{53}ko^{0},xei^{53}me^{53}?kan^{21}tʂən^{21}tsʰi^{13}ko^{0}. ɲiaŋ^{53}tʂən^{21}tʂən^{21}tsʰi^{13}tsʰi$^{13}_{44}$,kai$^{53}_{21}$(tʂ)ak^{3}təŋ$^{35}_{44}$si^{0}xei^{53}iet^{3}tʂak^{3}fei^{35}tʂʰɔŋ$^{13}_{21}$ku^{21}kuai$^{53}_{44}$ke^{0}təŋ$^{35}_{44}$si^{0}.

【蜂窠】fəŋ^{35}kʰo^{35} 名蜂房。也称"蜂窠子"：蜂镜肚里就有～啊。欸，一只格子肚里是只～子，系啊？肚里有工蜂，欸，有蜂娘。有雄蜂。fəŋ^{35}ciaŋ^{53}təu^{21}li^{0}tsʰiəu$^{53}_{44}$iəu$^{35}_{44}$fəŋ^{35}kʰo^{35}a^{0}.e$_{21}$,iet^{3}tʂak^{3}kak^{3}tsɿ^{0}təu^{21}li^{0}ʂʅ$^{53}_{44}$tʂak^{3}fəŋ^{35}kʰo^{35}tsɿ^{0},xei$^{53}_{44}$a^{0}?təu^{21}li^{0}iəu$^{35}_{44}$kəŋ^{35}fəŋ^{35},e$_{21}$,iəu^{35}fəŋ^{35}ɲiɔŋ^{13}.iəu^{35}çiəŋ^{13}fəŋ^{35}.｜我等到箇岭上捡倒箇个镜啊，蜂镜啊，分箇肚里个～子搣出来。箇个有箇个蛹啊就舞倒舞兜油一煵，煵倒食。好食，喷香。欸，也食得。ŋai^{13}tien^{0}tau^{53}kai^{53}liaŋ^{35}xɔŋ^{53}cian^{21}tau^{21}kai$^{53}_{44}$ke$^{53}_{44}$ciaŋ^{53}ŋa^{0},fəŋ^{35}ciaŋ^{53}ŋa^{0},pən^{35}kai$^{53}_{44}$təu^{21}li^{0}ke$^{53}_{44}$fəŋ^{35}kʰo^{35}tsɿ^{0}miet^{3}tʂʰət^{3}lɔi^{13}.kai$^{53}_{44}$ke$^{53}_{44}$iəu^{35}kai$^{53}_{44}$ke$^{53}_{44}$iəŋ^{21}ŋa^{0}tsiəu^{53}u^{21}tau^{21}u^{21}tei$^{35}_{53}$iəu^{13}iet^{3}sɿ^{35},sɿ^{35}tau^{21}ʂət^{5}.xau^{21}ʂət^{5},pʰəŋ^{35}çiɔŋ$^{35}_{44}$.ei$_{21}$,ia^{35}ʂət^{5}tek^{3}.

【蜂娘】fəŋ^{35}ɲiɔŋ^{13} 名蜂王：（蜂窠）肚里有工蜂，欸，有～。təu^{21}li^{0}iəu$^{35}_{44}$kəŋ^{35}fəŋ^{35},e$_{21}$,iəu^{35}fəŋ^{35}ɲiɔŋ^{13}.

【蜂糖】fəŋ^{35}tʰɔŋ^{13} 名蜂蜜：除哩文字上写出来，写蜂蜜，一般都讲～，有么人讲蜂蜜。但是公开又文字上写记啊，我箇街上也有只人写～。真～。你看倒哩吗欸卖～个？tʂʰəu^{13}li^{0}uən^{13}tsʰɿ^{53}xɔŋ$^{53}_{44}$sia^{21}tʂʰət^{3}lɔi$^{13}_{44}$,sia^{21}fəŋ$^{35}_{44}$miet^{5},iet^{3}pən^{35}təu$^{35}_{44}$kɔŋ^{21}fəŋ^{35}tʰɔŋ^{13},mau^{13}mak^{3}in$^{13}_{44}$kɔŋ^{21}fəŋ^{35}miet^{5}.tan^{53}ʂʅ^{53}kəŋ^{35}kʰɔi^{35}iəu$^{53}_{44}$uən^{13}tsʰɿ^{53}xɔŋ$^{53}_{44}$sia^{21}ci$^{53}_{44}$a^{0},ŋai^{13}kai$^{53}_{44}$kai^{35}xɔŋ$^{53}_{44}$ia^{35}iəu$^{35}_{44}$tʂak^{3}ɲin^{13}sia^{21}fəŋ^{35}tɔŋ^{13}.tʂən^{35}fəŋ^{35}tɔŋ^{13}.ɲi^{13}kʰɔn^{53}tau^{21}li^{0}ma^{0}e$_{21}$mai^{53}fəŋ^{35}tʰɔŋ$^{13}_{21}$ke$^{53}_{21}$?

【蜂桶】fəŋ^{35}tʰəŋ^{21} 名用来养殖蜜蜂的蜂箱：～，话～个多。也有人话蜂箱。冇得么啊区别。渠可能……欸，让门子唠？又有滴人又话蜂箱，有滴人话～。冇得么啊区别。我等以映子都系咁个，都系方形个。方形个，欸。用木板子做个。一格一格子，同箇乡下人个禾仓样，哦装谷个仓样，一格一格子垛上去。欸，一般就钉下箇个向阳个咁个欸檐头上，檐头下子唔涿水个栏场。fəŋ^{35}tʰəŋ^{21},ua$^{53}_{44}$fəŋ^{35}tʰəŋ^{21}ke$^{53}_{44}$to$^{35}_{44}$.ia^{35}iəu$^{35}_{53}$ɲin$^{13}_{21}$ua$^{53}_{44}$fəŋ^{35}siɔŋ^{35}.mau$^{13}_{21}$tek^{3}mak^{3}a^{0}tʂʰɥ$^{35}_{44}$pʰiek$^{5}_{3}$.ci$^{13}_{44}$kʰo^{21}nen$^{13}_{44}$…e$_{53}$, ɲiɔŋ$^{53}_{35}$mən$^{13}_{44}$tsɿ^{0}lau^{0}?iəu^{53}iəu^{35}tet^{5}ɲin$^{13}_{21}$iəu^{53}ua$^{53}_{44}$fəŋ^{35}siɔŋ^{35},iəu^{35}tet^{5}ɲin$^{13}_{21}$ua$^{53}_{44}$fəŋ^{35}tʰəŋ^{21}.mau^{13}tek^{3}mak^{3}a^{0}tʂʰɥ^{35}pʰiek^{5}.ŋai^{13}tien^{0}i^{21}iaŋ^{53}tsɿ^{0}təu^{35}xei$^{53}_{44}$kan^{21}cie^{53},təu^{35}xe^{53}fɔŋ^{35}çin$^{13}_{21}$ke$^{53}_{44}$.fɔŋ^{35}çin$^{13}_{21}$ke$^{53}_{44}$,e$_{21}$.iəŋ^{53}muk^{3}pan^{21}tsɿ^{0}tso$^{53}_{44}$ke$^{53}_{44}$.iet^{3}kak^{3}iet^{3}kak^{3}tsɿ^{0},tʰəŋ^{13}kai$^{53}_{44}$çiɔŋ^{35}xa$^{53}_{44}$ɲin$^{13}_{44}$ke$^{53}_{44}$uo^{13}tsʰɔŋ^{35}iɔŋ^{53},o$_{21}$tʂɔŋ^{35}kuk^{3}ke$^{53}_{44}$tsʰɔŋ^{35}iɔŋ$^{53}_{44}$,iet^{3}kak^{3}iet^{3}kak^{3}tsɿ^{0}tʰo$^{53}_{44}$ʂɔŋ$^{53}_{44}$cʰi$^{53}_{44}$.e$_{21}$.iet^{3}pən^{35}tsʰiəu$^{53}_{44}$taŋ$^{35}_{44}$(x)a$^{53}_{44}$kai$^{53}_{44}$kei$^{53}_{44}$çiɔŋ^{53}iɔŋ^{13}ke^{53}kan^{21}ke^{53}ei$_{21}$ien^{13}tʰei$^{13}_{21}$xɔŋ^{53},ien^{13}tʰei$^{13}_{21}$xa^{35}tsɿ^{0}n̩^{13}təuk^{3}ʂei^{21}kei^{53}lɔŋ$^{13}_{21}$tʂʰɔŋ$^{13}_{44}$.

【蜂子】fəŋ^{35}tsɿ^{0} 名①蜂的统称：有起～咯安做油箩蜂咯。iəu$^{35}_{44}$çi^{21}fəŋ^{35}tsɿ^{0}ko^{0}ɔn$^{35}_{44}$tso$^{53}_{44}$iəu$^{13}_{21}$lo$^{13}_{44}$fəŋ^{35}ko^{0}. ②特指蜜蜂：收到一桶～。ʂəu^{35}tau$^{53}_{44}$iet^{3}tʰəŋ^{21}fəŋ^{35}tsɿ^{0}.

【逢】fəŋ^{13} 动逢迎，泛指与人打交道：有兜人就箇个啦，安做"花子红就有人～，花子谢就逗人怕"。花子红就有人～，红花唠，花子红，第一只红就箇以只红，欸。有人～嘞就系以只～，逢迎个～，有人～。花子谢就逗人怕。就系别人家欸箇个有钱个人你也爱去～，穷人，箇家人唔知几苦，唔知几落魄个时候子你也莫去莫咁看渠唔起。iəu^{35}tei$^{35}_{53}$ɲi$^{13}_{44}$tsʰiəu$^{53}_{44}$kai$^{53}_{44}$ke$^{53}_{44}$la^{0},ɔn^{35}tso$^{53}_{44}$"fa^{35}tsɿ^{0}fəŋ^{13}tsʰiəu$^{53}_{44}$iəu^{35}ɲin$^{13}_{21}$fəŋ^{13},fa^{35}tsɿ^{0}tsʰia^{53}tsʰiəu$^{53}_{44}$tei$^{35}_{44}$ɲin$^{13}_{21}$pʰa^{53}".fa^{35}tsɿ^{0}fəŋ^{13}tsʰiəu$^{53}_{44}$iəu^{35}ɲin$^{13}_{21}$fəŋ^{13},fəŋ^{13}fa^{35}lau^{0},fa^{35}tsɿ^{0}fəŋ^{13},tʰi^{53}iet^{3}tʂak^{3}fəŋ^{13}tsʰiəu$^{53}_{44}$kai^{53}i^{21}tʂak^{3}fəŋ^{13},e$_{21}$.iəu^{35}ɲin$^{13}_{21}$fəŋ^{13}lei^{0}tsiəu$^{53}_{44}$xei$^{53}_{44}$i^{21}tʂak^{3}fəŋ^{13},fəŋ^{13}ɲin^{13}ke^{53}fəŋ^{13},iəu$^{35}_{44}$ɲin$^{13}_{21}$fəŋ^{13}.fa^{35}tsɿ^{0}tsʰia^{53}tsʰiəu$^{53}_{44}$tei$^{35}_{44}$ɲin$^{13}_{21}$pʰa^{53}.tsʰiəu^{53}xe^{53}pʰiet^{5}ɲin$^{13}_{21}$ka$^{35}_{44}$ei$_{21}$kai^{53}kei$^{53}_{44}$iəu^{35}tsʰien$^{13}_{21}$ke^{53}ɲin$^{13}_{44}$ɲi$^{13}_{21}$ia$^{35}_{44}$ɔi^{53}çi^{53}fəŋ^{13},cʰiəŋ^{13}ɲin$^{13}_{44}$,kai^{53}ka$^{35}_{44}$ɲin$^{13}_{21}$n̩^{13}ti$^{35}_{53}$ci^{21}kʰu^{21},n̩^{13}ti$^{35}_{53}$ci^{21}lɔk^{5}pʰɔit^{5}ke^{53}ʂʅ^{13}xei^{53}tsɿ^{0}ɲi^{13}ia$^{35}_{44}$mɔk^{5}çi^{53}mɔk^{5}kan^{21}kʰɔn^{53}ci$^{13}_{21}$n̩^{13}çi^{21}.

【逢生】fəŋ^{13}saŋ^{35} 动小孩出生后第一次有外人进入家门，主人家要煮几个荷包蛋加肉招待他，认他做孩子的干爷：一个人欸一只毛毛子下哩世，我客姓人个规矩，毛毛子供下来以后，三天之内，第一只进来个人，第一只来看个，或者碰倒来个，箇只就系～个人，男个就安做～干爷，女个就安做干娘，箇只就～干娘。搞么个安做～干娘嘞？渠就因为区别箇起继母啊，再婚夫妇箇个干娘。欸，还区别箇起拜个干娘。就安做～干娘，～个，渠只系逢哩生个干娘。iet^{3}ke^{53}ɲin$^{13}_{44}$e$_{21}$iet^{3}tʂak^{3}mau^{35}mau^{35}tsɿ^{0}xa^{35}li^{0}ʂʅ^{53},ŋai$^{13}_{44}$kʰak^{3}sin^{53}ɲin$^{13}_{44}$ke$^{53}_{44}$kuei^{35}tʂɥ^{21},mau^{35}mau^{35}tsɿ^{0}ciəŋ^{53}xa$^{53}_{44}$lɔi$^{13}_{21}$i^{35}xei$^{53}_{44}$,san^{35}tʰien$^{35}_{44}$tʂʅ$^{35}_{44}$li^{53},tʰi^{53}iet^{3}tʂak^{3}tsin^{53}nɔi$^{13}_{21}$ke^{53}ɲin^{13},tʰi^{53}iet^{3}tʂak^{3}lɔi^{13}kʰɔn^{53}ke^{0},xɔit^{5}tʂa^{21}pʰəŋ^{53}tau^{21}lɔi^{13}ke^{53},kai^{53}tʂak^{3}tsiəu^{53}xe$^{53}_{44}$fəŋ^{13}saŋ^{35}ke^{53}ɲin$^{13}_{44}$,lan^{13}cie^{53}tsʰiəu^{53}ɔn$^{35}_{53}$tso^{53}fəŋ^{13}saŋ^{35}kɔn^{35}ia^{13}, ɲy^{21}ke^{53}tsʰiəu$^{53}_{44}$ɔn$^{35}_{44}$tso$^{53}_{44}$kɔn^{35}ɲiɔŋ^{13},kai^{53}tʂak^{3}tsʰiəu$^{53}_{44}$fəŋ^{13}saŋ$^{35}_{44}$kɔn$^{35}_{44}$ɲiɔŋ$^{13}_{21}$.kau^{21}mak^{3}e^{0}ɔn$^{35}_{44}$tso$^{53}_{44}$fəŋ^{13}saŋ$^{35}_{44}$kɔn$^{35}_{44}$ɲiɔŋ$^{13}_{21}$

lei^{0}?ci$^{13}_{21}$tsʰiəu^{53}in$^{35}_{44}$uei$^{13}_{21}$tʂʰʅ^{35}pʰiet^{5}kai^{53}çi^{21}ci^{53}mu^{35}a^{0},tsai^{53}fən^{35}fu^{35}fu^{53}kai$^{53}_{44}$ke$^{53}_{44}$kən^{35}ɲiɔŋ$^{13}_{21}$.e$_{21}$,xai^{13}tʂʰʅ^{35}pʰiet^{5}kai^{53}çi^{21}pai^{53}ke^{0}kən^{35}ɲiɔŋ^{13}.tsʰiəu$^{53}_{44}$ən$^{35}_{53}$tso^{53}fəŋ^{13}saŋ$^{35}_{44}$kən^{35}ɲiɔŋ$^{13}_{21}$,fəŋ^{13}saŋ^{35}ke^{0},ci$^{13}_{44}$tʂʅ^{21}xe^{53}fəŋ^{13}li^{0}saŋ^{35}ke^{0}kən$^{35}_{44}$ɲiɔŋ$^{13}_{44}$.｜我有只干女呢，～个干女，就系下浏阳呢。ŋai^{13}iəu$^{35}_{44}$tʂak^{3}kən^{35}ŋ̍^{21}nei^{0},fəŋ^{13}saŋ$^{35}_{44}$ke^{0}kən^{35}ŋ̍^{21},tsʰiəu$^{53}_{44}$xe^{53}(x)a^{53}liəu^{13}iɔŋ$^{13}_{44}$nei^{0}.

【缝衣针】fəŋ^{13}i^{35}tʂən^{35} 名指缝衣物引线用的一种细长的工具：箇阵子～一分钱一枚，机针一块钱一枚，箇就贵多哩啦，大都大多哩啦。噢嗬，箇样就去嘿一块钱。kai^{53}tʂʰən^{53}tsʅ^{0}fəŋ^{13}i^{35}tʂən^{35}iet^{3}fən^{35}tsʰien$^{13}_{21}$iet^{3}mɔi^{13},ci^{35}tʂən$^{35}_{44}$iet^{3}kʰuai^{35}tsʰien$^{13}_{21}$iet^{3}mɔi^{13},kai$^{53}_{44}$tsʰiəu$^{53}_{44}$kuei^{53}to^{35}li^{0}la^{0},tʰai^{53}təu^{35}tʰai$^{53}_{44}$to^{35}li^{0}la^{0}.au$_{44}$xo$_{44}$,kai$^{53}_{44}$iɔŋ$^{53}_{44}$tsʰiəu$^{53}_{44}$çi^{53}xek^{3}iet^{3}kʰuai^{35}tsʰien^{13}.

【缝】pʰəŋ^{53} 名①衣服上用针线缝合的地方：有两起～欸。一起包缝，一起倒缝。我等安做～。iəu^{35}iɔŋ^{21}çi^{21}pʰəŋ^{53}ŋei^{0}.iet^{3}çi^{21}pau^{35}pʰəŋ^{53},iet^{3}çi^{21}tau^{21}pʰəŋ^{53}.ŋai$^{13}_{21}$tien^{0}ən$^{35}_{44}$tso$^{53}_{44}$pʰəŋ^{53}. ②两物接合部：以只～嘞，肚里，咁子做成咁个斜个子。i^{21}tʂak^{3}pʰəŋ$^{53}_{44}$lei^{0},tau^{21}li^{0},kan^{21}tsʅ^{0}tso^{53}ʂaŋ$^{13}_{44}$kan$^{21}_{44}$ke$^{53}_{44}$tsʰia^{13}ke^{53}tsʅ^{0}.

【奉】fəŋ^{53} 动恭敬地送上：会食烟个人指客人爱～烟。uɔi^{53}ʂət^{5}ien$^{35}_{44}$ke$^{53}_{44}$ɲin$^{13}_{21}$ɔi^{53}fəŋ^{53}ien^{35}.

【奉承】fəŋ^{53}ʂən^{13} 动恭维：以只人实在好，唔系我～渠。i^{21}tʂak^{3}ɲin^{13}ʂət^{5}tsʰai^{53}xau^{21},ŋ̍^{13}pʰe^{53}ŋai^{13}fəŋ^{53}ʂən^{13}ci^{13}.

【奉祖鸡】fəŋ^{53}tsʅ^{21}ke^{35}/cie^{35} 名迎娶新娘的时候带去的用来敬奉祖宗的鸡：我等是欸箇个嘞我等是去箇个男方去接新人个时候子，系唔系？爱三只鸡，欸看下，爱三只鸡，嗯。一只剐嘿剐死来个，炆熟来个鸡，脑壳上留兜子毛，尾巴上留兜子毛，有头有尾个，安做～，用来拜祖个敬祖宗个～。还有一对活鸡，一只公一只嫲，安做带路鸡，带路个。ŋai^{13}tien^{0}ʂʅ$^{53}_{44}$e$_{21}$kai^{53}ke^{53}le^{0}ŋai^{13}tien^{0}ʂʅ$^{53}_{44}$çi^{53}kai$^{53}_{44}$ke$^{53}_{44}$lan^{13}fəŋ^{35}çi^{53}tsiait^{3}sin^{35}ɲin$^{13}_{21}$ke$^{53}_{44}$ʂʅ$^{13}_{44}$xəu$^{53}_{44}$tsʅ^{0},xei$^{53}_{44}$me$^{53}_{44}$?ɔi$^{53}_{44}$san^{35}tʂak^{3}cie$^{35}_{44}$,e$_{21}$kʰən^{53}na$^{53}_{44}$,ɔi$^{53}_{44}$san^{35}tʂak^{3}cie^{35},n̩$_{21}$.iet^{3}tʂak^{3}tʂʰʅ^{13}xek^{3}tʂʰʅ^{13}si^{21}lɔi^{13}ke^{0},uən^{13}ʂəuk^{5}lɔi$^{13}_{21}$ke^{0}cie^{35},lau^{21}kʰɔk^{3}xɔŋ^{53}liəu^{13}tei$^{35}_{53}$tsʅ^{0}mau^{35},mi^{35}pa$^{35}_{44}$xɔŋ^{53}liəu^{13}tei$^{35}_{53}$tsʅ^{0}mau^{35},iəu^{35}tʰei$^{13}_{21}$iəu^{35}mi^{35}ke^{53},ən$^{35}_{44}$tso$^{53}_{44}$fəŋ^{53}tsʅ^{21}cie^{35},iəŋ^{53}lɔi$^{13}_{21}$pai^{53}tsʅ^{21}ke^{0}ciəŋ^{53}tsʅ^{21}tsəŋ$^{35}_{44}$ke^{53}fəŋ^{53}tsʅ^{21}cie^{35}.xai^{13}iəu$^{35}_{53}$iet^{3}ti^{53}uɔit^{5}cie^{35},iet^{3}tʂak^{3}kəŋ^{35}iet^{3}tʂak^{3}ma^{13},ən$^{35}_{44}$tso$^{53}_{44}$tai^{53}ləu^{53}cie^{35},tai$^{53}_{44}$ləu^{53}ke^{0}.

【佛】fət^{5} 名指佛教：我是唔信～个人，唔信～。ŋai^{13}ʂʅ$^{53}_{44}$n̩^{13}sin^{53}fət^{5}ke^{0}ɲin$^{13}_{44}$,n̩^{13}sin^{53}fət^{5}.

【夫妇】fu^{35}fu^{53} 名夫妻：以下就行～礼，也就你正式结拜为～。i^{21}xa$^{53}_{44}$tsʰiəu$^{53}_{44}$çin$^{13}_{21}$fu^{35}fu^{53}li^{35},ia^{21}tsʰiəu^{53}ɲi^{13}tʂən^{53}ʂʅ^{53}ciet^{3}pai$^{53}_{44}$uei$^{13}_{21}$fu^{35}fu$^{53}_{21}$.

【夫娘子】pu^{35}ɲiɔŋ^{13}tsʅ^{0} 名女子；妇女。也简称“夫娘”：～渠㩷哩人就爱食全身香荽哟。pu^{35}ɲiɔŋ$^{13}_{44}$tsʅ^{0}ci$^{13}_{21}$kʰuan$^{53}_{44}$li^{0}ɲin^{13}tsʰiəu$^{53}_{44}$ɔi$^{53}_{44}$ʂət^{5}tsʰien^{13}ʂən$^{35}_{44}$çiɔŋ$^{35}_{44}$si$^{35}_{44}$io^{0}.｜三只夫娘，六只嫐姑——捡得确定哩个。san^{35}tʂak^{3}pu^{35}ɲiɔŋ^{13},liəuk^{3}tʂak^{3}lien^{53}ku^{35}—ɲien^{21}tek^{3}kʰuek^{5}tʰiaŋ^{53}li^{0}ke^{53}.

【夫娘子人】pu^{35}ɲiɔŋ$^{13}_{21}$tsʅ^{0}ɲin$^{13}_{21}$ 名妇女：箇妹子人，～个鞋也有滴就系像以个以样吵。kai$^{53}_{44}$mɔi^{53}tsʅ^{0}ɲin$^{13}_{21}$,pu^{35}ɲiɔŋ$^{13}_{21}$tsʅ^{0}ɲin$^{13}_{21}$ke$^{53}_{44}$xai$^{13}_{44}$ia$^{35}_{44}$iəu^{35}tet^{5}tsʰiəu^{53}xei$^{53}_{44}$tsʰiɔŋ^{53}i^{21}ke$^{53}_{44}$i$^{21}_{44}$iɔŋ$^{53}_{44}$ʂa^{0}.

【敷】fu^{35} 动涂；搽：～滴药去 fu^{35}tet$^{5}_{3}$iɔk^{5}çi$^{53}_{44}$｜用烂泥～ iəŋ^{53}lan^{53}lai^{13}fu^{35}｜舞倒野葛子，槌倒去～。u^{21}tau^{21}ia^{35}cʰiau$^{35}_{44}$tsʅ^{0},tʂʰei$^{13}_{21}$tau^{21}çi$^{53}_{44}$fu^{35}.

【伏】fuk^{5} 动腌渍并装在坛子里久储：用辣椒粉箇只唠，去腌㗎，去～哦，放辣椒粉去～哦。iəŋ^{53}lait^{5}tsiau^{35}fən^{21}kai$^{53}_{44}$tʂak^{3}lau^{0},çi^{53}ien^{35}nau^{0},çi$^{53}_{44}$fuk^{5}o^{0},fəŋ$^{53}_{44}$lait^{5}tsiau^{35}fən^{21}çi$^{53}_{44}$fuk^{5}o^{0}.｜过年箇就你就可以～鱼，～倒箇鱼嘞就唔爱熏呢，唔爱让门子去熏，箇兜～倒个鱼就咁子蒸倒食，正月来哩客就夹几坨。ko^{53}ɲien^{13}kai$^{53}_{44}$tsʰiəu^{53}ɲi^{13}tsiəu$^{53}_{44}$kʰo^{21}i^{35}fuk^{5}ŋ̍^{13},fuk^{5}tau^{21}kai^{53}ŋ̍^{13}le^{0}tsʰiəu^{53}m̩$^{13}_{21}$mɔi$^{53}_{44}$çiəŋ^{35}ne^{0},m̩$^{13}_{21}$mɔi$^{53}_{44}$ɲiɔŋ^{53}mən^{0}tsʅ^{0}cʰi^{53}çiəŋ^{35},kai$^{53}_{44}$təu$^{35}_{44}$fuk^{5}tau$^{21}_{44}$ke^{0}ŋ̍$^{13}_{21}$tsʰiəu^{53}kan^{21}tsʅ^{0}tʂən^{35}tau^{21}ʂət^{5},tʂaŋ$^{35}_{44}$ɲiet^{5}lɔi$^{13}_{21}$li^{0}kʰak^{3}tsʰiəu$^{53}_{44}$kait^{3}ci^{21}tʰo^{13}.

【伏天】fuk^{5}tʰien$^{35}_{44}$ 名三伏天：热六月～嘞，热天个时候子（竹筒）会爆坼。ɲiet$^{5}_{3}$liəuk^{3}ɲiet$^{5}_{3}$fuk^{5}tʰien$^{35}_{44}$ne^{0}, ɲiet^{5}tʰien$^{35}_{44}$ke$^{53}_{44}$ʂʅ$^{13}_{21}$xei$^{53}_{44}$tsʅ^{0}uɔi$^{53}_{44}$pau^{53}tsʰak^{3}.

【伏羊】fuk^{5}iɔŋ^{13} 名进入初伏那天吃的羊肉：我等以映是还有啦，欸，起伏箇晡就作兴食羊肉哇，食～啊。ŋai^{13}tien^{0}i^{21}iaŋ^{53}ʂʅ$^{53}_{44}$xai$^{13}_{21}$iəu$^{35}_{53}$la^{0},e$_{21}$,çi^{21}fuk^{5}kai$^{53}_{44}$pu$^{35}_{53}$tsʰiəu$^{53}_{44}$tsɔk^{3}çin$^{35}_{44}$ʂət^{5}iɔŋ^{13}ɲiəuk^{3}ua^{0}, ʂət^{5}fuk^{5}iɔŋ$^{13}_{21}$a^{0}.｜我等以映子客姓人呢起伏箇晡就食羊肉，安做食～。箇是箇晡个羊肉就，平时三十块，箇晡就爱四十块啦。欸，贵都更贵啦。长沙人呢，我箇年去长沙过伏天个嘞，长沙人呢爱食叫鸡，爱食会啼个鸡公。实在是话鸡公是会啼个鸡公是燥性呐，渠单单起伏箇晡就会爱食会啼个鸡公。箇晡特别贵。我等就食～。晓知有么个好处？唔晓得。都系整嘴巴个，嘴巴好。ŋai^{13}tien^{0}i^{21}iaŋ^{53}tsɿ^{0}k^{h}ak^{3}sin^{53}ɲin$^{13}_{21}$ne^{0}çi^{21}fuk^{5}kai$^{53}_{44}$pu^{35}ts^{h}iəu$^{53}_{21}$ʂət^{5}iɔŋ^{13}ɲiəuk^{3},ɔn$^{35}_{44}$tso$^{53}_{21}$ʂət$^{5}_{3}$fuk^{5}iɔŋ^{13}.kai^{53}ʂʅ$^{53}_{44}$kai^{53}pu^{35}ke^{0}iɔŋ^{13}ɲiəuk^{3}ts^{h}iəu^{53},p^{h}in^{13}ʂʅ$^{13}_{44}$san^{35}ʂət^{5}k^{h}uai^{53},kai$^{53}_{44}$pu^{35}ts^{h}iəu$^{53}_{44}$ɔi$^{53}_{44}$si^{53}ʂət$^{5}_{3}$k^{h}uai$^{53}_{21}$la^{0}.e$_{21}$,kuei^{53}təu$^{35}_{44}$ken$^{53}_{44}$kuei^{53}la^{0}.tʂ^{h}ɔŋ^{13}sa$^{35}_{44}$ɲin^{13}nei^{0},ŋai^{13}kai$^{53}_{44}$ɲien$^{13}_{44}$çi^{53}tʂ^{h}ɔŋ^{13}sa$^{35}_{44}$ko^{53}fuk^{5}t^{h}ien$^{35}_{44}$ke^{0}lei^{0},tʂ^{h}ɔŋ^{13}sa$^{35}_{44}$ɲin^{13}nei^{0}ɔi$^{53}_{44}$ʂət^{5}ciau^{53}ke$^{35}_{44}$,ɔi$^{53}_{44}$ʂət^{5}uɔi^{53}t^{h}ai^{13}kei^{53}ke^{35}kəŋ$^{35}_{44}$.ʂət^{5}ts^{h}ai^{53}ʂʅ^{53}ua^{53}ke^{35}kəŋ$^{35}_{44}$ʂʅ$^{53}_{44}$uɔi^{53}t^{h}ai^{13}kei$^{53}_{44}$ke^{35}kəŋ$^{35}_{44}$ʂʅ$^{53}_{21}$tsau^{53}sin^{53}na^{0},ci$^{13}_{21}$tan^{35}tan$^{35}_{44}$çi^{21}fuk^{5}kai$^{53}_{44}$pu$^{35}_{44}$ts^{h}iəu^{53}uɔi$^{53}_{44}$ɔi$^{53}_{44}$ʂət^{5}uɔi^{53}t^{h}ai^{13}ke^{0}cie^{35}kəŋ$^{35}_{44}$.kai$^{53}_{44}$pu^{35}t^{h}et^{5}p^{h}iet$^{5}_{3}$kuei$^{53}_{44}$.ŋai^{13}tien^{0}ts^{h}iəu$^{53}_{44}$ʂət^{5}fuk^{5}iɔŋ^{13}.çiau^{21}ti$^{35}_{44}$iəu$^{35}_{44}$mak^{3}e^{0}xau^{21}tʂ^{h}əu^{53}?n̩$^{13}_{21}$çiau^{21}tek^{3}.təu^{35}(x)e^{53}tʂaŋ^{21}tsi^{21}pa$^{35}_{44}$ke^{0},tsi^{21}pa$^{35}_{44}$xau^{21}.

【伏鱼】fuk^{5}ŋ̍^{13} 名加盐、八角粉、辣椒、烧酒等入坛腌制的鱼：～，噢，欸用盐用八角粉，胡椒欸八角粉，唔知放胡椒吗嘞，放是放得唠，盐就一定爱个，欸，八角粉就爱个，辣椒，欸，舞兜酒，爱烧酒，舞倒舞兜酒一码，舞倒箇个八角粉箇只嘞欸曳下去，伏倒，爱盖倒，密封啊，就莫分渠进气呀，莫分渠变质嘞。就咁子个鱼。以下嘞，你过哩一下就舞出去卖，安做～。蒸倒食也做得，炒倒食也做得，蛮好食唠，～蛮好食啊。fuk^{5}ŋ̍^{13},au$_{21}$,e$_{44}$iəŋ^{53}ian^{13}iəŋ^{53}pait^{3}kɔk^{3}fən^{21},fu^{13}tsiau$^{35}_{44}$e$_{21}$pait^{3}kɔk^{3}fən^{21},n̩^{13}ti$^{35}_{53}$fəŋ^{53}fu^{13}tsiau$^{35}_{44}$ma^{0}lei^{0},fəŋ^{53}ʂʅ$^{53}_{21}$fəŋ$^{53}_{44}$tek^{3}lau^{0},ian^{13}ts^{h}iəu^{53}iet^{3}t^{h}in^{53}ɔi$^{53}_{44}$ke^{0},e$_{21}$,pait^{3}kɔk^{3}fən^{21}ts^{h}iəu^{53}ɔi^{53}ke^{0},lait^{5}tsiau$^{35}_{44}$,e$_{21}$,u^{21}təu$^{35}_{53}$tsiəu^{21},ɔi$^{53}_{44}$ʂau^{35}tsiəu^{21},u^{21}tau^{21}u^{21}təu$^{35}_{53}$tsiəu^{21}iet^{3}ma^{35},u^{21}tau^{21}kai^{53}ke^{53}pait^{3}kɔk^{3}fən^{21}kai$^{53}_{44}$tʂak^{3}le^{0}e$_{21}$iet^{5}(x)a$^{53}_{44}$çi$^{53}_{44}$,fuk^{5}tau^{21},ɔi$^{53}_{21}$kɔi^{53}tau^{21},miet^{5}fəŋ^{35}ŋa^{0},ts^{h}iəu$^{53}_{44}$mɔk^{5}pən$^{35}_{44}$ci$^{13}_{21}$tsin^{53}c^{h}i^{53}ia^{0},mɔk^{5}pən$^{35}_{44}$ci$^{13}_{21}$pien^{53}tʂət^{3}le^{0}.ts^{h}iəu^{53}kan^{21}tsɿ^{0}ke^{53}ŋ̍^{13}.i^{21}xa$^{53}_{44}$lei^{0}, ɲi^{13}ko^{53}li^{0}iet^{3}xa$^{53}_{44}$ts^{h}iəu^{53}u^{21}tʂ^{h}ət^{3}çi$^{53}_{44}$mai^{53},ɔn$^{35}_{44}$tso$^{53}_{44}$fuk^{5}ŋ̍^{13}.tʂən^{35}tau^{21}ʂət^{5}a$^{35}_{44}$tso^{53}tek^{3},ts^{h}au^{21}tau^{21}ʂət^{5}a$^{35}_{44}$tso^{53}tek^{3},man^{13}xau^{21}ʂət^{5}lau^{0},fuk^{5}ŋ̍$^{13}_{44}$man^{13}xau^{21}ʂət^{5}a^{0}.

【凫鸭子】fu^{13}ait^{3}tsɿ^{0} 名野鸭子：～极像鸭子，但是有乌毛呢，比人家屋下个鸭子更细，更细，人家屋下个是食得好嘛，系啊？fu^{13}ait^{3}tsɿ^{0}ts^{h}iet^{5}ts^{h}iɔŋ^{53}ait^{3}tsɿ^{0},tan$^{53}_{44}$ʂʅ$^{53}_{44}$iəu$^{35}_{44}$u^{35}mau^{35}nei^{0},pi^{21}ɲin^{13}ka$^{35}_{44}$uk^{3}xa^{53}ke^{0}ait^{3}tsɿ^{0}ken$^{53}_{44}$sei^{53},ken$^{53}_{44}$se^{53}, ɲin$^{13}_{21}$ka$^{35}_{53}$uk^{3}xa^{53}ke^{53}ʂʅ$^{53}_{21}$ʂət^{5}tek^{3}xau^{21}ma^{0},xei$^{53}_{44}$a^{0}?.

【扶】p^{h}u^{13} 动用手按着或把持着：（孝子）帮渠～下子杠。pɔŋ^{35}ci$^{13}_{21}$p^{h}u$^{13}_{21}$a^{0}tsɿ^{0}kɔŋ^{53}.

【扶镬铲个】p^{h}u^{13}uɔk^{5}ts^{h}an^{21}ke^{0} 指餐馆、饭店里的主厨。又称“掌镬个”：但是以箇只大……以个咁个有咁大子个规模个餐馆呐，宾馆呐，欸，农庄箇兜嘞，箇只就唔完全系煮饭食个箇个就安做～，掌镬个。tan^{53}ʂʅ^{53}i^{21}kai^{53}tʂak^{3}t^{h}ai^{53}…i^{21}cie^{53}kan^{21}cie$^{53}_{44}$iəu^{35}kan^{21}t^{h}ai^{53}tsɿ^{0}ke^{0}kuei^{35}mu$^{13}_{21}$ke^{0}ts^{h}ɔn^{35}kɔn^{21}na^{0},pin^{35}kɔn^{21}na^{0},e$_{21}$,ləŋ^{13}tsɔŋ$^{35}_{44}$kai$^{53}_{44}$te$^{35}_{53}$lei^{0},kai^{53}tʂak^{3}ts^{h}iəu^{53}n̩$^{13}_{21}$xɔn^{13}ts^{h}ien$^{13}_{44}$xei^{53}tʂəu^{21}fan^{53}ʂət^{5}ke$^{53}_{21}$kai^{53}e^{0}tsiəu$^{53}_{44}$ɔn$^{35}_{44}$tso$^{53}_{44}$p^{h}u^{13}uɔk^{5}ts^{h}an^{21}ke^{0},tʂɔŋ^{21}uɔk^{5}ke^{0}.

【扶手】fu^{13}/p^{h}u^{13}ʂəu^{21} 名器物上供手执握之处：（椅子）两边个就～。Iɔŋ^{21}pien$^{35}_{44}$ke$^{53}_{44}$ts^{h}iəu$^{53}_{44}$fu^{13}ʂəu^{21}.

【扶梯】fu^{13}t^{h}ɔi^{35} 名有扶手护栏的楼梯：～同楼梯嘞，楼梯就冇得扶手，冇得扶手个，～就有扶手个。我等以前老屋有～哟。用树做个啊，也就同以个一样个，更狭，欸，更陡，同如今箇个上楼个～咯。用木板做个，一块顿个，一块横个，两边就有挡板呐，两边瘩厚个挡板呐，挡板上就挖槽哇，挡板上爱挖槽啦，唔系你……渠正嵌得稳吵，系唔系？～板底下还有两条方啊，托稳呐，怕渠出问题呀。也有兜冇得竖个箇块板，做得好兜子个就一块平个，一块竖个，也有兜只有平个。fu^{13}t^{h}ɔi$^{35}_{44}$t^{h}əŋ$^{13}_{21}$lei^{13}t^{h}ɔi$^{35}_{44}$lei^{0},lei^{13}t^{h}ɔi$^{35}_{44}$ts^{h}iəu^{53}mau^{13}tek^{3}p^{h}u^{13}ʂəu^{21},mau^{13}tek^{3}p^{h}u^{13}ʂəu^{21}ke^{53},fu^{13}t^{h}ɔi$^{35}_{44}$ts^{h}iəu$^{53}_{44}$iəu^{35}p^{h}u^{13}ʂəu^{21}ke^{53}.ŋai^{13}tien^{0}i$^{35}_{44}$ts^{h}ien$^{13}_{21}$lau^{21}uk^{3}təu$^{35}_{53}$iəu$^{35}_{53}$fu$^{13}_{21}$t^{h}ɔi$^{35}_{44}$iau^{0}.iəŋ$^{53}_{44}$ʂəu^{53}tso$^{53}_{44}$ke^{0}a^{0},ia^{35}ts^{h}iəu^{53}t^{h}əŋ$^{13}_{21}$i$^{13}_{21}$ke$^{53}_{44}$iet^{3}iɔŋ^{53}ke^{0},cien^{53}c^{h}iait^{5},e$_{21}$,cien^{53}tei^{21},t^{h}əŋ^{13}i$^{13}_{21}$cin$^{35}_{53}$kai$^{53}_{44}$ke$^{53}_{44}$ʂɔŋ$^{53}_{44}$lei$^{13}_{21}$ke$^{53}_{44}$fu^{13}t^{h}ɔi$^{13}_{44}$ko^{0}.iəŋ^{53}muk^{3}pan^{21}tso$^{53}_{44}$ke$^{53}_{44}$,iet^{3}k^{h}uai$^{53}_{44}$tən^{53}ke$^{53}_{44}$,iet^{3}k^{h}uai^{53}uaŋ^{13}ke^{53},iɔŋ^{21}pien^{35}ts^{h}iəu$^{53}_{44}$iəu$^{35}_{44}$tɔŋ^{21}pan^{21}na^{0},iɔŋ^{21}pien^{35}tek^{5}xei$^{35}_{44}$ke^{0}tɔŋ^{21}pan^{21}na^{0},tɔŋ^{21}pan^{21}xɔŋ$^{53}_{44}$ts^{h}iəu$^{53}_{44}$ua^{35}ts^{h}au^{13}ua^{0},tɔŋ^{21}pan^{21}xɔŋ$^{53}_{44}$ɔi$^{53}_{44}$ua$^{35}_{44}$ts^{h}au^{13}la^{0},m̩$^{13}_{21}$p^{h}ei^{53}ɲi$^{13}_{21}$…ci$^{13}_{21}$tʂaŋ^{53}k^{h}an^{53}tek^{3}uən^{21}ʂa^{0},xei^{53}me^{53}?fu^{13}t^{h}ɔi$^{35}_{44}$pan^{21}te^{21}xa$^{53}_{44}$xai$^{13}_{21}$iəu^{35}iɔŋ^{21}t^{h}iau$^{13}_{21}$fəŋ^{35}ŋa^{0},t^{h}ɔk^{3}uən^{21}na^{0},p^{h}a^{53}ci$^{13}_{44}$tʂ^{h}ət^{3}uən^{53}t^{h}i$^{13}_{44}$ia^{0}.ia^{35}iəu$^{35}_{44}$təu$^{35}_{53}$mau^{13}tek^{3}ʂəu^{53}ke^{0}kai$^{53}_{44}$k^{h}uai$^{53}_{44}$pan^{21},tso^{53}tek^{3}xau^{21}təu$^{35}_{53}$tsɿ^{0}ke^{0}ts^{h}iəu$^{53}_{44}$iet^{3}k^{h}uai^{53}p^{h}iaŋ^{13}ke$^{53}_{44}$,iet^{3}k^{h}uai$^{53}_{44}$ʂəu^{53}ke$^{53}_{44}$,ia^{35}iəu$^{35}_{44}$təu$^{35}_{44}$tʂʅ^{21}iəu$^{35}_{53}$p^{h}iaŋ^{13}ke$^{53}_{44}$.

【扶转】p^{h}u^{13}tʂɔn^{21} 动护持并使其侧向相反方向：因为阳光唔好，所以渠就～指禾苗。in$^{35}_{44}$uei$^{13}_{21}$iɔŋ^{13}kɔŋ$^{35}_{44}$m̩^{13}xau^{21},so^{21}i^{35}ci$^{13}_{21}$ts^{h}iəu$^{53}_{44}$p^{h}u^{13}tʂɔn^{21}.

【服】fuk^{5} 动顺从；信服：以只事咁子搞啊我硬唔～。i^{21}tʂak^{3}sɿ^{53}kan^{21}tsɿ^{0}kau^{21}a^{0}ŋai^{13}ɲiaŋ^{53}n̩^{13}fuk^{5}.

【服好】fuk^{5}xau^{21} 动领情；接受别人的善意关怀：箇有兜咁个婆婆子啊唔～，讲兜子么个事子总跍倒去下罗罗呋呋。kai^{53}iəu^{35}tei$^{35}_{44}$kan^{21}ke$^{53}_{44}$p^{h}o^{13}p^{h}o$^{13}_{44}$tsɿ^{0}a^{0}n̩^{13}fuk^{5}xau^{21},kɔŋ^{21}te$^{35}_{53}$tsɿ^{0}mak^{3}e^{0}sɿ$^{53}_{44}$tsɿ^{0}tsəŋ^{21}ku^{35}tau^{21}çi^{53}xa^{53}lo^{13}lo$^{13}_{21}$cio$^{35}_{44}$cio$^{35}_{44}$.

【服侍】fuk^{5}sɿ^{53} 动伺候；照料：我等以欸以到吵以到我老婆病哩吵，我老妹子等就同我请一只大师傅～我娭子，煮饭食分渠食。ŋai^{13}tien^{0}i^{21}ei$_{21}$i^{21}tau$^{53}_{44}$ʂa^{0}i^{21}tau^{53}ŋai$^{13}_{21}$lau^{21}pʰo^{13}pʰiaŋ^{53}li^{0}ʂa^{0},ŋai^{13}lau^{21}mɔi^{53}tsɿ^{0}ten$^{21}_{44}$tsʰiəu^{53}tʰəŋ$^{13}_{21}$ŋai$^{13}_{21}$tsʰiaŋ^{21}iet^{3}tʂak^{3}tʰai^{53}sɿ$^{35}_{44}$fu^{53}fuk^{5}sɿ^{53}ŋai$^{13}_{21}$ɔi^{35}tsɿ^{0},tʂəu^{21}fan^{53}ʂət^{5}pən^{35}ci$^{13}_{21}$ʂət^{5}.｜九十岁了，九十二岁九十三岁了，渠老婆一身个病，渠老婆就唔系……比渠细几岁子，八十几子啊九十岁子打转身呶。渠个赖子都六十几了哇，系唔系？六七十岁了渠赖子啊，渠赖子摎我同学嘞。几只赖子嘞，大赖子摎我同学嘞。渠还～老婆。自家九十五岁了哇九十四岁了，还～老婆。老婆先死。以下是箇只老舅公也死嘿哩。ciəu^{21}ʂət^{5}sɔi^{53}liau^{0},ciəu^{21}ʂət^{5}ɲi^{53}sɔi$^{53}_{44}$ciəu^{21}ʂət^{5}san^{35}sɔi^{53}liau^{0},ci$^{13}_{21}$lau^{21}pʰo^{13}iet^{3}ʂən^{35}ke^{0}pʰiaŋ$^{53}_{44}$,ci$^{13}_{21}$lau^{21}pʰo^{13}tsʰiəu^{53}n̩^{13}tʰe^{53}…pi^{21}ci$^{13}_{44}$sei^{53}ci^{21}sɔi^{53}tsɿ^{0},pait^{3}ʂət^{5}ci^{21}tsa^{0}ciəu^{21}ʂət^{5}sɔi^{53}tsɿ^{0}ta^{21}tʂuən^{21}ʂən^{35}nau^{0}.ci^{13}ke^{0}lai^{53}tsɿ^{0}təu$^{35}_{53}$liəuk^{3}ʂət^{5}ci^{21}liau^{0}ua^{0},xei^{53}me^{53}?liəuk^{3}tsʰiet^{3}ʂət^{5}sɔi^{53}liau^{0}ci^{13}lai^{53}tsa^{0},ci^{13}lai^{53}tsɿ^{0}lau^{35}ŋai$^{13}_{21}$tʰəŋ^{13}çiɔk^{5}lei^{0}.ci^{21}tʂak^{3}lai^{53}tsɿ^{0}lei^{0},tʰai^{53}lai^{53}tsɿ^{0}lau$^{35}_{44}$ŋai$^{13}_{21}$tʰəŋ$^{13}_{21}$çiɔk^{5}lei^{0}.ci^{13}xai^{13}fuk^{5}sɿ^{53}lau^{21}pʰo^{13}.tsʰɿ^{35}ka$^{35}_{44}$ciəu^{21}ʂət^{5}ŋ̍^{21}sɔi^{53}liau^{0}ua^{0}ciəu^{21}ʂət^{5}si^{53}sɔi^{53}liau^{0},xai^{13}fuk^{5}sɿ^{53}lau^{21}pʰo^{13}.lau^{21}pʰo^{13}sien^{35}si^{21}.i^{21}xa$^{53}_{44}$ʂʅ$^{53}_{44}$kai^{53}tʂak^{3}lau^{21}cʰiəu$^{35}_{44}$kəŋ^{35}ŋa$^{35}_{44}$si^{21}xek^{3}li^{0}.

【茯苓】fuk^{5}lin^{13} 名中药名。寄生在松树根上的一种块状菌：我等队上栽倒有～呢，箇阵子咯栽～。ŋai^{13}tien^{0}ti^{53}xɔŋ^{53}tsɔi^{35}tau^{21}iəu$^{35}_{44}$fuk^{5}lin$^{13}_{21}$nei^{0},kai$^{53}_{44}$tʂʰən^{53}tsɿ^{0}ko^{0}tsɔi^{35}fuk^{5}lin$^{13}_{21}$.

【浮$_{1}$】fei^{13} 动停留在液体表面上，与“沉”相对：箇个指打飘石子就看么人个打得～起来更多下。kai^{53}ke$^{53}_{44}$tsʰiəu$^{53}_{44}$kʰɔn^{53}mak^{3}ɲin^{13}ke^{53}ta^{21}tek^{3}fei^{13}çi^{21}lɔi^{13}cien^{53}to^{35}xa^{53}.

【浮$_{2}$】fei^{13} 形不实在，又称“轻浮”：做事蛮～呀，唔实在哟箇人呶。tso^{53}sɿ^{53}man$^{13}_{21}$fei^{13}ia^{0},n̩$^{13}_{21}$ʂət^{5}tsʰai^{53}iau^{0}kai^{53}ɲin$^{13}_{21}$nau^{0}.

【浮花鱼子】fu^{13}fa^{35}ŋ̍^{13}tsɿ^{0} 名一种小鱼，常游动于水面：欸，我箇到去箇个安做么个栏场啊？安做黄石洞漂流个栏场。我看下子箇个箇河里个水唔知几浅，河里冇么个水。顶高趸嘿哩啊，顶高个坝趸嘿哩。箇个～真多，硬成千上万箇～。欸，我怕箇起箇一碗公都唔知打起一碗公来都唔知有箇个吗，欸一百条都唔知有舞得一碗倒吗，欸，箇个。丁啮大子，系啊？丁啮大子。一干是转更冇得哩。e$_{21}$,ŋai^{13}kai^{53}tau$^{53}_{44}$çi^{53}kai$^{53}_{44}$ke$^{53}_{44}$ɔn$^{35}_{44}$tso$^{53}_{44}$mak^{3}ke^{0}laŋ$^{13}_{21}$tʂʰɔŋ$^{13}_{21}$ŋa^{0}?ɔn$^{35}_{44}$tso$^{53}_{44}$uɔŋ^{13}ʂak$^{5}_{3}$tʰəŋ^{53}pʰiau^{35}liəu^{13}ke^{53}laŋ$^{13}_{21}$tʂʰɔŋ$^{13}_{21}$.ŋai^{13}kʰɔn^{53}xa$^{53}_{44}$tsɿ^{0}kai$^{53}_{44}$kei$^{53}_{44}$kai^{53}xo^{13}li^{0}ke^{53}ʂei^{21}n̩^{13}ti$^{35}_{53}$ci^{21}tsʰien^{21},xo^{13}li^{0}mau^{13}mak^{3}e^{0}ʂei^{21}.taŋ^{21}kau$^{35}_{53}$tən^{21}nek^{3}li^{0}a^{0},taŋ^{21}kau$^{35}_{44}$ke^{0}pa^{53}tən^{21}nek^{3}li^{0}.kai$^{53}_{44}$ke$^{53}_{44}$fu$^{13}_{21}$fa$^{35}_{53}$ŋ̍$^{13}_{21}$tsɿ^{0}tʂən^{35}to$^{35}_{44}$,ɲiaŋ^{53}tʂʰən^{13}tsʰien$^{35}_{44}$ʂɔŋ^{53}uan^{53}kai$^{53}_{44}$fu$^{13}_{21}$fa$^{35}_{53}$ŋ̍$^{13}_{21}$tsɿ^{0}.iei$_{44}$,ŋai^{13}pʰa^{53}kai^{53}çi$^{21}_{44}$kai$^{53}_{44}$iet^{3}uɔn^{21}kəŋ^{35}təu$^{35}_{53}$n̩^{13}ti$^{35}_{53}$ta^{21}çi^{21}iet^{3}uɔn^{21}kəŋ^{35}lɔi$^{13}_{21}$təu$^{35}_{53}$n̩$^{13}_{21}$ti$^{35}_{44}$iəu$^{35}_{44}$kai$^{53}_{44}$ke$^{53}_{44}$ma^{0},e$_{21}$iet^{3}pak^{3}tʰiau^{13}təu$^{35}_{53}$n̩^{13}ti$^{35}_{44}$iəu$^{35}_{44}$u^{21}tek^{3}iet^{3}uɔn^{21}tau^{21}ma^{0},e$_{21}$,kai$^{53}_{44}$ke^{0}.tin$^{35}_{53}$ŋait^{3}tʰai^{53}tsɿ^{0},xei$^{53}_{44}$a^{0}?tin$^{35}_{53}$ŋait^{3}tʰai^{53}tsɿ^{0}.iet^{3}kɔn^{35}ʂʅ$^{53}_{44}$tʂuɔn^{21}cien^{53}mau$^{13}_{21}$tek^{3}li^{0}.

【浮子】fei^{13}tsɿ^{0} 名鱼漂。又称“白子”：箇只咁个～就安做白子嘞。kai^{53}tʂak^{3}kan^{21}ke$^{53}_{44}$fei^{13}tsɿ^{0}tsʰiəu$^{53}_{44}$ɔn$^{35}_{44}$tso$^{53}_{44}$pʰak$^{5}_{3}$tsɿ^{0}lei^{0}.

【符】pʰu^{13}/fu^{13} 名符箓；道士画的用来驱鬼召神或治病延年的神秘文书，也称“符子”：我老妹子买哩车啊，渠都箇个噢年年都走下庙里去请倒道士啊画只～，请道士画～，欸，到箇太阳冲里箇庙里去，出一百钱，系唔系？有兜时候是也唔系道士画个～，就系印个箇种～。ŋai$^{13}_{21}$lau^{21}mɔi^{53}tsɿ^{0}mai$^{35}_{44}$li^{0}tʂʰa^{35}a^{0},ci$^{13}_{21}$təu$^{35}_{44}$kai$^{53}_{44}$ke$^{53}_{44}$au^{0}ɲien^{13}ɲien$^{13}_{21}$təu$^{35}_{53}$tsei^{21}ia$^{53}_{44}$miau^{53}li^{0}çi$^{53}_{44}$tsʰiaŋ^{21}tau^{21}tʰau^{53}sɿ$^{53}_{44}$a^{0}fa^{53}tʂak^{3}fu^{13},tsʰiaŋ^{21}tʰau$^{53}_{44}$sɿ$^{53}_{44}$fa^{53}fu^{13},e$_{21}$,tau^{53}kai^{53}tʰai^{53}iɔŋ$^{13}_{21}$tʂʰəŋ^{35}li^{0}kai$^{53}_{44}$miau^{53}li^{0}çi^{53},tʂʰət^{3}iet^{3}pak^{3}kʰuai^{53}tsʰien$^{13}_{44}$,xei^{53}me^{53}?iəu^{35}te$^{35}_{53}$ʂʅ$^{13}_{44}$xei$^{53}_{44}$ʂʅ$^{53}_{44}$ia^{35}m̩$^{13}_{21}$pʰei$^{53}_{44}$tʰau^{53}sɿ$^{53}_{44}$fa^{53}ke$^{53}_{44}$fu$^{13}_{21}$,tsiəu$^{53}_{44}$xe$^{53}_{44}$in^{53}cie$^{53}_{44}$kai^{53}tʂəŋ^{21}fu^{13}.｜爱画～子，爱请倒箇道士画张～子，就系怕犯重丧。ɔi^{53}fa^{53}fu^{13}tsɿ^{0},ɔi^{53}tsʰiaŋ^{21}tau^{21}kai$^{53}_{44}$tʰau^{53}sɿ$^{53}_{44}$fa^{53}tʂɔŋ$^{35}_{44}$fu^{13}tsɿ^{0},tsʰiəu$^{53}_{44}$xei$^{53}_{44}$pʰa^{53}fan^{53}tʂʰəŋ^{13}sɔŋ$^{35}_{44}$.

【幅】fuk^{5} 量用于图画、布匹等：一～画 iet^{3}fuk^{5}fa^{53}｜买被单箇只啦，扯被单箇只扯布啊，也安做一～一～呢。一～就系，同以个布样吵，系唔系？滚做一筒筒吵，咁子滚做一筒筒箇个，以咁子以只方向就安做～。一只宽向啊就安做一～。欸，以下你就去扯几多子，欸，你扯几多子。一～，打比样以个白布样，渠个一～只有三尺，或者三尺三一～。箇长嘞就听你让门去扯唠，渠反正渠只有咁阔子，一～只有三尺。有滴嘞就一～就四尺五。打比你以个被窝样啊，你箇三尺嘞你就爱做两～正够，两～驳下起。mai^{35}pʰi^{35}tan^{35}kai$^{53}_{21}$tʂak^{3}la^{0},tʂʰa^{21}pʰi^{35}tan^{35}kai$^{53}_{21}$tʂak^{3}tʂʰa^{21}pu^{53}a^{0},ia^{35}ɔn$^{35}_{53}$tso^{53}iet^{3}fuk^{5}iet^{3}fuk^{5}nei^{0}.iet^{3}fuk^{5}tsʰiəu$^{53}_{44}$xei$^{53}_{44}$,tʰəŋ^{13}i^{21}ke$^{53}_{44}$pu^{53}iɔŋ$^{53}_{44}$ʂa^{0},xei$^{53}_{44}$me$^{53}_{44}$?kuən^{21}tso^{53}iet^{3}tʰəŋ$^{13}_{21}$tʰəŋ^{13}ʂa^{0},kan^{21}tsɿ^{0}kuən^{21}tso^{53}iet^{3}tʰəŋ^{13}tʰəŋ^{13}kai$^{53}_{44}$ke$^{53}_{44}$,i^{21}kan$^{21}_{13}$tsɿ^{0}i^{21}tʂak^{3}fɔŋ^{35}çiɔŋ^{53}tsʰiəu$^{53}_{44}$ɔn$^{35}_{53}$tso^{53}fuk^{5}.iet^{3}tʂak^{3}kʰɔn^{35}çiɔŋ^{53}ŋa^{0}tsʰiəu$^{53}_{44}$ɔn$^{35}_{44}$tso$^{53}_{44}$iet^{3}fuk^{5}.ei$_{21}$,i^{21}xa^{53}ɲi^{13}tsʰiəu^{53}çi^{53}tʂʰa^{21}ci^{21}to^{35}tsɿ^{0},e$_{21}$,ɲi$^{13}_{21}$tʂʰa^{21}ci^{21}(t)o^{35}tsɿ^{0}.iet^{3}fuk^{5},ta^{21}pi^{21}iɔŋ^{53}i^{21}kei$^{53}_{44}$pʰak^{5}pu$^{53}_{44}$iɔŋ$^{53}_{44}$,ci^{13}ke^{53}iet^{3}fuk^{5}tʂʅ^{21}iəu^{53}san^{35}tʂʰak^{3},xɔit^{5}tʂa^{21}

san35tʂʰak3 san35iet3 fuk5.kai53tʂʰɔŋ13lei0 tsiəu53tʰin53ɲi13ɲiɔŋ53mən0 çi53tʂʰa21lau0,ci13/21fan21tʂən53ci13/21tʂʅ21iəu35/53 kan21kʰɔit3 tsʅ0,iet3 fuk5 tʂʅ21iəu35/53san35tʂʰak3.iəu35tet5 lei0 tsʰiəu53/44iet3 fuk5 tsʰiəu53/44si53tʂʰak3 ŋ̍21.ta21pi21/44ɲi13/44i21ke53 pʰi35pʰo35/53iɔŋ53/44ŋa0,ɲi13kai53san35tʂʰak3 lei0ɲi13tsʰiəu53ɔi53tso53iɔŋ21fuk5 tʂaŋ53/44ciei53,iɔŋ21fuk5 pɔk3 (x)a53çi53.

【斧头】pu21tʰei13 名砍伐木头、劈削木材的金属工具，头呈楔形，装有木柄：～就有几起啦。有起劈柴斧，劈柴个，专门用来劈柴个，劈柴斧。有起斫斧子，斫树个斧。有起木匠师傅箇箇个，欸，安做么个斧啊木匠师傅个？木匠用个～。pu13/21tʰei13tsʰiəu53/44iəu35ci21çi21la0.iəu35çi21pʰiak3 tsʰai13pu21,pʰiak3 tsʰai13ke53,tʂen35/44mən13/44iɔŋ53lɔi13/21pʰiak3 tsʰai13ke53,pʰiak3 tsʰai13pu21.iəu35çi21tʂɔk3 pu21tsʅ0,tʂɔk3 ʂəu53ke0 pu21.iəu35çi21muk3 tsʰiɔŋ53/44sʅ35/44fu53/44kai53kai53/44ke53/44,e21,ɔn35/44tso53mak3 e0 pu21a0 muk3 siɔŋ53/44sʅ35/44fu35/44 kei53/44?muk3 siɔŋ53/44iɔŋ35ke53pu21tʰei13/21.｜我记得箇阵子我箇只二叔公啊，我同你讲过，系唔系？我二叔公嘞，渠就有张～，唔知几好，好劈柴。我等长日去借，箇赠隔几远咯。借来借去，落尾我话：“欸，你卖分我哟，箇张～你卖过分我哟！”“箇，我唔卖嘿哩。”哦嗬，话倒话倒冇几多个月是，死嘿咁，嗯，死咁哩。死咁哩，一只丧事一搞是箇张～唔知分么人□嘿哩，冇得哩。ŋai13ci53/44tek3 kai53tʂʰən53tsʅ0 ŋai13kai53tʂak3 ɲi53ʂəuk3 kəŋ35ŋa0,ŋai13tʰəŋ13/21ɲi13kɔŋ21ko53,xei53/44me53/44?ŋai13ɲi53 ʂəuk3 kəŋ35le0,ci13tsʰiəu53iəu35tʂɔŋ35/44pu21tʰei13,n̩13ti35/53ci21xau21,xau21pʰiak3 tsʰai13.ŋai13tien0 tʂʰɔŋ13ɲiet3 çi53/44tsia53, kai53maŋ13kak3 ci21ien21ko0.tsia53/44lɔi13/44tsia53/44çi53/44,lɔk5 mi35/53ŋai13ua53:"e21, ɲi13mai53pɔn53/44ŋai13io0,kai53/44tʂɔŋ35/44pu21tʰ ei13ɲi13mai53ko53/44pɔn35ŋai13io0!""kai53,ŋai13/21m̩13mai53(x)ek3 li0."o53xo53,ua53tau21ua53tau21mau13ci21to35ke53ɲiet5 ʂʅ53,si21(x)ek3 kan21,n̩21,si21kan21ni0.si21kan21ni0,iet3 tʂak3 sɔŋ35sʅ53iet3 kau21ʂʅ53/44kai53/44tʂɔŋ35/53pu21tʰei13/44n̩13ti35/53pɔn35/53 mak3 in13/44fien53nek3 li0,mau13tek3 li0.

【斧头子】pu21tʰei13tsʅ0 名小斧头：渠就像毛细～。ci13tsʰiəu53siɔŋ53/44mau35se53pu21tʰei13tsʅ0.

【斧子】pu21tsʅ0 名斧头：好像渠箇个做木匠箇兜咁个人呢，欸用斧头个箇起人呢渠就讲～个多。但是横辈人呢，有滴唔多用斧头个人呢，唔系箇个唔用箇起工具个人呢就讲斧头个多。师傅一般都讲～，唔讲斧头。师傅就讲～个多。xau21tsʰiɔŋ53ci13/21kai53kei53/44tso53muk3 siɔŋ53kai53təu35/53 kan21ke0ɲin13ne0,ei21iɔŋ53pu21tʰei13ke0 kai53/44çi21ɲin13ne0 ci13tsʰiəu53kɔŋ21pu21tsʅ0 ke0 to35/44.tan53ʂʅ53uaŋ13pei53/44ɲin13 ne0,iəu35tiet5 n̩13to35iɔŋ53pu21tʰei13ke0ɲin13ne0,n̩13tʰei53kai53ke0 n̩13iɔŋ53kai53çi21kəŋ35tʂʯ53ke0ɲin13ne0 tsiəu53 kɔŋ21pu21tʰei13ke0 to35/53.sʅ35fu53iet3 pɔn35təu35/53kɔŋ21pu21tsʅ0,n̩13kɔŋ21pu21tʰei13.sʅ35fu53tsʰiəu53kɔŋ21pu21tsʅ0 ke0 to35/44.｜一般就渠等讲～就讲箇个呢～就讲箇起咁个到岭上去斫树个呢，欸，搞张～呢。iet3 pɔn35 tsʰiəu53/21ci13tien0 kɔŋ21pu21tsʅ0 tsʰiəu53kɔŋ21kai53ke53nei0 pu21tsʅ0 tsʰiəu53kɔŋ21kai53çi21kan21ke53/44tau53/44liaŋ35xɔŋ53/44çi53/44 tʂɔk3 ʂəu53ke0 nei0,e21,kau21tʂɔŋ35/53pu21tsʅ0 nei0.

【府】fu21 名古代行政区域名，等级大致是在省和县之间。今道士在宗教活动中常加沿袭：我等箇个箇个庙欸箇个做道士个人吵，渠就唔写湖南省浏阳县呐欸浏阳市啊张坊镇呐，欸么啊小河乡啊皇碑村呐，渠就唔咁子写。渠就写长沙～，呣，浏阳县，东乡第一都，新安社令。渠照老个写。我等箇只社令安做新安社令。ŋai13tien0 kai53ke53/44kai53/44ke53/44miau53ei21kai53/44ke53/44tso53/44tʰau53 sʅ53/44ke53/44ɲin13/21ʂa0,ci13/21tsʰiəu53n̩13/21sia21iau0 fu13lan13sen21liəu13iɔŋ13çien53na0 e21liəu13iɔŋ13ʂʅ53a0 tʂɔŋ35/44fɔŋ35/44tʂən53 na0,e21mak3 a0 siau21xo13çiɔŋ35ŋa0 uɔŋ13pi35/44tsʰən35na0,ci13/21tsʰiəu53n̩13kan21tsʅ0 sia21.ci13/21tsʰiəu53sia21,tʂʰɔŋ13sa35/44 fu21,m̩21,liəu13iɔŋ13çien53,təŋ35çiɔŋ35/44tʰi53iet3 təu35,sin35ŋɔn35/44ʂa35lin53.ci13tʂau53lau21ke53sia21.ŋai13tien0 kai53tʂak3 ʂa35lin53ɔn35/44tso53/44sin35ŋɔn35/44ʂa35/44lin53/44.

【府绸】fu21tʂʰəu13 名一种由棉、涤、毛、锦或混纺棉纱织成的平纹细密织物：～是你话哪映产个我就唔晓，～我看就看过。箇阵子细细子来讲～是蛮好个啦，绸子嘞，绸子样啊。我着就硬赠着过，硬冇得钱来着。落尾就冇得哩。fu21tʂʰəu13/44ʂʅ53/44ɲi13ua53la53iaŋ53tsʰan21cie53ŋai13tsʰiəu53n̩13/21 çiau21,fu21tʂʰəu13ŋai13kʰɔn53tsʰiəu53/44kʰɔn53/44ko53/44.kai53tʂʰən53tsʅ0 se53se53tsʅ0 lɔi13kɔŋ21fu21tʂʰəu13ʂʅ53/44man13xau21 cie53la0,tʂʰəu13tsʅ0 lei0,tʂʰəu13tsʅ0 iɔŋ53/44ŋa0.ŋai13tʂɔk3 tsʰiəu53/44ɲiaŋ53maŋ13tʂɔk3 ko53/44, ɲiaŋ53mau13tek3 tsʰien13 nɔi13tʂɔk3.lɔk5 mi35/53tsiəu53mau13tek3 li0.

【府上】fu21xɔŋ53 名敬辞，称对方家族：以只是系欸哪只～个，打比我族等箇下欸我族子个，童～个外家坐以只厅子。以下就欸我老婆个曾～个，坐以只厅子，又啊厅子。以下就反正呢欸张～个又哪只厅子，咁子搞。i21tʂak3 ʂʅ53/44xei53e21lai53tʂak3 fu21xɔŋ53/44ke53/44,ta21pi21ŋai13/21ɔi35tien0 kai53/44xa53/44e21 ŋai13/21ɔi35tsʅ0 ke53/44,tʰuŋ13/21fu21xɔŋ53/44ke53/44ŋɔi53ka35/44tsʰo35/44i21tʂak3 tʰaŋ35tsʅ0.ia35(←i21xa35)tsiəu53/44e21ŋai13/21lau21pʰo13ke53 tsien35fu21xɔŋ53/44ke53/44,tsʰo35i21tʂak3 tʰaŋ35tsʅ0,iəu53a0 tʰaŋ35tsʅ0.ia35(←i21xa35)tsiəu53/44fan21/44tʂən53/44ne0 e21tʂɔŋ35fu21 xɔŋ53/44ke53/44iəu53/44lai53/21tʂak3 tʰaŋ35tsʅ0,kan21tsʅ0 kau21.

【腐竹】fu^{21}tʂəuk^{3} 名卷紧成条状的干豆腐皮。又称“豆笋”：如今就有专门做～个。i$^{13}_{21}$cin$^{35}_{44}$ tsʰiəu$^{53}_{44}$iəu$^{35}_{44}$tʂen^{35}mən$^{13}_{44}$tso^{53}fu^{21}tʂəuk^{3}ke^{53}.

【讣闻】fu^{53}uən^{13} 名死者亲属向亲友报告丧事的文书。又称“讣告”：出～ tʂʰət^{3}fu^{53}uən^{13} | 讣告又安做～。我等人自家屋下是只爱老哩人就舞倒我去写咁个东西啊，写讣告哇。尽我写，尽系我去纂呐，尽系我去写。我也怕搞错哩咯。特别系箇我等下角子箇只姓万个，渠个爷子过哩身，也就系下咁个街头市岸呶，系唔系？安做街头市岸，系倒咁个栏场。舞倒我写。贴嘿出，咦，就有人来话啦。“端哥端哥，你写错哩字啊！你写错哩啦，系唔系？”“吔欸，”我话：“写错哩啊？我硬看嘿蛮多转啊，还爱渠等同我看哩咯。”我话以个就挂下箇个街头市岸个嘞，唔比得我等山角落里个，系唔系？山角落里是冇几多个人看。落尾渠等搞错哩，硬赠写错。我硬看哩又看，看哩又看。fu^{53}kau^{53}iəu$^{53}_{44}$ɔn$^{35}_{44}$tso$^{53}_{44}$fu^{53}uən^{13}.ŋai^{13}tien^{0}ɲin$^{13}_{44}$tsʰɿ^{35}ka$^{35}_{44}$uk^{3}xa$^{53}_{44}$ʂʅ$^{53}_{44}$ tʂʅ$^{21}_{44}$ɔi$^{53}_{44}$lau^{21}li^{0}ɲin^{13}tsʰiəu^{53}u^{21}tau^{21}ŋai^{13}çi^{53}sia^{21}kan^{21}ke^{0}təŋ$^{35}_{44}$si^{0}a^{0},sia^{21}fu^{53}kau^{53}ua^{0}.tsʰin^{53}ŋai$^{13}_{44}$sia$^{21}_{44}$,tsʰin^{53}ne$^{53}_{44}$ ŋai^{13}çi^{53}tsɔn^{21}na^{0},tsʰin^{53}ne$^{53}_{44}$ŋai^{13}çi^{53}sia^{21}.ŋai$^{13}_{21}$ia^{35}pʰa^{53}kau^{21}tsʰo^{53}li^{0}ko^{0}.tʰiet^{5}pʰiet^{5}xei$^{53}_{44}$kai$^{53}_{44}$ŋai^{13}tien^{0}xa^{35} kɔk^{3}tsɿ^{0}kai$^{53}_{21}$tʂak^{3}siaŋ^{53}uan^{53}cie$^{53}_{44}$,ci^{13}ke^{53}ia^{13}tsɿ^{0}ko^{53}li^{0}ʂən^{35},ia^{35}tsʰiəu^{53}xei^{53}(x)a^{0}kan^{21}ke^{0}kai^{35}tʰei$^{13}_{21}$ʂʅ^{53}ŋan^{53} nau^{0},xei$^{53}_{44}$me$^{53}_{44}$?ɔn$^{35}_{44}$tso$^{53}_{44}$kai^{35}tʰei^{13}ʂʅ^{53}ŋan^{53},xei^{53}tau^{21}kan$^{21}_{44}$(k)e^{0}laŋ$^{13}_{21}$tʂʰɔŋ$^{13}_{21}$.u^{21}tau^{21}ŋai$^{13}_{21}$sia^{21}.tiait^{3}(x)ek^{3}tʂʰət^{3}, i$_{35}$,tsʰiəu^{53}iəu^{35}ɲin$^{13}_{21}$lɔi^{13}ua^{53}la^{0}."tɔn^{35}ko$^{35}_{44}$tɔn$^{35}_{44}$ko^{35}, ɲi^{13}sia^{21}tsʰo^{53}li^{0}sɿ^{53}la^{0}!ɲi^{13}sia^{21}tsʰo^{53}li^{0}la^{0},xei^{53}me^{53}?""ie$_{21}$ e$_{53}$,"ŋai^{13}ua^{53}:"sia^{21}tsʰo^{53}li^{0}a^{0}?ŋai$^{13}_{21}$ɲiaŋ^{53}kʰɔn^{53}nek^{3}man^{13}to$^{35}_{53}$tʂɔn^{21}a^{0},xai$^{13}_{21}$ɔi^{53}ci$^{13}_{21}$tien^{0}tʰəŋ$^{13}_{21}$ŋai$^{13}_{21}$kʰɔn^{53}ni^{0} ko^{0}."ŋai^{13}ua^{53}i^{21}ke^{53}tsʰiəu^{53}kua^{53}(x)a$^{53}_{44}$kai$^{53}_{44}$ke$^{53}_{44}$kai^{35}tʰei$^{13}_{21}$sɿ^{53}ŋan^{53}ke$^{53}_{44}$le^{0},m̩^{13}pi^{21}tek^{3}ŋai^{13}tien^{0}san^{35}kɔk^{3}lɔk^{3}li^{0} ke^{0},xei$^{53}_{44}$me$^{53}_{44}$?san^{35}kɔk^{3}lɔk^{3}li^{0}ʂʅ$^{53}_{44}$mau^{13}ci^{21}(t)o^{35}ke^{53}ɲin^{13}kʰɔn^{53}.lɔk^{5}mi$^{35}_{44}$ci^{13}tien^{0}kau^{21}tsʰo^{53}li^{0}, ɲiaŋ^{53}maŋ$^{13}_{21}$ sia^{21}tsʰo^{53}.ŋai^{13}ɲiaŋ$^{53}_{44}$kʰɔn^{53}ni^{0}iəu$^{53}_{44}$kʰɔn$^{53}_{44}$,kʰɔn^{53}ni^{0}iəu$^{53}_{44}$kʰɔn^{53}.

【付】fu^{53} 动①给予，交出：赠做得面子，欸，代价～嘿哩。maŋ^{13}tso^{53}tek^{3}mien^{53}tsɿ^{0},e$_{21}$,tʰɔi^{53}cia$^{53}_{44}$ fu^{53}xek^{3}li^{0}. ②支付（钱款）：老王钱多，唔乱～。lau^{21}uɔŋ^{13}tsʰien^{13}to^{35},ŋ̍^{13}lɔn^{53}fu^{53}.

【付急】fu^{53}ciet^{3} 动应对紧急情况或需要：箇是可以付下子急还可以呀。kai$^{53}_{44}$ʂʅ$^{53}_{44}$kʰo^{21}i^{35}fu^{53}xa$^{53}_{21}$ tsɿ^{0}ciet^{3}xai^{13}kʰo^{21}i$^{35}_{44}$ia^{0}. | 同别人家付只子急箇只，系唔系？tʰəŋ$^{13}_{21}$pʰiet^{5}in$^{13}_{21}$ka$^{35}_{44}$fu^{53}tʂak^{3}tsɿ^{0}ciet^{3}kai$^{53}_{44}$ tʂak^{3},xei$^{53}_{44}$me$^{53}_{44}$?

【复秤】fuk^{5}tʂʰən^{53} 动买主复核所买东西的重量：冇么人去～。mau^{13}mak^{3}in$^{13}_{44}$cʰi$^{53}_{44}$fuk^{5}tʂʰən^{53}. | 复下秤 fuk^{5}(x)a$^{53}_{21}$tʂʰən^{53}

【复二到】fuk^{5}ɲi^{53}tau^{53} 第二次薅田：第二到就～。/重复个复啊，～。耘头到，～，以下就下青草埘。/下青草埘。/复哩二到就下青草埘。/三到是冇么人了。/箇，冇用嘞。/冇得。/嗨，如今是一到都唔会搞。/冇人耘哩。tʰi^{53}ɲi$^{53}_{44}$tau$^{53}_{44}$tsiəu$^{53}_{44}$fuk^{5}ɲi^{53}tau^{53}./tʂʰəŋ$^{13}_{21}$fuk^{5}ke$^{53}_{44}$fuk$^{5}_{3}$a^{0},fuk^{5}ɲi^{53} tau^{53}.in^{13}tʰei^{13}tau^{53},fuk^{5}ɲi^{53}tau^{53},ia$_{44}$(←i^{21}xa^{53})tsiəu$^{53}_{44}$xa$^{53}_{44}$tsʰiaŋ$^{35}_{44}$tsʰau^{21}kʰan^{53}./xa$^{53}_{44}$tsʰiaŋ^{35}tsʰau^{21}kʰan$^{53}_{44}$./fuk^{5} li^{0}ɲi$^{53}_{44}$tau$^{53}_{44}$tsiəu$^{53}_{44}$xa$^{53}_{44}$tsʰiaŋ$^{35}_{44}$tsʰau^{21}kʰan$^{53}_{44}$./san^{35}tau^{53}ʂʅ$^{53}_{44}$mau^{13}mak^{3}ɲin$^{13}_{44}$liau^{0}./kai^{53},mau^{13}iəŋ^{53}le^{0}./mau^{13} tek^{3}./xai$_{53}$,i$^{13}_{21}$cin^{35}ʂʅ$^{53}_{44}$iet^{3}tau^{53}təu$^{35}_{44}$n̩$^{13}_{21}$uɔi^{53}kau^{21}./mau^{13}ɲin$^{13}_{44}$in$^{13}_{44}$ni^{0}.

【复课】fuk^{5}kʰo^{53} 动假期结束后重新开始上课：放假归来就安做～。放假归转去上课就安做～。fɔŋ^{53}cia^{21}kuei^{35}lɔi$^{13}_{21}$tsʰiəu$^{53}_{44}$ɔn$^{53}_{44}$tso$^{53}_{44}$fuk^{5}kʰo^{53}.fɔŋ^{53}cia^{21}kuei^{35}tʂɔn^{21}çi$^{53}_{44}$ʂɔŋ$^{53}_{35}$kʰo^{53}tsʰiəu$^{53}_{44}$ɔn$^{53}_{44}$tso$^{53}_{44}$fuk^{5} kʰo^{53}.

【复利】fuk^{5}li^{53} 名计算利息的一种方法，把前一期的利息和本金加在一起算做本金，再计算利息：利上滚利就系～呀。～是蛮恶啦～是啦。就系过哩一个月或者过哩一年箇利息又算在利息上又算息。以几年上哩唔准咁子搞嘞，不准利上滚利嘞。li^{53}xɔŋ$^{53}_{44}$kuən^{21}li^{53}tsʰiəu$^{53}_{44}$xe$^{53}_{44}$fuk^{5}li^{53} ia^{0}.fuk^{5}li^{53}ʂʅ^{53}man^{13}ɔk^{3}la^{0}fuk^{5}li^{53}ʂʅ$^{53}_{44}$la^{0}.tsʰiəu^{53}xei$^{53}_{44}$ko^{53}li^{0}iet^{3}cie^{53}ɲiet^{5}xɔit^{5}tʂa^{21}ko^{53}li^{0}iet^{3}ɲien^{13}kai$^{53}_{44}$li^{53} siet^{3}iəu^{53}sɔn^{53}tsʰai$^{53}_{44}$li^{53}siet^{3}xɔŋ$^{53}_{44}$iəu^{53}sɔn^{53}siet^{3}.i^{21}ci$^{21}_{53}$ɲien$^{13}_{21}$xɔŋ$^{53}_{44}$li^{0}n̩$^{13}_{21}$tʂən^{21}kan^{21}tsɿ^{0}kau^{21}le^{0},pət^{3}tʂən^{21}li^{53} ʂɔŋ^{53}kuən^{21}li^{53}le^{0}.

【复水】fuk^{5}ʂei^{21} 动禾苗晒水后再灌溉：～是爱咁子个，箇田里，本来田里有水吵，但是箇田里哈你作田就晓得，爱晒水，爱晒呀。你舞滴水去渠总发蔸。爱晒水，莫分渠发蔸了。但是晒哩一段时间，天晴，你总晒稳渠，渠就会干倒。箇就爱～，箇只安做～。禾胞胎了哇，箇只时候子就爱水呀田里呀。再灌转水去，欸，箇就安做～。fuk^{5}ʂei^{21}ʂʅ$^{53}_{21}$ɔi^{53}kan$^{21}_{13}$tsɿ^{0}ke^{53},kai^{53} tʰien^{13}ni^{0},pən^{21}nai^{13}tʰien^{13}ni$^{21}_{44}$iəu^{35}ʂei^{21}ʂa^{0},tan$^{53}_{44}$ʂʅ$^{53}_{44}$kai$^{53}_{44}$tʰien^{13}ni$^{21}_{44}$xa^{0}ɲi$^{13}_{44}$tsɔk^{3}tʰien^{13}tsʰiəu^{53}çiau^{21}tek^{3},ɔi$^{53}_{44}$ sai^{53}ʂei^{21},ɔi$^{53}_{44}$sai^{53}ia^{0}. ɲi^{13}u^{21}tet^{5}ʂei^{21}çi^{53}ci^{13}tsəŋ^{21}fait^{3}tei^{35}.ɔi$^{53}_{44}$sai^{53}ʂei^{21},mɔk^{5}pən$^{35}_{44}$ci$^{13}_{44}$fait^{3}tei^{35}liau^{0}.tan$^{53}_{44}$ʂʅ$^{53}_{44}$ sai^{53}li^{0}iet^{3}tɔn^{53}ʂʅ$^{13}_{21}$kan$^{35}_{44}$,tʰien^{35}tsʰiaŋ^{13}, ɲi^{13}tsəŋ^{21}sai^{53}uən$^{21}_{44}$ci$^{13}_{44}$,ci$^{13}_{44}$tsʰiəu$^{53}_{44}$uɔi$^{53}_{44}$kɔn^{35}tau^{21}.kai$^{53}_{21}$tsʰiəu$^{53}_{21}$ɔi$^{53}_{44}$fuk^{5}

ʂei^{21},kai^{53}tʂak^{3} ɔn$^{35}_{44}$tso$^{53}_{44}$fuk^{5} ʂei^{21}.uo^{13}pau$^{35}_{44}$tʰɔi^{35}liau^{21}ua^{0},kai^{53}tʂak^{3} ʂʅ^{13}xei^{53}tsʅ^{0} tsʰiəu$^{53}_{44}$ɔi^{53}ʂei^{21}ia^{0} tʰien^{13}ni^{0} ia^{0}.tsai^{53}kɔn^{53}tʂɔn^{21}ʂei^{21}çi^{53},e$_{53}$,kai$^{53}_{44}$tsʰiəu$^{53}_{44}$ɔn$^{35}_{44}$tso$^{53}_{44}$fuk^{5}ʂei^{21}.

【复葬】fuk^{5} tsɔŋ^{53} [动]二次葬：一般系么个箇个改嘞？系大金变成小金就会去改，欸，捡哩地，箇就从新葬过，系唔系？有兜嘞也就～，有兜是欸箇映子还好，渠根据么个嘞？根据两只条件，一只根据箇个骨头好唔好，骨头，有兜骨头肚里啊有咁个殊滴子个墨乌个啊，有一骨头嚣欸箇个棺材肚里尽水个啊，欸，骨头墨乌个啊，箇个就唔好，骨头聋黄子，栅齐，欸箇地就好。还有只嘞根据渠屋下个情况，根据屋下个欸箇在世个人跟家境。有兜唔顺遂呀，同我讲个我等老家个箇只我喊老弟子个，结婚七八年了，老婆有人供，渠就唔顺遂呀。渠箇年呢头几年就分渠族子个地捡嘿哩，捡嘿哩葬过。以下嘞还系唔顺遂，还系赠供人，渠老婆还系冇得人供，冇得人掼。iet^{3} pɔn^{35}xei^{53}mak^{3} kei^{53}kai$^{53}_{44}$ke$^{53}_{44}$kɔi^{21}lei^{0}?xei$^{53}_{44}$tʰai^{35}cin$^{35}_{44}$pien^{53}tʂʰən$^{13}_{21}$siau^{21}cin^{35} tsʰiəu^{53}uɔi^{53}çi^{53}kɔi^{21},e$_{21}$,cian^{21}li^{0} tʰi^{53},kai$^{53}_{44}$tsʰiəu$^{53}_{44}$tsʰəŋ^{13}sin$^{35}_{44}$tsɔŋ^{53}ko$^{53}_{21}$,xei^{53}me^{53}?iəu^{35}te$^{35}_{53}$lei^{0} ia^{35}tsʰiəu$^{53}_{44}$fuk^{5} tsɔŋ$^{53}_{44}$,iəu^{35}tek^{5} ʂʅ$^{53}_{44}$e$_{21}$kai^{53}iaŋ^{53}tsʅ^{0} xai^{13}xau^{21},ci^{13}cien^{35}tʂʮ^{53}mak^{3} ke$^{53}_{44}$lei^{0} ?cien^{35}tʂʮ^{53}iɔŋ^{21}tʂak^{3} tʰiau^{13}cʰien^{53}, iet^{3} tʂak^{3} cien$^{35}_{44}$tʂʮ^{53}kai$^{53}_{44}$ke$^{53}_{44}$kuət^{3} tʰei^{13}xau^{21}m̩^{13}xau^{21},kuət^{3} tʰei^{13},iəu^{35}tei$^{35}_{53}$kuət^{3} tʰei^{13}təu^{21}li^{0} a^{0} iəu^{35}kan^{21}ke^{53} mak^{3} kei^{53}mət^{3} tiet^{3} tsʅ^{0} ke^{0} mek^{5} u^{35}kei^{53}a^{0} ,iəu$^{35}_{44}$iet^{3} kuət^{3} tʰei$^{13}_{21}$aŋ^{35}e$_{21}$kai$^{53}_{44}$ke$^{53}_{44}$kɔn^{35}tsʰɔi$^{13}_{21}$təu^{21}li^{0} tsʰin^{35}ʂei^{21} ke^{53}a^{0} ,e$_{21}$,kuət^{3} tʰei^{13}mek^{5} u^{35}ke^{53}a^{0} ,kai^{53}ke^{53}tsʰiəu^{53}m̩^{13}xau^{21},kuət^{3} tʰei$^{13}_{21}$ləŋ^{35}uɔŋ^{13}tsʅ^{0} ,tsait^{5} tsʰe^{13},e^{0} kai^{53}tʰi^{53} tsʰiəu^{53}xau^{21}.xai^{13}iəu$^{35}_{53}$tʂak^{3} lei^{0} cien^{35}tʂʮ$^{53}_{44}$ci$^{13}_{21}$uk^{3} xa^{53}ke^{53}tsʰin$^{13}_{21}$kʰɔŋ^{53},cien$^{35}_{44}$tʂʮ^{53}uk^{3} xa^{53}kei^{53}e$_{21}$kai$^{53}_{21}$tsʰai^{53}ʂʅ^{53} ke^{53}ɲin$^{13}_{21}$cien^{35}cia^{35}cin^{53}.iəu^{35}te$^{35}_{53}$n̩^{13}ʂən^{53}si^{53}ia^{0} ,tʰəŋ$^{13}_{21}$ŋai$^{13}_{21}$kɔŋ^{21}ke^{53}ŋai^{13}tien^{0} lau^{21}cia$^{35}_{44}$ke$^{53}_{44}$kai^{53}tʂak^{3} ŋai^{13}xan^{53} lau^{21}tʰe$^{53}_{44}$tsʅ^{0} ke^{53},ciet^{3} fən$^{35}_{53}$tsʰiet^{3} pait^{3} ɲien^{13}niau^{0} ,lau^{21}pʰo^{13}mau$^{13}_{21}$ɲin^{13}ciɔŋ^{53},ci$^{13}_{44}$tsʰiəu$^{53}_{44}$n̩^{13}ʂən^{53}si^{53}ia^{0}.ci^{13} kai^{53}ɲien$^{13}_{21}$ne^{0} tʰei$^{13}_{21}$ci^{21}ɲien$^{13}_{21}$tsʰiəu$^{53}_{44}$pən$^{35}_{44}$ci$^{13}_{21}$ɔi^{35}tsʅ^{0} ke$^{53}_{44}$tʰi^{53}cian^{21}nek^{3} li^{0} ,cian^{21}nek^{3} li^{0} tsɔŋ^{53}ko^{53}.i^{21}xa$^{53}_{44}$lei^{0} xan^{13}xe^{53}n̩^{13}ʂən^{53}si^{53},xan^{13}nei^{53}maŋ^{13}ciɔŋ^{53}ɲin^{13},ci$^{13}_{44}$lau^{21}pʰo^{13}xai^{13}xe^{53}mau$^{13}_{21}$tek^{3} ɲin^{13}ciɔŋ^{53},mau$^{13}_{21}$tek^{3} ɲin^{13} kʰuan^{53}.

【副$_{1}$】fu^{53} [量]①用于成组、成套的东西：寻～手索来，还少一～手索。tsʰin^{13}fu^{53}ʂəu^{21}sɔk^{3} lɔi^{13},xai^{13}ʂau^{21}iet^{3} fu^{53}ʂəu^{21}sɔk^{3}.｜哦，搞～长对子□。o$_{21}$,kau^{21}fu$^{53}_{44}$tʂʰɔŋ^{13}ti$^{53}_{44}$tsʅ^{0} ʂe^{53}. ②用于棺材，相当于“具”：箇～料哇卖咁去，唔想爱哩。用火葬了好哩，箇～料卖咁去。kai$^{53}_{44}$fu$^{53}_{44}$liau^{53}ua^{0} mai^{53}kan^{21}çi^{53},n̩^{13}siɔŋ^{21}ɔi^{53}li^{0}.iəŋ^{53}fo^{21}tsɔŋ^{53}liau^{21}xau^{21}li^{0},kai$^{53}_{44}$fu$^{53}_{44}$liau^{53}mai^{53}kan^{21}çi^{53}.｜舞滴板子呢钉～子棺材呢。u^{21}tiet^{5} pan^{21}tsʅ^{0} nei^{0} taŋ^{35}fu^{53}tsʅ^{0} kɔn^{35}tsʰɔi$^{13}_{21}$nei^{0}. ③指一整根的东西：以前个猪小肠啊，一买就买一～，买一～小肠子。i^{35}tsʰien$^{13}_{21}$ke$^{53}_{44}$tʂəu$^{35}_{44}$siau^{21}tʂʰɔŋ^{13}ŋa^{0} ,iet^{3} mai^{35}tsʰiəu$^{53}_{21}$mai^{35}iet^{3} fu^{53},mai^{35} iet^{3} fu^{53}siau^{21}tʂʰɔŋ^{13}tsʅ^{0}.

【副$_{2}$】fu^{53} [形]属性词。居第二位的；辅助的。与“正”相对：以只合作社，（系）么人个主任？老王个主任，小张个～主任。i^{21}tʂak^{3} xɔit^{5} tsɔk^{3} ʂa^{53},(xe^{53})man^{13}ɲin^{13}ke^{53}tʂəu^{21}in^{53}?lau^{21}uɔŋ^{13}ke^{53} tʂəu^{21}in^{53},siau^{21}tʂɔŋ^{35}ke^{53}fu^{53}tʂəu^{21}in^{53}.

【副手】u^{53}ʂəu^{21} [名]起辅助或次要作用或职能的人：箇只～哇，侧边箇只人嘞，系，帮打个。kai$^{53}_{44}$tʂak^{3} fu^{53}ʂəu^{21}ua^{0} ,tsek^{3} pien^{35}kai^{53}tʂak^{3} ɲin$^{13}_{21}$le^{0} ,xe$^{53}_{44}$,pɔŋ^{35}ta^{21}ke^{53}.

【富菜】fu^{53}tsʰɔi^{53} [名]芹菜：一起野芹菜，一起就安做乌子芹，一起人家欸土里栽个芹菜。我等以个栏场唔喊芹菜，好像箇芹摎穷谐音，安做～。我等客姓人也跟倒喊，喊～。但是乌子芹又冇么人讲～嘞，就硬话乌子芹呢。野芹菜嘞。iet^{3} çi^{21}ia^{35}cʰin^{13}tsʰɔi^{53},iet^{3} çi^{21}tsʰiəu^{53}ɔn$^{35}_{53}$tso^{53} tiau^{35}tsʅ^{0} cʰin$^{13}_{21}$,iet^{3} çi^{21}ɲin^{13}ka$^{35}_{53}$ei$_{21}$tʰəu^{21}li^{0} tsɔi^{35}ke$^{53}_{21}$cʰin^{13}tsʰɔi^{53}.ŋai^{13}tien^{0} i^{21}ke^{53}laŋ$^{13}_{21}$tʂʰɔŋ$^{13}_{21}$n̩^{13}xan^{53}cʰin^{13} tsʰɔi^{53},xau^{21}tsʰiɔŋ^{53}kai^{53}cʰin^{13}lau$^{35}_{44}$cʰiəŋ^{13}xai^{13}in^{35},ɔn$^{35}_{44}$tso$^{53}_{44}$fu^{53}tsʰɔi^{53}.ŋai^{13}tien^{0} kʰak^{3} sin^{53}ɲin^{13}na$^{35}_{44}$cien$^{35}_{44}$tau$^{21}_{44}$ xan$^{53}_{44}$,xan$^{53}_{44}$fu^{53}tsʰɔi$^{53}_{44}$.tan$^{53}_{44}$ʂʅ$^{53}_{44}$tiau^{35}tsʅ^{0} cʰin$^{13}_{21}$iəu^{53}mau$^{13}_{21}$mak^{3} ɲin$^{13}_{44}$kɔŋ^{21}fu^{53}tsʰɔi^{53}lei^{0} ,tsʰiəu$^{53}_{44}$ɲiaŋ^{53}ua$^{53}_{44}$tiau$^{35}_{44}$ tsʅ^{0} cʰin^{13}nei^{0} .ia^{35}cʰin^{13}tsʰɔi^{53}lei^{0}.

【富鱼】fu^{53}ŋ̍^{13} [名]鳙鱼：雄鱼，我等就喊～嘞。因为箇雄字摎穷字相差唔……声音有兜像嘞。就喊～，脑壳澌大个。脑壳澌大个鱼啊就箇就雄鱼啊。我等喊～嘞。çiəŋ^{13}ŋ̍^{13},ŋai^{13}tien^{0} tsʰiəu$^{53}_{44}$ xan$^{53}_{44}$fu^{53}ŋ̍^{13}lei^{0}.in^{35}uei$^{53}_{44}$kai$^{53}_{44}$çiəŋ^{13}tsʰʅ$^{53}_{44}$lau^{35}cʰiəŋ^{13}tsʰʅ^{53}siɔŋ^{35}tsʰa^{35}n̩$^{13}_{21}$…ʂaŋ^{35}in$^{35}_{44}$iəu^{35}te$^{35}_{44}$tsʰiɔŋ^{53}lei^{0}.tsʰiəu$^{53}_{44}$ xan$^{53}_{44}$fu^{53}ŋ̍$^{13}_{21}$,lau^{21}kʰɔk^{3} mən^{35}tʰai$^{53}_{44}$ke^{0}.lau^{21}kʰɔk^{3} mən^{35}tʰai$^{53}_{44}$ke^{0} ŋ̍$^{13}_{21}$ŋa^{0} tsʰiəu^{53}kai^{53}tsʰiəu^{53}çiəŋ^{13}ŋ̍^{13}ŋa^{0}.ŋai^{13} tien^{0} xan$^{53}_{44}$fu^{53}ŋ̍^{13}lei^{0}.｜我等以映子箇～嘞最讲究食～脑壳。欸，～个脑壳可能系更好食。～脑壳嘞就比～个完身都贵多哩。箇～脑壳就蛮贵嘞，整酒个时候子，做好事个时候子有兜就讲究，有兜嘞一桌一只～脑壳。好，卖嘿哩脑壳，箇个尾巴半价卖分你，箇后背箇一筒啊就半价子卖分你。好像脑壳就爱卖到成十块吧，欸，完身就五六块子钱。蛮讲究食～脑壳。ŋai^{13}

tien^{0} i$^{21}_{13}$iaŋ^{53}tsɿ^{0} kai^{53}fu^{53}ŋ̍^{13}lei^{0} tsei^{53}kɔŋ^{21}ciəu^{53}ʂət^{5} fu^{53}ŋ̍^{13}lau^{21}k^{h}ɔk^{3} .e$_{21}$,fu^{53}ŋ̍^{13}ke^{53}lau^{21}k^{h}ɔk^{3} k^{h}o^{21}len^{13}xe^{53} cien^{53}xau^{21}ʂət^{5} .fu^{53}ŋ̍^{13}lau^{21}k^{h}ɔk^{3} le^{0} ts^{h}iəu$^{53}_{44}$pi^{21}fu^{53}ŋ̍$^{13}_{21}$ke^{53}uən^{13}ʂən$^{35}_{44}$təu$^{35}_{44}$kuei^{53}to^{35}li^{0} .kai$^{53}_{44}$fu^{53}ŋ̍$^{13}_{44}$lau^{21}k^{h}ɔk^{3} tsiəu^{53}man^{13}kuei^{53}le^{0} ,tʂaŋ^{21}tsiəu^{21}ke^{53}ʂɿ^{13}xəu^{53}tsɿ^{0} ,tso^{53}xau^{21}sɿ^{13}ke^{53}ʂɿ^{13}xəu^{53}tsɿ^{0} iəu^{35}te$^{35}_{53}$ts^{h}iəu$^{53}_{44}$kɔŋ^{21}ciəu$^{53}_{44}$, iəu^{35}te$^{35}_{44}$lei^{0} iet^{3} tsɔk^{3} iet^{3} tʂak^{3} fu^{53}ŋ̍^{13}lau^{21}k^{h}ɔk^{3} .(x)au^{21},mai^{53}(x)ek^{3} li^{0} lau^{21}k^{h}ɔk^{3} ,kai$^{53}_{21}$ke$^{53}_{21}$mi^{35}pa$^{35}_{44}$pan^{53}cia^{53} mai^{53}pən^{35}ɲi$^{13}_{44}$,kai$^{53}_{44}$xei^{53}pɔi$^{53}_{44}$kai^{53}iet^{3} t^{h}əŋ$^{13}_{21}$ŋa^{0} tsiəu$^{53}_{21}$pan^{53}cia^{53}tsɿ^{0} mai^{53}pən^{35}ɲi$^{13}_{44}$.xau^{21}ts^{h}iɔŋ^{53}lau^{21}k^{h}ɔk^{3} ts^{h}iəu$^{53}_{21}$ɔi^{53}mai^{53}tau$^{53}_{44}$ʂaŋ$^{53}_{21}$ʂət^{5} k^{h}uai^{53}pa^{0} ,e$_{21}$,uən^{13}ʂən$^{35}_{44}$ts^{h}iəu^{53}ŋ̍^{21}liəuk^{3} k^{h}uai^{53}tsɿ^{0} ts^{h}ien$^{13}_{44}$.man^{13}kɔŋ^{21}ciəu^{53} ʂət^{5} fu^{53}ŋ̍$^{13}_{21}$lau^{21}k^{h}ɔk^{3} .

【覆】p^{h}uk^{3} 动 ①把器物正面朝下倒置或覆盖东西：～下转 p^{h}uk^{3} xa$^{53}_{44}$tʂɔn^{21}｜～转来 p^{h}uk^{3} tʂɔn^{21} nɔi$^{13}_{21}$将物正面朝下倒置｜以箇（饭撮）如今是～倒去箇子唠。i^{21}kai$^{53}_{44}$i$^{13}_{21}$cin$^{35}_{53}$ʂɿ$^{53}_{44}$p^{h}uk^{3} tau^{21}çi^{53}kai$^{53}_{44}$tsɿ^{0} lau^{0} . ②（人）俯卧：～倒睡 p^{h}uk^{3} tau^{21}ʂɔi^{53}

【覆覆哩】p^{h}uk^{3}p^{h}uk^{3}li^{0} 正面朝下的样子：人睡目也咁子指脸朝下安做～睡倒嘞。ɲin^{13}ʂɔi^{53}muk^{3} a$^{35}_{53}$ kan^{21}tsɿ^{0} ɔn$^{35}_{44}$tso$^{53}_{44}$p^{h}uk^{3} p^{h}uk^{3} li^{0} ʂɔi^{53}tau^{21}le^{0} .

【覆三坟】p^{h}uk^{3}san^{35}fən^{13} 葬礼结束后第三天孝家带三牲上坟祭奠，之后将三只碗覆于坟上：箇就三天以后～。三天以后呀。你搞正哩嘞就……打比渠今晡还山去样，明晡间一天，后日晡就爱去～。～是就系打挂子爆竹。又搞滴子三牲去敬下子。去叫一场，出个出下子眼泪呀，系唔系？箇赖子新舅箇只箇都爱去呀。覆下三坟你等就可以归。kai$^{53}_{44}$ts^{h}iəu$^{53}_{44}$san^{35}t^{h}ien$^{35}_{44}$i^{35}xei^{53} p^{h}uk^{3} san^{35}fən^{13} .san^{35}t^{h}ien$^{35}_{44}$i^{35}xei^{53}ia^{0} . ɲi^{13}kau^{21}tʂaŋ^{53}li^{0} lei^{0} ts^{h}iəu$^{53}_{44}$…ta^{21}pi^{21}ci$^{13}_{21}$cin^{35}pu$^{35}_{44}$fan$^{13}_{21}$san$^{35}_{44}$çi$^{53}_{44}$ iɔŋ$^{53}_{44}$,miaŋ^{13}pu$^{35}_{44}$kan^{35}iet^{3}t^{h}ien$^{35}_{44}$,xei^{53}ɲiet^{3}pu$^{35}_{44}$ts^{h}iəu$^{53}_{44}$ɔi$^{53}_{44}$çi$^{53}_{44}$p^{h}uk^{3} san^{35}fən$^{13}_{21}$.p^{h}uk^{3} san^{35}fən$^{13}_{21}$ʂɿ$^{53}_{44}$ts^{h}iəu^{53}xe$^{53}_{44}$ta^{21} kua$^{53}_{44}$tsɿ^{0} pau^{53}tʂəuk^{3} .iəu^{53}kau^{21}tet^{5} tsɿ^{0} san^{35}sien$^{35}_{44}$çi$^{53}_{44}$cin^{53}na$^{53}_{21}$tsɿ^{0} .çi$^{53}_{44}$ciau^{53}iet^{3} tʂ^{h}ɔŋ^{13},tʂ^{h}ət^{3} ke^{53}tʂ^{h}ət^{3} xa^{53}tsɿ^{0} ŋan^{21}li^{53}ia^{0} ,xe$^{53}_{44}$me$^{53}_{44}$?kai$^{53}_{44}$lai^{53}tsɿ^{0} sin$^{35}_{44}$c^{h}iəu$^{35}_{44}$kai$^{53}_{44}$tʂak^{3} kai$^{53}_{44}$təu^{35}ɔi$^{53}_{44}$çi^{53}ia^{0} .p^{h}uk^{3} a^{0} san^{35}fən$^{13}_{21}$ɲi$^{13}_{21}$tien^{0} ts^{h}iəu$^{53}_{44}$ k^{h}o^{21}i$^{35}_{44}$kuei^{35}.｜～是渠箇个咁个唠，～是爱带三牲呐。欸，鸡鱼肉啊。爱饭呐，爱敬饭呐。饭呐，酒哇。香烛哇。箇个行头都唔带归来。箇碗箇只都唔带归来。过哩背，搞清哩，打比样我搞跍到箇映子是舞倒箇碗呐舞倒箇饭箇只放倒箇映子，搞嘿阵了，不能总跍倒箇映子吵，爱归吵，就分箇个倾嘿去，覆转来，就分箇碗覆转来，覆倒箇映子。酒哇，饭呐，碗都不要哩。就覆下箇地泥下。欸，放下箇一边，盖下地坟塘里。覆倒箇面前。～。所以我等一般呢人家屋下嘞，食饭个时候子嘞，我呀我……蛮多人蛮讲究哇。你个碗只能就咁子就爱咁子放倒，系啊？你不能有话覆覆哩放倒。覆覆哩放倒～呢。我就死嘿哩个嘞。p^{h}uk^{3} san^{35}fən$^{13}_{21}$ʂɿ$^{53}_{44}$ci^{13} kai$^{53}_{44}$cie$^{53}_{44}$kan^{21}cie^{53}lau^{0} ,p^{h}uk^{3} san^{35}fən$^{13}_{21}$ʂɿ$^{53}_{44}$ɔi^{53}tai^{53}san^{35}sien$^{35}_{44}$na^{0} .e^{21},cie^{35}ŋ̍$^{13}_{21}$ɲiəuk^{3} a^{0} .ɔi$^{53}_{44}$fan^{53}na^{0} ,ɔi$^{53}_{44}$cin^{53} fan^{53}na^{0} .fan^{53}na^{0} ,tsiəu^{21}ua^{0} .çiɔŋ^{35}tʂəuk^{3} ua^{0} .kai$^{53}_{44}$ke$^{53}_{44}$çin^{13}t^{h}ei^{0} təu^{35}ŋ̍$^{13}_{21}$tai^{53}kuei^{35}lɔi$^{13}_{21}$.kai$^{53}_{44}$uən^{21}kai$^{53}_{44}$tʂak$_{5}$ təu$^{35}_{44}$ŋ̍$^{13}_{21}$tai^{53}kuei^{35}lɔi$^{13}_{21}$.ko^{53}li^{0} pɔi^{53},kau^{21}ts^{h}in^{35}ni^{0} ,ta^{21}pi^{21}iɔŋ$^{53}_{44}$ŋai$^{13}_{21}$kau^{21}ku^{53}tau^{21}kai$^{53}_{44}$iaŋ^{53}tsɿ^{0} ʂɿ$^{53}_{0}$u^{21}tau^{21}kai$^{53}_{44}$ uən^{21}na^{0} u^{21}tau^{21}kai$^{53}_{44}$fan^{53}kai$^{53}_{44}$tʂak$_{5}$ fɔŋ^{53}tau^{21}kai$^{53}_{44}$iaŋ$^{53}_{44}$tsɿ^{0} ,kau^{21}ek^{3} tʂ^{h}ən^{53}niau^{0} ,pət^{3} nen^{35}tsəŋ^{21}ku^{35}tau^{21}kai$^{53}_{44}$ iaŋ$^{53}_{44}$tsɿ^{0} ʂa^{0} ,ɔi$^{53}_{44}$kuei^{35}ʂa^{0} ,ts^{h}iəu$^{53}_{44}$pən^{35}kai$^{53}_{44}$ke$^{53}_{44}$k^{h}uaŋ^{35}ek^{3} çi^{53},p^{h}uk^{3} tʂɔn^{21}nɔi$^{13}_{44}$,tsiəu$^{53}_{44}$pəŋ$^{35}_{44}$kai^{53}uən^{21}p^{h}uk^{3} tʂɔn^{21}nɔi$^{13}_{44}$,p^{h}uk^{3} tau^{21}kai$^{53}_{44}$iaŋ$^{53}_{44}$tsɿ^{0} .tsiəu^{21}ua^{0} ,fan^{53}na^{0} ,uən^{21}təu$^{35}_{44}$pət^{3} iau$^{53}_{44}$li^{0} .ts^{h}iəu$^{53}_{44}$p^{h}uk^{3} a$^{53}_{44}$kai$^{53}_{44}$t^{h}i^{53}lai$^{13}_{21}$ xa$^{53}_{44}$.e$_{21}$,fɔŋ^{53}a^{0} kai^{53}iet^{3} pien$^{35}_{21}$,kɔi$^{53}_{44}$a^{0} t^{h}i^{53}fən$^{13}_{21}$t^{h}ɔŋ^{13}li^{0} .p^{h}uk^{3} tau^{21}kai$^{53}_{44}$mien^{53}ts^{h}ien$^{13}_{21}$.p^{h}uk^{3} san^{35}fən$^{13}_{21}$.so^{21}i^{35} ŋai$^{13}_{21}$tien^{0} iet^{3} pɔn^{35}nei^{0} ɲin$^{13}_{21}$ka$^{35}_{44}$uk^{3} xa$^{53}_{44}$lei^{0} ,ʂət$_{5}$ fan^{53}ke$^{53}_{44}$ʂɿ$^{13}_{21}$xəu$^{53}_{44}$tsɿ^{0} lei^{0} ,ŋai^{13}ia^{0} ŋai$^{13}_{21}$…man$^{13}_{21}$to$^{35}_{44}$ɲin$^{13}_{21}$ʂɿ$^{53}_{44}$ man^{13}kɔŋ^{21}ciəu^{53}ua^{0} . ɲi^{13}ke^{53}uən^{21}tʂɿ^{21}lien^{13}tsiəu^{53}kan^{21}tsɿ^{0} ts^{h}iəu^{53}ɔi^{53}kan^{21}tsɿ^{0} fɔŋ^{53}tau^{21},xei$^{53}_{44}$a^{0} ?ɲi$^{13}_{21}$pət^{3} len^{13} iəu$^{35}_{44}$ua$^{53}_{44}$p^{h}uk^{3} p^{h}uk^{3} li^{0} fɔŋ^{53}tau^{21}.p^{h}uk^{3} p^{h}uk^{3} li^{0} fɔŋ^{53}tau^{21}p^{h}uk^{3} san^{35}fən$^{13}_{21}$nei^{0} .ŋai$^{13}_{21}$ts^{h}iəu^{53}si^{21}xek^{3} li^{0} ke^{53}lei^{0} .

【覆瓦】p^{h}uk^{3}ŋa^{21} 名 阳瓦：盖屋啊，用瓦盖屋就晓得啊，瓦是咁个圆圆子是箇吵，就有起就安做张瓦，有起就～，欸。尽张瓦不行，尽张瓦密密麻麻去，以两口瓦之间还有空啊，系啊？箇就爱要口～覆下去。kɔi^{53}uk^{3} a^{0} ,iəŋ^{53}ŋa^{21}kɔi^{53}uk^{3} ts^{h}iəu^{53}çiau^{21}tek^{3} a^{0} ,ŋa^{21}ʂɿ$^{53}_{21}$kan$^{21}_{44}$ke$^{53}_{44}$ien^{13}ien^{13}tsɿ^{0} ʂɿ$^{53}_{44}$ kai$^{53}_{44}$ʂa^{0} ,ts^{h}iəu$^{53}_{44}$iəu^{35}çi^{21}ts^{h}iəu$^{53}_{44}$ɔn$^{35}_{44}$tso$^{53}_{44}$tʂɔŋ^{35}ŋa^{21},iəu^{35}çi^{21}ts^{h}iəu$^{53}_{44}$p^{h}uk^{3} ŋa^{21},e$_{21}$.ts^{h}in^{53}tʂɔŋ^{35}ŋa^{21}puk^{3} çin^{13}, ts^{h}in^{53}tʂɔŋ^{35}ŋa^{21}miet^{5} miet^{5} ma$^{13}_{21}$ma$^{13}_{21}$çi^{53},i^{21}iɔŋ^{21}xei^{21}ŋa^{21}tʂɿ^{35}kan$^{35}_{44}$xai$^{13}_{21}$iəu$^{35}_{44}$k^{h}əŋ^{53}ŋa^{0} ,xei$^{53}_{44}$a^{0} ?kai$^{53}_{44}$ts^{h}iəu^{53}ɔi^{53} iau^{53}xei^{21}p^{h}uk^{3}ŋa^{21}p^{h}uk^{3}(x)a^{53}çi^{53}.

【馥嫩】fət^{5}lən^{53} 形 ①很嫩：～呶，真嫩呶。fət^{5} lən^{53}nau^{0} ,tʂən^{35}lən^{53}nau^{0} .｜一种我等开头讲个箇个是绿茶嘞就系～子个，摘倒箇芯子唔知几春，唔知几早就爱摘。iet^{3} tʂəŋ^{21}ŋai^{13}tien^{0} k^{h}ɔi^{35}t^{h}ei$^{13}_{21}$ kɔŋ^{21}ke$^{53}_{44}$kai$^{53}_{44}$ke$^{53}_{44}$ʂɿ$^{53}_{44}$liəuk^{5} ts^{h}a$^{13}_{21}$le^{0} ts^{h}iəu$^{53}_{44}$xe$^{53}_{44}$fət^{5} lən^{53}tsɿ^{0} ke^{53},tsak^{3} tau^{21}kai$^{53}_{44}$sin^{35}tsɿ^{0} ŋ̍$^{13}_{21}$ti$^{35}_{44}$ci$^{13}_{21}$tʂ^{h}ən^{35},ŋ̍$^{13}_{21}$ti$^{35}_{53}$ ci$^{13}_{21}$tsau^{21}ts^{h}iəu$^{53}_{44}$ɔi$^{53}_{44}$tsak^{3} . ②（粉末或用粉末加工成的东西）很细腻：箇米粉磨得～。kai$^{53}_{44}$mi^{21} fən^{21}mo^{53}tek^{3} fət^{5} lən^{53}.｜箇个湘粉～子个，湘粉。kai$^{53}_{44}$ke$^{53}_{44}$siɔŋ^{35}fən^{21}fət^{5} lən^{53}tsɿ^{0} ke^{53},siɔŋ^{35}fən^{21}.

G

【该】kɔi^{35} 动①欠：～你一块钱 kɔi^{35}ȵi$^{13}_{21}$iet^{3} k^{h}uai^{53}ts^{h}ien^{21}。②助动词。应当：以只事唔～咁子搞。i^{21}tʂak^{3} sɿ^{53}n̩^{13}kɔi$^{35}_{44}$kan^{21}tsɿ^{0} kau^{21}.

【该当】kɔi^{35}tɔŋ 动活该；应该，有无法避免或不值得同情的意味：欸，箇个《增广》肚里啊唔系有一句“观今宜鉴古”？打锣鼓个时候子嘞，有兜人就打□钹吵，系唔系？有兜人打锣子啊，有兜人就打鼓吵。打鼓个人唔系爱自家扤稳呐，系唔系？“观今宜鉴古”嘞就借倒箇句话，“～你擐鼓”，～，欸，晓得么个意思吗？e$_{21}$,kai^{53}kei^{53}tsen^{35}kɔŋ^{21}təu^{21}li^{0} a^{0} m̩$^{13}_{21}$p^{h}ei$^{53}_{44}$iəu^{35}iet^{3} tʂʯ^{53}"kɔn^{35}cin$^{35}_{44}$ȵi^{13}kan^{53}ku^{21}"?ta^{21}lo^{13}ku^{21}ke^{53}ʂʅ^{13}xəu$^{53}_{44}$tsɿ^{0} lei^{0} ,iəu^{35}tei$^{35}_{53}$ȵin$^{13}_{21}$ts^{h}iəu$^{53}_{44}$ta^{21}ts^{h}et^{5} p^{h}ait^{3} ʂa^{0} ,xei$^{53}_{44}$me$^{53}_{44}$?iəu^{35}tei$^{35}_{53}$ȵin$^{13}_{21}$ta^{21}lo^{13}tsɿ^{0} a^{0} ,iəu$^{35}_{44}$tei$^{35}_{53}$ȵin$^{13}_{21}$ts^{h}iəu^{53}ta^{21}ku^{21}ʂa^{0} .ta^{21}ku^{21}ke^{53}ȵin$^{13}_{21}$m̩$^{13}_{21}$p^{h}e$^{53}_{44}$ɔi$^{53}_{44}$ts^{h}ɿ^{35}ka$^{35}_{44}$k^{h}uai^{21}uən^{21}na^{0} ,xei^{53}me^{53}?"kɔn^{35}cin$^{35}_{44}$ȵi^{13}kan^{53}ku^{21}"lei^{0} ci^{13}ts^{h}iəu$^{53}_{44}$tsia^{53}tau^{21}kai$^{53}_{44}$tʂʯ$^{53}_{44}$fa^{53} ,"kɔi^{35}tɔŋ$^{35}_{44}$ȵi^{13}k^{h}uan^{53}ku^{21}",kɔi^{35}tɔŋ$^{35}_{44}$,ei$_{44}$,çiau^{21}tek^{3} mak^{3} e^{0} i^{53}sɿ$^{35}_{44}$ma^{0} ?

【改】kai^{21}/kɔi^{21} 动①变更，改换：就系以只双抢，渠就搞成单抢，～成单抢。ts^{h}iəu$^{53}_{44}$xei$^{53}_{44}$i^{21}tʂak^{3} sɔŋ^{35}ts^{h}iɔŋ^{21},ci^{13}ts^{h}iəu$^{53}_{44}$kau^{21}ʂaŋ^{13}tan^{35}ts^{h}iɔŋ^{21},kai^{21}ʂaŋ^{13}tan^{35}ts^{h}iɔŋ^{21}.｜现在分箇个奞瓦子筩瓦都～成哩沟瓦，都～成哩箇一种了。çien^{53}ts^{h}ai^{53}pən^{35}kai$^{53}_{44}$ke$^{53}_{44}$tait^{5} ŋa^{21}tsɿ^{0} t^{h}əŋ^{21}ŋa^{21}təu^{35}kai^{21}ʂaŋ$^{13}_{21}$li^{0} kei^{35}ŋa^{21},təu^{35}kai^{21}ʂaŋ$^{13}_{21}$li^{0} kai$^{53}_{44}$iet^{3} tʂəŋ^{21}liau^{0} . ②改正，纠正：爱～过来。ɔi^{53}kɔi^{21}ko^{53}lɔi$^{13}_{21}$. ③评阅，批改：～卷子 kɔi^{21}tʂen^{53}tsɿ^{0}

【改地】kɔi^{21}t^{h}i^{53} 动迁坟：我等个老祖宗箇坟地去下子～。ŋai^{13}tien^{0} ke^{53}lau^{21}tsəu^{21}tsəŋ$^{35}_{44}$kai$^{53}_{44}$p^{h}ən^{13}t^{h}i^{53}çi^{53}xa$^{53}_{44}$tsɿ^{0} kɔi^{21}t^{h}i^{53}.

【改坟】kɔi^{21}fən^{13} 动迁坟：就觉得嘞首先箇映子由于各种原因呐，欸就觉得爱葬过一只地方，就安做～。ts^{h}iəu^{53}kɔk^{3} tek^{3} lei^{0} ʂəu^{21}sien$^{35}_{44}$kai^{53}iaŋ^{53}tsɿ^{0} iəu^{13}ʮ$^{13}_{44}$kɔk^{3} tʂəŋ^{21}vien^{13}in$^{35}_{44}$na^{0} ,ei$_{21}$ts^{h}iəu^{53}kɔk^{3} tek^{3} ɔi^{53}tsɔŋ^{53}ko$^{53}_{44}$iet^{3} tʂak^{3} t^{h}i$^{53}_{44}$fɔŋ$^{35}_{44}$,ts^{h}iəu^{53}ɔn$^{35}_{53}$tso^{53}kɔi^{21}fən^{13}.｜箇座坟爱改了，爱～。kai^{53}ts^{h}o$^{53}_{44}$fən^{13}ɔi^{53}kɔi^{21}liau^{0} ,ɔi^{53}kɔi^{21}fən^{13}.

【改形改象】kɔi^{21}çin^{13}kɔi^{21}siɔŋ^{53} 指人的形象发生大的变化：封殡个时候子嘞箇就亲人就看最后一眼呶。我记得我爷子封殡个时候子嘞也系土葬。我爷子也土葬，箇阵子系下箇上背，也𫟼强调火葬咯。系土葬，土葬个时候子嘞就我老弟子就话慢呢渠话：“爸爸嘞搞得咁多天来呀唔知面上变哩形吗？唔知面上～吗？”渠话：“我等都唔看。在我等个印象当中还系欸还系箇只欸还在世个样子。”𫟼看呢，我等𫟼去看。封殡等渠渠封。啊，我就同意，我交代我老妹子唔爱去看哩。落尾以个封殡个人，我话：“我爷子变哩面色改变哩吗？～么？”“𫟼，𫟼改。”呣，𫟼改，𫟼改就要得。fəŋ^{35}pin^{53}ke$^{53}_{44}$ʂʅ$^{13}_{44}$xəu$^{53}_{44}$tsɿ^{0} lei^{0} kai$^{53}_{44}$ts^{h}iəu$^{53}_{44}$ts^{h}in^{35}ȵin$^{13}_{21}$ts^{h}iəu$^{53}_{44}$k^{h}ɔn$^{53}_{44}$tsei^{53}xei^{53}iet^{3} ŋan^{21}nau^{0} .ŋai^{13}ci^{53}tek^{3} ŋai^{13}ia^{13}tsɿ^{0} fəŋ^{35}pin^{53}ke^{0} ʂʅ^{13}xəu$^{53}_{44}$tsɿ^{0} lei^{0} ia^{35}xei^{53}t^{h}əu^{21}tsɔŋ^{53}.ŋai$^{13}_{21}$ia^{35}tsɿ^{0} a$^{35}_{44}$t^{h}əu^{21}tsɔŋ^{53},kai$^{53}_{44}$tʂ^{h}ən^{53}tsɿ^{0} xei^{53}(x)a$^{53}_{44}$kai$^{53}_{44}$ʂɔŋ^{53}pɔi^{53},ia^{35}maŋ^{13}c^{h}iɔŋ$^{13}_{21}$tiau^{53}fo^{21}tsɔŋ^{53}ko^{0} .xe$^{53}_{44}$t^{h}əu^{21}tsɔŋ^{53},t^{h}əu^{21}tsɔŋ^{53}ke^{0} ʂʅ^{13}xəu$^{53}_{44}$tsɿ^{0} lei^{0} ts^{h}iəu$^{53}_{44}$ŋai$^{13}_{44}$lau^{21}t^{h}e$^{35}_{53}$tsɿ^{0} ts^{h}iəu$^{53}_{44}$ua$^{53}_{44}$man^{53}ne^{0} ci$^{13}_{21}$ua^{53}:"pak^{3} pak^{3} le^{0} kau^{21}tek^{3} kan^{21}

to$^{35}_{44}$tʰien^{35}nɔi$^{13}_{21}$ia^{0}n̩$^{13}_{21}$ti$^{35}_{44}$mien^{53}xɔŋ^{53}pien^{53}ni^{0}çin^{13}ma^{0}?n̩^{13}ti$^{35}_{44}$mien^{53}xɔŋ^{53}kɔi^{21}çin^{13}kɔi^{21}siɔŋ^{53}ma^{0}?"ci$^{13}_{44}$(u)a$^{53}_{44}$: "ŋai^{13}tien^{0}təu^{35}n̩^{13}kʰɔn^{53}.tsʰai^{53}ŋai^{13}tien^{0}ke$^{53}_{44}$in^{35}siɔŋ$^{53}_{21}$tɔŋ^{35}tʂəŋ^{35}xan^{13}xe^{53}e$_{21}$xan^{13}xe^{53}kai^{53}tʂak^{3}ei$_{21}$xan$^{13}_{21}$tsʰai$^{53}_{44}$ʂʅ$^{53}_{44}$ke$^{53}_{44}$iɔŋ$^{53}_{44}$tsʅ^{0}."maŋ^{13}kʰɔn^{53}ne^{0},ŋai^{13}tien^{0}maŋ^{13}çi^{53}kʰɔn^{53}.fəŋ^{35}pin^{53}ten^{21}ci$^{21}_{44}$çi$^{53}_{44}$fəŋ$^{35}_{44}$.a$_{21}$,ŋai^{13}tsʰiəu^{53}tʰəŋ^{13}i^{53}, ŋai^{13}ciau$^{35}_{44}$ti^{53}ŋai$^{13}_{21}$lau^{21}mɔi^{53}tsʅ^{0}m̩$^{13}_{21}$mɔi$^{53}_{44}$çi^{53}kʰɔn^{53}ni^{0}.lɔk^{5}mi$^{35}_{53}$i$^{21}_{44}$ke$^{53}_{44}$fəŋ^{35}pin^{53}ke^{0}ɲin$^{13}_{21}$,ŋai^{13}ua^{53}:"ŋai$^{13}_{21}$ia^{13}tsʅ^{0}pien^{53}ni^{0}mien^{53}sek^{3}kɔi^{21}pien^{53}ni^{0}ma^{0}?kɔi^{21}çin^{13}kɔi^{21}siɔŋ^{53}mo^{0}?""maŋ^{13},maŋ^{13}kɔi^{21}."m̩$_{21}$,maŋ^{13}kɔi^{21},maŋ^{13}kɔi^{21}tsʰiəu$^{53}_{44}$iau^{53}tek^{3}.

【盖$_1$】kɔi^{53} 名器物上部有遮蔽作用的东西。也称“盖子”：皮篓子还有只～。pʰi^{13}lei^{21}tsʅ^{0}xai^{13}iəu^{35}tʂak^{3}kɔi^{53}.｜箇阵子是卖妹子箇只都还爱接新人箇只都还爱搞担子皮篓子，有～子个。kai$^{53}_{44}$tʂʰən$^{53}_{44}$tsʅ^{0}ʂʅ$^{53}_{44}$mai$^{53}_{44}$mɔi^{53}tsʅ^{0}kai$^{53}_{44}$tʂak^{3}təu$^{35}_{44}$xa$^{13}_{21}$ɔi$^{53}_{44}$tsiet^{3}sin^{35}ɲin^{13}kai$^{53}_{44}$tʂak^{3}təu$^{35}_{44}$xa$^{13}_{21}$ɔi$^{53}_{44}$kau^{21}tan$^{35}_{44}$tsʅ^{0}pʰi^{13}lei^{21}tsʅ^{0},iəu$^{35}_{44}$kɔi^{53}tsʅ^{0}ke^{53}.｜箇有～子个碗就安做碧碗子嘞。kai$^{53}_{44}$iəu^{35}kɔi^{53}tsʅ^{0}ke^{53}uɔn^{21}tsʰiəu$^{53}_{44}$ɔn$^{35}_{44}$tso$^{53}_{44}$piet^{3}uɔn^{21}tsʅ^{0}lei^{0}.

【盖$_2$】kɔi^{53} 动①由上往下遮掩：瓦～（椽皮）上背。ŋa^{21}kɔi^{53}ʂɔŋ$^{53}_{44}$pɔi$^{53}_{44}$. ②用……来遮掩：椽皮面上就～瓦。ʂɔn^{13}pʰi$^{13}_{44}$mien^{53}xɔŋ$^{53}_{44}$tsʰiəu$^{53}_{44}$kɔi^{53}ŋa^{21}.｜下种个时候子嘞怕霜打，就～滴石墁去。xa^{53}tʂəŋ^{21}ke^{53}ʂʅ^{13}xei$^{53}_{44}$tsʅ^{0}lei^{0}pʰa$^{53}_{44}$sɔŋ^{35}ta^{21},tsʰiəu$^{53}_{44}$kɔi$^{53}_{44}$tiet^{5}ʂak^{5}man^{53}cʰi^{53}.

【盖面纸】kɔi^{53}mien^{53}tʂʅ^{21} 名覆面纸；旧时人死后覆盖在死者脸上的黄纸：哦，～，渠是用冇张冇块如今是用布了，冇块布哇，冇块布盖倒。以前是冇得啊，就用纸盖呀，盖下死人个面上啊。就系怕有兜死人怕死哩以后欸变相啊，面变哩形呐。就咁子去盖呀，用草纸。我记得我爷子死哩是𫠛去盖么个嘞，盖块布个，渠就箇块布，有床寿被呀扯下上去，扯上下子渠。o$_{21}$,kɔi^{53}mien^{53}tʂʅ^{21},ci$^{13}_{21}$ʂʅ$^{53}_{44}$iəŋ$^{53}_{44}$u^{21}tʂɔŋ$^{35}_{44}$u^{21}kʰuai^{53}i$^{13}_{21}$cin$^{35}_{44}$ʂʅ$^{53}_{44}$iəŋ$^{53}_{44}$pu^{53}liau^{0},u^{21}kʰuai$^{53}_{44}$pu^{53}ua^{0},u^{21}kʰuai$^{53}_{44}$pu^{53}kɔi^{53}tau^{21}.i$^{35}_{53}$tsʰien^{13}ʂʅ$^{53}_{44}$mau^{13}tek^{3}a^{0},tsʰiəu$^{53}_{44}$iəŋ$^{53}_{44}$tʂʅ^{21}kɔi^{53}ia^{0},kɔi^{53}ia$^{53}_{44}$si^{21}ɲin^{13}cie$^{53}_{44}$mien^{53}xɔŋ^{53}ŋa^{0}.tsʰiəu$^{53}_{44}$xe$^{53}_{44}$pʰa^{53}iəu^{35}təu$^{35}_{53}$si^{21}ɲin^{13}pʰa^{53}si^{21}li^{0}i^{35}xei$^{53}_{44}$e$_{44}$pien^{53}siɔŋ^{53}ŋa^{0},mien^{53}pien^{53}ni^{0}çin^{13}na^{0}.tsʰiəu$^{53}_{44}$kan^{21}tsʅ^{0}çi$^{53}_{44}$kɔi^{53}ia^{0},iəŋ^{53}tsʰau^{21}tʂʅ^{21}.ŋai^{13}ci^{53}tek^{3}ŋai$^{13}_{21}$ia^{13}tsʅ^{0}si^{21}li^{0}ʂʅ$^{53}_{44}$maŋ^{13}çi^{53}kɔi^{53}mak^{3}e^{0}le^{0},kɔi$^{53}_{44}$kʰuai$^{53}_{44}$pu^{53}ke^{0},ci^{13}tsʰiəu^{53}kai$^{53}_{21}$kʰuai$^{53}_{44}$pu^{53},iəu$^{35}_{44}$tsʰɔŋ$^{13}_{21}$ʂəu^{53}pʰi$^{53}_{44}$ia^{0}tʂʰa^{21}(x)a$^{53}_{44}$ʂɔŋ$^{53}_{44}$çi$^{53}_{44}$,tʂʰa^{21}ʂɔŋ$^{53}_{44}$xa^{53}tsʅ^{0}ci$^{13}_{21}$.

【干$_1$】kɔn^{35} 形①指没有水分或雨水、水分很少；旱：～溜苔呀，就系挎嘈个啦，挎嘈个溜苔。像箇个石头上春天水多又潮湿个情况下有溜苔，但是到哩以三时节，箇溜苔就嘈成～嘿哩了。欸，渠就会死咁，～溜苔。kɔn^{35}liəu$^{35}_{44}$tʰɔi$^{13}_{21}$ia^{0},tsʰiəu$^{53}_{44}$xe$^{53}_{44}$kʰua^{53}tsau^{35}ke^{53}la^{0},e$_{21}$,kʰua^{53}tsau^{35}ke^{53}liəu$^{13}_{44}$tʰɔi$^{13}_{21}$.tsʰiɔŋ^{53}kai$^{53}_{44}$ke$^{53}_{44}$ʂak^{5}tʰei$^{13}_{21}$xɔŋ^{53}tʂʰən^{35}tʰien$^{35}_{44}$ʂei^{21}to^{35}iəu^{53}tʂʰau^{13}ʂət^{3}ke^{0}tsʰin^{13}kʰuɔŋ$^{53}_{44}$çia$^{53}_{44}$iəu$^{35}_{44}$liəu^{13}tʰɔi$^{13}_{21}$,tan^{53}ʂʅ^{53}tau^{53}li^{0}i^{21}san$^{35}_{44}$ʂʅ$^{13}_{21}$tset^{3},kai$^{53}_{44}$liəu$^{35}_{44}$tʰɔi$^{13}_{21}$tsiəu$^{53}_{44}$tsau$^{35}_{44}$ʂaŋ$^{13}_{21}$kɔn^{35}nek^{3}li^{0}liau^{0}.e$_{21}$,ci^{13}tsʰiəu$^{53}_{44}$uɔi$^{53}_{44}$si^{21}kan^{21},kɔn^{35}liəu$^{35}_{44}$tʰɔi$^{13}_{21}$.｜天～也是年序唔好。tʰien^{35}kɔn^{35}na$_{44}$(←ia^{35})ʂʅ$^{53}_{21}$ɲien^{13}si^{53}ŋ̍$^{13}_{21}$xau^{21}. ②属性词。拜认的（亲疏关系）：我等有只老师嘞就，一只女老师，渠老公呢就有只干爷，渠就系～新舅吵。渠还蛮看得箇只干爷起。干爷也蛮老子了凑。欸，长日去看渠箇只，买兜东西分渠食。ŋai$^{13}_{21}$tien^{0}iəu$^{35}_{44}$tʂak^{3}lau^{21}sʅ$^{35}_{44}$le^{0}tsʰiəu^{53},iet^{3}tʂak^{3}ɲy^{21}lau^{21}sʅ$^{35}_{53}$,ci^{13}lau^{21}kəŋ$^{35}_{44}$ne^{0}tsʰiəu$^{53}_{44}$iəu$^{35}_{44}$tʂak^{3}kɔn^{35}ia$^{13}_{21}$,ci^{13}tsʰiəu^{53}xe^{53}kɔn^{35}sin^{35}cʰiəu^{53}ʂa^{0}.ci$^{13}_{21}$xai^{13}man^{13}kʰɔn^{53}tek^{3}kai^{53}tʂak^{3}kɔn^{35}ia$^{13}_{21}$çi^{21}.kɔn^{35}ia$^{13}_{21}$ia^{35}man$^{13}_{21}$lau^{21}tsʅ^{0}liau^{21}tsʰe^{0}.e$_{21}$,tʂʰɔŋ^{13}ɲiet^{3}çi$^{53}_{44}$kʰɔn^{53}ci$^{13}_{21}$kai$^{53}_{44}$tʂak^{3},mai^{35}təu$^{35}_{53}$təŋ$^{35}_{44}$si^{0}pən$^{35}_{44}$ci$^{13}_{21}$ʂət^{5}.

【干$_2$】kɔn^{35} 名脱水加工制成的干食品：各种各样个～ kɔk^{3}tʂəŋ^{21}kɔk^{3}iɔŋ^{53}ke^{53}kɔn^{35}｜（笋子）晒成～呶。sai^{53}ʂaŋ$^{13}_{21}$kɔn^{35}nau^{0}.

【干疮子】kɔn^{35}tsʰɔŋ^{35}tsʅ^{0} 名疥疮：发～个有。有兜学生子都搞过，欸，我等学生子搞过～个。fait^{3}kɔn^{35}tsʰɔŋ$^{35}_{44}$tsʅ^{0}ke^{0}iəu$^{35}_{44}$.iəu$^{35}_{44}$təu$^{35}_{44}$xɔk^{5}saŋ^{35}tsʅ^{0}təu$^{35}_{44}$kau^{21}ko$^{53}_{44}$,e$_{21}$,ŋai$^{13}_{21}$tien^{0}xɔk^{5}saŋ^{35}tsʅ^{0}kau^{21}ko$^{53}_{44}$kɔn^{35}tsʰɔŋ$^{35}_{44}$tsʅ^{0}ke^{0}.

【干脆$_1$】kɔn^{35}tsʰei^{53} 形痛痛快快，干净利索：做事绷扯，唔～做事唔。tso$^{53}_{44}$sʅ$^{53}_{44}$paŋ^{35}tʂʰa^{21},n̩^{13}kɔn^{35}tsʰei^{53}tso^{53}sʅ^{53}n̩$^{13}_{21}$.

【干脆$_2$】kan^{35}tsʰei^{53} 副索性：～打豆子个廊子就冇嘿哩。kan^{35}tsʰei^{53}ta^{21}tʰəu^{53}tsʅ^{0}ke$^{53}_{44}$laŋ$^{13}_{44}$tsʅ^{0}tsʰiəu$^{53}_{44}$u^{21}xek^{3}li^{0}.

【干井】kɔn^{21}tsiaŋ^{21} 名枯井：我等老屋里箇角上就有只井啊，以前就用哩啊，以下又𫠛多用哩噢，𫠛多去冇了，箇个上背嘞就又箇个成哩一只坪，就冇么个水出了，箇只就成哩～。ŋai^{13}tien^{0}lau^{21}uk^{3}li^{0}kai^{53}kɔk^{3}xɔŋ^{53}tsʰiəu^{53}iəu^{53}tʂak^{3}tsiaŋ^{21}ŋa^{0},i$^{35}_{53}$tsʰien^{13}tsʰiəu$^{53}_{44}$iəŋ^{53}li^{0}a^{0},i^{21}xa^{53}iəu^{53}maŋ^{13}to$^{35}_{44}$iəŋ^{53}li^{0}au^{0},maŋ^{13}to$^{35}_{53}$çi^{53}u^{21}liau^{0},kai$^{53}_{44}$kei$^{53}_{44}$ʂɔŋ^{53}pɔi$^{53}_{44}$lei^{0}tsiəu$^{53}_{44}$iəu$^{53}_{44}$kai$^{53}_{44}$kei$^{53}_{44}$ʂaŋ$^{13}_{21}$li^{0}iet^{3}tʂak^{3}pʰiaŋ^{13},tsiəu^{53}mau^{13}mak^{3}e^{0}ʂei^{21}tʂʰət^{3}liau^{0},kai^{53}tʂak^{3}tsʰiəu^{53}ʂaŋ$^{13}_{21}$li^{0}kɔn^{35}tsiaŋ^{21}.

【干净】kɔn^{35}tsʰin^{53} 形清洁；无污垢。有“AABB”重叠式：以只（饭撮）咁～个，干干净净子。i^{21}tʂak^{3}kan^{21}kɔn^{35}tsʰin$^{53}_{44}$cie$^{53}_{44}$,kɔn^{35}kɔn$^{35}_{44}$tsʰin^{53}tsʰin^{53}tsɿ^{0}.｜有滴人死得干干净净个人呢。iəu^{35}tet^{5} ɲin$^{13}_{44}$si^{21}tek^{3} kɔn^{35}kɔn$^{35}_{44}$tsʰin^{53}tsʰin$^{53}_{44}$ke$^{53}_{44}$ɲin$^{13}_{44}$ne^{0}.

【干娘】kɔn^{35}ɲiɔŋ^{13} 名养母、义母、继母的通称：就有两起～呶。唔系话两三起哟，两三起。第一起嘞就系么个？养母，带渠个，系唔系？带大哩渠个，喊～。第二起嘞就系义女个，摎义女相对个，就系么个嘞？拜个～。欸，拜渠做～。第三起嘞就系继母，就系爷子后来讨个箇个老婆欸也安做～，箇种～嘞一般又喊后娭。tsʰiəu^{53}iəu$^{35}_{53}$iɔŋ^{21}çi^{21}kɔn$^{35}_{44}$ɲiɔŋ$^{13}_{21}$nau^{0}.m̩$^{13}_{21}$pʰei$^{53}_{44}$ua^{53} iɔŋ^{21}san$^{35}_{44}$çi^{21}iau^{0},iɔŋ^{21}san$^{35}_{44}$çi^{21}.tʰi^{53}iet^{3}çi^{21}lei^{0}tsʰiəu^{53}xe^{53}mak^{3}ke^{0}?iɔŋ^{35}mu^{35},tai^{53}ci$^{13}_{21}$ke^{0},xei$^{53}_{44}$me$^{53}_{44}$?tai^{53}tʰai^{53} li^{0}ci$^{13}_{21}$ke^{0},xan$^{53}_{44}$kɔn^{35}ɲiɔŋ$^{13}_{21}$.tʰi$^{53}_{44}$ɲi^{53}çi^{21}lei^{0}tsʰiəu$^{53}_{44}$xei$^{53}_{44}$ɲi^{53}ɲy^{21}ke^{0},lau^{35}ɲi^{53}ɲy^{21}siɔŋ^{35}tei$^{53}_{44}$ke^{0},tsʰiəu$^{53}_{44}$xei$^{53}_{44}$mak^{3} ke$^{53}_{44}$le^{0}?pai^{53}ke$^{53}_{44}$kɔn$^{35}_{44}$ɲiɔŋ$^{13}_{21}$.e$^{13}_{21}$,pai^{53}ci$^{13}_{21}$tso$^{53}_{44}$kɔn^{35}ɲiɔŋ^{13}.tʰi$^{53}_{44}$san^{35}çi^{21}lei^{0}tsʰiəu$^{53}_{44}$xei$^{53}_{44}$ci^{53}mu^{35},tsiəu$^{53}_{44}$xe$^{53}_{21}$ia^{13}tsɿ^{0} xei^{53}lɔi$^{13}_{21}$tʰau^{21}ke^{53}kai$^{53}_{44}$ke$^{53}_{44}$lau^{21}pʰo^{13}ei$_{21}$ia^{35}ɔn$^{35}_{44}$tso$^{53}_{44}$kɔn^{35}ɲiɔŋ$^{13}_{21}$,kai^{53}tʂəŋ^{21}kɔn^{35}ɲiɔŋ$^{13}_{21}$lei^{0}iet^{3}pɔn^{35}iəu$^{53}_{21}$xan^{53} xei^{53}ɔi^{35}.

【干女】kɔn^{35}ŋ̍^{21} 名养女、义女、继女的通称：就同干娘相对个唠，也有三起唠。一起就捡倒带个妹子唠，捡只妹子带了，～啊。以下是箇个啦，以下是渠带个妹子，同箇街上有只，我赖子对门箇映子箇只卖摩托个人呐，渠一只子赖子，渠又有钱，一只子赖子，硬想只子妹子，渠就别人家送只子妹子分渠，正出世个，正个把子月啊正几……唔知系唔系正几天子哦，渠就请只保姆同渠带啦，如今带起也会行会走了嘞，欸，到处走了。箇个嘞就箇个其实就箇个就系～呐。箇种～渠就唔得话～呐，渠就硬话系渠个妹子箇啦。欸，“我个妹子”。其实系养母啦，系唔系？养女嘞。还有就箇起么个改嫁带倒来个妹子唠，～噢。还有就逢生个噢，欸逢生个～哦，开头干娘啊还有逢生个干娘啊。tsʰiəu^{53}tʰəŋ$^{13}_{44}$kɔn^{35}ɲiɔŋ^{13}siɔŋ^{35}tei^{53}ke^{0}lau^{0},ia^{35}iəu$^{35}_{53}$san^{35} çi^{21}lau^{0}.iet^{3}çi^{21}tsiəu$^{53}_{44}$cian^{21}tau^{21}tai^{53}ke^{0}mɔi^{53}tsɿ^{0}lau^{0},cian^{21}tʂak^{3}mɔi^{53}tsɿ^{0}tai^{53}liau^{0},kɔn^{35}ŋ̍^{21}ŋa^{0}.i^{21}xa^{53}ʂʅ$^{53}_{44}$kai^{53} ke^{53}la^{0},i^{21}xa^{53}ʂʅ$^{53}_{44}$ci$^{13}_{21}$tai^{53}ke$^{53}_{44}$mɔi^{53}tsɿ^{0},tʰəŋ$^{13}_{21}$kai$^{53}_{44}$kai^{35}xɔŋ$^{53}_{44}$iəu^{35}tʂak^{3},ŋai^{13}lai^{53}tsɿ^{0}ti^{53}mən^{13}kai$^{53}_{44}$in$^{53}_{44}$tsɿ^{0}kai$^{53}_{44}$ tʂak^{3}mai$^{53}_{44}$mo^{13}tʰɔk^{3}ke^{0}ɲin$^{13}_{21}$na^{0},ci^{13}iet^{3}tʂak^{3}tsɿ^{0}lai^{53}tsɿ^{0},ci^{13}iəu$^{53}_{44}$iəu^{35}tsʰien^{13},iet^{3}tʂak^{3}tsɿ^{0}lai^{53}tsɿ^{0}, ɲiaŋ^{53} siɔŋ^{21}tʂak^{3}tsɿ^{0}mɔi^{53}tsɿ^{0},ci$^{13}_{21}$tsʰiəu$^{53}_{44}$pʰiet^{5}in$^{13}_{21}$ka$^{35}_{44}$səŋ^{53}tʂak^{3}tsɿ^{0}mɔi^{53}tsɿ^{0}pən^{35}ci$^{13}_{21}$,tʂaŋ^{53}tʂʰət^{3}ʂʅ^{53}ke^{0},tʂaŋ$^{53}_{44}$cie^{53} pa^{21}tsɿ^{0}ɲiet$^{5}_{3}$a^{0}tʂaŋ^{53}ci^{21}…n̩^{13}ti$^{35}_{44}$xei$^{53}_{44}$mei$^{53}_{44}$tʂaŋ^{53}ci^{21}tʰien^{35}tsɿ^{0}o^{0},ci^{13}tsʰiəu^{53}tsʰiaŋ^{21}tʂak^{3}pau^{21}mu$^{35}_{44}$tʰəŋ$^{13}_{21}$ci$^{13}_{21}$ tai^{53}la^{0},i$^{13}_{21}$cin$^{35}_{44}$tai^{53}çi$^{21}_{44}$ia^{35}fei$^{53}_{44}$xaŋ$^{13}_{21}$fei$^{53}_{44}$tsei^{21}liau^{21}le^{0},e$_{21}$,tau^{53}tʂʰəu^{53}tsei^{21}liau^{0}.kai$^{53}_{44}$ke$^{53}_{44}$lei^{0}tsʰiəu$^{53}_{44}$kai^{53}ke^{53} cʰi$^{13}_{21}$ʂət^{5}tsʰiəu$^{53}_{44}$kai^{53}ke$^{53}_{44}$tsʰiəu$^{53}_{44}$xe$^{53}_{44}$kɔn^{35}ŋ̍^{21}na^{0}.kai^{53}tʂəŋ^{21}kɔn^{35}ŋ̍^{21}ci^{13}tsʰiəu^{53}n̩^{13}tek^{3}ua^{53}kɔn^{35}ŋ̍^{21}na^{0},ci^{13}tsʰiəu^{53} ɲiaŋ^{53}ua$^{53}_{44}$xei$^{53}_{44}$ci$^{13}_{44}$ke$^{53}_{44}$mɔi^{53}tsɿ^{0}kai$^{53}_{44}$la^{0}.e$_{21}$,"ŋai^{13}ke^{0}mɔi^{53}tsɿ^{0}".cʰi^{13}ʂət$^{5}_{3}$xei$^{53}_{44}$iɔŋ^{35}mu$^{35}_{44}$la^{0},xei$^{53}_{44}$me$^{53}_{44}$?iɔŋ^{35}ɲy^{21} le^{0}.xai^{13}iəu$^{35}_{53}$tsʰiəu$^{53}_{44}$kai^{53}çi^{21}mak^{3}e^{0}kɔi^{21}ka^{53}tai^{53}tau^{21}lɔi^{13}ke^{0}mɔi^{53}tsɿ^{0}lau^{0},kɔn^{35}ŋ̍^{21}ŋau^{0}.xai^{13}iəu$^{35}_{44}$tsʰiəu^{53}fəŋ^{13} saŋ^{35}ke^{53}au^{0},e^{0}fəŋ^{13}saŋ$^{35}_{44}$ke^{0}kɔn^{35}ŋ̍^{21}ŋo^{0},kʰɔi^{35}tʰei$^{13}_{21}$kɔn^{35}ɲiɔŋ^{13}a^{0}xai$^{13}_{44}$iəu$^{35}_{44}$fəŋ^{13}saŋ$^{35}_{44}$ke^{0}kɔn$^{35}_{44}$ɲiɔŋ$^{13}_{21}$ŋa^{0}.

【干蜱】kɔn^{35}pi^{35} 名臭虫：如今冇么人话～，也冇得哩～。从前唔知让门，我爷子讲过啊，我爷子摎我叔叔两兄弟，我爷子大三岁，两兄弟欸我叔叔小学毕业呀就去考浏阳师范，考浏师啊，我爷子也小学毕业。箇去考浏师个时候子是，话哩我阿公就几早就死嘿哩啊，我爷子十岁就死嘿哩啊，箇唔系冇得一只爷子送，系啊？嗯，我阿婆又不能送，就我爷子送老弟子去读书。好像话一天走唔到，箇细人子啊十几岁子去浏阳啊走唔到，就去路上歇一夜，到箇旅社饭店哩歇一夜。箇饭店里真多～哟。箇饭店里个床啊，从前个卫生条件唔好，箇个～欸硬啮起人都痒哦，我叔叔系叫起来话。我爷子就话：“你分脚搁下我身上来呀。”两兄弟睡做一张床吵。“你分脚搁下我身上来呀。”欸，咁子过夜。我爷子话自家都尽命啊硬啊。i$^{13}_{21}$cin$^{35}_{53}$təu$^{35}_{53}$ mau^{13}mak^{3}in$^{13}_{44}$ua^{53}kɔn^{35}pi^{35},ia^{35}mau^{13}tek^{3}li^{0}kɔn^{35}pi^{35}.tsʰəŋ^{13}tsʰien^{13}n̩^{13}ti$^{35}_{53}$ɲiɔŋ^{53}mən^{0},ŋai^{13}ia^{13}tsɿ^{0}kɔŋ^{21}ko^{53}a^{0}, ŋai^{13}ia^{13}tsɿ^{0}lau^{35}ŋai$^{13}_{44}$ʂəuk^{3}ʂəuk^{3}iɔŋ^{21}çiəŋ$^{35}_{44}$tʰi^{53},ŋai$^{13}_{21}$ia^{13}tsɿ^{0}tʰai^{53}san^{35}sɔi^{53},iɔŋ^{21}çiəŋ$^{35}_{44}$tʰi^{53}e$_{21}$ŋai^{13}ʂəuk^{3}ʂəuk^{3} siau^{21}çiɔk^{5}piet^{3}ɲiait^{5}ia^{0},tsʰiəu^{53}çi^{53}kʰau^{21}liəu^{13}iɔŋ^{13}sɿ$^{35}_{44}$fan^{53},kʰau^{21}liəu^{13}sɿ$^{35}_{44}$a^{0},ŋai$^{13}_{21}$ia^{13}tsɿ^{0}a$^{35}_{53}$siau^{21}çiɔk^{5}piet^{3} ɲiait^{5}.kai^{53}çi^{53}kʰau^{21}liəu^{13}sɿ$^{35}_{44}$ke^{0}ʂʅ^{13}xəu$^{53}_{44}$tsɿ^{0}ʂʅ$^{53}_{44}$,ua^{53}li^{0}ŋai$^{13}_{21}$a^{35}kəŋ$^{35}_{44}$tsʰiəu$^{53}_{44}$ci^{21}tsau^{21}tsʰiəu^{53}si^{21}xek^{3}li^{0}a^{0},ŋai$^{13}_{21}$ ia^{13}tsɿ^{0}ʂət^{5}sɔi^{53}tsʰiəu$^{53}_{44}$si^{21}xek^{3}li^{0}a^{0},kai^{53}m̩$^{13}_{44}$pʰei^{53}mau^{13}tek^{3}iet^{3}tʂak^{3}ia^{13}tsɿ^{0}səŋ^{53},xei^{53}a^{0}?ən$_{21}$,ŋai$^{13}_{21}$a^{35}pʰo$^{13}_{21}$ iəu^{53}pət^{3}len^{13}səŋ^{53},tsʰiəu^{53}ŋai$^{13}_{21}$ia^{13}tsɿ^{0}səŋ^{53}lau^{21}tʰe$^{35}_{44}$tsɿ^{0}çi^{53}tʰəuk$^{5}_{3}$ʂəu$^{35}_{44}$.xau^{21}tsʰiɔŋ^{53}ua$^{53}_{44}$iet^{3}tʰien^{35}tsei^{21}n̩^{13} tau^{53},kai$^{53}_{44}$sei^{53}ɲin$^{13}_{21}$tsɿ^{0}a^{0}ʂət^{5}ci^{21}sɔi^{53}tsɿ^{0}çi^{53}liəu^{13}iɔŋ$^{13}_{44}$ŋa^{0}tsei^{21}n̩^{13}tau^{53},tsiəu$^{53}_{44}$çi^{53}ləu$^{53}_{44}$xɔŋ$^{53}_{44}$çiet^{3}iet^{3}ia^{53},tau^{53} kai^{53}li^{35}ʂa^{53}fan^{53}tian^{53}ni^{35}çiet^{3}iet^{3}ia^{53}.kai$^{53}_{44}$fan^{53}tian^{53}ni^{0}tʂən^{35}to$^{35}_{44}$kɔn$^{35}_{44}$pi$^{35}_{44}$io^{0}.kai$^{53}_{44}$fan^{53}tian^{53}ni^{0}ke^{0}tsʰɔŋ$^{13}_{44}$ŋa^{0}, tsʰəŋ^{13}tsʰien^{13}ke^{0}uei^{53}sen$^{35}_{44}$tʰiau$^{13}_{21}$cʰien^{53}n̩$^{13}_{21}$xau^{21},kai$^{53}_{21}$ke$^{53}_{21}$kɔn^{35}pi$^{35}_{44}$ei^{0}ɲiaŋ^{53}ŋait^{3}çi$^{21}_{44}$ɲin$^{13}_{21}$təu$^{35}_{44}$iɔŋ^{35}ŋo^{0},ŋai$^{13}_{44}$ ʂəuk^{3}ʂəuk^{3}xe$^{53}_{44}$ciau^{53}çi^{21}lɔi^{13}ua^{53}.ŋai$^{13}_{21}$ia^{13}tsɿ^{0}tsʰiəu$^{53}_{44}$ua$^{53}_{44}$:"ɲi^{13}pən$^{35}_{53}$ciɔk^{3}kɔk^{3}(x)a^{53}ŋai^{13}ʂən^{35}xɔŋ^{53}lɔi$^{13}_{44}$ia^{0}."

iɔŋ^{21}ɕiaŋ$^{35}_{44}$tʰi^{53}ʂɔi^{53}tso^{53}iet^{3}tʂəŋ^{35}tsʰɔŋ$^{13}_{21}$ʂa^{0}."ɲi^{13}pən$^{35}_{53}$ciɔk^{3}kɔk^{3}(x)a^{53}ŋai^{13}ʂən^{35}xɔŋ$^{53}_{13}$lɔi$^{13}_{44}$ia^{0}."e$_{21}$,kan$^{21}_{13}$tsɿ^{0}ko^{53}ia^{53}.ŋai^{13}ia^{13}tsɿ^{0}ua$^{35}_{44}$tsʰɿ^{35}ka$^{35}_{44}$tau$^{35}_{44}$tsʰin^{53}miaŋ^{53}ŋa^{0}ɲiaŋ^{53}ŋa^{0}.

【干塘】kɔn^{35}tʰɔŋ^{13} 名 无水的鱼塘：～是渠干咁哩个了。旱潅哩，冇得水，就喊～。kɔn^{35}tʰɔŋ^{13} ʂɿ$^{53}_{44}$ci^{13}kɔn^{35}kan^{21}li^{0}ke$^{53}_{44}$liau^{0}.xɔn^{35}lian^{21}li^{0},mau^{13}tek^{3}ʂei^{21},tsʰiəu^{53}xan$^{53}_{21}$kɔn^{35}tʰɔŋ^{13}.｜讲旱哩以后冇得水，渠就喊～。kɔŋ^{21}xɔn^{35}li^{0}i^{35}xei^{53}mau^{13}tek^{3}ʂei^{21},ci^{13}tsʰiəu$^{53}_{44}$xan^{53}kɔn^{35}tʰɔŋ^{13}.

【干田】kɔn^{35}tʰien^{13} 名 秋冬季节无水的稻田：到哩秋天冬天冇得水个田就安做～。渠又都是本来是禾都还去还赠打个时候子嘞渠就冇哩水箇丘田就。渠话山坡上也系的确嘞，欸，有兜是箇山坡上嘞就冇得泉水，渠就涸唔倒哩，就是干嘿哩，～。tau^{53}li^{0}tsʰiəu^{35}tʰien$^{35}_{44}$təŋ^{35}tʰien$^{35}_{44}$ mau^{13}tek^{3}ʂei^{21}ke^{53}tʰien^{13}tsiəu$^{35}_{21}$ɔn$^{35}_{53}$tso$^{53}_{21}$kɔn^{35}tʰien$^{13}_{21}$.ci$^{13}_{21}$iəu^{53}təu$^{35}_{53}$ʂɿ^{53}pən^{21}nɔi^{13}ʂɿ$^{53}_{44}$uo^{13}təu$^{35}_{53}$xai^{13}ɕi^{53}xai^{13}maŋ$^{13}_{44}$ ta^{21}ke^{53}ʂɿ^{13}xəu$^{53}_{44}$tsɿ^{0}lei^{0}ci^{13}tsʰiəu^{53}mau$^{13}_{21}$li^{0}ʂei^{21}kai$^{53}_{44}$cʰiəu$^{35}_{53}$tʰien$^{13}_{21}$tsʰiəu$^{53}_{44}$.ci$^{13}_{21}$ua$^{53}_{44}$san^{35}pʰo$^{35}_{44}$xɔŋ$^{53}_{44}$ia^{35}xek^{5}tiet^{3} kʰɔk^{3}lei^{0},ei$_{44}$,iəu^{35}təu$^{35}_{53}$ʂɿ$^{53}_{44}$kai$^{53}_{44}$san^{35}pʰo^{35}xɔŋ$^{53}_{44}$lei^{0}tsiəu$^{53}_{44}$mau^{13}tek^{3}tsʰan^{35}ʂei^{21},ci$^{13}_{21}$tsiəu$^{53}_{44}$in^{53}n̩$^{13}_{21}$tau^{21}li^{0},tsʰiəu^{53} ʂɿ$^{53}_{21}$kɔn^{35}nek^{3}li^{0},kɔn^{35}tʰien$^{13}_{21}$.

【干鸭子】kɔn^{35}ait^{3}tsɿ^{0} 名 ①鸭子品种，毛黑，冠红，喜处旱地。也称“干鸭”：还有种安做～。～唔多喜欢去水肚，也会去水肚里。欸，就你话个毛就墨乌个，髻冠顶高就鲜红子个，系。欸，有只髻冠顶高鲜红子个，干鸭，干鸭。xai^{13}iəu$^{35}_{44}$tʂəŋ^{21}ɔn$^{35}_{44}$tso$^{53}_{44}$kɔn^{35}nait^{3}(←ait^{3})tsɿ^{0}.kɔn^{35} nait^{3}(←ait^{3})tsɿ^{0}n̩^{13}to$^{35}_{44}$ɕi^{21}fɔn^{35}ɕi^{53}ʂei^{21}tau^{21},ia^{35}uɔi^{53}ɕi$^{53}_{44}$ʂei^{21}tau^{21}li^{0}.e$_{21}$,tsəu$^{53}_{44}$ɲi$^{13}_{21}$ua$^{53}_{44}$ke$^{53}_{44}$mau^{35}tsʰiəu$^{53}_{44}$mek^{5}u$^{35}_{44}$ ke$^{53}_{44}$,ci^{53}kɔn^{35}taŋ^{21}kau$^{35}_{44}$tsʰiəu$^{53}_{44}$ɕien$^{35}_{44}$fəŋ$^{13}_{21}$tsɿ^{0}ke^{53},xe$^{53}_{21}$.ei$_{21}$,iəu$^{35}_{44}$tʂak^{3}ci^{53}kɔn$^{35}_{44}$taŋ^{21}kau$^{35}_{44}$ɕien$^{35}_{44}$fəŋ$^{13}_{21}$tsɿ^{0}ke$^{53}_{44}$,kɔn^{35} nait^{3}(←ait^{3}),kɔn^{35}ait^{3}. ②喻指不会游泳的人：我是就唔会洗冷水身个人呐，欸，我就一只～。ŋai^{13}ʂɿ$^{53}_{44}$tsʰiəu^{53}m̩^{13}uɔi$^{53}_{44}$se^{21}laŋ^{35}ʂei^{21}ʂən^{35}ke^{53}ɲin$^{13}_{21}$na^{0},e$_{21}$,ŋai^{13}tsʰiəu$^{53}_{44}$iet^{3}tʂak^{3}kɔn^{35}nait^{3}tsɿ^{0}.

【干爷】kɔn^{35}ia^{13} 名 拜认的父亲：箇只我～。就一般是唔系亲生爷子就硬爱喊～。kai^{53}tʂak^{3} ŋai$^{13}_{21}$kɔn^{35}ia^{13}.tsʰiəu$^{53}_{44}$iet^{3}pɔn^{35}ʂɿ$^{53}_{44}$m̩^{13}pʰe^{53}(←xe^{53})tsʰin$^{35}_{44}$sien$^{35}_{44}$ia^{13}tsɿ^{0}tsʰiəu$^{53}_{44}$ɲiaŋ^{53}ɔi$^{53}_{44}$xan^{53}kɔn^{35}ia$^{13}_{21}$.

【干子$_1$】kɔn^{35}tsɿ^{21} 名 干儿子，也指妇女改嫁带来的儿子：就～嘞。对渠箇边个男个来讲咯，对箇只男个来讲，老婆系二婚亲，系啊？带倒来个细人子就称～嘞。～，干女。tsiəu$^{53}_{44}$kɔn^{35} tsɿ^{21}lei^{0}.tei^{53}ci$^{13}_{21}$kai^{53}pien$^{35}_{44}$ke$^{53}_{44}$lan^{13}cie^{53}lɔi$^{13}_{21}$kɔŋ^{21}ko^{0},tei^{53}kai^{53}tʂak^{3}lan^{13}cie^{53}lɔi$^{13}_{21}$kɔŋ^{21},lau^{21}pʰo^{13}xei$^{53}_{44}$ɲi^{53}fən$^{35}_{44}$ tsʰin$^{35}_{44}$,xei$^{53}_{44}$a^{0}?tai^{53}tau^{21}lɔi$^{13}_{21}$ke$^{53}_{44}$sei^{53}ɲin$^{13}_{21}$tsɿ^{0}tsʰiəu$^{53}_{21}$tʂʰən^{35}kɔn^{35}tsɿ^{21}lei^{0}.kɔn^{35}tsɿ^{21},kɔn^{35}ŋ̍^{21}.

【干子$_2$】kɔn^{35}tsɿ^{0} 名 用蔬菜加工成的点心的统称：欸，现在是蛮多地方是以个栏场搞起有滴栏场是搞成哩一种产业哟。渠搞成一种产业。茄子，苦瓜，豆角，都可以搞，食唔完个就晒做～。ei$_{53}$,ɕien^{53}tsʰai$^{53}_{44}$ʂɿ$^{53}_{44}$man$^{13}_{21}$to$^{35}_{44}$tʰi$^{53}_{44}$fɔŋ$^{35}_{44}$ʂɿ$^{53}_{44}$i^{21}ke$^{53}_{44}$lɔŋ$^{13}_{44}$tʂʰɔŋ$^{13}_{44}$kau^{21}ɕi^{21}iəu^{35}tet^{5}lɔŋ^{13}tʂʰɔŋ$^{13}_{44}$ʂɿ$^{53}_{44}$kau^{21}ʂən^{13}li^{0} iet^{3}tʂəŋ^{21}tsʰan^{21}ɲiait^{5}iau^{0}.ci$^{13}_{21}$kau^{21}ʂaŋ$^{13}_{53}$iet^{3}tʂəŋ^{21}tsʰan^{21}ɲiait^{5}.cʰio^{13}tsɿ^{0},fu^{21}kua$^{35}_{44}$,tʰei^{53}kɔk^{3},təu^{35}kʰo^{21}i^{35} kau^{21},ʂət^{5}n̩$^{13}_{21}$ien$^{13}_{21}$ke$^{53}_{44}$tsʰiəu^{53}sai^{53}tso$^{53}_{44}$kɔn^{35}tsɿ^{0}.

【甘草粉】kan^{35}tsʰau^{21}fən^{21} 名 甘草磨成的粉：（酸枣糕肚里）放滴子～呐。fɔŋ^{53}tet^{5}tsɿ^{0}kan^{35}tsʰau^{21} fən^{21}na^{0}.

【肝】kɔn^{35} 名 人或动物体内最大的消化腺，有合成与贮存养料、分泌胆汁、解毒等功能：～呐，脾，就系～边子上吵，系唔系？kɔn^{35}na^{0},pʰi^{13},tsʰiəu^{53}ue^{53}(←xe^{53})kɔn^{35}pien^{35}tsɿ^{0}xɔŋ$^{53}_{44}$ʂa^{0},xei$^{53}_{44}$ me$^{53}_{44}$?

【肝虫】kɔn^{35}tʂʰəŋ^{13} 名 传说为一种能导致鼻炎乃至齆鼻公的寄生虫：以前欸我等箇映我有只朋友，渠就……以下唔在哩唠，渠就招郎，招分人箇家一只婆婆子，我就喜欢到渠箇嬲，箇只婆婆子一只鼻公齆个，冇得哩，以映烂咁哩。发～烂个话，齆鼻公。发～，我也唔晓得么个安做～，唔晓得，反正就系鼻炎呐，唔知让门鼻炎会搞倒咁厉害。渠食烟呢，箇婆婆子食烟呢，我等以映客家人就么个爱防止发～，也爱食烟。发哩～，也爱食烟，食烟就能够整得～。i^{35}tsʰien$^{13}_{44}$e$_{21}$ŋai^{13}tien^{0}kai$^{53}_{44}$in$^{53}_{44}$ŋai^{13}iəu$^{35}_{44}$tʂak^{3}pʰəŋ^{13}iəu$^{35}_{44}$,ci$^{13}_{21}$tsʰiəu^{53}⋯i$^{21}_{13}$xa^{53}n̩$^{13}_{21}$tsʰɔi$^{53}_{44}$li^{0}lau^{0},ci$^{13}_{21}$ tsʰiəu^{53}tʂau^{35}lɔŋ^{13},tʂau^{35}pən$^{35}_{44}$in$^{13}_{21}$kai$^{53}_{44}$ka^{35}iet^{3}tʂak^{3}pʰo^{13}pʰo$^{13}_{44}$tsɿ^{0},ŋai^{13}tsʰiəu$^{53}_{44}$ɕi^{21}fɔn$^{35}_{44}$tau^{53}ci$^{13}_{21}$kai$^{53}_{44}$liau^{53},kai^{53} (tʂ)ak^{3}pʰo^{13}pʰo$^{13}_{44}$tsɿ^{0}iet^{3}tʂak^{3}pʰi^{53}kəŋ$^{35}_{53}$iait^{3}cie^{53},mau^{13}tek^{3}li^{0},i^{21}iaŋ$^{53}_{44}$lan^{53}kan^{21}ni^{0}.fait^{3}kɔn^{35}tʂʰəŋ$^{13}_{21}$lan^{53}cie^{53} ua$^{53}_{44}$,iait^{3}pʰi^{53}kəŋ^{35}.fait^{3}kɔn^{35}tʂʰəŋ$^{13}_{21}$,ŋai^{13}a$^{35}_{53}$n̩$^{13}_{44}$ɕiau^{21}tek^{3}mak^{3}ke^{53}ɔn$^{35}_{44}$tso$^{53}_{44}$kɔn^{35}tʂʰəŋ$^{13}_{21}$,n̩^{13}ɕiau^{21}tek^{3},fan^{21} tʂən^{53}tsʰiəu^{53}xei^{53}pʰiet^{3}ien^{13}na^{0},n̩^{13}ti$^{35}_{53}$ɲiɔŋ^{53}mən$^{35}_{44}$pʰiet^{3}ien^{13}uɔi^{53}kau^{21}tau$^{21}_{44}$kan^{21}li^{35}xɔi^{53}.ci$^{13}_{21}$ʂət^{5}ien^{35}ne^{0},kai^{53} pʰo^{13}pʰo$^{13}_{44}$tsɿ^{0}ʂət^{5}ien^{35}ne^{0},ŋai^{13}tien^{0}i^{21}iaŋ^{53}kʰak^{3}ka$^{35}_{44}$ɲin$^{13}_{21}$tsʰiəu^{53}mak^{3}ke^{53}ɔi^{53}fɔŋ^{13}tʂɿ^{21}fait^{3}kɔn^{35}tʂʰəŋ$^{13}_{21}$,ia^{35} ɔi^{53}ʂət^{5}ien^{35}.fait^{3}li^{0}kɔn$^{35}_{44}$tʂʰəŋ$^{13}_{44}$,ia^{35}ɔi$^{53}_{44}$ʂət^{5}ien^{35},ʂət^{5}ien^{35}tsʰiəu^{53}len$^{13}_{21}$ciau$^{53}_{44}$tʂaŋ^{21}tek^{3}kɔn^{35}tʂʰəŋ^{13}.

【柑橘】kan^{35}ciet^{3} 名 柑子、橘子的统称：我去下真想归去栽兜子～了。ŋai^{13}ɕi^{53}xa^{53}tʂən^{35}siɔŋ^{21}

kuei^{35}çi^{53}tsɔi^{35}təu$^{35}_{53}$tsɿ^{0}kan^{35}ciet^{3}liau^{0}.

【柑子】kan^{35}tsɿ^{0} 名柑子、橙子、蜜橘的统称：咁大子一只子勵圆子个就系～。欸咁大一只个就系柚子。kan^{21}t^{h}ai^{53}tsɿ^{0}iet^{3}tʂak^{3}tsɿ^{0}li^{35}ien^{13}tsɿ^{0}ke^{53}ts^{h}iəu$^{53}_{44}$xei$^{53}_{44}$kan^{35}tsɿ^{0}.e$_{21}$kan^{21}t^{h}ai^{53}iet^{3}tʂak^{3}ke^{53}ts^{h}iəu$^{53}_{44}$xei$^{53}_{44}$iəu^{53}tsɿ^{0}.｜箇起蜜橘嘞我等都称～。kai$^{53}_{21}$çi^{21}miet^{5}tʂət^{3}le^{0}ŋai^{13}tien^{0}təu^{35}tʂ^{h}ən^{35}kan^{35}tsɿ^{0}.

【咁$_{1}$】kan^{21} 代指示代词，表近指。①做主语，指代事物或处所，相当于“这”或“这儿、这里”：～就火斗。kan$^{21}_{35}$ts^{h}iəu^{53}fo^{21}tei^{21}.｜我等～有只有只院子嘞专门搞咁个嘞。ŋai$^{13}_{21}$tien^{0}kan$^{21}_{44}$iəu^{35}tʂak^{3}iəu$^{35}_{44}$tʂak^{3}ien^{53}tsɿ^{0}lei^{0}tʂen^{35}mən$^{13}_{21}$kau^{21}kan$^{21}_{35}$cie$^{53}_{44}$lei^{0}. ②做谓语，相当于“这样、如此”：嗬嗬，难怪～了！xo^{53}xo^{53},lan^{13}kuai$^{53}_{44}$kan^{21}liau^{0}！③做定语，修饰名词，相当于“这样的”：很少做～个米馃。xen^{21}ʂau^{21}tso^{53}kan^{21}cie^{53}mi^{21}ko^{21}. ④做状语，修饰动词性谓语，表示行为的方式，相当于“这样”：我要～做倒唠。ŋai^{13}iau$^{53}_{44}$kan$^{21}_{44}$tso^{53}tau$^{21}_{44}$lau^{0}. ⑤做状语，修饰能愿动词，表示程度高，相当于“如此”：渠～会抵脚哦。ci$^{13}_{21}$kan$^{21}_{44}$uɔi$^{53}_{44}$ti^{21}ciɔk^{3}o^{0}. ⑥做状语，修饰形容词，读重音，表示程度高，相当于“如此”：～长个麦芽凌 kan^{21}tʂ^{h}ɔŋ^{13}ke$^{53}_{44}$mak^{5}ŋa$^{13}_{21}$lin^{53}｜～多事你搞得完？kan^{21}to^{35}ʂɿ^{53}ŋi$^{13}_{21}$kau^{21}tek^{3}ien^{13}? ⑦后接形容词加“子”，表示程度相对较低，常变调为 35：忒多哩，唔爱咁多，只爱～多子就够哩。t^{h}et^{3}to^{35}li^{0},m̩^{13}mɔi^{35}kan^{21}to^{35},tʂət^{3}ɔi^{53}kan^{21}to^{35}tsɿ^{0}ts^{h}iəu^{53}kei^{53}li^{0}.｜我见过我等个咁长个～阔子个马槽。ŋai^{13}cien^{53}ko$^{53}_{44}$ŋai$^{13}_{21}$tien^{0}ke$^{53}_{44}$kan^{21}tʂ^{h}ɔŋ^{13}ke$^{53}_{44}$kan$^{21}_{35}$k^{h}ɔit^{3}tsɿ^{0}ke$^{53}_{21}$ma^{35}ts^{h}au$^{13}_{21}$.

【咁$_{2}$】kan^{21} 助动态助词，放在动词后。①表示动作行为的实现或某事已成为现实：笠嫲都遮～哩呀。liet^{3}ma$^{13}_{21}$təu$^{35}_{44}$tʂa^{35}kan^{21}ni^{0}ia^{0}.｜箇泥沙就走底下个眼肚里跌～哩。kai$^{53}_{44}$lai^{13}sa$^{35}_{44}$ts^{h}iəu^{53}tsei^{21}ti^{21}xa^{53}ke^{53}ŋan^{21}təu^{21}li^{0}tiet^{3}kan^{21}li^{0}. ②表示动作行为的完成：欸，蛮多年了，（箇亭子厅）拆～嘞。e$_{21}$,man$^{13}_{21}$to$^{35}_{44}$ɲien$^{13}_{21}$niau^{0},ts^{h}ak^{3}kan$^{21}_{44}$ne^{0}.｜下斫～，蔸也挖～。xa^{53}tʂɔk^{3}kan^{21},tei^{35}ia$^{35}_{53}$uait^{3}kan$^{21}_{44}$.

【咁多年】kan^{21}to$^{35}_{44}$ɲien$^{13}_{21}$ 名近几年；这几年：（洋瓷碗）最近～也有越来越少个人讲了。tsei^{53}c^{h}in$^{35}_{44}$kan^{21}to^{35}ɲien^{13}ie^{35}iəu$^{35}_{44}$viet^{5}lɔi$^{13}_{21}$viet^{5}ʂau^{21}cie^{53}ɲin^{13}kɔŋ^{21}liau^{0}.｜以前只讲水酒哇。以个～正安做甜酒喔。i^{35}ts^{h}ien^{13}tʂɿ^{21}kɔŋ^{21}ʂei^{21}tsiəu^{21}ua^{0}.i^{21}ke^{53}kan^{21}to^{35}ɲien^{13}tʂaŋ$^{53}_{44}$ɔn$^{35}_{44}$tso$^{53}_{44}$t^{h}ian$^{13}_{21}$tsiəu^{21}uo^{0}.

【咁多人】kan^{21}to^{35}ɲin^{13} ①指人多：～也有两重意思啊。一种是指人多啊，嗬，箇地方排上～！系啊？今晡食酒～！人多。kan^{21}to$^{35}_{44}$ɲin$^{13}_{21}$ia^{35}iəu$^{35}_{44}$iɔŋ^{21}tʂ^{h}ɔŋ^{13}i^{53}sɿ$^{35}_{44}$a^{0}.iet^{3}tʂəŋ^{21}ʂɿ^{53}tʂɿ^{21}ɲin^{13}to$^{35}_{44}$a^{0}.xo$_{53}$,kai^{53}ti^{53}fɔŋ$^{35}_{44}$p^{h}ai^{13}xɔŋ$^{53}_{44}$ka:n^{21}to$^{35}_{44}$ɲin^{13}!xei$^{53}_{44}$a^{0}?cin^{35}pu$^{35}_{44}$ʂət^{5}tsiəu^{21}ka:n^{21}to$^{35}_{44}$ɲin^{13}!ɲin^{13}to^{35}. ②代大家：第二只嘞就系指大家。～都到我箇嬲哇。欸，～都去以映歇啊。～去下食昼饭，莫走。t^{h}i^{53}ɲi^{53}tʂak^{3}lei^{0}ts^{h}iəu$^{53}_{44}$xe$^{53}_{44}$tʂɿ^{21}t^{h}ai^{53}ka$^{35}_{44}$.kan^{21}to$^{35}_{44}$ɲin$^{13}_{21}$təu$^{35}_{44}$tau^{53}ŋai$^{13}_{21}$kai$^{53}_{44}$liau^{53}ua^{0}.e$_{21}$,kan^{21}to^{35}ɲin$^{13}_{21}$təu$^{35}_{44}$çi^{53}i^{21}iaŋ^{53}çiet^{3}a^{0}.kan^{21}to$^{35}_{44}$ɲin$^{13}_{21}$çi$^{53}_{44}$xa$^{53}_{44}$ʂət^{5}tʂəu^{53}fan$^{53}_{44}$,mɔk^{5}tsei^{21}.

【咁以】kan$^{21}_{35}$i^{21} 代①修饰名词，相当于“这样”：欸，然后打豆子个是～个豆苗就打嘿以只上。以只安做打栅。e$_{21}$,vien^{13}xei^{53}ta^{21}t^{h}ei^{53}tsɿ^{0}ke$^{53}_{44}$ʂɿ$^{53}_{44}$kan$^{21}_{44}$i$^{13}_{21}$ke$^{53}_{44}$t^{h}ei^{53}miau^{13}ts^{h}iəu$^{53}_{44}$ta^{21}xek^{3}i^{21}tʂak^{3}xɔŋ$^{53}_{21}$.i^{21}tʂak^{3}ɔn$^{35}_{44}$tso$^{53}_{44}$ta^{21}ts^{h}at^{5}. ②修饰形容词，相当于“这么”：欸，箇只栏场放牌位箇顶高箇映子，欸，爱放块照枋。～阔。e$_{21}$,kai^{53}tʂak^{3}lɔŋ^{13}tʂ^{h}ɔŋ$^{13}_{44}$fɔŋ^{53}p^{h}ai$^{13}_{21}$uei$^{53}_{44}$kai$^{53}_{44}$taŋ^{21}kau^{35}kai^{53}iaŋ$^{53}_{44}$tsɿ^{0},e$_{21}$,ɔi$^{53}_{44}$fɔŋ$^{53}_{44}$k^{h}uai$^{53}_{44}$tʂau^{53}fɔŋ^{35}.kan$^{21}_{35}$i$^{13}_{21}$k^{h}ɔit^{3}.

【咁样】kan^{21}iɔŋ^{53}/ɲiɔŋ^{53} 代指示代词。①做定语，相当于“这样的”：箇就有～话法。kai$^{53}_{44}$ts^{h}iəu$^{53}_{44}$iəu^{35}kan^{21}iɔŋ$^{53}_{21}$ua^{53}fait^{3}. ②做宾语，相当于“这个”：箇阵子我等箇映有只老子渠就会搞～（指走马灯）呢。kai$^{53}_{44}$tʂ^{h}ən$^{53}_{44}$tsɿ^{0}ŋai$^{13}_{21}$tien^{0}kai$^{53}_{44}$iaŋ$^{53}_{44}$iəu$^{35}_{44}$tʂak^{3}lau^{21}tsɿ^{0}ci$^{13}_{21}$ts^{h}iəu$^{53}_{21}$uɔi^{53}kau^{21}kan^{21}iɔŋ$^{53}_{44}$nei^{0}. ③做状语，表示行为的方式，相当于“这样、如此”：他～去看。t^{h}a$^{35}_{44}$kan^{21}iɔŋ$^{53}_{44}$çi^{53}k^{h}ɔn^{53}. ④做同位语：就扮成田螺～。ts^{h}iəu$^{53}_{44}$pan^{53}ʂaŋ$^{13}_{21}$t^{h}ien^{13}no^{13}kan^{21}ɲiɔŋ$^{53}_{44}$.

【咁样子】kan^{21}iɔŋ^{53}tsɿ^{0} 代指示代词。表示方式，相当于“这样”。又称“咁子、以只样子、以样子”：打比教别人家炒碗菜呀，就～炒，就系～炒。欸洗碗呢让门子洗啊，洗衫箇只啦，我教我孙子等人就就咁，咁子搞，咁子，咁子搞，～，～搞，欸嘿。～挪。一般呢箇个样都唔多讲了。咁子，咁子挪。ta^{21}pi^{21}kau^{35}p^{h}iet^{5}in$^{13}_{21}$ka$^{35}_{44}$ts^{h}au^{21}uɔn^{21}ts^{h}ɔi^{53}ia^{0},ts^{h}iəu^{53}kan^{21}iɔŋ^{53}tsɿ^{0}ts^{h}au^{21},ts^{h}iəu^{53}xei$^{53}_{21}$kan^{21}iɔŋ^{53}tsɿ^{0}ts^{h}au^{21}.e$_{44}$sei^{21}uɔn^{21}ne^{0}ɲiɔŋ^{53}mən$^{13}_{44}$tsɿ^{0}se^{21}a^{0},se^{21}san^{35}kai$^{53}_{44}$tʂak^{3}la^{0},ŋai$^{13}_{21}$kau^{35}ŋai$^{13}_{21}$sən^{35}tsɿ^{0}ten$^{21}_{44}$ɲin$^{13}_{21}$tsiəu$^{53}_{44}$tsiəu^{53}kan$^{21}_{13}$,kan$^{21}_{13}$tsɿ^{0}kau^{21},kan$^{21}_{13}$tsɿ^{0},kan$^{21}_{13}$tsɿ^{0}kau$^{21}_{44}$,kan^{21}iɔŋ^{53}tsɿ^{0},kan^{21}iɔŋ^{53}tsɿ^{0}kau^{21},e$_{44}$xe$_{44}$.kan^{21}iɔŋ^{53}tsɿ^{0}lo^{13}.iet^{3}pɔn^{35}nei^{0}kai$^{53}_{44}$ke$^{53}_{44}$iɔŋ^{53}təu$^{35}_{44}$n̩^{13}to$^{35}_{44}$kɔŋ^{21}liau^{0}.kan^{21}tsɿ^{0},kan$^{21}_{13}$tsɿ^{0}lo^{13}.

【咁映子】kan^{21}iaŋ^{53}tsɿ^{0} 代指示代词。表示处所，相当于“这里”：有滴人是有滴妹子是欸新

G

娘吵还有公公婆婆，因为渠老嘿哩，渠不能来～食饭，还爱回一桌酒席分渠。iəu35tet5 ɲin13-21 ʂʅ53-44 iəu35tet5 mɔi53 tsʅ0 ʂʅ53-44 e21 sin35 ɲiɔŋ13-21 ʂa0 xai13-21 iəu35 kəŋ35 kəŋ35 pho13 pho13-44,in35 uei53-44 ci13-21 lau21 ek3 li0,ci13-21 pət3 nən13-21 lɔi13 kan21-13 iaŋ53-44 tsʅ0 ʂət5 fan53,xa13-21 ɔi53 fei13-21 iet3 tsɔk3 tsiəu21 siet5 pən35 ci13-21.

【咁子】kan21 tsʅ0 代 指示代词。①做状语，表示行为的方式，相当于“这样、如此”：箇边也样个～做倒。kai53 pien35 ia35 iɔŋ53 kei53-44 kan21 tsʅ0 tso53 tau21.｜真少人～讲哩啊。tʂən35 ʂau21 ɲin13 kan21 tsʅ0 kəŋ21 lia0. ②做定语，相当于“这样”：箇个屋吵一般呢两边就～个吵。kai53-44 kei53-44 uk3 ʂa0 iet3 pən35 nei0 iɔŋ21 pien35 tshiəu53-44 kan21 tsʅ0 ke53-44 ʂa0. ③表处所，相当于“这里”：我等箇阵搞社教箇只攸县人，安做李新民，欸欸，搞社教，去我等～。ŋai13-21 tien0 kai53-44 tʂhən53-44 kau21 ʂa53 ciau53 kai53-44 tʂak3 iəu35 çien53 ɲin13-21,ɔn35 tso53-44 li21 sin35-44 min13,e21 e44,kau21 ʂa53 ciau53-44,çi53-44 ŋai13-21 tien0 kan21-44 tsʅ0. ④做介词宾语，表示行为的方式，相当于“这样，如此”：照～做就好。tʂau53 kan21-13 tsʅ0 tso53 tshiəu53 xau21.

【疳积】kan35 tsiet3 名 中医病名。患者为小儿，表现为慢性营养不良及消化不良、面黄肌瘦、大便泄泻而酸臭：～就系细人子有积食啊，消化不良啊，肚子懑大呀，消化不良啊，箇是有～。欸，有兜就食药唠，欸我老妹子等人呐，我有两只老妹子啊，细细子都肚子懑大，唔食饭，营养不良，面箇个黄皮寡瘦，就系～唠。我老妹子是还烧过火啦。以前真有兜蛮懵个人咯，欸就看病咯。欸带倒我老妹子去烧火，么个去烧火啊，烧起我老妹子挖天挖地。箇个手指节子肚里用针线去挑，挑出来墨乌个水欸。让门箇也唔知墨乌个啊昵绿个让门子个水去哩，□黄个啊让门子个水，系唔系？欸，你讲起来，我唔记得哩，系挑，以个手指节子，系唔系？以个手指节子肚里，嗯，挑起挖天挖地。kan35 tsiet3 tshiəu53-44 xei53-44 sei53 ɲin13-21 tsʅ0 iəu35 tsiet3 ʂʅt5 a0,siau35 fa53 pət3 liɔŋ13 ŋa0,təu21 tsʅ0 mən35 thai53 ia0,siau35 fa53-44 pət3 liɔŋ13 a0,kai53-44 ʂʅ53-44 iəu35-44 kan35 tsiet3 .ei44,iəu35 təu35-53 tshiəu53-44 ʂət53 iɔk5 lau0,e0 ŋai13 lau21 mɔi53 tsʅ0 ten21-44 ɲin13-44 na0,ŋai13 iəu35-44 iɔŋ21 tʂak3 lau21 mɔi53 tsʅ0 a0,se53 se53 tsʅ0 təu35 təu21 tsʅ0 mən35 thai53,ŋ13 ʂət5 fan53,in13 iɔŋ35-44 pət3 liɔŋ13,mien53 kai53-44 ke53-44 uɔŋ13 phi13-21 kua21 sei53,tshiəu53 xei53 kan35 tsiet3 lau0.ŋai13 lau21 mɔi53 tsʅ0 ʂʅ53-44 xai53-44 ʂau35 ko53 fo21 la0 .i53 tshien13-21 tʂən35 iəu35 təu35-53 man13 məŋ53 ke0 ɲin13 ko0,e21 tsiəu53-44 khɔn53 phiaŋ53 ko0 .e0 tai53 tau21-44 ŋai13-44 lau21 mɔi53 tsʅ0 chi53-44 ʂau35 fo21,mak3 kei53 çi53-44 ʂau35-44 fo21 a0,ʂau35 çi21 ŋai13-44 lau21-44 mɔi53 tsʅ0 uait3 thien35-44 uait3 thi53 .kai53 ke53 ʂəu21 tʂʅ21 tset3 tsʅ0 təu21 li0 iəŋ53 tʂən35 sen35-44 çi53-44 thiau35,thiau35 tʂhət3 lɔi13-21 miet5 u35-44 ke0 ʂei21 ei0. ɲiɔŋ53 mən0 kai21 a35-44 ŋ13-21 ti35-44 met5 u35 ke53-44 a0 kuaŋ53 liəuk5 ke53-44 ɲiɔŋ53 mən0 tsʅ0 ke53-44 ʂei21 çi53 li0,ləŋ35 uɔŋ13 ke0 a0 ɲiɔŋ53 mən0 tsʅ0 ke53-44 ʂei21,xei53 me53 ?ei53,ɲi13-21 kəŋ21 çi21-44 lɔi13,ŋai13 ŋ13 ci53 tek3 li0,xe53-44 thiau35,i21 ke53-44 ʂəu21 tʂʅ21 tset3 tsʅ0,xei53 me53 ?i21 ke53 ʂəu21 tʂʅ21 tset3 tsʅ0 təu21 li0,ŋ21,thiau35 çi21-44 uait3 thien35-44 uait3 thi53.

【杆】kɔn21 量 用于有像棍子的细长部分的器物：一～枪 iet3 kɔn21 tshiɔŋ35｜一～梭镖 iet3 kɔn21 so35 piau35-44｜剁你一下嘞就指比方拿～笔剁一下。təuk5 ɲi13-21 iet3 xa53-44 lei0 tshiəu53 tʂʅ21 pi21 fɔŋ35-44 la53 kɔn21 piet3 təuk5 iet3 xa53.

【秆】kɔn21 名 稻草：冬下头（牛）就食～。təŋ35 xa53-44 thei13-21 tshiəu53-21 ʂek5 kɔn21.｜秆菌子就系就～做个，欸，稻草箇～呐。kɔn21 chin35-44 tsʅ0 tshiəu53 xei53-44 tshiəu53-44 kɔn21 tso53 ke53-44,e21,thau21 tshau21 kai53 kɔn21 na0.

【秆把】kɔn21 pa21 名 捆扎成把的稻草。也称“秆把子”：用～，扎倒个龙，扎倒子个～子就系一些龙，就箇龙身子样。iəŋ53 kɔn21 pa21,tsait3 tau21 ke53 liəŋ13,tsait3 tau21 tsʅ0 ke53 kɔn21 pa21 tsʅ0 tshiəu53 xe53-21 iet3 sie35-44 liəŋ13,tshiəu53-44 kai53-44 liəŋ13 ʂən35 tsʅ0 iɔŋ53-44.

【秆垫子】kɔn21 thian53 tsʅ0 名 用稻草编成的垫子：～就有几多有兜咁个用途啦。欸，用得多个就系箇个死哩人呢，跪下地泥下个时候子舞倒～跪倒呢，跪下箇～上嘞，冇咁印人呢。床上用～箇……用秆个就多，但是用～个嘞又唔多。也有，也有，有兜人勤快人家子，渠就舞倒箇秆呐自家去织啦，织成一只箇～啊。kɔn21 thian53 tsʅ0 tshiəu53-44 iəu35-44 ci21 to35-44 iəu35 tei35-44 kan21 kei53 iəŋ53 thu13-21 la0 .ei21,iəŋ53 tek3 to35 ke53 tshiəu53-44 xei53-44 kai53-44 kei53-44 si21 li0 ɲin13 nei0,khuei21 ia53-44 thi53 lai13-21 xa35 ke53 ʂʅ13-44 xəu53-44 tsʅ0 u21 tau21 kɔn21 thian53 tsʅ0 khuei21 tau21-44 nei0,khuei21 ia53-44 kai53 kɔn21 thian53 tsʅ0 xɔŋ53-44 lei0,mau13-21 kan21 in53 ɲin13-21 nei0 .tshɔŋ13 xɔŋ53 iəŋ53 kɔn21 thian53 tsʅ0 kai53…iəŋ53 kɔn21 ke0 tshiəu53-44 to35,tan53-44 ʂʅ53-44 iəŋ53-44 kɔn21 thian53 tsʅ0 ke53-44 lei0 iəu53-44 ŋ13 to35 .ia35 iəu35,ia35 iəu35-44,iəu35-44 təu35-53 ɲin13-21 chin13 khuai53 ɲin13 ka35-44 tsʅ0,ci13 tshiəu53 u21 tau21 kai53 kɔn21 na0 tshʅ35 ka35-44 çi53 tʂət3 la0,tʂət3 tʂhaŋ13-44 iet3 tʂak3 kai53 kɔn21 thian53 tsʅ0 a0.

【秆灰】kɔn21 fɔi35 名 稻草烧化成的灰：欸，箇个舞倒箇～呀，草木灰箇只啦，舞滴粪去作啊。e21,kai53 kei53-44 u21 tau21 kai53 kɔn21 fɔi35 ia0,tshau21 muk3 fɔi35 kai53-44 tʂak3 la0,u21 tiet5 pən53 çi53-44 tsɔk3 a0.

【秆灰水】kɔn21 fɔi35 ʂei21 名 稻草灰用水过滤后所得的汁水，含碱性，旧时用来洗头发或做米粿：茶黏水交～，系，去洗头。tsha13 khu35 ʂei21 ciau35 kan21 fɔi35 ʂei21,xe53-21,çi53-44 se21 thei13.｜稻草去下烧倒箇

个秆呐个灰就秆灰呀，～（做米馃）也要得啊。tʰau53tsʰau21çi53-44xa53-44ʂau35tau21kai53ke53kɔn21na0ke53-44 fɔi35tsʰiəu53kɔn21fɔi35ia0,kɔn21fɔi35ʂei21ia35iau53tek3a0.

【秆筋】kɔn21cin35 [名]掺入墙面腻子以增强其拉力和延展力的稻草秆茎：从前粉壁个时候子，粉第一层底子，箇黄泥肚里爱加兜～去，爱加兜～。目的就系使渠冇事使渠形成一块一块，冇事跌下来。你如果你唔放～个话，糊下去，慢正就跌下来哩，欸，一燸就跌下来哩，块块脱，欸，会跌咁。因为墙是笔顿个吵，系唔系？但你放哩～以后，渠就黟倒箇墙上冇事跌下来。tsʰəŋ13tsʰien13-44fən21piak3ke53ʂʅ13xəu53-44tsʅ0,fən21tʰi53iet3tsʰien13te21tsʅ0,kai53uəŋ13lai13-44təu21li0ɔi35cia35təu35-53 kɔn21cin35-44çi53,ɔi53-44cia35təu35-53kɔn21cin35-44.muk3tiet3tsʰiəu53xe53ʂʅ21ci13-44mau13sʅ13ʂʅ21ci13-44çin13tʂʰən13iet3kʰuai53iet3 kʰuai53,mau13sʅ13tet3xa53lɔi13-21.ɲi13-21ʮ13ko21ɲi13-44n̩13fəŋ53kɔn21cin35-44ke53-44fa53-44,fu13(x)a13-44çi53,man53-44tʂaŋ53-44tsiəu53-44tet3xa53 lɔi13-21li0,ei21,iet3tsau35tsʰiəu53tet3xa53lɔi13-21li0,kʰuai53kʰuai53tʰɔit3,e21,uɔi53tet3kan21.in35uei35tsʰiəŋ13ʂʅ13-44piet3tən53 cie53-44ʂa0,xei53me53?tan53-44ɲi13fəŋ53li0kɔn21cin35-44i35-44xei53,ci13tsʰiəu53ɲia13tau21kai53tsʰiəŋ13-21xəŋ53mau13sʅ13-44tet3xa53lɔi13-21.

【秆筋纸】kɔn21cin35tʂʅ21 [名]一种用稻草加工出来的粗纸：有起纸，以前有起纸安做～，唔知几粗个纸，□粗，～，用秆做个。痞厚嘞，痞厚一张张嘞。iəu35çi21tʂʅ21,i35-53tsʰien13-21iəu35çi21tʂʅ21ɔn44 tso53kɔn21cin35tʂʅ21,n̩13ti35-53ci21tsʰəu35ke53tʂʅ21,cʰia53tsʰʅ35,kɔn21cin35tʂʅ21-44,iəŋ53kɔn21tso53-44ke0.tek5xei35-44le0,tek5xei35-44 iet3tʂɔŋ35-44tʂɔŋ35le0.

【秆菌子】kɔn21cʰin35tsʅ0 [名]一种生长在稻草上的菌子：～就系就秆做个，欸，稻草箇秆呐，～。kɔn21cʰin35-44tsʅ0tsʰiəu53xei53-44tsʰiəu53-44kɔn21tso53ke53-44,e21,tʰau53tsʰau21kai53kɔn21na0,kɔn21cʰin35-44tsʅ0.

【秆苫】kɔn21ʂen35 [名]将稻草捆扎在篾片上做成的苫子，用于遮盖东西：渠搞条篾箦，咁样，就搞条以个篾片，篾片，咁长，一般咁长子。然后这就用绳子一绞绞子搞好啦咁子，扎个脑子，箇也就安做～。盖砖呐，盖么个东西都……做屋个时间，做屋时时间我等……用箇只可能也遮满唔来？遮嘞。遮得呀。渠用来放倒□□子倾斜貌咯。ci13kau21tʰiau13miet5sak3,kan21-35 iəŋ53-44,tsʰiəu53-44kau21tʰiau13i21-44ke53-44miet5pʰien21,miet5-3pʰien21,kan21tʂʰɔŋ13,iet3pan35kan21tʂʰɔŋ13tsʅ0.vien13xei53-44 tʂe53tsiəu53-44iəŋ53ʂən13tsʅ0iet3ciau21ciau21tsʅ0kau21xau21-44la0kan21tsʅ0,tsait3(k)e53-44lau21tsʅ0,kai53-44ia35-21tsiəu53-21ɔn35-44tso53-44 kɔn21ʂen35.kɔi53tʂɔn35na0,kɔi53mak3ke53-44tɔŋ35-44si0təu35⋯tso53uk3ke53-44ʂʅ13-21kan35,tso53uk3ʂʅ13-44ʂʅ13-21kan35-44ŋai13-21tien0⋯ iəŋ53kai53-44tʂak3kʰo21-44len13-44ia35-44tʂa35man21n̩13-21nɔi13?tʂa35lei0.tʂak3tek3ia0.ci13-21iəŋ53-44lɔi13-21fəŋ53tau21lia53lia53tsʅ0ko0.

【秆绳】kɔn21ʂən13 [名]用稻草编成的绳子：欸，～，用秆打个绳。～个作用就蛮大啦，如今都还用呐。～有兜么个作用啊？第一只就打牛藤，用秆扎个绳做牛藤，牛子拉……拖犁个时候子啊，系唔系啊？箇只牛轭，一只牛轭，就树做个吵，牛轭后背就一边一条～，底下就是拖犁个时候子就一只水子挽，欸。好，如果拖耙个时候子就松出来，就缩下箇耙包子上。好，箇是一只做牛藤。欸，第二只～是老哩人，捆八仙，做八仙捆棺材，用～。以下有么人搞了咯，以前侪都用～呢。欸，做八仙个人就爱打捆丧绳呢，做捆丧绳，安做捆丧。如今就箇起作用又唔多用了。如今用得最多个嘞就系箇个绿化树个移栽呢。绿化树，以映个以映有树，爱移下别哪映去，系唔系？就挖出来去，箇树蔸下挖只饼，挖只咁个饼，箇饼嘞莫分渠个泥跌嘿哩，用～去缠倒。栽个时候子嘞和箇～放倒去栽，因为唔爱紧呐，渠会殊啦，系唔系？欸，～会殊，就唔爱拆出来。同时嘞，还有嘞，箇树棍上嘞，又缠，缠一路上，缠上去。就系绿化树移栽个时候子保护树干搿根部所用个。e21,kɔn21ʂən13,iəŋ53kɔn21ta21ke0ʂən13.kɔn21ʂən13ke53 tsɔk3iəŋ53tsʰiəu53-44man13-21tʰai53la0,i13-21cin35-44təu35-53xai13iəŋ53na0.kɔn21ʂən13iəu35təu35-53mak3e0tsɔk3iəŋ53ŋa0?tʰi53iet3 tʂak3tsʰiəu53ta21ɲiəu13tʰien13,iəŋ53kɔn21tsa21ke53ʂən13tso53ɲiəu13tʰien13-44,ɲiəu13tsʅ0la35⋯tʰo35lai13ke0ʂʅ13xei53 tsa0,xei53me53a0?kai53tʂak3ɲiəu13ak3,iet3tʂak3ɲiəu13ak3,tsʰiəu53-44ʂəu53tso53-44ke53-44ʂa0,ɲiəu13ak0xei53pɔi53tsʰiəu53-44 iet3pien35-44iet3tʰiau13kɔn21ʂən13,tei21xa53-44tsʰiəu53ʂʅ13-44tʰo13lai13ke53-44ʂʅ13-44xəu53-44tsʅ0tsʰiəu53iet3tʂak3ʂei21tsʅ0 uan21,e21.xau21,vy13ko21-44tʰo35pʰa13ke53-44ʂʅ13-44xəu53-44tsʅ0lei0tsʰiəu53səŋ35tʂʰət3lɔi13-21,tsʰiəu53uan21na53-44kai53-44pʰa13pau35tsʅ0 xəŋ53.xau21,kai53ʂʅ53-13iet3tʂak3tso53ɲiəu13tʰien13-44.e21,tʰi53ɲi53tʂak3kɔn21ʂən13ʂʅ53-44lau21li0ɲin13,kəŋ35pait3sien35,tso53 pait3sien35-44kəŋ35kɔn35tsʰɔi13-44,iəŋ53kɔn21ʂən13.i21xa53mau13-21mak3in13-44kau21liau21-44ko0,i35-53tsʰien13tsʰi13-21təu35-53iəŋ53kɔn21 ʂən13ne0.e21,tso53pait3sien35ke53in13-21tsʰiəu53-21ɔi35ta21kəŋ35səŋ35ʂən13ne0,tso53kəŋ35səŋ35ʂən13,ɔn35-44tso53kəŋ35səŋ35.i13-21 cin35-53tsʰiəu53-44kai53çi21tsɔk3iəŋ53iəu35n̩13to35-44iəŋ53liau0.i13-21cin35-53iəŋ53-21tek3tsei53to35-44ke53-44lei0tsʰiəu53xe53kai53-44ke53-44ləuk5 fa53-44ʂəu53ke53-44i13tsɔi35nei0.ləuk5fa53-44ʂəu53,i21iaŋ53-44ke0i21iaŋ53-44iəu35ʂəu53,ɔi53i13ia53-44pʰiet5lai53-44iaŋ53-44çi53,xei53-44me53-44? tsʰiəu53uait3tʂʰət3lɔi13çi53,kai53-44ʂəu53tei35-44xa35uait3tʂak3piaŋ21,uait3tʂak3kan21-13ke0piaŋ21,kai53piaŋ21lei0mɔk5 pən35-44ci13-44ke53-44lai13tet3(x)ek3li0,iəŋ53kɔn21ʂən13çi53tʂʰen13tau21.tsɔi35ke0ʂʅ13xəu53-44tsʅ0lei0uo53kai53-44kɔn21ʂən13fəŋ53 tau^{21}çi$^{53}_{44}$tsɔi^{35},in^{35}uei$^{53}_{44}$m̩$^{13}_{21}$mɔi^{53}cin^{21}na^{0},ci$^{13}_{44}$uɔi$^{13}_{44}$mɔt^{3}la^{0},xei^{53}a^{0}?e$_{44}$,kɔn^{21}ʂən^{13}uɔi^{53}mɔt^{3},tsʰiəu^{53}m̩$^{13}_{21}$mɔi^{53} tsʰak^{3}tʂʰət^{3}lɔi$^{13}_{44}$.tʰəŋ^{13}ʂʅ$^{13}_{44}$lei^{0},xai$^{13}_{21}$iəu$^{35}_{44}$lei^{0},kai$^{53}_{44}$ʂəu^{5}kuən^{53}xɔŋ$^{53}_{44}$lei^{0},iəu^{53}tʂʰen^{13},tʂʰen^{13}iet^{3}ləu^{53}ʂɔŋ^{53},tʂʰen^{13} ʂɔŋ$^{53}_{44}$çi$^{53}_{44}$.tsʰiəu$^{53}_{44}$xei$^{53}_{44}$ləuk^{5}fa^{53}ʂəu^{53}i^{13}tsɔi$^{35}_{44}$ke^{53}ʂʅ^{13}xei^{53}tsʅ^{0}pau^{21}fu^{53}ʂəu^{5}kɔn^{53}nau^{35}cien^{35}pʰu$^{53}_{44}$so^{21}iəŋ$^{53}_{44}$ke$^{53}_{44}$.

【赶】kɔn^{21} 动 ①加快行动，使不误时间：透夜～到长沙 tʰei^{53}ia^{53}kɔn^{21}tau$^{53}_{44}$tʂʰɔŋ^{13}sa$^{35}_{44}$。②去；到（某处）：只有过年箇时候子就有。过年个时候子去～庙会呀。欸，～庙会呀。过年啵。渠等话过年箇晡，三十晡唔知几攘。tʂʅ^{21}iəu$^{35}_{44}$ko^{53}ɲien$^{13}_{21}$kai$^{53}_{44}$ʂʅ$^{13}_{44}$xəu$^{53}_{44}$tsʅ^{0}tsʰiəu$^{53}_{21}$iəu$^{53}_{21}$.ko$^{53}_{44}$ɲien$^{13}_{21}$ke$^{53}_{44}$ʂʅ$^{13}_{44}$xəu$^{53}_{44}$ tsʅ^{0}çi$^{53}_{44}$kɔn^{21}miau^{53}fei^{53}ia^{0}.e$_{21}$,kɔn^{21}miau^{53}fei^{53}ia^{0}.ko^{53}ɲien^{13}nau^{0}.ci$^{13}_{21}$tien^{0}ua$^{53}_{44}$ko^{53}ɲien^{13}kai$^{53}_{44}$pu$^{35}_{44}$,san^{35}ʂət^{5} pu$^{35}_{44}$n̩$^{13}_{21}$ti$^{35}_{44}$ci^{21}iɔŋ$^{53}_{44}$. ③驱赶：你会鸡子～进去哩就要插下去。ɲi$^{13}_{21}$uɔi$^{53}_{44}$cie^{35}tsʅ^{0}kɔn^{21}tsin^{53}çi$^{53}_{44}$li^{0}tsʰiəu$^{53}_{44}$ iau$^{53}_{35}$tsʰait^{3}(x)a$^{53}_{44}$çi^{53}.

【赶鸡岔】kɔn^{21}cie^{35}tsʰa^{53} 名 一头劈开的竹杆，用来赶鸡，又称“竹夹”：～吧？又安做鸡拉恰。我等人用竹子用咁个欸米多……米把子个竹子，米把子长个竹子，一头搲下手里，分一头分一半子劈开来，拿倒地泥下去扮，渠就会发出咁个噪音，就赶鸡，用来赶鸡。又安做鸡拉恰。如今呢也冇得么人用了。鸡都冇么人畜了。爱畜鸡嘞也是关起来畜了。kɔn^{21}cie^{35}tsʰa^{53}pa^{0}?iəu^{53} ɔn^{35}tso$^{53}_{44}$cie^{35}la^{35}cʰia^{53}.ŋai^{13}tien^{0}ɲin$^{13}_{44}$iəŋ^{53}tʂəuk^{3}tsʅ^{0}iəŋ^{53}kan$^{21}_{44}$ke$^{53}_{44}$e$_{44}$mi^{21}to…mi^{21}pa^{21}tsʅ^{0}ke^{0}tʂəuk^{3}tsʅ^{0},mi^{21} pa^{21}tsʅ^{0}tʂʰɔŋ^{13}ke^{0}tʂəuk^{3}tsʅ^{0},iet^{3}tʰei^{13}ia^{21}(x)a^{53}ʂəu^{21}li^{0},pən^{35}iet^{3}tʰei^{13}pən^{35}iet^{3}pan^{53}tsʅ^{0}pʰiak^{3}kʰɔi$^{35}_{44}$lɔi$^{13}_{21}$,la^{53} tau$^{21}_{44}$tʰi^{53}lai$^{13}_{21}$xa$^{53}_{44}$cʰi$^{53}_{44}$pʰan^{35},ci$^{13}_{21}$tsʰiəu^{53}uɔi^{53}fait^{3}tʂət^{3}kan^{21}ke$^{53}_{44}$tsau^{53}in^{35},tsʰiəu$^{53}_{44}$kɔn^{21}cie^{35},iəŋ^{53}lɔi$^{13}_{21}$kɔn^{21}cie^{35}. iəu$^{53}_{44}$ɔn$^{35}_{44}$tso$^{53}_{44}$cie$^{35}_{44}$la$^{35}_{44}$cʰia^{53}.i$^{13}_{21}$cin$^{35}_{53}$ne^{0}ia^{35}mau$^{13}_{21}$tek^{3}mak^{3}in$^{13}_{44}$iəŋ^{53}liau^{0}.cie^{35}təu$^{35}_{53}$mau$^{13}_{21}$mak^{3}in$^{13}_{44}$çiəuk^{3}liau^{0}. ɔi^{53}çiəuk^{3}cie^{35}lei^{0}ia$^{35}_{44}$ʂʅ$^{53}_{44}$kuan^{35}çi^{21}lɔi$^{13}_{21}$çiəuk^{3}liau^{0}.

【赶快】kan^{21}kʰuai^{53} 副 迅速；抓住时机：你～你拿你拿拿条子杠子来呀！ɲi^{13}kan^{21}kʰuai$^{53}_{44}$ɲi^{13}la^{53} ɲi^{13}la$^{53}_{44}$la^{53}tʰiau^{13}tsʅ^{21}kɔŋ^{53}tsʅ^{0}lɔi^{13}ia^{0}！｜～话我知噢。kɔn^{21}kʰuai$^{53}_{44}$ua^{53}ŋai$^{13}_{21}$ti$^{35}_{44}$au^{0}.

【赶上】kɔn^{21}ʂɔŋ^{53} 动 追上，不错过：目的都系么个嘞？都系使箇丫禾嘞早滴子长大，欸，箇个欸～季节嘞。muk^{3}tiet^{3}təu^{35}xe$^{53}_{44}$mak^{3}ke$^{53}_{44}$lei^{0}?təu^{35}xe$^{53}_{44}$ʂʅ^{21}kai$^{53}_{44}$a^{35}uo^{13}lei^{0}tsau^{21}tiet^{5}tsʅ^{0}tʂɔŋ^{21} tʰai^{53},e$_{21}$,kai$^{53}_{44}$kei$^{53}_{44}$e$_{21}$kɔn^{21}ʂɔŋ$^{53}_{44}$ci^{53}tset^{3}lei^{0}.

【赶早】kɔn^{21}tsau^{21} 副 趁早，赶紧：～走吧，再等会夜了。kɔn^{21}tsau^{21}tsei^{21}pa^{21},tsai^{53}tien^{21}uɔi^{53}ia^{53} liau^{21}.

【敢】kan^{21} 动 助动词。表示有胆量做某事：（蛇菌）唔～食。n̩^{13}kan^{21}ʂət^{5}.｜渠～去啊唔～去？ci^{13}kan^{21}çi^{53}a^{35}n̩^{13}kan^{21}çi^{53}?

【感冒】kɔn^{21}mau^{53} 动 ①伤风：（米酒）食冷个就惹寒，食哩会～。ʂət^{5}laŋ^{35}ke$^{53}_{44}$tsʰiəu$^{53}_{44}$ɲia^{35} xɔn^{13},ʂət^{5}li^{0}uɔi$^{53}_{44}$kɔn^{21}mau^{53}. ②感兴趣，有好感：八个人就扨死尸个嘞，扨棺材个嘞。所以我等客姓人呢对“八”字唔太么啊蛮～哇。pait^{3}cie^{53}ɲin$^{13}_{21}$tsʰiəu$^{53}_{44}$kɔŋ$^{35}_{44}$si^{21}ʂʅ$^{35}_{44}$ke^{53}le^{0},kɔŋ$^{35}_{44}$kɔn^{35}tsʰɔi$^{13}_{21}$ke$^{53}_{21}$ le^{0}.so^{21}i$^{35}_{44}$ŋai$^{13}_{21}$tien^{0}kʰak^{3}sin^{53}ɲin$^{13}_{21}$ne^{0}tei^{53}"pait^{3}"sʅ^{53}n̩^{13}tʰai^{53}mak^{3}a^{0}man^{13}kɔn^{21}mau^{53}ua^{0}.

【感谢】kɔn^{21}tsʰia^{53} 动 因受惠而通过言语行动表示谢意：～渠救命之恩呐。kɔn^{21}tsʰia$^{53}_{44}$ci^{13}ciəu^{53} miaŋ^{53}tʂʅ$^{35}_{44}$ɲien^{35}na^{0}.

【刚】ciɔŋ^{35} 副 表示行动或情况发生在不久以前：你～抽指抽筋得咁子咯。ɲi$^{13}_{44}$ciɔŋ^{35}tʂʰəu^{35}tek^{3}kan^{21} tsʅ^{0}ko^{0}.

【扨】kɔŋ^{35} 动 ①抬：～轿 kɔŋ^{35}cʰiau^{53}｜两个人～起来。iɔŋ^{21}ke^{53}in$^{13}_{21}$kɔŋ^{35}çi^{21}lɔi$^{13}_{21}$.｜～只杠子。用杠子～倒渠个。kɔŋ^{35}tʂak^{3}kɔŋ^{53}tsʅ^{0}.iəŋ$^{53}_{44}$kɔŋ^{53}tsʅ^{0}kɔŋ^{35}tau^{21}ci$^{13}_{44}$ke$^{53}_{44}$. ②（双肩）往上耸起：耸肩呢，系唔系？哦，颈缩缩哩唠，话别人家颈缩缩哩唠。肩膊～起来唠安做。高肩□哇？唔系。肩膊～起来唠，安做肩膊～起来。sɔŋ^{21}cien^{35}ne^{0},xe$^{53}_{44}$me$^{53}_{44}$?o$_{21}$,ciaŋ^{21}sɔk^{3}sɔk^{3}li^{0}lau^{0},ua$^{53}_{44}$pʰiek^{5}in$^{13}_{44}$ka$^{35}_{44}$ ciaŋ^{21}sɔk^{3}sɔk^{3}li^{0}lau^{0}.cien^{35}pɔk^{3}kɔŋ^{35}çi^{21}lɔi$^{13}_{21}$lau^{0}ɔn$^{35}_{44}$tso$^{53}_{44}$.kau^{35}cien$^{35}_{44}$təu$^{13}_{21}$ua^{0}?n̩^{13}tʰe$_{44}$(←xe^{53}).cien^{35}pɔk^{3} kɔŋ^{35}çi^{21}lɔi$^{13}_{21}$lau^{0},ɔn$^{35}_{44}$tso$^{53}_{44}$cien^{35}pɔk^{3}kɔŋ^{35}çi^{21}lɔi^{13}.

【扨丧】kɔŋ^{35}sɔŋ^{35} 动 抬棺材下葬：欸，做八仙个人就爱打扨丧绳呢，做扨丧绳，安做～。e$_{21}$, tso^{53}pait^{3}sien^{35}ke^{53}in$^{13}_{21}$tsʰiəu$^{53}_{21}$ɔi^{53}ta^{21}kɔŋ^{35}sɔŋ^{35}ʂən^{13}ne^{0},tso^{53}kɔŋ^{35}sɔŋ^{35}ʂən^{13},ɔn$^{35}_{44}$tso^{53}kɔŋ^{35}sɔŋ^{35}.

【扨丧绳】kɔŋ^{35}sɔŋ^{35}ʂən^{13} 名 用来将棺材固定在大杠上的绳索：欸，以前老哩人呢箇八仙呢除哩挖圹，葬地，还爱打～。临时打，嗯，用秆打，打～。打倒扨哩丧以后嘞就丢下地坟塘里不要哩，唔爱，冇么人舞归来。但是后背搞一阵就唔想打哩啊，就去租啊。就有兜人就用棕绳打，打条棕绳呐。以下就渠打条棕绳，渠付出哩，渠就爱收兜子回报，你等就出钱租啊。e$_{44}$,i$^{35}_{53}$tsʰien^{13}lau^{21}li^{0}ɲin^{13}ne^{0}kai^{53}pait^{3}sien$^{35}_{44}$nei^{0}tʂʰəu$^{13}_{44}$li^{0}uait^{3}kʰɔŋ^{53},tsɔŋ^{53}tʰi^{53},xa$^{13}_{21}$ɔi^{53}ta^{21}kɔŋ$^{35}_{44}$sɔŋ$^{35}_{44}$ʂən^{13}.lin^{13}

ʂʅ$^{13}_{44}$ta^{21},n̩$_{21}$,iəŋ^{53}kɔn^{21}ta^{21},ta^{21}kɔŋ$^{35}_{44}$sɔŋ$^{35}_{44}$ʂən$^{13}_{21}$.ta^{21}tau^{21}kɔŋ^{35}li^{0} sɔŋ^{35}i$^{35}_{44}$xei$^{35}_{44}$lei^{0} tsʰiəu^{53}tiəu$^{35}_{44}$ua$^{53}_{44}$tʰi^{53}pʰən$^{13}_{44}$tʰɔŋ$^{13}_{44}$li^{0} pət^{3} iau^{53}li^{0},m̩$^{13}_{21}$mɔi^{35},mau^{13}mak^{3} in$^{13}_{44}$u^{21}kuei$^{35}_{44}$lɔi$^{13}_{21}$.tan$^{35}_{44}$ʂʅ$^{53}_{44}$xei^{53}pɔi^{53}kau^{21}iet^{3} tʂʰən$^{53}_{44}$tsʰiəu$^{53}_{44}$n̩^{13}siɔŋ^{21}ta^{21}li^{0} a^{0},tsʰiəu$^{53}_{44}$çi$^{53}_{44}$tsʅ^{35}a^{0}.tsʰiəu$^{53}_{44}$iəu^{35}təu$^{35}_{53}$ɲin$^{13}_{21}$tsʰiəu^{53}iəŋ$^{53}_{44}$tsəŋ^{35}ʂən$^{13}_{21}$ta^{21},ta^{21}tʰiau$^{13}_{44}$tsəŋ^{35}ʂən$^{13}_{21}$na^{0}.i^{21}xa$^{53}_{44}$tsʰiəu$^{53}_{44}$ci^{13}ta^{21} tʰiau^{13}tsəŋ^{35}ʂən$^{13}_{44}$,ci^{13}fu^{53}tʂʰət^{3} li^{0},ci^{13}tsʰiəu^{53}ɔi^{53}ʂəu^{35}təu$^{35}_{53}$tsʅ^{0} fei^{13}pau$^{53}_{44}$, ɲi^{13}tien^{0} tsʰiəu^{53}tʂʰət^{3} tsʰien$^{13}_{21}$tsʅ^{35}a^{0}.

【纲】kɔŋ^{35} 名用席草编成的细绳，充当草席中纵向的经线：栽倒席草嘞，自家舞倒打绳，做～，做箇个……中间穿几～啊。tsɔi^{35}tau^{21}tsʰiak^{5} tsʰau^{21}lei^{0},tsʰʅ^{35}ka$^{35}_{53}$u^{21}tau^{21}ta^{21}ʂən^{13},tso$^{53}_{44}$kɔŋ^{35},tso^{53} kai$^{53}_{44}$kei$^{53}_{44}$…tʂəŋ^{35}kan$^{35}_{44}$tʂʰɔn^{53}cʰi^{21}kɔŋ^{35}ŋa^{0}.

【钢$_1$】kɔŋ^{53} 名经过精炼，不含磷砂等杂质的铁，含碳 0.15%～1.7%，比熟铁更坚硬、更富于弹性：用铁匠打个（锤扎子），还爱放～噢。iəŋ^{53}tʰiet^{3} siɔŋ$^{53}_{44}$ta^{21}ke^{53},xa$^{13}_{21}$ɔi$^{53}_{44}$fɔŋ^{53}kɔŋ^{53}ŋau^{0}.

【钢板】kɔŋ^{35}pan^{21} 名①板状的钢材：箇个卖钢材个栏场就有～呐。搞维修个人就用下子～呶。kai$^{53}_{44}$ke$^{53}_{44}$mai^{53}kɔŋ^{35}tsʰɔi$^{13}_{21}$ke^{0}laŋ$^{13}_{21}$tʂʰɔŋ$^{13}_{44}$tsʰiəu$^{53}_{44}$iəu$^{35}_{44}$kɔŋ^{35}pan^{21}na^{0}.kau^{21}uei^{13}siəu$^{35}_{53}$ke^{0}ɲin$^{13}_{44}$tsʰiəu$^{53}_{44}$iəŋ^{53}xa$^{53}_{21}$tsʅ^{0} kɔŋ^{35}pan^{21}nau^{0}.②用于刻写蜡纸的条形螺纹钢板，有双面也有单面：刻～kʰek^{3} kɔŋ^{35}pan^{21}刻蜡纸｜欸，我等当老师个人以前就用～去刻蜡纸。e$_{21}$,ŋai^{13}tien^{0} tɔŋ$^{35}_{44}$lau^{21}sʅ$^{35}_{44}$ke^{0} ɲin$^{13}_{21}$i$^{35}_{53}$tsʰien$^{13}_{21}$tsʰiəu$^{53}_{44}$iəŋ$^{53}_{44}$ kɔŋ^{35}pan^{21}çi$^{53}_{44}$kʰek^{3} lait^{5} tʂʅ^{21}.

【钢笔】kɔŋ^{35}piet^{3} 名笔头用金属制成的笔。有贮存墨水的装置，写字时墨水流到笔尖：你是（用）箇～啦墨笔唠？ɲi^{13}ʂʅ$^{53}_{44}$kai$^{53}_{44}$kɔŋ^{35}piet^{3} la^{0} mek^{5} piet^{3} lau^{0}?｜头上用来写字个箇映就～嘴子，笔嘴子。欸，嘴子顶高箇只有只子缩子缩下衫上个箇只～套子。应该是肚里还有一只上水个栏场安做～么个唠？～胆，嗯。tʰei$^{13}_{21}$xɔŋ$^{53}_{44}$iəŋ^{53}lɔi$^{13}_{21}$sia^{21}sʅ^{53}ke^{0} kai^{53}iaŋ^{53}tsʰiəu^{53}kɔŋ^{35}piet^{3} tsi^{21}tsʅ^{0},piet^{3} tsi^{21}tsʅ^{0}.e$_{44}$,tsi^{21}tsʅ^{0} taŋ^{21}kau$^{35}_{44}$kai^{53}tʂak^{3} iəu^{35}tʂak^{3} tsʅ^{0} uan^{21}tsʅ^{0} uan^{21}na$^{53}_{44}$san^{35}xɔŋ$^{53}_{44}$ke$^{53}_{44}$kai$^{53}_{44}$tʂak^{3} kɔŋ$^{35}_{44}$piet^{3} tʰau^{53} tsʅ^{0}.in$^{35}_{44}$kɔi$^{35}_{44}$ʂʅ$^{53}_{21}$təu^{21}li$^{21}_{44}$xai^{13}iəu$^{35}_{53}$iet^{3} tʂak^{3} ʂɔŋ^{21}ʂei^{21}ke^{53}laŋ$^{13}_{21}$tʂʰɔŋ$^{13}_{44}$ɔn$^{35}_{44}$tso$^{53}_{44}$kɔŋ$^{35}_{44}$piet^{3} mak^{3} ke$^{53}_{44}$lau^{0}?kɔŋ$^{35}_{44}$piet^{3} tan^{21},n̩$_{21}$.

【钢锯子】kɔŋ^{35}ke^{53}/cie^{53}tsʅ^{0} 名一种手力细齿锯，用以切割金属或其他坚硬材料：用来锯铁个，箇～。一块钢锯皮子，一只子锯梁子，临时上下去，箇用来锯铁个，欸，～。iəŋ^{53}lɔi$^{13}_{44}$cie^{53} tʰiet^{3} ke^{53},kai$^{53}_{44}$kɔŋ^{35}cie^{53}tsʅ^{0}.iet^{3} kʰuai^{53}kɔŋ^{35}cie^{53}pʰi^{13}tsʅ^{0},iet^{3} tʂak^{3} tsʅ^{0} cie^{53}liɔŋ^{13}tsʅ^{0},lin^{13}ʂʅ$^{13}_{21}$ʂɔŋ^{21}ŋa^{53}çi^{53},kai$^{53}_{44}$ iəŋ^{53}lɔi$^{13}_{21}$cie^{53}tʰiet^{3} ke^{53},e$_{21}$,kɔŋ^{35}cie^{53}tsʅ^{0}.

【钢锯皮子】kɔŋ^{35}cie^{53}pʰi^{13}tsʅ^{0} 名钢锯上有齿刃的钢片条：两项东西包起来正安做钢锯子，一只架子，系唔系？欸，还有只就～，加起来正安做钢锯子。iɔŋ^{21}xɔŋ$^{53}_{44}$təŋ$^{35}_{44}$si^{0} pau$^{35}_{44}$çi^{21}lɔi^{13}tʂaŋ$^{53}_{44}$ ɔn$^{35}_{44}$tso$^{53}_{44}$kɔŋ^{35}cie^{53}tsʅ^{0},iet^{3} tʂak^{3} ka^{53}tsʅ^{0},xei$^{53}_{44}$me$^{53}_{44}$?e$_{21}$,xai^{13}iəu$^{35}_{53}$tʂak^{3} tsʰiəu$^{53}_{44}$kɔŋ^{35}cie^{53}pʰi^{13}tsʅ^{0},cia^{35}çi^{21}lɔi^{13} tʂaŋ$^{53}_{44}$ɔn$^{35}_{44}$tso$^{53}_{44}$kɔŋ^{35}cie^{53}tsʅ^{0}.

【钢钎】kɔŋ^{53}tsʰien^{35} 名尖头钢棒：长长短短个比较大个钢材做个东西，欸，用来撬石头。头上嘞一般都头上舞尖来，用来箇个手里拿倒用来撬石头打石头，箇就～。有短短子个嘞，长短不一嘞。短短子个也喊～呢，就咁子铁锤子锤倒喔，锤倒去锤，锤出石头来呀。还有就□长个嘞，□长个～，用来撬石头个嘞。tʂʰɔŋ^{13}tʂʰɔŋ$^{13}_{44}$tən^{21}tən^{21}kei^{53}pi^{21}ciau$^{53}_{44}$tʰai^{53}ke$^{53}_{44}$kɔŋ^{35}tsʰɔi^{13}tso^{53} ke$^{53}_{44}$təŋ$^{35}_{44}$si^{0},ei$_{21}$,iəŋ^{53}lɔi$^{13}_{21}$cʰiau^{53}ʂak^{3} tʰei$^{13}_{44}$.tʰei$^{13}_{21}$xɔŋ$^{53}_{44}$lei^{0} iet^{3} pɔn^{35}təu$^{35}_{44}$tʰei$^{13}_{21}$xɔŋ^{53}u^{21}tsian^{35}nɔi$^{13}_{21}$,iəŋ^{53}lɔi$^{13}_{44}$kai$^{53}_{44}$ kei$^{53}_{44}$ʂəu^{21}li^{0} la^{35}tau$^{21}_{44}$iəŋ^{53}lɔi$^{13}_{21}$cʰiau^{53}ʂak^{5} tʰei$^{13}_{21}$ta^{21} ʂak^{5} tʰei$^{13}_{21}$,kai^{53}tsʰiəu^{53}kɔŋ$^{35}_{44}$tsʰien^{35}.iəu^{35}tɔn$^{21}_{13}$tɔn^{21}tsʅ^{0} ke^{53} lei^{0},tʂʰɔŋ^{13}tɔn^{21}pət^{3} iet^{3} le^{0}.tɔn$^{21}_{13}$tɔn^{21}tsʅ^{0}ke^{0} ia^{35}xan^{53}kɔn$^{35}_{44}$tsʰien$^{35}_{44}$ne^{0},tsʰiəu^{53}kan^{21}tsʅ^{0} tʰiet^{3} tʂʰei^{13}tsʅ^{0} tʂʰei^{13} tau^{21}uo^{0},tʂʰei^{13}tau^{21}çi^{53}tʂʰei$^{13}_{21}$,tʂʰei^{13}tʂʰət^{3} ʂak^{5} tʰei$^{13}_{21}$lɔi$^{13}_{21}$ia^{0}.xai$^{13}_{21}$iəu$^{35}_{53}$tsʰiəu^{53}lai^{35}tʂʰɔŋ^{13}ke^{53}le^{0},lai^{35}tʂʰɔŋ^{13}ke^{0} kɔŋ$^{35}_{44}$tsʰien$^{35}_{44}$,iəŋ$^{53}_{44}$lɔi$^{13}_{21}$cʰiau^{53}ʂak^{5} tʰei$^{13}_{21}$ke^{53}le^{0}.

【钢圈】kɔŋ^{35}cʰien^{35} 名车轮上安装车轴和支撑轮胎的部件，主要由轮辋与轮辐组成：欸，就系箇橡皮轮子肚里个箇只就安做～。加上箇只欸心，加上辐条，加上外围个箇圈，整个就喊～。e$_{21}$,tsʰiəu^{53}xe^{53}kai$^{53}_{44}$siɔŋ^{53}pʰi^{13}lən^{13}tsʅ^{0} təu^{21}li^{0} ke^{0} kai^{53}tʂak^{3} tsʰiəu$^{53}_{21}$ɔn$^{35}_{44}$tso$^{53}_{44}$kɔŋ^{35}cʰien^{35}.cia^{35}ʂɔŋ$^{53}_{44}$kai^{53} tʂak^{3} e$_{44}$sin^{35},cia^{35}ʂɔŋ$^{53}_{44}$fuk^{5} tʰiau^{13},cia^{35}ʂɔŋ$^{53}_{44}$uai^{53}uei^{13}ke$^{53}_{44}$kai$^{53}_{44}$cʰien^{35},tʂən^{21}ko^{53}tsʰiəu$^{53}_{44}$xan$^{53}_{44}$kɔŋ^{35}cʰien$_{44}$.

【钢丝】kɔŋ^{35}sʅ^{35} 名①用圆钢拉制成的细丝：～就以个就有么个八毛丝，六毛丝，四毛丝。以下就用～用得多唠，做屋箇兜，欸，倒梁啊倒箇只么个都爱，倒板倒梁都爱用～。kaŋ^{35}sʅ^{35} tsʰiəu$^{53}_{44}$i^{21}ke^{53}tsʰiəu$^{53}_{44}$iəu^{35}mak^{3} e^{0} pait^{3} mau$^{13}_{21}$sʅ^{35},liəuk^{3} mau$^{13}_{21}$sʅ^{35},si^{53}mau$^{13}_{21}$sʅ^{35}.i^{21}xa^{53}tsʰiəu$^{53}_{44}$iəŋ^{53}kɔŋ$^{35}_{44}$sʅ$^{35}_{44}$iəŋ^{53} tek^{3} to^{35}lau^{0},tso^{53}uk^{3} kai$^{53}_{44}$təu$^{35}_{44}$,e$_{21}$,tau^{53}liɔŋ^{13}ŋa^{0} tau^{53}kai$^{53}_{44}$tʂak^{3} mak^{3} e^{0} təu$^{35}_{44}$ɔi$^{53}_{44}$,tau^{53}pan^{21}tau^{53}liɔŋ^{13}təu^{35}ɔi^{53} iəŋ^{53}kɔŋ^{35}sʅ$^{35}_{44}$.②自行车、板车轮子的辐条：自行车箇轮子个箇只辐条，系啊？也安做～。tsʰʅ^{53} çin$^{13}_{21}$tʂʰa^{35}kai$^{53}_{44}$lən^{13}tsʅ^{0} ke^{0} kai$^{53}_{44}$tʂak^{3} fuk^{5} tʰiau^{13},xei$^{53}_{44}$a^{0}?ia^{35}ɔn$^{35}_{44}$tso$^{53}_{44}$kɔŋ$^{35}_{44}$sʅ$^{35}_{44}$.

【钢丝床】kəŋ^{35}sɿ$^{35}_{44}$tsʰɔŋ$^{13}_{21}$ 名①绷子；用钢丝编成的床：渠箇种床嘞渠咁个有钢丝，渠个钢丝唔系同我个席梦思样，席梦思上个钢丝嘞咁子顿个放倒，渠个压力系分箇钢丝压嘿下，系唔系？渠个钢丝唔系咁个，渠箇～熬唔得几久咯，我看得咯。以边一只框框，欸，中间呢就用条条舞只笪子样个，十字格架子。箇只十字架子嘞就系一只整体，十字架子摎以外背以只框框呢中间用钢丝摞下倒。欸，渠个弹性全靠两边个钢丝，以边个弹簧，两边个弹簧。好，箇弹簧一长是，哦嗬，箇床就冇哩用。以前个也安做～，我看过。箇个赠搞几久就冇哩用。ci$^{13}_{21}$ kai^{53}tʂəŋ^{21}tsʰɔŋ^{13}lei^{0}ci$^{13}_{21}$kan^{21}cie^{53}iəu^{35}kəŋ^{35}sɿ^{35},ci^{13}ke^{53}kəŋ$^{35}_{44}$sɿ$^{35}_{44}$m̩^{13}pʰe^{53}tʰəŋ$^{13}_{44}$ŋai^{13}ke^{0}siet^{5}məŋ$^{53}_{44}$sɿ^{35}iəŋ$^{53}_{44}$,siet^{5} məŋ^{53}sɿ^{35}xɔŋ$^{53}_{44}$ke^{0}kəŋ$^{35}_{44}$sɿ$^{35}_{44}$lei^{0}kan^{21}tsɿ^{0}tən^{53}cie$^{53}_{44}$fəŋ^{53}tau^{21},ci^{13}ke^{53}iak^{3}liet^{5}xei^{53}pən^{35}kai$^{53}_{44}$kəŋ^{35}sɿ$^{35}_{44}$iak^{3}(x)ek^{3} xa^{35},xei^{53}me^{53}?ci^{13}ke^{53}kəŋ^{35}sɿ^{35}m̩^{13}pʰei$^{53}_{44}$kan^{21}cie^{53},ci^{13}kai^{53}kəŋ$^{35}_{44}$sɿ$^{35}_{44}$tsʰɔŋ$^{13}_{21}$ŋau$^{13}_{21}$n̩$^{13}_{44}$tek^{3}ci^{21}ciəu^{21}ko^{0},ŋai^{13}kʰɔn^{53} tek^{3}ko^{0}.i^{21}pen$^{35}_{44}$iet^{3}tʂak^{3}kʰɔŋ^{35}kʰɔŋ$^{35}_{44}$,e$_{21}$,tʂəŋ^{35}kan$^{35}_{44}$nei^{0}tsʰiəu^{53}iəŋ^{53}tʰiau^{13}tʰiau$^{13}_{44}$u^{21}tʂak^{3}tait^{3}tsɿ^{0}iəŋ^{53}ke^{53}, ʂət^{5}tsʰɿ^{53}kak^{3}ka^{53}tsɿ^{0}.kai$^{53}_{44}$tʂak^{3}ʂət^{5}tsʰɿ$^{53}_{44}$ka^{53}tsɿ^{0}lei^{0}tsʰiəu^{53}xei^{53}iet^{3}tʂak^{3}tʂən^{21}tʰi$^{21}_{44}$,ʂət^{5}tsʰɿ^{53}ka^{53}tsɿ^{0}lau^{53}i^{21} ŋɔi^{53}pɔi^{53}i^{21}tʂak^{3}kʰɔŋ^{35}kʰɔŋ$^{35}_{44}$nei^{0}tʂəŋ^{35}kan$^{35}_{44}$iəŋ^{53}kəŋ^{35}sɿ$^{35}_{44}$kʰuan^{53}na$^{53}_{44}$tau^{21}.e$_{21}$,ci^{13}ke^{0}tʰan^{13}sin^{53}tsʰien^{13}kʰau^{53} iəŋ^{21}pien^{35}ke^{0}kəŋ^{35}sɿ$^{35}_{44}$,i^{21}pien$^{35}_{44}$ke^{0}tʰan^{13}fəŋ$^{53}_{44}$,iəŋ^{21}pien^{35}ke^{0}tʰan^{13}fəŋ$^{53}_{44}$.xau^{21},kai^{53}tʰan^{13}fəŋ$^{53}_{44}$iet^{3}tʂʰɔŋ^{13}ʂɿ$^{53}_{44}$,o$_{53}$ xo$_{53}$,kai^{53}tsʰɔŋ$^{13}_{44}$tsʰiəu^{53}mau^{13}li^{0}iəŋ$^{53}_{44}$.i$^{35}_{53}$tsʰien^{13}ke^{0}ia^{35}ɔn$^{35}_{53}$tso^{53}kəŋ$^{35}_{44}$sɿ$^{35}_{44}$tsʰɔŋ$^{13}_{21}$,ŋai^{13}kʰɔn^{53}ko^{53}.kai^{53}ke^{53}maŋ^{13} kau^{21}ci^{21}ciəu^{21}tsiəu^{53}mau$^{13}_{21}$li^{0}iəŋ^{53}. ②指席梦思：我屋下如今箇只细间子里箇张床系我第一张～。箇阵子个钢丝也好，箇只师傅嘞渠也同我做得扎实。如今我都唔舍得丢嘿哩箇张～，欸。ŋai^{13}uk^{3}xa$^{53}_{44}$i$^{13}_{21}$cin$^{35}_{44}$kai$^{53}_{44}$tʂak^{3}sei^{53}kan$^{35}_{44}$tsɿ^{0}li^{0}kai$^{53}_{44}$tʂɔŋ^{35}tsʰɔŋ$^{13}_{21}$xei^{53}ŋai$^{13}_{21}$tʰi^{53}iet^{3}tʂɔŋ$^{35}_{44}$kəŋ$^{35}_{44}$sɿ$^{35}_{44}$tsʰɔŋ$^{13}_{21}$.kai^{53} tʂʰən$^{53}_{44}$tsɿ^{0}ke^{0}kəŋ^{35}sɿ$^{35}_{44}$a$^{35}_{44}$xau^{21},kai^{53}tʂak^{3}sɿ^{35}fu$^{53}_{44}$lei^{0}ci$^{13}_{21}$ia$^{35}_{53}$tʰəŋ$^{13}_{21}$ŋai$^{13}_{21}$tso^{53}tek^{3}tsait^{3}ʂət^{5}.i$^{13}_{21}$cin$^{35}_{53}$ŋai$^{13}_{21}$təu$^{35}_{53}$n̩$^{13}_{53}$ʂa^{21} tek^{3}tiəu^{35}xek^{3}li^{0}kai$^{53}_{44}$tʂɔŋ$^{35}_{53}$kəŋ$^{35}_{44}$sɿ$^{35}_{44}$tsʰɔŋ$^{13}_{21}$,e$_{21}$.

【缸$_{1}$】kɔŋ^{35} 名一种底小口大，用以盛东西的陶器：滗大个口，但是渠又摞下拢来，箇口又收住哩下子，箇起就安做缸瓮。如果赠收住个，箇就纯粹系～。mən^{35}tʰai^{53}ke^{0}xei^{21},tan$^{53}_{44}$ʂɿ$^{53}_{44}$ci$^{13}_{21}$ iəu^{53}tsɔit^{3}ia$^{53}_{44}$ləŋ^{35}lɔi$^{13}_{21}$,kai$^{53}_{44}$xei^{21}iəu^{53}ʂəu^{35}tʂʰəu^{53}li^{0}xa^{53}tsɿ^{0},kai$^{53}_{44}$çi^{21}tsʰiəu$^{53}_{44}$ɔn$^{35}_{44}$tso$^{53}_{44}$kɔŋ^{35}uəŋ^{53}.ɥ^{13}ko^{21}maŋ^{13} ʂəu^{35}tʂʰəu^{53}ke^{0},kai^{53}tsʰiəu^{53}ʂən^{13}tsʰei$^{53}_{44}$xei$^{53}_{44}$kɔŋ^{35}.

【缸$_{2}$】kɔŋ^{35} 量用于用缸子装的东西：一～水 iet^{3}kɔŋ^{35}ʂei^{21}

【缸瓮】kɔŋ^{35}uəŋ^{53} 名一种敞口大水缸（口小）：～就系瓮，但是渠个口蛮大，就安做～。滗大个口，但是渠又摞下拢来，箇口又收住哩下子，箇起就安做～。如果赠收住个，箇就纯粹系缸。还有只嘞瓮更高，瓮啊更高，有兜人咁高个瓮，大瓮啊，箇个吊酒厂箇个，我话以个瓮都唔知几多百块钱啊上千块钱吧？～啊一般就系装欸箇个酒厂里用来装酒，我只晓得用来装酒个。人家屋下冇多么人用～，冇得咁多么个东西爱装个。但是嘞～有用吗嘞人家屋下嘞？有用。渠起到只么个用嘞？我等就用过。我等系有箇～用咯，我等屋下有～啊，以前老屋里就有啊。咁大唠！你如今个屋啊你放下哪映去嘞？咁大。搞么个用嘞？做箇个嘞做石灰缸呢。kɔŋ^{35}uəŋ^{53}tsʰiəu$^{53}_{44}$xe$^{53}_{44}$uəŋ^{53},tan^{53}ʂɿ^{53}ci$^{13}_{21}$ke^{0}xei^{21}man^{13}tʰai^{53},tsʰiəu$^{53}_{44}$ɔn$^{35}_{44}$tso$^{53}_{44}$kɔŋ^{35}uəŋ^{53}.mən^{35}tʰai^{53}ke^{0}xei^{21},tan$^{53}_{44}$ ʂɿ$^{53}_{44}$ci$^{13}_{21}$iəu^{53}tsɔit^{3}ia$^{53}_{44}$ləŋ^{35}lɔi$^{13}_{21}$,kai$^{53}_{44}$xei^{21}iəu^{53}ʂəu^{35}tʂʰəu^{53}li^{0}xa^{53}tsɿ^{0},kai$^{53}_{44}$çi^{21}tsʰiəu$^{53}_{44}$ɔn$^{35}_{44}$tso$^{53}_{44}$kɔŋ^{35}uəŋ^{53}.ɥ^{13}ko^{21} maŋ^{13}ʂəu^{35}tʂʰəu^{53}ke^{0},kai^{53}tsʰiəu^{53}ʂən^{13}tsʰei$^{53}_{44}$xei$^{53}_{44}$kɔŋ^{35}.xai$^{13}_{21}$iəu$^{35}_{44}$tʂak^{3}lei^{0}uəŋ^{53}cien$^{53}_{44}$kau^{35},uəŋ^{53}ŋa^{0}cien^{53} kau^{35},iəu^{35}təu$^{35}_{53}$n̩in^{13}kan^{21}kau$^{35}_{44}$ke^{0}uəŋ$^{53}_{44}$,tʰai^{53}uəŋ$^{53}_{44}$ŋa^{0},kai$^{53}_{44}$ke$^{53}_{44}$tiau^{53}tsiəu^{21}tʂʰɔŋ$^{21}_{44}$kai^{53}e^{0},ŋai^{13}ua$^{53}_{44}$i^{21}ke$^{53}_{44}$uəŋ^{53} təu$^{35}_{44}$n̩$^{13}_{21}$ti$^{35}_{53}$ci^{21}to$^{35}_{44}$pak^{3}kʰuai$^{53}_{44}$tsʰien^{13}a^{0}ʂɔŋ$^{53}_{44}$tsʰien^{35}kʰuai^{53}tsʰien$^{13}_{21}$pa^{0}?kɔŋ^{35}uəŋ$^{53}_{44}$ŋa^{0}iet^{3}pɔn^{35}tsʰiəu$^{53}_{44}$xei$^{53}_{44}$ tʂɔŋ^{35}e$_{21}$kai^{53}ke$^{53}_{44}$tsiəu^{21}tʂʰɔŋ^{21}li^{0}iəŋ^{53}lɔi$^{13}_{21}$tʂɔŋ^{35}tsiəu^{21},ŋai^{13}tʂɿ$^{21}_{44}$çiau^{21}tek^{3}iəŋ^{53}lɔi$^{13}_{21}$tʂɔŋ^{35}tsiəu^{21}ke^{0}. n̩in^{13}ka$^{35}_{53}$ uk^{3}xa$^{53}_{44}$mau^{13}to$^{35}_{53}$mak^{3}in$^{13}_{44}$iəŋ$^{53}_{44}$kɔŋ^{35}uəŋ^{53},mau^{13}tek^{3}kan^{21}to$^{35}_{53}$mak^{3}e^{0}təŋ$^{35}_{44}$si^{0}ɔi$^{53}_{44}$tʂɔŋ^{35}ke^{0}.tan^{53}ʂɿ^{53}lei^{0}kɔŋ^{35} uəŋ^{53}iəu^{35}iəŋ^{53}ma^{0}lei^{0}n̩in$^{13}_{21}$ka$^{35}_{53}$uk^{3}xa$^{53}_{44}$lei^{0}?iəu^{35}iəŋ^{53}.ci^{13}çi^{21}tau^{53}tʂak^{3}mak^{3}e^{0}iəŋ$^{53}_{44}$lei^{0}?ŋai^{13}tien^{0}tsʰiəu$^{53}_{44}$iəŋ^{53} ko^{0}.ŋai^{13}tien^{0}xei^{53}iəu$^{35}_{53}$kai^{53}kɔŋ^{35}uəŋ$^{53}_{44}$iəŋ$^{53}_{44}$ko^{0},ŋai^{13}tien^{0}uk^{3}xa$^{53}_{44}$iəu$^{35}_{44}$kɔŋ^{35}uəŋ$^{53}_{44}$a^{0},i$^{35}_{53}$tsʰien$^{13}_{21}$lau^{21}uk^{3}li^{0} tsʰiəu$^{53}_{44}$iəu^{35}a^{0}.kan^{21}tʰai^{53}lau^{0}!n̩i^{13}i$^{13}_{21}$cin$^{35}_{53}$ke^{53}uk^{3}a^{0}n̩i^{13}fəŋ$^{53}_{44}$(x)a$^{53}_{44}$la$^{53}_{44}$iaŋ$^{53}_{44}$çi^{21}lei^{0}?kan^{21}tʰai$^{53}_{21}$.kau^{21}mak^{3}e^{0}iəŋ$^{53}_{44}$ lei^{0}?tso^{53}kai$^{53}_{44}$ke$^{53}_{44}$lei^{0}tso^{53}ʂak^{5}fɔi$^{35}_{44}$kɔŋ^{35}nei^{0}.

【缸子】kɔŋ^{35}tsɿ^{0} 名盛东西的器物，圆筒状，底小口大：用陶器个～，潲缸噢。iəŋ^{53}tʰau^{13}çi^{53} ke$^{53}_{44}$kɔŋ^{35}tsɿ^{0},sau^{53}kɔŋ^{35}ŋau^{0}.

【岗】kɔŋ^{35} 名三面地势向低、一面地势向高的地方：我等欸箇个老家就有只一只晒场～，欸，你赠到我箇啦，一进去就以只晒场～。就一嶂岭呢，以向一只窝，以向只窝，箇只岭岗嘴呀伸出来，三向都系更低，都系岭岗，三向都更低。箇映伸下出来，外背嘞又冇得哩岭岗了，又一只坑漕了，箇个栏场真好晒谷啊，当阳晒日唠。欸，渠伸出来呀，伸出外背来呀，箇只就系三面个～。以下嗯我觉得一般都指三面都更低个栏场，箇只就～。欸，有只四斗～，我等箇有只桐子～，都系三斗～，都系比箇个都系有三面，就同箇个半岛样啊，同箇半岛样个栏场，半岛是三面系水，渠个嘞就系三面更低。ŋai^{13}tien^{0}e$_{21}$kai$^{53}_{44}$ke$^{53}_{44}$lau^{21}cia$^{35}_{44}$tsʰiəu$^{53}_{44}$iəu^{35}tʂak^{3}iet^{3} tʂak^{3}sai^{53}tʂʰɔŋ^{21}kɔŋ^{35},ei$_{21}$, ɲi$^{13}_{21}$maŋ^{13}tau^{53}ŋai^{13}kai^{53}la^{0},iet^{3}tsin^{53}cʰi$^{53}_{44}$tsʰiəu$^{53}_{44}$i^{21}tʂak^{3}sai^{53}tʂʰɔŋ$^{13}_{21}$kɔŋ^{35}.tsʰiəu^{53}iet^{3} tʂɔŋ^{53}liaŋ^{35}nei^{0},i^{21}çiɔŋ^{53}iet^{3}tʂak^{3}uo^{35},i^{21}çiɔŋ^{53}tʂak^{3}uo^{35},kai$^{53}_{44}$tʂak^{3}liaŋ^{35}kɔŋ$^{35}_{44}$tsi^{21}ia^{0}tʂʰən^{35}tʂʰət^{3}lɔi^{13},san^{35} çiɔŋ^{53}təu$^{35}_{44}$xe$^{53}_{44}$cien$^{53}_{44}$te^{35},təu^{35}xe$^{53}_{44}$liaŋ^{35}kɔŋ^{35},san^{35}çiɔŋ$^{53}_{44}$təu$^{35}_{44}$cien$^{53}_{44}$te^{35}.kai$^{53}_{44}$iaŋ$^{53}_{44}$tʂʰən^{35}na^{53}tʂʰət^{3}lɔi^{13},ŋɔi^{53}pɔi$^{53}_{44}$ le^{0}iəu^{53}mau^{13}tek^{3}li^{0}liaŋ^{35}kɔŋ$^{35}_{44}$liau^{0},iəu$^{53}_{44}$iet^{3}tʂak^{3}xaŋ^{35}tsʰau$^{13}_{44}$liau^{0},kai^{53}e^{0}lan$^{13}_{21}$tʂʰɔŋ$^{13}_{21}$tʂən^{35}xau^{21}sai^{53}kuk^{3} a^{0},tɔŋ^{35}iɔŋ^{13}sai^{53}ɲiet^{3}lau^{0}.ei$_{21}$,ci$^{13}_{21}$tʂʰən^{35}tʂʰət^{3}lɔi$^{13}_{21}$ia^{0},tʂʰən^{35}tʂʰət^{3}ŋɔi^{53}pɔi^{53}lɔi$^{13}_{21}$ia^{0},kai$^{53}_{44}$tʂak^{3}tsʰiəu$^{53}_{44}$xe$^{53}_{44}$san^{35} mien$^{53}_{44}$ke^{0}kɔŋ^{35}.i^{21}xa$^{53}_{44}$en$_{21}$ŋai^{13}kɔk^{3}tek^{3}iet^{3}pɔn^{35}təu$^{35}_{44}$tʂʅ^{21}san^{35}mien^{53}təu$^{35}_{44}$cien^{53}te^{35}ke^{53}lan$^{13}_{21}$tʂʰɔŋ$^{13}_{21}$,kai^{53}tʂak^{3} tsʰiəu$^{53}_{44}$kɔŋ^{35}.e$_{21}$,iəu^{35}tʂak^{3}si^{53}tei^{21}kɔŋ^{35},ŋai^{13}tien^{0}kai$^{53}_{44}$iəu^{35}tʂak^{3}tʰəŋ^{13}tsɿ^{21}kɔŋ^{35},təu^{35}xe^{53}san^{35}tei^{21}kɔŋ^{35},təu^{35} xei^{53}pi^{21}kai^{53}cie^{0}təu^{35}xei^{53}iəu^{35}san^{35}mien^{53},tsʰiəu$^{53}_{44}$tʰəŋ$^{13}_{21}$kai$^{53}_{44}$ke$^{53}_{44}$pan^{53}tau^{21}iɔŋ$^{53}_{44}$ŋa^{0},tʰəŋ$^{13}_{21}$kai$^{53}_{44}$pan^{53}tau^{21}iɔŋ$^{53}_{44}$ ke$^{53}_{44}$lan$^{13}_{21}$tʂʰɔŋ$^{13}_{44}$,pan^{53}tau^{21}ʂʅ$^{53}_{44}$san^{35}mien$^{53}_{44}$xe^{53}ʂei^{21},ci$^{13}_{21}$ke$^{53}_{44}$lei^{0}tsʰiəu^{53}xe$^{53}_{21}$san^{35}mien$^{53}_{44}$cien^{53}te^{35}.

【杠$_{1}$】kɔŋ^{53} 名出殡时抬送灵柩的粗木棍：欸，八仙就，棺材唠，捆棺材唠。噢，捆棺材个渠就必须，渠就有几只话法。欸，箇平地嘞，渠就，平地个人呢，箇本地人呢，渠就只有一条～。箇棺材顶高嘞，棺材顶高系舞一条～，安做独杠。箇条～安做龙杠。就一条独杠。欸，一十六个人捆。箇客姓人系个栏场嘞一般都系下山里。山里个路唔好。渠就搞唔成，一十六个人搞唔成。独杠搞唔成。独杠嘞顶高一条～咁高哇。欸，人矮哩呀，走，箇上岭，上岭上，下，上岭子，上岭下印就搞唔成。就一般呢都会嘞，山里人呢，客姓人呢，就用两条～。两条～，棺材个一边一条～。一边舞条，舞条～。欸，箇只～比较长。分棺材嘞，缔$_{绑缚}$棺材也缔下～上。缔下箇～上。缔下～上呢，两头就伸出来。两头伸出来，伸出来个部位嘞，又用箇条绳呢又咁子横个缔下倒。又舞条短杠子，就安做子杠子，中间穿下去。中间穿下去。好，箇两条大～呢，欸，箇又分只棺材就分作面前一部分，后背一部分。面前一部分，两条大～，一边一个人。e$_{21}$,pait^{3}sien$^{35}_{44}$tsʰiəu$^{53}_{44}$,kɔn^{35}tsʰɔi$^{13}_{21}$lau^{0},kɔŋ^{35}kɔn^{35}tsʰɔi$^{13}_{21}$lau^{0}.au$_{21}$,kɔŋ^{35}kɔn^{35}tsʰɔi$^{13}_{21}$ke$^{53}_{44}$ci$^{13}_{21}$ tsʰiəu$^{53}_{44}$piet^{3}si$^{35}_{44}$,ci$^{13}_{21}$tsʰiəu$^{53}_{44}$iəu^{35}ci^{21}tʂak^{3}ua^{53}fait^{3}.e$_{21}$,kai$^{53}_{44}$pʰiaŋ^{13}tʰi^{53}lei$_{44}$,ci$^{13}_{21}$tsʰiəu^{53},pʰiaŋ^{13}tʰi^{53}ke$^{53}_{44}$ɲin$^{13}_{21}$ nei^{0},kai$^{53}_{44}$pən^{21}tʰi^{53}ɲin$^{13}_{21}$nei^{0},ci$^{13}_{21}$tsʰiəu^{53}tʂʅ^{21}iəu^{35}iet^{3}tʰiau^{13}kɔŋ^{53}.kai$^{53}_{44}$kɔn^{35}tsʰɔi$^{13}_{21}$taŋ^{21}kau$^{35}_{44}$le^{0},kɔn^{35}tsʰɔi$^{13}_{21}$taŋ^{21} kau$^{35}_{44}$xe$^{53}_{44}$u^{21}iet^{3}tʰiau^{13}kɔŋ^{53},ɔn^{35}tso$^{53}_{44}$tʰəuk^{5}kɔŋ^{53}.kai$^{53}_{44}$tʰiau^{13}kɔŋ^{53}ɔn^{35}tso$^{53}_{44}$liəŋ^{13}kɔŋ$^{53}_{44}$.tsʰiəu$^{53}_{44}$iet^{3}tʰiau$^{13}_{21}$tʰəuk^{5} kɔŋ^{53}.ei$_{21}$,iet^{3}ʂət^{5}liəuk^{3}ke^{53}ɲin$^{13}_{21}$kɔŋ^{35}.kai$^{53}_{44}$kʰak^{3}sin^{53}ɲin$^{13}_{21}$xei^{53}ke$^{53}_{44}$laŋ$^{13}_{21}$tʂʰɔŋ$^{13}_{21}$lei^{0}iet^{3}pɔn^{35}təu$^{35}_{44}$xei$^{53}_{44}$a^{0}san^{35} ni^{0}.san^{35}li^{0}e^{0}ləu^{53}ŋ̍^{13}xau^{21}.ci$^{13}_{21}$tsʰiəu^{53}kau^{21}n̩^{13}ʂaŋ$^{13}_{44}$,iet^{3}ʂət^{5}liəuk^{3}ke^{53}ɲin$^{13}_{21}$kau^{21}n̩^{13}ʂaŋ$^{13}_{44}$.tʰəuk^{5}kɔŋ^{53}kau^{21}n̩^{13} ʂaŋ$^{13}_{44}$.tʰəuk^{5}kɔŋ$^{53}_{44}$lei^{0}taŋ^{21}kau^{35}iet^{3}tʰiau^{13}kɔŋ^{53}kan^{21}kau^{35}ua^{0}.ei$_{21}$, ɲin^{13}ai^{21}li^{0}ia^{0},tsei^{21},kai$^{53}_{44}$ʂɔŋ$^{53}_{44}$liaŋ^{35},ʂɔŋ$^{53}_{44}$ liaŋ^{35}xɔŋ^{0},xa$^{53}_{44}$,ʂɔŋ$^{53}_{44}$liaŋ^{35}tsɿ^{0},ʂɔŋ$^{53}_{44}$liaŋ$^{35}_{53}$xa$^{53}_{44}$in^{53}tsʰiəu$^{53}_{44}$kau^{21}n̩$^{13}_{21}$ʂaŋ$^{13}_{21}$.tsʰiəu^{53}iet^{3}pɔn^{35}nei^{0}təu$^{35}_{44}$uɔi$^{53}_{44}$lei^{0},san^{35} li^{21}ɲin$^{13}_{21}$nei^{0},kʰak^{3}sin^{53}ɲin$^{13}_{21}$nei^{0},tsʰiəu^{53}iəŋ^{53}iɔŋ^{21}tʰiau^{13}kɔŋ^{53}.iɔŋ^{21}tʰiau^{13}kɔŋ^{53},kɔn^{35}tsʰɔi$^{13}_{21}$ke$^{53}_{44}$iet^{3}pien^{35}iet^{3} tʰiau$^{13}_{21}$kɔŋ^{53}.iet^{3}pien^{35}u^{21}tʰiau$^{13}_{21}$,u^{21}tʰiau^{13}kɔŋ^{53}.e$_{21}$.kai$^{53}_{44}$tʂak^{3}kɔŋ$^{53}_{44}$pi^{21}ciau$^{53}_{44}$tʂʰɔŋ^{13}.pən^{35}kɔn^{35}tsʰɔi$^{13}_{21}$lei^{0},tʰak^{3} kɔn^{35}tsʰɔi$^{13}_{21}$ia^{0}tʰak^{3}a^{0}kɔŋ^{53}xɔŋ$^{53}_{44}$.tʰak^{3}a^{0}kai$^{53}_{44}$kɔŋ^{53}xɔŋ$^{53}_{44}$.tʰak^{3}a^{0}kɔŋ^{53}xɔŋ$^{53}_{44}$nei^{0},iɔŋ^{21}tʰei^{13}tsʰiəu$^{53}_{44}$tʂʰən^{35}tʂʰət^{3} lɔi^{13}.iɔŋ^{21}tʰei^{13}tʂʰən^{35}tʂʰət^{3}lɔi$^{13}_{21}$,tʂʰən^{35}tʂʰət^{3}lɔi$^{13}_{21}$ke$^{53}_{44}$pʰu^{53}uei$^{53}_{44}$lei^{0},iəu^{53}iəŋ$^{53}_{44}$kai^{53}tʰiau$^{13}_{21}$ʂən$^{13}_{21}$nei^{0}iəu^{53}kan^{21}tsɿ^{0} uaŋ^{13}ke$^{53}_{44}$tʰak^{3}a^{53}tau^{21}.iəu$^{53}_{44}$u^{21}tʰiau$^{13}_{44}$tɔn^{21}kɔŋ^{53}tsɿ^{0},tsiəu$^{53}_{44}$ɔn$^{35}_{44}$tso$^{53}_{44}$tsɿ^{21}kɔŋ^{53}tsɿ^{0},tʂəŋ^{35}kan$^{35}_{44}$tʂʰɔn^{53}na$^{53}_{21}$ çi^{53}.xau^{21},kai^{53}iɔŋ^{21}tʰiau^{13}tʰai^{53}kɔŋ$^{53}_{44}$nei^{0},e$_{21}$,kai^{53}iəu$^{53}_{35}$pən^{35}tʂak^{3}kɔn^{35}tsʰɔi$^{13}_{21}$tsʰiəu$^{53}_{44}$fən^{35}tsɔk^{3}mien^{53}tsʰien$^{13}_{21}$ iet^{3}pʰu$^{53}_{44}$fən^{0},xei^{53}pɔi$^{53}_{21}$iet^{3}pʰu$^{53}_{44}$fən^{0}.mien^{53}tsʰien$^{13}_{21}$iet^{3}pʰu$^{53}_{44}$fən^{0},iɔŋ^{21}tʰiau^{13}tʰai^{53}kɔŋ$^{53}_{44}$,iet^{3}pien^{35}iet^{3}cie^{53} ɲin$^{13}_{21}$.

【杠$_{2}$】kɔŋ^{53} 动用门杠横向顶住门板：舞条树～稳渠。u^{21}tʰiau^{13}ʂəu$^{53}_{44}$kɔŋ^{53}uən^{21}ci$^{13}_{44}$.

【杠$_{3}$】kɔŋ^{53} 量指用木杠抬的东西：渠个嫁妆呢，渠因为结婚箇晡搞唔成器呀，多哩啊，几十～啊，安做，几十～啊，尽人捆倒去吵。ci$^{13}_{21}$ke$^{53}_{44}$ka^{53}tsɔŋ$^{35}_{44}$nei^{0},ci$^{13}_{21}$in^{35}uei$^{53}_{44}$ciet^{3}fən^{35}kai^{53}pu$^{35}_{44}$kau^{21} ŋ̍^{13}ʂaŋ^{13}çi^{53}ia^{0},to^{35}li^{0}a^{0},ci^{21}ʂət^{5}kɔŋ^{53}ŋa^{0},ɔn$^{35}_{44}$tso$^{53}_{44}$,ci^{21}ʂət^{5}kɔŋ^{53}ŋa^{0},tsʰin^{53}ɲin^{13}kɔŋ^{35}tau^{21}çi^{53}ʂa^{0}.

【杠子】kɔŋ^{53}tsɿ^{0} 名①较粗的木棍：又舞条短～，就安做子杠子，中间穿下去。iəu$^{53}_{44}$u^{21}tʰiau$^{13}_{44}$ tɔn^{21}kɔŋ^{53}tsɿ^{0},tsiəu$^{53}_{44}$ɔn$^{35}_{44}$tso$^{53}_{44}$tsɿ^{21}kɔŋ^{53}tsɿ^{0},tʂəŋ^{35}kan$^{35}_{44}$tʂʰɔn^{53}na$^{53}_{21}$çi^{53}. ②在两根竹杠的两头各拴一根扁担，中部绑上绳子，上面放上被子，相当于一副简易担架，多用来抬病人：欸，如果人睡下上背嘞就安做～。捆只～。用～捆倒渠个。e$_{21}$,ʮ^{13}ko^{21}ɲin^{13}ʂɔi^{53}ia$_{44}$(←xa^{53})ʂɔŋ^{53}pɔi$^{53}_{44}$lei^{0}tsʰiəu$^{53}_{44}$ɔn^{35}tso$^{53}_{21}$ kɔŋ^{53}tsɿ^{0}.kɔŋ^{35}tʂak^{3}kɔŋ^{53}tsɿ^{0}.iəŋ$^{53}_{44}$kɔŋ^{53}tsɿ^{0}kɔŋ^{35}tau^{21}ci$^{13}_{44}$ke$^{53}_{44}$. ③指抬棺材用的木杠：八仙就扛棺材个人吵，渠就可以梢～嘞。渠就可以梢～啊。可以梢正来，也可以边梢～，渠就可以边梢～。

也可以梢正～来绕棺。也可以绕嘿棺来梢～。pait^{3} sien$^{35}_{44}$ts^{h}iəu$^{53}_{0}$kɔŋ^{35}kɔn^{35}ts^{h}ɔi$^{13}_{21}$ke$^{53}_{44}$ɲin$^{13}_{21}$ʂa^{0},ci$^{13}_{21}$ts^{h}iəu$^{53}_{44}$k^{h}o^{21}i$^{35}_{44}$sau^{35}kɔŋ^{53}tsɿ^{0}lei^{0}.ci$^{13}_{21}$ts^{h}iəu$^{53}_{44}$k^{h}o^{21}i$^{35}_{44}$sau^{35}kɔŋ^{53}tsa^{0}.k^{h}o^{21}i$^{35}_{44}$sau^{35}tʂaŋ^{53}lɔi$^{13}_{21}$,ia^{35}k^{h}o^{21}i$^{35}_{44}$pien^{35}sau^{35}kɔŋ^{53}tsɿ^{0},ci$^{13}_{21}$ts^{h}iəu$^{53}_{44}$k^{h}o^{21}i$^{35}_{44}$pien^{35}sau^{35}kɔŋ^{53}tsɿ^{0}.ia^{35}k^{h}o^{21}i$^{35}_{44}$sau^{35}tʂaŋ^{53}kɔŋ^{53}tsɿ^{0}lɔi^{13}ɲiau^{35}kɔn^{35}.ia^{35}k^{h}o^{21}i$^{35}_{44}$ɲiau^{35}(x)ek^{3}kɔn^{35}nɔi$^{13}_{21}$sau^{35}kɔŋ^{53}tsɿ^{0}.

【钢$_{2}$】kɔŋ^{53} 动 用手擦嘴：用手～ iəŋ$^{53}_{44}$ʂəu^{21}kɔŋ^{53} | ～下去 kɔŋ^{53}ŋa$_{44}$(←xa^{53})çi$^{53}_{44}$

【高$_{1}$】kau^{35} 形 ①高度大：毛桐子个树更矮，千年桐个树更～。mau^{35}t^{h}əŋ$^{13}_{21}$tsɿ^{21}ke$^{53}_{21}$ʂəu^{53}ken^{53}ai^{21},ts^{h}ien^{35}ɲien$^{13}_{21}$t^{h}əŋ^{13}ke$^{53}_{44}$ʂəu^{53}ken$^{53}_{44}$kau^{35}. ②长度大：我看倒箇个西方人就尽系～鼻公呢，欸，鼻公又高又长啊。ŋai^{13}k^{h}ɔn^{53}tau^{21}kai$^{53}_{44}$ke$^{53}_{44}$si^{35}fɔŋ$^{35}_{44}$ɲin$^{13}_{21}$tsiəu$^{53}_{44}$ts^{h}in^{21}xe^{53}kau^{35}p^{h}i^{53}kɔŋ^{35}ne^{0},ei$_{21}$,p^{h}i$^{53}_{44}$kɔŋ$^{35}_{44}$iəu^{53}kau^{35}iəu^{53}tʂ^{h}ɔŋ$^{13}_{21}$ŋa^{0}. ③所处位置地势在上：箇丘～滴子，以丘矮滴子。kai$^{53}_{44}$c^{h}iəu$^{35}_{44}$kau^{35}tiet^{5}tsɿ^{0},i^{21}c^{h}iəu$^{35}_{44}$ai^{21}tiet^{5}tsɿ^{0}. ④数值大：掌酒就比较熬，度数比较～。ts^{h}aŋ^{53}tsiəu^{21}ts^{h}iəu^{53}pi^{21}ciau^{53}sait^{3},t^{h}əu^{53}səu^{53}pi^{21}ciau^{53}kau^{35}. ⑤情绪强烈，高涨：我就话你派出所里搞以只东西指抓打麻将赌博的人是积极性～啊。ŋai^{13}tsiəu$^{53}_{44}$ua^{53}ɲi^{13}p^{h}ai^{53}tʂ^{h}ət^{3}so^{21}li^{0}kau^{21}i^{21}(tʂ)ak^{3}təŋ$^{35}_{44}$si^{0}ʂɿ$^{53}_{44}$tsiet^{3}c^{h}iet^{5}sin^{53}kau^{35}a^{0}.

【高$_{2}$】kau^{35} 动 表示长高：脚囊肚懑大哟，就有么个～了。脚囊肚大了就有么个～了，男孩子咯。ciɔk^{3}laŋ^{13}təu^{21}mən^{35}t^{h}ai^{53}io^{0},ts^{h}iəu^{53}mau$^{13}_{21}$mak^{3}(k)e$^{53}_{44}$kau^{35}liau^{0}.ciɔk^{3}laŋ^{13}təu^{21}t^{h}ai^{53}liau^{0}ts^{h}iəu^{53}mau$^{13}_{21}$mak^{3}(k)e$^{53}_{44}$kau^{35}liau^{0},lan^{13}xai^{13}tsɿ^{0}ko^{0}.

【高$_{3}$】kau^{35} 副 没有一处遗漏：到处么个谱都翻～哩都冇得呀。tau^{53}tʂ^{h}əu$^{53}_{44}$mak^{3}ke^{53}p^{h}u^{21}təu$^{35}_{44}$fan^{35}kau^{35}li^{0}təu^{35}mau$^{13}_{21}$tek^{3}ia^{0}.

【高把黄蒲】kau^{35}pa^{53}uɔŋ^{13}p^{h}u^{13} 名 一种南瓜，下粗而空，上小而实：还有～唠。欸，安做～啊，就你话个就。/一大截都系瘩瘩实实个一大截，一只把唔知几高。渠又唔系长欸。渠又底下就勵圆子个，顶高有只把。/高矮个高，～。/以只把唔知几高。/箇只系形状啊。/箇只把箇箇只□长个都以前冇得。以前只有以咁长子。xai^{13}iəu$^{35}_{44}$kau^{35}pa^{53}uɔŋ$^{13}_{21}$p^{h}u$^{13}_{21}$lau^{0}.e$_{21}$,ɔn$^{35}_{44}$tso$^{53}_{44}$kau^{35}pa^{53}uɔŋ^{13}p^{h}u^{13}a^{0},ts^{h}iəu$^{53}_{44}$ɲi^{13}ua$^{53}_{44}$ke$^{53}_{44}$ts^{h}iəu$^{53}_{44}$./iet^{3}t^{h}ai^{53}tsiet^{3}təu$^{35}_{44}$xe$^{53}_{44}$t^{h}ek^{5}t^{h}ek^{5}ʂət^{5}ʂət$^{5}_{3}$ke$^{53}_{44}$iet^{3}t^{h}ai^{53}tsiet^{3},i$^{13}_{21}$tʂak^{3}pa^{53}n̩^{13}ti$^{35}_{53}$ci^{21}kau^{35}.ci^{13}iəu$^{53}_{44}$m̩$^{13}_{21}$p^{h}e$_{44}$(←xe^{53})tʂ^{h}ɔŋ^{13}ŋe^{0}.ci^{13}iəu^{53}te^{21}xa$^{53}_{44}$ts^{h}iəu$^{53}_{44}$li^{35}ien^{13}tsɿ^{0}ke$^{53}_{44}$,taŋ^{21}kau$^{35}_{44}$iəu^{35}tʂak^{3}pa^{53}./kau^{35}ai^{21}ke$^{53}_{44}$kau^{35},kau^{35}pa^{53}uɔŋ^{13}p^{h}u^{13}./i^{21}tʂak^{3}pa^{53}n̩^{13}ti$^{35}_{53}$ci^{21}kau^{35}./kai^{53}tʂɿ^{21}xe^{53}çin^{13}ts^{h}ɔŋ^{53}ŋa^{0}./kai$^{53}_{44}$tʂak^{3}pa^{53}kai$^{53}_{44}$kai$^{53}_{44}$tʂak^{3}lai^{35}tʂ^{h}ɔŋ^{13}ke$^{53}_{44}$təu$^{35}_{44}$i^{21}ts^{h}ien$^{13}_{21}$mau$^{13}_{44}$tek^{3}.i^{35}ts^{h}ien^{13}tʂɿ^{21}iəu^{35}i^{21}kan^{21}tʂ^{h}ɔŋ^{13}tsɿ^{0}.

【高曾祖考】kau^{35}tsien^{35}tsəu^{21}k^{h}au^{21} 从己身往上高祖、曾祖、祖父、父亲这四代人的总称：我唔系正先就讲～，系唔系？ŋai^{13}m̩$^{13}_{21}$p^{h}e$^{53}_{44}$tʂaŋ^{53}sien^{35}ts^{h}iəu$^{53}_{44}$kɔŋ$^{21}_{44}$kau^{35}tsien^{35}tsəu^{21}k^{h}au^{21},xei$^{53}_{44}$me$^{53}_{44}$?

【高大】kau^{35}t^{h}ai^{53} 形 又高又大：（屋面前）～滴子啊。kau^{35}t^{h}ai$^{53}_{44}$tiet^{5}tsa^{0}. | 一般呢就请箇个～滴子啊，欸，扎实滴子个人（来打出山）。iet^{3}pɔn^{35}ne^{0}ts^{h}iəu$^{53}_{44}$ts^{h}in^{21}kai$^{53}_{44}$ke$^{53}_{44}$kau^{35}t^{h}ai$^{53}_{44}$tiet^{5}tsɿ^{0}a^{0},e$_{21}$,tsait^{3}ʂət^{5}tiet^{5}tsɿ^{0}ke$^{53}_{44}$ɲin$^{13}_{21}$.

【高大威势】kau^{35}t^{h}ai^{53}uei^{35}ʂɿ^{53} 形容身材魁梧，威风凛凛：其实长袍哇，如果人系长得～，着倒蛮好看，系啊？以下冇人着哩。c^{h}i^{13}ʂət^{5}tʂ^{h}ɔŋ^{13}p^{h}au$^{13}_{44}$ua^{0},y^{13}ko^{21}ɲin^{13}xei^{53}tʂɔŋ^{21}tek^{3}kau^{35}t^{h}ai^{53}uei^{35}ʂɿ^{53},tʂɔk^{3}tau^{21}man^{13}xau^{21}k^{h}ɔn^{53},xei^{53}a^{0}?i^{21}xa^{53}mau$^{13}_{2}$ɲin$^{13}_{44}$tʂɔk^{3}li^{0}.

【高凳】kau^{35}ten^{53}/tien^{53} 名 高的凳子：～就凳板蛮高个，凳板高，欸坐人个地方比较高个箇个凳，也就系凳脚比较高个凳就安做～。欸，相对于矮凳子来讲个，箇就～。有长有短，但是一般指个～指个哪起嘞？就系八仙桌配套个凳就系～。八仙桌啊配套个嗯箇就～。kau^{35}tien$^{53}_{44}$ts^{h}iəu$^{53}_{44}$tien^{53}pan^{21}man$^{13}_{21}$kau^{35}ke^{0},tien^{53}pan^{53}kau^{35},e^{0}ts^{h}o^{35}ɲin^{13}ke^{0}t^{h}i$^{53}_{44}$fɔŋ$^{35}_{44}$pi^{21}ciau$^{53}_{44}$kau^{35}ke^{0}kai$^{53}_{44}$ke$^{53}_{44}$tien^{53},ia^{35}ts^{h}iəu$^{53}_{44}$xe$^{53}_{44}$ten^{53}ciɔk^{3}pi^{21}ciau$^{53}_{44}$kau$^{35}_{44}$ke^{0}tien^{53}ts^{h}iəu$^{53}_{21}$ɔn$^{35}_{44}$tso$^{53}_{44}$kau$^{35}_{44}$ten^{53}.e$_{21}$,siɔŋ^{35}tei^{53}vy^{13}ai^{21}tien^{53}tsɿ^{0}lɔi$^{13}_{21}$kɔŋ^{21}ke^{53},kai$^{53}_{44}$ts^{h}iəu$^{53}_{44}$kau^{35}ten^{53}.iəu^{35}tʂ^{h}ɔŋ^{13}iəu$^{35}_{53}$tɔn^{21},tan^{53}ʂɿ^{53}iet^{3}pɔn^{35}tʂɿ^{21}ke$^{53}_{44}$kau^{35}ten^{53}tʂɿ^{21}ke$^{53}_{44}$lai^{53}çi^{21}lei^{0}?ts^{h}iəu^{53}xe^{53}pait^{3}sien^{35}tsɔk^{3}p^{h}ei^{53}t^{h}au^{53}ke^{0}tien^{53}tsiəu$^{53}_{21}$xe$^{53}_{44}$kau^{35}tien^{53}.pait^{3}sien^{35}tsɔk^{3}a^{0}p^{h}ei^{53}t^{h}au^{53}ke^{0}n̩$_{21}$kai$^{53}_{44}$ts^{h}iəu$^{53}_{44}$kau$^{35}_{44}$ten^{53}.

【高巅巅哩】kau^{35}tien^{35}tien^{35}/ten^{35}ten^{35}li^{0} 形 状态词。高高的样子：～个厞墙 kau^{35}tien^{35}tien^{35}li^{0}ke$^{53}_{44}$fei^{35}ts^{h}iɔŋ$^{13}_{21}$ | 欸，箇墈下箇起咁个树哇，箇个箇只岔蓬里个箇起咁个树哇，一条一条，唔知么个树，尽系～个。e$_{35}$,kai$^{53}_{44}$k^{h}an^{53}xa$^{53}_{44}$kai^{53}çi^{21}kan^{21}ke$^{53}_{44}$ʂəu^{53}ua^{0},kai$^{53}_{44}$ke$^{53}_{44}$kai$^{53}_{44}$ts^{h}a^{53}p^{h}əŋ^{13}li^{21}ke$^{53}_{44}$kai$^{53}_{44}$çi^{21}kan^{21}ke$^{53}_{44}$ʂəu^{53}ua^{0},iet^{3}t^{h}iau^{13}iet^{3}t^{h}iau$^{13}_{44}$,n̩^{13}ti$^{35}_{53}$mak^{3}e^{0}ʂəu^{53},ts^{h}in^{21}xe$^{53}_{44}$kau$^{35}_{44}$ten$^{35}_{44}$ten^{35}ni^{0}ke^{0}.

【高钉钉哩】kau^{35}taŋ^{35}taŋ^{35}li^{0} 形 状态词。很高的样子。又称"高迎迎哩"：你看箇只细子还正成十岁子就～。ɲi$^{13}_{21}$k^{h}ɔn$^{53}_{44}$kai^{53}iak^{3}se^{53}tsɿ^{0}xai$^{13}_{21}$tʂaŋ$^{53}_{44}$ʂaŋ$^{13}_{21}$ʂət^{5}sɔi^{53}tsɿ^{0}ts^{h}iəu$^{53}_{44}$kau$^{35}_{44}$taŋ^{35}taŋ^{35}li^{0}. | 箇栋屋啊做得～。kai^{53}təŋ^{53}uk^{3}a^{0}tso^{53}tek^{3}kau$^{35}_{44}$taŋ^{35}taŋ^{35}li^{0}.

【高高大大】kau^{35}kau$^{35}_{44}$tʰai^{53}tʰai^{53} 形容又高又大：以只赖子啊，～呀，分钱都寻唔倒。i$^{13}_{21}$(tʂ)ak^{3}lai^{53}tsʅ^{0}a^{0},kau^{35}kau$^{35}_{44}$tʰai^{53}tʰai^{53}ia^{0},fən^{35}tsʰien$^{13}_{21}$təu$^{35}_{53}$tsʰin$^{13}_{21}$n̩$^{13}_{44}$tau$^{21}_{44}$.

【高高哩】kau^{35}kau^{35}li^{0} 形状态词。高起貌：细人子就喜欢徛倒～个栏场□呀下去哦。欸，我等细细子跍倒箇～个舞倒箇～个竹上爬下箇～个竹上，脚一缩，吊哇下来，真有味道，真刺激。现在箇就系留倒箇把骨头好哩。sei^{53}ɲin$^{13}_{21}$tsʅ^{0}tsʰiəu^{53}çi^{21}fən$^{35}_{44}$cʰi^{35}tau^{21}kau^{35}kau^{35}li^{0}ke^{0}laŋ$^{13}_{21}$tʂʰəŋ$^{13}_{44}$tsʰəi$^{13}_{21}$ia^{0}xa$^{53}_{44}$çi^{53}o^{0}.e$_{21}$,ŋai^{13}tien^{0}se^{53}se^{53}tsʅ^{0}ku^{53}tau^{21}kai$^{53}_{44}$kau^{35}kau^{35}li^{0}ke$^{53}_{44}$u^{21}tau^{21}kai$^{53}_{44}$kau^{35}kau^{35}li^{0}ke^{0}tʂəuk^{3}xəŋ$^{53}_{44}$pʰa^{13}(x)a$^{53}_{44}$kai$^{53}_{44}$kau^{35}kau^{35}li^{0}ke^{0}tʂəuk^{3}xəŋ^{53},ciək^{3}ie^{3}sək^{3},tiau^{53}ua^{0}xa$^{53}_{44}$ləi$^{13}_{21}$,tʂən^{35}iəu$^{35}_{44}$uei^{53}tʰau^{53},tʂən^{35}tsʰʅ^{53}ciet^{3}.çien^{53}tsʰai^{53}kai$^{53}_{44}$tsʰiəu^{53}xei$^{53}_{44}$liəu^{13}tau^{21}kai^{53}pa^{21}kuət^{3}tʰei^{13}xau^{21}li^{0}.

【高屐】kau^{35}cʰiak^{5} 名鞋面较高的屐鞋：～吧？面子高滴子个。也有～。kau^{35}cʰiak^{5}pa^{0}?mien^{53}tsʅ^{0}kau^{35}tiet^{5}tsʅ^{0}ke$^{53}_{44}$.ia^{35}iəu$^{35}_{44}$kau$^{35}_{44}$cʰiak^{5}.

【高脚菌】kau^{35}ciək^{3}cʰin^{35} 名一种菌柄较长的菌子：～，箇是只系形状唠，～。kau^{35}ciək^{3}cʰin^{35},kai$^{53}_{44}$ʂʅ$^{53}_{44}$tʂʅ$^{21}_{44}$xe$^{53}_{44}$çin^{13}tsʰəŋ$^{53}_{44}$lau^{0},kau^{35}ciək^{3}cʰin$^{35}_{44}$.

【高粱】kau^{35}liəŋ$^{13}_{21}$ 名一种粮食作物或其籽实：搞滴～，放滴麦子去啊，就统称为杂粮饭呐。kau^{21}tiet$^{5}_{3}$kau^{35}liəŋ$^{13}_{21}$,fəŋ$^{53}_{44}$tet$^{5}_{3}$mak^{5}tsʅ^{0}çi$^{53}_{44}$a^{0},tsʰiəu$^{53}_{44}$tʰəŋ^{21}tʂʰən^{35}uei$^{53}_{44}$tsʰait^{5}liəŋ^{13}fan^{53}na^{0}.

【高粱饭】kau^{35}liəŋ^{13}fan^{53} 名掺有高粱粒的米饭：我等只是食过箇只～。ŋai^{13}tien^{0}tʂʅ^{21}ʂʅ$^{53}_{44}$ʂət^{5}ko$^{53}_{44}$kai$^{53}_{44}$tʂak^{3}kau$^{35}_{44}$liəŋ$^{13}_{21}$fan^{53}.

【高粱梗】kau^{35}liəŋ^{13}kuaŋ^{21} 名高粱的茎：渠指蔗梗高粱本身系高粱，但是渠比～更甜。ci^{13}pən^{21}ʂən^{35}xei^{53}kau^{35}liəŋ$^{13}_{21}$,tan$^{53}_{44}$ʂʅ$^{53}_{44}$ci$^{13}_{21}$pi^{21}kau^{35}liəŋ$^{13}_{21}$kuaŋ^{21}cien^{53}tʰian^{13}.

【高粱梗糖】kau$^{35}_{44}$liəŋ$^{13}_{21}$kuaŋ^{21}tʰəŋ^{13} 名用高粱梗熬成的糖：从前是冇得糖，舞倒箇高……甜，只爱系甜甜子个东西，高粱梗都去熬糖，熬出来个糖嘞就～。tsʰəŋ^{13}tsʰien$^{13}_{44}$ʂʅ$^{53}_{44}$mau^{13}tek^{3}tʰəŋ^{13},u^{21}tau$^{21}_{44}$kai^{53}kau···tʰian^{13},tʂʅ^{21}əi$^{53}_{44}$xe^{53}tʰian$^{13}_{21}$tʰian$^{13}_{21}$tsʅ^{0}ke^{0}təŋ$^{35}_{44}$si^{0},kau^{35}liəŋ$^{13}_{21}$kuaŋ^{21}təu$^{35}_{44}$çi^{53}ŋau$^{13}_{21}$tʰəŋ^{13},ŋau^{13}tʂʰət^{3}ləi$^{13}_{21}$ke^{0}tʰəŋ^{13}le^{0}tsʰiəu$^{53}_{44}$kau$^{35}_{44}$liəŋ$^{13}_{21}$kuaŋ^{21}tʰəŋ^{13}.

【高粱酒】kau^{35}liəŋ^{13}tsiəu^{21} 名用高粱酿制的烧酒：渠等用高粱蒸酒嘞，高粱蒸酒便宜呐，高粱比谷更便宜呐。～又比谷酒更好哇，更好食嘞。味道更好哇唔知还系味道更煞哟？度数更高哇还系味道更好，我唔晓得咯。ci$^{13}_{21}$tien^{0}iəŋ$^{53}_{44}$kau$^{35}_{44}$liəŋ$^{13}_{21}$tʂən$^{35}_{44}$tsiəu^{21}le^{0},kau^{35}liəŋ$^{13}_{21}$tʂən$^{35}_{44}$tsiəu^{21}pʰien^{13}ɲin^{13}na^{0},kau^{35}liəŋ$^{13}_{21}$pi^{21}kuk^{3}cien^{53}pʰien^{13}ɲin$^{13}_{44}$na^{0}.kau^{35}liəŋ$^{13}_{21}$tsiəu^{21}iəu^{53}pi^{21}kuk^{3}tsiəu^{21}cien^{53}xau^{21}ua^{0},cien$^{53}_{44}$xau^{21}ʂət^{5}le^{0}.uei^{53}tʰau$^{53}_{44}$cien$^{53}_{44}$xau^{21}ua^{0}n̩$^{13}_{21}$ti$^{35}_{53}$xai$^{13}_{21}$xe$^{53}_{44}$uei^{53}tʰau$^{53}_{44}$cien$^{53}_{44}$sait^{3}io^{0}?tʰəu^{53}sʅ$^{53}_{44}$cien$^{53}_{44}$kau^{35}ua^{0}xai$^{13}_{21}$xe$^{53}_{44}$uei^{53}tʰau$^{53}_{44}$cien$^{53}_{44}$xau^{21},ŋai^{13}n̩^{13}çiau^{21}tek^{3}ko^{0}.

【高粱扫把】kau^{35}liəŋ^{13}sau^{53}pa^{21} 名用脱粒后的高粱穗子扎成扫把：用高粱稿扎个扫把就安做～。～有么个好？扫下子剁剁跌。箇个籽籽啊，打嘿哩高粱箇个壳壳啊，籽籽啊，首先都还好，用久哩渠就会跌。箇唔系以映扫，你扫下去，箇个垃圾是系扫嘿哩，但是又跌倒唔知几多壳壳，欸高粱个壳壳。欸，么个让门办？又扫哇。唔系就捉实搕一阵凑哩啦，搕一阵，搕嘿渠箇只壳壳，再来扫哇。iəŋ^{53}kau^{35}liəŋ$^{13}_{21}$kau^{21}tsait^{3}ke^{0}sau^{53}pa^{21}tsiəu$^{53}_{44}$ən$^{35}_{44}$tso$^{53}_{44}$kau^{35}liəŋ$^{13}_{21}$sau^{53}pa^{21}.kau^{35}liəŋ$^{13}_{21}$sau^{53}pa^{21}iəu$^{35}_{44}$mak^{3}e^{0}xau$^{21}_{44}$?sau^{53}xa$^{53}_{21}$tsʅ^{0}to^{53}to$^{53}_{44}$tet^{3}.kai$^{53}_{44}$ke^{0}tsʅ^{21}tsʅ$^{21}_{44}$a^{0},ta^{21}xek^{3}li^{0}kau^{35}liəŋ$^{13}_{21}$kai^{53}ke^{0}kʰək^{3}kʰək^{3}a^{0},tsʅ^{21}tsʅ$^{21}_{44}$a^{0},ʂəu^{21}sien$^{35}_{44}$təu$^{35}_{53}$xan$^{13}_{21}$xau^{21},iəŋ^{53}ciəu^{21}li^{0}ci$^{13}_{21}$tsʰiəu^{53}uəi^{53}tet^{3}.kai$^{53}_{44}$m̩$^{13}_{44}$pʰei$^{53}_{44}$i^{21}iaŋ$^{53}_{44}$sau^{53},ɲi^{13}sau$^{53}_{44}$(x)a$^{53}_{44}$çi^{53},kai$^{53}_{44}$ke$^{53}_{44}$la^{35}ci$^{35}_{44}$ʂʅ$^{53}_{44}$xe$^{53}_{44}$sau^{53}xek^{3}li^{0},tan$^{53}_{44}$ʂʅ$^{53}_{44}$iəu^{53}tet^{3}tau^{21}n̩^{13}ti$^{35}_{44}$ci^{21}to$^{35}_{53}$kʰək^{3}kʰək^{3},ei$_{21}$kau^{35}liəŋ$^{13}_{44}$ke$^{53}_{44}$kʰək^{3}kʰək^{3}.e$_{44}$,mak^{3}e^{0}ɲiəŋ$^{53}_{44}$mən$^{13}_{44}$pan^{53}?iəu^{53}sau^{53}ua^{0}.m̩^{13}pʰe^{53}tsʰiəu^{53}tsək^{3}ʂət^{5}kʰək^{5}(i)et^{3}tʂʰən$^{53}_{44}$tsʰei^{53}li^{0}la^{0},kʰək^{5}(i)et^{3}tʂʰən$^{53}_{44}$,kʰək^{5}(x)ek^{3}ci$^{13}_{44}$kai$^{53}_{44}$tʂak^{3}kʰək^{3}kʰək^{3},tsai^{53}lai^{13}sau^{53}ua^{0}.

【高粱糖】kau$^{35}_{44}$liəŋ$^{13}_{21}$tʰəŋ^{13} 名用高粱梗熬成的糖：高粱话可以熬糖，～，熬得，也熬过。我等熬过。用高粱梗啊，高粱梗去熬哇。kau^{35}liəŋ^{13}ua$^{53}_{44}$kʰo^{21}i$^{21}_{44}$ŋau$^{13}_{21}$tʰəŋ$^{13}_{21}$,kau$^{35}_{44}$liəŋ$^{13}_{21}$tʰəŋ^{13},ŋau^{13}tek^{3},ia^{35}ŋau^{13}ko$^{53}_{44}$.ŋai^{13}tien^{0}ŋau^{13}ko$^{53}_{44}$.iəŋ$^{53}_{44}$kau^{35}liəŋ$^{13}_{21}$kuaŋ^{21}ŋa^{0},kau^{35}liəŋ$^{13}_{21}$kuaŋ^{21}çi^{53}ŋau$^{13}_{21}$ua^{0}.

【高粱蔗梗】kau^{35}liəŋ^{13}tʂa^{53}kuaŋ^{21} 名蔗梗高粱的别称：我等箇是就以映有一起咁个安做～，也安做蔗梗高粱。ŋai^{13}tien^{0}kai^{53}ʂʅ^{0}tsʰiəu^{53}i^{21}iaŋ$^{53}_{44}$iəu^{35}iet^{3}çi^{21}kan^{21}ke^{53}ən^{35}tso^{53}kau^{35}liəŋ^{13}tʂa^{53}kuaŋ^{21},ia^{35}ən$^{35}_{44}$tso$^{53}_{44}$tʂa^{53}kuaŋ^{21}kau^{35}liəŋ^{13}.

【高亲】kau^{35}tsʰin$^{35}_{44}$ 名陪伴新娘从其娘家到婆家去的娘家人的代表，又称“上亲、上亲大人”：从前爱请～食酒哇。tsʰəŋ$^{13}_{21}$tsʰien$^{13}_{44}$əi$^{53}_{44}$tsʰiaŋ^{21}kau^{35}tsʰin$^{35}_{44}$ʂət^{5}tsiəu^{21}ua^{0}.

【高笋】kau^{35}sən^{21} 名茭白。又称“禾高笋”：禾高笋，又安做～。uo^{13}kau$^{35}_{44}$sən^{21},iəu$^{53}_{21}$ən$^{35}_{44}$tso$^{53}_{44}$kau$^{35}_{44}$sən^{21}.

【高小】kau^{35}siau^{21} 名高级小学的简称：以下～毕业嘞又读师范。ia$_{44}$(←i^{21}xa^{53})kau^{35}siau^{21}pit^{3} ɲiait^{5}lei^{0}iəu^{53}t^{h}əuk^{5}sɿ^{35}fan^{53}.

【高靴】kau^{35}çia^{35} 名长筒的靴子：～吧就系箇只筒子唔知几高唔知几长个，着下箇个膝头以上个箇起就安做～。分膝头都遮嘿哩个箇起就～。kau^{35}çia$_{44}^{35}$pa^{0}tsiəu^{53}xe$_{44}^{53}$kai^{53}tʂak^{3}t^{h}əŋ^{21}tsɿ^{0}ṇ^{13}ti$_{53}^{35}$ci^{21}kau^{35}ṇ^{13}ti$_{53}^{35}$ci^{21}tʂ^{h}əŋ^{13}ke^{53},tʂɔk^{3}(x)a^{53}kai^{53}ke$_{44}^{53}$ts^{h}iet^{3}t^{h}ei^{13}i$_{53}^{35}$ʂɔŋ^{35}ke^{0}kai$_{21}^{53}$çi^{21}tsiəu^{53}ɔn$_{44}^{35}$tso$_{44}^{53}$kau^{35}çia$_{44}^{35}$.pən^{35}ts^{h}iet^{3}t^{h}ei^{13}təu$_{53}^{35}$tʂa^{35}xek^{3}li^{0}ke^{0}kai$_{44}^{53}$çi$_{44}^{21}$tsiəu$_{21}^{53}$kau^{35}çia$_{44}^{35}$.

【高迎迎哩】kau^{35}ɲiaŋ^{13}ɲiaŋ^{13}li^{0} 形状态词。很高的样子。又称"高钉钉哩"：系下箇山里啊，箇屋背都有树，屋后背都有𡒄，系啊？箇个𡒄呐～，蛮吓人，𡒄上个树系～，还更吓人，打啊下来是，欸，一只大风大水一搞，垮啊下来是树屋都会打咁。～树爱斫嘿去，爱舞嘿去。我等箇老屋后背就有喔。箇个桐子树吗又易得大，几年𫠛去搞，就两只屋咁高，～。你系话分渠打下来，箇唔系屋都打嘿哩？几年子又爱去斫一到嘞，几年又去斫一到。渠尽系野生个桐子树嘞，又长得快，啊，只爱四五年子就唔知几高，以就系野生呢，唔爱栽嘞，又系野生呢，野生个。只有桐子树长得快箇就，～，吓死人。xei^{53}(x)a^{53}kai^{53}san^{35}ni^{0}a^{0},kai$_{44}^{53}$uk^{3}pɔi$_{44}^{53}$təu$_{44}^{35}$iəu$_{44}^{35}$ʂəu^{53},uk^{3}xei$_{44}^{53}$pɔi$_{44}^{53}$təu$_{44}^{35}$iəu$_{44}^{35}$k^{h}an^{53},xei$_{44}^{53}$a^{0}?kai$_{44}^{53}$ke$_{44}^{53}$k^{h}an^{53}na^{0}kau^{35}ɲiaŋ^{13}ɲiaŋ^{13}li^{0},man^{13}xak^{3}ɲin$_{21}^{13}$.k^{h}an^{53}xɔŋ$_{44}^{53}$ke^{0}ʂəu^{53}xe$_{44}^{53}$kau^{35}ɲiaŋ^{13}ɲiaŋ^{13}li^{0},xai^{13}cien^{53}xak^{3}ɲin^{13},ta^{21}a^{0}xa$_{44}^{53}$lɔi$_{21}^{13}$ʂɿ$_{44}^{53}$,e$_{44}$,iet^{3}tʂak^{3}t^{h}ai^{53}fəŋ$_{44}^{35}$t^{h}ai^{35}ʂei^{21}iet^{3}kau^{21},k^{h}ua^{21}a^{0}xa$_{44}^{53}$lɔi$_{21}^{13}$ʂɿ$_{44}^{53}$ʂəu^{53}uk^{3}təu$_{53}^{35}$uɔi^{53}ta^{21}kan^{21}.kau^{35}ɲiaŋ^{13}ɲiaŋ^{13}li^{0}ʂəu^{53}ɔi^{53}tʂɔk^{3}xek^{3}çi^{53},ɔi^{53}u^{21}xek^{3}çi^{53}.ŋai^{13}tien^{0}kai^{53}lau^{21}uk^{3}xei^{53}pɔi$_{44}^{53}$ts^{h}iəu$_{44}^{53}$iəu^{35}uo^{0}.kai$_{44}^{53}$ke$_{44}^{53}$t^{h}əŋ^{13}tsɿ^{0}ʂəu^{53}ma^{0}iəu^{53}i^{53}tek^{3}t^{h}ai^{53},ci^{21}ɲien$_{44}^{13}$maŋ^{35}çi^{53}kau^{21},ts^{h}iəu^{53}iɔŋ^{21}tʂak^{3}uk^{3}kan^{21}kau$_{44}^{35}$,kau^{35}ɲiaŋ^{13}ɲiaŋ^{13}li^{0}. ɲi^{13}xei$_{44}^{53}$ua$_{44}^{53}$pən^{35}ci$_{44}^{13}$ta^{21}xa^{53}lɔi$_{44}^{13}$,kai$_{44}^{53}$m̩$_{44}^{13}$p^{h}ei$_{44}^{53}$uk^{3}təu$_{53}^{35}$ta^{21}xek^{3}li^{0}?ci^{21}ɲien^{13}tsɿ^{0}iəu^{53}ɔi^{53}çi^{53}tʂɔk^{3}iet^{3}tau^{53}lei^{0},ci^{21}ɲien^{13}iəu^{53}çi^{53}tʂɔk^{3}iet^{3}tau^{53}.ci^{13}ts^{h}in^{53}nei$_{44}^{53}$ia^{35}saŋ$_{44}^{35}$ke^{0}t^{h}əŋ^{13}tsɿ^{21}ʂəu^{53}lei^{0},iəu^{53}tʂɔŋ^{21}tek^{3}k^{h}uai^{53},a$_{53}$,tʂɿ^{21}ɔi$_{44}^{53}$si^{53}ŋ̍^{13}ɲien^{13}tsɿ^{0}ts^{h}iəu^{53}ṇ^{13}ti$_{53}^{35}$ci^{21}kau^{35},i^{21}tsiəu^{53}xei^{21}ia^{35}saŋ$_{44}^{35}$nei^{0},m̩$_{21}^{13}$mɔi^{53}tsɔi^{35}lei^{0},iəu$_{44}^{53}$xei$_{44}^{53}$ia^{35}saŋ$_{44}^{35}$nei^{0},ia^{35}saŋ$_{44}^{35}$ke^{0}.tʂɿ^{21}iəu$_{53}^{35}$t^{h}əŋ$_{21}^{13}$tsɿ^{0}ʂəu^{53}tʂɔŋ^{21}tek^{3}k^{h}uai^{53}kai$_{44}^{53}$ts^{h}iəu$_{44}^{53}$,kau^{35}ɲiaŋ^{13}ɲiaŋ^{13}li^{0},xak^{3}si^{21}ɲin^{13}.

【高音】kau^{35}in$_{44}^{35}$ 名高亢的音：你扯低音渠就扯～呐。ɲi^{13}tʂ^{h}a^{21}te^{35}in$_{44}^{35}$ci^{13}ts^{h}iəu^{53}tʂ^{h}a^{21}kau^{35}in$_{44}^{35}$na^{0}.

【高赞】kau^{35}tsan^{53} 动高声地赞颂并祝福：舅爷食茶，还爱讲几句子好话，～下子。c^{h}iəu^{35}ia$_{21}^{13}$ʂət^{5}ts^{h}a^{13},xai^{13}ɔi^{53}kɔŋ^{21}ci^{21}tʂɿ^{53}tsɿ^{0}xau^{21}fa^{53},kau^{35}tsan^{53}na$_{44}$(←xa^{53})tsɿ^{0}.

【高桌】kau^{35}tsɔk^{3} 名八仙桌的俗称：我等客家人嘞渠一般就系咁个规矩，你看啵，厅下，开头唔系讲哩话横厅子？厅下，比较庄重个地方，或者是请客，欸，或者举行祭祀活动，搞箇么个仪式箇只，就用～。两张～。用～，八仙桌。ŋai^{13}tien^{0}k^{h}ak^{3}ka$_{53}^{35}$ɲin$_{21}^{13}$nei^{0}ci$_{21}^{13}$iet^{3}pɔn^{35}ts^{h}iəu^{53}xei$_{44}^{53}$kan^{21}ke$_{44}^{53}$kuei$_{44}^{35}$tʂɿ^{21}, ɲi$_{21}^{13}$k^{h}ɔn$_{44}^{53}$nau^{0},t^{h}aŋ^{35}xa$_{44}^{53}$,k^{h}ɔi^{35}t^{h}ei$_{21}^{13}$m̩$_{21}^{13}$p^{h}e^{53}(←xe^{53})kɔŋ^{21}li^{0}ua$_{44}^{53}$uaŋ^{13}t^{h}aŋ^{35}tsɿ^{0}?t^{h}aŋ^{35}xa$_{44}^{53}$,pi^{21}ciau$_{44}^{53}$tsɔŋ^{35}tʂ^{h}əŋ$_{44}^{53}$ke$_{44}^{53}$t^{h}i$_{44}^{53}$fɔŋ^{35},xɔit^{5}tʂa$_{44}^{21}$ʂɿ$_{44}^{53}$ts^{h}iaŋ^{21}k^{h}ak^{3},e$_{21}$,xɔit^{5}tʂa^{21}tʂɿ^{21}çin^{13}tsi^{53}sɿ$_{44}^{53}$xɔit^{5}t^{h}əŋ$_{44}^{53}$,kau^{21}kai$_{44}^{53}$mak^{3}(k)e^{53}ɲi^{13}ʂɿ$_{44}^{53}$kai$_{44}^{53}$tʂak^{3},ts^{h}iəu$_{44}^{53}$iəŋ$_{44}^{53}$kau^{35}tsɔk^{3}.iɔŋ^{21}tʂɔŋ$_{44}^{35}$kau^{35}tsɔk^{3}.iəŋ$_{44}^{53}$kau^{35}tsɔk^{3},pait^{3}sien$_{44}^{35}$tsɔk^{3}.

【膏药】kau^{35}iɔk^{5} 名一种外用中药，用油加药熬成胶状，涂在布、纸或皮的一面，可以较长时间地贴在患处，主要用来治疗疮疖、消肿痛等：打～又安做贴～。嗯。我头番呢也系背囊上唔知系唔系睡哩箇张床，去浏阳啊，睡一夜，箇张床睡一夜，箇个背囊痛是真痛。买几只风湿～，打几只～，打～打下去，打哩两到就好哩。欸。只用一块钱。ta^{21}kau^{35}iɔk^{5}iəu^{53}ɔn$_{44}^{35}$tso$_{44}^{53}$tiet^{3}kau^{35}iɔk^{5}.ṇ$_{21}$.ŋai^{13}t^{h}ei^{13}fan^{35}ne^{0}ia$_{44}^{35}$xe$_{44}^{53}$pɔi^{53}lɔŋ$_{21}^{13}$xɔŋ^{53}ṇ$_{21}^{13}$ti$_{53}^{35}$xei^{53}mei^{53}ʂɔi^{53}li^{0}kai^{53}tʂɔŋ$_{44}^{35}$ts^{h}ɔŋ$_{21}^{13}$,çi^{53}liəu^{13}iɔŋ$_{44}^{13}$a^{0},ʂɔi^{53}iet^{3}ia^{53},kai$_{44}^{53}$tʂɔŋ^{35}ts^{h}ɔŋ^{13}ʂɔi^{53}iet^{3}ia^{53},kai^{53}cie$_{44}^{53}$pɔi^{53}lɔŋ$_{21}^{13}$t^{h}əŋ$_{44}^{53}$ʂɿ^{0}tʂən^{35}t^{h}əŋ^{53}.mai^{35}ci^{21}tʂak^{3}fəŋ^{35}ʂət^{3}kau^{35}iɔk^{5},ta^{21}ci^{21}tʂak^{3}kau^{35}iɔk^{5},ta^{21}kau^{35}iɔk^{5}ta^{21}xa$_{44}^{53}$çi^{53},ta^{21}li^{0}iɔŋ^{21}tau^{53}ts^{h}iəu^{53}xau^{21}li^{0}.e$_{21}$.tʂət^{3}iəŋ^{53}iet^{3}k^{h}uai^{53}ts^{h}ien$_{44}^{13}$.

【糕子】kau^{35}tsɿ^{0} 名用米粉或面粉搀和其他材料蒸制或烘烤而成的食品：分箇个粉呐，交哩糖个米粉呢印得去，做成箇个～。做成咁个～。pən^{35}kai$_{44}^{53}$ke$_{44}^{53}$fən^{21}na^{0},ciau^{35}li^{0}t^{h}ɔŋ$_{21}^{13}$ke$_{44}^{53}$mi^{21}fən^{21}nei^{0}in^{53}tek^{3}çi$_{44}^{53}$,tso^{53}tʂ^{h}ən$_{21}^{13}$kai$_{44}^{53}$ke$_{44}^{53}$kau^{35}tsɿ^{0}.tso^{53}tʂ^{h}ən$_{21}^{13}$kan^{21}ke$_{44}^{53}$kau^{35}tsɿ^{0}.

【搞】kau^{21} 动①干，做：你去～么个哦？ɲi^{13}çi^{53}kau^{21}mak^{3}ke^{53}o^{0}？②办，处理：咁多事你～得完？kan^{21}to^{35}ʂɿ^{53}ɲi$_{21}^{13}$kau^{21}tek^{3}ien^{13}？③从事某种工作或职业：～纸扎个唠，欸，安做渠～纸扎个噢。kau^{21}tʂɿ^{21}tsait^{3}cie$_{44}^{53}$lau^{0},e$_{21}$,ɔn$_{44}^{35}$tso$_{44}^{53}$ci$_{21}^{13}$kau^{21}tʂɿ^{21}tsait^{3}cie^{53}au^{0}. ④使变得：爱分箇（锯）齿～尖来。ɔi$_{44}^{53}$pən^{35}kai$_{44}^{53}$tʂ^{h}ɿ^{21}kau^{21}tsian^{35}nɔi$_{21}^{13}$. ⑤设法获取：人家～倒箇毒药，～倒箇个痨鱼子个痨药去痨哩鱼。in^{13}ka$_{44}^{35}$kau^{21}tau^{21}kai$_{44}^{53}$t^{h}əuk^{5}iɔk$_{3}^{5}$,kau^{21}tau^{21}kai$_{44}^{53}$ke$_{44}^{53}$lau^{53}ŋ̍^{13}tsɿ^{0}ke$_{44}^{53}$lau^{53}iɔk$_{3}^{5}$çi$_{44}^{53}$lau^{53}li^{0}ŋ̍^{13}. ⑥摆弄

着玩耍：我挜下手里个～啊～哩。ŋai13ia21(x)a53ʂəu21li0 ke53/44kau21a0 kau21li0.｜（花炮系）细人子玩个，～个唠。sei53ɲin13/21tsɿ0 uan13cie53/44,kau21ke53/44lau0. ⑦开玩笑，取乐：有滴人本身渠自家喜欢逗霸，喜欢～哇。iəu35tet5ɲin13pən21ʂən35/44ci21tsʰɿ35ka35/44çi21fən35tei53pa53,çi21fən35/44kau21ua0.

【搞本子】kau21pən21tsɿ0 名玩具。又称“耍本子”：用最老个客姓话来讲呢，～。好，落尾又讲耍本子，又～。舞滴子～分你。iəŋ53/44tsei53lau21ke53/44kʰak3sin53fa53/44lɔi13/21kɔŋ21nei0,kau21pən21tsɿ0.xau21,lɔk5/3mi35iəu53kɔŋ21sa21pən21tsɿ0,iəu53kau21pən21tsɿ0.u21tiet5tsɿ0 kau21pən21tsɿ0 pən35ɲi13/21.

【搞不好了】kau21puk3xau21liau0 顶多，充其量：以个皮篓子箇个盖子总系六寸子～，渠指天盖地箇只就硬盖到底。i21ke53pʰi13lei21tsɿ0 kai53/44ke53/44kɔi53tsɿ0 tsəŋ21xe53/44liəuk3 tsʰən53tsɿ0 kau21puk3xau21liau0,ci13 kai53tʂak3 tsʰiəu53/44niaŋ53kɔi53tau53/44te21.

【搞餐食哩】kau21tsʰən35/44ʂət5li0 摆酒席的谦称：考倒大学，爱搞一餐食哩。欸，有滴就～安做，～。整酒。有滴是谦虚滴子，唔讲话整酒。就～。kʰau21tau21tʰai53xɔk5,ɔi53/44kau21iet3 tsʰən35/44ʂət5 li0.e21,iəu35tet5 tsʰiəu53/44kau21tsʰən35/44ʂət5 li0 ən35/44tso53/44,kau21tsʰən35/44ʂət5 li0.tʂaŋ21tsiəu21.iəu35tet5 ʂɿ53/44cʰien35ʂɿ35/44tiet5 tsɿ0,ŋ13kɔŋ21ua53tʂaŋ21tsiəu21.tsiəu53/44kau21tsʰən35/44ʂət5 li0.

【搞场】kau21tʂʰəŋ13 名做头，表示做某事的价值或必要性。又称“做场、搞首”：以只路子冇得～。i21tʂak3 ləu53tsɿ0 mau13tek3 kau21tʂəŋ13.｜以只生意冇得～。i21tʂak3 sien35/44i53mau13tek3 kau21tʂəŋ13.

【搞错】kau21tsʰo53 动弄错，理解错误：就唔系，～哩。tsʰiəu53m13pʰe53(←xe53),kau21tsʰo53li0.

【搞法】kau21fait3 名做法：渠箇江西人还有只咁个～哟。ci13/21kai53/44kɔŋ35si35/44ɲin13/21xai13/21iəu35/44tʂak3 kan21 ke53kau21fait3 iau0.

【搞副业】kau21fu53ɲiet5 利用闲暇，于主业之外附带经营的其他事业：分你个外背人～，我坐正来进钱。pən35ɲi13/21ke53/44ŋɔi53pɔi53ɲin13/21kau21fu53ɲiet5,ŋai13tsʰo53tʂaŋ53lɔi13/21tsin53tsʰien13/21.

【搞鬼】kau21kuei21 动捣乱，暗中使用诡计。又称“搞名堂、搞乌 ɲia53”：尽～。tsʰin53kau21 kuei21.｜结果十多年两三十年以后是，渠等正讲出来，渠搞哩鬼拈阄个时候子。ciet3 ko21ʂət5 to35/53ɲien13iəŋ21san35/44ʂət5 ɲien13i35xei53/44ʂɿ53/44,ci13tien0 tʂaŋ53kɔŋ21tʂʰət3 lɔi13,ci13/44kau21li0 kuei21ɲian35/44kei35/44ke53ʂɿ53/44xəu53/44 tsɿ0.

【搞筋】kau21cin35 动闹矛盾：我等教过一只学生，渠长日摎别人家～，一～就对打。ŋai13tien0 kau35ko53iet3 tʂak3 xɔk5 saŋ35,ci13tʂʰəŋ13ɲiet3 lau35/44pʰiet5 n13/44ka35/44kau21cin35,iet3 kau21cin35tsʰiəu53/44ti53ta21.

【搞空事】kau21kʰəŋ53sɿ53 做无用功：我话箇搞么啊～？ŋai13ua53kai53kau21mak3 a0 kau21kʰəŋ53sɿ53/44?

【搞来搞去】kau21lɔi13kau21çi53 指搞了一回又一回，经过一段时间。表示逐渐的意思：客姓人呢渠～嘞以下嘞，～嘞箇只请坐个路子嘞，渠请又爱请，但是嘞渠又怕有滴爱请个𫠓请得，请多哩嘞会见怪。kʰak3 sin53ɲin13/21nei0 ci13/21kau21lɔi13kau21çi53lei0 i21xa53/44lei0,kau21lɔi13kau21çi53lei0 kai53/44tʂak3 tsʰiaŋ21tsʰo35ke53/44ləu53/44tsɿ0 lei0,ci13/21tsʰiaŋ21iəu53/44ɔi53tsʰiaŋ21,tan53/44ʂɿ53/44lei0 ci13/21iəu53/44pʰa53iəu35tet5 ɔi53tsʰiaŋ21ke53/44maŋ13 tsʰiaŋ21tek3,tsʰiaŋ21to35li0 lei0 uɔi53/44cien53/44kuai53.

【搞犁耙】kau21lai13pʰa13 动插田之前犁田、耙田等备耕活动的总称：落尾嘞就慢慢子嘞舞兜磷肥摎氮肥和下倒去打欸～之前就打下去，做基肥。lɔk5mi35/44lei0 tsʰiəu53/44man53man53/44tsɿ0 lei0 u21tei35/53 lin13fei13/44lau35tʰan53fei13/21xo13(x)a53tau21çi53ta21ei21kau21lai13pʰa13tʂɿ35/53tsʰien13/21tsʰiəu53ta21xa53çi53,tso53ci35fei13/21.

【搞像】kau21tsʰiəŋ53 动装扮；美化：你爱分箇坟地～滴子，爱搞箇只么个碑石，爱搞咁个么啊石桌子啊，搞箇个么个东西嘞，你必须要系定下来哩，我个栏场我以坟地我永远都唔改变了，我正会去搞。ɲi13ɔi53pəŋ35kai53pʰən13/21tʰi53kau21tsʰiəŋ53tiet5 tsɿ0,ɔi53kau21kai53/44tʂak3 mak3 ke53/44pi53ʂak5,ɔi53 kau21kan21ke53/44mak3 a0 ʂak5 tsɔk3 tsɿ0 a0,kau21kai53/44ke53/44mak3 ke53/44təŋ35/44si0 lei0,ɲi13piet3 si35/44iau53/44xe53tʰin53xa53/44lɔi13/21 li0,ŋai13ke53laŋ13/21tʂʰəŋ13/21ŋai13i21pʰən13tʰi53ŋai13/21uən21vien21təu53/44ŋ13kɔi21pien53niau0,ŋai13/21tʂaŋ53uɔi53/44çi53kau21.

【搞么个】kau21mak3 ke53 ①做什么；干什么。用于询问做什么事情：渠去箇～呢？/渠去箇食稳饭。ci13çi53kai53kau21mak3 ke53ne0?/ci13çi53kai53ʂek5 uen21fan53. ②为什么。用于询问原因或目的：咁大子，只栽七蔸禾个田，～去舞转来嘞？就系莫分渠藏老鼠。kan21/35tʰai53/44tsɿ0,tʂɿ21tsɔi35/53tsʰiet3 tei35uo13/21ke53/44tʰien13/21,kau21mak3 ke53çi53/44u21tʂən21nɔi13/21lei0?tsiəu53ue21(←xe53)mɔk5 pən35ci13/21tsʰəŋ13lau21tʂʰəu21.｜我～怕渠？ŋai13kau21mak3 ke53/44pʰa53ci13?

【搞名堂】kau21min13tʰəŋ13 玩花样，耍手段，捣乱，又称“搞鬼、搞乌 ɲia53”：尽～。tsʰin53 kau21min13tʰəŋ13.

【搞排场】kau21pʰai13tʂʰəŋ13 追求奢侈铺张的形式和场面：尽～。tsʰin53kau21pʰai13tʂʰəŋ13.

G

【搞清】kau^{21}ts^{h}in^{35} 动把所有的事情都办妥：过哩背，～哩……就分箇碗覆转来，覆倒箇映子。ko^{53}li^{0}pɔi^{53},kau^{21}ts^{h}in^{35}ni^{0}…tsiəu$^{53}_{44}$pəŋ$^{35}_{44}$kai^{53}uɔn^{21}p^{h}uk^{3}tʂɔn^{21}nɔi$^{13}_{44}$,p^{h}uk^{3}tau^{21}kai$^{53}_{44}$iaŋ$^{53}_{44}$tsʅ^{0}.

【搞首】kau^{21}ʂəu^{21} 名做头，表示做某事的价值或必要性。又称“做场、搞场”：以只生意冇得～。i^{21}tʂak^{3}sien$^{35}_{44}$i^{53}mau^{13}tek^{3}kau^{21}ʂəu^{21}.

【搞手脚唔赢】kau^{21}ʂəu^{21}ciɔk^{3}n̩^{13}iaŋ^{13} 形容很忙：渠话以发装空调个硬～啊。ci$^{13}_{21}$ua^{53}i^{21}fait^{3}tsɔŋ$^{35}_{44}$k^{h}əŋ^{35}t^{h}iau$^{13}_{21}$ke$^{53}_{44}$ɲiaŋ^{53}kau^{21}ʂəu^{21}ciɔk^{3}n̩$^{13}_{21}$iaŋ$^{13}_{44}$ŋa^{0}.

【搞唔正】kau^{21}n̩^{13}tʂaŋ^{53} 办不了，办不好：但是我等人～呢有滴子像江西客姓个味道唠，～。江西人就还有只字，搞唔正当。我等话搞唔成个更多。～个嘞有人也有人咁子讲。tan$^{53}_{44}$ʂʅ$^{53}_{44}$ŋai$^{13}_{21}$tien^{0}ɲin^{13}kau^{21}n̩^{13}tʂaŋ^{53}nei^{0}iəu^{35}tet^{5}tsʅ^{0}ts^{h}iɔŋ$^{53}_{44}$kɔŋ^{35}si$^{35}_{44}$k^{h}ak^{3}sin^{53}ke$^{53}_{21}$uei^{53}t^{h}au^{53}lau^{0},kau^{21}n̩^{13}tʂaŋ^{53}.kɔŋ^{35}si$^{35}_{44}$ɲin$^{13}_{21}$tsiəu$^{53}_{44}$xai$^{13}_{21}$iəu^{35}tʂak^{3}sʅ^{53},kau^{21}n̩^{13}tʂaŋ^{53}tɔŋ$^{53}_{44}$.ŋai^{13}tien^{0}ua^{53}kau^{21}n̩^{13}ʂaŋ^{13}cie$^{53}_{44}$cien^{53}to^{35}.kau^{21}n̩^{13}tʂaŋ^{53}ke$^{53}_{44}$lei^{0}iəu^{35}ɲin^{13}e^{35}(←a^{35})iəu^{35}ɲin$^{13}_{21}$kan^{21}tsʅ^{0}kɔŋ^{21}.

【搞唔成】kau^{21}n̩^{13}ʂaŋ^{13} 办不成：我等话～个更多。ŋai^{13}tien^{0}ua^{53}kau^{21}n̩^{13}ʂaŋ^{13}cie$^{53}_{44}$cien^{53}to^{35}.

【搞唔清】kau^{21}n̩^{13}ts^{h}iaŋ^{35}/ts^{h}in^{35} 弄不明白：以只事我～。i^{21}tʂak^{3}sʅ^{53}ŋai^{13}kau^{21}n̩$^{13}_{21}$ts^{h}in^{35}.

【搞唔清场】kau^{21}n̩^{13}ts^{h}in^{35}tʂ^{h}ɔŋ^{13} ①不了解；不清楚；不明白：我不了解个东西，我～。ŋai^{13}pət^{3}liau^{21}kai^{21}ke^{0}təŋ$^{35}_{44}$si^{0},ŋai$^{13}_{21}$kau^{21}n̩$^{13}_{44}$ts^{h}in$^{35}_{44}$tʂ^{h}ɔŋ$^{13}_{21}$. ②无法了结。又称“收场唔得”：我跍下路上骑摩托车撞倒一只人，箇只人搞乌□，我钱又冇得钱，讲又讲渠唔赢，箇我～哩，实在～哩。ŋai$^{13}_{21}$k^{h}u$^{35}_{44}$xa$^{53}_{44}$ləu^{53}xɔŋ^{53}c^{h}i$^{13}_{21}$mo$^{13}_{21}$t^{h}ɔk^{3}tʂa^{35}ts^{h}ɔŋ^{53}tau^{21}iet^{3}tʂak^{3}ɲin^{13},kai^{53}tʂak^{3}ɲin^{13}kau^{21}u^{35}ɲia^{53},ŋai^{13}ts^{h}ien^{13}iəu^{53}mau$^{13}_{44}$tek^{3}ts^{h}ien^{13},kɔŋ^{21}iəu^{53}kɔŋ^{21}ci$^{13}_{21}$n̩$^{13}_{44}$iaŋ^{13},kai^{53}ŋai^{13}kau^{21}n̩$^{13}_{44}$ts^{h}in$^{35}_{44}$tʂ^{h}ɔŋ$^{13}_{21}$li^{0},ʂət$^{5}_{3}$ts^{h}ai^{53}kau^{21}n̩^{13}ts^{h}in^{35}tʂ^{h}ɔŋ$^{13}_{21}$li^{0}.

【搞唔清楚】kau^{21}n̩^{13}ts^{h}in$^{35}_{44}$ts^{h}əu^{21} 弄不明白。又称“搞唔清”：打比我等老家箇映子爱修路样啊，到底爱几多子钱呐，欸，爱让门子搞哇，我就～。我～。ta^{21}pi^{21}ŋai^{13}tien^{0}lau^{21}cia$^{35}_{44}$kai$^{53}_{44}$iaŋ^{53}tsʅ^{0}ɔi^{53}siəu^{35}lu^{53}iɔŋ$^{53}_{21}$ŋa^{0},tau^{53}ti^{21}ɔi^{53}ci^{21}(t)o$^{35}_{53}$tsʅ^{0}ts^{h}ien^{13}na^{0},e$_{21}$,ɔi^{53}ɲiɔŋ^{53}mən^{0}tsʅ^{0}kau^{21}ua^{0},ŋai^{13}tsiəu^{53}kau^{21}n̩$^{13}_{21}$ts^{h}in^{35}ts^{h}əu^{21}.ŋai^{13}kau^{21}n̩$^{13}_{21}$ts^{h}in^{35}ts^{h}əu^{21}.

【搞唔赢】kau^{21}ŋ̍^{13}iaŋ^{13} ①形容很忙：纵～，也爱好好学习。tsəŋ^{53}kau^{21}ŋ̍^{13}iaŋ^{13},ia^{35}ɔi^{53}xau^{21}xau^{21}xɔk^{5}siet^{3}. ②来不及：食哩饭再去好么？/食哩饭再去就～哩。ʂek^{5}li^{0}fan^{53}tsai^{53}çi^{53}xau^{21}mo^{0}？/ʂek^{5}li^{0}fan^{53}tsai^{53}çi^{53}ts^{h}iəu^{53}kau^{21}ŋ̍^{13}iaŋ^{13}li^{0}.

【搞鱼】kau^{21}ŋ̍^{13} 动捕鱼：～个罾呐。kau^{21}ŋ̍^{13}ke$^{53}_{44}$tsien^{35}na^{0}.

【搞做】kau^{21}tso^{53} 动当作，说成：我分暖土嘞～么啊嘞？～大金，棺材，到碑石之间个泥。ŋai^{13}pən^{35}lɔn^{35}t^{h}əu^{21}lei^{0}kau^{21}tso^{53}mak^{3}a^{0}lei^{0}?kau^{21}tso$^{53}_{44}$t^{h}ai^{53}cin^{35},kɔn^{35}ts^{h}ɔi^{13},tau^{53}pi^{35}ʂak^{5}tʂʅ$^{35}_{44}$kan$^{35}_{44}$kei^{53}lai^{13}.

【搞做一坨】kau^{21}tso^{53}iet^{3}t^{h}o^{13} 混同：拜祖就渠个渠箇只祖宗个祖撘子时个子～去哩。pai^{53}tsʅ^{21}ts^{h}iəu$^{53}_{44}$ci$^{13}_{21}$ke$^{53}_{44}$ci$^{13}_{21}$kai^{53}tʂak^{3}tsəu^{21}tsəŋ$^{35}_{44}$ke^{53}tsəu^{21}lau^{35}tsʅ^{21}ʂʅ^{13}ke^{53}tsʅ^{21}kau^{21}tso^{53}iet^{3}t^{h}o^{13}çi^{53}li^{0}.

【稿】kau^{21} 名部分植物的秸秆：包粟～ pau^{35}siəuk^{3}kau^{21}｜箇个收哩高粱就有高粱～。kai$^{53}_{44}$ke$^{53}_{44}$ʂəu$^{35}_{44}$li^{0}kau^{35}liɔŋ$^{13}_{44}$ts^{h}iəu^{53}iəu$^{35}_{53}$kau^{35}liɔŋ$^{13}_{21}$kau^{21}.◇稿，《说文》：“秆也。”

【稿垫子】kau^{21}t^{h}ian^{53}tsʅ^{0} 名蒲团：我等就以前就用箇个麦稿哇编过咁个垫子啊，编只勵圆子个，箇我仿佛看倒老人家用过，用箇麦子编成箇溜圆子个，编你几重，蛮厚，放倒做么个？坐……垫屁股呢，放下凳上垫屁股呢。欸，箇个垫子唔知几好，一只坐倒去殊绵，～，嗯，一只坐倒去殊绵，第二只凉快，唔得话坐倒发烧，特别系热天好。系啊，就系蒲团呢，渠等安做～啊。我等话蒲团话得少，就话～。ŋai^{13}tien^{0}ts^{h}iəu$^{53}_{44}$i^{35}ts^{h}ien^{13}ts^{h}iəu$^{53}_{44}$iəŋ^{53}kai$^{53}_{44}$ke$^{53}_{44}$mak^{5}kau^{21}ua^{0}p^{h}ien^{35}ko$^{53}_{44}$kan^{21}ke$^{53}_{44}$t^{h}ian^{53}tsa^{0},p^{h}ien^{35}tʂak^{3}li^{35}ien^{13}tsʅ^{0}ke^{0},kai$^{53}_{44}$ŋai$^{13}_{44}$fɔŋ^{21}fət^{5}k^{h}ɔn^{53}tau^{21}lau^{21}ɲin$^{13}_{44}$ka$^{35}_{44}$iəŋ$^{53}_{44}$ko$^{53}_{44}$,iəŋ$^{53}_{44}$kai$^{53}_{44}$mak^{5}tsʅ^{0}p^{h}ien^{35}ʂaŋ$^{13}_{21}$kai$^{53}_{44}$liəu^{35}ien^{13}tsʅ^{0}ke^{53},p^{h}ien^{35}ɲi$^{13}_{21}$ci^{21}tʂ^{h}əŋ^{13},man^{13}xei^{35},fɔŋ^{53}tau^{21}tso^{53}mak^{3}ke$^{53}_{44}$?ts^{h}o^{35}…t^{h}ian$^{53}_{44}$p^{h}i^{53}ku^{21}nei^{0},fɔŋ$^{53}_{21}$xa$^{53}_{21}$ten^{53}xɔŋ$^{53}_{44}$t^{h}ian^{53}p^{h}i^{53}ku^{21}nei^{0}.ei$_{21}$,kai^{53}ke$^{53}_{44}$t^{h}ian^{53}tsʅ^{0}n̩^{13}ti$^{35}_{53}$ci^{21}xau^{21},iet^{3}tʂak^{3}ts^{h}o^{35}tau^{21}çi$^{53}_{44}$mət^{5}mien^{13},kau^{21}t^{h}ian^{53}tsʅ^{0},n̩$_{21}$,iet^{3}tʂak^{3}ts^{h}o^{35}tau^{21}çi$^{53}_{44}$mət^{5}mien^{13},t^{h}i^{53}ɲi^{53}tʂak^{3}liɔŋ^{13}k^{h}uai^{53},n̩^{13}tek^{3}ua^{53}ts^{h}o^{35}tau^{21}fait^{3}ʂau^{35},t^{h}et^{5}p^{h}iet^{5}xe$^{53}_{44}$ɲiet^{5}t^{h}ien$^{35}_{44}$xau^{21}.xei$^{53}_{44}$a^{0},ts^{h}iəu^{53}xe^{53}p^{h}u^{13}t^{h}ɔn$^{13}_{21}$ne^{0},ci^{13}tien^{0}ɔn$^{35}_{53}$tso^{53}kau^{21}t^{h}ian^{53}tsʅ^{0}a^{0}.ŋai^{13}tien^{0}ua^{53}p^{h}u^{13}t^{h}ɔn^{13}ua^{53}tek^{3}ʂau^{21},tsiəu^{53}ua^{53}kau^{21}t^{h}ian^{53}tsʅ^{0}.

【稿子】kau^{21}tsʅ^{0} 名①稿件：写～ sia^{21}kau^{21}tsʅ^{0}。②草稿：打只～ta^{21}tʂak^{3}kau^{21}tsʅ^{0}｜话我搞个碑石，我写箇个～要唔得话。ua$^{53}_{44}$ŋai$^{13}_{21}$kau^{21}ke$^{53}_{44}$pi^{35}ʂak^{5},ŋai^{13}sia^{21}kai$^{53}_{44}$ke$^{53}_{44}$kau^{21}tsʅ^{0}iau^{53}n̩$^{13}_{21}$tek^{3}ua^{53}.

【告】kau^{53} 动举报；通风报信：我话让门几个人嬲得好哇，打下子麻将让门也有人～，有人会去报，会告密？ŋai$^{13}_{21}$ua$^{53}_{44}$ɲiɔŋ^{53}mən^{0}ci^{21}cie^{53}ɲin^{13}liau^{53}tek^{3}xau^{21}ua^{0},ta^{21}xa$^{53}_{44}$tsʅ^{0}ma$^{13}_{21}$tsiɔŋ$^{53}_{44}$ɲiɔŋ$^{53}_{44}$mən^{0}

ia^{35}iəu^{35}ɲin$^{13}_{21}$kau$^{53}_{44}$,iəu^{35}ɲin$^{13}_{21}$uɔi$^{53}_{44}$çi$^{53}_{44}$pau$^{53}_{44}$,uɔi$^{53}_{44}$kau$^{53}_{44}$miet^{5}?

【告疤】kau^{53}pa^{35} [动]（伤口）结痂：以只口子告哩疤呢。i^{21}tʂak^{3}xei^{21}tsɿ^{0}kau^{53}li^{0}pa^{35}nei^{0}.

【告别】kau^{53}p^{h}iet^{5} [动]辞别：喊倒箇孝子或者孝孙，跪正箇映子，～，要以到是欸起身了。xan$^{53}_{44}$tau^{21}kai$^{53}_{44}$çiau^{53}tsɿ^{21}xɔit$^{5}_{3}$tʂa^{21}çiau^{53}sən^{35},k^{h}uei^{21}tʂaŋ$^{53}_{44}$kai$^{53}_{44}$iaŋ$^{53}_{44}$tsɿ^{0},kau^{53}p^{h}iet^{5},iau$^{53}_{44}$i^{21}tau^{53}ʂɿ$^{53}_{44}$e$_{21}$çi^{21}ʂən^{35} niau^{0}.

【告化子】kau^{53}fa^{53}tsɿ^{0} [名]乞丐。又称"讨饭个、讨米个"：六月天光落长水，～唔爱红米。liəuk^{3}ɲiet^{5}t^{h}ien^{35}kɔŋ$^{35}_{44}$lɔk^{5}tʂ^{h}ɔŋ^{13}ʂei^{21},kau^{53}fa^{53}tsɿ^{0}m$^{13}_{21}$mɔi$_{35}$(←ɔi^{53})fəŋ^{13}mi^{21}.

【告天地】kau^{53}t^{h}ien^{35}t^{h}i$^{53}_{44}$ 打祭时昭告天地：我等系咁个嘞，欸，会～箇只啦，会打祭箇只会～呀。ŋai^{13}tien^{0}xe$^{53}_{44}$kan$^{21}_{35}$cie^{53}lei^{0},ei$_{21}$,uɔi^{53}kau^{53}t^{h}ien^{35}t^{h}i$^{53}_{44}$kai$^{53}_{44}$tʂak^{3}la^{0},uɔi$^{53}_{44}$ta^{21}tsi^{53}kai$^{53}_{44}$tʂak^{3}uɔi^{53}kau^{53} t^{h}ien^{35}t^{h}i$^{53}_{44}$ia^{0}.

【膏子】kau^{53}tsɿ^{0} [名]蛤蜊。借自本地话。又称"湖膏"：箇农贸市场就长日有卖箇个欸蚌壳个，劈开来，欸，就系安做～肉，欸，卖～肉。kai$^{53}_{44}$ləŋ^{13}miau$^{53}_{44}$ʂɿ^{53}tʂ^{h}ɔŋ^{21}ts^{h}iəu$^{53}_{44}$tʂ^{h}ɔŋ^{13}ɲiet^{3}iəu^{35}mai^{53} kai$^{53}_{44}$ke$^{53}_{44}$e$_{21}$p^{h}ɔŋ^{53}k^{h}ɔk^{3}ke^{0},p^{h}iak^{3}k^{h}ɔi$^{35}_{44}$lɔi$^{13}_{21}$,e$_{21}$,ts^{h}iəu^{53}xe^{53}ɔn^{35}tso$^{53}_{44}$kau^{53}tsɿ^{0}ɲiəuk^{3},e$_{21}$,mai^{53}kau^{53}tsɿ^{0}ɲiəuk^{3}.

【膏子油】kau^{53}tsɿ^{0}iəu^{13} [名]蛤蜊油。又称"湖膏油"：～是箇就我等细……丁啱大子就用起个啦。咁大子。箇就系最奢侈个化妆品，嘿嘿，～。搽滴子～。不过嘞以只东西如今都还有。我等也还用。搞么个嘞？就箇冷天呐箇手哇□粗啊，系唔系？十分冷个天岔粗个时候子嘞舞兜子～搽下子，确实渠比箇起咁个么个么么个咁个……我等是也赠去买箇贵个咯，比箇搽手个箇起化妆品呢还更好，还更有效。欸，～，又安做湖膏油。kau^{53}tsɿ^{0}iəu^{13}ʂɿ$^{53}_{44}$kai$^{53}_{44}$ts^{h}iəu$^{53}_{44}$ŋai^{13} tien^{0}se…tin^{53}ŋait^{3}t^{h}ai$^{53}_{44}$tsɿ^{0}ts^{h}iəu$^{53}_{44}$iəŋ^{53}çi^{21}ke^{0}la^{0}.kan$^{21}_{13}$t^{h}ai^{53}tsɿ^{0}.kai$^{53}_{44}$ts^{h}iəu$^{53}_{44}$xe$^{53}_{44}$tsei^{53}ʂa^{35}tʂ^{h}ɿ^{21}ke^{53}fa^{53}tsɔŋ$^{35}_{44}$ p^{h}in^{21},xe$_{53}$xe$_{21}$,kau^{53}tsɿ^{0}iəu^{13}.ts^{h}a$^{13}_{21}$tiet^{5}tsɿ^{0}kau^{53}tsɿ^{0}iəu$^{13}_{21}$.puk^{3}ko^{53}lei^{0}i^{21}tʂak^{3}təŋ$^{35}_{44}$si^{0}i$^{13}_{21}$cin$^{35}_{44}$təu$^{35}_{53}$xai$^{13}_{21}$iəu$^{35}_{44}$.ŋai^{13} tien^{0}ia$^{35}_{44}$xai^{13}iəŋ^{53}.kau^{21}mak^{3}e^{0}lei^{0}?ts^{h}iəu^{53}kai$^{53}_{44}$laŋ^{35}t^{h}ien$^{35}_{44}$na^{0}kai^{53}ʂəu^{21}ua^{0}c^{h}ia^{53}ts^{h}ɿ^{35}a^{0},xei^{53}me^{53}?ʂət^{5}fən$^{35}_{53}$ laŋ^{35}ke^{0}t^{h}ien$^{35}_{44}$ts^{h}a^{53}ts^{h}ɿ^{35}ke^{53}ʂɿ^{13}xəu$^{53}_{44}$tsɿ^{0}lei^{0}u^{21}təu$^{35}_{53}$tsɿ^{0}kau^{53}tsɿ^{0}iəu^{13}ts^{h}a^{13}xa^{53}tsɿ^{0},k^{h}ɔk^{3}ʂət^{5}ci$^{13}_{44}$pi^{21}kai^{53}çi$^{21}_{44}$ kan^{21}ke^{0}mak^{3}e^{0}mak^{3}mak^{3}ke^{53}kan^{21}ke^{53}…ŋai^{13}tien^{0}ʂɿ$^{53}_{44}$ia^{35}maŋ^{13}çi^{53}mai^{35}kai$^{53}_{44}$kuei^{53}ke$^{0}_{21}$ko^{0},pi^{21}kai^{53}ts^{h}a^{13} ʂəu^{21}ke^{0}kai^{53}çi^{21}fa^{53}tsɔŋ$^{35}_{44}$p^{h}in^{21}nei^{0}xan^{13}cien^{53}xau^{21},xan^{13}cien$^{53}_{44}$iəu^{35}çiau^{53}.e$_{21}$,kau^{53}tsɿ^{0}iəu^{13},iəu^{35}ɔn$^{35}_{53}$tso^{53}fu^{13} kau^{53}iəu$^{13}_{21}$.

【咯】ko^{0} [语]①用于陈述句或祈使句的末尾，也可放在句中小句的句末，表示肯定的语气：我等以映死哩人就安做食豆腐～。ŋai$^{13}_{21}$tien^{0}i^{21}iaŋ$^{53}_{44}$si^{21}li^{0}ɲin^{13}ts^{h}iəu$^{53}_{44}$ɔn^{35}tso$^{53}_{44}$ʂət^{5}t^{h}ei^{53}fu$^{53}_{21}$ko$_{21}$.｜揸手个～耙梁～！ia^{21}ʂəu^{21}ke^{53}ko^{0}p^{h}a^{13}liɔŋ$^{13}_{44}$ko$_{35}$! ②用于句中，表示停顿：一般中间个厅子～一般就中间就放……iet^{3}pɔn^{35}tʂəŋ^{35}kan$^{35}_{44}$ke$^{53}_{44}$t^{h}aŋ^{35}tsɿ^{0}ko^{0}iet^{3}pɔn^{35}ts^{h}iəu$^{53}_{44}$tʂəŋ^{35}kan^{35}ts^{h}iəu$^{53}_{44}$fɔŋ^{53}…

【哥哥】ko^{35}ko^{35} [名]①对兄长的称呼：我等当阿哥个人呢，当～个人呢。ŋai$^{13}_{21}$tien^{0}tɔŋ$^{35}_{44}$a^{35}ko$^{35}_{44}$ke$^{53}_{44}$ ɲin$^{13}_{21}$nei^{0},tɔŋ$^{35}_{44}$ko^{35}ko$^{35}_{44}$ke$^{53}_{44}$ɲin$^{13}_{21}$nei^{0}. ②妇女面称丈夫的哥哥：喊就喊～啦，一样个喊～。xan^{53} ts^{h}iəu$^{53}_{44}$xan^{53}ko$^{35}_{44}$ko$^{35}_{44}$la^{0},iet^{3}iɔŋ$^{53}_{44}$ke$^{53}_{44}$xan^{53}ko$^{35}_{44}$ko$^{35}_{44}$.

【胳膊】kait^{3}pɔk^{3} [名]肩膀以下、手肘以上的部位。又称"膀子"：我是冇年纪个时候子得兜担子荷哩，硬长日荷起～都痛。欸，长日都系～都荷得痛凑。～都荷起起疱哇我真搞过啊，起疱哇。如果我系唔荷咁多担子是，我还应该还会高滴子嘞。只有一米六八子嘞。ŋai^{13}ʂɿ$^{53}_{44}$mau^{13} ɲien^{13}ci^{21}ke^{0}ʂɿ^{13}xəu$^{53}_{44}$tsɿ^{0}tek^{3}təu$^{35}_{53}$tan^{35}tsɿ^{0}k^{h}ai$^{35}_{44}$li^{0},ɲiaŋ^{53}tʂ^{h}ɔŋ^{13}ɲiet^{3}k^{h}ai$^{35}_{44}$çi$^{21}_{44}$kait^{3}pɔk^{3}təu$^{35}_{44}$t^{h}əŋ^{53}.e$_{21}$,ts^{h}ɔŋ^{13} ɲiet^{3}təu$^{35}_{53}$xe$^{35}_{53}$kait^{3}pɔk^{3}təu$^{35}_{44}$k^{h}ai$^{35}_{44}$tek^{3}t^{h}əŋ^{53}ts^{h}e^{0}.kait^{3}pɔk^{3}təu$^{35}_{53}$k^{h}ai$^{35}_{44}$çi$^{21}_{44}$çi^{21}p^{h}iau^{53}ua^{0}ŋai^{13}tʂən$^{35}_{53}$kau^{21}ko$^{53}_{44}$ a^{0},çi^{21}p^{h}iau^{53}ua^{0}.ɥ^{13}ko^{21}ŋai^{13}xei^{53}n̩^{13}k^{h}ai$^{35}_{44}$kan^{21}to$^{35}_{44}$tan^{35}tsɿ^{0}ʂɿ$^{53}_{44}$,ŋai$^{13}_{21}$xai^{13}in$^{35}_{44}$kɔi$^{35}_{44}$xai$^{13}_{21}$uɔi$^{53}_{44}$kau^{35}tiet^{5}tsɿ^{0}lei^{0}. tʂɿ^{21}iəu$^{35}_{53}$iet^{3}mi^{21}liəuk^{3}pait^{3}tsɿ^{0}lei^{0}.

【鸽鹞子】kɔk^{3}iau^{53}tsɿ^{0} [名]游隼：～就系好像比鹞嫲比箇岩鹰呐要……我分唔清到底么个鹞嫲摎岩鹰个么个区别。鹞嫲就系会揸鸡个。畜鸡个人呐，如今都有话嘞，箇大围山顶高有畜鸡个，我箇到看得箇只人，我话："你箇个栏场畜鸡冇滴子事唠！""嗬，有事啊？"渠话有～，箇岭上有～，晓得你畜哩鸡，渠系～一伴一伴飞倒来，飞倒来食你个揸你个鸡。鹞嫲揸鸡样啊。渠等话欸形容箇细人子细呀，大人去惹渠等呐，系唔系？箇鹞嫲揸鸡样。有起安做～。好像系就系细滴子个鹞嫲，一伴一伴话嘞。kɔk^{3}iau^{53}tsɿ^{0}ts^{h}iəu^{53}xei^{53}xau^{21}ts^{h}iɔŋ^{53}pi^{21}iau^{53}ma^{13}pi^{21} kai^{53}ŋai^{13}in^{35}na^{0}iau^{53}…ŋai$^{13}_{21}$fən^{35}n̩$^{13}_{21}$ts^{h}in$^{35}_{44}$tau^{53}ti^{21}mak^{3}e^{0}iau^{53}ma$^{13}_{21}$lau$^{35}_{44}$ŋai^{13}in^{35}ke^{0}mak^{3}e^{0}tʂ^{h}ɥ$^{35}_{44}$p^{h}iet^{5}.iau^{53} ma^{13}ts^{h}iəu^{53}xei^{53}uɔi^{53}ia^{21}cie^{35}ke^{0}.çiəuk^{3}cie^{35}ke^{53}ɲin$^{13}_{21}$na^{0},i$^{13}_{21}$cin^{35}təu$^{35}_{44}$iəu^{35}ua^{53}lei^{0},kai$^{53}_{44}$t^{h}ai^{53}uei$^{13}_{21}$san$^{35}_{44}$taŋ^{21} kau$^{35}_{44}$iəu$^{35}_{44}$çiəuk^{3}cie^{35}ke^{0},ŋai^{13}kai^{53}tau^{53}k^{h}ɔn^{53}tek^{3}kai$^{53}_{44}$tʂak^{3}ɲin^{13},ŋai^{13}ua^{53}:"ɲi^{13}kai$^{53}_{44}$ke$^{53}_{44}$laŋ$^{13}_{21}$tʂ^{h}ɔŋ$^{13}_{21}$çiəuk^{3}

cie^{35}mau^{13}tiet^{5}sɿ^{53}lau^{0}!""xo$_{53}$,mau^{13}sɿ^{0}a^{0}?"ci$^{13}_{44}$ua$^{53}_{44}$iəu^{35}kɔk^{3}iau^{53}tsɿ^{0},kai$^{53}_{44}$liaŋ^{35}xɔŋ$^{53}_{44}$iəu$^{35}_{44}$kɔk^{3}iau^{53}tsɿ^{0},çiau^{21}tek^{3}ɲi$^{13}_{44}$çiəuk^{3}li^{0}cie^{35},ci^{13}xe$^{53}_{44}$kɔk^{3}iau^{53}tsɿ^{0}iet^{3}p^{h}ɔn^{53}iet^{3}p^{h}ɔn^{53}fei^{35}tau^{21}lɔi$^{13}_{21}$,fei^{35}tau^{21}lɔi$^{13}_{44}$ʂət^{5}ɲi$^{13}_{44}$ke^{0}ia^{21}ɲi$^{13}_{44}$(k)e$^{53}_{44}$cie^{35}.iau^{53}ma$^{13}_{21}$ia^{21}cie^{35}iɔŋ^{53}ŋa^{0}.ci^{13}tien^{0}ua$^{53}_{44}$e$_{21}$çin^{13}iəŋ^{13}kai^{53}sei^{53}ɲin$^{13}_{21}$tsɿ^{0}sei^{53}ia^{0},t^{h}ai^{53}ɲin$^{13}_{21}$çi^{53}ɲia^{35}ci$^{13}_{21}$tien^{0}na^{0},xei$^{53}_{44}$me$^{53}_{44}$?kai^{53}iau^{53}ma$^{13}_{44}$ia^{21}cie^{35}iɔŋ^{53}.iəu^{35}çi^{21}ɔn$^{35}_{53}$tso^{53}kɔk^{3}iau^{53}tsɿ^{0}.xau^{21}ts^{h}iɔŋ$^{53}_{44}$xe$^{53}_{44}$ts^{h}iəu$^{53}_{44}$xe$^{53}_{44}$se^{53}tiet^{5}tsɿ^{0}ke^{0}iau^{53}ma$^{13}_{21}$,iet^{3}p^{h}ɔn$^{53}_{44}$iet^{3}p^{h}ɔn^{53}ua^{53}le^{0}.

【鸽子】kait^{3}tsɿ^{0} [名]鸟类名，飞行迅速，记忆力强，个性温和，常用以象征和平，经训练可用以传递书信：我等以映也有兜人畜哩蛮多畜哩～。箇个～咯么个都好，就有只东西真讨嫌，到处屙屎。箇到我话我也来畜～。“你真不要去畜啊，硬有滴味道哇。屙倒你到处都箇屎，渠箇间里箇兜啦到处渠会飞倒来，你畜爱样你不能天天关稳渠嘞，你爱分渠出来嘞，系唔系？分渠食嘞。阳台上啊，间里啊，渠去得个栏场就屙屎，欸，冇味道哇，唔爱去畜哇。”我就marked畜哩。ŋai^{13}tien^{0}i^{21}iaŋ^{35}ia^{35}iəu$^{35}_{44}$tei$^{35}_{53}$ɲin$^{13}_{21}$çiəuk^{3}li^{0}man^{13}to$^{35}_{44}$çiəuk^{3}li^{0}kait^{3}tsɿ^{0}.kai^{53}ke^{53}kait^{3}tsɿ^{0}ko^{0}mak^{3}ke^{53}təu$^{35}_{53}$xau^{21},ts^{h}iəu^{53}iəu^{35}tʂak^{3}tɔŋ$^{35}_{44}$si^{0}tʂən^{35}t^{h}au^{21}çian^{13},tau^{53}tʂ^{h}ɔu$^{53}_{44}$o^{35}ʂɿ^{21}.kai^{53}tau$^{53}_{44}$ŋai^{13}ua^{53}ŋai^{13}a$^{35}_{53}$lɔi$^{13}_{21}$çiəuk^{3}kait^{3}tsɿ^{0}."ɲi^{13}tʂən^{35}pət^{3}iau^{53}çi^{53}çiəuk^{3}a^{0},ɲiaŋ^{53}mau^{13}tiet^{5}uei^{53}t^{h}au$^{53}_{44}$ua^{0}.o^{35}tau^{21}ɲi$^{13}_{44}$tau^{53}tʂ^{h}ɔu$^{53}_{44}$təu$^{35}_{53}$kai^{53}ʂɿ^{21},ci^{13}kai$^{53}_{44}$kan^{35}ni^{21}kai$^{53}_{44}$təu$^{35}_{44}$la^{0}tau$^{53}_{44}$tʂ^{h}ɔu$^{53}_{44}$ci^{13}uɔi$^{53}_{44}$fei^{35}tau^{21}lɔi^{13}, ɲi$^{13}_{21}$çiəuk^{3}ɔi^{53}iɔŋ^{53}ɲi$^{13}_{21}$puk^{3}len$^{13}_{44}$t^{h}ien^{35}t^{h}ien$^{35}_{44}$kuan$^{35}_{44}$uən$^{21}_{44}$ci$^{13}_{44}$lei^{0}, ɲi^{13}ɔi$^{53}_{44}$pən^{35}ci$^{13}_{21}$tʂ^{h}ət^{3}lɔi^{13}le^{0},xei^{53}me^{53}?pən$^{35}_{44}$ci$^{13}_{21}$ʂət^{5}le^{0}.iɔŋ^{13}t^{h}ɔi^{13}xɔŋ^{53}ŋa^{0},kan^{35}ni$^{21}_{44}$a^{0},ci^{13}çi^{53}tek^{3}ke^{53}laŋ$^{13}_{21}$tʂ^{h}ɔŋ$^{13}_{21}$tsiəu^{53}o^{35}ʂɿ^{21},e$_{21}$,mau^{13}uei^{53}t^{h}au^{53}ua^{0},m̩$^{13}_{21}$mɔi^{53}çi^{53}çiəuk^{3}ua^{0}."ŋai^{13}ts^{h}iəu^{53}maŋ^{13}çiəuk^{3}li^{0}.

【搁】kɔk^{3} [动]①放置：箇桁子marked～下箇（经墙）上背。kai$^{53}_{44}$xaŋ^{13}tsɿ^{0}maŋ^{13}kɔk^{3}(x)a^{53}kai^{53}ʂɔŋ$^{53}_{44}$pɔi$^{53}_{44}$.②支撑：～稳 kɔk^{3}uən^{21}。③特指架空放置；架起来使不接触地面：松树嘞渠就唔怕水，但是渠～起来会殊。放下水肚里嘞唔系话做湖洋枕呐？欸，水浸千年松，～起个万年枫。枫树就～起来唔得殊。松树就爱浸水。水浸千年松，～起万年枫。ts^{h}əŋ^{13}ʂəu^{53}lei^{0}ci^{13}ts^{h}iəu^{53}m̩$^{13}_{21}$p^{h}a^{53}ʂei^{21},tan^{53}ʂɿ^{53}ci$^{13}_{21}$kɔk^{3}çi^{21}lɔi^{13}uɔi^{53}mət^{3}.fɔŋ^{53}xa^{53}ʂei^{21}təu^{21}li^{0}le^{0}m̩^{13}p^{h}ei$^{53}_{44}$ua^{53}tso^{53}fu$^{13}_{21}$iɔŋ$^{13}_{21}$tʂən^{21}na^{0}?e$_{21}$,ʂei^{21}tsin^{53}ts^{h}ien^{35}ɲien$^{13}_{21}$ts^{h}əŋ^{13},kɔk^{3}çi^{21}ke$^{53}_{44}$uan^{53}ɲien$^{13}_{21}$fəŋ^{35}.fəŋ^{35}ʂəu^{53}ts^{h}iəu^{53}kɔk^{3}çi^{21}lɔi$^{13}_{44}$n̩^{13}tek^{3}mət^{3}.ts^{h}əŋ^{13}ʂəu^{53}ts^{h}iəu$^{53}_{44}$ɔi$^{53}_{44}$tsin^{53}ʂei^{21}.ʂei^{21}tsin^{53}ts^{h}ien^{35}ɲien$^{13}_{21}$ts^{h}əŋ^{13},kɔk^{3}çi^{21}uan^{53}ɲien$^{13}_{21}$fəŋ^{35}. ③（血统关系）疏离；非嫡亲：我就有包唔亲个姨子就我就有两只姨子啊。一只大姨子，一只二姨子。二姨子就更亲呐，大姨子就～下子个。ŋai^{13}ts^{h}iəu$^{53}_{44}$iəu$^{35}_{44}$pau^{35}n̩^{13}ts^{h}in$^{35}_{44}$ke$^{53}_{44}$i^{13}tsɿ^{0}ts^{h}iəu^{53}ŋai^{13}ts^{h}iəu$^{53}_{44}$iəu$^{35}_{53}$iɔŋ^{21}tʂak^{3}i^{13}tsɿ^{0}a^{0}.iet^{3}tʂak^{3}t^{h}ai^{53}i^{13}tsɿ^{0},iet^{3}tʂak^{3}ɲi^{53}i^{13}tsɿ^{0}. ɲi^{53}i^{13}tsɿ^{0}ts^{h}iəu$^{53}_{44}$cien$^{53}_{44}$ts^{h}in^{35}na^{0},t^{h}ai^{53}i^{13}tsɿ^{0}ts^{h}iəu$^{53}_{44}$kɔk^{3}(x)a$^{53}_{44}$tsɿ^{0}ke^{0}. ④遮盖：（鸡埘）顶高用板子～倒。taŋ^{21}kau$^{35}_{44}$iəŋ$^{53}_{44}$pan^{21}tsɿ^{0}kɔk^{3}tau^{21}.

【割】kɔit^{3} [动]①切断，截下：～草。～牛草，系唔系？牛子食个就～牛草。kɔit^{3}ts^{h}au^{21}.kɔit^{3}ɲiəu^{13}ts^{h}au^{21},xei$^{53}_{44}$me$^{53}_{44}$?ɲiəu^{13}tsɿ^{0}ʂət^{5}ke$^{53}_{44}$ts^{h}iəu$^{53}_{44}$kɔit$^{3}_{5}$ɲiəu^{13}ts^{h}au^{21}. ②收割：～禾又安做写禾掐。我等箇阵子打禾个时候子吵，打禾就有兜人就～禾，有兜人就踩机子打禾。我就唔想～禾。搞么个？弯腰，腰驼背痛。自愿嘞踩机子，打禾，嗯，待倒腰子笔直。kɔit^{3}uo^{13}iəu^{53}ɔn$^{35}_{53}$tso^{53}sia^{21}uo^{13}k^{h}a^{35}.ŋai^{13}tien^{0}kai^{53}tʂ^{h}ən^{53}tsɿ^{0}ta^{21}uo^{13}ke^{53}ʂɿ^{13}xəu^{53}tsɿ^{0}ʂa^{0},ta^{21}uo^{13}ts^{h}iəu^{53}iəu^{35}tei$^{35}_{53}$ɲin$^{13}_{21}$ts^{h}iəu^{53}kɔit^{3}uo^{13},iəu^{35}tei$^{35}_{53}$ɲin$^{13}_{21}$ts^{h}iəu$^{53}_{44}$ts^{h}ai^{21}ci^{13}tsɿ^{0}ta^{21}uo^{13}.ŋai^{13}ts^{h}iəu^{53}n̩^{13}siɔŋ^{21}kɔit^{3}uo^{13}.kau^{21}mak^{3}e^{0}?uan$^{35}_{44}$iau^{35},iau^{35}t^{h}o$^{13}_{21}$pɔi$^{53}_{44}$t^{h}əŋ$^{53}_{44}$.ts^{h}ɿ^{53}ɲien^{53}lei^{0}ts^{h}ai^{21}ci^{35}tsɿ^{0},ta^{21}uo^{13},n̩$_{53}$,c^{h}i^{35}tau^{21}iau^{35}tsɿ^{0}piet^{3}tʂ^{h}ət^{5}. ③用刀分解牲畜的肉：用来～猪肉个。安做屠刀。iəŋ$^{53}_{44}$lɔi$^{13}_{21}$kɔit^{3}tʂəu^{35}ɲiəuk^{3}ke^{53}.ɔn^{35}tso^{53}t^{h}əu^{13}tau$^{35}_{44}$. ④切开：箇只猪杀死哩以后嘞，就箇脚上啊，～条子皮子。kai$^{53}_{21}$tʂak^{3}tʂəu^{35}sait^{3}si^{21}li^{0}i^{35}xei$^{53}_{44}$lei^{0},ts^{h}iəu$^{53}_{44}$kai^{53}ciɔk^{3}xɔŋ^{53}ŋa^{0},kɔit^{3}t^{h}iau$^{13}_{53}$tsɿ^{0}p^{h}i^{13}tsɿ^{0}. ⑤剔除：我等就话箇卖牛肉个时候子你爱同我分箇个雪白个（膜）～嘿去啊。ŋai$^{13}_{21}$tien^{0}ts^{h}iəu^{53}ua$^{53}_{44}$kai$^{53}_{44}$mai^{53}ɲiəu^{13}ɲiəuk^{3}ke^{53}ʂɿ$^{13}_{44}$xei$^{53}_{44}$tsɿ^{0}ɲi^{13}ɔi^{53}t^{h}əŋ$^{13}_{21}$ŋai$^{13}_{21}$pəŋ^{35}(←pən^{35})kai$^{53}_{44}$ke$^{53}_{44}$siet^{5}p^{h}ak^{5}ke$^{53}_{44}$kɔit^{3}(x)ek^{3}çi^{53}a^{0}. ⑥刺激使难受：（番薯酒）唔煞唠，唔～喉咙噢，我也食嘿两三杯呀箇一次性个杯子啊，归来呕嘿哩嘞。归到屋下就呕嘿哩。n̩^{13}sait^{3}lau^{0},n̩^{13}kɔk^{3}xei^{13}ləŋ$^{13}_{44}$ŋau^{0},ŋai^{13}a$^{35}_{44}$ʂət^{5}(x)ek^{3}iɔŋ^{21}san$^{35}_{44}$pi^{35}ia^{0}kai$^{53}_{44}$iet^{3}ts^{h}ɿ^{53}sin^{53}ke^{0}pi^{35}tsa^{0},kuei^{35}lɔi$^{13}_{44}$ei^{21}(x)ek^{3}li^{0}le^{0}.kuei^{35}tau^{53}uk^{3}xa$^{53}_{44}$tsiəu^{53}ei^{21}(x)ek^{3}li^{0}.

【割蜂糖】kɔit^{3}fəŋ^{35}t^{h}ɔŋ^{13} 用刀截下部分蜂巢以获取蜂蜜：如今土办法去～嘞，箇就爱破坏渠个蜂镜。i$^{13}_{21}$cin$^{35}_{53}$t^{h}əu^{21}p^{h}an^{53}fait^{3}çi^{53}kɔit^{3}fəŋ^{35}t^{h}ɔŋ$^{13}_{21}$le^{0},kai$^{53}_{44}$ts^{h}iəu^{53}ɔi$^{53}_{44}$p^{h}o^{53}fai$^{53}_{44}$ci$^{13}_{44}$ke^{0}fəŋ^{35}ciaŋ^{53}.

【割颈筋】kɔit^{3}ciaŋ^{21}cin^{35} 自刎：～呢吓死人。箇我只听讲过箇个么个电视剧肚里个么个～。我真正是硬marked看过～个。听讲过，唔我就marked看过，～个是marked看过。kɔit^{3}ciaŋ^{21}cin^{35}ne^{0}xak^{3}si^{21}ɲin^{13}.kai^{53}ŋai$^{13}_{44}$tʂɿ^{21}t^{h}aŋ^{35}kɔŋ^{21}ko^{53}kai$^{53}_{44}$ke$^{53}_{44}$mak^{3}ke$^{53}_{44}$t^{h}ien^{53}ʂɿ^{53}tʂət^{3}təu^{21}li^{0}ke^{53}mak^{3}e^{0}kɔit^{3}ciaŋ^{21}cin$^{35}_{44}$.ŋai$^{13}_{21}$

tʂən^{35}tʂən$^{53}_{44}$ʂʅ$^{53}_{44}$ɲiaŋ^{53}maŋ^{13}k^{h}ɔn$^{53}_{44}$ko$^{53}_{44}$kɔit^{3}ciaŋ^{21}cin$^{53}_{44}$ke^{0}.t^{h}aŋ^{35}kɔŋ^{21}ko^{53},n̩^{13}ŋai$^{13}_{44}$tsiəu$^{53}_{44}$maŋ^{13}k^{h}ɔn$^{53}_{44}$ko^{0},kɔit^{3}ciaŋ^{21}cin$^{35}_{53}$ke^{0} ʂʅ$^{53}_{44}$maŋ^{13}k^{h}ɔn^{53}ko^{0}.

【割青】kɔit^{3}ts^{h}iaŋ^{35} 动采集绿肥。又称"杀青"：一杀青是分箇个青东西割滴归来唠，舞倒去做肥料哇。有滴踩啦田里个，有滴舞倒□做一□。渠去割嘞渠～箇个就渠箇种箇咁子堆起来舞正噢我等喊沤肥料呢。iet^{3} sait^{3} ts^{h}iaŋ^{35}ʂʅ$^{53}_{44}$pən^{35}kai$^{53}_{44}$ke$^{53}_{44}$ts^{h}iaŋ^{35}təŋ$^{35}_{44}$si^{0} kɔit^{3} tiet$^{5}_{3}$ kuɔi^{35}lɔi$^{13}_{44}$lau^{0},u^{21}tau^{21}çi$^{53}_{44}$tso$^{53}_{44}$fei$^{13}_{21}$liau$^{53}_{44}$ua^{0}.iəu^{35}tet^{5} ts^{h}ai^{21}la^{0} t^{h}ien^{13}li$^{35}_{44}$ke$^{53}_{44}$,iəu^{35}tiet^{5} u^{21}tau^{21}tsiau^{35}tso^{53}(i)et^{3} tsiau^{35}.ci^{13}çi^{53}kɔit^{3} lei$_{44}$ ci$^{13}_{21}$kɔit^{3} ts^{h}iaŋ^{35}kai$^{53}_{44}$ke$^{53}_{44}$ts^{h}iəu$^{53}_{44}$ci$^{13}_{21}$kai^{53}tʂəŋ^{21}kai^{53}kan^{21}tsʅ^{0} tei^{35}çi^{21}lɔi$^{13}_{21}$u^{21}tʂaŋ$^{53}_{44}$ŋau^{0} ŋai$^{13}_{21}$tien^{0} xan$^{53}_{44}$ei^{53}fei$^{13}_{21}$liau$^{53}_{44}$nei^{0}.

【割人】kɔit^{3}ɲin^{13} 形比喻寒风刺骨：呃，十二月天呐箇骑摩托车啊真骑唔得系，箇个风欸硬～呶。割面喏，也还割面喏，～喏。硬～呐，刀子样割。～样啊，刀子～样啊。所以我箇回是硬冷倒哩咯骑摩托咯，十二月啊。以下我是冷我唔倒了，我会……有件大衣呀。我买件大衣呀。ə$_{21}$,ʂət^{5}ɲi^{53}ɲiet$^{5}_{3}$t^{h}ien$^{35}_{44}$na^{0} kai^{53}c^{h}i$^{13}_{21}$mo^{13}t^{h}ɔk^{3} tʂ^{h}a^{35}a^{0} tʂən$^{35}_{44}$c^{h}i$^{13}_{21}$n̩$^{13}_{21}$tek^{3} xe^{53},kai^{53}ke^{53}fəŋ^{35}ŋei^{0}ɲiaŋ^{53} kɔit^{3}ɲin^{13}nau^{0}.kɔit^{3} mien^{53}no^{0},ia$^{35}_{53}$xai$^{13}_{21}$kɔit^{3} mien^{53}no^{0},kɔit^{3}ɲin^{13}no^{0}. ɲiaŋ^{53}kɔit^{3}ɲin^{13}na^{0},tau^{35}tsʅ^{0} iɔŋ^{53}kɔit^{3}. kɔit^{3}ɲin^{13}iɔŋ^{53}ŋa^{0},tau^{35}tsʅ^{0} kɔit^{3}ɲin^{13}iɔŋ^{53}ŋa^{0}.so^{21}i$^{35}_{44}$ŋai^{13}kai^{53}fei$^{13}_{21}$ʂʅ^{53}ɲiaŋ^{53}laŋ^{35}tau^{21}li^{0} ko^{0} c^{h}i^{13}mo^{13}t^{h}ɔk^{3} ko^{0}, ʂət^{5}ɲi^{53}ɲiet^{5} a^{0}.i^{21}xa^{53}ŋai$^{13}_{44}$ʂʅ$^{53}_{21}$laŋ^{35}ŋai$^{13}_{21}$n̩$^{13}_{21}$tau^{21}liau^{0},ŋai^{13}uɔi$^{53}_{44}$…iəu$^{35}_{44}$c^{h}ien$^{53}_{44}$t^{h}ai^{53}i$^{35}_{44}$ia^{0}.ŋai$^{13}_{21}$mai^{35}c^{h}ien$^{53}_{44}$t^{h}ai^{53} i^{35}ia^{0}.

【歌】ko^{35} 动唱：～诗章，～八句。ko^{35}ʂʅ$^{35}_{44}$tʂɔŋ$^{35}_{44}$,ko^{35}pait^{3} tʂʮ^{53}.｜爱唱，唱，歌诗欸。～箇个《诗经》肚里个。就唱诗欸，歌诗就唱诗。ɔi$^{53}_{44}$tʂ^{h}ɔŋ^{53},tʂ^{h}ɔŋ^{53},ko^{35}ʂʅ^{35}e^{0}.ko^{35}kai$^{53}_{44}$ke$^{53}_{44}$ʂʅ^{35}cin$^{35}_{44}$təu^{21}li^{0} ke^{53}.ts^{h}iəu$^{53}_{44}$tʂ^{h}ɔŋ^{53}ʂʅ$^{35}_{44}$e^{0},ko^{35}ʂʅ^{35}ts^{h}iəu$^{53}_{44}$tʂ^{h}ɔŋ^{53}ʂʅ^{35}.

【歌诗】ko^{35}ʂʅ^{35} 动祭祀时吟唱哀诗：箇是七八个人呶，上十个人呶。箇打大三献爱几十个人呐。爱两三十个人，三四十个人呐。箇唱个是爱三四十个人呐。有滴撞怕硬冇得咁多人就起码都爱四个人～，到八个人。～啊。一般～分作两边，箇边四个，以边四个。两组。同唱。讲正哩同唱。kai^{53}ʂʅ$^{53}_{44}$ts^{h}iet^{3} pait^{3} cie^{53}ɲin$^{13}_{21}$nau^{0},ʂɔŋ$^{53}_{44}$ʂət^{5} ke^{53}ɲin$^{13}_{21}$nau^{0}.kai$^{53}_{44}$ta^{21}t^{h}ai$^{53}_{44}$san$^{35}_{44}$çien^{53}ɔi$^{53}_{44}$ci^{21}ʂət$^{5}_{3}$ ke^{53}ɲin$^{13}_{21}$na^{0}.ɔi$^{53}_{44}$iɔŋ^{21}san$^{35}_{44}$ʂət^{5} ke^{53}ɲin$^{13}_{21}$,san$^{35}_{44}$sʅ$^{53}_{44}$ʂət^{5} ke^{53}ɲin$^{13}_{21}$na^{0}.ka$^{53}_{44}$tʂ^{h}ɔŋ^{53}ke$^{53}_{44}$ʂʅ$^{53}_{44}$ɔi$^{53}_{44}$san$^{35}_{44}$si$^{53}_{44}$ʂət^{5} ke^{53}ɲin$^{13}_{21}$ na^{0}.iəu^{35}tet^{5} ts^{h}ɔŋ^{21}p^{h}a$^{53}_{44}$ɲiaŋ^{53}mau$^{13}_{21}$tek^{3} kan^{21}to^{35}ɲin$^{13}_{21}$ts^{h}iəu$^{53}_{44}$çi^{21}ma^{35}təu$^{35}_{44}$ɔi$^{53}_{44}$si^{53}ke^{53}ɲin$^{13}_{21}$ko$^{35}_{44}$ʂʅ$^{35}_{44}$,tau^{53}pait^{3} cie$^{53}_{44}$ɲin$^{13}_{21}$.ko^{35}ʂʅ^{35}a^{0}.iet^{3} pɔn^{35}ko$^{35}_{44}$ʂʅ^{35}fən$^{35}_{44}$tso$^{53}_{44}$iɔŋ^{21}pien^{35},kai^{53}pien$^{35}_{44}$si^{53}cie^{53},i^{21}pien$^{35}_{44}$si^{53}ke^{53}.iɔŋ^{21}tsəu^{21}.t^{h}əŋ^{13} tʂ^{h}ɔŋ^{53}.kɔŋ^{53}tʂaŋ^{53}li^{0} t^{h}əŋ^{13}tʂ^{h}ɔŋ^{53}.

【佮】kait^{3} 动①相处；共事：～唔得 kait^{3} n̩^{13}tek^{3} 不好相处｜～下，两个人看下～得吗？kait^{3} xa$^{53}_{44}$,iɔŋ^{21}ke^{53}in$^{13}_{21}$k^{h}ɔn$^{53}_{44}$na$_{44}$(←xa^{53})kait^{3} tek^{3} ma^{0}?｜箇只人真好～。kai^{53}tʂak^{3}ɲin$^{13}_{21}$tʂən^{35}xau^{21}kait^{3}. ②制作（棺材）：棺材是安做～啦，～棺材啦，～就合个意思啊。kɔn^{35}ts^{h}ɔi$^{13}_{44}$ʂʅ$^{53}_{44}$ɔn$^{35}_{44}$tso$^{53}_{44}$kait^{3} la^{0},kait^{3} kɔn^{35}ts^{h}ɔi$^{13}_{21}$la^{0},kai^{3} ts^{h}iəu$^{53}_{44}$xɔit^{5} ke^{0} i^{53}sa^{0}.

【佮钞】kait^{3}ts^{h}au^{35} 动两个人配合着打铙钹：两个人配合来又安做～。你也打□钹，我也打□钹，两个人爱打出节奏来，哎，有滴佮唔得。咁子就安做～。佮下，两个人看下佮得吗？佮下子钞。渠打个有只咁个节奏咯，两个爱合得箇只节奏咯打倒咯，唔系会争咯。iɔŋ^{21}ke^{53}ɲin$^{13}_{44}$ p^{h}ei^{53}xɔit$^{5}_{3}$ lai$^{13}_{44}$iəu$^{53}_{44}$ɔn$^{35}_{44}$tso$^{53}_{44}$kait^{3} ts^{h}au^{35}. ɲi^{13}ia$^{35}_{53}$ta^{21}ts^{h}iet^{5} p^{h}ait^{5},ŋai^{13}ia$^{35}_{53}$ta^{21}ts^{h}iet^{5} p^{h}ait^{5},iɔŋ^{21}ke$^{53}_{44}$ɲin$^{13}_{21}$ɔi$^{53}_{44}$ta^{21} tʂ^{h}ət^{3} tsiet^{3} tsei^{53}lɔi$^{13}_{21}$,ai$_{21}$,iəu^{35}tet^{5} kait^{3} n̩^{13}tek^{3}.kan^{21}tsʅ^{0} ts^{h}iəu$^{53}_{44}$ɔn$^{35}_{44}$tso$^{53}_{44}$kait^{3} ts^{h}au^{35}.kait^{3} xa$^{53}_{44}$,iɔŋ^{21}ke^{53}in$^{13}_{21}$ k^{h}ɔn$^{53}_{44}$na$_{44}$(←xa^{53})kait^{3} tek^{3} ma^{0} ?kait^{3} (x)a^{53}tsʅ^{0} ts^{h}au^{35}.ci$^{13}_{21}$ta^{21}ke$^{53}_{44}$iəu^{35}tʂak^{3} kan^{21}ke$^{53}_{44}$tsiet^{3} tsei^{53}ko^{0},iɔŋ^{21}ke$^{53}_{44}$ ɔi$^{53}_{44}$xɔit^{5} tek^{3} kai$^{53}_{21}$tʂak^{3} tsiet^{3} tsei^{53}ko^{0} ta^{21}tau^{21}ko^{0},m̩$^{13}_{21}$p^{h}e$^{53}_{44}$uɔi$^{53}_{44}$tsaŋ^{35}ko^{0}.

【佮人】kait^{3} 动与他人融洽相处：箇只人蛮会～。kai^{53}tʂak^{3}ɲin$^{13}_{21}$man^{13}uɔi^{53}kait^{3}ɲin^{13}.

【佮香火】kait^{3}çiɔŋ^{35}fo$^{13}_{21}$ 将亡人灵前的香火送到祠堂去：我等就系咁个呢，箇只人，箇只丧事办完哩以后，就你就分箇个牌位箇只嘞，香火箇只嘞，爱送下送下祠堂里去，安做～。分箇个以只亡人，以只正死个以只人个香火，送下祠堂里去，也渠是归祠堂里，就箇只意思。箇远哩个是……近滴子个你就可以敲锣打鼓送倒去啊。远哩个是你就不可能呐，就分人送倒去就系要得哩。分有孝子送倒去啊。欸，牌位箇只送倒去，箇牌位也系临时做个嘞，也临时做个你就烧嘿去啊。也有滴人唔去搞哩，唔箇，就咁子当天一烧渠，就同箇个办喜事箇个祖宗牌位一样个。箇香火是爱唠，欸，烧香噢。哎，你冇得哩就慢滴到箇映子会到了驳着渠来就箇个。欸，你不可能一路咁远呐，系啊？打比样你爱点把钟是咁呐箇香是点唔得咁久哇，或者会路上会烧咁呐，跕啊车上又唔安全呢，你就到箇会到了你就点着来就要得。你就拿倒箇滴子香火，拿倒箇个亡人个灵前个香火，你拿倒去，多拿滴子。ŋai13 tien0 tsʰiəu53-44 xe53-44 kan13-44 cie53-44 nei0 ,kai53-44 tʂak3 ɲin13-21,kai53-44 tʂak3 sɔŋ35 sɿ53 pʰan53 ien13 li0 i35 xei53 ,tsʰiəu53-44 ɲi13-21 tsʰiəu53-44 pən35 kai53-44 ke53-44 pʰai13 uei53-44 kai53-44 tʂak3 lei0 ,çiɔŋ35 fo21 kai53-44 tʂak3 lei0 ,ɔi53-44 səŋ53 xa0 səŋ53 xa53-44 tsʰɿ13 tʰɔŋ13-21 li0 çi53 ,ɔn35 tso53-44 kait3 çiɔŋ35 fo13-21 .pən35 kai53-44 ke53-44 i21 tʂak3 mɔŋ13 ɲin13 ,i21 tʂak3 tʂaŋ53 si21 ke53 i21 tʂak3 ɲin13 ke53-44 çiɔŋ35 fo21 ,səŋ53 xa53-44 tsʰɿ13 tʰɔŋ13 li0 çi53 ,ia21 ci13-21 ʂʅ53-21 kuei35 tsʰɿ13 tʰɔŋ13-21 li0 ,tsiəu53-44 kai53-44 tʂak3 i53 sɿ0 .kai53 ien21 li0 ke53-44 ʂʅ53-44 …cʰin35 tiet5 tsɿ0 ke53-44 ɲi13-21 tsiəu53 kʰo21 i35-44 kʰau35 lo13-21 ta21 ku21 səŋ53 tau21 çi53 a0 .ien21 li0 ke53 ʂʅ53-44 ɲi13-21 tsiəu53 puk3 kʰo21 lən13 na0 ,tsʰiəu53-44 pən35 ɲin13-21 səŋ53 tau21 çi53-44 tsʰiəu53-44 xe53-44 iau53 tek3 li0 .pən35 iəu35-44 xau53 tsɿ21 səŋ53 tau21 çi53-21 a0 .e21,pʰai13 uei53-44 kai53-44 tʂak3 səŋ53 tau21 çi53-44,kai53-44 pʰai13-21 uei53-44 ia35 xe53-44 lin13 ʂʅ13-21 tso53 ke53-44 le0 ,ia35 lin13 ʂʅ13-21 tso53 ke53-44 ɲi13 tsʰiəu53-44 ʂau35 ek3 çi53-44 a0 .ia35 iəu35 tet5 ɲin13-21 ŋ'13 çi53 kau21 li0 ,ŋ'13 kai53-44,tsʰiəu53 kan21 tsɿ0 tɔŋ35-44 tʰien35-44 iet3 ʂau35 ci13-21,tsʰiəu53 tʰəŋ13-21 kai53-44 ke53-44 pʰan53 çi21 sɿ53 kai53 ke53-44 tsəu21 tsəŋ35 pʰai13-21 uei53-44 iet3 iɔŋ53-44 ke53-44.kai53-44 çiɔŋ35 fo21 ʂʅ53-44 ɔi53-44 lau0 ,e21,ʂau35-44 çiɔŋ35-44 ŋau0 .ai21,ɲi13 mau13 tek3 li0 tsʰiəu53-44 man53 tiet5 tau53 kai53-44 iaŋ53 tsɿ0 uɔi53 tau53 liau0 pɔit3 tʂʰɔk5 ci13-21 lɔi13-21 tsʰiəu21 kai53 cie53-44.e21, ɲi13-21 pət3 kʰo21 lən13-44 iet3 ləu53 kan21 ien21 na0 ,xei53-44 a0 ?ta21 pi21 iɔŋ53 ɲi13-21 ɔi53 tian21 pa21 tʂəŋ35 ʂʅ53-44 kan21-44 na0 kai53-44 çiɔŋ35 ʂʅ53-44 tian21 n̩13-21 tek3 kan21 ciəu21 ua0 ,xɔit5 tʂa21 uɔi53-44 ləu53 xɔŋ53-44 uɔi53 ʂau35 kan21 na0 ,ku35-44 a0 tʂʰa35 xɔŋ53-44 iəu53 ŋ̍13-21 ŋɔn35 tsʰien13-21 ne0 , ɲi13-21 tsʰiəu53-44 tau53-44 kai53-44 uɔi53 tau53 liau21 ɲi13-44 tsʰiəu53-44 tian21 tʂʰɔk5 lɔi13-21 tsʰiəu53-44 iau53 tek3 .ɲi13-21 tsʰiəu53-44 la53 tau21 kai53-44 tiet5 tsɿ0 çiɔŋ35 fo21 ,la53 tau21 kai53-44 ke53-44 mɔŋ13 ɲin13 ke53-44 lin13 tsʰien13-21 ke53-44 çiɔŋ35 fo21 , ɲi13 la53 tau21 çi53 ,to35 la53 tiet5 tsɿ0 .

【佮硝】kait3 siau35 动将硫磺、硝石、木炭等原料混合制作火药：我等佮过嘞，佮过硝嘞。欸，～佮过嘞。箇阵乌硝冇箇响。ŋai13 tien0 kait3 ko53 lei0 ,kait3 ko53 siau35 lei0 .ei21,kait3 siau35 kait3 ko53 lei0 .kai53-44 tʂʰən53-44 u35 siau35-44 mau13-21 kai53-44 çiɔŋ21-44.

【格】kak3 量用于分栏分层的东西：蒸笼是一～一～唠安做，一～啊。tʂən35 nəŋ13-21 ʂʅ53 iet3 kak3 iet3 kak3 lau0 ɔn35-44 tso53-44,iet3 kak3 a0 .｜一～一～子，同箇乡下人个禾仓样，哦装谷个仓样，一～一～子垛上去。iet3 kak3 iet3 kak3 tsɿ0 ,tʰəŋ13 kai53-44 çiɔŋ35 xa53-44 ɲin13-44 ke53-44 uo13 tsʰɔŋ35 iɔŋ53 ,o21 tʂɔŋ35 kuk3 ke53-44 tsʰɔŋ35 iɔŋ53-44,iet3 kak3 iet3 kak3 tsɿ0 tʰo53-44 ʂɔŋ53-44 cʰi53-44.

【格外】kek3 uai53 副特别；超乎寻常：～重滴了。kek3 uai53 tʂʰəŋ35 tiet5 liau0 .

【格子】kak3 tsɿ0 名方形空栏或框子：渠指斗方蛇个花纹呈四方个～啊。ci13 ke53 fa35 uən13-21 tʂʰən13 si53 fɔŋ35 ke53 kak3 tsɿ0 a0 .

【格子门】kak3 tsɿ0 mən13 名带有花格的门：～呶，格子花格子唠。kak3 tsɿ0 mən13 nau0 ,kak3 tsɿ0 fa35 kak3 tsɿ0 lau0 .

【隔】kak3 动①相去有一段距离：箇只～几远都臭屎啊。kai53 tʂak3 kak3 ci21 ien21 təu35-44 tʂʰəu53 ʂʅ21 ʐa0 . ②有一定距离并在中间有东西阻隔：一般都～只天心对面也应该系厢房噢。iet3 pɔn35 təu35-44 kak3 tʂak3 tʰien35 sin35-44 ti53 mien53 ia35 in35-44 kɔi35-44 xe53 siɔŋ35 fɔŋ13 ŋau0 . ③阻隔，遮断：～开来 kak3 kʰɔi35-44 lɔi13-21

【隔壁老庚】kak3 piak3 lau21 cien35 名虽然不同年但相差不大而结交的朋友：还有只，打比你就四十岁，我就四十一岁，或者你四十岁，我就三十九岁，只相差丁啲子，系唔系？安做～，嘿嘿，～，还有咁个□死人个讲法唠。箇只～就唔系系下两间壁个老庚呐。xai13-21 iəu35-53 tʂak3 ,ta21 pi21 ɲi13 tsʰiəu53 si53 ʂət5 sɔi53 ,ŋai13 tsʰiəu53-44 si53 ʂət5 iet3 sɔi53 ,xɔit5 tʂa21 ɲi13 si53 ʂət5 sɔi53 ,ŋai13 tsʰiəu53-44 san35-44 ʂət5 ciəu21 sɔi53 ,tʂʅ21 siɔŋ35 tsʰa35-44 tin53 ŋait3 tsɿ0 ,xei53 me53 ?ɔn35-44 tso53 kak3 piak3 lau21 cien35 ,xe53 xe21 ,kak3 piak3 lau21 cien35 ,xai13 iəu35-44 kan21-13 cie53-44 luən53 si21 ɲin13 ke53 kɔŋ21 fait3 lau0 .kai53 tʂak3 kak3 piak3 lau21 cien35 tsʰiəu53-44 m̩13 pʰe53-44 xei53 xa53 iɔŋ21 kan53 piak3 ke53 lau21 cien35 na0 .

【隔开】kak3 kʰɔi35 动阻隔；使不相连：豆粉呢一只就好香啊，第二只就也系～渠指麻糍来，使渠莫黏做一坨啊。tʰei53 fən21 nei0 iet3 tʂak3 tsʰiəu53-44 xau21 çiɔŋ35 ŋa0 ,tʰi53-44 ɲi53-44 tʂak3 tsʰiəu53-44 ia35 xei53-44 kak3 kʰɔi35 ci13-21 lɔi13-21,ʂʅ21 ci13-21 mɔk5 ɲia13-44 tso53 iet3 tʰo13 a0 .

【塥】kak3 名①指熟土层之下的生土：渠就舞起箇打□塥，舞起唔知几深，犁得～都翻出来。ci13 tsʰiəu53 u21 çi21-44 kai53-44 ta21 tsiaŋ53 kak3 ,u21 çi21-44 n̩13-21 ti35-53 ci21 tʂʰən35 ,lai13 tek3 kak3 təu35-53 fan35-44 tʂʰət3 lɔi13 . ②喻指底部：深到～ tʂʰən35 tau53 kak3 深极了

【葛包】kɔit3 pau35 名葛藤的块根：葛藤底下个箇只饽饽，根块，就安做～。kɔit3 tʰien13 tei21 xa53 ke0 kai53-44 tʂak3 pʰɔk5 pʰɔk5 ,cien35 kʰuai53 ,tsʰiəu53-44 ɔn35-44 tso53-44 kɔit3 pau35 .

【葛粉】kɔit3 fən21 名从葛根提取出来的淀粉：葛包肚里就有～呐。～系一味中药，食哩伺脾土呢。～蛮贵哟。我箇到看倒一只人呐，渠搞几十斤～归来哩。渠话渠婿郎箇映子，婿郎系江西哪映子个，我去浏阳看得，渠话渠婿郎箇映子硬真多～呶，欸，七块多钱一斤，蛮好个

价钱。渠都带几十斤归来哩渠话，～，食哩好。kɔit3 pau35 təu21 li0 tsʰiəu53 iəu35-53 kɔit3 fən21 na0 .kɔit3 fən21 xei53 iet3 uei53 tʂəŋ35 iɔk5 ,ʂət5 li0 tsʰʅ13 pʰi13 tʰəu21 nei0 .kɔit3 fən21 man13 kuei35 io0 .ŋai13 kai53 tau53-44 kʰən53 tau21 iet3 tʂak3 ɲin13 na0 ,ci13 kau21 ci21 ʂət5 cin35 kɔit3 fən21 kuei35 lɔi13-21 li0 .ci13 ua53 ci13 sei53 lən13 kai53 iaŋ53 tsʅ0 ,sei53 lən13 xe53 kɔŋ35 si35-44 lai53 iaŋ53 tsʅ0 ke0 ,ŋai13 çi53 liəu13 iɔŋ53-44 kʰən53 tek3 ,ci13-44 (u)a53-44 ci13-44 sei13 lən13 kai53 iaŋ53 tsʅ0 ɲiaŋ53 tʂən35 to35-44 kɔit3 fən21 nau0 ,e21 ,tsʰiet3 kʰuai53-44 to35-44 tsʰien13-21 iet3 cin35-44 ,man13-21 xau21 ke53-44 cia53 tsʰien13-21 .ci13-21 təu35-44 tai53 ci21 ʂət5 cin35 kuei35 lɔi13-21 li0 ci13 ua53 ,kɔit3 fən21 ,ʂʅt5 li0 xau21 .

【葛藤】kɔit3 tʰien13 名植物名，多年生蔓草，根肥大，供制淀粉及药用，分青、黄两种：～箇东西真古怪，唔爱栽，欸。还有只古怪嘞箇个么个嘞？你只爱去挖开来哩个心，欸，打比你修路样咯，你首先都冇么个～呢，看都看唔多倒，你箇条路修开来哩，箇个空地呀生倒到处系～。kɔit3 tʰien13 kai53-44 (t)əŋ35-44 si0 tʂən35 ku21 kuai53 ,m̩13-21 mɔi53-44 tsɔi35 ,ei21 .xai13-21 iəu35-53 tʂak3 ku21 kuai53-44 lei0 kai53-44 ke53-44 mak3 e0 lei0 ?ɲi13 tʂʅ21 ɔi53 çi53 uait3 kʰɔi35 lɔi13-21 li0 ke53-44 sin35 ,e35 ,ta21 pi21 ɲi13 siəu35-44 ləu53 iɔŋ53-44 ko0 , ɲi13 ʂəu21 sien35-53 təu35-53 mau13 mak3 (k)e53 kɔit3 tʰien13 nei0 ,kʰən53 təu35-53 kʰən53 n̩13-21 to35-44 tau21 , ɲi13 kai53-44 tʰiau13-21 ləu53 siəu35 kʰɔi35 lɔi13-21 li0 ,kai53-44 ke53-44 kʰəŋ53 tʰi13-44 ia0 saŋ35 tau21-44 tau53 tʂʰu53-44 xei53 kɔit3 tʰien13 .

【个1】ke53/cie53 量通用个体量词，表示单独的人或事物：一～同志 iet3 ke53 tʰəŋ13 tʂʅ53｜一～钱铜钱 iet3 ke53 tsʰien13｜以～系渠个书。i21 ke53 xe53 ci13 ke53 ʂəu35.｜如今个迟禾是□青了迟禾是，欸，箇个发嘿菀了，再过～把两～月，如今是七月份吧，系啊？到哩九月份，九月子，就会有禾打，九月底子。如今是七月二十号唠，再过～把两～月，一般两～月唠，系啊？再过～把两～月就有禾打。i13-21 cin35-53 ke0 tʂʰʅ13 uo13 ʂʅ53-44 xo53 tsʰiaŋ53-44 liau0 tʂʰʅ13 uo13-44 ʂʅ53-44 ,e21 ,kai53 ke53-44 fait3 (x)ek3 tei35 liau0 ,tsai53 ko53 cie53 pa21 iɔŋ21 ke53 ɲiet5 ,i13-21 cin35-53 ʂʅ53 tsʰiet3 ɲiet5 fən53 pa0 ,xei53 a0 ?tau53 li0 ciəu21 ɲiet5 fən53 ,ciəu21 ɲiet5 tsʅ0 ,tsʰiəu53-44 uɔi53-44 iəu35-44 uo13 ta21 ,ciəu21 ɲiet5 te21 tsʅ0 .i13-21 cin35-44 ʂʅ53-44 tsʰiet3 ɲiet5 ɲi53 ʂət5 xau53-44 lau0 ,tsai53 ko53 cie53 pa21 iɔŋ21 ke53-44 ɲiet5 ,iet3 pon35-44 iɔŋ21 ke53 ɲiet5 lau0 ,xei53-44 a0 ?tsai53 ko53 cie53 pa21 iɔŋ21 ke53-44 ɲiet5 tsʰiəu53-44 iəu35-44 uo13 ta21 .｜我等月月桂，～～月每个月都会开。ŋai13-21 tien0 ɲiet5 ɲiet5-3 kuei53 ,cie53 cie53-44 ɲiet5-3 təu35-44 uɔi53-44 kʰɔi35-44 .

【个2】ke53 助结构助词。①用在定语后表示修饰、限定关系，相当于"的"：晒得日头倒～栏场 sai53 tek3 ɲiet3 tʰei13-21 tau21 ke53 laŋ13 tʂʰəŋ13 向阳地儿｜以个系渠～书。i21 ke53 xe53 ci13 ke53 ʂəu35. ②放在形容词、动词或动词性短语后，构成相当于"的"字结构的体词性短语：（阳钩）大～就有尺把长。tʰai53 ke53-44 tsʰiəu53-44 iəu35 tʂʰak3 pa21 tʂʰəŋ13.｜你话～系么人？/我话～唔系你。ɲi13 ua53 ke53 xe53 man13 ɲin13 ?/ŋai13 ua53 ke53 m̩13 pʰe53 ɲi13. ③放在人物称谓与表示职务的名词之间，隐含担任的意思：以只合作社，么人～主任？/老王～主任，小张～副主任。i21 tʂak3 xɔit5 tsɔk3 ʂa53 ,(xe53)man13 ɲin13 ke53 tʂəu21 in53 ?/lau21 uɔŋ13 ke53 tʂəu21 in53 ,siau21 tʂɔŋ35 ke53 fu53 tʂəu21 in53 . ④"个"字前后用相同的动词或动词短语等，连用这样的结构，表示有这样的、有那样的：屋下坐倒蛮多人，看书～看书，看报～看报，写字～写字。uk3 xa53 tsʰo35 tau21 man13 to35 ɲin13 ,kʰən53 ʂəu35 ke53 kʰən53 ʂəu35 ,kʰən53 pau53 ke53 kʰən53 pau53 ,sia21 sʅ53 ke53 sia21 sʅ53 . ⑤用在谓语动词后面，强调该动作的施事者或时间、地点、方式等：渠去哪映食～饭？/渠去我屋下食～饭。ci13 çi53 lai53 iaŋ35 ʂek5 ke0 fan53 ?/ci13 çi53 ŋai13 uk3 xa53 ʂek5 ke0 fan53 . ⑥用在谓语动词与其宾语之间，强调该动作的施事者、受事者或时间、地点、方式等：头到系么人请～客？tʰei13 tau53 xe53 man13 ɲin13 tsʰiaŋ21 ke53 kʰak3 ?｜渠箇系见～老张，唔系见～老王。ci13 kai53 xe53 cien53 ke53 lau21 tʂɔŋ35 ,m̩13 pʰe53 cien53 ke53 lau21 uɔŋ13 .｜你系哪年来个？我系前年到～北京。ɲi13 xe53 lai53 ɲien13 lɔi13 ke53 ?ŋai13 xe53 tsʰien13 ɲien13 tau53 ke53 pɔit3 cin35 . ⑦表示相加：三个～五个系八个。一千～两千系三千。san35 ke53 ke53 ŋ̍21 ke53 xe53 pait3 ke53 .iet3 tsʰien35 ke53 iɔŋ21 tsʰien35 xe53 san35 tsʰien35 .

【个人个人】ke53/cie53 ɲin13 ke53 ɲin13 形容孤身一人，无依无靠：渠箇边呢，～，冇爷冇娭了，箇男方咯冇爷冇娭，～。ci13-21 kai53 pien35-44 nei0 ,ke53 ɲin13-21 ke53 ɲin13-44 ,mau13 ia13-21 mau13-21 ɔi35-44 liau0 ,kai53-44 lan13 fɔŋ35-44 ko0 mau13 ia13-21 mau13-21 ɔi35-44 ,cie53 ɲin13-21 ke53 ɲin13-21 .

【个子】ko53 tsʅ0 名①人的身高：～高个人 ko53 tsʅ0 kau35-44 ke53 ɲin13-21。②物体的大小：（黄皮梨子）～蛮大，好食，蛮好食，嗯，津甜。ko53 tsʅ0 man13 tʰai53 ,xau21 ʂət5 ,man13 xau21 ʂət5 ,n̩21 ,tsin35 tʰian13-21 .

【各1】kɔk3 代指示代词。表示不止一个（指某一范围内的所有个体）：钵子就包括还有～种钵子唠。pait3 tsʅ0 tsʰiəu53-21 pau35-44 kʰuɔk3 xai13-21 iəu35-21 kɔk3 tʂəŋ21 pait3 tsʅ0 lau0 .｜箇就～姓个唦，外姓个唦，系唔系啊？kai53-44 tsʰiəu53-44 kɔk3 siaŋ53-44 ke53-44 ʂa0 ,uai53 siaŋ53 ke53-44 ʂa0 ,xei53-44 mei44 (←m̩13 xei53)a0 ?

【各2】kɔk3 副表示不止一人同做某事：架势打祭了，欸，以滴做事个人呢爱～执其事。cia53

ʂʅ^{53}ta^{21}tsi^{53}liau^{0},e$_{21}$,i^{21}tiet^{5}tso^{53}ʂʅ^{53}ke$^{53}_{44}$ɲin$^{13}_{21}$ne^{0}ɔi$^{53}_{44}$kɔk^{3}tʂət^{3}cʰi$^{13}_{21}$ʂʅ^{53}.

【各取所需】kɔk^{3}tsʰi^{21}so^{21}si^{35} 各人选取自己所需要的：敆，鹅公嘞就长得更快。鹅嫲子嘞就能够生饽饽啊能够繁殖唠。箇就～，系唔系？e$_{21}$,ŋo^{13}kəŋ$^{35}_{44}$le^{0}tsiəu^{53}tʂəŋ^{21}tek^{3}cien$^{53}_{44}$kʰuai^{53}.ŋo^{13}ma^{13}tsʅ^{0}le^{0}tsʰiəu^{53}len^{35}ciau$^{53}_{44}$saŋ$^{35}_{44}$pɔk^{5}pɔk^{5}a^{0}len^{13}ciau$^{53}_{44}$fan^{13}tʂʰət^{5}lau^{0}.kai^{53}tsʰiəu^{53}kɔk^{3}tsʰi^{21}so^{21}si^{35},xei$^{53}_{44}$mei$^{53}_{44}$?

【各种各样】kɔk^{3}tʂəŋ^{21}kɔk^{3}iɔŋ$^{53}_{44}$ 具有不同性质或种类的：箇底下个篮子就有～形状。kai$^{53}_{44}$te^{21}xa^{53}ke^{53}lan^{13}tsʅ^{0}tsʰiəu$^{53}_{44}$iəu$^{35}_{44}$kɔk^{3}tʂəŋ^{21}kɔk^{3}iɔŋ^{53}çin$^{13}_{21}$tsʰɔŋ^{53}.

【箇】kai^{53}/ka^{53} 代 指示代词，表示远指，相当于"那"。①做主语：渠是本来爱开正式发票或者正式收据个人，但是渠嬒开，开张白条子，～就安做白条子。ci^{13}ʂʅ$^{53}_{44}$pən^{21}nɔi^{13}ɔi$^{53}_{44}$kʰɔi$^{35}_{44}$tʂən^{53}ʂʅ^{53}fait^{3}pʰiau$^{53}_{44}$xɔit^{5}tʂa^{21}tʂən^{53}ʂʅ^{53}ʂəu^{35}tʂʯ^{53}ke$^{53}_{44}$ɲin$^{13}_{21}$,tan$^{53}_{44}$ʂʅ$^{53}_{44}$ci$^{13}_{21}$maŋ^{13}kʰɔi$^{35}_{44}$,kʰɔi$^{35}_{44}$tʂɔŋ$^{35}_{44}$pʰak^{5}tʰiau$^{13}_{21}$tsʅ^{0},kai$^{53}_{44}$tsʰiəu$^{53}_{44}$ɔn$^{35}_{44}$tso$^{53}_{44}$pʰak^{5}tʰiau$^{13}_{21}$tsʅ^{0}. ②做宾语：我等也嬒栽～。栽西瓜个都很少。ŋai^{13}tien^{0}ia$^{35}_{44}$maŋ^{13}tsɔi^{35}kai^{53}.tsɔi^{35}si^{35}kua$^{35}_{44}$ke$^{53}_{44}$təu$^{35}_{44}$xen^{21}ʂau^{21}. ③做谓语中心，表示那样做的意思：箇是话江西人嘞，我等个人冇么人～。kai$^{53}_{44}$ʂʅ$^{53}_{44}$ua$^{53}_{44}$kɔŋ^{35}si$^{35}_{44}$ɲin$^{13}_{21}$ne^{0},ŋai$^{13}_{21}$tien^{0}kei^{53}ɲin$^{13}_{21}$mau$^{13}_{21}$mak^{3}in$^{13}_{21}$kai^{53}. ④做定语，修饰名词：（鸡笼）像只现在～街上个装老鼠个～笼样个。tsʰiɔŋ^{53}tʂak^{3}çien^{53}tsai^{53}kai^{53}kai^{35}xɔŋ$^{53}_{44}$kei$^{53}_{44}$tsɔŋ^{35}lau^{21}tʂʰəu^{21}ke^{53}kai$^{53}_{44}$ləŋ^{35}iɔŋ$^{53}_{44}$ke$^{53}_{21}$. ⑤加在量词前，构成指量短语：你看墈下就一条坑，～条坑边上嘞就有条路，～条路壁下就有条杨梅树，～条杨梅树上蛮多杨梅子。ɲi$^{13}_{21}$kʰɔn$^{53}_{44}$kʰan^{53}xa$^{53}_{44}$tsʰiəu$^{53}_{44}$iet^{3}tʰiau$^{13}_{21}$xaŋ^{35},kai^{53}tʰiau$^{13}_{21}$xaŋ^{35}pien^{35}xɔŋ$^{53}_{44}$lei^{0}tsʰiəu^{53}iəu^{35}tʰiau$^{13}_{21}$ləu^{53},kai$^{53}_{44}$tʰiau^{13}ləu^{53}piak^{3}xa^{35}tsʰiəu$^{53}_{44}$iəu$^{35}_{53}$tʰiau$^{13}_{21}$iɔŋ$^{13}_{21}$mɔi$^{13}_{21}$ʂəu^{53},kai^{53}tʰiau$^{13}_{21}$iɔŋ$^{13}_{21}$mɔi$^{13}_{21}$ʂəu^{53}xɔŋ^{53}man^{13}to$^{35}_{44}$iɔŋ^{13}mɔi^{13}tsʅ^{0}.｜～只屋背嘞就有只墈，～只墈唔知几高。kai$^{53}_{44}$tʂak^{3}uk^{3}pɔi$^{53}_{44}$le^{0}tsʰiəu^{53}iəu^{35}tʂak^{3}kʰan^{53},kai^{53}tʂak^{3}kʰan^{53}n̩^{13}ti$^{35}_{44}$ci^{21}kau^{35}. ⑥表处所，相当于"那里"：箇条路就走～过。kai$^{53}_{21}$tʰiau^{13}ləu^{53}tsʰiəu$^{53}_{44}$tsei^{21}kai$^{53}_{44}$ko^{53}.｜哎，你妈妈去～么？ai$_{21}$, ɲi$^{13}_{21}$ma^{35}ma$^{35}_{44}$çi^{53}kai^{53}mo^{0}?｜可以到～去看下子唠。kʰo^{21}i^{35}tau$^{53}_{44}$kai$^{53}_{44}$çi$^{53}_{44}$kʰɔn^{53}na$_{21}$(←xa^{53})tsʅ^{0}lau^{0}.｜我等～来只长沙人。ŋai^{13}tien^{0}kai^{53}lɔi^{13}tʂak^{3}tʂʰɔŋ^{13}sa$^{35}_{44}$ɲin^{13}.｜渠买哩房子～。ci$^{13}_{21}$mai^{35}li^{0}fɔŋ^{13}tsʅ^{0}kai^{53}.

【箇边】kai^{53}pien^{35} 代 指示代词。表示远指，相当于"那边"。①表示方位、处所：以边就东街口唠，～就西街口唠。i^{21}pien$^{35}_{53}$tsʰiəu$^{53}_{44}$təŋ^{35}kai$^{35}_{44}$xei^{21}lau^{0},kai$^{53}_{44}$pien$^{35}_{44}$tsʰiəu$^{53}_{44}$si^{35}kai$^{35}_{44}$xei^{21}lau^{0}. ②表示与某一方相对的另一方：（送葬队伍）碰倒送亲个，一般呢渠～会回避。pʰəŋ^{53}tau^{21}səŋ^{53}tsʰin^{35}ke$^{53}_{44}$,iet^{3}pɔn^{35}ne^{0}ci$^{13}_{21}$kai$^{53}_{44}$pien$^{35}_{44}$uɔi^{53}fei^{13}pʰei^{53}.｜母党～一个人，本家一个人。mu^{35}tɔŋ^{21}kai$^{53}_{44}$pien$^{35}_{44}$iet^{3}ke$^{53}_{44}$ɲin$^{13}_{21}$,pən^{21}ka$^{35}_{44}$iet^{3}ke^{53}ɲin$^{13}_{21}$.

【箇晡】kai^{53}pu^{35} 代 指示代词。指所提及的某日：渠有滴女方吵渠结婚～唔整酒，卖妹子～唔整酒，回门～嘞，新人，两公婆归来哩，整回门酒。ci$^{13}_{21}$iəu^{35}tet^{5}ɲy^{21}fɔŋ$^{35}_{44}$ʂa^{0}ci$^{13}_{21}$ciet^{3}fən^{35}kai$^{53}_{44}$pu$^{35}_{44}$n̩^{13}tʂaŋ^{21}tsiəu^{21},mai$^{53}_{44}$mɔi^{53}tsʅ^{0}kai$^{53}_{44}$pu$^{35}_{44}$n̩^{13}tʂaŋ^{21}tsiəu^{21},fei$^{13}_{21}$mən^{13}kai$^{53}_{44}$pu$^{35}_{44}$le^{0},sin^{35}ɲin$^{13}_{21}$,iɔŋ^{21}kəŋ$^{35}_{44}$pʰo$^{13}_{21}$kuei^{35}lɔi$^{13}_{21}$li^{0},tʂaŋ^{21}fei^{13}mən^{13}tsiəu^{21}.

【箇等】kai^{53}tien^{0} 代 指示代词。指所提及的那些人或事物：～史书肚里都有（龙骨水车）嘞。kai$^{53}_{44}$tien^{0}ʂʅ^{21}ʂəu^{35}təu^{21}li^{0}təu$^{35}_{44}$iəu^{35}le^{0}.

【箇滴子】kai^{53}tiet^{5}tsʅ^{0} 代 指示代词。①表示数量不多，相当于"那么点儿"：箇阵子到报社里打工我就用倒报社里～钱呐，敆工资下留倒哇，存倒哇。kai$^{53}_{44}$tʂʰən^{53}tsʅ^{0}tau^{53}pau^{53}ʂa^{53}li^{0}ta^{21}kəŋ^{35}ŋai$^{13}_{21}$tsʰiəu$^{53}_{44}$iəŋ^{53}tau^{21}pau^{53}ʂa$^{53}_{44}$li^{0}kai$^{53}_{44}$tet^{5}tsʅ^{0}tsʰien^{13}na^{0},e$_{21}$kəŋ^{35}tsʅ$^{35}_{44}$xa^{53}liəu^{13}tau^{21}ua^{0},tsʰən^{13}tau^{21}ua^{0}. ②表示体积或面积不大的事物：髻就系箇头上个～呢。ci^{53}tsʰiəu$^{53}_{44}$xe$^{53}_{44}$kai$^{53}_{44}$tʰei^{13}xɔŋ$^{53}_{44}$ke$^{53}_{44}$kai$^{53}_{44}$tiet^{5}tsʅ^{0}nei^{0}.

【箇兜子】kai^{53}təu^{35}/tei^{35}tsʅ^{0} 代 指示代词。①那些，又称"箇些子"：～人去下子看么个？kai^{53}təu$^{35}_{44}$tsʅ^{0}ɲin^{13}çi$^{53}_{44}$xa$^{53}_{44}$tsʅ^{0}kʰɔn^{53}mak^{3}ke^{53}? ②指某一方面：箇只妹子找只寻只老公嘞，懒懒子，渠看老婆又看得起呢，就～好。kai^{53}tʂak^{3}mɔi^{53}tsʅ^{0}tsau^{21}tʂak^{3}tsʰin^{13}tʂak^{3}lau^{21}kəŋ^{35}lei^{0},lan^{35}lan^{35}tsʅ^{0},ci^{13}kʰɔn^{53}nau^{21}pʰo^{13}iəu^{53}kʰɔn^{53}tek^{3}çi^{21}nei^{0},tsʰiəu$^{53}_{44}$kai^{53}tei^{35}tsʅ^{0}xau^{21}.

【箇个】kai^{53}kei^{53} 代 指示代词。指示比较远的人或事物，相当于"那个"。①修饰后面所跟名词或名词性短语：～屋吵一般呢两边就咁子个吵。kai$^{53}_{44}$kei$^{53}_{44}$uk^{3}ʂa^{0}iet^{3}pɔn^{35}nei^{0}iɔŋ^{21}pien^{35}tsʰiəu$^{53}_{44}$kan^{21}tsʅ^{0}ke$^{53}_{44}$ʂa^{0}.｜宝里宝气是有滴子学倒～本地人个。pau^{21}li^{0}pau^{21}çi^{53}ʂʅ$^{53}_{44}$iəu^{35}tiet^{5}tsʅ^{0}xɔk^{5}tau^{21}kai$^{53}_{44}$ke$^{53}_{44}$pən^{21}tʰi^{53}ɲin$^{13}_{21}$ke$^{53}_{21}$. ②单用，复指前文内容：茶树上有滴长起□长个箇个枝条哇也可以。～都比较韧性。tsʰa^{13}ʂəu^{53}xɔŋ$^{53}_{44}$iəu^{35}tiet^{5}tʂəŋ^{21}çi^{21}lai^{35}tʂʰɔŋ$^{13}_{21}$ke$^{53}_{44}$kai$^{53}_{44}$ke$^{53}_{44}$tʂʅ$^{35}_{44}$tʰiau$^{13}_{21}$ua^{0}ia^{35}kʰo^{21}i^{35}.kai$^{53}_{44}$ke$^{53}_{35}$təu^{35}pi^{21}ciau$^{53}_{44}$ɲin^{53}sin^{53}. ③代替暂未找到合适言辞来表达的内容：你唔舞嘿滴饭汤去就敆你唔舞

嘿滴饭汤去渠就忒鲜哩嘞。渠就会会～嘞，会冇得熟嘞，就会炆……唔系就炆成羹嘞，水多哩就炆成羹。ɲi^{13}n̩^{13}u^{21}xek^{3}tiet^{5}fan^{53}tʰɔŋ^{35}çi$^{53}_{44}$tsʰiəu$^{53}_{44}$e$_{21}$ɲi^{13}n̩^{13}u^{21}xek^{3}tiet^{5}fan^{53}tʰɔŋ^{35}çi$^{53}_{44}$ci$^{13}_{21}$tsʰiəu$^{53}_{44}$tʰiet^{3}sien^{35}ni^{0}le^{0}.ci^{13}tsʰiəu$^{53}_{44}$uɔi$^{53}_{44}$uɔi^{53}kai^{53}ke^{53}le^{0},uɔi^{53}mau^{13}tek^{3}ʂəuk^{5}le^{0},tsʰiəu$^{53}_{44}$uɔi$^{53}_{44}$uən^{13}…m̩^{13}pʰe^{53}(←xe^{53})tsʰiəu^{53}uən$^{13}_{21}$ʂaŋ$^{13}_{21}$kaŋ^{35}lei^{0},ʂei^{21}to$^{35}_{44}$li^{0}tsʰiəu$^{53}_{44}$uən$^{13}_{21}$ʂaŋ$^{13}_{21}$kaŋ^{35}.

【箇咁子】kai^{53}kan^{21}tsɿ^{0} 代 指示代词。那样：让门搞嘞？唔系～搞，系爱以咁子搞。ɲiɔŋ^{53}men^{35}kau^{21}le^{0}?m̩^{13}pʰe^{53}kai^{53}kan^{21}tsɿ^{0}kau^{21},xe^{53}ɔi^{53}i^{21}kan^{21}tsɿ^{0}kau^{21}.

【箇号】kai^{53}xau^{53} 代 指示代词。那种。又称“箇种、箇起”：～人 kai^{53}xau^{53}ɲin^{13}｜渠箇是青（茄子）～是。ci$^{13}_{21}$kai^{53}ʂɿ$^{53}_{44}$tsʰiaŋ^{35}kai$^{53}_{44}$xau$^{53}_{44}$ʂɿ$^{53}_{44}$.｜渠就冇得～别么个话法。ci$^{13}_{21}$tsʰiəu$^{53}_{44}$mau$^{13}_{21}$tek^{3}kai$^{53}_{21}$xau$^{53}_{21}$pʰiek^{5}mak^{3}ke$^{53}_{44}$ua^{53}fait^{3}.

【箇里】kai^{53}li^{0} 代 指示代词。那里：我等～ ŋai$^{13}_{21}$tien^{0}kai$^{53}_{21}$li^{0}｜我打电话分我赖子看下渠去～吗。ŋai$^{13}_{21}$ta^{21}tʰien^{53}fa^{53}pən^{35}ŋai$^{13}_{21}$lai^{53}tsɿ^{0}kʰɔn$^{53}_{44}$na$_{44}$(←xa^{53})ci$^{13}_{21}$çi$^{53}_{44}$kai^{53}li^{0}ma^{0}.

【箇起】kai^{53}çi^{21} 代 指示代词。①那种。又称“箇种、箇号”：～壶安做么个壶？kai^{53}çi^{21}fu^{13}ɔn$^{35}_{44}$tso$^{53}_{44}$mak^{3}e$^{53}_{44}$fu$^{13}_{21}$?｜有～同箇饽饽黄样个黄心番薯。iəu^{35}kai^{53}çi^{21}tʰəŋ^{13}kai$^{53}_{44}$pɔk^{5}pɔk^{5}uɔŋ^{13}iɔŋ$^{53}_{44}$ke$^{53}_{44}$uɔŋ^{13}sin$^{35}_{44}$fan$^{35}_{44}$ʂəu$^{13}_{21}$. ②那些：欸底下咁多～人，底下咁热闹啊，～人搞么啊个？e^{0}tei^{21}xa$^{53}_{44}$kan^{21}to^{35}kai^{53}çi^{21}ɲin$^{13}_{21}$,tei^{21}xa$^{53}_{44}$kan^{21}ɲiet^{5}lau^{53}a^{0},kai^{53}çi^{21}ɲin^{13}kau^{21}mak^{3}a^{0}ke$^{53}_{44}$?

【箇时子】kai^{53}ʂɿ^{13}tsɿ^{0} 代 指示代词。那时候：箇个欸墙板一松，就爱整。因为渠～泥还溧湿，好整。kai$^{53}_{44}$ke$^{53}_{44}$e$_{21}$tsʰiɔŋ^{13}pan^{21}iet^{3}səŋ^{35},tsʰiəu$^{53}_{44}$ɔi$^{53}_{44}$tʂaŋ^{21}.in^{35}uei$^{53}_{44}$ci$^{13}_{21}$kai^{53}ʂɿ$^{13}_{21}$tsɿ^{0}lai$^{13}_{21}$xai$^{13}_{21}$tsiet^{5}ʂət^{3},xau^{21}tʂaŋ^{21}.

【箇头】kai^{53}tʰei^{13} 代 指示代词。那端；那边：以头，以一头更大，～就细滴子。i^{21}tʰei$^{13}_{21}$,i^{21}iet^{3}tʰei$^{13}_{21}$ken^{53}tʰai^{53},kai^{53}tʰei^{13}tsiəu$^{53}_{44}$se^{53}tiet^{5}tsɿ^{0}.｜以头望倒～。i^{21}tʰei^{13}uɔŋ^{53}tau^{21}kai^{53}tʰei^{13}.

【箇下】kai^{53}xa^{53} 代 指示代词。那会儿，那时候。也称“箇下子”：落尾硬□咖萝卜了，箇萝卜可以起得来，格外重滴了，～就安做萝卜苗箇是。lɔk$^{5}_{3}$mi^{35}ɲiaŋ^{53}ləu^{35}ka^{0}lo^{13}pʰek^{5}liau^{0},kai^{53}lo^{13}pʰek^{5}kʰo^{21}i$^{21}_{53}$cʰi^{21}tek^{3}lɔi^{13},kek^{3}uai^{53}tʂʰəŋ^{35}tiet^{5}liau^{0},kai^{53}xa$^{53}_{44}$tsʰiəu$^{53}_{44}$ɔn$^{35}_{44}$tso$^{53}_{44}$lo^{13}pʰek^{5}miau^{13}kai$^{53}_{44}$ʂɿ$^{53}_{35}$.｜食哩饭～子真尴，真冇精神。ʂət^{5}li^{0}fan^{53}kai$^{53}_{44}$xa^{53}tsɿ^{0}tʂən^{35}cʰiɔi^{53},tʂən^{35}mau$^{13}_{21}$tsin$^{35}_{44}$ʂən$^{13}_{21}$.

【箇向】kai^{53}çiɔŋ$^{53}_{44}$ 代 指示代词。①那一侧：跟箇日头日头晒正～渠指向日葵向准欸向。ken$^{35}_{44}$kai^{53}ɲiet^{3}tʰəu^{13}ɲiet^{3}tʰəu^{13}sai^{53}tʂaŋ$^{53}_{21}$kai$^{53}_{44}$çiɔŋ^{53}ci^{13}çiɔŋ^{53}tʂən$^{21}_{44}$e$_{21}$çiɔŋ^{53}. ②那里：渠～指浏阳南乡滴啱大子个就会做爆竹，就寻得钱倒。ci^{13}kai$^{53}_{44}$çiɔŋ$^{53}_{44}$tiet^{5}ŋait^{3}tʰai^{53}tsɿ^{0}ke$^{53}_{44}$tsʰiəu$^{53}_{44}$uɔi$^{53}_{44}$tso$^{53}_{44}$pau$^{53}_{44}$tʂəuk^{3},tsʰiəu^{53}tsʰin$^{13}_{21}$tek^{3}tsʰien$^{13}_{21}$tau$^{21}_{44}$.｜只有搞土楼嘞就爱用竹篾。喊土楼，底下～用竹篾蒙稳。tʂe^{21}iəu$^{21}_{44}$kau^{21}tʰəu^{21}lei^{13}lei^{0}tsʰiəu$^{53}_{44}$ɔi$^{53}_{44}$iəŋ^{53}tʂəuk^{3}sak^{3}.xan^{53}tʰəu^{21}ləu^{13},tei^{21}xa^{53}kai$^{53}_{44}$çiɔŋ$^{53}_{44}$iəŋ$^{53}_{44}$tʂəuk^{3}sak^{3}maŋ^{13}uən^{21}.

【箇向子】kai$^{53}_{44}$çiaŋ$^{53}_{21}$tsɿ^{0} 代 指示代词。那时候，指过去：～有么人喊锄头嘞？kai$^{53}_{44}$çiaŋ$^{53}_{21}$tsɿ^{0}iəu$^{35}_{44}$mak^{3}in$^{13}_{44}$xan^{53}tsʰəu^{13}tʰəu$^{13}_{44}$lei^{0}?

【箇些】kai^{53}sia^{35}/sie^{35} 代 指示代词。那些，又称“箇兜子”：～新郎新娘就去敬下子酒唠。kai$^{53}_{44}$sia$^{35}_{44}$sin^{35}nɔŋ$^{13}_{21}$sin^{35}ɲiɔŋ$^{13}_{21}$tsiəu$^{53}_{44}$çi$^{53}_{44}$cin^{53}na$_{44}$(←xa^{53})tsɿ^{0}tsiəu^{21}lau^{0}.｜～不要去搞啦，我唔搞咁些路子嘞。kai^{53}sie$^{35}_{44}$pət^{3}iau$^{53}_{44}$çie^{53}kau^{21}la^{0},ŋai^{13}ŋ̍$^{13}_{44}$kau^{21}kan^{21}sie$^{35}_{44}$ləu^{53}tsɿ^{0}le^{0}.

【箇样】kai^{53}iɔŋ^{53} 代 指示代词。①指示性质、状态、方式、程度等等，相当于“那样”：又有磨，底下又有只圆个，顶高又有只～个高个箇就安做高把黄蒲。iəu$^{53}_{44}$iəu^{35}mo^{53},te^{21}xa$^{53}_{44}$iəu$^{53}_{44}$iəu$^{35}_{44}$tʂak^{3}ien^{13}kei^{53},taŋ^{21}kau$^{35}_{44}$iəu$^{53}_{44}$iəu$^{35}_{44}$tʂak^{21}kai$^{53}_{44}$iɔŋ$^{53}_{44}$ke$^{53}_{44}$kau^{35}ke$^{53}_{21}$kai$^{53}_{44}$tsʰiəu$^{53}_{44}$ɔn$^{35}_{44}$tso$^{53}_{44}$kau^{35}pa^{53}uɔŋ$^{13}_{21}$pʰu$^{13}_{21}$.｜箇是只有买衫裤个时候子，去买衫裤个时候子，有滴人就有滴讲究，系啊？我爱买圆底个褂子，我爱买平底个褂子。箇有～讲究，平时有么人讲究。kai$^{53}_{44}$ʂɿ$^{53}_{44}$tʂe^{21}iəu$^{35}_{44}$mai^{35}san$^{35}_{44}$fu$^{53}_{44}$ke$^{53}_{44}$ʂɿ$^{13}_{21}$xei^{53}tsɿ^{0},çi^{53}mai^{35}san$^{35}_{44}$fu$^{53}_{44}$(k)e$^{53}_{44}$ʂɿ$^{13}_{21}$xei^{53}tsɿ^{0},iəu^{35}tet^{5}ɲin^{13}tsʰiəu$^{53}_{44}$iəu$^{53}_{44}$tiet^{5}kɔŋ^{21}ciəu^{53},xei$^{53}_{44}$a^{0}?ŋai^{13}ɔi^{53}mai^{35}ien^{13}te^{21}ke$^{53}_{44}$kua^{53}tsɿ^{0},ŋai$^{13}_{21}$ɔi$^{53}_{44}$mai^{35}pʰiaŋ^{13}te^{21}ke$^{53}_{44}$kua^{53}tsɿ^{0}.kai$^{53}_{44}$iəu^{35}kai$^{53}_{44}$iɔŋ$^{53}_{44}$kɔŋ^{21}ciəu^{53},pʰin^{13}ʂɿ$^{13}_{44}$mau^{13}mak^{3}in$^{13}_{44}$kɔŋ^{21}ciəu^{53}.｜挖箫子就鸡嫲竹。有尺多长～高。ua^{35}siau^{35}tsɿ^{0}tsʰiəu^{35}ke^{35}ma^{13}tʂəuk^{3}.iəu^{35}tʂʰak^{3}to^{35}tʂʰɔŋ$^{13}_{21}$kai^{53}iɔŋ$^{53}_{44}$kau^{35}. ②指示特定的事物或行为：我等以映唔兴～。ŋai$^{13}_{21}$tien^{0}i^{21}iaŋ$^{53}_{44}$ŋ̍$^{13}_{21}$çin$^{35}_{44}$kai^{53}iɔŋ$^{53}_{44}$.

【箇样子】kai^{53}iɔŋ$^{53}_{44}$tsɿ^{0} 代 指示代词。①指示方式等，相当于“那样”：～，摆正熨是八帖子。kai$^{53}_{44}$iɔŋ^{53}tsɿ^{0},pai^{21}tʂaŋ$^{53}_{44}$iet^{3}sɿ^{53}pait^{3}tʰiet^{3}tsɿ^{0}. ②指示特定的情况、状态：（下葬）七天以后呀，第一只七唔搞，第一只七天唔搞，呣，头七，～话撞头七。tsʰiet^{3}tʰien$^{35}_{44}$i$^{35}_{44}$xei$^{53}_{44}$ia^{0},tʰi^{53}iet^{3}tʂak^{3}tsʰiet^{3}n̩^{13}kau^{21},tʰi^{53}iet^{3}tʂak^{3}tsʰiet^{3}tʰien$^{35}_{44}$n̩^{13}kau^{21},m̩$_{21}$,tʰei^{13}tsʰiet^{3},kai$^{53}_{44}$iɔŋ$^{53}_{44}$tsɿ^{0}ua$^{53}_{44}$tsʰɔŋ^{53}tʰei^{13}tsʰiet^{3}.｜还有

板寸头。欸，镬铲样哦，～啊。xai$^{13}_{21}$iəu$^{35}_{44}$pan^{21}tsʰən^{53}tʰei^{13}.ei$_{44}$,uək^{5}tsʰan^{21}iəŋ$^{53}_{44}$ŋo^{0},kai$^{53}_{44}$iəŋ$^{53}_{44}$tsa^{0}.

【箇映】kai^{53}iaŋ^{53}/in^{53} 代指示代词。表处所，相当于“那里”：我等～一只退休医师死嘿哩。ŋai$^{13}_{21}$tien^{0}kai$^{53}_{44}$iaŋ$^{53}_{44}$iet^{3}tʂak^{3}tʰei^{53}çiəu$^{35}_{44}$i^{35}sɿ$^{53}_{44}$si^{21}xek^{3}li^{0}.｜鸭甑是就系日里关个，就很少关下～过夜。ait^{3}tsien$^{53}_{21}$ʂɿ$^{53}_{44}$tsʰiəu^{53}xei^{53}ɲiet^{3}li^{0}kuan$^{35}_{44}$kei$^{53}_{44}$,tsiəu^{53}xen^{21}ʂau^{21}kuan^{35}na$_{44}$(←xa^{53})kai$^{53}_{44}$iaŋ$^{53}_{44}$ko$^{53}_{44}$ia^{53}.

【箇映子】kai^{53}iaŋ^{53}tsɿ^{0} 代指示代词，表处所，相当于“那里”：我箇只老弟嫂去澄潭江～教过书哇。ŋai$^{13}_{21}$kai$^{53}_{44}$tʂak^{3}lau^{21}tʰai$^{35}_{44}$sau^{21}çi$^{53}_{44}$tʂʰən$^{13}_{21}$tʰan$^{13}_{44}$ciəŋ^{35}kai$^{53}_{44}$iaŋ$^{53}_{44}$tsɿ^{0}kau$^{35}_{44}$ko$^{53}_{44}$ʂəu^{35}ua^{0}.

【箇阵】kai^{53}tʂʰən^{53} 代指示代词，表示过去的某段时间，相当于“那时候、那会儿”：～冇糖卖。kai^{53}tʂʰən^{53}mau^{13}tʰəŋ^{13}mai^{53}.｜我等～冇茶叶食，茶叶少哩就摘咁个东西指鹞嫌鹑芯啊。ŋai^{13}tien^{0}kai^{53}tʂʰən^{53}mau^{13}tsʰa^{13}iait^{5}ʂət$^{5}_{3}$,tsʰa^{13}iait^{5}ʂau^{21}li^{0}tsʰiəu^{53}tsak^{3}kan^{21}ke$^{53}_{44}$təŋ$^{35}_{44}$si^{0}a^{0}.

【箇阵子】kai^{53}tʂʰən^{53}tsɿ^{0} 代指示代词，表示过去的某段时间，相当于“那时候、那会儿”：哟，～有只水壶是箇是真好嘞。io^{35},kai$^{53}_{44}$tʂʰən$^{53}_{44}$tsɿ^{0}iəu^{35}tʂak^{3}ʂei^{21}fu^{13}ʂɿ$^{53}_{44}$kai$^{53}_{44}$ʂɿ$^{53}_{44}$tʂən^{35}xau^{21}le^{0}.｜～到报社里打工我就用倒报社里箇滴子钱呐，欸工资下留倒哇，存倒哇。kai$^{53}_{44}$tʂʰən^{53}tsɿ^{0}tau^{53}pau^{53}ʂa^{53}li^{0}ta^{21}kəŋ^{35}ŋai$^{13}_{21}$tsʰiəu$^{53}_{44}$iəŋ^{53}tau^{21}pau^{53}ʂa$^{53}_{44}$li^{0}kai$^{53}_{44}$tet^{5}tsɿ^{0}tsʰien^{13}na^{0},e$_{21}$kəŋ^{35}tsɿ$^{35}_{44}$xa^{53}liəu^{13}tau^{21}ua^{0},tsʰən^{13}tau^{21}ua^{0}.

【箇只】kai^{53}tʂak^{3} 代指示代词。①指示特定的某一个体：以只摎～唔一样。i^{21}tʂak^{3}lau^{35}kai^{53}tʂak^{3}ŋ̍^{13}iet^{3}iəŋ^{53}.②指示特定的某一类对象：～圳呢我等以映只讲哪起呢？人工挖～。kai$^{53}_{44}$tʂak^{3}tʂən^{53}nei^{0}ŋai$^{13}_{21}$tien^{0}i$^{21}_{44}$iaŋ$^{53}_{44}$tʂek^{3}kəŋ^{21}lai$^{53}_{44}$çi^{21}lei^{0}?ɲin^{13}kəŋ$^{35}_{44}$uait^{3}kai$^{53}_{44}$tʂak^{3}.③放在名词后，相当于“之类、等等、诸如此类”等，表示列举未尽的意思：箇个底下放滴棉絮呀，放滴秆～。kai$^{53}_{44}$ke$^{53}_{44}$te^{21}xa$^{53}_{44}$fəŋ^{53}tet$^{5}_{3}$mien^{13}si^{53}ia^{0},fəŋ^{53}tet$^{5}_{3}$kən^{21}kai^{53}tʂak^{3}.

【箇种】kai^{53}tʂəŋ^{21} 代指示代词。指示某一特定的种类。又称“箇号、箇起”：～豆子就栽下箇田塍上，唔怕脚去踩。kai^{53}tʂəŋ^{21}tʰei^{53}tsɿ^{0}tsʰiəu$^{53}_{44}$tsoi^{35}(x)a$^{53}_{44}$kai$^{53}_{44}$tʰien^{13}ʂən$^{13}_{21}$xəŋ^{53},m̩^{13}pʰa^{53}ciək^{3}çi$^{53}_{44}$kaŋ^{53}.｜～就水鸭子。kai^{53}tʂəŋ^{21}tsʰiəu$^{53}_{44}$ʂei^{21}ait^{3}tsɿ^{0}.

【箇子】kai^{53}tsɿ^{0} 代指示代词。指示比较远的处所，相当于“那里”：你箇光窗～就抄哩角。ɲi^{13}kai^{53}kəŋ^{35}tsʰəŋ^{35}kai$^{53}_{21}$tsɿ^{0}tsʰiəu$^{53}_{44}$tsʰau^{35}li^{0}kək^{3}.｜渠正经去～同一只朋友打讲呢。ci$^{13}_{21}$tʂən^{53}cin^{35}çi^{53}kai^{53}tsɿ^{0}tʰəŋ^{13}iet^{3}tʂak^{3}pʰəŋ^{13}iəu^{35}ta^{21}kəŋ^{21}ne^{0}.

【根】kən^{35}/cien^{35} 量用于细长的东西：两～绳 iəŋ^{21}cien^{35}ʂən^{13}｜箇几～香嘞插下箇禾坪角上。kai^{53}ci^{21}cien$^{35}_{21}$çiəŋ^{35}lei^{0}tsʰait^{3}(x)a^{53}kai$^{53}_{44}$uo^{13}pʰiaŋ$^{13}_{21}$kək^{3}xəŋ^{53}.｜篸子就系一～个。tsan^{35}tsɿ^{0}tsʰiəu^{53}xe^{53}iet^{3}cien^{35}ke^{53}.

【根本】cien^{35}pən^{21} 副①本来；从来：以只事渠～就唔晓得。i^{21}tʂak^{3}sɿ^{53}ci^{13}cien^{35}pən^{21}tsʰiəu^{53}ŋ̍^{13}çiau^{21}tek^{3}.②全然；压根儿：粪勺摎粪角就～系两回事。pən^{53}ʂək^{5}lau$^{35}_{44}$pən^{53}kək^{3}tsʰiəu$^{53}_{44}$cien^{35}pən^{21}xe$^{53}_{44}$iəŋ^{21}fei^{13}sɿ^{53}.③彻底：如今～基本上冇得哩。i$^{13}_{21}$cin$^{35}_{44}$cien^{35}pən^{21}ci^{35}pən^{21}xəŋ^{53}mau^{13}tek^{3}li^{0}.

【跟$_1$】cien^{35} 动①在后面紧跟着向同一方向行动；跟随：就系蛮时髦，蛮～得形势上，欸，就安做西式。tsiəu^{53}xe^{53}man^{13}ʂɿ^{13}mau^{13},man^{13}cien^{35}tek^{3}çin^{13}ʂɿ$^{53}_{44}$ʂəŋ^{35},e$_{21}$,tsʰiəu$^{53}_{44}$ən$^{35}_{44}$tso$^{53}_{21}$si^{35}ʂɿ$_{44}$.②仿照：就～细人子喊下子。tsʰiəu$^{53}_{44}$cien$^{35}_{44}$sei^{53}ɲin$^{13}_{21}$tsɿ^{0}xan$^{53}_{44}$na$_{44}$(←xa^{53})tsɿ^{0}.

【跟$_2$】kən^{35} 连表示并列关系，相当于“和，同”：渠～渠等箇箇阵子个箇学校里个老师尽系摎我唔知几熟啊。ci$^{13}_{21}$kən$^{35}_{44}$ci$^{13}_{21}$tien^{0}kai$^{53}_{44}$kai^{53}tʂʰən$^{53}_{44}$tsɿ^{0}ke$^{53}_{44}$kai$^{53}_{44}$çiək^{5}çiau$^{53}_{44}$li^{0}ke$^{53}_{44}$lau^{21}sɿ$^{35}_{44}$tsʰin^{53}xe$^{53}_{44}$lau^{35}ŋai$^{13}_{21}$m̩$^{13}_{21}$ti$^{35}_{44}$ci^{21}ʂəuk^{3}a^{0}.

【跟$_3$】kən^{35} 介引述比较或比拟的对象，相当于“如同”：箇只盆盆指拖斗做倒蛮西式唠，～……同船底差唔多。kai^{53}tʂak^{3}pʰən$^{13}_{21}$pʰən$^{13}_{44}$tso^{53}tau^{21}man^{13}si$^{35}_{53}$ʂɿ^{53}lau^{0},kən^{35}…tʰəŋ^{13}ʂon^{13}te^{21}tsa^{35}n̩$^{13}_{21}$to^{35}.｜（蚂蟥带子）～蚂蟥样扯长扯短。kən$^{35}_{44}$ma^{35}uəŋ$^{13}_{21}$iəŋ$^{53}_{44}$tʂʰa^{21}tʂʰəŋ^{13}tʂʰa^{21}tən^{21}.

【跟倒$_1$】cien^{35} 动①在后面紧跟着向同一方向行动；跟随：渠～转。ci$^{13}_{21}$cien^{35}tau^{21}tʂon^{21}.｜～娭子下堂。cien^{35}tau^{21}əi^{35}tsɿ^{0}xa^{35}təŋ^{13}.②仿照：也系～喊料酒。ia^{35}xe$^{53}_{44}$cien^{35}tau$^{21}_{44}$xan$^{53}_{44}$liau^{53}tsiəu^{21}.

【跟倒$_2$】cien^{35}tau^{21} 副随即，紧接着：以只刮子就一刮下过，～出欸。i^{21}tʂak^{3}kuait^{3}tsɿ^{0}tsiəu$^{53}_{44}$iet^{3}kuait^{3}xa$^{53}_{44}$ko$^{53}_{44}$,cien^{35}tau^{21}tʂʰət^{3}ei^{13}.

【跟前】ken^{35}tsʰien^{13} 名前面：望春花欸横巷里湘明人名，未核实都有他～指家门前有苑树有条树啊。uaŋ^{53}tʂʰən$^{35}_{44}$fa$^{35}_{44}$ei$_{44}$uaŋ^{13}xəŋ$^{53}_{44}$li^{0}siəŋ^{35}min$^{13}_{21}$təu$^{35}_{44}$iəu$^{35}_{44}$tʰa$^{35}_{21}$ken$^{35}_{44}$tsʰien$^{13}_{21}$iəu$^{35}_{44}$tei$^{35}_{44}$ʂəu$^{35}_{21}$iəu$^{35}_{44}$tʰiau$^{13}_{21}$ʂəu$^{53}_{44}$a^{0}.

【更$_1$】kaŋ^{35} 名旧时夜间计时单位，一夜分为五更：一～火烛二～贼，三～半夜五～鸡。iet^{3}kaŋ^{35}fo^{21}tʂəuk^{3}ni^{53}kaŋ^{35}tsʰiet^{3},san^{35}kaŋ^{35}pan^{53}ia^{53}ŋ̍^{21}kaŋ^{35}ke^{35}.

【庚弟】cien^{35}tʰi^{53} 名老庚中的年龄略小者：我就正月出世个嘞。我去凤溪教书个时候子有几只老庚都系比我更细，渠等就～。有两三只老庚都比我细滴子呢，细月份呢，渠等就系～呀。ŋai^{13}tsʰiəu^{53}tʂaŋ^{35}ɲiet^{5}tʂʰət^{3}ʂʅ^{53}ke^{0}lei^{0}.ŋai^{13}çi$^{53}_{44}$fəŋ^{53}çi$^{35}_{44}$kau$^{35}_{44}$ʂəu$^{35}_{44}$ke^{0}ʂʅ$^{13}_{44}$xəu$^{53}_{44}$tsɿ^{0}iəu^{35}ci^{21}tʂak^{3}lau^{21}cien^{35}təu$^{35}_{44}$xei$^{53}_{44}$pi^{21}ŋai^{13}cien$^{53}_{44}$sei^{53},ci$^{13}_{21}$tien^{0}tsʰiəu$^{53}_{44}$cien^{35}tʰi^{53}.iəu^{35}iɔŋ^{21}san$^{35}_{44}$tʂak^{3}lau^{21}cien^{35}təu$^{35}_{44}$pi^{21}ŋai^{13}se^{53}tiet^{5}tsɿ^{0}ne^{0},sei^{53}ɲiet^{5}fən^{53}ne^{0},ci$^{13}_{21}$tien^{0}tsʰiəu$^{53}_{44}$xei$^{53}_{44}$cien^{35}tʰi^{53}ia^{0}.

【庚书】kaŋ^{35}ʂəu^{35} 名庚帖的别称：欸，还有驳～我也就唔晓得了嘞，箇也𫠣搞过，驳～。e$_{53}$,xai$^{13}_{21}$iəu$^{35}_{44}$pɔk^{3}kaŋ^{35}ʂəu$^{35}_{44}$ŋai^{13}ia$^{35}_{53}$tsʰiəu$^{53}_{44}$m̩$^{13}_{21}$çiau^{21}tek^{3}liau^{21}lei^{0},kai^{53}ia$^{35}_{44}$maŋ^{13}kau^{21}ko^{53},pɔk^{3}kaŋ^{35}ʂəu^{35}.

【庚帖】kaŋ^{35}tʰiait^{3} 名旧时议婚，男女双方交换写明其姓名、籍贯、三代等的帖子。因其上记载了双方各自的生辰八字，故称为“庚帖”：有～吧？/～。/～嘞还系也系装下帖盒中。/装下帖盒肚里，欸。/现嘿现八只字啊。八字啊。/就系箇年月日时。iəu$^{35}_{44}$kaŋ^{35}tʰiait^{3}pa^{0}?/kaŋ^{35}tʰiait^{3}./kaŋ^{35}tʰiait^{3}le^{0}xai$^{13}_{21}$xe$^{53}_{44}$ia^{35}xe$^{53}_{44}$tʂɔŋ$^{35}_{44}$ua$_{44}$(←xa^{53})tʰiait^{3}xait^{5}tʂəŋ$^{35}_{44}$./tʂɔŋ$^{35}_{44}$xa$^{53}_{44}$tʰiait^{3}xait^{5}təu^{21}li^{0},e$_{21}$./çien^{53}xek^{3}çien^{53}pait^{3}tʂak^{3}tsʰɿ^{53}a^{0}.pait^{3}tsʰɿ^{53}a^{0}./tsʰiəu$^{53}_{44}$xei$^{53}_{21}$kai^{53}ɲien^{13}ɲiet^{5}ɲiet^{3}ʂʅ^{13}.

【庚兄】cien^{35}çiəŋ^{35} 名老庚中的年龄略大者：嗯，（渠等）比我细月份，我正月出世个，渠等就又尽系比我细月份。渠等称我就～啊。n̩$_{21}$,pi^{21}ŋai^{13}sei^{53}ɲiet^{5}fən^{53},ŋai$^{13}_{21}$tʂaŋ^{35}ɲiet^{5}tʂʰət^{3}ʂʅ$^{53}_{44}$ke^{0},ci$^{13}_{21}$tien^{0}tsʰiəu^{53}iəu$^{53}_{44}$tsʰin^{53}xe$^{53}_{44}$pi^{21}ŋai^{13}sei^{53}ɲiet^{5}fən$^{53}_{21}$.ci$^{13}_{21}$tien^{0}tʂʰən$^{35}_{44}$ŋai^{13}tsʰiəu$^{53}_{44}$cien$^{35}_{44}$çiəŋ^{35}ŋa^{0}.

【羹】kaŋ^{35} 名用米粉之类煮出来的糊状食物。又称“羹糊”：渠～搒粥个区别在于哪映子嘞？～，系米粉，分箇米粉碎哩以后，调出来个。□$_{搅煮}$个～，□～。～就□，就是就放倒镬里，放滴水去咁子去搅拌。嗯，欸就□个～。粥嘞就米炆成个粥。……米粉，箇就硬爱米粉，放镬里去□，放滴水，底下就加热欸烧火，安做去□，□成～。个粥嘞就唔系咁子个，粥就硬系生米，就米，多放水，欸，多放滴水去，去炆，就炆成哩粥。欸，～搒粥唔同。ci$^{13}_{21}$kaŋ^{35}lau$^{35}_{44}$tʂəuk^{3}ke$^{53}_{44}$tʂʰʮ^{35}pʰiek$^{5}_{3}$tsʰai^{53}y^{13}lai^{53}iaŋ^{53}tsɿ^{0}lei^{0}?kaŋ^{35},xei^{53}mi^{21}fən^{21},pən^{35}kai^{53}mi^{21}fən^{21}sei^{53}li^{0}i^{35}xei^{53},tʰiau^{13}tʂʰət^{3}lɔi$^{13}_{21}$ke^{53}.cʰiet^{5}cie$^{53}_{44}$kaŋ^{35},cʰiet^{5}kaŋ^{35}.kaŋ^{35}tsʰiəu$^{53}_{44}$cʰiet^{5},tsʰiəu^{53}ʂʅ^{53}tsʰiəu^{53}fɔŋ^{53}tau^{21}uɔk^{5}li^{0},fɔŋ^{53}tet^{5}ʂei^{21}cʰi$^{53}_{44}$kan^{21}tsɿ^{0}çi$^{53}_{44}$ciau^{21}pan^{53}.ŋ̍$_{21}$,e$_{21}$tsʰiəu$^{53}_{44}$cʰiet^{5}ke$^{53}_{44}$kaŋ^{35}.tʂəuk^{3}le^{0}tsʰiəu^{53}mi^{21}uən^{13}ʂaŋ$^{13}_{21}$ke^{53}tʂəuk^{3}.…mi^{21}fən^{21},kai$^{53}_{21}$tsʰiəu^{53}ɲiaŋ^{53}ɔi^{53}mi^{21}fən^{21},fɔŋ^{53}uɔk^{5}li^{0}çi$^{53}_{21}$cʰiet^{5},fɔŋ^{53}tiet^{5}ʂei^{21},te^{21}xa$^{53}_{44}$tsʰiəu$^{53}_{44}$cia^{35}ɲiet^{5}e^{0}ʂau^{35}fo^{21},ɔn$^{35}_{21}$tso$^{53}_{21}$çi$^{53}_{21}$cʰiet^{5},cʰiet^{5}ʂaŋ$^{13}_{21}$kaŋ^{35}.ke^{53}tʂəuk^{3}lei^{0}tsʰiəu^{53}m̩$^{13}_{21}$pʰe^{53}kan^{21}tsɿ^{0}ke^{53},tʂəuk^{3}tsʰiəu^{53}ɲiaŋ^{53}xe^{53}saŋ^{35}mi^{21},tsʰiəu^{53}mi^{21},to^{35}fɔŋ^{53}ʂei^{21},e$_{21}$,to^{35}fɔŋ^{53}tiet^{5}ʂei^{21}çi^{53},çi^{53}uən^{13},tsʰiəu^{53}uən^{13}ʂaŋ$^{13}_{21}$li^{0}tʂəuk^{3}.e$_{21}$,kaŋ^{35}lau^{35}tʂəuk^{3}ŋ̍^{13}tʰəŋ^{13}.

【羹糊】kaŋ^{35}fu^{13} 名用米粉、面粉之类搅煮出来的糊：欸，我等人有只喊老弟，渠专门死哩人呐渠专门同别人家搞纸扎，扎咁个灵屋子箇兜咁个，系啊？嗯，渠每次都哪到都走下哪映子就走下哪映事主家里渠就搞兜面粉箇兜嘞，□$_{搅煮}$一碗羹嘞，渠箇个做～呢。渠爱䂢东西就只爱到渠箇去舞凑。欸，□你一斗碗，一大碗，又省钱呢，只爱箇个块把两块钱呐，搞得你买一斤面粉米欸灰面粉是系□得一大碗呐。e$_{44}$,ŋai^{13}tien^{0}ɲin$^{13}_{44}$iəu^{35}tʂak^{3}xan^{53}lau^{21}tʰe^{35},ci$^{13}_{21}$tʂen^{35}mən$^{13}_{44}$si^{21}li^{0}ɲin^{13}na^{0}ci$^{13}_{21}$tʂen^{35}mən$^{13}_{44}$tʰəŋ$^{13}_{21}$pʰiet^{5}in$^{13}_{21}$ka$^{35}_{53}$kau^{21}tʂʅ^{21}tsait^{3},tsait^{3}kan^{21}cie$^{53}_{44}$lin^{13}uk^{3}tsɿ^{0}kai$^{53}_{44}$təu$^{35}_{53}$kan^{21}cie$^{53}_{44}$,xei$^{53}_{44}$a^{0}?n̩$_{21}$,ci$^{13}_{21}$mei^{35}tsʰɿ^{53}təu$^{35}_{44}$lai^{53}tau$^{53}_{44}$təu$^{35}_{53}$tsei^{21}ia$^{53}_{44}$la^{53}iaŋ$^{53}_{44}$tsɿ^{0}tsʰiəu^{53}tsei^{21}ia$^{53}_{44}$la^{53}iaŋ$^{53}_{44}$ʂʅ^{53}tʂəu^{21}ka^{35}li^{21}ci$^{13}_{21}$tsʰiəu^{53}kau^{21}te^{35}mien^{53}fən^{21}kai$^{53}_{44}$te$^{35}_{44}$le^{0},cʰiet^{5}iet^{3}uən^{21}kaŋ^{35}lei^{0},ci$^{13}_{44}$kai$^{53}_{44}$ke$^{53}_{44}$tso^{53}kaŋ^{35}fu$^{13}_{44}$nei^{0}.ci^{13}ɔi^{53}ɲia^{13}təŋ^{35}si^{0}tsʰiəu$^{53}_{44}$tʂʅ^{21}ɔi^{53}tau^{53}ci^{13}kai^{53}çi^{53}u^{21}tsʰe^{0}.ei$_{21}$,ciet^{5}ɲi$^{13}_{21}$iet^{3}tei^{21}uən^{21},iet^{3}tʰai^{53}uən^{21},iəu^{53}saŋ^{21}tsʰien^{13}ne^{0},tʂʅ^{21}ɔi^{53}kai^{53}ke^{0}kʰuai^{53}pa^{21}iɔŋ^{21}kʰuai^{53}tsʰien$^{13}_{44}$na^{0},kau^{21}tek^{3}ɲi$^{13}_{44}$mai^{35}iet^{3}cin^{35}mien^{53}fən^{21}mi^{21}e$_{21}$fei^{35}mien^{53}fən^{21}ʂʅ$^{53}_{44}$(x)ei$^{53}_{44}$cʰiet^{5}tek^{3}iet^{3}tʰai^{53}uən^{21}na^{0}.

【岽】cien^{53} 名山脊：岭岗～个竹搒树哇长就长得蛮茂盛，但是都唔高，唔长。箇个竹搒树爱长爱高个嘞只有窝坜里个树就更长。窝坜里，窝里呀，坜里个树就更长，因为渠爱拼命个往上面长。liaŋ^{35}kɔŋ$^{35}_{44}$cien^{53}ke^{53}tʂəuk^{3}lau^{35}ʂəu^{53}ua^{0}tʂɔŋ^{21}tsʰiəu^{53}tʂɔŋ^{21}tek^{3}man^{13}mei^{53}ʂən^{53},tan^{53}ʂʅ^{53}təu^{35}n̩$^{13}_{21}$kau^{35},n̩^{13}tʂʰɔŋ^{13}.kai$^{53}_{44}$ke$^{53}_{44}$tʂəuk^{3}lau^{35}ʂəu^{53}ɔi^{53}tʂʰɔŋ^{13}ɔi^{53}kau^{35}ke^{0}le^{0}tʂʅ^{21}iəu$^{35}_{53}$uo^{35}lak^{3}li^{0}ke^{0}ʂəu^{53}tsʰiəu^{53}cien^{53}tʂʰɔŋ$^{13}_{21}$.uo^{35}lak^{3}li^{0},uo^{35}li^{0}ia^{0},lak^{3}li^{0}ke^{0}ʂəu^{53}tsʰiəu^{53}cien^{53}tʂʰɔŋ$^{13}_{21}$,in^{35}uei$^{53}_{44}$ci$^{13}_{21}$ɔi^{53}pʰin^{35}min$^{53}_{44}$ke$^{53}_{44}$uɔŋ^{53}ʂɔŋ^{53}mien$^{53}_{44}$tʂɔŋ^{21}.

【岽背】cien^{53}pɔi$^{53}_{44}$ 名山的背后：江西人就挂纸，渠～就渠等就讲挂纸。kɔŋ^{35}si$^{35}_{44}$ɲin$^{13}_{44}$tsʰiəu$^{53}_{44}$kua^{53}tʂʅ^{21},ci^{13}cien^{53}pɔi$^{53}_{44}$tsʰiəu$^{53}_{44}$ci$^{13}_{21}$tien^{0}tsʰiəu$^{53}_{44}$kɔŋ^{21}kua^{53}tʂʅ^{21}.

【哽】kaŋ^{21} 动食物阻塞在喉不能下咽：～稳哩 kaŋ^{21}uən^{21}ni^{0}

【哽人】kaŋ^{21}ɲin^{13} 形食物阻塞食道难以下咽的样子：硇叽红系硬～呢。ləu^{35}ci$^{35}_{44}$fəŋ^{13}uei$_{44}$

(←xei^{53})ɲiaŋ^{53}kaŋ^{21}ɲin^{13}ne^{0}.

【梗$_1$】kuaŋ^{21} 名 植物体上生枝长叶开花的部分；有“AA”重叠式。也称“梗子”：用高粱～啊，高粱～去熬（糖）哇。iəŋ$^{53}_{44}$kau^{35}liəŋ$^{13}_{21}$kuaŋ^{21}ŋa^{0},kau^{35}liəŋ$^{13}_{21}$kuaŋ^{21}çi^{53}ŋau$^{13}_{21}$ua^{0}.｜芋荷就懑大，箇个芋叶呀，㨪～啊懑大。u^{53}xo^{13}ts^{h}iəu$^{53}_{44}$mən^{35}t^{h}ai$^{53}_{21}$,kai$^{53}_{44}$ke$^{53}_{44}$u^{53}iait^{5}ia^{0},lau$^{35}_{44}$kuaŋ^{21}ŋa^{0}mən^{35}t^{h}ai$^{53}_{44}$.｜就岭上个硇叽呀，箇个红～～啊。ts^{h}iəu$^{53}_{44}$liaŋ^{35}xɔŋ$^{53}_{44}$ke$^{53}_{44}$ləu^{35}ci$^{35}_{44}$ia^{0},kai$^{53}_{44}$ke$^{53}_{44}$fəŋ^{13}kuaŋ^{21}kuaŋ^{21}a^{0}.｜其实渠指高粱蔗梗系种高粱，只系话～子更甜滴子。c^{h}i$^{13}_{21}$ʂət^{5}ci$^{13}_{21}$xei^{53}tʂəŋ^{21}kau^{35}liəŋ$^{13}_{21}$,tʂʅ^{21}(x)e^{53}ua^{53}kuaŋ^{21}tsʅ^{0}cien^{53}t^{h}ian^{13}tet^{5}tsʅ^{0}.

【梗$_2$】kuaŋ^{21} 量 用于某些长圆条状的事物，相当于“支”：一～烟 iet^{3}kuaŋ^{21}ien^{35}

【更$_2$】ken^{53} 副 表示程度加深，相当于“愈加、越发”：绩笼～大，以只东西～细，以只东西还织得～好。tsiak^{3}ləŋ^{13}ken$^{53}_{44}$t^{h}ai^{53},i^{21}tʂak^{3}təŋ$^{35}_{44}$si^{0}ken$^{53}_{44}$se^{53},i^{21}tʂak^{3}təŋ$^{35}_{44}$si^{0}xai^{13}tʂʅt^{3}tek$^{3}_{5}$ken$^{53}_{44}$xau^{21}.｜明晡比今晡还会～好。miaŋ^{13}pu^{35}pi^{21}cin^{35}pu^{35}xai^{13}uɔi^{53}cien^{53}xau^{21}.

【工夫】kəŋ^{35}fu^{35} 名 ①工作。多指体力劳动：嗨呀，讲起做～个路子真苦啊，我系所以跑倒去教书哇，唔想做哩～啊，硬唔想做哩啊。xai$_{53}$ia^{0},kɔŋ^{21}çi$^{21}_{21}$tso$^{53}_{44}$kəŋ$^{35}_{44}$fu$^{35}_{53}$(k)e$^{53}_{21}$ləu^{53}tsʅ^{0}tʂən^{35}k^{h}u^{21}a^{0},ŋai^{13}xe$^{53}_{44}$so^{21}i$^{35}_{53}$p^{h}au$^{21}_{53}$tau^{21}çi^{53}kau$^{35}_{44}$ʂəu^{35}ua^{0},n̩$^{13}_{21}$siəŋ^{21}tso^{53}li^{0}kəŋ$^{35}_{44}$fu$^{35}_{44}$a^{0},ɲiaŋ^{53}n̩$^{13}_{21}$siəŋ^{21}tso^{53}li^{0}a^{0}.｜以个～就真松爽，得来做。i^{21}ke$^{53}_{44}$kəŋ^{35}fu^{35}ts^{h}iəu$^{53}_{44}$tʂən^{35}səŋ^{35}səŋ^{21},tek^{3}lɔi^{13}tso^{53}. ②与人和事相关的事宜：工厂里就欸安排～就会咁子去排班呶。kəŋ^{35}tʂ^{h}ɔŋ^{21}li$^{35}_{44}$ts^{h}iəu^{53}e$_{21}$ŋɔn^{35}p^{h}ai$^{13}_{21}$kəŋ^{35}fu$^{35}_{44}$ts^{h}iəu$^{53}_{44}$uɔi$^{53}_{44}$kan^{21}tsʅ^{0}çi$^{53}_{44}$p^{h}ai$^{13}_{21}$pan^{35}nau^{0}.

【工具】kəŋ^{35}tʂʮ^{53} 名 工作时所需用的器具。也称“工具子”：正讲哩冇潲个～啊。tʂaŋ^{53}kɔŋ^{21}li^{0}tən^{21}sau^{53}ke^{53}kəŋ$^{35}_{44}$tʂʮ^{53}a^{0}.｜箇渠几只系箇只～子唔同。kai$^{53}_{44}$ci$^{13}_{21}$ci^{21}tʂak^{3}xe^{53}kai$^{53}_{21}$tʂak^{3}kəŋ^{35}tʂʮ^{53}tsʅ^{0}n̩$^{13}_{21}$t^{h}əŋ^{13}.

【工钱】kəŋ^{35}ts^{h}ien^{13} 名 工资的旧称：以前呢安做么个唠？～呶，就要硬系讲～呢。i$^{35}_{44}$ts^{h}ien^{13}ne^{0}ɔn$^{35}_{44}$tso$^{53}_{44}$mak^{3}(k)e$^{53}_{44}$lau^{0}?kəŋ^{35}ts^{h}ien$^{13}_{21}$nau^{0},ts^{h}iəu^{53}iau^{53}ɲiaŋ^{53}xei^{53}kɔŋ^{21}kəŋ^{35}ts^{h}ien$^{13}_{21}$nei^{0}.

【工资】kəŋ^{35}tsʅ^{35} 名 雇主付给劳动者的薪资、报酬，旧称“工钱”：如今今晡十八号了吧？还赠发～。以个月唔知系唔系有～加了。i$^{13}_{21}$cin$^{35}_{44}$cin$^{35}_{44}$pu$^{35}_{44}$ʂʅt^{5}pait^{3}xau$^{53}_{44}$liau^{0}pa^{0}?xai$^{13}_{21}$maŋ^{13}fait^{3}kəŋ$^{35}_{44}$tsʅ$^{35}_{44}$.i^{21}ke^{53}ɲiet^{5}n̩^{13}ti$^{35}_{53}$xei$^{53}_{44}$mei$^{53}_{44}$iəu$^{35}_{53}$kəŋ^{35}tsʅ$^{35}_{44}$cia$^{35}_{44}$liau^{0}.

【弓】ciəŋ^{35} 名 提梁；某些器具上面供手提的部分：（竹子做个猪莵）也舞条～提下去嘞。ia^{35}u^{21}t^{h}iau^{13}ciəŋ^{35}t^{h}ia^{35}(x)a^{53}çi$^{53}_{44}$lei^{0}.

【公】kəŋ^{35} 名 ①老年男子：婆惜尾晚子，～惜后来婆。p^{h}o^{13}siak^{3}mi^{35}man^{35}tsʅ^{0},kəŋ^{35}siak^{3}xei^{53}lɔi$^{13}_{21}$p^{h}o^{13}. ②在墓碑、牌位上放在姓氏后作为对已故男子的敬称：显考万～伦谟老大人之墓。çien^{21}k^{h}au^{21}uan^{53}kəŋ^{35}lən^{13}mu^{13}lau^{21}t^{h}ai^{53}ɲin^{13}tʂʅ^{35}mu^{53}.

【公分】kəŋ^{35}fən^{35} 量 厘米的旧称：就系大概系箇个欸系三十～子宽。ts^{h}iəu$^{53}_{21}$xei$^{53}_{21}$t^{h}ai^{53}kai^{53}xei^{53}kai$^{53}_{44}$ke$^{53}_{44}$e$_{21}$xei^{53}san^{35}ʂət^{5}kəŋ$^{35}_{44}$fən$^{35}_{44}$tsʅ^{0}k^{h}ɔn$^{35}_{44}$.

【公公】kəŋ^{35}kəŋ^{35} 名 ①祖父。又称“阿公”：我个～啊欸年轻就死嘿哩，我爷子正十岁，我～就死嘿哩。渠有只老弟子，我等几十年来尽喊渠～。本来是系二叔公，但是我等尽喊渠～。我喊就喊得咁亲，但是渠对我有几箇个子我就唔多记得哩了。我两十多岁子，七六年死个箇只～啊。侪都喊～。ŋai^{13}ke^{53}kəŋ^{35}kəŋ^{35}ŋa^{0}e$_{21}$ɲien^{13}c^{h}in$^{35}_{44}$tsiəu^{53}si^{21}xek^{3}li^{0},ŋai$^{13}_{21}$ia^{13}tsʅ^{0}tʂaŋ^{53}ʂət^{5}sɔi^{53},ŋai$^{13}_{21}$kəŋ$^{35}_{44}$kəŋ$^{35}_{44}$tsiəu^{53}si^{21}xek^{3}li^{0}.ci$^{13}_{21}$iəu^{35}tʂak^{3}lau^{21}t^{h}e^{35}tsʅ^{0},ŋai^{13}tien^{0}ci^{21}ʂət^{5}ɲien^{13}nɔi$^{13}_{44}$ts^{h}in^{53}xan^{53}ci$^{13}_{21}$kəŋ^{35}kəŋ$^{35}_{44}$.pən^{21}nɔi^{13}ʂʅ$^{53}_{44}$xe$^{53}_{44}$ɲi^{53}ʂəuk^{3}kəŋ^{35},tan$^{53}_{44}$ʂʅ$^{53}_{44}$ŋai^{13}tien^{0}ts^{h}in^{53}xan^{53}ci$^{13}_{21}$kəŋ^{35}kəŋ^{35}.ŋai^{13}xan^{35}ts^{h}iəu$^{53}_{44}$xan^{53}tek^{3}kan^{21}ts^{h}in^{35},tan^{53}ʂʅ^{53}ci^{13}ti^{53}ŋai^{13}iəu^{35}ci^{21}kai^{53}ke^{53}tsʅ^{0}ŋai^{13}ts^{h}iəu^{53}n̩^{13}to$^{35}_{44}$ci^{53}tek^{3}li^{0}liau^{0}.ŋai^{13}iɔŋ^{21}ʂət^{5}to$^{35}_{44}$sɔi^{53}tsʅ^{0},ts^{h}iet^{3}liəuk^{3}ɲien^{13}si^{21}ke^{0}kai^{53}tʂak^{3}kəŋ$^{35}_{44}$kəŋ$^{35}_{44}$ŋa^{0}.ts^{h}i$^{13}_{21}$təu$^{35}_{44}$xan^{53}kəŋ^{35}kəŋ$^{35}_{44}$. ②丈夫的父亲：箇就别人家一下就晓得欸系～㨪媳妇嘞，㨪新舅嘞，两子家爷嘞。kai^{53}ts^{h}iəu^{53}p^{h}iek^{5}in$^{13}_{53}$ka$^{35}_{53}$iet^{3}xa^{53}ts^{h}iəu^{53}çiau^{21}tek^{3}e$_{21}$xei$^{53}_{44}$kəŋ$^{35}_{44}$kəŋ$^{35}_{44}$lau$^{35}_{44}$siet^{3}fu$^{53}_{44}$lei^{0},lau$^{35}_{44}$sin$^{35}_{44}$c^{h}iəu$^{35}_{44}$lei^{0},iɔŋ^{21}tsʅ^{21}ka^{35}ia$^{13}_{44}$lei^{0}.

【公家】kəŋ^{35}ka^{35} 名 与私人相区别，今指国家、机关、团体等：欸，～欸集体个地方就都系荡耙床，只有屋下就有架子床啊。e$_{21}$,kəŋ^{35}ka$^{35}_{21}$e$_{44}$ts^{h}iet^{5}t^{h}i^{21}ke$^{53}_{44}$t^{h}i$^{53}_{44}$fəŋ^{35}ts^{h}iəu$^{53}_{44}$təu^{35}xe$^{53}_{44}$t^{h}ɔŋ^{53}p^{h}a$^{13}_{21}$ts^{h}ɔŋ$^{13}_{21}$,tʂʅ^{21}iəu$^{35}_{53}$uk^{3}xa$^{53}_{44}$ts^{h}iəu$^{53}_{44}$iəu$^{35}_{44}$ka^{53}tsʅ^{0}ts^{h}ɔŋ$^{13}_{21}$ŋa^{0}.

【公嫲榫】kəŋ^{35}ma^{13}sən^{21} 名 公母榫，分公头和母头两个部分，公头为倒梯形，母头则对应会有一个倒梯形的空槽，插合后不易脱落：～个以只公榫呢，以外背大滴子，肚里细滴子。kəŋ^{35}ma$^{13}_{21}$sən^{21}ke^{53}i^{21}tʂak^{3}kəŋ^{35}sən^{21}nei^{0},i^{21}ŋɔi^{53}pɔi$^{53}_{44}$t^{h}ai^{53}tiet^{5}tsʅ^{0},təu^{21}li^{0}se^{53}tiet^{5}tsʅ^{0}.

【公母】kəŋ^{35}mu^{21} 名雄雌的俗称：唔分～。n̩^{13}fən$^{35}_{44}$kəŋ$^{35}_{44}$mu^{21}.

【公榫】kəŋ^{35}sən^{21} 名公母榫的公头：公嫲榫个以只～嘞，以外背大滴子，肚里细滴子。kəŋ^{35}ma$^{13}_{21}$sən^{21}ke^{53}i^{21}tʂak^{3} kəŋ^{35}sən^{21}nei^{0},i^{21}ŋɔi^{53}pɔi$^{53}_{44}$t^{h}ai^{53}tiet^{5}tsɿ^{0},təu^{21}li^{0}se^{53}tiet^{5}tsɿ^{0}.

【公太】kəŋ^{35}t^{h}ai^{53} 名曾祖父的俗称。又称“老公公”：我个～呀，曾祖父哇，渠就会占卦。ŋai^{13}cie^{53}kəŋ^{35}t^{h}ai$^{53}_{44}$ia^{0},tsien^{35}tsəu^{21}fu^{53}ua^{0},ci$^{13}_{21}$ts^{h}iəu$^{53}_{44}$uɔi$^{53}_{44}$tʂan^{35}kua^{53}.

【公猪】kəŋ^{35}tʂəu 名种公猪：有兜人畜～，畜倒用来欸安做牵猪嫲，就系配种啊。iəu^{35}tei$^{35}_{53}$ɲin$^{13}_{21}$çiəuk^{3} kəŋ^{35}tʂəu$^{35}_{44}$,çiəuk^{3} tau^{21}iəŋ^{53}lɔi$^{13}_{44}$e$_{21}$ɔn$^{35}_{44}$tso$^{53}_{44}$c^{h}ien$^{35}_{44}$tʂəu^{35}ma$^{13}_{44}$,ts^{h}iəu$^{53}_{44}$xe$^{53}_{44}$p^{h}ei^{53}tʂəŋ^{21}ŋa^{0}.

【公猪子】kəŋ^{35}tʂəu^{35}tsɿ^{0} 名①雄性的猪：箇猪崽子下啊下来，有兜公子个，有兜嫲子个，欸就～摎女猪子，咁子称。以种～唔留，爱割嘿去，爱阉嘿去，系啊？kai$^{53}_{44}$tʂəu^{35}tsei^{21}tsɿ^{0}xa^{53}a^{0} xa$^{53}_{44}$lɔi$^{13}_{21}$,iəu^{35}tei$^{35}_{53}$kəŋ^{35}tsɿ^{0}ke^{0},iəu^{35}tei$^{35}_{53}$ma^{13}tsɿ^{0}ke^{53},e$_{44}$tsiəu$^{53}_{44}$kəŋ^{35}tʂəu$^{35}_{44}$tsɿ^{0} lau^{35}ɲi^{21}tʂəu^{35}tsɿ^{0},kan$^{21}_{13}$tsɿ^{0} tʂ^{h}ən$^{35}_{44}$. i^{21}tʂəŋ^{21}kəŋ$^{35}_{44}$tʂəu$^{35}_{44}$tsɿ^{0} n̩^{13}liəu^{13},ɔi^{53}kɔit^{3} (x)ek^{3} çi^{53},ɔi$^{53}_{44}$ian^{35}nek^{3} çi$^{53}_{44}$,xei$^{53}_{44}$a^{0}？②有时也指种公猪：欸，早几年子箇个～吵，以下箇～就唔系么个欸只爱系～就用得啦。e$_{21}$,tsau^{21}ci^{21}ɲien^{13}tsɿ^{0} kai^{53}ke$^{53}_{44}$kəŋ^{35} tʂəu$^{35}_{44}$tsɿ^{0} ʂa^{0},i^{21}xa$^{53}_{44}$kai$^{53}_{44}$kəŋ^{35}tʂəu$^{35}_{44}$tsɿ^{0} ts^{h}iəu^{53}m̩^{13}p^{h}ei^{53}mak^{3} ke$^{53}_{44}$e$_{21}$tʂʅ^{21}ɔi$^{53}_{44}$xe^{53}kəŋ^{35}tʂəu^{35}tsɿ^{0} ts^{h}iəu^{53}iəŋ^{53} tek^{3} la^{0}.

【公子】kəŋ^{35}tsɿ^{0} 名①豪门世家的儿子：从前个～啊少爷，系唔系？ts^{h}əŋ^{13}ts^{h}ien$^{13}_{21}$ke^{53}kəŋ^{35}tsɿ^{0} a^{0} ʂau^{53}ia^{13},xei$^{53}_{44}$me$^{53}_{44}$？②雄性的禽畜：如果系～就爱阉嘿来，嗯，嫲子也爱阉嘿来，箇猪猪条。y^{13}ko^{21}xei$^{53}_{44}$kəŋ^{35}tsɿ^{0} ts^{h}iəu$^{53}_{44}$ɔi$^{53}_{44}$ian^{35}nek^{3} (←xek^{3})lɔi$^{13}_{21}$,n̩$_{44}$,ma^{13}tsɿ^{0} ia^{35}ɔi$^{53}_{44}$ian^{35}nek^{3} (←xek^{3})lɔi$^{13}_{21}$,kai$^{53}_{44}$tʂəu^{35} tʂəu^{35}t^{h}iau$^{13}_{21}$.

【恭恭敬敬】kəŋ^{35}kəŋ$^{35}_{44}$cin^{53}cin^{53} 恭谦有礼的样子：架势打祭了，欸，以滴做事个人呢爱各执其事，爱～。cia^{53}ʂʅ^{53}ta^{21}tsi^{53}liau^{0},e$_{21}$,i^{21}tiet^{5} tso^{53}sɿ^{53}ke$^{53}_{44}$ɲin$^{13}_{21}$ne^{0} ɔi$^{53}_{44}$kɔk^{3} tʂət^{3} c^{h}i$^{13}_{21}$sɿ^{53},ɔi$^{53}_{44}$kəŋ^{35}kəŋ$^{35}_{44}$cin^{53}cin^{53}.

【恭喜】kəŋ^{35}çi^{21} 动客套话。用于祝贺他人喜事：哎呀，箇就～你当哩干爷！ai$_{44}$ia$_{44}$,kai$^{53}_{44}$ts^{h}iəu^{0} kəŋ^{35}çi^{21}ɲi^{13}tɔŋ$^{35}_{44}$li^{0} kɔn^{35}ia$^{13}_{21}$！｜～你逢哩生！kəŋ^{35}çi^{21}ɲi^{21}fəŋ$^{13}_{21}$li^{0} saŋ^{35}！

【躬】ciəŋ^{35} 动弯曲或使弯曲：渠指蒜弓子会～起来哟。ci^{13}uɔi^{53}ciəŋ^{35}çi^{21}lɔi$^{13}_{44}$iau^{0}.｜～起睡 ciəŋ^{35}çi^{21} ʂɔi^{53}

【躬躬子】ciəŋ^{35}ciəŋ^{35}tsɿ^{0} 形弯曲貌：有起（毛公竹）都还～。iəu$^{35}_{21}$çi$^{21}_{44}$təu$^{35}_{44}$xai$^{13}_{44}$ciəŋ^{35}ciəŋ^{35}tsɿ^{0}.

【拱手作揖】kəŋ^{21}ʂəu^{21}tsɔk^{3} iet^{3} 两手掌互抱打拱手或是将两手掌平合作揖。①比喻轻松的事务：老哩人去帮忙啊最唔想个嘞就系操心摎熬夜。尽兜都只想～子，就唔爱操心，唔爱想事。尽兜都只想～，唔想操心熬夜。系啊？又爱操心，或者又爱熬夜，箇个就真累人。～子，拱手作下子揖嘞，箇个，欸，打下子哈哈，系唔系？讲下子天气个嘞箇就轻松呶咁个。lau^{21}li^{0} ɲin^{13}çi$^{53}_{44}$pɔŋ$^{35}_{44}$mɔŋ^{13}ŋa^{0} tsei^{53}n̩^{13}siɔŋ^{21}ke^{0} le^{0} ts^{h}iəu$^{53}_{44}$xe$^{53}_{21}$ts^{h}au^{35}sin^{35}lau^{35}ŋau^{13}ia^{53}.ts^{h}in^{53}təu$^{35}_{44}$təu$^{35}_{53}$tʂʅ^{21}siɔŋ^{21}kəŋ^{21} ʂəu^{21}tsɔk^{3} iet^{3} tsɿ^{0},ts^{h}iəu^{53}m̩$^{13}_{21}$mɔi$^{53}_{44}$ts^{h}au^{35}sin^{35},m̩$^{13}_{21}$mɔi$^{53}_{44}$siɔŋ^{21}sɿ^{53}.ts^{h}in^{53}təu$^{35}_{44}$təu$^{35}_{53}$tʂʅ^{21}siɔŋ^{21}kəŋ^{21}ʂəu^{21}tsɔk^{3} iet^{3},n̩^{13}siɔŋ^{21}ts^{h}au^{35}sin^{35}ŋau^{13}ia^{53}.xei$^{53}_{44}$a^{0} ?iəu^{53}ɔi^{53}ts^{h}au^{35}sin^{35},xɔit$^{5}_{3}$ tʂa^{21}iəu$^{53}_{44}$ɔi$^{53}_{44}$ŋau^{13}ia^{53},kai^{53}ke$^{53}_{44}$ts^{h}iəu$^{53}_{44}$tʂən^{35} li^{53}ɲin^{13}.kəŋ^{21}ʂəu^{21}tsɔk^{3} iet^{3} tsɿ^{0},kəŋ^{21}ʂəu^{21}tsɔk^{3} (x)a^{53}tsɿ^{0} iet^{3} le^{0},kai$^{53}_{44}$kei$^{53}_{44}$,e$_{44}$,ta^{21}(x)a$^{53}_{44}$tsɿ^{0} xa^{53}xa^{53},xei^{53}me^{53}? kɔŋ^{21}ŋa$^{53}_{44}$tsɿ^{0} t^{h}ien^{35}çi^{53}ke$^{53}_{44}$lei^{0} kai$^{53}_{44}$ts^{h}iəu$^{53}_{44}$c^{h}iaŋ^{35}səŋ$^{35}_{44}$nau^{0} kan^{21}ke$^{53}_{44}$. ②形容待人非常恭敬有礼：箇只人呐蛮有礼貌，一进来就～。kai^{53}tʂak^{3}ɲin$^{13}_{21}$na^{0} man^{13}iəu$^{35}_{44}$li^{35}mau^{53},iet^{3} tsin^{53}nɔi$^{13}_{21}$ts^{h}iəu^{53}kəŋ^{21}ʂəu^{21} tsɔk^{3} iet^{3}.

【共】c^{h}iəŋ^{53} 动共同具有或使用：两个人交得蛮好吧，系唔系？渠是讲“渠等箇两个人～只喉咙敨得气哟”。iɔŋ^{21}ke^{53}ɲin$^{13}_{44}$ciau^{35}tek^{3} man$^{13}_{21}$xau^{21}pa^{0},xei^{53}me^{53}?ci$^{13}_{21}$ʂʅ^{53}kɔŋ^{21}"ci$^{13}_{21}$tien^{0} kai^{53}iɔŋ^{21}ke^{53}ɲin$^{13}_{44}$ c^{h}iəŋ^{53}tʂak^{3} xei$^{13}_{21}$ləŋ$^{13}_{44}$t^{h}ei^{21}tek^{3} çi^{53}io^{0}".

【共祠堂个】k^{h}əŋ^{53}ts^{h}ɿ^{13}t^{h}ɔŋ^{13}ke^{53} 同宗者：欸我系下以张家坊以映子就箇只我喊阿叔个吵，就摎我等嬲得蛮好，但是讲亲疏嘞我等只系～，唔系几亲子。渠经常问我：“欸，万老师，你摎箇只万红啊蛮亲个冇？”欸，我话：“我等～，蛮亲呶。”我话：“蛮亲呶，我等一只祠堂个。”都十多代了哇。e$_{21}$ŋai^{13}xei^{53}(x)a^{53}i^{21}tʂɔŋ$^{35}_{44}$ka$^{35}_{44}$fɔŋ^{35}i^{21}iaŋ^{53}tsɿ^{0} ts^{h}iəu^{53}kai^{53}tʂak^{3} ŋai^{13}xan^{53}a^{35}ʂəuk^{3} ke$^{53}_{44}$ ʂa^{0},ts^{h}iəu$^{53}_{44}$lau^{35}ŋai$^{13}_{21}$tien^{0} liau^{53}tek^{3} man^{13}xau^{21},tan^{53}ʂʅ^{53}kɔŋ^{21}ts^{h}in^{35}sɿ$^{35}_{44}$lei^{0} ŋai^{13}tien^{0} tʂʅ^{21}xei$^{53}_{44}$k^{h}əŋ^{53}ts^{h}ɿ^{13}t^{h}ɔŋ$^{13}_{21}$ ke^{53},m̩^{13}p^{h}ei^{53}ci^{21}ts^{h}in^{35}tsɿ^{0} .ci$^{13}_{21}$cin^{35}tʂ^{h}ɔŋ$^{13}_{21}$uən^{53}ŋai^{0} :"e$_{21}$,uan^{53}lau^{21}sɿ$^{35}_{44}$, ɲi^{13}lau^{35}kai^{53}tʂak^{3} uan^{53}fəŋ^{13}ŋa^{0} man^{13} ts^{h}in^{35}cie^{53}mau$^{13}_{44}$?"e$_{21}$,ŋai^{13}ua^{53}:"ŋai$^{13}_{21}$tien^{0} k^{h}əŋ^{53}ts^{h}ɿ$^{13}_{21}$t^{h}ɔŋ$^{13}_{44}$ke^{53},man$^{13}_{21}$ts^{h}in^{35}nau^{0} ."ŋai^{13}ua^{53}:"man^{13}ts^{h}in^{35}nau^{0}, ŋai$^{13}_{21}$tien^{0} iet^{3} tʂak^{3} ts^{h}ɿ$^{13}_{21}$t^{h}ɔŋ$^{13}_{44}$ke^{53}."təu$^{35}_{44}$ʂət^{5} to$^{35}_{44}$t^{h}ɔi^{53}liau^{21}ua^{0}.

【共姓】c^{h}iəŋ^{53}siaŋ^{53} 动同姓：自家人就有兜是～个人也喊自家人。ts^{h}ɿ^{35}ka$^{35}_{53}$ɲin$^{13}_{21}$ts^{h}iəu$^{53}_{44}$iəu^{35}te$^{35}_{44}$ʂʅ$^{53}_{44}$

cʰiəŋ$^{53}_{44}$siaŋ^{53}ke^{0}ɲin$^{13}_{21}$ia^{35}xan^{53}tsʰʅ$^{35}_{44}$ka$^{35}_{53}$ɲin$^{13}_{21}$.

【贡纸】kəŋ^{53}tʂʅ^{21} 〔名〕竹纤维做成的熟料纸：有哇，有～，如今系啊做。就系熟料纸，竹麻丝做个熟料纸，竹麻丝做个纸。生料纸嘞就系草纸，就箇起迷信纸啊，草纸。熟料纸嘞就系～。还有起安做么个二贡纸嘞，我就唔晓得了嘞，箇我就唔懂啊。～会走水嘞，打比箇～呀拿墨笔去写字，墨点下去就走水。会走水。也有起唔走水个就加哩矾个～呢，欸加兜矾去个唔走水呢，加兜明矾呐。～啊一般就用来……以前是冇么个纸噢，就系～噢，就系用来写字噢，普通个写字都用，就用～噢。欸，以前冇么个冇得别么个纸。唔多好写。iəu^{35}ua^{0},iəu^{35}kəŋ^{53}tʂʅ^{21},i$^{13}_{21}$cin$^{35}_{53}$xei$^{53}_{44}$a^{0}tso^{53}.tsʰiəu^{53}xe^{53}ʂəuk^{5}liau^{53}tʂʅ^{21},tʂəuk^{3}ma$^{13}_{21}$sʅ^{35}tso^{53}ke$^{53}_{44}$ʂəuk^{5}liau^{53}tʂʅ^{21},tʂəuk^{3}ma$^{13}_{21}$sʅ^{35}tso^{53}ke$^{53}_{44}$tʂʅ^{21}.saŋ^{35}liau^{53}tʂʅ^{21}lei^{0}tsʰiəu^{53}xe$^{53}_{44}$tsʰau^{21}tʂʅ^{21},tsʰiəu^{53}kai^{53}çi^{21}mei^{13}sin^{53}tʂʅ^{21}a^{0},tsʰau^{21}tʂʅ^{21}.ʂəuk^{5}liau^{53}tʂʅ^{21}le^{0}tsʰiəu^{53}xe^{53}kəŋ^{53}tʂʅ^{21}.xai$^{13}_{21}$iəu$^{35}_{53}$çi^{21}ɔn$^{35}_{44}$tso$^{53}_{44}$mak^{3}e^{0}ɲi^{53}kəŋ^{53}tʂʅ^{21}lei^{0},ŋai^{13}tsʰiəu^{53}n̩^{13}çiau^{21}tek^{3}liau^{0}lei^{0},kai^{53}ŋai^{13}tsʰiəu^{53}n̩^{13}təŋ^{21}ŋa^{0}.kəŋ^{53}tʂʅ^{21}uɔi^{53}tsei^{21}ʂei^{21}lei^{0},ta^{21}pi^{21}kai$^{53}_{44}$kəŋ^{53}tʂʅ^{21}ia^{0}la^{53}met^{5}piet^{3}çi^{53}sia^{21}sʅ^{53},met^{5}tian^{21}na^{53}çi^{53}tsiəu$^{53}_{44}$tsei^{21}ʂei^{21}.uɔi^{53}tsei^{21}ʂei^{21}.ia^{35}iəu$^{35}_{53}$çi^{21}n̩^{13}tsei^{21}ʂei^{21}ke^{53}tsʰiəu^{53}cia$^{35}_{44}$li^{0}fan^{13}ke$^{53}_{44}$kəŋ^{53}tʂʅ^{21}nei^{0},ei^{0}cia^{35}tei$^{35}_{44}$fan^{13}çi^{53}ke^{53}n̩^{13}tsei^{21}ʂei^{21}nei^{0},cia^{35}tei$^{35}_{44}$min^{13}fan^{13}na^{0}.kəŋ^{53}tʂʅ^{21}a^{0}iet^{3}pɔn^{35}tsʰiəu^{53}iəŋ^{53}lɔi$^{13}_{21}$…i$^{35}_{53}$tsʰien^{13}ʂʅ$^{53}_{44}$mau^{13}mak^{3}e^{0}tʂʅ^{21}au^{0},tsʰiəu^{53}xei$^{53}_{44}$kəŋ^{53}tʂʅ^{21}au^{0},tsʰiəu^{53}xei^{53}iəŋ^{53}lɔi$^{13}_{21}$sia^{21}sʅ^{53}au^{0},pʰu^{21}tʰəŋ$^{35}_{44}$ke^{0}sia^{21}sʅ^{53}təu^{35}iəŋ^{53},tsʰiəu^{53}iəŋ$^{53}_{44}$kəŋ^{53}tʂʅ^{21}au^{0}.e$_{21}$,i$^{35}_{53}$tsʰien$^{13}_{21}$mau^{13}mak^{3}e^{0}mau^{13}tek^{3}pʰiet^{5}mak^{3}e^{0}tʂʅ^{21}.n̩^{13}to^{53}xau^{21}sia^{21}.

【供$_1$】ciəŋ^{53} 〔动〕①生育（孩子）：～哩赖子吧？ciəŋ^{53}li^{0}lai^{53}tsʅ^{0}pa^{0}?｜哎，你老婆冇得～啊，你就捡只子带哩唠。ai$_{44}$, ɲi^{13}lau^{21}pʰo^{13}mau^{13}tek^{3}ciəŋ^{53}ŋa^{0}, ɲi^{13}tsʰiəu^{53}cian^{21}tʂak^{3}tsʅ^{0}tai^{53}li^{0}lau^{0}. ②分娩：会～了就食香须莼，安胎。uɔi$^{53}_{44}$ciəŋ^{53}liau^{0}tsʰiəu$^{53}_{44}$ʂət^{5}çiɔŋ$^{35}_{44}$si$^{35}_{44}$tei^{35},ɔn^{35}tʰɔi^{35}.

【供$_2$】kəŋ^{53} 〔动〕供认；被审问时述说事实：欸，还有，箇赌钱个，箇是以几年子都有啦，系啊？赌钱个跍倒去下赌钱，派出所围下去嘞捉倒两只，剩倒个跑咁哩。跑也空个，箇两只人会～出来呀。～出渠等来哩啊。结果分箇两只人……箇两只人下～出来哩唠，捉嘿十几个哟。e$_{21}$,xai$^{13}_{21}$iəu$^{35}_{53}$,kai^{53}təu^{21}tsʰien^{13}ke^{53},kai^{53}ʂʅ$^{53}_{44}$i^{21}ci^{21}ɲien^{13}tsʅ^{0}təu$^{35}_{44}$iəu$^{35}_{44}$la^{0},xei^{53}a^{0}?təu^{21}tsʰien^{13}ke^{0}ku^{35}tau^{21}çi^{53}xa^{53}təu^{21}tsʰien^{13},pʰai^{53}tʂʰət^{3}so^{21}uei^{13}ia$^{53}_{44}$çi$^{53}_{44}$lei^{0}tsɔk^{3}tau^{21}iɔŋ^{21}tʂak^{3},ʂən^{53}tau^{21}ke^{53}pʰau^{21}kan^{21}ni^{0}.pʰau^{21}ia$^{35}_{44}$kʰəŋ^{53}ke$^{53}_{44}$,kai^{53}iɔŋ^{21}tʂak^{3}ɲin^{13}uɔi$^{53}_{44}$kəŋ^{53}tʂʰət^{3}lɔi$^{13}_{21}$ia^{0}.kəŋ^{53}tʂʰət^{3}ci^{13}tien^{0}lɔi$^{13}_{21}$li^{0}a^{0}.ciet^{3}ko^{21}pən^{35}kai^{53}iɔŋ^{21}tʂak^{3}ɲin$^{13}_{44}$…kai$^{53}_{44}$iɔŋ^{21}tʂak^{3}ɲin$^{13}_{44}$xa^{53}kəŋ^{53}tʂʰət^{3}lɔi^{13}li^{0}lau^{0},tsɔk^{3}(x)ek^{3}ʂət^{5}ci^{21}cie^{53}io^{0}.

【供人】ciəŋ^{53}ɲin^{13} 〔动〕①分娩：箇夫娘子到浏阳～去哩啊。kai^{53}pu^{35}ɲiɔŋ$^{13}_{21}$tsʅ^{0}tau^{53}liəu^{13}iɔŋ$^{13}_{44}$ciəŋ^{53}ɲin^{13}çi^{53}li^{0}a^{0}. ②生育孩子：擊野男子～。lau$^{35}_{44}$ia^{35}lan$^{13}_{21}$tsʅ^{0}ciəŋ^{53}ɲin^{13}.｜渠本人，自家本人冇得生育，赠～，赠生人。ci$^{13}_{21}$pən^{21}ɲin^{13},tsʰʅ^{35}ka$^{35}_{44}$pən^{21}ɲin^{13}mau$^{13}_{21}$tek^{3}sən^{35}iəuk^{3},maŋ^{13}ciəŋ$^{53}_{44}$ɲin^{13},maŋ^{13}saŋ$^{35}_{44}$ɲin$^{13}_{21}$.

【犽】kəŋ^{53}/kaŋ^{53} 〔动〕①凸起：～起来哩 kəŋ^{53}çi^{21}lɔi$^{13}_{21}$li^{0}。②向上顶出；钻出；冒出：（丝芒枯）就丝芒正发芽个，正发芽～出土面上来个。tsʰiəu$^{53}_{44}$sʅ^{35}mɔŋ$^{13}_{44}$tʂaŋ^{53}fait^{3}ŋa^{13}ke^{53},tʂaŋ^{53}fait^{3}ŋa^{13}kəŋ^{53}tʂʰət^{3}tʰəu^{21}mien$^{53}_{44}$xɔŋ$^{53}_{44}$lɔi$^{13}_{21}$ke^{53}. ③在拥挤稠密的环境中走来走去、钻来钻去：早晨，你到箇有草箇栏场去走，～起只裤脚滦湿。tsau^{21}ʂən^{13}, ɲi^{13}tau$^{53}_{44}$kai$^{53}_{44}$iəu^{35}tsʰau^{21}ke^{53}laŋ^{13}tʂʰɔŋ^{13}çi^{53}tsei^{21},kaŋ^{53}cʰi^{53}(←çi^{21})tʂak^{3}fu^{53}ciɔk^{3}tsek^{5}ʂət^{3}. ④屈身钻入下面：撞怕搁倒唔好上个嘞，噢，你个孝子你就爱你就～下棺材底下去帮以映背颈帮渠顶呐。tsʰɔŋ^{21}pʰa^{53}kəŋ^{35}tau^{21}m̩$^{13}_{21}$mau^{21}ʂɔŋ^{35}ke$^{53}_{44}$le^{0},ŋau^{21}, ɲi$^{13}_{21}$ke$^{53}_{44}$xau^{53}tsʅ^{21}ɲi$^{13}_{21}$tsʰiəu$^{53}_{44}$ɔi$^{53}_{44}$ɲi$^{13}_{21}$tsʰiəu$^{53}_{44}$kəŋ^{53}xa$^{53}_{44}$kɔn$^{35}_{44}$tsʰɔi$^{13}_{21}$te^{21}xa$^{53}_{44}$çi$^{53}_{44}$pɔŋ$^{35}_{44}$i$^{35:21}$iaŋ$^{53}_{44}$pɔi^{53}ciaŋ^{21}pɔŋ^{35}ci$^{13}_{21}$tin^{21}na^{0}. ⑤（猪）用鼻子拱：猪子食咁哩嘞，就唔分渠……渠舞冇么啊事渠会去～啊，～倒会烂呢啊，会～倒一猪栏嘞。tʂəu^{35}tsʅ^{0}ʂət^{5}kan^{21}ni^{0}lei^{0},tsʰiəu^{53}m̩^{13}pən$^{35}_{44}$ci$^{13}_{21}$…ci^{13}u^{21}mau^{13}mak^{3}a^{0}sʅ$^{53}_{44}$ci^{13}tsʰiəu$^{53}_{44}$uɔi$^{53}_{44}$çi$^{53}_{44}$kəŋ^{53}ŋa^{0},kəŋ^{53}tau^{21}uɔi$^{53}_{44}$lan^{53}ne^{0}a^{0},uɔi^{53}kəŋ^{53}tau^{21}iet^{3}tʂəu^{35}lan$^{13}_{21}$le^{0}.

【犽斗】kəŋ^{53}tei^{53} 〔动〕迎面剧烈相撞：我就搞过一回嘞，骑电动车嘞，硬擊箇只人打一～哟。打～呀，就一撞下去啊。欸，打一～是舞倒我以辆车嘞一辆电动车嘞钟得糜烂。ŋai^{13}tsʰiəu^{53}kau^{21}ko^{53}(i)et^{3}fei$^{13}_{44}$lei^{0},cʰi^{13}tʰien^{53}tʰəŋ^{53}tʂʰa^{35}lei^{0}, ɲiaŋ$^{53}_{44}$lau$^{35}_{44}$kai^{53}tʂak^{3}ɲin$^{13}_{21}$ta^{21}iet^{3}kəŋ^{53}tei$^{53}_{44}$io^{0}.ta^{21}kəŋ^{53}tei$^{53}_{44}$ia^{0},tsʰiəu^{53}iet^{3}tsʰɔŋ^{53}ŋa$^{53}_{44}$çi$^{53}_{44}$a^{0}.e$_{21}$,ta^{21}iet^{3}kəŋ^{53}tei$^{53}_{44}$ʂʅ$^{53}_{44}$u^{21}tau^{21}ŋai$^{13:21}$i^{21}liɔŋ^{21}tʂʰa^{35}le^{0}iet^{3}liɔŋ^{21}tʰien^{53}tʰəŋ$^{53}_{44}$tʂʰa^{35}le^{0}tʂəŋ^{35}tek^{3}me^{35}lan^{53}.

【犽豆】kaŋ^{53}tʰei^{53} 〔名〕黄豆的一种，豆大个，栽在田埂上，人们走路触碰多则产量更高：有～，懑大一只，系唔系？～。也系像黄豆子样吗？/系，欸。就更大。/箇种豆子就栽下箇田塍上，唔怕脚去犽。爱去犽。/犽哩箇正有结。/产量更高。欸。我又唔系栽下田塍上。渠就箇种豆子～就㦃大一只，颗粒蛮大呀，籽蛮大。要栽下田塍上呢，爱人去𨁏。爱去𨁏。/爱去走。/爱去走。渠就唔怕去走呀。爱去𨁏通来呀。唔𨁏通来产量唔高。iəu^{35}kaŋ^{53}t^{h}ei$^{53}_{21}$,mən^{35}t^{h}ai^{53}iet^{3} tʂak^{3},xei$^{53}_{44}$me$^{53}_{44}$?kaŋ^{53}t^{h}ei$^{53}_{44}$.ia^{35}xe^{53}ts^{h}iəŋ^{53}uəŋ^{13}t^{h}ei^{53}tsɿ^{0} iəŋ$^{53}_{44}$ma^{0}?/xe^{53},e$_{21}$.ts^{h}iəu$^{53}_{44}$ken^{53}t^{h}ai^{53}./kai^{53}tʂəŋ^{21}t^{h}ei^{53} tsɿ^{0} ts^{h}iəu$^{53}_{44}$tsɔi^{35}(x)a$^{53}_{44}$kai$^{53}_{44}$t^{h}ien^{13}ʂən$^{13}_{21}$xɔŋ^{53},m̩^{13}p^{h}a^{53}ciɔk^{3} çi$^{53}_{44}$kaŋ^{53}.ɔi^{53}çi$^{53}_{44}$kaŋ^{53}./kaŋ^{53}li^{0} kai$^{53}_{44}$tʂaŋ$^{53}_{44}$iəu^{35} ciet^{3}./ts^{h}an^{21}liɔŋ$^{53}_{44}$kən^{53}kau^{35}.e$_{21}$.ŋai$^{13}_{44}$iəu$^{53}_{44}$m̩$^{13}_{21}$p^{h}e^{53}(←xe^{53})tsɔi^{35}xa$^{53}_{44}$t^{h}ien^{13}ʂən$^{13}_{21}$xɔŋ^{53}.ci^{13}ts^{h}iəu$^{53}_{44}$kai^{53}tʂəŋ^{21} t^{h}ei^{53}tsɿ^{0} kaŋ^{53}t^{h}ei^{53}ts^{h}iəu$^{53}_{44}$mən^{35}t^{h}ai^{53}iet^{3} tʂak^{3},k^{h}o^{21}tiet^{3} man^{13}t^{h}ai^{53}ia^{0},tsɿ^{21}man^{13}t^{h}ai^{53}.iau$^{53}_{44}$tsɔi^{35}(x)a^{53}t^{h}ien^{13} ʂən$^{13}_{44}$xɔŋ$^{53}_{44}$ne^{0},ɔi^{53}ɲin^{13}çi$^{53}_{44}$kaŋ^{53}.ɔi$^{53}_{44}$çi$^{53}_{44}$kaŋ^{53}./ɔi^{53}çi$^{53}_{35}$tsəu^{21}./ɔi^{53}çi$^{53}_{44}$tsei^{21}.ci$^{13}_{21}$ts^{h}iəu^{53}m̩^{13}p^{h}a^{53}çi^{53}tsei^{21}ia^{0}.ɔi^{53}çi$^{53}_{44}$ kaŋ^{53}t^{h}əŋ$^{35}_{44}$lɔi$^{13}_{21}$ia^{0}.n̩^{13}kaŋ^{53}t^{h}əŋ$^{35}_{44}$lɔi$^{13}_{21}$ts^{h}an^{21}liɔŋ^{53}n̩$^{13}_{21}$kau$^{35}_{44}$.

【𨁏棺材底】kəŋ^{53}kɔn$^{35}_{44}$ts^{h}ɔi$^{13}_{21}$te^{21} 在送葬的路上遇到路不好走的地方孝子钻到棺材底下用背部顶棺材：渠个有咯棺材㧐倒去个时候子箇孝子箇只就还爱～咯安做咯。我等就系箇客姓人就今天系啊岭上吵，系箇山里吵，箇路冇得咁好走呀，撞怕㧐倒唔好上个嘞，噢，你个孝子你就爱你就𨁏下棺材底下去帮以映背颈帮渠顶呐。箇孝子咯。箇就顶得几多子顶几多子嘞。箇就唔系么啊限定爱你个人滴接倒凑，意思下子嘞。安做～咯。～。反正你箇个孝子你个箇肚里年轻力壮个人你爱帮，因为山里吵都唔好走，有滴地方唔好过个啊，唔好上个啊，爱转弯箇只栏场啊，要～咯。ci$^{13}_{21}$ke$^{53}_{44}$iəu^{35}ko^{0} kɔn^{35}ts^{h}ɔi$^{13}_{21}$kəŋ^{35}tau^{21}çi$^{53}_{44}$ke$^{53}_{44}$ʂɿ$^{13}_{21}$xei$^{53}_{44}$tsɿ^{0} kai$^{53}_{44}$çiau^{53}tsɿ^{21}kai$^{53}_{44}$tʂak^{3} ts^{h}iəu$^{53}_{44}$xa$^{13}_{21}$ɔi$^{53}_{44}$kəŋ^{53}kɔn$^{35}_{44}$ts^{h}ɔi$^{13}_{21}$te^{21}ko^{0} ɔn$^{35}_{44}$tso$^{53}_{44}$ko^{0} .ŋai$^{13}_{21}$tien^{0} ts^{h}iəu$^{53}_{44}$xe$^{53}_{44}$kai$^{53}_{44}$k^{h}ak^{3} sin^{53}ɲin$^{13}_{21}$ts^{h}iəu$^{53}_{44}$cin$^{35}_{44}$t^{h}ien$^{35}_{44}$ xei$^{53}_{44}$a^{0} liaŋ^{35}xɔŋ$^{53}_{44}$ʂa^{0} ,xei$^{53}_{44}$ka$^{53}_{44}$san^{35}ni^{21}ʂa^{0} ,kai$^{53}_{44}$ləu^{53}mau$^{13}_{21}$tek^{3} kan^{21}xau^{21}tsei^{21}ia^{0} ,ts^{h}ɔŋ^{21}p^{h}a^{53}kəŋ^{35}tau^{21}m̩$^{13}_{21}$ mau^{21}ʂɔŋ^{35}ke$^{53}_{44}$le^{0} ,ŋau^{21}, ɲi$^{13}_{21}$ke$^{53}_{44}$xau^{53}tsɿ^{21}ɲi$^{13}_{21}$ts^{h}iəu$^{53}_{44}$ɔi$^{53}_{44}$ɲi$^{13}_{21}$ts^{h}iəu$^{53}_{44}$kəŋ^{53}xa$^{53}_{44}$kɔn$^{35}_{44}$ts^{h}ɔi$^{13}_{21}$te^{21}xa$^{53}_{44}$çi$^{53}_{44}$pɔŋ$^{35}_{44}$i^{21}iaŋ$^{53}_{44}$ pɔi^{53}ciaŋ^{21}pɔŋ^{35}ci$^{13}_{21}$tin^{21}na^{0} .kai$^{53}_{44}$xau^{53}tsɿ^{21}ko^{0} .kai$^{53}_{44}$ts^{h}iəu$^{53}_{44}$tin^{21}tek^{3} ci^{21}to$^{35}_{44}$tsɿ^{0} tin^{21}ci^{21}to^{35}tsɿ^{0} le^{0} .kai^{53}ts^{h}iəu$^{53}_{44}$m̩$^{13}_{21}$ p^{h}e^{53}mak^{3} a^{0} k^{h}an$^{13}_{21}$t^{h}in$^{53}_{44}$ɔi^{53}ɲi$^{13}_{21}$cie^{53}ɲin$^{13}_{21}$tet$^{5}_{3}$ tsiet^{3} tau^{21}ts^{h}e^{0} ,i^{53}sɿ^{0} (x)a$^{53}_{44}$tsɿ^{0} le^{0} .ɔn^{35}tso$^{53}_{44}$kəŋ$^{53}_{44}$kɔn$^{35}_{44}$ts^{h}ɔi$^{13}_{21}$te^{21} ko^{0} .kəŋ^{53}kɔn^{35}ts^{h}ɔi$^{13}_{21}$te^{21}.fan^{21}tʂən$^{53}_{44}$ɲi$^{13}_{21}$kai$^{53}_{44}$ke$^{53}_{44}$xau^{53}tsɿ^{21}ɲi$^{13}_{21}$kei^{53}kai$^{53}_{44}$təu^{21}li^{0} ɲien^{13}c^{h}in$^{35}_{44}$liet^{5} tsɔŋ^{53}ke$^{53}_{44}$ɲin$^{13}_{21}$ ɲi$^{13}_{21}$ɔi$^{53}_{44}$pɔŋ^{35},in^{35}uei$^{13}_{21}$san^{35}ni^{21}ʂa^{0} təu$^{35}_{44}$m̩$^{13}_{21}$mau^{21}tsei^{21},iəu^{35}tet^{5} t^{h}i$^{53}_{44}$fɔŋ$^{35}_{44}$m̩^{13}xau^{21}ko^{53}ke$^{53}_{44}$a^{0} ,m̩^{13}xau^{21}ʂɔŋ^{35}ke$^{53}_{44}$a^{0} , ɔi$^{53}_{44}$tʂɔn^{21}uan^{35}kai$^{53}_{44}$tʂak^{3} lan$^{13}_{21}$tʂ^{h}ɔŋ$^{13}_{21}$ŋa^{0} ,iau$^{53}_{44}$kəŋ^{53}kɔn^{35}ts^{h}ɔi$^{13}_{21}$te^{21}ko^{0} .

【𨁏脓】kəŋ^{53}ləŋ^{13} 动化脓：就我开头讲个，手上分篾箕割一下，还做起祸来哩，～去哩。ts^{h}iəu$^{53}_{44}$ŋai^{13}k^{h}ɔi^{35}t^{h}ei$^{13}_{21}$kɔŋ^{21}ke^{0} ,ʂəu^{21}xɔŋ$^{53}_{44}$pən^{35}miet^{5} sak^{3} kɔit^{3} iet^{3} xa^{53},xai^{13}tso^{53}çi^{21}fo^{53}lɔi$^{13}_{44}$li^{0} ,kəŋ^{53}ləŋ^{13}çi^{53}li^{0} .

【𨁏青】kəŋ^{53}ts^{h}iaŋ^{35} 形状态词。很青：～个草。kəŋ^{53}ts^{h}iaŋ^{35}ke$^{53}_{44}$ts^{h}au^{21}.

【𨁏天𨁏地】kəŋ^{53}t^{h}ien$^{35}_{44}$kəŋ$^{53}_{44}$t^{h}i$^{53}_{44}$ 形容震天动地：（山沟里个花炮厂）炸死哩人呢，～都听唔倒。tsa^{53}si^{21}li^{0} ɲin^{13}ne^{0} ,kəŋ^{53}t^{h}ien$^{35}_{44}$kəŋ$^{53}_{44}$t^{h}i$^{53}_{44}$təu$^{35}_{44}$t^{h}aŋ^{35}ŋ̍$^{13}_{21}$tau^{21}.

【𨁏轴子】kaŋ^{53}tʂ^{h}əuk^{5}/tʂəuk^{5} tsɿ^{0} 形形容行色匆匆：即即哩走个就安做～。/系呀，～。tsiet^{5} tsiet^{5} li^{0} tsəu^{21}ke$^{53}_{44}$ts^{h}iəu$^{53}_{44}$ɔn$^{35}_{44}$tso$^{53}_{44}$kaŋ^{53}tʂəuk^{5} tsɿ^{0} ./xei$^{53}_{44}$ia^{0} ,kaŋ^{53}tʂ^{h}əuk^{5} tsɿ^{0} .

【勾】k^{h}ei^{35} 动用笔画出符号，表示删除：箇名字～咁去。kai^{53}miaŋ$^{13}_{21}$ts^{h}ɿ$^{53}_{44}$k^{h}ei^{35}kan$^{21}_{13}$çi^{53}.｜～哩簿就会死咁，阎王蟾～簿你就冇事死，你病下凑，纵苦都还有口子气，冇事死。k^{h}ei^{35}li^{0} p^{h}u^{35} tsiəu^{53}uɔi^{53}si^{21}kan^{21},ian^{13}uɔŋ$^{13}_{44}$maŋ$^{13}_{21}$k^{h}ei$^{35}_{44}$p^{h}u$^{35}_{44}$ɲi$^{13}_{21}$tsiəu^{53}mau^{13}sɿ^{53}si^{21}, ɲi^{13}p^{h}iaŋ^{53}xa$^{53}_{44}$ts^{h}e^{0} ,tsəŋ^{53}k^{h}u^{21}təu$^{35}_{53}$xai$^{13}_{21}$ iəu$^{35}_{44}$xei^{21}tsɿ^{0} çi^{53},mau$^{13}_{44}$sɿ$^{53}_{44}$si^{21}.

【勾头】kei^{35}t^{h}ei^{13}/kəu^{35}t^{h}əu^{13}老派 动谷穗成熟弯头：～散籽以后嘞就系禾是转哩绿豆色，系啊？kəu^{35}t^{h}əu$^{13}_{21}$san^{21}tsɿ^{21}i^{35}xəu$^{53}_{44}$le^{0} ts^{h}iəu$^{53}_{44}$xe$^{53}_{44}$uo^{13}ʂɿ$^{53}_{44}$tʂɔn^{21}li^{0} liəuk^{5} t^{h}əu^{53}sek^{3} ,xe^{53}a^{0} ?｜系，（禾）勾哩头就会黄。xei$^{53}_{21}$,kei^{35}li^{0} t^{h}ei$^{13}_{21}$tsiəu^{53}uɔi^{53}uɔŋ$^{13}_{21}$.

【勾腰】kəu^{35}iau^{35} 动弯腰：种菜难～，学打鸟。tʂəŋ^{53}ts^{h}ɔi^{53}lan^{13}kəu^{35}iau^{35},xɔk^{5} ta^{21}tiau^{35}.

【沟】kei^{35}/ciei^{35} 名①流水道：一条～ iet^{3} t^{h}iau^{13}kei^{35}｜～嘞大概嘞也有天生成个。kei^{35}lei^{0} t^{h}ai^{53} k^{h}ai$^{53}_{44}$lei^{0} ia^{35}iəu$^{35}_{44}$t^{h}ien^{35}saŋ$^{35}_{44}$ʂən$^{13}_{21}$ke$^{53}_{44}$. ②指工程中的沟槽：爱砌墙个栏场先舞正条～来。ɔi^{53}ts^{h}i^{53} ts^{h}iɔŋ^{13}ke^{53}lɔŋ^{13}tʂ^{h}ɔŋ^{13}sien^{35}u^{21}tʂaŋ^{53}t^{h}iau$^{13}_{21}$kei^{35}lɔi$^{13}_{21}$.

【沟瓦】kei^{35}ŋa^{21} 名一种厚、长、宽的瓦，外面上了釉，用于汇合房坡上的雨水：现在分箇个牟瓦子箭瓦都改成哩～，都改成哩箇一种了。çien^{53}ts^{h}ai^{53}pən^{35}kai$^{53}_{44}$ke$^{53}_{44}$tait^{5} ŋa^{21}tsɿ^{0} t^{h}əŋ^{21}ŋa^{21}təu^{35} kai^{21}ʂaŋ$^{13}_{21}$li^{0} kei^{35}ŋa^{21},təu^{35}kai^{21}ʂaŋ$^{13}_{21}$li^{0} kai$^{53}_{44}$iet^{3} tʂəŋ^{21}liau^{0} .

【钩$_{1}$】kei^{35}/ciei^{35} 名①悬挂或探取东西的用具，形状弯曲，头端尖锐：楼栿上就吊只箇个么个，舞只铁丝吊只钩钩呀，～上就吊把茶壶哇。lei^{13}fuk^{5} xɔŋ$^{53}_{44}$ts^{h}iəu$^{53}_{44}$tiau^{53}tʂak^{3} kai$^{53}_{44}$kei$^{53}_{44}$mak^{3} kei$^{53}_{44}$,u^{21}tʂak^{3} t^{h}iet^{3} sɿ$^{35}_{44}$tiau^{53}tʂak^{3} ciei^{35}ciei$^{35}_{44}$ia^{0} ,ciei^{35}xɔŋ$^{53}_{44}$ts^{h}iəu$^{53}_{44}$tiau^{53}pa^{21}ts^{h}a^{13}fu^{13}ua^{0} . ②器物上钩形的部分：有兜伞呶有只～，钩把伞。iəu^{35}təu$^{35}_{44}$san^{53}nau^{0} iəu$^{35}_{44}$tʂak^{3} kei^{35},kei^{35}pa^{53}san^{53}. ③汉字的笔画，附

在横、竖等笔画的末端，呈钩形：氏字，四笔，一撇，竖～，横，斜～，系啊？ʂʅ^{53}tsʰʅ^{53},si^{53} piet^{3},iet^{3} pʰet^{3},ʂəu^{53}kəu$^{35}_{44}$,xəŋ^{13},sie^{13}kəu$^{35}_{44}$,xei$^{53}_{44}$a^{0}？

【钩$_{2}$】ciei^{35} [动]用钩形物搭、挂或探取：（肉钩子）～猪肉个吵。ciei^{35}tʂəu^{35}ɲiəuk^{3}ke^{53}ʂa^{0}.

【钩把】kei^{35}pa^{53} [名]器体上弯曲的把儿：相对来讲，系～啊直把个哦？箇就你就问。siɔŋ^{35}tei^{53} lɔi$^{13}_{44}$kɔŋ^{21},xei$^{53}_{44}$kei^{35}pa$^{53}_{44}$a^{0} tʂʰət^{5} pa$^{53}_{44}$ke$^{53}_{44}$o^{0}?kai$^{53}_{44}$tsʰiəu$^{53}_{44}$ɲi$^{13}_{21}$tsʰiəu^{53}uən^{53}.

【钩把伞】kei^{35}pa^{53}san^{53} [名]把儿弯曲的伞：但是就有滴就弯把～，有滴就～。tan$^{53}_{44}$ʂʅ$^{53}_{44}$tsiəu$^{53}_{44}$iəu^{35} tet^{5} tsʰiəu$^{53}_{44}$uan^{35}pa^{53}kei^{35}pa^{53}san^{53},iəu^{35}tet^{5} tsʰiəu$^{53}_{44}$kei^{35}pa$^{53}_{21}$san^{53}.

【钩秤】kei^{35}/ciei^{35}tʂʰən^{53} [名]杆秤的一种，装有铁钩，用来挂所称物品：～就系比子秤呢，就唔系盘秤子呢。～就一般讲～就指有只钩个。ciei^{35}tʂʰən^{53}tsʰiəu^{53}xe^{53}pi^{21}tsʅ^{0} tʂʰən^{53}nei^{0},tsʰiəu^{53}m̩^{13} pʰe^{53}pʰan^{13}tʂʰən^{53}tsʅ^{0} nei^{0}.kei^{35}tʂʰən$^{53}_{44}$tsʰiəu$^{53}_{44}$iet^{3} pən^{35}kɔŋ^{21}kei^{35}tʂʰən$^{53}_{44}$tsʰiəu$^{53}_{44}$tʂʅ^{21}iəu$^{35}_{53}$tʂak^{3} kei^{35}ke^{0}.

【钩担】ciei^{35}tan^{53} [名]两头有带钩的绳子的扁担，用于挑水等：好，箇泥装倒，摛箕子装倒又要荷倒来嘞，用～。xau^{21},kai^{53}lai^{13}tʂɔŋ^{35}tau^{21},tsʰei^{35}ci$^{35}_{44}$tsʅ^{0} tʂɔŋ^{35}tau^{21}iəu^{53}iau$^{53}_{44}$kʰai^{35}tau^{21}lɔi$^{13}_{21}$le^{0},iəŋ^{53}kei^{35} tan^{53}.

【钩刀】kei^{35}tau^{35} [名]有长把的弯刀：一般讲个～嘞就系把长兜子个，把蛮长子个，欸，箇顶高一张箇一把弯刀。刀系弯个，弯个，欸，就你话割草箇个箇弯个。～就用来搞么个嘞？一只就有兜箇个绺菜呢，打比样箇个蒲子啊，欸箇个蒲子啊线瓜箇兜，长起唔知几高，舞倒唔知几高，摘唔倒，要舞只～钩渠一下，钩下来。还有一只东西嘞你就唔晓得啦，安做□树梠，也用～。以前咯箇个松树哇杉树哇斫又莫斫嘿哩，箇底下个梠又多余，系唔系？有多。箇就专门嘞舞张～呢，鬥只把扎扎实实呢，徛倒树底下□树梠呢，钩树梠，钩树梠。分箇树箇个底下个树梠唔爱哩啊，整柴烧，钩下渠来，做柴烧哇。又有事损坏箇条树哇，唔爱斫箇条树做得，咁个。iet^{3} pən^{35}kɔŋ^{21}ke^{0} ciei^{35}tau^{35}lei^{0} tsʰiəu^{53}xe^{53}pa^{53}tʂʰɔŋ^{13}təu$^{35}_{53}$tsʅ^{0} ke^{0},pa^{53}man$^{13}_{21}$tʂʰɔŋ^{13}tsʅ^{0} ke^{53},e$_{21}$,kai^{53}taŋ^{21}kau$^{35}_{44}$iet^{3} tʂɔŋ$^{35}_{44}$kai$^{53}_{21}$iet^{3} pa^{21}uan^{35}tau$^{35}_{44}$.tau^{35}xei^{53}uan^{35}cie^{53},uan^{35}cie^{53},e$_{53}$,tsʰiəu^{53}ɲi^{13}ua^{53}kɔit^{3} tsʰau^{21}kai$^{53}_{44}$ke$^{53}_{44}$kai$^{53}_{44}$uan^{35}cie^{53}.ciei^{35}tau^{35}tsʰiəu$^{53}_{44}$iəŋ^{53}lɔi$^{13}_{21}$kau^{21}mak^{3} e^{0} lei^{0}?iet^{3} tʂak^{3} tsʰiəu$^{53}_{44}$iəu^{35}təu$^{35}_{44}$kai$^{53}_{44}$ke$^{53}_{44}$ li^{53}tsʰɔi^{53}nei^{0},ta^{21}pi^{21}iɔŋ$^{53}_{44}$kai$^{53}_{44}$ke$^{53}_{44}$pʰu^{13}tsʅ^{0} a^{0},ei$_{44}$kai$^{53}_{44}$ke$^{53}_{44}$pʰu^{13}tsʅ^{21}a^{0} sen^{53}kua$^{35}_{44}$kai$^{53}_{44}$təu$^{35}_{44}$,tʂɔŋ^{21}çi$^{21}_{44}$n̩^{13}ti$^{35}_{53}$ci^{21} kau^{35},u^{21}tau^{21}n̩^{13}ti$^{35}_{53}$ci$^{21}_{44}$kau$^{35}_{44}$,tsak^{3} n̩$^{13}_{44}$tau^{21},iau^{53}u^{21}tʂak^{3} ciei^{35}tau$^{35}_{44}$ciei^{35}ci$^{13}_{21}$iet^{3} xa^{53},ciei^{35}xa$^{53}_{44}$lɔi$^{13}_{21}$.xai^{13}iəu$^{35}_{53}$iet^{3} tʂak^{3} təŋ$^{35}_{44}$si^{0} lei^{0} ɲi^{13}tsʰiəu^{53}n̩^{13}çiau^{21}tek^{3} la^{0},ɔn$^{35}_{44}$tso$^{53}_{44}$tən^{35}ʂəu^{53}kʰua^{21},ia^{35}iəŋ^{53}ciei$^{35}_{44}$tau$^{35}_{44}$.i$^{35}_{53}$tsʰien^{13}ko^{0} kai$^{53}_{44}$ke$^{53}_{44}$ tsʰəŋ^{13}ʂəu^{53}ua^{0} sa^{35}ʂəu^{53}ua^{0} tʂɔk^{3} iəu^{53}mɔk^{5} tʂɔk^{3} (x)ek^{3} li^{0},kai^{53}tei^{21}xa^{53}ke^{53}kʰua^{21}iəu^{53}to^{35}vy^{13},xei$^{53}_{44}$me$^{53}_{44}$?iəu^{35} to^{35}.kai$^{53}_{44}$tsʰiəu$^{53}_{44}$tʂen^{35}mən$^{13}_{44}$le^{0} u^{21}tʂɔŋ$^{35}_{44}$kei^{35}tau^{35}nei^{0},tei^{53}tʂak^{3} pa^{53}tsait^{3} tsait^{3} ʂət^{5} ʂət^{5} nei^{0},cʰi^{35}tau^{21}ʂəu^{53}tei^{21} xa$^{53}_{44}$tən^{35}ʂəu^{53}kʰua^{21}nei^{0},ciei^{35}ʂəu^{53}kʰua^{21},ciei^{35}ʂəu^{53}kʰua^{21}.pən^{35}kai$^{53}_{44}$ʂəu^{53}kai$^{53}_{44}$ke^{0} tei^{21}xa^{53}ke^{0} ʂəu^{53}kʰua^{21}m̩$^{13}_{21}$ mɔi^{53}li^{0} a^{0},tʂən^{21}tsʰai^{13}ʂau$^{35}_{44}$,ciei^{35}xa$^{53}_{44}$ci$^{13}_{21}$lɔi$^{13}_{21}$,tsʅ^{53}tsʰai$^{13}_{21}$ʂau$^{35}_{44}$ua^{0} .iəu^{53}mau^{13}sʅ^{53}sən^{21}fai^{53}kai^{53}tʰiau^{13}ʂəu^{53} ua^{0},m̩^{13}mɔi^{53}tʂɔk^{3} kai$^{53}_{44}$tʰiau$^{13}_{44}$ʂəu^{53}tso^{53}tek^{3} ,kan^{21}cie$^{53}_{21}$.

【钩钩】kei^{35}kei^{35} [名]钩形的事物或事物上钩形的部分：以只～，就安做水子挽。i^{21}tʂak^{3} kei^{35} kei$^{35}_{44}$,tsiəu^{53}ɔn$^{35}_{44}$tso$^{53}_{44}$ʂei^{21}tsʅ^{0} uan^{21}.｜也还有挂猪肉个～哟。ia$^{35}_{44}$xai$^{13}_{21}$iəu$^{35}_{44}$kua^{53}tʂəu$^{35}_{44}$ɲiəuk^{3} ke$^{53}_{21}$ciei^{35}ciei^{35} iau^{0}.

【钩钩子】kei^{35}kei^{35}/ciei^{35}ciei^{35}tsʅ^{0} [名]钩子，也指像钩子的东西：上背有两只～。ʂɔŋ^{53}pɔi$^{53}_{44}$iəu$^{35}_{44}$ iɔŋ^{21}tʂak^{3} ciei^{35}ciei^{35}tsʅ^{0}.

【钩镰】kei^{35}lian^{13} [名]指钩镰枪，一种冷兵器，枪头锋刃上有一个倒钩的长枪，专门用于对付敌人骑兵：蛮好看呢。三节棍呐，～，大刀哇。man$^{13}_{21}$xau^{21}kʰɔn^{53}ne^{0}.san^{35}tset^{3} kuən^{53}na^{0} ,kei^{35} lian^{13},tʰai^{53}tau$^{35}_{44}$ua^{0}.

【钩藤】kei^{35}tʰien^{13} [名]一种常绿藤本植物。带钩的茎枝可以入药，具有清热平肝、息风定惊、降压等药用价值：～有哇，有～。～就分细人子做方子食，细人子打伤风啊。kei^{35}tʰien$^{13}_{21}$iəu$^{35}_{44}$ ua^{0},iəu$^{35}_{44}$kei^{35}tʰien^{0}.kei^{35}tʰien$^{13}_{21}$tsʰiəu$^{53}_{44}$pən^{35}sei^{53}ɲin^{13}tsʅ^{0} tso^{53}fɔŋ^{35}tsʅ^{0} ʂət^{5},sei^{53}ɲin^{13}tsʅ^{0} ta^{21}ʂɔŋ^{35}fəŋ^{35}ŋa^{0}.

【钩子】kei^{35}/ciei^{35}tsʅ^{0} [名]一种形状弯曲，可挂东西或探取东西的用具，也指像钩子的东西：靠近～，～箇向个，秤盘子箇向个，就头荷。kʰau^{53}cʰin^{53}kei^{35}tsʅ^{0},ciei^{35}tsʅ^{0} kai$^{53}_{44}$çiɔŋ$^{53}_{44}$ke$^{53}_{44}$,tʂʰən^{53}pʰan$^{13}_{21}$ tsʅ^{0} kai$^{53}_{44}$çiɔŋ$^{53}_{44}$ke$^{53}_{44}$,tsʰiəu^{53}tʰei$^{13}_{21}$xo$^{13}_{21}$.

【钩钻】kei^{35}tsɔn^{53} [名]绱钻的一种，钻头上有钩：一种安做～。唔系你看过打绳子衫有……箇个以前唔系有钩咁个围巾箇只咁个，系唔系？有钩针呢。有起就～。嘴上有条钩子。分箇个绳子嘞摞下箇条钩子上，扯，就过来哩。～。iet^{3} tʂəŋ^{21}ɔn$^{35}_{44}$tso$^{53}_{44}$kei^{35}tsɔn^{53}.m̩^{13}pʰei^{53}ɲi^{13}kʰɔn^{53}ko^{53}ta^{21}

ʂən13 tsɿ0 san35 iəu$^{35}_{44}$…kai$_{44}$kei$^{53}_{44}$i35 tsʰien13 m̩13 pʰei53 iəu35 kei35 kan21 ke$^{53}_{44}$uei13 cin$^{35}_{44}$kai$^{53}_{44}$tʂak3 kan21 ke0,xei$^{53}_{44}$me$^{53}_{44}$?iəu35 kei35 tʂən35 ne0.iəu$^{35}_{44}$çi21 tsʰiəu$^{53}_{44}$kei35 tsən53.tsi21 xɔŋ$^{35}_{44}$iəu$^{35}_{44}$tʰiau$^{13}_{21}$kei35 tsɿ0.pən35 kai$^{53}_{44}$ke$^{53}_{44}$ʂən13 tsɿ0 lei0 kʰuan53 na$^{53}_{44}$kai$^{53}_{44}$tʰiau$^{13}_{21}$kei35 tsɿ0 xɔŋ$^{53}_{44}$,tʂʰa21,tsʰiəu$^{53}_{44}$ko53 lɔi$^{13}_{21}$li0.kei35 tsən53.

【狗】kei21/ciei21 名哺乳动物，听觉嗅觉都很敏锐，善于看守门户：畜～ çiəuk3 kei21｜（打狗粄）就系到阴间去个时候子怕路上有狗，趟～个。tsʰiəu$^{53}_{44}$xei$^{53}_{44}$tau53 in35 kan$^{35}_{44}$çi53 ke$^{53}_{44}$ʂɿ$^{13}_{44}$xei$^{53}_{44}$tsɿ0 pʰa53 ləu53 xɔŋ$^{53}_{44}$iəu35 ciei21,ciəuk5 ciei21 ke53.

【狗牸子】kei21 tsʰɿ53 tsɿ0 名未生育过的母狗：箇只狗嫲下个狗崽子啊捡嘿～多，狗牯子少。kai53 tʂak3 ciei21 ma13 xa53 ke0 kei21 tsei21 tsɿ0 a0 cian21 nek3 kei21 tsʰɿ53 tsɿ0 to35,kei53 ku21 tsɿ0 ʂau21.

【狗篼】ciei21 tei35 名装狗食的器具：狗食东西嘞搞倒到处都系，一番事抢哩，系唔系？就要狗多哩是一番事冒哩。有兜话细人子："你箇食哩饭呢硬系～样。"食哩饭个栏场～样。kei21 ʂət5 təŋ$^{35}_{44}$si0 lei0 kau21 tau21 tau53 tʂʰəu$^{53}_{44}$təu$^{35}_{44}$xei53,iet3 fən$^{35}_{53}$sɿ$^{53}_{21}$tsʰiɔŋ21 li0,xei$^{53}_{44}$me$^{53}_{44}$?tsiəu$^{53}_{44}$iau$^{53}_{44}$kei21 to35 li0 ʂɿ$^{53}_{44}$iet3 fən$^{35}_{44}$sɿ$^{53}_{44}$mau53 li0.iəu35 tei$^{35}_{44}$ua$^{53}_{44}$sei53 ɲin$^{13}_{21}$tsɿ0:"ɲi13 kai$^{53}_{44}$ʂət5 li0 fan53 ne0 ɲiaŋ53 xe$^{53}_{44}$kei21 tei35 iɔŋ53."ʂət5 li0 fan53 ke0 laŋ$^{13}_{21}$tʂʰɔŋ$^{13}_{21}$kei35 tei$^{35}_{44}$iɔŋ53.

【狗窦】kei21 tei53 名狗窝：欸，我是喜欢睡自家个间，唔想……会拣床，我自家个间呢～样都好哩。马虎滴子，～样都好哩。别人家个熨帖哩我睡唔着。e$_{21}$,ŋai13 ʂɿ$^{53}_{44}$çi21 fɔn$^{35}_{44}$ʂɔi53 tsʰɿ35 ka$^{35}_{44}$ke53 kan35,n̩13 siɔŋ21…uɔi53 kan21 tsʰɔŋ13,ŋai13 tsʰɿ35 ka$^{35}_{44}$ke$^{53}_{44}$kan$^{35}_{44}$nei0 kei21 tei$^{53}_{44}$iɔŋ$^{53}_{44}$təu$^{35}_{53}$xau21 li0.ma$^{21}_{13}$fu$^{21}_{44}$tiet5 tsɿ0,kei21 tei53 iɔŋ$^{53}_{44}$təu$^{35}_{53}$xau21 li0.pʰiet5 in$^{13}_{21}$ka$^{35}_{44}$ke0 iet3 tʰiait3 li0 ŋai13 ʂɔi53 n̩$^{13}_{21}$tʂʰɔk5.

【狗牯】kei21 ku21 名公狗：我等间壁，我赖子箇店里个间壁，箇只人就畜只箇～，真讨嫌，长日打架，会吓细人子，又脱毛，舞倒我等细人子去渠门口嬲都唔想去嬲。脱倒一地泥下个毛。ŋai13 tien0 kan53 piak3,ŋai13 lai13 tsɿ0 kai$^{53}_{44}$tian53 ni0 ke0 kan53 piak3,kai$^{53}_{44}$tʂak3 ɲin13 tsiəu$^{53}_{44}$çiəuk3 tʂak3 kai53 kei21 ku21,tʂən35 tʰau21 çian13,tʂʰɔŋ13 ɲiet3 ta21 cia53,uɔi53 xak3 sei53 ɲin$^{13}_{21}$tsɿ0,iəu53 tʰɔit3 mau35,u21 tau21 ŋai13 tien0 sei53 ɲin$^{13}_{21}$tsɿ0 çi53 ci$^{13}_{21}$mən13 xei21 liau53 təu$^{35}_{53}$n̩13 siɔŋ21 çi$^{53}_{44}$liau53.tʰɔit3 tau21 iet3 tʰi53 lai$^{13}_{21}$xa35 ke0 mau35.

【狗姜】kei21/kəu21 老派 ciɔŋ35 名一种野生姜科植物，药食两用：～是底下底下箇个东西哩，底下箇坨。尽系尽系咁子渠是生倒。/欸，渠每年会长一坨。每年长一截，每年长一截。箇底下箇个咁个东西。箇起是～。/～呢冇得箇只姜个味道，冇得箇只气味，箇只叶子都冇得箇气味。kei21 ciɔŋ$^{35}_{44}$ʂɿ$^{53}_{44}$te21 xa$^{53}_{44}$te21 xa$^{53}_{44}$kai53 ke$^{53}_{44}$təŋ$^{35}_{44}$si0 li0,te21 xa53 kai53 tʰo13.tsʰin53 xe53 tsʰin53 ne$_{44}$(←xe53)kan21 tsɿ0 ci$^{13}_{21}$ʂɿ$^{53}_{21}$saŋ35 tau21./e53,ci$^{13}_{21}$mei35 ɲien$^{13}_{21}$uɔi53 tʂɔŋ21 iet3 tʰo13.mei35 ɲien$^{13}_{44}$tʂɔŋ21 iet3 tset3,mei35 ɲien$^{13}_{44}$tʂɔŋ21 iet3 tset3.kai$^{53}_{44}$te21 xa53 kai$^{53}_{21}$ke$^{53}_{21}$kan$^{21}_{35}$ke$^{53}_{44}$təŋ$^{35}_{44}$si0.kai53 çi21 ʂɿ53 kəu21 ciɔŋ35./kei21 ciɔŋ$^{35}_{44}$nei0 mau13 tek3 kai53 tʂak3 ciɔŋ35 ke$^{53}_{44}$uei13 tʰau53,mau$^{13}_{21}$tek3 kai53 tʂak3 çi53 uei53,kai$^{53}_{44}$tʂak3 iait5 tsɿ0 təu$^{35}_{44}$mau$^{13}_{21}$tek3 kai$^{53}_{44}$çi53 uei$^{53}_{44}$.

【狗脚爪】kei21 ciɔk$^{3}_{5}$tsau21 名狗的爪子：（狗爪豆）像～样。tsʰiɔŋ53 kei21 ciɔk$^{3}_{5}$tsau21 iɔŋ53.

【狗嫲】kei21 ma13 名①已生育过的母狗：～就系箇起下过狗崽子个母狗就安做～。kei21 ma13 tsʰiəu53 xe53 kai53 çi21 xa53 ko53 kei21 tse21 tsɿ0 ke53 mu35 kei21 tsʰiəu$^{53}_{21}$ɔn$^{35}_{53}$tso53 kei21 ma13. ②对女性的鄙称：一般就骂箇夫娘子嘞。"你箇～！"～就咁下贱呐，咁贱呐。～系呀第一只就渠有不同个配偶哇，系唔系？欸，第二就渠去攎食个手段咁下贱呐，到箇垃圾桶里去捡呐。第三就生起人来咁下贱呐，欸，就跍倒箇墙脚下都可以下狗崽子啊。欸，话别人家："你箇～！你箇只硬系～！"箇就蛮伤心呐。你骂哩别人家～就蛮伤心呐。iet3 pən35 tsʰiəu$^{53}_{44}$ma53 kai$^{53}_{44}$pu35 ɲiɔŋ$^{13}_{21}$tsɿ0 lei0."ɲi13 kai53 kei21 ma13!"kei21 ma$^{13}_{44}$tsʰiəu53 kan21 çia53 tsʰien53 na0,kan21 tsʰien53 na0.kei21 ma13 xe53 ia0 tʰi53 iet3 tʂak3 tsʰiəu$^{53}_{44}$ci13 iəu35 pət3 tʰəŋ13 ke0 pʰei53 ɲiau21 ua0,xei53 me53?e$_{21}$,tʰi53 ɲi53 tsʰiəu$^{53}_{44}$ci$^{13}_{21}$cʰi53 ləuk3 ʂət5 ke$^{53}_{44}$ʂəu21 tɔn53 kan21 çia53 tsʰien53 na0,tau$^{53}_{44}$kai$^{53}_{44}$la35 ci$^{35}_{44}$tʰəŋ21 li0 çi53 cian21 na0.tʰi53 san35 tsʰiəu$^{53}_{44}$saŋ35 çi21 ɲin13 nɔi$^{13}_{44}$kan21 çia53 tsʰien53 na0,e$_{21}$,tsiəu53 ku$^{35}_{44}$tau$^{21}_{44}$kai$^{53}_{44}$tsʰiɔŋ13 ciɔk3 xa35 təu$^{35}_{53}$kʰo21 i35 xa53 kei21 tse21 tsɿ0 a0.ei$_{21}$,ua53 pʰiet5 in$^{13}_{44}$ka$^{35}_{44}$:"ɲi13 kai53 kei21 ma13!ɲi$^{13}_{21}$kai$^{53}_{21}$tʂak3 ɲiaŋ53 xei$^{53}_{44}$kei21 ma13!"kai53 tsʰiəu$^{53}_{44}$man$^{13}_{21}$ʂɔŋ$^{35}_{44}$sin35 na0. ɲi13 ma53 li0 pʰiet$^{5}_{3}$in$^{13}_{44}$ka$^{35}_{44}$kei21 ma13 tsiəu53 man13 ʂɔŋ$^{35}_{44}$sin$^{35}_{44}$na0.

【狗嫲蛇】kei21 ma13 ʂa13 名四脚蛇，蜥蜴：～就是有几大子个蛇子呢，但是～唔知几毒。我就惹～啱过。一夜睡哩一只脚肿起𤸫大哟。箇阵子也唔去打么个也唔晓得去打么个血清呢，如今来讲是就讲打血清呢。箇阵子我就请倒一只师傅同我……你话让门子搞哇？箇啱哩个栏场肿起𤸫大。渠舞只碗，我亲眼看得记得嘞，因为我正十……就系归来𫧮读书哩，归来个箇年呢，就系十四岁啊么个呢。我到我个岽背箇只栏场去整个，还系我箇只姑爷背倒我去个啦，背倒翻过岽，背下箇映子去。渠就同我跍倒箇个门口箇水圳子里呢，捡只碗箧，捡只碗呐，打烂哩个碗呐，又打烂来，箇唔系碗箋就锋利吧？欸，洗净下子，割以映子，用碗箋割开下子来，割开箇子口子来，割开下子口来，就来捻呐，顶高底下一番事捻哩啊，分箇个墨乌个血捻出来哩。以下舞兜箇个岭上个唔知么个草凑，反正三起四起箇草，放下嘴里一嚼，嚼倒剁下去，欸，舞块荷叶，舞只箇个呣欸芋子叶啊，舞倒箇芋子叶咁子绨稳下子。就咁子就第二晡就赠肿哩，就消嘿哩。箇是有……如今来讲是爱打血清呐，总爱用几千块钱。以前就咁个啦。kei21ma13ʂa13tsʰiəu53ʂʅ53mau13ci21tʰai53tsʅ0ke0ʂa13-21tsʅ0nei0,tan53ʂʅ53kei21ma13ʂa13n̩13ti35-53ci21tʰəuk5.ŋai13 tsʰiəu53ɲia35kei21ma13ʂa13ŋait3ko53.iet3ia53ʂɔi53li0iet3tʂak3ciɔk3tʂəŋ21çi21-44mən35tʰai53io0.kai53tʂʰən53tsʅ0ia35n̩13 çi53ta21mak3e0ia35n̩13çiau21tek3çi53ta21mak3e0çiet3tsʰin35ne0,i13-21cin35nɔi13-21kɔŋ21ʂʅ53-44tsiəu53kɔŋ21ta21çiet3tsʰin35 nei0.kai53-44tʂʰən53tsʅ0ŋai13tsʰiəu53-44tsʰiaŋ21tau21iet3tʂak3sʅ35fu53tʰəŋ13ŋai13-44…ɲi13ua53-44ɲiɔŋ53mən53-44tsʅ0kau21 ua0?kai53-44ŋait3li0ke0laŋ13-21tʂʰɔŋ13-44tʂəŋ21çi21-44mən35tʰai53.ci13-21u21tʂak3uɔn21,ŋai13-44tsʰin35ŋan21kʰɔn53tek3ci53tek3 le0,in35uei53-44ŋai13tʂaŋ53ʂət5…tsʰiəu53xe53-21kuei35lɔi13-21maŋ13tʰəuk5ʂəu35li0,kuei35lɔi13-21ke53-44kai53ɲien13-44nei0,tsʰiəu53 xe53ʂət5si53sɔi53a0mak3e0nei0.ŋai13tau53ŋai13-21ke0cien53pɔi53kai53tʂak3laŋ13-21tʂʰɔŋ13-44çi53tʂaŋ21ke53,xai13xe53ŋai13 kai53tʂak3ku35ia13-21pi53tau21ŋai13çi53ke53la0,pi53tau21fan35ko53cien53,pi53ia53-44kai53-44iaŋ53-44tsʅ0çi53.ci13tsʰiəu53tʰəŋ13-21ŋai13-21 ku35tau21kai53-44ke53-44mən13xei21kai53ʂei21tʂən53tsʅ0li21nei0,cian21tʂak3uɔn21sak3,cian21tʂak3uɔn21na0,ta21lan3li0 ke53uɔn21na0,iəu53ta21lan53nɔi13-21,kai53-44m̩13-44pʰe53-44uɔn21sak3tsʰiəu53-44fəŋ35li53pa0?e21,se21tsʰiaŋ53xa53tsʅ0,kɔit3i21iaŋ53 tsʅ0,iəŋ53uɔn21sak3kɔit3kʰɔi35xa53tsʅ0lɔi13,kɔit3kʰɔi35kai53tsʅ0xei21tsʅ0lɔi13-21,kɔit3kʰɔi35xa53tsʅ0xei21lɔi13,tsʰiəu53 lɔi13-21ɲien21na0,taŋ21kau35-44tei21xa53-44iet3fɔn35-44sʅ53ɲien21li0a0,pən35kai53-44ke53-44met5u35ke53çiet3ɲien21tʂʰət3lɔi13li0.i21 xa53-44u21təu35-44kai53-21kei53-21liaŋ35xɔŋ53-44kei53-44n̩13-21ti35-53mak3e0tsʰau21tsʰe0,fan21tʂən53san35çi21si53çi21kai53tsʰau21,fɔŋ53-44xa53-44 tʂɔi53li0iet3tsʰiau53,tsʰiau53tau21to53(x)a53-44çi53-44,e21,u21kʰuai53xo13iait5,u21tʂak3kai53-44ke53-44m̩21e21u53tsʅ0iait5a0,u21 tau21kai53-44u53tsʅ0iait5kan21tsʅ0tʰak3uən21na53tsʅ0.tsʰiəu53kan21tsʅ0tsʰiəu53tʰi53ɲi53pu35tsʰiəu53maŋ13tʂəŋ21li0, tsʰiəu53-44siau35xek3li0.kai53-44ʂʅ53-44mau13to…i13-21cin35-44nɔi13-21kɔŋ21ʂʅ53-21ɔi53ta21çiet3tsʰin35-44na0,tsəŋ21ɔi53iəŋ53-44ci21tsʰien35-44 kʰuai53tsʰien13-21.i35tsʰien13-21tsʰiəu53kan21cie53la0.

【狗妹子】kei21mɔi53tsʅ0 [名]为了使儿子能顺利长大成人而给其取的一种贱名：我等以映有取名字有只咁样个子取法呢。有滴分细人子取个名字取得唔知几贱呢。狗伢子，欸，告化子，嗯，取得唔知几贱。我等箇只外甥就安做～。伢子嘞渠安做渠～。欸，大外甥咯噢。我老妹子头只赠带倒，去肚子里就坏咁哩，同我以只赖子同年个，欸，摎我老婆两子嫂同时摞只大肚。渠箇只就赠带倒。所以第二只嘞渠就安得渠贱贱哩，安得狗……～。ŋai13tien0i21iaŋ53iəu35-44tsʰi21 miaŋ13tsʰʅ53iəu35tʂak3kan21iɔŋ53ke53tsʅ0tsʰi21fait3nei0.iəu35tet5pən35se53ɲin13-21tsʅ0tsʰi21ke53miaŋ13tsʰʅ53-44tsʰi21tek3 n̩13-21ti35-44ci21tsʰien53nei0.ciei21ŋa13tsʅ0,e21,kau53fa53tsʅ0,n̩21,tsʰi21tek3n̩13-21ti35-44ci21tsʰien53.ŋai13-21tien0kai53-44tʂak3ŋɔi53saŋ35-44 tsʰiəu53-44ɔn35-44tso53-44kei21mɔi53tsʅ0.ŋa13tsʅ0lei0ci13-21ɔn35-44tso53-44ci13-21kei21mɔi53tsʅ0.e21,tʰai53ŋɔi53-44saŋ35-44kau0.ŋai13lau21mɔi53 tsʅ0tʰei13tʂak3maŋ13tai53tau21,çi53təu21tsʅ0li0tsiəu53-44fai53kan21ni0,tʰəŋ13ŋai13i21tʂak3lai53tsʅ0tʰəŋ13ɲien13 ke53,e21,lau35ŋai13-21lau21pʰo13-44iɔŋ21tsʅ21sau21tʰəŋ13ʂʅ13-44kʰuan53tʂak3tʰai53təu21.ci13-21kai53tʂak3tsʰiəu53maŋ13-21tai53 tau21.so21i35-44tʰi53ɲi53tʂak3lei0ci13-21tsʰiəu53-44ɔn35tek3ci13-21tsʰien53tsʰien53li0,ɔn35tek3kei21…kei21mɔi53tsʅ0.

【狗籁子】ciei21lɔi53tsʅ0 [名]大门左侧墙根开的狗洞：安做～唠。猫籁子，～。安做籁子，～。ɔn35-44tso53-44ciei21lɔi53tsʅ0lau0.miau53lɔi53-44tsʅ0,ciei21lɔi53tsʅ0.ɔn35tso53-44lɔi53tsʅ0,ciei21lɔi53tsʅ0.

【狗啮狗】kei21ŋait3kei21 比喻同伙之间相互拆台、攻击：伙计伴里拆台呀，欸，～呀。fo21ci53 pʰɔn53ni0tsʰak3tʰɔi13ia0,e21,kei21ŋait3kei21ia0.

【狗虱】ciei21set3 [名]一种寄生狗体、吸食狗血的虱子：间你就莫分狗进去，会惹～啊。kan35 ni21tsʰiəu53-44mɔk5pən35-44ciei21tsin53-44çi53-44,uɔi53-44ɲia35ciei21set3a0.

【狗屎】kei21/ciəu21老派 ʂʅ21 [名]①狗拉的屎：箇禾坪下爱扫净下子嘞，唔扫净下子是慢就到处系～。狗子屙屎渠就箇个唔知几愁人个栏场子，系啊？洁净子个栏场雪白伶净子个栏场渠唔得屙屎嘞。欸，你爱箇你话细人子就咁子话嘞："去扫净下子哈，箇禾坪角上箇兜到处去扫净下子，慢唔系是屙～啦，到处屙倒箇～啦。"kai53uo13-44pʰiaŋ13-44xa53-44ɔi53-44sau53tsʰiaŋ53xa53-21tsʅ0le0,n̩13sau53 tsʰiaŋ53xa53-44tsʅ0ʂʅ53-44man53-44tsʰiəu53-44tau53tʂʰəu53xe53-44kei21ʂʅ21.kei21tsʅ0o35ʂʅ21ci13-21tsʰiəu53kai53-44kei53-21n̩13ti35-53ci21tsʰei13ɲin13-21 ke53laŋ13-44tʂʰɔŋ13-44tsʅ0,xei53-44a0?ciet5tsʰiaŋ53tsʅ0ke0laŋ13-44tʂʰɔŋ13-44siet5pʰak5laŋ53tsʰiaŋ53tsʅ0ke0laŋ13-21tʂʰɔŋ13-44ci13-21n̩13tek3 o35ʂʅ21le0.e21,ɲi13ɔi53-44kai53ɲi13-44ua53sei53ɲin13-21tsʅ0tsʰiəu53kan21tsʅ0ua53lei0:"çi53-44sau53tsʰiaŋ53-44ŋa53-21tsʅ0xa0,kai53uo13-21 pʰiaŋ13-21kɔk3xɔŋ53kai53-44təu35-44tau53tʂʰəu53-44çi53-44sau53tsʰiaŋ53xa53-21tsʅ0,man53m̩13pʰei53ʂʅ53-44o35kei21ʂʅ21la0,tau53tʂʰəu53-44o35 tau21kai53-44kei21ʂʅ21la0." ②喻指无用之人：你箇只人～。你箇只人呐真系～。你箇只人呐硬系～，

有兜用。ɲi^{13}kai^{53}(tʂ)ak^{3}ɲin$^{13}_{44}$kei^{21}ʂʅ^{21}. ɲi^{13}kai^{53}(tʂ)ak^{3}ɲin$^{13}_{44}$na^{0} tʂən^{35}xei$^{53}_{44}$kei^{21}ʂʅ^{21}. ɲi^{13}kai^{53}(tʂ)ak^{3}ɲin$^{13}_{44}$na^{0} ɲiaŋ^{53}xe^{53}kei^{21}ʂʅ^{21},mau^{13}tei$^{35}_{53}$iəŋ^{53}.

【狗贴耳】kei^{21}tiait^{3}ɲi^{21} 名鱼腥草：我等年年都去扯蛮多～归来嘞。扯兜～嘞欸嫩个子就晒干子食，晒盐干子食。欸，老个嘞就舞倒泡茶食，食哩利水湿。我新舅还带一饽，带嘿广东去。ŋai^{13}tien^{0}ɲien^{13}ɲien$^{13}_{21}$təu$^{35}_{53}$çi^{53}tʂ^{h}a^{21}man^{13}to$^{35}_{44}$kei^{21}tiait^{3}ɲi^{21}kuei^{35}lɔi$^{13}_{21}$lei^{0}.tʂ^{h}a^{21}tei$^{35}_{44}$kei^{21}tiait^{3}ɲi^{21}lei^{0} e$_{21}$lən^{53} cie$^{53}_{44}$tsʅ^{0} ts^{h}iəu^{53}sai^{53}kɔn^{35}tsʅ^{0} ʂət^{5},sai^{53}ian^{13}kɔn$^{35}_{44}$tsʅ^{0} ʂət^{5}.e$_{44}$,lau^{21}ke^{53}lei^{0} ts^{h}iəu^{53}u^{21}tau^{21}p^{h}au^{53}ts^{h}a^{13}ʂət^{5},ʂət^{5} li^{0} li^{53}ʂei^{21}ʂət^{3}.ŋai$^{13}_{21}$sin^{35}c^{h}iəu$^{35}_{44}$xai$^{13}_{44}$tai^{53}iet^{3} p^{h}ɔk^{5},tai$^{53}_{44}$xek^{5} kɔŋ^{21}təŋ^{35}çi^{53}.

【狗头帽】kei^{21}t^{h}ei^{13}mau^{53} 名一种冷天戴的童帽，头部和脖子都被包起来，只在前方露出脸来，绣有花，帽顶两旁装有狗耳朵状装饰件，亦有作兔子耳朵者：有～，呣，有。～就系细人子冷天戴个嘞。iəu^{35}kei^{21}t^{h}ei^{13}mau^{53},m̩$_{21}$,iəu^{35}.kei^{21}t^{h}ei^{13}mau^{53}ts^{h}iəu$^{53}_{44}$xe$^{53}_{44}$sei^{53}ɲin$^{13}_{21}$tsʅ^{0} laŋ^{35}t^{h}ien$^{35}_{44}$tai^{53}ke$^{53}_{21}$le^{0}.

【狗尾草】kei^{21}mi^{35}ts^{h}au^{21} 名莠子，马尾草：～也到处都有啦。我等细细子舞倒箇～去织，编箇个，织只子扎只子咁个狗子呢，嘿，～。kei^{21}mi$^{35}_{44}$ts^{h}au^{21}a$^{35}_{44}$tau^{53}tʂ^{h}əu^{53}təu$^{35}_{44}$iəu$^{35}_{44}$la^{0}.ŋai^{13}tien^{0} se^{53} se^{53}tsʅ^{0} u^{21}tau^{21}kai^{53}kei^{21}mi^{35}ts^{h}au^{21}çi^{53}tʂət^{3},p^{h}ien^{35}kai$^{53}_{44}$ke$^{53}_{44}$,tʂət^{3} tʂak^{3} tsʅ^{0} tsait^{3} tʂak^{3} tsʅ^{0} kan^{21}ke^{53}kei^{21}tsʅ^{0} nei^{0},xe$_{21}$,kei^{21}mi$^{35}_{53}$ts^{h}au^{21}.

【狗鱼】kei^{21}ŋ̍^{13} 名鱼名：～到底系叫声像狗呀还系……我唔晓得，只晓得渠等讲过有～。kei^{21} ŋ̍^{13}tau^{53}ti^{21}xei$^{53}_{44}$ciau^{53}ʂaŋ$^{35}_{44}$ts^{h}iəŋ^{53}kei^{21}ia^{0} xai$^{13}_{21}$xe$^{53}_{44}$…ŋai$^{13}_{21}$n̩$^{13}_{44}$çiau^{21}tek^{3},tʂʅ^{21}çiau^{21}tek^{3} ci^{13}tien^{0} kɔŋ^{21}ko$^{53}_{44}$iəu^{35} kei^{21}ŋ̍^{13}.

【狗崽子】kei^{21}tse^{21}tsʅ^{0} 名小狗。又称"细狗子"：嗯，我等以映子个客姓人个规矩嘞，箇个艚开眼珠个～食哩系有补。箇到我等箇只欸亲戚送只～来，艚开眼珠。我老婆欸唔系，我新舅就爱我去剁，渠怕，渠怕剁。～，艚开眼珠个～，舞倒剁倒分细人子食，渠就话有补喔，营养好哇，欸，营养好。n̩$_{21}$,ŋai^{13}tien^{0} i^{21}iaŋ^{53}tsʅ^{0} ke$^{53}_{44}$k^{h}ak^{3} sin^{53}ɲin$^{13}_{21}$ke$^{53}_{44}$kuei^{35}tʂʅ^{21}lei^{0},kai$^{53}_{44}$ke$^{53}_{44}$maŋ^{13}k^{h}ɔi$^{35}_{44}$ ŋan^{21}tʂəu^{35}ke^{53}kei^{21}tse^{21}tsʅ^{0} ʂət^{5} li^{0} xe$^{53}_{44}$iəu^{35}pu^{21}.kai$^{53}_{44}$tau$^{53}_{44}$ŋai^{13}tien^{0} kai^{53}tʂak^{3} e$_{21}$ts^{h}in^{35}ts^{h}iet^{3} səŋ^{53}tʂak^{3} kei^{21} tse^{21}tsʅ^{0} lɔi$^{13}_{21}$,maŋ$^{13}_{21}$k^{h}ɔi^{35}ŋan^{21}tʂəu^{35}.ŋai^{13}lau^{21}p^{h}o^{13}e$_{21}$m̩^{13}p^{h}ei^{53},ŋai$^{13}_{21}$sin^{35}c^{h}iəu^{35}ts^{h}iəu^{53}ɔi^{53}ŋai^{13}çi^{53}tʂ^{h}ʅ^{13},ci$^{13}_{21}$ p^{h}a^{53},ci$^{13}_{21}$p^{h}a^{53}tʂ^{h}ʅ^{13}.kei^{21}tse^{21}tsʅ^{0},maŋ^{13}k^{h}ɔi$^{35}_{44}$ŋan^{21}tʂəu$^{35}_{44}$ke^{0} kei^{21}tse^{21}tsʅ^{0},u^{21}tau^{21}tʂ^{h}ʅ^{13}tau^{21}pən$^{35}_{44}$sei^{53}ɲin$^{13}_{21}$tsʅ^{0} ʂət^{5},ci$^{13}_{21}$ts^{h}iəu$^{53}_{44}$ua$^{53}_{44}$iəu^{35}pu^{21}uo^{0},in^{13}iəŋ$^{35}_{44}$xau^{21}ua^{0},e$_{21}$,in^{13}iəŋ$^{35}_{44}$xau^{21}.

【狗爪】ciəu^{21}tsau^{21} 名狗的爪子：渠指狗爪豆哩尽像～样啊。ci^{13}li^{0} ts^{h}in^{53}ts^{h}iəŋ^{53}ciəu^{21}tsau^{21}iəŋ^{53}a^{0}.

【狗爪豆】kei^{21}/kəu^{21}老派tsau^{21}t^{h}ei^{53}/t^{h}əu^{53}老派 名猫公豆。野生，形如刀豆，但较小，可食，但多吃会使人头晕：只有么～。/食哩会打脑壳个。/渠哩尽像狗爪样啊。/狗脚爪样。像狗脚爪样。/两头弯弯子。/箇本地人就安做么个欸老鼠荚哩。老鼠荚，安做老鼠荚。本地人，欸，浏阳话个本地人安做老鼠荚。我去系下浏阳个渠等话老鼠荚哩。我等呢话～。食哩打脑壳个，食哩脑壳会车昏。tʂʅ^{21}iəu^{35}mak^{3} ciəu^{21}tsau^{21}t^{h}əu^{53}./ʂət^{5} li^{0} uɔi^{53}ta^{21}lau^{21}k^{h}ɔk^{3} ke^{53}./ci^{13}li^{0} ts^{h}in^{53}ts^{h}iəŋ^{53}ciəu^{21} tsau^{21}iəŋ^{53}a^{0}./kei^{21}ciɔk$^{3}_{5}$tsau^{21}iəŋ^{53}.ts^{h}iəŋ^{53}kei^{21}ciɔk$^{3}_{5}$tsau^{21}iəŋ^{53}./iəŋ^{21}t^{h}əu$^{13}_{21}$uan^{35}uan^{35}tsʅ^{0}./kai$^{53}_{44}$pən^{21}t^{h}i^{53}ɲin$^{13}_{21}$ ts^{h}iəu$^{53}_{44}$ɔn$^{35}_{44}$tso$^{53}_{44}$mak^{3} ke$^{53}_{44}$e$_{21}$ lau^{13} çy$_{44}$ kait^{3} li^{0} .lau^{21} tʂ^{h}əu^{21} kait^{3} ,ɔn$^{35}_{44}$tso$^{53}_{44}$lau^{21} tʂ^{h}əu^{21} kait^{3} .pən^{21} t^{h}i^{53} ɲin$^{13}_{21}$,e$_{44}$,liəu^{13}iəŋ$^{13}_{44}$fa^{53}ke$^{53}_{44}$pən^{21}t^{h}i^{53}ɲin$^{13}_{21}$ɔn$^{35}_{44}$tso$^{53}_{44}$lau^{21}tʂ^{h}əu^{21}kait^{3}.ŋai^{13}çi$^{53}_{44}$xei^{53}(x)a^{53}liəu^{13}iəŋ$^{13}_{21}$ke$^{53}_{44}$ci$^{13}_{44}$tien^{0} ua$^{53}_{21}$ lau^{13}çy$_{44}$ciet^{5} li^{0} .ŋai^{13}tien^{0} ne^{0} ua$^{53}_{44}$ciei^{21}tsau^{21}t^{h}ei^{53}.ʂət^{5} li^{0} ta^{21}lau^{21}k^{h}ɔk^{3} ke$^{53}_{44}$,ʂət^{5} li^{0} lau^{21}k^{h}ɔk^{3} uɔi^{53}tʂ^{h}a^{35}fən^{13}.

【狗爪旁】kei^{21}tsau^{21}p^{h}ɔŋ^{13} 名反犬旁：摎动物有关个字，系唔系？就～。lau^{35}t^{h}əŋ^{53}uk^{3} iəu$^{35}_{44}$kuan^{35} ke^{53}sʅ^{53},xei$^{53}_{44}$me$^{53}_{44}$?ts^{h}iəu^{53}kei^{21}tsau^{21}pɔŋ^{13}.

【构】ciei^{53} 动结冰：欸，早上跖来呀箇个箇路边上个～得绷硬。箇路哇，路边上个水沟边上个东西啊～得绷硬，就系打构。e$_{21}$,tsau^{21}ʂɔŋ$^{53}_{44}$xɔŋ^{53}lɔi$^{13}_{21}$ia^{0} kai$^{53}_{44}$ke$^{53}_{44}$kai$^{53}_{44}$ləu^{53}pien$^{35}_{44}$xɔŋ$^{53}_{44}$ke^{0} ciei$^{53}_{44}$tek^{3} paŋ^{35}ŋaŋ^{53}.kai$^{53}_{44}$lu$^{53}_{44}$ua^{0},lu^{53}pien^{35}xɔŋ^{53}kei$^{53}_{44}$ʂei^{21}ciei^{35}pien^{35}xɔŋ^{53}ke$^{53}_{44}$təŋ$^{35}_{44}$si^{0} a^{0} ciei^{53}tek^{3} paŋ^{35}ŋaŋ^{53},ts^{h}iəu$^{53}_{44}$xe$^{53}_{44}$ ta^{21}ciei^{53}.

【够】kei^{53}/ciei^{53} 动①满足一定的限度：爱几多正～呢？ɔi^{53}ci^{21}to^{35}tʂaŋ^{53}kei^{53}ne^{0}?｜饭都唔～食唠。fan$^{53}_{44}$təu$^{35}_{44}$n̩$^{13}_{21}$kei$^{53}_{44}$ʂət^{5} lau^{0}. ②表示费时费力，超过一定限度，让人难以承受：做好事啊，一下就剁一只猪哇。箇你拿火铲去烈就～烈哩啊。tso^{53}xau^{21}sʅ^{53}a^{0} ,iet^{3} xa$^{53}_{44}$ts^{h}iəu$^{53}_{44}$tʂ^{h}ʅ^{13}iet^{3} tʂak^{3} tʂəu^{35} ua^{0}.kai$^{53}_{44}$ɲi^{13}la^{35}xo^{21}ts^{h}an^{21}çi^{53}lait^{3} tsiəu$^{53}_{44}$ciei^{53}lait^{3} li^{0} a^{0}.

【估$_{1}$】ku^{35} 动揣摩；大致地推算：欸，挖机师傅啊，你同我～下子看呐以映子爱几多钱正挖得正。e$_{21}$,ua^{35}ci$^{35}_{44}$sʅ$^{35}_{44}$fu^{53}a^{0}, ɲi$^{13}_{21}$t^{h}əŋ$^{13}_{21}$ŋai$^{13}_{21}$ku^{35}(x)a$^{53}_{44}$tsʅ^{0} k^{h}ɔn$^{53}_{44}$na^{0} i^{21}iaŋ^{53}tsʅ^{0} ɔi^{53}ci^{21}to^{35}ts^{h}ien$^{13}_{44}$tʂaŋ^{53}ua^{35}tek^{3} tʂaŋ^{53}.

G

【估$_2$】ku^{21} 动猜：细细子～个映。se^{53}se^{53}tsɿ^{0}ku$^{21}_{44}$ke$^{53}_{44}$iaŋ^{53}.

【估计】ku^{35}ci^{53} 动揣摩；大致地推算：我就～倒以条路嘞爱两起码爱两三万块钱，起码爱三万块钱正修得好，我～咯。ŋai^{13}tsʰiəu$^{53}_{44}$ku$^{35}_{44}$ci^{53}tau^{21}i^{21}tʰiau^{13}ləu^{53}lei^{0}ɔi^{53}iɔŋ^{21}çi^{21}ma^{35}ɔi^{53}iɔŋ^{21}san^{35}uan^{53}kʰuai^{53}tsʰien$^{13}_{44}$,çi^{21}ma^{35}ɔi^{53}san^{35}uan^{53}kʰuai^{53}tsʰien$^{13}_{44}$tʂaŋ^{53}siəu^{35}tek^{3}xau^{21},ŋai^{13}ku$^{35}_{44}$ci^{53}ko^{0}.

【咕咕咕咕】ku$_{21}$ku$_{44}$ku$_{53}$ku$_{44}$ 拟声因不服气而咕哝咕哝：欸，你有么个意见就讲出来啊，莫跍倒箇肚子里～，莫跍倒箇后背～。e$_{21}$, ɲi$^{13}_{21}$iəu^{35}mak^{3}e^{0}i^{53}cien^{53}tsʰiəu^{53}kɔŋ^{21}tʂʰət^{3}lɔi^{13}a^{0},mɔk^{5}ku$^{35}_{44}$tau$^{21}_{44}$kai$^{53}_{44}$təu^{21}tsɿ^{0}li^{0}ku$_{21}$ku$_{44}$ku$_{53}$ku$_{44}$,mɔk^{5}ku$^{35}_{44}$tau$^{21}_{44}$kai$^{53}_{44}$xei^{53}pɔi^{53}ku$_{21}$ku$_{44}$ku$_{53}$ku$_{44}$.

【孤单】ku^{35}tan^{35} 形单身无靠，感到寂寞：欸婆婆子啊一个人蛮～。e$_{21}$pʰo^{13}pʰo$^{13}_{44}$tsɿ^{0}a^{0}iet^{3}cie^{53}ɲin$^{13}_{21}$man^{13}ku^{35}tan$^{35}_{44}$.

【孤儿】ku$^{35}_{44}$ɥ^{13} 名失去父母的儿童：冇爷冇娭个唠就系～唠。欸，我等箇阵教书个时候子教过几只～啊。真可怜，冇爷冇娭，跟倒阿公阿婆大个。mau^{13}ia$^{13}_{44}$mau^{13}ɔi^{35}ke^{53}lau^{0}tsʰiəu$^{53}_{21}$xe$^{53}_{21}$ku^{35}ɥ$^{13}_{21}$lau^{0}.e$_{21}$,ŋai^{13}tien^{0}kai^{53}tʂʰən^{53}kau$^{35}_{44}$ʂəu$^{35}_{44}$ke^{0}ʂʅ^{13}xəu^{53}tsɿ^{0}kau$^{35}_{44}$ko$^{53}_{44}$ci^{21}tʂak^{3}ku^{35}ɥ$^{13}_{21}$a^{0}.tʂən^{35}kʰo^{21}lien^{13},mau$^{13}_{21}$ia$^{13}_{21}$mau$^{13}_{21}$ɔi^{35},cien$^{35}_{44}$tau$^{21}_{44}$a^{35}kəŋ$^{35}_{44}$a$^{35}_{44}$pʰo$^{13}_{21}$tʰai$^{53}_{44}$ke^{0}.

【孤魂野鬼】ku^{35}fən^{13}ia^{35}kuei^{21} ①指死于非命，过世后变成鬼混在野外流浪的人：你死哩会变成～。ɲi^{13}si^{21}li^{0}uɔi^{53}pien^{53}ʂaŋ$^{13}_{21}$ku^{35}fən$^{13}_{21}$ia^{35}kuei^{21}. ②指死后无人祭扫供奉的人：客姓人个传统个讲法是，活个时候子爱有人供奉啊，系唔系？爱有人招呼啊，爱有人去下子啊，死哩以后嘞爱有人铲下子地呀，有人装下子香啊，有人念下子啊。箇正唔系～呀。kʰak^{3}sin^{53}ɲin$^{13}_{21}$ke$^{53}_{44}$tʂʰen^{13}tʰəŋ^{21}ke^{0}kəŋ^{21}fait^{3}ʂʅ$^{53}_{21}$,uɔit^{5}ke^{0}ʂʅ$^{13}_{44}$xəu$^{53}_{44}$tsɿ^{0}ɔi^{53}iəu^{35}ɲin$^{13}_{21}$kəŋ^{53}fəŋ^{53}ŋa^{0},xei$^{53}_{44}$me$^{53}_{44}$?ɔi$^{53}_{44}$iəu^{35}ɲin$^{13}_{21}$tʂau^{35}fu$^{35}_{44}$a^{0},ɔi$^{53}_{44}$iəu^{35}ɲin$^{13}_{21}$çi^{53}ia$^{53}_{21}$tsa^{0},si^{21}li^{0}i^{35}xei$^{53}_{44}$le^{0}ɔi$^{53}_{44}$iəu^{35}ɲin$^{13}_{21}$tsʰan^{21}na$^{53}_{44}$tsɿ^{0}tʰi^{53}ia^{0},iəu^{35}ɲin$^{13}_{21}$tsɔŋ$^{35}_{44}$ŋa$^{53}_{44}$tsɿ^{0}çiɔŋ^{35}ŋa^{0},iəu^{35}ɲin$^{13}_{21}$ɲian^{53}na$^{53}_{44}$tsa^{0}.kai^{53}tʂaŋ^{53}m̩^{13}pʰei^{53}ku^{35}fən$^{13}_{21}$ia^{35}kuei^{21}ia^{0}.

【孤头老子】ku^{35}tʰei^{13}lau^{21}tsɿ^{0} 名无儿无女的单身老汉。也称“孤老子”：我等有只喊阿叔个，比我细一岁，以前是有爷有娭，落尾爷娭死嘿哩。渠也讨哩老婆嘞，老婆离嘿哩，硬爱离嘿去，硬不要，箇老婆，渠箇老婆唔想走嘞，硬不要，渠只讲啊“我爱讨过一只”。渠个老婆同渠生嘿两只细人子嘞，一只赖子一只妹子，两只都缯带倒，都死嘿哩，一夜都缯过，两只细人子都缯过夜啦，缯带倒一天就死嘿哩。后背箇只，头一只是欸半昼子供个，到半夜子就死嘿哩。第二只是欸缯过脚盆就死嘿哩。以下两只细人子都死嘿哩，箇个夫娘子是也蛮可怜吵，系唔系？欸，人都冇得吵。嗬，不要哩，硬爱离嘿去。我等尽兜都劝渠呀。“莫去离呀，你交唔得就算哩啊，就等渠跍倒以映子。”“欸，不要，离嘿去。”以下就成哩只孤老子啊。六十几岁哩，爷娭死下咁呶，成嘿～。也可以讲孤老子。你还爱渠到敬老院里去嘞，“唔去，箇我都会去是？”敬老院里是冇子女个人系个栏场啊，渠是唔去。ŋai$^{13}_{21}$tien^{0}iəu$^{35}_{44}$tʂak^{3}xan^{53}a^{35}ʂəuk^{3}ke^{0},pi^{21}ŋai^{13}se^{53}iet^{3}sɔi^{53},i$^{35}_{53}$tsʰien$^{13}_{21}$ʂʅ$^{53}_{44}$iəu^{35}ia$^{13}_{21}$iəu^{35}ɔi^{35},lɔk^{5}mi$^{35}_{44}$ia^{13}ɔi$^{35}_{44}$si^{21}xek^{3}li^{0}.ci^{13}a$^{35}_{53}$tʰau^{21}li^{0}lau^{21}pʰo^{13}lei^{0},lau^{21}pʰo^{13}li^{13}(x)ek^{3}li^{0}, ɲiaŋ^{53}ɔi^{53}li$^{13}_{21}$(x)ek^{3}çi^{53}, ɲiaŋ^{53}pət^{3}iau^{53},kai^{53}lau^{21}pʰo$^{13}_{44}$,ci$^{13}_{21}$kai^{53}lau^{21}pʰo^{13}n̩^{13}siɔŋ^{21}tsei^{21}le^{0}, ɲiaŋ^{53}pət^{3}iau^{53},ci^{13}tʂʅ^{21}kɔŋ^{21}ŋa^{0}"ŋai^{13}ɔi^{53}tʰau^{21}ko^{53}iet^{3}tʂak^{3}".ci$^{13}_{44}$(k)e$^{53}_{44}$lau^{21}pʰo^{13}tʰəŋ$^{13}_{21}$ci$^{13}_{21}$saŋ^{35}ŋek^{3}iɔŋ^{21}tʂak^{3}sei^{53}ɲin$^{13}_{21}$tsɿ^{0}le^{0},iet^{3}tʂak^{3}lai^{53}tsɿ^{0}iet^{3}tʂak^{3}mɔi^{53}tsɿ^{0},iɔŋ^{21}tʂak^{3}təu$^{35}_{53}$maŋ^{13}tai$^{53}_{44}$tau$^{21}_{44}$,təu^{35}si^{21}xek^{3}li^{0},iet^{3}ia^{53}təu$^{35}_{44}$maŋ^{13}ko^{53},iɔŋ^{21}tʂak^{3}sei^{53}ɲin^{13}tsɿ^{0}təu$^{35}_{53}$maŋ^{13}ko$^{53}_{44}$ia^{53}la^{0},maŋ^{13}tai^{53}tau^{21}(i)et^{3}tʰien^{35}tsʰiəu^{53}si^{21}xek^{3}li^{0}.xei^{53}pɔi$^{53}_{44}$kai^{53}tʂak^{3},tʰei^{13}tʂak^{3}ʂʅ^{53}e$_{21}$pan^{53}tʂəu^{53}tsɿ^{0}ciəŋ^{53}ke^{0},tau^{53}pan^{53}ia^{53}tsɿ^{0}tsʰiəu^{53}si^{21}xek^{3}li^{0}.tʰi$^{53}_{44}$ɲi^{53}tʂak^{3}ʂʅ$^{53}_{44}$e$_{44}$maŋ^{13}ko^{53}ciɔk^{3}pʰən^{35}tsʰiəu^{53}si^{21}xek^{3}li^{0}.i^{21}xa^{53}iɔŋ^{21}tʂak^{3}sei^{53}ɲin$^{13}_{44}$tsɿ^{0}(t)əu$^{35}_{44}$si^{21}xek^{3}li^{0},kai$^{53}_{44}$ke$^{53}_{44}$pu^{35}ɲiɔŋ$^{13}_{21}$tsɿ^{0}ʂʅ$^{53}_{44}$ia^{35}man$^{13}_{44}$kʰo^{21}lien^{13}ʂa^{0},xei^{53}me^{53}?ei$_{21}$, ɲin^{13}təu$^{35}_{53}$mau$^{13}_{21}$tek^{3}ʂa^{0}.xo$_{53}$,pət^{3}iau^{53}li^{0}, ɲiaŋ^{53}ɔi^{53}li$^{13}_{44}$(x)ek^{3}çi$^{53}_{44}$.ŋai^{13}tien^{0}tsʰin^{53}təu$^{35}_{44}$təu$^{35}_{44}$tʂʰen^{53}ci$^{13}_{21}$ia^{0}."mɔk^{5}çi^{53}li^{13}ia^{0}, ɲi^{13}ciau^{35}n̩$^{13}_{21}$tek^{3}tsʰiəu$^{53}_{44}$sɔn^{53}ni^{0}a^{0},tsʰiəu^{53}ten^{21}ci$^{13}_{21}$ku$^{35}_{44}$tau$^{21}_{44}$i^{21}iaŋ^{53}tsɿ^{0}."“e$_{53}$pət^{3}iau$^{53}_{44}$,li$^{13}_{21}$xek^{3}çi^{53}."ia$_{21}$(←i^{21}xa^{53})tsiəu^{53}ʂaŋ$^{13}_{44}$li^{0}tʂak^{3}ku^{35}lau$^{21}_{44}$tsa^{0}.liəuk^{3}ʂət^{5}ci^{21}sɔi^{53}li^{0},ia^{13}ɔi$^{35}_{44}$si^{21}(x)a^{53}kan$^{21}_{44}$nau^{0},ʂaŋ^{13}xek^{3}ku^{35}tʰei$^{13}_{21}$lau^{21}tsɿ^{0}.ia^{35}kʰo^{21}i$^{35}_{53}$kɔŋ^{21}ku^{35}lau^{21}tsɿ^{0}. ɲi^{13}xa$^{13}_{44}$ɔi$^{53}_{44}$ci$^{13}_{21}$tau^{53}cin^{53}nau^{21}vien^{53}ni^{21}çi$^{53}_{44}$lei^{0},"n̩^{13}cʰi^{53},kai^{53}ŋai^{13}təu$^{35}_{44}$uɔi$^{53}_{44}$çi^{53}ʂʅ$^{53}_{44}$?"cin^{53}nau^{21}vien^{53}ni$^{21}_{44}$ʂʅ$^{53}_{44}$mau^{13}tsɿ^{21}ŋ̍^{21}kei^{53}ɲin$^{13}_{21}$xei^{53}ke^{0}laŋ$^{13}_{44}$tʂʰɔŋ$^{13}_{44}$ŋa^{0},ci^{13}ʂʅ$^{53}_{44}$n̩$^{13}_{21}$cʰi^{53}.

【姑表】ku^{35}piau^{21} 名指姑母的子女：～，姨表。也可以咁子称，～。ku^{35}piau^{21},i^{13}piau^{21}.ia^{35}kʰo^{21}i$^{35}_{44}$kan^{21}tsɿ^{0}tʂʰən$^{35}_{44}$,ku^{35}piau^{21}.

【姑姑】ku^{35}ku^{35} 名姑母，父亲的姐姐或妹妹：打比我个～样，我个～，我赖子嘞，渠就喊姑婆。ta^{21}pi^{21}ŋai^{13}ke^{53}ku$^{35}_{44}$ku$^{35}_{44}$iɔŋ^{53},ŋai^{13}ke^{53}ku$^{35}_{44}$ku$^{35}_{44}$,ŋai^{13}lai^{53}tsɿ^{0}lei^{0},ci^{13}tsʰiəu^{53}xan$^{53}_{44}$ku^{35}pʰo$^{13}_{21}$.

【姑老表】ku^{35}lau^{21}piau^{21} 名指姑母的子女：姨老表，～，舅老表，都称老表。i^{13}lau^{21}piau^{21},ku^{35}

lau^{21}piau^{21},c^{h}iəu^{35}lau^{21}piau^{21},təu^{35}tʂ^{h}ən$^{35}_{44}$nau^{21}piau^{21}.

【姑娘子】ku^{35}ɲiɔŋ$^{13}_{44}$tsɿ^{0} 名妇女：箇个～着个箇老婆婆子着个箇起团胸衫呐，箇件蕰大个箇块，箇块打嘿转个箇块，箇块大个安做么个？kai$^{53}_{44}$ke$^{53}_{44}$ku^{35}ɲiɔŋ$^{13}_{44}$tsɿ^{0} tʂɔk^{3} ke$^{53}_{44}$kai^{53}lau^{21}p^{h}o^{13}p^{h}o$^{13}_{21}$tsɿ^{0} tʂɔk^{3} ke$^{53}_{44}$kai^{53} çi^{21}t^{h}ɔn^{13}çiəŋ$^{35}_{44}$san^{35}na^{0},kai$^{53}_{44}$c^{h}ien$^{53}_{44}$mən^{35}t^{h}ai^{53}ke$^{53}_{21}$kai^{53}k^{h}uai$^{53}_{44}$,kai$^{53}_{44}$k^{h}uai$^{53}_{44}$ta$^{21}_{53}$xek^{3} tʂɔn^{21}ke$^{53}_{44}$kai$^{53}_{44}$ k^{h}uai$^{53}_{44}$,kai$^{53}_{44}$k^{h}uai$^{53}_{44}$t^{h}ai^{53}ke$^{53}_{44}$ɔn$^{35}_{44}$tso$^{53}_{44}$mak^{3} ke$^{53}_{44}$?

【姑婆】ku^{35}p^{h}o^{13} 名父亲或母亲的姑母：～唠，我等喊～。老姑系本地人讲个嘞。我等喊～。ku^{35}p^{h}o^{13}lau^{0},ŋai$^{13}_{21}$tien^{0} xan^{53}ku^{35}p^{h}o^{13}.lau^{21}ku^{35}xei$^{53}_{44}$pən^{21}t^{h}i^{53}ɲin$^{13}_{21}$kɔŋ^{21}ke^{53}lei^{0}.ŋai$^{13}_{21}$tien^{0} xan^{53}ku^{35}p^{h}o^{13}.

【姑爷】ku^{35}ia^{13} 名①姑父，又称"姑丈"：正我我有只～就咁个，渠就带只侄……带只老弟子个妹子。tʂaŋ$^{53}_{44}$ŋai^{13}ŋai^{13}iəu$^{35}_{53}$tʂak^{3} ku^{35}ia$^{13}_{21}$ts^{h}iəu^{53}kan^{21}ke$^{53}_{21}$,ci^{13}ts^{h}iəu$^{53}_{44}$tai^{53}tʂak^{3} tʂ^{h}ət^{5} …tai^{53}tʂak^{3} lau^{21}t^{h}e$^{53}_{33}$ tsɿ^{0} ke$^{53}_{44}$mɔi^{53}tsɿ^{0}. ②妻子称丈夫的姐夫或妹夫（从子称）。可根据其妻子在姐妹中的排行在称呼前面加"大、二……细"。面称比自己大者为"姐夫"，比自己小者可呼其名：你有晚姑子么？/有哇。/你渠个老公你喊么个？/欸，渠大要喊姐夫唠。/喊姐夫唠，系呀。对面喊喊姐夫。/欸。/你介绍分别人家听嘞，打倒讲还有箇只讲欸？/照细人子喊渠喊～哩。/照细人子喊渠喊～。/欸。ɲi$^{13}_{21}$iəu^{35}man^{35}ku^{35}tsɿ^{0} mo^{0}?/iəu^{35}ua^{0}./ɲi^{13}ci^{13}ke$^{53}_{44}$lau^{21}kəŋ$^{35}_{44}$ɲi^{13}xan^{53}mak^{3} ke$^{53}_{44}$?/e$_{21}$,ci$^{13}_{44}$t^{h}ai^{53}iau$^{53}_{21}$ xan^{53}tsia^{21}fu$^{35}_{44}$lau^{0}./xan^{53}tsia^{21}fu^{35}lau^{0},xei$^{53}_{44}$ia^{0} .tei^{53}mien$^{53}_{44}$xan$^{53}_{44}$xan$^{53}_{44}$tsia^{21}fu^{35}./e$_{21}$./ɲi^{13}kai^{53}ʂau$^{53}_{44}$pən$^{35}_{44}$p^{h}iek^{5} in$^{35}_{44}$ka$^{35}_{44}$t^{h}aŋ$^{35}_{44}$lei^{0},ta^{21}tau$^{21}_{44}$kɔŋ^{21}xa$^{13}_{21}$iəu$^{35}_{44}$kai^{53}tʂak^{3} kɔŋ^{21}ŋei^{0}?/tʂau^{53}se^{53}in$^{13}_{44}$tsɿ^{0} xan^{53}ci$^{13}_{44}$xan^{53}ku^{35}ia$^{13}_{44}$li^{0}./tʂau$^{53}_{44}$ se^{53}in$^{13}_{21}$tsɿ^{0} xan^{53}ci$^{13}_{21}$xan^{53}ku^{35}ia$^{13}_{21}$./e$_{21}$.

【姑丈】ku^{35}tʂ^{h}ɔŋ^{53} 名父亲的姑父，又称"老姑爷"：欸，以前我等箇映就有只～就出哩名个啊。欸，整个我等横巷里人都喊渠～，老也喊～细也少也喊～。渠就辈分大呀。嗯，就我喊我姑婆我喊姑婆个老公。渠有做三呐，家家都摎渠有关系，有来往，家家都系亲戚。箇就～。e$_{21}$,i^{35}ts^{h}ien$^{13}_{21}$ŋai^{13}tien^{0} kai^{53}iaŋ^{53}ts^{h}iəu^{53}iəu^{35}tʂak^{3} ku$^{35}_{44}$tʂ^{h}ɔŋ$^{53}_{44}$ts^{h}iəu^{53}tʂ^{h}ət^{3} li^{0} miaŋ^{13}cie^{53}a^{0}.e$_{21}$,tʂən^{21}ko^{53}ŋai^{13} tien^{0} uaŋ^{13}xɔŋ^{53}li^{0} ɲin$^{13}_{21}$təu^{35}xan^{53}ci$^{13}_{44}$ku^{35}tʂ^{h}ɔŋ$^{53}_{44}$,lau^{21}ua$^{35}_{44}$xan^{53}ku$^{35}_{44}$tʂ^{h}ɔŋ$^{53}_{44}$sei^{53}ia$^{35}_{44}$ʂau^{53}ua$^{35}_{53}$xan^{53}ku$^{35}_{44}$tʂ^{h}ɔŋ$^{53}_{44}$.ci$^{13}_{21}$ ts^{h}iəu$^{53}_{44}$pi^{53}fən$^{53}_{44}$t^{h}ai^{53}ia^{0} .n̩$_{21}$,ts^{h}iəu^{53}ŋai$^{13}_{21}$xan^{53}ŋai$^{13}_{21}$ku^{35}p^{h}o$^{13}_{21}$ŋai$^{13}_{21}$xan^{53}ku^{35}p^{h}o$^{13}_{21}$ke^{0} lau^{21}kəŋ$^{35}_{44}$.ci^{13}iəu$^{35}_{44}$tso^{53}san^{35} na^{0},ka^{35}ka$^{35}_{44}$təu$^{35}_{44}$lau$^{35}_{44}$ci$^{13}_{21}$iəu^{35}kuan$^{35}_{44}$çi^{53},iəu$^{35}_{44}$lɔi$^{13}_{21}$uɔŋ$^{21}_{44}$,ka^{35}ka$^{35}_{44}$təu$^{35}_{53}$xe$^{53}_{21}$ts^{h}in^{35}ts^{h}iet^{3} .kai$^{53}_{44}$ts^{h}iəu$^{53}_{44}$ku$^{35}_{44}$tʂ^{h}ɔŋ^{53}.

【箍$_{1}$】k^{h}u^{35} 名紧紧套在东西外面的圈。多称"箍子"：头～t^{h}əu^{13}k^{h}u^{35}｜舞只箇舞只咁个～子样个咁个～。u^{21}tʂak^{3} kai$^{53}_{44}$u^{21}tʂak^{3} kan$^{21}_{35}$kei^{53}k^{h}u^{35}tsɿ^{0} iɔŋ$^{53}_{44}$ke$^{53}_{44}$kan^{21}ke^{53}k^{h}u^{35}.

【箍$_{2}$】k^{h}u^{35}/ku^{35} 动用竹篾或金属条等捆紧；用带子之类勒住：～拢 ku^{35}ləŋ^{35}｜（铳箍子树）箇只皮就～得铳。/打铳个～箇只铁管呐。kai^{53}tʂak^{3} p^{h}i^{13}ts^{h}iəu^{53}k^{h}u^{35}tek^{3} tʂ^{h}əŋ^{53}./ta^{21}tʂ^{h}əŋ^{53}ke^{53}ku^{35} kai^{53}tʂak^{3} t^{h}iet^{3} kɔn^{21}na^{0}.

【箍$_{3}$】k^{h}u^{35}/ku^{35} 量用于成捆的东西：一～香 iet^{3} k^{h}u^{35}/ku^{35}çiɔŋ^{35}

【古巴糖】ku^{21}pa^{35}t^{h}ɔŋ^{13} 名白砂糖的旧称：我等细细子啊，白砂糖就系安做～啊，箇阵子～多。ŋai$^{13}_{21}$tien^{0} se$^{53}_{44}$se^{53}tsɿ^{0} a^{0} ,p^{h}ak^{5} sa$^{35}_{44}$t^{h}ɔŋ$^{13}_{21}$ts^{h}iəu$^{53}_{44}$xe$^{53}_{44}$ɔn$^{35}_{44}$tso$^{53}_{44}$ku^{21}pa^{35}t^{h}ɔŋ$^{13}_{21}$ŋa^{0} ,kai^{53}tʂ^{h}ən^{53}tsɿ^{0} ku^{21}pa$^{35}_{44}$t^{h}ɔŋ$^{13}_{21}$to^{35}.

【古董】ku^{21}təŋ^{21} 形比喻思想守旧，不合时代潮流：如今还有滴箇个迷信滴子个，或者箇老古董，～滴子个人，渠也渠去到庙里箇只啦问八字先生也去问下子嘞。i$^{13}_{21}$cin$^{35}_{44}$xai$^{13}_{44}$iəu^{35}tet$^{5}_{3}$ kai$^{53}_{44}$ ke$^{53}_{44}$mei^{13}sin$^{53}_{44}$tiet^{5} tsɿ^{0} ke^{53},xɔit^{5} tʂa^{21}kai$^{53}_{44}$lau^{21}ku^{21}təŋ^{21},ku^{21}təŋ^{21}tet^{5} tsɿ^{0} ke$^{53}_{44}$ɲin$^{13}_{44}$,ci$^{13}_{21}$ia^{35}ci$^{13}_{21}$çi$^{53}_{44}$tau$^{53}_{44}$miau^{53}li^{0} kai$^{53}_{44}$tʂak^{3} la^{0} uən^{53}pait^{3} sɿ$^{53}_{44}$sien$^{35}_{44}$saŋ$^{35}_{44}$ia^{35}çi$^{53}_{44}$uən^{53}na$_{21}$(←xa^{53})tsɿ^{0} lei^{0} .

【古怪】ku^{21}kuai^{53} 形①稀奇怪异：有咁～个东西。iəu$^{35}_{44}$kan^{21}ku^{21}kuai^{53}ke^{53}təŋ$^{35}_{44}$si^{0}. ②蹊跷：以只事蛮～。iak^{3}(←i^{21}tʂak^{3})sɿ^{53}man^{13}ku^{21}kuai^{53}.｜不过渠箇只东西～，渠箇个菌种哪映来唠？哪映来个菌种唠？欸？我觉得渠就系同箇个猪肉啊放倒，箇新鲜猪肉放倒渠会臭样，以就系空气肚里带来个箇细菌吗？箇猪肉哇渠真～，渠就会臭嘞，会变质嘞，系唔系？puk^{3}ko^{53}ci^{13}kai^{53} tʂak^{3} təŋ$^{35}_{44}$si^{0} ku^{21}kuai^{53},ci^{13}kai^{53}ke^{0} tʂ^{h}ən^{53}tʂəŋ^{21}la^{53}iaŋ$^{53}_{44}$lɔi$^{13}_{21}$lau^{0} ?la^{53}iaŋ$^{53}_{44}$lɔi^{13}ke^{0} tʂ^{h}ən^{53}tʂəŋ^{21}lau^{0} ?e$_{35}$?ŋai^{13} kɔk^{3} tek^{3} ci$^{13}_{21}$ts^{h}iəu^{53}xe^{53}t^{h}əŋ^{13}kai$^{53}_{44}$ke$^{53}_{44}$tʂəu^{35}ɲiəuk^{3} a^{0} fɔŋ^{53}tau^{21},kai^{53}sin^{35}sien$^{35}_{44}$tʂəu^{35}ɲiəuk^{3} fɔŋ^{53}tau^{21}ci$^{13}_{21}$uɔi$^{53}_{44}$ tʂ^{h}əu^{53}iɔŋ$^{53}_{44}$,i^{21}ts^{h}iəu$^{53}_{44}$xei$^{53}_{44}$k^{h}əŋ^{35}çi^{53}təu^{21}li^{0} tai^{53}lɔi$^{13}_{21}$kei^{53}kai$^{53}_{44}$si^{53}tʂ^{h}ən$^{35}_{44}$ma^{0} ?kai$^{53}_{44}$tʂəu^{35}ɲiəuk^{3} ua^{0} ci$^{13}_{21}$tʂən^{35}ku^{21} kuai$^{53}_{44}$,ci$^{13}_{21}$tsiəu$^{53}_{44}$uɔi$^{53}_{44}$tʂ^{h}əu^{53}lei^{0} ,uɔi^{53}pien^{53}tʂət^{3} lei^{0} ,xei^{53}me^{53}?

【古之文】ku^{21}tʂɿ^{35}uən^{13} 形容迂腐的样子：古文肚里是还有只安做～，还有只话法啦，之乎也者个之吧。～呢系一种么个嘞？就蛮迂腐个意思，话别人家蛮迂腐，迂腐个样子。"箇只咁个人呢，"渠就话别人家，"古之文样咁个。"ku^{21}uən^{13}təu^{21}li^{0} ʂɿ$^{53}_{44}$xai^{13}iəu$^{35}_{53}$tʂak^{3} ɔn$^{35}_{44}$tso$^{53}_{44}$ku^{21}tʂɿ^{35}uən^{13}, xai^{13}iəu$^{35}_{53}$tʂak^{3} ua^{53}fait^{3} la^{0} ,tʂɿ$^{35}_{44}$fu$^{35}_{44}$tʂa^{21}ia^{21}ke^{0} tʂɿ$^{35}_{44}$pa^{0} .ku^{21}tʂɿ$^{35}_{44}$uən^{13}nei^{0} xei^{53}iet^{3} tʂəŋ^{21}mak^{3} ke$^{53}_{44}$lei^{0} ?ts^{h}iəu^{53}

man$^{13}_{21}$y^{35}fu^{21}ke^{0} i^{53}sɿ^{0} ,ua$^{53}_{44}$p^{h}iet$^{5}_{3}$ in$^{13}_{44}$ka$^{35}_{44}$man$^{13}_{21}$y^{35}fu^{21},y^{35}fu^{21}ke^{0} iɔŋ^{53}tsɿ^{0} ."kai^{53}tʂak^{3} kan^{21}ke^{0} ɲin$^{13}_{21}$ne^{0} ,"ci$^{13}_{21}$ tsiəu$^{53}_{44}$ua^{53}p^{h}iet^{5} in$^{13}_{44}$ka$^{35}_{44}$,"ku^{21}tʂʅ$^{35}_{44}$uən^{13}iɔŋ^{53}kan$^{21}_{13}$cie^{53}."

【谷】kuk^{3} 名水稻的籽实：箇只～啊，黄又还赠黄啊，浆又已经灌哩了哇。kai^{53}tʂak^{3} kuk^{3} a^{0} ,uɔŋ^{13}iəu^{53}xai$^{13}_{21}$maŋ^{13}uɔŋ^{13}ŋa^{0} ,tsiɔŋ^{35}iəu$^{53}_{44}$i$^{53;21}_{}$cin$^{35}_{44}$kɔn^{53}li^{0} liau^{21}ua^{0} .｜箇起～就安做早禾谷噢。kai^{53}çi$^{21}_{44}$ kuk^{3} tsiəu$^{53}_{44}$ɔn$^{35}_{44}$tso$^{53}_{44}$tsau^{21}uo^{13}kuk^{3} au^{0} .

【谷撮】kuk^{3} ts^{h}ait^{3} 名从禾桶里或晒簟上将稻谷撮起来的一种篾制工具：～就系两只用途个呢～呢。一只就去禾桶肚里打禾个时候子禾桶肚里分谷摝起来个箇只东西安做～。还有嘞晒谷个时候子去晒簟里分谷摝起来个箇只撮就安做～。kuk^{3} ts^{h}ait^{3} ts^{h}iəu^{53}xei^{53}iɔŋ^{21}tʂak^{3} iɔŋ^{53}t^{h}əu$^{13}_{21}$ ke^{0} nei^{0} kuk^{3} ts^{h}ait^{3} nei^{0} .iet^{3} tʂak^{3} tsiəu^{53}çi^{53}uo^{13}t^{h}əŋ^{21}təu^{21}li^{0} ta^{21}uo^{13}kei^{53}ʂʅ^{13}xəu^{53}tsɿ^{0} uo^{13}t^{h}əŋ^{21}təu^{21}li^{0} pən^{35} kuk^{3} uət^{3} c^{h}i^{21}lɔi^{13}ke^{0} kai^{53}tʂak^{3} təŋ$^{35}_{44}$si^{0} ɔn$^{35}_{44}$tso$^{53}_{44}$kuk^{3} ts^{h}ait^{3} .xai^{13}iəu$^{53}_{44}$lei^{0} sai^{53}kuk^{3} ke$^{53}_{44}$ʂʅ^{13}xəu$^{53}_{44}$tsɿ^{0} çi$^{53}_{44}$sai^{53} t^{h}ian$^{53}_{44}$ni^{0} pən^{35}kuk^{3} uət^{3} c^{h}i^{21}lɔi^{13}ke^{0} kai^{53}tʂak^{3} ts^{h}ait^{3} tsiəu$^{53}_{21}$ɔn$^{35}_{53}$tso^{53}kuk^{3} ts^{h}ait^{3} .

【谷酒】kuk^{3} tsiəu^{21} 名用稻谷为主要原料酿制的烧酒：我等街上个箇个卖烧酒个店里啊欸都喊～，渠箇卖个就都喊做～，其实有兜假个，有兜是搞兜么个去勾兑个。ŋai^{13}tien^{0} kai^{35}xɔŋ$^{53}_{44}$ ke$^{53}_{44}$kai$^{53}_{44}$ke$^{53}_{44}$mai^{53}ʂau^{35}tsiəu^{21}ke^{0} tian^{53}ni^{21}a^{0} e$_{21}$təu^{35}xan^{53}kuk^{3} tsiəu^{21},ci$^{13}_{21}$kai$^{53}_{44}$mai^{53}ke^{0} tsiəu^{21}təu^{35}xan^{53}tso^{53} kuk^{3} tsiəu^{21},c^{h}i^{13}ʂət^{5} iəu^{35}tei$^{35}_{53}$cia^{21}cie^{0} ,iəu^{35}tei$^{35}_{53}$ʂʅ$^{53}_{21}$kau^{21}tei$^{35}_{53}$mak^{3} e^{0} çi$^{53}_{44}$kei^{35}ti^{53}ke^{0} .

【谷壳】kuk^{3} k^{h}ɔk^{3} 名稻谷的外皮。又称"糠头"：如今个机子整米就分箇个～嘞先剥一到壳，欸，再来整箇起米。以前我等人用碓整米嘞，也先砻一到谷，砻谷，分箇～砻……也系砻一到～，箇起砻出来个就安做糙米嘞。i$^{13}_{21}$cin$^{35}_{53}$kei$^{53}_{}$ci^{35}tsɿ^{0} tʂaŋ^{21}mi^{21}ts^{h}iəu$^{53}_{44}$pən^{35}kai$^{53}_{44}$ke$^{53}_{44}$kuk^{3} k^{h}ɔk^{3} lei^{0} sen^{35}pɔk^{3} iet^{3} tau^{53}k^{h}ɔk^{3} ,e$_{21}$,tsai^{53}lɔi$^{13}_{44}$tʂaŋ^{21}kai^{53}çi^{21}mi^{21}.i$^{35}_{53}$ts^{h}ien^{13}ŋai^{13}tien^{0} in$^{13}_{21}$iəŋ$^{53}_{44}$tɔi^{53}tʂaŋ^{21}mi^{21}le^{0} ,ia^{35}sen$^{35}_{44}$ ləŋ^{13}iet^{3} tau^{53}kuk^{3} ,ləŋ^{13}kuk^{3} ,pən$^{35}_{44}$kai$^{53}_{44}$kuk^{3} k^{h}ɔk^{3} ləŋ^{13}…ia^{35}xe^{53}ləŋ^{13}iet^{3} tau^{53}kuk^{3} k^{h}ɔk^{3} , kai$^{53}_{44}$çi$^{21}_{44}$ləŋ^{13}tʂ^{h}ət^{3} lɔi^{13}ke$^{53}_{44}$ts^{h}iəu$^{53}_{44}$ɔn$^{35}_{44}$tso$^{53}_{44}$ts^{h}au^{53}mi^{21}lei^{0} .

【谷麻糖】kuk^{21}ma$^{13}_{21}$t^{h}ɔŋ^{13} 名一种用麦芽糖、芝麻等加工成的副食：只有箇起～就会带一滴……放滴子芝麻哩，～就会放滴子麻子。渠放麻子是……渠箇卖得贵咯箇起糖啊，渠就放麻子是又香就又又箇个又凑秤增加重量嘛。tʂʅ^{21}iəu$^{35}_{44}$kai^{53}çi^{21}kuk^{3} ma^{13}t^{h}ɔŋ^{13}ts^{h}iəu$^{53}_{44}$uɔi$^{53}_{44}$tai^{53}iet^{3} tiet$^{5}_{3}$… fɔŋ^{53}tet^{5} tsɿ^{0} tʂʅ$^{35}_{44}$ma$^{13}_{21}$li^{0} ,kuk^{3} ma^{13}t^{h}ɔŋ^{13}ts^{h}iəu$^{53}_{44}$uɔi$^{53}_{44}$fɔŋ^{53}tet^{5} tsɿ^{0} ma^{13}tsɿ^{0} .ci^{13}fɔŋ^{53}ma^{13}tsɿ^{0} ʂʅ$^{53}_{44}$…ci^{13}kai$^{53}_{44}$mai$^{53}_{44}$ tek^{3} kuei^{53}ko^{0} kai^{53}çi^{21}t^{h}ɔŋ^{13}ŋa^{0} ,ci^{13}ts^{h}iəu$^{53}_{44}$fɔŋ^{53}ma^{13}tsɿ^{21}ʂʅ$^{53}_{44}$iəu^{53}çiɔŋ^{35}tsiəu$^{53}_{44}$iəu$^{53}_{44}$iəu^{53}kai$^{53}_{44}$ke$^{53}_{44}$iəu$^{53}_{44}$ts^{h}ei$^{53}_{44}$ tʂ^{h}ən^{53}ma^{0} .

【谷皮藨】kuk^{3} p^{h}i^{13}p^{h}au^{35} 名构树的浆果：木本个藨子一起就箇上背个（三月藨）唠，一起就箇起咁个么个～喔。muk^{3} pən^{21}ke$^{53}_{44}$p^{h}au^{35}tsɿ^{0} iet^{3} çi^{21}ts^{h}iəu$^{53}_{44}$kai^{53}ʂɔŋ$^{53}_{44}$pɔi$^{53}_{44}$ke$^{53}_{44}$lau^{0} ,iet^{3} çi^{21}ts^{h}iəu$^{53}_{44}$kai^{53}çi^{21} kan^{21}kei^{53}mak^{3} kei^{53}kuk^{3} p^{h}i^{13}p^{h}au^{35}uo^{0} .

【谷皮树】kuk^{3}p^{h}i^{13}ʂəu^{53} 名构树：～就系箇个嘞就系灌木嘞，箇就蛮高子嘞。～就有兜有人咁高嘞，箇个皮可以用来做纸。kuk^{3} p^{h}i^{13}ʂəu^{53}ts^{h}iəu$^{53}_{44}$xe$^{53}_{44}$kai^{53}ke^{53}lei^{0} ts^{h}iəu$^{53}_{44}$xe^{53}kɔn^{53}muk^{3} lei^{0} ,kai^{53} ts^{h}iəu^{53}man$^{13}_{21}$kau^{35}tsɿ^{0} lei^{0} .kuk^{3} p^{h}i^{13}ʂəu^{53}ts^{h}iəu$^{53}_{44}$iəu$^{35}_{44}$te$^{35}_{44}$iəu$^{35}_{44}$ɲin^{13}kan^{21}kau$^{35}_{44}$lei^{0} ,kai^{53}ke^{53}p^{h}i^{13}k^{h}o^{21}i$^{35}_{44}$iəŋ^{53}lɔi$^{13}_{21}$ tso^{53}tʂʅ^{21}.

【谷箬】kuk^{3}ɲiɔk^{5} 名混在稻谷中的稻穗和禾衣。也简称"箬"：～嘞包括禾衣，欸，包括箇个禾线子，禾衣摎禾线子就混合在谷肚里就安做箬。kuk^{3} ɲiɔk^{5} le^{0} pau^{35}kuait^{3} uo^{13}i^{35},e$_{21}$,pau^{35} kuait^{3} kai^{53}ke^{53}uo^{13}sen^{53}tsɿ^{0} ,uo$^{13;}$i^{35}lau$^{35}_{44}$uo^{13}sien^{53}tsɿ^{0} ts^{h}iəu$^{53}_{44}$fən^{53}xɔit^{5} ts^{h}ai^{53}kuk^{3} təu^{21}li^{0} ts^{h}iəu$^{53}_{44}$ɔn$^{35}_{44}$tso$^{53}_{44}$ɲiɔk^{5} .

【谷筛】kuk^{3} sai^{35} 名用来将稻谷和禾衣分开的筛子，孔较大：～是就系打禾个时候子，用禾桶打也好，用打谷机打也好，渠有咁个谷箬，谷箬嫪倒来，就系么个短短子箇起欸安做么个东西啦？禾衣，欸，禾衣箇兜嫪倒肚里，就用筛谷个时候子用～筛一到，分渠个谷跌下去，分箇个禾衣嘞倾咁去。kuk^{3} sai^{35}ʂʅ$^{53}_{44}$ts^{h}iəu^{53}xe^{53}ta^{21}uo^{13}ke^{53}ʂʅ^{13}xei^{53}tsɿ^{0} ,iəŋ^{53}uo^{13}t^{h}əŋ^{21}ta^{21}a$^{35}_{53}$xau^{21},iəŋ^{53}ta^{21} kuk^{3} ci^{35}ta^{21}a$^{35}_{53}$xau^{21},ci$^{13}_{21}$iəu$^{35}_{21}$kan^{21}ke$^{53}_{44}$kuk^{3} ɲiɔk^{5} ,kuk^{3} ɲiɔk^{5} ɲia^{13}tau^{21}lɔi^{13},ts^{h}iəu$^{53}_{44}$xei$^{53}_{44}$mak^{3} e^{0} tɔn$^{21}_{13}$tɔn^{21}tsɿ^{0} kai^{53}çi^{21}e$_{21}$ɔn$^{35}_{44}$tso$^{53}_{44}$mak^{3} e^{0} təŋ$^{35}_{44}$si^{0} la^{0} ?uo$^{13;}$i^{35},e$_{21}$,uo$^{13;}$i^{35}kai$^{53}_{44}$tei$^{35}_{53}$ɲia^{13}tau^{21}təu^{21}li^{0} ,ts^{h}iəu^{53}iəŋ^{53}sai^{53}kuk^{3} ke^{0} ʂʅ^{13} xəu$^{53}_{44}$tsɿ^{0} iəŋ^{53}kuk^{3} sai$^{35}_{44}$sai^{35}iet^{3} tau^{53},pən$^{35}_{44}$ci$^{13}_{44}$ke^{0} kuk^{3} tet^{3} xa$^{53}_{44}$çi$^{53}_{44}$,pən^{35}kai$^{53}_{44}$ke$^{53}_{44}$uo$^{13;}$i^{35}lei^{0} k^{h}uaŋ^{35}kan^{21}çi^{53}.

【谷头】kuk^{3}t^{h}ei^{13} 名加工大米时遗留在米中的稻谷：～就系赠整赠加工倒个谷，米肚里赠加工倒个谷。kuk^{3} t^{h}ei^{13}ts^{h}iəu^{53}xe^{53}maŋ^{13}tʂaŋ^{21}maŋ^{13}cia^{35}kəŋ^{35}tau^{21}ke^{53}kuk^{3} ,mi^{21}təu^{21}li^{0} maŋ^{13}cia^{35}kəŋ^{35}tau^{21} ke^{53}kuk^{3} .｜箇个米唔筛～呀，～多哩食唔得。kai^{53}ke^{53}mi^{21}n̩^{13}sai$^{35}_{44}$kuk^{3} t^{h}ei$^{13}_{44}$ia^{0} ,kuk^{3} t^{h}ei^{13}to$^{35}_{44}$li^{0} ʂət^{5} n̩$^{13}_{21}$tek^{3} .

【谷须】kuk^{3} si^{35} 名谷芒：箇个禾上嘞又咁个□长个须呀，箇个就安～呀。箇就系欸麦子个须就更明显，麦子□长个须，～嘞有兜子，唔多咁长凑，有几长凑。～也有，也就系箇个谷尾巴上长出来个箇个欸同箇个蛮长子个咁个线，欸，安做～。有么个用，冇用，～冇用。kai$^{53}_{44}$ ke$^{53}_{44}$uo^{13}xəŋ$^{53}_{44}$lei^{0} iəu^{35}kan^{21}ke$^{53}_{44}$lai^{35}tʂʰəŋ$^{13}_{44}$ke$^{53}_{44}$si^{35}ia^{0},kai$^{53}_{44}$ke$^{53}_{44}$tsʰiəu$^{53}_{44}$ɔn$^{35}_{44}$kuk^{3} si$^{35}_{44}$ia^{0}.kai$^{53}_{21}$tsʰiəu^{53}xe$^{53}_{44}$e$_{44}$mak^{5} tsɿ^{0} ke$^{53}_{44}$si^{35}tsʰiəu$^{53}_{44}$cien^{53}min^{13}çien^{21},mak^{5} tsɿ^{0} lai^{35}tʂʰəŋ$^{13}_{21}$ke$^{53}_{44}$si^{35},kuk^{3} si^{35}lei^{0} iəu^{35}tiet^{5} tsɿ^{0},n̩^{13}to$^{35}_{53}$kan^{21}tʂʰəŋ^{13} tsʰe^{0},mau^{13}ci^{21}tʂʰəŋ^{13}tsʰe^{0}.kuk^{3} si^{35}ia^{35}iəu$^{35}_{44}$,ia^{35}tsʰiəu^{53}xe$^{53}_{44}$kai$^{53}_{44}$ke$^{53}_{44}$kuk^{3} mi^{35}pa$^{35}_{44}$xəŋ^{53}tʂəŋ^{21}tʂʰət^{3} lɔi^{13}ke^{53}kai$^{53}_{44}$ ke$^{53}_{44}$e$_{21}$tʰəŋ^{13}kai$^{53}_{44}$kei$^{53}_{44}$man$^{13}_{44}$tʂʰəŋ^{13}tsɿ^{0} ke^{0} kan^{21}ke$^{53}_{44}$sien^{53},e$_{21}$,ɔn$^{35}_{44}$tso^{53}kuk^{3} si$^{35}_{44}$.mau^{13}mak^{3} e^{0} iəŋ^{53},mau^{13}iəŋ^{53}, kuk^{5} si$^{35}_{44}$mau^{13}iəŋ^{53}.

【谷雨】kuk^{3} i^{21} 名二十四节气之一，在四月19、20或21日：清明～，四月下旬呶就～唠。四月上旬就清明呢，清明过哩就～啊。～前就好种棉呶。～箇是就立夏前最后一只节气，春天个最后一只节气。箇时候子气候最适宜，最好过。tsʰin^{35}min$^{13}_{21}$kuk^{3} i^{21},si^{53}ɲiet^{5} çia^{53}sən$^{13}_{21}$nau^{0} tsʰiəu$^{53}_{44}$ kuk^{3} i^{21}lau^{0}.si^{53}ɲiet^{5} ʂɔŋ^{53}sən$^{13}_{21}$tsʰiəu^{53}tsʰin^{35}min$^{13}_{21}$ne^{0},tsʰin^{35}min$^{13}_{21}$ko^{53}li^{0} tsʰiəu^{53}kuk^{3} i^{21}a^{0}.kuk^{3} i^{21}tsʰien^{13} tsʰiəu^{53}xau^{21}tʂəŋ^{53}mien^{13}nau^{0}.kuk^{3} i^{21}kai^{53}ʂɿ$^{53}_{44}$tsʰiəu$^{53}_{44}$liet^{5} çia^{53}tsʰien^{13}tsei^{53}xei$^{53}_{44}$iet^{3} tʂak^{3} tset^{3} çi^{53},tʂʰən^{35} tʰien$^{35}_{44}$ke^{0} tsei^{53}xei$^{53}_{44}$iet^{3} tʂak^{3} tset^{3} çi^{53}.kai^{53}ʂɿ^{13}xei$^{53}_{53}$tsɿ^{0} çi^{53}xei^{53}tsei^{53}ʂət^{5} ɲi^{13},tsei^{53}xau^{21}ko^{53}.

【谷雨茶】kuk^{3} i^{21}tsʰa^{13} 名谷雨前后采摘的茶叶：一般都摘～嘞。以个栏场～蛮嫩呢我等以个栏场。塅里嘞～长兜子，山里就谷雨个时候子还系丁啮子嘞箇茶叶，还系丁啮长子，蛮嫩呐。～蛮好。两三十块子钱一斤吧。我哪晡拿兜子～分你食嘞，我送兜子分你。箇系我等箇只么个凑，我等箇只姑姑，渠系下箇个江西箇个箇摎我等搭界个江西箇岭顶上，渠舞个茶叶，渠话："箇我是自家食个啦，我是洗都洗两三到啦。"绿茶。我放下店里放倒。好吧？箇我天天就箇阵子天天去泡一缸子食哩噢。iet^{3} pɔn^{35}tɔu$^{35}_{53}$tsak^{3} kuk^{3} i^{21}tsʰa^{13}lei^{0}.i^{21}ke^{53}laŋ$^{13}_{21}$tʂʰɔŋ$^{13}_{44}$kuk^{21}i^{21}tsʰa^{13} man^{13}nən^{53}ne^{0} ŋai^{13}tien^{0} i^{21}ke^{53}laŋ$^{13}_{21}$tʂʰɔŋ$^{13}_{21}$.tʰɔn^{53}li^{0} lei^{0} kuk^{3} i^{21}tsʰa^{13}tʂʰɔŋ^{13}tei$^{35}_{53}$tsɿ^{0},san^{35}ni^{0} tsʰiəu$^{53}_{44}$kuk^{3} i^{21}ke^{0} ʂɿ$^{13}_{44}$xəu$^{53}_{44}$tsɿ^{0} xai$^{13}_{21}$xei$^{53}_{44}$tin^{53}ŋait^{3} tsɿ^{0} lei^{0} kai$^{53}_{44}$tsʰa$^{13}_{21}$iait^{5},xai$^{13}_{21}$xe$^{53}_{44}$tin^{53}ŋait^{3} tʂʰɔŋ$^{13}_{21}$tsɿ^{0},man^{13}nən^{53}na^{0}.kuk^{3} i^{21}tsʰa$^{13}_{21}$ man$^{13}_{44}$xau^{21}.iɔŋ^{21}san$^{35}_{44}$ʂət^{5} kʰuai^{53}tsɿ^{0} tsʰien$^{13}_{21}$iet^{3} cin$^{35}_{44}$pa^{0}.ŋai^{13}lai^{53}pu^{35}la^{53}tei$^{35}_{53}$tsɿ^{0} kuk^{3} i^{21}tsʰa^{13}pən$^{35}_{44}$ɲi$^{13}_{44}$ʂət^{5} lei^{0}, ŋai^{13}səŋ^{53}tei$^{35}_{53}$tsɿ^{0} pən$^{35}_{44}$ɲi$^{13}_{44}$.kai^{53}xei^{53}ŋai^{13}tien^{0} kai^{53}tʂak^{3} mak^{3} ke$^{53}_{44}$tsʰe^{0},ŋai^{13}tien^{0} kai^{53}tʂak^{3} ku^{35}ku$^{35}_{44}$,ci^{13}xei^{53} (x)a$^{53}_{44}$kai$^{53}_{44}$kei$^{53}_{44}$kɔŋ^{35}si$^{35}_{44}$kai^{53}ke$^{53}_{44}$kai$^{53}_{44}$lau^{35}ŋai$^{13}_{21}$tien^{0} tait^{3} kai$^{53}_{44}$ke$^{53}_{44}$kɔŋ^{35}si$^{35}_{44}$kai$^{53}_{44}$liaŋ^{35}taŋ^{21}xɔŋ$^{53}_{44}$,ci^{13}u^{21}ke^{0} tsʰa$^{13}_{21}$ iait^{5},ci$^{13}_{21}$ua$^{53}_{44}$:"kai^{53}ŋai^{13}ʂɿ$^{53}_{44}$tsʰɿ^{35}ka$^{35}_{44}$ʂət^{5} ke^{53}la^{0},ŋai^{13}ʂɿ$^{53}_{44}$se^{21}tɔu$^{35}_{53}$se^{21}iɔŋ^{21}san$^{35}_{44}$tau^{53}la^{0}."liəuk^{5} tsʰa$^{13}_{21}$.ŋai^{13}fɔŋ$^{53}_{44}$ xa$^{53}_{44}$tian^{53}ni^{0} fɔŋ^{53}tau^{21}.xau^{21}pa^{0}?kai^{53}ŋai$^{13}_{21}$tʰien^{35}tʰien^{35}tsɔu$^{53}_{44}$kai^{53}tʂʰən^{53}tsɿ^{0} tʰien^{35}tʰien^{35}çi^{53}pʰau^{53}iet^{3} kɔŋ$^{35}_{44}$ tsɿ^{0} ʂət^{5} li^{0} au^{0}.

【谷子】kuk^{3}tsɿ^{0} 名水稻的籽实：渠就，渠个箇个箇个一只～一只～会要会丫开来，会会会隔……箇只距离分开来。叫做散籽。ci$^{13}_{21}$tsʰiəu$^{53}_{44}$,ci$^{13}_{21}$ke$^{53}_{44}$kai$^{53}_{44}$ke$^{53}_{44}$kai$^{53}_{44}$ke$^{53}_{44}$iet^{3} tʂak^{3} kuk^{3} tsɿ^{0} iet^{3} tʂak^{3} kuk^{3} tsɿ^{0} uɔi$^{53}_{44}$iau$^{53}_{44}$uɔi$^{53}_{44}$ŋa^{35}kʰɔi$^{35}_{44}$lɔi$^{13}_{21}$,uɔi$^{53}_{44}$uɔi$^{53}_{44}$uɔi$^{53}_{44}$kak^{3} ⋯kai$^{53}_{44}$tʂak^{3} tɕy^{53}li^{13}fən^{35}kʰɔi^{35}lɔi$^{13}_{21}$.tɕiau^{53}tso^{53}san^{21} tsɿ^{21}.

【股】ku^{21} 量用于力气、气味等：一～劲 iet^{3}ku^{21}cin^{53} ｜一～香气 iet^{3}ku^{21}çiɔŋ^{35}çi^{53}

【骨粉】kuət^{3} fən^{21} 名用动物骨骼加工成的粉末：只好栽禾个时候子，去禾秧个禾筋上蘸滴子，蘸滴子骨头粉。所以安做蘸～。tʂɿ^{21}xau^{21}tsɔi^{35}uo^{13}ke^{53}ʂɿ^{13}xei^{53}tsɿ^{0},çi^{53}uo^{13}iɔŋ$^{35}_{44}$ke$^{53}_{44}$uo^{13}cin^{35}xɔŋ^{53}tsian^{21} tiet^{5} tsɿ^{0},tsian^{21}tiet^{0} tsɿ^{0} kuət^{3} tʰei^{13}fən^{21}.so^{21}i^{35}ɔn$^{35}_{44}$tso$^{53}_{44}$tsian^{21}kuət^{3} fən^{21}.｜欸，让门以下冇么人用～了呵哈？e$_{44}$,ɲiɔŋ^{53}mən^{0} i$^{13}_{21}$xa^{53}mau$^{13}_{21}$mak^{3} in$^{13}_{44}$iəŋ^{53}kuət^{3} fən^{21}niau^{0} xo^{0} xa^{0}?

【骨浑】kuət^{5}uən^{13} 形状态词。很浑浊：欸，落哩水是，河里个水～个。e$_{21}$,lɔk^{5} li^{0} ʂei^{21}ʂɿ^{53},xo$^{13}_{21}$li^{0} ke^{0} ʂei^{21}kuət^{5} uən^{13}cie^{0}.

【骨氵累】kuət^{5} lei^{13} 形状态词。①流体很浓稠：我箇只姑姑渠等箇向江西人泡茶，泡面样，一揾茶叶舞下泡起，泡起一缸茶～个。我姑姑等泡面样啊，我等话渠泡面样，一大揾茶叶泡一缸茶，泡起箇茶都～个，牛尿样我等咯，撞怕话渠牛尿样，～个，牛尿样。箇茶是本来就系稍微有兜子淡黄淡黄子，系啊？渠放个茶叶多啊，～个，牛尿样，牛尿就墨乌啊。ŋai^{13}kai^{53} tʂak^{3} ku^{35}ku$^{35}_{44}$ci$^{13}_{21}$tien^{0} kai^{53}çiɔŋ^{53}kɔŋ^{35}si$^{35}_{44}$ɲin$^{13}_{21}$pʰau^{53}tsʰa^{13},pʰau^{53}mien^{53}iɔŋ$^{53}_{44}$,iet^{3} ia^{21}tsʰa^{13}iait^{5} u^{21}xa$^{53}_{44}$pʰau$^{53}_{44}$ çi$^{21}_{44}$,pʰau^{53}çi$^{21}_{44}$iet^{3} kɔŋ$^{35}_{44}$tsʰa$^{13}_{21}$kuət^{5} lei$^{13}_{21}$ke^{0}.ŋai$^{13}_{21}$ku^{35}ku$^{35}_{44}$tien^{0} pʰau^{53}mien^{53}iɔŋ^{53}ŋa^{0},ŋai$^{13}_{21}$tien^{0} ua^{53}ci$^{13}_{21}$pʰau^{53} mien^{53}iɔŋ$^{53}_{21}$,iet^{3} tʰai^{53}ia^{21}tsʰa$^{13}_{21}$iait^{5} pʰau^{53}iet^{3} kɔŋ$^{35}_{44}$tsʰa$^{13}_{21}$,pʰau^{53}çi$^{21}_{44}$kai$^{53}_{44}$tsʰa$^{13}_{21}$tɔu$^{35}_{44}$kuət^{5} lei$^{13}_{21}$ke^{0}, ɲiəu^{13}ɲiau^{53} iɔŋ^{53}ŋai^{13}tien^{0} ko^{0},tsʰɔŋ^{21}pʰa$^{53}_{44}$ua^{53}ci$^{13}_{21}$ɲiəu^{13}ɲiau^{53}iɔŋ^{53},kuət^{5} lei$^{13}_{21}$ke^{0}, ɲiəu^{13}ɲiau^{53}iɔŋ^{53}.kai^{53}tsʰa^{13}ʂɿ$^{53}_{44}$pən^{21}nɔi^{13} tsiəu$^{53}_{44}$xei$^{53}_{44}$sau^{21}uei^{13}iəu$^{35}_{44}$tei$^{35}_{53}$tsɿ^{0} tʰan^{53}uɔŋ^{13}tʰan^{53}uɔŋ^{13}tsɿ^{0},xei^{53}a^{0}?ci$^{13}_{44}$fɔŋ^{53}ŋe^{0} tsʰa$^{13}_{21}$iait$_{3}^{5}$to^{35}a^{0},kuət^{5} lei$^{13}_{21}$ke^{0}, ȵiəu^{13}ȵiau$^{53}_{44}$iəŋ$^{53}_{44}$, ȵiəu^{13}ȵiau$^{53}_{44}$tsʰiəu$^{53}_{21}$met^{5}u^{35}a^{0}.｜你开头箇咖啡就泡倒一碗～个啦。ȵi$^{13}_{21}$kʰɔi^{35}tʰei$^{13}_{21}$kai^{53}kʰa^{35}fei$^{35}_{44}$tsiəu^{53}pʰau^{53}tau^{21}iet^{3}uɔn^{21}kuət^{5}lei$^{13}_{21}$ke^{53}la^{0}. ②（云层）密集：会落水了哈，箇天上个云都～个了哈。uɔi$^{53}_{44}$lɔk^{5}ʂei^{21}liau^{0}xa^{0},tʰien$^{35}_{44}$xɔŋ$^{53}_{44}$ke^{0}in^{13}təu$^{35}_{44}$kuət^{5}lei$^{13}_{21}$ke^{0}liau^{0}xa^{0}.

【骨牌】kuət^{3}pʰai^{13} 名 牌九。又称“天九”：好像如今打大字牌个多，打～个蛮少。xau^{21}tsʰiəŋ^{53}i$^{13}_{21}$cin$^{35}_{44}$ta^{21}tʰai^{53}tsʰʅ^{53}pʰai$^{13}_{21}$ke$^{53}_{44}$to$^{35}_{21}$,ta^{21}kuət^{3}pʰai^{13}cie^{53}man^{13}ʂau^{21}.

【骨牌凳】kuət^{3}pʰai^{13}tien^{53} 名 单人坐的凳子，凳板长方形：～就不是么个打骨牌用个凳，就样子像骨牌个凳，长长子，长方形，唔系四四方方嘞，长方形，冇得任何么个扶手箇兜么个，欸，就安做～。只坐得一个人，同时嘞就系临时性坐下子个，系啊？食餐饭坐下子。渠箇最大个特点就唔霸地方，骨牌凳唔霸地方。kuət^{3}pʰai^{13}tien^{53}tsʰiəu$^{53}_{44}$pət^{3}ʂʅ^{53}mak^{3}e^{0}ta^{21}kuət^{3}pʰai^{13}iəŋ$^{53}_{44}$ke^{0}ten^{53},tsʰiəu$^{53}_{44}$iəŋ^{53}tsʅ^{0}tsʰiəŋ^{53}kuət^{3}pʰai^{13}ke^{0}ten^{53},tʂʰɔŋ$^{13}_{21}$tʂʰɔŋ^{13}tsʅ^{0},tʂʰɔŋ^{13}fɔŋ$^{35}_{44}$çin$^{13}_{44}$,m̩^{13}pʰei^{53}si^{53}si^{53}fɔŋ$^{35}_{44}$fɔŋ$^{35}_{44}$le^{0},tʂʰɔŋ^{13}fɔŋ$^{35}_{53}$çin$^{13}_{21}$,mau^{13}tek^{3}uən^{53}xo$^{13}_{44}$mak^{3}ke$^{53}_{44}$fu^{13}ʂəu^{21}kai$^{53}_{44}$təu$^{35}_{53}$mak^{3}ke$^{53}_{44}$,e$_{21}$,tsʰiəu$^{53}_{21}$ɔn$^{35}_{53}$tso^{53}kuət^{3}pʰai^{13}ten^{53}.tʂʅ^{21}tsʰo^{35}tek^{3}iet^{3}cie^{53}ȵin$^{13}_{21}$,tʰəŋ^{13}ʂʅ$^{13}_{21}$lei^{0}tsʰiəu$^{53}_{44}$xei$^{53}_{44}$lin^{13}ʂʅ^{13}sin^{53}tsʰo^{35}xa^{53}tsʅ^{0}ke^{0},xe$^{53}_{44}$a^{0}?ʂət^{5}tsʰɔn$^{35}_{44}$fan^{53}tsʰo^{35}(x)a$^{53}_{44}$tsʅ^{0}.ci^{13}kai$^{53}_{44}$tsei^{53}tʰai$^{53}_{44}$ke^{0}tʰet^{5}tian^{21}tsʰiəu$^{53}_{44}$m̩^{13}pa^{53}tʰi^{53}fɔŋ$^{35}_{44}$,kuət^{3}pʰai^{13}tien^{53}m̩^{13}pa^{53}tʰi^{53}fɔŋ$^{35}_{44}$.

【骨髓】kuət^{3}si^{21} 名 骨腔中柔软的物质：我等箇阵子有么个食个时候子，我有只搁下子个舅爷就会剮猪，箇个猪子箇个猪脑壳啊，猪子个骨头肚里猪骨头呀龙骨呀，系啊？箇肚里个～呀，就搣下来，箇个就唔过秤。欸，我记得我舅爷嘞，长日都我等去哩以后呀，渠就分箇个～呀蒸做一碗子，放兜子放兜油盐放兜子辣椒子，真好食啦硬啊，如今都觉得好食。其实咁个～食哩有么个好？系啊？咁个～。有淋巴结箇兜个是。ŋai^{13}tien^{0}kai^{53}tʂʰən^{53}tsʅ^{0}mau$^{13}_{21}$mak^{3}e^{0}ʂət^{5}ke$^{53}_{44}$ʂʅ^{13}xei$^{53}_{44}$tsʅ^{0},ŋai$^{13}_{21}$iəu^{35}tʂak^{3}kɔk^{3}(x)a^{53}tsʅ^{0}ke^{0}cʰiəu^{35}ia$^{13}_{21}$tsʰiəu$^{53}_{44}$uɔi$^{53}_{44}$tʂʰʅ$^{35}_{21}$tʂəu^{35},kai$^{53}_{44}$ke$^{53}_{44}$tʂəu^{35}tsʅ^{0}kai$^{53}_{44}$ke$^{53}_{44}$tʂəu^{35}lau^{21}kʰɔk^{3}a^{0},tʂəu^{35}tsʅ^{0}ke^{0}kuət^{3}tʰei$^{13}_{21}$təu^{21}li^{0}tʂəu^{35}kuət^{3}tʰei^{13}ia^{0}liəŋ^{13}kuət^{3}la^{0},xei^{53}a^{0}?kai$^{53}_{44}$təu^{21}li^{0}kai$^{53}_{44}$kuət^{3}si^{21}ia^{0},tsʰiəu$^{53}_{21}$met^{3}xa$^{53}_{44}$lɔi$^{13}_{44}$,kai^{53}ke^{53}tsʰiəu$^{53}_{44}$m̩^{13}ko$^{53}_{44}$tʂʰən^{53}.e$_{21}$,ŋai^{13}ci^{53}tek^{3}ŋai$^{13}_{21}$cʰiəu^{35}ia$^{13}_{21}$lei^{0},tʂʰɔŋ^{13}ȵiet^{3}təu$^{35}_{53}$ŋai^{13}tien^{0}çi^{53}li^{0}i^{35}xei$^{53}_{44}$ia^{0},ci$^{13}_{21}$tsʰiəu^{53}pən^{35}kai$^{53}_{44}$ke$^{53}_{44}$kuət^{3}si^{21}ia^{0}tʂən^{35}tso^{53}iet^{3}uən^{21}tsʅ^{0},fɔŋ^{53}tei$^{35}_{53}$tsʅ^{0}fɔŋ^{53}tei$^{35}_{53}$iəu^{13}ian^{13}fɔŋ^{53}tei$^{35}_{53}$tsʅ^{0}lait^{5}tsiau$^{35}_{44}$tsʅ^{0},tʂən^{35}xau^{21}ʂət^{5}la^{0}ȵiaŋ$^{53}_{44}$ŋa^{0},i^{21}cin$^{35}_{44}$təu$^{35}_{53}$kɔk^{3}tek^{3}xau^{21}ʂət^{5}.cʰi$^{13}_{21}$ʂət^{5}kan^{21}ke$^{53}_{44}$kuət^{3}si^{21}ʂət^{5}li^{0}iəu$^{35}_{44}$mak^{3}e^{0}xau^{21}?xei$^{53}_{44}$a^{0}?kan^{21}ke$^{53}_{44}$kuət^{3}si^{21}.iəu^{35}lin$^{13}_{21}$pa$^{35}_{44}$ciet^{3}kai$^{53}_{44}$təu$^{35}_{44}$ke^{53}ʂʅ$^{53}_{21}$.

【骨头】kuət^{3}tʰei^{13} 名 ①人和脊椎动物体内支持身体、保护内脏的坚硬组织：一身～痛。iet^{3}ʂən^{35}kuət^{3}tʰei^{13}tʰəŋ^{53}.｜食鱼子就系怕～。欸，～多哩个东西唔好食。蛮怕鲠倒。欸，尤其嘞细人子吵，食又爱食鱼嘞，又怕鲠倒渠。ʂət^{5}ŋ̍^{13}tsʅ^{0}tsʰiəu^{53}xei$^{53}_{44}$pʰa^{53}kuət^{3}tʰei$^{13}_{44}$.ei$_{21}$,kuət^{3}tʰei$^{13}_{21}$to$^{35}_{44}$li^{0}ke$^{53}_{44}$təŋ$^{35}_{44}$si^{0}m̩$^{13}_{21}$xau^{21}ʂət^{5}.man$^{13}_{44}$pʰa^{53}tsʰan^{13}tau^{21}.e$_{21}$,iəu^{13}cʰi^{13}le^{0}sei^{53}ȵin$^{13}_{21}$tsʅ^{0}ʂa^{0},ʂət^{5}iəu^{53}ɔi^{53}ʂət^{5}ŋ̍^{13}lei^{0},iəu^{53}pʰa$^{53}_{44}$tsʰan^{13}tau^{21}ci$^{13}_{44}$. ②果实中坚硬并包含果仁的部分：只爱食哩桃子个～丢倒箇岭上，就会生。tʂʅ^{21}ɔi$^{53}_{44}$ʂət^{5}li^{0}tʰau$^{13}_{21}$tsʅ^{0}ke$^{53}_{44}$kuət^{3}tʰei^{13}tiəu^{35}tau^{21}kai$^{53}_{44}$liaŋ^{35}xɔŋ$^{53}_{44}$,tsʰiəu$^{53}_{44}$uɔi$^{53}_{44}$saŋ^{35}. ③指篾骨，即竹子的最内层：越靠倒中间篸～个栏场就越妁。vet^{5}kau$^{53}_{21}$tau$^{21}_{44}$tʂəŋ^{35}kan$^{35}_{44}$ȵia$^{13}_{21}$kuət^{3}tʰei^{13}ke$^{53}_{44}$laŋ^{13}tʂʰɔŋ$^{13}_{44}$tsʰiəu$^{53}_{44}$vet^{5}ʂo^{13}.

【骨头粉】kuət^{3}/kut^{3}tʰei^{13}fən^{21} 名 用动物骨骼加工成的粉末：欸，陈老师，哎箇个～呢，就系冇几多。首先分箇骨头烧一下，然后嘞用碓踏成打成粉。打啦粉呢，欸，箇个交滴子菜粘粉，欸，还交滴子欸么个，有滴人还交硫磺粉。箇个是唔交也做得。让门子放下田下放下禾蔸下去嘞？因为十分少，所以就舞倒栽禾个时候子，箇禾秧个禾蔸秧根上，禾秧根上蘸滴子～。欸，蘸滴子～去栽。就安做蘸～。e$_{21}$,tʂʰən^{13}lau$^{13}_{21}$sʅ$^{35}_{44}$,ai$_{21}$,kai$^{53}_{44}$ke$^{53}_{44}$kuət^{3}tʰei^{13}fən^{21}nei^{0},tsʰiəu$^{53}_{44}$xe$^{53}_{44}$mau^{13}ci^{21}to^{35}.ʂəu^{21}sien^{35}pən^{35}kai$^{53}_{44}$kut^{3}tʰei^{13}ʂau^{35}iet^{3}xa^{53},vien^{13}xei$^{53}_{44}$lei^{0}iəŋ$^{53}_{44}$tɔi^{53}tʰait^{5}ʂaŋ^{13}ta^{21}ʂaŋ^{13}fən^{21}.ta^{21}la^{0}fən^{21}nei^{0},e$_{21}$,kai$^{53}_{44}$ke$^{53}_{44}$ciau^{35}tiet^{5}tsʅ^{0}tsʰɔi^{53}kʰu^{35}fən^{21},e$_{21}$,xai^{13}ciau^{35}tiet^{5}tsʅ^{0}e$_{21}$mak^{3}ke^{53},iəu^{35}tet^{5}ȵin$^{13}_{21}$xai^{13}ciau^{35}liəu^{13}uɔŋ$^{13}_{44}$fən^{21}.kai$^{53}_{44}$ke$^{53}_{44}$ʂʅ$^{53}_{44}$n̩^{13}ciau^{35}ua$_{44}$(←a^{35})tso^{53}tek^{3}. ȵiɔŋ^{53}mən^{0}tsʅ^{0}fɔŋ^{53}xa^{53}tʰien^{13}xa$^{53}_{44}$fɔŋ^{53}xa^{53}uo^{13}tei$^{35}_{44}$xa$^{53}_{44}$çi$^{53}_{44}$lei^{0}?in^{35}uei$^{53}_{44}$ʂət^{5}fən$^{35}_{44}$ʂau^{21},so^{21}i^{35}tsʰiəu$^{53}_{44}$u^{21}tau^{21}tsɔi^{35}uo^{13}ke^{53}ʂʅ^{13}xei^{53}tsʅ^{0},kai^{53}uo^{13}iəŋ^{35}ke$^{53}_{44}$uo^{13}tei^{35}iəŋ^{35}cin^{35}xɔŋ^{53},uo^{13}iəŋ^{35}cin^{35}xɔŋ$^{53}_{44}$tsian^{21}tiet^{5}tsʅ^{0}kut^{3}tʰei^{13}fən^{21}.e$_{21}$,tsian^{21}tiet^{5}tsʅ^{0}kut^{3}tʰei^{13}fən^{21}çi$^{53}_{44}$tsɔi^{35}.tsʰiəu$^{53}_{44}$ɔn$^{35}_{44}$tso$^{53}_{44}$tsian^{21}kuət^{3}tʰei^{13}fən^{21}.

【骨头灰】kuət^{3}tʰei$^{13}_{21}$fɔi^{35} 名 动物骨骼加工成的粉末：～是就系舞倒箇个猪骨头呀，用得最多个就猪骨头牛骨头，欸，舞倒箇猪骨头箇兜舞倒来做肥料个～。箇东西唔知让门烧嘞，我只晓得爱烧下呢。爱去暗呢，安做爱去暗。箇东西暗～个时候子是辐射蛮大呀，真臭哇，喷臭哇，真难闻呐。搞就搞过，我等箇队上搞过，蛮好个肥话嘞。kuət^{3}tʰei$^{13}_{21}$fɔi^{35}ʂʅ$^{53}_{44}$tsʰiəu^{53}xe^{53}u^{21}

tau^{21}kai$^{53}_{44}$ke$^{53}_{44}$tʂəu^{35}kuət^{3} t^{h}ei^{13}ia^{0},iəŋ^{53}tek^{3} tsei^{53}to$^{35}_{44}$ke^{0} ts^{h}iəu$^{53}_{44}$tʂəu^{35}kuət^{3} t^{h}ei^{13}ɲiəu^{13}kuət^{3} t^{h}ei^{13},e$_{21}$,u^{21}tau^{21} kai$^{53}_{44}$tʂəu^{35}kuət^{3} t^{h}ei^{13}kai$^{53}_{44}$təu$^{35}_{53}$u^{21}tau^{21}ləi^{13}tso^{53}p^{h}i^{13}liau$^{53}_{44}$ke^{0} kuət^{3} t^{h}ei$^{13}_{21}$fəi^{35}.kai^{53}təŋ$^{35}_{44}$si^{0} n̩^{13}ti$^{35}_{44}$ɲiəŋ^{53}mən^{0} ʂau^{35} lei^{0},ŋai$^{13}_{21}$tʂʅ^{21}çiau^{21}tek^{3} əi^{53}ʂau^{35}xa$^{53}_{44}$nei^{0}.əi$^{53}_{21}$çi$^{53}_{44}$an^{53}nei^{0},ən$^{35}_{44}$tso$^{53}_{44}$əi$^{53}_{44}$çi$^{53}_{44}$an^{53}.kai$^{53}_{44}$təŋ$^{35}_{44}$si^{0} an^{53}kuət^{3} t^{h}ei$^{13}_{21}$fəi^{35} ke^{53}ʂʅ$^{13}_{44}$xəu$^{53}_{44}$tsʅ^{0} ʂʅ$^{13}_{44}$fuk^{5} ʂa^{53}man^{13}t^{h}ai^{53}ia^{0},tʂən^{35}tʂ^{h}əu^{53}ua^{0},p^{h}əŋ^{35}tʂ^{h}əu^{53}ua^{0},tʂən^{35}nan^{13}uən^{13}na^{0}.kau^{21}ts^{h}iəu^{53} kau^{21}ko^{0},ŋai^{13}tien^{0} kai^{3}ti^{53}xəŋ^{53}kau^{21}ko^{53},man$^{13}_{21}$xau^{21}ke^{0} p^{h}i^{13}ua$^{53}_{44}$lei^{0}.

【牯】ku^{21} ①词根，表示公牛：阉～ian^{35}ku^{21}阉过的公牛。②词根，前加某些动物名称，构成表示此类雄性动物的名词：牛～ɲiəu^{13}ku^{21}公牛｜猪～tʂəu^{35}ku^{21}公猪｜猫～miau^{53}ku^{21}公猫｜马～ma^{35}ku^{21}公马｜驴～li^{13}ku^{21}公驴。③后缀，加在表示某类人或人的某些疾病的名称后，构成表示此类人或有此疾病的人的名词，多用于男性并含贬义：贼～ts^{h}et^{5}ku^{21}小偷｜瘌痢～lait^{3}li^{35}ku^{21}对瘌头男子的贬称。④后缀，加在某些形容词性词根后，构成表示具有此特征的人的名词，多用于男性并含贬义：憨～xan^{35}ku^{21}对过于憨厚的人的贬称（一般指男性）｜癫～tien^{35}ku^{21}疯子，多用作对男性的辱骂用语｜蠢～tʂ^{h}ən^{21}ku^{21}愚笨的人。⑤后缀，加在儿童名字中的某个字后，构成儿童的乳名：欸，我问你唠，如今安～着个箇衫搭裤连做一下个安做么个衫子啊？ei$_{53}$,ŋai^{13}uən$^{53}_{44}$ɲi$^{13}_{44}$lau^{0},i$^{13}_{21}$cin$^{35}_{44}$ən^{35}ku^{21}tʂok^{3} ke$^{53}_{44}$kai$^{53}_{44}$san^{35}lau^{35}fu^{53}lien^{13}tso$^{53}_{44}$ iet^{3} xa^{53}ke$^{53}_{44}$ən$^{35}_{44}$tso$^{53}_{44}$mak^{3} (k)e$^{53}_{44}$san^{35}tsa^{0}？⑥后缀，加在某些动物名称后，无雄性义：黄鳝～uəŋ^{13} ʂen^{35}ku^{21}黄鳝｜河坝～xo^{13}pa^{53}ku^{21}一种鱼类。⑦后缀，加在某些植物名称后：藠～c^{h}iau^{35}ku^{21}藠子的别称。⑧后缀，加在某些非生命事物名称后：卒～ tsət^{3}ku^{21}中国象棋中的棋子卒

【牯头】ku^{21}t^{h}ei^{13} 后缀，加在儿童名字中的某个字后，构成儿童的乳名：欸，欸，你供哩安～以后呀，绑哩肚子么？ei$_{21}$,e$_{44}$, ɲi^{13}ciəŋ^{53}li^{0} ən^{35}ku^{21}t^{h}ei^{13}i^{35}xei^{53}ia^{0},t^{h}ak^{3} li^{0} təu^{21}tsʅ^{0} mo^{0}？

【牯子】ku^{21}tsʅ^{0} 名①前加某些动物名称，表示此类动物中的雄性：羊～iəŋ^{13}ku^{21}tsʅ^{0}公羊｜水牛～ʂei^{21}ɲiəu^{13}ku^{21}tsʅ^{0}雄性小水牛。②加在儿童名字中的某个字后，构成儿童的乳名：将～tsiəŋ^{35}ku^{21}tsʅ^{0}拜将军老爷做干爷的男孩子的小名

【鼓$_1$】ku^{21} 名打击乐器，圆柱形，中空，两头蒙皮：打～ ta^{21}ku^{21}｜扛面～k^{h}uai^{21}mien^{53}ku^{21}

【鼓$_2$】ku^{21} 动①凸起，胀大，又称“狃”：～只包 ku^{21}tʂak^{3}pau^{35}｜～起蛮高 ku^{21}çi^{21}man$^{13}_{21}$kau^{35} ②瞪大（眼睛）直视：～起眼珠 ku^{21}çi^{21}ŋau^{21}tʂəu^{35}｜眼珠～稳渠唔动 ŋan^{21}tʂəu$^{35}_{44}$ku^{21}uən$^{13}_{21}$ci$^{13}_{21}$n̩$^{13}_{21}$ t^{h}əŋ^{35}注视

【鼓槌子】ku^{21}tʂ^{h}ei^{13}tsʅ^{0} 名敲鼓用的棒：打鼓个～系渠指用钻把竹子制作呀。ta^{21}ku^{21}ke^{53}ku^{21}tʂ^{h}ei^{13}tsʅ^{0} xei^{53} ci$^{13}_{21}$ia^{0}.

【鼓架脚】ku^{21}ka^{53}ciək^{3} 名①床下部支撑柱的一种形制：有起嘞安做～呢。鼓子架个勵圆子个嘞，～呢。欸，系咁子个～，勵圆子个。～嘞就车才成呢，车滴子咁个一路一路子个沟呢，～。iəu^{35}çi^{21}lei^{0} ən$^{35}_{44}$tso$^{53}_{44}$ku^{21}ka^{53}ciək^{3} nei^{0}.ku^{21}tsʅ^{0} ka$^{53}_{44}$kei$^{53}_{44}$li^{35}ien^{13}tsʅ^{0} ke^{53}lei^{0},ku^{21}ka^{53}ciək^{3} nei^{0}.e$_{21}$,xei$^{53}_{44}$kan$^{21}_{13}$tsʅ^{0}ke^{53}ku^{21}ka^{53}ciək^{3},li^{35}ien^{13}tsʅ^{0}ke^{0}.ku^{21}ka^{53}ciək^{3} lei^{0} ts^{h}iəu^{53}tʂ^{h}a^{35}ts^{h}ai$^{13}_{53}$ʂaŋ$^{13}_{44}$nei^{0},tʂ^{h}a^{35} tiet^{5}tsʅ^{0}kan^{21}kei$^{53}_{44}$iet^{3} ləu^{53}iet^{3} ləu^{53}tsʅ^{0}ke^{0} ciei^{35}nei^{0},ku^{21}ka^{53}ciək^{3}. ②X 形腿；膝外翻：呣，我等有只箇阵子有只学生嘞，就～啊。渠个爷娭渠真系捡倒渠冇得办法哩，咁个哐啊哐哩嘞走起路来嘞。m̩$_{44}$,ŋai^{13}tien^{0} iəu^{35}tʂak^{3} kai$^{53}_{44}$tʂ^{h}ən$^{53}_{44}$tsʅ^{0} iəu^{35}tʂak^{3} xək^{5} saŋ^{35}lei^{0},ts^{h}iəu$^{53}_{44}$ku^{21}ka^{53}ciək^{3} a^{0}.ci^{13}kei^{53}ia^{13}əi$^{35}_{44}$ ci$^{13}_{21}$tʂən^{35}nei$^{53}_{44}$cian^{21}tau^{21}ci$^{13}_{21}$mau$^{13}_{21}$tek^{3} p^{h}an^{53}fait^{3} li^{0},kan^{21}ke$^{53}_{44}$k^{h}uaŋ^{13}a^{0} k^{h}uaŋ^{13}li^{0} le^{0} tsei^{21}çi$^{21}_{44}$ləu$^{13}_{44}$ləi$^{13}_{44}$le^{0}.

【鼓井】ku^{21}tsiaŋ^{21} 名吊水井：～个鼓唔系系唔系古时候个古哇还系水鼓起来个鼓？ku^{21}tsiaŋ^{21} ke^{53}ku^{21}m̩^{13}p^{h}e$^{53}_{44}$xei$^{53}_{44}$mei$^{53}_{44}$ku^{21}ʂʅ$^{13}_{21}$xei^{53}ke^{53}ku^{21}ua^{0} xai$^{13}_{21}$xe$^{53}_{44}$ʂei^{21}ku^{21}çi^{21}ləi$^{13}_{21}$ke$^{53}_{44}$ku^{21}？

【鼓皮桌】ku^{21}p^{h}i^{13}tsək^{3} 名一种四方桌，拼成桌面的木板靠边的厚，中间的薄：所谓～嘞就咁个嘞，渠箇桌咯都系指方桌，有四只脚吵，系唔系？桌面子嘞就比较大，渠不可能一筒树，一块板，冇得如今个咁个箇个胶板呶，冇得如今箇起胶板，从前呢都系几块，四五块呀，甚至成十块木板子镶在成个。欸，渠嘞就有两种做法，一种做法嘞，以映打比五……六块板样，打比以张桌咯用五六块板拼在成个桌样，五六块板都一样厚个，摎五六块板肚里以两只鬥桌脚个栏场就一样厚。欸，渠箇～嘞就系鬥桌脚个箇两块板更厚，中间个嘞更薄，以个就薄。箇几块板中间更薄个两边更厚个就安做～。同箇个打鼓样，鼓边更厚，鼓中间搧薄，就安做～。so$^{21}_{44}$uei^{53}ku^{21}p^{h}i^{13}tsək^{3} lei^{0} ts^{h}iəu^{53}kan$^{21}_{13}$cie^{53}lei^{0},ci$^{13}_{21}$kai^{53}tsək^{3} ko^{0} təu^{35}xei$^{53}_{44}$tsʅ^{21}fəŋ^{35}tsək^{3},iəu^{35}si^{53}tʂak^{3} ciək^{3} ʂa^{0},xei$^{53}_{44}$me$^{53}_{44}$?tsək^{3} mien^{53}tsʅ^{0} lei^{0} ts^{h}iəu^{53}pi^{21}ciau$^{53}_{44}$t^{h}ai^{53},ci^{13}pət^{3} k^{h}o^{21}len^{13}iet^{3} t^{h}əŋ^{13}ʂəu^{53},iet^{3} k^{h}uai^{53} pan^{21},mau^{13}tek^{3} i$^{13}_{21}$cin$^{35}_{53}$ke^{53}kan^{21}cie$^{53}_{44}$kai$^{53}_{44}$ke$^{53}_{44}$ciau^{35}pan^{21}nau^{0},mau$^{13}_{21}$tek^{3} i$^{13}_{21}$cin$^{35}_{53}$kai$^{53}_{44}$çi^{21}ciau^{35}pan^{21},ts^{h}əŋ^{13} ts^{h}ien^{13}nei^{0} təu$^{35}_{44}$xei$^{53}_{44}$ci^{21}k^{h}uai^{53},si^{53}ŋ̍^{21}k^{h}uai^{53}ia^{0},ʂən^{53}tʂʅ$^{53}_{44}$ʂaŋ$^{13}_{21}$ʂət^{5} k^{h}uai^{53}muk^{3} pan^{21}tsʅ^{0} siəŋ^{35}ts^{h}ai^{53}ʂaŋ$^{13}_{21}$

ke^0 .e$_{21}$,ci$^{13}_{21}$lei^0 tsʰiəu$^{53}_{44}$iəu$^{35}_{53}$iəŋ^{21}tʂəŋ^{21}tso^{53}fait^3,iet^3 tʂəŋ^{21}tso^{53}fait^3 lei^0,i^{21}iaŋ^{53}ta^{21}pi^{21}ŋ̍^{21}…liəuk^3 kʰuai^{53}pan^{21} iəŋ^{53},ta^{21}pi^{21}i^{21}tʂəŋ$^{35}_{53}$tsək^3 ko^0 iəŋ^{53}ŋ̍^{21}liəuk^3 kʰuai^{53}pan^{21}pʰin^{35}tsʰai^{53}ʂaŋ$^{13}_{21}$ke^0 tsək^3 iəŋ^{53},ŋ̍^{21}liəuk^3 kʰuai^{53}pan^{21} təu^{35}iet^3 iəŋ^{53}xei^{35}ke^0,lau^{35}ŋ̍^{21}liəuk^3 kʰuai^{53}pan^{21}təu^{21}li^0 i^{21}iəŋ^{21}tʂak^3 tei^{53}tsək^3 ciək^3 ke^{53}laŋ$^{13}_{44}$tʂʰəŋ$^{13}_{44}$tsʰiəu$^{53}_{44}$ iet^3 iəŋ^{53}xei^{35}.e$_{21}$,ci^{13}kai^{53}ku^{21}pʰi^{13}tsək^3 lei^0 tsʰiəu$^{53}_{44}$xei$^{53}_{44}$tei^{53}tsək^3 ciək^3 ke$^{53}_{44}$kai^{53}iəŋ^{21}kʰuai^{53}pan^{21}cien$^{53}_{44}$xei^{35},tʂəŋ^{35} kan$^{35}_{44}$ke^0 lei^0 cien$^{53}_{44}$pʰək^5,i^{21}ke$^{53}_{44}$tsʰiəu$^{53}_{44}$pʰək^5.kai^{53}ci^{21}kʰuai^{53}pan^{21}tʂəŋ^{35}kan$^{35}_{44}$cien$^{53}_{44}$pʰək^5 ke^0 iəŋ^{21}pien^{35}cien$^{53}_{44}$ xei^{35}cie^0 tsʰiəu^{53}ən$^{35}_{53}$tso^{53}ku^{21}pʰi^{13}tsək^3.tʰəŋ^{13}kai^{53}ta^{21}ku^{21}iəŋ^{53},ku^{21}pien^{35}cien$^{53}_{44}$xei^{35},ku^{21}tʂəŋ^{35}kan$^{35}_{44}$ʂen^{35}pʰək^5, tsʰiəu$^{53}_{44}$ən$^{35}_{53}$tso^{53}ku^{21}pʰi^{13}tsək^3.

【鼓眼珠】ku^{21}ŋan^{21}tʂəu$^{35}_{44}$ ①瞪着眼睛：打比样两个人讲只么个路子，系唔系？有蛮多人去箇，爱讲只么个路子，我讲啊讲哩讲倒嘞，讲倒不应该讲个也讲出来哩，箇时候子你就鼓下子我眼珠，～，鼓下子。ta^{21}pi^{21}iəŋ^{53}iəŋ^{21}ke^{53}ɲin$^{13}_{21}$kəŋ^{21}tʂak^3 mak^3 ke$^{53}_{44}$ləu^{53}tsɿ^0,xei$^{53}_{44}$me$^{53}_{44}$?iəu^{35}man$^{13}_{21}$to$^{13}_{21}$to$^{35}_{44}$ ɲin$^{13}_{21}$cʰi^{53}kai^{53},ɔi^{53}kəŋ^{21}tʂak^3 mak^3 ke^0 ləu^{53}tsɿ^0,ŋai^{13}kəŋ$^{21}_{44}$ŋa^0 kəŋ$^{21}_{44}$li^0 kəŋ^{21}tau^{21}lei^0,kəŋ^{21}tau^{21}pət^3 in^{35}kɔi$^{35}_{44}$kəŋ^{21} ke^0 ia^{35}kəŋ^{21}tʂʰət^3 lɔi^{13}li^0,kai^{53}ʂɿ$^{13}_{44}$xei$^{53}_{44}$tsɿ^0 ɲi^{13}tsʰiəu^{53}ku^{21}(x)a$^{53}_{44}$tsɿ^0 ŋai^{13}ŋan^{21}tʂəu$^{35}_{44}$,ku^{21}ŋan^{21}tʂəu$^{35}_{44}$,ku^{21}ua$^{53}_{44}$tsɿ^0. ｜鼓么个眼珠嘞？你就话出来嘞。ku^{21}mak^3 e^0 ŋan^{21}tʂəu$^{35}_{44}$lei^0 ?ɲi$^{13}_{21}$tsiəu$^{53}_{44}$ua^{53}tʂʰət^3 lɔi$^{13}_{21}$lei^0. ②对眼（两人相互对视，能保持得更久而不眨眼、不笑者胜）：两个人～iəŋ^{21}ke^{53}in$^{13}_{21}$ku^{21}ŋan^{21}tʂəu$^{35}_{44}$

【鼓子】ku^{21}tsɿ^0 名①鼓；打击乐器，圆柱形，中空，两头蒙皮：箇阵子我等人姓万个横巷里姓万个人呐，就有一套子锣鼓。箇面～嘞就最赠用倒几久。搞么个？质量差哩，质量妁哩，忒买便宜哩。欸，□钹箇兜啦，□钹呀，欸，大锣小锣啊，都还好，就箇面～赠用得几久，唔好。kai^{53}tʂʰən^{53}tsɿ^0 ŋai^{13}tien^0 ɲin$^{13}_{21}$siaŋ^{53}uan^{53}cie$^{53}_{44}$uaŋ^{13}xəŋ$^{53}_{44}$li^0 siaŋ^{53}uan^{53}cie$^{53}_{44}$ɲin^{13}na^0,tsʰiəu$^{53}_{44}$iəu^{35}iet^3 tʰau^{53}tsɿ^0 lo^{13}ku^{21}.kai^{53}mien^{53}ku^{21}tsɿ^0 lei^0 tsʰiəu$^{53}_{44}$tsei^{53}maŋ^{13}iəŋ^{53}tau^{21}ci^{21}ciəu^{21}.kau^{21}mak^3 ke^{53}?tʂət^3 liəŋ^{53}tsʰa^{35} li^0,tʂət^3 liəŋ^{53}ʂo^{13}li^0,tʰet^3 mai^{35}pʰien^{35}ɲin^{13}ni^0.e$_{21}$,tsʰet^5 pʰait^3 kai$^{53}_{44}$tei$^{35}_{44}$la^0,tsʰet^5 pʰait^3 ia^0,ei$_{21}$,tʰai^{53}lo^{13}siau^{21} lo^{13}a^0,təu^{35}xai$^{13}_{21}$xau^{21},tsʰiəu^{53}kai^{53}mien^{53}ku^{21}tsɿ^0 maŋ^{13}iəŋ^{53}tek^3 ci^{21}ciəu^{21},m̩^{13}xau^{21}. ②物体上形似鼓的部分：风车～fəŋ^{35}tʂʰa^{35}ku^{21}tsɿ^{0}风车上鼓风用的圆形部分

【鼓子门】ku^{21}tsɿ^{0}mən^{13} 名周围厚中间薄的门扇：好，牵涉倒嘞箇个门个做法，门，像以起箇门，中间个……门边更厚，以两条树更厚，以中间搧薄子，甚至以映打只缲，箇个门箇起嗯只爱薄板子钉下去，系啊？箇就安做～。xau^{21},cʰien^{35}ʂət^3 tau$^{21}_{44}$lei^0 kai$^{53}_{44}$ke$^{53}_{44}$mən^{13}ke^0 tso^{53}fait^3,mən^{13}, tsʰiəŋ^{53}i^{21}çi^{21}kai$^{53}_{44}$mən^{13},tʂəŋ^{35}kan$^{35}_{44}$ke^0 …mən^{13}pien^{35}cien^{53}xei^{35},i^{21}iəŋ^{21}tʰiau^{13}ʂəu^{53}cien^{53}xei^{35},i^{21}tʂəŋ^{35}kan$^{35}_{44}$ ʂen^{35}pʰək^5 tsɿ^0,ʂən$^{53}_{44}$tʂɿ$^{53}_{44}$i^{21}iaŋ^{53}ta^{21}tʂak^3 tsʰiau^{35},kai^{53}ke^{53}mən^{13}kai^{53}çi^{21}en^0 tʂɿ^{21}ɔi$^{53}_{44}$pʰək^5 pan^{21}tsɿ^0 taŋ^{35}ŋa$^{53}_{44}$ çi^{53},xei$^{53}_{44}$a^0?kai$^{53}_{44}$tsʰiəu^{53}ən$^{35}_{44}$tso$^{53}_{44}$ku^{21}tsɿ^{0}mən^{13}.

【股】ku^{21} 量指喷出或涌出的液体：一～泉水 iet^{3}ku^{21}tsʰan^{13}ʂei^{21}

【盬】ku^{21} 量指用盬子装的东西：一～酒 iet^{3}ku^{21}tsiəu^{21}｜一～油 iet^{3}ku^{21}iəu^{13}｜盬子唠，我等就用箇个塑料盬子装水呀，一～水呀。ku^{21}tsɿ^{0}lau^0,ŋai^{13}tien^0 tsʰiəu^{53}iəŋ^{53}kai^{53}ke^{53}sək^3 liau^{53}ku^{21}tsɿ^0 tʂəŋ^{35} ʂei^{21}ia^0,iet^3 ku^{21}ʂei^{21}ia^0.

【盬子$_1$】ku^{21}tsɿ^0 名用来装油品的圆形大铁桶：以前是就冇得以咁个么啊～，冇得箇装油箇只。i^{35}tsʰien^{13}ʂɿ$^{53}_{44}$tsʰiəu^{53}mau^{13}tek^3 i^{21}kan^{21}ke^{53}mak^3 a^0 ku^{21}tsɿ^0,mau^{13}tek^3 kai$^{53}_{44}$tʂəŋ$^{35}_{44}$iəu^{13}kai$^{53}_{44}$tʂak^3.

【盬子$_2$】ku^{21}tsɿ^0 量指用盬子装的东西：提一～酒哇。tʰia^{35}iet^{3}ku^{21}tsɿ^{0}tsiəu^{21}ua^0.｜到井边去提～水呀。tau^{53}tsiaŋ^{21}pien$^{35}_{44}$çi^{53}tʰia^{35}ku^{21}tsɿ^{0}ʂei^{21}ia^0.

【故事】ku^{53}sɿ^{53} 名有情节、有头有尾，用作讲述的传说中的旧事或杜撰的事情：如果系生活当中个事嘞箇就唔安做～。打比正讲个话箇只人得只病个，欸讲只事你听哩欸。讲只事你听哩欸。欸讲只～你听哩嘞箇就好像唔系生活当中实实在在个事。讲只～你听哩啊，就讲只以前个传说当中欸对喔～你听嘞。ɥ^{13}ko^{21}xə$_{44}$(←xei^{53})sien^{35}xəit^5 təŋ$^{35}_{44}$tʂəŋ$^{35}_{44}$ke$^{53}_{44}$sɿ^{53}lei^0 kai$^{53}_{44}$tsʰiəu$^{53}_{44}$m̩$^{13}_{21}$ mən$^{35}_{44}$tso$^{53}_{44}$ku^{53}sɿ$^{53}_{21}$.ta^{21}pi^{21}tʂaŋ^{53}kəŋ^{21}ke$^{53}_{44}$ua^{53}kai^{53}tʂak^3 ɲin^{13}tek^3 tʂak^3 pʰiaŋ^{53}ke$^{53}_{44}$,e$_{44}$kəŋ^{21}(tʂ)ak^3 sɿ^{53}ɲi$^{13}_{21}$tʰaŋ^{35} lie^0 .kəŋ^{21}tʂak^3 sɿ^{53}ɲi$^{13}_{21}$tʰaŋ^{35}lie^0 .e$_{21}$kəŋ^{21}tʂak^3 ku^{53}sɿ^{53}ɲi$^{13}_{21}$tʰaŋ^{35}li^0 le^0 kai$^{53}_{44}$tsʰiəu$^{53}_{44}$xau^{21}tsʰiəŋ$^{53}_{44}$m̩$^{13}_{21}$pʰe^{53}sien^{35} xəit^5 təŋ^{35}tʂəŋ^{35}ʂət^5 ʂət^5 tsʰai^{53}tsʰai^{53}ke$^{53}_{21}$sɿ^{53} .kəŋ^{21}tʂak^3 ku^{53}sɿ^{53}ɲi$^{13}_{21}$tʰaŋ^{35}lia^0 ,tsʰiəu^{53}kəŋ^{21}tʂak^3 i^{35}tsʰien^{13}ke$^{53}_{44}$ tʂʰuan^{13}ʂuo$_{44}$təŋ$_{44}$tʂəŋ$^{35}_{44}$e$_{53}$tei^{53}uo^0 ku^{53}sɿ$^{53}_{44}$ɲi$^{13}_{21}$tʰaŋ$^{35}_{44}$lei^0.

【故意】ku^{53}i^{53} 副有意识地：箇～搞倒（擂钵）箇个壁上噢，搞倒有咁个欸粗糙个，～搞倒粗糙。kai$^{53}_{44}$ku^{53}i^{53}kau^{21}tau^{21}kai^{53}ke$^{53}_{44}$piak^3 xəŋ^{53}ŋa^0 ,kau^{21}tau^{21}iəu$^{35}_{44}$kan^{21}kei$^{53}_{44}$e$_{21}$tsʰəu^{35}tsʰau^{53}ke$^{53}_{21}$,ku^{53}i$^{53}_{44}$kau^{21} tau^{21}tsʰəu^{35}tsʰau^{53}.

【瓜蒌壳】kua^{35}liau^{21}kʰək^3 名晾干的鸭屎瓜，即中药栝楼实：鸭屎瓜个籽呃箇结个箇果实欸，

同箇甜瓜咁大子，就安做鸭屎瓜。欸，又做得药。壳壳嘞就～。ait^{3} ʂʅ^{21}kua^{35}ke^{53}tsʅ^{21}ə$_{21}$kai^{53}ciet^{3} ke$^{53}_{44}$kai$^{53}_{44}$ko^{21}ʂət^{5} e$_{21}$,t^{h}əŋ^{13}kai$^{53}_{44}$t^{h}ien^{13}kua$^{35}_{44}$kan^{21}t^{h}ai^{53}tsʅ^{0},ts^{h}iəu$^{53}_{21}$ɔn$^{35}_{53}$tso^{53}ait^{3} ʂʅ^{21}kau^{35}.e$_{21}$,iəu$^{53}_{44}$tso^{53}tek^{3} iɔk^{5}, k^{h}ɔk^{3} k^{h}ɔk^{3} lei^{0} ts^{h}iəu$^{53}_{44}$kua^{35}liau^{21}k^{h}ɔk^{3}.

【瓜蓼籽】kua^{35}liau^{21}tsʅ^{21} [名]鸭屎瓜的种子，即中药栝楼仁：（鸭屎瓜）肚里个籽嘞就安做～。təu^{21}li^{0} ke^{53}tsʅ^{21}lei^{0} ts^{h}iəu$^{53}_{44}$ɔn$^{35}_{44}$tso$^{53}_{44}$kua^{35}liau^{21}tsʅ^{21}.

【瓜黐】kua^{35}ɲia^{13} [名]牵连；瓜葛：我就冇得么个～嘞以只事嘞，我一清二白嘞。ŋai^{13}ts^{h}iəu^{53} mau$^{13}_{21}$tek^{3} mak^{3} e^{0} kua^{35}ɲia$^{13}_{21}$le^{0} i^{21}tʂak^{3} sʅ^{53}le^{0},ŋai$^{13}_{21}$iet^{3} ts^{h}in^{35}ɲi^{53}p^{h}ak^{5} le^{0}.

【瓜勺】kua^{35}ʂɔk^{5} [名]瓜瓢；将瓠瓜对半剖开做成的舀水或取东西的工具：以前我等以映就蛮多，我等屋下都尽用～以前就。以下冇人用了，冇么人用了。蛮好啦，箇种～蛮好啦。飘轻子。轻快。当然更环保嘛，系唔系？i$^{35}_{53}$ts^{h}ien^{13}ŋai$^{13}_{21}$tien^{0} i$^{13}_{21}$iaŋ^{53}ts^{h}iəu^{53}man$^{13}_{21}$to$^{35}_{44}$,ŋai$^{13}_{21}$tien^{0} uk^{3} xa$^{53}_{44}$təu$^{35}_{44}$ ts^{h}in^{53}iəŋ^{53}kua$^{35}_{44}$ʂɔk^{5} i$^{35}_{53}$ts^{h}ien^{13}ts^{h}iəu$^{53}_{44}$.i^{21}xa^{53}mau^{13}ɲin$^{13}_{44}$iəŋ^{53}liau^{0} ,mau^{13}mak^{3} in$^{13}_{44}$iəŋ^{53}liau^{0} .man^{13}xau^{21} la^{0} ,kai^{53}tʂəŋ^{21}kua$^{35}_{44}$ʂɔk^{5} man^{13}xau^{21}la^{0} .p^{h}iau^{35}c^{h}iaŋ$^{35}_{44}$tsʅ^{0} .c^{h}iaŋ^{35}k^{h}uai^{53}.təŋ$^{35}_{44}$vien$^{13}_{21}$cien^{53}fan^{13}pau^{21}ma^{0} ,xei$^{53}_{44}$ me$^{53}_{44}$?

【瓜籽】kua^{35}tsʅ^{21} [名]向日葵的种子：来食兜剥～。lɔi^{13}ʂət^{5} tei$^{35}_{53}$pɔk^{3} kua^{35}tsʅ^{21}.｜冇么个事，坐倒来剥～。mau$^{13}_{21}$mak^{3} e^{0} sʅ$^{53}_{44}$,ts^{h}o$^{35}_{44}$tau$^{21}_{44}$lɔi$^{13}_{21}$pɔk^{3} kua$^{35}_{44}$tsʅ^{21}.

【瓜子】kua^{35}tsʅ^{0} [名]①瓜类植物：种得比较迟个～就安做秋瓜子呢。tʂəŋ^{53}tek^{3} pi^{21}ciau$^{53}_{44}$tʂ^{h}ʅ^{13}ke$^{53}_{44}$ kua^{35}tsʅ^{0} ts^{h}iəu$^{53}_{44}$ɔn$^{35}_{44}$tso$^{53}_{44}$ts^{h}iəu^{35}kua^{35}tsʅ^{0} nei^{0}. ②瓜类植物的果实：咬腌制，凉拌～，咬倒个～。ŋau^{21} kua^{35}tsʅ^{0},ŋau^{21}tau^{21}ke^{53}kua^{35}tsʅ^{0}.

【刮】kuait^{3} [动]①扫拂、平削物体表面，以去掉、带走物体表面某些东西：～皮 kuait^{3}p^{h}i^{13}｜同我～净下子胡子啊！t^{h}əŋ^{13}ŋai$^{13}_{44}$kuait^{3} ts^{h}iaŋ^{53}(x)a$^{53}_{21}$tsʅ^{0} u^{13}tsa^{0}！②（风）吹：～起箇西北风啊。kuait^{3} çi$^{21}_{44}$kai$^{53}_{44}$si^{35}pɔit^{3} fəŋ$^{35}_{44}$ŋa^{0}.

【刮胡子】kuait^{3} u^{13}tsʅ^{0} ①用刀子去除胡子：剃胡子又安做～。t^{h}e^{53}u^{13}tsʅ^{0} iəu^{53}ɔn^{53}tso^{53}kuait^{3} u^{13}tsʅ^{0}. ②比喻训斥、责骂：以只事你繒办得好，爱惹～。i^{21}tʂak^{3} sʅ^{53}ɲi$^{13}_{21}$maŋ$^{13}_{21}$p^{h}an^{53}tek^{3} xau^{21},ɔi$^{53}_{44}$ɲia^{35} kuait^{3} u^{13}tsʅ^{0}.

【刮浅】kuait$^{3}_{5}$ ts^{h}ien^{21} [形]很浅：箇丘田呢～个。(k)ai$^{53}_{21}$c^{h}iəu^{35}t^{h}ien$^{13}_{21}$ne^{0} kuait$^{3}_{5}$ ts^{h}ien^{21}ke^{53}.

【刮痧】kuait^{3} sa^{35} [动]民间治疗某些疾患的一种方法。用铜钱等物蘸水或油刮患者的胸背和颈部等处，使局部皮肤充血，减轻病情：～系有喔，见过，我唔知渠让门刮个去哩，唔记得哩，我只记得看倒咯别人家个手上啊或者以个颈筋上嘞，系吧？系唔系？欸，背上啊，刮起箇鲜红。～。kuait^{3} sa$^{35}_{44}$xei$^{53}_{44}$iəu^{35}uo^{0} ,cien^{53}ko$^{53}_{44}$,ŋai$^{13}_{21}$n̩^{13}ti$^{35}_{53}$ci$^{13}_{44}$ɲiɔŋ^{53}mən^{0} kuait^{3} ke^{0} çi^{53}li^{0} ,n̩^{13}ci^{53}(t)ek^{3} li^{0} ,ŋai$^{13}_{21}$ tʂʅ^{21}ci^{53}tek^{3} k^{h}ɔn^{53}tau$^{21}_{44}$ko^{0} p^{h}iet^{5} in$^{13}_{21}$ka$^{35}_{44}$ke^{0} ʂəu^{21}xɔŋ^{53}ŋa^{0} xɔit^{5} tʂa^{21}i^{21}kei^{53}ciaŋ^{21}cin$^{35}_{44}$xɔŋ^{53}le^{0} ,xei^{53}pa^{0} ?xei^{53} me^{53}?e$_{21}$,pɔi^{53}xɔŋ^{53}ŋa^{0} ,kuait^{3} çi$^{21}_{44}$kai$^{53}_{44}$çien^{35}fəŋ$^{13}_{21}$.kuait^{3} sa$^{35}_{44}$.

【刮瘦】kuait^{3} sei^{53} [形]①人或动物很瘦：～个猪嫲 kuait^{3} sei^{53}ke$^{53}_{21}$tʂəu^{35}ma$^{13}_{21}$｜长又长得～～个人呢……就舞倒渠去搞前井后梢。tʂɔŋ^{21}iəu$^{53}_{44}$tʂɔŋ^{21}tek^{3} kuait^{5} sei^{53}kuait^{5} sei^{53}ke$^{53}_{44}$ɲin$^{13}_{21}$ne^{0} …ts^{h}iəu$^{53}_{44}$u^{21}tau^{21} ci$^{13}_{21}$çi$^{53}_{44}$kau^{21}ts^{h}ien^{13}tsiaŋ^{21}xei^{53}sau^{35}. ②（田地）十分贫瘠：一块土栽哩两三年麦子，硬～个箇块土，十分扯肥。iet^{3} k^{h}uai^{53}t^{h}əu^{21}tsɔi^{35}li^{0} iɔŋ^{21}san$^{35}_{44}$ɲien^{13}mak^{5} tsʅ^{0}, ɲiaŋ^{53}kuait^{5} sei^{53}ke^{0} kai$^{53}_{44}$k^{h}uai$^{53}_{44}$t^{h}əu^{21}, ʂət^{5} fən$^{35}_{44}$tʂ^{h}a^{21}p^{h}i^{13}.

【刮醒】kuait^{5} siaŋ^{21} [形]状态词。①形容云开雾散的样子：天上个云～个了。开头就一饽一饽啊，以兜下散开来哩，就安做～个嘞。散开来哩，冇得哩啊。t^{h}ien^{35}xɔŋ$^{53}_{44}$ke$^{53}_{44}$in^{13}kuait^{5} siaŋ^{21}ke^{53} liau^{0} .k^{h}ɔi^{35}t^{h}ei$^{13}_{21}$ts^{h}iəu$^{53}_{44}$iet^{3} p^{h}ɔk^{5} iet^{3} p^{h}ɔk^{5} a^{0} ,i^{21}təu$^{35}_{44}$xa^{53}san^{53}k^{h}ɔi^{35}lɔi$^{13}_{21}$li^{0} ,ts^{h}iəu$^{53}_{44}$ɔn$^{35}_{44}$tso$^{53}_{44}$kuait^{5} siaŋ^{21}ke^{53} lei^{0} .san^{53}k^{h}ɔi^{35}lɔi$^{13}_{21}$li^{0} ,mau^{13}tek^{3} li^{0} a^{0}. ②形容心里豁然开朗的感觉：嗯，打比有兜事情呐，总想都想唔动，系唔系？你讲一番呶，我硬～个了，嗯，我就～个了。n̩$_{21}$,ta^{21}pi^{21}iəu^{35}te$^{35}_{44}$sʅ^{53}ts^{h}in$^{13}_{21}$ na^{0} ,tsəŋ^{21}siɔŋ^{21}təu$^{35}_{53}$siɔŋ^{21}n̩$^{13}_{21}$t^{h}əŋ^{35},xei^{53}me^{53}?ɲi^{13}kɔŋ^{21}iet^{3} fan^{35}nau^{0} ,ŋai^{13}ɲiaŋ$^{53}_{44}$kuait^{5} siaŋ^{21}cie^{53}liau^{0} ,n̩$_{21}$,ŋai$^{13}_{21}$ ts^{h}iəu$^{53}_{44}$kuait^{5} siaŋ^{21}cie$^{53}_{44}$liau^{0}.

【刮斩】kuait^{5} tsan^{21} [形]状态词。很脆，非常容易断裂：蛮多树都～个，杨梅树也刮欸杨梅树更唔凑，么个树还有么个树～个？箇个么个桐子树哇～个唠，桐子树哇也～个哦，欸，箇胖桐树是更唔爱讲啊，～个，箇都□攀爬唔得。man^{13}to$^{35}_{44}$ʂəu^{53}təu$^{35}_{44}$kuait^{5} tsan^{21}cie^{53},iɔŋ^{13}mɔi$^{13}_{21}$ʂəu^{53}a$^{35}_{44}$kuait^{5} e^{0} iɔŋ^{13}mɔi$^{13}_{21}$ʂəu^{53}cien^{53}n̩$^{13}_{21}$ts^{h}e^{0} ,mak^{3} e^{0} ʂəu^{53}xai$^{13}_{21}$iəu$^{35}_{53}$mak^{3} e^{0} ʂəu^{53}kuait^{5} tsan^{21}cie$^{53}_{44}$?kai$^{53}_{44}$ke$^{53}_{44}$mak^{3} kei$^{53}_{44}$t^{h}əŋ^{13} tsʅ^{0} ʂəu$^{53}_{44}$ua^{0} kuait^{5} tsan^{21}cie^{53}lau^{0} ,t^{h}əŋ^{13}tsʅ^{0} ʂəu^{53}ua^{0} ia^{35}kuait^{5} tsan^{21}cie^{53}o^{0} ,e$_{21}$,kai$^{53}_{44}$p^{h}aŋ^{53}t^{h}əŋ^{13}ʂəu^{53}ʂʅ$^{53}_{44}$cien^{53}

m̩$^{13}_{21}$moi^{53}kɔŋ^{21}ŋa^{0},kuait^{5} tsan^{21}cie$^{53}_{44}$,kai$^{53}_{44}$təu^{35}c^{h}iet^{5} n̩$^{13}_{21}$tek^{3}.

【刮子】kuait^{3} tsɿ^{0} 名用以扫拂、平削物体表面，以去掉、带走物体表面某些东西的工具：渠还有一只～啦，砻刮子啦。ci$^{13}_{21}$xai^{13}iəu$^{35}_{53}$iet^{3} tʂak^{3} kuait^{3} tsɿ^{0} la^{0} ,ləŋ^{13}kuait^{3} tsɿ^{0} la^{0}.｜以只～就一刮下过。i^{21}tʂak^{3} kuait^{3} tsɿ^{0} tsiəu$^{53}_{44}$iet^{3} kuait^{3} xa$^{53}_{44}$ko$^{53}_{44}$.

【剐】kua^{21} 动①剥离：你就箇个欸青蛙啊，蛇啊，就爱～皮。ɲi$^{13}_{21}$tsiəu$^{53}_{44}$kai$^{53}_{44}$ke$^{53}_{44}$e$_{21}$ts^{h}in$^{35}_{44}$ua$^{35}_{44}$a^{0} ,ʂe^{13}a^{0} ,ts^{h}iəu$^{13}_{21}$ɔi^{53}kua^{21}p^{h}i^{13}. ②刨去瓜果的表皮：最原始个方法就用镬铲去刨嘞，咁子去～嘞。tsei^{53}vien^{13}ʂɿ^{21}ke$^{53}_{44}$fɔŋ$^{35}_{44}$fait^{3} ts^{h}iəu$^{53}_{44}$iəŋ$^{53}_{44}$uɔk^{5} ts^{h}an^{21}çi^{53}p^{h}au$^{13}_{21}$lei^{0} ,kan^{21}tsɿ^{0} çi^{53}kua^{21}nei^{0}. ③用尖锐的东西划破：放松油就～破皮嘞。fɔŋ^{53}sɔŋ^{35}iəu$^{13}_{21}$ts^{h}iəu^{53}kua^{21}p^{h}o^{53}p^{h}i$^{13}_{44}$le^{0}. ④被尖锐的东西划破：～只口子 kua^{21}tʂak^{3} xei^{21}tsɿ^{0}。⑤刮去，刨掉：随你哪只狗，～哩毛以后，爱放下火上去燂。ts^{h}i^{13}ɲi$^{13}_{44}$lai^{53} tʂak^{3} kei^{21},kua^{21}li^{0} mau^{35}i$^{35}_{44}$xei^{53},ɔi$^{53}_{44}$fɔŋ^{53}ŋa$^{53}_{44}$fo^{21}xɔŋ^{53}çi^{53}t^{h}an^{13}.

【寡白】kua^{21}p^{h}ak^{5} 形煞白；无血色：箇年我摎我老婆去看长沙博物馆，马王堆女尸。我话："嗬，箇只女尸个面上啊～个啦。"系啊？～个吵。我老婆话，渠话就像么个样啊，就像箇个晒个苦瓜干样。箇苦瓜就绿个子吵，系唔系？绿绿子或者白个子吵。一焯一到，切嘿开来放下水肚里焯一到，舞倒去晒，就咁个，～。箇蛮形象，嗯，欸，就像晒个苦瓜干样。又茶毁，系茶毁个。kai^{53}ɲien$^{13}_{21}$ŋai^{13}lau$^{35}_{44}$ŋai$^{13}_{21}$lau^{21}p^{h}o^{13}çi^{53}k^{h}ɔn^{53}tʂ^{h}ɔŋ^{13}sa$^{35}_{44}$pɔk^{3} uk^{5} kɔn^{21},ma^{35}uɔŋ$^{13}_{21}$tɔi^{35}ɲy^{21}ʂɿ$^{35}_{44}$.ŋai^{13} ua^{53}:"xo$_{53}$,kai$^{53}_{44}$tʂak^{3} ɲy^{21}ʂɿ$^{35}_{44}$ke$^{53}_{44}$mien^{53}xɔŋ^{53}a^{0} kua^{21}p^{h}ak^{5} ke^{53}la^{0}."xei^{53}a^{0} ?kua^{21}p^{h}ak^{5} ke^{53}ʂa^{0}.ŋai$^{13}_{21}$lau^{21}p^{h}o$^{13}_{44}$ ua$^{53}_{44}$,ci$^{13}_{21}$(u)a$^{53}_{44}$ts^{h}iəu^{53}ts^{h}iɔŋ^{53}mak^{3} ke^{53}iɔŋ$^{53}_{44}$ŋa^{0} ,ts^{h}iəu^{53}ts^{h}iɔŋ^{53}kai$^{53}_{44}$ke$^{53}_{44}$sai^{53}ke$^{53}_{44}$fu^{21}kua$^{35}_{44}$kɔn^{35}iɔŋ^{53}.kai$^{53}_{44}$fu^{21} kua^{35}ts^{h}iəu$^{53}_{21}$liəuk^{5} ke^{0} tsɿ^{0} ʂa^{0} ,xei$^{53}_{44}$me$^{53}_{44}$?liəuk^{5} liəuk^{5} tsɿ^{0} xɔit^{5} tʂa^{21}p^{h}ak^{5} ke^{0} tsɿ^{0} ʂa^{0} .iet^{3} tʂ^{h}ɔk^{3} iet^{3} tau^{53},ts^{h}iet^{3} (x)ek^{3} k^{h}ɔi$^{35}_{44}$lɔi$^{13}_{44}$fɔŋ^{53}xa^{53}ʂei^{21}təu^{21}li^{0} tʂ^{h}ɔk^{3} iet^{3} tau^{53},u^{21}tau^{21}çi$^{53}_{44}$sai^{53},ts^{h}iəu^{53}kan^{21}ke^{53},kua^{21}p^{h}ak^{5}.kai^{53}man$^{13}_{21}$ çin$^{13}_{21}$siɔŋ^{53},n̩$_{21}$,e$_{21}$,ts^{h}iəu^{53}ts^{h}iɔŋ^{53}sai^{53}ke^{0} fu^{21}kua$^{35}_{44}$kɔn^{35}iɔŋ^{53}.iəu^{53}ɲiait^{5} tsiəu^{53},xei$^{53}_{44}$ɲiait^{5} tsiəu^{53}ke^{0}.

【寡妇】kua^{21}fu^{53} 名死了丈夫的女子。又称"守寡个"：～门前是非多啊。kua^{21}fu^{53}mən^{13}ts^{h}ien$^{13}_{21}$ ʂɿ^{53}fei$^{35}_{44}$to^{35}a^{0}.｜我等人客姓人做红喜事个时候子，讨新人个时候子，确实对～有兜子歧视。但是唔多讲出来，唔多想渠欸总跍倒箇个抛头露面，尤其系重要个场合箇兜，打比样爱去送嫁，～就你就莫去好哩，哈，你就莫去好哩。欸，昨晡讲哩欸爱当伴郎伴娘个话，系唔系？伴娘啊，欸，去接新人呐，欸，去牵新人呐，～你就莫想，系只～，你爱自家爱懂味，爱知趣。ŋai^{13}tien^{0} ɲin$^{13}_{44}$k^{h}ak^{3} sin^{53}ɲin$^{13}_{44}$tso^{53}fəŋ^{13}çi^{21}sɿ^{0} ke$^{53}_{44}$ʂɿ^{13}xəu$^{53}_{44}$tsɿ^{0} ,t^{h}au^{21}sin^{35}ɲin$^{13}_{21}$ke$^{53}_{44}$ʂɿ^{13}xəu$^{53}_{44}$tsɿ^{0} ,k^{h}ɔk^{3} ʂət^{5} tei^{53}kua^{21}fu$^{53}_{44}$iəu^{35}tei$^{35}_{53}$tsɿ^{0} c^{h}i^{13}ʂɿ^{53}.tan$^{53}_{44}$ʂɿ$^{13}_{44}$n̩^{13}to$^{35}_{53}$kɔŋ^{21}tʂ^{h}ət^{3} lɔi$^{13}_{21}$,n̩^{13}to$^{35}_{53}$siɔŋ^{21}ci$^{13}_{44}$e$_{21}$tsəŋ^{21}k^{h}u^{35}tau^{21}kai$^{53}_{44}$kei$^{53}_{44}$ p^{h}au^{35}t^{h}ei$^{13}_{21}$ləu$^{53}_{44}$mien^{53},iəu^{35}c^{h}i$^{13}_{44}$xei$^{53}_{44}$tʂ^{h}əŋ^{53}iau$^{53}_{44}$kei$^{53}_{44}$tʂ^{h}ɔŋ^{21}xɔit^{5} kai$^{53}_{44}$tei$^{35}_{53}$,ta^{21}pi^{21}iɔŋ$^{53}_{44}$ɔi^{53}çi$^{53}_{44}$səŋ^{53}ka^{53},kua^{21} fu$^{53}_{44}$ts^{h}iəu$^{53}_{44}$ɲi$^{13}_{21}$tsiəu$^{53}_{44}$mɔk^{5} çi^{53}xau^{21}li^{0} ,xa$_{35}$, ɲi$^{13}_{21}$tsiəu$^{53}_{44}$mɔk^{5} çi^{53}xau^{21}li^{0} .e$_{21}$,ts^{h}o^{35}pu$^{35}_{53}$kɔŋ^{21}li^{0} e$_{21}$ɔi^{53}tɔŋ^{35}p^{h}ɔn^{53} nɔŋ^{13}p^{h}ɔn^{53}ɲiɔŋ^{13}ke$^{53}_{44}$fa^{53},xei^{53}me^{53}?p^{h}ɔn^{53}ɲiɔŋ^{13}ŋa^{0} ,e$_{21}$,çi^{53}tset^{3} sin^{35}ɲin$^{13}_{21}$na^{0} ,e$_{21}$,çi$^{53}_{44}$c^{h}ien^{35}sin^{35}ɲin$^{13}_{21}$na^{0} ,kua^{21} fu$^{53}_{44}$ɲi$^{13}_{21}$tsiəu$^{53}_{44}$mɔk^{5} siɔŋ^{21},xei^{53}tʂak^{3} kua^{21}fu$^{53}_{44}$, ɲi^{13}ɔi$^{53}_{44}$ts^{h}ɿ^{35}ka$^{35}_{44}$ɔi$^{53}_{44}$təŋ^{21}uei^{53},ɔi$^{53}_{44}$tʂɿ$^{35}_{44}$ts^{h}i^{53}.

【寡辣】kua^{21}lait^{5} 形油盐少且辣：～子个辣 kua^{21}lait^{5} tsɿ^{0} ke$^{53}_{44}$lait^{5}

【寡辣辣哩】kua^{21}lait^{5} lait^{5} li^{0} 形状态词。①形容油盐少且辣的味道：我昨晡炒个箇碗菜，昨晡我炒碗么……苦瓜，欸，放兜辣椒嘞盐又放少哩油又放少哩，结果炒起食起～，冇兜味道。ŋai$^{13}_{21}$ts^{h}o$^{35}_{44}$pu$^{35}_{53}$ts^{h}au^{21}ke$^{53}_{44}$kai^{53}uɔn^{21}ts^{h}ɔi^{53},ts^{h}o$^{35}_{44}$pu$^{35}_{53}$ŋai$^{13}_{21}$ts^{h}au^{21}uɔn^{21}mak^{3} …fu^{21}kua$^{35}_{44}$,e$_{21}$,fɔŋ^{53}tei$^{35}_{44}$lait^{5} tsiau$^{35}_{44}$ lei^{0} ian^{13}iəu^{53}fɔŋ^{53}ʂau^{21}li^{0} iəu^{13}iəu^{53}fɔŋ^{53}ʂau^{21}li^{0} ,ciet^{3} ko$^{21}_{44}$ts^{h}au^{21}çi$^{21}_{44}$ʂət^{5} çi$^{21}_{44}$kua^{21}lait^{5} lait^{5} li^{0} ,mau^{13}tei$^{35}_{44}$uei^{53} t^{h}au^{53}. ②形容语言表达缺乏实质内容和真情实感：箇只人今晡讲箇番话唔知讲兜么个，～。kai^{53}tʂak^{3}ɲin$^{13}_{21}$cin$^{35}_{44}$pu$^{35}_{44}$kɔŋ^{21}kai$^{53}_{21}$fan$^{35}_{44}$fa^{53}n̩^{13}ti^{53}kɔŋ^{21}tei$^{35}_{44}$mak^{3} ke$^{53}_{44}$,kua^{21}lait^{5} lait^{5} li^{0}.

【挂$_{1}$】kua^{53} 动①借助钩子、绳索、钉子等使物体附着于高处或连到另一物体上：～下箇屋上噢，箇猪肉一坨一坨～起来哟。kua^{53}xa$^{53}_{44}$kai$^{53}_{44}$uk^{3} xɔŋ^{53}ŋau^{0} ,kai$^{53}_{44}$tʂəu^{35}ɲiəuk^{3} iet^{3} t^{h}o^{13}iet^{3} t^{h}o$^{13}_{21}$kua^{53} çi^{21}lɔi$^{13}_{21}$iau^{0}. ②划破：箇到去斫竹，走下岭上，唔知分么个东西～破哩皮，搞倒我呀做哩祸，以个手上啊还做哩祸。kai^{53}tau^{53}çi^{53}tʂɔk^{3} tʂəuk^{3} ,tsei$^{21}_{44}$(x)a$^{53}_{44}$liaŋ$^{35}_{44}$xɔŋ$^{53}_{44}$,n̩^{13}ti$^{35}_{53}$pən$^{35}_{44}$mak^{3} e^{0} təŋ$^{35}_{44}$si^{0} kua^{53} p^{h}o^{53}li^{0} p^{h}i^{13},kau^{21}tau$^{21}_{44}$ŋai$^{13}_{44}$ia^{0} tso$^{53}_{21}$li^{0} fo^{53},i^{21}ke^{53}ʂəu^{21}xɔŋ^{53}ŋa^{0} xai$^{13}_{21}$tso$^{53}_{21}$li^{0} fo^{53}.

【挂$_{2}$】kua^{53} 量①用于穿在绳上成串的东西，尤指穿满的一串：有滴整得咁长子个就一～，一～爆竹，细细个就一～。挂起来个挂呀。iəu^{35}tet^{5} tʂən^{21}tek^{3} kan^{21}tʂ^{h}ɔŋ^{13}tsɿ^{0} ke$^{53}_{44}$ts^{h}iəu$^{53}_{44}$iet^{3} kua^{53},iet^{3} kua^{53}pau^{53}tʂəuk^{3},sei$^{53}_{44}$sei^{53}ke$^{53}_{21}$ts^{h}iəu$^{53}_{21}$iet^{3} kua^{53}.kua^{53}çi^{21}lɔi$^{13}_{21}$ke$^{53}_{21}$kua^{53}ia^{0}.｜侧边个人都打～子爆竹。tsek^{3} pien$^{35}_{44}$ke$^{53}_{44}$in$^{13}_{21}$təu^{35}ta^{21}kua$^{53}_{44}$tsɿ^{0} pau^{53}tʂəuk^{3}.｜（爆竹）结成一～～，□长一～～。ciet^{3} ʂaŋ$^{13}_{44}$ iet^{3} kua^{53}kua^{53},lai$^{35}_{44}$tʂ^{h}ɔŋ$^{13}_{21}$iet^{3} kua^{53}kua^{53}. ②用于悬挂起来使用的东西：泥水师傅爱舞～挂尺。lai^{13}

ʂei^{21}sɿ$^{35}_{44}$fu$^{53}_{44}$ɔi$^{53}_{44}$u^{21}kua$^{53}_{21}$kua^{53}tʂʰa$^{35}_{21}$. ③用于编扎在一起的东西：一～排子 iet^{3}kua^{53}pʰai^{13}tsɿ^{0}。④用于成套的假牙：冇哩换，重新做一～活动个（假牙），活动个，花四千多块钱做一～活动个。mau^{13}li^{0}uɔn^{53},tʂʰəŋ^{13}sin$^{35}_{44}$tso^{53}iet^{3}kua^{53}uɔit^{5}tʰəŋ$^{35}_{44}$ke^{0},xɔit^{5}tʰəŋ$^{35}_{44}$ke^{0},fa^{35}si^{53}tsʰien$^{35}_{44}$to$^{35}_{44}$kʰuai^{53}tsʰien$^{13}_{21}$tso^{53}iet^{3}kua^{53}xɔit^{5}tʰəŋ^{53}ke^{0}.

【挂表】kua^{53}piau^{21} [名]怀表：拆箇个～嘿拆倒冇哩滴用噢。tsʰak^{3}kai$^{53}_{44}$ke$^{53}_{44}$kua^{53}piau^{21}xek^{3}tsʰak^{3}tau^{21}mau$^{13}_{21}$li^{0}tiet^{5}iəŋ$^{53}_{21}$au^{0}.

【挂尺】kua^{53}tʂʰak^{3} [名]一种泥工用尺：欸，筑个时候子又还爱箇个啦，欸，泥水师傅爱舞挂～。就爱爱爱渠搞出线来呀。欸搞正当来呀。～。e$_{21}$,tʂəuk^{3}ke^{53}ʂɿ^{13}xəu$^{53}_{44}$tsɿ^{0}lei^{0}iəu$^{53}_{44}$xai$^{13}_{21}$ɔi$^{53}_{44}$kai^{53}ke$^{53}_{44}$la^{0},e$_{21}$,lai^{13}ʂei^{21}sɿ$^{35}_{44}$fu$^{53}_{44}$ɔi$^{53}_{44}$u^{21}kua$^{53}_{21}$kua^{53}tʂʰa$^{35}_{21}$.tsʰiəu$^{53}_{44}$ɔi^{53}ɔi^{53}ɔi^{53}ci$^{13}_{21}$kau^{21}tʂʰət^{5}sien^{53}nɔi$^{13}_{21}$ia^{0}.e$_{21}$kau^{21}tʂən^{53}təŋ^{53}lɔi$^{13}_{21}$ia^{0}.kua^{53}tʂʰak^{3}.

【挂地】kua^{53}tʰi^{53} [动]扫墓。又称"铲地、挂山"：我等横巷里年年都二月初二就挂众地，～。先挂众上个，再挂私人个。因为二月初二就安做开土地门。箇晡起，到清明止，都可以～。清明就最后一天，清明过哩就唔～了。ŋai^{13}tien^{0}uaŋ^{13}xɔŋ^{53}li^{0}ɲien^{13}ɲien$^{13}_{44}$təu$^{35}_{44}$ɲi^{53}ɲiet^{5}tsʰɿ$^{35}_{44}$ɲi^{53}tsʰiəu$^{53}_{21}$kua^{53}tʂəŋ^{53}tʰi$^{53}_{44}$,kua$^{53}_{44}$tʰi^{53}.sen^{35}kua$^{53}_{44}$tʂəŋ^{53}xɔŋ$^{53}_{44}$ke^{0},tsai^{53}kua^{53}sɿ^{35}uən$^{13}_{21}$ke^{53}.in^{35}uei$^{53}_{44}$ɲi^{53}ɲiet^{5}tsʰɿ^{35}ɲi^{53}tsʰiəu$^{53}_{44}$ɔn$^{35}_{44}$tso$^{53}_{44}$kʰɔi^{35}tʰəu^{21}tʰi^{53}mən^{13}.kai^{53}pu^{35}çi^{21},tau^{53}tsʰin^{35}min$^{13}_{21}$tʂɿ^{21},təu^{35}kʰo^{21}i$^{35}_{44}$kua^{53}tʰi^{53}.tsʰin^{35}min$^{13}_{21}$tsʰiəu$^{53}_{44}$tsei^{53}xei^{53}iet^{3}tʰien^{35},tsʰin^{35}min$^{13}_{21}$ko^{53}li^{0}tsʰiəu^{53}n̩^{13}kua^{53}tʰi^{53}liau^{0}.

【挂耳】kua^{53}ɲi^{21} [名]偏旁部首中左耳刀和右耳刀的通称：欸，就你系姓陈个陈字就系～嘞。e$_{21}$,tsʰiəu$^{53}_{44}$ɲi^{13}xei$^{53}_{44}$siaŋ^{53}tʂʰən$^{13}_{21}$ke^{0}tʂʰən^{13}tsʰɿ$^{53}_{44}$tsiəu$^{53}_{44}$xei$^{53}_{44}$kua^{53}ɲi^{21}le^{0}.

【挂钩】kua^{53}ciei^{35} [名]用来挂猪肉等的铁钩子：也还有挂猪肉个钩钩哟。挂下箇屋上噢，箇猪肉一坨一坨挂起来哟。三四只钩哟，欸，顶高。就系挂猪肉个钩呀，～呀。就～呀，挂猪肉个。做厨个人就爱用咁个。ia$^{35}_{44}$xai$^{13}_{21}$iəu$^{35}_{44}$kua^{53}tʂəu$^{35}_{44}$ɲiəuk^{3}ke$^{0}_{21}$ciei^{35}ciei^{35}iau^{0}.kua^{53}xa$^{53}_{44}$kai$^{53}_{44}$uk^{3}xɔŋ^{53}ŋau^{0},kai$^{53}_{44}$tʂəu^{35}ɲiəuk^{3}iet^{3}tʰo^{13}iet^{3}tʰo$^{13}_{21}$kua^{53}çi^{21}lɔi$^{13}_{21}$iau^{0}.san^{35}si^{53}tʂak^{3}ciei^{35}iau^{0},ei$_{21}$,taŋ^{21}kau$^{35}_{44}$.tsʰiəu$^{53}_{44}$xei$^{53}_{44}$kua^{53}tʂəu^{35}ɲiəuk^{3}ke$^{53}_{21}$ciei^{35}ia^{0},kua^{53}ciei^{35}ia^{0}.tsʰiəu$^{53}_{44}$kua^{53}ciei^{35}ia^{0},kua^{53}tʂəu^{35}ɲiəuk^{3}ke^{53}.tso^{53}tʂʰəu$^{13}_{21}$ke^{53}ɲin$^{13}_{44}$tsʰiəu$^{53}_{44}$ɔi$^{53}_{44}$iəŋ^{53}kan^{21}cie^{53}.

【挂谷踏】kua^{53}kuk^{3}tʰait^{5} 不用砻去掉稻壳，而是直接将稻谷放入碓中去舂：如果唔用砻，唔砻咯，就安做～呢。就舞倒箇谷去踏呀，去碓踏呀。咁子嘞箇米真易得碎。嗯，糠多哩。损失大哩。y^{13}ko^{21}n̩^{13}iəŋ^{53}ləŋ^{13},n̩^{13}ləŋ^{13}ko^{0},tsʰiəu$^{53}_{44}$ɔn$^{35}_{44}$tso$^{53}_{44}$kua^{53}kuk^{3}tʰait^{5}nei^{0}.tsʰiəu^{53}u^{21}tau^{21}kai^{53}kuk^{3}çi^{53}tʰait^{5}ia^{0},çi^{53}tɔi^{53}tʰait^{5}ia^{0}.kan$^{21}_{13}$tsɿ^{0}lei^{0}kai^{53}mi^{21}tʂən^{35}i^{53}tek^{3}si^{53}.n̩$_{21}$,xɔŋ^{35}to$^{35}_{44}$li^{0}.sən^{21}ʂət^{3}tʰai^{53}li^{0}.

【挂面胡子】kua^{53}mien^{53}u^{13}tsɿ^{0} [名]络腮胡子：两边，同箇马克思样，咁个就～。箇阵我等学……摎我教书个一只老师，我等喊是喊叔公啊，一口个～。渠到哪只剃头铺哩一坐么，箇个剃头铺哩个师傅都都喊啥凑。又粗又多，渠个胡子，又长得快，胡子又多。一口个～从以映耳朵背生起，又粗又多，～。iɔŋ^{21}pien^{35},tʰəŋ^{13}kai$^{53}_{44}$ma^{35}kʰek^{3}sɿ^{35}iɔŋ^{53},kan$^{21}_{13}$ke$^{53}_{44}$tsiəu$^{53}_{44}$kua^{53}mien^{53}u^{13}tsɿ^{0}.kai$^{53}_{44}$tʂʰən^{53}ŋai^{13}tien^{0}xɔk…lau^{35}ŋai$^{13}_{21}$kau$^{35}_{44}$ʂəu^{35}ke^{0}iet^{3}tʂak^{3}lau^{21}sɿ$^{35}_{44}$,ŋai^{13}tien^{0}xan^{53}ʂɿ$^{53}_{21}$xan^{53}ʂəuk^{3}kəŋ^{35}ŋa^{0},iet$^{3}_{5}$xei^{21}ke^{0}kua^{53}mien$^{53}_{44}$u^{13}tsɿ^{0}.ci^{13}tau^{53}lai^{53}tʂak^{3}tʰe^{53}tʰei^{13}pʰu^{53}li^{0}iet^{3}tsʰo^{35}me^{0},kai^{53}ke^{53}tʰe^{53}tʰei$^{13}_{21}$pʰu^{53}li^{21}ke^{53}sɿ^{35}fu^{53}təu$^{35}_{53}$təu$^{35}_{44}$xan^{53}ʂa^{21}tsʰe^{0}.iəu^{35}tsʰɿ^{35}iəu^{53}to^{35},ci^{13}ke^{53}u^{13}tsɿ^{0},iəu^{53}tʂəŋ^{21}tek^{3}kʰuai^{53},u^{13}tsɿ^{0}iəu^{53}to^{35}.iet$^{3}_{5}$xei^{21}ke^{0}kua^{53}mien$^{53}_{44}$u^{13}tsɿ^{0}tsʰəŋ$^{13}_{21}$i^{21}iaŋ^{53}ɲi^{21}to^{21}pɔi^{53}saŋ^{35}çi^{21},iəu^{53}tsʰɿ^{35}iəu^{53}to^{35},kua^{53}mien^{53}u^{13}tsɿ^{0}.

【挂念】kua^{53}ɲian^{53} [动]心中系念；牵挂：走远哩就会～爷姩哟，系唔系？我跍下浏阳，跍倒浏阳以到跍咁多晡啊𫜦归来，我是长日都～倒我只姩子唔知让门个。tsei^{21}ien^{21}ni^{0}tsʰiəu^{53}uɔi^{53}kua^{53}ɲian^{53}ia^{13}ɔi^{35}io^{0},xei$^{53}_{44}$me$^{53}_{44}$?ŋai^{13}ku$^{35}_{53}$a^{0}liəu$^{13}_{21}$iɔŋ$^{13}_{21}$,ku$^{35}_{53}$tau^{21}liəu^{13}iɔŋ$^{13}_{44}$i^{21}tau^{53}ku^{35}kan^{21}to$^{35}_{44}$pu^{35}a^{0}maŋ$^{13}_{21}$kuei^{35}lɔi$^{13}_{21}$,ŋai$^{13}_{44}$ʂɿ$^{53}_{44}$tʂʰɔŋ$^{13}_{21}$ɲiet^{3}təu$^{35}_{53}$kua^{53}ɲian$^{53}_{44}$tau$^{21}_{44}$ŋai$^{13}_{21}$tʂak^{3}ɔi^{35}tsɿ^{0}n̩$^{13}_{21}$ti$^{35}_{44}$ɲiɔŋ$^{53}_{44}$mən$^{13}_{44}$ke^{53}.

【挂山】kua^{53}san^{35} [动]扫墓。又称"挂地"：清明～ tsʰin^{35}min$^{13}_{21}$kua^{53}san^{35}｜江西人就话挂纸呢。我等唔讲挂纸，唔讲，讲～，挂地。江西人就挂纸，渠峺背峺背就渠等就讲挂纸。kɔŋ^{35}si$^{35}_{44}$ɲin$^{13}_{44}$tsʰiəu$^{53}_{44}$ua$^{53}_{44}$kua^{53}tʂɿ^{21}nei^{0}.ŋai$^{13}_{21}$tien^{0}n̩$^{13}_{21}$kɔŋ^{21}kua$^{53}_{44}$tʂɿ$^{21}_{44}$,ŋ̍$^{13}_{21}$kɔŋ^{21},kɔŋ^{21}kua^{53}san^{35},kua^{53}tʰi^{53}.kɔŋ^{35}si$^{35}_{44}$ɲin$^{13}_{44}$tsʰiəu$^{53}_{44}$kua^{53}tʂɿ^{21},ci^{13}cien^{53}pɔi$^{53}_{44}$cien^{53}pɔi$^{53}_{44}$tsʰiəu$^{53}_{44}$ci$^{13}_{21}$tien^{0}tsʰiəu$^{53}_{44}$kɔŋ^{21}kua^{53}tʂɿ^{21}.

【褂子】kua^{53}tsɿ^{0} [名]衬衫。又称"衬衣褂子"：肚里着件～，外背着件罩衫，（背褡）掌下肚里。təu^{21}li^{0}tʂɔk^{3}cʰien$^{53}_{44}$kua^{53}tsɿ^{0},ŋɔi^{53}pɔi$^{53}_{44}$tʂɔk^{3}cʰien$^{53}_{44}$tsau^{53}san^{35},tsʰaŋ^{53}ŋa$_{44}$(←a^{35})təu^{21}li^{0}.

【乖】kuai^{35} [形]①（小孩）听话：我等箇只细孙子我带倒渠更～呢。渠姩子带倒嘞长日真多事头呢。渠会卡渠啊。我带倒嘞，我就会依渠啊。真～，真听我个话。ŋai^{13}tien^{0}kai^{53}(tʂ)ak^{3}sei^{53}

G

sən$^{35}_{44}$tsɿ^{0}ŋai^{13}tai^{53}tau^{21}ci$^{13}_{44}$cien^{53}kuai^{35}nei^{0}.ci$^{13}_{21}$ɔi^{35}tsɿ^{0}tai^{53}tau^{21}lei^{0}tʂʰɔŋ^{13}ɲiet^{5}tʂən$^{35}_{44}$to$^{35}_{44}$sɿ^{53}tʰei$^{13}_{21}$nei^{0}.ci^{13}uɔi^{53}kʰa^{21}ci$^{13}_{44}$a^{0}.ŋai^{13}tai^{53}tau^{21}lei^{0},ŋai^{13}tsʰiəu^{53}uɔi^{53}i^{35}ci$^{13}_{21}$a^{0}.tʂən^{35}kuai^{35},tʂən^{35}tʰaŋ$^{35}_{44}$ŋai^{13}ke$^{53}_{44}$ua^{53}. ②身体状况好，多用否定形式，用于孩童：细人子打伤风啊又话：“欸，我箇只孙子唔～。” se^{53}ɲin$^{13}_{44}$tsɿ^{0}ta^{21}ʂaŋ^{35}fəŋ$^{35}_{44}$ŋa^{0}iəu$^{53}_{44}$ua$^{53}_{44}$:"e$_{53}$,ŋai^{13}kai^{53}tʂak^{3}sən$^{35}_{44}$tsɿ^{0}n̩^{13}kuai^{35}."

【乖张】kuai^{35}tʂɔŋ^{35} 形聪明伶俐：细人子嘞只爱冇么个病痛，渠就唔知几～。细人子病哩唔偷懒，细人子唔偷懒呐安做啦，唔偷懒，只爱冇么个病痛渠就唔知几～。sei^{53}ɲin$^{13}_{21}$tsɿ^{0}lei^{0}tʂʅ^{21}ɔi^{53}mau$^{13}_{21}$mak^{3}e^{0}pʰiaŋ^{53}tʰəŋ^{53},ci$^{13}_{21}$tsʰiəu$^{53}_{44}$n̩^{13}ti$^{35}_{53}$ci^{21}kuai$^{35}_{44}$tʂɔŋ$^{35}_{44}$.sei^{53}ɲin$^{13}_{44}$tsɿ^{0}pʰiaŋ^{53}li^{0}n̩^{13}tʰɔi$^{35}_{44}$lan^{35},sei^{53}ɲin$^{13}_{44}$tsɿ^{0}n̩^{13}tʰɔi$^{35}_{44}$lan^{35}na^{0}ɔn$^{35}_{44}$tso^{53}la^{0},n̩^{13}tʰɔi$^{35}_{44}$lan^{35},tʂʅ^{21}ɔi^{53}mau^{13}mak^{3}ke^{0}pʰiaŋ^{53}tʰəŋ^{53}ci$^{13}_{21}$tsʰiəu^{53}n̩^{13}ti$^{35}_{53}$ci^{21}kuai$^{35}_{44}$tʂɔŋ$^{35}_{44}$.

【拐$_{1}$】kuai^{21} 动用诈术骗走人或财物：箇个呢箇我等箇有只学生呢一只妹子嘞一只学生妹子嘞，你话打工打工呢，就分人贩子～走哩啰。kai$^{53}_{44}$ke$^{53}_{44}$nei^{0}kai$^{53}_{44}$ŋai^{13}tien^{0}kai$^{53}_{44}$iəu^{35}tʂak^{3}xɔk^{5}saŋ$^{35}_{44}$nei^{0}iet^{3}tʂak^{3}mɔi^{53}tsɿ^{0}lei^{0}iet^{3}tʂak^{3}xɔk^{5}saŋ$^{35}_{44}$mɔi^{53}tsɿ^{0}lei^{0}, ɲi^{13}ua^{53}ta^{21}kəŋ$^{35}_{44}$ta^{21}kəŋ$^{35}_{44}$nei^{0},tsʰiəu$^{53}_{44}$pən$^{35}_{53}$ɲin^{13}fan^{53}tsɿ^{0}kuai^{21}tsei^{21}li^{0}lo^{0}.

【拐$_{2}$】kuai^{21} 形①吝啬，小气。又称“啬毛、啮”：如今个细人子真古怪，又有么人教，但是真～。渠到哩手个东西，你别么人就莫想拿得倒，莫拿得走。箇个唔知几大方个，么个东西都会拿分别人家个细子蛮少。哪只都到哩渠手里个东西就你就莫想拿得倒了，就真～。又有么人教。i$^{13}_{21}$cin$^{35}_{44}$kei$^{53}_{44}$sei^{53}ɲin$^{13}_{21}$tsɿ^{0}tʂən^{35}ku^{21}kuai^{53},iəu^{53}mau$^{13}_{21}$mak^{3}in$^{13}_{44}$kau^{35},tan^{53}ʂʅ^{53}tʂən^{35}kuai^{21}.ci^{13}tau^{53}li^{0}ʂəu^{21}ke$^{53}_{44}$təŋ$^{35}_{44}$si^{0}, ɲi^{13}pʰiet^{5}mak^{3}in$^{13}_{44}$tsʰiəu$^{53}_{44}$mɔk^{5}siɔŋ^{21}la^{53}tek^{3}tau^{21},mɔk^{5}la^{53}tek^{3}tsei^{21}.kai^{53}ke$^{53}_{44}$n̩^{13}ti$^{35}_{53}$ci^{21}tʰai^{53}fɔŋ^{35}ŋe^{0},mak^{3}e^{0}təŋ$^{35}_{44}$si^{0}təu$^{35}_{44}$uɔi$^{53}_{44}$la^{53}pən$^{35}_{44}$pʰiet^{5}in$^{13}_{21}$ka$^{35}_{44}$ke^{0}se^{53}tsɿ^{0}man^{13}ʂau^{21}.lai^{53}tʂak^{3}təu$^{35}_{44}$tau^{53}li^{0}ci$^{13}_{21}$ʂəu^{21}li^{0}ke^{0}təŋ$^{35}_{44}$si^{0}tsiəu$^{53}_{21}$ɲi$^{13}_{21}$tsʰiəu$^{53}_{44}$mɔk^{5}siɔŋ^{21}la^{53}tek^{3}tau^{21}liau^{0},tsiəu$^{53}_{44}$tʂən^{35}kuai^{21}.iəu^{53}mau$^{13}_{21}$mak^{3}in$^{13}_{21}$kau^{35}. ②糟糕：以下老嘿哩了，慢一跤跌哩中风是～咁哩噢。i^{21}xa^{53}lau^{21}xek^{3}li^{0}liau^{0},man$^{53}_{44}$iet^{3}kau$^{35}_{44}$tet^{3}li^{0}tʂəŋ$^{53}_{44}$fəŋ^{35}ʂʅ^{53}kuai^{21}kan^{21}li^{0}au^{0}.

【拐髀】kuai^{21}pi^{21} 名油撞中部将其悬挂起来的装置：中间就两只人打～，～就咁子顶高吊哇下来个，就箇承稳以只东西，安做打～。中间两只人也死命用劲呐。tʂəŋ^{35}kan$^{35}_{44}$tsʰiəu^{53}iɔŋ^{21}tʂak^{3}ɲin$^{13}_{44}$ta^{21}kuai^{21}pi^{21},kuai^{21}pi^{21}tsʰiəu^{53}kan^{21}tsɿ^{0}taŋ^{21}kau$^{35}_{44}$tiau^{53}ua^{0}xa^{53}lɔi$^{13}_{21}$ke^{0},tsʰiəu^{53}kai^{53}ʂən^{13}uən^{21}i^{21}tʂak^{3}təŋ$^{35}_{44}$si^{0},ɔn$^{35}_{53}$tso^{53}ta^{21}kuai^{21}pi^{21}.tʂəŋ^{35}kan^{53}iɔŋ^{21}tʂak^{3}ɲin$^{13}_{44}$ia$^{35}_{44}$si^{21}miaŋ^{53}iəŋ$^{53}_{44}$cin^{53}na^{0}.

【拐带】kuai^{21}tai^{53} 动拐骗；诱拐：箇我等老家箇映有只人，我是一讲起去浏阳坐车归咯两个小时咯，我就记得我等箇映有只人个老婆啊，分一只邻舍，箇只邻舍嘞，邻舍箇只男子人呐，箇邻舍箇男子人系学生呢，如今都冇老婆嘞，呀分箇邻舍箇只男子人呢～到长沙去哩啰。箇只男子人冇老婆。欸，渠个老公晓得哩，以只夫娘子个老公晓得哩，透夜，透夜啦，就系夜了哇，骑单车骑下浏阳啊，亏哩渠啊。骑下浏阳赠寻倒，又骑，骑下长沙，赠骑到，硬骑唔动哩啊唔知让门子。跍下路上过一夜，第二晡啊第三晡正归来。只老婆嘞箇好得箇老婆估计系跟倒箇只箇男子人赠搞倒几久就归来哩。我就觉想起我就长日想起去浏阳咁快咯，系唔系？如今坐车咁快，我就想起箇只人，亏哩渠哟，骑乘单车夜嘎哩去下浏阳去，夜晡骑下浏阳赠寻倒，唔知让门子分渠晓得，渠又跑下长沙去哩。又夜嘎哩又跑哇又跑哇，赠到长沙凑，赠到。冇哪寻哩。箇老婆跟倒别人家走嘿哩，分别人家～嘿哩。kai^{53}ŋai^{13}tien^{0}nau^{21}cia$^{35}_{44}$kai$^{53}_{44}$iaŋ$^{53}_{44}$iəu$^{35}_{44}$tʂak^{3}ɲin$^{13}_{21}$,ŋai^{13}ʂʅ^{53}iet^{3}kɔŋ^{21}çi^{21}çi^{53}liəu^{13}iɔŋ$^{13}_{44}$tsʰo$^{35}_{44}$tʂʰa^{35}kuei$^{35}_{44}$ko^{0}iɔŋ^{21}ke^{53}siau^{21}ʂʅ^{13}ko^{0},ŋai$^{13}_{21}$tsʰiəu$^{53}_{44}$ci^{53}tek^{3}ŋai^{13}tien^{0}kai$^{53}_{44}$iaŋ$^{53}_{44}$iəu$^{35}_{44}$tʂak^{3}ɲin^{13}ke^{53}lau^{21}pʰo$^{13}_{21}$a^{0},pən^{35}iet^{3}tʂak^{3}lin^{13}ʂa^{53},kai^{53}tʂak^{3}lin^{13}ʂa^{53}lei^{0},lin^{13}ʂa^{53}kai^{53}tʂak^{3}lan^{13}tsɿ^{0}ɲin^{13}na^{0};kai^{53}lin^{13}ʂa^{53}kai^{53}lan^{13}tsɿ^{0}ɲin^{13}xei$^{53}_{44}$xɔk^{5}saŋ$^{35}_{44}$nei^{0},i$^{13}_{21}$cin$^{35}_{53}$təu$^{35}_{53}$mau$^{13}_{21}$lau^{21}pʰo$^{13}_{44}$le^{0},ia^{0}pən$^{35}_{44}$kai$^{53}_{44}$lin^{13}ʂa$^{53}_{44}$kai^{53}(tʂ)ak^{3}lan^{13}tsɿ^{0}ɲin^{13}ne^{0}kuai^{53}tai^{53}tau^{53}tʂʰɔŋ^{13}sa$^{35}_{44}$çi^{53}li^{0}lo^{0}.kai^{53}tʂak^{3}lan^{13}tsɿ^{0}ɲin$^{13}_{44}$mau^{13}lau^{21}pʰo$^{13}_{44}$.e$_{21}$,ci^{13}ke^{53}lau^{21}kəŋ$^{35}_{44}$çiau^{21}tek^{3}li^{0},i^{21}tʂak^{3}pu^{35}ɲiɔŋ$^{13}_{44}$tsɿ^{0}(k)e^{0}lau^{21}kəŋ$^{35}_{53}$çiau^{21}tek^{3}li^{0},tʰei^{53}ia^{53},tʰei^{53}ia^{53}la^{0},tsiəu$^{53}_{44}$xei$^{53}_{44}$ia^{53}liau^{21}ua^{0},cʰi$^{13}_{21}$tan^{35}tʂʰa^{35}cʰi$^{13}_{21}$(x)a$^{53}_{44}$liəu^{13}iɔŋ^{13}ŋa^{0},kʰuei^{35}li^{0}ci$^{13}_{44}$a^{0}.cʰi^{13}(x)a$^{53}_{44}$liəu^{13}iɔŋ^{13}maŋ^{13}tsʰin^{13}tau$^{53}_{44}$,iəu^{53}cʰi^{13},cʰi^{13}(x)a$^{53}_{44}$tʂʰɔŋ^{13}sa$^{35}_{44}$,maŋ^{13}cʰi^{13}tau^{53}, ɲiaŋ^{53}cʰi$^{13}_{21}$n̩$^{13}_{21}$tʰəŋ^{35}li^{0}a^{0}n̩^{13}ti$^{35}_{44}$ɲiɔŋ^{53}mən$^{13}_{44}$tsɿ^{0}.ku$^{35}_{44}$(x)a$^{53}_{44}$lu^{53}(x)ɔŋ$^{53}_{21}$ko^{53}(i)et^{3}ia^{53},tʰi$^{53}_{44}$ɲi^{53}pu^{35}a^{0}tʰi$^{53}_{44}$san^{35}pu$^{35}_{44}$tʂaŋ$^{53}_{44}$kuei^{35}lɔi$^{13}_{21}$.tʂak^{3}lau^{21}pʰo^{13}lei^{0}kai^{53}xau^{21}tek^{3}kai^{53}lau^{21}pʰo$^{13}_{21}$ku^{21}ci^{53}(x)e$^{53}_{21}$cien$^{35}_{44}$tau$^{21}_{44}$kai^{53}tʂak^{3}kai$^{53}_{44}$lan$^{13}_{44}$tsɿ^{0}ɲin$^{13}_{44}$maŋ^{13}kau^{21}tau^{21}ci^{21}ciəu^{21}tsiəu^{53}kuei^{35}lɔi$^{13}_{21}$li^{0}.ŋai^{13}tsʰiəu^{53}kɔk^{3}siɔŋ^{21}çi^{21}ŋai^{13}tsʰiəu^{53}tʂʰɔŋ^{13}(ɲ)iet^{3}siɔŋ^{21}çi$^{21}_{44}$çi^{53}liəu^{13}iɔŋ$^{13}_{44}$kan^{21}kʰuai^{53}ko^{0},xei$^{53}_{44}$me$^{53}_{44}$?i$^{13}_{21}$cin$^{35}_{44}$tsʰo$^{35}_{44}$tʂʰa^{35}kan^{21}kʰuai^{53},ŋai^{13}tsʰiəu^{53}siɔŋ^{21}çi^{21}kai^{53}tʂak^{3}ɲin$^{13}_{21}$,kʰuei^{35}li^{0}ci$^{13}_{21}$io^{0},cʰi^{13}ʂən^{13}tan$^{35}_{44}$tʂʰa$^{35}_{44}$ia^{53}ka^{0}li^{0}cʰi^{13}(x)a^{53}liəu^{13}iɔŋ^{13}çi^{53},ia^{53}pu$^{35}_{44}$cʰi$^{13}_{44}$(x)a$^{53}_{44}$liəu$^{13}_{21}$iɔŋ$^{13}_{21}$maŋ^{13}tsʰin^{13}tau^{21},n̩$^{13}_{21}$ti$^{35}_{44}$ɲiɔŋ$^{53}_{44}$mən^{13}tsɿ^{0}pən^{35}ci$^{13}_{21}$çiau^{21}tek^{3},ci$^{13}_{44}$iəu$^{53}_{44}$pʰau^{21}(x)a$^{53}_{44}$tʂʰɔŋ$^{13}_{21}$sa$^{35}_{44}$çi^{53}li^{0}.iəu^{53}ia^{53}ka^{0}li^{0}iəu^{53}pʰau^{21}ua^{0}iəu^{53}pʰau^{21}ua^{0},maŋ^{13}tau^{53}tʂʰɔŋ^{13}

sa$^{35}_{44}$tsʰe^{0} ,maŋ^{13}tau^{53} .mau^{13}lai^{53}tsʰin^{13}ni^{0} .kai$^{53}_{44}$lau^{21}pʰo$^{13}_{44}$cien^{35}tau^{21}pʰiet^{5} in$^{13}_{44}$ka$^{35}_{44}$tsei^{21}xek^{3} li^{0} ,pən$^{35}_{44}$pʰiet^{5} in$^{13}_{44}$(k)a$^{35}_{44}$kuai^{21}tai^{53}(x)ek^{3} li^{0}.

【拐蟆念子】kuai^{21}ma^{13}ɲian^{53}tsɿ^{0} 名蝌蚪：我细细子就搞过一回咁个路子呢，我壁背就一管水，系啊？一只子水凼子，壁背有只水凼。箇水凼肚里嘞就有～。嗬，我等分兜么个分渠食，嗯，分箇只水凼嘞作高来，欸，有管泉水呀，欸水凼作高来，搞兜么个分渠食，系啊？分箇～食。～唔食么个咯，渠唔食么个。总看得倒唠凑。哦嗬，渠背过一只都冇哩唠，下变成哩拐子跑净哩啊。欸如今还记得。嘿～下跑净哩呶，冇得哩唠。我话哪去哩？哦嗬，以冇晓变做拐子跑咁哩。ŋai$^{13}_{21}$se^{53}se^{53}tsɿ^{0} tsʰiəu$^{53}_{44}$kau^{21}ko^{53}(i)et^{3} fei$^{13}_{21}$kan^{21}(k)e$^{53}_{44}$ləu^{53}tsɿ^{0}nei^{0} ,ŋai$^{13}_{44}$piak^{3} pɔi$^{53}_{44}$tsʰiəu^{53}iet^{3} kuɔn^{21}ʂei^{21},xei$^{53}_{44}$a^{0} ?iet^{3} tʂak^{3} tsɿ^{0} ʂei^{21}tʰɔŋ^{53}tsɿ^{0},piak^{3} pɔi$^{53}_{44}$iəu$^{35}_{44}$tʂak^{3} ʂei^{21}tʰɔŋ^{53}.kai$^{53}_{44}$ʂei^{21}tʰɔŋ^{53}təu^{21}li^{0} lei^{0} tsʰiəu$^{53}_{44}$iəu$^{35}_{53}$kuai^{21}ma^{13}ɲian^{53}tsɿ^{0}.xo$_{53}$,ŋai$^{13}_{21}$tien^{0} pən$^{35}_{44}$tei$^{35}_{44}$mak^{3} e^{0} pən$^{35}_{44}$ci$^{13}_{21}$ʂɔt^{5} ,n̩$_{21}$,pən^{35}kai^{53}(tʂ)ak^{3} ʂei^{21}tʰɔŋ^{53} lei^{0} tsɔk^{3} kau^{35}lɔi$^{13}_{44}$,e$_{21}$,iəu$^{35}_{53}$kɔn^{21}tsʰan^{13}ʂei^{21}ia^{0} ,e$_{53}$ʂei^{21}tʰɔŋ^{53}tsɔk^{3} kau^{35}lɔi$^{13}_{44}$,kau^{21}tei$^{35}_{44}$mak^{3} e^{0} pən$^{35}_{44}$ci$^{13}_{21}$ʂɔt^{5} ,xei$^{53}_{44}$ a^{0} ?pən$^{35}_{44}$kai^{53}kuai^{21}ma^{13}ɲian^{53}tsɿ^{0} ʂɔt^{5} .kuai^{21}ma^{13}ɲian^{53}tsɿ^{0} n̩^{13}ʂɔt^{5} mak^{3} e^{0} ko^{0} ,ci$^{13}_{21}$n̩^{13}ʂɔt^{5} mak^{3} ke^{53} .tsəŋ^{21}kʰɔn^{53} tek^{3} tau^{21}lau^{0} tsʰe^{0} .o$_{44}$xo$_{53}$,ci$^{13}_{21}$pɔi^{53}ko^{53}iet^{3} tʂak^{3} təu$^{35}_{53}$mau$^{13}_{21}$li^{0} lau^{0} ,xa^{53}pien^{35}tʂʰaŋ$^{13}_{21}$li^{0} kuai^{21}tsɿ^{0} pʰau^{21}tsʰiaŋ^{53} ni^{0} a^{0} .ei$_{44}$i$^{13}_{21}$cin$^{35}_{44}$xai$^{13}_{44}$ci^{53}tek^{3} .xei$_{21}$kuai^{21}ma^{13}ɲian^{53}tsɿ^{0} xa^{53}pʰau^{21}tsʰiaŋ^{53}ni^{0} nau^{0} ,mau$^{13}_{21}$tek^{3} li^{0} lau^{0} .ŋai^{13}ua$^{53}_{44}$ lai^{53}çi$^{53}_{44}$li^{0} ?əu$_{53}$xəu$_{53}$,i$^{21}_{13}$mau$^{13}_{44}$çiau$^{21}_{44}$pien^{53}tso^{53}kuai^{21}tsɿ^{0} pʰau^{21}kan^{21}ni^{0}.

【拐子】kuai^{21}tsɿ^{0} 名青蛙；蛤蟆：点伢大子个～ tian^{53}ŋa$^{13}_{44}$tʰai^{53}tsɿ^{0} ke$^{53}_{21}$kuai^{21}tsɿ^{0} ｜对门么个叫，～叫。ti^{53}mən^{13}mak^{3} ke^{53}ciau^{53},kuai^{21}tsɿ^{0} ciau^{53}.

【怪$_{1}$】kuai^{53} 动抱怨，责怪：莫～哈！mo$^{53}_{44}$kuai^{53}xa^{0}！别见怪啊！

【怪$_{2}$】kuai^{53} 形奇异；不平常：怪里怪气呢，箇就讲冇滴人脾气～。kuai^{53}li^{0} kuai^{53}çi^{53}ne^{0} ,kai$^{53}_{35}$ tsʰiəu$^{53}_{44}$kɔŋ^{21}iəu^{35}tet$^{5}_{3}$ɲin$^{13}_{21}$pʰi^{13}çi$^{53}_{44}$kuai^{53}.

【怪里怪气】kuai^{53}li^{0} kuai^{53}çi^{53} 形状态词。（脾气）怪：～呢，箇就讲冇滴人脾气怪，～。唔系么啊古怪，唔系么啊奇怪个意思。kuai^{53}li^{0} kuai^{53}çi^{53}ne^{0} ,kai$^{53}_{35}$tsʰiəu$^{53}_{44}$kɔŋ^{21} iəu^{35}tet$^{5}_{3}$ɲin$^{13}_{21}$pʰi^{13}çi$^{53}_{44}$ kuai^{53},kuai^{53}li^{0} kuai^{53}çi^{53}.m̩$^{13}_{21}$pʰe$^{53}_{44}$mak^{3} a^{0} ku^{21}kuai^{53},m̩$^{13}_{21}$pʰe$^{53}_{44}$mak^{3} a^{0} cʰi^{13}kuai^{53}ke$^{53}_{44}$i^{53}sɿ^{0} .

【怪起】kuai^{53}çi^{21} 动抱怨，责怪：莫～哩哈！mɔk^{5} kuai^{53}çi^{21}li^{0} xa^{0}！别见怪啊！

【关】kuan^{35} 动①使开着的物体合拢：分门一～ pən^{35}mən$^{13}_{21}$iet^{3} kuan^{35}。②关押，禁闭：～下班房里。kuan^{35}na$_{44}$(←xa^{53})pan^{35}fɔŋ$^{13}_{21}$li^{0}.

【关板子】kuan^{35}pan^{21}tsɿ^{0} 指旧时店铺将门板依次安上，准备歇业：以前箇个铺子是就冇得如今箇卷闸门呐，系啊？玻璃门也冇得啦，尽用尽系咁个木板子销下去个门呐。到哩挨夜子了就分箇板子关起来，～，就关店了，关店门了。i^{35}tsʰien^{13}kai$^{53}_{44}$(k)e$^{53}_{44}$pʰu^{53}tsɿ^{0} ʂɿ$^{53}_{44}$tsiəu$^{53}_{44}$mau^{13}tek^{3} i$^{13}_{21}$ cin$^{35}_{44}$kai^{53}tʂen^{21}tsait^{3} mən^{13}na^{0} ,xei$^{53}_{44}$a^{0} ?po^{35}li$^{13}_{21}$mən^{13}na$^{35}_{44}$mau^{13}tek^{3} la^{0} ,tsʰin^{53}iəŋ^{53}tsʰin^{53}xei$^{53}_{44}$kan^{21}kei$^{53}_{44}$muk^{3} pan^{21}tsɿ^{0} siau^{53}xa$^{53}_{44}$çi^{53}ke^{0} mən$^{13}_{21}$na^{0} .tau$^{53}_{44}$li^{0} ai$^{35}_{44}$ia^{53}tsɿ^{0} liau^{0} tsʰiəu$^{53}_{44}$pən$^{35}_{44}$kai$^{53}_{44}$pan^{21}tsɿ^{0} kuan^{35}çi^{21}lɔi$^{13}_{21}$,kuan$^{35}_{44}$ pan^{21}tsɿ^{0},tsiəu$^{53}_{44}$kuan^{35}tian^{53}liau^{0} ,kuan$^{35}_{44}$tian^{53}mən$^{13}_{21}$niau^{0}.

【关刀】kuan^{35}tau^{35} 名风车大斗底部起开关作用的木片：因为渠像把刀刀子，箇只东西，～。in^{35}uei$^{35}_{44}$ci^{13}tsʰiɔŋ^{53}pa^{21}tau^{35}tau^{35}tsɿ^{0} ,kai$^{53}_{44}$tʂak^{3} təŋ$^{35}_{44}$si^{0} ,kuan^{35}tau^{35}.

【关刀藤】kuan^{35}tau^{35}tʰien^{13} 名一种藤类植物：～个荚子就系像皮槠荚子。kuan^{35}tau^{35}tʰien^{13}ke$^{53}_{44}$ kait^{3} tsɿ^{0} tsʰiəu^{53}xe^{53}tsʰiɔŋ$^{53}_{21}$pʰi^{13}tʂəu^{35}kait^{3} tsɿ^{0} . ｜～冇薮。kuan^{35}tau^{35}tʰien^{13}mau^{13}lek^{3}.

【关防】kuan^{35}fɔŋ^{13} 名和尚、道士做法事时用的印章：哦，箇只就安做么个东西去嘞？和尚道士系，系，有只咁，有只咁滮大个，箇安做安做么个去唠？阴关防吧？安做～，系，唔讲阴关防，硬安做～。大概就系从箇《西游记》肚里箇样来个样，系吗？倒换关文。～。o$_{21}$,kai^{53} tʂak^{3} tsʰiəu$^{53}_{44}$ɔn$^{35}_{44}$tso$^{53}_{44}$mak^{3} ke$^{53}_{44}$təŋ$^{35}_{44}$si^{0} çi$^{53}_{21}$lei^{0} ?uo^{13}ʂɔŋ$^{53}_{44}$tʰau$^{53}_{44}$sɿ$^{53}_{44}$xei$^{53}_{21}$,xei$^{53}_{21}$,iəu$^{35}_{44}$tʂak^{3} kan^{21},iəu$^{35}_{44}$tʂak^{3} kan^{21} mən^{35}tʰai$^{53}_{44}$kei$^{53}_{44}$,kai^{53} ɔn$^{35}_{44}$tso$^{53}_{44}$ɔn$^{35}_{44}$tso$^{53}_{44}$mak^{3} ke$^{53}_{44}$çi$^{53}_{44}$lau^{0} ?in^{35}kuan^{35}fɔŋ$^{13}_{21}$pa^{0} ?ɔn^{35}tso$^{53}_{44}$kuan^{35}fɔŋ$^{13}_{21}$,xe$^{53}_{44}$,n̩^{13}kɔŋ^{21} in^{35}kuan^{35}fɔŋ$^{13}_{21}$, ɲiaŋ^{53}ɔn$^{35}_{44}$tso$^{53}_{44}$kuan^{35}fɔŋ$^{13}_{21}$.tʰai^{53}kʰai^{53}tsʰiəu^{53}xe$^{53}_{21}$tsʰəŋ$^{13}_{21}$kai$^{53}_{44}$si^{35}iəu$^{13}_{21}$ci^{53}təu^{21}li^{0} kai$^{53}_{44}$iɔŋ$^{53}_{44}$lɔi$^{13}_{21}$ ke$^{53}_{44}$iɔŋ$^{53}_{44}$,xe$^{53}_{44}$ma^{0} ?tau^{21}xɔn^{53}kuan^{35}uən^{13}.kuan^{35}fɔŋ^{13}.

【关公老爷】kuan^{35}kəŋ^{35}lau^{21}ia^{13} 名三国蜀将关羽：将军庙蛮多将军，箇肚里有～。tsiɔŋ^{35}tʂən$^{35}_{44}$ miau^{53}man^{13}to$^{35}_{44}$tsiɔŋ^{35}tʂən^{35},kai^{53}təu^{21}li^{0} iəu$^{35}_{53}$kuan$^{35}_{44}$kəŋ$^{35}_{44}$lau^{21}ia$^{13}_{21}$.

【关公庙】kuan^{35}kəŋ^{35}miau^{53} 名供奉三国蜀将关羽的神庙：我等以映喊～呢。蛮少。包公庙就多，～唔多嘞。ŋai^{13}tien^{0} i$^{21}_{44}$iaŋ$^{53}_{44}$xan^{53}kuan^{35}kəŋ^{35}miau^{53}nei^{0} .man^{13}ʂau^{21}.pau^{35}kəŋ$^{35}_{44}$miau^{53}tsʰiəu$^{53}_{44}$ to^{35},kuan^{35}kəŋ$^{35}_{44}$miau^{53}n̩^{13}to$^{35}_{44}$lei^{0}.

【关门】kuan^{35}mən^{13} 动①把门合上：～个时候子要去里背关呶，去肚里关呶。kuan^{35}mən^{13}ke$^{53}_{44}$ʂʅ$^{13}_{44}$xei$^{53}_{44}$tsɿ^{0} iau^{53}çi^{53}ti^{35}pɔi^{53}kuan$^{35}_{44}$nau^{0},çi^{53}təu^{21}li^{0} kuan$^{35}_{44}$nau^{0}. ②闭门歇业：最好店子莫～。tsei^{53}xau^{21} tian^{53}tsɿ^{0} mɔk^{5} kuan$^{35}_{44}$mən^{13}.

【关系$_{1}$】kuan^{35}çi^{53} 名人与人之间的某种关联：但是你讲亲家公，亲家母，别人家分唔出你个～。到底系你妹子个亲家呀，你妹子个家娘家爷，还系么个～咯，分唔出。tan$^{53}_{44}$ʂʅ^{53}ɲi$^{13}_{21}$kɔŋ^{21} tsʰin^{35}ka$^{35}_{44}$kəŋ^{35},tsʰin$^{35}_{44}$ka$^{35}_{44}$mu^{35},pʰiek^{5} in$^{13}_{44}$ka$^{35}_{44}$fən^{35}ṇ$^{13}_{21}$tʂʰət^{3} ɲi^{13}ke$^{53}_{21}$kuan^{35}çi^{53}.tau^{53}ti^{21}xei$^{53}_{44}$ɲi^{13}mɔi^{53}tsɿ^{0}ke$^{53}_{44}$ tsʰin^{35}ka$^{35}_{44}$ia^{0},ɲi^{13}mɔi^{53}tsɿ^{0}ke$^{53}_{44}$ka$^{35}_{44}$ɲiɔŋ$^{13}_{21}$ka$^{35}_{44}$ia^{13},xai$^{13}_{21}$xe$^{53}_{44}$mak^{3}(k)e^{53}kuan^{35}çi^{53}ko^{0},fən$^{35}_{44}$ṇ$^{13}_{21}$tʂʰət^{3}.

【关系$_{2}$】kuan^{35}çi^{53} 动牵涉：箇只黄道呢，就系箇碑石摎箇写牌位，箇中间箇一行～到箇只亡人个名字个箇一行，箇字数有规定。kai^{53}tʂak^{3} uɔŋ^{13}tʰau$^{53}_{44}$lei^{0},tsʰiəu$^{53}_{44}$xe$^{53}_{44}$kai$^{53}_{44}$pi^{35}ʂak^{5} lau^{35}kai$^{53}_{44}$sia^{21} pʰai^{13}uei^{53},kai$^{53}_{44}$tʂəŋ^{35}kan$^{35}_{44}$kai^{53}iet^{3} xɔŋ^{13}kuan^{35}çi$^{53}_{44}$tau$^{53}_{44}$kai^{53}tʂak^{3} mɔŋ^{13}ɲin$^{13}_{21}$ke^{53}miaŋ^{13}tsʰɿ^{53}ke^{53}kai^{53}iet^{3} xɔŋ^{13},kai$^{53}_{44}$tsʰɿ^{53}səu^{53}iəu^{35}kuei$^{35}_{44}$tʰin^{53}.

【关夜学】kuan^{35}ia^{53}xɔk^{5} 动放学后将部分走读生留下来扫地、受教育或做作业等：放学了，分箇通学生留下来就安做～。留下来嘞有兜是留下来扫地，有兜是留下来受教育，有兜是留下来做作业，留下来做作业个最多。fɔŋ^{53}xɔk^{5} liau^{0},pən$^{35}_{44}$kai^{53}tʰəŋ$^{35}_{44}$çiɔk^{5} sen$^{35}_{44}$liəu$^{13}_{21}$xa$^{53}_{44}$lɔi$^{13}_{21}$tsʰiəu$^{53}_{44}$ɔn$^{35}_{44}$ tso$^{53}_{44}$kuan$^{35}_{44}$ia^{53}xɔk^{5} .liəu^{13}xa$^{53}_{44}$lɔi$^{13}_{21}$lei^{0} iəu^{35}tei$^{35}_{53}$ʂʅ^{53}liəu^{13}xa$^{53}_{44}$lɔi$^{13}_{21}$sau^{53}tʰi^{53},iəu^{35}tei$^{35}_{53}$ʂʅ^{53}liəu^{13}xa$^{53}_{44}$lɔi$^{13}_{44}$ʂəu^{53}ciau^{53} iəuk^{3},iəu^{35}tei$^{35}_{53}$ʂʅ^{53}liəu$^{13}_{21}$xa$^{53}_{44}$lɔi$^{13}_{44}$tso^{53}tsɔk^{3}ɲiait^{5},liəu$^{13}_{21}$xa^{53}lɔi$^{13}_{21}$tso^{53}tsɔk^{3}ɲiait^{5} ke^{0} tsei^{53}to$^{35}_{44}$.

【观妹子】kɔn^{35}mɔi^{53}tsɿ^{0} 名拜观音娘娘做干爷的孩子的小名：还可以拜观音娘娘啊做干爷。就安做观……观伢子啊，有滴就安做观伢子啊，～啊，观音个观呐。欸，几多子观伢子个。但是只爱一只字凑。只爱用一只观字。xai$^{13}_{21}$kʰo^{21}i^{35}pai^{53}kɔn^{35}in$^{35}_{44}$ɲiɔŋ$^{13}_{21}$ɲiɔŋ$^{13}_{21}$ŋa^{0} tso$^{53}_{44}$kɔn^{35}ia$^{13}_{21}$.tsiəu$^{53}_{21}$ɔn$^{35}_{44}$ tso$^{53}_{44}$kɔn^{35}···kɔn^{35}ŋa$^{13}_{21}$tsa^{0},iəu$^{35}_{44}$tet^{5} tsʰiəu$^{53}_{44}$ɔn$^{35}_{44}$tso$^{53}_{44}$kɔn^{35}ŋa$^{13}_{21}$tsa^{0},kɔn^{35}mɔi^{53}tsa^{0},kɔn^{35}in$^{35}_{44}$ke$^{53}_{44}$kɔn^{35}na^{0}.e$_{44}$,ci^{21} to^{35}tsɿ^{0}kɔn^{35}ŋa$^{13}_{21}$tsɿ^{0}ke$^{53}_{44}$.tan$^{53}_{44}$ʂʅ$^{53}_{44}$tʂʅ^{21}ɔi$^{53}_{44}$iet^{3}tʂak^{3}tsʰɿ$^{53}_{44}$tsʰe^{0}.tʂʅ^{21}ɔi$^{53}_{44}$iəŋ^{53}iet^{3}tʂak^{3}kɔn^{35}tsʰɿ$^{53}_{44}$.

【观伢子】kɔn^{35}ŋa$^{13}_{21}$tsɿ^{0} 名拜观音娘娘做干爷的男孩子的小名。例见"观妹子"条。

【观音】kɔn^{35}in^{35} 名观音菩萨的简称：蛮多是渠等咁个箇只庙里嘞，以一只神为主。其他个是么啊财神呐，么个～呐，欸，土地呀，都搭倒去箇子。man^{13}to$^{35}_{44}$ʂʅ$^{53}_{44}$ci$^{13}_{21}$tien^{0} kan^{21}ke$^{53}_{44}$kai$^{53}_{44}$tʂak^{3} miau^{53}li^{21}lei^{0},i^{35}iet^{3} tʂak^{3} ʂən^{13}uei^{13}tʂʮ^{21}.cʰi^{13}tʰa$^{35}_{44}$ke$^{53}_{44}$ʂʅ$^{53}_{44}$mak^{3} a^{0} tsʰɔi^{13}ʂən$^{13}_{44}$na^{0},mak^{3} ke^{53}kɔn^{35}in$^{35}_{44}$ na^{0},e$_{21}$,tʰəu^{21}tʰi^{53}ia^{0},təu^{35}tait^{3}tau^{21}çi^{53}kai$^{53}_{21}$tsɿ^{0}.

【观音大士】kɔn^{35}in^{35}tʰai^{53}sɿ^{53} 名观世音菩萨。又称"观音菩萨、观音娘娘、观音佛母"：观音庙里箇牌位上就要写～。kɔn^{35}in^{35}miau^{53}li^{0}kai^{53}pʰai^{13}uei^{53}xɔŋ^{53}tsʰiəu^{53}iau^{53}sia^{21}kɔn^{35}in^{35}tʰai^{53}sɿ^{53}.

【观音豆】kɔn^{35}in^{35}tʰei^{53} 名四月豆：～也就系欸四月豆哩。四月豆就～。因为渠等话观音娘娘生日个时候子嘞你就爱下土了凑。观音娘娘第一只生日是二月十九。就二月子就爱下土，就～。其实忒早哩。硬爱清明来下土。渠就安做～。kɔn^{35}in^{35}tʰei^{53}ia^{0} tsʰiəu$^{53}_{44}$xe$^{53}_{44}$e$_{21}$si^{53}ɲiet^{5} tʰei^{53} li^{0}.si^{53}ɲiet^{5} tʰei^{53}tsʰiəu$^{53}_{44}$kɔn^{35}in$^{13}_{44}$tʰei^{53}.in^{35}uei$^{53}_{44}$ci^{13}tien^{0} ua^{53}kɔn^{35}in$^{35}_{53}$ɲiɔŋ$^{13}_{21}$ɲiɔŋ$^{13}_{21}$saŋ^{35}ɲiet^{3} ke^{0} ʂʅ$^{13}_{44}$xəu$^{53}_{44}$tsɿ^{0} lei^{0} ɲi$^{13}_{21}$tsʰiəu$^{53}_{44}$ɔi^{53}xa$^{53}_{44}$tʰəu^{21}liau^{21}tsʰe^{0}.kɔn^{35}in$^{35}_{53}$ɲiɔŋ$^{13}_{21}$niɔŋ$^{13}_{21}$tʰi^{53}iet^{3} tʂak^{5} saŋ^{35}ɲiet^{3} ʂʅ$^{53}_{44}$ɲi^{53}ɲiet$^{5}_{3}$ ʂət^{5} ciəu^{21}.tsʰiəu$^{53}_{44}$ ɲi^{53}ɲiet^{3} tsɿ^{0} tsʰiəu$^{53}_{44}$ɔi$^{53}_{44}$xa$^{53}_{44}$tʰəu^{21},tsiəu$^{53}_{21}$kɔn^{35}in^{35}tʰei^{53}.cʰi$^{13}_{21}$ʂət^{5} tʰet^{3} tsau^{21}li^{0}. ɲiaŋ^{53}ɔi^{53}tsʰin^{35}min$^{13}_{21}$nɔi$^{13}_{21}$xa^{53} tʰəu^{21}.ci$^{13}_{21}$tsʰiəu$^{53}_{44}$ɔn$^{35}_{44}$tso$^{53}_{44}$kɔn^{35}in^{35}tʰei^{53}.

【观音佛母】kɔn^{35}in^{35}fət^{5}mu^{35} 名观世音菩萨：箇个农村里有兜老人家子十分信佛。你像我娭子都只有～渠就硬长日都记得，比渠自家个生日都更记得，～个生日啊，观音娘娘个生日嘞。kai^{53}ke^{53}ləŋ^{13}tsʰən$^{35}_{53}$ni^{21}iəu^{35}tei$^{35}_{53}$lau^{21}ɲin^{13}ka$^{35}_{44}$tsɿ^{0} ʂət^{5} fən$^{35}_{44}$sin^{53}fət^{5}. ɲi^{13}tsʰiɔŋ^{53}ŋai$^{13}_{21}$ɔi^{35}tsɿ^{0} təu$^{35}_{44}$tʂʅ^{21}iəu$^{35}_{53}$kɔn^{35} in^{13}fət^{5} mu^{35}ci^{13}tsʰiəu^{53}ɲiaŋ^{53}tʂʰɔŋ^{13}ɲiet^{3} təu$^{35}_{44}$ci^{53}tek^{3},pi^{21}ci^{21}tsʰɿ^{35}ka$^{35}_{44}$ke^{0} saŋ^{35}ɲiet^{3} təu$^{35}_{44}$cien^{53}ci^{53}tek^{3},kɔn$^{35}_{44}$ in$^{35}_{44}$fət^{5} mu$^{35}_{44}$ke^{0} saŋ^{35}ɲiet^{5} a^{0},kɔn^{35}in$^{35}_{53}$ɲiɔŋ$^{13}_{21}$ɲiɔŋ$^{13}_{21}$ke^{0} saŋ^{35}ɲiet^{3} le^{0}.

【观音庙】kɔn^{35}in^{35}miau^{53} 名人们为了向观音菩萨祈求风调雨顺、家宅平安等而修建的寺庙。又称"观音堂子"：～就多嘞。还有只嘞，以兜栏场个庙咯，渠不论哪只庙必定有只厅子必定有只观音菩萨个像，欸，随你哪只庙，好像我所发现个哪只庙肚里都有。以映子个箇只五显庙，五显老爷，渠个侧边就有只观音娘娘，嗯。箇只皇岗箇映子有只华佗先师庙，侧上边也只观音娘娘。因为观音娘娘个庙观音娘娘个牌位一定爱有。但是～肚里嘞箇就箇除嘿观音娘娘嘞就唔知还有兜么个菩萨去哩，我都唔记得哩。kɔn^{35}in$^{35}_{44}$miau^{53}tsʰiəu$^{53}_{44}$to^{35}lei^{0}.xai$^{13}_{21}$iəu$^{35}_{53}$tʂak^{3} lei^{0},i$^{13}_{21}$tei$^{35}_{53}$laŋ$^{13}_{21}$tʂʰɔŋ$^{13}_{44}$ke$^{53}_{44}$miau^{53}ko^{0},ci^{13}pət^{3} lən^{53}lai^{53}tʂak^{3} miau^{53}piet^{3} tʰin^{53}iəu$^{35}_{53}$tʂak^{3} tʰaŋ^{35}tsɿ^{0} piet^{3} tʰin^{53} iəu$^{35}_{53}$tʂak^{3} kɔn^{35}in$^{35}_{44}$pʰu$^{13}_{21}$sait^{3} ke^{0} siɔŋ^{53},e$_{21}$,tsʰi^{13}ɲi$^{13}_{21}$lai^{53}tʂak^{3} miau^{53},xau^{21}tsʰiɔŋ^{53}ŋai^{13}so^{21}fait^{3} çien^{53}ke^{53}lai^{53}

tʂak^{3} miau^{53}təu^{21}li^{0} təu$^{35}_{44}$iəu$^{35}_{44}$.i^{21}iaŋ^{53}tsʅ^{0} ke$^{53}_{44}$kai$^{53}_{44}$tʂak^{3} ŋ̍^{21}çien^{21}miau^{53},ŋ̍^{21}çien^{21}nau^{21}ia^{35},ci$^{13}_{21}$ke^{53}tset^{3} pien^{35} tsʰiəu^{53}iəu$^{35}_{53}$tʂak^{3} kɔn^{35}in$^{35}_{44}$ɲiɔŋ$^{13}_{21}$ɲiɔŋ$^{13}_{21}$,n̩$_{21}$.kai$^{53}_{44}$tʂak^{3} uɔŋ^{13}kɔŋ$^{35}_{44}$kai$^{53}_{44}$iaŋ^{53}tsʅ^{0} iəu$^{35}_{44}$tʂak^{3} fa^{13}tʰo^{13}sien$^{35}_{44}$sʅ$^{35}_{44}$miau^{53}, tset^{3} xɔŋ$^{53}_{44}$pien$^{35}_{44}$ia^{35}tʂak^{3} kɔn^{35}in$^{35}_{53}$ɲiɔŋ$^{13}_{21}$ɲiɔŋ$^{13}_{21}$.in^{35}uei^{53}kɔn^{35}in$^{35}_{53}$ɲiɔŋ$^{13}_{21}$ɲiɔŋ$^{13}_{21}$ke$^{53}_{44}$miau^{53}kɔn^{35}in$^{35}_{53}$ɲiɔŋ$^{13}_{21}$ɲiɔŋ$^{13}_{21}$ke$^{53}_{44}$ pʰai^{13}uei^{53}iet^{3} tʰin^{53}ɔi^{53}iəu^{35}.tan$^{53}_{44}$ʂʅ$^{53}_{44}$kɔn^{35}in$^{35}_{44}$miau^{53}təu^{21}li^{0} lei^{0} kai$^{53}_{44}$tsʰiəu^{53}kai^{53}tʂʰəu^{13}xek^{3} kɔn^{35}in$^{35}_{44}$ɲiɔŋ$^{13}_{21}$ ɲiɔŋ$^{13}_{21}$le^{0} tsʰiəu^{53}n̩^{13}ti$^{35}_{53}$xai^{13}iəu$^{35}_{53}$tei$^{35}_{53}$mak^{3} e^{0} pʰu^{13}sait^{3} çi^{53}li^{0} ,ŋai^{13}təu$^{35}_{44}$n̩$^{13}_{44}$ci^{53}(t)ek^{3} li^{0} .

【观音泥】kɔn^{35}in^{35}lai^{13} 名纯净的黄壤，多指观音庙旁边的：～就系箇个呢就系黄泥呢，死泥骨呢。一般就系让门子嘞观音庙个侧边呢，渠是观音庙肚里会求仙丹，爱求单子啊。有兜是系嘞，你系唔系整皮肤病个样，整皮肤病你话我真痒人呐，皮肤病箇兜，你去求观音娘娘渠就话搞兜子泥去，洗身。箇就观音庙箇侧边哪映子有黄泥，有咁个比较纯净滴子个黄泥，箇映就安做箇起泥就安做观音泥。也就系比较纯净个黄泥就安做～。kɔn^{35}in$^{35}_{44}$lai^{13}tsʰiəu^{53}xe^{53}kai^{53} cie^{53}nei^{0} tsʰiəu^{53}xei^{53}uɔŋ^{13}lai$^{13}_{44}$nei^{0} ,si^{21}lai^{13}kuət^{3} nei^{0} .iet^{3} pɔn^{35}tsʰiəu^{53}xei$^{53}_{44}$ɲiɔŋ$^{53}_{44}$mən$^{13}_{44}$tsʅ^{0} lei^{0} kɔn^{35}in$^{35}_{44}$miau^{53} ke^{0} tset^{3} pien^{35}ne^{0} ,ci$^{13}_{21}$ʂʅ$^{53}_{44}$kɔn^{35}in^{35}miau^{53}təu^{21}li^{0} uɔi^{53}cʰiəu$^{13}_{21}$sien^{35}tan^{35},ɔi^{53}cʰiəu$^{13}_{44}$tan^{35}tsʅ^{0} a^{0} .iəu^{35}tei$^{35}_{53}$ʂʅ$^{13}_{44}$xei$^{53}_{44}$ lei^{0}, ɲi^{13}xei^{53}mei^{53}tʂaŋ^{21}pʰi^{13}fu$^{35}_{44}$pʰiaŋ^{53}ke$^{53}_{44}$iɔŋ$^{53}_{44}$,tʂaŋ^{21}pʰi^{13}fu$^{35}_{44}$pʰiaŋ^{53}ɲi^{13}ua^{53}ŋai$^{13}_{21}$tʂən^{35}iɔŋ^{35}ɲin$^{13}_{21}$na^{0} ,pʰi^{13}fu$^{35}_{44}$ pʰiaŋ^{53}kai$^{53}_{44}$tei$^{35}_{44}$, ɲi^{13}çi^{53}cʰiəu$^{13}_{21}$kɔn$^{35}_{44}$in$^{35}_{44}$ɲiɔŋ$^{13}_{21}$ɲiɔŋ$^{13}_{21}$ci$^{13}_{21}$tsiəu$^{53}_{44}$ua$^{53}_{44}$kau^{21}təu$^{35}_{53}$tsʅ^{0} lai$^{13}_{21}$çi^{53},se^{21}ʂən^{35}.kai$^{53}_{44}$tsʰiəu$^{53}_{44}$ kɔn^{35}in^{35}miau^{53}kai$^{53}_{44}$tset^{3} pien^{35}lai^{53}iaŋ^{53}tsʅ^{0} iəu^{35}uɔŋ^{13}lai^{13},iəu^{35}kan^{21}kei$^{53}_{44}$pi^{21}ciau$^{53}_{44}$ʂən^{13}tsʰin^{53}tiet^{5} tsʅ^{0} ke^{53}uɔŋ^{13} lai$^{13}_{44}$,kai^{53}iaŋ^{53}tsʰiəu$^{53}_{44}$ɔn$^{35}_{44}$tso$^{53}_{21}$kai^{53}çi^{21}lai^{13}tsiəu$^{53}_{44}$ɔn$^{35}_{44}$tso$^{53}_{44}$kɔn$^{35}_{44}$in$^{35}_{44}$lai$^{13}_{21}$.ia^{35}tsʰiəu^{53}xe$^{53}_{44}$pi^{21}ciau$^{53}_{44}$ʂən^{13}tsʰin^{53}ke^{53} uɔŋ^{13}lai$^{13}_{44}$tsʰiəu$^{53}_{44}$ɔn$^{35}_{53}$tso$^{53}_{21}$kɔn$^{35}_{44}$in$^{35}_{44}$lai^{13}.

【观音娘娘】kɔn^{35}in$^{35}_{44}$ɲiɔŋ$^{13}_{21}$ɲiɔŋ$^{13}_{21}$ 名观世音菩萨，又称“观音菩萨、观音大士、观音佛母”：渠是咁个，平时同别人家讲呢，～，嗯，明晡是～生日，系唔系？但是渠请神个时候子嘞，观音佛母哇，嗯，渠就唔话～，也唔多讲，唔多咁子讲，欸渠，渠就好像欸观音佛母嘞就好像我等喊母亲样，欸，～嘞就好像我等喊姆媭样，系啊？口语子。牌位上一般让门写？大慈大悲救苦救难南海观世音菩萨神位。ci$^{13}_{21}$ʂʅ$^{53}_{44}$kan$^{21}_{13}$cie^{53},pʰin^{13}ʂʅ$^{13}_{44}$tʰəŋ^{13}pʰiet^{5} in$^{13}_{44}$ka$^{35}_{44}$kɔŋ^{21}nei^{0} ,kɔn^{35}in$^{35}_{53}$ ɲiɔŋ$^{13}_{21}$ɲiɔŋ$^{13}_{21}$,n̩$_{53}$,miaŋ^{13}pu$^{35}_{44}$ʂʅ$^{53}_{44}$kɔn^{35}in$^{35}_{53}$ɲiɔŋ$^{13}_{21}$ɲiɔŋ$^{13}_{21}$saŋ$^{35}_{44}$ɲiet^{3} ,xei$^{53}_{44}$me$^{53}_{44}$?tan^{53}ʂʅ^{53}ci$^{13}_{21}$tsʰiaŋ^{21}ʂən^{13}ke^{53}ʂʅ$^{13}_{44}$xəu$^{53}_{44}$ tsʅ^{0} lei^{0} ,kɔn^{35}in^{35}fət^{5} mu^{35}ua^{0} ,n̩$_{21}$,ci^{13}tsʰiəu^{53}n̩^{13}ua^{53}kɔn^{35}in^{35}ɲiɔŋ^{13}ɲiɔŋ$^{13}_{44}$,ie^{21}n̩^{13}to$^{35}_{53}$kɔŋ^{21},n̩^{13}to$^{35}_{53}$kan^{21}tsʅ^{0} kɔŋ^{21}, e$_{21}$ci$^{13}_{21}$,ci$^{13}_{21}$tsʰiəu^{53}xau^{21}siɔŋ^{53}e$_{21}$kɔn^{35}in$^{35}_{44}$fət^{5} mu$^{35}_{44}$lei^{0} tsʰiəu^{53}xau^{21}tsʰiɔŋ^{53}ŋai^{13}tien^{0} xan^{53}mu^{35}tsʰin$^{35}_{44}$iɔŋ^{53},e$_{21}$, kɔn^{35}in$^{35}_{53}$ɲiɔŋ$^{13}_{21}$ɲiɔŋ$^{13}_{44}$lei^{0} tsʰiəu$^{53}_{44}$xau^{21}tsʰiɔŋ^{53}ŋai$^{13}_{21}$tien^{0} xan^{53}m̩^{13}me$^{35}_{44}$iɔŋ^{53},xei^{53}a^{0} ?kʰei^{21}ɲy^{21}tsʅ^{0} .pʰai^{13}uei^{53} xɔŋ^{53}iet^{3} pɔn^{35}ɲiɔŋ^{53}mən$^{13}_{44}$sia^{21}?tʰai^{53}tsʰʅ^{13}tʰai^{53}pei^{35}ciəu^{53}kʰu^{21}ciəu^{53}lan^{53}lan^{13}xɔi^{21}kɔn^{35}ʂʅ^{53}in^{35}pʰu^{13}sait^{3} ʂən^{13} uei^{53}.

【观音菩萨】kɔn^{35}in$^{35}_{44}$pʰu^{13}sait^{3} 名观世音菩萨的略称：～个像 kɔn^{35}in$^{35}_{44}$pʰu$^{13}_{21}$sait^{3}ke$^{53}_{44}$siɔŋ^{53} | 一般咯我咯发现咯蛮多庙多有～。iet^{3} pɔn^{35}ko^{0} ŋai$^{13}_{21}$ko^{0} fait^{3} çien^{53}ko^{0} man^{13}to$^{35}_{44}$miau^{53}to$^{35}_{44}$iəu$^{35}_{44}$kɔn^{35}in$^{35}_{44}$pʰu^{13} sait^{3}.

【观音扫】kɔn^{35}in^{35}sau^{53} 名一种本地野生草本植物：～撈扫把草系两样东西。～也系一种野草。渠箇个叶嘞更嫩，欸，做唔……扫把草嘞，就系专……箇个叶啊箇个箇个树枝啊箇个咁个啊唔知几韧，揪古带韧，老哩以后嘞就做扫把。箇个扫把草，以前好像冇得。我等都欸晓得有扫把草都好像还系十多年子两十年子个事。以前冇得。我等老家箇映子冇得扫把草。只有～。～做唔得扫把。扫把草嘞就系用来做扫……欸，扎扫把。kɔn^{35}in^{35}sau^{53}lau^{35}sau^{53}pa^{21} tsʰau^{21}xei$^{53}_{44}$iɔŋ^{21}iɔŋ$^{53}_{44}$təŋ$^{35}_{44}$si^{0} .kɔn^{35}in^{35}sau^{53}ia^{35}xe^{53}iet^{3} tʂəŋ^{21}ia^{35}tsʰau^{21}.ci$^{13}_{21}$kai$^{53}_{44}$kei$^{53}_{44}$iait^{5} lei^{0} cien^{53}lən^{53},e$_{21}$,tso^{53} n̩$^{13}_{21}$…sau^{53}pa^{21}tsʰau^{21}lei^{0} ,tsʰiəu$^{53}_{44}$xe$^{53}_{44}$tʂen^{35}…kai$^{53}_{44}$kei$^{53}_{44}$iait^{5} a^{0} kai$^{53}_{44}$ke$^{53}_{44}$kai$^{53}_{44}$ke$^{53}_{44}$ʂəu^{53}tʂʅ^{35}a^{0} kai$^{53}_{44}$ke$^{53}_{44}$kan^{21}ke$^{53}_{44}$a^{0} n̩$^{13}_{21}$ti$^{35}_{44}$ci^{21}ɲin^{53},ciəu^{35}ku^{21}tai^{53}ɲin^{53},lau^{21}li^{0} i^{35}xei^{53}lei^{0} tsʰiəu$^{53}_{44}$tso$^{53}_{44}$sau^{53}pa^{21}.kai$^{53}_{44}$ke$^{53}_{44}$sau^{53}pa^{21}tsʰau^{21},i^{35}tsʰien^{13} xau^{21}tsʰiɔŋ^{53}mau^{13}tek^{3} .ŋai^{13}tien^{0} təu$^{35}_{44}$e$_{21}$çiau^{21}tek^{3} iəu$^{35}_{44}$sau^{53}pa^{21}tsʰau^{21}təu$^{35}_{44}$xau^{21}siɔŋ^{53}xai$^{13}_{21}$xe^{53}ʂət^{5} to^{35}ɲien^{13} tsʅ^{0} iɔŋ^{21}ʂət^{5} ɲien^{13}tsʅ^{0} ke$^{53}_{44}$sʅ^{53} .i^{35}tsʰien^{13}mau^{13}tek^{3} .ŋai$^{13}_{21}$tien^{0} lau^{21}cia^{35}kai$^{53}_{44}$iaŋ$^{53}_{44}$tsʅ^{0} mau^{13}tek^{3} sau^{53}pa^{21} tsʰau^{21}.tʂʅ^{21}iəu$^{35}_{44}$kɔn^{35}in$^{35}_{44}$sau^{53}.kɔn^{35}in$^{35}_{44}$sau^{53}tso^{53}n̩$^{13}_{21}$tek^{3} sau^{53}pa^{21}.sau^{53}pa^{21}tsʰau^{21}le^{0} tsʰiəu$^{53}_{44}$xei$^{53}_{44}$iəŋ^{53}lɔi^{13}tso$^{53}_{44}$ sau^{53}…e$_{44}$,tsait^{3} sau^{53}pa^{21}.

【观音厅子】kɔn^{35}in^{35}tʰaŋ^{35}tsʅ^{0} 名家中供奉观音菩萨的横厅子：～嘞就咁个，蛮多老屋，蛮多老兜子个屋啊，渠都自家列一只，除哩厅下列箇个祖宗牌位样，系唔系？还有就横厅子安只子观音娘娘去箇，装下子香，自家安个观音娘娘箇只厅子嘞就安做～。箇个（神像）有兜就有哇，有兜就一张一绺子红纸写倒哇，有兜甚至红纸都冇得一绺哇，就系一炉香去下子。横厅子，欸，细厅子。大厅下是爱箇个咯，大厅下是爱敬奉祖宗啊。kɔn^{35}in$^{35}_{44}$tʰaŋ^{35}tsʅ^{0} lei^{0} tsʰiəu^{53}

kan^{21}ke^{53},man^{13}to$^{35}_{44}$lau^{21}uk^{3},man^{13}to$^{35}_{53}$lau^{21}tei$^{35}_{53}$tsɿ^{0}ke^{53}uk^{3}a^{0},ci$^{13}_{21}$təu$^{35}_{44}$tsʰɿ^{35}ka$^{35}_{44}$liet^{5}iet^{3}tʂak^{3},tʂʰəu$^{13}_{21}$li^{0}tʰaŋ^{35} xa$^{53}_{44}$liet^{5}kai$^{53}_{44}$ke$^{53}_{44}$tsəu^{21}tsəŋ$^{53}_{44}$pʰai^{13}uei$^{53}_{44}$iəŋ$^{53}_{44}$,xei^{53}me^{53}?xai$^{13}_{21}$iəu$^{35}_{44}$tsʰiəu$^{53}_{44}$uaŋ^{13}tʰaŋ^{35}tsɿ^{0}ɔn^{35}tʂak^{3}tsɿ^{0}kɔn^{35}in$^{35}_{44}$ ɲiəŋ$^{13}_{21}$ɲiəŋ^{13}çi^{53}kai^{53},tsəŋ^{35}ŋa$^{53}_{21}$tsɿ^{0}çiəŋ^{35},tsʰɿ^{35}ka$^{35}_{44}$ɔn^{35}ke$^{53}_{44}$kɔn^{35}in$^{35}_{44}$ɲiəŋ$^{13}_{21}$ɲiəŋ$^{13}_{21}$kai^{53}tʂak^{3}tʰaŋ^{35}tsɿ^{0}lei^{0}tsʰiəu$^{53}_{44}$ ɔn$^{35}_{44}$tso$^{53}_{44}$kɔn^{35}in$^{35}_{44}$tʰaŋ$^{35}_{44}$tsɿ^{0}.kai^{53}kei$^{53}_{44}$iəu^{35}tei$^{35}_{53}$tsʰiəu^{53}iəu^{35}ua^{0},iəu^{35}tei$^{35}_{53}$tsʰiəu^{53}iet^{3}tʂəŋ^{35}iet^{3}liəu^{53}tsɿ^{0}fəŋ^{13}tʂɿ^{21} sia^{21}tau^{21}ua^{0},iəu^{35}tei$^{35}_{53}$sən^{53}tʂɿ$^{53}_{44}$fəŋ^{13}tʂɿ^{21}təu$^{35}_{53}$mau$^{13}_{21}$tek^{3}iet^{3}liəu^{53}ua^{0},tsʰiəu^{53}xei$^{53}_{44}$iet^{3}ləu$^{13}_{21}$çiəŋ^{35}çi^{53}xa$^{53}_{44}$tsɿ^{0}. uaŋ^{13}tʰaŋ$^{35}_{44}$tsɿ^{0},e$_{21}$,sei^{53}tʰaŋ^{35}tsɿ^{0}.tʰai^{53}tʰaŋ$^{35}_{44}$xa$^{53}_{44}$ʂɿ$^{53}_{21}$ɔi^{53}kai^{53}cie$^{53}_{44}$ko^{0},tʰai^{53}tʰaŋ$^{35}_{44}$xa$^{53}_{44}$ʂɿ$^{53}_{21}$ɔi^{53}cin^{53}fəŋ^{53}tsəu^{21} tsəŋ$^{35}_{44}$ŋa^{0}.

【观音竹】kɔn^{35}in$^{35}_{44}$tʂəuk^{3} [名]一种竹子，疑指佛肚竹：有起安做～嘞。我真系看过嘞。渠个节唔系达平个。/欸，系两只节都上背𢶍倒下。哦～。/箇我等箇都有噢。iəu^{35}çi^{21}ɔn$^{35}_{44}$tso$^{53}_{44}$kɔn^{35}in$^{35}_{44}$tʂəuk^{3}lei^{0}.ŋai^{13}tʂən^{35}xe$^{53}_{44}$kʰɔn^{53}ko^{53}lei^{0}.ci^{13}ke^{53}tsiet^{3}m̩$^{13}_{21}$pʰe$_{44}$(←xe^{53})tʰait^{5}pʰiaŋ^{13}ke$^{53}_{44}$./e$_{21}$,xei^{53}iəŋ^{21}tʂak^{3}tset^{3}təu$^{35}_{44}$ʂəŋ$^{53}_{44}$pɔi$^{53}_{44}$ɲia^{13}tau^{21}xa^{53}.xan^{53}kɔn^{35}in^{35}tʂəuk^{3}./kai$^{53}_{44}$ŋai^{13}tien^{0}kai$^{53}_{44}$təu$^{35}_{44}$iəu^{35}uau^{0}.

【官打寻贼保】kɔn^{35}ta^{21}tsʰin^{13}tsʰiet^{5}/tsʰet^{5}pau^{21} [名]一首儿童游戏念词，也为游戏名：还有么啊～。官，一个人是拈只官。欸，就打，寻，贼，保。箇个更冇得味啦。xai^{13}iəu$^{35}_{44}$mak^{3}a^{0}kɔn^{35}ta^{21} tsʰin^{13}tsʰiet^{5}pau^{21}.kɔn^{35},iet^{3}cie^{53}ɲin$^{13}_{44}$ʂɿ$^{53}_{44}$ɲian^{35}tʂak^{3}kɔn^{35}.e$_{21}$tsʰiəu$^{35}_{44}$ta^{21},tsʰin^{13},tsʰet^{5},pau^{21}.kai^{53}ke^{53}cien^{53} mau$^{13}_{21}$tek^{3}uei^{53}la^{0}.

G

【冠】kɔn^{35} [名]鸟类头顶长的肉质的冠状凸起，也称"髻"：鸡公髻蛇，好像箇脑壳顶上有只咁个同箇鸡公样有只髻，有只～。cie^{35}kəŋ^{35}ci^{53}ʂa^{13},xau^{21}siəŋ^{53}kai$^{53}_{44}$lau^{21}kʰɔk^{3}taŋ^{21}xəŋ^{53}iəu$^{35}_{53}$tʂak^{3}kan$^{21}_{44}$ cie$^{53}_{21}$tʰəŋ^{13}kai$^{53}_{44}$cie^{35}kəŋ$^{35}_{44}$iəŋ$^{53}_{21}$iəu$^{35}_{44}$tʂak^{3}ci^{53},iəu^{35}tʂak^{3}kɔn^{35}.

【棺材】kɔn^{35}tsʰɔi$^{13}_{21}$ [名]装殓尸体以备埋葬的器具。多以木材制成。又称"千年屋、长生、料"：掆～kɔn^{35}kɔn^{35}tsʰɔi$^{13}_{21}$｜有～套哇。系，有哇，如今有哇，有钱呢，有滴人，有钱，用床毯子啊，蒙稳呢。iəu^{35}kɔn^{35}tsʰɔi$^{13}_{21}$tʰau^{53}ua^{0}.xei^{53},iəu^{35}ua^{0},i$^{13}_{21}$cin$^{35}_{44}$iəu^{35}ua^{0},iəu^{35}tsʰien^{13}ne^{0},iəu^{35}tet^{5}ɲin$^{13}_{21}$,iəu$^{35}_{44}$tsʰien$^{13}_{21}$, iəŋ^{53}tsʰəŋ$^{13}_{21}$tʰan^{21}tsɿ^{0}a^{0},maŋ^{35}uən^{21}ne^{0}.

【棺材钉】kɔn^{35}tsʰɔi^{13}taŋ^{35} [名]下葬前用来封闭棺材的长钉：箇只懑大个就～啊，大钉啊。□长个啊？/大铁钉。～。/～是方个，铁匠打个，哦～。欸，方个，欸，～是方个。/如今了尾是也有六寸个了。六七寸个噢。以下嘞了尾是都系箇个了。/长系六欸有六寸长啵，也有有七寸长。钉棺材个。kai$^{53}_{21}$tʂak^{3}mən^{35}tʰai$^{53}_{44}$ke$^{53}_{44}$tsʰiəu$^{53}_{44}$kɔn^{35}tsʰɔi$^{13}_{21}$taŋ^{35}ŋa^{0},tʰai^{53}taŋ^{35}ŋa^{0}.lai^{35}tʂʰəŋ^{13}ke$^{53}_{44}$ a^{0}?/tʰai^{53}tʰiet^{3}taŋ^{35}.kɔn^{35}tsʰɔi$^{13}_{21}$taŋ^{35}./kɔn^{35}tsʰɔi$^{13}_{44}$taŋ^{35}ʂɿ$^{53}_{44}$fəŋ^{35}ke$^{53}_{44}$,tʰiet^{3}siəŋ^{53}ta^{21}ke^{53},xan$^{53}_{44}$kɔn^{35}tsʰɔi$^{13}_{21}$ taŋ^{35}.e$_{21}$,fəŋ^{35}ke$^{53}_{44}$,e$_{21}$,kɔn^{35}tsʰɔi$^{13}_{21}$taŋ^{35}ʂɿ$^{53}_{44}$fəŋ^{35}ke$^{53}_{44}$./i$^{13}_{21}$cin$^{35}_{44}$liau^{21}mi^{35}ʂɿ$^{53}_{44}$ia^{35}iəu$^{35}_{44}$liəuk^{3}tsʰən^{53}ke$^{53}_{44}$liau^{0}.liəuk$^{3}_{35}$ tsʰiet^{3}tsʰən^{53}ke$^{53}_{44}$au^{0}.i^{21}(x)a^{53}le^{0}liau^{21}mi$^{35}_{44}$sɿ^{0}təu^{35}xe$^{53}_{44}$kai$^{53}_{44}$ke$^{53}_{44}$liau^{0}./tʂʰəŋ^{13}(x)e^{53}liəuk^{3}e$_{44}$iəu^{35}liəuk^{3}tsʰən^{53} tʂʰəŋ^{13}nau^{0},a^{35}mau$^{13}_{44}$iəu$^{35}_{44}$tsʰiet^{3}tsʰən$^{53}_{44}$tʂʰəŋ^{13}.taŋ^{35}kɔn^{35}tsʰɔi$^{13}_{44}$ke$^{53}_{44}$.

【棺材盖】kɔn^{35}tsʰɔi^{13}kɔi^{53} [名]棺材的盖板：整理一下就分箇～盖上去呀。tʂən^{21}li^{35}iet^{3}xa$^{53}_{44}$tsʰiəu$^{53}_{44}$ pən^{35}kai$^{53}_{44}$kɔn^{35}tsʰɔi$^{13}_{21}$kɔi$^{53}_{44}$kɔi^{53}ʂəŋ$^{53}_{44}$çi$^{53}_{44}$ia^{0}.

【棺罩】kɔn^{35}tsau^{53} [名]出丧时用以遮蔽棺柩之物：箇个就有钱人□个啦，～是啦。一般个棺材爱么个罩唠？就系有钱人□箇。有兜人呢欸箇个土葬个，舞副棺材，系唔系？掆倒上岭了。有两种，一种就系用箇个也安做～呢，就系舞床唔知几好个咁个毛毯箇只啦，懑大个，毛毯呐。或者用绸子啊做只咁个罩罩哇，罩下棺材上啊。欸，还有种就纸扎个，也安做～。欸，首先冇得纸扎个嘞。首先我晓得个。都就系用唔知几菁个绸子箇兜箇个么个毛毯箇兜咁东西分棺材蒙稳呢，箇就～。kai^{53}ke^{53}tsʰiəu$^{53}_{44}$iəu^{35}tsʰien$^{13}_{21}$ɲin$^{13}_{21}$liak^{3}cie^{53}la^{0},kɔn^{35}tsau^{53}ʂɿ$^{53}_{21}$la^{0}.iet^{3}pɔn^{35}ke^{0} kɔn^{35}tsʰɔi$^{13}_{21}$ɔi^{53}mak^{3}e^{0}tsau^{53}lau^{0}?tsʰiəu$^{53}_{44}$xei$^{53}_{44}$iəu^{35}tsʰien$^{13}_{21}$ɲin$^{13}_{21}$liak^{3}kai^{53}.iəu^{35}tei$^{35}_{44}$ɲin$^{13}_{21}$nei^{0}ei$_{21}$kai$^{53}_{21}$ke$^{53}_{21}$tʰəu^{21} tsəŋ^{53}ke$^{53}_{44}$,u^{21}fu^{53}kɔn^{35}tsʰɔi$^{13}_{44}$,xei$^{53}_{44}$me$^{53}_{44}$?kəŋ^{35}tau^{21}ʂəŋ$^{53}_{44}$liaŋ^{35}liau^{0}.iəu^{35}iəŋ^{21}tʂəŋ^{21},iet^{3}tʂəŋ^{21}tsiəu^{53}xei$^{53}_{44}$iəŋ^{53}kai$^{53}_{44}$ ke$^{53}_{44}$ia^{35}ɔn$^{35}_{44}$tso$^{53}_{44}$kɔn$^{35}_{44}$tsau^{53}nei^{0},tsʰiəu$^{53}_{44}$xe$^{53}_{44}$u^{21}tsʰəŋ$^{13}_{44}$n̩^{13}ti$^{35}_{53}$ci^{21}xau^{21}ke^{53}kan^{21}ke$^{53}_{44}$mau^{35}tʰan^{21}kai$^{53}_{44}$tʂak^{3}la^{0}, mən^{35}tʰai^{53}ke$^{53}_{44}$,mau^{35}tʰan^{21}na^{0}.xoit^{5}tʂa^{21}iəŋ^{53}tʂʰəu^{13}tsɿ^{0}a^{0}tso^{53}tʂak^{3}kan^{21}ke$^{53}_{44}$tsau^{53}tsau^{53}ua^{0},tsau^{53}ua$^{53}_{44}$kɔn^{35} tsʰɔi$^{13}_{21}$xəŋ$^{53}_{44}$ŋa^{0}.e$_{21}$,xai$^{13}_{21}$iəu$^{35}_{53}$tʂəŋ^{21}tsʰiəu^{53}tʂɿ^{21}tsait^{3}ke^{0},ia$^{35}_{44}$ɔn$^{35}_{53}$tso^{53}kɔn$^{35}_{44}$tsau^{53}.ei$_{53}$,ʂəu^{21}sien$^{35}_{53}$mau$^{13}_{21}$tek^{3}tʂɿ^{21} tsait^{3}ke^{53}lei^{0}.ʂəu^{21}sien$^{35}_{53}$ŋai$^{13}_{21}$çiau^{21}tek^{3}ke^{0}.təu$^{35}_{44}$tsiəu^{53}xei^{53}iəŋ^{53}n̩$^{13}_{21}$ti$^{35}_{53}$ci^{21}tsiaŋ^{35}kei^{53}tʂʰəu^{13}tsɿ^{0}kai^{53}tei$^{35}_{53}$kai$^{53}_{44}$ (k)ei$^{53}_{44}$mak^{3}e^{0}mau^{35}tʰan^{21}kai$^{53}_{44}$tei$^{35}_{44}$kan^{21}təŋ$^{35}_{44}$si^{0}pən^{35}kɔn^{35}tsʰɔi$^{13}_{21}$maŋ^{35}uən^{21}ne^{0},kai$^{53}_{44}$tsiəu^{53}kɔn^{35}tsau$^{53}_{44}$.

【管$_1$】kɔn^{21} [动]①掌管，管辖，控制：就全部归渠～倒。tsʰiəu^{53}tsʰien$^{13}_{21}$pʰu^{53}kuei^{35}ci$^{13}_{21}$kɔn^{21}tau^{21}. ②过问：你等就分你等看呐，也贴哩去唔～哩去啊个。ɲi$^{13}_{21}$tien^{0}tsʰiəu$^{53}_{44}$pən^{35}ɲi$^{13}_{21}$tien^{0}kʰɔn^{53}na^{0},ia^{35} tʰiait^{5}li^{0}çi^{53}ŋ̍^{13}kɔn^{21}ni^{0}çi$^{53}_{44}$a^{0}ke$^{53}_{21}$.

【管$_2$】kɔn^{21} 连不管；无论：～渠三七二十一，我打手牌正，嬲哩来正，我夜兜子来搞。kɔn^{21}ci^{13}san$^{35}_{44}$tsʰiet^{3}ɲi$^{53}_{44}$ʂət^{5} iet^{3},ŋai^{13}ta^{21}ʂəu^{21}pʰai^{13}tʂaŋ^{53},liau^{53}li^{0} lɔi^{13}tʂaŋ^{53},ŋai^{13}ia^{53}tei$^{35}_{53}$tsɿ^{0} lɔi^{13}kau^{21}.｜箇～你么啊做个，冇得区分。kai$^{53}_{21}$kɔn^{21}ɲi^{13}mak^{3} a^{0} tso$^{53}_{44}$ke$^{53}_{44}$,mau^{13}tek^{3} tʂʰʮ$^{35}_{44}$fən$^{35}_{44}$.

【管$_3$】kɔn^{21}/kuɔn^{21} 量用于泉水：打比壁背岭上有只栏场会出水，我就可以分箇～水嘞用竹竿子探下来，反正渠有只栏场有水出，有流动个水，你就可以话“我箇壁背有一～水”，“有～泉水”或者。爱有流动个，欸，有出个。只有湿湿子是，“哟，冇得一～吧？湿湿子凑吧？润润子凑吧？”欸，有。ta^{21}pi^{21}piak^{3} pɔi^{53}liaŋ^{35}xɔŋ$^{53}_{44}$iəu^{35}tʂak^{3} laŋ$^{13}_{21}$tʂʰɔŋ$^{13}_{21}$uɔi^{53}tʂʰət^{3} ʂei^{21},ŋai^{13}tsʰiəu^{53} kʰo^{21}i^{35}pən^{35}kai^{53}kɔn^{21}ʂei^{21}lei^{0} iəŋ$^{53}_{44}$tʂəuk^{3} kan^{21}tsɿ^{0} tʰan^{53}xa$^{53}_{44}$lɔi$^{13}_{21}$,fan^{21}tʂən^{53}ci$^{13}_{21}$iəu^{35}tʂak^{3} laŋ$^{13}_{21}$tʂʰɔŋ$^{13}_{21}$iəu^{35}ʂei^{21} tʂʰət^{3},iəu^{35}liəu^{13}tʰəŋ^{53}ke^{0} ʂei^{21}, ɲi^{13}tsʰiəu^{53}kʰo^{21}i$^{35}_{44}$ua^{53}"ŋai^{13}kai^{53}piak^{3} pɔi$^{53}_{44}$iəu^{35}iet^{3} kuɔn^{21}ʂei^{21}","iəu^{35}kɔn^{21} tsʰan^{13}ʂei^{21}"xɔit^{5} tʂa^{21}.ɔi$^{53}_{44}$iəu^{35}liəu^{13}tʰəŋ$^{53}_{44}$ke^{0},e$_{44}$,iəu^{35}tʂʰət^{3} cie^{53}.tʂʅ^{21}iəu$^{35}_{44}$ʂət^{3} ʂət^{3} tsɿ^{0} ʂʅ^{0},"io^{0},mau^{13}tek^{3} iet^{3} kɔn^{21}pa^{0}?ʂət^{3} ʂət^{3} tsɿ^{21}tsʰei$^{53}_{44}$pa^{0}?in^{53}in^{53}tsɿ^{0} tsʰei$^{53}_{44}$pa^{0}?"ei$_{21}$,iəu^{35}.

【管斗升】kɔn^{21}tei^{21}ʂən^{35} 名一种量具，升筒的一种，合一斤半：一起安做～我等是，装米个话嘞装得一斤半。～。iet^{3} çi^{21}ɔn$^{35}_{44}$tso$^{53}_{44}$kɔn^{21}tei^{21}ʂən^{35}ŋai$^{13}_{21}$tien^{0} ʂʅ$^{53}_{44}$,tʂɔŋ^{35}mi^{21}ke^{53}fa$^{53}_{44}$le^{0} tʂɔŋ$^{35}_{44}$tek^{3} iet^{3} cin^{35} pan^{53}.kɔn^{21}tei^{21}ʂən$^{35}_{44}$.

【管事】kɔn^{21}sɿ^{53} 动管理、主持事务：（庙里）有只～个人，渠等是喊渠师傅呢。iəu^{35}tʂak^{3} kɔn^{21} sɿ^{53}ke$^{53}_{44}$ɲin$^{13}_{21}$,ci$^{13}_{21}$tien^{0} ʂʅ$^{53}_{44}$xan^{53}ci$^{13}_{44}$sɿ^{35}fu^{53}nei^{0}.｜欸，做好事就有～个人呐。e$_{44}$,tso^{53}xau^{21}sɿ$^{53}_{44}$tsʰiəu$^{53}_{44}$iəu$^{35}_{44}$ kɔn^{21}sɿ^{53}ke^{0}ɲin$^{13}_{21}$na^{0}.

【管账】kɔn^{21}tʂɔŋ^{53} 动管理账目：从前个地主屋下～个人。tsʰəŋ$^{13}_{21}$tsʰien$^{13}_{21}$ke^{53}tʰi^{53}tʂʰʮ^{21}uk^{3} xa$^{53}_{44}$kɔn^{21} tʂɔŋ^{53}ke$^{53}_{44}$ɲin$^{13}_{44}$.

【惯】kuan^{53} 动习以为常，积久成习；习惯：箇浏阳有只邻舍咯，渠就跍倒兰州箇映子当嘿两十年个兵嘛，哈渠话归来真唔～啦。箇边干燥哇。渠话地泥下伶伶俐俐子到处都，系唔系啊？以个栏场到处系虫啊屎啊箇个么个，虫子箇兜么个，欸，豺死人。渠话哪有么个咁多虫，真豺人，真愁人。渠系浏阳人呢，渠话我自家都唔～了。渠老婆就系箇兰州人，渠话欸：“箇特别我老婆唔～，欸，系下以映。”渠话：“唔～，归来唔～。归来真唔～。”kai^{53}liəu^{13} iɔŋ$^{13}_{44}$iəu^{35}tʂak^{3} lin^{13}ʂa^{53}ko^{0},ci$^{13}_{21}$tsiəu$^{53}_{44}$kʰu^{35}tau$^{21}_{44}$lan^{13}tʂəu$^{35}_{44}$kai^{53}iaŋ^{53}tsɿ^{0} tɔŋ^{35}ŋek^{3} iɔŋ^{21}ʂət^{5}ɲien^{13}ke$^{53}_{44}$pin^{35} ma^{0},xa$_{53}$ci$^{13}_{44}$ua$^{53}_{44}$kuei$^{35}_{44}$lɔi$^{13}_{44}$tʂən^{35}n̩$^{13}_{21}$kuan^{53}la^{0}.kai$^{53}_{44}$pien$^{35}_{44}$kɔn^{35}tsau^{53}ua^{0}.ci$^{13}_{21}$ua$^{53}_{44}$tʰi^{53}lai$^{13}_{21}$xa^{35}lin^{13}lin$^{13}_{21}$li^{53}li^{53}tsɿ^{0} tau^{53}tʂʰəu^{53}təu$^{35}_{44}$,xei^{53}me^{53}a^{0}?i^{21}ke^{53}laŋ$^{13}_{21}$tʂʰɔŋ$^{13}_{44}$tau^{53}tʂʰəu^{53}xei^{53}tʂʰəŋ^{13}ŋa^{0} ʂʅ^{21}a^{0} kai$^{53}_{44}$ke$^{53}_{44}$mak^{3} ke^{53},tʂʰəŋ^{13}tsɿ^{0} kai$^{53}_{44}$te$^{35}_{44}$mak^{3} ke$^{53}_{44}$,e$_{21}$, ɲia$^{13}_{44}$si^{21}ɲin^{13}.ci$^{13}_{44}$(u)a$^{53}_{44}$lai$^{53}_{44}$iəu$^{35}_{44}$mak^{3} e^{0} kan^{21}to^{35}tʂʰəŋ^{13},tʂən^{35}ɲia$^{13}_{21}$ɲin$^{13}_{44}$,tʂən^{35}tsʰei$^{13}_{21}$ɲin$^{13}_{21}$. ci$^{13}_{21}$xei^{53}liəu^{13}iɔŋ$^{13}_{44}$ɲin^{13}nei^{0},ci$^{13}_{21}$ua$^{53}_{44}$ŋai$^{13}_{21}$tsʰɿ^{35}ka$^{35}_{44}$təu$^{35}_{53}$n̩^{13}kuan^{53}liau^{0}.ci$^{13}_{21}$lau^{21}pʰo^{13}tsʰiəu^{53}xe^{53}kai^{53}lan^{13}tʂəu$^{35}_{44}$ ɲin$^{13}_{21}$,ci$^{13}_{44}$ (u)a$^{53}_{44}$e$_{21}$:"kai$^{53}_{44}$tʰek^{5} pʰiet^{5} ŋai$^{13}_{21}$lau^{21}pʰo^{13}n̩^{13}kuan^{53},e$_{21}$,xei^{53}(x)a$^{53}_{44}$i^{21}iaŋ^{53}."ci^{13}ua^{53}:"n̩^{13}kuan^{53},kuei^{35} lɔi$^{13}_{21}$n̩^{13}kuan^{53}.kuei$^{35}_{44}$lɔi$^{13}_{44}$tʂən^{35}n̩^{13}kuan^{53}.

【灌】kɔn^{53} 动①注入液体：（打火机）底下有只子咁个圆圆子铁个坨坨子，～汽油。te^{21}xa$^{53}_{44}$ iəu^{35}tʂak^{3} tsɿ^{0} kan^{21}ke^{53}ien^{13}ien^{13}tsɿ^{0} tet^{3} ke^{53}tʰo^{13}tʰo^{13}tsɿ^{0},kɔn$^{53}_{44}$çi^{53}iəu$^{13}_{21}$. ②装入：欸猪肉剁碎来，～下小肠肚里，做成灌肠，就香肠样个东西噢。e^{0} tʂəu^{35}ɲiəuk^{3} to^{53}si^{53}lɔi$^{13}_{21}$,kɔn^{53}na$_{44}$(←xa^{53})siau^{21}tʂʰɔŋ^{13} təu^{21}li^{0},tso^{53}tʂʰən$^{13}_{21}$kɔn^{53}tʂʰɔŋ^{13},tsʰiəu$^{53}_{44}$çiɔŋ^{35}tʂʰɔŋ$^{13}_{21}$iɔŋ$^{53}_{44}$ke$^{53}_{44}$təŋ$^{35}_{44}$si^{0} au^{0}.

【灌肠】kɔn^{53}tʂʰɔŋ^{13} 名自制的香肠：～是用猪肉去灌下箇灌嘿小肠肚里去，做成～啊。唔用猪血。只用猪肉啊，腈猪肉哇。欸猪肉剁碎来，灌下小肠肚里，做成～，就香肠样个东西噢。箇碎猪肉还爱箇猪肉子还爱放香料唠，还放唔知几多香料，八角粉箇只啦，辣椒子箇……辣椒唔放。八角粉箇只。灌好哩以后就挂起来，也可以去熏呢，熏一到嘞。灌好哩以后爱晒熟来么呶？我觉得也系爱晒熟来。就系香肠样呢，就自家做个香肠嘞。就唔安做香肠，安做～啊。冇得用猪血来灌个，冇得。（食个时候子）切成一片片子去炒哇，或者切成一片片子去蒸呐。爱煮熟哇，就只爱炒倒蒸就要得哩啊。kɔn^{53}tʂʰɔŋ^{13}ʂʅ$^{53}_{44}$iəŋ^{53}tʂəu^{35}ɲiəuk^{3} çi$^{53}_{44}$kɔn^{53}na$_{44}$(←xa^{53}) kai$^{53}_{44}$kɔn^{53}xek^{3} siau^{21}tʂʰɔŋ^{13}təu^{21}li^{0} çi^{53},tso^{53}tʂʰən$^{13}_{21}$kɔn^{53}tʂʰɔŋ^{13}ŋa^{0}.ŋ̍^{13}ɲiəŋ$^{53}_{44}$tʂəu^{35}çiet^{3}.tʂʅ$^{21}_{35}$iəŋ$^{53}_{44}$tʂəu^{35}ɲiəuk^{3} a^{0},tsiaŋ^{35}tʂəu^{35}ɲiəuk^{3} ua^{0}.e^{0} tʂəu^{35}ɲiəuk^{3} to^{53}si^{53}lɔi$^{13}_{21}$,kɔn^{53}na$_{44}$(←xa^{53})siau^{21}tʂʰɔŋ^{13}təu^{21}li^{0},tso^{53}tʂʰən$^{13}_{21}$kɔn^{53} tʂʰɔŋ^{13},tsʰiəu$^{53}_{44}$çiɔŋ^{35}tʂʰɔŋ$^{13}_{21}$iɔŋ$^{53}_{44}$ke$^{53}_{44}$təŋ$^{35}_{44}$si^{0} au^{0}.kai$^{53}_{44}$sei^{53}tʂəu^{35}ɲiəuk^{3} xa$^{13}_{21}$ɔi$^{53}_{44}$kai$^{53}_{44}$tʂəu^{35}ɲiəuk^{3} tsɿ^{0} xa$^{13}_{21}$ɔi$^{53}_{44}$fɔŋ^{53} çiɔŋ^{35}liau$^{53}_{44}$lau^{0},xai$^{13}_{21}$fɔŋ^{53}ŋ̍$^{13}_{21}$ti$^{35}_{53}$ci^{21}to$^{35}_{44}$çiɔŋ^{35}liau^{53},pait^{3} kɔk^{3} fən^{21}kai$^{53}_{44}$tʂak^{3} la^{0},lait^{5} tsiau$^{35}_{44}$tsɿ^{0} kai^{0} ⋯lait^{5} tsiau$^{35}_{44}$m̩$^{13}_{21}$fɔŋ$^{53}_{44}$.pait^{3} kɔk^{3} fən^{21}kai$^{53}_{44}$tʂak^{3}.kɔn^{53}xau^{21}li^{0} i^{35}xei$^{53}_{44}$tsʰiəu$^{53}_{44}$kua^{53}çi^{21}lɔi^{13},ia^{35}kʰo^{21}i^{35}çi$^{53}_{44}$çin^{35}nei^{0},çin^{35} iet^{3} tau^{53}lei^{0}.kɔn^{53}xau^{21}li^{0} i^{35}xei$^{53}_{44}$ɔi^{53}sai^{53}ʂəuk^{5} lɔi$^{13}_{21}$mo^{0} nau^{0}?ŋai$^{13}_{21}$kɔk^{3} tek^{3} ia^{35}xei^{53}ɔi$^{53}_{44}$sai^{53}ʂəuk^{5} lɔi$^{13}_{21}$.tsʰiəu^{53}

xei$^{53}_{44}$çiɔŋ^{35}tʂ^{h}ɔŋ$^{13}_{21}$iɔŋ$^{53}_{44}$nei^{0},ts^{h}iəu^{53}ts^{h}ɿ^{35}ka$^{35}_{44}$tso^{53}ke$^{53}_{44}$çiɔŋ^{35}tʂ^{h}ɔŋ$^{13}_{21}$lei^{0}.tsiəu^{53}n̩^{13}ɔn^{35}tso$^{53}_{44}$çiɔŋ^{35}tʂ^{h}ɔŋ$^{13}_{21}$,ɔn^{35}tso$^{53}_{44}$kɔn^{53}tʂ^{h}ɔŋ^{13}ŋa^{0}.mau^{13}tek^{3}iɔŋ^{53}tʂəu^{35}çiet^{3}lɔi^{13}kɔn^{53}cie$^{53}_{44}$,mau$^{13}_{21}$tek^{3}.ts^{h}iet^{3}ʂaŋ$^{13}_{44}$iet^{3}p^{h}ien^{53}p^{h}ien^{53}tsɿ^{0}çi^{53}ts^{h}au^{21}ua^{0},xɔit^{5}tʂa^{21}ts^{h}iet^{3}ʂaŋ$^{13}_{44}$iet^{3}p^{h}ien^{53}p^{h}ien^{53}tsɿ^{0}çi$^{53}_{44}$tʂən^{35}na^{0}.ɔi$^{53}_{44}$tʂəu^{21}ʂəuk^{5}ua^{0},ts^{h}iəu$^{53}_{44}$tʂʅ^{21}ɔi^{53}ts^{h}au^{21}tau$^{21}_{53}$tʂən^{35}ts^{h}iəu$^{53}_{44}$iau^{53}tek^{3}lia^{0}.

【灌浆】kɔn^{53}tsiɔŋ^{35} 动谷子胀汤：～就爱放水哟。kɔn^{53}tsiɔŋ^{35}ts^{h}iəu$^{53}_{44}$ɔi$^{53}_{44}$fɔŋ^{53}ʂei^{21}iau^{0}.

【罐】kɔn^{53} 量用于灌装的东西：一～油 iet^{3}kɔn^{53}iəu^{13}

【罐子】kɔn^{53}tsɿ^{0} 名盛东西用或用以盛放并烹煮食物的大口器皿，多为陶瓷制品：一只子～样个 iet^{3}tʂak^{3}tsɿ^{0}kɔn^{53}tsɿ^{0}iɔŋ$^{53}_{44}$ke$^{53}_{44}$

【光$_{1}$】kɔŋ^{35} 形①明亮：就多放一条灯芯就更～噢。ts^{h}iəu$^{53}_{44}$to^{35}xɔŋ^{53}iet^{3}t^{h}iau$^{13}_{21}$tien$^{35}_{44}$sin$^{35}_{44}$ts^{h}iəu$^{53}_{44}$cien$^{53}_{44}$kɔŋ^{35}ŋau^{0}. ②裸露的：剐嘿哩椐就渠就箇个一条～杉树。t^{h}iait^{5}lek^{3}li^{0}k^{h}ua^{21}ts^{h}iəu$^{53}_{21}$ci^{13}ts^{h}iəu$^{53}_{44}$kai^{53}ke^{53}iet^{3}t^{h}iau$^{13}_{21}$kɔŋ^{35}sa$^{35}_{44}$ʂəu^{53}.

【光$_{2}$】kɔŋ^{35} 动使变光滑：拿铁荡子嘞箇就铁荡子就更细。铁荡子～下子。la^{53}t^{h}iet^{3}t^{h}ɔŋ^{53}tsɿ^{0}le^{0}kai$^{53}_{44}$ts^{h}iəu$^{53}_{44}$t^{h}iet^{3}t^{h}ɔŋ^{53}tsɿ^{0}ts^{h}iəu$^{53}_{44}$ken$^{53}_{44}$se^{53}.t^{h}iet^{3}t^{h}ɔŋ^{53}tsɿ^{0}kɔŋ^{35}ŋa$_{44}$(←xa^{53})tsɿ^{0}.

【光板】kɔŋ^{35}pan^{21} 名①麻将牌中的白板：我等以映子打麻将个打法咯，唔用箇只～就唔用箇只东南西北风，好像渠等都唔用，箇个都拿稳走。ŋai^{13}tien^{0}i^{21}iaŋ^{53}tsɿ^{0}ta^{21}ma^{13}tsiɔŋ^{53}ke^{0}ta^{21}fait^{3}ko^{0},n̩^{13}iəŋ^{53}kai^{53}tʂak^{3}kɔŋ^{35}pan^{21}ts^{h}iəu^{53}n̩^{13}iəŋ^{53}kai^{53}tʂak^{3}təŋ^{35}lan$^{13}_{21}$si$^{35}_{44}$pɔit^{3}fəŋ^{35},xau^{21}ts^{h}iɔŋ^{53}ci$^{13}_{21}$tien^{0}təu^{35}n̩$^{13}_{21}$iəŋ^{53},kai$^{53}_{44}$ke$^{53}_{44}$təu^{35}la^{53}uən^{21}tsei$^{21}_{44}$. ②喻指没有阴毛的成年女性。又称"白虎"：夫娘子冇得毛哇就安做～呶。pu^{35}ɲiɔŋ$^{13}_{21}$tsɿ^{0}mau$^{13}_{21}$tek^{3}mau^{35}ua^{0}ts^{h}iəu$^{53}_{21}$ɔn$^{35}_{53}$tso^{53}kɔŋ^{35}pan^{21}nau^{0}.｜箇只人一块～。kai^{53}tʂak^{3}ɲin$^{13}_{44}$iet^{3}k^{h}uai^{53}kɔŋ^{35}pan^{21}.

【光彻彻哩】kɔŋ^{35}tʂ^{h}et^{5}tʂ^{h}et^{5}li^{0} 形空无一物：欸间哩冇得行头，～。e$_{21}$kan^{35}ni^{0}mau^{13}tek^{3}çin^{13}t^{h}ei$^{13}_{44}$,kɔŋ^{35}tʂ^{h}et^{5}tʂ^{h}et^{5}li^{0}.｜壁上～。piak^{3}xɔŋ^{53}kɔŋ^{35}tʂ^{h}et^{5}tʂ^{h}et^{5}li^{0}.

【光窗】kɔŋ^{35}ts^{h}əŋ^{35} 名窗户：～格子摎～栊子～横子有区别，～格子嘞渠就有直个摎横个咁子搞下去个，就算～格子。～横子嘞渠就往往就欸直个，或者系横个，直个多箇就横个只有一条两条，横个多箇就直个只有一条两条，一般是直个多，横个少。～格子了嘞，箇就以前有我等箇老屋里就有箇个用树做个做成咁个艺术品样个，欸，装饰品样个，做箇样格子，爱带花纹图案，系啊？欸就～格子。kɔŋ^{35}ts^{h}əŋ^{35}kak^{3}tsɿ^{0}lau^{35}kɔŋ^{35}ts^{h}əŋ$^{35}_{44}$kuaŋ^{35}tsɿ^{0}kɔŋ^{35}ts^{h}əŋ^{35}uaŋ^{53}tsɿ^{0}iəu^{35}tʂ^{h}ʮ^{35}p^{h}iet^{5},kɔŋ^{35}ts^{h}əŋ^{35}kak^{3}tsɿ^{0}lei^{0}ci$^{13}_{21}$ts^{h}iəu$^{53}_{44}$iəu$^{35}_{44}$tʂ^{h}ət^{5}ke^{0}lau^{35}uaŋ^{13}ke^{53}kan^{21}tsɿ^{0}kau^{21}ua$^{53}_{44}$çi$^{53}_{44}$ke^{0},tsiəu$^{53}_{44}$sɔn$^{53}_{44}$kɔŋ$^{35}_{44}$ts^{h}əŋ$^{35}_{44}$kak^{3}tsɿ^{0}.kɔŋ^{35}ts^{h}əŋ^{35}uaŋ^{53}tsɿ^{0}lei^{0}ci$^{13}_{21}$ts^{h}iəu^{53}uɔŋ^{21}uɔŋ^{21}ts^{h}iəu^{53}ei$_{21}$tʂ^{h}ət^{5}cie$^{53}_{21}$,xɔit^{5}tʂa^{21}xe^{53}uaŋ^{13}ke^{53},tʂət^{5}cie^{53}to^{35}kai$^{53}_{44}$ts^{h}iəu$^{53}_{44}$uaŋ^{13}ke^{53}tʂʅ^{21}iəu$^{35}_{53}$iet^{3}t^{h}iau$^{13}_{21}$iɔŋ^{21}t^{h}iau^{13},uaŋ^{13}ke$^{53}_{44}$to^{35}kai$^{53}_{44}$ts^{h}iəu$^{53}_{44}$tʂət^{5}cie$^{53}_{21}$tʂʅ^{21}iəu$^{35}_{53}$iet^{3}t^{h}iau$^{13}_{21}$iɔŋ^{21}t^{h}iau^{13},iet^{3}pɔn^{35}ʂʅ$^{53}_{44}$tʂ^{h}ət^{5}ke$^{53}_{21}$to^{35},uaŋ^{13}ke^{53}ʂau^{21}.kɔŋ^{35}ts^{h}əŋ^{35}kak^{3}tsɿ^{0}lei^{0},kai$^{53}_{44}$ts^{h}iəu$^{53}_{44}$i^{35}ts^{h}ien$^{13}_{21}$iəu^{35}ŋai^{13}tien^{0}kai^{53}lau^{21}uk^{3}li^{0}ts^{h}iəu$^{53}_{44}$iəu^{35}kai$^{53}_{44}$ke$^{53}_{44}$iəŋ$^{53}_{44}$ʂəu^{53}tso$^{53}_{44}$kei$^{53}_{44}$tso$^{53}_{44}$ʂaŋ$^{13}_{21}$kan^{21}ke$^{53}_{44}$ni^{53}ʂət^{5}p^{h}in^{21}iɔŋ$^{53}_{44}$ke^{53},e$_{21}$,tsɔŋ$^{35}_{44}$ʂət^{5}p^{h}in^{21}iɔŋ$^{53}_{44}$ke$^{53}_{44}$,tso$^{53}_{44}$kai$^{53}_{44}$iɔŋ$^{53}_{44}$kak^{3}tsɿ^{0},ɔi$^{53}_{44}$tai$^{53}_{44}$fa^{35}uən^{13}t^{h}əu^{13}ŋɔn^{53},xei$^{53}_{44}$a^{0}?e$_{44}$ts^{h}iəu$^{53}_{21}$kɔŋ$^{35}_{44}$ts^{h}əŋ$^{35}_{44}$kak^{3}tsɿ^{0}.

【光窗架】kɔŋ^{35}ts^{h}əŋ^{35}ka^{53} 名窗户框子：我等老家箇映子个箇屋是赠安～，我等做祠堂咯赠安～。你话让门搞嘞？噢，箇～唔爱，做只防盗窗去。有人系呀箇屋啊，有人系啊。你箇光窗做倒有么个用，系啊？做倒箇起如今做光窗是唔得做箇起箇只有铁栊子箇条吵，都系做以起咁个不锈钢个箇都咁个吵。你话做倒箇又有么人系呀，箇玻璃别人家打嘿哩都唔晓得。我话唔爱做，唔爱做～，唔爱做光窗，只爱做只防盗窗去，别人家进来唔得就要得哩。如今都咁个嘞冇得光窗。ŋai^{13}tien^{0}lau^{21}cia^{35}kai$^{53}_{44}$iaŋ^{53}tsɿ^{0}kei$^{53}_{44}$kai^{53}uk^{3}ʂʅ$^{53}_{44}$maŋ^{13}ɔn^{35}kɔŋ$^{35}_{44}$ts^{h}əŋ$^{35}_{44}$ka^{53},ŋai^{13}tien^{0}tso^{53}ts^{h}ɿ^{13}t^{h}ɔŋ$^{13}_{44}$ko^{0}maŋ^{13}ɔn^{35}kɔŋ$^{35}_{44}$ts^{h}əŋ$^{35}_{44}$ka^{53}. ɲi^{13}ua$^{53}_{44}$ɲiɔŋ$^{53}_{44}$mən^{0}kau^{21}lei^{0}?au$_{13}$,kai$^{53}_{44}$kɔŋ$^{35}_{44}$ts^{h}əŋ$^{35}_{44}$ka^{53}m̩$^{13}_{21}$mɔi$^{53}_{44}$,tso^{53}tʂak^{3}fɔŋ^{13}t^{h}au$^{53}_{44}$ts^{h}ɔŋ^{35}çi^{53}.mau^{13}ɲin$^{13}_{44}$xei^{53}ia^{0}kai^{53}uk^{3}a^{0},mau^{13}ɲin$^{13}_{44}$xei^{53}a^{0}. ɲi^{13}kai$^{53}_{21}$kɔŋ$^{35}_{44}$ts^{h}əŋ$^{35}_{44}$tso^{53}tau^{21}iəu$^{35}_{44}$mak^{3}e^{0}iəŋ^{53},xei$^{53}_{44}$a^{0}?tso^{53}tau^{21}kai$^{53}_{44}$çi$^{21}_{44}$i$^{13}_{21}$cin$^{35}_{44}$tso^{53}kɔŋ^{35}ts^{h}əŋ$^{35}_{44}$ʂʅ$^{53}_{44}$n̩^{13}tek^{3}tso^{53}kai$^{53}_{44}$çi$^{21}_{44}$kai$^{53}_{44}$tʂʅ^{21}iəu$^{35}_{53}$t^{h}iet^{3}kuaŋ^{35}tsɿ^{0}kai$^{53}_{44}$t^{h}iau$^{13}_{21}$ʂa^{0},təu^{35}xei$^{53}_{44}$tso^{53}i^{21}çi$^{21}_{44}$kan^{21}cie$^{53}_{44}$pət^{3}siəu^{53}kɔŋ^{35}ke^{0}kai$^{53}_{44}$təu$^{35}_{53}$kan^{21}cie^{53}ʂa^{0}. ɲi^{13}ua^{53}tso^{53}tau^{21}kai^{53}iəu^{53}mau^{13}mak^{3}in$^{13}_{44}$xei^{53}ia^{0},kai^{53}po^{35}li$^{13}_{21}$p^{h}iet^{5}in$^{13}_{44}$ka$^{35}_{44}$ta^{21}xek^{3}li^{0}təu$^{35}_{53}$n̩$^{13}_{21}$çiau^{21}tek^{3}.ŋai^{13}ua^{53}m̩$^{13}_{21}$mɔi^{53}tso^{53},m̩$^{13}_{21}$mɔi^{53}tso^{53}kɔŋ$^{35}_{44}$ts^{h}əŋ$^{35}_{44}$ka^{53},m̩$^{13}_{21}$mɔi^{53}tso^{53}kɔŋ$^{35}_{44}$ts^{h}əŋ$^{35}_{44}$,tʂət^{3}ɔi^{53}tso^{53}tʂak^{3}fɔŋ^{13}t^{h}au$^{53}_{44}$ts^{h}ɔŋ$^{13}_{44}$çi$^{53}_{44}$,p^{h}iet^{5}in$^{13}_{44}$ka$^{35}_{44}$tsin^{53}nɔi$^{13}_{21}$n̩$^{13}_{44}$tek^{3}ts^{h}iəu^{53}iau^{53}tek^{3}li^{0}.i$^{13}_{21}$cin$^{35}_{44}$təu$^{35}_{53}$kan^{21}cie^{53}lei^{0}mau$^{13}_{21}$tek^{3}kɔŋ$^{35}_{44}$ts^{h}əŋ$^{35}_{53}$.

【光窗门】kɔŋ^{35}ts^{h}əŋ^{35}mən^{13} 名窗门：～，安做～。欸，光窗也有门。我等以前个老屋就有～。～一般都向肚里开。从前都唔向外背开。都向肚里开。kɔŋ^{35}ts^{h}əŋ$^{35}_{44}$mən^{13},ɔn^{35}tso$^{53}_{44}$kɔŋ^{35}

tsʰəŋ$^{35}_{44}$mən^{13}.e$_{21}$,kɔŋ^{35}tsʰəŋ$^{35}_{44}$ia$^{35}_{44}$iəu$^{35}_{44}$mən^{13}.ŋai$^{13}_{21}$tien^{0} i$^{35}_{44}$tsʰien$^{13}_{44}$ke$^{53}_{44}$lau^{21}uk^{3} tsʰiəu$^{53}_{44}$iəu$^{35}_{44}$kɔŋ$^{35}_{44}$tsʰəŋ$^{35}_{44}$mən$^{13}_{21}$.kɔŋ^{35} tsʰəŋ$^{35}_{44}$mən^{13}iet^{3} pən^{35}təu$^{35}_{44}$çiɔŋ^{53}təu^{21}li^{0} kʰɔi^{35}.tsʰəŋ^{13}tsʰien$^{13}_{21}$təu$^{35}_{44}$n̩$^{13}_{21}$çiɔŋ$^{53}_{44}$ŋɔi^{53}pɔi$^{53}_{21}$kʰɔi$^{35}_{21}$.təu^{35}çiɔŋ^{53}təu^{21}li^{0} kʰɔi$^{35}_{44}$.

【光滑】kɔŋ^{35}uait^{5} 形 平滑，不粗糙：刨～来呀。pʰau$^{13}_{21}$kɔŋ^{35}uait^{5}lɔi$^{13}_{21}$ia^{0}.｜擂钵嘞渠就欸箇肚里吵，就唔系～个。li^{13}pait^{3} lei^{0} ci$^{13}_{21}$tsʰiəu$^{53}_{44}$e$_{21}$kai^{53}təu^{21}li^{0} ʂa^{0},tsʰiəu^{53}m̩^{13}pʰe$_{44}$(←xe^{53})kɔŋ^{35}uait$^{5}_{3}$ke^{53}.

【光脑壳】kɔŋ^{35}lau^{21}kʰɔk^{3} 名 光头：箇个～啊也有遗传呢。嘿，会笑死你们呶。我系我有只掺我系得最近个一只人，以前咯，两个人个灶下真系唔知隔倒以只间咁远吗。渠三只赖子，箇中间……箇第二个赖子……第三个赖子就更𫍽多看得倒，跍下深圳。特别第二个赖子，正四十，比我赖子都还细兜子吧，七几年出世个，基本上成哩只～了。渠个爷子，箇比我大兜子唠，也系只～，跌净哩箇头发。渠个赖子就正四十零兜子过就嗯脑壳上冇么个头发了哇。我头番看得渠哦，欸，～。哪咁个，箇个有遗传病个？渠个大赖子也头发也跌得蛮净了，冇么个头发了。箇大赖子还𫍽五十岁嘞，七一年个嘞。kai^{53}ke$^{35}_{44}$kɔŋ^{35}lau^{21}kʰɔk^{3} a^{0} ia^{35}iəu$^{35}_{53}$i^{13}tʂʰuən$^{13}_{44}$ nei^{0}.xei$_{21}$,uɔi^{53}siau^{53}si^{21}ɲi$^{13}_{21}$mən^{0}nau^{0}.ŋai^{13}xei^{53}ŋai^{13}iəu$^{35}_{53}$tʂak^{3} lau^{35}ŋai$^{13}_{21}$xei^{53}tek^{3} tsei^{53}cʰin^{35}ke^{0} iet^{3} tʂak^{3} ɲin^{13}, i^{35}tsʰien^{13}ko^{0},iɔŋ^{21}ke$^{53}_{44}$in$^{13}_{44}$ke^{0} tsau^{53}xa$^{53}_{44}$tʂən^{35}xe$^{53}_{21}$n̩^{13}ti$^{35}_{53}$kak^{3} tau^{21}i^{21}tʂak^{3} kan^{35}kan^{21}ien^{21}ma^{0}.ci$^{13}_{21}$san^{35}tʂak^{3} lai^{53} tsɿ^{0},kai$^{53}_{44}$tʂəŋ^{35}kan…kai$^{53}_{44}$tʰi$^{53}_{44}$ɲi^{53}ke$^{53}_{44}$lai^{53}tsɿ^{0}…tʰi$^{53}_{44}$san^{35}ke$^{53}_{44}$lai^{53}tsɿ^{0} tsʰiəu^{53}cien^{53}maŋ^{13}to$^{35}_{44}$kʰɔn^{53}tek^{3} tau^{21}, kʰu$^{35}_{44}$xa$^{53}_{44}$ʂən^{35}tʂən^{53}.tʰet^{5} pʰet^{5} tʰi^{53}ɲi^{53}ke^{53}lai^{53}tsɿ^{0},tʂaŋ^{53}si^{53}ʂət^{5},pi^{21}ŋai^{13}lai^{53}tsɿ^{0} təu$^{35}_{53}$xai$^{13}_{21}$se^{53}tei$^{35}_{53}$tsɿ^{0} pa^{0}, tsʰiet^{3} ci^{21}ɲien$^{13}_{21}$tʂʰət^{3} ʂɿ^{53}ke^{0},ci^{35}pən^{21}xɔŋ^{53}ʂaŋ$^{13}_{44}$li^{0} tʂak^{3} kɔŋ$^{35}_{44}$lau^{21}kʰɔk^{3} liau^{0}.ci$^{13}_{44}$(k)ei$^{53}_{44}$ia^{13}tsɿ^{0},kai^{53}pi^{21}ŋai$^{13}_{21}$ tʰai^{53}tei$^{35}_{53}$tsɿ^{0} lau^{0},a$^{35}_{44}$xei^{53}tʂak^{3} kɔŋ$^{35}_{44}$lau^{21}kʰɔk^{3},tet^{3} tsʰiaŋ^{53}li^{0} kai^{53}tʰei^{13}fait^{3}.ci$^{13}_{21}$ke$^{53}_{44}$lai^{53}tsɿ^{0} tsʰiəu$^{53}_{44}$tʂaŋ$^{53}_{44}$si^{53} ʂət^{5} laŋ$^{13}_{21}$tei$^{35}_{53}$tsɿ^{0} ko$^{53}_{44}$tsiəu$^{53}_{44}$n̩$_{44}$nau^{21}kʰɔk^{3} xɔŋ^{53}mau^{13}mak^{3} e^{0} tʰei^{13}fait^{3} liau$^{21}_{44}$ua^{0}.ŋai$^{13}_{21}$tʰei$^{13}_{21}$fan$^{35}_{44}$kʰɔn^{53}tek^{3} ci$^{13}_{44}$ o^{0},e^{0},kɔŋ^{35}lau^{21}kʰɔk^{3}.lai$^{53}_{44}$kan$^{21}_{13}$kei$^{53}_{44}$,kai^{21}kei$^{53}_{44}$iəu$^{35}_{53}$i^{13}tʂʰuən$^{13}_{21}$pʰiaŋ^{53}ke^{53}?ci$^{13}_{21}$ke$^{53}_{44}$tʰai^{53}lai$^{53}_{44}$tsɿ^{0} a$^{35}_{53}$tʰei$^{13}_{21}$fait^{3} a$^{35}_{53}$ tet^{3} tek^{3} man^{13}tsʰiaŋ^{53}liau^{0},mau^{13}mak^{3} e^{0} tʰei^{13}fait^{3} liau^{0}.kai$^{53}_{44}$tʰai^{53}lai$^{53}_{44}$tsɿ^{0} xai$^{13}_{21}$maŋ^{13}ŋ̍^{21}ʂət^{5} sɔi^{53}lei^{0},tsʰiet^{3} iet^{3}ɲien^{13}cie^{53}lei^{0}.

【光刨子】kɔŋ^{35}pʰau^{13}tsɿ^{0} 名 用来对木料进行抛光的短刨子：欸～一去就泼令很光滑。e^{0} kɔŋ^{35}pʰau$^{13}_{21}$ tsɿ^{0} iet^{3} çi$^{53}_{44}$tsiəu$^{53}_{44}$pʰait^{5} laŋ$^{53}_{44}$.

【光皮树】kɔŋ^{35}pʰi^{13}ʂəu^{53} 名 光皮梾木，是一种木本油料植物。树皮灰色至青灰色，块状剥落。又俗称“青光树”：青光树系结籽籽榨得油个，箇只皮就系泼令。哦～，青光树。渠叶子榾是青个。箇只树皮嘞车光个。它系只油料东西。籽就可以榨油哇。我喊啦去，去箇搞个挖□□个镜山，也种啦几把，噢，如今还有几只。咁大一只，如今有几只咁大个。𫍽去摘籽嘞，𫍽去榨油嘞。一百斤籽榨得五十斤油哇。/欸树蛮硬吧？/泼令个。tsʰiaŋ^{35}kɔŋ^{35}ʂəu^{53}xe^{53}ket^{3} tsɿ^{21} tsɿ^{21}tsa^{53}tek^{3} iəu^{13}ke^{53},kai^{53}tʂak^{3} pʰi^{13}tsʰiəu^{53}xe^{53}pʰait^{5} laŋ^{53}.xan^{21}kɔŋ^{35}pʰi^{13}ʂəu^{53},tsʰiaŋ^{35}kɔŋ^{35}ʂəu^{53}.ci^{13}iait^{5} tsɿ^{0} kʰua^{21}ʂɿ$^{53}_{44}$tsʰiaŋ^{35}ke$^{53}_{44}$.kai$^{53}_{44}$tʂak^{3} ʂəu^{53}pʰi$^{13}_{21}$le^{0} tʂʰe$^{35}_{53}$kɔŋ^{35}ke$^{53}_{44}$.tʰa$^{35}_{21}$xe^{53}tʂak^{3} iəu^{13}liau$^{53}_{44}$təŋ$^{35}_{44}$si^{0}.tsɿ^{21}tsʰiəu^{53}kʰo^{21}i^{35} tsa^{53}iəu^{13}ua^{0}.ŋai^{13}xan^{21}la^{0} çi$^{53}_{44}$,çi$^{53}_{44}$kai$^{53}_{44}$kau^{21}ke^{53}uait$^{5}_{3}$pu$_{21}$tʰau$_{44}$ke$^{53}_{44}$ciaŋ^{53}san$^{35}_{44}$,a$^{35}_{44}$tʂəŋ^{53}la^{0} ci^{21}pa^{21},au$_{53}$,i$^{13}_{21}$cin^{35} xai$^{13}_{21}$iəu$^{35}_{53}$ci^{21}tʂak^{3}.kan$^{21}_{53}$tʰai^{53}iet^{3}tʂak^{3},i$^{13}_{21}$cin$^{35}_{44}$iəu^{35}ci^{21}tʂak^{3} kan^{21}tʰai$^{53}_{44}$ke$^{53}_{44}$.maŋ^{13}çi^{53}tsak^{3} tsɿ^{21}lei^{0},maŋ^{13}çi^{53}tsa^{53} iəu^{13}le^{0}.iet^{3} pak^{3} cin^{35}tsɿ^{21}tsa^{53}tek^{3} ŋ̍^{21}ʂət^{5} cin^{35}iəu^{13}ua^{0}./e$_{44}$ʂəu^{53}man^{13}ŋaŋ^{53}pa^{0}?/pʰait^{5} laŋ$^{53}_{44}$ke$^{53}_{44}$.

【光头】kɔŋ^{35}tʰei$^{13}_{21}$ 名 剃光的头；没有头发的头；秃头：剪～ tsien^{21}kɔŋ^{35}tʰei$^{13}_{21}$

【光头面】kɔŋ^{35}tʰei^{13}mien^{53} 名 没有加臊子的面条：以只～冇得臊子。iak^{3}(←i^{21}tʂak^{3})kɔŋ^{35}tʰei$^{13}_{21}$ mien$^{53}_{44}$mau$^{13}_{21}$tek^{3} sau^{53}tsɿ^{0}.

【光线】kɔŋ^{35}sien^{53} 名 光，如日光：乌天斗暗，箇～一暗呐下，箇夜合草就架势合拢来。u^{35} tʰien^{35}tei^{21}an^{53},kai$^{53}_{44}$kɔŋ^{35}sien^{53}iet^{3} an^{53}na^{0} xa$^{53}_{44}$,kai$^{53}_{44}$ia$^{53}_{44}$xɔit^{5} tsʰau^{21}tsʰiəu$^{53}_{44}$cia^{53}ʂɿ$^{53}_{44}$xɔit^{5} ləŋ$^{35}_{44}$lɔi$^{13}_{44}$.

【光烟】kɔŋ^{35}ien^{35} 动 敬烟。又称“发烟”：客来哩爱～呐。kʰak^{3} lɔi$^{13}_{21}$li^{0} ɔi$^{53}_{44}$kɔŋ$^{35}_{44}$ien^{35}na^{0}.｜光筒子烟你食哩。kɔŋ^{35}tʰəŋ$^{13}_{21}$tsɿ^{0} ien^{35}ɲi$^{13}_{21}$ʂət^{5}li^{0}.

【光眼春】kɔŋ^{35}ŋan^{21}tʂʰən^{35} 名 指立春当日天晴的情况：～就系天晴个，立春箇晡天晴啊，交春箇晡天晴啊。kɔŋ^{35}ŋan^{21}tʂʰən$^{35}_{44}$tsʰiəu$^{53}_{44}$xei$^{53}_{44}$tʰien$^{35}_{44}$tsʰiaŋ^{13}ke^{53},liet^{5} tʂʰən^{35}kai$^{53}_{44}$pu$^{35}_{44}$tʰien$^{35}_{44}$tsʰiaŋ^{13}ŋa^{0},ciau^{35} tʂʰən^{35}kai$^{53}_{44}$pu$^{35}_{44}$tʰien$^{35}_{44}$tsʰiaŋ^{13}ŋa^{0}.

【光眼瞎子】kɔŋ^{35}ŋan^{21}xait^{3} tsɿ^{0} 名 文盲：唔认得一只字个人唔认得字个人系～唠。n̩^{13}ɲin^{53}tek^{3} iet^{3} tʂak^{3} sɿ^{53}ke^{0}ɲin^{13}n̩^{13}ɲin^{53}tek^{3} sɿ^{53}ke^{0}ɲin^{13}(x)e^{53}kɔŋ^{35}ŋan^{21}xait^{3} tsɿ^{0} lau^{0}.

【光张】kɔŋ^{35}tʂɔŋ$^{35}_{44}$ 形 光滑：渠不能搞得几～子。ci$^{13}_{21}$pət^{3} len$^{13}_{21}$kau^{21}tek^{3} ci^{21}kɔŋ^{35}tʂɔŋ$^{35}_{44}$tsɿ^{0}.｜因为刨铁是硬车光，泼令个东西，渠正能够～，刨出来个东西正能够平整。in$^{35}_{44}$uei$^{53}_{44}$pʰau^{13}tʰiet^{3} ʂɿ$^{53}_{44}$

ɲiaŋ^{53}tʂʰe^{35}kɔŋ$^{35}_{53}$,pʰait^{5} laŋ^{53}ke^{0} təŋ$^{35}_{44}$si^{0},ci$^{13}_{21}$tʂaŋ^{53}len$^{13}_{21}$ciau^{53}kɔŋ^{35}tʂɔŋ^{35},pʰau^{13}tʂʰət^{3} lɔi$^{13}_{21}$ke^{0} təŋ$^{35}_{44}$si^{0} tʂaŋ^{53}len$^{13}_{21}$ ciau^{53}pʰiaŋ^{13}tʂaŋ^{21}.

【桄】kuaŋ^{35} 名指器物上的横木：欸，以乘楼梯几多～啊？有七～，欸，有八～。ei$_{21}$,i^{21} ʂən$^{13}_{44}$ lei$^{13}_{21}$tʰɔi^{35}ci^{21}to$^{35}_{44}$kuaŋ^{35}ŋa^{0}?iəu$^{35}_{44}$tsʰiet^{3} kuaŋ^{35},ei$_{21}$,iəu$^{35}_{44}$pait^{3} kuaŋ^{35}.

【桄子】kuaŋ^{35}tsɿ^{0} 名①器物上的横木：箇楼梯呀，箇简单个楼梯啊，一边一条棍呢，箇中间有横……中间个横棍就安做楼梯横子，又安做楼梯～。kai^{53}lei$^{13}_{21}$tʰɔi$^{35}_{44}$ia^{0},kai$^{53}_{44}$kan^{21}tan$^{35}_{44}$ke^{0} lei$^{13}_{21}$ tʰɔi$^{35}_{44}$a^{0},iet^{3} pien^{35}iet^{3} tʰiau^{13}kuən^{53}nei^{0},kai$^{53}_{21}$tʂɔŋ$^{35}_{44}$kan$^{35}_{44}$iəu$^{35}_{53}$uaŋ^{13}…tʂɔŋ^{35}kan$^{35}_{44}$ke$^{53}_{44}$uaŋ^{13}kuən^{53}tsʰiəu$^{53}_{44}$ɔn$^{35}_{53}$tso^{53} lei^{13}tʰɔi$^{35}_{44}$uaŋ^{53}tsɿ^{0},iəu$^{53}_{44}$ɔn$^{35}_{44}$tso$^{53}_{44}$lei$^{13}_{21}$tʰɔi$^{35}_{44}$kuaŋ^{35}tsɿ^{0}. ②指窗棂：光窗横子又安做光窗～。kɔŋ$^{35}_{44}$tsʰɔŋ$^{35}_{44}$ uaŋ^{53}tsɿ^{0} iəu$^{53}_{44}$ɔn$^{35}_{44}$tso$^{53}_{44}$kɔŋ$^{35}_{44}$tsʰɔŋ$^{35}_{44}$kuaŋ^{35}tsɿ^{0}.

【广货铺】kɔŋ^{21}fo^{53}pʰu^{53} 名出售日用杂货的商铺，货物多来自广东：我等箇以映子有只人呐姓钟，箇只人几代人了唠系过来唠。渠个爷子我等人认得。渠个爷子广东人呢，广东箇边过来个人，真会做生意哦。渠等就箇阵子就跍下张家坊开只店子，～。欸，渠等就搞只～。ŋai^{13} tien^{0} kai^{53}i^{21}iaŋ^{53}tsɿ^{0} iəu^{35}tʂak^{3} ɲin$^{13}_{21}$na^{0} siaŋ^{53}tʂəŋ^{35},kai$^{53}_{44}$(tʂ)ak^{3} ɲin^{13}ci^{21}tʰɔi^{53}ɲin$^{13}_{21}$liau^{21}lau^{0} xei^{53}ko^{53}lɔi$^{13}_{21}$ lau^{0}.ci$^{13}_{44}$ke^{53}ia^{13}tsɿ^{0} ŋai^{13}tien^{0} in$^{13}_{21}$ɲin^{13}tek^{3}.ci$^{13}_{44}$(k)ei$^{53}_{44}$ia^{13}tsɿ^{0} kɔŋ^{21}təŋ$^{35}_{44}$ɲin$^{13}_{21}$ne^{0},kɔŋ^{21}təŋ^{35}kai^{53}pien$^{35}_{44}$ko^{53}lɔi$^{13}_{21}$ke^{0} ɲin$^{13}_{21}$,tʂən^{35}uɔi^{53}tso^{53}sen$^{35}_{44}$i$^{53}_{44}$o^{0}.ci^{13}tien^{0} tsʰiəu^{53}kai^{53}tʂʰən^{53}tsɿ^{0} tsʰiəu$^{53}_{44}$kʰu$^{35}_{44}$(x)a$^{35}_{44}$tʂɔŋ$^{35}_{44}$ka$^{35}_{44}$fɔŋ$^{35}_{44}$kʰɔi$^{35}_{44}$tʂak^{3} tian^{53} tsɿ^{0},kɔŋ^{21}fo^{53}pʰu^{53}.e$_{21}$,ci$^{13}_{21}$tien^{0} tsʰiəu^{53}kau^{21}tʂak^{3} kɔŋ^{21}fo^{53}pʰu^{53}.

【广藤】kɔŋ^{21}tʰien^{13} 名一种藤：用～呶，安做～呶，我等以个栏场安做。iəŋ^{53}kɔŋ^{21}tʰien^{13} nau^{0},ɔn$^{35}_{44}$tso$^{53}_{44}$kɔŋ^{21}tʰien^{13}nau^{0},ŋai$^{13}_{21}$tien^{0} i^{21}ke^{53}lɔŋ$^{13}_{21}$tʂʰɔŋ$^{13}_{21}$ɔn$^{35}_{53}$tso$^{53}_{21}$.

【广藤箱】kɔŋ^{21}tʰien^{13}siɔŋ^{35} 名藤编的箱子。也称"广藤箱子"：～哦，～……用广藤呶，安做广藤呶，我等以个栏场安做。广藤，广藤箱子。箇椅个藤就安做广藤椅噢。广东个广啊。大概系广东个呀，广东广西箇边来个吧？就箇只广。广藤椅，～。kɔŋ^{21}tʰien^{13}siɔŋ^{35}ŋo^{0},kɔŋ^{21}tʰien^{13} siɔŋ…iəŋ^{53}kɔŋ^{21}tʰien^{13}nau^{0},ɔn$^{35}_{44}$tso$^{53}_{44}$kɔŋ^{21}tʰien^{13}nau^{0},ŋai$^{13}_{21}$tien^{0} i^{21}ke^{53}lɔŋ$^{13}_{21}$tʂʰɔŋ$^{13}_{21}$ɔn$^{35}_{53}$tso$^{53}_{21}$.kɔŋ^{21}tʰien^{13},kɔŋ^{21} tʰien^{13}siɔŋ^{35}tsɿ^{0} .kai$^{53}_{44}$i^{21}ke^{53}tʰən^{13}tsʰiəu$^{53}_{44}$ɔn$^{35}_{44}$tso$^{53}_{44}$kɔŋ^{21}tʰien^{13}i^{21}au^{0} .kɔŋ^{21}təŋ^{35}ke$^{53}_{44}$kɔŋ^{21}ŋa^{0} .tʰai$^{53}_{44}$kai$^{53}_{44}$xe^{53}kɔŋ^{21} təŋ^{35}ke$^{53}_{21}$ia^{0} ,kɔŋ^{21}təŋ^{35}kɔŋ^{21}si^{35}kai$^{53}_{44}$pien$^{35}_{44}$lɔi$^{13}_{21}$ke^{53}pa^{0} ?tsiəu$^{53}_{21}$kai^{53}tʂak^{3} kɔŋ^{21}.kɔŋ^{21}tʰien^{13}i^{21},kɔŋ^{21}tʰien^{13}siɔŋ^{35}.

【广藤椅】kɔŋ^{21}tʰien^{13}i^{21} 名藤椅：箇椅个藤就安做～噢。kai$^{53}_{44}$i^{21}ke^{53}tʰən^{13}tsʰiəu$^{53}_{44}$ɔn$^{35}_{44}$tso$^{53}_{44}$kɔŋ^{21}tʰien^{13} i^{21}au^{0}.

【广字头】kɔŋ^{21}tsʰɿ^{53}tʰei$^{13}_{21}$ 名偏旁名：～个序 kɔŋ^{21}tsʰɿ^{53}tʰei$^{13}_{21}$ke$^{53}_{44}$si$^{53}_{44}$

【晄绿子】kuaŋ^{53}liəuk^{5} tsɿ^{0} 形状态词。很绿的样子：箇叶子硬晄绿子万年青啊。kai$^{53}_{44}$iait^{5} tsɿ^{0} ɲiaŋ^{53}kuaŋ^{53}liəuk^{5} tsɿ^{0} uan^{53}ɲien$^{13}_{21}$tsʰiaŋ^{35}ŋa^{0}.◇晄，《集韵》古况切："明也。"

【归$_1$】kuei^{35} 动回：就系新郎新娘，一般就渠两公婆归去。～娘家。tsʰiəu^{53}xe^{53}sin^{35}nɔŋ$^{13}_{21}$sin^{35} ɲiɔŋ$^{13}_{21}$,iet^{3} pɔn^{35}tsʰiəu^{53}ci$^{13}_{21}$iɔŋ^{21}kɔŋ$^{35}_{44}$pʰo^{13}kuei^{35}çi^{53}.kuei^{35}ɲiɔŋ^{13}cia$^{35}_{44}$.

【归$_2$】kuei^{35} 介由（谁负责）；属于（谁负责）：就就唔～渠管个事唠，于渠无关个事唠，渠也去讲唠，就安做□空事唠。tsʰiəu$^{53}_{44}$tsʰiəu$^{53}_{44}$m̩^{13}kuei$^{35}_{44}$ci$^{13}_{21}$kɔn^{21}ke$^{53}_{44}$sɿ^{53}lau^{0},vy^{13}ci$^{13}_{21}$u^{13}kuan^{35}ke$^{53}_{44}$sɿ$^{53}_{44}$ lau^{0},ci$^{13}_{21}$ia^{35}çi$^{53}_{44}$kɔŋ^{21}lau^{0},tsʰiəu$^{53}_{44}$ɔn$^{35}_{44}$tso$^{53}_{44}$tʂek^{3} kʰəŋ^{35}sɿ$^{53}_{44}$lau^{0}.

【归来】kuei^{35}lɔi$^{13}_{21}$ 动回来：倒～ tau^{53}kuei^{35}lɔi^{13} 望回走｜分箇个青东西割滴～ pən^{35}kai$^{53}_{44}$ke$^{53}_{44}$tsʰiaŋ^{35} təŋ$^{35}_{44}$si^{0} kɔit^{3} tiet$^{5}_{3}$kuɔi^{35}lɔi$^{13}_{44}$

【归去】kuei^{35}çi^{53} 动①回去：爱～嬲一回。ɔi$^{53}_{44}$kuei$^{35}_{44}$çi$^{53}_{44}$liau^{53}iet^{3} fei$^{13}_{21}$.｜三天就系～回门吵。san^{35} tʰien$^{35}_{44}$tsʰiəu^{53}xe^{53}kuei^{35}çi^{53}fei^{13}mən^{13}ʂa^{0}. ②回到：箇妹子～娘家去啊。kai$^{53}_{44}$mɔi^{53}tsɿ^{0} kuei^{35}çi$^{53}_{44}$ɲiɔŋ^{13} cia$^{35}_{44}$çi$^{53}_{44}$a^{0}. ③死的讳称：箇只老子～哩。kai^{53}tʂak^{3} lau^{21}tsɿ^{0} kuei^{35}çi^{53}li^{0}.

【归屋下】kuei^{35}uk^{3} xa$^{53}_{44}$ 动回家。又称"落屋"：就系高亲～个时候子，爱回一桌酒席。tsʰiəu$^{53}_{44}$ xe$^{53}_{44}$kau$^{35}_{44}$tsʰin$^{35}_{44}$kuei^{35}uk^{3} xa$^{53}_{44}$ke$^{53}_{44}$ʂɿ$^{13}_{44}$xei$^{53}_{44}$tsɿ^{0} ,ɔi^{53}fei$^{13}_{21}$iet^{3} tsɔk^{3} tsiəu^{21}siet^{5}.

【规矩】kuei^{35}tʂʮ^{21} 名一定的标准、法则或习惯：我等客家人嘞渠一般就系咁个～。ŋai^{13}tien^{0} kʰak^{3} ka$^{35}_{53}$ɲin$^{13}_{21}$nei^{0} ci$^{13}_{21}$iet^{3} pɔn^{35}tsʰiəu^{53}xei$^{53}_{44}$kan^{21}ke$^{53}_{44}$kuei$^{35}_{44}$tʂʮ^{21}.

【规模】kuei^{35}mo^{13} 名指格局、形势或范围：（土地庙）你话有得又有，但是有一只～大个。ɲi^{13}ua^{53}mau^{13}tek^{3} iəu^{13}iəu^{35},tan^{53}ʂɿ^{53}mau^{13}iet^{3} tʂak^{3} kuei$^{35}_{44}$mo$^{13}_{21}$tʰai^{53}ke$^{53}_{44}$.｜疔就更大了啦，～更大了。疖子就最细。欸，疮也蛮大个～了。箇疔，疔就更大个～了。taŋ^{35}tsʰiəu$^{53}_{44}$ken^{53}tʰai^{53}liau^{21}la^{0},kuei^{35} mo$^{13}_{21}$cien^{53}tʰai^{53}liau^{21}.tset^{3} tsɿ^{0} tsʰiəu$^{53}_{44}$tsei^{53}se^{53}.e$_{44}$,tsʰɔŋ^{35}ŋa^{35}(←ia^{35})man^{13}tʰai^{53}ke$^{53}_{44}$kuei^{35}mo$^{13}_{21}$liau^{21}.kai^{53} taŋ$^{35}_{21}$,taŋ^{35}tsʰiəu$^{53}_{44}$cien^{53}tʰai^{53}ke$^{53}_{21}$kuei^{35}mo$^{13}_{21}$liau^{21}.

【鬼】kuei^{21} 名 某些宗教或迷信的人所说的人死后的灵魂。也用于对人表示轻蔑的称呼：昨晡夜晡𫟹睡好，嗯，一夜都𫟹睡好，今晡早晨跣来啊～打倒哩样，冇兜精神。tʂʰo^{35}pu$^{35}_{53}$ia^{53}pu$^{35}_{53}$maŋ$^{13}_{21}$ʂɔi^{53}xau^{21},n̩$_{21}$,iet^{3} ia^{53}təu$^{35}_{53}$maŋ$^{13}_{21}$ʂɔi^{53}xau^{21},cin^{35}pu$^{35}_{53}$tsau^{21}ʂən$^{13}_{21}$xɔŋ^{53}lai^{13}a^{0} kuei^{21}ta^{21}tau^{21}li^{0} iɔŋ^{53},mau$^{13}_{21}$tei$^{35}_{53}$tsin$^{35}_{44}$ʂən$^{13}_{44}$.｜我是话唔出几多只～哟。有滴人话骂得三十六只～出。系，有滴夫娘子就硬系咁泼辣呀，骂别人家。ŋai^{13}ʂʅ^{53}ua^{53}n̩$^{13}_{21}$tʂʰət^{3} ci$^{13}_{21}$to^{35}tʂak^{3} kuei^{21}iau^{0}.iəu^{35}tet^{5} in$^{13}_{44}$ua$^{53}_{44}$ma^{53}tek^{3} san^{35}ʂət^{5} liəuk^{3}tʂak^{3}kuei^{21}tʂʰət^{3}.xe$^{53}_{44}$,iəu^{35}tet^{5} pu^{35}ɲiɔŋ$^{13}_{21}$tsʅ^{0} tsʰiəu$^{53}_{44}$ɲiaŋ$^{53}_{44}$xei$^{53}_{44}$kan^{21}pʰɔit^{3} lait^{5} ia^{0},ma$^{53}_{44}$pʰiek$^{5}_{3}$ in$^{13}_{21}$ka$_{44}$.

【鬼画桃符】kuei^{21}fa^{53}tʰau^{13}fu^{13} 比喻字迹潦草，不易辨识：有兜人写字啊，写得十分唔好看，同箇～样，又麻糊又潦草，～。箇个医院里个医师啊箇个手写个字啊，就～嘞，冇么人认得嘞。欸箇晡我老婆去看病都箇只医师开个药单子都硬我等硬看半天都𫟹认出来哟，硬哦～哦。嗯，唔知么人正认得，只系渠自家人正认得。以下医院里我就唔怕了，渠用电脑打了啊，尽用电脑哇。iəu^{35}tei$^{35}_{53}$ɲin$^{13}_{44}$sia^{21}sʅ^{53}a^{0},sia^{21}tek^{3} ʂət^{5} fən$^{35}_{53}$n̩$^{13}_{21}$xau^{21}kʰɔn^{53},tʰəŋ$^{13}_{21}$kai$^{53}_{44}$kuei^{21}fa^{53}tʰau$^{13}_{21}$fu$^{13}_{21}$iɔŋ^{53},iəu^{53}ma^{13}fu$^{13}_{44}$iəu^{53}liau^{13}tsʰau^{21},kuei^{21}fa^{53}tʰau^{13}fu$^{13}_{44}$.kai$^{53}_{44}$ke$^{53}_{44}$i^{35}vien^{53}li^{0} ke^{0} i^{35}sʅ^{53}a^{0} kai$^{53}_{44}$ke$^{53}_{44}$ʂəu^{21}sia^{21}ke$^{53}_{44}$sʅ$^{53}_{44}$a^{0},tsʰiəu^{53}kuei^{21}fa^{53}tʰau$^{13}_{44}$fu$^{13}_{44}$lei^{0},mau$^{13}_{21}$mak^{3} in$^{13}_{44}$ɲin^{53}tek^{3} lei^{0}.e$_{21}$kai^{53}pu$^{35}_{53}$ŋai$^{13}_{21}$lau^{21}pʰo^{13}çi$^{53}_{44}$kʰɔn$^{53}_{44}$pʰiaŋ^{53}təu$^{35}_{44}$kai$^{53}_{44}$tʂak^{3} i^{35}sʅ^{35}kʰɔi$^{35}_{44}$ke^{0} iɔk^{5} tan$^{35}_{44}$tsʅ^{0} təu$^{35}_{44}$ɲiaŋ$^{53}_{44}$ŋai$^{13}_{21}$ten^{0} ɲiaŋ^{53}kʰɔn^{53}pan^{53}tʰien^{35}təu$^{35}_{53}$maŋ^{13}ɲin$^{53}_{44}$tʂʰət^{3} lɔi^{13}io^{0},ɲiaŋ$^{53}_{44}$o^{0} kuei^{21}fa^{53}tʰau^{13}fu^{13}o^{0}.n̩$_{21}$,n̩^{13}ti$^{35}_{53}$mak^{3} ɲin$^{53}_{44}$tʂaŋ^{53}ɲin^{53}tek^{3},tʂʅ^{21}(x)ei^{53}ci$^{13}_{44}$tsʰʅ$^{35}_{44}$ka$^{35}_{53}$ɲin$^{13}_{44}$tʂaŋ^{53}ɲin^{53}tek^{3}.i^{21}xa^{53}i^{35}vien$^{53}_{44}$ni$^{21}_{44}$ŋai^{13}tsʰiəu^{53}m̩^{13}pʰa^{53}liau^{0},ci$^{13}_{21}$iɔŋ$^{53}_{44}$tʰien^{53}nau^{21}ta^{21}liau^{0} a^{0},tsʰin^{53}iɔŋ$^{53}_{44}$tʰien^{53}nau^{21}ua^{0}.

【鬼话】kuei^{21}fa^{53} 名 胡乱编造的不真实的话：全部系～箇个就。tsʰien^{13}pʰu^{53}xe^{53}kuei^{21}fa$^{53}_{44}$kai$^{53}_{44}$ke$^{53}_{44}$tsʰiəu$^{53}_{44}$.

【鬼精怪】kuei^{21}tsin^{35}kuai^{53} 名 比喻聪明机灵的人：箇只人呐鬼点子多，么个都晓得，么个都会搞，～样。kai^{53}(tʂ)ak^{3} ɲin$^{13}_{21}$na^{0} kuei^{21}tian^{21}tsʅ^{0} to$^{35}_{44}$,mak^{3} e^{0} təu^{53}çiau^{21}tek^{3},mak^{3} ke$^{53}_{44}$təu$^{35}_{44}$uɔi^{53}kau^{21},kuei^{21}tsin$^{35}_{44}$kuai^{53}iɔŋ$^{53}_{44}$.

【鬼门关】kuei^{21}mən^{13}kuan^{35} 名 迷信传说中阴阳交界的关口，比喻凶险的时刻：一般讲别人家病得唔知几厉害呀，"呀，箇只是一只～呐，唔知过得啊过唔得呀。""欸，今晡夜晡就一只～呐，唔知过得呀过唔得嘞。过得今晡夜晡就好哩啊。"iet^{3} pɔn^{35}kɔŋ^{21}pʰiet^{5} in$^{13}_{44}$ka$^{35}_{44}$pʰiaŋ^{53}tek^{3} n̩^{13}ti$^{35}_{44}$ci$^{21}_{44}$li^{53}xɔi^{53}ia^{0},"ia$_{53}$,kai^{53}tʂak^{3} ʂʅ$^{53}_{44}$iet^{3} tʂak^{3} kuei^{21}mən^{13}kuan^{35}na^{0},n̩$^{13}_{21}$ti$^{35}_{44}$ko$^{53}_{44}$tek^{3} a^{0} ko^{53}n̩$^{13}_{21}$tek^{3} ia^{0}." "e$_{21}$,cin$^{35}_{44}$pu$^{35}_{44}$ia^{53}pu$^{35}_{44}$tsʰiəu^{53}iet^{3} tʂak^{3} kuei^{21}mən^{13}kuan^{35}na^{0},n̩$^{13}_{21}$ti$^{35}_{44}$ko^{53}tek^{3} ia^{0} ko^{53}n̩$^{13}_{21}$tek^{3} le^{0}.ko^{53}tek^{3} cin$^{35}_{44}$pu$^{35}_{44}$ia$^{53}_{44}$pu$^{35}_{44}$tsʰiəu^{53}xau^{21}li^{0} a^{0}."

【鬼面壳】kuei^{21}mien^{53}kʰɔk^{3} 名 面具：爱拼～出门，做兜咁个事，见人唔得，系唔系？做哩见人不得个事啊，嗯，你是只好拼只～出门，分自家真实面目遮起来，欸，拼～出门了。ɔi$^{53}_{44}$təŋ^{35}kuei^{21}mien^{53}kʰɔk^{3} tʂʰət^{3} mən^{13},tso$^{53}_{44}$təu$^{35}_{53}$kan^{21}cie$^{53}_{44}$sʅ^{53},cien^{53}ɲin^{13}n̩$^{13}_{44}$tek^{3},xei^{53}me^{53}?tso^{53}li^{0} cien^{53}ɲin^{13}pət^{3} tek^{3} ke^{0} sʅ^{53}a^{0},n̩$_{21}$, ɲi^{13}ʂʅ$^{53}_{44}$tʂʅ^{21}(x)au$^{21}_{44}$təŋ^{35}tʂak^{3} kuei^{21}mien^{53}kʰɔk^{3} tʂʰət^{3} mən^{13},pən^{35}tsʰʅ$^{35}_{44}$ka$^{35}_{53}$tʂən^{35}ʂət^{5} mien^{53}muk^{3} tʂa^{35}cʰi^{21}lɔi$^{13}_{44}$,e$_{21}$,təŋ^{35}kuei^{21}mien^{53}kʰɔk^{3} tʂʰət^{3} mən^{13}liau^{0}.

【鬼无十七】kuei^{21}u^{13}ʂət^{5} tsʰiet^{3} 形容诡计多端：箇个学生吵有兜箇阵子啊十分调皮个啊，渠就有兜子～，唔多听老师话。多嘞，哪一届都有嘞，哪只班都有嘞。还唔止个把子嘞，～个多嘞。小聪明子个唠有兜就唠，小聪明子唠。kai$^{53}_{44}$ke$^{53}_{44}$xɔk^{5} saŋ$^{35}_{44}$ʂa^{0} iəu^{35}tei$^{35}_{53}$kai^{53}tʂʰən$^{53}_{44}$tsʅ^{0} a^{0} ʂət^{5} fən$^{35}_{44}$tʰiau^{53}pʰi^{13}cie^{53}a^{0},ci$^{13}_{21}$tsʰiəu$^{53}_{44}$iəu^{35}tei$^{35}_{53}$tsʅ^{0} kuei^{21}u^{13}ʂət^{5} tsʰiet^{3},n̩$^{13}_{21}$to$^{35}_{44}$tʰaŋ$^{35}_{44}$lau^{21}sʅ$^{35}_{44}$ua^{53}.to^{35}lei^{0},lai^{53}iet^{3} kai^{53}təu$^{35}_{44}$iəu$^{35}_{44}$lei^{0},lai^{53}tʂak^{3} pan$^{35}_{44}$təu$^{35}_{44}$iəu$^{35}_{44}$lei^{0}.xai$^{13}_{21}$n̩^{13}tʂʅ^{21}cie^{53}pai^{21}tsʅ^{0} lei^{0},kuei^{21}u^{13}ʂət^{5} tsʰiet^{3} ke^{0} to$^{35}_{44}$lei^{0}.siau^{21}tsʰəŋ$^{35}_{44}$min$^{13}_{21}$tsʅ^{0} ke^{0} lau^{0} iəu^{35}təu$^{35}_{53}$tsʰiəu$^{53}_{44}$lau^{0},siau^{21}tsʰəŋ$^{35}_{44}$min$^{13}_{21}$tsʅ^{0} lau^{0}.

【柜子】kʰuei^{53}tsʅ^{0} 名 一种收藏、放置物品的方形或长方形家具（旧时多指顶上开门的）：橱子还橱子，～还～，唔同。橱子系侧边开门，箇就安做橱。我觉得系咁子分嘛。～顶高开门，安做明柜嘞，～安做明柜。边上……以个就安做橱子嘞。欸，边上开门。～顶高开门，顶上开门，欸。橱子就边上开门。tʂʰəu^{13}tsʅ^{0} uan^{13}tʂʰəu^{13}tsʅ^{0},kʰuei^{53}tsʅ^{0} uan^{13}kʰuei^{53}tsʅ^{0},n̩^{13}tʰəŋ^{13}.tʂʰəu^{13}tsʅ^{0} xe^{53}tsek^{3} pien$^{35}_{44}$kʰɔi$^{35}_{44}$mən$^{13}_{21}$,kai$^{53}_{44}$tsʰiəu$^{53}_{44}$ɔn$^{35}_{44}$tso$^{53}_{44}$tʂʰəu^{13}.ŋai^{13}kɔk^{3} tek^{3} xe$^{53}_{44}$kan^{21}tsʅ^{0} fən$^{35}_{44}$ma^{0}.kʰuei^{53}tsʅ^{0} taŋ^{21}kau$^{35}_{44}$kʰɔi$^{35}_{44}$mən$^{13}_{21}$,ɔn^{35}tso$^{53}_{44}$min^{13}kʰuei^{53}le^{0},kʰuei$^{53}_{44}$tsʅ^{0} ɔn^{35}tso$^{53}_{44}$min^{13}kʰuei^{53}.pien$^{35}_{44}$ʂɔŋ$^{53}_{44}$…i^{21}ke$^{53}_{44}$tsʰiəu$^{53}_{44}$ɔn$^{35}_{44}$tso$^{53}_{44}$tʂʰəu^{13}tsʅ^{0} le^{0}.e$_{21}$,pien^{35}xɔŋ$^{53}_{44}$kʰɔi$^{35}_{44}$mən$^{13}_{21}$.kʰuei^{53}tsʅ^{0} taŋ^{21}kau$^{35}_{44}$kʰɔi$^{35}_{44}$mən$^{13}_{21}$,taŋ^{21}xɔŋ^{53}kʰɔi$^{35}_{44}$mən$^{13}_{21}$,e$_{21}$.tʂʰəu^{13}tsʅ^{0} tsʰiəu$^{53}_{44}$pien^{35}xɔŋ$^{53}_{44}$kʰɔi$^{35}_{44}$mən$^{13}_{21}$.｜火焙子嘞，箇就同箇一只子咁个～样嘞。fo^{21}pʰɔi^{53}tsʅ^{0} le^{0},kai^{53}tsʰiəu^{53}tʰəŋ$^{13}_{21}$kai^{53}iet^{3} tʂak^{3} tsʅ^{0} kan^{21}cie$^{53}_{44}$kʰuei^{53}tsʅ^{0} iɔŋ^{53}lei^{0}.

【柜子箱】kʰuei^{53}tsʅ^{0} siɔŋ^{35} 名 下方有柜子的箱子：箇阵子我老婆出嫁个时候子～都冇得。衣橱箇兜都冇得，冇得啊，么个都冇得啊，水桶脚盆就有。哼，～，搞么个我记得嘞？我等结婚个时候子我等箇只喊搁下子个同我同年个阿叔也结婚，欸，我头年正月结婚，渠就箇年冬下结婚。我等屋我老婆卖倒来么个都冇得，就系兜子水桶脚盆子，两个子人就荷嘿哩。渠屋卖倒来欸几多杠，七杠八杠九杠，么个都有，栅齐。我老婆是气得尽命。"卖嘿你屋下，聘金钱都割卯箇丁啱子，彝倒我么个家具都冇得，系唔系啊？么个嫁妆都冇得。"我话："只爱我等发狠呐，听晡我等比渠屋下就做得更像啊。欸。渠个会旧啊，会烂呐，只爱我发狠呐，我只爱屋下存得……箇个是彝倒来个东西就会烂咯，箇个是外家来个咯，系唔系？唔系我自家寻个咯。"箇渠屋下就系蛮像呐，～，欸，就同以咁个一只柜子样，底下就有柜子，有抽屉，顶高就做只箱咁大。箱，放衫裤。就咁个，系～。kai^{53}tʂ^{h}ən^{53}ŋai$^{13}_{44}$lau^{21}p^{h}o$^{13}_{44}$tʂ^{h}ət^{3} ka^{53}ke^{0} ʂʅ^{13}xəu$^{53}_{44}$tsʅ^{0} k^{h}uei^{53}tsʅ^{0} siəŋ^{35}təu$^{35}_{53}$mau$^{13}_{21}$tek^{3}.i^{13}tʂ^{h}əu$^{13}_{21}$kai$^{53}_{44}$tei$^{35}_{44}$təu$^{35}_{53}$mau$^{13}_{21}$tek^{3},mau^{13}tek^{3} a^{0},mak^{3} e^{0} təu$^{35}_{53}$mau$^{13}_{21}$tek^{3} a^{0},ʂei^{21}t^{h}əŋ^{21}ciək^{3} p^{h}ən^{13}ts^{h}iəu$^{53}_{44}$iəu$^{35}_{44}$.xɔ̃$_{53}$,k^{h}uei^{53}tsʅ^{0} siəŋ^{35},kau^{21}mak^{3} e^{0} ŋai^{13}ci^{53}tek^{3} lei^{0}?ŋai^{13}tien^{0} ciet^{3} fən^{35}ke^{0} ʂʅ^{13}xəu^{53}tsʅ^{0} ŋai^{13}tien^{0} kai^{53}tʂak^{3} xan^{53}kək^{3} (x)a^{53}tsʅ^{0} ke^{53}t^{h}əŋ$^{13}_{44}$ŋai$^{13}_{44}$t^{h}əŋ^{13}ɲien^{13}ke^{53}a^{35}ʂəuk^{3} ia^{35}ciet^{3} fən^{35},e$_{21}$,ŋai^{13}t^{h}ei$^{13}_{21}$ɲien$^{13}_{44}$tʂaŋ^{35}ɲiet^{5} ciet^{3} fən^{35},ci$^{13}_{21}$ts^{h}iəu$^{53}_{44}$kai^{53}ɲien$^{13}_{21}$təŋ^{35}xa^{53}ciet^{3} fən^{35}.ŋai^{13}tien^{0} uk^{3} ŋai^{13}lau^{21}p^{h}o^{13} mai^{53}tau$^{21}_{44}$lɔi^{13}mak^{3} ke^{53}təu$^{35}_{53}$mau$^{13}_{21}$tek^{3},ts^{h}iəu^{53}xe$^{53}_{44}$tei$^{35}_{53}$tsʅ^{0} ʂei^{21}t^{h}əŋ^{21}ciək^{3} p^{h}ən^{13}tsʅ^{0},iəŋ^{21}ke^{53}tsʅ^{0} ɲin$^{13}_{21}$ts^{h}iəu$^{53}_{44}$k^{h}ai^{35}xek^{3} li^{0}.ci^{13}uk^{3} mai^{53}tau$^{21}_{44}$lɔi$^{13}_{44}$ei$_{44}$ci^{21}to^{35}kəŋ^{53},ts^{h}iet^{3} kəŋ^{53}pait^{3} kəŋ^{53}ciəu^{21}kəŋ^{53},mak^{3} ke$^{53}_{44}$təu$^{35}_{44}$iəu^{35},tsait^{5} ts^{h}e$^{13}_{44}$.ŋai$^{13}_{21}$lau^{21}p^{h}o^{13}ʂʅ$^{53}_{44}$çi^{35}(t)ek^{3} ts^{h}in^{53}miaŋ^{53}."mai$^{53}_{44}$(x)ek^{3} ɲi$^{13}_{21}$uk^{3} xa^{53},p^{h}in^{21}cin$^{35}_{44}$ts^{h}ien^{13}təu$^{35}_{53}$kɔit^{3} lən^{21}kai$^{53}_{44}$tin$^{35}_{53}$ŋait^{5} tsʅ^{0},u^{21}tau^{21}ŋai$^{13}_{21}$mak^{3} e^{0} cia$^{35}_{44}$tʂʅ$^{53}_{44}$təu$^{35}_{53}$mau$^{13}_{21}$tek^{3},xei^{53}mei^{53}a^{0}?mak^{3} e^{0} ka^{53}tsəŋ$^{35}_{44}$təu$^{35}_{53}$mau$^{13}_{21}$tek^{3}." ŋai$^{13}_{21}$ua^{53}:"tʂʅ^{21}ɔi^{53}ŋai$^{13}_{21}$tien^{0} fait^{3} xen^{21}na^{0},t^{h}in$^{35}_{44}$pu$^{35}_{53}$ŋai$^{13}_{21}$tien^{0} pi^{21}ci$^{13}_{21}$uk^{3} xa^{53}tsiəu$^{53}_{44}$tso$^{53}_{44}$tek^{3} cien^{53}ts^{h}iəŋ^{53}ŋa^{0}. e$_{21}$.ci^{13}ke$^{53}_{44}$uɔi$^{53}_{44}$c^{h}iəu^{53}a^{0},uɔi^{53}lan^{53}na^{0},tʂʅ^{21}ɔi^{53}ŋai$^{13}_{44}$fait^{3} xen^{21}na^{0},ŋai$^{13}_{21}$tʂʅ^{21}ɔi^{53}uk^{3} xa^{53}ts^{h}ən$^{13}_{21}$tek^{3} …kai$^{53}_{44}$ke$^{53}_{44}$ʂʅ$^{53}_{44}$u^{21}tau^{21}lɔi^{13}ke$^{53}_{44}$təŋ$^{35}_{44}$si^{0} ts^{h}iəu$^{53}_{44}$uɔi$^{53}_{44}$lan^{53}ko^{0},kai$^{53}_{44}$ke$^{53}_{44}$ʂʅ$^{53}_{44}$ŋɔi^{53}ka$^{35}_{44}$lɔi$^{13}_{21}$cie^{53}ko^{0},xei^{53}me^{53}?m̩^{13}p^{h}ei^{53}ŋai$^{13}_{21}$ts^{h}ʅ^{53}ka$^{35}_{53}$ts^{h}in^{13}cie^{53}ko^{0}."kai^{53}ci$^{13}_{21}$uk^{3} xa^{53}ts^{h}iəu^{53}xei^{53}man^{13}ts^{h}iəŋ^{53}na^{0},k^{h}uei^{53}tsʅ^{0} siəŋ^{35},e$_{35}$,ts^{h}iəu^{53}t^{h}əŋ$^{13}_{21}$i$^{13}_{21}$kan^{21}ke^{53}iet^{3} tʂak^{3} k^{h}uei^{53}tsʅ^{0} iəŋ^{53},tei^{21}xa$^{53}_{44}$ts^{h}iəu$^{53}_{44}$iəu^{35}k^{h}uei^{53}tsʅ^{0},iəu$^{35}_{44}$tʂ^{h}əu^{35}t^{h}i$^{53}_{44}$,taŋ^{21}kau$^{35}_{53}$ts^{h}iəu^{53}tso^{53}tʂak^{3} siəŋ^{35}kan^{21}t^{h}ai^{53}.siəŋ^{35},fəŋ^{53}san$^{35}_{44}$fu^{53}.tsiəu$^{53}_{44}$kan^{21}cie^{53},xe$^{53}_{44}$k^{h}uei^{53}tsʅ^{0} siəŋ^{35}.

【贵】kuei^{53} 形 价钱高：箧套栊更～哟。/～多哩。miet^{5} t^{h}au^{53}ləŋ^{13}cien^{53}kuei^{53}io^{0}./kuei^{53}to^{35}li^{0}. | 以只东西系～～子，就系蛮扎实。i^{21}tʂak^{3} təŋ^{35}si^{35}xe^{53}kuei^{53}kuei^{53}tsʅ^{0},ts^{h}iəu^{53}xe^{53}man^{13}tsait^{3} ʂet^{5}.

【贵人】kuei^{53}ɲin^{13} 名 冥冥之中给予帮扶的人：（我阿舅子个赖子）夜晡就爱动手术，袋子里冇一个钱，箇医院里就唔接呀，一滴钱都冇得。我想下子假设唔系我去哩，系我阿舅子去哩，箇晡夜晡细人子都会失溻哩。欸，我去哩嘞，我话箇让门子正会能够箇个？除哩院长签字嘞。我话院长系下哪映子？渠话系下箇箇哪栋哪栋。我走下进去，我去寻，寻院长，系唔系？打下开门来嘞，院长个老婆系我等一只熟人喏。欸，今晡我我等外家侄子有～，嗯，有～，欸，院长个老婆系渠箇箇只夫娘子吵系以只供销社个，以前去我等生产队上办过队，欸，认得。欸，就撞倒渠，就签哩，箇晡夜晡就动哩手术。第二晡我就归嘿哩，等我阿舅子来哩，等倒我阿舅子来哩我就归嘿哩。ia^{53}pu$^{35}_{44}$ts^{h}iəu^{53}ɔi^{53}t^{h}əŋ^{53}ʂəu^{21}ʂət^{5},t^{h}ɔi^{53}tsʅ^{0} li^{0} mau$^{13}_{21}$iet^{3} cie^{53}ts^{h}ien^{13},kai$^{53}_{44}$i^{35} vien$^{53}_{44}$ni^{0} ts^{h}iəu^{53}n̩^{13}tsiait^{3} ia^{0},iet^{3} tiet^{5} ts^{h}ien$^{13}_{21}$təu$^{35}_{53}$mau$^{13}_{21}$tek^{3}.ŋai^{13}siəŋ^{21}xa^{53}tsʅ^{0} cia^{21}ʂet^{3} m̩^{13}p^{h}ei^{53}ŋai^{13}çi^{53}li^{0},xei^{53}ŋai$^{13}_{44}$a^{35}c^{h}iəu^{35}tsʅ^{0} çi^{53}li^{0},kai$^{53}_{44}$pu$^{35}_{44}$ia$^{53}_{44}$pu$^{35}_{44}$sei^{53}ɲin$^{13}_{21}$tsʅ^{0} təu$^{35}_{44}$uɔi^{53}ʂət^{3} t^{h}ait^{3} li^{0}.e$_{21}$,ŋai^{13}çi^{53}li^{0} lei^{0},ŋai^{13}ua$^{53}_{44}$kai$^{53}_{44}$ɲiəŋ^{53}mən^{13}tsʅ^{0} tʂaŋ^{53}uɔi^{53}len$^{13}_{21}$ciau$^{35}_{44}$kai$^{53}_{44}$ke$^{53}_{44}$?tʂ^{h}əu^{13}li^{0} vien^{53}tʂəŋ^{21}ts^{h}ian$^{35}_{44}$ts^{h}ʅ^{53}lei^{0}.ŋai^{13}ua$^{53}_{44}$vien^{53}tʂəŋ^{21}xei^{53}(x)a$^{53}_{44}$la^{53}iaŋ^{53}tsʅ^{0}?ci$^{13}_{44}$(u)a$^{53}_{44}$xei^{53}(x)a$^{53}_{44}$kai$^{53}_{44}$kai^{53}lai^{53}təŋ$^{53}_{44}$lai^{53}təŋ$^{53}_{44}$.ŋai$^{13}_{21}$tsei^{21}(x)a^{53}tsin^{53}çi^{53},ŋai^{13}çi^{53}ts^{h}in^{13},ts^{h}in^{13}vien^{53}tʂəŋ^{21},xei^{53}me^{53}?ta^{21}(x)a$^{53}_{44}$k^{h}ɔi$^{35}_{44}$mən$^{13}_{21}$nɔi$^{13}_{21}$lei^{0},vien^{53}tʂəŋ^{21}kei^{53}lau^{21}p^{h}o^{13}xei^{53}ŋai^{13}tien^{0} iet^{3} tʂak^{3} ʂəuk^{5} ɲin$^{13}_{21}$no^{0}.e$_{44}$,cin^{35}pu$^{35}_{53}$ŋai$^{13}_{44}$ŋai$^{13}_{21}$tien^{0} ŋɔi^{53}ka$^{35}_{44}$tʂ^{h}ət^{5} tsʅ^{0} iəu^{35}kuei^{53}ɲin$^{13}_{21}$,n̩$_{21}$,iəu^{35}kuei^{53}ɲin$^{13}_{21}$,ei$_{21}$,vien^{53}tʂəŋ^{21}ke^{53}lau^{21}p^{h}o^{13}xe^{53}ci$^{13}_{21}$kai^{53}kai^{53}tʂak^{3} pu^{35}ɲiəŋ$^{13}_{21}$tsʅ^{0} ʂa^{0} xei^{53}i^{21}tʂak^{3} kəŋ$^{35}_{44}$siau$^{35}_{44}$ʂa^{35}ke$^{53}_{21}$,i^{35}ts^{h}ien$^{13}_{21}$çi^{53}ŋai^{13}tien^{0} sen$^{35}_{44}$ts^{h}an^{21}ti^{53}xəŋ^{53}p^{h}an$^{53}_{44}$ko$^{53}_{44}$ti^{53},e$_{21}$, ɲin^{53}tek^{3}.e$_{53}$ts^{h}iəu^{53}ts^{h}əŋ^{21}tau^{21}ci$^{13}_{44}$,ts^{h}iəu$^{53}_{44}$ts^{h}ien^{35}ni^{0},kai$^{53}_{44}$pu^{35}ia^{53}pu$^{35}_{53}$ts^{h}iəu$^{53}_{44}$t^{h}əŋ$^{53}_{44}$li^{0} ʂəu^{21}ʂət^{5}.t^{h}i^{53}ɲi^{53}pu$^{35}_{53}$ŋai^{13}tsiəu$^{53}_{44}$kuei^{35}(x)ek^{3} li^{0},ten^{21}ŋai$^{13}_{21}$a^{35}c^{h}iəu$^{35}_{44}$tsʅ^{0} lɔi$^{13}_{21}$li^{0},ten^{21}tau^{21}ŋai$^{13}_{21}$a^{35}c^{h}iəu$^{35}_{44}$tsʅ^{0} lɔi$^{13}_{21}$li^{0} ŋai$^{13}_{21}$ts^{h}iəu^{53}kuei^{35}(x)ek^{3} li^{0}.

【贵姓】kuei^{53}sin^{53} 名 敬辞。用于问人姓氏：你～？我姓王。ɲi^{13}kuei^{53}sin^{53}?ŋai^{13}siaŋ^{53}uəŋ^{13}.

【桂花】kuei^{53}fa$^{35}_{44}$ 名 中国木犀属树木的习称，也指这种植物的花。这种植物也称"桂花树"：～树有哇。/有没有山桂花？/唔晓得。只有月月桂呀，欸，八月桂呀，有唔系啊？/欸，两个。/两种，两种～就晓得。还有……还还系呀，月月桂就四季桂呀。/我等喊月月桂哟。/我等月月桂，个个月都会开。也还有还有就金桂，黄黄子个～，黄黄子个花就是金桂。白白子个花银桂。箇我都以几年正晓得。以前我也唔晓得。打早只有都只系只有黄……/我等只有黄个。/欸，像怕只有黄个。黄个吗白个是我等。/黄个白个。/唔系哦。/以前去上唔系你等人就去镜山上背呀，我等人就去横巷里啊，只有黄个。你箇起是这滴传到来个。/红个就安做金桂呢，唔系唔系哩。我妹子系个栏场就有一蔸。咁多桂花树肚里只有一蔸。跌倒地泥下，鲜红。渠等话以个就金桂。鲜红。只有一蔸，剩下嘞都系白个。都系银桂。/白个黄个啰。/嗯，我等以映只有黄个。/箇只红～是我外甥箇是话黄最多哩啊。渠□□□十几亩哇！尽系红个呀,红～。/十几亩有人爱哟如今啰。～有人要哟。/系系，唔多行。kuei^{53}fa$^{35}_{44}$ʂəu^{53} iəu^{35}ua^{0}./iəu^{35}mek^{5} iəu$^{35}_{21}$san^{35}kuei^{53}fa$^{35}_{44}$?/n̩$^{13}_{21}$çiau^{21}tek^{3}.tʂʅ^{21}iəu$^{35}_{44}$ɲiet^{5}ɲiet$^{5}_{3}$ kuei^{53}ia^{0},e$_{21}$,pait^{3}ɲiet^{5} kuei^{53} ia^{0},iəu$^{35}_{44}$me$^{53}_{44}$a^{0}?/e$_{21}$,iɔŋ^{21}ke$^{53}_{44}$./iɔŋ^{21}tʂəŋ^{21},iɔŋ^{21}tʂəŋ^{21}kuei^{53}fa$^{35}_{44}$tsʰiəu$^{53}_{44}$çiau^{21}tek^{3}.xai$^{13}_{21}$iəu$^{35}_{44}$f…xai$^{13}_{21}$xai$^{13}_{21}$xe$^{53}_{44}$ ia^{0}, ɲiet^{5}ɲiet$^{5}_{3}$ kuei^{53}tsʰiəu$^{53}_{44}$si^{53}ci^{53}kuei^{53}ia^{0}./ŋai$^{13}_{21}$tien^{0} xan$^{53}_{44}$ɲiet^{5}ɲiet^{5} kuei$^{53}_{44}$io^{0}./ŋai$^{13}_{21}$tien^{0}ɲiet^{5}ɲiet$^{5}_{3}$ kuei^{53},cie^{53}cie$^{53}_{44}$ɲiet$^{5}_{3}$ təu$^{35}_{44}$uɔi$^{53}_{44}$kʰɔi$^{35}_{44}$.ia$^{35}_{44}$xai$^{13}_{21}$iəu$^{35}_{44}$xai$^{13}_{21}$iəu$^{35}_{53}$tsʰiəu$^{53}_{44}$cin^{35}kuei^{53},uɔŋ^{13}uɔŋ^{13}tsʅ^{0}ke^{53}kuei^{53} fa$^{35}_{44}$,uɔŋ^{13}uɔŋ^{13}tsʅ^{0}ke^{53}fa$^{35}_{44}$tsʰiəu$^{53}_{21}$ʂʅ$^{53}_{21}$cin^{35}kuei^{53}.pʰak^{5}pʰak^{5}tsʅ^{0}ke$^{53}_{44}$fa$^{35}_{44}$ɲin^{13}kuei^{53}.kai$^{53}_{44}$ŋai^{13}təu$^{35}_{53}$i^{21}ci^{21}ɲien^{13} tʂaŋ^{53}çiau^{21}tek^{3}.i$^{35}_{53}$tsʰien$^{13}_{21}$ŋai^{13}a$^{35}_{53}$n̩$^{13}_{21}$çiau^{21}tek^{3}.ta^{21}tsau$^{21}_{53}$tʂʅ^{21}iəu$^{35}_{53}$təu^{35}tʂʅ^{21}(x)e^{53}tʂʅ^{21}iəu$^{35}_{21}$uɔŋ$^{13}_{21}$…/ŋai$^{13}_{21}$tien^{0}tʂʅ^{21} iəu$^{35}_{53}$uɔŋ^{13}ke$^{53}_{44}$./ei$_{21}$,tsʰiɔŋ$^{53}_{44}$pʰa$^{53}_{44}$tʂʅ^{21}iəu$^{35}_{53}$uɔŋ^{13}ke$^{53}_{44}$.uɔŋ^{13}ke$^{53}_{44}$ma^{0} pʰak^{5} ke$^{53}_{44}$ʂʅ$^{53}_{44}$ŋai$^{13}_{21}$tien^{0}./uɔŋ^{13}ke$^{53}_{44}$pʰak^{5} ke^{53}./m̩$^{13}_{21}$pʰe$_{44}$(←xe^{53})o^{0}./i$^{35}_{44}$tsʰien$^{13}_{21}$çi$^{53}_{44}$ʂɔŋ^{53}m̩$^{13}_{21}$pʰe^{53}(←xe^{53})ɲi^{13}tien^{0} in$^{13}_{44}$tsʰiəu$^{53}_{44}$çi$^{53}_{44}$ciaŋ^{53}san$^{35}_{44}$ʂɔŋ^{53}pɔi^{53} ia^{0},ŋai^{13}tien^{0} in^{13}tsʰiəu$^{53}_{44}$(ç)i^{53}uaŋ^{13}xɔŋ^{53}li^{0} a^{0},tʂʅ^{21}iəu$^{35}_{44}$uɔŋ^{13}kei^{53}. ɲi^{13}kai^{53}çi^{21}ʂʅ$^{53}_{44}$tʂe$^{53}_{21}$tiet^{5}tʂʰɔn^{13}tau^{21}lɔi^{13} ke^{53}./fəŋ^{13}ke$^{53}_{44}$tsʰiəu$^{53}_{44}$ɔn$^{35}_{44}$tso$^{53}_{44}$cin$^{35}_{44}$kuei^{53}lei^{0},n̩$^{13}_{21}$ne$_{44}$(←xe^{53})me$^{53}_{44}$(←m̩^{13}xe^{53})li^{0}.ŋai^{13}mɔi^{53}tsʅ^{0}xei^{53}ke^{53}lɔŋ$^{13}_{21}$ tʂʰɔŋ$^{13}_{21}$tsʰiəu$^{53}_{44}$iəu^{35}iet^{3} tei$^{35}_{44}$.kan^{21}to^{35}kuei^{53}fa$^{35}_{44}$ʂəu^{53}təu^{21}li^{0} tʂʅ^{21}iəu$^{35}_{53}$iet^{3} tei^{35}.tiet^{3} tau^{21}tʰi^{53}lai$^{13}_{21}$xa$^{35}_{44}$,çien^{35} fəŋ$^{13}_{21}$.ci$^{13}_{21}$tien^{0} ua^{53}i^{21}ke^{53}tsʰiəu$^{53}_{44}$cin^{35}kuei^{53}.çien^{35}fəŋ$^{13}_{21}$.tʂʅ^{21}iəu$^{35}_{53}$iet^{3} tei^{35},ʂən^{53}çia^{53}le^{0} təu^{35}xe^{53}pʰak^{5} ke$^{53}_{44}$.təu^{35} xe^{53}ɲin^{13}kuei^{53}./pʰak^{5} ke^{53}uɔŋ^{13}ke$^{53}_{44}$lo^{0}./n̩^{21},ŋai^{13}tien^{0} i^{21}iaŋ$^{53}_{44}$tʂʅ^{21}iəu$^{35}_{44}$uɔŋ^{13}ke^{53}./kai^{53}tʂak^{3} fəŋ^{13}kuei$^{53}_{44}$fa^{35}ʂʅ$_{44}$ ŋai^{13}ŋɔi^{53}saŋ^{35}kai^{53}ʂʅ$^{53}_{21}$ua$_{44}$uɔŋ$_{13}$tsei^{53}to^{35}li^{0} a$_{35}$.ci$^{13}_{21}$ciəŋ^{35}ɲia$_{21}$tʂəu$_{53}$ʂət^{5} ci^{21}məu^{35}ua^{0}!tsʰin^{53}ne$_{21}$(←xe^{53})fəŋ^{13}ke$^{53}_{44}$ ia^{0},fəŋ^{13}kuei^{53}fa^{35}./ʂət^{5} ci^{21}miau^{35}mau$^{13}_{21}$ɲin$^{13}_{44}$ɔi^{53}io^{0} i$^{13}_{21}$cin$^{35}_{53}$no^{0}.kuei^{53}fa$^{35}_{44}$mau$^{13}_{21}$ɲin$^{13}_{44}$ɔi^{53}io^{0}./xe$_{53}$xe$_{21}$,n̩^{13}to$^{35}_{44}$çin^{13}.

【桂皮】kuei^{53}pʰi^{13} 名 桂皮树的皮，用做芳香调味品：～掺桂子系唔系一只东西身上个？桂子系～树上结个么？kuei^{53}pʰi^{13}lau^{35}kuei^{53}tsʅ^{21}xe^{53}me^{53}iet^{3} tʂak^{3} təŋ$^{35}_{44}$si^{0} ʂən^{35}xɔŋ$^{53}_{44}$ke$^{53}_{44}$?kuei^{53}tsʅ^{21}xe$^{53}_{44}$kuei^{53} pʰi^{13}ʂəu^{53}xɔŋ$^{53}_{44}$ciet^{3} cie^{53}mo^{0}?

【桂枝】kuei^{53}tʂʅ^{35} 名 肉桂的枝子：～啊，我等安做～，还做香料哇。……～又系么个东西唠～？咁长子一条子个唠，咁长子一莖莖子个唠。欸，咁长子，点伢大子个唠。短……短短子，欸，咁长子一只只。kuei^{53}tʂʅ^{35}ʐa^{0},ŋai$^{13}_{21}$tien^{0} ɔn$^{35}_{44}$tso$^{53}_{44}$kuei^{53}tʂʅ^{35},xa$^{13}_{21}$tso^{53}çiɔŋ^{35}liau$^{53}_{44}$ua^{0}.…kuei^{53}tʂʅ^{35} iəu$^{53}_{44}$xei$^{53}_{44}$mak^{3} (k)e$^{53}_{44}$təŋ$^{35}_{44}$si^{0} lau^{0} kuei^{53}tʂʅ^{35}?kan$^{21}_{35}$tʂʰɔŋ$^{13}_{44}$tsʅ^{0} iet^{3} tʰiau$^{13}_{44}$tsʅ^{0} ke$^{53}_{44}$lau^{0},kan$^{21}_{35}$tʂʰɔŋ$^{13}_{44}$tsʅ^{0} iet^{3} tsʰo^{53} tsʰo^{53}tsʅ^{0} ke$^{53}_{44}$lau^{0}.e$_{21}$,kan^{21}tʂʰɔŋ$^{13}_{44}$tsʅ^{0},tian^{53}ŋa$^{13}_{44}$tʰai^{53}tsʅ^{0}cie$^{53}_{44}$lau^{0}.tɔn^{21}…tɔn$^{21}_{35}$tɔn^{21}tsʅ^{0},ŋe$_{44}$,kan^{21}tʂʰɔŋ$^{13}_{44}$tsʅ^{0} iet^{3} tʂak^{3} tʂak^{3}.

【桂竹】kuei^{53}tʂəuk^{3} 名 一种竹子，不大，节长：～是有么几大。/～就肉欸竹子唔大，但是节蛮长。竹子也蛮长。皮唔厚，系肉唔厚呀。kuei^{53}tʂəuk^{3} ʂʅ$^{53}_{44}$mau^{13}mak^{3} ci^{21}tʰai^{53}./kuei^{53}tʂəuk^{3} tsʰiəu^{53} ɲiəuk^{3} e$_{21}$tʂəuk^{3} tsʅ^{0} n̩^{13}tʰai^{53},tan^{53}ʂʅ^{53}tset^{3} man^{13}tʂʰɔŋ^{13}.tʂəuk^{3} tsʅ^{0} ia$^{35}_{53}$man$^{13}_{21}$tʂʰɔŋ^{13}.pʰi^{13}n̩$^{13}_{44}$xei^{35},xei$^{53}_{44}$ɲiəuk^{3} n̩$^{13}_{21}$ xei^{35}ia^{0}.

【跪】kʰuei^{21} 动 两膝弯曲，使一个或两个膝盖着地：做媒人公个人，你箇晡爱～踏凳子。tso^{53} mɔi^{13}ɲin$^{13}_{44}$kəŋ^{35}ke^{53}ɲin^{21}, ɲi^{13}kai$^{53}_{44}$pu$^{35}_{44}$ɔi$^{53}_{44}$kʰuei^{21}tʰait^{5} tien^{53}tsʅ^{0}.

【跪跪拜拜】kʰuei^{21}kʰuei^{21}pai^{53}pai^{53} 反复地跪和拜：就通唱，～呀。tsʰiəu$^{53}_{44}$tʰəŋ$^{35}_{44}$tʂʰɔŋ^{53},kʰuei^{21} kʰuei^{21}pai^{53}pai^{53}ia^{0}.

【鳜鱼】kuei^{53}ŋ̍^{13} 名 鱼名：有～啊，河里有哇。我记得以前我老妹子箇映子咯，么个时候子唠？唔知打禾个时候子还系栽禾个时候子唠，噢，唔系，我记得哩，欸。倒草籽老稿个时候子，箇河里个～藉水上。箇你只爱到箇河口子啊去捉，捉得～倒。欸，以个河里都有。都有。以下是冇得哩。草籽也冇得哩，冇人曳草籽。iəu^{35}kuei^{53}ŋ̍$^{13}_{21}$ŋa^{0},xo$^{13}_{21}$li^{0} iəu^{35}ua^{0}.ŋai^{13}ci^{53}tek^{3} i$^{35}_{53}$tsʰien$^{13}_{21}$ ŋai$^{13}_{21}$lau^{21}mɔi^{53}tsʅ^{0} kai$^{53}_{44}$iaŋ$^{53}_{44}$tsʅ^{0} ko^{0},mak^{3} e^{0} ʂʅ^{13}xei^{53}tsʅ^{0} lau^{0}?n̩^{13}ti$^{35}_{53}$ta^{21}uo$^{13}_{21}$ke^{0} ʂʅ^{13}xəu$^{53}_{44}$tsʅ^{0} xa$^{13}_{21}$xe$^{53}_{44}$tsɔi^{35}uo$^{13}_{21}$ke^{0} ʂʅ^{13}xəu$^{53}_{44}$tsʅ^{0} lau^{0},au$_{53}$,m̩^{13}pʰe^{53},ŋai$^{13}_{21}$çiau^{21}tek^{3} li^{0},e$_{44}$.tau^{21}tsʰau^{21}tsʅ^{21}lau^{21}kau^{21}ke^{53}ʂʅ^{13}xei^{53}tsʅ^{0},kai^{53}xo^{13}li^{21}ke$^{53}_{44}$ kuei^{53}ŋ̍^{13}tʂa^{53}ʂei^{21}ʂɔŋ^{35}.kai^{53}ɲi$^{13}_{44}$tʂʅ^{21}ɔi^{53}tau^{53}kai^{53}xo^{13}xei^{21}tsʅ^{0} a^{0} çi^{53}tsɔk^{3},tsɔk^{3} tek^{3} kuei^{53}ŋ̍$^{13}_{21}$tau^{21}.e$_{21}$,i^{21}ke^{53}xo^{13} li^{0} təu$^{35}_{44}$iəu$^{35}_{44}$.təu^{35}iəu$^{35}_{44}$.i^{21}xa^{53}ʂʅ$^{53}_{44}$mau$^{13}_{44}$tek^{3} li^{0}.tsʰau^{21}tsʅ^{21}a$^{35}_{53}$mau$^{13}_{44}$tek^{3} li^{0},mau$^{13}_{21}$ɲin$^{13}_{44}$ve^{53}tsʰau$^{21}_{44}$tsʅ^{21}.

【滚$_{1}$】kuən^{21} 动 ①旋转着移动：细人子就冇事～出以外子。sei^{53}ɲin$^{13}_{44}$tsʅ^{0} tsʰiəu^{53}mau^{13}sʅ^{53}kuən^{21}

tʂʰət^{3} i$^{21}_{35}$ŋɔi^{53}tsɿ^{0}. ②擀（面）：舞倒棍子去～呢。u^{21}tʰiau^{13}kuən^{53}tsɿ^{0}çi$^{53}_{44}$kuən^{21}ne^{0}. ③（使）卷起来：分席子～拢来 pən^{35}tsʰiak^{5}tsɿ^{0}kuən^{21}nəŋ^{35}lɔi$^{13}_{21}$｜～筒烟食哩。kuən^{21}tʰəŋ^{13}ien^{35}ʂət^{5}li^{0}.

【滚$_{2}$】kuən^{21} 形 ①热的：～酒 kuən^{21}tsiəu^{21}｜从前个酒就硬爱坐～来食嘞。tsʰəŋ^{13}tsʰien$^{13}_{21}$ke^{53} tsiəu^{21}tsʰiəu$^{53}_{44}$ɲiaŋ^{53}ɔi$^{53}_{44}$tsʰo^{53}kuən^{21}nɔi^{13}ʂət^{5}le^{0}. ②暖和；保暖：棉衫呐唔～了哇，着倒唔～呐。mien^{13}san$^{35}_{44}$na^{0}n̩^{13}kuən^{21}liau$^{21}_{13}$ua^{0},tʂɔk^{3}tau^{21}n̩^{13}kuən^{21}na^{0}.

【滚尿】kuən^{21}ɲiau^{53} 名 刚屙的热尿：肩膊荷痛哩你话让门搞哇？陈老师，箇只办法就真系蛮好，呃最简单最箇个办法，唔爱药，么个都唔爱，洗身个时候子屙尿，自家去用手装兜子～，洗身个时候子啊，屙尿个装兜子～，去箇装倒就箇肩膊上咁子去牟下子，去擦下子去牟下子，箇～，喷滚个装，屙下倒就装倒手里，就咁子去，就好哩，第二晡就……哈，有用，嘿嘿，有用。只系咁个……箇是老班子教个啦，系唔系？我等是用多哩哦，硬箇阵子得哩荷哩啊硬啊。噢，我系……么个体验咯？硬晓知搞几多。欸，～嘞。欸，～蛮好啦，还有啦，你系话□倒哩腰，腰上□倒哩，欸，腰痛，系唔系？或者以个栏场大脚髀同箇个，哪映嗨渠有兜子箇个唠，欸，整百病个良方呶。洗身个时候子，爱还缯庳水，还缯庳水个时候子，装倒箇～，哪映唔好就哪映去擦，去拍下子，又去擦下子，又去拍下子，自家个～，蛮好，是系蛮好。我用得最多个就系肩膊。渠箇恢复快唠，渠个唔得肩膊痛啊。cien^{35}pɔk^{3}kʰai$^{35}_{44}$tʰəŋ^{53}li^{0}ɲi^{13}ua$^{53}_{44}$ ɲiɔŋ^{53}mən^{0}kau^{21}ua^{0}?tʂʰən^{13}nau^{21}sɿ$^{35}_{44}$,kai^{53}(tʂ)ak^{3}pʰan^{53}fait^{3}tsʰiəu$^{53}_{44}$tʂən^{35}ne^{53}man$^{13}_{21}$xau^{21},ə^{0}tsei^{53}kan^{21}tan$^{35}_{44}$ tsei^{53}kai$^{53}_{44}$ke$^{53}_{44}$pʰan^{53}fait^{3},m̩$^{13}_{21}$mɔi$^{53}_{44}$iɔk^{5},mak^{3}e^{0}təu$^{35}_{53}$m̩$^{13}_{21}$mɔi$^{53}_{44}$,se^{21}ʂən^{35}ke^{53}ʂɿ^{13}xəu$^{53}_{44}$tsɿ^{0}o^{35}ɲiau^{53},tsʰɿ^{35}ka$^{35}_{44}$çi$^{53}_{44}$ iəŋ$^{53}_{44}$ʂəu^{21}tʂɔŋ^{35}təu$^{35}_{53}$tsɿ^{0}kuən^{21}ɲiau^{53},se^{21}ʂən^{35}ke^{53}ʂɿ^{13}xəu$^{53}_{44}$tsɿ^{0}a^{0},o^{35}ɲiau^{53}ke$^{53}_{44}$tʂɔŋ^{35}təu$^{35}_{53}$tsɿ^{0}kuən^{21}ɲiau^{53},çi^{53} kai^{53}tʂɔŋ^{35}tau^{21}tsʰiəu$^{53}_{44}$kai$^{53}_{44}$cien^{35}pɔk^{3}xɔŋ$^{53}_{44}$kan^{21}tsɿ^{0}çi$^{53}_{44}$tait^{5}ia$^{53}_{44}$tsɿ^{0},çi^{53}tsʰait^{3}ia$^{53}_{44}$tsɿ^{0}çi$^{53}_{44}$tait^{5}ia$^{53}_{44}$tsɿ^{0},kai$^{53}_{44}$ kuən^{21}ɲiau^{53},pʰaŋ^{35}kʰuən^{21}cie^{53}tʂɔŋ^{35},o^{35}(x)a^{53}tau^{21}tsʰiəu^{53}tʂɔŋ$^{35}_{44}$tau^{21}ʂəu^{21}li^{0},tsiəu^{53}kan^{21}tsɿ^{0}çi$^{53}_{44}$,tsiəu^{53}xau^{21} li^{0},tʰi^{53}ɲi$^{53}_{44}$pu^{35}tsʰiəu^{53}⋯xa$_{35}$,iəu^{35}iəŋ^{53},xe$_{21}$xe$_{44}$,iəu^{35}iəŋ^{53}.tʂɿ^{21}xe^{53}kan^{21}ke^{53}⋯kai$^{53}_{44}$ʂɿ$^{53}_{44}$lau^{21}pan^{35}tsɿ^{0}kau$^{35}_{44}$ke^{53} la^{0},xei$^{53}_{44}$me$^{53}_{44}$?ŋai^{13}tien^{0}ʂɿ$^{53}_{44}$iəŋ^{35}to^{35}li^{0}o^{0}, ɲiaŋ$^{53}_{44}$kai$^{53}_{44}$tʂʰən$^{53}_{44}$tsɿ^{0}tek^{3}li^{0}kʰai^{35}li^{0}a^{0}ɲiaŋ^{53}a^{0}.au$_{53}$,ŋai$^{13}_{21}$xei$^{21}_{13}$⋯ mak^{3}e^{0}tʰi^{21}ɲien$^{53}_{44}$ko$^{53}_{44}$?ɲiaŋ^{53}çiau^{21}ti$^{35}_{53}$kau^{21}ci^{21}to^{0}.e$_{21}$,kuən^{21}ɲiau^{53}lei^{0}.ei$_{53}$,kuən^{21}ɲiau^{53}man^{13}xau^{21}la^{0},xai$^{13}_{21}$ iəu$^{35}_{44}$la^{0}, ɲi^{13}xei^{53}ua^{53}lak^{3}tau^{21}li^{0}iau^{35},iau^{35}xɔŋ^{53}lak^{3}tau^{21}li^{0},ei$_{21}$,iau^{35}tʰəŋ^{53},xei^{53}me^{53}?xɔit^{5}tʂa^{21}i^{21}ke^{53}lan$^{13}_{21}$ tʂʰɔŋ$^{13}_{44}$tʰai^{53}ciɔk^{3}pi^{21}tʰəŋ^{53}kai$^{53}_{44}$ke$^{53}_{44}$,lai^{53}iaŋ$^{53}_{44}$xai$_{53}$ci$^{13}_{21}$iəu^{35}təu$^{35}_{44}$tsɿ^{0}kai$^{53}_{44}$ke$^{53}_{44}$lau^{0},e$_{21}$,tʂaŋ^{21}pak^{3}pʰiaŋ^{53}ke$^{53}_{44}$liɔŋ^{13} fɔŋ^{35}nau^{0}.se^{21}ʂən^{35}ke^{53}ʂɿ^{13}xəu^{53}tsɿ^{0},ɔi^{53}xai^{13}maŋ^{13}fu^{53}ʂei^{21},xai^{13}maŋ^{13}fu^{53}ʂei^{21}ke^{53}ʂɿ^{13}xei$^{53}_{44}$tsɿ^{0},tʂɔŋ^{35}tau^{21}kai$^{53}_{44}$ kuən^{21}ɲiau^{53},lai^{53}iaŋ$^{53}_{44}$m̩$^{13}_{21}$xau^{21}tsʰiəu$^{53}_{44}$lai^{53}iaŋ$^{53}_{44}$çi^{53}tsʰait^{3},çi^{53}pʰak^{3}(x)a^{53}tsɿ^{0},iəu^{53}çi^{53}tsʰait^{3}(x)a^{53}tsɿ^{0},iəu^{53}çi^{53} pʰak^{3} (x)a^{53}tsɿ^{0},tsʰɿ^{35}ka$^{35}_{44}$ke$^{53}_{44}$kuən^{21}ɲiau^{53},man$^{13}_{21}$xau^{21},ʂɿ^{53}xei^{53}man$^{13}_{21}$xau^{21}.ŋai^{13}iəŋ^{53}tek^{3}tsei^{53}to$^{35}_{44}$ke^{0}tsʰiəu$^{53}_{44}$ xei$^{53}_{44}$cien^{35}pɔk^{3}.ci^{13}kai$^{53}_{44}$fei^{53}fuk^{5}kʰuai^{53}lau^{0},ci^{13}cie^{53}n̩^{13}tek^{3}cien^{35}pɔk^{3}tʰəŋ^{53}ŋa^{0}.

【滚气】kuən^{21}çi^{53} 名 热的气体：当昼心里走下外背时，箇路上一……箇～硬了不得啊，硬熝人呶。tɔŋ^{35}tʂəu^{53}sin^{35}ni^{21}tsei^{21}ia$^{53}_{44}$ŋɔi^{53}pɔi$^{53}_{44}$ʂɿ^{13},kai^{53}ləu^{53}xɔŋ$^{53}_{44}$iet^{3}⋯kai$^{53}_{44}$kuən^{21}çi^{53}ɲiaŋ^{53}liau^{21}pət^{3}tek^{3}a^{0}, ɲiaŋ^{53}ləuk^{5}ɲin^{13}nau^{0}.

【滚水】kuən^{21}ʂei^{21} 名 未开的热水：荷担～ kʰai$^{35}_{44}$tan$^{35}_{44}$kuən^{21}ʂei^{21}

【滚铁环】kuən^{21}tʰiet^{3}fan^{13} 传统儿童游戏。玩者手捏顶头是“U”字形的铁棍或铁丝，推着一个铁环向前跑。又称“滚铁圈”：我等细细子冇得么个玩具，舞倒箇个水桶欸脚盆圈做欸舞倒脚盆圈来～。最好个就油榨下个箇打油个圈，铁圈，箇就最好，又大。ŋai^{13}tien^{0}se^{53}se^{53}tsɿ^{0} mau^{13}tek^{3}mak^{3}ke$^{53}_{44}$uan^{13}tʂɥ^{53},u^{21}tau^{21}kai^{53}ke^{53}ʂei^{21}tʰəŋ^{21}ei^{0}ciɔk^{3}pʰən$^{13}_{21}$cʰien^{35}tso^{53}e$_{21}$u^{21}tau^{21}ciɔk^{3}pʰən$^{13}_{21}$ cʰien^{35}nɔi$^{13}_{44}$kuən^{21}tʰiet^{3}fan$^{13}_{21}$.tsei^{53}xau^{21}ke^{0}tsʰiəu$^{53}_{44}$iəu^{13}tsa^{53}xa^{35}ke^{0}kai$^{53}_{44}$ta^{21}iəu^{13}ke$^{53}_{44}$cʰien^{35},tʰiet^{3}cʰien^{35},kai$^{53}_{44}$ tsiəu$^{53}_{44}$tsei^{53}xau^{21},iəu$^{53}_{44}$tʰai^{53}.

【滚铁圈】kuən^{21}tʰiet^{3}cʰien^{35} 同“滚铁环”：我等细细子～个时候子嘞，箇就唔系么个个把子人滚呐，箇，比赛啦，同箇赛跑样，手里搲正，三四个人，一路滚，看嘿么人滚得更远，就看嘿么人滚得更久，比赛，～。ŋai^{13}tien^{0}se^{53}se^{53}tsɿ^{0}kuən^{21}tʰiet^{3}cʰien^{35}ke^{0}ʂɿ^{13}xəu$^{53}_{44}$tsɿ^{0}lei^{0},kai^{53}tsʰiəu$^{53}_{44}$ m̩^{13}pʰei^{53}mak^{3}kei$^{53}_{44}$cie^{53}pa^{21}tsɿ^{0}ɲin^{13}kuən^{21}na^{0},kai$^{53}_{44}$,pi^{21}sai^{53}la^{0},tʰəŋ$^{13}_{21}$kai$^{53}_{44}$sai^{53}pʰau^{21}iɔŋ^{53},ʂəu^{21}li^{0}ia^{21}tʂaŋ^{53}, san^{35}si^{53}ke^{53}ɲin$^{13}_{44}$,iet^{3}ləu^{53}kuən^{21},kʰɔn^{53}xek^{3}mak^{3}ɲin$^{13}_{44}$kuən^{21}tek^{3}cien^{53}ien^{21},tsʰiəu$^{53}_{44}$kʰɔn^{53}xek^{3}mak^{3}ɲin$^{13}_{44}$ kuən^{21}tek^{3}cien^{53}ciəu^{21},pi^{21}sai^{53},kuən^{21}tʰiet^{3}cʰien$^{35}_{44}$.

【滚筒子】kuən^{21}tʰəŋ^{13}tsɿ^{0} 动 植物的叶子缺水卷缩。也简称“滚筒”：田里个禾冇哩水，干久哩，～，箇禾叶都禾衣都～。包粟干坏哩，～。箇菜叶～，冇哩水，干久哩。以咁大晴，你去看下子箇个辣椒哇，箇茄子吵，滚筒。tʰien^{13}li^{0}ke^{53}uo^{13}mau$^{13}_{44}$li^{0}ʂei^{21},kɔn^{35}ciəu^{21}li^{0},kuən^{21}tʰəŋ^{13}tsɿ^{0}, kai$^{53}_{44}$uo^{13}iait^{5} təu$^{35}_{44}$uo^{13}i^{35}təu$^{35}_{53}$kuən^{21}t^{h}əŋ^{13}tsɿ^{0}.pau^{35}siəuk^{3} kən^{35}fai^{53}li^{0},kuən^{21}t^{h}əŋ^{13}tsɿ^{0}.kai$^{53}_{44}$ts^{h}ɔi^{53}iait^{5} kuən^{21}t^{h}əŋ^{13}tsɿ^0,mau^{13}li^0 ʂei^{21},kən^{35}ciəu^{21}li^0.i^{21}kan^{21}t^{h}ai^{53}ts^{h}iaŋ$^{13}_{44}$, ɲi$^{13}_{21}$çi$^{53}_{44}$k^{h}ən$^{53}_{44}$xa$^{53}_{44}$tsɿ^0 kai$^{53}_{21}$ke$^{53}_{21}$lait^5 tsiau$^{35}_{44}$ua^0,kai$^{53}_{44}$c^{h}io^{13}tsɿ^0 ʂa^0,kuən^{21}t^{h}əŋ^{13}.

【滚子】kuən^{21}tsɿ^0 名蒲滚上的滚筒：蒲滚上个～欸，一般就两起嘞。一起就树做个嘞。我等箇映子有，以欸我等以前呐，我等队上啊，一起树做个～。毋条咁大个树，爱硬兜子，一般用箇个么个树啊？一般用箇个欸嗯梓木树，一般用梓木树。画正心来，箇只咁个画正心来，做成一条一条个咁个叶叶样，系，然后做只充上去，箇个就系木～。欸，落尾就发展到嘞请铁匠……去买，铁匠箇阵子当地个铁匠都唔会做。落尾去买，买铁～。买个铁～。p^{h}u^{13}kuən^{21}xɔŋ^{53}ke^0 kuən^{21}tsɿ^0 e$_{53}$,iet^3 pən^{35}ts^{h}iəu^{53}iəŋ^{21}çi^{21}lei^0.iet^3 çi^{21}ts^{h}iəu$^{53}_{44}$ʂəu^{53}tso$^{53}_{44}$ke^0 lei^0.ŋai$^{13}_{21}$tien^0 kai^{53}iaŋ^{53}tsɿ^0 iəu^{35},i^{21}e$_{44}$ŋai$^{13}_{21}$tien^0 i$^{53}_{53}$ts^{h}ien^{13}na^0,ŋai$^{13}_{21}$tien^0 ti^{53}xɔŋ$^{53}_{44}$ŋa^0,iet^3 çi^{21}ʂəu^{53}tso$^{53}_{44}$ke^0 kuən^{21}tsɿ^0.u^{21}t^{h}iau$^{13}_{44}$kan^{21}t^{h}ai$^{53}_{44}$ke^0 ʂəu^{53},ɔi$^{53}_{44}$ŋaŋ^{53}təu$^{35}_{53}$tsɿ^0,iet^3 pən^{35}iəŋ$^{53}_{44}$kai$^{53}_{44}$ke$^{53}_{44}$mak^3 e^0 ʂəu$^{53}_{44}$a^0?iet^3 pən^{35}iəŋ$^{53}_{44}$kai$^{53}_{44}$ke$^{53}_{44}$e$_{21}$n̩$_{21}$tsɿ^{21}muk^3 ʂəu^{53},iet^3 pən^{35}iəŋ$^{53}_{44}$tsɿ^{21}muk^3 ʂəu^{53}.fa^{53}tʂaŋ^{53}sin^{35}nɔi$^{13}_{21}$,kai^{53}tʂak^3 kan^{21}cie$^{53}_{44}$fa^{53}tʂaŋ^{53}sin^{35}nɔi$^{13}_{21}$,tso^{53}ʂaŋ^{13}iet^3 t^{h}iau^{13}iet^3 t^{h}iau^{13}kei^{53}kan^{21}cie$^{53}_{44}$iait^5 iait^5 iəŋ^{53},xe$^{53}_{21}$,vien$^{13}_{21}$xei$^{53}_{44}$tso^{53}(tʂ)ak^3 tʂ^{h}əŋ$^{35}_{44}$ʂɔŋ^{53}çi^{53},kai$^{53}_{44}$ke$^{53}_{44}$ts^{h}iəu$^{53}_{44}$xei$^{53}_{44}$muk^3 kuən^{21}tsɿ^0.e$_{21}$,lɔk^5 mi$^{35}_{44}$ts^{h}iəu$^{53}_{44}$fait^3 tʂen^{21}tau$^{53}_{44}$lei^0 ts^{h}iaŋ^{21}t^{h}iet^3 siɔŋ^{53}···c^{h}i$^{53}_{44}$mai^{35},t^{h}iet^3 siɔŋ^{53}kai^{53}tʂ^{h}ən^{53}tsɿ^0 tɔŋ^{35}t^{h}i$^{53}_{44}$ke^0 t^{h}iet^3 siɔŋ$^{53}_{44}$təu$^{35}_{53}$m̩$^{13}_{21}$uɔi$^{53}_{44}$tso^{53}.lɔk$^5_3$ mi$^{35}_{44}$c^{h}i$^{53}_{44}$mai^{35},mai^{35}t^{h}iet^3 kuən^{53}tsɿ^0.mai^{35}ke^{53}t^{h}iet^3 kuən^{53}tsɿ^0.

【棍】kuən^{53} 名棍棒：两头呀以个床头嘞，渠以映子中间打只眼，插条～。iɔŋ^{21}t^{h}ei^{13}ia^0 i^{21}ke^{53}ts^{h}ɔŋ^{13}t^{h}ei^{13}lei^0 ,ci^{13}i^{21}iaŋ^{53}tsɿ^0 tʂəŋ$^{35}_{44}$kan$^{35}_{44}$ta^{21}tʂak^3 ŋan^{21},ts^{h}ait^3 t^{h}iau^{13}kuən^{53}.

【棍棍】kuən^{53}kuən$^{53}_{44}$ 名也称“棍棍子”。①以木材或金属、塑料等材料制成的棍棒：就系条咁个～子。ts^{h}iəu^{53}uei$_{44}$(←xei^{53})t^{h}iau$^{13}_{21}$kan^{21}ke$^{53}_{44}$kuən^{53}kuən$^{53}_{44}$tsɿ^0. ②形似棍棒的东西：咁个～指膨花呢，□长一条个棍指膨花呢，咁长一条个。kan^{21}cie$^{53}_{44}$kuən^{53}kuən^{53}ne^0,lai^{35}tʂ^{h}ɔŋ$^{13}_{21}$iet^3 t^{h}iau^{13}ke$^{53}_{44}$kuən$^{53}_{44}$ne^0,kan^{21}tʂ^{h}ɔŋ^{13}iet^3 t^{h}iau$^{13}_{21}$ke^{53}.

【棍子】kuən^{53}tsɿ^0 名①棍棒：毋只～抓倒啦你等。u^{21}tʂak^3 kuən^{53}tsɿ^0 k^{h}uai^{21}tau^{21}la^0 ɲi^{13}tien^0. ②形似棍棒的东西：细人子就背条～指膨花食嘞，食起尽味道。sei^{53}ɲin$^{13}_{21}$tsɿ^0 ts^{h}iəu$^{53}_{44}$pi^{53}t^{h}iau$^{13}_{21}$kuən^{53}tsɿ^0 ʂət^5 le^0,ʂət^5 çi$^{21}_{44}$ts^{h}in^{53}uei$^{53}_{44}$t^{h}au$^{53}_{44}$.

【棍子柴】kuən^{53}tsɿ^{0}ts^{h}ai^{13} 名成根的柴火：～吧？渠是摎箇个欸相对应个，摎岔柴。欸，～嘞就系尽棍子个。kuən^{53}tsɿ^0 ts^{h}ai^{13}pa^0 ?ci$^{13}_{21}$ʂɿ$^{53}_{44}$lau^{35}kai^{53}ke^0 e$_{21}$siɔŋ^{35}tei^{53}in^{53}ke^0 ,lau^{35}ts^{h}a^{53}ts^{h}ai$^{13}_{21}$. e$_{21}$,kuən^{53}tsɿ^0 ts^{h}ai^{13}le^0 ts^{h}iəu$^{53}_{44}$xe$^{53}_{44}$ts^{h}in^{53}kuən^{53}tsɿ^0 ke^0.

【聒聒车车】kuek^{3}kuek^3 tʂ^{h}a$^{35}_{44}$tʂ^{h}a^{35} 同一件事情反反复复地提起：如果系一只事一一件事总咁子舌，渠八渠总咁子讲嘿去。欸，嗯。“你摎我去啰！”系唔系？欸。“你莫总跕倒箇映子啰！”“索利滴子唠！”箇个就唔……一方面以映子嘞，那还一方面安做～。总讲嘿去欸，～。总一只事总讲嘿去，箇就～。……不一定重复，但是就会讲箇只事，总讲倒箇只事，欸，～。ɥ^{13}ko^{21} xei^{53} iet^3 tʂak^3 sɿ$^{53}_{44}$ iet^3 iet^3 c^{h}ien^{53} sɿ$^{53}_{44}$ tsəŋ^{21} kan$^{21}_{44}$ tsɿ^0 ʂət^5 ,ci$^{13}_{44}$ pait^3 ci$^{13}_{44}$ tsəŋ^{21} kan^{21} tsɿ^0 kɔŋ^{21} uek^3 (←xek^3)çi^{53}.e$_{44}$,ŋ̍$_{21}$."ɲi$^{13}_{21}$lau^{35}ŋai$^{13}_{21}$çi^{53}lo$_{44}$!"xei$^{53}_{44}$me$^{53}_{44}$?e$_{21}$."ɲi^{13}mɔk^5 tsəŋ^{21}ku^{35}tau^{21}kai$^{53}_{44}$iaŋ$^{53}_{44}$tsɿ^0 lo$_{44}$!""sɔk^3 li$^{53}_{44}$tiet^5 tsɿ^0 lau^0 !"kai$^{53}_{44}$ke$^{53}_{44}$tsiəu^{53}ŋ̍^{13}···iet^3 fɔŋ$^{35}_{44}$mien$^{53}_{44}$i$^{21}_{44}$iaŋ$^{53}_{44}$tsɿ^0 lei^0 ,la$^{53}_{44}$xai$^{13}_{21}$iet^3 fɔŋ$^{35}_{44}$mien$^{53}_{44}$ɔn$^{35}_{44}$tso$^{53}_{44}$kuek^3 kuek^3 tʂ^{h}a$^{35}_{44}$tʂ^{h}a^{35}.tsəŋ^{21} kɔŋ^{21} uek^3 (←xek^3)çi^{53} e$_{44}$,kuek^3 kuek^3 tʂ^{h}a$^{35}_{44}$tʂ^{h}a^{35}.tsəŋ^{21} iet^3 tʂak^3 sɿ^{53} tsəŋ^{21} kɔŋ^{21} uek^3 (←xek^3)çi^{53},kai$^{53}_{44}$ts^{h}iəu^{53}kuek^3 kuek^3 tʂ^{h}a$^{35}_{44}$tʂ^{h}a$^{35}_{44}$.···pət^3 iet^3 t^{h}in^{53}tʂ^{h}əŋ^{13}fuk^5 ,tan$^{53}_{44}$sɿ$^{53}_{44}$ts^{h}iəu^{53}uɔi^{53}kɔŋ^{21}kai^{53}tʂak^3 sɿ^{53},tsəŋ^{21}kɔŋ^{21}tau^{21}kai^{53}tʂak^3 sɿ^{53},e$_{21}$,kuek^3 kuek^3 tʂ^{h}a^{35}tʂ^{h}a$^{35}_{44}$.

【果狸】ko^{21}li^{13} 名果子狸：黄老鼠哇，～呀。uɔŋ^{13}lau$^{21}_{53}$tʂ^{h}əu^{21}ua^0,ko^{21}li^{13}ia^0.

【果树】ko^{21}ʂəu^{53} 名所结果实可供使用的树木：我等屋下箇两斗箇家人家渠就真喜欢栽～嘞。有只两斗啦，两斗岗啊，我系□记哩讲哟。地名，欸，地名，两斗，渠就冇得箇岗字。渠箇只岗唔多明显，箇只岗有是有只岗子。渠个岗上做只屋，冇得田。欸，三斗岗四斗岗箇个就系有田，箇就嘞尽系田。欸，两斗箇家人家栽真多～。李子树，桃子树，么个杨梅树。也有一只么个几贵重子个～咯。就系我等以兜栏场……柿子树，欸，李子树，杨梅树。真喜欢栽箇家人。渠一家人系倒箇映子，一家子人系倒箇映子，一只岗嘴子，箇个岗嘴子四向都栽没哩箇～，栽真多～。ŋai^{13}tien^0 uk^3 xa^{53}kai^{53}iɔŋ^{21}tei^{21}kai$^{53}_{44}$ka$^{35}_{44}$ɲin$^{13}_{21}$ka$^{35}_{44}$ci$^{13}_{44}$ts^{h}iəu$^{53}_{44}$tʂən^{35}çi^{21}fɔn$^{35}_{44}$tsɔi^{35}ko^{21}ʂəu^{53}lei^0.iəu^{35}tʂak^3 iɔŋ^{21}tei^{21}la^0,iɔŋ^{21}tei^{21}kɔŋ^{35}ŋa^0,ŋai^{13}xe$^{53}_{44}$lai^{13}ci^{53}li^0 kɔŋ^{21}io^0.t^{h}i^{53}miaŋ^{13},e$_{21}$,t^{h}i^{53}miaŋ^{13},iɔŋ^{21}tei^{21},ci^{13}ts^{h}iəu^{53}mau^{13}tek^3 kai$^{53}_{44}$kɔŋ^{35}sɿ$^{53}_{44}$.ci^{13}kai^{53}tʂak^3 kɔŋ^{35}n̩^{13}to$^{35}_{53}$min^{13}çien^{21},kai^{53}tʂak^3 kɔŋ^{35}iəu^{35}sɿ$^{53}_{44}$iəu^{35}tʂak^3 kɔŋ^{35}tsɿ^0.ci$^{13}_{44}$(k)e$^{53}_{44}$kɔŋ^{35}xɔŋ^{53}tso^{53}tʂak^3 uk^3,mau^{13}tek^3 t^{h}ien^{13}.e$_{21}$,san^{35}tei^{21}kɔŋ^{35}si^{53}tei^{21}kɔŋ^{35}kai$^{53}_{44}$ke$^{53}_{44}$ts^{h}iəu^{53}

G

xe$^{53}_{44}$iəu^{35}t^{h}ien^{13},kai$^{53}_{44}$ts^{h}iəu$^{53}_{44}$le^{0} ts^{h}in^{53}ne$^{53}_{44}$t^{h}ien^{13}.e$_{21}$,iəŋ^{21}tei^{21}kai$^{53}_{44}$ka$^{35}_{44}$ɲin$^{13}_{21}$ka$^{35}_{44}$tsɔi^{35}tʂən^{35}to$^{35}_{44}$ko^{21}ʂəu^{53}.li^{21}tsɿ^{21} ʂəu^{53},t^{h}au^{13}tsɿ^{21}ʂəu^{53},mak^{3} e^{0} iəŋ^{13}mɔi^{13}ʂəu^{53}.ia^{35}mau^{13}iet^{3}tʂak^{3} mak^{3} e^{0} çi^{21}kuei^{53}tʂ^{h}əŋ$^{53}_{44}$tsɿ^{0} ke^{0} ko^{21}ʂəu^{53}ko^{0}. ts^{h}iəu^{53}xei$^{53}_{44}$ŋai^{13}tien^{0} i^{21}tei$^{35}_{53}$laŋ$^{13}_{21}$tʂ^{h}əŋ$^{13}_{44}$…ts^{h}ɿ^{53}tsɿ^{21}ʂəu^{53},e$_{21}$,li^{21}tsɿ^{21}ʂəu^{53},iəŋ^{13}mɔi^{13}ʂəu^{53}.tʂən^{35}çi^{21}fən$^{35}_{44}$tsɔi^{35} kai$^{53}_{44}$ka$^{35}_{44}$ɲin$^{13}_{21}$.ci$^{13}_{21}$iet^{3} ka^{35}ɲin$^{13}_{21}$xe^{53}tau^{21}kai^{53}iaŋ^{53}tsɿ^{0},iet^{3} ka^{35}tsɿ^{0} ɲin$^{13}_{21}$xe^{53}tau^{21}kai^{53}iaŋ^{53}tsɿ^{0},iet^{3} tʂak^{3} kəŋ^{35}tsi^{21} tsɿ^{0},kai$^{53}_{44}$ke$^{53}_{44}$kəŋ^{35}tsi^{21}tsɿ^{0} si^{53}çiəŋ$^{53}_{44}$təu$^{35}_{44}$tsɔi^{35}mət^{5} li^{0} kai^{53}ko^{21}ʂəu^{53},tsɔi^{35}tʂən^{35}to$^{35}_{44}$ko^{21}ʂəu^{53}.

【果子】ko^{21}tsɿ^{0} 名可吃的果实，水果的俗称：板栗啦，箇个么个，啊梨子啊，箇个都喊～嘞。桃子，梨子啦。～就硬系水果。pan^{21}liet^{5} la^{0},kai$^{53}_{44}$ke$^{53}_{44}$mak^{3} (k)e$^{53}_{44}$,a^{0} li^{13}tsɿ^{0} a^{0},kai$^{53}_{44}$ke$^{53}_{44}$təu^{35}xan^{53}ko^{21} tsɿ^{0} le^{0}.t^{h}au^{13}tsɿ^{0},li^{13}tsɿ^{0} la^{0}.ko^{21}tsɿ^{0} tsiəu$^{53}_{44}$ŋian^{53}xe$^{53}_{44}$ʂei^{21}ko^{21}.｜就系～这里指香蕉舞进来个是年数都唔多。ts^{h}iəu$^{53}_{44}$xe$^{53}_{44}$ko^{21}tsɿ^{0} u^{21}tsin^{53}lɔi$^{13}_{21}$ke^{53}ʂʅ$^{53}_{44}$ɲien^{13}səu^{21}təu$^{35}_{44}$n$^{13}_{21}$to^{35}.

【裹】ko^{21} 动包：～粽子，安做自家去～，安做～粽子动词就。包粽子。～粽子用得多。ko^{21} tsəŋ^{53}tsɿ^{0},ɔn$^{35}_{44}$tso$^{53}_{44}$ts^{h}ɿ^{35}ka$^{35}_{44}$çi$^{53}_{44}$ko^{21},ɔn$^{35}_{44}$tso$^{53}_{44}$ ko^{21}tsəŋ^{53}tsɿ^{0} t^{h}əŋ^{35}ts^{h}ɿ^{13}tsiəu^{53}.pau^{35}tsəŋ^{53}tsɿ^{0}.ko^{21}tsəŋ^{53}tsɿ^{0} iəŋ^{53} tek^{3} to^{35}.

【过$_1$】ko^{53} 动①走过，路过，通行：我有一回走箇～。ŋai^{13}iəu^{35}iet^{3} fei^{13}tsei^{21}kai$^{53}_{44}$ko^{53}.｜山里吵都唔好走，有滴地方唔好～个啊。san^{35}ni^{21}ʂa^{0} təu$^{35}_{44}$m̩$^{13}_{21}$mau^{21}tsei^{21},iəu^{35}tet^{5} t^{h}i$^{53}_{44}$fəŋ$^{35}_{44}$m̩^{13}xau^{21}ko^{53}ke$^{53}_{44}$a^{0}. ②渡，从河流的此岸到彼岸：到哩爱～河了嘞。tau$^{53}_{44}$li^{0} ɔi$^{53}_{44}$ko^{53}xo^{13}liau^{21}le^{0}. ③指过水：焯下子就指稍微一～。tʂ^{h}ɔk^{3} (x)a^{53}tsɿ^{0} ts^{h}iəu$^{53}_{44}$tʂʅ^{21}sau^{21}uei^{13}iet^{3} ko^{53}. ④前往：你～那映吗？ɲi$^{13}_{21}$ko^{53}lai^{53}iaŋ^{53} ma^{0}? ⑤用刀斧等强力破开：插下裁下去就骨头就～嘿哩。ts^{h}ait^{3} ia$_{44}$(←xa^{53})ts^{h}ɔi^{13}ia^{53}(←xa^{53})çi^{53} ts^{h}iəu$^{53}_{44}$kuət^{3} t^{h}ei^{0} ts^{h}iəu$^{53}_{44}$ko^{53}(x)ek^{3} li^{0}.｜（小杀子）～骨头就～唔得。ko^{53}kuət^{3} t^{h}ei^{13}ts^{h}iəu^{53}ko^{53}n̩$^{13}_{21}$ tek^{3}. ⑥用在动词后，表示穿过、透过：□剁你一下就这样□～哩。tsio^{35}ɲi$^{13}_{21}$iet^{3} xa$^{53}_{44}$ts^{h}iəu$^{53}_{44}$tʂe$^{53}_{44}$ iəŋ$^{53}_{44}$tsio^{35}ko^{53}li^{0}. ⑦经过某种处理方法：渠就～下剑刀。ci$^{13}_{21}$ts^{h}iəu$^{53}_{44}$ko$^{53}_{44}$xa$^{53}_{21}$cian^{53}tau^{35}. ⑧超过：讲规矩是爱～嘿子时来，爱～嘿十二点钟来，拜祖。kəŋ^{21}kuei^{35}tʂʅ^{21}ʂʅ$^{53}_{44}$ɔi^{53}ko^{53}(x)ek^{3} tsɿ^{21}ʂʅ^{13}lɔi$^{13}_{21}$,ɔi$^{53}_{44}$ ko$^{53}_{44}$(x)ek^{3} ʂət^{5}ɲi^{53}tian^{21}tʂəŋ^{35}lɔi$^{13}_{21}$,pai^{53}tsɿ^{21}.｜十一点～九分了啊。ʂət^{5} iet^{3} tian^{21}ko$^{53}_{44}$ciəu^{21}fən$^{35}_{44}$niau^{0} a^{0}. ⑨度过：我侄女子嘞都同渠许哩一头纸啊。许一头。转呀～晡子还爱归来去烧纸。ŋai^{13}tʂ^{h}ət^{5} ŋ̍^{21}tsɿ^{0} le^{0} təu$^{35}_{44}$t^{h}əŋ$^{13}_{21}$ci$^{13}_{21}$çi^{21}li^{0} iet^{3} t^{h}ei^{13}tʂʅ^{21}a^{0}.çi^{21}iet^{3} t^{h}ei^{13}.tʂən^{21}ia^{0} ko$^{53}_{44}$pu$^{35}_{44}$tsɿ^{0} xa$^{13}_{21}$ɔi$^{53}_{44}$kuei$^{35}_{44}$lɔi$^{13}_{44}$çi$^{53}_{44}$ʂau$^{35}_{44}$tʂʅ^{21}. ｜花麦是～唔得秋天个。fa^{35}mak^{5} ʂʅ$^{53}_{44}$ko^{53}ŋ̍$^{13}_{44}$tek^{3} ts^{h}iəu^{35}t^{h}ien^{35}ke^{53}. ⑩死的讳称：箇老子～嘿哩。kai^{53}lau^{21}tsɿ^{0} ko^{53}xek^{3} li^{0}. ⑪忍受：箇胡子啊唔剃～唔得。欸，但是嘞剃多哩嘞天天爱剃。一天唔剃就～唔得。我是一天唔剃就～唔得。kai^{53}u^{13}tsɿ^{0} a^{0} n̩^{13}t^{h}e^{53}ko^{53}n̩$^{13}_{21}$tek^{3} .e$_{21}$,tan$^{53}_{44}$ʂʅ$^{53}_{44}$le^{0} t^{h}e^{53}to$^{35}_{44}$li^{0} lei^{0} t^{h}ien^{35}t^{h}ien$^{35}_{44}$ɔi^{53}t^{h}e^{53}.iet^{3} t^{h}ien^{35}n̩^{13}t^{h}e^{53}ts^{h}iəu^{53}ko^{53}n̩$^{13}_{21}$tek^{3}.ŋai^{13}ʂʅ$^{53}_{44}$iet^{3} t^{h}ien^{35}n̩^{13}t^{h}e^{53}ts^{h}iəu$^{53}_{44}$ko^{53}n̩$^{13}_{21}$tek^{3}.

【过$_2$】ko^{53} 助动态助词，附在动词后。①表示某种行为或变化曾经发生，但并未继续到现在：听讲～，但是𫠡碰～。t^{h}aŋ^{35}kəŋ^{21}ko^{53},tan$^{53}_{44}$ʂʅ$^{53}_{44}$maŋ$^{13}_{21}$p^{h}əŋ^{53}ko$^{53}_{21}$.｜我只去～一回。ŋai$^{13}_{21}$tʂʅ^{21}çi^{53}ko^{53} iet^{3} fei^{13}. ②表示再次、重新的意思：唔食就再来买～别么啊我话肉。n̩^{13}ʂət^{5} ts^{h}iəu^{53}tsai^{53}lɔi$^{13}_{21}$mai^{35} ko$^{53}_{44}$piet^{5} mak^{3} a^{0} ŋai^{13}ua^{53}ɲiəuk^{3}.｜老婆死嘿哩，讨～一只吧。lau^{21}p^{h}o^{13}si^{21}(x)ek^{3} li^{0},t^{h}au^{21}ko^{53}iet^{3} tʂak^{3} pa^{0}.｜（箇个塑料个𫅤壶）唔爱哩，烂嘿哩，又丢嘿去，搞～一只凑。m̩$^{13}_{21}$mɔi^{53}li^{0},lan^{53} (x)ek^{3} li^{0},iəu^{53}tiəu^{35}(x)ek^{3} çi$^{53}_{44}$,kau^{21}ko^{53}(i)et^{3} tʂak^{3} ts^{h}e^{0}.

【过$_3$】ko^{53} 副放在比较句中的形容词前，相当于“更、愈加”：以只比箇只～好。i^{21}tʂak^{3} pi^{21} kai^{53}tʂak^{3} ko^{53}xau^{21}.

【过彩】ko^{53}ts^{h}ai^{21} 动订婚及结婚时，男方赠予女方财物礼品：送彩礼个时候子安做～呢。男方送滴彩礼分女方，也就定下婚来哩吵。你唔送彩礼是就不……同箇个唔拿钱就不是生意样嘞。就爱送彩礼。送彩礼就安做～。səŋ^{53}ts^{h}ai^{21}li^{35}ke^{53}ʂʅ^{13}xəu$^{53}_{44}$tsɿ^{0} ɔn$^{35}_{44}$tso$^{53}_{44}$ko^{53}ts^{h}ai^{21}nei^{0}.lan^{13}fəŋ^{35} səŋ^{53}tiet$^{5}_{44}$ts^{h}ai^{21}li^{35}pən$^{35}_{44}$ny^{21}fəŋ$^{35}_{44}$,ie^{21}ts^{h}iəu$^{53}_{44}$t^{h}in^{35}xa$^{53}_{44}$fən^{35}nɔi$^{13}_{21}$li^{0} ʂa^{0}. ɲi^{13}m̩^{13}səŋ^{53}ts^{h}ai^{21}li^{35}ʂʅ$^{53}_{44}$ts^{h}iəu^{53}pət^{3}… t^{h}əŋ^{13}kai$^{53}_{44}$ke$^{53}_{44}$n̩^{13}na^{53}ts^{h}ien^{13}ts^{h}iəu^{53}pət^{3} ʂʅ$^{53}_{44}$sen^{35}i$^{53}_{44}$iəŋ^{53}le^{0}.tsiəu$^{53}_{21}$ɔi^{53}səŋ^{53}ts^{h}ai^{21}li^{35}.səŋ^{53}ts^{h}ai^{21}li^{35}tsiəu$^{53}_{44}$ɔn$^{35}_{44}$ tso$^{53}_{44}$ko^{53}ts^{h}ai^{21}.

【过秤】ko^{53}tʂ^{h}ən^{53} 动用秤称量：我等人晓得嘞搞谷箇只嘞买谷买米箇只都系～了。ŋai^{13}tien^{0} in$^{13}_{21}$çiau^{21}tek^{3} le^{0} kau^{21}kuk^{3} kai^{53}tʂak^{3} le^{0} mai^{35}kuk^{3} mai^{35}mi^{21}kai$^{53}_{44}$tʂak^{3} təu$^{35}_{44}$xe$^{53}_{44}$ko$^{53}_{44}$tʂ^{h}ən^{53}niau^{0}.

【过得】ko^{53}tek^{3} 动经过，从此时到彼时：箇一蒲嘞就栽下去以后嘞，就～大概系个把子月啊几久子……麻溜就分箇只箇一蒲嘞，就搣开来……栽作四蔸。kai^{53}iet^{3} p^{h}u^{13}lei^{0} ts^{h}iəu$^{53}_{21}$tsɔi^{35}xa$^{53}_{44}$ çi$^{53}_{44}$i^{35}xei$^{53}_{44}$lei^{0},ts^{h}iəu$^{53}_{44}$ko^{53}tek^{3} t^{h}ai^{53}k^{h}ai^{53}xei$^{53}_{44}$cie^{53}pa^{21}tsɿ^{0} ɲiet$^{5}_{3}$ a^{0} ci^{21}ciəu^{21}tsɿ^{0} …ma^{13}liəu$^{53}_{44}$ts^{h}iəu^{53}pən^{35}kai$^{53}_{44}$ tʂak^{3} kai^{53}iet^{3} p^{h}u^{13}lei^{0},ts^{h}iəu$^{53}_{44}$miek^{3} k^{h}ɔi^{35}lɔi$^{13}_{21}$…tsɔi^{35}tsɔk^{3} si^{53}tei^{35}.

【过得去】ko^{53}tek^{3} çi^{53} 凑合；尚可：一个人就莫咁置圆，～个路子就算哩。iet^{3} ke^{53} ɲin^{13}tsʰiəu$^{53}_{44}$ mɔk^{5} kan^{21}tʂʅ^{53}ien^{13},ko^{53}tek^{3} çi^{53}ke^{0} ləu^{53}tsʅ^{0} tsiəu$^{53}_{44}$sɔn^{53}ni^{0}.

【过点】ko^{53}tian^{21} 形 好打交道；意见一致，易于合作：我摎渠两个人蛮～。ŋai$^{13}_{21}$lau^{35}ci^{21}iɔŋ^{21}ke^{53} in$^{13}_{21}$man^{13}ko^{53}tian^{21}.｜比方我想同你买辆二手车，系唔系？赠晓得你箇只你唔～呶，硬赠搞成哦，硬唔～呐。你十分置圆呐。pi^{21}fɔŋ$^{35}_{53}$ŋai^{13}siɔŋ^{21}tʰəŋ$^{13}_{21}$ɲi$^{13}_{21}$mai^{35}liɔŋ^{21}ɲi^{53}ʂəu^{21}tʂʰa^{35},xei$^{53}_{44}$me$^{53}_{44}$?maŋ^{13}çiau^{21} tek^{3} ɲi^{13}kai^{53}(tʂ)ak^{3} ɲi$^{13}_{21}$n̩^{13}ko^{53}tian^{21}nau^{0}, ɲiaŋ^{53}maŋ^{13}kau^{21}ʂaŋ$^{13}_{44}$ŋo^{0}, ɲiaŋ^{53}n̩^{13}ko^{53}tian^{53}na^{0}. ɲi^{13}ʂət^{5} fɔn$^{35}_{44}$tʂʅ^{53} ien^{13}na^{0}.

【过定】ko^{53}tʰin^{53} 动 放定（男方相媳妇，并赠送首饰等礼物）：一般就～是第一只就男女双方个家长爱在场，可到男方，也可以到女方，～。办订婚酒哇，系啊？可以到男方，也可以到女方～。～就系订婚呢，订婚就爱食餐饭呐。iet^{3} pɔn^{35}tsʰiəu$^{53}_{44}$ko^{53}tʰin^{53}ʂʅ$^{53}_{21}$tʰi^{53}iet^{3} tʂak^{3} tsʰiəu^{53}lan^{13} ɲy^{21}sɔŋ^{35}fɔŋ^{35}ke$^{53}_{44}$cia^{35}tʂɔŋ^{21}ɔi$^{53}_{44}$tsʰai$^{53}_{44}$tʂʰɔŋ^{13},kʰo^{21}tau^{53}lan^{13}fɔŋ^{35},ia^{35}kʰo^{21}i^{35}tau^{53}ɲy^{21}fɔŋ^{35},ko^{53}tʰin^{53}.pan^{53}tʰin^{53} fən^{35}tsiəu^{21}ua^{0} ,xei$^{53}_{44}$a^{0} ?kʰo^{21}i^{35}tau^{53}lan^{13}fɔŋ^{35},ia^{35}kʰo^{21}i^{35}tau^{53}ɲy^{21}fɔŋ^{35}ko^{53}tʰin^{53}.ko^{53}tʰin^{53}tsʰiəu$^{53}_{44}$xe$^{53}_{44}$tin^{53}fən^{35} ne^{0} ,tin^{53}fən^{35}tsʰiəu$^{53}_{44}$ɔi$^{53}_{44}$ʂət^{5} tsʰɔn$^{35}_{44}$fan^{53}na^{0}.｜一般就咁子话嘞我等以映客家人咯，到女家嘞就安做～，到男方嘞就安做达嫁场。iet^{3} pɔn^{35}tsʰiəu$^{53}_{44}$kan$^{21}_{13}$tsʅ^{0} ua^{53}lei^{0} ŋai^{13}tien^{0} i^{21}iaŋ$^{53}_{44}$kʰak^{3} ka$^{35}_{44}$ɲin$^{13}_{21}$ ko^{0} ,tau^{53}ɲy^{21}ka$^{35}_{44}$lei^{0} tsʰiəu$^{53}_{44}$ɔn$^{35}_{44}$tso$^{53}_{44}$ko$^{53}_{44}$tʰin^{53},tau^{53}lan^{13}fɔŋ$^{35}_{44}$lei^{0} tsʰiəu$^{53}_{44}$ɔn$^{35}_{44}$tso$^{53}_{44}$tʰait^{5} ka^{53}tʂʰɔŋ^{13}.

【过定酒】ko^{53}tʰin^{53}tsiəu^{21} 名 定亲酒宴：欸，如果到女家头过定，就搞餐订婚酒，～。e$_{21}$,y^{13}ko^{21} tau^{53}ɲi^{21}ka$^{35}_{44}$tʰei$^{13}_{21}$ko$^{53}_{44}$tʰin^{53},tsʰiəu$^{53}_{44}$kau^{21}tsʰɔn$^{35}_{44}$tin^{53}fən$^{35}_{44}$tsiəu^{21},ko^{53}tʰin^{53}tsiəu^{21}.

【过冬樟】ko^{53}təŋ$^{35}_{44}$tʂɔŋ^{35} 名 香樟的别名。又称"樟树"：～箇是香樟。ko^{53}təŋ$^{35}_{44}$tʂɔŋ^{35}kai$^{53}_{21}$ʂʅ$^{53}_{21}$çiɔŋ^{35} tʂɔŋ^{35}.

【过房】ko^{53}fɔŋ^{13} 动 过继，指自己无子而以兄弟、亲戚或他人之子为后嗣：箇老子就系我老弟子个渠个～阿婆个阿哥，我弟子喊老舅公啊。 kai^{53}lau^{21}tsʅ^{0} tsʰiəu^{53}xei^{53}ŋai^{13}lau^{21}tʰe^{35}tsʅ^{0} ke$^{53}_{44}$ci^{13}ke$^{53}_{44}$ ko^{53}fɔŋ^{13}a^{35}pʰo^{13}ke$^{53}_{44}$a^{35}ko$^{35}_{44}$,ŋai$^{13}_{21}$tʰe$^{35}_{53}$tsʅ^{0} xan^{53}lau^{21}cʰiəu$^{35}_{44}$kəŋ^{35}ŋa^{0}.｜女孩子一般都唔～。ɲy^{21}xai^{13}tsʅ^{0} iet^{3} pɔn^{35}təu$^{35}_{53}$ŋ̍^{13}ko^{53}fɔŋ^{13}.

【过房赖子】ko^{53}fɔŋ^{13}lai^{53}tsʅ^{0} 名 过继的儿子：（妹子）唔称过房。箇就系我带个妹子。正我我有只姑爷就咁个，渠就带只侄……带只老弟子个妹子。以个是我带倒我老弟子个妹子。唔叫过房，唔喊过房。妹子唔喊过房。只有赖子正喊过房。只有～，冇得过房妹子。n̩^{13}tʂʰən$^{35}_{44}$ko^{53} fɔŋ^{13}.kai$^{53}_{44}$tsʰiəu$^{53}_{44}$xe$^{53}_{44}$ŋai^{13}tai^{53}ke$^{53}_{44}$mɔi^{53}tsʅ^{0} .tʂaŋ$^{53}_{44}$ŋai^{13}ŋai^{13}iəu$^{35}_{53}$tʂak^{3} ku^{35}ia$^{13}_{21}$tsʰiəu^{53}kan^{21}ke$^{53}_{21}$,ci^{13}tsʰiəu$^{53}_{44}$tai^{53} tʂak^{3} tʂʰət^{5} ⋯tai^{53}tʂak^{3} lau^{21}tʰe$^{35}_{53}$tsʅ^{0} ke$^{53}_{44}$mɔi^{53}tsʅ^{0} .i^{21}kei^{53}ʂʅ$^{53}_{44}$ŋai^{13}tai^{53}tau^{21}ŋai$^{13}_{21}$lau^{21}tʰe$^{35}_{53}$tsʅ^{0} ke$^{53}_{44}$mɔi^{53}tsʅ^{0} .ŋ̍^{13} ciau$^{53}_{44}$ko$^{53}_{44}$fɔŋ$^{13}_{44}$,ŋ̍^{13}xan^{53}ko^{53}fɔŋ^{13}.mɔi^{53}tsʅ^{0} ŋ̍^{13}xan^{53}ko^{53}fɔŋ^{13}.tʂʅ^{21}iəu$^{35}_{53}$lai^{53}tsʅ^{0} tʂaŋ$^{53}_{44}$xan$^{53}_{44}$ko^{53}fɔŋ^{13}.tʂʅ^{21}iəu$^{35}_{53}$ko^{53} fɔŋ^{13}lai^{53}tsʅ^{0} ,mau^{13}tek^{3} ko^{53}fɔŋ^{13}mɔi^{53}tsʅ^{0}.

【过房帖】ko^{53}fɔŋ^{13}tʰiait^{3} 名 买卖房屋的契约：写～ sia^{21}ko^{53}fɔŋ^{13}tʰiait^{3}

【过分】ko^{53}fən^{53} 动 超过本分或一定的限度：欸，做人莫～哩。e$_{44}$,tso^{53}ɲin$^{13}_{21}$mɔk^{5} ko^{53}fən^{53}ni^{0}.｜做事也莫做过哩分。tso^{53}sʅ^{53}a$^{35}_{44}$mɔk^{5} tso^{53}ko^{53}li^{0} fən^{53}.

【过骨刀】ko^{53}kuət^{3} tau^{35} 名 屠夫用来劈砍骨头的刀：箇张～嘞就有只嘴尧尧哩。欸，尧尧哩。插下栽下去就骨头就过嘿哩。kai$^{53}_{44}$tʂɔŋ$^{35}_{44}$ko^{53}kuət^{3} tau^{35}lei^{0} tsʰiəu$^{53}_{44}$iəu^{35}tʂak^{3} tsi^{21}ɲiau^{35}ɲiau^{35}li^{0} .e$_{21}$, ɲiau^{35}ɲiau^{35}li^{0} .tsʰait^{3} ia$_{44}$(←xa^{53})tsʰɔi^{13}ia^{53}(←xa^{53})çi^{53}tsʰiəu$^{53}_{44}$kuət^{3} tʰei^{0} tsʰiəu$^{53}_{44}$ko^{53}(x)ek^{3} li^{0}.

【过河袜】ko^{53}xo^{13}mait^{3} 名 不用脱下，穿着就可以过河的袜子：从前有只人唔知几穷啊，系啊，渠个袜子嘞，箇底下个堑冇哩用，烂倒冇哩用了，剩倒只袜筒子。渠就着只袜筒子，欸。到了爱过河了咪，嗯，渠就……渠摎渠姨夫啊，摎渠个姨夫啊，摎渠个老庚呐，系唔系，摎么人，有个，摎个有钱人子做么去啊，呃，摎渠过河。箇个有钱人就渠还爱脱袜子个得，系唔系啊。还爱脱袜吵。渠分鞋一脱，就咁子过。"欸，"渠话："老庚。"系喊老庚呐。"呀，老庚，你个么个袜子？让么你唔爱脱袜子？"系唔系？"我个袜子就好啦，我个～呀。"其实渠都剩……糜烂个袜子，剩倒只筒筒。渠话："我～。""箇我也搞一双～，"渠话："欸，我同你对倒个双～呀。"～。只有只筒筒，渠唔爱考虑底下湿唔湿，系唔系？一捋拯起来就走嘿哩，过哩。"我个～。"箇只老庚唔知几穷啊。～。笑话，哼哼。tsʰəŋ^{13}tsʰien^{13}iəu^{35}tʂak^{3} ɲin^{13} ŋ̍^{13}ti$^{35}_{53}$ci^{21}cʰiəŋ^{13}ŋa^{0} ,xei^{53}a^{0} ,ci^{13}ke^{53}mait^{3} tsʅ^{0} lei^{0} ,kai^{53}te^{21}xa^{53}ke^{53}tsʰo^{53}mau^{13}li^{0} iəŋ^{53},lan^{53}tau^{21}mau^{13}li^{0} iəŋ^{53} liau^{21},ʂən^{53}tau^{21}tʂak^{3} mait^{3} tʰəŋ^{13}tsʅ^{0}. ci^{13}tsʰiəu^{53}tʂɔk^{3} tʂak^{3} mait^{3} tʰəŋ^{13}tsʅ^{0} ,e$_{21}$.tau^{53}liau$^{21}_{44}$ɔi^{53}ko^{53}xo^{13}liau^{21} lai^{0} ,ŋ̍$_{21}$,ci^{13}tsʰiəu^{53}⋯ci$^{13}_{44}$lau^{35}ci$^{13}_{21}$i^{13}fu^{35}a^{0} ,lau^{35}ci$^{13}_{21}$ke^{53}i^{13}fu^{35}a^{0} ,lau^{35}ci$^{13}_{21}$ke^{53}lau^{21}cien^{35}na^{0} ,xei^{53}mei^{53},lau^{35}mak^{3}

ɲin13,iəu35ke53,lau35ke53iəu35tsʰien13ɲin13tsɿ0 tso53mak3 çi53a0,e$_{21}$,lau35ci13$_{21}$ko53xo13. kai53ke53iəu35tsʰien13$_{21}$ɲin13 tsʰiəu53ci13xai13$_{44}$ɔi53$_{44}$tʰɔit3 mait3 tsɿ0 ke53tek5,xei53mei53a0.xai13$_{44}$ɔi53$_{44}$tʰɔit3 mait3 sa0.ci13pən35xai13iet5 tʰɔit3,tsʰiəu53 kan21tsɿ0 ko53."ei$_{21}$,"ci13ua53,"lau21cien35."xei53xan53lau21cien35na0."ia35$_{44}$,lau21cien35, ɲi13$_{35}$ke53mak3 ke53mait3 tsɿ0 ?iɔŋ53mo53ɲi13m̩13mɔi53tʰɔit3 mait3 tsɿ0?"xei53mei53? "ŋai13ke53mait3 tsɿ0 tsʰiəu53xau21la0, ŋai13ke53ko53xo13 mait3 ia0."cʰi13ʂət5 ci13təu35$_{44}$ʂəŋ53…me13lan53ke53mait3 tsɿ0,ʂəŋ53tau21tʂak3 tʰəŋ13tʰəŋ13. ci13ua53: "ŋai13ko53xo13 mait3." "kai53ŋai13ia35$_{44}$kau21iet3 səŋ35ko53xo13mait3,"ci13ua53:"ei$_{21}$,ŋai13tʰəŋ13$_{44}$ɲi13$_{44}$ti53tau21ke53$_{44}$səŋ35$_{44}$ko53xo13mait3 ia0." ko53xo13$_{21}$mait3.tʂʅ21iəu35tʂak3 tʰəŋ13tʰəŋ13$_{44}$,ci13m̩13mɔi53kʰau21ly53te21xa53ʂət5 ŋ̍13ʂət5$_{3}$,xei53$_{21}$mei53$_{21}$? iet3 lɔk5 ia21$_{53}$çi21lɔi13tsʰiəu53tsei21xek3 li0,ko53li35. "ŋai13ke53ko53xo13mait3."kai53$_{44}$tʂak3 lau21cien35ŋ̍13ti35$_{53}$ci21cʰiəŋ13ŋa0.ko53 xo13$_{21}$mait3.siau53fa53,xŋ̍$_{21}$,xŋ̍$_{21}$.

【过火】ko53fo21 动 ①经火烧制：过哩火个 ko53li0 fo21ke53$_{44}$。②失火：箇嶂岭过哩火。箇一般都唔多得，烧岭也很少个情况。kai53tʂəŋ53liaŋ35ko53li0 fo21.kai53iet3 pən35təu35$_{53}$n̩13$_{21}$to35$_{44}$tek3,ʂau35liaŋ35ŋa35$_{53}$xen21 ʂau21ke53tsʰin13$_{21}$kʰəŋ53. ③比喻（说话、做事）超过适当的分寸：有兜啦两夫妻之间呐唔知几恩爱呀，系唔系？有兜忒过哩火箇也。忒黐搭哩个，忒过哩火个，也有兜唔长久。我等箇有只呢欸有箇个咯有只两公婆，箇个硬……尽兜都话硬唔知让门咁和气，系唔系？两公婆硬唔知让门咁和气，天天洗身都爱共一盆水凑，嗯，洗身都爱共一盆水才（洗）身。过哩火。过哩火让门子嘞？渠等话两公婆硬会有兜唔得会有兜子矛盾，系唔系？箇个讲下子口呀箇兜硬正常现象。箇只两公婆过哩火就忒和气哩，让门子造成只让门后果嘞？系么个后果冇得，箇只男子人呢三十几岁就死嘿哩。唔长久。舞倒箇夫娘子守一世人个寡。渠也赠卖人家了凑，守一世人个寡。就咁子～嘞，箇忒过哩火。iəu35tei35$_{53}$la0 iɔŋ21fu35$_{44}$tsʰi35$_{44}$tʂʅ35$_{44}$kan35$_{44}$na0 n̩13ti35$_{53}$ci21ɲien35ŋai53ia0, xei53me53?iəu35tei35$_{53}$tʰet3 ko53li0 fo21kai53ia35$_{53}$.tʰet3 ɲia13tait3 li0 ke0,tʰet3 ko53li0 fo21ke53,ia35iəu35$_{53}$tei35$_{53}$n̩13$_{21}$tʂʰəŋ13 ciəu21$_{44}$.ŋai13tien0 kai53iəu35tʂak3 nei0 e0 iəu35kai53$_{44}$ke53$_{44}$ko0 iəu35tʂak3 iɔŋ21kəŋ35pʰo13$_{44}$,ka:i53ke0 ɲiaŋ53…tsʰin53te35$_{44}$ təu35$_{44}$ua53$_{44}$ɲiaŋ53n̩13$_{21}$ti35$_{53}$ɲiɔŋ53mən0 kan21fo13$_{21}$çi53,xei53me53$_{44}$?iɔŋ21kəŋ35pʰo13$_{21}$ɲiaŋ53n̩13$_{21}$ti35$_{53}$ɲiɔŋ53mən0 kan21fo13$_{21}$çi53, tʰien35tʰien35$_{53}$se21ʂən35təu35$_{53}$ɔi53$_{44}$cʰiəŋ53iet3 pʰən13ʂei21tsʰe0,n̩$_{21}$,se21ʂən35təu35$_{53}$ɔi53cʰiəŋ53iet3 pʰən13ʂei21tsʰai13$_{21}$ʂən35$_{53}$. ko53li0 fo21.ko53li0 fo21ɲiɔŋ53$_{44}$mən13$_{44}$tsɿ0 lei0?ci13$_{21}$tien0 ua53iɔŋ21kəŋ35pʰo13ɲiaŋ53uɔi53iəu35mien35n̩13$_{21}$tet3 uɔi53$_{44}$iəu35 tei35$_{53}$tsɿ0 mau13tən53,xei53$_{44}$me53$_{44}$?kai53$_{44}$ke53$_{44}$kəŋ21ŋa53tsɿ0 xei21ia0 kai53$_{44}$tei35$_{53}$ɲiaŋ53$_{44}$tʂən53tʂʰəŋ13$_{21}$çien53siɔŋ53.kai53tʂak3 iɔŋ21kəŋ35$_{53}$pʰo13$_{44}$ko53li0 fo21$_{44}$tsʰiəu53$_{44}$tʰet3 fo13çi53li0, ɲiɔŋ53mən13tsɿ0 tsʰau53$_{21}$tʂʰən13$_{21}$tʂak3 ɲiɔŋ53mən13$_{44}$xei53ko21 lei0?xei53mak3 e0 xei53ko21mau13$_{44}$tek3,kai53tʂak3 lan13$_{21}$tsɿ0 ɲin13$_{44}$nei0 san35ʂət5 ci21sɔi53tsʰiəu53si21xek3 li0.n̩13$_{21}$tʂʰəŋ13 ciəu21.u21tau21kai53pu35ɲiɔŋ13$_{21}$tsɿ0 ʂəu21iet3 ʂʅ53ɲin13kei53kua21.ci13$_{21}$ia35maŋ13mai53ɲin13ka35liau21tsʰe0,ʂəu21iet3 ʂʅ53 ɲin13kei53kua21.tsiəu53kan21$_{13}$tsɿ0 ko53fo21lei0,(k)ai53tʰet3 ko53li0 fo21. ④乔迁新居时从旧房子将火种带到新房子：嘞，～就让门子嘞？打比以只老板系首先系下以只屋，系唔系？如今渠去张坊街上又做过哩一只新屋，渠爱系倒去，爱系下新屋里去，系唔系？渠就拣正哩时辰以后，拣正哩么个几多点钟～。欸，本来是就系以映铲只火笼去，欸，带倒火去，带下箇面去，以下嘞以下就有兜人就咁子呢，舞只子煤灶子呢，放几坨子鲜红个煤呢，烧着哩个煤呢，煤灶子提下过箇边去嘞，咁子～安做。分火种带过去，打挂爆竹，去咁煮餐饭食。赠箇早晨去箇煮碗面食哩都好哩。爱去下煮第一餐饭食。箇就～。一般只有就系箇只东西就系最大个仪式，安做～，～仪式。其他冇得么个。我等是～我就赠搞。我要去浏阳系倒我懒去下搞得。lei$_{44}$,ko53 fo21tsʰiəu53ɲiɔŋ53$_{44}$mən13$_{44}$tsɿ0 lei0?ta21pi21i21tʂak3 lau21pan21xei53ʂəu21sien35$_{44}$xei53(x)a53i21tʂak3 uk3,xei53me53?i13$_{21}$ cin35$_{53}$ci13$_{21}$çi53tʂəŋ35$_{44}$fəŋ35$_{44}$kai35xəŋ53iəu53tso53ko53li0 iet3 (tʂ)ak3 sin35uk3,ci13$_{21}$ɔi53$_{44}$xe53tau21çi53,ɔi53xe53(x)a53$_{44}$sin35uk3 li0 çi53,xei53$_{44}$me53$_{44}$?ci13$_{21}$tsʰiəu53kan21tʂaŋ53li0 ʂʅ13ʂən13i35xei53,kan21tʂaŋ53li0 mak3 e0 ci21(t)o35$_{44}$tian21tʂəŋ35$_{44}$ko53fo21.e$_{21}$, pən21nɔi13ʂʅ53$_{44}$tsʰiəu53xe53i21iaŋ53tsʰan21tʂak3 fo21ləŋ35çi53,e$_{21}$,tai53tau21fo21çi53,tai53$_{44}$ia53$_{44}$kai53$_{44}$mien53$_{44}$çi53$_{44}$,i21xa53$_{44}$lei0 i21 xa53$_{44}$tsʰiəu53$_{44}$iəu35tei35$_{53}$ɲin13$_{44}$tsʰiəu53kan21$_{13}$tsɿ0 nei0,u21tʂak3 tsɿ0 mei13tsau53tsɿ0 nei0,fəŋ53ci21tʰo13tsɿ0 çien35fəŋ13ke0 mei13nei0,ʂau35tʂʰɔk5 li0 ke53$_{44}$mei13nei0,mei13tsau53tsɿ0 tʰia35(x)a53ko53kai53pien35$_{44}$çi53lei0,kan21$_{13}$tsɿ0 ko53fo21ɔn35$_{44}$ tso53$_{44}$.pən35fo21tʂəŋ21tai53ko53$_{44}$çi53$_{44}$,ta21kua35$_{44}$pau53tʂəuk3,çi53kan21$_{44}$tʂəu21tsʰɔn35$_{44}$fan53ʂət5.maŋ13kai53tsau21ʂən13çi53 kai53tʂəu21uɔn21mien53ʂət5 li0 təu35$_{53}$xau21li0.ɔi53$_{44}$çi53xa53$_{44}$tʂəu21tʰi53iet3 tsʰɔn35fan53ʂət5.kai53$_{44}$tsiəu53ko53fo21.iet3 pən35tʂʅ21iəu35$_{44}$tsʰiəu53xei53$_{44}$kai53tʂak3 təŋ35$_{44}$si0 tsʰiəu53$_{44}$xei53$_{44}$tsei53tʰai53kei53$_{44}$ɲi13ʂʅ53,ɔn35$_{44}$tso53$_{44}$ko53fo21,ko53fo21ɲi13ʂʅ53. cʰi13$_{21}$tʰa35$_{53}$mau13$_{21}$tek3 mak3 ke0.ŋai13tien0 ʂʅ53ko53fo21ŋai13tsiəu53maŋ13$_{21}$kau21.(ŋ)ai13$_{44}$iau53$_{44}$çi53$_{44}$liəu13iɔŋ13$_{21}$xe53tau21ŋai13 lan35çi53xa53kau21tek3.

【过家】ko53ka35 动 串门儿：有兜人喜欢～，长日唔落屋。长日～。iəu35tei35$_{53}$in13$_{21}$çi21fɔn35ko53ka35, tʂʰəŋ^{13}ɲiet^{3}n̩^{13}nɔk^{5}uk^{3}.tʂʰəŋ^{13}ɲiet^{3}ko^{53}ka^{35}.

【过家病】ko^{53}ka^{35}pʰiaŋ^{53} 名 儿童疾病名：欸，从前有只咁个病呢，细人子啊，安做么个～。～其实就系一只么个嘞？营养不良。也就系只营养不良，细人子个～。面上寡瘦呀，黄皮寡瘦呀。欸，唔食啦。渠等话～是硬爱治哦。～个原因很多，有兜就消化不良，有兜就话么个嘞？渠娭子个月经射倒哩嘞，有射。娭子赠注意，自家个月经赠注意，有射，对细人子，也有咁个话法。～爱治，就系爱请倒箇起咁个搞迷信个人来画张子符子扻嘿身上。唔治个话，所谓过家过家就系会死嘿可以说。e$_{44}$,tsʰəŋ$^{13}_{21}$tsʰien$^{13}_{21}$iəu$^{35}_{53}$tʂak^{3}kan$^{21}_{13}$cie$^{53}_{44}$pʰiaŋ^{53}nei^{0},sei^{53}ɲin$^{13}_{21}$tsɿ^{0}a^{0},ən$^{35}_{44}$tso$^{53}_{44}$mak^{3}e^{0}ko^{53}ka$^{35}_{44}$pʰiaŋ^{53}.ko^{53}ka$^{35}_{44}$pʰiaŋ^{53}cʰi$^{13}_{21}$ʂət^{5}tsʰiəu^{53}xe^{53}iet^{3}tʂak^{3}mak^{3}e^{0}lei^{0}?in$^{13}_{21}$iəŋ$^{35}_{44}$pət^{3}liəŋ^{13}.ia^{35}tsʰiəu^{53}xe$^{53}_{21}$tʂak^{3}in$^{13}_{21}$iəŋ$^{35}_{44}$pət^{3}liəŋ^{13},sei^{53}ɲin$^{13}_{21}$tsɿ^{0}ke$^{53}_{44}$ko^{53}ka$^{35}_{44}$pʰiaŋ^{53}.mien^{53}xəŋ$^{53}_{44}$kua^{21}sei^{53}ia^{0},uəŋ^{13}pʰi^{13}kua^{21}sei^{53}ia^{0}.e$_{21}$,n̩^{13}ʂət^{5}la^{0}.ci^{13}tien^{0}ua$^{53}_{44}$ko^{53}ka^{35}pʰiaŋ^{53}ʂʅ$^{53}_{21}$ɲaŋ$^{53}_{44}$ɔi$^{53}_{44}$tʂʅ$^{53}_{44}$zo^{0}.ko^{53}ka$^{35}_{44}$pʰiaŋ^{53}ke^{53}vien^{13}in$^{35}_{44}$xen^{21}to^{35},iəu^{35}tei$^{35}_{53}$tsʰiəu$^{53}_{44}$siau$^{35}_{44}$fa^{53}pət^{3}liəŋ^{13},iəu^{35}te$^{35}_{53}$tsʰiəu^{53}ua^{53}mak^{3}ke$^{53}_{44}$le^{0}?ci$^{13}_{21}$ɔi^{35}tsɿ^{0}ke$^{53}_{44}$ɲiet^{5}cin^{35}ʂa^{53}tau^{21}li^{0}le^{0},iəu^{35}ʂa^{53}.ɔi^{35}tsɿ^{0}maŋ^{13}tʂʅ^{53}i^{53},tsʰɿ^{35}ka$^{35}_{44}$ke^{0}ɲiet^{5}cin$^{35}_{44}$maŋ$^{13}_{21}$tʂʅ^{53}i^{53},iəu^{35}ʂa^{53},tei^{53}sei^{53}ɲin$^{13}_{21}$tsɿ^{0},ia^{35}iəu$^{35}_{44}$kan^{21}ke$^{53}_{44}$ua^{53}fait^{3}.ko^{53}ka$^{35}_{44}$pʰiaŋ^{53}ɔi$^{53}_{44}$tʂʅ^{53},tsʰiəu^{53}xe^{53}ɔi^{53}tsʰiaŋ^{21}tau^{21}kai^{53}çi^{21}kan^{21}ke^{0}kau^{21}mi^{13}sin^{53}ke^{0}ɲin$^{13}_{21}$nɔi$^{13}_{21}$fa^{53}tʂəŋ$^{35}_{44}$tsɿ^{0}fu^{13}tsɿ^{0}kʰuai^{21}(x)ek^{3}ʂən$^{35}_{44}$xəŋ^{53}.n̩^{13}tʂʅ^{53}ke$^{53}_{44}$fa^{53},so^{21}uei$^{53}_{44}$ko^{53}ka^{35}ko^{53}ka^{35}tsʰiəu$^{53}_{44}$xe$^{53}_{44}$uɔi^{53}si^{21}xek^{3}kʰo$^{21}_{44}$i$^{35}_{44}$ʂet^{3}.

【过脚盆】ko^{53}ciɔk^{3}pʰən^{13} 用脚盆装水给新生儿沐浴：细人子是供下来是摸摸子供下来是爱洗吵，系唔系？嗯，一身爱洗净来吵。洗净来个过程就安做～呐。生啊下来就死嘿哩，箇就洗都唔爱洗哩吵，就安做赠～。sei^{53}ɲin$^{13}_{44}$tsɿ^{0}ʂʅ$^{53}_{44}$ciəŋ^{53}xa$^{53}_{44}$lɔi$^{13}_{44}$ʂʅ$^{53}_{44}$mo^{35}mo^{35}tsɿ^{0}ciəŋ$^{53}_{44}$xa$^{53}_{44}$lɔi$^{13}_{44}$ʂʅ$^{53}_{44}$ɔi^{53}se^{21}ʂa^{0},xei$^{53}_{44}$me$^{53}_{44}$?n̩$_{21}$,(i)et^{3}ʂən^{35}nɔi$^{53}_{44}$se^{21}tsʰiaŋ^{53}nɔi$^{13}_{21}$ʂa^{0}.se^{53}tsʰiaŋ^{53}nɔi$^{13}_{21}$ke$^{53}_{44}$ko^{53}tʂʰən$^{13}_{21}$tsʰiəu$^{53}_{44}$ən$^{35}_{44}$tso$^{53}_{44}$ko^{53}ciɔk^{3}pʰən^{13}na^{0}.saŋ^{35}ŋa^{0}xa$^{53}_{44}$lɔi$^{13}_{44}$tsʰiəu^{53}si^{21}xek^{3}li^{0},kai$^{53}_{44}$tsʰiəu$^{53}_{44}$se^{21}təu$^{35}_{53}$m̩$^{13}_{21}$mɔi^{53}se^{21}li^{0}ʂa^{0},tsʰiəu$^{53}_{21}$ən$^{35}_{53}$tso^{53}maŋ^{13}ko^{53}ciɔk^{3}pʰən^{13}.

【过礼】ko^{53}li^{35} 动 喜期即将到来，男方给女方送聘金钱、菜等：箇个是订婚个时候子是就系～嘞。kai$^{53}_{44}$ke$^{53}_{44}$ʂʅ$^{53}_{44}$tin^{53}fən$^{35}_{44}$ke$^{53}_{44}$ʂʅ^{13}xei$^{53}_{44}$tsɿ^{0}ʂʅ$^{53}_{44}$tsʰiəu$^{53}_{44}$xei$^{53}_{44}$ko^{53}li^{35}lei^{0}.

【过哩背】ko^{53}li^{0}pɔi^{53} 指上一个阶段已经结束了，现在已进入一个新的阶段：你讲嘿哩箇只东西讲都讲嘿哩嘞渠还正想。～渠还去话几句子，系唔系？箇晡渠箇只箇映老子箇八九十岁个唔系几到都～了渠还……你都讲……我等都讲别么啊去哩，渠倒转来讲句子。ɲi^{13}kəŋ^{21}xek^{3}li^{0}kai^{53}tʂak^{3}təŋ$^{35}_{44}$si^{0}kəŋ^{21}təu$^{35}_{44}$kəŋ^{21}xek^{3}li^{0}lei^{0}ci$^{13}_{21}$xai^{13}tʂaŋ^{53}siəŋ^{21}.ko$^{53}_{44}$li^{0}pɔi^{53}ci$^{13}_{21}$xai^{13}çi$^{53}_{44}$ua^{53}ci^{13}tsɿ^{0},xei$^{53}_{44}$me$^{53}_{44}$?kai$^{53}_{44}$pu^{35}ci$^{13}_{21}$kai^{53}tʂak^{3}kai$^{53}_{44}$iaŋ$^{53}_{44}$lau^{21}tsɿ^{0}kai^{53}pait^{3}ciəu^{21}ʂət^{5}sɔi^{53}ke$^{53}_{44}$m̩$^{13}_{44}$pʰe$^{53}_{44}$ci^{21}tau^{53}təu$^{35}_{44}$ko$^{53}_{44}$li^{0}pɔi^{53}liau^{0}ci$^{13}_{21}$xai$^{13}_{44}$…ɲi^{13}təu$^{35}_{53}$kəŋ^{21}…ŋai^{13}tien^{0}təu$^{35}_{53}$kəŋ^{21}pʰiet^{5}mak^{3}a^{0}çi^{53}li^{0},ci^{13}tau^{53}tʂən^{21}nɔi^{13}kəŋ^{21}ci^{13}tsɿ^{0}.｜～，搞清哩……就分箇碗覆转来，覆倒箇映子。ko^{53}li^{0}pɔi^{53},kau^{21}tsʰin^{35}ni^{0}…tsiəu$^{53}_{44}$pəŋ$^{35}_{44}$kai^{53}uən^{21}pʰuk^{3}tʂən^{21}nɔi$^{13}_{44}$,pʰuk^{3}tau^{21}kai$^{53}_{44}$iaŋ$^{53}_{44}$tsɿ^{0}.

【过哩趟】ko^{53}li^{0}tʰəŋ^{53} 指来晚了，多用于指错失了时机：打比样，欸，么人传递只消息："有人痨哩鱼哦，箇河里有人痨哩鱼哦，欸，来去捡鱼啊。"好，箇我嘞就摸摸兮兮子，慢呢有么个事去哩，欸，耽搁哩下子，等得我走嘿去是～，有得哩，就～。ta^{21}pi^{21}iəŋ^{53},e$_{21}$,mak^{3}ɲin$^{13}_{44}$tʂʰuən^{13}tʰi^{53}tʂak^{3}siau^{35}siet^{3}:"iəu^{35}ɲin$^{13}_{21}$lau^{53}li^{0}ŋ̍^{13}ŋo^{0},kai$^{53}_{44}$xo$^{13}_{21}$li^{0}iəu^{35}ɲin$^{13}_{21}$lau^{53}li^{0}ŋ̍^{13}ŋo^{0},e$_{35}$,lɔi$^{13}_{21}$çi^{53}cian^{21}ŋ̍^{13}ŋa^{0}."xau$_{44}$,kai^{53}ŋai^{13}lei^{0}tsiəu$^{53}_{44}$mo^{35}mo$^{35}_{44}$si$^{35}_{44}$si$^{35}_{44}$tsɿ^{0},man^{35}ne^{0}iəu^{35}mak^{3}e^{0}sɿ^{53}çi$^{53}_{44}$li^{0},e$_{21}$,tan^{35}kɔk^{3}li^{0}xa^{53}tsɿ^{0},ten^{21}tek^{3}ŋai^{13}tsei^{21}xek^{3}çi^{53}ʂʅ$^{53}_{44}$ko^{53}li^{0}tʰəŋ^{53},mau$^{13}_{21}$(t)ek^{3}li^{0},tsʰiəu$^{53}_{44}$ko^{53}li^{0}tʰəŋ^{53}.

【过路黄荆】ko^{53}ləu$^{53}_{44}$uəŋ^{13}ciaŋ$^{35}_{44}$ 名 一种黄荆，矮，用作药，可除水湿，治头疼，生长于路边者更好。详见“黄荆”：箇就是～。/整筋骨唠。/除水湿。kai^{53}tsʰiəu$^{53}_{44}$ʂʅ$^{53}_{44}$ko^{53}ləu$^{53}_{44}$uəŋ^{13}ciaŋ$^{35}_{44}$./tʂaŋ^{21}cin^{35}kuət^{3}lau^{0}./tʂʰəu^{13}ʂei^{21}ʂət^{3}.

【过路厅】ko^{53}ləu^{53}tʰaŋ^{35} 名 作为过道的堂屋。也称“过路厅子”：～，～子，渠是咁个，渠起屋个时候子有得么人起～，有得。但是往往嘞箇屋嘞就成哩为了爱进进到箇肚里，箇只厅子就成哩事实上嘞就就成哩只过路个厅子了。系咁子个，有得一只么啊专门话起只～。欸，有得，欸。有有有箇讲法。箇只厅子成哩～子。过路个厅子。ko^{53}ləu^{53}tʰaŋ^{35},ko^{53}ləu$^{53}_{21}$tʰaŋ^{35}tsɿ^{0},ci^{13}ʂʅ$^{53}_{44}$kan$^{21}_{35}$ke^{53},ci$^{13}_{21}$çi^{21}uk^{3}ke^{53}ʂʅ^{13}xei^{53}tsɿ^{0}mau^{13}tek^{3}mak^{3}ɲin$^{13}_{44}$çi^{21}ko^{53}ləu^{53}tʰaŋ^{35},mau^{13}tek^{3}.tan^{53}ʂʅ^{53}uəŋ^{21}uəŋ^{21}le^{0}kai^{53}uk^{3}lei^{0}tsʰiəu^{53}ʂaŋ^{13}li^{0}uei^{53}liau^{21}ɔi^{53}tsin^{53}tsin^{53}tau$^{53}_{44}$kai$^{53}_{44}$təu^{21}li^{0},kai^{53}iak^{3}(←tʂak^{3})tʰaŋ^{35}tsɿ^{0}tsʰiəu$^{53}_{44}$ʂaŋ$^{13}_{21}$li^{0}sɿ^{53}ʂət$^{5}_{3}$xəŋ$^{53}_{44}$lei^{0}tsʰiəu$^{53}_{44}$tsʰiəu$^{53}_{44}$ʂaŋ$^{13}_{21}$li^{0}tʂak^{3}ko^{53}ləu^{53}ke$^{53}_{44}$tʰaŋ^{35}tsɿ^{0}liau^{0}.xe$^{53}_{21}$kan^{21}tsɿ^{0}ke$^{53}_{44}$，mau^{13}tek^{3}iet^{3}tʂak^{3}mak^{3}a^{0}tʂen^{35}mən$^{13}_{21}$ua$^{53}_{44}$cʰi^{21}tʂak^{3}ko^{53}ləu$^{53}_{21}$tʰaŋ^{35}.e$_{21}$,mau$^{13}_{21}$tek^{3},e$_{21}$.iəu^{35}iəu^{35}iəu^{35}kai$^{53}_{44}$kəŋ^{21}fait^{3}.kai^{53}

tʂak^{3} tʰaŋ^{35}tsɿ^{0} ʂaŋ$^{13}_{21}$li^{0} ko^{53}ləu^{53}tʰaŋ^{35}tsɿ^{0}.ko^{53}ləu^{53}ke$^{53}_{44}$tʰaŋ^{35}tsɿ^{0}.

【过年】ko^{53}ɲien^{13} 动过春节：～了，哪晡扫扬尘呶？ko$^{53}_{44}$ɲien$^{13}_{44}$niau^{0},lai^{53}pu^{35}sau^{53}iəŋ^{13}tʂʰən$^{13}_{21}$nau^{0}?

【过桥礼】ko^{53}cʰiau$^{13}_{21}$li^{35} 名出嫁途中轿夫或司机（多为过桥时）向迎亲者索要的赏封钱：～，也就换肩礼呀，换下子肩呐，斢下子肩呐。但是也有唔搞个，蛮多人唔搞哇。有人搞哇只系话。ko^{53}cʰiau$^{13}_{21}$li^{35},ia^{35}tsʰiəu^{53}uɔn^{53}cien$^{35}_{44}$li^{35}ia^{0},uɔn^{53}na$_{44}$(←xa^{53})tsɿ^{0}cien^{35}na^{0},tʰiau^{21}(x)a$^{53}_{44}$tsɿ^{0}cien^{35}na^{0}.tan^{53}ʂʅ^{53}ia^{35}iəu$^{35}_{44}$ŋ̍^{13}kau^{21}ke^{53},man$^{13}_{21}$to$^{35}_{44}$ɲin$^{13}_{21}$ŋ̍^{13}kau^{21}ua^{0}.iəu^{35}ɲin$^{13}_{21}$kau^{21}ua^{0}tʂʅ^{21}xe$^{53}_{44}$ua$^{53}_{44}$.

【过去$_{1}$】ko^{53}çi^{53} 动①经过前文叙述的对象所在地向更远的某个地点去：渠如今系是系下箇只箇个哦系下系下箇个医院里～滴子咯井边喏。ci^{13}i$^{13}_{21}$cin^{35}xei^{53}ʂʅ$^{53}_{44}$xei^{53}(x)a$^{53}_{44}$kai^{53}tʂak^{3} kai^{53}ke$^{53}_{44}$o^{0}xei^{53}(x)a$^{53}_{44}$xei$^{53}_{44}$(x)a$^{53}_{44}$kai^{53}ke$^{53}_{44}$i^{35}vien$^{53}_{44}$li^{0} ko^{53}çi$^{53}_{44}$tiet^{5} tsɿ^{0} ko^{0} tsiaŋ^{21}pien^{35}no^{0}. ②用在动词后，做趋向补语，表示穿过，透过：□$_{刺穿}$就硬□～哩。tsio^{35}tsʰiəu$^{53}_{44}$ɲiaŋ$^{53}_{44}$tsio^{35}ko^{53}çi$^{53}_{44}$li^{0}.

【过去$_{2}$】ko^{53}çi^{53} 名时间词。从前：我等以映～舞倒去改良土壤个就用火土灰，最好。ŋai$^{13}_{21}$tien^{0}i^{21}iaŋ$^{53}_{44}$ko^{53}çi^{53}u^{21}tau^{21}çi$^{53}_{44}$kai^{21}liɔŋ^{13}tʰəu^{21}iɔŋ$^{21}_{44}$ke$^{53}_{44}$tsʰiəu^{53}iəŋ$^{53}_{44}$xo^{21}tʰəu^{21}fɔi^{35},tsei^{53}xau^{21}.

【过㜣】ko^{53}lien^{53} 动指哺乳期母亲的饮食或身体状况等会通过乳汁影响到婴儿：欸，带细人子个人真蛮难带啦。你大人都以个，食㜣个细人子是……你大人都莫冷倒哩，冷倒哩细人子就会恶㜣。有～呢，安做～。可能你个㜣分渠食，你有么个你箇娭子个㜣分细人子食，你娭子有么个伤风感冒，细人子也唔好，因为渠食你个㜣。唔食㜣了就冇事哩。所以箇细……有兜细人子打伤风吵，欸，细人子爱食药，大人也爱食药，娭子也爱食药，食箇只方面个药。e$_{21}$,tai^{53}sei^{53}ɲin$^{13}_{44}$tsɿ^{0}(k)e$^{53}_{44}$ɲin$^{13}_{44}$tʂən$^{35}_{44}$man^{13}nan^{13}tai^{53}la^{0}. ɲi^{13}tʰai^{53}ɲin$^{13}_{21}$təu$^{35}_{44}$i^{21}ke^{53},ʂət^{5} lien^{53}ke^{0} sei^{53}ɲin$^{13}_{21}$tsɿ^{0} ʂʅ$^{53}_{44}$…ɲi$^{13}_{21}$tʰai^{53}ɲin$^{13}_{21}$təu$^{35}_{44}$mɔk^{5} laŋ^{35}tau^{21}li^{0},laŋ^{35}tau^{21}li^{0} sei^{53}ɲin$^{13}_{21}$tsɿ^{0} tsʰiəu$^{53}_{44}$uɔi$^{53}_{44}$ɔk^{3} lien^{53}.iəu$^{35}_{44}$ko^{53}lien^{53}ne^{0},ɔn$^{35}_{44}$tso$^{53}_{44}$ko^{53}lien^{53}.kʰo^{21}len$^{13}_{21}$ɲi^{13}ke^{0} lien^{53}pən^{35}ci^{13}ʂət^{5}, ɲi^{13}iəu$^{35}_{44}$mak^{3} kei$^{53}_{44}$ɲi^{13}kai^{53}ɔi^{35}tsɿ^{0}ke^{0} lien$^{53}_{44}$pən^{35}sei^{53}ɲin$^{13}_{21}$tsɿ^{0} ʂət^{5}, ɲi$^{13}_{21}$ɔi^{35}tsɿ^{0} iəu^{35}mak^{3} ke^{0} ʂɔŋ^{35}fəŋ^{35}kɔn^{21}mau^{53},sei^{53}ɲin$^{13}_{21}$tsɿ^{0} ia^{35}n̩$^{13}_{21}$xau$^{21}_{44}$,in^{35}uei$^{53}_{44}$ci$^{13}_{21}$ʂət^{5} ɲi$^{13}_{44}$(k)e^{0} lien^{53}.n̩^{13}ʂət^{5} lien^{53}liau^{0} tsʰiəu$^{53}_{44}$mau^{13}sɿ^{53}li^{0}.so^{21}i^{35}kai$^{53}_{44}$se…iəu^{35}təu$^{35}_{44}$se^{53}ɲin$^{13}_{21}$tsɿ^{0} ta^{21}ʂɔŋ^{35}fəŋ$^{35}_{44}$ʂa^{0},e$_{21}$,sei^{53}ɲin$^{13}_{44}$tsɿ^{0} ɔi^{53}ʂət^{5} iɔk^{5},tʰai^{53}ɲin$^{13}_{21}$ia^{35}ɔi$^{53}_{44}$ʂət$^{5}_{3}$ iɔk^{5},ɔi^{35}tsɿ^{0} ia^{35}ɔi$^{53}_{44}$ʂət$^{5}_{3}$ iɔk^{5},ʂət^{5} kai$^{53}_{21}$tʂak^{3} fɔŋ$^{35}_{44}$mien^{53}ke^{0} iɔk^{5}.

【过人】ko^{53}ɲin^{13} 动供人通行：箇檐头就比较宽，肚里好放晒下子衫裤箇只，～。kai^{53}ian^{13}tʰei$^{13}_{21}$tsʰiəu^{53}pi^{21}ciau$^{53}_{44}$kʰɔn^{35},təu^{21}li^{0} xau^{21}fɔŋ^{53}sai^{53}xa$^{53}_{21}$tsɿ^{0} san^{35}fu^{53}kai$^{53}_{21}$tʂak^{3},ko^{53}ɲin^{13}.

【过身】ko^{53}ʂən^{35} 动死的讳称：我爷子～就伶伶俐俐，身上么啊都冇得。ŋai^{13}ia^{13}tsɿ^{0} ko^{53}ʂən^{35}tsʰiəu$^{53}_{44}$lin^{13}lin^{13}li^{53}li^{53},ʂən$^{35}_{44}$xɔŋ^{53}mak^{3}a^{0} təu$^{35}_{44}$mau$^{13}_{21}$tek^{3}.｜箇个我等箇映有只老子就六十八岁～个嘞。kai$^{53}_{44}$ke$^{53}_{44}$ŋai^{13}tien^{0} kai^{53}iaŋ^{53}iəu^{35}tʂak^{3} lau^{21}tsɿ^{0} tsʰiəu$^{53}_{21}$liəuk^{3} ʂət^{5} pait^{3} sɔi^{53}ko^{53}ʂən^{35}ke$^{53}_{21}$le^{0}.

【过手】ko^{53}ʂəu^{21} 动经手：别么个钱得渠过哩手，钱走渠过哩手，渠食一截贪污一截，也安做食筒。pʰiet^{5} mak^{3} ke^{53}tsʰien$^{13}_{21}$tek^{3} ci^{13}ko^{53}li^{0} ʂəu^{21},tsʰien^{13}tsei^{21}ci^{13}ko^{53}li^{0} ʂəu^{21},ci^{13}ʂət^{5} iet^{3} tsiet^{3} tʰan^{35}u$^{35}_{44}$iet^{3} tsiet^{3},ia^{35}ɔn$^{35}_{44}$tso$^{53}_{44}$ʂət^{5} tʰəŋ$^{13}_{21}$.

【过水】ko^{53}ʂei^{21} 动①焯水，也指在冷水中漂洗：焯下子渠，爊下子渠，欸，还有起过到子水，过下子水。～就只讲欸有两种。一只～就是冷水肚里洗下子唠。还有只就泡水肚里焯下子嘞，就安做过下子水嘞。tʂʰɔk^{3}(x)a^{53}tsɿ^{0} ci$^{13}_{44}$,ləuk^{5}(x)a$^{53}_{44}$tsɿ^{0} ci$^{13}_{44}$,e$_{44}$,xai$^{13}_{21}$iəu^{35}çi^{21}ko^{53}tau^{53}tsɿ^{0} ʂei^{21},ko^{53}xa$^{53}_{44}$tsɿ^{0} ʂei^{21}.ko^{53}ʂei^{21}tsʰiəu$^{53}_{44}$tʂʅ^{21}kɔŋ^{21}e$_{35}$iəu^{35}iɔŋ^{21}tʂəŋ^{21}.iet^{3} tʂak^{3} ko^{53}ʂei^{21}tsiəu$^{53}_{44}$ʂʅ$^{53}_{44}$laŋ^{35}ʂei^{21}təu^{21}li^{0} se^{21}xa^{53}tsɿ^{0} lau^{0}.xai^{13}iəu$^{35}_{44}$tʂak^{3} tsʰiəu$^{53}_{44}$pʰau^{35}ʂei^{21}təu^{21}li^{0} tʂʰɔk^{3}(x)a^{53}tsɿ^{0} lei^{0},tsiəu$^{53}_{21}$ɔn$^{35}_{44}$tso$^{53}_{44}$ko^{53}(x)a$^{53}_{44}$tsɿ^{0} ʂei^{21}lei^{0}. ②渗雨，漏雨：箇$_{指用油布伞}$就唔得涿水呀。就唔～呀。kai$^{53}_{44}$tsʰiəu^{53}n̩^{13}tek^{3} təuk^{3} ʂei^{21}ia^{0}.tsʰiəu$^{53}_{44}$m̩^{13}ko^{53}ʂei^{21}ia^{0}.

【过套】ko^{53}tʰau^{53} 名厅堂和房间的总称：～，安做几多间～。ko^{53}tʰau^{53},ɔn^{35}tso$^{53}_{44}$ci^{21}to^{35}kan^{35}ko^{53}tʰau^{53}.

【过围】ko^{53}uei^{13} 动①超过一定的限度：你爱发狠，爱煞劲，也莫过哩围。ɲi^{13}ɔi^{53}fait^{3} xen^{21},ɔi^{53}sait^{3} cin^{53},ia^{35}mɔk^{5} ko^{53}li^{0} uei$^{13}_{21}$. ②超过本分：比方箇个兄弟之间个关系，就爱多让，系唔系？多理解，多让。有兜兄弟之间呐，硬斤斤计较，忒过哩围。箇个供爷娭，一家食一个月转，呃有事去哩嘞，呃箇个我等就听讲箇月啦欸打比轮倒我以映子三十号食完哩了，箇只三十一号嘞就冇哪映去了，或者下个月就轮到你了，你𫍲去屋下，箇你就多食天把子也唔爱紧呐，有兜人就做得真～，就以只爷子爷娭冇哪映食饭。欸，渠就𫍲话留倒渠多食两天子。多食餐把，箇天把两天个饭食就硬会食穷渠样。嗯，箇就指特过哩围。pi^{21}fɔŋ$^{35}_{44}$kai$^{53}_{44}$kei$^{53}_{44}$çiəŋ^{35}tʰi^{53}tʂʅ$^{35}_{44}$kan$^{35}_{44}$ke$^{53}_{44}$kuan^{35}çi^{53},tsʰiəu^{53}ɔi^{53}to^{35}ɲiɔŋ^{53},xei$^{53}_{44}$me$^{53}_{44}$?to^{35}li^{35}kai^{21},to^{35}ɲiɔŋ^{53}.iəu^{35}tei$^{35}_{44}$çiəŋ$^{35}_{44}$tʰi$^{53}_{44}$tʂʅ$^{35}_{44}$kan$^{35}_{44}$na^{0}, ɲiaŋ^{53}

cin^{35}cin^{35}ci^{53}ciau^{53},tʰiet^{3} ko^{53}li^{0} uei^{13}.kai$^{53}_{44}$kei$^{53}_{44}$ciəŋ^{35}ia^{13}ɔi^{35},iet^{3} ka^{35}ʂət^{5} iet^{3} cie^{53}ɲiet^{5} tʂuɔn^{21},ə$_{21}$iəu^{35}sɿ^{53}çi^{53}li^{0} lei^{0},ə$_{21}$kai$^{53}_{44}$kei$^{53}_{44}$ŋai^{13}tien^{0} tsʰiəu$^{53}_{44}$tʰaŋ^{35}kɔŋ^{21}kai$^{53}_{21}$ɲiet^{5} la^{0} e$_{21}$ta^{21}pi^{21}lən^{13}tau^{21}ŋai^{13}i$^{21}_{13}$iaŋ^{53}tsɿ^{0} san^{35}ʂət^{5} xau^{53}ʂət^{5} ien^{13}li^{0} liau^{0},kai$^{53}_{44}$tʂak^{3} san$^{35}_{44}$ʂət^{5} iet^{3} xau$^{53}_{44}$lei^{0} tsʰiəu$^{53}_{44}$mau^{13}lai$^{53}_{44}$iaŋ$^{53}_{44}$çi^{53}liau^{21},xɔit^{5} tʂak^{3} xa^{35}ke^{53}ɲiet^{5} tsʰiəu^{53} lən^{13}tau^{53}ɲi^{13}liau^{0}, ɲi^{13}maŋ^{13}çi^{53}uk^{3} xa^{35},kai^{53}ɲi^{13}tsʰiəu$^{53}_{44}$to^{35}ʂət^{5} tʰien$^{35}_{44}$pa^{21}tsɿ^{0} a$^{35}_{44}$m̩$^{13}_{21}$mɔi^{53}cin^{21}na^{0},iəu^{35}tei$^{35}_{53}$ ɲin$^{13}_{21}$tsiəu$^{53}_{44}$tso^{53}tek^{3} tʂən^{35}ko^{53}uei^{13},tsʰiəu^{53}i^{21}tʂak^{3} ia^{13}tsɿ^{0} ia^{13}ɔi$^{35}_{44}$mau^{13}lai$^{53}_{44}$iaŋ$^{53}_{44}$ʂət^{5} fan^{53}.e$_{21}$,ci$^{13}_{21}$tsʰiəu^{53}maŋ^{13} ua^{53}liəu^{13}tau^{21}ci$^{13}_{21}$to^{35}ʂət^{5} iɔŋ^{21}tʰien^{35}tsʰɿ^{0} .to^{35}ʂət^{5} tsʰɔn^{35}pa^{21},kai^{53}tʰien^{35}pa^{21}iɔŋ^{21}tʰien^{35}ke^{0} fan^{53}ʂət^{5} tsʰiəu^{53} ɲiaŋ^{53}uɔi^{53}ʂət^{5} cʰiəŋ^{13}ci$^{13}_{21}$iɔŋ^{53}.n̩$_{21}$,kai^{53}tsʰiəu^{53}tʂɿ^{21}tʰet^{5} ko^{53}li^{0} uei$^{13}_{21}$.

【过屋】ko^{53}uk^{3} 动乔迁；搬入新居：做哩新屋嘞就爱拣正日子，从老屋里分箇个系下新屋里去，爱拣正日子，爱过下火，箇就系表示非常正式，非常隆重个一只礼节，爱过下火，爱拣日子，箇只日子嘞一般个时辰都爱天光子就～，爱打挂爆竹。tso^{53}li^{0} sin^{35}uk^{3} lei^{0} tsʰiəu$^{53}_{44}$ɔi^{53}kan^{21} tʂaŋ$^{53}_{21}$ɲiet^{3} tsɿ^{0},tsʰəŋ$^{13}_{44}$lau^{21}uk^{3} li^{0} pən^{35}kai^{53}ke$^{53}_{21}$xei^{53}(x)a$^{53}_{44}$sin^{35}uk^{3} li^{0} çi^{53},ɔi^{53}kan^{21}tʂaŋ$^{53}_{21}$ɲiet^{3} tsɿ^{0},ɔi^{53}ko^{53}xa$^{53}_{44}$ fo^{21},kai$^{53}_{44}$tsʰiəu$^{53}_{44}$xe$^{53}_{44}$piau^{21}ʂɿ$^{53}_{44}$fei^{35}tʂʰɔŋ$^{13}_{21}$tʂʰəŋ^{53}ʂɿ^{53},fei^{35}tʂʰɔŋ$^{13}_{21}$ləŋ^{13}tʂʰəŋ^{53}ke$^{53}_{44}$iet^{3} tʂak^{3} li^{35}tsiet^{3},ɔi$^{53}_{44}$ko^{53}xa$^{53}_{44}$fo^{21}, ɔi^{53}kan^{21}ɲiet^{3} tsɿ^{0},kai^{53}tʂak^{3} ɲiet^{3} tsɿ^{0} lei^{0} iet^{3} pɔn$^{35}_{53}$ke^{53}ʂɿ^{13}ʂən$^{13}_{21}$təu$^{35}_{53}$ɔi$^{53}_{44}$tʰien^{35}kɔŋ^{35}tsɿ^{0} tsʰiəu^{53}ko^{53}uk^{3},ɔi$^{53}_{44}$ta^{21} kua$^{53}_{44}$pau^{53}tʂəuk^{3}.

【过夜】ko$^{53}_{44}$ia^{53} 动度过一夜：鸭甑是就系日里关个，就很少关下箇映～。ait^{3} tsien$^{53}_{21}$ʂɿ$^{53}_{44}$tsʰiəu^{53} xei^{53}ɲiet^{3} li^{0} kuan$^{35}_{44}$kei$^{53}_{44}$,tsiəu^{53}xen^{21}ʂau^{21}kuan^{35}na$_{44}$(←xa^{53})kai$^{53}_{44}$iaŋ$^{53}_{44}$ko$^{53}_{44}$ia^{53}.

【过砖】ko^{53}tʂɔn^{35} 名门框上方的横木：箇大门嘞，顶高嘞，就有块横个吵，系唔系？顶高舞有块横个。安做～，正讲哩，～。嗯。kai$^{53}_{44}$tʰai^{53}mən$^{13}_{21}$nei^{0},taŋ^{21}kau$^{35}_{44}$lei^{0},tsʰiəu$^{53}_{21}$iəu$^{35}_{44}$kʰuai^{53}uaŋ^{13} kei$^{53}_{44}$ʂa^{0},xei$^{53}_{44}$me$^{53}_{44}$?taŋ^{21}kau$^{35}_{44}$u^{21}iəu$^{35}_{44}$kʰuai$^{53}_{44}$uaŋ^{13}ke$^{53}_{44}$.ɔn^{35}tso$^{53}_{44}$ko^{53}tʂɔn^{35},tʂaŋ^{53}kɔŋ^{21}li^{0},ko^{53}tʂɔn^{35}.n̩$_{21}$.

H

【哈$_1$】xa$_{35}$ 叹①表示疑问或反问：安做么个刀？～？ɔn$^{35}_{44}$tso$^{53}_{44}$mak^{3}(k)e$^{53}_{44}$tau^{35}?xa$_{35}$? ②表示自己没有听清楚，希望对方复述一遍：箇两只怕系门环，～，门圈子吧？kai^{53}iɔŋ^{21}tʂak^{3} pʰa^{53}xei^{53} mən^{13}fan^{13},xa$_{35}$,mən^{13}cʰien^{35}tsɿ^{0}pa^{0}? ③表示征求意见，期望赞同：我等去打电话问下子一只做衫个人啵。～？ŋai$^{13}_{21}$tien^{0}çi^{53}ta^{21}tʰien^{53}fa^{53}uən^{53}na$_{44}$(←xa^{53})tsɿ^{0} iet^{3} tʂak^{3} tso^{53}san^{35}ke^{53}ɲin$^{13}_{21}$nau^{0}.xa$_{35}$?

【哈$_2$】xa$_{44}$ 叹有安抚对方，希望对方认可的意味：我爱去问倒来，问倒箇老班子来，～。ŋai^{13}ɔi$^{53}_{44}$çi$^{53}_{44}$uən^{53}tau^{21}lɔi^{13},uən^{53}tau^{21}kai$^{53}_{44}$lau^{21}pan^{35}tsɿ^{0} lɔi^{13},xa$_{44}$.

【哈$_3$】xa^{0} 助①放在陈述句末，表示对句子所述内容的确认：欸，只爱上哩咁大子个正话箇映有只墩～。e$_{21}$,tʂʅ^{21}ɔi$^{53}_{44}$ʂɔŋ^{35}li^{0} kan^{21}tʰai^{53}tsɿ^{0} ke$^{53}_{44}$tʂaŋ$^{53}_{44}$ua$^{53}_{44}$kai$^{53}_{21}$iaŋ$^{53}_{44}$iəu$^{35}_{44}$tʂak^{3} tʰɔn^{53}xa^{0}. ②放在陈述句末，表示允诺，希望对方放心：我过下子拿分你～。ŋai^{13}ko^{53}xa$^{53}_{44}$tsɿ^{0} la^{53}pən^{35}ɲi$^{13}_{21}$xa^{0}. ③放在陈述句末，表示希望自己的观点得到对方的认可，也带有感叹的意味：蛮久嬗看得了～。man^{13} ciəu^{21}maŋ^{13}kʰɔn^{53}tek^{3} liau^{21}xa^{0}. ④用于疑问句末，表示求证：系喊夜挂树～？xe^{53}xan$^{53}_{44}$ia^{53}kua^{53} ʂəu^{53}xa^{0}? ⑤放在祈使句末，有叮嘱意味：面盆肚里放哩鱼子，欸，记稳□盖稳～，爱□盖稳～，莫分渠走嘿哩～。mien^{53}pʰən^{13}təu^{21}li^{0} fɔŋ^{53}li^{0} ŋ̍^{13}tsɿ^{0},e$_{21}$,ci^{53}uən^{21}cʰiet^{3} uən^{21}xa^{0},ɔi$^{53}_{44}$cʰiet^{3} uən^{21}xa^{0},mo$^{53}_{44}$ pən^{35}ci$^{13}_{21}$tsei^{21}(x)ek^{3} li^{0} xa^{0}. ⑥放在祈使句末，表示商量的语气：等我想下子～！ten^{21}ŋai^{13}siɔŋ^{21}xa^{53} tsɿ^{0}xa^{0}! ⑦放在感叹句末，表示褒扬的语气：你蛮早～！ɲi$^{13}_{21}$man^{13}tsau^{21}xa^{0}!问候用语，多用于清晨或稍早于约定的时间 ⑧放在句中，表停顿并提请注意：箇田里～你作田就晓得，爱晒水，爱晒呀。kai$^{53}_{44}$tʰien^{13} ni$^{21}_{44}$xa^{0}ɲi$^{13}_{44}$tsɔk^{3} tʰien^{13}tsʰiəu^{53}çiau^{21}tek^{3},ɔi$^{53}_{44}$sai^{53}ʂei^{21},ɔi$^{53}_{44}$sai^{53}ia^{0}.

【哈痒】xa^{35}iɔŋ^{35} 动往手上哈气然后去膈肢对方，多用于逗小孩子玩：～是就系咁子哈下子唠，去挜下子细人子个痒唠，惹倒渠痒唠。放下嘴里，嗯，哈下子唠，哈下子就箇痒啵。大人有多么人搞，除哩箇个后生个箇个年纪相仿箇伢子妹子箇只朋友子嬲得好个会哈下，一般是惹下子细人子。xa$^{35}_{44}$iɔŋ^{35}ʂʅ$^{53}_{21}$tsiəu^{53}xe$^{53}_{44}$kan^{21}tsɿ^{0} xa^{35} xa$^{53}_{44}$tsɿ^{0} lau^{0},çi^{53}ia^{21}xa$^{53}_{44}$tsɿ^{0} sei^{53}ɲin$^{13}_{21}$tsɿ^{0} ke^{0} iɔŋ^{35}lau^{0}, ɲia^{35} tau^{21}ci$^{13}_{21}$iɔŋ^{35}nau^{0}.fɔŋ$^{53}_{44}$xa$^{53}_{44}$tʂɔi^{53}li^{0},n̩$_{21}$,xa^{35}xa^{53}tsɿ^{0} lau^{0},xa^{35}xa^{53}tsɿ^{0} tsʰiəu^{53}kai$^{53}_{44}$iɔŋ^{35}nau^{0}.tʰai^{53}ɲin$^{13}_{21}$mau$^{13}_{21}$to$^{35}_{53}$ mak^{3} in$^{13}_{44}$kau^{21},tʂʰəu$^{13}_{21}$li^{0} kai^{53}ke^{53}xei^{53}saŋ^{35}ke^{53}kai$^{53}_{44}$ke$^{53}_{44}$ɲien^{13}ci^{21}siɔŋ$^{35}_{44}$fɔŋ^{21}kai^{53}ŋa^{13}tsɿ^{0} mɔi^{53}tsɿ^{0} kai$^{53}_{44}$tʂak^{3} pʰəŋ$^{13}_{21}$iəu^{35}tsɿ^{0} liau^{53}tek^{3} xau^{21}ke^{53}uɔi^{53}xa^{35}(x)a$^{53}_{44}$,iet^{3} pɔn^{35}ʂʅ$^{53}_{44}$ɲia^{35}(x)a$^{53}_{21}$tsɿ^{0} sei^{53}ɲin$^{13}_{21}$tsɿ^{0}.

【哈音】xa^{35}in$^{35}_{44}$ 名哈欠：我撞怕食哩昼饭坐我赖子个车下浏阳。渠就交代我啦：“欸，你慢呢跍下车上打～是你莫打咁响啦，会感染我啦！”我硬忍嘛忍。ŋai^{13}tsʰɔŋ^{21}pʰa$^{53}_{44}$ʂət^{5} li^{0} tʂəu^{53}fan^{53} tsʰo^{35}ŋai$^{13}_{21}$lai^{53}tsɿ^{0} ke$^{53}_{44}$tʂʰa^{35}xa$^{53}_{44}$liəu$^{13}_{21}$iɔŋ$^{13}_{21}$.ci$^{13}_{21}$tsʰiəu$^{53}_{44}$ciau$^{35}_{44}$tai^{53}ŋai$^{13}_{21}$la^{0}:"ei$_{21}$, ɲi^{13}man$^{53}_{44}$ne^{0} ku$^{35}_{44}$(x)a$^{53}_{44}$tʂʰa$^{35}_{44}$xɔŋ$^{53}_{44}$ ta^{21}xa^{35}in$^{35}_{44}$ʂʅ$^{53}_{44}$ɲi^{13}mɔk^{5} ta^{21}kan^{21}çiɔŋ^{21}la^{0},uɔi^{53}kɔn^{21}ien^{21}ŋai^{13}la^{0}!"ŋai^{13}ɲiaŋ^{53}ɲin^{35}ma^{0}ɲin$^{35}_{44}$.

【哈音熝天】xa^{35}in^{35}ləuk^{3} tʰien^{35} 形容不停地打哈欠：我天天晡夜晡都想睡夜兜子，十点子钟来睡。但是天天夜晡都到哩八点多钟就～。哎，即即哩打哈音硬。ŋai^{13}tʰien^{35}tʰien$^{35}_{44}$pu$^{35}_{44}$ia^{53}pu$^{35}_{44}$ təu$^{35}_{44}$siɔŋ^{21}ʂɔi^{53}ia^{53}tei^{53}tsɿ^{0},ʂət^{5} tian^{21}tsɿ^{0} tʂəŋ$^{35}_{44}$lɔi$^{13}_{21}$ʂɔi^{53}.tan^{53}ʂʅ^{53}tʰien^{35}tʰien$^{35}_{44}$ia^{53}pu$^{35}_{44}$təu$^{35}_{53}$tau^{53}li^{0} pait^{3} tian^{21}to$^{35}_{44}$

tʂəŋ$^{35}_{44}$tsʰiəu$^{53}_{44}$xa^{35}in^{35}ləuk^{3} tʰien$^{35}_{44}$.ai$_{53}$,tset^{5} tset^{5} li^{0} ta^{21}xa$^{35}_{44}$in$^{35}_{44}$ɲiaŋ^{53}.

【蛤蟆篓子】xa^{13}ma$^{13}_{44}$lei^{21}tsɿ^{0} 名 一种可以用来装鱼的篓子：～有哇，也放得鱼子唠。也可以放鱼子，也放得鱼子，欸。xa^{13}ma$^{13}_{44}$lei^{21}tsɿ^{0} iəu^{35}ua^{0} ,ia^{35}fɔŋ^{53}tek^{3} ŋ̍^{13}tsɿ^{0} lau^{0} .ia^{35}kʰo^{21}i^{35}fɔŋ^{53}ŋ̍^{13}tsɿ^{0} ,ia^{35}fɔŋ^{53} tek^{3} ŋ̍^{13}tsɿ^{0} ,e$_{21}$.

【蛤蟆衫子】xa^{13}ma^{13}san^{35}tsɿ^{0} 名 连体衣的旧称：渠话就系连体衣，箇个唔系连体衣都学倒个。现在个讲法。～嘞，有人话～。ci$^{13}_{21}$ua^{53}tsʰiəu^{35}ue^{53}(←xe^{53})lien^{13}tʰi^{21}i^{35},kai$^{53}_{44}$ke$^{53}_{44}$m̩^{13}pʰe^{53}(←xe^{53})lien^{13} tʰi^{21}i^{35}təu$^{53}_{21}$xɔk^{5} tau^{21}ke$^{53}_{21}$.çien^{53}tsʰai$^{53}_{44}$ke$^{53}_{44}$kɔŋ^{21}fait^{3} .xa^{13}ma^{13}san^{35}tsɿ^{0} lei^{0} ,iəu^{35}ɲin$^{13}_{21}$ua^{53}xa$^{13}_{21}$ma$^{13}_{44}$san^{35}tsɿ^{0} .

【哈巴狗】xa$^{35}_{44}$pa^{0} kei^{21} 名 ①一种玩赏狗。个性温驯，讨人欢喜：～，还箇个都系外来东西，都是学倒讲个。好像～。～。都系学倒外背来讲个。xa^{35}pa^{35}kei^{21},xai$^{13}_{21}$kai$^{53}_{44}$kei$^{53}_{44}$təu$^{35}_{44}$xei$^{53}_{44}$uai^{53}lɔi$^{13}_{21}$ tɔŋ$^{35}_{44}$si^{0} ,təu$^{35}_{44}$ʂɿ$^{53}_{44}$xɔk^{5} tau^{21}kɔŋ^{21}ke^{53}.xau^{21}tsʰiɔŋ$^{53}_{44}$xa^{35}pa^{35}kei^{21}.xa^{35}pa^{35}kei^{21}.təu^{35}xe$^{53}_{44}$xɔk^{5} tau^{21}ŋɔi$^{53}_{44}$pɔi$^{53}_{44}$lɔi$^{13}_{21}$ kɔŋ^{21}ke^{53}. ②借以讽刺摇尾乞怜，谄媚奉承的小人：一只人蛮巴结一只人呢，安做～样。iet^{3} tʂak^{3}ɲin^{13}man^{13}pa^{35}ciet^{3} iet^{3} tʂak^{3}ɲin^{13}nei^{0} ,ɔn$^{35}_{44}$tso$^{53}_{44}$xa$^{35}_{44}$pa^{0} kei^{21}iɔŋ$^{53}_{44}$.

【哈$_4$】xa^{21} 形 傻；懵：硬气～哩，箇东家头气～哩。ɲiaŋ$^{53}_{44}$çi^{53}xa^{21}li^{0} ,kai$^{53}_{44}$təŋ^{35}ka$^{35}_{44}$tʰei$^{13}_{44}$çi^{53}xa^{21}li^{0} .

【哈里哈气】xa^{21}li^{0} xa^{21}çi^{53} 形 傻。又称“宝里宝气”：箇只人～。kai$^{53}_{44}$tʂak^{3}ɲin^{13}xa^{21}li^{0} xa^{21}çi^{53}.

【嗨哟】xai$_{44}$io$_{13}$ 叹 表示惊异：～，唔记得哩。xai$_{44}$io$_{13}$,n̩^{13}ci^{53}tek^{3} li^{0} .

【还$_1$】xai^{13}/xan^{13} 副 ①依然，仍然：镬里～有饭么？你去看下子。/我去看哩，冇嘿哩。uɔk^{5} li^{35}xai^{13}iəu^{35}fan^{53}mo^{0} ?ɲi^{13}çi^{53}kʰɔn^{53}xa^{53}tsɿ^{0} ./ŋai^{13}çi^{53}kʰɔn^{53}li^{0} ,mau^{13}xek^{3} li^{0} .｜箇只～我伦谟都～在个时候子渠来哩话。kai$^{53}_{44}$tʂak^{3} xan$^{13}_{21}$ŋai^{13}lən^{13}mu^{13}təu$^{35}_{53}$xan$^{13}_{21}$tsʰɔi^{35}ke^{53}ʂɿ^{13}xəu^{53}tsɿ^{0} ci^{13}lɔi^{13}li^{0} ua$^{53}_{44}$. ②再：讲嘿一到，又讲嘿一到，请你～讲一到。kɔn^{21}xek^{3} iet^{3} tau^{53},iəu^{53}kɔŋ^{21}xek^{3} iet^{3} tau^{53},tsʰiaŋ^{21}ɲi^{13}xai^{13} kɔŋ^{21}iet^{3}tau^{53}. ③更，更加：比栽丫禾～早滴子栽。pi^{21}tsɔi^{35}a^{35}uo$^{13}_{21}$xai^{13}tsau^{21}tiet^{5} tsɿ^{0} tsɔi^{35}.｜欸，舞好哩要得，煮好哩也做得。舞好哩渠～更好。e$_{21}$,u^{21}xau^{21}li^{0} iau$^{53}_{44}$tek^{3} ,tʂəu^{21}xau^{21}li^{0} ia$^{35}_{44}$tso^{53}tek^{3} .u^{21} xau^{21}li^{0} ci$^{13}_{44}$xan$^{13}_{21}$cien^{53}xau^{21}.

【还$_2$】xai^{13}/xan^{13} 连 表示更进一步，相当于“而且，并且”：野葛子可以食。/～好食。ia^{35} cʰiau$^{35}_{44}$tsɿ^{0} kʰo^{21}i^{35}ʂət^{5}./xai^{13}xau^{21}ʂət^{5}.

【还赠话起】xai^{13}maŋ^{13}ua^{53}çi^{21} 为时尚早：欸，同昨晡样啊，欸食嘿昼饭我就去开只咁个会，系唔系？我老婆就问我：“欸，慢陈老师来哩嘞？”我话：“～哦。陈老师箇～，下昼还爱开只座谈会话告诉我。欸，起码爱四五点钟啊。”我话～。下昼一点多子钟我就去开箇只会唠，我老婆就问我：“欸，你走呀，箇陈老师嘞？陈老师来哩嘞，慢陈老……”“～呀。”e$_{44}$,tʰəŋ$^{13}_{44}$ tsʰo^{35}pu$^{35}_{53}$iɔŋ^{53}ŋa^{0} ,e$_{21}$ʂət^{5} (x)ek^{3} tʂəu^{53}fan$^{53}_{44}$ŋai^{13}tsʰiəu^{53}çi^{53}kʰɔi^{35}tʂak^{3} kan^{21}ke$^{53}_{44}$fei^{53},xei$^{53}_{21}$me$^{53}_{21}$?ŋai$^{13}_{21}$lau^{21}pʰo^{13} tsiəu^{53}uən^{53}ŋai$^{13}_{44}$:"ei$_{21}$,man^{53}tʂʰən$^{13}_{21}$nau^{21}sɿ$^{13}_{53}$lɔi$^{13}_{44}$li^{0} lei^{0} ?"ŋai$^{13}_{21}$ua$^{53}_{44}$:"xai$^{13}_{21}$maŋ^{13}ua^{53}çi^{21}o^{0} .tʂʰən^{13}nau^{21}sɿ$^{35}_{44}$kai^{53} xai$^{13}_{21}$maŋ^{13}ua^{53}çi^{21},xa^{53}tʂəu^{53}xa$^{13}_{21}$ɔi$^{53}_{44}$kʰɔi^{35}tʂak^{3} tsʰo$^{53}_{44}$tʰan^{13}fei^{53}ua$^{53}_{44}$kau$^{53}_{44}$su$^{53}_{21}$ŋai$^{13}_{44}$.e$_{21}$,çi^{21}ma^{35}ɔi^{53}si^{53}ŋ̍^{21}tian^{21} tʂəŋ^{35}ŋa^{0} ."ŋai^{13}ua^{53}xai$^{13}_{21}$maŋ$^{13}_{21}$ua^{53}çi^{21}.xa^{35}tʂəu^{53}iet^{3} tian^{21}to^{35}tsɿ^{0} tʂəŋ$^{35}_{44}$ŋai$^{13}_{21}$tsʰiəu$^{53}_{44}$çi^{53}kʰɔi^{35}kai^{53}tʂak^{3} fei^{53}lau^{0} , ŋai$^{13}_{21}$lau^{21}pʰo^{13}tsiəu$^{53}_{44}$uən^{53}ŋai$^{13}_{21}$:"ei$_{21}$, ɲi^{13}tsei^{21}ia^{0} ,kai^{53}tʂʰən^{13}nau^{21}sɿ$^{13}_{53}$lei^{0} ?tʂʰən^{13}nau^{21}sɿ$^{13}_{53}$lɔi$^{13}_{21}$li^{0} lei^{0} ,man^{53} tʂʰən$^{13}_{21}$nau…""xai^{13}maŋ^{13}ua^{53}çi^{21}ia^{0} ."

【还系$_1$】xai^{13}/xa^{13}xei^{53}/xe^{53} 连 表示在可供选择的东西、状况或过程中的挑选：你系食烟呢，～食茶？ɲi^{13}xe^{53}ʂek^{5} ien^{35}ne^{0} ,xai^{13}xe^{53}ʂek^{5} tsʰa^{13}?｜唔知～嘞做爷娭个去看妹子啊～妹子归娘家，归去，我唔记得哩。n̩$^{13}_{21}$ti$^{13}_{44}$xai$^{13}_{21}$xei^{53}le^{0} tso^{53}ia^{13}ɔi^{35}ke$^{53}_{44}$çi$^{53}_{44}$kʰɔn^{53}mɔi^{53}tsa^{0} xa$^{13}_{21}$xe$^{53}_{44}$mɔi^{53}tsɿ^{0} kuei^{35} ɲiɔŋ^{13}cia$^{35}_{44}$,kuei^{35}çi^{53},ŋai$^{13}_{21}$n̩$^{13}_{44}$ci^{53}tek^{3} li^{0} .

【还系$_2$】xai$^{13}_{21}$xei^{53} 副 仍然；照样：落尾搞下湘雅医院，～唔好。lɔk^{5} mi$^{35}_{44}$kau^{21}ua$^{53}_{44}$siɔŋ^{35}ia^{21}i$^{35}_{44}$ vien$^{53}_{44}$,xai$^{13}_{21}$xei^{53}n̩$^{13}_{21}$xau$^{21}_{44}$.

【还有】xa$^{13}_{21}$iəu$^{35}_{44}$ 连 另外；此外：～，就系唔爱碓嘴个样，单纯就一只石头。xa$^{13}_{21}$iəu$^{35}_{44}$,tsʰiəu^{53} xe^{53}m̩$^{13}_{21}$mɔi$^{53}_{35}$tɔi^{53}tsi^{21}ke^{53}iɔŋ$^{53}_{35}$,tan^{35}ʂən$^{13}_{21}$tsiəu^{53}iet^{3} tʂak^{3} ʂak^{5} tʰəu^{0} .

【海陆空】xɔi^{21}ləuk^{5} kʰəŋ^{35} 名 当地菜名，主料是脚鱼、鸡、鸽子：我等以映子整酒，有一种呢，安做么个～。看你等箇唔知有吗。嘞，底下海，底下水肚里就一只完只个脚鱼。欸，陆，陆地上，完只个鸡。欸，空，就完只个鸽子。ŋai^{13}tien^{0} i$^{13}_{21}$iaŋ^{53}tsɿ^{0} tʂaŋ^{21}tsiəu^{21},iəu^{35}iet^{3} tʂəŋ^{21}nei^{0} ,ɔn$^{35}_{44}$ tso$^{53}_{44}$mak^{3} ke^{53}xɔi^{21}ləuk^{5} kʰəŋ^{35}.kʰɔn$^{53}_{21}$ɲi^{13}tien^{0} kai^{53}n̩$^{13}_{21}$ti$^{35}_{44}$iəu$^{35}_{44}$ma^{0} .lei$_{35}$,tei^{21}xa^{53}xɔi^{21},tei^{21}xa^{53}ʂei^{21}təu^{21}li^{0} tsʰiəu^{53}iet^{3} tʂak^{3} uɔn^{13}tʂak^{3} ke^{53}ciɔk^{3} ŋ̍$^{13}_{21}$.e$_{21}$,ləuk^{5} ,ləuk^{5} tʰi^{53}xɔŋ$^{53}_{44}$,uɔn^{13}tʂak^{3} kei^{53}cie^{35}.e$_{21}$,kʰəŋ^{35},tsʰiəu^{53}uɔn^{13} tʂak^{3} kei^{53}kɔit^{3} tsɿ^{0} .

H

【海碗】xɔi^{21}uɔn^{21} 名大而深的碗，多用来装汤或菜。又称“大碗、碗公”：唔知几深个，比较深，比较大个大碗就安做～。装汤啊，一般就装箇个汤，嗯，装得东西多啊。n̩^{13}ti$^{35}_{53}$ci^{21}tʂʰən^{35} cie^{53},pi^{21}ciau$^{53}_{44}$tʂʰən^{35},pi^{21}ciau$^{53}_{44}$tʰai^{53}cie$^{53}_{44}$tʰai^{53}uɔn^{21}tsʰiəu$^{53}_{44}$ɔn$^{35}_{44}$tso$^{53}_{44}$xɔi^{21}uɔn^{21}.tʂɔŋ^{35}tʰɔŋ^{35}ŋa^{0},iet^{3}pɔn^{35}tsʰiəu$^{53}_{44}$ tʂɔŋ$^{35}_{44}$kai^{53}(k)e$^{53}_{21}$tʰɔŋ^{35},n̩$_{21}$,tʂɔŋ^{35}tek^{3}təŋ$^{35}_{44}$si^{0}to^{35}a^{0}.

【亥】xɔi^{53} 名十二地支之一。①用来表年份：么个～年出世个就系属猪喔。mak^{3}ke$^{53}_{44}$xɔi^{53}ɲien^{13} tʂʰət^{3}ʂʅ$^{53}_{44}$ke$^{53}_{44}$tsiəu^{53}xe^{53}ʂəuk^{5}tʂəu^{35}uo^{0}. ②用来表时间，指夜里九点到十一点之间：～时，十二只时辰肚里最后一只，我就～时出世个。xɔi^{53}ʂʅ^{13},ʂət^{5}ɲi^{53}tʂak^{3}ʂʅ^{13}ʂən$^{13}_{44}$təu^{21}li^{0}tsei^{53}xei^{53}iet^{3}tʂak^{3}.ŋai^{13} tsʰiəu^{53}xɔi^{53}ʂʅ$^{13}_{21}$tʂʰət^{3}ʂʅ$^{53}_{44}$ke$^{53}_{44}$.

【害】xɔi^{53} 动使受损害；招致某种后果、麻烦：～别人 xɔi^{53}pʰiet^{5}ɲin^{13}

【害死哩】xɔi^{53}si^{21}li^{0} 麻烦啦：～，又爱造只箇句子。xɔi$^{53}_{44}$si^{21}li^{0},iəu^{53}ɔi$^{53}_{44}$tsʰau$^{53}_{44}$tʂak^{3}kai$^{53}_{44}$tʂʮ^{53}tsʅ^{0}. | 欸，箇年我有只朋友么个爱食海参话哩。舞倒我跑下浏河市场浏阳箇个市场里同渠去买海参，七十块钱一斤，还唔知系唔系假个。以下嘞以下买归去嘞，渠问我让门煮倒食，我话箇～，我让门晓得让门煮倒食？如今我都唔晓让门煮倒食。e$_{35}$,kai^{53}ɲien$^{13}_{44}$ŋai$^{13}_{44}$iəu$^{35}_{53}$tʂak^{3}pʰəŋ$^{13}_{21}$ iəu$^{35}_{44}$mak^{3}ke^{53}ɔi^{53}ʂət^{5}xɔi^{21}sen$^{35}_{44}$ua$^{53}_{44}$li^{0}.u^{21}tau^{21}ŋai^{13}pʰau^{21}xa^{53}liəu$^{13}_{21}$xo$^{13}_{44}$ʂʅ^{53}tʂʰɔŋ^{21}liəu$^{13}_{21}$iɔŋ$^{13}_{44}$kai$^{53}_{44}$ke$^{53}_{44}$ʂʅ^{53}tʂʰɔŋ^{21} li^{0}tʰəŋ$^{13}_{21}$ci$^{13}_{21}$çi^{53}mai^{35}xɔi^{21}sen$^{35}_{44}$,tsʰiet^{3}ʂət^{5}kʰuai^{53}tsʰien$^{13}_{21}$iet^{3}cin^{35},xai^{13}n̩^{13}ti$^{35}_{44}$xei^{53}mei^{53}cia^{21}kei^{53}.i^{21}xa$^{35}_{44}$lei^{0}i^{21} xa$^{53}_{44}$mai^{35}kuei$^{35}_{44}$çi^{53}lei^{0},ci$^{13}_{21}$uən^{53}ŋai^{13}ɲiɔŋ^{53}mən$^{13}_{44}$tʂəu^{21}tau^{21}ʂət^{5},ŋai^{13}ua^{53}kai^{53}xɔi^{53}si^{21}li^{0},ŋai^{13}ɲiɔŋ^{53}mən$^{13}_{44}$çiau^{21} tek^{3}ɲiɔŋ^{53}mən$^{13}_{44}$tʂəu^{21}tau^{21}ʂət^{5}?i$^{13}_{21}$cin$^{35}_{53}$ŋai$^{13}_{21}$təu$^{35}_{53}$n̩$^{13}_{21}$çiau^{21}ɲiɔŋ^{53}mən^{0}tʂəu^{21}tau^{21}ʂət^{5}.

【憨车】xan^{35}tʂʰe^{35} 形①缺乏心机和识别能力、容易上当的样子。有“AABB 子”重叠式：你莫咁～哟。ɲi^{13}mɔk^{5}kan^{21}xan^{35}tʂʰe$^{35}_{44}$io^{0}. | 我等有只箇个，就开头讲话箇只夫娘子走失哩个，渠有只妹子，长就长得还好，一般子有，就系也冇得冇细细子是赠教得好唠，有兜子憨憨车车子。ŋai$^{13}_{21}$tien^{0}iəu^{35}tʂak^{3}kai$^{53}_{44}$ke$^{53}_{44}$,tsʰiəu$^{53}_{44}$kʰɔi^{35}tʰei$^{13}_{21}$kɔŋ^{21}ua$^{53}_{44}$kai$^{53}_{44}$tʂak^{3}pu^{35}ɲiɔŋ$^{13}_{21}$tsʅ^{0}tsei^{21}ʂet^{5}li^{0}ke^{0},ci$^{13}_{21}$iəu^{35} tʂak^{3}mɔi^{53}tsʅ^{0},tʂɔŋ^{21}tsʰiəu^{53}tʂɔŋ^{21}tek^{3}xan$^{13}_{44}$xau^{21},iet^{3}pɔn$^{35}_{44}$tsʅ^{0}iəu^{35},tsʰiəu^{53}xe^{53}ia^{35}mau^{13}tek^{3}mau^{13}sei^{53}sei^{53} tsʅ^{0}ʂʅ$^{53}_{44}$maŋ^{13}kau^{35}tek^{3}xau^{21}lau^{0},iəu$^{35}_{44}$tei$^{35}_{53}$tsʅ^{0}xan$^{35}_{44}$xan$^{35}_{44}$tʂʰe$^{35}_{44}$tʂʰe$^{35}_{44}$tsʅ^{0}. ②用于男友或丈夫，有娇嗔意味：你～嘞，咁个都唔晓得。ɲi$^{13}_{21}$xan^{35}tʂe$^{35}_{44}$lei^{0},kan^{21}cie^{53}təu$^{35}_{53}$n̩$^{13}_{21}$çiau^{21}tek^{3}.

【憨车嫲】xan^{35}tʂʰe^{35}ma^{13} 名对缺乏心机和识别能力、容易上当的女人的贬称。用于女友或妻子时含有娇嗔意味：打比样啊，女个就话男个：“你莫看倒别只夫娘子你就唔爱哩我呀，你就去跟倒渠去呀，你就不要哩我呀，不要哩子女。”“你个～吧？我跟倒渠去有么个好凑，系唔系？”打比男个讲哩下子哪只么人个老婆啊真系蛮好。“咁好你就跟倒渠去嘞，系啊？”“你～吧？我要么个都跟倒渠去，看倒就好喔？你话我讲下子渠好就把做我让门子爱跟倒渠啊让门子爱？你～吧？”ta^{21}pi^{21}iɔŋ^{53}ŋa^{0}, ɲy^{21}ke$^{53}_{44}$tsʰiəu$^{53}_{44}$ua^{53}lan^{13}cie$^{53}_{44}$:"ɲi^{13}mɔk^{5}kʰɔn^{53}tau^{21}pʰiet^{5}tʂak^{3} pu^{35}ɲiɔŋ$^{13}_{21}$tsʅ^{0}ɲi^{13}tsʰiəu^{53}m̩$^{13}_{21}$mɔi^{53}li^{0}ŋai^{13}ia^{0}, ɲi^{13}tsʰiəu^{53}çi^{53}cien^{35}tau$^{21}_{44}$ci^{13}çi^{53}ia^{0}, ɲi^{13}tsʰiəu^{53}pət^{3}iau^{53}li^{0}ŋai^{13} ia^{0},pət^{3}iau^{53}li^{0}tsʅ^{21}ŋ̍^{21}."“ɲi$^{13}_{44}$ke$^{53}_{44}$xan$^{35}_{44}$tʂʰe$^{35}_{44}$ma^{13}pa^{0}?ŋai$^{13}_{21}$cien^{35}tau^{21}ci$^{13}_{44}$çi$^{53}_{44}$iəu^{35}mak^{3}e^{0}xau^{21}tsʰe^{0},xei^{53} me$^{53}_{21}$?"ta^{21}pi^{21}lan^{13}cie^{53}kɔŋ^{21}li^{0}(x)a$^{53}_{44}$tsʅ^{0}lai^{53}tʂak^{3}mak^{3}ɲin$^{13}_{21}$ke^{53}lau^{21}pʰo^{13}a^{0}tʂən^{35}xe$^{53}_{44}$man^{13}xau^{21}."kan^{21}xau^{21} ɲi^{13}tsʰiəu$^{53}_{44}$cien^{35}tau^{21}ci^{13}çi^{53}lei^{0},xei$^{53}_{44}$a?""ɲi$^{13}_{21}$xan$^{35}_{44}$tʂʰe$^{35}_{44}$ma^{13}pa^{0}?ŋai^{13}iau^{53}mak^{3}e^{0}təu$^{35}_{44}$cien^{35}tau^{21}li$^{13}_{21}$çi^{53}, kʰɔn^{53}tau^{21}tsʰiəu^{53}xau^{21}uo^{0}?ɲi^{13}ua^{53}ŋai^{13}kɔŋ^{21}xa^{53}tsʅ^{0}ci$^{13}_{21}$xau^{21}tsiəu^{53}pa^{21}tso^{53}ŋai$^{13}_{2}$ɲiɔŋ^{53}mən$^{13}_{44}$tsʅ^{0}ɔi^{53}cien^{35}tau^{21} ci$^{13}_{44}$a^{0}ɲiɔŋ^{53}mən$^{13}_{44}$tsʅ^{0}ɔi^{53}?ɲi$^{13}_{21}$xan$^{35}_{44}$tʂʰe$^{35}_{44}$ma^{13}pa^{0}?"

【憨牯】xan^{35}ku^{21} 名对缺乏心机和识别能力、容易上当的人的贬称（一般指男性）。对男友或丈夫说时有娇嗔意味：欸打比欸哪只夫娘子话么人么人真有钱，系唔系啊？么人么人良心真好，么人长得真好，系啊？箇男子人就话句子：“咁好你跟倒渠去嘞！咁好你就卖分渠嘞！”“你～吧？我就跟倒渠去？”e$_{21}$ta^{21}pi^{21}e$_{21}$lai^{53}tʂak^{3}pu^{35}ɲiɔŋ$^{13}_{21}$tsʅ^{0}ua^{53}mak^{3}ɲin$^{13}_{44}$mak^{3}ɲin$^{13}_{44}$tʂən$^{35}_{44}$iəu$^{35}_{44}$ tsʰien^{13},xei$^{53}_{44}$me$^{53}_{44}$a^{0}?mak^{3}ɲin$^{13}_{44}$mak^{3}ɲin$^{13}_{44}$liɔŋ^{13}sin$^{35}_{44}$tʂən$^{35}_{44}$xau^{21},mak^{3}ɲin$^{13}_{21}$tʂɔŋ^{21}tek^{3}tʂən^{35}xau^{21},xei^{53}a^{0}?kai^{53} lan^{13}tsʅ^{0}ɲin^{13}tsʰiəu$^{53}_{44}$ua^{53}ci^{53}tsʅ^{0}:"kan^{21}xau^{21}ɲi$^{13}_{21}$cien^{35}tau^{21}ci^{13}çi^{53}lei^{0}!kan^{21}xau^{21}ɲi^{13}tsʰiəu^{53}mai^{53}pən^{35}ci$^{13}_{21}$lei^{0}!" "ɲi^{21}xan^{35}ku^{21}pa^{0}?ŋai^{13}tsʰiəu^{53}cien$^{35}_{44}$tau$^{21}_{44}$ci$^{13}_{21}$çi^{53}?"

【含】xan^{13} 动忍住使不流出：～倒眼泪 xan^{13}tau^{21}ŋan^{21}li^{53}

【含背】xɔn^{13}pɔi^{53} 动躬背：莫含腰嘞，莫～嘞。胸脯爱挺直来嘞。mɔk^{5}xɔn$^{13}_{21}$iau^{35}le^{0},mɔk^{5}xɔn^{13} pɔi^{53}le^{0}.çiəŋ^{35}pʰu$^{13}_{44}$ɔi$^{53}_{44}$tʰin^{21}tʂʰət^{5}lɔi$^{13}_{21}$le^{0}.

【含腰】xɔn^{13}iau^{35} 动弯腰，人上身向下弯或屈身。例见“含背”条。

【涵窿】xan^{13}ləŋ^{13} 名①涵洞：欸，我等箇只老屋厅下一只天心潓大，随你落几大子水，箇个天心冇事湖，搞么个嘞？渠等话底下有只～。但是我等放势去寻，箇只～唔知走哪映出个，箇水咯。就安做天心窿啊。～，我等箇映子箇咯箇只咯就安做天心窿。渠等话箇肚里畜倒有乌龟。ei$_{44}$,nai^{13}tien^{0} kai^{53}tʂak^{3} lau^{21}uk^{3} tʰaŋ$^{35}_{44}$xa^{53}iet^{3} tʂak^{3} tʰien^{35}sin$^{35}_{44}$mən^{35}tʰai^{53},tsʰi^{13}ɲi$^{13}_{44}$lɔk^{5} ci^{21}tʰai^{53}tsɿ^{0} ʂei^{21},kai$^{53}_{44}$ke$^{53}_{44}$tʰien^{35}sin$^{35}_{44}$mau$^{13}_{21}$sɿ$^{53}_{44}$fu^{13},kau^{21}mak^{3} e^{0} lei^{0} ?ci$^{13}_{21}$tien^{0} ua$^{53}_{44}$tei^{21}xa$^{35}_{44}$iəu$^{35}_{44}$tʂak^{3} xan^{13}nəŋ$^{13}_{44}$.tan^{53}ʂɿ^{53} ŋai^{13}tien^{0} xɔŋ^{53}ʂɿ$^{53}_{44}$çi$^{53}_{44}$tsʰin^{13},kai^{53}tʂak^{3} xan$^{13}_{21}$nəŋ$^{13}_{21}$ṇ^{13}ti$^{35}_{53}$tsei^{21}lai$^{53}_{44}$iaŋ$^{53}_{44}$tʂʰət^{3} cie$^{53}_{44}$,kai$^{53}_{44}$ʂei^{21}ko^{0} .tsʰiəu$^{53}_{44}$ɔn$^{35}_{44}$tso$^{53}_{44}$ tʰien^{35}sin$^{35}_{44}$nəŋ^{13}ŋa^{0} .xan^{13}nəŋ$^{13}_{44}$,ŋai^{13}tien^{0} kai^{53}iaŋ^{53}tsɿ^{0} kai$^{53}_{44}$ko^{0} kai$^{53}_{44}$tʂak^{3} ko^{0} tsʰiəu$^{53}_{44}$ɔn$^{35}_{44}$tso$^{53}_{44}$tʰien^{35}sin$^{35}_{44}$nəŋ$^{13}_{21}$. ci^{13}tien^{0} ua^{53}kai^{53}təu^{21}li^{0} çiəuk^{3} tau^{21}iəu$^{35}_{53}$u^{35}kuei$^{35}_{44}$. ②天然洞穴：我等人老家箇个安做燕子岩，石古大王，一只大石头，大石头底下一只～，据说箇～唔知几长，渠等话么个肚里打得四张桌，箇只～啊，箇口子上打得四张桌。藉箇只～进，到得箇边窝里话。欸，穿过箇只～到得箇边窝里。渠等人么个试哩，跍倒以映烧□$_{堆}$秆，箇烟呢走箇边窝里出话。以个～。侪都冇么人敢去探险。么人敢去咁个栏场？ŋai^{13}tien^{0}ɲin$^{13}_{21}$nau^{21}cia$^{35}_{44}$kai$^{53}_{44}$kei$^{53}_{44}$ɔn$^{35}_{44}$tso$^{53}_{44}$ien^{53}tsɿ^{0} ŋan^{13},ʂak^{5} ku^{21}tʰai^{53} uɔŋ^{13},iet^{3} tʂak^{3} tʰai^{53}ʂak^{5} tʰei$^{13}_{21}$,tʰai^{53}ʂak^{5} tʰei$^{13}_{44}$tei^{21}xa^{53}iet^{3} tʂak^{3} xan^{13}nəŋ^{13},tʂʮ^{53}ʂet^{3} kai^{53}xan^{13}nəŋ$^{13}_{44}$ṇ^{13}ti$^{35}_{53}$ci^{21} tʂʰɔŋ^{13},ci^{13}tien^{0} ua^{53}mak^{3} kei$^{53}_{44}$təu^{21}li^{0} ta^{21}tek^{3} si^{53}tʂɔŋ$^{35}_{44}$tsɔk^{3} ,kai^{53}tʂak^{3} xan^{13}nəŋ$^{13}_{44}$ŋa^{0} ,kai$^{53}_{44}$xei^{21}tsɿ^{0} xɔŋ^{53}ta^{21} tek^{3} si^{53}tʂɔŋ$^{35}_{44}$tsɔk^{3} .tʂa^{53}kai^{53}tʂak^{3} xan^{13}nəŋ^{13}tsin^{53},tau^{53}tek^{3} kai^{53}pien$^{35}_{44}$uo^{35}li^{0} ua^{53}.e$_{21}$,tʂʰuɔn^{53}ko^{53}kai^{53}tʂak^{3} xan^{13}nəŋ$^{13}_{44}$tau^{53}tek^{3} kai^{53}pien$^{35}_{44}$uo^{35}li^{0} .ci^{13}tien^{0} in$^{13}_{44}$mak^{3} ke$^{53}_{44}$ʂɿ^{53}li^{0} ,ku^{35}tau^{21}i^{21}iaŋ$^{53}_{44}$ʂau^{35}tsiau^{35}kɔn^{21},kai^{53}ien^{35} ne^{0} tsei^{21}kai^{53}pien$^{35}_{44}$uo^{35}li^{0} tʂʰət^{3} ua$^{53}_{44}$.i^{21}ke^{53}xan^{13}nəŋ$^{13}_{44}$.

【寒】xɔn^{13} 名中医所谓致病的“六淫邪气”之一：有～呶。有寒气，寒气，有～，唔讲有寒气。iəu^{35}xɔn^{13}nau^{0} .iəu$^{35}_{44}$xɔn$^{13}_{21}$çi^{53},xɔn$^{13}_{21}$çi^{53},iəu$^{35}_{44}$xɔn^{13},ṇ^{13}kɔŋ^{21}iəu^{35}xɔn^{13}çi^{53}.

【寒冬腊月】xɔn^{13}təŋ^{35}lait^{5}ɲiet^{5} 严冬腊月：以几年呐箇个气候变暖，到哩十二月了阴历十二月啊，都冇得箇～个感觉嘞。嗯，唔冷。撞怕是雪都冇得落就过哩年。箇个麦芽凌□长啊，箇门前倒挂笔咁个唔知几冷个现象啊，只有零八年出现哩。冇得哩，硬咁多年都冇得哩。i^{21}ci^{21} ɲien^{13}na^{0} kai^{53}kei$^{53}_{44}$çi^{53}xei^{53}pien^{53}nɔn^{35},tau^{53}li^{0} ʂət^{5} ɲi^{53}ɲiet^{5} liau^{0} in$^{35}_{44}$liet$^{5}_{3}$ ʂət$^{5}_{3}$ɲi^{53}ɲiet^{5} a^{0} ,təu^{35}mau^{13}tek^{3} kai^{53} xɔn^{13}təŋ$^{35}_{44}$lait^{5} ɲiet^{5} ke^{53}kɔn^{21}cʰiɔk^{3} lei^{0} .ṇ$_{53}$,ṇ^{13}naŋ^{35}.tsʰɔŋ^{21}pʰa^{53}ʂɿ$^{53}_{44}$set^{3} təu$^{35}_{53}$mau$^{13}_{21}$tek^{3} lɔk^{5} tsʰiəu^{53}ko^{53}li^{0} ɲien$^{13}_{21}$. kai$^{53}_{44}$ke$^{53}_{44}$mak^{5} ŋa^{13}lin^{53}lai^{35}tʂʰɔŋ$^{13}_{21}$ŋa^{0} ,kai^{53}mən^{13}tsʰien^{13}tau^{53}kua^{53}piet^{3} kan$^{21}_{13}$kei^{53}ṇ^{13}ti$^{35}_{53}$ci^{21}laŋ^{35}ke$^{53}_{44}$çien^{53}siɔŋ^{53} a^{0} ,tʂɿ^{21}iəu$^{35}_{53}$lin^{13}pait^{3} ɲien^{13}tʂʰət^{3} çien^{53}ni^{0} .mau$^{13}_{21}$tek^{3} li^{0} , ɲiaŋ$^{53}_{21}$kan^{21}to$^{35}_{53}$ɲien$^{13}_{44}$təu$^{35}_{44}$mau$^{13}_{21}$tek^{3} li^{0} .

【寒假】xɔn^{13}cia^{21} 名学校冬季的假期：欸，我等箇阵子教书个时候子只想早兜子放～，嗯，早兜子归去准备过年个路子。因为又冷人呐，系啊？～了又冷人呐。e$_{21}$,ŋai^{13}tien^{0} kai^{53}tʂʰən^{53}tsɿ^{0} kau$^{35}_{44}$ʂəu^{35}ke^{53}ʂɿ^{13}xəu^{53}tsɿ^{0} tʂɿ^{21}siɔŋ^{21}tsau^{21}təu$^{35}_{53}$tsɿ^{0} fɔŋ^{53}xɔn^{13}cia^{21},ṇ$_{21}$,tsau^{21}təu$^{35}_{53}$tsɿ^{0} kuei^{35}çi^{53}tʂən^{21}pʰei$^{53}_{44}$ko^{53} ɲien^{13}ke^{0} ləu^{53}tsɿ^{0} .in^{35}uei$^{53}_{44}$iəu^{53}laŋ^{35}ɲin^{13}na^{0} ,xei$^{53}_{44}$a^{0} ?xɔn^{13}cia^{21}liau^{0} iəu$^{53}_{44}$laŋ^{35}ɲin^{13}na^{0} .

【寒露】xɔn^{13}ləu^{53}/lu^{53} 名农历二十四节气之一：～是系只节气。～箇节气最大个一个农活工夫就系搞么个嘞？摘茶籽呢。xɔn$^{13}_{21}$nu$^{53}_{44}$ʂɿ$^{53}_{44}$xei$^{53}_{44}$tʂak^{3} tset^{3} çi^{53}.xɔn$^{13}_{21}$nəu$^{53}_{44}$kai$^{53}_{44}$tset^{3} çi$^{53}_{44}$tsei^{53}tʰai$^{53}_{44}$kei$^{53}_{44}$iet^{3} ke$^{53}_{44}$ ləŋ^{13}xɔit^{5} kəŋ$^{35}_{44}$fu$^{35}_{44}$tsʰiəu^{53}xei^{53}kau^{21}mak^{3} e^{0} lei^{0} ?tsak^{3} tsʰa^{13}tsɿ^{21}nei^{0} .

【寒露籽】xɔn^{13}ləu^{53}tsɿ^{21} 名寒露节气里采摘的油茶籽：我等以个栏场摘茶籽，欸，摘茶籽嘞，如今呢有两起嘞，一起就～，以下有兜地方嘞畜得好个渠霜降籽。ŋai^{13}tien^{0} i$^{21}_{13}$ke^{53}laŋ$^{13}_{44}$tʂʰɔŋ$^{13}_{44}$ tsak^{3} tsʰa^{13}tsɿ^{21},e$_{44}$,tsak^{3} tsʰa^{13}tsɿ^{21}lei^{0} ,i$^{13}_{21}$cin$^{35}_{44}$nei^{0} iəu$^{35}_{44}$iɔŋ^{21}çi^{21}lei^{0} ,iet^{3} çi^{21}tsiəu^{53}xɔn^{13}nəu^{53}tsɿ^{21},i^{21}xa$^{53}_{44}$iəu^{35}tei$^{35}_{44}$ tʰi$^{53}_{44}$fɔŋ$^{35}_{44}$lei^{0} çiəuk^{3} tek^{3} xau^{21}kei^{53}ci$^{13}_{21}$sɔŋ^{35}kɔŋ^{53}tsɿ^{21}.

【寒毛】xɔn^{13}mau^{35} 名人体皮肤上的细毛：寒沿虫彩倒哩～就会痒，痒得唔得了。xɔn^{13}ien^{13} tʂʰəŋ^{13}ɲia^{13}tau^{21}li^{0} xɔn^{13}mau^{35}tsʰiəu^{53}uɔi^{53}iɔŋ^{35},iɔŋ^{35}tek^{3} ṇ$^{13}_{44}$tek^{3} liau^{21}.

【寒毛菇】xɔn^{13}mau^{35}ku^{35} 名寒毛的根部：冷天你到哩寒冬腊月啊你早晨跑出去啊，早上走出去啊，～都甩甩起哟。laŋ^{35}tʰien$^{35}_{44}$ɲi^{13}tau^{53}li^{0} xɔn^{13}təŋ$^{35}_{44}$lait^{5} ɲiet^{5} a^{0} ɲi^{13}tsau^{21}ʂən$^{35}_{44}$pʰau^{21}tʂʰət^{3} çi^{53}a^{0} ,tsau^{21} ʂɔŋ$^{53}_{44}$tsei^{21}tʂʰət^{3} çi^{53}a^{0} ,xɔn^{13}mau$^{13}_{44}$ku$^{35}_{44}$təu$^{35}_{44}$sai^{21}sai^{21}çi^{21}io^{0} .

【寒毛眼】xɔn^{13}mau^{35}ŋan^{21} 名毛孔：欸，你搞哩锻炼，出身大汗，～张开来哩，你莫即即哩一盆冷水洗下去，你爱嬲下子来，你爱休息下子再来洗。e$_{21}$, ɲi^{13}kau^{21}li^{0} tɔn^{53}lien$^{53}_{44}$,tʂʰət^{3} ʂən$^{35}_{44}$tʰai^{53} xɔn^{53},xɔn$^{13}_{21}$mau$^{35}_{44}$ŋan^{21}tʂɔŋ^{35}kʰɔi$^{35}_{44}$lɔi$^{13}_{21}$li^{0} , ɲi$^{13}_{21}$mɔk^{5} tset^{5} tset^{5} li^{0} iet^{3} pʰən$^{13}_{21}$laŋ^{35}ʂei^{21}sei^{21}(x)a$^{53}_{44}$çi^{53}, ɲi$^{13}_{21}$ɔi$^{53}_{44}$liau^{53} xa$^{53}_{44}$tsɿ^{0} lɔi$^{13}_{21}$, ɲi$^{13}_{21}$ɔi$^{53}_{44}$siəu^{35}siet^{3} (x)a$^{53}_{44}$tsɿ^{0} tsai^{53}lɔi$^{13}_{21}$se^{21}.

【寒气】xɔn^{13}çi^{53} 名中医所谓致病的“六淫邪气”之一：去～呀，散寒呶安做。tʂʰʮ^{53}xɔn^{13}çi^{53} ia^{0} ,san^{53}xɔn^{13}nau^{0} ɔn$^{35}_{44}$tso$^{53}_{44}$.

【寒湿】xɔn^{13}ʂət^{3} 名指伤于寒气、湿气而致的病证：有～，呣，打只嚗筒。iəu$^{35}_{53}$xɔn^{13}

ʂət^{3},m̩$_{21}$,ta^{21}tʂak^{3}tsɔit^{5}tʰəŋ^{13}.

【寒沿虫】xɔn^{13}ien^{13}tʂʰəŋ^{13} [名]一种黄色的小毛虫：～豩倒哩寒毛就会痒，痒得唔得了，但是你𫠛豩倒寒毛，你分只～放下以巴掌心肚里，冇事痒得唔得了。渠唔知让门个，要放下有寒毛个栏场，欸就会痒得你尽命，箇就蛮苦啦～就啦。惹倒哩～就唔知几苦啦。xɔn^{13}ien^{13}tʂʰəŋ^{13} ȵia^{13}tau^{21}li^{0} xɔn^{13}mau^{35}tsʰiəu^{53}uɔi^{53}iɔŋ^{35},iɔŋ^{35}tek^{3} n̩$^{13}_{44}$tek^{3} liau^{21},tan^{53}ʂʅ^{53}ȵi$^{13}_{44}$maŋ^{13}ȵia^{13}tau^{21}xɔn^{13}mau$^{35}_{44}$, ȵi^{13} pən$^{35}_{44}$tʂak^{3} xɔn^{13}ien$^{13}_{21}$tʂʰəŋ^{13}fɔŋ^{53}xa^{53}i^{21}pa$^{35}_{44}$tʂɔŋ^{21}sin^{35}təu^{21}li^{0},mau$^{13}_{21}$sɿ^{53}iɔŋ^{35}tek^{3} n̩$^{13}_{44}$tek^{3} liau^{21}.ci$^{13}_{21}$n̩^{13}ti$^{35}_{53}$(ɲ)iɔŋ^{53} mən^{0} ke^{0},iau$^{53}_{44}$fɔŋ^{53}xa^{53}iəu$^{35}_{53}$xɔn^{13}mau^{35}ke^{53}laŋ$^{13}_{21}$tʂʰɔŋ$^{13}_{44}$,ei$_{21}$tsʰiəu^{53}uɔi$^{53}_{44}$iɔŋ^{35}tek^{3}ȵi$^{13}_{21}$tsʰin$^{53}_{44}$miaŋ^{53},kai^{53}tsiəu^{53} man$^{13}_{44}$kʰu^{21}la^{0} xɔn$^{13}_{44}$ien$^{13}_{44}$tʂʰɔŋ$^{13}_{21}$tsiəu^{53}la^{0}. ȵia^{35}tau^{21}li^{0} xɔn$^{13}_{21}$ien$^{13}_{44}$tʂʰəŋ^{13}tsʰiəu^{53}n̩^{13}ti$^{35}_{53}$ci^{21}kʰu^{21}la^{0}.

【喊】xan^{53} [动]①呼喊，吆喝：老师来哩就值日生就～起立唠。lau^{21}sɿ$^{35}_{44}$lɔi$^{13}_{21}$li^{0} tsʰiəu$^{53}_{44}$tʂʰət^{5} ȵiet^{3} sien^{35}tsʰiəu$^{53}_{44}$xan$^{53}_{44}$çi^{21}liet^{5} lau^{21}.｜我等姓万个就决定舞倒我司仪。我～下子唠。ŋai^{13}tien^{0} siaŋ^{53}uan^{53} ke$^{53}_{44}$tsʰiəu$^{53}_{44}$ciet^{3} tʰin^{53}u^{21}tau^{21}ŋai$^{13}_{21}$sɿ^{35}ȵi^{13}.ŋai^{13}xan^{53}na$^{53}_{44}$tsɿ^{0} lau^{0}. ②叫做，称呼，把……说成：跟倒～花菜。cien^{35}tau^{21}xan^{53}fa^{35}tsʰɔi^{53}.｜人屙个人屎嘞，但是嘞，你舞下箇个粪凼里去哩以后就～人粪。ȵin^{13}o$^{35}_{44}$ke$^{53}_{44}$ȵin^{13}ʂʅ^{21}lei^{0},tan^{53}ʂʅ$^{53}_{44}$lei^{0}, ȵi$^{13}_{21}$u^{21}xa$^{53}_{44}$kai$^{53}_{44}$ke$^{53}_{44}$pən^{53}tʰɔŋ^{53}li^{0} çi$^{53}_{44}$li^{0} i$^{35}_{44}$xei$^{53}_{44}$tsʰiəu$^{53}_{44}$xan$^{53}_{44}$ȵin^{13}pən^{53}. ③召请：明晡你～只么人来帮你？miaŋ$^{13}_{21}$pu$^{35}_{44}$ȵi$^{13}_{21}$xan^{53}tʂak^{3} mak^{3} ȵin$^{13}_{44}$lɔi$^{13}_{44}$pɔŋ^{35}ȵi$^{13}_{21}$?

【喊法】xan^{53}fait^{3} [名]名称，称谓，称呼：两只～都有个。iɔŋ^{21}tʂak^{3} xan^{53}fait^{3} təu$^{35}_{44}$iəu$^{35}_{44}$ke$^{53}_{44}$.｜当面喊渠指姨妹子咯，跟……摎老婆一样个～。tɔŋ^{35}mien^{53}xan^{53}ci$^{13}_{21}$ko^{0} ,kən^{35}la⋯lau^{35}lau^{21}pʰo$^{13}_{21}$iet^{3} iɔŋ^{53}ke$^{53}_{44}$ xan$^{53}_{21}$fait^{3}.

【喊归来】xan^{53}kuei^{35}lɔi^{13} 喊魂，即如果孩子受到惊吓而生病，大人等其睡着后到远处呼叫其名字并喊“归来呀”：渠个咁个招魂箇样冇得呢。箇个有滴咯细人子咯着哩吓咯，着哩吓啊。以只大人要信个话嘞，箇夜晡头呀，半夜三更啊，徛倒箇大路上啊，喊，等箇只细子睡着哩，走蛮远子，听唔倒个栏场，箇细子听唔倒个栏场，等箇只细子睡着哩，到箇去喊，喊渠个名字。唔。归来呀！欸。就失哩魂呐，意思就系失哩魂。箇就怕系招魂。咁子个有。安做分箇细子～哟。着哩吓噢。～哟。～。到箇外背去喊。欸，你不话有滴也系哼，渠又唔爱本钱吵，系唔系？又唔爱付出钱箇只么啊吵。有时候箇个大人冇哩办法了是欸咁个路子，夜晡头呀，半夜三更啊，走嘿外背去喊呐。ci$^{13}_{21}$(k)e$^{53}_{44}$kan^{21}ȵie$_{44}$(←ke^{53})tʂau$^{35}_{44}$fən^{13}kai$^{53}_{44}$iɔŋ$^{53}_{44}$mau$^{13}_{21}$tek^{3} nei^{0} .kai$^{53}_{44}$ke$^{53}_{44}$ iəu^{35}tet^{5} ko^{0} sei^{53}ȵin$^{13}_{21}$tsɿ^{0} ko^{0} tʂʰɔk^{5} li^{0} xak^{3} ko^{0} ,tʂʰɔk^{5} li^{0} xak^{3} a^{0} .iak^{3} (←i^{21}tʂak^{3})tʰai^{53}ȵin$^{13}_{21}$iau$^{53}_{44}$sin^{53}ke$^{53}_{44}$fa$^{53}_{44}$ le^{0} ,kai$^{53}_{44}$ia^{53}pu$^{35}_{44}$tʰei$^{13}_{21}$ia^{0} ,pan^{53}ia^{53}san$^{35}_{44}$kaŋ$^{35}_{44}$a^{0} ,cʰi^{35}tau^{21}kai$^{53}_{44}$tʰai^{53}ləu$^{53}_{44}$xɔŋ$^{53}_{44}$ŋa^{0} ,xan^{53},tien^{21}kai$^{53}_{44}$tʂak^{3} sei^{53}tsɿ^{0} ʂɔi^{53}tʂʰɔk^{5} li^{0} ,tsei^{21}man^{13}ien^{21}tsɿ^{0} ,tʰaŋ^{35}m̩$^{13}_{21}$tau^{21}ke^{53}laŋ$_{21}$(←lan^{13})tʂʰɔŋ$^{13}_{44}$,kai$^{53}_{44}$se^{53}tsɿ^{0} tʰaŋ^{35}m̩$^{13}_{21}$tau^{21}ke^{53}laŋ$_{21}$ (←lan^{13})tʂʰɔŋ$^{13}_{44}$,tien^{21}kai$^{53}_{44}$tʂak^{3} se^{53}tsɿ^{0} ʂɔi^{53}tʂʰɔk^{5} li^{0} ,tau$^{53}_{44}$kai$^{53}_{44}$çi$^{53}_{44}$xan^{53},xan^{53}ci$^{13}_{44}$(k)e$^{53}_{0}$ miaŋ$^{13}_{21}$sɿ$^{53}_{44}$.m̩$_{21}$.kuei^{35} lɔi$^{13}_{44}$ia^{0} !e$_{53}$.tsʰiəu$^{53}_{44}$ʂet^{5} li^{0} fən^{13}na^{0} ,i^{53}sɿ^{0} tsʰiəu^{53}ue$_{44}$(←xe^{53})ʂet^{5} li^{0} fən$^{13}_{21}$.kai$^{53}_{44}$tsʰiəu$^{53}_{44}$pʰa$^{53}_{44}$xei$^{53}_{44}$tʂau$^{35}_{44}$fən^{13}.kan^{21} tsɿ^{0} ke$^{53}_{44}$iəu^{35}.ɔn^{35}tso$^{53}_{44}$pən$^{35}_{44}$kai$^{53}_{44}$se^{53}tsɿ^{0} xan^{53}kuei^{35}lɔi$^{13}_{21}$iau^{0} .tʂʰɔk^{5} li^{0} xak^{3} au^{0} .xan^{53}kuei^{35}lɔi$^{13}_{21}$iau^{0} .xan^{53}kuei^{35} lɔi$^{13}_{21}$.tau$^{53}_{44}$kai$^{53}_{44}$ŋɔi$^{53}_{44}$pɔi$^{53}_{44}$çi$^{53}_{44}$xan^{53}.ei$_{53}$, ȵi^{13}puk^{5} ua$^{53}_{44}$iəu^{35}tet^{5} ia^{35}xei^{53}xŋ̍$_{21}$,ci$^{13}_{21}$iəu$^{35}_{35}$m̩$^{13}_{21}$mɔi$^{53}_{44}$pən^{21}tsʰien^{13}ʂa^{0} ,xei$^{53}_{44}$ me$^{53}_{44}$?iəu^{53}m̩$^{13}_{21}$mɔi$^{53}_{44}$fu^{53}tʂʰət^{3} tsʰien$^{13}_{21}$kai$^{53}_{44}$tʂak^{3} mak^{3} a^{0} ʂa^{0} .iəu^{21}ʂʅ$^{13}_{21}$xei$^{53}_{44}$kai$^{53}_{44}$ke$^{53}_{44}$tʰai^{53}ȵin$^{13}_{21}$mau$^{13}_{21}$li^{0} pʰan^{53}fait^{3} liau^{0} ʂʅ$^{53}_{44}$ei$_{21}$kan^{21}ke$^{53}_{44}$ləu^{53}tsɿ^{0} ,ia^{53}pu^{35}tʰei^{0} ia^{0} ,pan^{53}ia^{53}san$^{35}_{44}$kaŋ$^{35}_{44}$a^{0} ,tsei^{21}xek^{3} ŋɔi$^{53}_{44}$pɔi$^{53}_{44}$çi$^{53}_{44}$xan^{53}na^{0}.

【喊开】xan^{53}kʰɔi^{35} ①叫……离开：箇映打架去哩，你爱分细人子～，欸，分你老婆～，莫跕倒箇映子莫惹事。kai^{53}iaŋ$^{53}_{35}$ta^{21}cia^{53}çi$^{53}_{44}$li^{0}, ȵi$^{13}_{21}$ɔi$^{53}_{44}$pən$^{35}_{44}$sei^{53}ȵin$^{13}_{21}$tsɿ^{0} xan^{53}kʰɔi$^{35}_{44}$,ei$_{21}$,pən^{35}ȵi$^{13}_{21}$lau^{21}pʰo^{13} xan^{53}kʰɔi$^{35}_{44}$,mɔk^{5} kʰu$^{35}_{44}$tau$^{21}_{44}$kai$^{53}_{44}$iaŋ$^{53}_{44}$tsɿ^{0} mɔk^{5} ȵia^{35}sɿ^{53}. ②让孩子以叔伯之类的称谓来称呼亲生父母，以利于其长大成人：还有滴滴就欸就箇个呢，怕渠带唔大咯，本来系亲生个娘爷，唔喊爸爸妈妈，唔喊，爱喊做叔叔。爷子就安做叔叔。欸，娭子就喊娑娑。唔。我细细子嘞，怕我长唔大，也箇么啊问哩算哩八字。我喊我姆……喊我妈妈咯，本来是照一般个话法就喊姆娑，我等是客姓人喊姆娑。欸，但是爱……一直几十年来都爱……教我喊伯娑。欸。我以下唔系咁子喊了个。喊一阵唔想咁子喊了，我喊我姆娑了。姆娑。欸。喊伯娑，欸，一开……唔知信个时候子一开嘴就伯娑。欸，喊伯娑。安做～下子。就系为哩使箇只细子呢能够欸更好个长大。～下子。也就本来他有妈妈嘞喊娑娑，本来系爷子啊喊叔叔。xai^{13}iəu$^{35}_{44}$tet^{5} tet^{5} tsʰiəu^{53}e$_{21}$ tsʰiəu^{53}kai^{53}ke$^{53}_{44}$nei^{0} ,pʰa$^{53}_{44}$ci^{13}tai^{53}n̩^{13}tʰai$^{53}_{44}$ko^{0} ,pən^{21}nɔi^{13}xe^{53}tsʰin^{35}sien$^{35}_{44}$ke$^{53}_{44}$ȵiɔŋ^{13}ia^{13},m̩^{13}xan^{53}pa^{53}pa^{0} ma^{35} ma^{0} ,m̩^{13}xan^{53},ɔi$^{53}_{44}$xan^{53}tso$^{53}_{21}$ʂəuk^{3} ʂəuk^{3} .ia^{13}tsɿ^{0} tsiəu$^{53}_{44}$ɔn$^{35}_{44}$tso$^{53}_{44}$ʂəuk^{3} ʂəuk^{3} .e$_{21}$,ɔi^{35}tsɿ^{0} tsʰiəu$^{53}_{44}$xan$^{53}_{44}$me^{35} me$^{35}_{44}$.m̩$_{21}$.ŋai^{13}se^{53}se^{53}tsɿ^{0} le^{0} ,pʰa^{53}ŋai^{13}tʂɔŋ^{21}n̩^{13}tʰai^{53},ia^{35}kai$^{53}_{44}$mak^{3} a^{0} uən^{53}ni^{0} sɔn^{53}ni^{0} pait^{3} sɿ^{53}.ŋai^{13}xan^{53}ŋai$^{13}_{21}$ m̩^{35}⋯xan^{53}ŋai$^{13}_{21}$ma^{35}ma$^{35}_{44}$ko^{0} ,pən^{21}lai^{13}ʂʅ$^{53}_{44}$tʂau^{53}iet^{3} pɔn^{35}ke$^{53}_{44}$ua^{53}fait^{3} tsiəu$^{53}_{44}$xan^{53}m̩^{35}me$^{35}_{44}$,ŋai^{13}tien^{0} ʂʅ$^{53}_{44}$kʰak^{3}

sin^{53}ɲin$^{13}_{21}$xan^{53}m̩^{35}me$^{35}_{44}$.e$_{21}$,tan$^{53}_{44}$ʂʅ$^{53}_{44}$ɔi$^{53}_{44}$…iet^{3} tʂʰət^{5} ci^{21} ʂət^{5} ɲien^{13} nɔi^{13} təu$^{35}_{44}$ɔi$^{53}_{44}$…kau^{35}ŋai$^{13}_{21}$xan$^{53}_{44}$pak^{3} me$^{35}_{44}$.e$_{21}$.ŋai^{13}i^{21}xa^{53}n̩$^{13}_{21}$xe$^{53}_{44}$kan^{21}tsʅ^{0} xan^{53}liau^{21}ke^{53}.xan^{53}iet^{3} tʂʰən^{53}n̩$^{13}_{21}$siɔŋ^{21}kan^{21}tsʅ^{0} xan^{53}liau^{21},ŋai$^{13}_{21}$xan^{53}ŋai$^{13}_{21}$ m̩^{35}me$^{35}_{44}$liau^{0}.m̩^{35}me$^{35}_{44}$.e$_{21}$.xan$^{53}_{44}$pak^{3} me^{35},e^{21},iet^{3} kʰɔi^{35}…n̩$^{13}_{21}$ti$^{35}_{44}$sin^{53}ke$^{53}_{44}$ʂʅ$^{53}_{44}$xəu$^{53}_{44}$tsʅ^{0} iet^{3} kʰɔi^{35}tʂɔi$^{35}_{21}$tsʰiəu$^{53}_{44}$pak^{3} me$^{35}_{44}$.e$_{21}$,xan^{53}pak^{3} me$^{35}_{44}$.ɔn$^{35}_{44}$tso$^{53}_{44}$xan^{53}kʰɔi^{35}ia^{53}tsʅ^{0}.tsʰiəu^{53}xe$^{53}_{44}$uei^{53}li^{0} ʂʅ^{21}kai^{53}tʂak^{3} se^{53}tsʅ^{21}ne^{0} nen$^{13}_{21}$ciəu^{53}e$_{21}$ cien^{53}xau^{21}ke$^{53}_{44}$tʂɔŋ^{21}tʰai^{53}.xan^{53}kʰɔi^{35}ia^{53}tsʅ^{0}.ie^{21}tsʰiəu$^{53}_{44}$pən^{21}nɔi^{13}tʰa$^{35}_{44}$iəu$^{35}_{44}$ma^{35}ma$^{35}_{44}$le^{0} xan^{53}me^{35}me$^{35}_{44}$,pən^{21} nɔi^{13}xei^{53}ia^{13}tsʅ^{0} a$_{53}$xan^{21}ʂəuk^{3} ʂəuk^{3}.

【喊门】xan^{53}mən^{13} 动在门外呼叫里面的人来开门：外背有人敲门，有人～，打开门来。ŋɔi^{53} pɔi$^{53}_{44}$iəu^{35}in$^{13}_{21}$kʰau$^{35}_{44}$mən^{13},iəu^{35}ɲin$^{13}_{21}$xan^{53}mən^{13},ta^{21}kʰɔi$^{35}_{44}$mən$^{13}_{21}$lɔi$^{13}_{21}$.

【喊舍】xan^{53}ʂa^{21} 动感觉无可奈何：箇街上啊行人道上蛮多树，树就会跌叶，一跌叶就嗯箇个长日都扫唔完，一年到头都扫唔完，箇树叶长日都会跌。欸，箇个搞环境卫生个人呢，就捡倒～。嗯，就～，天天爱扫。kai$^{53}_{44}$kai^{35}xɔŋ^{53}ŋa^{0} çin^{13}ɲin$^{13}_{21}$tʰau^{53}xɔŋ^{53}man^{13}to$^{35}_{44}$ʂəu^{53},ʂəu^{53}tsʰiəu$^{53}_{44}$uɔi$^{53}_{44}$tet^{3} iait^{5},iet^{3} tiet^{3} iait^{5} tsʰiəu^{53}n̩$_{21}$kai^{53}kei$^{53}_{21}$tʂʰɔŋ^{13}ɲiet^{3} təu$^{35}_{53}$sau^{53}n̩$^{13}_{21}$ien^{13},iet^{3} ɲien^{13}tau^{53}tʰei$^{13}_{21}$təu$^{35}_{53}$sau^{53}n̩$^{13}_{21}$ien^{13},kai$^{53}_{44}$ ʂəu^{53}iait^{5} tʂʰɔŋ^{13}ɲiet^{3} təu$^{35}_{44}$uɔi^{53}tet^{3}.e$_{21}$,kai$^{53}_{44}$ke$^{53}_{44}$kau^{21}fan^{13}cin$^{53}_{44}$uei^{53}sen$^{35}_{44}$ke^{53}ɲin$^{13}_{21}$nei^{0},tsʰiəu$^{53}_{44}$cian^{21}tau^{21}xan^{53} ʂa^{21}.n̩$_{21}$,tsiəu$^{53}_{44}$xan$^{53}_{44}$ʂa^{21},tʰien^{35}tʰien^{35}ɔi$^{53}_{44}$sau$^{53}_{44}$.｜箇只细人子唔听话，我硬喊渠个舍了，真～了。kai^{53}tʂak^{3} sei^{53}tsʅ^{0} n̩^{13}tʰaŋ$^{35}_{44}$ua^{53},ŋai^{13}ɲiaŋ$^{53}_{44}$xan^{53}ci$^{13}_{44}$(k)e^{0} ʂa^{21}liau^{0},tʂən^{35}xan^{53}ʂa^{21}liau^{0}.

【喊做】xan^{53}tso$^{53}_{21}$ 动称为：渠箇只青茄子是～么个？ci^{13}kai^{53}tʂak^{3} tsʰiaŋ^{35}cʰio^{13}tsʅ^{0} ʂʅ$^{53}_{21}$xan^{53}tso$^{53}_{21}$mak^{3} ke$^{53}_{44}$?

【汗】xɔn^{53} 名人和高等动物从皮肤排泄出来的液体：一头～iet^{3} tʰəu^{13}xɔn^{53}｜热天就用（长手巾）来擦～，擦～呐。ɲiet^{5} tʰien$^{35}_{44}$tsʰiəu$^{53}_{44}$iəŋ$^{53}_{44}$lɔi$^{13}_{21}$tsʰət$^{5}_{3}$ xɔn^{53},tsʰət$^{5}_{3}$ xɔn^{53}na^{0}.

【汗斑】xɔn^{53}pan^{35} 名花斑癣的俗称：以下就有咁个唠，就往往爱一个人呢注意唠，别人家戴哩个草帽你不要去戴，怕发～呐，别人家用哩个擦哩汗个面巾子你不要拿下去擦啦，欸，怕发～呐。i^{21}xa^{53}tsʰiəu^{53}iəu^{35}kan$^{21}_{13}$cie^{53}lau^{0},tsʰiəu^{53}uɔŋ^{21}uɔŋ^{21}ɔi^{53}iet^{3} ke^{53}ɲin$^{13}_{44}$nei^{0} tʂʮ^{53}i$^{53}_{44}$lau^{0},pʰiet^{5} ɲin$^{13}_{21}$ka$^{35}_{44}$ tai^{53}li^{0} ke^{0} tsʰau^{21}mau^{53}ɲi^{13}pət^{3} iau$^{53}_{44}$çi$^{53}_{44}$tai$^{53}_{44}$,pʰa$^{53}_{44}$fait^{3} xɔn^{53}pan$^{35}_{44}$na^{0},pʰiet^{5} ɲin$^{13}_{21}$ka$^{35}_{44}$iəŋ^{53}li^{0} kei^{53}tsʰət^{5} li^{0} xɔn^{53} cie$^{53}_{44}$mien^{53}cin$^{35}_{44}$tsʅ^{0} ɲi^{13}pət^{3} iau$^{53}_{44}$la^{53}(x)a$^{53}_{44}$çi$^{53}_{44}$tsʰət^{5} la^{0},ei$_{21}$,pʰa$^{53}_{44}$fait^{3} xɔn^{53}pan$^{35}_{44}$na^{0}.

【汗巾子】xɔn^{53}cin^{35}tsʅ^{0} 名用来擦汗的织物的通称：我等浏阳个客家人都唔多用罗布手巾，就系用一条子毛巾子啊，用来擦汗个毛巾就安做～。如今是蛮多人就系唔兜箇个纸巾吵，系唔系？如今个人就用纸巾吵，从前冇得咁多话纸巾，所以如今纸巾丢得到处都系，从前就冇得，系用～。最先就系罗布手巾呶，就手巾呶，最先就硬系一块布喔。都叫～，用来擦汗个就系～。ŋai$^{13}_{21}$tien^{0} liəu^{13}iəŋ$^{13}_{21}$ke^{53}kʰak^{3} ka$^{35}_{44}$ɲin$^{13}_{21}$təu$^{35}_{44}$n̩$^{13}_{21}$to$^{35}_{44}$iəŋ^{53}lo^{13}pu^{53}ʂəu^{21}cin$^{35}_{44}$,tsʰiəu^{53}xei^{53}iəŋ^{53}iet^{3} tʰiau$^{13}_{21}$tsʅ^{0} mau^{13}cin$^{35}_{44}$tsa^{0},iəŋ^{53}lɔi$^{13}_{21}$tsʰət^{5} xɔn^{53}ke^{0} mau^{13}cin^{35}tsʰiəu$^{53}_{44}$ɔn$^{35}_{44}$tso$^{53}_{44}$xɔn^{53}cin$^{35}_{44}$tsʅ^{0}.i$^{13}_{21}$cin$^{35}_{53}$ʂʅ^{53}man$^{13}_{21}$to$^{35}_{44}$ɲin$^{13}_{44}$ tsʰiəu^{53}xei^{53}u^{21}tei$^{35}_{44}$kai$^{53}_{44}$kei$^{53}_{44}$tʂʅ^{21}cin$^{35}_{44}$ʂa^{0},xei^{53}me^{53}?i$^{13}_{21}$cin$^{35}_{53}$ke^{53}ɲin$^{13}_{21}$tsʰiəu^{53}iəŋ^{53}tʂʅ^{21}cin$^{35}_{44}$ʂa^{0},tsʰəŋ^{13}tsʰien^{13} mau^{13}tek^{3} kan^{21}to$^{35}_{44}$ua^{53}tʂʅ^{21}cin$^{35}_{44}$,so$^{21}_{13}$i^{21}i$^{13}_{21}$cin$^{35}_{53}$tʂʅ^{21}cin^{35}tiəu$^{35}_{44}$tek^{3} tau^{53}tʂʰəu$^{53}_{21}$təu$^{35}_{44}$xei^{53},tsʰəŋ^{13}tsʰien^{13}tsʰiəu^{53} mau$^{13}_{21}$tek^{3},xei$^{53}_{44}$iəŋ$^{53}_{44}$xɔn^{53}cin$^{35}_{44}$tsʅ^{0}.tsei^{53}sien$^{35}_{44}$tsʰiəu$^{53}_{44}$xei$^{53}_{44}$lo$^{13}_{21}$pu^{53}ʂəu^{21}cin^{35}nau^{0},tsʰiəu^{53}ʂəu^{21}cin^{35}nau^{0},tsei$^{53}_{44}$ sien$^{35}_{44}$tsʰiəu$^{53}_{44}$ɲiaŋ$^{53}_{44}$xei$^{53}_{44}$iet^{3} kʰuai$^{53}_{44}$pu^{53}uo^{0}.təu^{35}ciau^{53}xɔn^{53}cin$^{35}_{44}$tsʅ^{0},iəŋ^{53}lɔi$^{13}_{21}$tsʰait^{3} xɔn^{53}ke^{0} tsʰiəu$^{53}_{44}$xe$^{53}_{44}$xɔn^{53} cin$^{35}_{44}$tsʅ^{0}.

【汗力钱】xɔn^{53}liet^{5} tsʰien$^{13}_{21}$ 名血汗钱：欸，箇阵子我爷子就教我呀，请人做工夫嘞，别人家赚个是～，箇个工资拖唔得，拖欠唔得，嗯，莫少别人家，滴都莫少。e$_{21}$,kai^{53}tʂʰən^{53}tsʅ^{0} ŋai$^{13}_{21}$ia^{13} tsʅ^{0} tsʰiəu^{53}kau^{35}ŋai$^{13}_{21}$ia^{0},tsʰiaŋ^{21}ɲin^{13}tso^{53}kəŋ^{35}fu$^{35}_{44}$lei^{0},pʰiet^{5} in$^{13}_{21}$ka$^{35}_{44}$tsʰan^{53}ke$^{53}_{21}$ʂʅ$^{53}_{21}$xɔn^{53}liet^{5} tsʰien$^{13}_{21}$,kai^{53}ke^{53} kəŋ^{35}tsʅ$^{35}_{44}$tʰo^{35}n̩$^{13}_{21}$tek^{3},tʰo^{35}cʰian^{53}n̩$^{13}_{21}$tek^{3},n̩$_{21}$,mɔk^{5} ʂau^{21}pʰiet^{5} in$^{13}_{21}$ka$^{35}_{44}$,tiet^{5} təu$^{35}_{53}$mɔk^{5} ʂau^{21}.

【汗衫】xɔn^{53}san^{35} 名吸汗的贴身短衣：我箇阵子我就喜欢着～呢，着～让门子啊？凉快呢。就系箇起棉纱个，雪白子个棉纱做个，圆领子啊，短袖啊。ŋai^{13}kai^{53}tʂʰən^{53}tsʅ^{0} ŋai^{13}tsʰiəu^{53}çi^{21} fɔn$^{35}_{44}$tʂɔk^{3} xɔn^{53}san$^{35}_{44}$nei^{0},tʂɔk^{3} xɔn^{53}san$^{35}_{44}$ɲiɔŋ^{53}mən$^{13}_{44}$tsʅ^{0} a^{0}?liɔŋ^{13}kʰuai^{53}nei^{0}.tsʰiəu$^{53}_{44}$xei$^{53}_{44}$kai^{53}çi$^{21}_{44}$mien^{13}sa$^{35}_{44}$ ke^{0},siet^{5} pʰak^{5} tsʅ^{0} ke^{0} mien^{13}sa$^{35}_{44}$tso^{53}ke^{0},ien^{13}liaŋ^{35}tsa^{0},tɔn^{21}tsʰiəu^{53}a^{0}.

【旱】xɔn^{35} 动①使水变干；排水：～嘿水去 xɔn^{35}nek^{3}(←xek^{3})ʂei^{21}çi$^{53}_{44}$｜讲～哩以后冇得水，渠就喊干塘。kɔŋ^{21}xɔn^{35}li^{0} i^{35}xei^{53}mau^{13}tek^{3} ʂei^{21},ci^{13}tsʰiəu$^{53}_{44}$xan^{53}kɔn^{35}tʰɔŋ^{13}. ②喻指排尿：旱塘码子真痛快呀！咁急个尿哇，分渠～嘿去啊。xɔn^{35}tʰɔŋ^{13}ma$^{35}_{44}$tsʅ^{0} tʂən^{35}tʰəŋ^{53}kʰuai^{53}ia^{0}.kan^{21}ciet^{3} ke$^{53}_{44}$ɲiau^{53} ua^{0},pən^{35}ci$^{13}_{21}$xɔn^{35}nek^{3} çi$^{53}_{44}$a^{0}.

【旱塘】xɔn^{35}tʰɔŋ^{13} 动将鱼塘中的水车干或抽干：～，以下有滴人写干塘。我等写～吧？/面前哩喊～。xɔn^{35}tʰɔŋ$^{13}_{21}$,i^{21}xa$^{53}_{44}$iəu^{35}tet^{5}ɲin$^{13}_{21}$sia^{21}kɔn^{35}tʰɔŋ$^{13}_{21}$.ŋai^{13}tien^{0} sia^{21}xɔn^{35}tʰɔŋ$^{13}_{21}$pa^{0}?/mien^{53}tsʰien$^{13}_{21}$li^{0} xan^{53}xɔn^{35}tʰɔŋ$^{13}_{21}$.

【旱塘码子】xɔn^{35}tʰɔŋ^{13}ma^{35}tsɿ^{0} ①本义指拔起塘码子，将山塘水放出来：欸，以发晴嘿咁久了哇，田里都干稳哩了。来去上来去旱只塘码子看呐。e$_{44}$,i^{21}fait^{3}tsʰiaŋ^{13}xek^{3}kan^{21}ciəu^{21}liau$^{21}_{44}$ua^{0}, tʰien^{13}ni^{21}təu$^{35}_{53}$kɔn^{35}uən^{21}ni^{0} liau^{0}.lɔi$^{13}_{21}$çi^{53}ʂɔŋ^{35}lɔi$^{13}_{21}$çi$^{53}_{44}$xɔn$^{35}_{44}$tʂak^{3} tʰɔŋ^{13}ma$^{35}_{44}$tsɿ^{0}kʰɔn$^{53}_{44}$na^{0}. ②喻指将憋了很久的尿屙出来：欸我等箇阵子做工夫就经常会咁子讲嘞，系啊？就系呃做一阵工夫了，食茶烟了。“来哟，旱正塘码子哈！欸，～哈！”ei^{0}ŋai^{13}tien^{0}kai^{53}tʂʰən^{53}tsɿ^{0}tso^{53}kəŋ^{35}fu$^{35}_{44}$tsʰiəu$^{53}_{44}$cin^{35} tʂʰɔŋ$^{13}_{21}$uɔi^{53}kan^{21}tsɿ^{0}kɔŋ^{21}lei^{0},xei$^{53}_{44}$a^{0}?tsʰiəu$^{53}_{44}$xe$^{53}_{44}$ə$_{21}$,tso^{53}iet^{3}tʂʰən^{53}kəŋ$^{35}_{44}$fu$^{35}_{44}$liau^{0},ʂət^{5}tsʰa$^{13}_{21}$ien$^{35}_{44}$niau^{0}."lɔi^{13} io^{0},xɔŋ$^{53}_{44}$tʂaŋ$^{53}_{44}$tʰɔŋ^{13}ma^{35}tsɿ^{0}xa^{0}!e$_{21}$,xɔn^{35}tʰɔŋ^{13}ma^{35}tsɿ^{0}xa^{0}!" | 坐嘿两点钟个车，尽兜都尿急稳哩了。麻溜跑下箇个卫生间里去旱只塘码子正。tsʰo^{35}xek^{3}iɔŋ^{21}tian^{21}tʂəŋ^{35}ke^{0}tʂʰa^{35},tsʰin^{53}te$^{35}_{44}$təu$^{35}_{44}$ɲiau^{53}ciet^{3} uən^{21}li^{0}liau^{0}.ma^{13}liəu^{35}pʰau^{21}ua$^{53}_{44}$kai$^{53}_{44}$ke$^{53}_{44}$uei^{53}sen$^{35}_{44}$kan$^{35}_{44}$ni^{21}çi$^{53}_{44}$xɔn$^{35}_{44}$tʂak^{3}tʰɔŋ^{13}ma$^{35}_{44}$tsɿ^{0}tʂaŋ$^{53}_{44}$.

【旱烟筒】xɔn^{53}ien$^{35}_{44}$tʰəŋ$^{13}_{21}$ 名 一种吸旱烟的用具：我爷子就尽食水烟筒啊，食箇个食箇～啊，草烟筒啊。ŋai$^{13}_{21}$ia^{13}tsɿ^{0}tsʰiəu$^{53}_{44}$tsʰin^{53}ʂət^{5}ʂei^{21}ien$^{35}_{44}$tʰəŋ$^{13}_{21}$ŋa^{0},ʂət^{5}kai$^{53}_{44}$ke$^{53}_{44}$ʂət^{5}kai$^{53}_{44}$xɔn^{53}ien$^{35}_{44}$tʰəŋ$^{13}_{21}$ŋa^{0},tsʰau^{21} ien$^{35}_{44}$tʰəŋ$^{13}_{21}$ŋa^{0}.

【撼撼振】kʰan^{53}kʰan^{53}tʂən^{53} 动 震动或抖动得很厉害；哆哆嗦嗦：冷起～呢。laŋ^{35}çi^{21}kʰan^{53}kʰan^{53} tʂən^{53}ne^{0}. | 吓起～xak^{3}çi$^{21}_{44}$kʰan^{53}kʰan$^{53}_{44}$tʂən$^{53}_{44}$ | 我老弟子啊就绝像我爷子。我爷子到哩最后箇几年咯写字都写唔正呢。～一下架势写字嘞。～。手振呢。～。我老弟子就有滴子嘞。我箇只万小勇啊。我唔我唔我还得，滴把子。ŋai^{13}lau^{21}tʰe^{35}tsɿ^{0}a^{0}tsʰiəu^{53}tsʰiet^{5}tsʰiɔŋ^{53}ŋai$^{13}_{21}$ia^{13}tsɿ^{0}.ŋai$^{13}_{21}$ia^{13} tsɿ^{0}tau$^{53}_{44}$li^{0}tsei^{53}xei$^{53}_{44}$kai$^{53}_{44}$ci^{21}ɲien^{13}ko^{0}sia^{21}sɿ^{53}təu$^{35}_{44}$sia^{21}n̩^{13}tʂaŋ$^{53}_{44}$nei^{0}.kʰan^{53}kʰan$^{53}_{44}$tʂən^{53}iet^{3}xa$^{53}_{44}$cia$^{53}_{44}$ʂʅ$^{53}_{44}$sia^{21}sɿ^{53} lei^{0}.kʰan^{53}kʰan$^{53}_{44}$tʂən$^{53}_{44}$.ʂəu^{21}tʂən^{53}ne^{0}.kʰan^{53}kʰan$^{53}_{44}$tʂən$^{53}_{44}$.ŋai^{13}lau^{21}tʰe^{35}tsɿ^{0}tsʰiəu$^{53}_{44}$iəu$^{35}_{44}$tiet^{5}tsɿ^{0}lei^{0}.ŋai^{13}kai^{53} tʂak^{3}uan^{53}siau^{21}iəŋ^{21}ŋa^{0}.ŋai^{13}n̩^{13}ŋai^{13}n̩^{13}ŋai^{13}xan^{13}tek^{3},tiet^{5}pa^{21}tsɿ^{0}.

【行】xɔŋ^{13} 量 用于成列的东西；排：一～树 iet^{3}xɔŋ^{13}ʂəu^{53} | 一～辣椒 iet^{3}xɔŋ^{13}lait^{5}tsiau^{35} | 一～字 iet^{3}xɔŋ^{13}sɿ^{53}/tsʰɿ^{53} | 如果唔顿下箇只草去，唔搞嘿箇只草去嘞，箇个壁下个箇一～个禾都会分草食咁。vy^{13}ko^{21}n̩^{13}tən^{53}na^{0}kai$^{53}_{44}$tʂak^{3}tsʰau^{21}çi$^{53}_{44}$,n̩^{13}kau^{21}xek^{3}kai$^{53}_{44}$tʂak^{3}tsʰau^{21}çi$^{53}_{44}$lei^{0},kai$^{53}_{44}$ke$^{53}_{44}$piak^{3}xa^{53} ke$^{53}_{21}$kai$^{53}_{44}$iet^{3}xɔŋ^{13}ke^{53}uo^{13}təu^{35}uɔi$^{53}_{44}$pən^{35}tsʰau^{21}ʂek^{5}kan^{21}.

【行市】xɔŋ^{13}ʂʅ^{53} 名 现时的价格：打比以发箇个欸箇起咁个青皮豆，青皮豆正上市个时候子五块钱一斤，呣，箇五块钱，四块八五块钱就系～。落尾嘞～总咁子下跌，跌到如今呢两块子钱一斤就系～了。但是搞一阵听晡又会冇得嘞箇黄豆子。到哩过年了，六七块七八块钱个～。ta^{21}pi^{21}i^{21}fait^{3}kai^{53}kei$^{53}_{44}$e$_{21}$kai^{53}çi^{21}kan^{21}kei$^{53}_{44}$tsʰiaŋ^{35}pʰi$^{13}_{21}$tʰei^{53},tsʰiaŋ^{35}pʰi$^{13}_{21}$tʰei$^{53}_{44}$tʂaŋ^{53}ʂɔŋ$^{53}_{44}$ʂʅ^{53}ke^{0}ʂʅ$^{13}_{44}$xəu$^{53}_{44}$tsɿ^{0}ŋ̍^{21} kʰuai^{53}tsʰien$^{13}_{21}$iet^{3}cin^{35},m̩$_{21}$,kai^{53}ŋ̍^{21}kʰuai^{53}tsʰien$^{13}_{44}$,si^{53}kʰuai^{53}pait^{3}ŋ̍^{21}kʰuai^{53}tsʰien$^{13}_{44}$tsʰiəu^{53}xei^{53}xɔŋ^{13}ʂʅ^{53}.lɔk^{5} mi$^{35}_{53}$lei^{0}xɔŋ^{13}ʂʅ^{53}tsəŋ^{21}kan$^{21}_{44}$tsɿ^{0}çia^{53}tet^{3},tet^{3}tau^{53}i$^{13}_{21}$cin$^{35}_{44}$nei^{0}iɔŋ^{21}kʰuai^{53}tsɿ^{0}tsʰien$^{13}_{21}$iet^{3}cin$^{35}_{44}$tsʰiəu^{53}xei^{53}xɔŋ$^{13}_{21}$ ʂʅ^{53}liau^{0}.tan^{53}ʂʅ^{53}kau^{21}iet^{3}tʂʰən^{53}tʰin$^{35}_{44}$pu$^{35}_{44}$iəu^{53}uɔi^{53}mau^{13}tek^{3}le^{0}kai$^{53}_{44}$uɔŋ^{13}tʰei^{53}tsɿ^{0}.tau^{53}li^{0}ko^{53}ɲien^{13}niau^{0}, liəuk^{3}tsʰiet^{3}kʰuai^{53}tsʰiet^{3}pait^{3}kʰuai^{53}tsʰien$^{13}_{44}$ke^{53}xɔŋ$^{13}_{21}$ʂʅ^{53}.

【行子】xɔŋ^{13}tsɿ^{0} 名 成行的东西：丫下箇～中间 a$^{35}_{44}$(x)a$^{53}_{44}$kai$^{53}_{44}$xɔŋ^{13}tsɿ^{0}tʂəŋ^{35}kan$^{35}_{44}$

【绗】xɔŋ^{13} 动 用粉袋子打好线，然后用针线粗缝：渠个做棉衫呢，做袄婆，棉衫呢，渠爱～。你晓得安做么个安做～吗？渠就，底下一块布，中间放滴棉花，系唔系？顶高又一块布吵放下去吵。渠就，欸，用箇粉袋子嘞，限正哩映个咁子弹一弹，同就同箇搞么啊样，同咁木匠师傅弹弹墨样啊，墨斗弹墨样啊。渠扯一下，箇个粉袋子压以头，手以只手压稳粉袋子，一扯，箇箇线上，箇绳子上就尽粉。放下映子，弹一下，就弹条线。我又弹一下，弹条线。然后照倒箇线呢隔咁远子，又挑一针上来，挑一针上，安做～。渠就使箇个棉花冇事走做一坨去。其他东西个时候子也有人也用……也用嘞。我就我只看我看个嘞就系～棉衫个时候子用。因为箇渠个比较长啊，箇条线比较长啊。ci$^{13}_{21}$ke^{53}tso^{53}mien^{13}san^{35}ne^{0},tso^{53}au^{21}pʰo^{13},mien^{13}san$^{35}_{44}$ ne^{0},ci$^{13}_{21}$ɔi^{53}xɔŋ^{13}. ɲi$^{13}_{21}$çiau^{21}tek^{3}ɔn$^{35}_{44}$tso$^{53}_{44}$mak^{3}(k)e$^{53}_{44}$ɔn$^{35}_{44}$tso$^{53}_{44}$xɔŋ^{13}ma^{0}?ci$^{13}_{21}$tsʰiəu$^{53}_{44}$,te^{21}xa$^{53}_{44}$iet^{3}kʰuai^{53}pu^{53},tʂəŋ^{35} kan$^{35}_{44}$fɔŋ^{53}tet^{5}mien^{13}fa$^{35}_{44}$,xei$^{53}_{44}$me$^{53}_{44}$?taŋ^{21}kau^{35}iəu^{53}iet^{3}kʰuai^{53}pu$^{53}_{44}$ʂa^{0}fɔŋ$^{53}_{44}$ŋa$_{44}$(←xa^{53})çi$^{53}_{44}$ʂa^{0}.ci^{13} tsʰiəu$^{53}_{44}$,e$_{21}$,iəŋ$^{53}_{44}$kai$^{53}_{44}$fən^{21}tʰɔi^{53}tsɿ^{0}lei^{0},kʰan^{53}tʂaŋ^{53}li^{0}iaŋ$^{53}_{44}$ke$^{53}_{44}$kan^{21}tsɿ^{0}tʰan^{13}miet^{3}(←iet^{3})tʰan^{13},tʰəŋ^{13}tsʰiəu^{53} tʰəŋ$^{13}_{21}$kai$^{53}_{44}$kau^{21}mak^{3}a^{0}iɔŋ$^{53}_{44}$,tʰəŋ$^{13}_{21}$kan$^{21}_{35}$muk^{3}siɔŋ$^{53}_{44}$sɿ$^{35}_{53}$fu$^{53}_{44}$tʰan$^{13}_{21}$tʰan^{13}miek^{5}iɔŋ$^{53}_{44}$ŋa^{0},miek^{5}tei^{21}tʰan^{13}mek^{5} iɔŋ$^{53}_{44}$ŋa^{0}.ci^{13}tʂʰa^{21}iet^{3}xa^{53},kai$^{53}_{21}$ke^{53}fən^{21}tʰɔi^{53}tsɿ^{0}iak^{3}i^{21}tʰei$^{13}_{44}$,ʂəu^{21}i^{21}tʂak^{3}ʂəu^{21}iak^{3}uən^{21}fən^{21}tʰɔi^{53}tsɿ^{0},iet^{3} tʂʰa^{21},kai$^{53}_{44}$kai$^{53}_{44}$sien^{53}xɔŋ$^{53}_{44}$,kai$^{53}_{44}$ʂən^{13}tsɿ^{0}xɔŋ$^{53}_{44}$tsʰiəu$^{53}_{44}$tsʰin^{53}fən^{21}.fɔŋ$^{53}_{44}$la$^{53}_{44}$iaŋ$^{53}_{44}$tsɿ^{0},tʰan^{13}iet^{3}xa^{53},tsʰiəu$^{53}_{44}$tʰan$^{13}_{21}$

tʰiau$^{13}_{44}$sien^{53}.ŋai$^{13}_{21}$iəu^{53}tʰan$^{13}_{21}$iet^{3} xa^{53},tʰan$^{13}_{21}$tʰiau$^{13}_{21}$sien^{53}.vien$^{13}_{21}$xei$^{53}_{44}$tʂau^{53}tau^{21}kai$^{53}_{44}$sien^{53}nei^{0} kak^{3} kan^{21}ien^{21} tsɿ^{0},iəu^{53}tʰiau^{35}iet^{3} tʂən$^{35}_{44}$ʂɔŋ$^{53}_{44}$lɔi$^{13}_{44}$,tʰiau^{35}iet^{3} tʂən$^{35}_{44}$ʂɔŋ$^{53}_{44}$,ɔn$^{35}_{44}$tso$^{53}_{44}$xɔŋ^{13}.ci$^{13}_{21}$tsʰiəu^{53}ʂʅ^{21}kai^{53}kei$^{53}_{44}$mien^{13}fa$^{35}_{44}$mau^{13} sɿ^{53}tsei^{21}tso^{53}iet^{3} tʰo^{13}çi^{53}.cʰi^{13}tʰa$^{35}_{44}$təŋ$^{35}_{44}$si^{0} ke$^{53}_{44}$ʂʅ^{13}xei$^{53}_{44}$tsɿ^{0} ia^{35}iəu$^{35}_{44}$ɲin$^{13}_{44}$ia^{35}iəŋ$^{53}_{44}$⋯ia^{35}iəŋ^{53}lei^{0}.ŋai^{13}tsʰiəu^{53}ŋai^{13} tʂʅ^{21}kʰɔn^{53}ŋai^{13}kʰɔn^{53}ke$^{53}_{44}$lei^{0} tsʰiəu$^{53}_{44}$xe$^{53}_{44}$xɔŋ^{13}mien^{13}san$^{35}_{44}$ke$^{53}_{44}$ʂʅ^{13}xei$^{53}_{44}$tsɿ^{0} iəŋ$^{53}_{44}$.in^{35}uei$^{53}_{44}$kai$^{53}_{44}$ci$^{13}_{21}$ke$^{53}_{44}$pi^{21}ciau^{53} tʂʰɔŋ^{13}ŋa^{0},kai$^{53}_{44}$tʰiau$^{13}_{21}$sien^{53}pi^{21}ciau^{53}tʂʰɔŋ^{13}ŋa^{0}.

【趼$_{1}$】xɔŋ^{53} 动①由躺卧或趴着的状态快速起身：～起来xɔŋ^{53}çi^{21}lɔi^{13}。②特指起床：鸡啼以前就～哩。cie^{35}tʰai^{13}i^{35}tsʰien^{13}tsʰiəu^{53}xɔŋ^{53}li^{0}.｜等到鸡啼我～起来哩。tien^{21}tau^{53}cie^{35}tʰai^{13}ŋai^{13}xɔŋ^{53}çi^{21} lɔi^{13}li^{0}.

【趼$_{2}$】xɔŋ^{53} 助表示动作的持续：箇长日提个镬头，细镬子，欸，炒完菜要提～走。kai^{53} tʂʰɔŋ^{13}ɲiet^{3} tʰia^{35}ke$^{53}_{44}$uɔk^{5} tʰei^{0},se^{53}uɔk^{5} tsɿ^{0},e$_{21}$,tsʰau^{21}uɔn^{13}tsʰɔi^{53}iau$^{53}_{44}$tʰia^{35}xɔŋ$^{53}_{21}$tsei^{21}.

【趼床】xɔŋ^{53}tsʰɔŋ^{13} 动起床：鸡啼哩就～。cie^{35}tʰai^{13}li^{0} tsʰiəu^{53}xɔŋ^{53}tsʰɔŋ^{13}.

【趼来】xɔŋ^{53}lɔi^{13} 动起床：昨晡通知六点钟上床，我五点半就～哩，你让门七点钟正～？tsʰo^{35}pu^{35}tʰəŋ^{35}tʂʅ^{35}liəuk^{3} tien^{21}tʂəŋ^{35}xɔŋ^{53}tsʰɔŋ^{13},ŋai^{13}ŋ̍^{13}tien^{21}pan^{53}tsʰiəu^{53}xɔŋ^{53}lɔi^{13}li^{0},ɲi^{13}ɲiɔŋ^{53}men^{35} tsʰiet^{3} tien^{21}tʂəŋ^{35}tʂɔŋ^{53}xɔŋ^{53}lɔi^{13}?

【趼身】xɔŋ^{53}ʂən^{35} 动起身；站起：箇寻客个人呢就寻倒你，马灯就一照，就你就爱～。kai$^{53}_{44}$ tsʰin^{13}kʰak^{3} ke$^{53}_{44}$ɲin$^{13}_{21}$ne^{0} tsʰiəu$^{53}_{44}$tsʰin$^{13}_{21}$tau^{21}ɲi$^{13}_{21}$,ma^{35}tien$^{35}_{44}$tsʰiəu$^{53}_{44}$iet^{3} tʂau^{53},tsʰiəu$^{53}_{44}$ɲi^{13}tsʰiəu$^{53}_{44}$ɔi$^{53}_{44}$xɔŋ^{53}ʂən^{35}. ｜以个想嬲下子了就～，走动下子。/冇我冇走。唔爱走我子。i$^{21}_{13}$ke$^{53}_{44}$siɔŋ^{21}liau^{53}xa$^{53}_{44}$tsɿ^{0} liau^{0} tsʰiəu$^{53}_{44}$xɔŋ^{53}ʂən$^{35}_{44}$,tsei^{21}tʰəŋ$^{35}_{44}$ŋa$_{44}$(←xa^{53})tsɿ^{0}./mau^{13}ŋai^{53}mau^{13}tsəu^{21}.m̩$^{13}_{21}$mɔi^{53}tsəu$^{21}_{44}$ŋai$^{13}_{44}$tsɿ^{0}.

【豪猪子】xau^{13}tʂəu^{35}tsɿ^{0} 名豪猪。又称"河猪子"：～有几大子，好像食蚂蚁子呢。xau$^{13}_{21}$tʂəu$^{35}_{44}$ tsɿ^{0} mau$^{13}_{21}$ci^{21}tʰai^{53}tsɿ^{0},xau^{21}siɔŋ^{53}ʂət^{5} ma^{35}le^{35}tsɿ^{0} nei^{0}.

【篙子】xo^{13}tsɿ^{0} 名一种用竹篾编成的渔具，用于捕捉黄鳝、泥鳅等：～，我去下张～我晓得。就一只咁个络络呢，篾络子呢。一只咁篾络子，你看吆，用篾子织个。欸密密子个篾子，以映子就织兜子横篾子去，系啊？渠个蹊跷就在以只口上。渠个篾箦嘞向以肚里伸，嗯，以只口上个篾箦是向以肚里伸，就有堵性，鱼子嘞只进去得，出唔得。欸，以肚里就织得蛮密唠，以后背是进唔得唠。就走以只头上进。只进得，出唔得。安做～。以映子～让门……装～不是净只咁～丢倒去，箇湖鳅唔得去。爱捶兜还捶兜箇个蠔公嘞，舞兜蠔公啊一捶捶倒嘞捶倒舞饽子泥呢，到地箇田里挜饽泥，放兜子蠔公末子，剁啊箇～上，剁啊咁子个～上，轻轻子好生子放下水肚里，第二晡只爱去收～凑。箇肚里就有湖鳅。xo^{13}tsɿ^{0},ŋai^{13}çi^{53}xa^{53}tsɔŋ^{35}xo^{13}tsɿ^{0} ŋai$^{13}_{21}$çiau^{21}tek^{3}.tsʰiəu^{53}iet^{3} tʂak^{3} kan^{21}ke^{0} lɔk^{5} lɔk^{5} nei^{0},miet^{5} lɔk^{5} tsɿ^{0} nei^{0}.iet^{3} tʂak^{3} kan^{21}miet^{5} lɔk^{5} tsɿ^{0}, ɲi$^{13}_{21}$ kʰɔn^{53}nau^{0},iəŋ$^{53}_{44}$miet^{5} tsɿ^{0} tʂət^{3} cie^{53}.e$_{21}$miet^{5} miet^{5} tsɿ^{0} ke$^{53}_{44}$miet^{5} tsɿ^{0},i^{21}iaŋ^{53}tsɿ^{0} tsiəu$^{53}_{44}$tʂət^{3} te$^{35}_{53}$tsɿ^{0} uaŋ^{13}miet^{5} tsɿ^{0} çi$^{53}_{44}$,xei^{53}a^{0}?ci^{13}ke$^{53}_{44}$cʰi^{35}cʰiau^{35}tsʰiəu^{53}tsʰai^{53}i^{21}tʂak^{3} xei^{21}xɔŋ^{53}.ci^{13}ke$^{53}_{44}$miet^{5} sak^{3} lei^{0} çiɔŋ^{53}i^{21}təu^{21}li^{0} ʂən^{35}, n̩$_{21}$,i^{21}tʂak^{3} xei^{21}xɔŋ$^{53}_{44}$ke$^{53}_{44}$miet^{5} sak^{3} ʂʅ$^{53}_{44}$çiɔŋ^{53}i^{21}təu^{21}li^{0} ʂən$^{35}_{44}$,tsʰiəu^{53}iəu$^{35}_{44}$təu^{21}sin^{53},ŋ̍^{13}tsɿ^{0} lei^{0} tʂʅ^{21}tsin^{53}çi^{53}tek^{3}, tʂʰət^{21}n̩^{13}tek^{3} .e$_{21}$,i^{21}təu^{21}li^{0} tsiəu^{53}tʂət^{3} tek^{3} man^{13}miet^{5} lau^{0} ,i^{21}xei^{53}pɔi$^{53}_{44}$ʂʅ$^{53}_{21}$tsin^{53}n̩$^{13}_{21}$tek^{3} lau^{0} .tsʰiəu^{53}tsei^{21}i^{21} tʂak^{3} tʰei^{13}xɔŋ^{53}tsin^{53}.tʂʅ^{21}tsin^{53}tek^{3} ,tʂʰət^{3} n̩^{13}tek^{3} .ɔn$^{35}_{44}$tso$^{53}_{44}$xo^{13}tsɿ^{0} .i^{21}iaŋ^{53}tsɿ^{0} xo^{13}tsɿ^{0}ɲiɔŋ^{53}mən$^{13}_{44}$⋯tsɔŋ^{35}xo^{13} tsɿ^{0} pət^{3} ʂʅ^{53}tsʰiaŋ^{53}tʂak^{3} kan$^{21}_{44}$xo^{13}tsɿ^{0} tiəu^{35}tau^{21}çi^{53},kai$^{53}_{44}$fu$^{13}_{21}$tsʰiəu$^{35}_{53}$n̩$^{13}_{21}$tek^{3} çi^{53}.ɔi$^{53}_{44}$tʂʰei^{13}te$^{35}_{53}$xa^{13}tʂʰei^{13}te$^{35}_{53}$kai^{53} ke$^{53}_{44}$çien^{21}kəŋ$^{35}_{53}$lei^{0} ,u$^{21}_{44}$te$^{35}_{44}$çien^{21}kəŋ$^{35}_{53}$ŋa^{0} iet^{3} tʂʰei^{13}tʂʰei^{13}tau$^{21}_{44}$lei^{0} tʂʰei^{13}tau$^{21}_{44}$u^{21}pʰɔk^{5} tsɿ^{0} lai^{13}nei^{0},tau^{53}tʰi^{53}kai^{53} tʰien^{13}ni^{0} ia^{21}pʰɔk^{5} lai^{13},fɔŋ^{53}te$^{35}_{53}$tsɿ^{0} çien^{21}kəŋ$^{35}_{44}$mait^{5} tsɿ^{0} ,to^{53}a^{0} kai^{53}xo^{13}tsɿ^{0} xɔŋ^{53},to^{53}a^{0} kan$^{21}_{44}$tsɿ^{0} ke$^{53}_{44}$xo^{13}tsɿ^{0} xɔŋ^{53},cʰiaŋ^{35}cʰiaŋ$^{13}_{44}$tsɿ^{0} xau^{21}sen$^{35}_{44}$tsɿ^{0} fɔŋ^{53}ŋa^{53}ʂei^{21}təu^{21}li^{0} ,tʰi^{53}ɲi^{53}pu$^{35}_{53}$tʂʅ^{21}ɔi^{53}çi$^{53}_{44}$ʂəu^{35}xo^{13}tsɿ^{0} tsʰe^{0}.kai^{53}təu^{21}li^{0} tsʰiəu$^{53}_{44}$iəu$^{35}_{44}$fu^{13}tsʰiəu$^{35}_{44}$.

【好$_{1}$】xau^{21} 形①优点多或使人满意的：挜倒一手～牌 ia^{21}tau^{21}iet^{3} ʂəu^{21}xau^{21}pʰai^{13}｜信号唔多～。sin^{53}xau^{53}n̩$^{13}_{21}$to$^{35}_{44}$xau^{21}. ②合宜；妥当：我讲错哩是慢点就唔～了。ŋai^{13}kɔŋ^{21}tsʰo^{53}li^{0} ʂʅ$^{53}_{44}$man$^{53}_{44}$tian$^{21}_{44}$ tsiəu$^{53}_{44}$m̩^{13}xau^{21}liau^{0}.｜迟哩就唔～哩，我等人麻溜走吧。tʂʰʅ^{13}li^{0} tsʰiəu^{53}ŋ̍^{13}xau^{21}li^{0},ŋai^{13}ten^{35}ɲin^{13}ma^{13} liəu^{53}tsei^{21}pa^{0}. ③妥帖：舞～哩。u^{21}xau^{21}li^{0}.｜以只事渠搞得～哇搞唔～哇？i^{21}tʂak^{3} sɿ$^{53}_{44}$ci$^{13}_{21}$kau^{21} tek^{3} xau^{21}ua^{0} kau^{21}m̩^{13}xau^{21}ua^{0}? ④幸福：箇只人以前从前食够哩苦，以下过倒哩～日子。kai^{53} tʂak^{3} ɲin$^{13}_{21}$i^{35}tsʰien$^{13}_{21}$tsʰəŋ^{13}tsʰien^{13}ʂət^{5} kei^{53}li^{0} kʰu^{21},i^{21}xa$^{53}_{44}$ko^{53}tau^{21}li^{0} xau^{21}ɲiet^{3} tsɿ^{0}. ⑤吉利：欸竹开花唔～哇。e$_{21}$tʂəuk^{3} kʰɔi^{35}fa^{35}n̩$^{13}_{21}$xau^{21}ua^{0}. ⑥病愈：同箇病人整～哩病 tʰəŋ^{13}ka$^{53}_{21}$pʰiaŋ^{53}ɲin^{13}tʂaŋ^{21}xau^{21} li^{0} pʰiaŋ^{53}。⑦用在某些动词前面，表示效果好：嗯，～坐多哩！n̩$_{53}$,xau^{21}tsʰo$^{53}_{44}$to^{35}li^{0}！⑧表示结束或转换话题：数倒二十九丘，～，搞正哩了嘞就天晴。系唔系？～，总数都少一丘。səu^{21}

tau^{21}ɲi$^{53}_{44}$ʂət$^{5}_{3}$ciəu^{21}c^{h}iəu^{35},xau^{21},kau^{21}tʂaŋ$^{53}_{44}$li^{0} liau^{21}le^{0} ts^{h}iəu$^{53}_{44}$t^{h}ien^{35}ts^{h}iaŋ^{13}.xei$^{53}_{44}$me$^{53}_{44}$?xau$^{21}_{44}$,tsəŋ^{21}səu^{21}təu$^{35}_{44}$ ʂau^{21}iet^{3} c^{h}iəu^{35}. ⑨容易：摇窠是～搞唠。iau^{13}k^{h}o^{35}ʂʅ$^{53}_{44}$xau^{21}kau^{21}lau^{0}.

【好$_{2}$】xau^{21} 副①表示程度高，很：～大一只 xau^{21}t^{h}ai^{53}iet^{3}tʂak^{3} | ～长啊。xau^{21}tʂ^{h}əŋ^{13}ŋa^{0}. ②用在数量词前面，表示多：～几个 xau^{21}ci^{21}ke^{53} | ～几百 xau^{21}ci^{21}pak^{3}

【好处】xau^{21}tʂ^{h}əu^{53} 名对人或事物有利的因素；利益：一只～嘞就系箇草可以肥田。iet^{3} tʂak^{3} xau^{21}tʂ^{h}əu^{53}le^{0} tsiəu^{53}xe^{53}kai^{53}ts^{h}au^{21}k^{h}o^{21}i$^{35}_{44}$p^{h}i^{13}t^{h}ien^{13}. | ～缯得倒唠。xau^{21}tʂ^{h}əu^{53}maŋ$^{13}_{44}$tek^{3} tau^{21}lau^{0}.

【好得】xau^{21}tek^{3} 副好在；幸亏；多亏：嗯，～有你商量下子，我欸也冇哪映问。ŋ̍$_{53}$,xau^{21}tek^{3} iəu$^{35}_{44}$ni^{13}ʂəŋ^{35}lioŋ^{13}xa^{53}tsʅ^{0},ŋai^{13}e$_{44}$ia$^{35}_{53}$mau^{13}lai$^{53}_{44}$iaŋ$^{53}_{44}$uən^{53}. | ～你来哩，唔系时我等人就走错哩。xau^{21}tek^{3}ɲi^{13}lɔi^{13}li^{0},m̩^{13}xe^{53}ʂʅ^{13}ŋai^{13}ten$^{21}_{35}$ɲin^{13}ts^{h}iəu^{53}tsei^{21}ts^{h}o^{53}li^{0}.

【好多】xau^{21}to^{35} 数很多，许多：我缯花～钱呢。ŋai^{13}maŋ^{13}fa^{35}xau$^{21}_{44}$to$^{35}_{44}$ts^{h}ien$^{13}_{21}$ne^{0}. | （我们老家）就～啊石磙呐！ts^{h}iəu^{53}xau^{21}to$^{35}_{44}$a^{0} ʂak^{5} tən^{53}na^{0}!

【好搞子】xau^{21}kau^{21}tsʅ^{0} 形好玩的，开玩笑一样的，找乐子似的：除非系欸唔太正式个场合，～个，欸，开玩笑咁个。tʂ^{h}əu^{13}fei$^{35}_{44}$xe^{53}e$_{21}$n̩^{13}t^{h}ai$^{53}_{44}$tʂən^{53}ʂʅ$^{53}_{21}$ke$^{53}_{21}$tʂ^{h}əŋ^{13}xɔit^{5} ,xau^{21}kau^{21}tsʅ^{0} ke^{53},ei$_{21}$,k^{h}ɔi^{35}uan^{13}siau$^{53}_{44}$kan$^{21}_{44}$ke$^{53}_{44}$. | 摇水车搇踩水车。两起我都用过，只系～用过噻，～用过。iau^{13}ʂei^{21}tʂ^{h}a$^{35}_{44}$lau$^{35}_{44}$ts^{h}ai^{21}ʂei^{21}tʂ^{h}a^{35}.iɔŋ^{21}çi^{21}ŋai^{13}təu$^{35}_{44}$iəŋ^{53}ko$^{53}_{21}$,tʂʅ^{21}xei^{53}xau^{21}kau^{21}tsʅ^{0} iəŋ$^{53}_{44}$ko$^{53}_{44}$se^{0} ,xau^{21}kau^{21} tsʅ^{0} iəŋ$^{53}_{44}$ko$^{53}_{44}$.

【好过】xau^{21}ko^{53} 形舒服。又称“安乐”：～尽哩 xau^{21}ko^{53}ts^{h}in^{53}li^{0} 舒服极了

【好好】xau^{21}xau^{21} 副认真地；尽力地：纵搞唔赢，也爱～学习。tsəŋ^{53}kau^{21}ŋ̍^{13}iaŋ^{13},ia^{35}ɔi^{53}xau^{21} xau^{21}xɔk^{5} siet^{3}.

【好好拐拐】xau^{21}xau^{21}kuai^{21}kuai^{21} 意思是管他好也罢不好也罢：～我去屋下买我也十块钱一只，箇我就买一只，十块钱。xau^{21}xau^{21}kuai^{21}kuai^{21}ŋai^{13}çi^{53}uk^{3} xa$^{53}_{44}$mai$^{35}_{44}$ŋai^{13}ia$^{35}_{44}$ʂət^{5} k^{h}uai^{53}ts^{h}ien$^{13}_{21}$iet^{3} tʂak^{3}, kai^{53}ŋai^{13}ts^{h}iəu$^{53}_{44}$mai^{35}iet^{3} tʂak^{3} ,ʂət^{5} k^{h}uai^{53}ts^{h}ien$^{13}_{21}$.

【好好子】xau^{21}xau^{21}tsʅ^{0} 形状态词。形容情况颇佳：以张红纸咁大样，渠爱咁子折得～。i^{21} tʂɔŋ^{35}fəŋ^{13}tʂʅ$^{21}_{44}$kan^{21}t^{h}ai$^{53}_{44}$iɔŋ$^{53}_{44}$,ci^{13}ɔi^{53}kan^{21}tsʅ^{0} tʂait^{3} tek^{3} xau^{21}xau^{21}tsʅ^{0}.

【好话】xau^{21}fa^{53} 名①祝福的话语；吉祥好听的话。也称“好话子”：舅爷食茶，还爱讲几句子～，高赞下子。c^{h}iəu^{35}ia$^{13}_{21}$ʂət^{5} ts^{h}a^{13},xai^{13}ɔi^{53}kɔŋ^{21}ci^{21}tʂʅ^{53}tsʅ^{0} xau^{21}fa^{53},kau^{35}tsan^{53}na$_{44}$(←xa^{53})tsʅ^{0}. | 写滴子咁～子箇只。sia^{21}tet^{5} tsʅ^{0} kan$^{21}_{44}$xau^{21}fa^{53}tsʅ^{0} kai$^{53}_{21}$tʂak^{3} . ②赞扬的话；顺耳的话：爱讲渠个～，莫讲渠个坏话。ɔi^{53}kɔŋ^{21}ci^{13}ke^{53}xau^{21}fa^{53},mo^{53}kɔŋ^{21}ci^{13}ke^{53}fai^{53}fa^{53}.

【好看】xau^{21}k^{h}ɔn^{53} 形漂亮；美观；精彩：切倒箇只玉兰片就～呐。ts^{h}iet^{3} tau^{21}kai$^{53}_{44}$tʂak^{3} y^{53}lan^{13} p^{h}ien$^{53}_{44}$ts^{h}iəu$^{53}_{44}$xau^{21}k^{h}ɔn^{53}na^{0}. | 只爱戏～，唔怕锣鼓烂。tʂʅ^{21}ɔi$^{53}_{44}$çi^{53}xau^{21}k^{h}ɔn^{53},m̩^{13}p^{h}a^{53}lo^{13}ku^{21}lan^{53}.

【好啦】xau^{21}la^{0} 反话，表示“不好了、糟了”：带下河边去嬲，～，箇细人子浸死哩。tai$^{53}_{44}$ (x)a$^{53}_{44}$xo^{13}pien$^{35}_{44}$çi$^{53}_{44}$liau^{53},xau^{21}la^{0},kai$^{53}_{44}$se^{53}ɲin$^{13}_{21}$tsʅ^{0} tsin^{53}si^{21}li^{0}.

【好日子】xau^{21}ŋ^{h}iet^{3} tsʅ^{0} 名①吉日：拣只～kan^{21}tʂak^{3} xau^{21}ɲiet^{3} tsʅ^{0} | 么个～？唔落水打凌就系～。做好事就怕落水水□□哩，就输哩命，系啊？mak^{3} ke^{53}xau^{21}ɲiet^{3} tsʅ^{0}?n̩^{13}nɔk^{5} ʂei^{21}ta^{21}lin^{53} ts^{h}iəu^{53}xe^{53}xau^{21}ɲiet^{3} tsʅ^{0}.tso^{53}xau^{21}sʅ^{53}ts^{h}iəu^{53}p^{h}a^{53}lɔk^{5} ʂei^{21}ʂei^{21}tʂa$^{13}_{21}$tʂa^{13}li^{0} ,ts^{h}iəu$^{53}_{44}$ʂəu$^{35}_{44}$li^{0} miaŋ^{53},xei^{53}a^{0}? ②美好的生活：箇只人以前从前食够哩苦，以下过倒哩～。kai^{53}tʂak^{3}ɲin$^{13}_{21}$i^{35}ts^{h}ien$^{13}_{21}$ts^{h}əŋ^{13}ts^{h}ien^{13} ʂət^{5} kei^{53}li^{0} k^{h}u^{21},i^{21}xa$^{53}_{44}$ko^{53}tau^{21}li^{0} xau^{21}ɲiet^{3} tsʅ^{0}.

【好煞煞哩】xau^{21}sait^{3} sait^{3} li^{0} 形状态词。很好：欸，以前我等一只朋友，么个耳朵聋，～耳朵聋，听唔倒哩。e$_{21}$,i$^{35}_{53}$ts^{h}ien$^{13}_{21}$ŋai$^{13}_{21}$tien^{0} iet^{3} tʂak^{3} p^{h}əŋ$^{13}_{21}$iəu$^{35}_{44}$,mak^{3} kei^{0} ɲi^{21}to^{21}ləŋ^{35},xau^{21}sait^{3} sait^{3} li^{0} ɲi^{21} to^{21}ləŋ$^{35}_{44}$,t^{h}aŋ$^{35}_{44}$n̩$^{13}_{44}$tau^{21}li^{0}.

【好生】xau^{21}sien^{35} 副好好儿地；小心地。也称“好生子”：～子走，唔爱跑！xau^{21}sien^{35}tsʅ^{0} tsəu^{21},m̩^{13}mɔi$_{35}$(←ɔi^{53})p^{h}au^{21}! | 就～子正，莫分箇一条又割嘿哩咯，莫分箇蔸，箇蔸又秧苗割嘿哩咯。ts^{h}iəu$^{53}_{44}$xau^{21}sien^{35}tsʅ^{0} tʂaŋ$^{53}_{44}$,mɔk^{5} pən$^{35}_{44}$kai^{53}iet^{3} t^{h}iau^{13}iəu$^{53}_{44}$kɔit^{3} (x)ek^{3} li^{0} ko^{0} ,mɔk^{5} pən^{35}kai^{53}tei^{35}, kai^{35}tei^{35}iəu$^{53}_{44}$iɔŋ^{35}miau$^{13}_{21}$kɔit^{3} xek^{3} li^{0} ko^{0} .

【好食$_{1}$】xau^{21}ʂət^{5} 形好吃；味美；可口：（柳条红）比硇叽红～滴子。/欸，比硇叽红更～。pi^{21}ləu^{35}ci$^{35}_{44}$fəŋ^{13}xau^{21}ʂət^{5} tiet^{5} tsʅ^{0} ./e$_{21}$,pi^{21}ləu^{35}ci$^{35}_{44}$fəŋ^{13}cien$^{53}_{44}$xau^{21}ʂət^{5} .

【好事】xau^{21}sʅ^{53} 名喜庆之事：屋下有么个～，就要整……安做整酒。uk^{3} xa$^{53}_{44}$iəu$^{35}_{44}$mak^{3} ke$^{53}_{44}$xau^{21} sʅ^{53},ts^{h}iəu$^{53}_{44}$ɔi$^{53}_{44}$tʂaŋ^{21}⋯ɔn$^{35}_{44}$tso^{53}tʂaŋ^{21}tsiəu^{21}.

【好事成双】xau^{21}sɿ^{53}tʂʰən$^{13}_{21}$sɔŋ^{35} 好事往往配成一对：～，一般就两只。xau^{21}sɿ^{53}tʂʰən$^{13}_{21}$sɔŋ^{35},iet^{3} pɔn^{35}tsʰiəu^{53}iɔŋ^{21}tʂak^{3}.

【好受】xau^{21}ʂəu^{53} [形]舒服：我觉得啊多食小菜呀人都更～。多食小菜，食清淡，人更～。食多哩油，肥□□哩个东西，唔舒服唔～。ŋai^{13}kɔk^{3} tek^{3} a^{0} to^{35}ʂət^{5} siau^{21}tsʰɔi^{53}ia^{0}ɲin^{13}təu$^{35}_{44}$cien^{53}xau^{21} ʂəu^{53}.to^{35}ʂət^{5} siau^{21}tsʰɔi^{53},ʂət^{5} tsʰin^{35}tʰan^{53}, ɲin$^{13}_{21}$cien$^{53}_{44}$xau^{21}ʂəu^{53}.ʂət^{5} to^{35}li^{0} iəu^{13},pʰi^{13}tʂa$^{13}_{44}$tʂa$^{13}_{44}$li^{0} ke^{0} təŋ$^{35}_{44}$si^{0},n̩$^{13}_{21}$ ʂʮ$^{35}_{44}$fuk^{5} n̩$^{13}_{21}$xau^{21}ʂəu^{53}.

【好死】xau^{21}si^{21} [动]指人善终：还有只破落户就箇冇咁惨箇只人。箇渠更好，渠还做哩兜子事，渠为老家还修哩下子路箇兜。欸，渠也唔知哪映来个钱，渠等话么个渠爷子手里嘞欸系只国民党个军官，渠个阿公啊留倒蛮多金银财宝箇兜。箇个七八十年代个时候子，嗬，箇街上都一路个铺子都渠个咯，欸，做一路个铺子咯。落尾卖净哩啊，以人也死咁哩啊以下就，以下赖子呃冇得赖子，就系两只妹子啊么个吧。一只老婆也唔知哪去哩。以个尽兜都话箇也冇得哩，咁个冇得哩。渠自家也赠得～嘞，自家嘞得癌症死嘿哩嘞，五十几子就死嘿哩，五十几岁子吧。xai$^{13}_{21}$iəu$^{35}_{53}$tʂak^{3} pʰo^{53}lɔk^{5} fu^{53}tsʰiəu$^{53}_{44}$kai^{53}mau^{13}kan^{21}tsʰan^{21}kai^{53}tʂak^{3}ɲin^{13}.kai^{53}ci^{13}cien^{53}xau^{21},ci$^{13}_{21}$ xai^{13}tso^{53}li^{0} tei$^{35}_{53}$tsɿ^{0} sɿ^{53},ci^{13}uei^{53}lau^{21}cia$^{35}_{44}$xai$^{13}_{21}$siəu$^{35}_{44}$li^{0} xa$^{53}_{21}$tsɿ^{0} ləu^{53}kai$^{53}_{44}$te$^{35}_{44}$.e$_{21}$,ci$^{13}_{21}$ia$^{35}_{44}$n̩$^{13}_{21}$ti$^{35}_{53}$lai^{53}iaŋ^{53}lɔi$^{13}_{21}$ke^{53} tsʰien$^{13}_{44}$,ci$^{13}_{21}$tien^{0} ua^{53}mak^{3} e^{0} ci$^{13}_{21}$ia^{13}tsɿ^{0} ʂəu^{21}li^{21}lei^{0} ei$_{21}$,xei^{53}tʂak^{3} kɔit^{3} min$^{13}_{21}$tɔŋ^{21}kei^{53}tʂən^{35}kɔn^{35},ci$^{13}_{21}$ke$^{53}_{21}$a^{35}kəŋ$^{35}_{53}$ ŋa^{0} liəu^{13}tau^{21}man$^{13}_{21}$to$^{35}_{53}$cin^{35}ɲin$^{13}_{21}$tsʰɔi^{13}pau^{21}kai$^{53}_{44}$te$^{35}_{53}$.kai^{53}ke^{53}tsʰiet^{3} pait^{3} ʂət^{5} ɲien$^{13}_{21}$tʰɔi$^{53}_{44}$(k)e^{0} ʂʅ^{13}xəu$^{53}_{44}$tsɿ^{0},xo$_{53}$, kai$^{53}_{44}$kai^{35}xɔŋ$^{53}_{44}$təu$^{35}_{44}$iet^{3} ləu^{53}ke$^{53}_{44}$pʰu^{53}tsɿ^{0} təu$^{35}_{44}$ci^{13}ke^{53}ko^{0},ei$_{21}$,tso^{53}(i)et^{3} ləu^{53}ke$^{53}_{44}$pʰu^{53}tsɿ^{0} ko^{0}.lɔk^{5} mi$^{35}_{44}$mai^{53} tsʰiaŋ^{53}li^{0} a^{0},i^{21}ɲin^{13}na$^{35}_{53}$si^{21}kan^{21}li^{0} a^{0} i^{21}xa^{53}tsʰiəu^{53},i^{21}xa$^{53}_{44}$lai^{53}tsɿ^{0} ə$_{21}$mau^{13}tek^{3} lai^{53}tsɿ^{0},tsʰiəu^{53}xei$^{53}_{44}$iɔŋ^{21}tʂak^{3} mɔi^{53}tsɿ^{0} a^{0} mak^{3} e^{0} pa^{0}.iet^{3} tʂak^{3} lau^{21}pʰo^{13}a$^{35}_{53}$n̩^{13}ti$^{35}_{53}$lai^{53}çi^{53}li^{0}.i$^{21}_{13}$ke^{0} tsʰin^{53}te$^{35}_{53}$təu$^{35}_{53}$ua^{53}kai$^{53}_{44}$ia^{35}mau^{13}tek^{3} li^{0},kan^{21}cie$^{53}_{21}$mau^{13}tek^{3}li^{0}.ci$^{13}_{21}$tsʰɿ^{35}ka$^{35}_{53}$a$^{35}_{53}$maŋ^{13}tek^{3} xau^{21}si^{21}lei^{0},tsʰɿ^{35}ka$^{35}_{44}$lei^{0} tek^{3} ŋai^{13}tʂən^{53}si^{21}xek^{3} li^{0} lei^{0},ŋ̍^{21} ʂət^{5} ci^{21}tsɿ^{0} tsʰiəu^{53}si^{21}xek^{3} li^{0},ŋ̍^{21}ʂət^{5} ci^{21}sɔi^{53}tsɿ^{0} pa^{0}.

【好像】xau^{21}tsʰiɔŋ^{53}/siɔŋ^{53} [副]表示不十分确定的感觉，相当于“似乎”：～本地人就话醒呢，我等唔讲醒。xau^{21}tsʰiɔŋ^{53}pɔn^{21}tʰi^{53}ɲin$^{13}_{21}$tsʰiəu$^{53}_{44}$ua$^{53}_{44}$ɲien^{53}nei^{0},ŋai$^{13}_{21}$tien^{0} ŋ̍$^{13}_{21}$kɔŋ^{21}ɲien^{53}.｜～系鸡啦恰就我等客家人个话法。xau^{21}tsʰiɔŋ$^{53}_{44}$xei$^{53}_{44}$cie^{35}la$^{53}_{35}$cʰia^{53}tsʰiəu$^{53}_{44}$ŋai$^{13}_{21}$tien^{0} kʰak^{3} ka$^{35}_{53}$ɲin$^{13}_{21}$kei$^{53}_{44}$ua^{53}fait^{3}.

【好笑】xau^{21}siau^{53} [形]可笑，引人发笑。也称“好笑子”：笑话就也安做讲只～个路子你听哩唠，～个事你听哩唠。siau^{53}fa^{53}tsʰiəu^{53}ia^{35}ɔn$^{35}_{44}$tso$^{53}_{44}$kɔŋ^{21}tʂak^{3} xau^{21}siau^{53}ke$^{53}_{44}$ləu^{53}tsɿ^{0} ɲi$^{13}_{21}$tʰaŋ$^{35}_{44}$li^{0} lau^{0},xau^{21}siau^{53}ke$^{53}_{44}$sɿ^{53}ɲi$^{13}_{21}$tʰaŋ$^{35}_{44}$li^{0} lau^{0}.｜箇是～子样个唠。kai$^{53}_{44}$ʂʅ$^{53}_{44}$xau^{21}siau^{53}tsɿ^{0} iɔŋ$^{53}_{44}$ke$^{53}_{44}$lau^{0}.

【号】xau^{53} [量]①种；类：渠指土辣椒就冇得箇～别么个话法。ci$^{13}_{21}$tsʰiəu$^{53}_{44}$mau$^{13}_{21}$tek^{3} kai$^{53}_{21}$xau$^{53}_{21}$pʰiet^{5} mak^{3} ke$^{53}_{44}$ua^{53}fait^{3}. ②放在数目字之后，表示次序或表示一个月里的日子：五～ ŋ̍^{21}xau^{53}

【好食$_{2}$】xau^{53}ʂət^{5} [动]爱吃；馋嘴：～唔怕裤罛湿。xau^{53}ʂət^{5} m̩$^{13}_{21}$pʰa$^{53}_{44}$fu^{53}lɔŋ^{53}ʂət^{3}.

【抲】kʰo^{35} [动]①挖（水沟）：一般都爱箇檐头沟嘞爱～深兜子。唔系是箇水会跌下墙脚上。iet^{3} pɔn^{35}təu$^{35}_{44}$ɔi^{53}kai^{53}ian^{13}tʰei$^{13}_{21}$kei$^{35}_{44}$lei^{0} ɔi$^{53}_{21}$kʰo^{35}tʂʰən^{35}te$^{35}_{53}$tsɿ^{0}.m̩^{13}pʰe^{53}ʂʅ$^{53}_{44}$kai$^{53}_{44}$ʂei^{21}uɔi^{53}tet^{3} (x)a^{53}tsʰiɔŋ^{13}ciɔk^{3} xɔŋ^{53}. ②使用镰铲的动作：土里～平下子。tʰəu^{21}li^{0} kʰo^{35}pʰiaŋ^{13}ŋa^{53}(←xa^{53})tsɿ^{0}.｜铲子～啊拢，咁子去～，斗只把咁子去～。铁锹咁子去铲。tsʰan^{21}tsɿ^{0} kʰo^{35}a^{0} ləŋ^{35},kan^{21}tsɿ^{0} çi$^{53}_{44}$kʰo^{35},tei^{53}tʂak^{3} pa^{53} kan^{21}tsɿ^{0} çi$^{53}_{44}$kʰo^{35}.tʰiet^{3} tsʰiau^{35}kan^{21}tsɿ^{0} çi$^{53}_{44}$tsʰan^{21}.

【呵】xo^{35} [动]哄；安抚并鼓励：箇细人子莫只讲骂哦，硬～下子渠。细人子唔听话，你只尽骂渠渠唔听嘞，爱～下子渠嘞。kai$^{53}_{44}$sei^{53}ɲin$^{13}_{21}$tsɿ^{0} mɔk^{5} tʂət^{3} kɔŋ^{21}ma^{53}o^{0}, ɲiaŋ^{53}xo^{35}xa^{53}tsɿ^{0} ci$^{13}_{44}$.sei^{53} ɲin$^{13}_{44}$tsɿ^{0} n̩^{13}tʰaŋ^{35}ua^{53}, ɲi^{13}tʂət^{3} tsʰin^{53}ma^{53}ci$^{13}_{21}$ci$^{13}_{21}$n̩^{13}tʰaŋ^{35}lei^{0},ɔi^{53}xo^{35}(x)a^{53}tsɿ^{0} ci$^{13}_{21}$lei^{0}.

【嗬哈】xo^{0} xa^{0} [助]用在句末，表示疑问语气：欸，让门以下冇么人用骨粉了～？e$_{44}$, ɲiɔŋ^{53} mən^{0} i^{21}xa^{53}mau$^{13}_{21}$mak^{3} in$^{13}_{44}$iəŋ^{53}kuət^{3} fən^{21}niau^{0} xo^{0} xa^{0}?

【嗬嗬】xo$_{53}$xo$_{53}$ [叹]表示恍然大悟并感到惊讶：～，难怪咁了！xo^{53}xo^{53},lan^{13}kuai$^{53}_{44}$kan^{21}liau^{0}!

【禾】uo^{13} [名]水稻：箇丘田就栽得七蔸～。kai$^{53}_{44}$cʰiəu$^{35}_{44}$tʰien$^{13}_{44}$tsiəu$^{53}_{44}$tsɔi^{35}tek^{3} tsʰiet^{3} tei^{35}uo^{13}.

【禾碧子】uo^{13}piet^{3} tsɿ^{0} [名]鸟名，形如麻雀，羽毛青灰色，个儿小，很多：有起安做～。iəu^{35} çi^{21}ɔn$^{35}_{44}$tso$^{53}_{44}$uo^{13}piet^{3} tsɿ^{0}.

【禾仓】uo^{13}tsʰɔŋ^{35} [名]谷仓，粮仓：（蜂桶）同箇乡下人个～样。tʰəŋ^{13}kai$^{53}_{44}$çiɔŋ^{35}xa$^{53}_{44}$ɲin$^{13}_{44}$ke$^{53}_{44}$uo^{13} tsʰɔŋ^{35}iɔŋ^{53}.

【禾刀子】uo^{13}tau^{35}tsɿ^{0} [名]用来收割水稻等的刀具。又称“禾镰”：割禾个～kɔit^{3} uo^{13}ke^{53}uo^{13}tau$^{35}_{44}$ tsɿ^{0}｜～锋利个东西，莫分细人子去搞，莫分细人子搞倒哩，硬会割手。uo^{13}tau$^{35}_{44}$tsɿ^{0} fəŋ^{35}li^{53}ke$^{53}_{21}$

təŋ$^{35}_{44}$si^{0},mɔk^{5} pən$^{35}_{53}$sei^{53}ɲin$^{13}_{21}$tsɿ^{0} cʰi$^{53}_{21}$kau^{21},mɔk^{5} pən$^{35}_{53}$sei^{53}ɲin$^{13}_{21}$tsɿ^{0} kau^{21}tau^{21}li^{0}, ɲiaŋ^{53}uɔi$^{53}_{44}$kɔit^{3} ʂəu^{21}.

【禾蔸】uo^{13}tei^{35} 名①水稻的根和靠近根的茎：从前作田是欸田里个～下个草嘞就爱除嘿去，就用脚去耘田。tsʰəŋ^{35}tsʰien^{13}tsɔk^{3} tʰien^{13}ʂʅ$^{53}_{44}$e$_{21}$ tʰien^{13}ni^{21}ke$^{53}_{44}$uo^{13}tei$^{35}_{44}$xa^{35}ke$^{53}_{44}$tsʰau^{21}le^{0} tsiəu^{53}ɔi^{53}tʂʰəu^{13} xek^{3}çi^{53},tsiəu^{53}iəŋ^{53}ciɔk^{3} çi$^{53}_{44}$in^{13}tʰien^{13}. ②特指禾茬，即水稻收割后留在田里的短茎和根：分箇只收个哩箇个～踩嘿去。pən^{35}kai$^{53}_{44}$tʂak^{3} ʂəu^{35}ke$^{53}_{21}$li^{0} kai$^{53}_{44}$ke$^{53}_{44}$uo^{13}tei$^{35}_{44}$tsʰai^{21}xek^{3} çi$^{53}_{44}$.

【禾蔸髻】uo^{13}təu^{35}老派/tei$^{35}_{44}$ci^{53} 名禾茬：分禾蔸挖起来，从箇割嘿哩个栏场到地泥下箇一段安做～。pən^{35}uo^{13}tei$^{35}_{44}$uait^{3} çi^{21}lɔi$^{13}_{44}$,tsʰəŋ^{13}kai$^{53}_{44}$kɔit^{3} (x)ek^{3} li^{0} ke^{53}lɔŋ$^{13}_{21}$tʂʰɔŋ$^{13}_{44}$tau^{53}tʰi^{53}lai$^{13}_{21}$xa^{35}kai$^{53}_{44}$iet^{3} tɔn^{53}ɔn$^{35}_{44}$ tso$^{53}_{44}$uo^{13}tei$^{35}_{44}$ci^{53}.

【禾杠】uo^{13}kɔŋ^{53} 名两头削尖的长竹杠，用于挑成捆的柴火：还有嘞，欸，担柴个，一把岔柴，你晓得箇只柴吗？就捆，捆倒咁长啊，系唔系啊？捆渠几下。箇就拿条竹子，拿条箇竹子，以只竹子欸，以边削尖来，以边嘞削尖来，咁子插下进去。箇就安做～。到岭上斫柴嘞。唔劈开来，欸，圆个，圆竹子。但是两头削成尖个。渠就好插下箇柴肚箇里去啊。啊比较长，有人咁长。因为箇只柴比较大呀，比较大一把。xai^{13}iəu$^{35}_{53}$le^{0},e$_{44}$,tan^{35}tsʰai^{13}ke^{53},iet^{3} pa^{21}tsʰa^{53}tsʰai^{13}, ɲi$^{13}_{21}$çiau^{21}tek^{3} kai$^{53}_{44}$tsʰak^{5} tsʰai$^{13}_{44}$ma^{0} ?tsʰiəu^{53}kʰuən^{21},kʰuən^{21}tau^{21}kan^{21}tʂʰɔŋ^{13}ŋa^{0},xei$^{53}_{44}$me$^{53}_{44}$a^{0} ?kʰuən^{21}ci$^{13}_{21}$ci^{21} xa^{53}.kai$^{53}_{44}$tsʰiəu$^{53}_{44}$u^{21}tʰiau^{13}tʂəuk^{3} tsɿ^{0} ,u^{21}tʰiau^{13}(k)ai$^{53}_{44}$tʂəuk^{3} tsɿ^{0} ,iak^{3} (←i^{21}tʂak^{3})tʂəuk^{3} tsɿ^{0} ei^{0} ,i^{21}pien$^{35}_{44}$siɔk^{3} tsian^{35}nɔi$^{13}_{21}$,i^{21}pien$^{35}_{44}$ne^{0} siɔk^{3} tsian$^{35}_{44}$nɔi$^{13}_{21}$,kan^{21}tsɿ^{0} tsʰait^{3} (x)a^{53}tsin$^{53}_{44}$çi$^{53}_{44}$.kai^{53}tsʰiəu$^{53}_{44}$ɔn$^{35}_{44}$tso$^{53}_{44}$uo^{13}kɔŋ^{53}.tau$^{53}_{44}$ liaŋ^{35}xɔŋ$^{53}_{44}$tʂɔk^{3} tsʰai^{13}lei^{0} .m̩^{13}pʰiak^{3} kʰɔi$^{35}_{44}$lɔi$^{13}_{21}$,e$_{21}$,ien^{13}cie^{53},ien^{13}tʂəuk^{3} tsɿ^{0} .tan^{53}ʂʅ^{53}iəŋ^{21}tʰei^{13}siɔk^{3} ʂaŋ$^{13}_{44}$tsian^{35} cie$^{53}_{44}$.ci^{13}tsʰiəu^{53}xau^{21}tsʰait^{3} (x)a$^{53}_{44}$kai^{53}tsʰai^{13}təu^{21}kai$^{53}_{21}$li^{0} çi^{53}a^{0} .a^{0} pi^{21}ciau^{53}tʂʰɔŋ^{13},iəu$^{35}_{53}$ɲin^{13}kan^{21}tʂʰɔŋ^{13}.in$^{35}_{44}$ uei$^{53}_{21}$kai$^{53}_{44}$tsʰak^{5} tsʰai$^{13}_{44}$pi^{21}ciau$^{53}_{44}$tʰai^{53}ia^{0} ,pi^{21}ciau$^{53}_{44}$tʰai^{53}iet^{3} pa^{21}.

【禾高笋】uo$^{13}_{21}$kau$^{35}_{44}$sən^{21} 名茭白。又称"高笋"：安做～呢。～就安做茭白。～，又安做高笋。/两只喊法都有个。一只就喊高笋，一只就喊～。/喊～个多。ɔn$^{35}_{44}$tso$^{53}_{44}$uo$^{13}_{21}$kau$^{35}_{44}$sən^{21}nei^{0} .uo^{13} kau$^{35}_{44}$sən^{21}tsʰiəu$^{53}_{44}$ɔn$^{35}_{44}$tso$^{53}_{44}$ciau^{35}pʰak^{5} .uo^{13}kau$^{35}_{44}$sən^{21},iəu$^{53}_{21}$ɔn$^{35}_{44}$tso$^{53}_{44}$kau$^{35}_{44}$sən^{21}./iɔŋ^{21}tʂak^{3} xan^{53}fait^{3} təu$^{35}_{44}$iəu$^{35}_{44}$ ke$^{53}_{44}$.iet^{3} tʂak^{3} tsiəu$^{53}_{21}$xan^{53}kau^{35}sən^{21},iet^{3} tʂak^{3} tsiəu$^{53}_{21}$xan^{53}uo^{13}kau^{35}sən^{21}./xan^{53}uo^{13}kau$^{35}_{44}$sən^{21}ke$^{53}_{21}$to^{35}.

【禾筋】uo^{13}cin^{35} 名禾苗的根部：去禾秧个～上蘸滴子骨头粉。çi^{53}uo^{13}iəŋ$^{35}_{44}$ke$^{53}_{44}$uo^{13}cin^{35}xɔŋ^{53}tsian^{21} tiet^{5} tsɿ^{0} kuət^{3} tʰei^{13}fən^{21}.

【禾镰子】uo^{13}lian^{13}tsɿ^{0} 名用来收割水稻等的刀具。又称"禾刀子"：欸，打禾了哇，家家都爱检查下子自家个～看下还用得吗，冇得哩系就爱买转去，唔好用就爱买一把。箇个东西有么人请人修整个，欸，箇个唔好用力就丢嘿去，冇么人整个。e$_{21}$,ta^{21}uo^{13}liau^{0} ua^{0} ,ka^{35}ka$^{35}_{44}$təu$^{35}_{44}$ɔi$^{53}_{44}$ cian^{21}tsʰa^{13}(x)a$^{53}_{44}$tsɿ^{0} tsʰɿ$^{13}_{44}$ka$^{35}_{44}$ke$^{53}_{44}$uo^{13}lian^{13}tsɿ^{0} kʰɔn^{53}na^{53}xai$^{13}_{21}$iəŋ^{53}tek^{3} ma^{0} ,mau^{13}tek^{3} li^{0} xei$^{53}_{44}$tsʰiəu$^{53}_{44}$ɔi$^{53}_{44}$mai^{35} tʂuən^{21}çi^{53},n̩^{13}xau^{21}iəŋ^{53}tsʰiəu^{53}ɔi^{53}mai^{35}iet^{3} pa^{21}.kai^{53}ke^{53}təŋ$^{35}_{44}$si^{0} mau^{13}mak^{3} in$^{13}_{44}$tsʰiaŋ^{21}ɲin^{13}siəu^{35}tʂaŋ^{21} ke^{53},e$_{21}$,kai$^{53}_{44}$ke^{53}n̩^{13}xau^{21}iəŋ^{53}li^{0} tsʰiəu^{53}tiəu^{35}(x)ek^{3} çi^{53},mau$^{13}_{21}$mak^{3} in$^{13}_{44}$tʂaŋ^{21}ke^{53}.

【禾镰铁】uo^{13}lian^{13}tʰiet^{3} 名胰脏的俗称：猪子身上箇条胰脏啊安做～。tʂəu^{35}tsɿ^{0} ʂən$^{35}_{44}$xɔŋ$^{53}_{44}$kai^{53} tʰiau$^{13}_{44}$i^{13}tsʰɔŋ^{53}ŋa^{0} ɔn$^{35}_{44}$tso^{53}uo$^{13}_{44}$lian$^{13}_{44}$tʰiet^{3} .

【禾苗龙】uo^{13}miau^{13}liəŋ^{13} 名旧时的耍龙活动，意在为农田治虫：还有～啊。打龙是还有起打～啊。以前冇得农药吵，田里会生虫啊，就爱打～。我爷子讲过，我也只听渠讲过，赠见过。打～，嗯，一伴人，多多少少都做得，十个两十个都做得。一个人舞只子秆把，一个人舞只子秆把个噢，欸，舞只子秆把嘞，渠唔爱龙帐，唔限定龙布做得，舞条子身子缔倒，分你箇只秆把子撂我箇只秆把子。箇秆把子底下就舞条棍子撑倒，一个人撑只子箇秆把子。欸，以映舞只秆把，系唔系？舞只秆把。以只秆把撂你只……你只秆把撂我只秆把嘞舞条绳子缔稳下子，就咁个。欸，多多少少都做得，十个人也做得，两十个人也做得，一百人也做得，系唔系？跍倒箇墩里来跑。嗯。夜晡，跍倒箇墩里来游行示威样。安做打～。治虫啊，从前就就相信滴咁个。我都赠见过。xai$^{13}_{44}$iəu$^{35}_{53}$uo^{13}miau$^{13}_{44}$liəŋ$^{13}_{44}$ŋa^{0} .ta^{21}liəŋ^{13}ʂʅ$^{53}_{44}$xai$^{13}_{44}$iəu$^{35}_{53}$çi^{21}ta^{21}uo^{13}miau^{13} liəŋ^{13}ŋa^{0} .i$^{13}_{53}$tsʰien$^{13}_{21}$mau^{13}tek^{3} ləŋ^{13}iɔk^{5} ʂa^{0} ,tʰien^{13}ni$^{35}_{44}$uɔi^{53}saŋ$^{35}_{44}$tʂʰəŋ^{13}ŋa^{0} ,tsʰiəu^{53}ɔi^{53}ta^{21}uo^{13}miau^{13}liəŋ^{13}.ŋai$^{13}_{21}$ ia^{13}tsɿ^{0} kɔŋ^{21}ko^{53},ŋai^{13}ia$^{35}_{53}$tʂɿ^{21}tʰaŋ^{35}ci$^{13}_{21}$kɔŋ^{21}ko^{53},maŋ^{13}cien^{53}ko$^{53}_{44}$.ta^{21}uo^{13}miau^{13}liəŋ^{13},n̩$_{21}$,iet^{3} pʰon^{53}ɲin^{13},to^{35}to^{35} ʂau^{21}ʂau^{21}təu^{35}tso^{53}tek^{3},ʂət^{5} cie$^{53}_{44}$iəŋ^{21}ʂət^{5} cie$^{53}_{44}$təu$^{35}_{44}$tso^{53}tek^{3} .iet^{3} ke^{53}ɲin$^{13}_{44}$u^{21}tʂak^{3} tsɿ^{0} kɔn^{21}pa^{21},iet^{3} ke^{53}in$^{13}_{44}$u^{21} tʂak^{3} tsɿ^{0} kɔn^{21}pa^{21}kau^{0} ,e$_{21}$,u^{21}(tʂ)ak^{3} tsɿ^{0} kɔn^{21}pa^{21}le^{0} ,ci$^{13}_{21}$m̩^{13}mɔi^{53}liəŋ^{13}pʰi^{35},n̩^{13}kʰan$^{53}_{44}$tʰiaŋ^{53}liəŋ^{13}pu^{53}tso^{53} tek^{3},u^{21}tʰiau$^{13}_{44}$tsɿ^{0} ʂən^{13}tsɿ^{0} tʰak^{3} tau^{21},pən^{35}ɲi^{13}kai^{53}tʂak^{3} kɔn^{21}pa^{21}tsɿ^{0} lau$^{35}_{44}$ŋai^{13}kai^{53}tʂak^{3} kɔn^{21}pa^{21}tsɿ^{0} .kai^{53} kɔn^{21}pa^{21}tsɿ^{0} tei^{21}xa^{53}tsʰiəu^{53}u^{21}tʰiau^{13}kuən^{53}tsɿ^{0} tsʰaŋ^{53}tau^{21},iet^{3} ke^{53}ɲin$^{13}_{44}$tsʰaŋ^{53}tʂak^{3} tsɿ^{0} kai^{53}kɔn^{21}pa^{21}tsɿ^{0} .e$_{21}$,i^{13}

iaŋ53u21tʂak3kɔn21pa21,xei53me53?u21(tʂ)ak3kɔn21pa21.i21tʂak3kɔn21pa21lau35ɲi13tʂak3…ɲi13tʂak3kɔn21pa21lau35/53 ŋai13tʂak3kɔn21pa21lei0u21tʰiau13ʂən13tsɿ0tʰak3uən21xa53tsɿ0,tsʰiəu53kan21cie53.e21,to35to35ʂau21ʂau21təu35tso53 tek3,ʂət5cie53ɲin13a35tso53tek3,iɔŋ21ʂət5cie53ɲin13a35tso53tek3,iet3pak3ɲin13na35/44tso53tek3,xei53me53?kʰu35tau21/44 kai53/44tʰɔn53ni35/44lɔi13/44pʰau21.n̩21.ia53pu35/44,kʰu35/44tau21/44kai53/44tʰɔn53ni35/44lɔi13/44iəu13çin13ʂɿ53uei35iɔŋ53.ɔn35/44tso35/44ta21uo13miau13 liɔŋ13.tʂʰɿ53tʂʰəŋ13ŋa0,tsʰəŋ13tsʰien13tsʰiəu53/44tsiəu53/44siɔŋ35sin53tet5kan21/13cie53.ŋai13təu35/53maŋ13cien53/44ko53/44.

【禾坪】uo13pʰiaŋ13 名农村的一种类似广场的空地，平时主要用于休闲，夏天可以在上面乘凉，农忙时节可用于晒稻谷等：你就分箇只牌位请倒……欸，放～前口，请下子，嘴里请下子。ɲi13tsʰiəu53pən35kai53/21tʂak3pʰai13/21uei53/44tsʰiaŋ21tau21…e21,fɔŋ53uo13/21pʰiaŋ13/21tsʰien13xei21,tsʰiaŋ21ŋa53(←xa53)tsɿ0, tʂɔi53li0tsʰiaŋ21ŋa53(←xa53)tsɿ0.｜以咁子待倒～。i21kan21tsɿ0cʰi35tau21uo13pʰiaŋ13/44.

【禾坪头】uo13pʰiaŋ13tʰei13 名禾坪的俗称：坐下～ tsʰo35a35uo13pʰiaŋ13tʰei13

【禾坪下】u13pʰiaŋ13/21xa35 名禾坪的俗称：渠省子去外背～一眼就看得肚里倒。ci13saŋ21tsɿ0çi53ŋɔi53 pɔi53/44u13pʰiaŋ13/21xa35iet3ŋan21tsʰiəu53/44kʰɔn53tek3təu21li0tau21.

【禾笋】uo13sən21 名禾茬上新发的苗：～就系割嘿哩禾以后，禾蔸髻上绽起来个笋就安做～。以映有人放势去研究箇个咯再生稻咯。渠想欸在箇只禾蔸髻上嘞又绽起笋来嘞，渠下兜子肥子以后嘞又……箇唔系栽都唔爱栽过了，系唔系？又能够欸收一到。但是现在好像冇么个蛮成功。产量让门都唔高，箇到哩。uo13sən21tsʰiəu53xei53kɔit3(x)ek3li0uo13i35/44xei53,uo13tei35/44ci53xɔŋ53 tsʰan53çi21lɔi13ke53sən21tsʰiəu53ɔn35/53tso53uo13sən21.i21iaŋ53iəu35ɲin13xɔŋ53ʂɿ53çi53ɲien35ciəu35/44kai53ke0ko0tsai53sen35/44 tʰau53ko0.ci13siɔŋ21ŋe0tsʰai53/44kai53/44tʂak3uo13tei35ci53xɔŋ53/44le0iəu53tsʰan53çi21sən21nɔi13/21lei0,ci13xa35tei35/53tsɿ0pʰi13tsɿ0 i35/44xei53/44lei0iəu53…kai53/44m̩13/44pʰei53/44tsɔi35təu35/53m̩13/21mɔi53/44tsɔi35/44ko53liau21,xei53me53?iəu53len13/21ciau53/44e21ʂəu35iet3 tau53.tan53/21ʂɿ53/21çien53tsʰai53xau21tsʰiɔŋ53mau13mak3e0man13tʂʰən13/21kɔŋ35.tsʰan21liɔŋ53/44ɲiɔŋ53mən13/44təu35/44n̩13/21 kau35/44,kai53/44tau53/44li0.

【禾田】uo13tʰien13 名稻田：～里栽豌豆子都栽得啊。uo13tʰien13li0tsɔi35uan35tʰəu53/44tsɿ0təu35/44tsɔi35 tek3a0.

【禾桶】uo13tʰəŋ21 名用以打稻脱粒的木桶：要攞还有～，攞只～，/就分渠围起来。iau53/44u21xa13/21 iəu13/44uo13tʰəŋ21,u21tʂak3uo13tʰəŋ21,/tsiəu53/44pən35/44ci13/44uei13çi21lɔi13.

【禾线子】uo13sien53tsɿ0 名稻穗：箇个田里个禾啊勾哩头了哇，箇～勾哩头了哇，箇就易得打得禾了，欸，就打禾箇易得就会打了。kai53ke53tʰien13/21ni0ke53uo13a0kei35li0tʰei13liau21/44ua0,kai53/44uo13 sien53tsɿ0kei35li0tʰei13liau21/44ua0,kai53tsʰiəu53/44i35tek3ta21tek3uo13liau0,e53,tsʰiəu53ta21uo13kai53/44i35tek3tsʰiəu53/44uɔi53/44 tau53liau0.｜如今收割机打个禾嘞田里蛮多～捡，有～捡，欸。我老妹子是渠有么个事渠去捡呢，一年渠也捡几十斤谷啊。捡倒归来，槌倒就有谷嘞。捡得几十斤百把斤谷倒。箇～。欸，用箇个用打谷机打个用禾刀子割个嘞，箇就冇么个捡，有么个～捡。收割机搞个就，如今都系收割机打禾唠。i13/21cin35/44ʂəu35kɔk3ci35ta21ke53uo13lei0tʰien13ni0man13to35uo13sien53tsɿ0cian21,iəu53uo13 sien53tsɿ0cian21,e21.ŋai13lau21mɔi53tsɿ0ʂɿ53/44ci13/44mau13/21mak3e0sɿ53ci13çi53cian21ne0,iet3ɲien13/21ci13/21ia35/53cian21ci21ʂət5 cin35/44kuk3a0.cian21tau21kuei35lɔi13/21,tʂʰei13tau21tsʰiəu53iəu35/53kuk3le0.cian21tek3ci21ʂət5cin35/44pak3pa21cin35kuk3 tau21/44.kai53/44uo13sien53tsɿ0.e21,iɔŋ53kai53/44kei53/44iɔŋ53ta21kuk3ci35ta21kei53iɔŋ53uo13tau35/44tsɿ0kɔit3ke53/44lei0,kai53tsʰiəu53 mau13/21mak3e0cian21,mau13/21mak3e0uo13sien53tsɿ0cian21.ʂəu35kɔk3ci35kau21ke53/44tsʰiəu53/44,i13/21cin35/44təu35xe53/44ʂəu35/44kɔk3 ci35ta21uo13lau0.

【禾秧】uo13iɔŋ35 名水稻的秧苗：去栽禾个时候子嘞箇个～嘞打唔到，箇时候子嘞就攞只拖斗。çi53tsɔi35uo13ke53/44ʂɿ13xei53/44tsɿ0lei0kai53/44ke53/44uo13iɔŋ35/44lei0ta21n̩13tau53,kai53/44ʂɿ13/44xei53/44tsɿ0lei0tsʰiəu53/44u21tʂak3tʰo35tei21.

【禾秧把】uo13iɔŋ35pa21 名扎成小把的水稻秧苗：扯禾秧个时候子，手扯倒以后，扯哩一掐禾秧以后，用箇个呢用箇个欸嗯缔秧个东西呢，一般缔秧个东西两只，一只就系棕叶，还有只嘞就系么个嘞？欸，撕正个棕叶，还有只撕个箬壳，欸箬壳子去缔稳来。箇个就安做～。tʂʰa21uo13iɔŋ35ŋe0ʂɿ13xei53tsɿ0,ʂəu21tʂʰa21tau21i35xei53,tʂʰa21li0iet3kʰa35uo13iɔŋ35i35/44xei53/44,iɔŋ53kai53/44ke53/44nei0iɔŋ53 kai53/44ke53/44e44n̩44tʰak3iɔŋ35ke53təŋ35/44si0nei0,iet3pɔn35tʰak3iɔŋ35/44ke53/44təŋ35/44si0iɔŋ21tʂak3,iet3tʂak3tsiəu53xei53tsəŋ35 iait5/3,xai13iəu35/53tʂak3lei0tsʰiəu53xei53mak3e0lei0?e21,si35tʂaŋ53/21ke0tsəŋ35iait5,xai13/21iəu53tʂak3si35ke53ɲiɔk3kʰɔk3, ei53ɲiɔk3kʰɔk3tsɿ0çi53tʰak3uən21nɔi13.kai53/44ke53/44tsʰiəu53/44ɔn35/44tso53/44uo13iɔŋ35pa21.

【禾衣】uo13i35 名稻草外层的叶子：～呀。/外边个叶子就喊～。/就衣……着个衫样。uo13i35 ia0./ŋɔi53pien35/44ke53/44iait5tsɿ0tsʰiəu53/44xan53uo13i35./tsʰiəu53/44i35…tʂɔk3ke53san35iɔŋ53.

【禾衣刀子】uo$^{13}_{21}$i$^{35}_{44}$tau^{35}tsɿ^{0} 名 剔除禾衣的刀子：割下箇早禾以后，箇丫禾就舞张～去剔。kɔit^{3}(x)a^{3}kai$^{53}_{44}$tsau^{21}uo^{13}i^{35}xei$^{53}_{21}$,kai$^{53}_{44}$a^{35}uo$^{13}_{44}$ts^{h}iəu$^{53}_{44}$u^{21}tʂɔŋ^{35}uo$^{13}_{21}$i$^{35}_{44}$tau^{35}tsɿ^{0}çi$^{53}_{44}$t^{h}iait^{5}.

【禾籽】uo^{13}tsɿ^{21} 名 稻种：曳(播撒)～ iet^{5}uo^{13}tsɿ^{21}

【合】xɔit^{5} 动 ①闭，对拢：系唔系会～起来唠箇叶子啊？xe^{53}mie$^{53}_{44}$uɔi$^{53}_{44}$xɔit^{5}çi^{21}lɔi$^{13}_{21}$lau^{0}kai$^{53}_{44}$iait$^{5}_{3}$tsa^{0}？②符合，协和，不违背，不冲突：两个爱～得箇只节奏咯打倒（钞）咯。iɔŋ^{21}ke$^{53}_{44}$ɔi$^{53}_{44}$xɔit^{5}tek^{3}kai$^{53}_{21}$tʂak^{3}tsiet^{3}tsei^{53}ko^{0}ta^{21}tau^{21}ko^{0}.｜生庚看下～得吗两个人生庚，看下，驳庚书。sen^{35}cien$^{35}_{44}$k^{h}ɔn$^{53}_{44}$na$_{44}$(←xa^{53})xɔit^{5}tek^{3}ma^{0}iɔŋ^{21}ke^{53}in$^{13}_{21}$sen^{35}cien$^{35}_{44}$,k^{h}ɔn$^{53}_{44}$na$_{44}$(←xa^{53}),pɔk^{3}kaŋ^{35}ʂəu$^{35}_{44}$.

【合八字】xait^{5}pait^{3}sɿ^{53}/ts^{h}ɿ^{53} 请算命先生看男女双方八字是否冲突：驳庚书以前个事了。驳庚书我唔晓让门驳。大概嘞驳庚书更正式滴子。以个就有得咁箇个，欸，以个就非正式个。有滴丈人婏渠是……渠……有滴就男方个婏子，有滴就女方个丈人婏呀，渠硬爱去，去接，问倒八字来，问倒时生月日来呀，合下子八字啊，看下合得吗。……一般想愿意去搞下子个，渠就系有滴子么个嘞，有几种咁个情况：一种嘞就系嘞箇个人喜欢搞下子咁个个人，讲究个人。如今我个新舅来哩，我问也都唔爱，我就唔去就。欸箇是一只。第二只嘞，大人唔多满意个。渠两个人，如今是都系自由恋爱吵，系唔系？渠两个人呢，都蛮合适样，但是大人呢，觉得唔多愿意个。箇我就来问下子，来合下子八字看下合得吗。硬系合唔得嘞就硬会岔嘿嘞，渠就硬会岔嘿。pɔk^{3}kaŋ^{35}ʂəu$^{35}_{44}$i$^{35}_{44}$ts^{h}ien$^{13}_{21}$ke$^{53}_{44}$sɿ^{53}liau^{0}.pɔk^{3}kaŋ^{35}ʂəu$^{35}_{44}$ŋai$^{13}_{21}$ŋ̍^{13}çiau^{21}ɲiɔŋ^{53}mən^{0}pɔk^{3}.t^{h}ai^{53}k^{h}ai^{53}lei^{0}pɔk^{3}kaŋ^{35}ʂəu$^{35}_{44}$cien$^{35}_{44}$tʂən^{53}ʂɿ^{53}tiet^{5}tsɿ^{0}.i^{21}ke^{53}ts^{h}iəu^{53}mau^{13}tek^{3}kan^{21}kai$^{53}_{44}$cie$^{53}_{44}$,e$_{21}$,i^{21}ke^{53}ts^{h}iəu^{53}fei^{35}tʂən^{53}ʂɿ$^{53}_{44}$ke$^{53}_{44}$.iəu^{35}tet$^{5}_{3}$tʂ^{h}ɔŋ$^{53}_{44}$in$^{13}_{44}$ɔi^{35}ci$^{13}_{44}$ʂɿ$^{13}_{44}$⋯ci$^{13}_{44}$⋯iəu^{35}tet$^{5}_{3}$ts^{h}iəu$^{53}_{44}$lan^{13}fɔŋ$^{35}_{44}$ke$^{53}_{44}$ɔi^{35}tsɿ^{0},iəu^{35}tet$^{5}_{3}$ts^{h}iəu$^{53}_{44}$ny^{21}fɔŋ$^{35}_{44}$ke$^{53}_{44}$tʂ^{h}ɔŋ$^{53}_{44}$in$^{13}_{44}$ɔi^{35}ia^{0},ci^{13}ɲiaŋ^{53}ɔi$^{53}_{44}$çi^{53},çi^{53}tsiet^{3},uən^{53}tau^{21}pait^{3}sɿ^{53}lɔi$^{13}_{21}$,uən^{53}tau^{21}ʂɿ^{13}saŋ$^{35}_{44}$ɲiet^{5}ɲiet^{3}lɔi$^{13}_{21}$ia^{0},xait^{5}(x)a$^{53}_{44}$tsɿ^{0}pait^{3}sɿ$^{53}_{44}$a^{0},k^{h}ɔn$^{53}_{44}$na$_{44}$(←xa^{53})xait^{5}tek^{3}ma^{0}.⋯iet^{3}pɔn^{35}siɔŋ^{21}vien^{53}i$^{35}_{44}$çi$^{53}_{44}$kau^{21}ua$_{44}$(←xa^{53})tsɿ^{0}ke^{53},ci^{13}ts^{h}iəu$^{53}_{44}$xei$^{53}_{44}$iəu^{35}tiet^{5}tsɿ^{0}mak^{3}ke$^{53}_{44}$le^{0},iəu^{35}ci^{21}tʂəŋ^{21}kan^{21}ke^{53}ts^{h}in$^{13}_{21}$k^{h}ɔŋ$^{53}_{44}$:iet^{3}tʂəŋ^{21}lei^{0}ts^{h}iəu^{53}xei$^{53}_{44}$lei^{0}kai^{53}ke^{53}ɲin^{13}çi^{21}fən^{35}kau^{21}ua$_{44}$(←xa^{53})tsɿ^{0}kan^{21}ke^{53}ke^{53}ɲin$^{13}_{44}$,kɔŋ^{21}ciəu^{53}ke^{53}ɲin$^{13}_{44}$.i$^{35}_{21}$cin$^{35}_{53}$ŋai^{13}ke$^{53}_{44}$sin^{35}c^{h}iəu$^{35}_{44}$lɔi$^{13}_{44}$li^{0},ŋai^{13}uən^{53}ia$^{35}_{21}$təu$^{35}_{44}$m̩$^{13}_{21}$uɔi^{53},ŋai^{13}ts^{h}iəu^{53}n̩$^{13}_{21}$çi^{53}ts^{h}iəu$^{53}_{21}$.e^{0}kai^{53}ʂɿ^{53}iet^{3}tʂak^{3}.t^{h}i$^{53}_{44}$ɲi^{53}tʂak^{3}lei^{0},t^{h}ai^{53}ɲin$^{13}_{21}$n̩^{13}to$^{35}_{44}$mən^{35}i^{53}ke$^{53}_{44}$.ci^{13}iɔŋ^{21}ke^{53}ɲin$^{13}_{21}$,i$^{13}_{21}$cin$^{35}_{44}$ʂɿ$^{53}_{44}$təu$^{35}_{44}$xe$^{53}_{44}$ts^{h}ɿ^{13}iəu^{13}lien^{53}ŋai^{53}ʂa^{0},xei$^{53}_{44}$me^{0}?ci^{13}iɔŋ^{21}ke^{53}ɲin$^{13}_{21}$ne^{0},təu^{35}man$^{13}_{21}$xɔit^{5}ʂɿ^{53}iɔŋ$^{53}_{44}$,tan$^{53}_{44}$ʂɿ$^{53}_{44}$t^{h}ai^{53}ɲin$^{13}_{21}$ne^{0},kɔk^{3}tek^{3}n̩$^{13}_{21}$to$^{35}_{44}$ɲien^{53}i^{53}ke$^{53}_{21}$.kai$^{53}_{44}$ŋai$^{13}_{21}$ts^{h}iəu^{53}lɔi$^{13}_{21}$uən^{53}na^{53}(←xa^{53})tsɿ^{0},lɔi$^{13}_{21}$xait^{5}(x)a$^{53}_{44}$tsɿ^{0}pait^{3}ts^{h}ɿ$^{53}_{44}$k^{h}ɔn$^{53}_{44}$na$_{44}$(←xa^{53})xɔit^{5}tek^{3}ma^{0}.ɲiaŋ^{53}xe$^{53}_{44}$xɔit^{5}n̩$^{13}_{21}$tek^{3}le^{0}ts^{h}iəu$^{53}_{44}$ɲiaŋ$^{53}_{44}$uɔi$^{53}_{44}$ts^{h}a^{53}xek^{3}le^{0},ci$^{13}_{21}$ts^{h}iəu$^{53}_{44}$ɲiaŋ^{53}uɔi$^{53}_{44}$ts^{h}a^{53}xek^{3}.

【合黄道】xɔit^{5}uɔŋ^{13}t^{h}au^{53} 墓碑中间一列的字数要合乎大、小黄道的要求：我个岳父岳母嘞八几年就死嘿哩，八十年代呀。我丈人婏是八零年死个。我用客家同你讲啊，哈？我丈人爷嘞就八四年死个。到哩九几年就爱捡地吧，系唔系？爱葬地呀。十多年以后就捡起来哩啊，爱重新葬过。我阿舅子等人呢就都冇文化，都搞唔清。渠话箇是爱搞块子碑石去。搞做合葬了。渠话箇碑石子你去搞嘞，就爱我搞咯。我阿舅子等就话箇你去搞。箇咁个易得嘞，欸，搞块碑石。我同渠写。写倒就让门子刻，让门子写。以映箇阵子我要去啊上班咯，系唔系啊？我去啊教书咯。过哩蛮久了，葬都葬嘿了，葬地我𫠡去，我老婆去个。我有人工啊，爱上班呐。渠又𫠡搞到星期六，星期天呢，𫠡搞到双休日来搞。落尾渠等话我搞个要唔得，话我搞个碑石，我写箇个稿子要唔得话。我还心想，让门要唔得嘞？让门会要唔得嘞？我都照别人家箇咁子搞倒个搞，系唔系？搞正哩我正晓得，落尾有蛮久了我正晓得，𫠡合得黄道。就正先讲箇个黄道啊，𫠡合得黄道。箇只黄道嘞，就系箇碑石𢫫箇写牌位，箇中间箇一行关系到箇只亡人个名字个箇一行，箇字数有规定，爱～。黄道就有大黄道小黄道哇。ŋai^{13}ke^{53}iɔk^{5}fu$^{53}_{44}$iɔk^{5}mu^{35}lei^{0}pait^{3}ci^{21}ɲien^{13}ts^{h}iəu$^{53}_{44}$si^{21}(x)ek^{3}li^{0},pait^{3}ʂət^{5}ɲien$^{13}_{21}$t^{h}ɔi^{53}ia^{0}.ŋai^{13}tʂ^{h}ɔŋ$^{53}_{44}$in$^{13}_{21}$ɔi^{35}ʂɿ$^{53}_{44}$pait^{3}lin^{13}ɲien$^{13}_{21}$si^{21}ke^{53}.ŋai$^{13}_{21}$iɔŋ^{53}k^{h}ak^{3}ka$^{35}_{53}$t^{h}əŋ$^{13}_{21}$ɲi$^{13}_{21}$kɔŋ^{21}a^{0},xa$_{44}$?ŋai^{13}tʂ^{h}ɔŋ$^{53}_{44}$in$^{13}_{44}$ia$^{13}_{21}$lei^{0}ts^{h}iəu$^{53}_{44}$pait^{3}si^{53}ɲien$^{13}_{21}$si^{21}ke^{53}.tau^{53}li^{0}ciəu^{21}ci^{21}ɲien$^{13}_{44}$ts^{h}iəu$^{53}_{44}$ɔi$^{53}_{44}$cian^{21}t^{h}i^{53}pa^{0},xei$^{53}_{44}$me$^{53}_{44}$?ɔi$^{53}_{44}$tsɔŋ^{53}t^{h}i^{53}ia^{0}.ʂət^{5}to$^{35}_{44}$ɲien$^{13}_{21}$i$^{35}_{44}$xei$^{53}_{44}$ts^{h}iəu$^{53}_{44}$cian^{21}çi^{21}lɔi$^{13}_{21}$lia^{0},ɔi$^{53}_{44}$tʂ^{h}əŋ$^{13}_{21}$sin$^{35}_{44}$tsɔŋ^{53}ko$^{53}_{44}$.ŋai$^{13}_{21}$a^{35}c^{h}iəu^{35}tsɿ^{0}tən$^{21}_{35}$ɲin$^{13}_{21}$nei^{0}ts^{h}iəu$^{53}_{44}$təu^{35}mau$^{13}_{21}$uən^{13}fa^{53},təu^{35}kau^{21}n̩$^{13}_{21}$ts^{h}in$^{35}_{44}$.ci$^{13}_{21}$ua$^{53}_{44}$kai$^{53}_{44}$ʂɿ$^{53}_{44}$ɔi$^{53}_{44}$kau^{21}k^{h}uai^{53}tsɿ^{0}pi^{35}ʂak^{5}çi$^{53}_{44}$.kau^{21}tso$^{53}_{44}$xɔit^{5}tsɔŋ^{53}ɲiau^{0}.ci$^{13}_{21}$ua$^{53}_{44}$kai$^{53}_{44}$pi^{35}ʂak^{5}tsɿ^{0}ɲi^{13}çi^{53}kau^{21}le^{0},tsiəu$^{53}_{44}$ɔi^{53}ŋai^{13}kau^{21}ko^{0}.ŋa$^{13}_{21}$a^{35}c^{h}iəu$^{35}_{44}$tsɿ^{0}tən$^{21}_{35}$ts^{h}iəu$^{53}_{44}$ua$^{53}_{44}$kai$^{53}_{44}$ɲi^{13}çi$^{53}_{44}$kau^{21}.kai^{53}kan^{21}ke$^{53}_{44}$i^{35}tek^{3}le^{0},e$_{44}$,kau^{21}k^{h}uai$^{53}_{44}$pi^{35}ʂak^{5}.ŋai^{13}t^{h}əŋ$^{13}_{44}$ci$^{13}_{44}$sia^{21}.sia^{21}tau^{21}ts^{h}iəu$^{53}_{44}$ɲiɔŋ^{53}mən^{0}tsɿ^{0}k^{h}ek^{3}, ɲiɔŋ^{53}mən^{0}tsɿ^{0}sia^{21}.i^{21}iaŋ^{53}kai$^{53}_{44}$tʂ^{h}ən$^{53}_{44}$tsɿ^{0}ŋai^{13}iau^{53}çi$^{53}_{44}$a^{0}ʂɔŋ$^{53}_{44}$pan^{35}ko^{0},xei$^{53}_{44}$me$^{53}_{44}$a^{0}?ŋai$^{13}_{21}$çi$^{53}_{44}$a^{0}kau$^{53}_{44}$ʂəu^{35}ko^{0}.ko^{53}li^{0}man^{13}ciəu^{21}liau^{0},tsɔŋ^{53}təu$^{35}_{44}$tsɔŋ^{53}(x)ek^{3}liau^{0},tsɔŋ^{53}t^{h}i^{53}ŋai^{13}maŋ^{13}çi^{53},ŋai^{13}lau^{21}p^{h}o^{13}çi^{53}ke^{53}.ŋai^{13}mau$^{13}_{21}$ɲin^{13}(k)əŋ$^{35}_{44}$

ŋa^{0},ɔi$^{53}_{44}$ʂɔŋ$^{53}_{44}$pan^{35}na^{0}.ci$^{13}_{21}$iəu^{35}maŋ^{13}kau^{21}tau$^{53}_{44}$sin^{35}cʰi$^{13}_{21}$liəuk^{3},sin$^{35}_{44}$cʰi$^{13}_{21}$tʰien^{35}ne^{0},maŋ^{13}kau^{21}tau$^{53}_{44}$sɔŋ^{35}çiəu$^{35}_{44}$ ɲiet^{3}lɔi$^{13}_{21}$kau^{21}.lɔk$^{5}_{3}$mi$^{35}_{44}$ci$^{13}_{21}$tien^{0}ua^{53}ŋai$^{13}_{21}$kau^{21}ke$^{53}_{44}$iau^{53}ṇ$^{13}_{21}$tek$^{3}_{5}$,ua$^{53}_{44}$ŋai$^{13}_{21}$kau^{21}ke$^{53}_{44}$pi^{35}ʂak^{5},ŋai^{13}sia^{21}kai$^{53}_{44}$ke$^{53}_{44}$ kau^{21}tsɿ^{0}iau^{53}ṇ$^{13}_{21}$tek^{3}ua^{53}.ŋai$^{13}_{21}$xai$^{13}_{21}$sin$^{35}_{44}$siɔŋ$^{21}_{44}$, ɲiɔŋ^{53}mən^{0}iau^{53}ṇ$^{13}_{21}$tek$^{3}_{5}$lei^{0}?ɲiɔŋ^{53}mən^{0}uɔi$^{53}_{44}$iau^{53}ṇ$^{13}_{21}$tek$^{3}_{5}$ lei^{0}?ŋai^{13}təu$^{35}_{44}$tʂau^{53}pʰiet^{5}in$^{13}_{21}$ka$^{35}_{44}$kai$^{53}_{44}$kan^{21}tsɿ^{0}kau^{21}tau^{21}ke$^{53}_{44}$kau^{21},xei$^{53}_{44}$me$^{53}_{44}$?kau^{21}lan^{13}li^{0}ŋai$^{13}_{21}$tʂaŋ^{53}çiau^{21} tek^{3},lɔk^{5}mi$^{35}_{44}$iəu$^{35}_{44}$man^{13}ciəu^{21}liau^{0}ŋai$^{13}_{21}$tʂaŋ^{53}çiau^{21}tek^{3},maŋ^{13}xɔit^{5}tek^{3}uɔŋ^{13}tʰau^{53}.tsʰiəu$^{53}_{44}$tʂaŋ^{53}sien$^{35}_{44}$kɔŋ^{21} kai$^{53}_{44}$ke$^{53}_{44}$uɔŋ^{13}tʰau$^{53}_{44}$a^{0},maŋ^{13}xɔit^{5}tek^{3}uɔŋ^{13}tʰau$^{53}_{44}$.kai^{53}tʂak^{3}uɔŋ^{13}tʰau$^{53}_{44}$lei^{0},tsʰiəu$^{53}_{44}$xe$^{53}_{44}$kai$^{53}_{44}$pi^{35}ʂak^{5}lau^{35}kai$^{53}_{44}$ sia^{21}pʰai^{13}uei^{53},kai$^{53}_{44}$tʂəŋ^{35}kan$^{35}_{44}$kai^{53}iet^{3}xɔŋ^{13}kuan^{35}çi$^{53}_{44}$tau$^{53}_{44}$kai^{53}tʂak^{3}mɔŋ^{13}ɲin$^{13}_{21}$ke^{53}miaŋ^{13}tsʰɿ^{53}ke^{53}kai^{53}iet^{3} xɔŋ^{13},kai$^{53}_{44}$tsʰɿ^{53}səu^{35}iəu^{35}kuei$^{35}_{44}$tʰin^{53},ɔi$^{53}_{44}$xɔit^{5}uɔŋ^{13}tʰau$^{53}_{44}$.uɔŋ^{13}tʰau$^{53}_{44}$tsʰiəu$^{53}_{44}$iəu^{35}tʰai^{53}uɔŋ^{13}tʰau^{53}siau^{21}uɔŋ^{13} tʰau^{53}ua^{0}.

【合料】kait^{3}liau^{53} 动 制作棺材：做棺材就安做～。我合副料。tso^{53}kɔn^{35}tsʰɔi$^{13}_{21}$tsʰiəu$^{53}_{44}$ɔn$^{35}_{44}$tso$^{53}_{44}$kait^{3} liau^{53}.ŋai$^{13}_{21}$kait^{3}fu$^{53}_{44}$liau^{53}.

【合拢】xait^{5}/xɔit^{5}ləŋ^{35} 动 合到一起；闭合：有一树安做夜挂树，但是有得人观察箇个叶子是不是夜晡会～来。iəu^{35}iet^{3}ʂəu$^{53}_{44}$ɔn$^{35}_{44}$tso$^{53}_{44}$ia^{53}kua^{53}ʂəu^{53},tan^{53}ʂɿ^{53}mau^{13}ɲin$^{13}_{21}$kɔn^{35}tsʰait^{3}kai$^{53}_{44}$ke$^{53}_{44}$iait^{5}tsɿ^{0}ʂɿ^{53} pət^{3}ʂɿ^{53}ia^{53}pu^{35}uɔi$^{53}_{44}$xait^{5}ləŋ^{35}lɔi$^{13}_{21}$.

【合适$_{1}$】xɔit^{5}ʂɿ^{53} 形 ①适合实际情况或客观要求：唔大唔细，苛苛子～。ŋ̍^{13}tʰai^{53}ŋ̍^{13}se^{53},xo^{35}xo^{35} tsɿ^{0}xɔit^{5}ʂɿ^{53}. ②（价钱）公道：买个东西蛮～。mai^{35}ke$^{53}_{44}$təŋ$^{35}_{44}$si^{0}man^{13}xɔit$^{5}_{3}$ʂɿ^{53}.｜买件衫真～。mai^{35}cʰien^{53}san$^{35}_{44}$tʂən^{35}xɔit$^{5}_{3}$ʂɿ^{53}.

【合适$_{2}$】xɔit^{5}ʂɿ^{53} 动 ①对……感到满意；认为合适：渠系唔～以只伢子。ci$^{13}_{21}$xe^{53}ṇ^{13}xɔit^{5}ʂɿ^{53}i^{21} tʂak^{3}ŋa^{13}tsɿ^{0}.｜如果我～箇妹子，我就会坐正来嬲。y^{13}ko^{21}ŋai$^{13}_{21}$xɔit^{5}ʂɿ^{53}kai$^{53}_{44}$mɔi^{53}tsɿ^{0},ŋai$^{13}_{21}$tsʰiəu$^{53}_{44}$ uɔi$^{53}_{44}$tsʰo^{35}tʂaŋ$^{53}_{21}$lɔi$^{13}_{21}$liau^{53}.｜渠两个人呢，都蛮～样，但是大人呢，觉得唔多愿意个。ci^{13}iɔŋ^{21}ke^{53} ɲin$^{13}_{21}$ne^{0},təu$^{35}_{44}$man$^{13}_{21}$xɔit^{5}ʂɿ^{53}iɔŋ$^{53}_{44}$,tan$^{53}_{44}$ʂɿ$^{53}_{44}$tʰai^{53}ɲin$^{13}_{21}$ne^{0},kɔk^{3}tek^{3}ṇ$^{13}_{21}$to$^{35}_{44}$ɲien^{53}i^{53}ke$^{53}_{21}$. ②引申指喜欢：煮箇碗红苋菜嘛煮倒一碗个汤欸，欸血样个，我老婆是第一唔～。tʂəu^{21}kai^{53}uɔn^{21}fəŋ^{13}xan^{53}tsʰɔi^{53}ma^{0} tʂəu^{21}tau^{21}iet^{3}uɔn^{21}ke$^{53}_{44}$tʰɔŋ^{35}ŋei^{0},ei$_{44}$çiet^{3}iɔŋ$^{53}_{44}$ke^{0},ŋai$^{13}_{21}$lau^{21}pʰo^{13}ʂɿ$^{53}_{44}$tʰi^{53}iet^{3}ṇ$^{13}_{21}$xɔit^{5}ʂɿ^{3}.

【和$_{1}$】fo^{13} 动（下棋等）不分胜负：～嘿哩 fo^{13}(x)ek^{3}li^{0} 下棋和了

【和棋】fo^{13}/xo^{13}cʰi^{13} 名 双方不分胜负的棋局：作象棋个时候子你将我唔倒，我将你唔死，就系～呀，系唔系啊？两个不分胜负了，分唔倒胜负了，就系～。tsɔk^{3}siɔŋ^{53}cʰi^{13}ke^{53}ʂɿ$^{13}_{44}$xəu$^{53}_{44}$tsɿ^{0} ɲi^{13}tsiɔŋ^{35}ŋai^{13}ṇ$^{13}_{44}$tau$^{21}_{44}$,ŋai^{13}tsiɔŋ^{35}ɲi^{13}ṇ$^{13}_{44}$si^{21},tsʰiəu^{53}xe^{53}fo^{13}cʰi$^{13}_{21}$ia^{0},xei^{53}me^{53}a^{0}?iɔŋ^{21}ke^{53}pət^{3}fən$^{35}_{44}$ʂən^{53}fu^{53} liau^{0},fən^{35}ṇ$^{13}_{21}$tau^{21}ʂən^{53}fu^{53}liau^{0},tsiəu^{53}xe^{53}xo$^{13}_{21}$cʰi$^{13}_{21}$.｜我细细子同别人家去作棋呀，尽输，～都冇得一盘。ŋai^{13}se^{53}se^{53}tsɿ^{0}tʰəŋ$^{13}_{21}$pʰiet^{5}in$^{13}_{21}$ka$^{35}_{53}$çi^{53}tsɔk^{3}cʰi$^{13}_{21}$ia^{0},tsʰin^{53}ʂəu^{35},xo^{13}cʰi$^{13}_{21}$təu$^{35}_{53}$mau^{13}tek^{3}iet^{3}pʰan^{13}.

【和气】fo^{13}çi^{53} 形 平顺温和，能与人和睦相处：渠箇家人呐真唔～。ci^{13}kai^{53}ka$^{35}_{44}$ɲin$^{13}_{21}$na^{0}tʂən^{35}ṇ$^{13}_{21}$ fo^{13}çi^{53}.

【和尚】uo^{13}ʂɔŋ^{53} 名 佛教中出家修行的男教徒：～道士系，系，有只咁，有只咁蛮大个（关防）。uo^{13}ʂɔŋ$^{53}_{44}$tʰau$^{53}_{44}$sɿ$^{53}_{44}$xei$^{53}_{21}$,xei$^{53}_{21}$,iəu$^{35}_{44}$tʂak^{3}kan^{21},iəu$^{35}_{44}$tʂak^{3}kan^{21}mən^{35}tʰai$^{53}_{44}$kei$^{53}_{44}$.

【和尚头】uo^{13}ʂɔŋ^{53}tʰei^{13} 名 光头：剃～ tʰe^{53}uo^{13}ʂɔŋ^{53}tʰei^{13}

【和席】xo^{13}siet^{5} 名 新娘的爷爷奶奶年纪大了，不能去男方参加婚礼，男家委托高亲带给他们的菜肴：反正爱回只～凑。fan^{21}tʂən$^{53}_{44}$ɔi^{53}fei$^{13}_{21}$tʂak^{3}xo^{13}siet^{5}tsʰe^{0}.

【河】xo^{13} 名 ①河流的通称：有泥，放下～里去洗。iəu^{35}lai^{13},fɔŋ^{53}(x)a^{53}xo^{13}li^{0}çi^{53}sei^{21}. ②用作地名中的通名：大溪～ tʰai^{53}çi$^{35}_{44}$xo^{13}｜小溪～ siau^{21}çi$^{35}_{44}$xo^{13}｜洪沙～ fəŋ^{13}sa$^{35}_{44}$xo^{13}｜小～ siau^{21}xo^{13} 乡名

【河岸】xo^{13}ŋan^{53} 名 河流的边：欸，以个大河边个～上啊真多杞树嘞。真古怪，箇杞树，可能系杞树就唔怕水。ei$_{44}$,i^{21}kei$^{53}_{44}$tʰai^{53}xo$^{13}_{21}$pien^{35}ke^{0}xo^{13}ŋan$^{53}_{44}$xɔŋ$^{53}_{44}$ŋa^{0}tʂən^{35}to^{35}ci^{21}ʂəu^{53}lei^{0}.tʂən^{35}ku^{21} kuai^{53},kai$^{53}_{44}$ci^{21}ʂəu^{53},kʰo^{21}len^{13}xei^{53}ci^{21}ʂəu^{53}tsʰiəu^{53}m̩^{13}pʰa^{53}ʂei^{21}.

【河坝】xo^{13}pa^{53} 名 河滩：粉石子～里有捡呶。fən^{21}ʂak^{5}tsɿ^{0}xo^{13}pa^{53}li^{0}iəu^{35}cian^{21}nau^{0}.

【河边】xo^{13}pien^{35} 名 河畔：有滴到～去洗衫裤啊。iəu^{35}tet^{5}tau$^{53}_{44}$xo^{13}pien^{35}çi^{53}sei^{21}san$^{35}_{44}$fu$^{53}_{44}$a^{0}.｜藉倒～走。tʂa^{53}tau^{21}xo^{13}pien^{35}tsei^{21}.

【河堤】xo^{13}tʰi^{13} 名 用以防止水患而沿河修筑的人工高岸：欸，我等以映下牛轭岭箇映子箇有一线就□长个一只～。以前箇只老路就系走箇～上进。如今有么人走了箇只～。如今都会垮净了，～都会垮净了。e$_{44}$,ŋai^{13}tien^{0}i^{21}iaŋ^{53}xa$^{53}_{44}$ɲiəu^{13}ak^{3}liaŋ^{35}kai$^{53}_{44}$iaŋ$^{53}_{44}$tsɿ^{0}kai$^{53}_{44}$iəu^{35}iet^{3}sien^{53}tsʰiəu^{53}lai^{35} tʂʰɔŋ$^{13}_{21}$ke^{0}iet^{3}tʂak^{3}xo^{13}tʰi^{13}.i$^{35}_{53}$tsʰien^{13}kai^{53}iak^{3}lau^{21}ləu^{53}tsʰiəu^{53}xe^{53}tsei^{21}kai^{53}xo^{13}tʰi$^{13}_{21}$xɔŋ$^{53}_{44}$tsin^{53}.i$^{13}_{21}$cin$^{35}_{53}$mau$^{13}_{21}$

mak^{3} in$^{13}_{21}$tsei^{21}liau^{0} kai$^{53}_{44}$tʂak^{3} xo^{13}t^{h}i^{13}.i$^{13}_{21}$cin$^{35}_{44}$təu$^{35}_{44}$uɔi$^{53}_{44}$k^{h}ua^{21}ts^{h}iaŋ^{53}liau^{0},xo$^{13}_{21}$t^{h}i$^{13}_{21}$təu$^{35}_{53}$uɔi$^{35}_{53}$k^{h}ua^{21}ts^{h}iaŋ^{53}liau^{0}.

【河锋】xo^{13}fəŋ^{35} 名主河道：欸，～上就水就唔知几急呢。水唔知几大呀水唔知几急。欸，箇条就～。e$_{21}$,xo^{13}fəŋ^{35} xɔŋ$^{53}_{21}$ts^{h}iəu$^{53}_{44}$ʂei^{21}ts^{h}iəu^{53}n̩$^{13}_{21}$ti$^{35}_{53}$ci^{21}ciet^{3} nei^{0}.ʂei^{21}n̩^{13}ti$^{35}_{53}$ci^{21}t^{h}ai^{53}ia^{0} ʂei^{21}n̩^{13}ti$^{35}_{53}$ci^{21}ciet^{3}.e$_{21}$,kai$^{53}_{44}$t^{h}iau$^{13}_{21}$ts^{h}iəu^{53}xo^{13}fəŋ^{35}.

【河官】xo^{13}kɔn^{35} 名指河官日：六月六箇就安做～呶。liəuk^{3} ɲiet^{5} liəuk^{3} kai$^{53}_{44}$ts^{h}iəu$^{53}_{44}$ɔn$^{35}_{44}$tso$^{53}_{44}$xo^{13}kɔn^{35}nau^{0}.｜还媸到～呢。xai^{13}maŋ^{13}tau^{53}xo^{13}kɔn$^{35}_{44}$ne^{0}.

【河官老爷】xo^{13}kɔn^{35}lau^{21}ia^{13} 名河神，掌管庄稼：我听讲过有河官庙，庙里就有河官老爷，但是箇我媸见过，唔晓哪映子有，唔晓得。我听讲过就有凑。ŋai^{13}t^{h}aŋ^{35}kɔŋ^{21}ko$^{53}_{44}$iəu^{35}xo^{13}kɔn^{35} miau^{53},miau^{53}li^{0} ts^{h}iəu^{53}iəu$^{35}_{53}$xo^{13}kɔn$^{35}_{44}$nau^{21}ia^{13},tan^{53}ʂʅ^{53}kai^{53}ŋai$^{13}_{21}$maŋ^{13}cien^{53}ko^{0},n̩$^{13}_{21}$çiau^{21}lai^{53}iaŋ^{53}tsʅ^{0} iəu^{35},n̩$^{13}_{21}$çiau^{21}tek^{3}.ŋai$^{13}_{21}$t^{h}aŋ^{35}kɔŋ^{21}ko$^{53}_{44}$tsiəu$^{53}_{44}$iəu$^{35}_{44}$ts^{h}e^{0}.

【河官菩萨】xo^{13}kɔn^{35}p^{h}u^{13}sait^{3} 名河神，掌管庄稼：～嘞大概就系摎箇个水有关个。㖞，摎水有关。可能系预防涨水个么个菩萨欸同箇龙王样咁子个有关系个东西。xo^{13}kɔn^{35}p^{h}u^{13}sait^{3} lei^{0} t^{h}ai^{53}k^{h}ai^{53}ts^{h}iəu^{53}xe^{53}lau^{35}kai$^{53}_{44}$ke$^{53}_{44}$ʂei^{21}iəu^{35}kuan^{35}cie^{53}.m$_{21}$,lau^{35}ʂei^{21}iəu^{35}kuan^{35}.k^{h}o^{21}len^{13}xe^{53}ʮ^{53}fɔŋ^{13}tʂɔŋ^{21} ke^{53}kan^{21}cie$^{53}_{44}$mak^{3} ke^{53}p^{h}u$^{13}_{21}$sait^{3} e^{0} t^{h}əŋ$^{13}_{21}$kai^{53}ləŋ^{13}uɔŋ^{13}iɔŋ^{53}kan^{21}tsʅ^{0} kei^{53}iəu^{35}kuan$^{35}_{44}$çi^{53}ke^{0} təŋ$^{35}_{44}$si^{0}.

【河官日】xo^{13}kɔn$^{35}_{44}$ɲiet^{3} 名指农历六月六日：河官呶，六月六就安做河官节唠。～唠。安做河官。欸。哪只 xo^{13}啦？就河里个河吧？欸，荷花个荷哦。kɔn^{35}哪 kɔn^{35}？我一般是写当官个官呶。你这个写荷花个荷，当官个官，咁子写倒就更好像更准确样，荷官。～。有喊节。xo^{13} kɔn$^{35}_{44}$nau^{0},liəuk^{3} ɲiet^{5} liəuk^{3} ts^{h}iəu$^{53}_{44}$ɔn$^{35}_{44}$tso$^{53}_{44}$xo^{13}kɔn$^{35}_{44}$tset^{3} lau^{0}.xo^{13}kɔn$^{35}_{44}$ɲiet^{3} lau^{0}.ɔn$^{35}_{44}$tso$^{53}_{44}$xo^{13}kɔn$^{35}_{44}$.e$_{21}$.lai^{53} tʂak^{3} xo^{13}la^{0}?ts^{h}iəu^{53}xo^{13}li^{0} ke$^{53}_{44}$xo$^{13}_{44}$pa^{0}?e$_{44}$,xo^{13}fa^{35}ke$^{53}_{44}$xo^{13}o^{0}.kɔn^{35}nai^{53}kɔn^{35}?ŋai^{13}iet^{3} pɔn^{35}ʂʅ$^{53}_{44}$sia^{21}tɔŋ^{35}kɔn^{35} ke$^{53}_{44}$kɔn$^{35}_{44}$nau^{0}. ɲi$^{13}_{21}$tʂe$^{53}_{44}$ke$^{53}_{44}$sia^{21}xo^{13}fa$^{35}_{44}$ke$^{53}_{44}$xo^{13},tɔŋ^{35}kɔn^{35}ke$^{53}_{44}$kɔn^{35},kan^{21}tsʅ^{0} sia^{21}tau$^{21}_{44}$ts^{h}iəu^{53}cien^{53}xau^{21} ts^{h}iɔŋ$^{53}_{44}$cien^{53}tʂən^{21}k^{h}ɔk^{3} iɔŋ$^{53}_{44}$,xo$^{13}_{21}$kɔn$^{35}_{44}$.xo$^{13}_{21}$kɔn$^{35}_{44}$ɲiet^{3}.mau$^{13}_{21}$xan$^{53}_{44}$tsiet$^{3}_{5}$.

【河官桃】xo^{13}kɔn^{35}t^{h}au^{13} 名农历六月成熟的桃子：噢噢，箇是～哇。～就系河官个时候子六月子阴历六月子就会有食。也就系桃子。阴历六月就会食。六月六箇就安做河官呶。/如今卖桃子个～多嘞。au$_{44}$au$_{21}$,kai$^{53}_{44}$ʂʅ$^{53}_{21}$xo^{13}kɔn$^{35}_{44}$t^{h}au$^{13}_{21}$ua^{0}.xo^{13}kɔn$^{35}_{44}$t^{h}au$^{13}_{21}$ts^{h}iəu$^{53}_{44}$xe$^{53}_{44}$xo^{13}kɔn$^{35}_{44}$ke$^{53}_{44}$ʂʅ^{13}xei^{53}tsʅ^{0} liəuk^{3} ɲiet^{5} tsʅ^{0} in^{35}liet^{5} liəuk^{3} ɲiet^{5} tsʅ^{0} ts^{h}iəu$^{53}_{44}$uɔi$^{53}_{44}$iəu$^{35}_{44}$ʂət^{5} .ia^{35}ts^{h}iəu^{53}ue$_{44}$(←xe^{53})t^{h}au$^{13}_{21}$tsʅ^{0} .in^{35}liet^{5} liəuk^{3} ɲiet^{5} ts^{h}iəu$^{53}_{21}$uɔi$^{53}_{21}$ʂət^{5} .liəuk^{3} ɲiet^{5} liəuk^{3} kai$^{53}_{44}$ts^{h}iəu$^{53}_{44}$ɔn$^{35}_{44}$tso$^{53}_{44}$xo^{13}kɔn^{35}nau^{0} ./i$^{13}_{21}$cin$^{35}_{44}$mai^{53}t^{h}au$^{13}_{21}$tsʅ^{0} ke^{53}xo^{13} kɔn^{35}t^{h}au$^{13}_{21}$to^{35}le^{0}.

【河坑子】xo^{13}xaŋ$^{35}_{44}$tsʅ^{0} 名有水流的山沟：欸，箇牛轭岭箇映子，一路上个～。箇岭上啊水多哩啊，凡属系窝下去个地方就有条～。到牛轭岭箇映子去看咯，一路下尽系～。e$_{21}$,kai$^{53}_{44}$ɲiəu^{13} ak^{3} liaŋ^{35}kai$^{53}_{44}$iaŋ$^{53}_{44}$tsʅ^{0} ,iet^{3} ləu^{53}ʂɔŋ$^{53}_{44}$ke^{53}xo$^{13}_{21}$xaŋ$^{35}_{44}$tsʅ^{0} .kai^{53}liaŋ^{35}xɔŋ$^{53}_{44}$ŋa^{0} ʂei^{21}to$^{35}_{44}$li^{0} a^{0} ,fan^{13}ʂəuk^{5} xei^{53}uo^{35}xa$^{53}_{44}$ çi$^{53}_{44}$ke^{0} t^{h}i$^{53}_{44}$fɔŋ$^{35}_{44}$ts^{h}iəu$^{53}_{44}$iəu$^{35}_{53}$t^{h}iau$^{13}_{21}$xo$^{13}_{21}$xaŋ$^{35}_{44}$tsʅ^{0} .tau^{53}ɲiəu^{13}ak^{3} liaŋ^{35}kai$^{53}_{44}$iaŋ$^{53}_{44}$tsʅ^{0} çi$^{53}_{44}$k^{h}ɔn^{53}ko^{0} ,iet^{3} ləu^{53}xa$^{53}_{44}$ ts^{h}in^{53}ne^{53}xo$^{13}_{21}$xaŋ$^{35}_{44}$tsʅ^{0}.

【河沙】xo^{13}sa$^{35}_{44}$ 名大河里的沙子，颜色亮白，含泥少：～有么个泥，纯度好一些唠。xo^{13}sa$^{35}_{44}$ mau^{13}mak^{3} ke$^{53}_{44}$lai^{13},ʂən^{13}t^{h}əu$^{53}_{44}$xau^{21}iet^{3} sie$^{35}_{44}$lau^{0}.

【河石子】xo^{13}ʂak^{5} tsʅ^{0} 名鹅卵石：～是箇起咁个，欸溜滑个，打起溜圆个，系唔系？车光个，唔知几光滑个箇起石子，就～。xo^{13}ʂak^{5} tsʅ^{0} ʂʅ$^{53}_{44}$kai$^{53}_{44}$çi^{21}kan^{21}cie$^{53}_{44}$,e^{0} liəu^{53}uait^{3} ke$^{53}_{44}$,ta^{21}çi^{21}liəu^{35}ien$^{13}_{21}$ cie$^{53}_{44}$,xei$^{53}_{44}$me$^{53}_{44}$?tʂ^{h}e^{35}kɔŋ$^{35}_{44}$ke$^{53}_{44}$,n̩$^{13}_{21}$ti$^{35}_{44}$ci^{21}kɔŋ^{35}uait^{5} ke$^{53}_{44}$kai$^{53}_{44}$çi^{21}ʂak^{5} tsʅ^{0},ts^{h}iəu$^{53}_{44}$xo^{13}ʂak^{5} tsʅ^{0}.

【河水】xo^{13}ʂei^{21} 名河里的水：荷担～ k^{h}ai$^{35}_{44}$tan$^{35}_{44}$xo^{13}ʂei^{21}

【河滩】xo^{13}t^{h}an^{35} 名指河边水深时淹没、水浅时露出的地方：以前箇～上是还有脚鱼捉，欸，有脚鱼，捡得脚鱼饽饽倒。如今是如今个～因为挖机放势挖箇兜嘞，结果嘞如今～成哩尽石头。欸，尽石头，有么个捡了。i$^{35}_{53}$ts^{h}ien^{13}kai$^{53}_{44}$xo^{13}t^{h}an$^{35}_{44}$xɔŋ$^{53}_{44}$ʂʅ$^{53}_{21}$xai$^{13}_{21}$iəu^{35}ciɔk^{3} ŋ̍^{13}tsɔk^{3} ,e$_{21}$,iəu^{35}ciɔk^{3} ŋ̍^{13}, cian^{21}tek^{3} ciɔk^{3} ŋ̍^{13}pɔk^{5} pɔk^{5} tau^{21}.i$^{13}_{21}$cin$^{35}_{44}$ʂʅ$^{53}_{44}$i$^{13}_{21}$cin$^{35}_{53}$ke^{53}xo^{13}t^{h}an$^{35}_{44}$in^{35}uei$^{53}_{44}$ua^{35}ci^{35}xɔŋ^{53}ʂʅ^{53}ua^{35}kai$^{53}_{44}$tei$^{53}_{44}$lei^{0},ciet^{3} ko^{21}lei^{0} i$^{13}_{21}$cin$^{35}_{53}$xo$^{13}_{21}$t^{h}an$^{35}_{44}$ʂaŋ$^{13}_{21}$li^{0} ts^{h}in^{53}ʂak^{5} t^{h}ei$^{13}_{21}$.e$_{21}$,ts^{h}in^{53}ʂak^{5} t^{h}ei$^{13}_{21}$,mau^{13}mak^{3} e^{0} cian^{21}niau^{0}.

【河洲】xo^{13}tʂəu^{35} 名河滩与河岸之间的低地：～就系还更高兜子，比较大兜子个河滩呢，～上就能够生兜子芦苇呢，大水芒呢，箇个就～。平时有得水。箇个就系洲。滩呢就欸一涨水最先就系涌下箇滩上，然后正系～。xo^{13}tʂəu^{35}ts^{h}iəu^{53}xei^{53}xai^{13}cien^{53}kau^{35}tei$^{35}_{53}$tsʅ^{0},pi^{21}ciau$^{53}_{44}$t^{h}ai^{53}tei$^{35}_{53}$ tsʅ^{0} ke^{0} xo^{13}t^{h}an^{35}nei^{0},xo^{13}tʂəu^{35}xɔŋ$^{53}_{44}$ts^{h}iəu^{53}len$^{13}_{21}$ciau$^{53}_{44}$saŋ$^{35}_{44}$tei$^{35}_{53}$tsʅ^{0} ləu^{13}uei^{21}nei^{0},t^{h}ai^{53}ʂei^{21}mɔŋ^{13}nei^{0},kai^{53} ke^{53}ts^{h}iəu^{53}xo^{13}tʂəu^{35}.p^{h}in^{13}ʂʅ$^{13}_{44}$mau^{13}tek^{3} ʂei^{21}.kai$^{53}_{44}$ke$^{53}_{44}$ts^{h}iəu$^{53}_{21}$xe$^{53}_{21}$tʂəu^{35}.t^{h}an^{35}nei^{0} ts^{h}iəu^{53}e$_{21}$iet^{3} tʂɔŋ^{21}ʂei^{21}

tsei^{53}sien^{35}tsʰiəu^{53}xe^{53}iəŋ^{21}(x)a$^{53}_{44}$kai$^{53}_{44}$tʰan^{35}xɔŋ$^{53}_{21}$,vien^{13}xei^{53}tʂaŋ^{53}xe^{53}xo^{13}tʂəu^{35}.｜欸，牛轭岭箇映子箇～上就长倒蛮多竹箇兜了嘞，有竹啊，有树生倒，树哇，竹哇箇兜，箇～就稳固下来哩，大水冲唔倒哩呢。e$_{44}$, ɲiəu^{13}ak^{3}liaŋ^{35}kai$^{53}_{44}$iaŋ^{53}tsɿ^{0}kai$^{53}_{44}$xo^{13}tʂəu^{35}xɔŋ$^{53}_{44}$tsʰiəu$^{53}_{44}$tʂɔŋ^{21}tau^{21}man$^{13}_{21}$to^{35}tʂəuk^{3}kai$^{53}_{44}$tei$^{35}_{44}$liau^{21}lei^{0},iəu^{35}tʂəuk^{3}a^{0},iəu^{35}ʂəu^{53}saŋ^{35}tau^{21},ʂəu^{53}ua^{0},tʂəuk^{3}ua^{0}kai$^{53}_{44}$tei$^{35}_{44}$,kai$^{53}_{44}$xo^{13}tʂəu$^{35}_{44}$tsʰiəu^{53}uən^{21}ku^{53}xa$^{53}_{44}$lɔi$^{13}_{21}$li^{0},tʰai^{53}ʂei^{21}tʂʰəŋ^{35}n̩$^{13}_{21}$tau^{21}li^{0}nei^{0}.

【河猪箭】xo^{13}tʂəu^{35}tsien^{53} 名 豪猪背上的刺：我看过～呢。以前我记得我舅爷箇我舅婆就有～，渠等箇个从前个人梳头发，用箇～，去箇去嘿头发肚里咁子揰下子去，分以边个头发舞过来，欸以向揰下去，分箇只头发舞过去，箇只～欸一头白一头乌子。硬系河猪子身上跌个，～。ŋai^{13}kʰɔn^{53}ko$^{53}_{44}$xo^{13}tʂəu$^{35}_{44}$tsien^{53}ne^{0}.i^{35}tsʰien$^{13}_{21}$ŋai^{13}ci^{53}tek^{3}ŋai$^{13}_{21}$cʰiəu^{35}ia$^{13}_{21}$kai$^{53}_{44}$ŋai$^{13}_{21}$cʰiəu^{35}mei^{35}tsʰiəu$^{53}_{44}$iəu$^{53}_{44}$xo^{13}tʂəu$^{35}_{44}$tsien^{53}.ci^{13}tien^{0}kai$^{53}_{44}$ke$^{53}_{44}$tsʰəŋ$^{13}_{21}$tsʰien$^{13}_{21}$ke^{53}ɲin$^{13}_{44}$sɿ^{35}tʰei$^{13}_{21}$fait^{3},iəŋ$^{53}_{44}$kai$^{53}_{44}$xo^{13}tʂəu$^{35}_{44}$tsien^{53},çi$^{53}_{44}$kai$^{53}_{44}$çi^{53}ek^{3}tʰei^{13}fait^{3}təu^{21}li^{0}kan^{21}tsɿ^{0}tsʰəŋ^{21}na^{53}tsɿ^{0}çi^{53},pən^{35}i^{21}pien^{35}ke^{0}tʰei$^{13}_{21}$fait^{3}u^{21}ko$^{53}_{44}$lɔi$^{13}_{44}$,e$_{44}$i^{21}çiɔŋ^{53}tsʰəŋ^{21}na$^{53}_{44}$çi^{53},pən^{35}kai$^{53}_{44}$tʂak^{3}tʰei$^{13}_{21}$fait^{3}u^{21}ko^{53}çi^{53},kai$^{53}_{44}$tʂak^{3}xo^{13}tʂəu$^{35}_{44}$tsien^{53}e$_{21}$iet^{3}tʰei^{13}pʰak^{5}iet^{3}tʰei^{13}u^{35}tsɿ^{0}. ɲiaŋ^{53}e^{53}xo^{13}tʂəu$^{35}_{44}$tsɿ^{0}ʂən$^{35}_{44}$xɔŋ$^{53}_{44}$tet^{3}ke^{0},xo^{13}tʂəu$^{35}_{44}$tsien^{53}.

【河猪子】xo^{13}tʂəu^{35}tsɿ^{0} 名 豪猪。又称“豪猪子”：刺猬实当为豪猪就安做～。～咯，我等安做～咯。tsʰɿ^{53}uei^{53}tsʰiəu$^{53}_{44}$ɔn$^{35}_{44}$tso$^{53}_{44}$xo^{13}tʂəu^{35}tsɿ^{0}.xo^{13}tʂəu^{35}tsɿ^{0}ko^{0},ŋai$^{13}_{21}$tien^{0}ɔn$^{35}_{44}$tso$^{53}_{44}$xo^{13}tʂəu^{35}tsɿ^{0}ko^{0}.

【荷包】xo^{13}pau$^{35}_{44}$ 名 钱包的别称（说的大多是老年人）：话～还唔多嘞。ua^{53}xo^{13}pau$^{35}_{44}$xai$^{13}_{44}$n̩$^{13}_{21}$to$^{35}_{44}$lei^{0}.

【荷包蛋】xo^{13}pau^{35}tʰan^{53} 名 去壳后用油煎熟的整个儿的鸡蛋：镬里放兜油，箇个鸡蛋完只子放下油肚里去煎，箇个就两面都煎熟来呀，放兜子盐子，箇就系～。uɔk^{5}li^{0}fɔŋ^{53}tei$^{35}_{53}$iəu^{13},kai$^{53}_{44}$ke$^{53}_{44}$cie^{35}tʰan^{53}uɔn^{13}tʂak^{3}tsɿ^{0}fɔŋ^{53}xa^{53}iəu^{13}təu^{21}li^{0}çi^{53}tsen^{35},kai$^{53}_{44}$ke$^{53}_{44}$tsʰiəu$^{53}_{44}$iɔŋ^{21}mien$^{53}_{44}$təu$^{35}_{44}$tsen^{35}ʂəuk^{5}lɔi$^{13}_{21}$ia^{0},fɔŋ^{53}tei$^{35}_{53}$tsɿ^{0}ian^{13}tsɿ^{0},kai^{53}tsʰiəu^{53}xe^{53}xo$^{13}_{21}$pau$^{35}_{44}$tʰan^{53}.｜我等每天早晨都欸煮面就一个人煮只子～呢，欸，煮只子～做臊子。ŋai^{13}tien^{0}mei^{35}tʰien$^{35}_{44}$tsau^{21}ʂən$^{13}_{21}$təu$^{35}_{53}$e$_{21}$tʂəu^{21}mien^{53}tsʰiəu$^{53}_{44}$iet^{3}ke^{53}ɲin$^{13}_{44}$tʂəu^{21}tʂak^{3}tsɿ^{0}xo^{13}pau$^{35}_{44}$tʰan^{53}nei^{0},e$_{21}$,tʂəu^{21}tʂak^{3}tsɿ^{0}xo^{13}pau$^{35}_{44}$tʰan^{53}tso^{53}sau^{53}tsɿ^{0}.

【荷包茄】xo^{13}pau$^{35}_{44}$cʰio^{13} 名 一种皮呈紫色的茄子：～个样呀，/颜色红个，/紫色啊，/就～。xo^{13}pau$^{35}_{44}$cʰio^{13}ke$^{53}_{44}$iɔŋ^{53}ia^{0},/ŋan^{13}sek^{3}fɔŋ^{13}ke^{53},/tsɿ^{21}sek^{3}a^{0},/tsʰiəu$^{53}_{44}$xo^{13}pau$^{35}_{44}$cʰio^{13}.

【荷花】xo^{13}fa^{35} 名 莲的花：～嘞首先就一只花苞子，然后就开花，花谢哩以后就一只莲蓬头，肚里就有莲子，有果实。xo^{13}fa$^{35}_{44}$lei^{0}ʂəu^{21}sien^{35}tsʰiəu^{53}iet^{3}tʂak^{3}fa^{35}pau^{35}tsɿ^{0},vien^{13}xei$^{53}_{44}$tsʰiəu$^{53}_{44}$kʰɔi^{35}fa^{35},fa^{35}tsʰia^{53}li^{0}i^{35}xei^{53}tsʰiəu^{53}iet^{3}tʂak^{3}lien^{13}pʰəŋ^{13}tʰei^{13},təu^{21}li^{0}tsʰiəu^{53}iəu$^{35}_{53}$lien^{13}tsɿ^{0},iəu^{35}ko^{21}ʂət^{5}.

【荷树】xo^{13}ʂəu^{53} 名 树名：～有几多种啊。/～有两种。/一种白皮荷。/欸，一种白皮荷。一种欸安做么啊么……/乌皮荷唠。/欸，乌皮荷唠。/白皮荷。/欸。/乌皮荷箇个毛舞倒哩手上是又唔系痒啊？/系系系系唠。/也巴巴扣扣啰。/系呀。/～个木质还系蛮硬子啦，蛮硬子。/唔好平。/唔好平，就是啊。xo^{13}ʂəu^{53}iəu$^{35}_{53}$ci^{21}to^{35}tʂəŋ^{21}ŋa^{0}./xo^{13}ʂəu$^{53}_{44}$iəu$^{35}_{44}$iɔŋ^{21}tʂəŋ^{21}./iet^{3}tʂəŋ^{21}pʰak^{5}pʰi$^{13}_{44}$xo^{13}./e$_{44}$,iet^{3}tʂəŋ^{21}pʰak^{5}pʰi^{13}xo^{13}.iet^{3}tʂəŋ^{21}ei$_{13}$ɔn^{35}tso$^{53}_{44}$mak^{3}a^{0}mak^{3}⋯/u^{35}pʰi^{13}xo^{13}lau^{0}./e$_{44}$,u^{35}pʰi^{13}xo^{13}lau^{0}./pʰak^{5}pʰi^{13}xo^{13}./e$_{21}$./u^{35}pʰi^{13}xo^{13}kai$^{53}_{44}$ke$^{53}_{44}$mau^{35}u^{21}tau^{21}li^{0}ʂəu^{21}xɔŋ^{53}ʂʅ$^{53}_{44}$iəu^{53}m̩$^{13}_{21}$pʰe$_{44}$(←xe^{53})iɔŋ^{35}ŋa^{0}?/xe$^{53}_{44}$xe$^{53}_{21}$xe$^{53}_{21}$xe$^{53}_{21}$lau^{0}./ia$^{35}_{44}$pa^{35}pa$^{35}_{44}$kʰei$^{53}_{44}$kʰei$^{53}_{44}$lo^{0}./xe$^{53}_{44}$ia^{0}./xo^{13}ʂəu^{53}kei^{53}muk^{3}tʂət^{3}xai^{13}xe$^{53}_{44}$man^{13}ŋaŋ^{53}tsɿ^{0}la^{0},man^{13}ŋaŋ^{53}tsɿ^{0}./n̩^{13}xau^{21}pʰiaŋ^{13}./n̩^{13}xau^{21}pʰiaŋ^{13},tsiəu^{53}sɿ$^{35}_{44}$a^{0}.｜斫倒箇～榾你最好莫去拖，痒死人呐，痒人，～榾也痒人呐。tʂɔk^{3}tau^{21}kai^{53}xo^{13}ʂəu^{53}kʰua^{21}ɲi^{13}tsei^{53}xau^{21}mɔk^{5}çi$^{53}_{44}$tʰo^{35},iɔŋ^{35}si^{21}ɲin^{13}na^{0},iɔŋ^{35}ɲin$^{13}_{44}$,xo^{13}ʂəu^{53}kʰua^{21}a$^{35}_{44}$iɔŋ^{35}ɲin$^{13}_{21}$na^{0}.

【荷树菌】xo^{13}ʂəu^{53}cʰin^{35} 名 寄生于荷树的菌类植物：～就系荷树殊嘿哩以后，或者倒下地泥下个时候子生个菌子就安做～。xo^{13}ʂəu^{53}cʰin^{35}tsʰiəu$^{53}_{44}$xe$^{53}_{44}$xo^{13}ʂəu^{53}mət^{3}lek^{3}li^{0}i^{35}xei^{53},xɔit^{5}tʂa^{21}tau^{21}ua$^{53}_{44}$tʰi^{53}lai$^{13}_{21}$xa^{35}ke^{53}ʂʅ^{13}xəu^{53}tsɿ^{0}saŋ^{35}kei^{53}cʰin^{35}tsɿ^{0}tsʰiəu$^{53}_{44}$ɔn$^{35}_{44}$tso$^{53}_{44}$xo^{13}ʂəu^{53}cʰin^{35}.｜哦，箇晡问哩，～食唔得。o$_{21}$,kai$^{53}_{44}$pu$^{35}_{53}$uən$^{53}_{44}$li^{0},xo^{13}ʂəu$^{53}_{44}$cʰin^{35}ʂət^{5}n̩$^{13}_{21}$tek^{3}.

【荷叶】xo^{13}iait^{5} 名 莲的叶子：～啊渠可以包么个东西嘞包箇个食个东西有只香味呢也呢，欸，～蛮大哕。xo^{13}iait^{5}a^{0}ci$^{13}_{21}$kʰo^{21}i$^{35}_{44}$pau^{35}mak^{3}ke^{0}təŋ^{35}si$^{35}_{44}$lei^{0}pau^{35}kai$^{53}_{44}$ke$^{53}_{44}$ʂət^{5}ke$^{53}_{44}$təŋ$^{35}_{44}$si^{0}iəu^{35}tʂak^{3}çiɔŋ^{35}uei^{53}nei^{0}ia$^{35}_{44}$nei^{0},e$_{21}$,xo^{13}iait^{5}man^{13}tʰai^{53}ʂa^{0}.

【荷叶灯】xo^{13}iait^{5}ten^{35} 名 ①挂在梁上、有荷叶形灯罩的煤油灯：箇起荷叶罩子个～，系，箇起是指一种灯盏。kai^{53}çi^{21}xo^{13}iait^{5}tsau^{53}tsɿ^{0}ke^{0}xo^{13}iait^{5}ten^{35},xe$^{53}_{21}$,kai^{53}çi$^{21}_{44}$ʂʅ$^{53}_{44}$tʂʅ^{21}iet^{3}tʂəŋ^{21}ten^{35}tsan^{21}.②一种荷叶形的花灯：～有，欸，我看过，～。渠揪蚌壳灯春牛灯欸箇个咁个灯都比较少见，

唔像龙灯狮灯。就用箇个篾箦啊用箇纸啊扎只子荷叶欸，舞几只妹子去仰啊。xo^{13}iait^{5} ten^{35} iəu$^{35}_{44}$,e$_{53}$,ŋai^{13}kʰɔn^{53}ko^{53},xo^{13}iait^{5} ten^{35}.ci$^{13}_{21}$lau$^{35}_{44}$pʰɔŋ^{53}kʰɔk^{3} ten^{35}tʂʰən^{35}ɲiəu$^{13}_{21}$ten^{35}e$_{21}$kai$^{53}_{44}$ke$^{53}_{44}$kan^{21}ke$^{53}_{21}$ten^{35}təu$^{35}_{44}$ pi^{21}ciau$^{53}_{21}$ʂau^{21}cien^{53},n̩^{13}tsʰiɔŋ^{53}liɔŋ^{13}ten$^{35}_{44}$sɿ^{35}ten^{35}.tsʰiəu^{53}iɔŋ^{53}kai$^{53}_{44}$ke$^{53}_{44}$met^{5} sak^{3} a^{0} iɔŋ$^{53}_{44}$kai$^{53}_{44}$tʂʅ^{21}ʐa^{0} tsait^{3} tʂak^{3} tsɿ^{0} xo^{13}iait^{5} e^{0},u^{21}ci^{21}tʂak^{3} mɔi^{53}tsɿ^{0} çi^{53}ɲiɔŋ^{21}ŋa^{0}.

【核】xek^{3} 名 果实中坚硬并包含果仁的部分，借指谷壳中的米：后三天就有结冇～。冇～就系唔精壮。xei^{53}san$^{35}_{44}$tʰien$^{35}_{44}$tsʰiəu$^{53}_{44}$iəu^{35}ciet^{3} mau^{13}xek^{3}.mau^{13}xek^{3} tsʰiəu$^{53}_{44}$xe$^{53}_{44}$n̩^{13}tsin^{35}tsɔŋ^{53}.

【盒】xait^{5}/xek^{5} 量 用于用盒子装着的东西：一～药 iet^{3} xait^{5} iɔk^{5} ｜ 买～火柴都爱……买～洋柴都爱一百块钱指法币呐。mai$^{35}_{44}$xek^{5} fo^{21}tsʰai$^{13}_{21}$təu$^{35}_{44}$ɔi$^{53}_{44}$…mai$^{35}_{44}$xek^{5} iɔŋ$^{13}_{21}$tsʰai$^{13}_{44}$təu$^{35}_{44}$ɔi$^{53}_{44}$iet^{3} pak^{3} kʰuai^{53}tsʰien$^{13}_{21}$ na^{0}.

【盒子】xait^{5} tsɿ^{0} 名 用纸、木板、金属等制成的有底有盖，可以开合的较小盛物器：箇帖写好哩以后要舞只子唔知几精致个～装倒。kai$^{53}_{44}$tʰiait^{3} sia^{21}xau^{21}li^{0} i^{35}xei$^{53}_{44}$iau$^{53}_{44}$u^{21}tʂak^{3} tsɿ^{0} n̩$^{13}_{21}$ti$^{35}_{53}$ci^{21}tsin^{35} tʂʅ$^{53}_{44}$ke$^{53}_{44}$xait^{5} tsɿ^{0} tʂɔŋ^{35}tau^{21}.

【荷】kʰai^{35} 动 扁担等两头挂着东西，用肩膀担着：我等冇年纪个时候子啊爱～担子，我十几岁两十岁子个箇阵子真多担子～哟，长日爱～哟。～粪呐，～牛屎啊，～化肥呀，系唔系？～，撞怕是硬一天到夜咁子～哟，～你几转喏。肩膊都～起痛凑。ŋai^{13}tien^{0} mau^{13}ɲien^{13}ci^{21} ke^{0} ʂʅ$^{13}_{44}$xəu$^{53}_{44}$tsɿ^{0} a^{0} ɔi^{53}kʰai$^{35}_{44}$tan^{35}tsɿ^{0},ŋai^{13}ʂət^{5} ci^{21}sɔi^{53}tsɿ^{0} iɔŋ^{21}ʂət^{5} sɔi^{53}tsɿ^{0} ke^{0} kai^{53}tʂʰən^{53}tsɿ^{0} tʂən^{35}to^{35}tan^{35}tsɿ^{0} kʰai$^{35}_{44}$io^{0},tʂʰɔŋ^{13}ɲiet^{3} ɔi$^{53}_{44}$kʰai^{35}io^{0}.kʰai^{35}pən^{53}na^{0},kʰai^{35}ɲiəu^{13}ʂʅ^{21}a^{0},kʰai^{35}fa^{53}fei^{13}ia^{0},xei^{53}me$^{53}_{44}$?kʰai^{35},tsʰɔŋ^{21} pʰa$^{53}_{44}$ʂʅ$^{53}_{44}$ŋiaŋ$^{53}_{44}$iet^{3} tʰien^{35}tau$^{53}_{44}$ia^{53}kan^{21}tsɿ^{0} kʰai$^{35}_{44}$io^{0},kʰai$^{35}_{44}$ɲi$^{13}_{44}$ci^{21}tʂuɔn^{21}no^{0}.cien^{35}pɔk^{3} təu$^{35}_{44}$kʰai$^{35}_{44}$çi^{21}tʰəŋ^{53}tsʰe^{0}.

【荷脚】kʰai^{35}ciɔk^{3} 名 挑夫：以下嘞长日荷担子个人安做～吧？长日荷担子个，专门/靠荷担子谋生个，/欸，箇起人安做～。i^{21}ia^{53}(←xa^{53})lei^{0} tʂʰɔŋ^{13}ɲiet^{3} kʰai$^{35}_{44}$tan$^{35}_{44}$tsɿ^{0} ke$^{53}_{44}$ɲin^{13}ɔn$^{35}_{44}$tso$^{53}_{44}$kʰai^{35} ciɔk^{3} pʰa^{0}?tʂʰɔŋ^{13}ɲiet^{3} kʰai^{35}tan^{35}tsɿ^{0} ke$^{53}_{44}$,tʂen^{35}mən$^{13}_{21}$/kʰau^{53}kʰai$^{35}_{44}$tan^{35}tsɿ^{0} miau^{13}sien^{35}ke$^{53}_{44}$,/e^{53},kai$^{53}_{44}$çi$^{21}_{44}$ɲin^{13} ɔn$^{35}_{44}$tso$^{53}_{44}$kʰai^{35}ciɔk^{3}.

【烌】xɔk^{3} 动 ①烘烤，焙干：～茶叶 xɔk^{3} tsʰa^{13}iait^{5} ｜分衫裤放倒去去～。pən^{35}san^{35}fu$^{53}_{44}$fɔŋ^{53}tau^{21} çi$^{53}_{44}$çi$^{53}_{44}$xɔk^{3}. ②用少量的油煎（食物）：箇阵子我等冇饭食个时候子啊，长日～米馃。舞兜么个做米馃嘞？包粟粉呐，糠米馃啦，都放倒去～啊，麦子啦磨倒粉做麦子米馃去～啊，～麦子米馃啊，唯独冇得个就系糯米米馃就少兜，冇得。kai^{53}tʂʰən^{53}tsɿ^{0} ŋai^{13}tien^{0} mau^{13}fan^{53}ʂət^{5} ke$^{53}_{44}$ʂʅ^{13} xəu$^{53}_{44}$tsa^{0},tʂʰɔŋ^{13}ɲiet^{3} xɔk$^{3}_{5}$mi^{21}ko^{21}.u^{21}tei$^{35}_{53}$mak^{3} e^{0} tso^{53}mi^{21}ko^{21}lei^{0}?pau^{35}siəuk^{3} fən^{21}na^{0},xɔŋ^{35}mi^{21}ko^{21}la^{0}, təu^{35}fɔŋ^{53}tau^{21}çi$^{53}_{44}$xɔk^{3} a^{0},mak^{5} tsɿ^{0} la^{0} mo^{53}tau^{21}fən^{21}tso$^{53}_{21}$mak^{53}tsɿ^{0} mi^{21}ko^{21}çi^{53}xɔk^{3} a^{0},xɔk^{3} mak^{5} tsɿ^{0} mi^{21}ko^{21} a^{0},uei^{13}tʰəuk^{5} mau$^{13}_{21}$tek^{3} ke$^{53}_{44}$tsʰiəu$^{53}_{44}$xei$^{53}_{44}$lɔk^{5} mi^{21}mi^{21}ko^{21}tsʰiəu^{53}ʂau^{21}tei$^{35}_{53}$,mau$^{13}_{21}$tek^{3}.

【烌米馃】xɔk^{3}mi^{21}ko^{21} 名 用少量油煎制的米馃的通称。也称"烌米馃子"：我喜欢食～。ŋai^{13} çi^{21}fɔn^{35}ʂət^{5} xɔk^{3} mi^{21}ko^{21}.｜我等细细子就得哩～食哩啊。欸，麦子米馃啊，高粱米馃啊，箇个么个包粟米馃啦，只爱磨得成粉个，进得嘴个，都舞倒来做倒塞肚子，塞没，塞饱肚子来。ŋai^{13}tien^{0} se^{53}se^{53}tsɿ^{0} tsʰiəu^{53}tek^{3} li^{0} xɔk^{3} mi^{21}ko^{21}ʂət^{5} li^{0} a^{0}.e$_{21}$mak^{5} tsɿ^{0} mi^{21}ko^{21}a^{0},kau^{35}liɔŋ$^{13}_{21}$mi^{21}ko^{21}a^{0},kai$^{53}_{44}$ ke$^{53}_{44}$mak^{3} ke^{53}pau^{35}siəuk^{3} mi^{21}ko^{21}la^{0},tʂʅ^{21}ɔi^{53}mo^{53}tek^{3} ʂaŋ^{13}fən^{21}ke^{0},tsin^{53}tek^{3} tʂɔi^{53}ke^{0},təu^{35}u^{21}tau^{21}lɔi$^{13}_{44}$tso^{53} tau^{21}set^{3} təu^{21}tsɿ^{0},set^{3} mət^{5},set^{3} pau^{21}təu^{21}tsɿ^{0} lɔi^{13}.

【鹤子】xɔk^{5} tsɿ^{0} 名 一种鸟类，也指像鹤的东西：扎兜个顶高扎只懑大个～箇就。欸，用纸扎个凑，用篾箦纸扎个。～，嗯，扎兜龙箇就，扎兜～箇就扎倒。箇个棺罩就蛮爱钱来扎呀。tsait^{3} tei$^{35}_{53}$kei$^{53}_{44}$taŋ^{21}kau$^{35}_{53}$tsait^{3} tʂak^{3} mən^{35}tʰai^{53}ke$^{53}_{21}$xɔk^{5} tsɿ^{0} kai$^{53}_{44}$tsʰiəu^{53}.e$_{21}$,iɔŋ^{53}tʂʅ^{21}tsait^{3} ke^{0} tsʰe^{0},iɔŋ^{53}miet^{5} sak^{3} tʂʅ^{21}tsait^{3} ke^{53}.xɔk^{5} tsɿ^{3},n̩$_{21}$,tsait^{3} tei$^{35}_{53}$liɔŋ^{13}kai$^{53}_{44}$tsʰiəu^{53},tsait^{3} tei$^{35}_{44}$xɔk^{5} tsɿ^{0} kai$^{53}_{44}$tsʰiəu^{53}tsait^{3} tau$^{21}_{44}$.kai$^{53}_{44}$kei$^{53}_{44}$ kɔn^{35}tsau$^{53}_{44}$tsʰiəu$^{53}_{44}$man^{13}ɔi^{53}tsʰien$^{13}_{44}$nɔi$^{13}_{44}$tsait^{3} ia^{0}.

【黑哩火绳】xek^{3} li^{0} fo^{21}ʂən^{13} 比喻遇到巨大困难：我箇晡夜晡走夜路哇，一个人走夜路哇，欸，火把又乌嘿哩啊，我硬～呐。ŋai^{13}kai$^{53}_{44}$pu$^{35}_{44}$ia$^{53}_{44}$pu$^{35}_{44}$tsei^{21}ləu^{53}ua^{0},iet^{3} ke^{53}ɲin$^{13}_{21}$tsei^{21}ia^{53}ləu^{53}ua^{0},e$_{21}$,xo^{21} pa^{21}iəu$^{53}_{44}$u^{35}(x)ek^{3} li^{0} a^{0},ŋai^{13}ɲiaŋ^{53}xek^{3} li^{0} fo^{21}ʂən^{13}na^{0}.｜箇映有只人，渠做只屋，做嘿几十万，系唔系？屋都还赠做正呢，一只赖子一病，脑壳肚里爱动手术哇，搞下湘雅医院，爱几十万。渠话："我就～呐，以到我就～。"我话："箇你让门搞？""箇是捏起火绳来哟。"系唔系？安做捏起火绳来。你话系唔系？做屋正做得，分兜钱子用得□光，屋都还赠做正欸，箇只赖子又惹倒一只咁个事，欸，又爱几十万，渠话："我借都冇哪借了咯硬咯，硬～喏。"kai^{53}iaŋ^{53} iəu^{35}tʂak^{3} ɲin$^{13}_{21}$,ci^{13}tso^{53}tʂak^{3} uk^{3},tso^{53}(x)ek^{3} ci^{21}ʂət^{5} uan^{53},xei$^{53}_{44}$me$^{53}_{44}$?uk^{3} təu^{53}xan$^{13}_{21}$maŋ$^{13}_{21}$tso^{53}tʂaŋ$^{53}_{21}$nei^{0},iet^{3}

tʂak^{3} lai^{53}tsɿ^{0} iet^{3} p^{h}iaŋ^{53},lau^{21}k^{h}ɔk^{3} tɔu^{21}li^{0} ɔi^{53}t^{h}ɔŋ^{53} ʂɔu^{21}ʂɔt^{5} ua^{53},kau^{21}ua$^{53}_{44}$siɔŋ^{35}ia^{21}i$^{35}_{44}$vien^{53},ɔi^{53}ci^{21}ʂɔt^{5} uan^{53}.ci$^{13}_{21}$ua^{53}:"ŋai$^{13}_{21}$ts^{h}iəu^{53}xek^{3} li^{0} fo^{21}ʂən$^{13}_{44}$na^{0},i^{21}tau^{53}ŋai$^{13}_{21}$ts^{h}iəu^{53}xek^{3} li^{0} fo^{21}ʂən$^{13}_{44}$."ŋai^{13}ua^{53}:"kai^{53}ɲi^{13}ɲiɔŋ^{53} mən$^{13}_{44}$kau^{21}?""kai$^{53}_{44}$ʂɿ$^{53}_{44}$ɲiait^{3} çi^{21}fo^{21}ʂən$^{13}_{21}$nɔi^{13}io^{0}."xei$^{53}_{44}$me$^{53}_{44}$?ɔn$^{35}_{44}$tso$^{53}_{44}$ɲiait^{3} çi^{21}fo^{21}ʂən^{13}nɔi$^{13}_{44}$. ɲi^{13}ua^{53}xei$^{53}_{44}$me$^{53}_{44}$? tso^{53}uk^{3} tʂaŋ^{53}tso^{53}tek^{3},pən^{35}te$^{35}_{53}$ts^{h}ien^{13}tsɿ^{0} iɔŋ^{53}tek^{3} lin^{35}kɔŋ^{35},uk^{3} tɔu$^{35}_{53}$xai$^{13}_{21}$maŋ^{13}tso^{53}tʂaŋ^{53}ŋei^{0},kai$^{53}_{44}$tʂak^{3} lai^{53} tsɿ^{0} iəu^{53}ɲia^{35}tau^{21}iet^{3} tʂak^{3} kan^{21}ke$^{53}_{44}$sɿ^{53},e$_{21}$,iəu^{53}ɔi$^{53}_{44}$ci^{21}ʂɔt^{5} uan^{53},ci$^{13}_{44}$ua$^{53}_{44}$:"ŋai^{13}tsia^{53}tɔu$^{35}_{44}$mau$^{13}_{21}$lai$^{13}_{44}$tsia^{53}liau^{21} ko^{0}ɲiaŋ^{53}ko^{0}, ɲiaŋ^{53}xek^{3} li^{0} fo^{21}ʂən^{13}no^{0}."

【嘿】xek^{3} 助 动态助词，表示动作行为的实现：一拨～过去。iet^{3} pɔit^{3} (x)ek$^{3}_{5}$ko^{53}çi$^{53}_{44}$.｜厢房箇只是旧年正拆咯，旧年正拆～啦。siɔŋ^{35}fɔŋ$^{13}_{21}$kai$^{53}_{44}$tʂak^{3} ʂɿ$^{53}_{21}$c^{h}iəu^{53}ɲien^{13}tʂaŋ^{53}ts^{h}ak^{3} ko^{0},c^{h}iəu^{53}ɲien^{13} tʂaŋ^{53}ts^{h}ak^{3} xek^{3} la^{0}.｜打～去。ta^{21}(x)ek^{3} çi^{53}.

【嘿嘿】xe$_{44}$xe$_{44}$ 象声 用于摹状笑声：重重复复，～，重三倒四。tʂ^{h}əŋ^{13}tʂ^{h}əŋ$^{13}_{44}$fuk^{5} fuk^{5},xe$_{44}$ xe$_{44}$,tʂ^{h}əŋ^{13}san^{35}tau^{53}si^{53}.

【嘿嘿呐呐】xe^{35}xe$^{35}_{44}$lak^{3} lak^{3} 形 状态词。笑得不庄重的样子：大架势笑，笑起唔庄重，系啊？～，唔严肃。t^{h}ai^{53}cia^{53}ʂɿ^{53}siau^{53},siau^{53}çi^{21}n̩^{13}tsɔŋ^{35}tʂ^{h}əŋ^{53},xei$^{53}_{44}$a^{0}?xe^{35}xe$^{35}_{53}$lak^{3} lak^{3},n̩$^{13}_{21}$ɲien^{13}səuk^{3}.｜长日～，喜欢笑哇。tʂ^{h}ɔŋ$^{13}_{21}$ɲiet^{3} xe^{35}xe$^{35}_{44}$lak^{3} lak^{3},çi^{21}fən^{35}siau^{53}ua^{0}.

【嘿哩】xek^{3} li^{0} 助 动态助词，表示动作行为的实现和完成：饭烧～哈。fan^{53}ʂau^{35}(x)ek^{3} li^{0} xa^{0}.｜我走～，渠正来。ŋai^{13}tsei^{21}xek^{3} li^{0},ci^{13}tʂaŋ^{53}lɔi^{13}.

【痕】çin^{35} 名 在物体表面有意加工出来的凹槽：箇饭甑箅嘞有一条条个～。如果冇得箇个～呐，箇个汽就不可能冲上去，系啊？kai$^{53}_{44}$fan$^{53}_{44}$tsien$^{53}_{44}$pi^{53}lei^{0} iəu^{35}iet^{3} t^{h}iau$^{13}_{44}$t^{h}iau$^{13}_{21}$ke^{0} çin^{35}.ɥ^{13}ko^{21}mau^{13} tek^{3} kai^{53}ke^{0} çin^{35}na^{0},kai$^{53}_{44}$ke$^{53}_{44}$çi^{53}tsiəu$^{53}_{44}$puk^{3} k^{h}o^{21}len^{13}tʂ^{h}əŋ^{35}ʂɔŋ$^{53}_{44}$çi$^{53}_{44}$,xei^{53}a^{0}?

【很】xen^{21} 副 表示程度深，甚，颇：（红菊花）有是有，渠蛮……～少。iəu^{35}ʂɿ$^{53}_{44}$iəu$^{35}_{44}$,ci$^{13}_{44}$ man^{13}…xen$^{21}_{53}$ʂau^{21}.

【狠烧火辣】xen^{21}ʂau$^{35}_{44}$fo^{21}lait^{3} 形容灼痛的感觉：渠箇荷担子吵，一条扁担箇走以个后背转肩呐，转去转转呐，一只后颈筋都硬～哟，真痛哦，荷哩一天是。ci$^{13}_{21}$kai^{53}k^{h}ai$^{35}_{44}$tan^{35}tsɿ^{0} ʂa^{0},iet^{3} t^{h}iau$^{13}_{21}$pien^{21}tan^{53}kai$^{53}_{44}$tsei^{21}i$^{13}_{21}$ke$^{53}_{44}$xei^{53}pɔi^{53}tʂuɔn^{21}cien^{35}na^{0},tʂuɔn^{21}çi^{53}tʂuɔn^{21}tʂuɔn^{21}na^{0},iet^{3} tʂak^{3} xei^{53}ciaŋ^{21} cin^{35}tɔu$^{35}_{44}$ɲiaŋ^{53}xen^{21}ʂau$^{35}_{44}$fo^{21}lait^{3} io^{0},tʂən^{35}t^{h}əŋ^{53}ŋo^{0},k^{h}ai^{35}li^{0} iet^{3} t^{h}ien$^{35}_{44}$ʂɿ$^{53}_{21}$.

【哼$_{1}$】xen^{35} 动 吆喝；叫喊：通唱就站倒上背～呶。t^{h}əŋ^{35}tʂ^{h}əŋ^{53}ts^{h}iəu$^{53}_{44}$tsan^{53}tau^{21}ʂɔŋ^{53}pɔi^{53}xen^{35} nau^{0}.

【哼天呐地】xen^{35}t^{h}ien$^{35}_{44}$lait^{3} t^{h}i^{53} 形容哭声很大：箇只咁个细子啊打都嬒打倒渠就～。又嬒打倒渠，呃，巴掌正扬起来，就～个叫。kai^{53}tʂak^{3} kan^{21}ke$^{53}_{44}$sei^{53}tsɿ^{0} a^{0} ta^{21}tɔu$^{35}_{53}$maŋ$^{13}_{21}$ta^{21}tau^{21}ci$^{13}_{21}$ts^{h}iəu^{53} xen$^{35}_{44}$t^{h}ien$^{35}_{44}$lait^{3} t^{h}i$^{53}_{44}$.iəu^{53}maŋ^{13}ta^{21}tau^{21}ci$^{13}_{44}$,ə$_{21}$,pa^{35}tʂɔŋ$^{13}_{21}$tʂaŋ^{53}ɲiaŋ^{13}çi^{21}lɔi$^{13}_{44}$,ts^{h}iəu^{53}xen^{35}t^{h}ien^{35}lait^{3} t^{h}i^{53}ke^{0} ciau^{53}.

【桁子】xaŋ^{13}tsɿ^{0} 名 架在屋架或山墙上用以支承椽皮的横木：扯稳个就～。就系欸用来钉椽皮个。分椽皮钉嘿上背个就～啊。tʂ^{h}a^{21}uən^{21}ke^{53}ts^{h}iəu^{53}xaŋ^{13}tsɿ^{0} .ts^{h}iəu$^{53}_{21}$xei^{53}ei$_{21}$iəŋ^{53}lɔi$^{13}_{21}$taŋ^{35}ʂən^{13}p^{h}i$^{13}_{21}$ ke^{53}.pən^{35}ʂən^{13}p^{h}i$^{13}_{21}$taŋ$^{35}_{44}$ŋek^{3} (←xek^{3})ʂɔŋ$^{53}_{44}$pɔi$^{53}_{44}$ke$^{53}_{44}$ts^{h}iəu$^{53}_{44}$xaŋ^{13}tsɿ^{0} a^{0}.｜打比以只屋子，渠个～系咁子放。ta^{21}pi^{21}i^{21}tʂak^{3} uk^{3} tsɿ^{0},ci^{13}ke^{53}xaŋ^{13}tsɿ^{0} xe^{53}kan$^{21}_{13}$tsɿ^{0} fɔŋ^{53}.

【横$_{1}$】uaŋ^{13} 形 ①跟地面平行的：顶高箇块～个嘞，就安做过砖。taŋ^{21}kau^{35}kai^{53}k^{h}uai^{53}uaŋ^{13}ke$^{53}_{44}$ lei^{0},ts^{h}iəu$^{53}_{44}$ɔn$^{35}_{44}$tso$^{53}_{44}$ko^{53}tʂɔn^{35}.｜横窖就咁子～个挖嘿进去。uaŋ^{13}kau^{53}ts^{h}iəu$^{53}_{44}$kan^{21}tsɿ^{0} uaŋ^{13}ke$^{53}_{44}$uait^{3} (x)ek^{3} tsin$^{53}_{44}$çi$^{53}_{44}$. ②左右向的，跟目视方向或特定方向垂直的：渠分以条～棍棍，搭……以只东西搭做下也喊水子挽。欸，就系以映那条～棍，以条～棍，搭以只东西也喊水子挽。ci$^{13}_{21}$pən$^{35}_{44}$ i^{21}t^{h}iau$^{13}_{21}$uaŋ^{13}kuən^{53}kuən^{53},tait^{3}…i^{21}tʂak^{3} təŋ$^{35}_{44}$si^{0} tait^{3} tso^{53}xa^{53}ia^{35}xan^{53}ʂei^{21}tsɿ^{0} uan^{21}.e$_{53}$,ts^{h}iəu^{53}xe^{53}i^{21}iaŋ^{21} lai^{53}t^{h}iau$^{13}_{21}$uaŋ^{13}kuən^{53},i^{21}t^{h}iau$^{13}_{21}$uaŋ^{13}kuən^{53},tait^{3} i^{21}tʂak^{3} təŋ$^{35}_{44}$si^{0} ia^{35}xan^{53}ʂei^{21}tsɿ^{0} uan^{21}.｜以个～个扯稳，欸，～个也扯稳哩。i$^{21}_{13}$ke^{53}uaŋ^{13}kei^{53}tʂ^{h}a^{21}uən^{21},e$_{21}$,uaŋ^{13}kei^{53}ia^{35}tʂ^{h}a^{21}uən^{21}ni^{0}.

【横$_{2}$】uaŋ^{13} 名 汉字由左至右的笔形"一"：闩嘞就门字肚里一～。ts^{h}ɔn^{35}ne^{0} ts^{h}iəu^{53}mən^{13}ts^{h}ɿ^{53} tɔu^{21}li^{0} iet^{3} uaŋ^{13}.｜一般写嘞，箇示字个第二～，写长滴，宝盖头写狭滴子。iet^{3} pɔn^{35}sia^{21} lei^{0},kai$^{53}_{44}$ʂɿ^{53}ts^{h}ɿ$^{53}_{44}$ke$^{53}_{44}$t^{h}i$^{53}_{44}$ɲi^{53}uaŋ^{13},sia^{21}tʂ^{h}ɔŋ^{13}tet^{5},pau^{21}kɔi^{53}t^{h}ei^{13}sia^{21}c^{h}iait^{5} tiet^{5} tsɿ^{0}.

【横背人】uaŋ^{13}pei$^{53}_{44}$ɲin$^{13}_{21}$ 名 辈分相同的人：就由别么人，或者大人，或者～来泡碗茶渠食哩。ts^{h}iəu$^{53}_{44}$iəu$^{13}_{21}$p^{h}iek^{5} mak^{3} ɲin$^{13}_{21}$,xɔit^{3} tʂa^{21}t^{h}ai^{53}ɲin^{13},xɔit^{5} tʂa^{21}uaŋ^{13}pei$^{53}_{44}$ɲin$^{13}_{21}$nɔi$^{13}_{21}$p^{h}au^{53}uɔn^{21}ts^{h}a^{13}ci$^{13}_{44}$ʂət^{5} li^{0}.

【横幅】uaŋ^{13}fuk^{5} 名 横向吊挂或张贴的书法等：寄托哀思箇四只字一般呢都系办丧事个时候

子嘞写成～。ci^{53}tʰɔk^{3} ŋoi^{35}ʂɿ$^{35}_{44}$kai^{53}si^{53}tʂak^{3} ʂɿ^{53}iet^{3} pən^{35}ne^{0} təu^{35}xe$^{53}_{44}$pʰan^{53}sɔŋ^{35}ʂɿ$^{53}_{44}$ke$^{53}_{44}$ʂɿ$^{13}_{21}$xei$^{53}_{44}$tsɿ^{0} lei^{0} sia^{21} ʂaŋ^{13}uaŋ^{13}fuk^{5}.

【横横架架】uaŋ^{13}uaŋ^{13}ka^{53}ka^{53} 形横竖不一的：松毛是□长啊，～个东西啊。tsʰəŋ^{13}mau^{35}ʂɿ$^{53}_{44}$lai^{35} tʂʰɔŋ^{13}ŋa^{0},uaŋ^{13}uaŋ^{13}ka^{53}ka^{53}ke$^{53}_{44}$təŋ$^{35}_{44}$si^{0} a^{0}.

【横横哩】uaŋ^{13}uaŋ^{13}li^{0} 副横向地：就系～舞断哩，就等嘿哩。tsiəu^{53}xe$^{53}_{44}$uaŋ^{13}uaŋ^{13}li^{0} u^{21}tʰɔn^{35} ni^{0},tsʰiəu^{53}tən^{21}nek^{3}(←xek^{3})li^{0}.

【横横拐拐】uaŋ^{13}uaŋ^{13}uet^{3}uet^{3} ①形容蛮横无理，为了达到目的而不择手段：我张坊街上有几只无赖，我都晓得嘞，有几只咁个无赖，喜欢～搞别人家个人。ŋai^{13}tʂɔŋ^{35}xɔŋ$^{35}_{53}$kai$^{35}_{44}$xɔŋ$^{53}_{44}$iəu^{35}ci^{21} tʂak^{3} u^{13}lai^{53},ŋai^{13}təu$^{13}_{53}$çiau^{21}tek^{3} lei^{0},iəu^{35}ci^{21}tʂak^{3} kan^{21}ke^{53}u^{13}lai^{53},çi^{21}fɔn$^{35}_{44}$uaŋ^{13}uaŋ$^{13}_{44}$uet^{3} uet^{3} kau^{21}pʰiet^{5} in$^{13}_{21}$ ka$^{35}_{44}$ke^{53}ɲin$^{13}_{21}$. ②形容不按常理办事：当律师个人是爱让门子啊？安做～都搞得。～都搞得个人，都来得，箇个人正当得律师。tɔŋ^{35}liet^{5} ʂɿ$^{35}_{44}$ke^{53}ɲin$^{13}_{21}$ʂɿ$^{53}_{44}$ɔi$^{53}_{44}$ɲiɔŋ$^{53}_{44}$mən$^{13}_{44}$tsɿ^{0} a^{0} ?ɔn$^{35}_{53}$tso^{53}uaŋ^{13}uaŋ$^{13}_{44}$uet^{3} uet^{3} təu$^{35}_{53}$kau^{21}tek^{3}.uaŋ^{13}uaŋ$^{13}_{44}$uet^{3} uet^{3} təu$^{35}_{53}$kau^{21}tek^{3} ke^{53}ɲin$^{13}_{21}$,təu$^{35}_{53}$lɔi^{13}tek^{3},kai$^{53}_{44}$ke$^{53}_{44}$ɲin$^{13}_{21}$tʂaŋ^{53}tɔŋ^{35}tek^{3} let^{5} ʂɿ$^{35}_{44}$. | 渠等话箇律师打官司啊就爱～来告，正告得赢。你系讲规矩就冇哩搞。嗯，你就打别人家唔赢。ci^{13}tien^{0} ua$^{53}_{44}$kai$^{53}_{44}$liet^{5} ʂɿ$^{35}_{44}$ta^{21}kɔn^{35}ʂɿ^{35}a^{0} tsʰiəu^{53}ɔi^{53}uaŋ^{13}uaŋ$^{13}_{44}$uet^{3} uet^{3} lɔi$^{13}_{44}$kau^{53},tʂaŋ^{53}kau^{53}tek^{3} iaŋ^{13}. ɲi^{13}xe$^{53}_{44}$kɔŋ^{21}kuei^{35}tʂʮ^{21}tsʰiəu^{53}mau^{13}li^{0} kau^{21}.n̩$^{}_{21}$, ɲi$^{13}_{21}$tsʰiəu^{53}ta^{21}pʰiet^{5} in$^{13}_{44}$ka$^{35}_{53}$n̩$^{13}_{21}$iaŋ$^{13}_{21}$.

【横横子】uaŋ^{13}uaŋ^{13}tsɿ^{0} 形跟地面平行的，跟目视方向垂直的，或地理学上指东西向的：钉块子～个板子。taŋ$^{35}_{44}$kʰuai^{53}tsɿ^{0} uaŋ^{13}uaŋ^{13}tsɿ^{0} ke^{53}pan^{21}tsɿ^{0}.

【横窖】uaŋ^{13}kau^{53} 名水平的地窖：仰天窖嘞挖地下，～就咁子横个挖嘿进去。但是渠作用来讲欸系，一般系番薯窖。ŋɔŋ^{35}tʰien$^{35}_{44}$kau^{53}le^{0} uait^{3} tʰi^{53}xa$^{53}_{44}$,uaŋ^{13}kau^{53}tsʰiəu$^{53}_{44}$kan^{21}tsɿ^{0} uaŋ^{13}ke$^{53}_{44}$uait^{3} (x)ek^{3} tsin$^{53}_{44}$çi$^{53}_{44}$.tan$^{53}_{44}$ʂɿ^{53}ci$^{13}_{21}$tsɔk^{3} iəŋ^{53}lɔi$^{13}_{21}$kɔŋ^{21}ŋe^{0} xei$^{53}_{44}$,iet^{3} pɔn^{35}xe$^{53}_{44}$fan^{35}ʂəu$^{13}_{21}$kau^{53}.

【横空空哩】uaŋ^{13}kʰəŋ^{53}kʰəŋ^{53}li^{0} 副平白无故：舞倒渠嘞～舞倒渠赔嘿几万块钱。u^{21}tau^{21}ci^{13}lei^{0} uaŋ^{13}kʰəŋ^{53}kʰəŋ^{53}li^{0} u^{21}tau^{21}ci^{13}pʰi^{13}xek^{3} ci^{21}uan^{53}kʰuai^{21}tsʰien$^{13}_{21}$.

【横批】fəŋ^{13}pʰi^{35} 名与对联搭配的横幅：写哩咁个字个栏场，"当大事"也好，"读礼"也好，写哩咁个字个门……箇个就系就安做么个，～吵。sia^{21}li^{0} kan^{21}ke$^{53}_{44}$ʂɿ^{53}ke$^{53}_{44}$laŋ$^{13}_{21}$tʂʰɔŋ$^{13}_{21}$,"tɔŋ^{35}tʰai^{53} ʂɿ$^{53}_{44}$"a$^{35}_{44}$xau^{21},"tʰəuk^{5} li^{35}"ia$^{35}_{44}$xau^{21},sia^{21}li^{0} kan^{21}ke$^{53}_{44}$ʂɿ^{53}ke$^{53}_{44}$mən^{13}…kai$^{53}_{44}$ke$^{53}_{44}$tsʰiəu$^{53}_{44}$xe$^{53}_{44}$tsʰiəu$^{53}_{44}$ɔn$^{35}_{44}$tso$^{53}_{44}$mak^{3} ke$^{53}_{44}$,fəŋ^{13}pʰi$^{35}_{44}$ʂa^{0}.

【横食】uaŋ^{13}ʂət^{5} 动强迫他人做某事；强人所难：你～别人家，箇你唔系一只土匪呀？ɲi$^{13}_{21}$ uaŋ^{13}ʂət^{5} pʰiet^{5}ɲin$^{13}_{21}$ka$^{35}_{44}$,kai^{53}ɲi$^{13}_{21}$m̩^{13}pʰei^{53}iet^{3} tʂak^{3} tʰəu^{21}fei^{21}ia^{0}?

【横厅子】uaŋ^{13}tʰaŋ^{35}tsɿ^{0} 名横屋中的厅堂，多用做食饭厅子：箇个就安做横屋吵。以下做只檐头。箇檐头就比较宽，肚里好放晒下子衫裤箇只，过人，系啊？以个伸出来个两边个屋，箇横屋嘞，渠就一般嘞就平倒以只檐头来。以底下嘞做只做只么个做只厅子，安做～。指横个厅子。有滴一栋个也咁子做嘞，～。大厅下嘞，放下子祖宗牌位呀举行活动箇只。～就做食饭厅子。一般子个农家个屋咯，以前箇屋，～就做食饭个厅子。kai$^{53}_{44}$kei$^{53}_{44}$tsʰiəu$^{53}_{44}$ɔn$^{35}_{44}$tso$^{53}_{44}$uaŋ^{13} uk^{3} ʂa^{0}.i^{21}xa$^{53}_{44}$tso^{53}tʂak^{3} ian^{13}tʰei^{13}.kai^{53}ian^{13}tʰei$^{13}_{21}$tsʰiəu^{53}pi^{21}ciau$^{53}_{44}$kʰɔn^{35},təu^{21}li^{0} xau^{21}fɔŋ^{53}sai^{53}xa$^{53}_{21}$tsɿ^{0} san^{35}fu^{53} kai$^{53}_{21}$tʂak^{3},ko^{53}ɲin^{13},xei$^{53}_{44}$a^{0}?i^{21}ke^{53}tʂʰən^{35}tʂʰət^{3} lɔi$^{13}_{21}$kei^{53}iɔŋ^{21}pien^{35}ke^{53}uk^{3},kai^{53}uaŋ^{13}uk^{3} lei^{0},ci^{13}tsʰiəu^{53}iet^{3} pɔn^{35}ne^{0} tsʰiəu$^{53}_{44}$pʰiaŋ^{13}tau^{21}i^{21}tʂak^{3} ian^{13}tʰei^{13}lɔi^{13}.i^{21}tei^{21}xa$^{53}_{44}$lei^{0} tso^{53}tʂak^{3} tso^{53}tʂak^{3} mak^{3} (k)e$^{53}_{44}$tso^{53}(tʂ)ak^{3} tʰaŋ^{35}tsɿ^{0},ɔn^{35}tso$^{53}_{44}$uaŋ^{13}tʰaŋ^{35}tsɿ^{0}.tʂɿ^{21}uaŋ^{13}ke$^{53}_{44}$tʰaŋ^{35}tsɿ^{0}.iəu^{35}tet^{5} iet^{3} təŋ^{53}ke$^{53}_{44}$ia^{35}kan^{21}tsɿ^{0} tso^{53}lei^{0},uaŋ^{13}tʰaŋ^{35} tsɿ^{0}.tʰai^{53}tʰaŋ^{35}xa$^{35}_{44}$lei^{0},fɔŋ^{53}xa^{53}tsɿ^{0} tsəu^{21}tsəŋ^{35}pʰai^{13}uei^{53}ia^{0} tʂʮ^{21}çin^{13}xɔit^{5} tʰəŋ^{53}kai$^{53}_{44}$tʂak^{3}.uaŋ^{13}tʰaŋ$^{35}_{44}$tsɿ^{0} lei^{0} tsʰiəu$^{53}_{44}$tso$^{53}_{21}$ʂət^{5} fan^{53}tʰaŋ^{35}tsɿ^{0}.iet^{3} pɔn^{35}tsɿ^{0} ke$^{53}_{44}$ləŋ^{13}cia$^{35}_{44}$ke^{53}uk^{3} ko^{0},i$^{35}_{53}$tsʰien^{13}kai$^{53}_{44}$uk^{3},uaŋ^{13}tʰaŋ^{35}tsɿ^{0} tsʰiəu$^{53}_{44}$ tso$^{53}_{44}$ʂət^{5} fan^{53}ke$^{53}_{44}$tʰaŋ^{35}tsɿ^{0}.

【横头】uaŋ^{13}tʰei^{13} 名①长形椅凳的左右两边：你坐上～，我坐下～。ɲi^{13}tsʰo^{35}ʂɔŋ^{35}uaŋ^{13}tʰei^{13}, ŋai^{13}tsʰo^{35}xa^{35}uaŋ^{13}tʰei^{13}. ②正屋两侧头上建的与正屋垂直的横屋：我等箇只祠堂就还赠做～。也爱做～，也准备做～，但是还赠做。ŋai^{13}tien^{0} kai^{53}tʂak^{3} tsʰɿ^{13}tʰɔŋ$^{13}_{44}$tsʰiəu^{53}xai$^{13}_{21}$maŋ^{13}tso^{53}uaŋ^{13}tʰei^{13}. ia^{35}ɔi^{53}tso^{53}uaŋ^{13}tʰei^{13},ia^{35}tʂən^{21}pʰi^{53}tso^{53}uaŋ^{13}tʰei$^{13}_{44}$,tan$^{53}_{44}$ʂɿ$^{53}_{44}$xai$^{13}_{21}$maŋ$^{13}_{21}$tso^{53}.

【横屋】uaŋ^{13}uk^{3} 名正屋前两侧、厢房背后的房屋：～箇是又另外个了。渠就……～个意思嘞打比样以个舞倒系咁子做倒，咁子，咁子做倒个屋样，系啊？上栋，下栋，中间嘞一边一只厢房，咁子进去，系啊？～嘞就系咁子做倒箇映。咁子以映，以边咁子。以起嘞就咁子倒水呀。两倒水呀，欸。以映子尽系呀，系啊？以映上栋，以向下栋，～嘞就以咁子倒水。倒转两边。以只方向，垂直，摎渠垂直个以另外一只方向。厢房就渠……欸箇～啊，就厢房后背。要分箇做……做下厢房后背个～。一般都系……我等箇只我等箇映子欸一一般就系咁子做法啦。渠有有地方个话可以以边做套～，以边也做～。欸，又可以放天心。又可以放天井，渠因为爱采光啊，渠看唔倒哇，系唔系？以边墨暗呐。uaŋ^{13}uk^{3}kai^{53}ʂɿ^{53}iəu^{53}lin^{53}uai^{53}ke$^{53}_{44}$liau^{0}.ci^{13} tsʰiəu^{53}…uaŋ^{13}uk^{3}ke^{53}i^{53}sɿ$^{35}_{44}$lei^{0}ta^{21}pi^{21}iəŋ^{53}i^{21}cie^{53}u^{21}tau^{21}xe^{53}kan$^{21}_{13}$tsɿ^{0}tso^{53}tau^{21},kan^{21}tsɿ^{0},kan^{21}tsɿ^{0}tso^{53}tau^{21} ke^{53}uk^{3}iəŋ^{53},xe$^{53}_{44}$a^{0}?ʂəŋ^{53}təŋ^{53},xa^{35}təŋ^{53},tʂəŋ^{35}kan$^{35}_{44}$nei^{0}iet^{3}pien^{35}iet^{3}tʂak^{3}siəŋ^{35}fəŋ$^{13}_{21}$,kan^{21}tsɿ^{0}tsin^{53}çi^{53},xei^{53} a^{0}?uaŋ^{13}uk^{3}lei^{0}tsʰiəu^{53}xei^{53}kan$^{21}_{13}$tsɿ^{0}tso^{53}tau^{21}kai^{53}iaŋ^{53}.kan$^{21}_{13}$tsɿ^{0}i^{21}iaŋ$^{53}_{35}$,i^{21}pien$^{35}_{44}$kan^{21}tsɿ^{0}.i^{21}çi^{21}lei^{0}tsʰiəu^{53} kan$^{21}_{13}$tsɿ^{0}tau^{53}ʂei^{0}ia^{0}.iəŋ^{21}tau^{21}ʂei^{21}ia^{0},e$_{21}$.iaŋ$_{13}$(←i^{21}iaŋ^{53})tsɿ^{0}tsin^{53}çi$^{53}_{44}$ia^{0},xe^{53}a^{0}?i^{21}iaŋ$^{53}_{44}$ʂəŋ^{53}təŋ$^{53}_{44}$,i^{21}çiəŋ^{53}xa^{35} təŋ^{53},uaŋ^{13}uk^{3}lei^{0}tsʰiəu^{53}i^{21}kan$^{21}_{13}$tsɿ^{0}tau^{21}ʂei^{21}.tau^{21}tʂən^{21}iəŋ^{21}pien$^{35}_{44}$.i^{21}tʂak^{3}fəŋ^{35}çiəŋ^{53},tʂʰei^{13}tʂʰət^{5},lau^{35}ci$^{13}_{21}$ tʂʰei^{13}tʂʰət^{5}cie^{53}i^{21}lin^{53}uai$^{53}_{44}$iet^{3}tʂak^{3}fəŋ^{35}çiəŋ$^{53}_{44}$.siəŋ^{35}fəŋ$^{13}_{21}$tsʰiəu^{53}ci$^{13}_{21}$…e$_{44}$kai$^{53}_{44}$uaŋ^{13}uk^{3}a^{0},tsʰiəu$^{53}_{44}$siəŋ^{35}fəŋ$^{13}_{21}$ xei^{53}pɔi$^{53}_{44}$.iau$^{53}_{21}$pən^{35}kai$^{53}_{44}$tso^{53}s…tso^{53}(x)a$^{53}_{44}$siəŋ^{35}fəŋ$^{13}_{21}$xei^{53}pɔi$^{53}_{44}$ke$^{53}_{44}$uaŋ^{13}uk^{3}.iet^{3}pən^{35}təu$^{35}_{44}$xe$^{53}_{44}$…ŋai^{13}tien^{0} kai^{53}tʂak^{3}ŋai^{13}tien^{0}kai$^{53}_{44}$iaŋ^{53}tsɿ^{0}e$_{44}$iet^{3}iet^{3}pən^{35}tsʰiəu$^{53}_{44}$xei$^{53}_{44}$kan^{21}tsɿ^{0}tso^{53}fait^{3}la^{0}.ci$^{13}_{21}$iəu^{35}iəu^{35}tʰi^{53}fəŋ$^{35}_{44}$ke$^{53}_{44}$fa$^{53}_{44}$ kʰo^{21}i$^{35}_{44}$i^{21}pien$^{35}_{44}$tso^{53}tʰau$^{53}_{44}$uaŋ^{13}uk^{3},i^{21}pien$^{35}_{44}$na$_{44}$(←ia^{35})tso^{53}uaŋ^{13}uk^{3}.e$_{21}$,iəu^{53}kʰo^{21}i^{35}fəŋ^{53}tʰien^{35}sin^{35}.iəu^{53}kʰo^{21} i^{35}fəŋ^{53}tʰien^{35}tsiaŋ^{21},ci$^{13}_{21}$in^{35}uei$^{53}_{44}$ɔi$^{53}_{44}$tsʰai^{21}kəŋ^{35}ŋa^{0},ci^{13}kʰən^{35}n̩$^{13}_{21}$tau^{21}ua^{0},xei$^{53}_{44}$me$^{53}_{44}$?i^{21}pien^{35}miet^{5}an^{53}na^{0}.

【横向】uaŋ^{13}çiəŋ^{53} 名 屋子的宽度：如今个屋个～都系箇四米子打转身，四米零兜子。实在做屋嘞就爱～爱做大滴。i$^{13}_{21}$cin$^{35}_{53}$ke^{53}uk^{3}ke^{53}uaŋ^{13}çiəŋ^{53}təu^{35}xe^{53}kai^{53}si^{53}mi^{21}tsɿ^{0}ta^{21}tʂuon^{21}ʂən$^{35}_{44}$,si^{53}mi^{21}laŋ^{13} tei$^{35}_{53}$tsɿ^{0}.ʂət^{5}tsʰai^{53}tso^{53}uk^{3}lei^{0}tsʰiəu^{53}ɔi^{53}uaŋ^{13}çiəŋ^{53}ɔi$^{53}_{44}$tso$^{53}_{44}$tʰai^{53}tiet^{5}.

【横直】uaŋ^{13}tʂʰət^{5} 副 表示坚决肯定的语气：听你去唔去，～我是爱个。tʰin^{53}ɲi^{13}çi^{53}ŋ^{13}çi^{53},uaŋ^{13} tʂʰət^{5}ŋai^{13}ʂɿ^{53}ɔi^{53}ke^{0}.

【横$_{3}$】uaŋ^{53} 动 ①倒下；坍塌；将容器倾斜或翻转，使里面的东西出来：我等就有兜是欸系"来来来，来～几杯哟"。～就系倒哇，倒哇，～下来哩啊，一条树～下来哩，一条竹，一只屋～下来哩，就箇只～。倒个意思，来～几杯。ŋai^{13}tien^{0}tsʰiəu$^{53}_{44}$iəu^{35}tei$^{35}_{53}$ʂɿ$^{53}_{44}$e$_{53}$xe$^{53}_{21}$"lɔi^{13}lɔi^{13}lɔi^{13}, lɔi^{13}uaŋ^{53}ci^{21}pi$^{35}_{44}$iau^{0}".uaŋ^{53}tsʰiəu$^{53}_{44}$xe$^{53}_{44}$tau^{53}ua^{0},tau^{21}ua^{0},uaŋ^{53}xa$^{53}_{44}$lɔi$^{13}_{21}$li^{0}a^{0},iet^{3}tʰiau^{13}ʂəu^{53}uaŋ^{53}xa$^{53}_{44}$lɔi$^{13}_{21}$li^{0},iet^{3} tʰiau^{13}tʂəuk^{3},iet^{3}tʂak^{3}uk^{3}uaŋ^{53}xa$^{53}_{44}$lɔi$^{13}_{21}$li^{0},tsiəu$^{53}_{44}$kai$^{53}_{21}$tʂak^{3}uaŋ^{53}.tau^{21}ke^{0}i^{53}sɿ^{0},lɔi$^{13}_{44}$uaŋ^{53}ci^{21}pi$^{35}_{44}$.｜我等，欸，我等人自家屋下咯，姓万个咯，只有几个子食得酒个。我等欸浏阳有只我喊阿叔个，渠就哪到来哩都就寻倒我。"端生端生，来哟，来搞几杯哟，来～几杯哟，来哟。"渠就只寻我，冇伴呐。以下我硬哪到都恼渠个瘾，喊渠个啥。渠食得，我食唔得嘞。"你就冇味唠，"渠咯，"端生，你就冇味唠，你就搞唔得啦，你就冇味。你系衍文啵，唔食唠。"撞怕就分渠搞来搞去是也总也是食一杯呀。欸，～一杯呀。ŋai^{13}tien^{0},e$_{21}$,ŋai^{13}tien^{0}ɲin$^{13}_{44}$tsʰɿ^{35}ka$^{35}_{53}$uk^{3}xa$^{53}_{44}$ko^{0},siaŋ^{53}uan^{53} ke$^{53}_{44}$ko^{0},tʂɿ^{21}iəu$^{35}_{53}$ci^{21}cie^{53}tsɿ^{0}ʂɿt^{5}tek^{3}tsiəu^{21}ke^{0}.ŋai^{13}tien^{0}e$_{21}$liəu^{13}iəŋ^{13}iəu^{35}tʂak^{3}ŋai^{13}xan^{53}a^{35}ʂəuk^{3}ke^{0},ci^{13} tsʰiəu$^{53}_{44}$lai^{53}tau$^{53}_{44}$lɔi$^{13}_{21}$li^{0}təu$^{35}_{44}$tsʰiəu^{53}tsʰin$^{13}_{21}$tau^{21}ŋai^{13}."tɔn^{35}sen$^{35}_{44}$tɔn$^{35}_{44}$sen$^{35}_{44}$,lɔi^{13}io^{0},lɔi^{13}kau^{21}ci^{21}pi$^{35}_{44}$iau^{0},lɔi^{13}uaŋ^{53} ci^{21}pi^{35}io^{0},lɔi^{13}io^{0}."ci^{13}tsʰiəu^{53}tʂɿ^{21}tsʰin^{13}ŋai^{13},mau^{13}pʰɔn^{53}na^{0}.i^{21}xa^{53}ŋai^{13}ɲiaŋ$^{53}_{44}$lai^{53}tau$^{53}_{44}$təu$^{35}_{44}$lau^{21}ci^{13}ke^{0} in^{21},xan^{53}ci$^{13}_{53}$ke$^{53}_{21}$ʂa^{21}.ci^{13}ʂɿt^{5}tek^{3},ŋai^{13}ʂɿt^{5}n̩$^{13}_{44}$tek^{3}lei^{0}."ɲi^{13}tsʰiəu$^{53}_{44}$mau^{13}uei^{53}lau^{0},"ci^{13}ko^{0},"tɔn$^{35}_{44}$sen$^{35}_{44}$,ɲi^{13} tsʰiəu$^{53}_{44}$mau^{13}uei^{53}lau^{0},ɲi^{13}tsʰiəu^{53}kau^{21}n̩^{13}tek^{3}la^{0},ɲi^{13}tsʰiəu$^{53}_{44}$mau^{13}uei^{53}.ɲi^{13}xei$^{53}_{44}$ien^{35}uən^{13}nau^{0},n̩^{13}ʂət^{5} lau^{0}."tsʰəŋ^{21}pʰa^{53}tsiəu$^{53}_{21}$pən^{35}ci$^{13}_{21}$kau^{21}lɔi^{13}kau^{21}çi$^{53}_{44}$ʂɿ$^{53}_{44}$ia^{35}tsəŋ^{21}ŋa$^{35}_{44}$ʂɿ$^{53}_{44}$ʂət^{5}iet^{3}pi^{35}ia^{0}.e$_{21}$,uaŋ^{53}iet^{3}pi$^{35}_{44}$ia^{0}. ②丢弃，遗失：～下街上了。uaŋ^{53}a^{53}kai^{35}xəŋ^{53}liau^{21}.

【横跤】uaŋ^{53}kau^{35} 动 跌倒：横哩跤 uaŋ^{53}li^{0}kau^{35}

【横子】uaŋ^{53}tsɿ^{0} 名 ①器物上的横木：楼梯枕子，又安做楼梯～。lei^{13}tʰɔi$^{35}_{44}$kuaŋ^{35}tsɿ^{0},iəu$^{53}_{44}$ɔn$^{35}_{44}$tso$^{53}_{44}$ lei$^{13}_{21}$tʰɔi$^{35}_{44}$uaŋ^{53}tsɿ^{0}. ②指窗棂：以前我等做屋啊，箇个光窗～啊，用么个？用细杉树子。出倒咁大子个细杉树子，甚至还有用细竹子做光窗～。箇阵光窗也冇几大，箇以前个光窗哎就一面镜咁大子个都有，丁啮大子，光线也唔好。箇是从前呐，欸，箇解放前做个屋啊。以下落尾嘞，呃，八十年代做屋了嘞，箇就用细杉树子做光窗～，出倒溜圆子个，咁大子个细杉树子做光窗～。到哩九十年代了嘞，落尾又有钱兜子嘞，用钢筋，嗯，用箇个钢筋做光窗～。好，以下倒转来光窗唔爱哩～了，冇得哩用光窗～个了。欸，用光窗～个墨暗，唔好看，系唔系？嗯，冇么人用光窗～了。i$^{35}_{53}$tsʰien^{13}ŋai$^{13}_{21}$tien^{0}tso^{53}uk^{3}a^{0},kai$^{53}_{44}$ke$^{53}_{44}$kəŋ^{35}tsʰəŋ^{35}uaŋ^{53}tsɿ^{0}a^{0},iəŋ^{53}mak^{3}ke$^{53}_{44}$? iəŋ^{53}se$^{53}_{44}$sa^{35}ʂəu^{53}tsɿ^{0}.tʂʰət^{3}tau^{21}kan$^{21}_{13}$tʰai^{53}tsɿ^{0}ke$^{53}_{44}$se^{53}sa^{35}ʂəu^{53}tsɿ^{0},ʂən^{53}tʂɿ^{53}xai$^{13}_{21}$iəu$^{35}_{44}$iəŋ^{53}se^{53}tʂəuk^{3}tsɿ^{0}tso^{53} kəŋ$^{35}_{44}$tsʰəŋ$^{35}_{44}$uaŋ^{53}tsɿ^{0}.kai^{53}tʂʰən$^{53}_{44}$kəŋ^{35}tsʰəŋ$^{35}_{44}$ŋa$^{35}_{53}$mau$^{13}_{21}$ci^{21}tʰai^{53},kai$^{53}_{44}$i$^{35}_{53}$tsʰien$^{13}_{44}$ke$^{53}_{44}$kəŋ^{35}tsʰəŋ^{35}ai$_{44}$tsʰiəu^{53}i^{21} mien$^{53}_{44}$ciaŋ^{53}kan^{21}tʰai^{53}tsɿ^{0}ke$^{53}_{44}$təu$^{35}_{44}$iəu$^{35}_{44}$,tin^{53}ŋait^{3}tʰai^{53}tsɿ^{0},kəŋ^{35}sien$^{53}_{44}$na$^{35}_{53}$n̩$^{13}_{21}$xau^{21}.kai^{53}ʂɿ^{53}tsʰəŋ$^{13}_{21}$tsʰien$^{13}_{21}$

na^{0},ei$_{21}$,kai^{53}kai^{21}xɔŋ^{53}ts^{h}ien^{13}tso^{53}ke^{53}uk^{3}a^{0}.i^{21}xa$^{53}_{44}$lɔk^{5}mi$^{35}_{44}$lei^{0},ə$_{21}$,pait^{3}ʂət^{5}ɲien$^{13}_{21}$t^{h}ɔi$^{53}_{44}$tso^{53}uk^{3}liau^{0}lei^{0},kai$^{53}_{44}$ts^{h}iəu$^{53}_{21}$iəŋ^{53}se^{53}sa$^{53}_{44}$ʂəu^{53}tsɿ^{0}tso^{53}kɔŋ$^{35}_{44}$ts^{h}əŋ$^{35}_{44}$uaŋ^{53}tsɿ^{0},tʂ^{h}ət^{3}tau^{21}liəu^{35}ien$^{13}_{21}$tsɿ^{0}ke^{0},kan$^{21}_{13}$t^{h}ai^{53}tsɿ^{0}ke^{0}se^{53}sa$^{35}_{44}$ʂəu^{53}tsɿ^{0}tso^{53}kɔŋ$^{35}_{44}$ts^{h}əŋ$^{35}_{44}$uaŋ^{53}tsɿ^{0}.tau^{53}li^{0}ciəu^{21}ʂət^{5}ɲien^{13}t^{h}ɔi^{53}liau^{0}lei^{0},lɔk^{5}mi$^{35}_{44}$iəu^{53}iəu^{35}ts^{h}ien^{13}tei$^{35}_{53}$tsɿ^{0}lei^{0},iəŋ^{53}kɔŋ^{35}cin$^{35}_{44}$,n̩$_{53}$,iəŋ$^{53}_{44}$kai$^{53}_{44}$ke$^{53}_{44}$kɔŋ^{35}cin$^{35}_{44}$tso^{53}kɔŋ$^{35}_{44}$ts^{h}əŋ$^{35}_{44}$uaŋ^{53}tsɿ^{0}.xau^{21},i^{21}xa$^{53}_{44}$tau^{53}tʂuɔn^{21}nɔi$^{13}_{44}$kɔŋ^{35}ts^{h}əŋ$^{35}_{44}$m̩$^{13}_{21}$mɔi^{53}li^{0}uaŋ^{53}tsɿ^{0}liau^{0},mau^{13}tek^{3}li^{0}iəŋ^{53}kɔŋ$^{35}_{44}$ts^{h}əŋ$^{35}_{44}$uaŋ^{53}tsɿ^{0}cie^{53}liau^{0}.e$_{21}$,iəŋ$^{53}_{44}$kɔŋ^{35}ts^{h}əŋ$^{35}_{44}$uaŋ^{53}tsɿ^{0}ke^{0}miet^{5}an^{53},n̩$^{13}_{21}$xau^{21}k^{h}ɔn^{53},xei^{53}me^{53}?n̩$_{44}$,mau^{13}mak^{3}in$^{13}_{44}$iəŋ^{53}kɔŋ$^{35}_{44}$ts^{h}əŋ$^{35}_{44}$uaŋ^{53}tsɿ^{0}liau^{0}.

【哼$_{2}$】xẽ$_{53}$/xɔ̃$_{53}$ 叹表示嘲讽或自嘲：欸，以个电话机放倒以映做样子个。～，聋子个耳朵。e$_{53}$,i^{21}ke$^{53}_{44}$t^{h}ien$^{53}_{44}$fa$^{53}_{44}$ci^{35}fɔŋ$^{53}_{44}$tau^{21}i^{21}iaŋ$^{53}_{44}$tso^{53}iəŋ^{53}tsɿ^{0}ke^{53}.xẽ$_{53}$,lən^{35}tsɿ^{0}ke$^{53}_{44}$ni^{21}to^{21}.｜我等还有钱买手锁是？～，饭都冇食。ŋai$^{13}_{21}$tien^{0}xai$^{13}_{44}$iəu^{35}ts^{h}ien$^{13}_{21}$mai^{35}ʂəu^{21}so^{21}ʂɿ^{53}?xɔ̃$_{53}$,fan^{53}təu$^{35}_{44}$mau$^{13}_{21}$ʂət^{5}.

【哼哼】xŋ̍$_{53}$xŋ̍$_{21}$/xŋ̍$_{21}$xŋ̍$_{21}$ 叹①表示不满意或不相信：箇只就荡耙床。～，箇是会唔记得了，荡耙床。kai$^{53}_{44}$tʂak^{3}tsiəu$^{53}_{44}$t^{h}ɔŋ^{53}p^{h}a^{13}ts^{h}ɔŋ^{13}.xŋ̍$_{53}$xŋ̍$_{21}$,kai$^{53}_{21}$ʂɿ$^{53}_{21}$uɔi^{53}n^{13}ci^{53}tek^{3}liau^{0},t^{h}ɔŋ^{53}p^{h}a$^{13}_{21}$ts^{h}ɔŋ^{13}. ②表示觉得好笑：过河袜。笑话，～。ko^{53}xo$^{13}_{21}$mait^{3}.siau^{53}fa^{53},xŋ̍$_{21}$xŋ̍$_{21}$.

【烘竹笕】fən^{53}tʂəuk^{3}sien^{21} 名将生竹片放在火烘楼上长时间熏烤，建造房屋或制作家具等的时候用以代替钉子，不会长虫：～呶，安做～呶，系唔系啊？竹钉子。/竹钉子是系。～是用沙炒，系唔系啊？/啊，唔哦，硬去熏喏。欸，箇个安做钉栊个就用沙炒。/系呀，生个就沙炒哇。fən^{53}tʂəuk^{3}sien^{21}nau^{0},ɔn^{35}tso$^{53}_{44}$fən^{53}tʂəuk^{3}sien^{21}nau^{0},xei$^{53}_{44}$me$^{53}_{44}$a^{0}?tʂəuk^{3}taŋ^{35}tsɿ^{0}./tʂəuk^{3}taŋ^{35}tsɿ^{0}ʂɿ$^{53}_{44}$xe^{53}.fən^{53}tʂəuk^{3}sien^{21}ʂɿ$^{53}_{44}$iəŋ^{53}sa^{35}ts^{h}au^{21},xei^{53}me$^{53}_{44}$a^{0}?/a^{35},ŋ̍$^{13}_{21}$ŋo^{0},ɲiaŋ$^{53}_{44}$çi$^{53}_{44}$çin^{35}no^{0}.ei$_{21}$,kai$^{53}_{44}$ke$^{53}_{44}$ɔn$^{35}_{44}$tso$^{53}_{44}$taŋ^{35}ləŋ^{13}ke$^{53}_{44}$ts^{h}iəu$^{53}_{44}$iəŋ$^{53}_{44}$sa^{35}ts^{h}au^{21}./xei^{53}ia^{0},saŋ^{35}ke$^{53}_{44}$ts^{h}iəŋ$^{53}_{44}$sa^{35}ts^{h}au^{21}ua^{0}.

【红$_{1}$】fəŋ^{13} 形像鲜血的颜色。有"AA 子"重叠式：欸，白辣椒是蛮箇个噢，渠爱白个，唔系～个。～个食……受唔了。e$_{21}$,p^{h}ak^{5}lait^{5}tsiau$^{35}_{44}$ʂɿ$^{53}_{44}$man$^{13}_{21}$kai$^{53}_{44}$cie$^{53}_{44}$au^{0},ci^{13}ɔi$^{53}_{44}$p^{h}ak^{5}ke$^{53}_{44}$,m̩^{13}p^{h}e^{53}(←xe^{53})fəŋ^{13}ke$^{53}_{44}$.fəŋ^{13}ke$^{53}_{44}$ʂət^{5}…ʂəu^{53}n̩$^{13}_{21}$liau^{21}.｜青枣畜唔～，冇得～。ts^{h}iaŋ^{35}tsau^{21}çiəuk^{3}m̩$^{13}_{21}$fəŋ^{13},mau$^{13}_{21}$tek^{3}fəŋ^{13}.｜～～子个花 fəŋ^{13}fəŋ^{13}tsɿ^{0}ke$^{53}_{44}$fa^{35}

【红$_{2}$】fəŋ^{13} 名红利：分～ fən^{35}fəŋ^{13}

【红百节】fəŋ^{13}pak^{3}tsiet^{3} 名金环蛇的俗称：金环蛇就安做～。cin^{35}fan$^{13}_{21}$ʂa$^{13}_{21}$ts^{h}iəu$^{53}_{44}$ɔn$^{35}_{44}$tso$^{53}_{44}$fəŋ^{13}pak^{3}tsiet^{3}.

【红包】fəŋ^{13}pau$^{35}_{44}$ 名包着钱用于馈赠他人的红纸包。又称"包封"：以下我掇倒箇杯茶嘞箇就爱拿只子～分渠。i^{21}xa^{53}ŋai^{13}tɔit^{3}tau$^{21}_{44}$kai$^{53}_{44}$pei$^{35}_{44}$ts^{h}a^{13}lei^{0}kai$^{53}_{44}$ts^{h}iəu$^{53}_{44}$ɔi^{53}la^{53}tʂak^{3}tsɿ^{0}fəŋ^{13}pau$^{35}_{44}$pən^{35}ci$^{13}_{21}$.

【红鼻公】fəŋ^{13}p^{h}i^{53}kəŋ^{35} 名一种病症，主要表现为鼻子前端发红：我等有只喊阿叔是几十年个～呢。系唔系系种病？唔爱整吧？咁个病是也唔爱整。我等晓得，三十几岁子个时候子渠就有兜子～，如今六十几了还系～。嗯，我箇晡看得都还系～。ŋai^{13}tien^{0}iəu$^{35}_{44}$tʂak^{3}xan^{53}a^{35}ʂəuk^{3}ʂɿ$^{53}_{44}$ci^{21}ʂət^{5}ɲien^{13}ke$^{53}_{44}$fəŋ^{13}p^{h}i$^{53}_{44}$kəŋ$^{35}_{44}$nei^{0}.xei$^{53}_{44}$mei$^{53}_{44}$xei$^{53}_{44}$tʂəŋ^{21}p^{h}iaŋ^{53}?m̩$^{13}_{21}$mɔi^{53}tʂaŋ^{21}pa^{0}?kan^{21}cie$^{53}_{44}$p^{h}iaŋ^{53}ʂɿ$^{53}_{44}$ia^{35}m̩$^{13}_{21}$mɔi^{53}tʂaŋ^{21}.ŋai^{13}tien^{0}çiau^{21}tek^{3},san^{35}ʂət^{5}ci^{21}sɔi^{53}tsɿ^{0}ke$^{53}_{44}$ʂɿ$^{53}_{44}$xəu$^{53}_{44}$tsɿ^{0}ci$^{13}_{21}$ts^{h}iəu$^{53}_{44}$iəu^{35}tei$^{35}_{53}$tsɿ^{0}fəŋ^{13}p^{h}i$^{53}_{44}$kəŋ^{35},i$^{13}_{21}$cin$^{35}_{44}$liəuk^{3}ʂət^{5}ci^{21}liau^{21}xai^{13}xe^{53}fəŋ$^{13}_{21}$p^{h}i$^{53}_{44}$kəŋ^{35}.n̩$_{21}$,ŋai^{13}kai$^{53}_{44}$pu^{35}k^{h}ɔn^{53}tek^{3}təu$^{35}_{44}$xai$^{13}_{21}$xei^{53}fəŋ^{13}p^{h}i^{53}kəŋ$^{35}_{44}$.

【红饽饽】fəŋ^{13}pɔk^{5}pɔk^{0} 名连壳煮熟的鸡蛋，蛋壳用红纸擦成了红色，用于喜庆场合：箇是爱哟，箇是你……你食嘞半月酒满月酒是，食细人子出世个酒，不论半月还系满月，都爱发饽饽，发～，有发三只个，有发四只个。我等是搞嘿一千只饽饽哦，我等箇到喔。kai$^{53}_{44}$ʂɿ$^{53}_{44}$ɔi^{53}io^{0},kai$^{53}_{44}$ʂɿ$^{53}_{44}$ɲi$^{13}_{21}$…ɲi^{13}ʂət^{5}le^{0}pan^{53}ɲiet^{5}tsiəu^{21}man^{35}ɲiet^{5}tsiəu^{21}ʂɿ^{0},ʂət$^{5}_{3}$sei^{53}ɲin$^{13}_{21}$tsɿ^{0}tʂ^{h}ət^{3}ʂɿ^{53}ke$^{53}_{44}$tsiəu^{21},pət^{3}lən$^{53}_{44}$pan^{53}ɲiet^{5}xai$^{13}_{21}$xe$^{53}_{44}$man^{35}ɲiet^{5},təu^{35}ɔi^{53}fait^{3}pɔk^{5}pɔk^{0},fait^{3}fəŋ^{13}pɔk^{5}pɔk^{0},iəu^{35}fait^{3}san^{35}tʂak^{3}ke$^{53}_{44}$,iəu^{35}fait^{3}si^{53}tʂak^{3}ke^{53}.ŋai^{13}tien^{0}ʂɿ$^{35}_{44}$kau^{21}uek^{3}(←xek^{3})iet^{3}ts^{h}ien^{35}tʂak^{3}pɔk^{5}pɔk^{0}o^{0},ŋai^{13}tien^{0}kai^{53}tau$^{53}_{44}$uo^{0}.

【红菜】fəŋ^{13}ts^{h}ɔi^{53} 名指红菜苔，一种蔬菜，色紫红、花金黄：真正～是就只有～蕻正好食。别只部位是唔好食。如果唔系蕻啊，箇～个苗箇只嘞，～个菜叶箇只，唔好食，冇么人食，～只有食蕻。tʂən$^{35}_{44}$tʂən^{53}fəŋ^{13}ts^{h}ɔi^{53}ʂɿ$^{53}_{44}$ts^{h}iəu^{53}tʂɿ^{21}iəu$^{35}_{53}$fəŋ$^{13}_{21}$ts^{h}ɔi$^{53}_{44}$fəŋ^{53}tʂaŋ$^{35}_{44}$xau^{21}ʂət^{5}.p^{h}iet^{5}tʂak^{3}p^{h}u^{53}uei^{53}ʂɿ$^{53}_{44}$m̩^{13}xau^{21}ʂət^{5}.ɥ^{13}ko^{21}m̩^{13}p^{h}e$^{53}_{44}$fəŋ^{53}a^{0},kai^{53}fəŋ^{35}ts^{h}ɔi^{53}ke^{53}miau^{13}kai$^{53}_{44}$tʂak^{3}le^{0},fəŋ^{13}ts^{h}ɔi$^{53}_{44}$ke$^{53}_{44}$ts^{h}ɔi^{53}iait^{5}kai$^{53}_{44}$tʂak^{3},m̩$^{13}_{21}$xau^{21}ʂət^{5},mau$^{13}_{21}$mak^{3}in$^{13}_{44}$ʂət^{5},fəŋ^{13}ts^{h}ɔi^{53}tʂɿ^{21}iəu$^{35}_{44}$ʂət^{5}fəŋ^{53}.

【红茶】fəŋ^{13}ts^{h}a^{13} 名茶叶的一类，是全发酵茶：只有落尾正听讲有～做个。tʂɿ^{21}iəu^{35}lɔk^{5}mi^{35}tʂaŋ$^{53}_{44}$t^{h}aŋ^{35}kɔŋ^{21}iəu^{35}fəŋ^{13}ts^{h}a^{13}tso^{53}ke$^{53}_{44}$.

【红单】fəŋ^{13}tan^{35} 名结婚时用红纸写的礼单：一般呢就唔爱去送，就系举行订婚仪式个时候，订婚个时候子，擦达嫁场箇时候子，三当六面来讲。三当六面来写。有滴就写只～。箇只单子安做～。一般系要女方提出来，我爱几多子钱，聘金钱，猪肉，欸，鸡鱼肉几多子。爱买手表。箇以下是唔讲手表来唠。爱买车或者么个。订婚个时候子。有滴嘞就嘴巴讲下子，有滴嘞就写～。iet^{3} pon^{35}ne^{0} tsʰiəu$^{53}_{44}$m̩$^{13}_{21}$mɔi$_{35}$(←ɔi^{53})çi$^{53}_{44}$səŋ^{53},tsʰiəu^{53}xe^{53}tʂʅ^{21}çin^{13}tʰin^{53}fən$^{35}_{44}$ɲi^{13}ʂʅ$^{53}_{44}$ke$^{53}_{44}$ʂʅ$^{13}_{21}$ xei$^{53}_{44}$,tʰin^{53}fən^{35}ke^{53}ʂʅ^{13}xei$^{53}_{44}$tsʅ^{0},lau^{35}tʰait^{5}ka^{53}tʂʰɔŋ^{13}ke$^{53}_{44}$ʂʅ^{13}xei$^{53}_{44}$tsʅ^{0},san^{35}tɔŋ$^{35}_{44}$liəuk^{3} mien^{53}lɔi$^{13}_{21}$kɔŋ^{21}.san^{35} tɔŋ$^{35}_{44}$liəuk^{3} mien^{53}lɔi$^{13}_{21}$sia^{21}.iəu^{35}tet^{5} tsʰiəu$^{53}_{44}$sia^{21}tʂak^{3} fəŋ^{13}tan$^{35}_{44}$.kai^{53}tʂak^{3} tan$^{35}_{44}$tsʅ^{0} ɔn$^{35}_{44}$tso$^{53}_{44}$fəŋ^{13}tan$^{35}_{44}$.iet^{3} pon^{35} xei$^{53}_{44}$iau$^{53}_{44}$ɲy^{21}fɔŋ^{35}tʰi^{13}tʂʰət^{3} lɔi^{13},ŋai^{13}ɔi^{53}ci^{21}to^{35}tsʅ^{0} tsʰien^{13},pʰin$^{53}_{21}$cin$^{35}_{44}$tsʰien^{13},tʂəu^{35}ɲiəuk^{3},e^{21},cie^{35}ŋ̍$^{13}_{21}$ɲiəuk^{3} ci^{21}to^{35}tsʅ^{0}.ɔi^{53}mai^{35}ʂəu^{21}piau^{21}.kai$^{53}_{44}$i^{21}(x)a^{53}ʂʅ$^{53}_{44}$ŋ̍$^{13}_{21}$kɔŋ^{21}ʂəu^{21}piau^{21}lɔi^{13}lau^{0}.ɔi$^{53}_{21}$mai^{35}tʂʰa^{35}xɔit^{5} tʂa^{21}mak^{3} ke^{53}.tin^{35}fən$^{35}_{44}$ke^{53}ʂʅ^{13}xei$^{53}_{44}$tsʅ^{0}.iəu^{35}tet^{5} le^{0} tsʰiəu$^{53}_{44}$tsi^{21}pa^{35}kɔŋ^{21}ŋa^{53}(←xa^{53})tsʅ^{0},iəu^{35}tet^{5} le^{0} tsʰiəu$^{53}_{44}$sia^{21}fəŋ^{13} tan$^{35}_{44}$.

【红朵朵哩】fəŋ^{13}to^{21}to^{21}li^{0} 形状态词。红扑扑的：箇只细子啊面肚子硬～啊，生蛋鸡嫲样。kai^{53}tʂak^{3} sei^{53}tsʅ^{0} a^{0} mien^{53}təu^{21}tsʅ^{0} ɲiaŋ^{53}fəŋ^{13}to^{21}to^{21}li^{0} a^{0},saŋ^{35}tʰan$^{35}_{44}$cie^{35}ma$^{13}_{21}$iɔŋ^{53}ŋa^{0}.｜你看箇只细子欸是嗯长得几好子啊，一只面都～。ɲi^{13}kʰɔn$^{53}_{44}$kai^{53}tʂak^{3} sei^{53}tsʅ^{0} e$_{44}$ʂʅ$^{53}_{44}$n̩$_{21}$tʂɔŋ^{21}tek^{3} ci^{21}xau^{21}tsʅ^{0} a^{0},iet^{3} tʂak^{3} mien^{53}təu$^{35}_{44}$fəŋ^{13}to$^{21}_{13}$to$^{21}_{13}$li^{0}.

【红番薯】fəŋ^{13}fan$^{35}_{44}$ʂəu$^{13}_{21}$ 名指皮红肉白的番薯：～有两起呢，一起以前最古老个箇种老种子个～，真好食唠硬噢，就冇得哩噢，如今就会失哩传。箇阵子个番薯～让门子会失传呢？就系产量低，有兜手指公咁大子一只个～，欸，产量低。以下如今个～嘞也好食，箇就如今良种个。也好食，产量又高，但是冇得以前更好食。冇得哩箇只味道。fəŋ^{13}fan$^{35}_{44}$ʂəu$^{13}_{21}$iəu^{35}iɔŋ^{21}çi^{21} nei^{0},iet^{3} çi^{21}i^{35}tsʰien^{13}tsei^{53}ku^{21}lau^{21}ke^{0} kai^{53}tʂəŋ^{21}lau^{21}tʂəŋ^{21}tsʅ^{0} ke^{53}fəŋ^{13}fan$^{35}_{44}$ʂəu$^{13}_{21}$,tʂən^{35}xau^{21}ʂət^{5} lau^{0} ɲiaŋ$^{53}_{44}$ ŋau^{0},tsʰiəu^{53}mau$^{13}_{21}$tek^{3} li^{0} au^{0},i$^{13}_{21}$cin$^{35}_{44}$tsʰiəu^{53}uɔi$^{53}_{44}$ʂet^{5} li^{0} tʂʰuon^{13}.kai$^{53}_{44}$tʂʰən^{35}tsʅ^{0} ke$^{53}_{44}$fan^{35}ʂəu$^{13}_{21}$fəŋ$^{13}_{21}$fan$^{35}_{44}$ʂəu$^{13}_{21}$ ɲiɔŋ^{53}mən$^{13}_{44}$tsʅ^{0} uɔi$^{53}_{44}$ʂet^{5} tʂʰuon$^{13}_{21}$nei^{0}?tsʰiəu^{53}ue^{53}tsʰan^{21}liɔŋ^{35}te$^{35}_{44}$,iəu^{35}tei$^{35}_{53}$ʂəu^{21}tʂʅ^{21}kəŋ^{35}kan^{21}tʰai^{53}tsʅ^{0} iet^{3} tʂak^{3} ke^{0} fəŋ^{13}fan$^{35}_{44}$ʂəu$^{13}_{21}$,e$_{21}$tsʰan^{21}liɔŋ$^{53}_{44}$te^{35}.i^{21}xa^{53}i$^{13}_{21}$cin$^{35}_{44}$kei^{53}fəŋ^{13}fan$^{35}_{44}$ʂəu$^{13}_{21}$lei^{0} ia^{35}xau^{21}ʂət^{5},kai$^{53}_{44}$tsʰiəu$^{53}_{44}$i$^{13}_{21}$ (c)in$^{35}_{53}$liɔŋ^{13}tʂəŋ^{21}ke^{53}.ia^{35}xau^{21}ʂət^{5},tsʰan^{21}liɔŋ$^{53}_{44}$iəu$^{53}_{44}$kau^{35},tan^{53}ʂʅ^{53}mau$^{13}_{21}$tek^{3} i$^{35}_{53}$tsʰien$^{13}_{21}$cien^{53}xau^{21}ʂət^{5}.mau^{13} tek^{3} li^{0} kai^{53}tʂak^{3} uei^{53}tʰau$^{53}_{21}$.

【红个绿个子】fəŋ^{13}ke$^{53}_{44}$liəuk^{5} ke$^{53}_{44}$tsʅ^{0} 形容红红绿绿的样子：放滴子各种颜色，～。fɔŋ^{53}tiet$^{5}_{3}$tsʅ^{0} kɔk^{3} tʂəŋ^{21}ŋan^{13}sek^{3},fəŋ^{13}ke$^{53}_{44}$liəuk^{5} ke$^{53}_{44}$tsʅ^{0}.

【红光满面】fəŋ^{13}kɔŋ$^{35}_{44}$mən^{35}/man^{35}mien^{53} 形容人的气色好，脸色红润，满面光彩：欸，我等有只以前个老师啊如今快九十岁了，还～，唔知几好个精神，但是～，老人家咁老个年纪了，～唔好。搞么个唔好嘞？血压高哇，容易中风啊，𫠛搞得好就会中风啊。以箇个七……八九十岁个人是硬系硬爱现老相了嘞，硬会现老相了嘞，你爱八九十岁了还红朵朵哩啊，～呐，唔好，唔正常。e$_{21}$,ŋai^{13}tien^{0} iəu^{35}tʂak^{3} i$^{35}_{53}$tsʰien$^{13}_{21}$ke$^{53}_{44}$lau^{21}sʅ$^{35}_{44}$a^{0} i$^{13}_{21}$cin$^{35}_{44}$kʰuai^{53}ciəu^{21}ʂət^{5} sɔi^{53}liau^{21},xai^{13} fəŋ^{13}kɔŋ$^{35}_{44}$man^{35}mien^{53},n̩^{13}ti$^{35}_{53}$ci^{21}xau^{21}ke^{0} tsin$^{35}_{44}$ʂən$^{13}_{21}$,tan^{53}ʂʅ^{53}fəŋ^{13}kɔŋ$^{35}_{44}$man^{35}mien^{53},lau^{21}ɲin^{13}ka$^{35}_{44}$kan^{21}nau^{21} ke^{53}ɲien^{13}ci^{21}liau^{0},fəŋ^{13}kɔŋ$^{35}_{44}$man^{35}mien^{53}n̩^{13}xau^{21}.kau^{21}mak^{3} ke^{53}n̩$^{13}_{21}$xau^{21}lei^{0}?çiet^{3} iak^{3} kau^{35}ua^{0},iəŋ^{13}i$^{53}_{44}$tʂəŋ$^{53}_{44}$ fəŋ^{35}ŋa^{0},maŋ^{13}kau^{21}tek^{3} xau^{21}tsʰiəu^{53}uɔi^{53}tʂəŋ$^{53}_{44}$fəŋ^{35}ŋa^{0}.i^{21}kai^{53}ke^{53}tsʰiet^{3} …pait^{3} ciəu^{21}ʂət^{5} sɔi^{53}ke$^{53}_{21}$ɲin$^{13}_{21}$ʂʅ$^{53}_{21}$ ɲiaŋ^{53}xei$^{53}_{44}$ɲiaŋ^{53}ɔi^{53}çien^{53}nau^{21}siɔŋ^{53}liau^{21}le^{0}, ɲiaŋ^{53}uɔi^{53}çien^{53}nau^{21}siɔŋ^{53}liau^{21}le^{0}, ɲi^{13}ɔi^{53}pait^{3} ciəu^{21}ʂət^{5} sɔi^{53} liau^{0} xai^{13}fəŋ^{13}to^{21}to$^{21}_{13}$li^{0} a^{0},fəŋ^{13}kɔŋ$^{35}_{44}$man^{35}mien^{53}na^{0},m̩$^{13}_{21}$xau^{21},n̩^{13}tʂən^{53}tʂʰəŋ^{13}.

【红红绿绿子】fəŋ^{13}fəŋ^{13}liəuk^{5} liəuk^{5} tsʅ^{0} 形形容五颜六色：（爆米子）泡松，用米打个，还放滴……搞得～。pʰau^{35}səŋ^{35},iəŋ^{53}mi^{21}ta^{21}ke^{53},xai^{13}fɔŋ$^{53}_{44}$tet$^{5}_{3}$…kau^{21}tek^{3} fəŋ^{13}fəŋ^{13}liəuk^{5} liəuk^{5} tsʅ^{0}.

【红花郎子】fəŋ^{13}fa^{35}lɔŋ^{13}tsʅ^{0} 名处男：箇阵子我等去学堂里教书个时候子渠等有兜唔系提出来渠话：“如今箇有几多只真～？”渠话只有箇小学生子兜怕系～，几岁子个伢子兜怕系～。欸，如今箇细人子，如今箇后生人咁调皮呀，系唔系？有几多只真正个～？kai^{53}tʂʰən^{53}tsʅ^{0} ŋai^{13} tien^{0} çi^{53}xɔk^{5} tʰɔŋ$^{13}_{21}$li^{0} kau^{35}ʂəu^{35}ke^{0} ʂʅ$^{13}_{44}$xəu$^{53}_{44}$tsʅ^{0} ci^{13}tien^{0} iəu^{35}tei$^{35}_{53}$m̩$^{13}_{21}$pʰei$^{53}_{44}$tʰi^{13}tʂʰət^{3} lɔi^{13}ci$^{13}_{21}$ua$^{53}_{44}$:"i$^{13}_{21}$cin$^{35}_{44}$kai$^{53}_{44}$ iəu^{35}ci^{21}to^{35}tʂak^{3} tʂən^{35}fəŋ^{13}fa$^{35}_{44}$lɔŋ^{13}tsʅ^{0}?"ci$^{13}_{21}$ua^{53}tʂʅ^{21}iəu$^{35}_{53}$kai$^{53}_{44}$siau^{21}çiɔk^{5} sen^{35}tsʅ^{0} tei$^{35}_{44}$pʰa$^{53}_{44}$xei$^{53}_{44}$fəŋ^{13}fa$^{35}_{44}$lɔŋ^{13} tsʅ^{0},ci^{21}sɔi^{53}tsʅ^{0} kei$^{53}_{44}$ŋai$^{13}_{21}$tsʅ^{0} tei$^{35}_{44}$pʰa$^{53}_{44}$xei$^{53}_{44}$fəŋ^{13}fa$^{35}_{53}$lɔŋ^{13}tsʅ^{0}.e$_{21}$,i$^{13}_{21}$cin$^{35}_{44}$kai$^{53}_{44}$sei^{53}ɲin$^{13}_{44}$tsʅ^{0},i$^{13}_{21}$cin$^{35}_{44}$kai$^{53}_{44}$xei^{53}saŋ^{35} ɲin$^{13}_{21}$kan^{21}tʰiau^{53}pʰi^{13}ia^{0},xei$^{53}_{44}$me$^{53}_{44}$?iəu^{35}ci^{21}to^{35}tʂak^{3} tʂən^{35}tʂən$^{53}_{44}$ke^{0} fəŋ^{13}fa$^{35}_{44}$lɔŋ^{13}tsʅ^{0}?

【红花女】fəŋ^{13}fa^{35}ŋ̍^{21} 名处女：欸，箇阵子我等去学堂里教书个时候子，箇初中生子𫠛考倒高中个，一毕业就出去打工，打半年工归来就长得唔知几好看个～了。欸，就长得唔知几漂亮，又会打扮。只爱打半年工嘞就不是箇个初中生子了嘞。e$_{21}$,kai^{53}tʂʰən^{53}tsʅ^{0} ŋai^{13}tien^{0} çi^{53}xɔk^{5} tʰɔŋ$^{13}_{21}$li^{0}

H

kau^{35}ʂəu^{35}ke^{0} ʂʅ$^{13}_{44}$xəu$^{53}_{44}$tsɿ^{0} ,kai$^{53}_{44}$ts^{h}əu$^{35}_{44}$tʂəŋ$^{35}_{44}$sen$^{35}_{44}$tsɿ^{0} maŋ^{13}k^{h}au^{21}tau^{21}kau^{35}tʂəŋ$^{35}_{44}$ke^{0} ,iet^{3} piet^{3} ɲiait^{5} ts^{h}iəu$^{53}_{44}$ tʂ^{h}ət^{3} çi^{53}ta^{21}kəŋ^{35} ,ta^{21}pan^{53}ɲien$^{13}_{21}$kəŋ^{35}kuei^{35}lɔi$^{13}_{21}$ts^{h}iəu^{53}tʂɔŋ^{21}tek^{3} n̩^{13}ti$^{35}_{53}$ci^{21}xau^{21}k^{h}ɔn^{53}ke^{53}fəŋ^{13}fa$^{35}_{44}$ŋ̍^{21}liau^{0} .e$_{21}$, ts^{h}iəu^{53}tʂɔŋ^{21}tek^{3} n̩^{13}ti$^{35}_{53}$ci^{21} p^{h}iau^{53}liɔŋ^{53} ,iəu^{53} uɔi$^{53}_{44}$ta^{21}pan^{53} .tʂʅ^{21} ɔi^{53}ta^{21}pan^{53}ɲien$^{13}_{21}$kəŋ^{35}le^{0} ts^{h}iəu^{53}pət^{3} ʂʅ$^{53}_{44}$kai$^{53}_{44}$ ke$^{53}_{44}$ts^{h}əu$^{35}_{44}$tʂəŋ$^{35}_{44}$sen$^{35}_{44}$tsɿ^{0} liau^{0} le^{0} .

【红花子】fəŋ^{13}fa^{35}tsɿ^{0} [名]杜鹃花的一个品种，花鲜红色：我等老家箇映嘞～就唔多。东一蔸子，西一蔸子，有兜嘞一蔸㮟大，冇么个叶，开花个时候子冇么个叶。我等细细子嘞摘倒箇～搣嘿中间个芯去，放进嘴食得。欸。以下冇么人食唠。也食得嘞。我等喜欢摘倒去食嘞。ŋai^{13} tien^{0} lau^{21}cia^{35}kai$^{53}_{44}$iaŋ$^{53}_{44}$lei^{0} fəŋ^{13}fa^{35}tsɿ^{0} ts^{h}iəu^{53} n̩$^{13}_{21}$to$^{35}_{44}$.təŋ^{35}iet^{3} tei^{35}tsɿ^{0} ,si^{35}iet^{3} tei$^{35}_{44}$tsɿ^{0} ,iəu^{35}tei$^{35}_{53}$lei^{0} iet^{3} tei$^{35}_{44}$ mən^{35}t^{h}ai^{53} ,mau$^{13}_{21}$mak^{3} e^{0} iait^{5} ,k^{h}ɔi^{35}fa^{35}ke^{0} ʂʅ^{13}xəu$^{53}_{44}$tsɿ^{0} mau^{13}mak^{3} ke^{0} iait^{5} .ŋai^{13}tien^{0} se^{53}se^{53}tsɿ^{0} lei^{0} tsak^{3} tau^{21} kai$^{53}_{44}$fəŋ^{13}fa$^{35}_{44}$tsɿ^{0} met^{3} (x)ek^{3} tʂəŋ^{35}kan$^{35}_{44}$ke^{0} sin^{35}c^{h}i^{53} ,fəŋ^{53}tsin^{53}tʂɔi^{53}ʂət^{5} tek^{3} .e$_{21}$.i^{21}xa^{53}mau$^{13}_{21}$mak^{3} in$^{13}_{44}$ʂət^{5} lau^{0} .ia$^{35}_{44}$ʂət^{5} tek^{3} le^{0} .ŋai^{13}tien^{0} çi^{21}fɔn$^{35}_{44}$tsak^{3} tau^{21}çi$^{53}_{44}$ʂət^{5} le^{0} .

【红菌】fəŋ^{13}c^{h}in^{35} [名]一种毒菌：～有哇。唔知几漂亮个就食唔得凑，反正唔知几菁个。fəŋ^{13} c^{h}in$^{35}_{44}$iəu$^{35}_{44}$ua^{0} .n̩$^{13}_{21}$ti$^{35}_{53}$ci^{21} p^{h}iau^{53}liɔŋ$^{53}_{44}$ke$^{53}_{44}$ts^{h}iəu$^{53}_{44}$ʂət^{5} n̩$^{13}_{21}$tek^{3} ts^{h}e^{53} ,fan^{21}tʂən^{53}n̩$^{13}_{21}$ti$^{35}_{53}$ci^{21}tsiaŋ^{35}ke^{53}.

【红辣椒】fəŋ^{13}lait^{5} tsiau^{35} [名]表皮红色的辣椒：红个就是～。fəŋ^{13}ke$^{53}_{44}$ts^{h}iəu$^{53}_{44}$ʂʅ$^{53}_{44}$fəŋ^{13}lait$^{5}_{3}$tsiau$^{35}_{44}$.

【红炉】fəŋ^{13}ləu^{13} [名]铁匠炉，又称“打铁炉”：打铁个炉就安做～。欸，唔知让门有只么个～仙师呢。我唔晓得，我只系听讲过以只名字，～仙师唔知让门来个。唔知让门来个～仙师。ta^{21}t^{h}iet^{3} ke^{53}ləu^{13}ts^{h}iəu^{53}ɔn$^{35}_{53}$tso^{53}fəŋ^{13}ləu^{13}.e$_{21}$,n̩^{13}ti$^{35}_{53}$ɲiɔŋ^{53}mən^{0} iəu^{35}tʂak^{3} mak^{3} ke^{53}fəŋ^{13}ləu^{13}sen^{35}sɿ$^{35}_{44}$nei^{0} . ŋai^{13}n̩^{13}çiau^{21}tek^{3} ,ŋai^{13}tʂʅ^{21}xei^{53}t^{h}aŋ^{35}kɔŋ^{21}ko^{53}i^{21}tʂak^{3} miaŋ^{13}sɿ^{53} ,fəŋ^{13}ləu^{13}sen^{35}sɿ^{35}n̩$^{13}_{21}$ti$^{35}_{44}$ɲiɔŋ$^{53}_{44}$mən$^{13}_{44}$lɔi$^{13}_{21}$ ke^{0} .n̩$^{13}_{21}$ti$^{35}_{53}$ɲiɔŋ^{53}mən^{0} nɔi$^{13}_{21}$ke^{0} fəŋ^{13}ləu$^{13}_{21}$sen$^{35}_{44}$sɿ^{35}.

【红萝卜】fəŋ^{13}lo^{13}p^{h}ek^{5} [名]皮红肉白的萝卜：唔系喊～嘞。喊黄萝卜嘞。m̩^{13}p^{h}e^{53}(←xe^{53})xan^{53} fəŋ^{13}lo^{13}p^{h}ek^{5} lei^{0} .xan^{53}uɔŋ^{13}lo^{13}p^{h}ek^{5} lei^{0} .

【红梅花】fəŋ^{13}mɔi^{13}fa^{35} [名]梅花的一种：我等以个栏场也蛮多梅树嘞，以下到冬下就有梅花嘞。渠系～。欸，野生个，野生个多。很少人栽。ŋai^{13}tien^{0} i$^{13}_{21}$ke^{53}laŋ$^{13}_{21}$tʂ^{h}ɔŋ$^{13}_{44}$ia^{35}man$^{13}_{21}$to$^{35}_{44}$mɔi^{13}ʂəu^{53} lei^{0} ,i^{21}xa$^{53}_{44}$tau^{53}təŋ$^{35}_{44}$xa$^{53}_{44}$ts^{h}iəu$^{53}_{44}$iəu$^{35}_{44}$mɔi$^{13}_{21}$fa$^{35}_{44}$le^{0} .ci$^{13}_{21}$xe^{53}fəŋ$^{13}_{21}$mɔi$^{13}_{21}$fa$^{35}_{53}$.ei$_{21}$ia^{35}saŋ$^{35}_{44}$ke^{0} ,ia^{35}saŋ$^{35}_{44}$ke^{0} to$^{35}_{44}$.xen^{21} ʂau^{21}ɲin$^{13}_{21}$tsɔi^{35}.

【红米】fəŋ^{13}mi^{21} [名]一种稻米，米色粉红：有～哟。有哇～呀。～就蛮难食啦。iəu^{35}fəŋ^{13}mi^{21} iau^{0} .iəu^{35}ua^{0} fəŋ^{13}mi^{21}ia^{0} .fəŋ^{13}mi^{21}ts^{h}iəu$^{53}_{44}$man^{13}lan^{13}ʂət^{5} la^{0} .｜六月天光落长水，告化子唔爱～。liəuk^{3}ɲiet^{5} t^{h}ien^{35}kɔŋ$^{35}_{44}$lɔk^{5} tʂ^{h}ɔŋ^{13}ʂei^{21},kau^{53}fa^{53}tsɿ^{0} m̩$^{13}_{21}$mɔi$_{35}$(←ɔi^{53})fəŋ^{13}mi^{21}.

【红米饭】fəŋ^{13}mi^{21}fan^{53} [名]红米煮的饭：～南瓜汤 fəŋ^{13}mi^{21}fan^{53}lan^{13}kua$^{35}_{44}$t^{h}ɔŋ^{35}｜么个饭？～。mak^{3} ke^{53}fan^{53}?fəŋ^{13}mi^{21}fan^{53}.

【红面$_{1}$】fəŋ^{13}mien^{53} [动]指因发怒、害羞等脸变红：别人家讲哩只么个事情，你害羞，红哩面。“～去哩啊！” p^{h}iet^{5} in$^{13}_{44}$ka$^{35}_{44}$kɔŋ^{21}li^{0} tʂak^{3} mak^{3} e^{0} sɿ^{53}ts^{h}in$^{13}_{21}$, ɲi$^{13}_{21}$xɔi^{53}siəu^{35},fəŋ$^{13}_{21}$li^{0} mien^{53}."fəŋ^{13}mien^{53}çi$^{53}_{44}$li^{0} a^{0}!"

【红面$_{2}$】fəŋ^{13}mien^{53} [名]①戏曲中扮演英雄或忠臣人物的角色，即红脸：好像戏曲肚里个～就系正面角色。xau^{21}ts^{h}iɔŋ$^{53}_{44}$çi^{53}c^{h}iəuk^{3} təu^{21}li^{0} ke^{53}fəŋ^{13}mien^{53}ts^{h}iəu$^{53}_{44}$xe$^{53}_{44}$tʂən^{53}mien^{53}kɔk^{3} sek^{3} . ②生活中喻指充当好人的人：～摎乌面有只箇个哦，欸，做好人摎做坏人哦。欸，以只路子唔好讲，或者以只事唔好讲，欸，“我就来唱～，你就唱乌面”。咁个。～呢就系么个嘞？就系做好人。乌面呢就系来批评别人家。“你就做乌面，欸，或者我来做乌面，你去做～。做～嘞你就讲好话，做好人。我就做乌面呢欸就来做惹别人家讨嫌个，就批评别人家。” fəŋ^{13}mien^{53}lau$^{35}_{44}$u^{35} mien^{53}iəu^{35}tʂak^{3} kai^{53}ke$^{53}_{44}$o^{0} ,e$_{21}$,tso^{53}xau^{21}ɲin^{13}nau^{35}tso^{53}fai^{53}ɲin^{13}no^{0} .ei$_{44}$,i^{21}tʂak^{3} ləu^{53}tsɿ^{0} m̩^{13}xau^{21}kɔŋ^{21},xɔit^{5} tʂa^{21}i^{21}tʂak^{3} sɿ^{53}n̩^{13}xau^{21}kɔŋ^{21},e$_{21}$,"ŋai^{13}ts^{h}iəu^{53}lɔi$^{13}_{21}$tʂ^{h}ɔŋ^{53}fəŋ^{13}mien^{53}, ɲi$^{13}_{21}$ts^{h}iəu$^{53}_{44}$tʂ^{h}ɔŋ^{53}u^{35}mien^{53}".kan^{21}cie^{53}. fəŋ^{13}mien^{53}ne^{0} ts^{h}iəu$^{53}_{44}$xei$^{53}_{44}$mak^{3} ke$^{53}_{44}$lei^{0} ?tsiəu$^{53}_{21}$xe$^{53}_{21}$tso^{53}xau^{21}ɲin^{13}.u^{35}mien^{53}nei^{0} ts^{h}iəu$^{53}_{44}$xei$^{53}_{44}$lɔi$^{13}_{21}$p^{h}i^{35}p^{h}in$^{13}_{21}$ p^{h}iet^{5} in$^{13}_{21}$ka^{35}."ɲi^{13}ts^{h}iəu$^{53}_{44}$tso^{53}u^{35}mien$^{53}_{44}$,e$_{21}$,xɔit^{5} tʂa^{21}ŋai^{13}lɔi$^{13}_{44}$tso^{53}u^{35}mien^{53}, ɲi^{13}çi$^{53}_{44}$tso^{53}fəŋ^{13}mien^{53}.tso^{53}fəŋ^{13} mien^{53}lei^{0} ɲi^{13}ts^{h}iəu^{53}kɔŋ^{21}xau^{21}fa^{53},tso^{53}xau^{21}ɲin^{13}.ŋai^{13}ts^{h}iəu^{53}tso^{53}u^{35}mien$^{53}_{44}$nei^{0} e$_{21}$ts^{h}iəu^{53}lɔi$^{13}_{21}$tso^{53}ɲia^{35}p^{h}iet^{5} in$^{13}_{44}$ka$^{35}_{44}$t^{h}au^{21}çian^{13}cie^{53},ts^{h}iəu$^{53}_{44}$p^{h}i^{35}p^{h}in$^{13}_{21}$p^{h}iet^{5} in$^{13}_{21}$ka$^{35}_{53}$."

【红面胀颈】fəŋ^{13}mien^{53}tʂɔŋ^{53}ciaŋ^{53} 形容因生气或害羞而面红耳赤的样子：箇个马路边上两个人跍倒去下吵架，吵起箇～，发火溅天。kai$^{53}_{44}$ke$^{53}_{44}$ma^{35}ləu$^{53}_{21}$pien$^{35}_{44}$xɔŋ$^{53}_{44}$iɔŋ^{21}ke^{53}ɲin$^{13}_{21}$ku^{35}tau^{21}çi$^{53}_{44}$xa$^{53}_{44}$ ts^{h}au^{21}cia^{53},ts^{h}au^{21}çi$^{21}_{44}$kai$^{53}_{44}$fəŋ^{13}mien^{53}tʂɔŋ^{53}ciaŋ^{53},fait^{3} xo^{21}tsen$^{53}_{44}$t^{h}ien^{35}.｜箇个妹子人呐，𫶸结婚个，从

来都还赠谈过个，你去同渠谈箇个你去同渠做介绍箇兜你同渠讲咁个，渠就会红面，就会～。kai$^{53}_{44}$ke$^{53}_{44}$məi^{53}tsɿ^{0}ɲin^{13}na^{0},maŋ^{13}ciet^{3} fən^{35}cie^{53},tsʰəŋ^{13}lɔi$^{13}_{21}$təu$^{35}_{53}$xan$^{13}_{21}$maŋ$^{13}_{21}$tʰan^{13}ko^{53}ke$^{53}_{21}$, ɲi^{13}çi^{53}tʰəŋ$^{13}_{44}$ci$^{13}_{44}$ tʰan^{13}kai$^{53}_{44}$ke$^{53}_{44}$ɲi^{13}çi^{53}tʰəŋ$^{13}_{21}$ci$^{13}_{21}$tso^{53}kai^{53}ʂau^{53}kai$^{53}_{44}$tei$^{35}_{44}$ɲi^{13}tʰəŋ$^{13}_{21}$ci$^{13}_{21}$kɔŋ^{21}kan^{21}cie$^{53}_{44}$,ci$^{13}_{21}$tsʰiəu^{53}uɔi$^{53}_{44}$fəŋ^{13}mien^{53}, tsʰiəu$^{53}_{44}$uɔi$^{53}_{44}$fəŋ^{13}mien$^{53}_{44}$tʂəŋ^{53}ciaŋ^{21}.

【红墨水】fəŋ^{13}mek^{5} ʂei^{21} 名 化学物品制成的红色液体，可供书写之用：～就系用来写字个，用来写钢笔字个～。如今冇多么人用了。如今寻～都寻唔倒了。蓝墨水都冇多么人用了。fəŋ^{13}mek^{5} ʂei^{21} tsiəu$^{53}_{44}$xei$^{53}_{44}$iəŋ^{53}lɔi$^{13}_{21}$sia^{21}sɿ^{53}ke^{0} ,iəŋ^{53}lɔi$^{13}_{21}$sia^{21}kɔŋ^{35}piet^{3} sɿ$^{53}_{44}$ke^{0} fəŋ^{13}mek^{5} ʂei^{21} .i$^{13}_{21}$cin$^{35}_{53}$mau^{13}to$^{35}_{53}$ mak^{3} ɲin$^{13}_{44}$iəŋ^{53}liau^{0} .i$^{13}_{21}$cin$^{35}_{53}$tsʰin$^{13}_{21}$fəŋ$^{13}_{21}$mek^{5} ʂei^{21} təu$^{35}_{53}$tsʰin^{13}n̩$^{13}_{44}$tau^{21}liau^{0} .lan^{13}mek^{5} ʂei^{21} təu$^{35}_{53}$mau$^{13}_{21}$to$^{35}_{44}$mak^{3} in$^{13}_{44}$iəŋ^{53}liau^{0}.

【红藻子】fəŋ^{13}pʰiau^{13}tsɿ^{0} 名 红萍：红色个～。因为以只东西我记得。挨倒……箇阵子冬下头猪子冇得潲食，打倒箇藻子，煮倒分猪食。冬下头只有箇藻子咁个东西绿色植物了，冇得了生……冇得植物。fəŋ^{13}sek^{3} ke^{53}fəŋ^{13}pʰiau^{13}tsɿ^{0} .in^{35}uei$^{53}_{44}$i^{21}tʂak^{3} təŋ$^{35}_{44}$si^{0} ŋai^{13}ci^{53}tek^{3} .ai^{35}tau^{21}…kai$^{53}_{44}$tʂʰən$^{53}_{44}$ tsɿ^{0} təŋ^{35}xa$^{53}_{44}$tʰei$^{13}_{21}$tʂəu^{35}tsɿ^{0} mau$^{13}_{21}$tek^{3} sau^{53}ʂət^{3} ,ta^{21}tau^{21}kai^{53}pʰiau^{13}tsɿ^{0} ,tʂəu^{21}tau^{21}pən^{35}tʂəu^{35}ʂət^{5} .təŋ^{35}xa$^{53}_{44}$tʰei$^{13}_{21}$ tʂɿ^{21}iəu^{35}kai$^{53}_{44}$pʰiau^{13}tsɿ^{0} kan^{21}ke$^{53}_{44}$təŋ$^{35}_{44}$si^{0} liəuk^{5} sek^{3} tʂʰət^{5} uk^{5} liau^{0} ,mau^{13}tek^{3} liau^{0} saŋ^{35}…mau^{13}tek^{3} tʂʰət$^{5}_{3}$ uk$^{5}_{3}$.

【红砂糖】fəŋ^{13}sa$^{35}_{44}$tʰɔŋ^{13} 名 用甘蔗的茎汁炼制而成的赤色结晶体：～，欸，又安做砂糖嘞。fəŋ^{13}sa$^{35}_{44}$tʰɔŋ$^{13}_{21}$,e$_{21}$,iəu$^{53}_{44}$ɔn$^{35}_{44}$tso$^{53}_{44}$sa^{35}tʰɔŋ$^{13}_{44}$lei^{0} .

【红烧肉】fəŋ^{13}ʂau^{35}ɲiəuk^{3} 名 利用红烧的方法烹调的猪肉：欸，我等客姓人呢一路就有红烧肉嘞。我老婆就会做下子～呢。～就系爱舞倒箇个有肥有腈个嗯安做五花肉，切做方坨子也做得就切做……切大滴子一坨，莫切倒搧薄啊，又大滴子又厚滴子一坨，舞兜油放下镬里，放兜酱油箇兜去炒，炒倒去炖，箇个就～。炒烈哩以后就炒成哩红个，又放兜子酱油子去啊，就成哩～。唔放辣椒，～唔放辣椒。ei$_{21}$,ŋai^{13}tien^{0} kʰak^{3} sin^{53}ɲin$^{13}_{21}$ne^{0} iet^{3} ləu^{53}tsʰiəu$^{53}_{44}$iəu$^{35}_{44}$fəŋ$^{13}_{21}$ʂau$^{35}_{44}$ ɲiəuk^{3} le^{0} .ŋai$^{13}_{21}$lau^{21}pʰo^{13}tsiəu^{53}uɔi^{53}tso^{53}(x)a$^{53}_{44}$tsɿ^{0} fəŋ$^{13}_{21}$ʂau$^{35}_{44}$ɲiəuk^{3} nei^{0} .fəŋ$^{13}_{21}$ʂau$^{35}_{44}$ɲiəuk^{3} tsʰiəu$^{53}_{44}$xei$^{53}_{44}$ɔi^{53}u^{21} tau^{21}kai^{53}kei^{53}iəu^{35}pʰi^{13}iəu^{35}tsiaŋ^{35}ke^{53}n̩$_{21}$ɔn$^{35}_{44}$tso^{53}ŋ̍^{21}fa$^{35}_{44}$ɲiəuk^{3} ,tsʰet^{3} tso^{53}fəŋ^{35}tʰo$^{13}_{21}$tsɿ^{0} ia^{35}tso^{53}tek^{3} tsʰiəu$^{53}_{44}$ tsʰet^{3} tso^{53}…tsʰet^{3} tʰai^{53}tiet^{5} tsɿ^{0} iet^{3} tʰo^{13},mɔk^{5} tsʰet^{3} tau^{21}ʂen^{35}pʰɔk^{5} a^{0} ,iəu^{53}tʰai^{53}tiet^{5} tsɿ^{0} iəu$^{35}_{44}$xei^{35}tiet^{5} tsɿ^{0} iet^{3} tʰo^{13},u^{21}tei$^{35}_{53}$iəu^{13}fəŋ$^{53}_{44}$xa$^{53}_{44}$uɔk^{5} li^{35},fəŋ$^{53}_{44}$təu$^{35}_{44}$tsiɔŋ^{53}iəu$^{13}_{21}$kai$^{53}_{44}$tei$^{35}_{44}$çi^{53}tsʰau^{21},tsʰau^{21}tau^{21}çi$^{53}_{44}$təu^{35},kai$^{53}_{44}$ke$^{53}_{44}$tsʰiəu$^{53}_{44}$ fəŋ$^{13}_{21}$ʂau$^{35}_{44}$ɲiəuk^{3} .tsʰau^{21}lait^{3} li^{0} i^{35}xei^{53}tsʰiəu$^{53}_{44}$tsʰau^{21}ʂaŋ$^{13}_{44}$li^{0} fəŋ^{13}ke^{53},iəu^{53}fəŋ^{53}təu$^{35}_{44}$tsɿ^{0} tsiɔŋ^{53}iəu$^{13}_{21}$tsɿ^{0} çi^{53}a^{0} , tsʰiəu$^{53}_{44}$ʂaŋ$^{13}_{21}$li^{0} fəŋ$^{13}_{21}$ʂau$^{35}_{44}$ɲiəuk^{3} .m̩^{13}fəŋ$^{53}_{44}$lait^{5} tsiau$^{35}_{44}$,fəŋ^{13}ʂau$^{35}_{44}$ɲiəuk^{3} m̩^{13}fəŋ$^{53}_{44}$lait^{5} tsiau$^{35}_{44}$.

【红绳子】fəŋ^{13}ʂən^{13}tsɿ^{0} 名 红色绳子：～只有结婚个时候子用得多。箇个整酒哇，男家头女家头呀，欸，箇个做红喜事啊，蛮多东西都爱用绳子。欸，箇个拜祖个东西用～缔倒，箇酒罂用～缔倒，箇个红包用～缔倒。衫裤，不论拿下哪映去个，都爱用～缔倒，表示系只红喜事。有兜是还爱放柏槁，柏树槁。箇材料就唔讲究呢，如今是冇得寻了，就去到箇个卖羊毛绳子个毛绳子栏场哦就买一子噢，买一扎噢。箇唔论么个材料，只爱系红个就要得哩，因为渠只系取倒箇只红颜色。fəŋ^{13}ʂən$^{13}_{44}$tsɿ^{0} tʂɿ^{21}iəu$^{35}_{53}$ciet^{3} fən$^{35}_{44}$ke^{0} ʂɿ$^{13}_{44}$xəu$^{53}_{44}$tsɿ^{0} iəŋ$^{53}_{44}$tek^{3} to$^{35}_{44}$.kai$^{53}_{44}$ke$^{53}_{44}$tʂaŋ^{21}tsiəu^{21} ua^{0} ,lan^{13}ka$^{35}_{44}$tʰei$^{13}_{21}$ɲi^{21}ka$^{35}_{44}$tʰei$^{13}_{21}$ia^{0} ,e$_{21}$,kai$^{53}_{44}$ke$^{53}_{44}$tso^{53}fəŋ^{13}çi^{21}sɿ^{53}a^{0} ,man^{13}to$^{35}_{44}$təŋ$^{35}_{44}$si^{0} təu$^{35}_{53}$ɔi$^{53}_{44}$iəŋ^{53}ʂən^{13}tsɿ^{0} .e$_{21}$, kai^{53}ke$^{53}_{44}$pai^{53}tsəu^{21}ke^{0} təŋ$^{35}_{44}$si^{0} iəŋ^{53}fəŋ^{13}ʂən^{13}tsɿ^{0} tʰak^{3} tau^{21},kai$^{53}_{44}$tsiəu^{21}aŋ^{35}iəŋ^{53}fəŋ^{13}ʂən$^{13}_{44}$tsɿ^{0} tʰak^{3} tau^{21},kai$^{53}_{44}$ ke$^{53}_{44}$fəŋ^{13}pau^{35}iəŋ^{53}fəŋ^{13}ʂən$^{13}_{44}$tsɿ^{0} tʰak^{3} tau^{21}.san^{35}fu^{53},pət^{3} lən^{53}la^{53}(x)a$^{53}_{44}$lai^{53}iaŋ^{53}çi^{53}ke^{0} ,təu^{35}ɔi^{53}iəŋ^{53}fəŋ^{13}ʂən^{13} tsɿ^{0} tʰak^{3} tau^{21},piau^{21}ʂɿ$^{53}_{44}$xei^{53}tʂak^{3} fəŋ^{13}çi^{21}sɿ^{53}.iəu^{35}tei$^{35}_{44}$ʂɿ^{53}xai$^{13}_{21}$ɔi$^{53}_{44}$fəŋ^{53}pak^{3} kʰua^{21},pak^{3} ʂəu^{53}kʰua^{21}.kai^{53}tsʰɔi^{13} liau^{53}tsʰiəu^{53}m̩^{13}kɔŋ^{21}ciəu^{53}nei^{0} ,i$^{13}_{21}$cin$^{35}_{53}$ʂɿ^{53}mau^{13}tek^{3} tsʰin^{13}niau^{0} ,tsʰiəu$^{53}_{44}$çi$^{53}_{44}$tau$^{53}_{44}$kai$^{53}_{44}$kei$^{53}_{44}$mai^{53}iəŋ^{13}mau^{35} ʂən^{13}tsɿ^{0} ke^{53}mau^{35}ʂən^{13}tsɿ^{0} laŋ$^{13}_{21}$tʂʰɔŋ$^{13}_{21}$ŋo^{0} tsiəu$^{53}_{21}$mai^{35}iet^{3} tsɿ^{21}au^{0} ,mai^{35}iet^{3} tsait^{3} au^{0} .kai^{53}n̩^{13}lən$^{53}_{44}$mak^{3} e^{0} tsʰɔi$^{13}_{21}$liau^{53},tʂɿ^{21}ɔi^{53}xei^{53}fəŋ$^{13}_{21}$ke^{0} tsʰiəu$^{53}_{44}$iau^{53}tek^{3} li^{0} ,in^{35}uei$^{53}_{44}$ci$^{13}_{44}$tʂɿ^{21}(x)ei^{53}tsʰi^{21}tau^{21}kai^{53}tʂak^{3} fəŋ^{13}ŋan^{13}sek^{3} .

【红薯粉】fəŋ^{13}ʂəu$^{13}_{21}$fən^{21} 名 红薯加工出来的淀粉：我等个（玉兰片）是用薯粉，用～做嘞。ŋai^{13}tien^{0} ke^{53}ʂɿ$^{53}_{44}$iəŋ^{53}ʂəu^{13}fən^{21},iəŋ^{53}fəŋ^{13}ʂəu$^{13}_{21}$fən^{21}tso^{53}le^{0} .

【红糖】fəŋ^{13}tʰɔŋ^{13} 名 ①红砂糖：最新个叫法就系白糖～，系啊？tsei^{53}sin$^{35}_{44}$ke$^{53}_{44}$ciau$^{53}_{44}$fait^{3} tsʰiəu$^{53}_{44}$ xe$^{53}_{44}$pʰak^{5} tʰɔŋ$^{13}_{21}$fəŋ^{13}tʰɔŋ^{13},xe$^{53}_{44}$a^{0}？②粗蔗糖：一坨一坨个，系唔系？我等是都喊做～去了。呀鲜红噢颜色唔知几深呶，系啊？iet^{3} tʰo$^{13}_{21}$iet^{3} tʰo$^{13}_{21}$ke^{53},xei$^{53}_{44}$me$^{53}_{44}$?ŋai$^{13}_{21}$tien^{0} ʂɿ^{53}təu^{35}xan^{53}tso^{53}fəŋ^{13}tʰɔŋ^{13}cʰi^{53} liau^{0} .ia$_{13}$çien^{35}fəŋ$^{13}_{21}$ŋau^{0} ŋan^{13}sek^{3} n̩$^{13}_{21}$ti$^{35}_{44}$ci^{21}tʂʰən^{35}nau^{0} ,xei$^{53}_{44}$a^{0}？

【红藤】fəŋ^{13}tʰien^{13} 名 茎红色的藤本植物的通称：欸，岭上个～就多的是，蛮多人拿倒搞么个嘞？一般子个～拿倒搞么个？欸，做箇个呢，做搨箕耳嘞，搨箕子个耳啊，欸，提搨箕子。箇～肚里嘞有一种就最可以做药个，安做大活血。e44,liaŋ35 xɔŋ53-44 ke53-44 fəŋ13 tien13 tsʰiəu53-44 to35 tet3 ʂʅ53,man13 to35-44 ɲin13-21 na53 tau21 kau21 mak3 ke53-44 lei0 ?iet3 pɔn35 tsʅ0 ke53 fəŋ13-21 tʰien13-44 na53 tau21 kau21 mak3 e0 ?e21,tso53 kai53 ke53 nei0,tso53 tsʰei35 ci35-44 ɲi21 lei0,tsʰei35 ci35-44 tsʅ0 ke53 ɲi21 a0,e21,tʰia35 tsʰei35 ci35-44 tsʅ0.kai53 fəŋ13 tʰien13-44 təu21 li0 lei0 iəu35 iet3 tʂəŋ21 tsʰiəu53-44 tsei53 kʰo21 i35-44 tso53 iɔk5 ke0,ɔn35 tso53-44 tʰai53 xɔit5 çiet3.

【红王头】fəŋ13 uɔŋ13 tʰei13 [名]中国象棋中红方的棋子帅的俗称：～就系帅唠。fəŋ13 uɔŋ13 tʰei13-44 tsʰiəu53 xe53 sai53 lau0.

【红喜事】fəŋ13 çi21 sʅ53 [名]男女婚娶之类让人感觉内心愉悦的、值得庆贺的事情：做～啊，讨新人呢。tso53 fəŋ13 çi21 sʅ53 a0,tʰau21 sin35 ɲin13-21 ne0.｜白喜事就安做库房，～安做礼房。pʰak5 çi21 sʅ53-44 tsʰiəu53-44 ɔn35-44 tso53-44 kʰu53 fɔŋ13,fəŋ13 çi21 sʅ53-44 ɔn35-44 tso53-44 li35 fɔŋ21.

【红霞】fəŋ13 xa13 [名]红色的云霞：有只箇个啦："早出～，蓑衣笠嫲；夜出～，晒死蛤蟆。"早出～，蓑衣笠嫲，就会落水呀。夜出～，晒死蛤蟆，会天晴啊。iəu35 tʂak3 kai53-44 cie53-44 la0:"tsau21 tʂʰət3 fəŋ13 xa13,so35 i35-44 liet3 ma13,ia53 tʂʰət3 fəŋ13 xa13,sai53 si21 xa13 ma13."tsau21 tʂʰət3 fəŋ13 xa13,so35 i35 liet3 ma13,tsʰiəu53 uɔi53 lɔk5 ʂei21 ia0.ia53 tʂʰət3 fəŋ13 xa13,sai53 si21 xa13 ma13,uɔi53 tʰien35 tsʰiaŋ13 ŋa0.｜箇个落久哩水呀，落久哩水，以下挨夜子了，箇天上出哩～，表示第二晡就会晴了，表示晴天就会到了。kai53-44 ke53 lɔk5 ciəu21 li0 ʂei21 ia0,lɔk5 ciəu21 li0 ʂei21,i21 xa53 ai35 ia53 tsʅ0 liau0,kai53-44 tʰien35 xɔŋ53-44 tʂʰət3 li0 fəŋ13 xa13,piau21 ʂʅ53-44 tʰi53 ɲi53 pu35-44 tsʰiəu53-44 uɔi53-44 tsʰiaŋ13 liau0,piau21 ʂʅ53 tsʰiaŋ13 tʰien35-44 tsʰiəu53-44 uɔi53-44 tau53 liau0.

【红鲜鲜哩】fəŋ13 çien35 çien35 ni0 [形]状态词。鲜红的样子：箇到我我有一到话去医院里门口，一只担架抐下来，揭下开来时，箇只人个手一只右手哇分炸弹炸嘿哩，硬～哩个血啊欸肉哇，～，硬我临时硬人都眼珠都乌个凑，我都我昏血我箇只人呐昏血，眼珠都乌个硬呢。kai53 tau53 ŋai13-21 ŋai13-21 iəu35 iet3 tau53 ua53-21 çi53 i35 vien53 ni21 mən13 xei21,iet3 tʂak3 tan35 ka53 kɔŋ35 ŋa53 lɔi13-44,ciet3 (x)a53 kʰɔi35 lɔi13-21 ʂʅ13,kai53 tʂak3 ɲin13 ke53 ʂəu21 iet3 tʂak3 iəu53 ʂəu21 ua0 pɔn35 tsa53 tʰan21-21 tsa53 xek3 li0, ɲiaŋ53 fəŋ13-21 çien35-44 çien35 ni0 ke0 çiet3 a0 ei44 ɲiəuk3 ua0,fəŋ13-21 çien35-53 çien35-44 ni0, ɲiaŋ53 ŋai13-21 lin13 ʂʅ13-44 ɲiaŋ53 ɲin13 təu35-44 ŋan21 tʂəu35-44 təu35-44 u35 ke53 tsʰe0,ŋai13 təu35-53 ŋai13-21 fən35 çiet3 ŋai13 kai53 tʂak3 ɲin13-44 na0 fən35 çiet3,ŋan21 tʂəu35-44 təu35-44 u35 ke53 ɲiaŋ53 ne0.

【红苋菜】fəŋ13 xan53 tsʰɔi53 [名]苋菜的一种，叶片和叶柄紫红色：苋菜肚里有起～。煮箇碗～嘛煮倒一碗个汤欸，欸血样个，我老婆是第一唔合适。渠侪都唔买～。呀，一碗血样个，豩死人。渠买白……渠栽也系箇阵子栽也栽白苋菜，买也买白苋菜。渠看倒～渠就讨嫌。煮倒一碗个汤嘛血样。xan53 tsʰɔi53 təu21 li0 iəu35-44 çi21 fəŋ13 xan53 tsʰɔi53.tʂəu21 kai53 uɔn21 fəŋ13 xan53 tsʰɔi53 ma0 tʂəu21 tau21 iet3 uɔn21 ke53-44 tʰɔŋ35 ŋei0,ei44 çiet3 iɔŋ53-44 ke0,ŋai13-21 lau21 pʰo13 ʂʅ53-44 tʰi53 iet3 n̩21 xɔit5 ʂʅt3.ci13 tsʰi13-21 təu35-53 m̩13-21 mai35 fəŋ13 xan53-44 tsʰɔi53-44.ia21,iet3 uɔn21 çiet3 iɔŋ53 ke53, ɲia13 si21 ɲin13.ci13 mai35 pʰak…ci13-21 tsɔi35 ia35 xei53 kai53 tʂʰən53 tsʅ0 tsɔi35 ia35-44 tsɔi35-44 pʰak5 xan53-44 tsʰɔi53-44,mai35 ia35-44 mai35 pʰak5 xan53-44 tsʰɔi53-44.ci13 kʰɔn53 tau21 fəŋ13 xan53-44 tsʰɔi53-44 ci13-21 tsʰiəu53 tʰau21 çian13.tʂəu21 tau21 iet3 uɔn21 ke53-44 tʰɔŋ35-44 ma0 çiet3 iɔŋ53.

【红香】fəŋ13 çiɔŋ35-44 [名]点着了的香：～就不是么个红色个香呐，系点着来哩个香啦。正在燃烧个香啦就安做～啊。fəŋ13 çiɔŋ35-44 tsʰiəu53-44 pət3 ʂʅ53-44 mak3 ke53-44 fəŋ13 sek3 ke53-44 çiɔŋ35 na0,xei53-44 tian21 tʂʰɔk5 lɔi13-21 li0 ke53-44 çiɔŋ35 la0.tʂən53 tsʰai53 vien13 ʂau35-44 ke53-44 çiɔŋ35 la0 tsʰiəu53-44 ɔn35-44 tso53-44 fəŋ13 çiɔŋ35-44 ŋa0.

【红香荽】fəŋ13 siɔŋ35 si35 [名]紫苏：香荽就系紫苏，～就红色，红叶子个紫苏。siɔŋ35 si35 tsʰiəu53 xe53-44 tsʅ21 sʅ35,fəŋ13 siɔŋ35 si35 tsʰiəu53 fəŋ13 sek3,fəŋ13 iait5 tsʅ0 ke0 tsʅ21 sʅ35-44.

【红心番薯】fəŋ13 sin35 fan35 ʂəu13 [名]肉色呈红色的番薯：～就擦红番薯唔同，系。红番薯就面上个皮鲜红个，～嘞就系箇心肝鲜红个。fəŋ13 sin35 fan35-44 ʂəu13-21 tsʰiəu53-44 lau35-44 fəŋ13 fan35-44 ʂəu13-21 n̩13-21 tʰəŋ13,xe53-21.fəŋ13 fan35 ʂəu13-21 tsʰiəu53-44 mien53 xɔŋ53-44 ke53-44 pʰi13 çien35-44 fəŋ13 ke53,fəŋ13 sin35 fan35-44 ʂəu13-21 le0 tsʰiəu53 xe53 kai53 sin35 kɔn35-44 çien35-44 fəŋ13-21 ke0.

【红须鲌】fəŋ13 si35 pʰak3 [名]鱼名，不大，味美：～，一种鱼子，～，我晓得，一种鱼子。欸，好像箇个鳃帮子箇映子红红子。～有几大，味道欸还好食，箇种鱼子还好食，味道还好。fəŋ13 si35-44 pʰak3,iet3 tʂəŋ21 ŋ̍13 tsʅ0,fəŋ13 si35-44 pʰak3,ŋai13 çiau21 tek3,iet3 tʂəŋ21 ŋ̍13 tsʅ0.e44,xau21 tsʰiɔŋ53 kai53-44 ke53-44 sɔi35 pɔŋ35 tsʅ0 kai53-44 iaŋ53-44 tsʅ0 fəŋ13 fəŋ13 tsʅ0.fəŋ13 si35-44 pʰak3 mau13 ci21 tʰai53,uei53 tʰau53 ei21,xai13-21 xau21 ʂət5,kai53 tʂəŋ21 ŋ̍13 tsʅ0 xai13-21 xau21 ʂət5,uei53 tʰau53 xai13 xau21.

【红眼病】fəŋ13 ŋan21 pʰiaŋ53 [名]流行性结膜炎或急性传染性结膜炎的俗称：～也得过啊。我都得过～。fəŋ13 ŋan21 pʰiaŋ53 a35-44 tek3 ko53-21 a0.ŋai13 təu35-53 tek3 ko53 fəŋ13 ŋan21 pʰiaŋ53.

【红药水】fəŋ^{13}iɔk^{5}ʂei^{21} [名]一种含红汞的杀菌剂：撞倒哩手，破哩皮，就用～去搽。tsʰɔŋ^{53}tau^{21} li^{0} ʂəu^{21},pʰo^{53}li^{0} pʰi^{13},tsʰiəu^{53}iəŋ^{53}fəŋ^{13}iɔk^{5}ʂei^{21}çi^{53}tsʰa^{13}.

【红缨枪】fəŋ^{13}in^{35}tsʰiɔŋ^{35} [名]旧兵器之一，长柄端装有金属尖锐枪头，在枪头和柄的连结处装有红缨饰物：耍～就系安做耍枪。我记得耍～就即即哩甩嘿去嘞，即即哩甩呢。就系有一杆子梭镖呢。sa^{21}fəŋ^{13}in$^{35}_{44}$tsʰiɔŋ$^{35}_{44}$tsʰiəu$^{53}_{44}$xei$^{53}_{44}$ɔn$^{35}_{44}$tso$^{53}_{44}$sa^{21}tsʰiɔŋ^{35}.ŋai^{13}ci^{53}tek^{3} sa^{21}fəŋ^{13}in$^{35}_{44}$tsʰiɔŋ$^{35}_{44}$tsʰiəu^{53}tset^{5} tset^{5} li^{0} sai^{21}nek^{3} çi^{53}lei^{0},tset^{5} tset^{5} li^{0} sai^{21}nei^{0}.tsʰiəu^{53}xei^{53}iəu$^{35}_{44}$iet^{3} kɔn^{21}tsʅ^{0} so^{35}piau$^{35}_{44}$nei^{0}.

【红枣】fəŋ^{13}tsau^{21} [名]枣树成熟的果实及其果干：渠$_{指酸枣}$讲到底是蛮像～箇只东西。ci^{13}kɔŋ^{21}tau^{53} ti^{21}ʂʅ$^{53}_{44}$man^{13}tsʰiɔŋ^{53}fəŋ^{13}tsau^{21}kai$^{53}_{21}$tʂak^{3} (t)əŋ$^{35}_{44}$si^{0}.

【红纸】fəŋ^{13}tʂʅ^{21} [名]红色的纸张。也称"红纸子"：渠等爱一张整张～（写礼单），咁长，箇～咯，□长，□长箇只～，不能驳，不能要驳，整张～咁长，爱咁长，但是唔爱咁阔唠。ci^{13} tien^{0} ɔi^{53}iet^{3} tʂɔŋ^{35}tʂən^{21}tʂɔŋ^{35}fəŋ^{13}tʂʅ^{21},kan^{21}tʂʰɔŋ^{13},kai^{53}fəŋ^{13}tʂʅ^{21}ko^{0} ,lai^{35}tʂʰɔŋ$^{13}_{21}$,lai$^{35}_{44}$tʂʰɔŋ$^{13}_{44}$kai$^{53}_{44}$tʂak^{3} fəŋ^{13} tʂʅ$^{21}_{44}$,pət^{3} lən^{13}pɔk^{3},pət^{3} lən^{13}iau^{53}pɔk^{3},tʂən^{21}tʂɔŋ$^{35}_{44}$fəŋ^{13}tʂʅ^{21}kan^{21}tʂʰɔŋ^{13},ɔi^{53}kan^{21}tʂʰɔŋ^{13},tan^{53}ʂʅ^{53}m̩$^{13}_{21}$mɔi^{53}kan^{21} kʰɔit^{3} lau^{0}.｜男家头个礼，用～子写倒，几多柬个全书，几多柬。lan^{13}ka$^{35}_{44}$tʰei$^{13}_{21}$ke^{53}li^{21},iəŋ^{53}fəŋ^{13} tʂʅ^{21}tsʅ^{0} sia^{21}tau^{21},ci^{21}to^{35}kan^{21}ke$^{53}_{0}$tsʰien^{13}ʂəu^{35},ci^{21}to^{35}kan^{21}.

【红砖】fəŋ^{13}tʂən$^{35}_{44}$ [名]以黏土等为原料，经成型、干燥后烧制而成的建筑砖块，色泽红艳：从前呢，就冇得～呢。tsʰəŋ^{13}tsʰien$^{13}_{21}$nei^{0},tsʰiəu^{53}mau^{13}tek^{3} fəŋ^{13}tʂən$^{35}_{44}$ne^{0}.

【虹】kɔŋ^{53} [名]雨后天空中出现的弧形彩晕：东～日头西～水。去东边看倒天弓就会出日头，去西边看倒天弓就会落水。təŋ^{35}kɔŋ^{53}ɲiet^{3} tʰei^{13}si^{35}kɔŋ^{53}ʂei^{21}.çi^{53}təŋ^{35}pien^{35}kʰɔn^{53}tau^{53}tʰien^{35}ciəŋ^{35} tsʰiəu^{53}uɔi^{53}tʂʰət^{3}ɲiet^{3} tʰei^{13},çi^{53}si^{35}pien$^{35}_{44}$kʰɔn^{53}tau^{21}tʰien^{35}ciəŋ^{35}tsʰiəu$^{53}_{44}$uɔi$^{53}_{44}$lɔk^{5} ʂei^{21}.

【洪水圳】fəŋ^{13}ʂei^{21}tʂən^{53} [名]山间田地外侧修的排水沟：打比以映一冲田，以边嘞有岭岗，以边有岭岗，为了避免岭岗个水流下田里去，以映一条，箇条安做么个，晓吧？箇就安做～呢。ta^{21}pi^{21}i^{21}iaŋ^{53}iet^{3} tʂʰəŋ^{35}tʰien^{13},i$^{21\,13}_{\ \ 21}$pien$^{35}_{44}$le^{0} iəu$^{35}_{44}$liaŋ^{35}kɔŋ$^{35}_{44}$,i^{21}pien$^{35}_{44}$iəu$^{35}_{44}$liaŋ^{35}kɔŋ$^{35}_{44}$,uei^{53}liau^{21}pʰi^{53}mien^{21}liaŋ^{35} kɔŋ$^{35}_{44}$ke$^{53}_{44}$ʂei^{21}liəu^{13}ua^{53}tʰien^{13}ni^{21}çi^{53},i^{21}iaŋ^{53}et^{3} tʰiau$^{13}_{21}$,kai$^{53}_{44}$tʰiau$^{13}_{21}$ɔn$^{35}_{44}$tso$^{53}_{44}$mak^{3} e^{0} kei$^{35}_{44}$,çiau^{21}pa^{0}?kai$^{53}_{44}$tsʰiəu$^{53}_{44}$ ɔn$^{35}_{53}$tso^{53}fəŋ^{13}ʂei^{21}tʂən^{53}nei^{0}.

【哄】fəŋ^{21} [动]欺骗：～人 fəŋ^{21}ɲin^{13}

【哄鬼】fəŋ^{21}kuei^{21} [动]本指哄骗鬼魂，转指骗人：本来以个栏场做道士个都系道教嘞。你系渠等搞起箇乱七八糟哇。欸，一番子乱搞哩。有兜么个么啊佛教箇如来，系唔系啊？观音菩萨挂倒去箇子。做道场个人呐。挂倒箇观音菩萨呀，挂倒如来佛个像。你话箇个有名堂吗呢。反正箇个东西都系～个，欸嘿，安做～个，冇得么人去追究。只爱热闹，只爱搞得热闹。pən^{21}nɔi^{13}i^{21}ke^{53}laŋ$^{13}_{44}$tʂʰɔŋ$^{13}_{44}$tso^{53}tʰau^{53}sʅ$^{53}_{44}$ke^{0} təu^{35}xei$^{53}_{44}$tʰau^{53}ciau^{53}lei^{0}. ɲi^{13}xei^{53}ci$^{13}_{44}$tien^{0} kau^{21}çi^{21}kai$^{53}_{44}$lɔn^{53} tsʰiet^{3} pait^{3} tsau^{35}ua^{0} .e$_{44}$,iet^{3} fɔn$^{35}_{53}$tsʅ^{0} lɔn^{53}kau^{21}li^{0} .iəu^{35}təu$^{35}_{53}$mak^{3} ei^{0} mak^{3} a^{0} fət^{5} ciau$^{53}_{44}$kai^{53}ʮ^{13}lɔi^{13},(x)ei$^{53}_{44}$mei$^{53}_{44}$ a^{0} ?kɔn^{35}in$^{35}_{44}$pʰu$^{13}_{21}$sait^{3} kua^{53}tau^{21}çi^{53}kai^{53}tsʅ^{0} .tso^{53}tʰau^{53}tʂʰɔŋ^{13}ke^{0} ɲin$^{13}_{21}$na^{0} .kua^{53}tau^{21}kai$^{53}_{44}$kɔn^{35}in$^{35}_{44}$pʰu$^{13}_{21}$sait^{3} ia^{0} ,kua$^{53}_{44}$tau$^{21}_{44}$ʮ^{13}lɔi^{13}fət^{5} ke^{0} siɔŋ^{53}. ɲi^{13}(u)a$^{53}_{21}$kai^{53}ke^{53}mau$^{13}_{21}$min^{13}tʰɔŋ$^{13}_{21}$ma^{0} ne^{0} .fan^{21}tʂən^{53}kai^{53}ke$^{53}_{21}$təŋ$^{35}_{44}$si^{0} təu$^{35}_{53}$ xe$^{53}_{21}$fəŋ^{21}kuei^{21}ke^{53},e$_{44}$xe$_{44}$,ɔn$^{35}_{44}$tso$^{53}_{44}$fəŋ^{21}kuei^{21}ke^{53},mau^{13}(t)ek^{3} mak^{3} in$^{13}_{44}$çi^{53}tʂei^{35}ciəu^{53}.tʂʅ^{21}ɔi$^{53}_{44}$viet^{5} lau^{53},tʂʅ^{21} ɔi^{53}kau^{21}tek^{3} viet^{5} lau$^{53}_{44}$.

【蕻】fəŋ^{53} [名]某些蔬菜的长茎：青菜老哩就会抽～，会还会开花打朵。但是青菜～就唔好食嘞。白菜～就好食，青菜～唔好食，可以讲冇多么人食。tsʰiaŋ^{35}tsʰɔi^{53}lau^{21}li^{0} tsʰiəu^{53}uɔi^{53}tʂʰəu$^{35}_{44}$ fəŋ^{53},uɔi$^{53}_{44}$xa$^{13}_{21}$uɔi$^{53}_{44}$kʰɔi^{35}fa$^{35}_{53}$ta^{21}to^{21}.tan$^{53}_{44}$ʂʅ$^{53}_{44}$tsʰiaŋ^{35}tsʰɔi^{53}fəŋ^{53}tsʰiəu^{53}n̩$^{13}_{21}$xau^{21}ʂət^{5} le^{0} .pʰak^{5} tsʰɔi^{53}fəŋ$^{53}_{44}$tsʰiəu$^{53}_{44}$ xau^{21}ʂət^{5},tsʰiaŋ^{35}tsʰɔi^{53}fəŋ^{53}n̩$^{13}_{21}$xau^{21}ʂət^{5},kʰo^{21}i$^{21}_{44}$kɔŋ^{21}mau^{13}to$^{35}_{53}$mak^{3} in$^{13}_{21}$ʂət^{5}.

【齁锣气鼓】xei^{35}lo$^{13}_{21}$çi^{53}ku^{21} 呼吸急促费力、喉间哮鸣的样子：～哇就系呃绷气都唔上颈，长日都……～。有滴子事也系咁个。有滴人是你话累哩，系唔系？上楼上多哩，累倒哩，～，车齁样啊，系啊？渠箇人一天到夜都咁个，除哩唔动，一动就架势～。xei^{35}lo$^{13}_{21}$çi^{53}ku^{21}ua^{0} tsʰiəu^{21}xei^{53}ə$_{21}$paŋ^{35}çi^{53}təu$^{35}_{44}$n̩$^{13}_{21}$sɔŋ$^{53}_{44}$ciaŋ^{21},tʂʰɔŋ^{13}ɲiet^{3} təu$^{35}_{53}$…xei^{35}lo$^{13}_{21}$çi^{53}ku^{21}.mau^{13}tiet^{5} tsʅ^{0} sʅ^{53}ia^{35}xei^{53}kan^{21} cie$^{53}_{44}$.iəu^{35}tet^{5} ɲin$^{13}_{44}$ʂʅ$^{53}_{44}$ɲi^{13}ua$^{53}_{44}$li^{53}li^{0} ,xei^{53}me^{53}?ʂɔŋ^{35}lei^{13}ʂɔŋ^{35}to^{35}li^{0} ,li^{53}tau^{21}li^{0} ,xei$^{35}_{44}$lo$^{13}_{21}$çi^{53}ku^{21},tʂʰa^{21}xei^{35}iɔŋ$^{53}_{44}$ ŋa^{0} ,xei$^{53}_{44}$a^{0} ?ci^{13}kai^{53}ɲin$^{13}_{44}$iet^{3} tʰien^{35}tau^{53}ia^{53}təu$^{35}_{53}$kan^{21}ke^{0} ,tʂʰu^{13}li^{0} n̩^{13}tʰəŋ^{35},iet^{3} tʰəŋ^{35}tsʰiəu^{53}cia$^{53}_{44}$ʂʅ$^{53}_{44}$xei$^{35}_{44}$lo$^{13}_{21}$çi^{53} ku^{21}.｜系种病。有滴就系么个，有滴就系肺结核呀。有肺结核个人呐，就痨病壳啊，～哇。有滴人就系支气管炎呐。xei^{53}tʂəŋ^{21}pʰiaŋ^{53}.iəu^{35}tet^{5} tsʰiəu$^{53}_{44}$xe$^{53}_{44}$mak^{3} ke^{0} ,iəu^{35}tet^{5} tsʰiəu$^{53}_{44}$xe$^{53}_{44}$fei^{53}ciet^{3} xek^{3} ia^{0} .iəu^{35}fei^{53}ciet^{3} xek^{3} ke^{53}ɲin$^{13}_{44}$na^{0} ,tsʰiəu$^{53}_{44}$lau^{13}pʰiaŋ^{53}kʰɔk^{3} a^{0} ,xei^{35}lo$^{13}_{44}$çi$^{53}_{44}$ku^{21}ua^{0} .iəu^{35}tet^{5} ɲin$^{13}_{21}$tsʰiəu$^{53}_{44}$

H

xei$^{53}_{44}$tʂʅ$^{35}_{44}$çi^{53}kɔn^{21}ien^{13}na^{0}.

【喉咙】xei^{13}ləŋ^{13} 名 咽喉：箇老师咯真多得～病个呢。唔知系唔系讲事讲多哩呢。讲事讲多哩嘞，又有粉笔灰嘞，又食粉笔灰嘞，真多得～病个老师肚里。欸，声咽个，得～病个。如今箇个浏阳箇有蛮多浏阳城里个箇学堂啊，学生一只班人又多，六十七八个人了，我箇只孙子去黄泥湾小学读书哇，浏阳最好个箇只小学，六十七八个人一只班，箇班主任老师是硬～都喊的咽，长日都扤只小蜜蜂，以下好得有咁个小蜜蜂子，你话撞怕一下□记哩扤小蜜蜂嘞，六十八只学生跕下箇教室里硬很多舌呀硬。蜂子样桶样啊。kai^{53}lau^{21}sɿ$^{35}_{44}$ko^{0}tʂən^{35}to^{35}tek^{3}xei^{13}ləŋ^{13}pʰiaŋ^{53}ke^{53}nei^{0}.n̩^{13}ti$^{35}_{44}$xei$^{53}_{44}$mei$^{53}_{44}$kɔŋ^{21}sɿ^{53}kɔŋ^{21}to^{35}li^{0}ne^{0}.kɔŋ^{21}sɿ^{53}kɔŋ^{21}to^{35}li^{0}lei^{0},iəu$^{53}_{44}$iəu^{35}fən^{21}piet^{3}fɔi^{35}lei^{0},iəu$^{53}_{44}$ʂət^{5}fən^{21}piet^{5}fɔi^{35}lei^{0},tʂən^{35}to^{35}tek^{3}xei^{13}ləŋ^{13}pʰiaŋ^{53}ke^{0}lau^{21}sɿ$^{35}_{44}$təu^{21}li^{0}.e$_{21}$,ʂaŋ^{35}iait^{3}ke^{0},tek^{3}xei^{13}ləŋ^{13}pʰiaŋ^{53}ke^{0}.i$^{13}_{21}$cin^{35}kai^{53}ke$^{53}_{44}$liəu^{13}iɔŋ^{13}kai^{53}iəu$^{35}_{44}$man^{13}to$^{35}_{44}$liəu^{13}iɔŋ^{13}tʂʰən^{13}ni^{0}ke^{0}kai^{53}xɔk^{5}tʰɔŋ$^{13}_{44}$ŋa^{0},xɔk^{5}saŋ$^{35}_{44}$iet^{3}tʂak^{3}pan^{35}ɲin^{13}iəu$^{53}_{44}$to^{35},liəuk^{3}ʂət^{5}tsʰiet^{3}pait^{3}cie^{53}ɲin$^{13}_{44}$niau^{0},ŋai$^{13}_{44}$kai$^{53}_{44}$(tʂ)ak^{3}sən^{35}tsɿ^{0}çi^{53}uən^{13}ɲi$^{13}_{21}$uan^{35}siau^{21}çiɔk^{5}tʰəuk$^{5}_{3}$ʂəu^{35}ua^{0},liəu^{13}iɔŋ$^{13}_{21}$tsei^{53}xau^{21}ke$^{53}_{44}$kai^{53}tʂak^{3}siau^{21}çiɔk^{5},liəuk^{3}ʂət^{5}tsʰiet^{3}pait^{3}cie^{53}ɲin$^{13}_{21}$iet^{3}tʂak^{3}pan^{35},kai^{53}pan^{35}tʂʮ^{21}uən$^{53}_{44}$lau^{21}sɿ$^{35}_{44}$ʂʅ$^{53}_{44}$ɲiaŋ^{53}xei^{13}ləŋ$^{13}_{44}$təu$^{35}_{53}$xan^{53}tek^{3}iait^{3},tʂʰɔŋ^{13}ɲiet^{3}təu$^{35}_{53}$kʰuai^{21}tʂak^{3}siau^{21}miet^{5}fəŋ^{35},i^{21}xa^{53}xau^{21}tek^{3}iəu$^{35}_{53}$kan^{21}ke$^{53}_{21}$siau^{21}miet^{5}fəŋ^{35}tsɿ^{0}, ɲi^{13}(u)a$^{53}_{44}$tsʰɔŋ^{21}pʰa$^{53}_{44}$iet^{3}xa^{53}lai^{13}ci$^{53}_{44}$li^{0}kʰuai^{21}siau^{21}miet^{5}fəŋ$^{35}_{44}$lei^{0},liəuk^{3}ʂət^{5}pait^{3}tʂak^{3}xɔk^{5}saŋ$^{35}_{53}$ku^{35}(x)a$^{53}_{44}$kai$^{53}_{44}$ciau^{53}ʂət^{5}li^{0}ɲiaŋ^{53}xen^{21}to^{35}ʂait^{5}ia^{0}ɲiaŋ^{53}.fəŋ^{35}tsɿ^{0}iɔŋ^{53}tʰəŋ^{21}iɔŋ^{53}ŋa^{0}.

【喉咙管】xei^{13}ləŋ^{13}kɔn^{21} 名 咽喉的俗称：以映箇气管吧？气管。喉……～，系，以映子，就以只声带边上，～。欸。～。i^{21}iaŋ$^{53}_{44}$kai$^{53}_{44}$çi^{53}kɔn^{21}pa^{0}?çi^{53}kɔn^{21}.xei$^{13}_{21}$…xei^{13}ləŋ$^{13}_{44}$kɔn^{21},xe^{53},i^{21}iaŋ^{53}tsɿ^{0},tsiəu^{53}i^{21}tʂak^{3}ʂən^{35}tai$^{53}_{44}$pien^{35}xɔŋ$^{53}_{21}$,xei^{13}ləŋ$^{13}_{44}$kɔn^{21}.e$_{21}$.xei^{13}ləŋ$^{13}_{44}$kɔn^{21}.

【喉嗓】xei^{13}siɔŋ^{21} 名 猪牛等的喉管等：猪～，牛～哦，安做～。尽子骨子唠，系唔系？尽是。tʂəu^{35}xei$^{13}_{21}$siɔŋ^{21}, ɲiəu^{13}xei^{13}siɔŋ^{21}ŋo^{0},ɔn$^{35}_{44}$tso$^{53}_{44}$xei^{13}siɔŋ^{21}.tsʰin^{53}tsɿ^{21}kuət^{3}tsɿ^{0}lau^{0},xei$^{53}_{44}$me$^{53}_{44}$?tsʰin^{53}ʂʅ^{53}.

【猴把戏】xei^{13}pa^{21}çi^{53} 名 用猴子表演的驯兽节目：～就硬爱有只猴子，耍～呀就爱有只猴子，因为猴子箇只东西得人家喜欢，就惹细人子看，欸，吸引细人子看，好看。有只猴子啊，猴子又咁机灵。xei^{13}pa^{21}çi^{53}tsʰiəu^{53}ɲiaŋ^{53}ɔi$^{53}_{44}$iəu^{35}tʂak^{3}xei^{13}tsɿ^{0},sa^{21}xei^{13}pa^{21}çi^{53}ia^{0}tsʰiəu$^{53}_{44}$ɔi$^{53}_{44}$iəu$^{35}_{53}$tʂak^{3}xei^{13}tsɿ^{0},in^{35}uei$^{53}_{44}$xei^{13}tsɿ^{0}kai^{53}(tʂ)ak^{3}təŋ$^{35}_{44}$si^{0}tek^{3}in$^{13}_{21}$ka$^{35}_{44}$çi^{21}fɔn$^{35}_{44}$,tsʰiəu$^{53}_{44}$ɲia^{35}sei^{53}ɲin$^{13}_{21}$tsɿ^{0}kʰɔn^{53},e$_{21}$,cʰiet^{5}in^{21}sei^{53}ɲin$^{13}_{21}$tsɿ^{0}kʰɔn^{53},xau^{21}kʰɔn^{53}.iəu$^{35}_{44}$tʂak^{3}xei^{13}tsɿ^{0}a^{0},xei^{13}tsɿ^{0}iəu^{53}kan^{21}ci^{35}lin^{13}.

【猴哥】xei^{13}ko^{35} 名 螳螂：～我记得欸，～嘞就系绿色个，绿箇子。脚唔知几长。xei^{13}ko$^{35}_{44}$ŋai^{13}ci^{53}tek^{3}e^{0},xei^{13}ko$^{35}_{44}$lei^{0}tsʰiəu$^{53}_{44}$xei$^{53}_{44}$liəuk^{5}sek^{3}ke^{53},liəuk^{5}kai^{53}tsɿ^{0}.ciɔk^{3}n̩^{13}ti$^{35}_{53}$ci^{21}tʂʰɔŋ$^{13}_{21}$.｜箇个岭上就有～，我等经常见。kai$^{53}_{44}$ke$^{53}_{44}$liaŋ^{35}xɔŋ$^{53}_{44}$tsʰiəu$^{53}_{44}$iəu$^{35}_{44}$xei^{13}ko$^{35}_{44}$,ŋai^{13}tien^{0}cin^{35}tʂʰɔŋ$^{13}_{21}$cien^{53}.

【猴饥子】xei^{13}ci^{35}tsɿ^{0} 名 野生柿子：～就系箇种丁啮大子个柿子，一只就细，第二只就籽多。也就系柿子树箇个柿子柿子啊个仁，柿子个种，果实嘞，种子啊，跌下地泥下生出来个秧，赠经过嫁接个，渠就结出来个就～。有兜人也会讲猴tsi^{35}子，讲～个多。xei^{13}ci^{35}tsɿ^{0}tsʰiəu^{53}xei^{53}kai^{53}tʂəŋ^{21}tin^{53}ŋait^{3}tʰai^{53}tsɿ^{0}ke^{0}tsʰʅ^{53}tsɿ^{0},iet^{3}tʂak^{3}tsʰiəu$^{53}_{44}$se^{53},tʰi^{53}ɲi^{53}tʂak^{3}tsʰiəu$^{53}_{44}$tsɿ^{21}to^{35}.ia^{35}tsʰiəu$^{53}_{44}$xe$^{53}_{44}$tsʰʅ^{53}tsɿ^{21}ʂəu^{53}kai$^{53}_{44}$kei$^{53}_{44}$tsʰʅ^{53}tsɿ^{21}a^{0}kei^{53}in^{13},tsʰʅ^{53}tsɿ^{0}kei^{53}tʂəŋ^{21},ko^{21}ʂət^{5}le^{0},tʂəŋ^{21}tsɿ^{0}a^{0},tet^{3}(x)a$^{53}_{44}$tʰi^{53}lai$^{13}_{21}$xa^{35}saŋ^{35}tʂʰət^{3}lɔi$^{13}_{21}$kei^{53}iɔŋ^{35},maŋ^{13}cin$^{35}_{44}$ko$^{53}_{44}$cia^{53}tset^{3}ke^{53},ci$^{13}_{21}$tsʰiəu^{53}ciet^{3}tʂʰət^{3}lɔi$^{13}_{44}$ke^{0}tsʰiəu^{53}xei$^{13}_{21}$ci^{35}tsɿ^{0}.iəu^{35}tei$^{35}_{53}$ɲin$^{13}_{21}$ia^{35}uɔi^{53}kɔŋ^{21}xei$^{13}_{21}$tsi^{35}tsɿ^{0},kɔŋ^{21}xei^{13}ci^{35}tsɿ^{0}ke^{0}to$^{35}_{44}$.

【猴精】xei^{13}tsin^{35} 名 又精明又机灵的人：箇阵子我等班上一只学生，箇只脚色就真系～一样个嘞。渠还有一点呢渠也唔胖箇只人咯，又刮瘦刮瘦，样子也像～子样个。欸，中央电视台箇只么个电视剧啦箇只，欸，一家人个，箇只一家人个肚里箇只咁个细子啊也系一只～呐，欸，真雀啊。kai^{53}tʂʰən^{53}tsɿ^{0}ŋai^{13}tien^{0}pan$^{35}_{44}$xɔŋ$^{53}_{44}$iet^{3}tʂak^{3}xɔk^{5}saŋ^{35},kai^{53}tʂak^{3}ciɔk^{3}sek^{3}tsʰiəu$^{53}_{44}$tʂən^{35}xe^{53}xei^{13}tsin^{35}net^{3}iɔŋ$^{53}_{44}$ke^{0}le^{0}.ci^{13}xai$^{13}_{21}$iəu$^{35}_{53}$iet^{3}tien$^{13}_{21}$nei^{0}ci$^{13}_{21}$ia^{35}m̩^{13}pʰɔŋ^{53}kai$^{53}_{44}$tʂak^{3}ɲin$^{13}_{21}$ko^{0},iəu$^{53}_{21}$kuait^{5}sei^{53}kuait^{5}sei^{53},iɔŋ^{53}tsɿ^{0}ia^{35}tsʰiɔŋ^{53}xei^{13}tsin^{35}tsɿ^{0}iɔŋ^{53}ke^{0}.e$_{21}$,tʂəŋ^{35}iɔŋ$^{35}_{44}$tʰien^{53}ʂʅ^{53}tʰɔi$^{13}_{21}$kai^{53}tʂak^{3}mak^{3}ke^{0}tʰien^{53}ʂʅ^{53}tʂət^{3}la^{0}kai^{53}tʂak^{3},e$_{21}$,iet^{3}ka^{35}ɲin^{13}cie^{0},kai$^{53}_{44}$tʂak^{3}iet^{3}ka$^{35}_{44}$ɲin^{13}cie$^{53}_{44}$təu^{21}li^{0}kai^{53}tʂak^{3}kan^{21}ke$^{53}_{44}$sei^{53}tsa^{0}ia$^{35}_{44}$xei^{53}iet^{3}tʂak^{3}xei^{13}tsin$^{35}_{44}$na^{0},e$_{21}$,tʂən^{35}tsʰio^{3}a^{0}.

【猴帽】xei^{13}mau^{53} 名 一种能遮住头部、仅露眼部的帽子：～就只露出眼珠摎鼻公嘴巴，只露出眼珠喔个帽子，一种遮倒一只脑壳，只露出眼珠来箇帽子就安做～。我等买倒去搞么个？买倒冷天骑摩托车呢。渠又便宜，几块钱一项，一年冬下骑哩就丢嘿去，不要哩。就唔冷人呶，冷天骑摩托车真好。xei^{13}mau^{53}tsʰiəu$^{53}_{44}$tʂʅ^{21}ləu^{53}tʂʰət^{3}ŋan^{21}tʂəu^{35}lau^{35}pʰi^{53}kəŋ^{35}tsi^{21}pa$^{35}_{44}$,tʂʅ^{21}ləu^{53}

tʂʰət^{3} ŋan^{21}tʂəu$^{35}_{44}$uo^{0} ke^{53}mau^{53}tsɿ^{0},iet^{3} təŋ^{21}tʂa^{35}tau^{21}iet^{3} tʂak^{3} lau^{21}kʰɔk^{3},tʂʅ^{21}ləu^{53}tʂʰət^{3} ŋan^{21}tʂəu$^{35}_{44}$lɔi$^{13}_{21}$kai$^{53}_{44}$ mau^{53}tsɿ^{0} tsʰiəu$^{53}_{44}$ɔn$^{35}_{44}$tso$^{53}_{44}$xei^{13}mau^{53}.ŋai^{13}tien^{0} mai^{35}tau^{21}çi^{53}kau^{21}mak^{3} ke$^{53}_{44}$?mai^{35}tau^{21}laŋ^{35}tʰien$^{35}_{44}$cʰi$^{13}_{21}$mo$^{13}_{21}$ tʰɔk^{3} tʂʰa^{35}nei^{0}.ci^{13}iəu^{53}pʰien^{13}ɲin$^{13}_{44}$,ci^{21}kʰuai^{53}tsʰien$^{13}_{44}$iet^{3} taŋ^{21},iet^{3} ɲien$^{13}_{21}$təŋ$^{35}_{44}$xa^{53}cʰi$^{13}_{44}$li^{0} tsʰiəu^{53}tiəu^{35}xek^{3} çi$^{53}_{44}$, pət^{3} iau^{53}li^{0}.tsʰiəu$^{53}_{44}$n̩$^{13}_{21}$naŋ^{35}ɲin$^{13}_{21}$nau^{0},laŋ^{35}tʰien$^{35}_{44}$cʰi$^{13}_{21}$mo$^{13}_{21}$tʰɔk^{3} tʂʰa^{35}tʂən$^{35}_{44}$xau^{21}.

【猴子】xei^{13}tsɿ^{0} [名]灵长目动物：（猕猴桃）尽箇毛，～样。tsʰin$^{53}_{44}$kai^{53}mau^{35},xei^{13}tsɿ^{0} iɔŋ^{53}.

【后】xei^{53} [名]方位词。①表示位置在后面：两个人一先一～。iɔŋ^{53}ke^{53}ɲin$^{13}_{21}$iet^{3} sien^{35}iet^{3} xei^{53}. ｜箇屋前屋～是爱扫净下子啊。kai^{53}uk^{3} tsʰien^{13}uk^{3} xei^{53}ʂʅ^{53}ɔi$^{53}_{44}$sau^{53}tsʰiaŋ$^{53}_{44}$ŋa$^{53}_{44}$tsa^{0}. ②表示时间较晚，次序在后：先榨人，～落水。sien^{35}tsa^{53}ɲin^{13},xei^{53}lɔk^{5} ʂei^{21}.｜夜饭～箇是就成哩夜宵啰。ia$^{53}_{44}$ fan$^{53}_{44}$xei^{53}kai$^{53}_{44}$ʂʅ$^{53}_{44}$tsʰiəu$^{53}_{44}$ʂaŋ$^{13}_{21}$li^{0} ia^{53}siau^{35}lo^{0}.

【后摆】xei^{53}pai^{21} [名]衣服的后面部分：以下是只有做衫裤个人就讲下子箇只～了，以兜有兜人就冇么人讲下子箇只～了。i^{21}xa^{53}ʂʅ$^{53}_{44}$tʂʅ^{21}iəu$^{35}_{53}$tso^{53}san^{35}fu$^{53}_{44}$ke$^{53}_{44}$ɲin$^{13}_{44}$tsʰiəu$^{53}_{44}$kɔŋ^{21}xa$^{53}_{44}$tsɿ^{0} kai$^{53}_{21}$tʂak^{3} xei^{53} pai^{21}liau^{0},i^{21}tei^{35}iəu^{35}tei$^{35}_{53}$ɲin$^{13}_{21}$tsiəu$^{53}_{21}$mau^{13}mak^{3} ɲin$^{13}_{44}$kɔŋ^{21}xa$^{53}_{44}$tsɿ^{0} kai$^{53}_{21}$tʂak^{3} xei^{53}pai^{21}liau^{0}.

【后背】xei^{53}/xəu^{53}pɔi^{53} [名]方位词。①后头：坐～tsʰo^{35}xəu^{53}pɔi$^{53}_{44}$｜以只大厅个～i^{21}tʂak^{3} tʰai$^{53}_{44}$tʰaŋ^{35} ke$^{53}_{44}$xei^{53}pɔi^{53}。②指物体的后部：（角撮帽）面前更平，更薄。～更深。mien^{53}tsʰien$^{13}_{21}$cien^{53} pʰiaŋ^{13},cien$^{53}_{44}$pʰɔk^{5}.xei^{53}pɔi^{53}cien^{53}tʂʰən^{35}. ③后来：渠原先唔晓得，～正别人家讲个。ci^{13}ɲien^{13} sien^{35}ŋ̍^{13}çiau^{21}tek^{3},xei^{53}pɔi^{53}tʂaŋ^{53}pʰek^{5}ɲin^{13}ka$^{35}_{53}$kɔŋ^{21}ke^{0}.

【后发】xei^{53}fait^{3} [名]小孩脑后留的一撮头发：后背个就安做～嘞，也安做～。xei^{53}pɔi$^{53}_{44}$ke$^{53}_{44}$ tsʰiəu$^{53}_{44}$ɔn$^{35}_{44}$tso$^{53}_{44}$xei^{53}fait^{3} lei^{0},iɔn$_{44}$(←ia^{35}ɔn^{35})tso$^{53}_{44}$xei^{53}fait^{3}.

【后镬】xei^{53}uɔk^{5} [名]灶上离墙较近的锅子：欸，农村里个灶嘞，一般都打两口镬头。面前箇口镬头……渠指灶台就长长子不啦？以映一口镬，箇映一口镬，以向就靠壁，分一头靠壁，分一头唔靠壁。靠壁个箇头就～，箇口镬就安做～。一般呢都用唔靠壁个箇头，更方便呐，嗯。以只靠壁个箇头就更冇咁方便，就用来搞么个嘞？以前就用来煮潲。好，如今冇么人畜猪，唔爱煮潲了嘞，就做好事用下子，欸。离墙比较近个，黪稳墙个。打比样以只厅子里爱打灶，渠都爱靠扇墙啊，靠倒以扇墙，系唔系？箇只灶就咁子打倒，以扇墙就黪壁，系唔系？就以映一口镬，以映一口镬，以口镬就以边上就好去人吵，系啊？以口就外背，以口就外背箇口。以只黪壁箇口就壁下，就肚里箇口镬，～。黪壁个就～，煮潲用个，以前就煮潲用个，以下冇么人煮潲了就系做好事用下子个，人客多哩个时候子用下子，一般都只用前镬，人多个唠，人多了就用下子～唠。e$_{21}$,ləŋ^{13}tsʰən$^{13}_{44}$ni^{0} ke^{0} tsau^{53}le^{0},iet^{3} pɔn^{35}təu$^{35}_{53}$ta^{21}iɔŋ^{21}xei^{21}uɔk^{5} tʰei$^{13}_{44}$.mien^{53}tsʰien$^{13}_{21}$ kai^{53}xei^{21}uɔk^{5} tʰei$^{13}_{44}$…ci$^{13}_{21}$tsʰiəu^{53}tʂʰɔŋ^{13}tʂʰɔŋ^{13}tsɿ^{0} pət^{3} la^{0}?i^{21}iaŋ^{53}iet^{3} xei^{21}uɔk^{5},kai$^{53}_{44}$iaŋ$^{53}_{44}$iet^{3} xei^{21}uɔk^{5},i^{21} çiɔŋ^{53}tsʰiəu^{53}kʰau^{53}piak^{3},pən^{35}iet^{3} tʰei^{13}kʰau^{53}piak^{3},pən^{35}iet^{3} tʰei$^{13}_{44}$n̩^{13}kʰau^{53}piak^{3}.kʰau^{53}piak^{3} ke^{53}kai^{53}tʰei$^{13}_{21}$ tsʰiəu$^{53}_{44}$xei^{53}uɔk^{5},kai^{53}xei^{21}uɔk^{5} tsʰiəu$^{53}_{44}$ɔn$^{35}_{44}$tso$^{53}_{44}$xei^{53}uɔk^{5}.iet^{3} pɔn^{35}ne^{0} təu$^{35}_{53}$iəŋ^{53}n̩^{13}kʰau^{53}piak^{3} ke^{0} kai^{53} tʰei^{13},cien$^{53}_{44}$fɔŋ^{35}pʰien$^{53}_{44}$na^{0},n̩$_{21}$.i^{21}(tʂ)ak^{3} kʰau^{53}piak^{3} ke^{0} kai^{53}tʰei$^{13}_{21}$tsʰiəu^{53}cien^{53}mau$^{13}_{21}$kan$^{21}_{44}$fɔŋ$^{35}_{44}$pʰien^{53},tsʰiəu^{53} iəŋ^{53}lɔi$^{13}_{21}$kau^{21}mak^{3} e^{0} lei^{0}?i$^{35}_{53}$tsʰien$^{13}_{21}$tsʰiəu$^{53}_{44}$iəŋ^{53}lɔi$^{13}_{21}$tʂəu^{21}sau^{53}.xau^{21},i$^{13}_{21}$cin$^{35}_{53}$mau$^{13}_{21}$mak^{3}ɲin$^{13}_{44}$çiəuk^{3} tʂəu^{35},m̩$^{13}_{21}$ mɔi$^{53}_{44}$tʂəu^{21}sau^{53}liau^{21}lei^{0},tsʰiəu$^{53}_{44}$tso^{53}xau^{21}sɿ^{53}iəŋ^{53}ŋa$^{53}_{44}$tsɿ^{0},e$_{21}$.li^{13}tsʰiɔŋ^{13}pi^{21}ciau$^{53}_{44}$cʰin^{35}cie^{53}, ɲia^{13}uən^{21} tsʰiɔŋ^{13}ke^{53}.ta^{21}pi^{21}iɔŋ^{53}i^{21}(tʂ)ak^{3} tʰaŋ$^{35}_{44}$tsɿ^{0} li^{0} ɔi$^{53}_{44}$ta^{21}tsau^{53},ci$^{13}_{21}$təu^{35}ɔi$^{53}_{44}$kʰau^{53}ʂen^{53}tsʰiɔŋ^{13}ŋa^{0},kʰau^{53}tau^{21}i^{21}ʂen^{53} tsʰiɔŋ^{13},xei$^{53}_{44}$me$^{53}_{44}$?kai$^{53}_{44}$tʂak^{3} tsau^{53}tsʰiəu^{53}kan^{21}tsɿ^{0} ta^{21}tau^{21},i^{21}ʂen^{53}tsʰiɔŋ^{13}tsiəu^{53}ɲia$^{13}_{21}$piak^{3},xei^{53}me^{53}?tsʰiəu^{53} i^{21}iaŋ^{53}iet^{3} xei^{21}uɔk^{5},i^{21}iaŋ^{53}iet^{3} xei^{21}uɔk^{5},i^{21}xei^{21}uɔk^{5} tsʰiəu^{53}i^{21}pien^{35}xɔŋ$^{53}_{44}$tsʰiəu^{53}xau^{21}çi^{53}ɲin^{13}ʂa^{0},xei$^{53}_{44}$a^{0}?i^{21} xei^{21}tsʰiəu$^{53}_{44}$ŋɔi^{53}pɔi$^{53}_{44}$,i^{21}xei^{21}tsʰiəu^{53}ŋɔi^{53}pɔi$^{53}_{44}$kai$^{53}_{44}$xei^{21}.i^{21}tʂak^{3}ɲia^{13}piak^{3} kai^{53}xei^{21}tsʰiəu$^{53}_{44}$piak^{3} xa$^{53}_{44}$,tsʰiəu$^{53}_{44}$ təu^{21}li^{0} kai^{53}xei^{21}uɔk^{5},xei^{53}uɔk^{5}. ɲia^{13}piak^{3} ke^{0} tsiəu$^{53}_{44}$xei^{53}uɔk^{5},tʂəu^{21}sau^{53}iəŋ$^{53}_{44}$ke^{0},i^{35}tsʰien^{13}tsiəu$^{53}_{44}$tʂəu^{21}sau^{53} iəŋ$^{53}_{44}$ke^{0},i^{21}xa$^{53}_{44}$mau$^{13}_{21}$mak^{3} in$^{13}_{44}$tʂəu^{21}sau^{53}liau^{0} tsʰiəu$^{53}_{44}$xei^{53}tso^{53}xau^{21}sɿ^{53}iəŋ^{53}ŋa$^{53}_{21}$tsɿ^{0} ke^{0}, ɲin^{13}kʰak^{3} to^{35}li^{0} ke^{53} ʂʅ^{13}xei^{53}tsɿ^{0} iəŋ^{53}ŋa$^{53}_{21}$tsɿ^{0},iet^{3} pɔn^{35}təu$^{35}_{44}$tʂʅ^{21}iəŋ^{53}tsʰien^{13}uɔk^{5}, ɲin^{13}to^{35}ke$^{53}_{21}$lau^{0}, ɲin^{13}to^{35}liau^{21}tsʰiəu$^{53}_{44}$iəŋ^{53}ŋa$^{53}_{21}$ tsɿ^{0} xei^{53}uɔk^{5} lau^{0}.

【后经墙】xei^{35}cin^{35}tsʰiɔŋ^{13} [名]房子或屋子靠后侧的左右方向的墙：一只厅子，一只屋，欸，面向箇只箇间屋，左右两边个墙就安做扉墙，前后个墙就安做经墙，黪大门个箇向就安做前经墙，大门对下去个欸黪箇个挂对子啊安祖宗个箇扇墙就安做～。iet^{3} tʂak^{3} tʰaŋ^{35}tsɿ^{0},iet^{3} tʂak^{3} uk^{3},e$_{21}$,mien^{53}çiɔŋ^{53}kai^{53}tʂak^{3} kai$^{53}_{44}$kan$^{35}_{44}$uk^{3},tso^{21}iəu^{53}iɔŋ^{21}pien^{35}ke^{53}tsʰiɔŋ^{13}tsʰiəu$^{53}_{44}$ɔn$^{35}_{44}$tso$^{53}_{44}$fei^{35}tsʰiɔŋ^{13}, tsʰien^{13}xei^{53}ke^{0} tsʰiɔŋ$^{13}_{21}$tsʰiəu^{53}ɔn$^{35}_{53}$tso^{53}cin^{35}tsʰiɔŋ^{13}, ɲia^{13}tʰai^{53}mən^{13}ke^{0} kai$^{53}_{44}$çiɔŋ$^{53}_{44}$tsʰiəu$^{53}_{44}$ɔn$^{35}_{53}$tso$^{53}_{21}$tsʰien^{13}cin$^{35}_{44}$ tsʰiɔŋ^{13},tʰai^{53}mən^{13}ti^{53}xa$^{53}_{44}$çi$^{53}_{44}$kei$^{53}_{44}$e$_{21}$ɲia^{13}kai^{53}kei$^{53}_{44}$kua^{53}ti^{53}tsɿ^{0} a^{0} ɔn^{35}tsəu^{21}tsəŋ$^{35}_{44}$ke^{0} kai^{53}ʂen^{53}tsʰiɔŋ$^{13}_{21}$tsiəu$^{53}_{44}$ɔn$^{35}_{44}$

tso$^{53}_{44}$xei^{53}cin$^{35}_{44}$tsʰiɔŋ$^{13}_{21}$.

【后井】xei^{53}tsiaŋ^{21} 名棺材与后方抬棺用的绳索之间的方形空间：一副棺材，以映就两条□长个棍，系啊？以向就用绳扎稳，系，以映就扎稳，扎嘿棍上。好，以映两条棍就长出来，棺材就到以映子止，看呶，棺材只到以映子止，㧐棺材个人呢就以映一只子，一条绳，以映伸出来呀，以两条欸安做么个？安做龙杠，两条龙杠就蛮长呢，系唔系？渠是八个人吵，八个人呢起码就爱四个人荷倒。打比面前样，以映子走，以映前向，面前，以映子两条杠吵，系唔系？两条杠，中间呢就一条绳穿下去，穿你几下个绳呐，然后嘞就一条棍子走以绳肚里穿下过，以只就安做担子。担子穿下过嘞就绞你两下，绞紧来。箇就成哩咁子个样子吵，以映就用绳穿下去下子吵，一只人就走面前，就以面前，一只人走后背。以映就安做井，以只井嘞就安做前井。以只走最面前个箇只人，以只人，嘿，以只人呢就安做打出山。你唔晓得，㧐杠子是最要劲个，八个人肚里，舞只最有力个，高大个，有力个，扎实个，箇只人打出山，箇人最重要，渠系一晃么，脚步唔稳么，渠系一晃么，后背六七个人都放势晃。渠就最重要，打出山个人最重要。以只就前井。以后背也咁子舞倒，欸，一条担子，一穿下去去，箇绳就萦你几转是，萦下以映子是，渠就中间一条空吵，两条绳吵，系唔系？底下一条绳，顶高一条绳，箇条东西穿下去，绞两下，以只就～。以只尾巴就系梢，后梢。嘞，前井后梢就最轻松。打出山就最累人。以只就～，～个人就一般子，～个人就，欸。最轻松个就前井。就撞怕蛮多重量就系以只打出山个人顶嘿哩。后梢个人轻松，走最后，欸，渠只爱揰稳去凑，渠真么唔多事荷，渠个重量渠系分～个人荷嘿哩。下坡个时候子啊，更轧下以映子，轧下以只打出山个栏场，下坡咁子下。上坡个时候子，箇以只人就爱攒劲，渠爱揰稳上，爱荐稳上。

iet^{3} fu^{53}kɔn^{35}tsʰɔi$^{13}_{44}$,i^{21}iaŋ^{53}tsʰiəu^{53}iɔŋ^{21}tʰiau$^{13}_{44}$lai^{35}tʂʰɔŋ$^{13}_{21}$ke^{0} kuən^{53},xei^{53}a^{0} ?i^{21}çiɔŋ^{53}tsʰiəu^{53}iɔŋ^{53}ʂən^{13}tsait^{3} uən^{21},xe^{53},i^{21}iaŋ^{53}tsʰiəu^{53}tsait^{3} uən^{21},tsait^{3} (x)ek^{3} kuən^{53}xɔŋ^{53}.xau^{21},i^{21}iaŋ^{53}iɔŋ^{21}tʰiau$^{13}_{21}$kuən^{53}tsʰiəu$^{53}_{21}$tʂʰɔŋ^{13}tʂʰət^{3} lɔi$^{13}_{44}$,kɔn^{35}tsʰɔi$^{13}_{21}$tsʰiəu$^{53}_{44}$tau^{53}i^{21}iaŋ^{53}tsɿ^{0} tʂʅ^{21},kʰɔn^{53}nau^{0},kɔn^{35}tsʰɔi$^{13}_{21}$tʂʅ^{21}tau^{53}i^{21}iaŋ^{53}tsɿ^{0} tʂʅ^{21},kɔŋ^{35}kɔn^{35}tsʰɔi$^{13}_{21}$ke^{0} ɲin$^{13}_{21}$ne^{0} tsiəu$^{53}_{44}$i^{21}iaŋ^{53}iet^{3} tʂak^{3} tsɿ^{0},iet^{3} tʰiau$^{13}_{21}$ʂən^{13},i^{21}iaŋ^{53}tʂʰən^{35}tʂʰət^{3} lɔi$^{13}_{21}$ia^{0},i^{21}iɔŋ^{21}tʰiau$^{13}_{44}$e$_{21}$ɔn^{35}tso$^{53}_{44}$mak^{3} e^{0} ?ɔn$^{35}_{44}$tso$^{53}_{44}$liəŋ^{13}kɔŋ^{53},iɔŋ^{21}tʰiau^{13}liəŋ^{13}kɔŋ^{53}tsʰiəu$^{53}_{21}$man$^{13}_{21}$tʂʰɔŋ^{13}ne^{0},xei$^{53}_{44}$me$^{53}_{44}$?ci$^{13}_{21}$ʂʅ$^{53}_{44}$pait^{3} cie^{53}ɲin$^{13}_{21}$ʂa^{0},pait^{3} cie^{53}ɲin$^{13}_{21}$ne^{0} çi^{21}ma$^{35}_{44}$tsʰiəu$^{53}_{44}$ɔi$^{53}_{44}$si^{53}ke^{0} ɲin$^{13}_{21}$kʰai^{35}tau^{21}.ta^{21}pi^{21}mien^{53}tsʰien$^{13}_{21}$iɔŋ^{53},i^{21}iaŋ^{53}tsɿ^{0} tsei^{21},i^{21}iaŋ^{53}tsʰien^{13}çiɔŋ^{53},mien^{53}tsʰien$^{13}_{44}$,i^{21}iaŋ^{53}tsɿ^{0} iɔŋ^{21}tʰiau^{13}kɔŋ^{53}ʂa^{0},xei$^{53}_{44}$me$^{53}_{44}$?iɔŋ^{21}tʰiau^{13}kɔŋ^{53},tʂəŋ^{35}kan$^{35}_{44}$nei^{0} tsʰiəu^{53}iet^{3} tʰiau$^{13}_{21}$ʂən^{13}tʂʰuɔn$^{53}_{44}$na$^{53}_{44}$çi^{53},tʂʰuɔn^{53}ɲi$^{13}_{44}$ci^{21}xa^{53}ke^{53}ʂən^{13}na^{0},vien^{13}xei$^{53}_{44}$lei^{0} tsʰiəu^{53}iet^{3} tʰiau$^{13}_{21}$kuən^{53}tsɿ^{0} tsei^{21}i^{21}ʂən^{13}təu^{21}li^{0} tʂʰuɔn^{53}na$^{53}_{44}$ko^{53},i^{21}tʂak^{3} tsʰiəu$^{53}_{44}$ɔn$^{35}_{44}$tso$^{53}_{44}$tan^{53}tsɿ^{0}.tan^{53}tsɿ^{0} tʂʰuɔn^{53}na$^{53}_{44}$ko$^{53}_{44}$lei^{0} tsʰiəu$^{53}_{44}$ciau^{21}ɲi^{13}iɔŋ^{21}xa^{53},ciau^{21}cin^{21}nɔi^{13}.kai$^{53}_{44}$tsʰiəu^{53}ʂaŋ$^{13}_{21}$li^{0} kan$^{21}_{13}$tsɿ^{0} ke^{0} iɔŋ^{53}tsɿ^{0} ʂa^{0},i^{21}iaŋ^{53}tsʰiəu^{53}iəŋ$^{53}_{44}$ʂən^{13}tʂʰuɔn^{53}na$^{53}_{21}$çi^{53}xa$^{53}_{44}$tsɿ^{0} ʂa^{0},iet^{3} tʂak^{3}ɲin^{13}tsʰiəu^{53}tsei^{21}mien^{53}tsʰien^{13},tsʰiəu^{53}i^{21}mien^{53}tsʰien$^{13}_{44}$,iet^{3} tʂak^{3}ɲin$^{13}_{21}$tsei^{21}xei^{53}pɔi^{53}.i^{21}iaŋ^{53}tsʰiəu^{53}ɔn$^{35}_{44}$tso$^{53}_{44}$tsiaŋ^{21},i^{21}tʂak^{3} tsiɔŋ^{21}lei^{0} tsʰiəu^{53}ɔn$^{35}_{44}$tso$^{53}_{44}$tsʰien^{13}tsiaŋ^{21}.i^{21}tʂak^{3} tsei^{21}tsei^{53}mien^{53}tsʰien$^{13}_{21}$ke^{53}kai^{53}tʂak^{3}ɲin^{13},i^{21}tʂak^{3}ɲin$^{13}_{44}$,xe$_{35}$,i^{21}tʂak^{3}ɲin^{13}ne^{0} tsʰiəu$^{53}_{44}$ɔn$^{35}_{53}$tso^{53}ta^{21}tʂʰət^{3} san$^{35}_{44}$. ɲi^{13}n̩^{13}çiau^{21}tek^{3},kɔŋ^{35}kɔŋ^{53}tsɿ^{0} ʂʅ$^{53}_{44}$tsei^{53}iau^{53}cin^{21}ke$^{53}_{44}$,pait^{3} ke^{53}ɲin$^{13}_{21}$təu^{21}li^{0},u^{21}tʂak^{3} tsei^{53}iəu^{35}liet^{5} ke$^{53}_{44}$,kau^{35}tʰai^{53}ke$^{53}_{44}$,iəu^{35}liet^{5} ke^{0},tsait^{3} ʂət^{5}ke^{0},kai^{53}tʂak^{3}ɲin$^{13}_{44}$ta^{21}tʂʰət^{3} san$^{35}_{44}$,kai^{53}ɲin$^{13}_{21}$tsei^{53}tʂʰəŋ$^{53}_{44}$iau$^{53}_{44}$,ci^{13}xei^{53}iet^{3} faŋ^{53}me^{0},ciɔk^{3} pʰu^{53}m̩^{13}uən^{21}me^{0},ci^{13}xei^{53}iet^{3} faŋ^{53}me^{0},xei^{53}pɔi$^{53}_{44}$liəuk^{3} tsʰiet^{3} ke^{53}ɲin$^{13}_{21}$təu$^{35}_{44}$fɔŋ^{53}ʂʅ$^{53}_{44}$faŋ^{53}.ci^{13}tsʰiəu$^{53}_{44}$tsei^{53}tʂʰəŋ$^{53}_{44}$iau$^{53}_{44}$,ta^{21}tʂʰət^{3} san$^{35}_{44}$ke^{53}ɲin$^{13}_{21}$tsei^{53}tʂʰəŋ$^{53}_{44}$iau^{53}.i^{21}tʂak^{3} tsʰiəu^{53}tsʰien^{13}tsiaŋ^{21}.i^{21}xei^{53}pɔi^{53}ia^{35}kan^{21}tsɿ^{0} u^{21}tau^{21},e$_{21}$,iet^{3} tʰiau^{13}tan^{53}tsɿ^{0},iet^{3} tʂʰuɔn^{53}na$^{53}_{44}$cʰi$^{53}_{44}$çi$^{53}_{44}$,kai^{53}ʂən^{13}tsʰiəu^{53}iaŋ^{35}ɲi$^{13}_{21}$ci^{21}tʂuɔn^{21}ʂʅ$^{53}_{44}$,iaŋ^{35}ŋa$^{53}_{44}$i$^{13}_{21}$iaŋ^{53}tsɿ^{0} ʂʅ$^{53}_{44}$,ci$^{13}_{21}$tsʰiəu^{53}tʂəŋ$^{35}_{44}$kan$^{35}_{44}$iet^{3} tʰiau$^{13}_{21}$kʰəŋ^{53}ʂa^{0},iɔŋ^{21}tʰiau^{13}ʂən^{13}ʂa^{0},xei^{53}me^{53}?tei^{21}xa^{53}iet^{3} tʰiau^{13}ʂən^{13},taŋ^{21}kau^{35}iet^{3} tʰiau$^{13}_{21}$ʂən$^{13}_{21}$,kai$^{53}_{44}$tʰiau$^{13}_{21}$təŋ$^{35}_{44}$si^{0} tʂʰuɔn^{53}na$^{53}_{44}$çi$^{53}_{44}$,ciau^{21}iɔŋ^{21}xa^{53},i$^{13}_{21}$tʂak^{3} tsʰiəu$^{53}_{44}$xei^{53}tsiaŋ^{21}.i$^{13}_{21}$tʂak^{3} mi^{35}pa$^{35}_{44}$tsʰiəu^{53}xe$^{53}_{44}$sau^{35},xei^{53}sau^{35}.lei$_{44}$,tsʰien^{13}tsiaŋ^{21}xei^{53}sau^{35}tsʰiəu$^{53}_{44}$tsei^{53}cʰiaŋ^{35}səŋ$^{35}_{44}$.ta^{21}tʂʰət^{3} san$^{35}_{44}$tsʰiəu$^{53}_{44}$tsei^{53}li^{53}nin^{13}.i^{21}tʂak^{3} tsʰiəu$^{53}_{44}$xei^{53}tsiaŋ^{21},xei^{53}tsiaŋ^{21}ke^{53}ɲin^{13}tsʰiəu$^{53}_{44}$iet^{3} pɔn^{35}tsɿ^{0},xei^{53}tsiaŋ^{21}ke^{53}ɲin^{13}tsʰiəu$^{53}_{44}$,e$_{21}$.tsei^{53}cʰiaŋ^{35}səŋ$^{35}_{44}$ke^{0} tsʰiəu$^{53}_{44}$tsʰien^{13}tsiaŋ^{21}.tsʰiəu$^{53}_{44}$tsʰɔŋ^{21}pʰa^{53}man^{13}to$^{35}_{44}$tʂʰəŋ^{53}liɔŋ$^{53}_{44}$tsʰiəu^{53}xei^{53}i^{21}tʂak^{3} ta^{21}tʂʰət^{3} san$^{35}_{44}$ke^{53}ɲin$^{13}_{21}$tin^{21}nek^{3} li^{0}.xei^{53}sau^{35}ke^{53}ɲin$^{13}_{21}$cʰiaŋ$^{35}_{44}$səŋ$^{35}_{53}$,tsei^{21}tsei^{53}xei$^{53}_{44}$,e$_{21}$,ci^{13}tʂʅ^{21}ɔi^{53}tsʰəŋ^{21}uən^{21}çi^{53}tsʰe^{0},ci$^{13}_{21}$tʂən$^{35}_{44}$me^{0} n̩^{13}to$^{35}_{53}$sɿ$^{53}_{44}$kʰai^{35},ci^{35}kei^{53}tʂʰəŋ^{53}liɔŋ$^{53}_{44}$ci$^{13}_{21}$xei$^{53}_{44}$pən^{35}xei^{53}tsiaŋ^{21}ke^{0} ɲin$^{13}_{21}$kʰai$^{35}_{44}$xek^{3} li^{0}.çia^{53}pʰo$^{35}_{44}$ke^{53}ʂʅ^{13}xəu$^{53}_{44}$tsa^{0},cien^{53}tsak^{3} (x)a^{53}i^{21}iaŋ^{53}tsɿ^{0},tsak^{3} (x)a^{53}i^{21}tʂak^{3} ta^{21}tʂʰət^{3} san$^{35}_{44}$ke^{53}laŋ$^{13}_{21}$tʂʰɔŋ$^{13}_{21}$,çia^{53}pʰo$^{35}_{44}$kan^{21}tsɿ^{0} xa^{35}.ʂɔŋ^{35}pʰo$^{35}_{44}$ke$^{53}_{44}$ʂʅ^{13}xəu$^{53}_{44}$tsɿ^{0},kai^{53}i^{21}tʂak^{3}ɲin^{13}tsʰiəu^{53}ɔi^{53}tsan^{21}cin^{53},ci$^{13}_{21}$ɔi$^{53}_{44}$tsʰəŋ^{21}uən^{21}ʂɔŋ^{35},ɔi$^{53}_{44}$tsien^{53}uən^{21}ʂɔŋ^{35}.

【后颈筋】xei^{53}ciaŋ^{21}cin^{35} 名脖子后部：荷担子啊，荷哩一天到夜，箇～就真痛啊，箇就真痛。渠箇荷担子吵，一条扁担箇走以个后背转肩呐，转去转转呐，一只～都硬狠烧火烈哟，真痛哦，荷哩一天是。欸，麻溜系洗身了就屙兜子尿出去，去奔下子，奔下子，屙兜子滚尿。kʰai^{35}tan^{35}tsɿ^{0}a^{0},kʰai^{35}li^{0}iet^{3}tʰien^{35}tau$^{53}_{44}$ia^{53},kai$^{53}_{44}$xei^{53}ciaŋ^{21}cin^{35}tsʰiəu$^{53}_{44}$tʂən^{35}tʰəŋ^{53}ŋa^{0},kai$^{53}_{44}$tsʰiəu$^{53}_{44}$tʂən^{35}tʰəŋ^{53}. ci$^{13}_{21}$kai^{53}kʰai$^{35}_{44}$tan^{35}tsɿ^{0}ʂa^{0},iet^{3}tʰiau$^{13}_{21}$pien^{21}tan^{53}kai$^{53}_{44}$tsei^{21}i$^{13}_{21}$ke$^{53}_{44}$xei^{53}pɔi^{53}tʂuɔn^{21}cien^{35}na^{0},tʂuɔn^{21}çi^{21}tʂuɔn^{21}tʂuɔn^{21}na^{0},iet^{3}tʂak^{3}xei^{53}ciaŋ^{21}cin^{35}təu$^{35}_{44}$ɲiaŋ^{53}xen^{21}ʂau$^{35}_{44}$fo^{21}lait^{3}io^{0},tʂən^{35}tʰəŋ^{53}ŋo^{0},kʰai^{35}li^{0}iet^{3}tʰien$^{35}_{44}$ʂʅ$^{53}_{21}$. e$_{21}$,ma$^{13}_{21}$liəu$^{35}_{44}$xei$^{53}_{44}$sei^{53}ʂən^{35}niau^{0}tsʰiəu$^{53}_{21}$o^{35}tei$^{35}_{53}$tsɿ^{0}ɲiau^{53}tʂʰət^{3}çi^{53},çi$^{53}_{44}$tait^{5}(x)a$^{53}_{21}$tsɿ^{0},tait^{5}(x)a$^{53}_{21}$tsɿ^{0},o$^{35}_{44}$təu$^{35}_{53}$tsɿ^{0}kuən^{21}ɲiau^{53}.

【后颈窝】xei^{53}ciaŋ^{21}uo^{35} 名 颈后低凹处：我等以映子有只人以只～以映子鼓起只咁大个包个。(ŋ)ai$^{13}_{21}$tien^{0}i$^{13}_{21}$iaŋ^{53}tsɿ^{0}iəu^{35}tʂak^{3}ɲin$^{13}_{44}$i$^{13}_{21}$(tʂ)ak^{3}xei^{53}ciaŋ^{21}uo^{35}i$^{13}_{21}$iaŋ^{53}tsɿ^{0}ku^{21}çi^{21}tʂak^{3}kan^{21}tʰai^{35}ke^{0}pau$^{35}_{44}$ke^{0}.

【后来】xei^{53}lɔi^{13} 名 时间词。指在过去某一时间之后的时间：落尾正～正有箇个划粉。欸，～就有划粉。lɔk^{5}mi^{35}tʂaŋ$^{53}_{44}$xei^{53}lɔi^{13}tʂaŋ^{53}iəu$^{35}_{44}$kai^{53}ke$^{53}_{44}$fa^{53}fən^{21}.e$_{21}$,xei^{53}lɔi^{13}tsʰiəu$^{53}_{44}$iəu^{35}fa^{53}fən^{21}.

【后来婆】xei^{53}lɔi^{13}pʰo^{13} 名 续娶的老婆：婆惜尾晚子，公惜～。pʰo^{13}siak^{3}mi^{35}man^{35}tsɿ^{0},kəŋ^{35}siak^{3}xei^{53}lɔi$^{13}_{21}$pʰo^{13}.

【后门】xei^{53}mən^{13} 名 ①房屋后面的便门：以只～是就硬系箇个嘞硬系屋肚里开转后背个箇皮门，开转壁背个箇皮门，欸，就安做～。一般个农村里个屋都开皮子～，开一皮子～。i^{21}tʂak^{3}xei^{53}mən$^{13}_{21}$ʂʅ$^{53}_{21}$tsʰiəu^{53}ɲiaŋ^{53}xe$^{53}_{44}$kai^{53}cie^{53}le^{0}ɲiaŋ^{53}xe^{53}uk^{3}təu^{21}li^{0}kʰɔi^{35}tʂuɔn^{21}xei^{53}pɔi$^{53}_{44}$ke^{0}kai$^{53}_{44}$pʰi$^{13}_{21}$mən$^{13}_{21}$,kʰɔi^{35}tʂuɔn^{21}piak^{3}pɔi$^{53}_{44}$ke^{0}kai$^{53}_{44}$pʰi$^{13}_{21}$mən$^{13}_{21}$,e$_{21}$,tsʰiəu$^{53}_{44}$ɔn$^{35}_{44}$tso$^{53}_{44}$xei^{53}mən$^{13}_{21}$.iet^{3}pɔn^{35}ke^{53}ləŋ^{13}tsʰən$^{35}_{44}$ni^{0}ke^{0}uk^{3}təu^{35}kʰɔi^{35}pʰi$^{13}_{21}$tsɿ^{0}xei^{53}mən^{13},kʰɔi^{35}iet^{3}pʰi^{13}tsɿ^{0}xei^{53}mən$^{13}_{44}$. ②比喻通融、舞弊的途径：请别人家去开～呐办事啊。tsʰiaŋ^{53}pʰiet^{5}in$^{13}_{44}$ka$^{35}_{44}$çi$^{53}_{44}$kʰɔi^{35}xei^{53}mən$^{13}_{21}$na^{0}pʰan$^{53}_{44}$sɿ^{53}a^{0}.

【后面】xəu^{53}mien^{53} 名 方位词。①在后方或背面的空间或位置：箇只～这里指屋后有（湖藤菜）哩。kai$^{53}_{44}$tʂak^{3}xəu$^{53}_{44}$mien$^{53}_{44}$iəu$^{35}_{44}$li^{0}. ②后来：人到～死嘿哩。ɲin^{13}tau$^{53}_{44}$xəu^{53}mien$^{53}_{44}$si^{21}xek^{3}li^{0}.

【后脑壳】xei^{53}lau^{21}kʰɔk^{3} 名 后脑勺：我等有只亲戚咯，渠个～上长只溜圆个一坨肉，溜圆一坨肉长下以～上，溜圆个，有乒乓球咁大，也蛮难看，欸。ŋai^{13}tien^{0}iəu$^{35}_{44}$tʂak^{3}tsʰin^{35}tsʰiet^{3}ko^{0},ci^{13}ke$^{53}_{44}$xei^{53}lau^{21}kʰɔk^{3}xɔŋ^{53}tʂɔŋ^{21}tʂak^{3}liəu^{35}ien$^{13}_{21}$ke^{53}iet^{3}tʰo^{13}ɲiəuk^{3},liəu^{35}ien$^{13}_{21}$iet^{3}tʰo^{13}ɲiəuk^{3}tʂɔŋ^{21}ŋa$^{53}_{44}$i^{21}xei^{53}lau^{21}kʰɔk^{3}xɔŋ^{53},liəu^{35}ien$^{13}_{21}$ke^{53},iəu$^{35}_{44}$pʰin$^{35}_{44}$pʰɔŋ$^{35}_{44}$cʰiəu^{13}kan^{21}tʰai^{53},ia^{35}man$^{13}_{21}$nan$^{13}_{21}$kʰɔn^{53},e$_{21}$.｜做事爱摸下子～，就系意思嘞就想下子将来，做事咯想下子下一步棋，想下子将来。做事就爱摸下子～啊。tso^{53}sɿ^{53}ɔi$^{53}_{44}$mo^{35}(x)a^{0}tsɿ^{0}xei^{53}lau^{21}kʰɔk^{3},tsʰiəu$^{53}_{44}$(x)ei$^{53}_{44}$i^{53}sɿ^{0}lei^{0}tsʰiəu^{53}siɔŋ^{21}ŋa$^{53}_{44}$tsɿ^{0}tsiɔŋ^{35}nɔi$^{13}_{21}$,tso^{53}sɿ^{53}ko^{0}siɔŋ^{21}ŋa^{53}tsɿ^{0}xa^{35}iet^{3}pʰu^{53}cʰi^{13},siɔŋ^{21}xa^{53}tsɿ^{0}tsiɔŋ^{35}nɔi$^{13}_{21}$.tso^{53}sɿ^{53}tsʰiəu$^{53}_{21}$ɔi^{53}mo^{35}(x)a^{53}tsɿ^{0}xei^{53}lau^{21}kʰɔk^{3}a^{0}.

【后年】xei^{35}ɲien^{13} 名 次年的次年：我就～就六十八岁了嘞我～就嘞。今年六十六啊，唔系～就六十八岁？ŋai$^{13}_{21}$tsiəu$^{53}_{44}$xei^{35}ɲien$^{13}_{21}$tsʰiəu$^{53}_{44}$liəuk^{3}ʂət^{5}pait^{3}sɔi^{53}liau^{0}le^{0}ŋai$^{13}_{21}$xei^{35}ɲien$^{13}_{21}$tsiəu^{53}le^{0}.cin^{35}ɲien$^{13}_{21}$liəuk^{3}ʂət^{5}liəuk^{3}a^{0},m^{13}pʰei$^{53}_{44}$xei^{35}ɲien$^{13}_{21}$tsʰiəu$^{53}_{44}$liəuk^{3}ʂət^{5}pait^{3}sɔi^{53}?

【后排】xei^{53}pʰai^{13} 名 最后面的一排：我去开会呀，我就侪都唔想坐面前，我都总坐下后背角子里呢，欸，坐～。我就只想坐～个人，唔想抛头露面。ŋai$^{13}_{21}$çi$^{53}_{44}$kʰɔi$^{35}_{44}$fei^{53}ia^{0},ŋai$^{13}_{21}$tsʰiəu^{53}tsʰi$^{13}_{21}$təu$^{35}_{53}$n̩^{13}siɔŋ^{21}tsʰo^{35}mien^{53}tsʰien$^{13}_{21}$,ŋai^{13}təu$^{35}_{44}$tsəŋ^{21}tsʰo^{35}(x)a$^{53}_{44}$xei^{53}pɔi^{53}kɔk^{3}tsɿ^{0}li^{0}nei^{0},e$_{21}$,tsʰo^{35}xei^{53}pʰai$^{13}_{21}$.ŋai^{13}tsʰiəu^{53}tʂʅ^{21}siɔŋ^{21}tsʰo^{35}xei^{53}pʰai$^{13}_{21}$ke$^{53}_{44}$ɲin$^{13}_{21}$,n̩$^{13}_{21}$siɔŋ$^{13}_{21}$pʰau$^{35}_{44}$tʰei$^{13}_{21}$ləu^{53}mien^{53}.

【后人】xei^{53}ɲin^{13} 名 胎盘。又称"胞衣"：箇是蛮多年前呐，有兜夫娘子，箇阵子是赠去医院里生人咯，系啊？欸，生下摸摸子来以后，以只～总都唔下来，吓尽哩命哦，欸，只胞衣总都唔下来。kai^{53}ʂʅ$^{53}_{44}$man$^{13}_{21}$to$^{35}_{44}$ɲien^{13}tsʰien^{13}na^{0},iəu$^{35}_{44}$tei$^{35}_{44}$pu^{35}ɲiɔŋ$^{13}_{21}$tsɿ^{0},kai^{53}tʂʰən^{53}tsɿ^{0}ʂʅ$^{53}_{21}$maŋ^{13}çi^{53}i^{35}vien$^{53}_{21}$ni^{0}saŋ^{35}ɲin^{13}ko^{0},xei$^{53}_{21}$a^{0}?e$_{21}$,saŋ^{35}xa$^{53}_{44}$mo^{35}mo$^{35}_{44}$tsɿ^{0}lɔi$^{13}_{21}$i^{35}xei$^{53}_{44}$,i^{21}tʂak^{3}xei^{53}ɲin$^{13}_{21}$tsəŋ^{21}təu$^{35}_{53}$n̩$^{13}_{21}$xa$^{53}_{44}$lɔi$^{13}_{21}$,xak^{3}tsʰin^{53}ni^{0}miaŋ^{53}ŋo^{0},e$_{21}$,tʂak^{3}pau^{35}i$^{35}_{44}$tsəŋ^{21}təu$^{35}_{53}$m̩$^{13}_{21}$xa$^{53}_{44}$lɔi$^{13}_{44}$.

【后日晡】xei^{35}ɲiet^{3}pu^{35} 名 时间词。后天：今晡个结婚酒样，明晡过一天，～就三朝。cin^{35}pu$^{35}_{44}$ke^{53}ciet^{3}fən$^{35}_{44}$tsiəu^{21}iɔŋ$^{53}_{44}$,miaŋ^{13}pu$^{35}_{44}$ko^{53}iet^{3}tʰien$^{35}_{44}$,xei^{35}ɲiet^{3}pu$^{35}_{44}$tsʰiəu$^{53}_{44}$san$^{35}_{21}$tʂau$^{35}_{44}$.

【后生】xei^{53}saŋ^{35} 形 年轻。又称"有年纪"：～妹子 xei^{53}saŋ$^{35}_{44}$mɔi^{53}tsɿ^{0}｜你阿公咁～啊！ɲi$^{13}_{21}$a^{35}kəŋ$^{35}_{44}$kan^{21}xei^{53}saŋ^{35}ŋa^{0}!

【后生家】xei^{53}saŋ^{35}ka^{35} 名 年轻人；小伙子。又称"后生子"：后生子～都讲。当渠区别于老年人来讲，你箇～，你后生子。系同老年人区别开来。xei^{53}saŋ^{35}tsɿ^{21}xei^{53}saŋ^{35}ka^{35}təu$^{35}_{44}$kəŋ^{21}.təŋ^{35}ci$^{13}_{21}$tʂʰɥ^{35}pʰiek^{5}ɥ$^{13}_{21}$lau^{21}ɲien^{13}ɲin^{13}nɔi$^{13}_{21}$kəŋ^{21}, ɲi^{13}kai$^{53}_{44}$xei^{53}saŋ$^{35}_{44}$ka^{35}, ɲi$^{13}_{21}$xei^{53}saŋ$^{35}_{44}$tsɿ^{21}.xe^{53}tʰəŋ$^{13}_{21}$lau^{21}ɲien^{13}ɲin^{13}tʂʰɥ^{35}pʰiek^{5}kʰɔi^{35}lɔi$^{13}_{21}$.

【后生人】xei^{53}saŋ^{35}ɲin$^{13}_{21}$ [名]年轻人：如今个后背个～就都喊做莴笋了，唔喊油荬子。i$^{13}_{21}$cin$^{35}_{44}$ke$^{53}_{44}$ xei^{53}pɔi$^{53}_{35}$ke$^{53}_{44}$xei^{53}saŋ^{35}ɲin$^{13}_{21}$tsʰiəu$^{53}_{44}$təu^{35}xan^{53}tso$^{53}_{21}$uo$^{35}_{44}$sən^{21}liau^{0},n̩^{13}xan^{53}iəu^{13}mak^{3}tsɿ^{0}.

【后生子】xei^{53}saŋ^{35}tsɿ^{0} [名]年轻人；小伙子。又称“后生家”：以只～有劲呢。i^{21}tʂak^{3}xei^{53}saŋ^{35} tsɿ^{0}iəu^{35}cin^{53}ne^{0}.｜箇～就爱食鸡公子话。kai$^{53}_{44}$xei^{53}saŋ^{35}tsɿ^{0}tsʰiəu$^{53}_{44}$ɔi$^{53}_{44}$ʂət^{5}cie^{35}kəŋ^{35}tsɿ^{0}ua$^{53}_{44}$.

【后台】xei^{53}tʰɔi^{13} [名]①戏台后部，供演出人员化妆、准备等活动的地方：我记得我也去欸箇个呢箇有一年去读师范个时候子，国庆节欸唔系，欸，元旦，茶陵师范呐举行箇个么个元旦汇演，舞倒我也去唱歌，欸，唔系汇演呐，欸，搞箇个么个？大合唱。舞倒我也去箇映子。跕倒～是硬欸真怕，嘿嘿，跕倒～箇是真怕。好得人多，就在乎渠。ŋai^{13}ci^{53}tek^{3}ŋai^{13}ia$^{35}_{53}$çi^{53}e$_{21}$ kai^{53}ke^{53}nei^{0}kai^{53}iəu$^{35}_{53}$iet^{3}ɲien$^{13}_{21}$çi^{53}tʰəuk^{5}sɿ$^{35}_{44}$fan^{53}ke^{0}ʂʅ$^{13}_{44}$xəu$^{53}_{44}$tsɿ^{0},kɔit^{3}cʰin^{53}tset^{3}e$_{21}$m̩$^{13}_{21}$pʰe^{53},e$_{21}$,vien^{13}tan^{53}, tsʰa^{13}lin$^{13}_{44}$sɿ$^{35}_{44}$fan^{53}na^{0}tʂʮ^{21}çin^{13}kai^{53}ke$^{53}_{44}$mak^{3}ke$^{53}_{44}$vien$^{13}_{21}$tan$^{53}_{44}$fei^{53}ien^{21},u^{21}tau^{21}ŋai^{13}ia$^{35}_{53}$çi^{53}tʂʰɔŋ^{53}ko^{35},e$_{21}$,m̩^{13} pʰe$^{53}_{44}$fei^{53}ien^{21}na^{0},ei$_{44}$,kau^{21}kai^{53}ke^{53}mak^{3}ke^{53}?tʰai^{53}xɔit^{5}tʂʰɔŋ^{53}.u^{21}tau^{21}ŋai^{13}ia$^{35}_{53}$çi^{53}kai$^{53}_{44}$iaŋ^{53}tsɿ^{0}.ku^{35}tau^{21}xei^{53} tʰɔi$^{13}_{44}$ʂʅ$^{53}_{44}$ɲiaŋ^{53}e$_{44}$tʂən^{35}pʰa^{53},xe$_{53}$xe$_{53}$,ku^{35}tau^{21}xei^{53}tʰɔi$^{13}_{44}$kai^{53}ʂʅ^{53}tʂən^{35}pʰa^{53}.xau^{21}tek^{3}ɲin^{13}to^{35},tsʰiəu$^{53}_{44}$tsʰai^{53}fu$^{35}_{44}$ ci$^{13}_{44}$. ②比喻在背后支持、操纵的人或集团：就我自家思起来咯我几十年我侪都唔想当官，我也唔当官，因为么个？我有～。爱我当箇个么个校长箇兜都当哩两年子我罢罢罢，我自人即即哩辞。我也当过校长嘞，当嘿四年吧？我硬辞都冇赢，我硬跑都冇赢凑，我话：“唔爱，你等去搞，我唔爱哩。”我唔搞，我有～呀。tsʰiəu^{53}ŋai^{13}tsʰɿ^{35}ka$^{35}_{53}$sɿ$^{35}_{53}$çi^{21}lɔi^{13}ko^{0}ŋai^{13}ci^{21}ʂət^{5}ɲien$^{13}_{44}$ ŋai^{13}tsʰi$^{13}_{21}$təu$^{35}_{53}$n̩$^{13}_{21}$siɔŋ^{21}tɔŋ^{35}kɔn^{35},ŋai^{13}ia$^{35}_{53}$n̩^{13}tɔŋ$^{35}_{44}$kɔn$^{35}_{44}$,in^{35}uei$^{53}_{44}$mak^{3}ke^{0}?ŋai$^{13}_{21}$mau$^{13}_{21}$xei^{53}tʰɔi$^{13}_{44}$.ɔi^{53}ŋai$^{13}_{44}$tɔŋ^{35} kai$^{53}_{44}$ke$^{53}_{44}$mak^{3}e^{0}ciau^{53}tʂɔŋ^{21}kai$^{53}_{44}$te$^{35}_{44}$təu$^{35}_{44}$tɔŋ^{35}li^{0}iɔŋ^{21}ɲien^{13}tsɿ^{0}ŋai^{13}pa$^{53}_{21}$pa^{53}pa$^{53}_{21}$,ŋai^{13}tsʰɿ$^{35}_{53}$ɲin$^{13}_{21}$tset^{5}tset^{5}li^{0}tsʰɿ^{13}. ŋai^{13}a$^{35}_{44}$tɔŋ$^{35}_{44}$ko$^{53}_{44}$ciau^{53}tʂɔŋ^{21}le^{0},tɔŋ^{35}(x)ek^{3}sɿ^{53}ɲien$^{13}_{21}$pa^{0}?ŋai^{13}ɲiaŋ^{53}tsʰɿ^{13}təu$^{35}_{53}$mau$^{13}_{21}$iaŋ$^{13}_{44}$,ŋai^{13}ɲiaŋ^{53}pʰau^{21}təu$^{35}_{53}$ mau$^{13}_{21}$iaŋ$^{13}_{44}$tsʰe^{0},ŋai^{13}ua^{53}:"m̩$^{13}_{21}$mɔi^{53}, ɲi^{13}tien^{0}çi^{53}kau^{21},ŋai^{13}m̩$^{13}_{21}$mɔi^{53}li^{0}."ŋai^{13}n̩$^{13}_{44}$kau^{21},ŋai$^{13}_{21}$mau$^{13}_{44}$xei^{53}tʰɔi$^{13}_{44}$ia^{0}.

【后厅子】xei^{53}tʰaŋ^{35}tsɿ^{0} [名]倒厅：欸，以只正面个以只大厅个后背，系唔系？后背，背后，系系，有。欸安做么个唠？～唠，一般就安做～。e$_{21}$,i^{21}tʂak^{3}tʂən^{53}mien$^{53}_{44}$ke$^{53}_{44}$i^{21}tʂak^{3}tʰai$^{53}_{44}$tʰaŋ^{35}ke$^{53}_{44}$ xei^{53}pɔi^{53},xei^{53}me$^{53}_{44}$? xei^{53}pɔi^{53},pɔi^{53}xei^{53},xei^{53}xei$^{53}_{44}$,iəu^{35}.e$_{53}$ɔn^{35}tso$^{53}_{44}$mak^{3}ke^{53}lau^{0}?xei^{53}tʰaŋ^{35}tsɿ^{0}lau^{0},iet^{3} pɔn^{35}tsʰiəu$^{53}_{44}$ɔn$^{35}_{44}$tso$^{53}_{44}$xei^{53}tʰaŋ^{35}tsɿ^{0}.

【后臀】xei^{53}tʰən^{13} [名]猪等动物比较丰满的后腿上部：猪子身上个屁股头个箇映咯安做～。tʂəu^{35}tsɿ^{0}ʂən$^{35}_{44}$xɔŋ$^{53}_{44}$ke$^{53}_{44}$pʰi^{53}ku^{21}tʰei^{13}ke$^{53}_{44}$kai$^{53}_{44}$iaŋ$^{53}_{44}$ko^{0}ɔn$^{35}_{44}$tso$^{53}_{44}$xei^{53}tʰən^{13}.｜～腈 xei^{53}tʰən$^{13}_{21}$tsiaŋ^{35}后臀处的瘦肉

【后娭】xei^{53}ɔi^{35} [名]继母，后妈：箇只就系我亲生娭子，箇只就我～。kai^{53}tʂak^{3}tsʰiəu^{53}xei^{53}ŋai^{13} tsʰin^{35}sien$^{35}_{44}$ɔi^{35}tsɿ^{0},kai^{53}tʂak^{3}tsʰiəu$^{53}_{44}$ŋai$^{13}_{21}$xei^{53}ɔi^{35}.

【后檐】xei^{53}ian^{13} [名]房屋后头房坡的屋檐：爱区别个时候子就分前檐～。唔爱区别个时候子就都称檐头。两边个就廒哇。ɔi^{53}tʂʰʮ^{35}pʰiek^{5}ke^{53}ʂʅ^{13}xei^{53}tsɿ^{0}tsʰiəu$^{53}_{44}$fən$^{35}_{44}$tsʰien^{13}ian^{13}xei^{53}ian^{13}.mɔi$_{35}$ (←m̩^{13}ɔi^{53})tʂʰʮ^{35}pʰiek^{5}ke^{53}ʂʅ^{13}xei^{53}tsɿ^{0}tsʰiəu$^{53}_{44}$təu^{35}tʂʰən^{35}ian^{13}tʰei$^{13}_{44}$.iɔŋ^{21}pien$^{35}_{44}$ke$^{53}_{44}$tsʰiəu$^{53}_{44}$ŋau^{13}ua^{0}.

【后正间】xei^{53}tʂən^{53}kan^{35} [名]上厅两侧的屋子。又称“上正间”：后背个就上正间，也安做～。xei^{53}pɔi$^{53}_{44}$ke$^{53}_{44}$tsʰiəu$^{53}_{44}$ʂɔŋ^{53}tʂən^{53}kan^{35},ia^{35}ɔn$^{35}_{44}$tso$^{53}_{44}$xei^{53}tʂən^{53}kan^{35}.

【后座】xəu^{53}tsʰo^{53} [名]排列在后的座位：一般从安全个角度来讲啊，带细人子，细人子啊真得坐后排位子，～，系唔系？我看下子，经常看下子有兜箇个乡下来个有兜咁个人呐，有兜箇个一家人开张车啊，老公开车，老婆带只细人子坐下面前箇排位子，最不安全。iet^{3}pɔn$^{35}_{44}$ tsʰəŋ$^{13}_{21}$ŋɔn^{35}tsʰien$^{13}_{21}$ke^{0}kɔk^{3}tʰəu^{53}lɔi^{13}kɔŋ^{21}ŋa^{0},tai^{53}se^{53}ɲin$^{13}_{21}$tsɿ^{0},se^{53}ɲin$^{13}_{21}$tsa^{0}tʂən$^{35}_{44}$nek^{3}tsʰo$^{35}_{44}$xei^{53}pʰai$^{13}_{21}$uei^{53} tsɿ^{0},xei^{53}tsʰo^{53},xei$^{53}_{44}$me$^{53}_{44}$?ŋai^{13}kʰɔn^{53}xa^{53}tsɿ^{0},cin^{35}tʂʰɔŋ$^{13}_{21}$kʰɔn^{53}xa^{53}tsɿ^{0}iəu^{35}te$^{35}_{44}$kai$^{53}_{21}$ke$^{53}_{21}$çiɔŋ$^{35}_{44}$xa$^{53}_{44}$lɔi$^{13}_{21}$kei$^{53}_{44}$iəu^{35} tei$^{35}_{53}$kan^{21}ke^{53}ɲin$^{13}_{21}$na^{0},iəu^{35}tei$^{35}_{53}$kai$^{53}_{44}$ke$^{53}_{44}$iet^{3}ka^{35}ɲin$^{13}_{21}$kʰɔi$^{35}_{44}$tʂɔŋ$^{35}_{44}$tʂʰa^{35}a^{0},lau^{21}kəŋ^{35}kʰɔi$^{35}_{44}$tʂʰa$^{35}_{44}$,lau^{21}pʰo^{13}tai^{53} tʂak^{3}sei^{53}ɲin$^{13}_{21}$tsɿ^{0}tsʰo^{35}(x)a$^{53}_{44}$mien^{53}tsʰien$^{13}_{21}$kai$^{53}_{44}$pʰai$^{13}_{44}$uei^{53}tsɿ^{0},tsei^{53}pət^{3}ŋɔn$^{35}_{44}$tsʰien$^{13}_{44}$.

【厚】xei^{35} [形]扁平物体上下两个面距离较大，与“薄”相对：渠指皮箩个篾更～。ci^{13}ke$^{53}_{44}$miet^{5} cien^{53}xei^{35}.｜你～面皮脸皮呀！ɲi$^{13}_{21}$xei^{35}mien$^{53}_{44}$pʰi^{13}ia^{0}！

【厚薄】xei^{35}pʰɔk^{5} [名]厚与薄的程度，厚度：刨刀嘞控制箇只～个。pʰau^{13}tau$^{35}_{44}$lei^{0}kʰəŋ^{53}tʂʅ$^{53}_{44}$kai^{53} tʂak^{3}xei^{35}pʰɔk^{5}ke$^{53}_{44}$.

【糊$_{1}$】fu^{13} [动]涂抹：烂泥～唔上壁。lan^{53}lai$^{13}_{21}$fu$^{13}_{21}$n̩$^{13}_{21}$ʂɔŋ^{35}piak^{3}.

【狐臭】fu^{13}tʂʰəu^{53} [名]病名，患者腋窝等处汗腺散发的类似狐骚的气味：～咁个是也有。我都有滴子。渠唔知让门来个嘞。～有遗传呢，我爷子也有滴子嘞，就遗传到我呢，但是我赖子又赠遗传倒呢。fu^{13}tʂʰəu^{53}kan^{21}ke^{53}ʂʅ$^{53}_{44}$ia^{35}iəu$^{35}_{44}$.ŋai^{13}təu$^{35}_{44}$iəu^{35}tiet^{5}tsɿ^{0}.ci$^{13}_{21}$n̩^{13}ti$^{35}_{53}$ɲiɔŋ^{53}mən^{0}lɔi$^{13}_{21}$ke^{53}lei^{0}.fu^{13}

tʂʰəu^{53}iəu^{35}i^{13}tʂʰuən$^{13}_{44}$nei^{0},ŋai^{13}ia^{13}tsɿ^{0}a$^{35}_{44}$iəu$^{35}_{44}$tiet^{5}tsɿ^{0}lei^{0},tsʰiəu^{53}i^{13}tʂʰuən$^{13}_{21}$tau^{53}ŋai^{13}nei^{0},tan$^{53}_{44}$ʂʅ$^{53}_{44}$ŋai^{13}lai^{53}tsɿ^{0} iəu^{53}maŋ^{13}i$^{13}_{21}$tʂʰuən$^{13}_{21}$tau^{21}nei^{0}.

【狐狸精】fu^{13}li^{13}tsin^{35} [名]迷信者认为狐狸能修炼成精，变成美女迷惑人。多比喻妖冶淫荡的女子：～是如今讲～是真正～个本义是硬冇么人用了，也冇得世上也冇得一只咁个东西，系唔系？冇得一只么个狐狸会成精，一般在如今个～是主要就系讲箇起夫娘子人，会去拆散别人家个家庭个，会搞咁个个人，系啊？就话渠系～。还有嘞就有兜夫娘子人蛮喜欢打扮个，系唔系？蛮喜欢打扮，箇横辈人呢渠就话噢：“嘿，渠搞起系箇～样。打扮得～样。”fu^{13}li$^{13}_{44}$tsin^{35}ʂʅ$^{53}_{21}$i$^{13}_{21}$cin$^{35}_{53}$kəŋ^{21}fu^{13}li$^{13}_{44}$tsin^{35}ʂʅ$^{53}_{21}$tʂən^{35}tʂən^{53}fu^{13}li$^{13}_{44}$tsin$^{35}_{44}$ke^{0}pən^{21}ɲi^{53}ʂʅ$^{53}_{44}$ɲiaŋ^{53}mau^{13}mak^{3}in$^{13}_{44}$iəŋ^{53}liau^{0},ia^{35}mau^{13}tek^{3}ʂʅ^{53}xəŋ^{53}a$^{35}_{53}$mau^{13}tek^{3}iet^{3}tʂak^{3}kan^{21}ke$^{53}_{44}$təŋ$^{35}_{44}$si^{0},xei$^{53}_{44}$me$^{53}_{44}$?mau^{13}tek^{3}iet^{3}tʂak^{3}mak^{3}e^{0}fu^{13}li$^{13}_{21}$uəi^{53}tʂʰən^{13}tsin$^{35}_{44}$,iet^{3}pən^{35}tsʰai$^{53}_{44}$i$^{13}_{21}$cin$^{35}_{53}$ke^{0}fu$^{13}_{21}$li$^{13}_{44}$tsin^{35}ʂʅ$^{53}_{44}$tʂʯ^{21}iau^{53}tsʰiəu^{53}xe^{53}kəŋ^{21}kai^{53}çi^{21}pu^{35}ɲiəŋ$^{13}_{21}$tsɿ^{0}ɲin$^{13}_{44}$,uəi^{53}çi^{53}tsʰak^{3}san^{53}pʰiet^{5}ɲin$^{13}_{21}$ka$^{35}_{44}$ke$^{53}_{44}$cia^{35}tʰin$^{13}_{21}$ke^{0},uəi^{53}kau^{21}kan^{21}ke^{0}ke^{53}ɲin$^{13}_{21}$,xei^{53}a^{0}?tsʰiəu$^{53}_{44}$ua^{53}ci$^{13}_{44}$xei$^{53}_{44}$fu$^{13}_{21}$li$^{13}_{44}$tsin^{35}.xai$^{13}_{21}$iəu$^{35}_{44}$lei^{0}tsʰiəu^{53}iəu^{35}tei$^{35}_{53}$pu^{35}ɲiəŋ$^{13}_{21}$tsɿ^{0}ɲin$^{13}_{44}$man^{13}çi^{21}fən$^{35}_{53}$ta^{21}pan^{53}ke^{0},xei^{53}me^{53}?man^{13}çi^{21}fən$^{35}_{53}$ta^{21}pan^{53},kai$^{53}_{44}$uaŋ^{13}pei^{53}ɲin$^{13}_{21}$nei^{0}ci$^{13}_{21}$tsʰiəu$^{53}_{44}$ua$^{53}_{44}$au^{0}:"xe$_{21}$,ci$^{13}_{44}$kau^{21}çi$^{21}_{44}$xei^{53}kai$^{53}_{21}$fu$^{13}_{21}$li$^{13}_{44}$tsin^{35}iəŋ^{53}.ta^{21}pan^{53}tek^{3}fu$^{13}_{21}$li$^{13}_{44}$tsin^{35}iəŋ^{53}."

【狐狸桃】fu^{13}li$^{13}_{44}$tʰau^{13} [名]猕猴桃的俗称：有有只～噢。猕猴桃哇，就系～哇。不过猕猴桃讲得蛮像欸，系啊？尽毛。尽箇毛，猴子样。比～系讲得更准确。欸。iəu$^{35}_{44}$iəu$^{35}_{44}$tʂak^{3}fu^{13}li$^{13}_{44}$tʰau^{13}uau^{0}.mi^{13}xei^{13}tʰau^{13}ua^{0},tsʰiəu$^{53}_{44}$xe$^{53}_{44}$fu^{13}li$^{13}_{44}$tʰau^{13}ua^{0}.pət^{3}ko^{53}mi^{13}xei$^{13}_{44}$tʰau^{13}kəŋ^{21}tek^{3}man^{13}tsʰiəŋ^{53}ŋe^{0},xe$^{53}_{44}$a^{0}?tsʰin^{53}mau^{35}.tsʰin$^{53}_{44}$kai^{53}mau^{35},xei^{13}tsɿ^{0}iəŋ^{53}.pi^{21}fu^{13}li$^{13}_{44}$tʰau^{13}xe$^{53}_{44}$kəŋ^{21}tek^{3}ken^{53}tʂən^{21}kʰək^{3}.e$_{21}$.

【胡】fu^{13} [副]表示随意乱来：有兜男女关系也有～搞乱搞个，系唔系？唔好。iəu^{35}te$^{35}_{53}$lan^{13}ɲy^{21}kuan$^{35}_{44}$çi^{53}ia^{35}iəu$^{35}_{44}$fu$^{13}_{21}$kau^{21}lən^{53}kau^{21}ke^{0},xei^{53}me^{53}?m̩^{13}xau$^{21}_{44}$.

【胡椒】fu^{13}tsiau^{35} [名]热带植物胡椒树的果实，是一种有辣味的调味品：～食多唔得，箇只东西有热，食多哩真系有热，～哇。要稍微放兜子。放～样，俗话讲放～样，只爱放丁啮子。fu^{13}tsiau$^{35}_{44}$ʂət^{5}to^{35}n̩$^{13}_{21}$tek^{3},kai$^{53}_{44}$(tʂ)ak^{3}təŋ$^{35}_{44}$si^{0}iəu^{35}ɲiet^{5},ʂət^{5}to^{35}li^{0}tʂən^{35}xei$^{53}_{44}$iəu$^{35}_{44}$ɲiet^{5},fu$^{13}_{21}$tsiau$^{35}_{44}$ua^{0}.iau$^{53}_{44}$sau^{21}uei^{13}fəŋ^{53}tei$^{35}_{53}$tsɿ^{0}.fəŋ$^{53}_{44}$fu^{13}tsiau$^{53}_{44}$iəŋ^{53},səuk^{3}fa^{53}kəŋ^{21}fəŋ^{53}fu^{13}tsiau$^{35}_{44}$iəŋ^{53},tʂʅ^{21}əi$^{53}_{44}$fəŋ^{53}tin^{53}ŋait^{5}tsɿ^{0}.

【胡椒捩子】fu^{13}tsiau$^{35}_{44}$liet^{3}tsɿ^{0} [名]胡椒碾子：咁大子个唠，树做个，一根棍放倒肚里，系唔系？放得几只子哩胡椒唠。安做～。kan$^{21}_{35}$tʰai^{53}tsɿ^{0}cie$^{53}_{44}$lau^{0},ʂəu$^{53}_{44}$tso$^{53}_{44}$ke$^{53}_{21}$,iet^{3}cien^{35}kuən^{53}fəŋ^{53}tau^{21}təu^{21}li^{0},xei$^{53}_{44}$me^{53}?fəŋ^{53}tek^{3}ci^{21}tʂak^{3}tsɿ^{0}li^{0}fu$^{13}_{21}$tsiau$^{35}_{44}$lau^{0}.ən$^{35}_{44}$tso^{53}fu^{13}tsiau$^{35}_{44}$liet^{3}tsɿ^{0}.

【胡椒粉】fu^{13}tsiau^{35}fən^{21} [名]胡椒碾压而成的粉末：一般来讲不要去买～，因为箇～呢哪怕用壶子装倒，时间久兜子冇哩用。你只有买胡椒，你爱用了，舞倒胡椒捩子去搞几只子，欸，放倒去。胡椒箇只东西打做粉就留唔得，就会生霉，就会只好丢。iet^{3}pən^{35}nəi$^{13}_{44}$kəŋ$^{21}_{44}$pət^{3}iau^{53}çi^{53}mai$^{21}_{44}$fu$^{13}_{21}$tsiau$^{35}_{53}$fən^{21},in$^{35}_{44}$uei$^{53}_{44}$kai^{53}fu$^{13}_{21}$tsiau$^{35}_{53}$fən^{21}nei^{0}la^{53}pʰa^{53}iəŋ^{53}fu^{13}tsɿ^{0}tʂəŋ^{35}tau^{21},ʂʅ$^{13}_{21}$kan$^{35}_{53}$ciəu^{21}tei$^{35}_{53}$tsɿ^{0}mau^{13}li^{0}iəŋ^{53}. ɲi^{13}tʂʅ^{21}iəu$^{35}_{53}$mai^{35}fu^{13}tsiau^{35}, ɲi$^{13}_{21}$əi^{53}iəŋ^{53}liau^{0},u^{21}tau^{21}fu^{13}tsiau$^{35}_{53}$liet^{3}tsɿ^{0}çi^{53}kau^{21}ci^{21}tʂak^{3}tsɿ^{0},e$_{21}$,fəŋ^{53}tau^{21}çi^{53}.fu^{13}tsiau$^{35}_{44}$kai^{53}(tʂ)ak^{3}təŋ$^{35}_{44}$si^{0}ta^{21}tso^{53}fən^{21}tsʰiəu^{53}liəu^{13}n̩$^{13}_{44}$tek^{3},tsʰiəu^{53}uəi^{53}saŋ$^{35}_{44}$məi^{13},tsʰiəu^{53}uəi^{53}tʂʅ^{21}xau$^{21}_{44}$tiəu$^{35}_{44}$.

【胡须】fu^{13}si^{35} [名]胡子：～公，扁嘴鸭。fu^{13}si$^{35}_{44}$kəŋ$^{35}_{44}$,pien^{21}tʂəi^{53}ait^{3}.

【胡子】u^{13}tsɿ^{0} [名]嘴周围或连着鬓角长的毛：蓄留～çiəuk^{3}u^{13}tsɿ^{0}｜同我刮净下子～啊！tʰəŋ^{13}ŋai$^{13}_{44}$kuait^{3}tsʰiaŋ^{53}(x)a$^{53}_{21}$tsɿ^{0}u^{13}tsa^{0}！

【胡子夹】u^{13}tsɿ^{0}kait^{3} [名]用于拔胡须的夹子：以前就我也自家都我也喜欢夹胡子呢。舞只箇～呢，铁夹子呢，冇么个事就夹嘞，夹得洁净，扯呢，分箇～就扯胡子嘞。实在扯哩唔好，我再都唔夹哩，再都唔扯哩。i$^{35}_{53}$tsʰien^{13}tsʰiəu^{53}ŋai^{13}ia$^{35}_{53}$tsʰɿ^{35}ka$^{35}_{53}$təu$^{35}_{53}$ŋai^{13}ia$^{35}_{53}$çi^{21}fən$^{35}_{44}$kait^{3}u^{13}tsɿ^{0}nei^{0}.u^{21}tʂak^{3}kai^{53}u$^{13}_{44}$tsɿ^{0}kait^{3}nei^{0},tʰiet^{3}kait^{3}tsɿ^{0}nei^{0},mau^{13}mak^{3}e^{0}sɿ^{53}tsʰiəu^{53}kait^{3}lei^{0},kait^{3}tek^{3}ciet^{5}tsʰiaŋ^{53},tʂʰa^{21}nei^{0},pən$^{35}_{44}$kai$^{53}_{44}$u$^{13}_{21}$tsɿ^{0}kait^{3}tsʰiəu^{53}tʂʰa^{21}u^{13}tsɿ^{0}lei^{0}.ʂət^{5}tsʰai^{53}tʂʰa^{21}li^{0}m̩^{13}xau^{21},ŋai^{13}tsai^{53}təu$^{35}_{44}$n̩$^{13}_{44}$kait^{3}li^{0},tsai^{53}təu$^{35}_{53}$n̩$^{13}_{21}$tʂʰa^{21}li^{0}.

【壶$_{1}$】fu^{13} [名]一种烧水用的金属器具：八十块钱，买把～，买把～烧水话。pait^{3}ʂət^{5}kʰuai$^{53}_{44}$tsʰien$^{13}_{44}$,mai^{35}pa^{21}fu^{13},mai^{35}pa^{21}fu^{13}ʂau^{35}ʂei^{21}ua$^{53}_{44}$.

【壶$_{2}$】fu^{13} [量]用于瓶子装的东西：剁辣椒嘞就一般就用箇个唠欸渠是我等食又食嘞，辣椒食又食唔得几多，欸，就装倒三十几～吧，嗯，用矿泉水大滴子嘴个矿泉水瓶子装倒，装倒三十几～。我话以下就一年也食唔完了。哦，还赠到箇个就多时食嘿哩喔。我今年就食到箇五月份子就食嘿哩。八十斤辣椒，剁做三十几～，丢嘿冰箱里。to^{53}lait^{5} tsiau$^{35}_{44}$le^{0} tsʰiəu$^{53}_{44}$iet^{3} pən^{35} tsʰiəu$^{53}_{44}$iəŋ$^{53}_{44}$kai^{53}ke^{53}lau^{0} e$_{21}$ci$^{13}_{21}$ʂʅ$^{53}_{44}$ŋai^{13}tien^{0} ʂət^{5} iəu$^{53}_{44}$ʂət$^{5}_{3}$le^{0}, lait^{5} tsiau$^{35}_{44}$ʂət^{5} iəu^{53}ʂət^{5} n̩$^{13}_{21}$tek^{3} ci^{21}to^{35},e$_{21}$,tsʰiəu$^{53}_{44}$ tʂuɔŋ^{21}tau^{21}san^{35}ʂət^{5} ci^{21}fu^{13}pa^{0},n̩$_{21}$,iəŋ^{53}kʰɔŋ^{53}tsʰien$^{13}_{44}$ʂei^{21}tʰai^{53}tiet^{5} tsɿ^{0} tʂɔi^{53}ke^{0} kʰɔŋ^{53}tsʰen$^{13}_{44}$ʂei^{21}pʰin^{13}tsɿ^{0} tʂuɔŋ^{35}tau^{21},tʂuɔŋ^{35}tau^{21}san^{35}ʂət^{5} ci^{21}fu^{13}.ŋai^{13}ua$^{53}_{44}$i$^{21}_{53}$xa$^{53}_{44}$tsʰiəu$^{53}_{44}$iet^{3} ɲien^{13}na$^{35}_{44}$ʂət^{5} n̩$^{13}_{44}$ien$^{13}_{44}$liau^{0}.o$_{53}$,xai$^{13}_{21}$maŋ^{13} tau$^{53}_{44}$kai$^{53}_{44}$ke$^{53}_{44}$tsʰiəu$^{53}_{44}$to^{35}ʂʅ$^{13}_{21}$ʂət^{5} (x)ek^{3} li^{0} liau^{0} uo^{0}.ŋai$^{13}_{21}$cin$^{35}_{44}$ɲien$^{13}_{44}$tsiəu$^{53}_{44}$ʂət^{5} tau$^{53}_{44}$kai$^{53}_{44}$ŋ̍^{21} ɲiet^{5} fən^{53}tsɿ^{0} tsʰiəu$^{53}_{44}$ ʂət^{5} xek^{3} li^{0}.pait^{3} ʂət^{5} cin$^{35}_{44}$lait^{5} tsiau$^{35}_{44}$,to^{53}tso$^{53}_{21}$san^{35}ʂət^{5} ci^{21}fu^{13},tiəu^{35}uek^{3} pin$^{35}_{44}$siɔŋ$^{35}_{44}$li^{0}.

【壶子$_1$】fu^{13}tsɿ^{0} 名瓶子：玻璃瓶就玻璃～。po^{35}li$^{13}_{44}$pʰin$^{13}_{44}$tsʰiəu$^{53}_{44}$po^{35}li$^{13}_{44}$fu$^{13}_{44}$tsɿ^{0}.｜欸，箇个针线呐莫跌嘿哩，舞只子～装倒。e$_{35}$,kai$^{53}_{44}$ke$^{53}_{44}$tʂən^{35}sien^{53}na^{0} mɔk^{5} tet^{3} (x)ek^{3} li^{0},u^{21}tʂak^{3} tsɿ^{0} fu^{13}tsɿ^{0} tʂɔŋ^{35}tau^{21}.

【壶子$_2$】fu^{13}tsɿ^{0} 量用于用壶装着的东西：一～油 iet^{3} fu^{13}tsɿ^{0} iəu^{13}

【斛】fuk^{5} 量容量单位，一斛本为十斗，后来改为五斗：一～谷 iet^{3} fuk^{5} kuk^{3}

【斛桶】fuk^{5} tʰəŋ^{21} 名二斗半，四斛一担：安做～，从前就用来量谷啊。ɔn$^{35}_{44}$tso$^{53}_{44}$fuk^{5} tʰəŋ^{21},tsʰəŋ^{13} tsʰien^{13}tsʰiəu$^{53}_{44}$iəŋ^{53}lɔi$^{13}_{21}$liɔŋ^{13}kuk^{3} a^{0}.

【葫芦】fu^{13}ləu$^{13}_{44}$ 名瓜名，作蔬菜，也可药用，壳可做器具：箇箇个就～啦，～瓜啦。/以个就～瓜。/～。有人栽。/以前有有哇，以前有，也有。以前欸有，以几年就多嘿咁个东西。/就系～，𫠝喊～瓜。唔喊～瓜。kai$^{53}_{21}$kai$^{53}_{44}$ke$^{53}_{44}$tsʰiəu$^{53}_{44}$fu^{13}ləu$^{13}_{44}$la^{0},fu^{13}ləu$^{13}_{21}$kua$^{35}_{44}$la^{0}./i^{21}ke^{53}tsʰiəu^{53}fu^{13} ləu$^{13}_{21}$kua$^{35}_{44}$./fu$^{13}_{21}$ləu$^{13}_{44}$.iəu^{35}ɲin$^{13}_{21}$tsɔi^{35}./i$^{35}_{44}$tsʰien$^{13}_{21}$iəu^{35}iəu^{35}ua^{0},i$^{35}_{44}$tsʰien$^{13}_{21}$iəu^{35},ia^{35}iəu^{35}.i$^{35}_{44}$tsʰien^{13}e^{21}iəu^{35},i^{21}ci^{21} ɲien$^{13}_{44}$tsʰiəu$^{53}_{44}$to^{35}(x)ek^{3} kan^{21}ke$^{53}_{44}$təŋ$^{35}_{44}$si^{0}./tsʰiəu^{53}xe^{53}fu^{13}ləu$^{13}_{44}$,maŋ^{13}xan$^{53}_{44}$fu$^{13}_{21}$ləu$^{13}_{21}$kua^{35}.ŋ̍$^{13}_{21}$xan^{53}fu$^{13}_{21}$ləu$^{13}_{44}$kua$^{35}_{21}$.

【湖膏】fu^{13}kau^{53} 名蚌壳；蛤蜊。又称“膏子”：街上有人舞倒箇个～去劈开来呀，舞倒箇～哇劈开来，欸，舞倒箇肉来卖，～肉，十几块钱一斤。kai^{35}xɔŋ$^{53}_{44}$iəu^{35}ɲin$^{13}_{21}$u^{21}tau^{21}kai$^{53}_{44}$ke$^{53}_{44}$fu^{13}kau^{53} çi$^{53}_{44}$pʰiak^{3} kʰɔi^{35}lɔi$^{13}_{44}$ia^{0},u^{21}tau^{21}kai^{53}fu^{13}kau^{53}ua^{0} pʰiak^{3} kʰɔi^{35}lɔi$^{13}_{44}$,e$_{21}$,u^{21}tau^{21}kai^{53}ɲiəuk^{3} lɔi^{13}mai^{53},fu^{13}kau^{53} ɲiəuk^{3},ʂət^{5} ci^{21}kʰuai^{53}tsʰien^{21}iet^{3} cin^{35}.

【湖膏油】fu^{13}kau^{53}iəu^{13} 名蛤蜊油。又称“膏子油”：欸，我等一直都用～箇个冷天呐手爆皲公箇只啦，～蛮好。你莫看箇只东西咁便宜，几角钱一盒嘞，系唔系啊？你就箇箇个手哇手爆皲公去哩啊，你箇几角钱一盒个你买渠两三盒，洗脚个时候子，攋滚手来，搽一到，搽得渠多多哩，慢呢睡一觉目，第二晡你分手洗嘿去，真好喔箇只东西哦，真好喔，比么个箇起咁个几十块钱个都更好。e$_{21}$,ŋai^{13}tien^{0} iet^{3} tʂʰət^{5} təu$^{35}_{53}$iəŋ^{53}fu^{13}kau^{53}iəu^{13}kai$^{53}_{21}$ke$^{53}_{21}$laŋ^{35}tʰien$^{35}_{44}$na^{0} ʂəu^{21}pau^{53} cien^{35}kəŋ$^{35}_{44}$kai$^{53}_{44}$tʂak^{3} la^{0},fu^{13}kau^{53}iəu^{13}man^{13}xau^{21}. ɲi^{13}mɔk^{5} kʰɔn$^{53}_{44}$kai$^{53}_{44}$(tʂ)ak^{3} (t)əŋ$^{35}_{44}$si^{0} kan^{21}pʰien^{13}ɲin^{13},ci^{21} kɔk^{3} tsʰien$^{13}_{21}$iet^{3} xait^{5} lei^{0},xei^{53}me$^{53}_{44}$a^{0}?ɲi^{13}tsiəu$^{53}_{44}$kai$^{53}_{44}$kai$^{53}_{44}$ke$^{53}_{44}$ʂəu^{21}ua^{0} ʂəu^{21}pau$^{53}_{44}$cien^{35}kəŋ^{35}çi^{53}li^{0} a^{0}, ɲi^{13}kai^{53} ci^{21}kɔk^{3} tsʰien$^{13}_{21}$iet^{3} xait^{5} ke^{0} ɲi$^{13}_{21}$mai^{35}ci$^{13}_{21}$iɔŋ^{21}san$^{35}_{44}$xait^{5},sei^{21}ciɔk^{3} ke^{0} ʂʅ^{13}xəu^{53}tsɿ^{0},ləuk^{5} kuən^{21}ʂəu^{21}lɔi^{13},tsʰa^{13} iet^{3} tau^{53},tsʰa^{13}tek^{3} ci$^{13}_{21}$to^{35}to^{35}li^{0},man$^{53}_{44}$ne^{0} ʂɔi^{53}iet^{3} kau^{53}muk^{3},tʰi^{53}ɲi^{53}pu$^{35}_{53}$ɲi$^{13}_{44}$pən$^{35}_{44}$ʂəu^{21}sei^{21}xek^{3} çi^{53},tʂən^{35} xau^{21}uo^{0} kai$^{53}_{44}$(tʂ)ak^{3} (t)əŋ$^{35}_{44}$si^{0} o^{0},tʂən^{35}xau^{21}uo^{0},pi^{21}mak^{3} ke^{53}kai^{53}çi^{21}kan^{21}kei^{53}ci^{21}ʂət^{5} kʰuai^{53}tsʰien$^{13}_{21}$ke$^{53}_{44}$təu$^{35}_{44}$ cien^{53}xau^{21}.

【湖鳅】fu^{13}tsʰiəu^{35} 名泥鳅：去照～çi^{53}tʂau^{53}fu^{13}tsʰiəu$^{35}_{44}$｜～就系爱用针簪。黄鳝就可以用黄鳝剪。都系渠也可以搞黄鳝呶。fu^{13}tsʰiəu$^{35}_{44}$tsʰiəu$^{53}_{44}$xe$^{53}_{44}$ɔi$^{53}_{44}$iəŋ$^{53}_{44}$tʂən^{35}tsan^{35}.uɔŋ^{13}ʂen$^{53}_{35}$tsʰiəu$^{53}_{21}$kʰo^{21}i^{35}iəŋ^{53}uɔŋ$^{13}_{21}$ ʂen$^{53}_{35}$tsien^{21}.təu^{35}xei$^{53}_{44}$ci$^{13}_{21}$ia^{35}kʰo^{21}i^{35}kau^{21}uɔŋ^{13}ʂen$^{53}_{44}$nau^{0}.

【湖丝烟】fu^{13}sɿ^{35}ien^{35} 名烟叶品种名，大湖丝和小湖丝的通称：箇是讲箇个农村里人食个箇起自家自产自销，自家种个箇起草烟。有两起……欸，看下，有几多起唠？我爷子以前话，渠也食草烟呢，我等自家种呢，一起铁梗烟，一起安做铁梗烟，铁梗烟就产量冇咁高嘞，但是渠欸还更煞。欸，还有起就～，以个大湖丝小湖丝。欸，就品种啊，草烟个品种啊。～呢冇咁煞，但是产量高。渠个叶皮子多，烟叶子多啊。咁高一蔸烟。箇个铁梗烟呢只有一十二皮子，箇～呢有两十皮，产量高，冇咁煞呢。kai^{53}ʂʅ$^{53}_{44}$kɔŋ^{21}kai^{53}ke^{53}ləŋ^{13}tsʰən$^{35}_{44}$ni^{21}ɲin^{13}ʂət^{5} ke^{53}kai^{53}çi^{21} tsʰɿ^{35}ka$^{35}_{44}$tsʰɿ^{53}tsʰan^{21}tsʰɿ^{53}siau$^{35}_{44}$,tsʰɿ^{35}ka$^{35}_{44}$tʂəŋ^{53}cie$^{53}_{44}$kai^{53}çi^{21}tsʰau^{21}ien$^{35}_{44}$.iəu$^{35}_{53}$iɔŋ^{21}ç…e$_{21}$,kʰɔn^{53}na^{53},iəu$^{35}_{53}$ci^{21}to^{35} çi^{21}lau^{0}?ŋai^{13}ia^{13}tsɿ^{0} i$^{35}_{53}$tsʰien$^{13}_{44}$ua^{53},ci$^{13}_{21}$ia$^{35}_{44}$ʂət^{5} tsʰau^{21}ien^{35}nei^{0},ŋai^{13}tien^{0} tsʰɿ^{35}ka$^{35}_{44}$tʂəŋ^{53}ne^{0},iet^{3} çi^{21}tʰiet^{3} kuaŋ^{21} ien^{35},iet^{3} çi^{21}ɔn$^{35}_{53}$tso^{53}tʰiet^{3} kuaŋ^{21}ien^{35},tʰiet^{3} kuaŋ^{21}ien$^{35}_{53}$tsʰiəu^{53}tsʰan^{21}liɔŋ^{53}mau$^{13}_{21}$kan^{21}kau$^{35}_{44}$le^{0},tan^{53}ʂʅ^{53}ci$^{13}_{21}$e$_{21}$ xan$^{13}_{21}$cien^{53}sait^{3}.e$_{21}$,xai$^{13}_{21}$iəu$^{35}_{53}$çi^{21}tsʰiəu^{53}fu^{13}sɿ$^{35}_{44}$ien$^{35}_{44}$,i^{21}ke$^{53}_{44}$tʰai^{53}fu$^{13}_{21}$sɿ$^{35}_{44}$siau^{21}fu$^{13}_{21}$sɿ$^{35}_{44}$.e$_{21}$,tsʰiəu^{53}pʰin^{21}tʂəŋ^{21}ŋa^{0}, tsʰau^{21}ien$^{35}_{44}$ke^{0} pʰin^{21}tʂəŋ^{21}ŋa^{0}.fu^{13}sɿ$^{35}_{44}$ien$^{35}_{44}$nei^{0} mau^{13}kan^{21}sait^{3},tan^{53}ʂʅ^{53}tsʰan^{21}liɔŋ$^{53}_{44}$kau$^{35}_{44}$.ci$^{13}_{21}$kei$^{53}_{44}$iait^{5} pʰi$^{13}_{21}$tsɿ^{0} to^{35},ien^{35}iait^{5} tsɿ^{0} to^{35}a^{0}.kan^{21}kau$^{35}_{44}$(i)et^{3} tei$^{35}_{44}$ien^{35}.kai$^{53}_{44}$ke$^{53}_{44}$tʰiet^{3} kuaŋ^{21}ien$^{35}_{44}$nei^{0} tʂʅ^{21}iəu$^{35}_{44}$iet^{3} ʂət^{5} ɲi^{53}pʰi^{13}tsɿ^{0}, kai^{53}fu^{13}sɿ$^{35}_{44}$ien$^{35}_{44}$nei^{0} iəu$^{35}_{53}$iɔŋ^{21}ʂət^{5} pʰi^{13},tsʰan^{21}liɔŋ$^{53}_{44}$kau^{35},mau^{13}kan^{21}sait^{3} nei^{0}.

【湖藤菜】fu^{13}tʰien^{13}tsʰɔi^{53} 名落葵的俗称。又称“木耳菜”：又喊木耳菜，又喊～。/揪酸揪酸。/箇以种唔系。/唔酸。/～就唔酸呐。/耶，木耳菜唔酸。/打汤啊。/打汤个。/馥嫩呶，真嫩呶。痞厚个叶。痞厚个叶，同箇木耳样。/叶子厚。/炒起溜滑溜滑。年嘛年嘛食啦。蛮多滴食啦。/箇只后面有哩。/栽哩年是也唔要栽了呀，年年都以下生，到处都系哟，大田当当唠。会结籽籽。/红个籽。/结倒箇边乌个，墨乌子个，红红子个籽呢。/舞下手下搲，绿个，蓝个。客家人是喊～。/以前有么咁个啊，从前呐？/有哇。/也有哇。/我就以几年正以咁多年正晓得嘞。/箇是面前啊蛮以前就有，我去横巷里那时间就栽哩。/也还好食。/真正要讲它就喊木耳菜。/栽哩一年就唔要栽第二年了。到处跌倒个籽野生噢。/渠落下箇个种子渠就自然生啊。/欸，野生噢。iəu^{53}xan^{53}muk^{3}ɲi^{21}tsʰɔi$^{53}_{44}$,iəu$^{53}_{44}$xan$^{53}_{44}$fu^{13}tʰien^{13}tsʰɔi^{53}./tsiəu$^{35}_{21}$sɔn$^{35}_{44}$tsiəu$^{35}_{44}$sɔn^{35}./kai^{53}i^{21}tʂəŋ^{21}m̩^{13}pʰe$_{44}$(←xe^{53})./n̩^{13}sɔn^{35}./fu^{13}tʰien^{13}tsʰɔi^{53}tsʰiəu$^{53}_{44}$n̩^{13}sɔn^{35}na^{0}./ie$_{44}$,muk^{3}ɲi^{21}tsʰɔi^{53}n̩^{13}sɔn^{35}./ta^{21}tʰɔŋ^{35}ŋa^{0}./ta^{21}tʰɔŋ^{35}ke$^{53}_{44}$./fət^{5}lən^{53}nau^{0},tʂən^{35}lən^{53}nau^{0}.tek^{5}xei$^{35}_{44}$ke$^{53}_{44}$iait^{5}.tek^{5}xei$^{35}_{44}$ke$^{53}_{44}$iait^{5},tʰəŋ^{13}kai^{53}muk^{3}ɲi^{21}iɔŋ^{53}./iait^{5}tsɿ^{0}xəu^{35}./tsʰau^{21}çi^{21}liəu^{35}uait$^{5}_{3}$liəu^{35}uait^{5}. ɲien$^{13}_{21}$ma^{0}ɲien$^{13}_{21}$ma^{0}ʂət^{5}la^{0}.man^{13}to$^{35}_{44}$tet$^{5}_{3}$ʂət^{5}la^{0}./kai$^{53}_{44}$tʂak^{3}xəu$^{53}_{44}$mien$^{53}_{44}$iəu$^{35}_{44}$li^{0}./tsɔi^{35}li^{0}ɲien^{13}ʂʅ$^{13}_{44}$ia$^{35}_{44}$m̩$^{13}_{21}$mɔi$^{53}_{44}$tsɔi$^{35}_{44}$liau^{0}ia^{0}, ɲien^{13}ɲien$^{13}_{44}$təu$^{35}_{44}$i^{21}xa$^{53}_{44}$saŋ$^{35}_{44}$,tau$^{53}_{44}$tʂʰəu$^{53}_{44}$təu$^{35}_{44}$xe$^{53}_{44}$iau^{0},tʰai$^{53}_{35}$tʰien$^{13}_{21}$tɔŋ$^{35}_{21}$tɔŋ$^{35}_{21}$lau^{0}.uɔi^{53}ciet^{3}tsɿ^{21}tsɿ^{21}./fəŋ^{13}ke^{53}tsɿ^{21}./ciet^{3}tau^{21}kai$^{53}_{44}$pien$^{35}_{44}$u$^{35}_{44}$ke$^{53}_{44}$,mek^{5}u^{35}tsɿ^{0}ke$^{53}_{44}$,fəŋ^{13}fəŋ^{13}tsɿ^{0}ke$^{53}_{44}$tsɿ^{21}nei^{0}./u^{21}xa^{53}ʂəu^{21}xa^{53}ue^{21},liəuk^{5}ke$^{53}_{44}$,lan^{13}ke$^{53}_{44}$.kʰak^{3}ka$^{35}_{53}$ɲin$^{13}_{21}$ʂʅ$^{53}_{44}$xan^{53}fu^{13}tʰien^{13}tsʰɔi^{53}./i^{35}tsʰien^{13}iəu^{35}mo^{0}kan^{21}cie$^{53}_{44}$a^{0},tsʰəŋ^{13}tsʰien^{13}na^{0}?/iəu^{35}ua^{0}./ia^{35}iəu^{35}ua^{0}./ŋai^{13}tsʰiəu^{53}i^{21}ci$^{13}_{21}$ɲien^{13}tʂaŋ^{53}i^{21}kan^{21}to$^{35}_{53}$ɲien$^{13}_{21}$tʂaŋ^{53}çiau^{21}tek^{3}lei^{0}./kai^{53}ʂʅ$^{53}_{44}$mien^{53}tsʰien$^{13}_{44}$a^{0}man^{13}i$^{35}_{21}$tsʰien$^{13}_{21}$tsʰiəu$^{53}_{44}$iəu^{35},ŋai^{13}çi$^{53}_{44}$uaŋ^{13}xɔŋ^{53}li$^{35}_{44}$lai$^{53}_{44}$ʂʅ$^{13}_{21}$kan$^{35}_{44}$tsʰiəu$^{53}_{44}$tsɔi^{35}li^{0}./ia$^{35}_{44}$xai$^{13}_{21}$xau^{21}ʂət^{5}./tʂən^{35}tʂən$^{53}_{44}$iau$^{53}_{44}$kɔŋ^{21}tʰa$^{35}_{44}$tsʰiəu$^{53}_{44}$xan$^{53}_{44}$muk^{3}ɲi^{21}tsʰɔi$^{53}_{44}$./tsɔi^{35}li^{0}iet^{3}ɲien^{13}tsʰiəu$^{53}_{44}$m̩$^{13}_{21}$mɔi$^{53}_{44}$tsɔi$^{35}_{44}$tʰi^{53}ɲi^{53}ɲien$^{13}_{21}$liau^{0}.tau^{53}tʂʰəu^{53}tiet^{3}tau^{21}ke^{53}tsɿ^{21}ia^{35}saŋ$^{35}_{44}$ŋau^{0}./ci^{13}lɔk^{5}xa$^{53}_{44}$kai$^{53}_{44}$ke$^{53}_{44}$tʂəŋ^{21}tsɿ^{0}ci^{13}tsʰiəu$^{53}_{44}$tsʰɿ^{53}vien^{13}saŋ^{35}ŋa^{0}./e$_{21}$,ia^{35}saŋ$^{35}_{44}$ŋau^{0}.

【湖洋耙】fu^{13}iɔŋ^{13}pʰa^{13} 名自制农具名，在一段横木上安有四个竹齿，有木柄，手持以平整耕牛无法进入的湖洋田的小耙：我等以映只有只～。～是，深田去牛唔得箇个。……欸，还有一只嘞就深田，～，留啦齿个，四只齿。箇样子，我等以映就自家做，一条横木，有齿。箇就系就系去牛唔得个。欸，箇牛不能去个啦。渠拿倒挖下转去，覆下转，耙正下，慢有草就搋下去，咁个，话你去踩。ŋai^{13}tien^{0}i$^{21}_{44}$iaŋ$^{53}_{44}$tʂʅ^{21}iəu$^{53}_{44}$tʂak^{3}fu^{13}iɔŋ$^{13}_{21}$pʰa^{13}.fu^{13}iɔŋ$^{13}_{44}$pʰa^{13}ʂʅ$^{53}_{44}$,ʂən^{35}tʰien$^{13}_{21}$çi^{53}ɲiəu^{13}n̩$^{13}_{21}$tek^{3}kai$^{53}_{21}$ke$^{53}_{44}$.…e$_{44}$,xai$^{13}_{21}$iəu$^{35}_{44}$iet^{3}tʂak^{3}lei^{0}tsʰiəu$^{53}_{44}$tʂʰən^{35}tʰien^{13},fu^{13}iɔŋ$^{13}_{21}$pʰa$^{13}_{44}$,liəu^{13}la^{0}tʂʰʅ^{21}ke$^{53}_{44}$,si^{53}tʂak^{3}tʂʰʅ^{21}.kai^{53}iɔŋ$^{53}_{44}$tsɿ^{0},ŋai$^{13}_{21}$tien^{0}i^{21}iaŋ$^{53}_{44}$tsʰiəu$^{53}_{44}$tsʰɿ^{35}ka$^{35}_{44}$tso^{53},iet^{3}tʰiau^{13}uaŋ^{13}muk^{3},iəu$^{35}_{21}$tʂʰʅ^{21}.kai$^{53}_{44}$tsʰiəu$^{53}_{21}$xe$^{53}_{44}$tsʰiəu$^{53}_{44}$xei$^{53}_{44}$çi^{53}ɲiəu^{13}n̩$^{13}_{44}$tek^{3}ke$^{53}_{44}$.e$_{21}$,kai$^{53}_{44}$ɲiəu^{13}pət^{3}len^{13}çi^{53}ke$^{53}_{44}$la^{0}.ci$^{13}_{21}$la^{53}tau$^{21}_{44}$uait^{3}(x)a^{53}tʂɔn^{21}çi$^{53}_{44}$,pʰuk^{3}xa$^{53}_{44}$tʂɔn^{21},pʰa$^{13}_{21}$tʂaŋ$^{53}_{44}$ŋa$_{21}$(←xa^{53}),man$^{53}_{44}$iəu$^{35}_{44}$tsʰau^{21}tsʰiəu$^{53}_{44}$tsʰei^{21}xa$^{53}_{44}$çi$^{53}_{44}$,kan^{21}ke$^{53}_{44}$,ua^{53}ɲi$^{13}_{21}$çi^{53}tsʰai^{21}.

【湖洋田】fu^{13}iɔŋ^{13}tʰien^{13} 名泥层很深的水田：～就系硬蛮深。fu^{13}iɔŋ$^{13}_{44}$tʰien$^{13}_{44}$tsʰiəu$^{53}_{44}$xei$^{53}_{44}$ɲiaŋ^{53}man$^{13}_{21}$tʂʰən^{35}.｜～里打桩篙——轻松。fu^{13}iɔŋ^{13}tʰien^{13}li^{21}ta^{21}tsiɔŋ^{35}kau^{35}—cʰiaŋ^{35}səŋ$^{35}_{44}$.

【蝴蝶子】fu^{13}tʰiet^{5}tsɿ^{0} 名昆虫名：我等箇只孙子就真喜欢～。箇间壁箇映子箇店里就有咁个网子卖。几只细人子拿倒箇网子到处去捉～。撞怕一只都捉唔倒。ŋai^{13}tien^{0}kai^{53}tʂak^{3}sən^{35}tsɿ^{0}tsʰiəu$^{53}_{44}$tʂən^{35}çi^{21}fɔn$^{35}_{44}$fu^{13}tʰiet^{5}tsɿ^{0}.kai$^{53}_{44}$kan^{53}piak^{3}kai$^{53}_{44}$iaŋ$^{53}_{44}$tsɿ^{0}kai$^{53}_{44}$tian^{53}ni^{0}tsʰiəu$^{53}_{44}$iəu^{35}kan^{21}ke$^{53}_{44}$mɔŋ^{21}tsɿ^{0}mai^{53}.ci^{21}tʂak^{3}sei^{53}ɲin$^{13}_{21}$tsɿ^{0}la^{53}tau^{21}kai^{53}mɔŋ^{21}tsɿ^{0}tau^{53}tʂʰəu^{53}çi$^{53}_{44}$tsɔk^{3}fu^{13}tʰiet^{5}tsɿ^{0}.tsʰɔŋ^{53}pʰa^{53}iet^{3}tʂak^{3}təu$^{35}_{53}$tsɔk^{3}n̩$^{13}_{44}$tau^{21}.

【糊$_{2}$】fu^{13} 名像稠粥一样的食物：用面粉，用米粉也可以，调成～。iəŋ^{53}mien^{53}fən^{21},iəŋ^{53}mi^{21}fən^{21}na$_{44}$(←ia^{35})kʰo^{21}i$^{35}_{44}$,tʰiau$^{13}_{21}$ʂaŋ$^{13}_{44}$fu^{13}.

【糊豆子】fu^{13}tʰei^{53}tsɿ^{0} 旧时客家人在田埂上种黄豆。待其长到一定程度时，在其根部放灰肥，然后用田里的烂泥将灰肥覆盖起来：欸，还有嘞～，从前藉田塍上栽豆子。豆子长倒有蛮大子了，就爱除草，爱……有么人去扯。只有啦么啊嘞？放滴子灰去，然后分田里个烂泥搊起来，糊稳渠，蒙稳渠，就安做～。e$_{21}$,xai$^{13}_{21}$iəu$^{35}_{44}$le^{0}fu^{13}tʰei^{53}tsɿ^{0},tsʰəŋ^{13}tsʰien^{13}tʂa$^{53}_{44}$tʰien^{13}ʂən^{13}xɔŋ$^{53}_{44}$tsɔi^{35}tʰei^{53}tsɿ^{0}.tʰei^{53}tsɿ^{0}tʂɔŋ^{21}tau^{21}iəu^{35}man^{13}tʰai^{53}tsɿ^{0}liau^{0},tsʰiəu^{53}ɔi^{53}tʂʰɥ^{13}tsʰau^{21},ɔi^{53}…mau^{13}mak^{3}in$^{13}_{21}$çi^{53}tʂʰa^{21}.tʂʅ^{21}iəu^{35}la^{0}mak^{3}a^{0}le^{0}?fɔŋ^{53}tet^{5}tsɿ^{0}fɔi^{35}çi$^{53}_{44}$,vien^{13}xei$^{53}_{44}$pən$^{35}_{44}$tʰien^{13}li$^{21}_{44}$ke$^{53}_{44}$lan^{53}lai^{13}tsʰei^{35}çi^{21}lɔi^{13},fu^{13}uən^{21}ci$^{13}_{44}$,maŋ^{35}uən^{21}ci$^{13}_{44}$,tsʰiəu$^{53}_{44}$ɔn$^{35}_{44}$tso$^{53}_{44}$fu^{13}tʰei^{53}tsɿ^{0}.

【糊糊架架】fu^{13}fu^{13}cia^{53}cia^{53} 形容很脏：有兜老人家子食起饭来～，颏仰下搞倒箇口水鼻脓都有哇。iəu^{35}te$^{35}_{53}$lau^{21}ɲin^{13}ka$^{35}_{44}$tsɿ^{0}ʂət^{5}çi^{21}fan^{53}nɔi$^{13}_{44}$fu^{13}fu^{13}cia^{53}cia^{53},kɔi^{35}ŋɔŋ$^{35}_{44}$xa^{35}kau^{21}tau^{21}kai^{53}xei^{21}ʂei^{21}pʰi^{53}ləŋ$^{13}_{21}$təu$^{35}_{44}$iəu$^{35}_{44}$ua^{0}.

【糊里糊涂】fu^{13}li^{0} fu^{13}t^{h}əu$^{13}_{44}$ 形很糊涂：做事还系爱清醒兜子啊，爱动脑筋滴子，莫～乱搞哇。tso^{53}sɿ^{53}xa$^{13}_{21}$xe$^{53}_{44}$ɔi$^{53}_{44}$ts^{h}in^{35}siaŋ^{21}te$^{35}_{53}$tsɿ^{0}a^{0},ɔi$^{53}_{44}$t^{h}əŋ^{53}lau^{21}cin$^{35}_{44}$tiet^{5}tsɿ^{0},mɔk^{5}fu^{13}li^{0}fu$^{13}_{44}$t^{h}əu$^{13}_{44}$lɔn^{53}kau^{21}ua^{0}.

【糊黎】u^{13}ɲia$^{13}_{53}$ 形脏，不干净：讲别人家真～，真唔卫生呐，“衫上都结痢去哩”。kɔŋ^{21}p^{h}iet^{5}in$^{13}_{21}$ka$^{35}_{44}$tʂən^{35}u^{13}ɲia$^{13}_{53}$,tʂən^{35}n̩^{13}uei^{53}sien$^{35}_{44}$na^{0},"san^{35}xɔŋ$^{53}_{44}$təu$^{35}_{53}$ciet^{3}lait^{3}çi^{53}li^{0}".

【糊涂】fu^{13}t^{h}əu$^{13}_{44}$ 形指人不明事理；对事物的认识模糊或混乱。有“AABB”重叠式：人老哩就会～哇。我叔叔今年九十岁，有兜子～了，有兜子蛮～了。ɲin^{13}nau^{21}li^{0}tsiəu^{53}uɔi$^{53}_{44}$fu$^{13}_{44}$t^{h}əu$^{13}_{44}$ua^{0}.ŋai^{13}ʂəuk^{3}ʂəuk^{3}cin^{35}ɲien$^{13}_{44}$ciəu^{21}ʂət^{5}sɔi^{53},iəu^{35}te$^{35}_{53}$tsɿ^{0}fu$^{13}_{44}$t^{h}əu$^{13}_{44}$liau^{0},iəu^{35}te$^{35}_{53}$tsɿ^{0}man$^{13}_{21}$fu$^{13}_{21}$t^{h}əu$^{13}_{21}$liau^{0}. | 我叔叔就有兜子～了，就～了。ŋai^{13}ʂəuk^{3}ʂəuk^{3}ts^{h}iəu$^{53}_{44}$iəu^{35}te$^{35}_{53}$tsɿ^{0}fu^{13}fu$^{13}_{44}$t^{h}əu$^{13}_{44}$t^{h}əu$^{13}_{44}$liau^{0},ts^{h}iəu^{53}fu^{13}fu$^{13}_{44}$t^{h}əu$^{13}_{44}$t^{h}əu$^{13}_{21}$liau^{0}.

【糊涂官】fu^{13}t^{h}əu^{13}kɔn^{35} 名指昏庸、瞎指挥的官员：以前就我等箇映就有～呐。箇真系～呐。欸，爱栽早禾，爱栽两到，欸，欸。我等人舞新家队都箇都去岭顶头呀，高又咁高哇，阳光又唔好哇，岭岗又咁多啊，又湖洋眼呐，湖洋田呐，咁个栏场也卡倒我等人栽早禾栽二禾。两到加起来都冇得一到个收成。箇唔系～？硬害死人呐箇～呐。i$^{35}_{53}$ts^{h}ien^{13}ts^{h}iəu$^{53}_{44}$ŋai^{13}tien^{0}kai^{53}iaŋ^{53}ts^{h}iəu^{53}iəu$^{35}_{53}$fu^{13}t^{h}əu$^{13}_{21}$kɔn^{35}na^{0}.kai^{53}tʂən^{35}ne$^{53}_{21}$fu$^{13}_{21}$t^{h}əu$^{13}_{21}$kɔn$^{35}_{44}$na^{0}.e$_{21}$,ɔi^{53}tsɔi^{35}tsau^{21}uo^{13},ɔi$^{53}_{44}$tsɔi^{35}iɔŋ^{21}tau^{53},e$_{21}$.ŋai^{13}tien^{0}in$^{13}_{21}$u^{21}sin^{35}cia$^{35}_{44}$ti^{53}təu$^{35}_{44}$kai$^{53}_{44}$təu$^{35}_{44}$çi^{53}liaŋ^{35}taŋ^{21}t^{h}ei^{13}ia^{0},kau^{35}iəu$^{53}_{21}$kan^{21}kau^{35}ua^{0},iɔŋ^{13}kɔŋ$^{35}_{44}$iəu^{53}m̩^{13}xau^{21}ua^{0},liaŋ^{35}kɔŋ$^{35}_{44}$iəu^{53}kan^{21}to^{35}a^{0},iəu^{53}fu^{13}iɔŋ$^{13}_{44}$ŋan^{21}na^{0},fu^{13}iɔŋ$^{13}_{44}$t^{h}ien^{13}na^{0},kan$^{21}_{13}$cie^{53}laŋ$^{13}_{21}$tʂ^{h}ɔŋ$^{13}_{44}$ia^{35}k^{h}a^{21}tau^{21}ŋai^{13}tien^{0}ɲin$^{13}_{21}$tsɔi$^{35}_{44}$tsau^{21}uo$^{13}_{21}$tsɔi$^{35}_{44}$ɲi^{53}uo$^{13}_{21}$.iɔŋ^{21}tau^{53}cia$^{35}_{44}$çi^{21}lɔi$^{13}_{21}$təu$^{35}_{53}$mau^{13}tek^{3}iet^{3}tau^{53}ke$^{53}_{44}$ʂəu$^{35}_{44}$tʂ^{h}ən^{13}.kai^{53}m̩$^{13}_{21}$p^{h}e^{53}fu$^{13}_{21}$t^{h}əu$^{13}_{21}$kɔn$^{35}_{44}$?ɲiaŋ$^{53}_{44}$xɔi^{53}si^{21}ɲin^{13}na^{0}kai^{53}fu$^{13}_{21}$t^{h}əu$^{13}_{21}$kɔn^{35}na^{0}.

【虎口】fu^{21}xei^{21} 名大拇指与食指相连的部分：以映安做～吧？安做～，以映子安做～。i^{21}iaŋ$^{53}_{44}$ɔn$^{35}_{53}$tso$^{53}_{44}$fu^{21}xei^{21}pa^{0}?ɔn$^{35}_{44}$tso$^{53}_{44}$fu^{21}xei^{21},i^{21}iaŋ$^{53}_{44}$tsɿ^{0}ɔn$^{35}_{44}$tso$^{53}_{44}$fu^{21}xei^{21}.

【虎钳】fu^{21}c^{h}ian^{13} 名一种手工工具，钳口有刃，多用来起钉子或夹断钉子和铁丝：以前冇得，尖嘴钳呐，～呐。i$^{35}_{44}$ts^{h}ien$^{13}_{21}$mau^{13}tek^{3},tsian$^{35}_{44}$tsi^{21}c^{h}ian^{13}na^{0},fu^{21}c^{h}ian^{13}na^{0}.

【虎印】fu^{21}in^{53} 名在砍倒的树上用印章打下的标识：我等箇映有兜渠欸如今分哩岭岗分倒哩户吵，渠等人斫杉树吵，渠就斫倒个杉树不可能临时舞归去，舞唔起。生杉铁秤砣。真重，生个杉树哇铁秤砣。十分重，生杉树舞唔归去。爱剥嘿皮来，等渠跍倒岭上搞两个月。还有只嘞，莫打榀。搁起来，箇只莵莫搞下泥肚里，欸，分渠搁起来。一只搁起来，第二只爱剥皮，第三只莫打榀，放下岭上，放几个月，放两个月。箇下去舞归来，箇就安做出杉树。箇就安做出杉树了，箇就飘轻哩，箇时候就飘轻哩。去岭上出杉树哇，从岭肚里出出来。箇唔系箇杉树跍倒岭上爱搞个把两个月？怕别人家偷，就打只～。就一只咁个目的，欸，怕别人家偷，箇两个月肚里怕别人家偷嘿。ŋai^{13}tien^{0}kai$^{53}_{44}$iaŋ$^{53}_{44}$iəu$^{35}_{44}$te$^{35}_{44}$ci$^{13}_{21}$e$_{21}$i$^{13}_{21}$cin$^{35}_{44}$fən^{35}ni^{0}liaŋ^{35}kɔŋ$^{35}_{44}$fən$^{35}_{44}$tau^{21}li^{0}fu^{53}ʂa^{0},ci^{13}tien^{0}in$^{13}_{21}$tʂɔk^{3}sa^{35}ʂəu^{53}ʂa^{0},ci^{13}ts^{h}iəu^{53}tʂɔk^{3}tau^{21}ke^{0}sa^{35}ʂəu^{53}pət^{3}k^{h}o^{21}lən$^{13}_{44}$lin^{13}ʂɿ$^{13}_{21}$u^{21}kuei$^{35}_{44}$çi$^{53}_{21}$,u$^{21}_{44}$n̩$^{13}_{44}$çi^{21}.saŋ^{35}sa$^{35}_{44}$t^{h}iet^{3}tʂ^{h}ən^{53}t^{h}o^{13}.tʂən^{35}tʂ^{h}əŋ^{35},saŋ^{35}ke^{53}sa^{35}ʂəu^{53}ua^{0}t^{h}iet^{3}tʂ^{h}ən^{53}t^{h}o^{13}.ʂət^{5}fən$^{35}_{44}$tʂ^{h}əŋ^{35},saŋ^{35}sa$^{35}_{44}$ʂəu^{53}u^{21}n̩$^{13}_{21}$kuei$^{35}_{44}$çi^{53}.ɔi^{53}pɔk^{3}(x)ek^{3}p^{h}i^{13}lɔi$^{13}_{44}$,ten^{21}ci^{13}ku$^{35}_{44}$tau$^{21}_{44}$liaŋ^{35}xɔŋ^{53}kau^{21}iɔŋ^{21}ke^{53}ɲiet^{5}.xai^{13}iəu$^{35}_{53}$tʂak^{3}le^{0},mɔk^{5}ta^{21}k^{h}ua^{21}.kɔk^{3}çi^{21}lɔi$^{13}_{44}$,kai$^{53}_{44}$tʂak^{3}tei^{35}mɔk^{5}kau^{21}ua^{53}lai^{13}təu^{21}li^{0},e$_{21}$,pən^{35}ci$^{13}_{21}$kɔk^{3}çi^{21}lɔi^{13}.iet^{3}tʂak^{3}kɔk^{3}çi^{21}lɔi$^{13}_{44}$,t^{h}i^{53}ɲi^{53}tʂak^{3}ɔi^{53}pɔk^{3}p^{h}i^{13},t^{h}i$^{53}_{44}$san$^{35}_{44}$tʂak^{3}mɔk^{5}ta^{21}k^{h}ua^{21},fɔŋ$^{53}_{44}$xa$^{53}_{44}$liaŋ^{35}xɔŋ^{53},fɔŋ^{53}ci^{21}ke$^{53}_{44}$ɲiet^{5},fɔŋ^{53}iɔŋ^{21}ke$^{53}_{44}$ɲiet^{5}.kai^{53}xa$^{53}_{44}$çi$^{53}_{44}$u^{21}kuei$^{35}_{44}$lɔi$^{13}_{44}$,kai$^{53}_{44}$ts^{h}iəu$^{53}_{44}$ɔn$^{35}_{44}$tso$^{53}_{44}$tʂ^{h}ət^{3}sa^{35}ʂəu^{53}.kai$^{53}_{44}$ts^{h}iəu^{53}ɔn$^{35}_{53}$tso^{53}tʂ^{h}ət^{3}sa^{35}ʂəu^{53}liau^{0},kai^{53}ts^{h}iəu^{53}p^{h}iau^{35}c^{h}iaŋ^{35}li^{0},kai^{53}ʂɿ$^{13}_{44}$xəu$^{53}_{44}$tsiəu^{53}p^{h}iau^{35}c^{h}iaŋ^{35}li^{0}.çi^{53}liaŋ^{35}xɔŋ^{53}tʂ^{h}ət^{3}sa^{35}ʂəu^{53}ua^{0},ts^{h}əŋ$^{13}_{44}$liaŋ^{35}təu^{21}li^{0}tʂ^{h}ət^{3}tʂ^{h}ət^{3}lɔi$^{13}_{44}$.kai^{53}m̩$^{13}_{21}$p^{h}ei^{53}kai$^{53}_{21}$sa^{35}ʂəu^{53}k^{h}u^{35}tau^{21}liaŋ^{35}xɔŋ^{53}ɔi$^{53}_{44}$kau^{21}cie^{53}pa^{21}iɔŋ^{21}cie^{53}ɲiet^{5}?p^{h}a^{53}p^{h}iet^{5}in$^{13}_{44}$ka$^{35}_{44}$t^{h}ei^{35},tsiəu^{53}ta^{21}tʂak^{3}fu^{21}in^{53}.tsiəu^{53}iet^{3}tʂak^{3}kan$^{21}_{13}$(c)ie^{53}muk^{3}tiet^{3},e$_{21}$,p^{h}a^{53}p^{h}iet^{5}in$^{13}_{44}$ka$^{35}_{44}$t^{h}ei^{35},kai^{53}iɔŋ^{21}ke^{53}ɲiet^{5}təu^{21}li^{0}p^{h}a^{53}p^{h}iet^{5}in$^{13}_{44}$ka$^{35}_{44}$t^{h}ei^{35}xek^{3}.

【户】fu^{53} 量用于家庭：一～人家 iet^{3}fu^{53}ɲin$^{13}_{21}$ka$^{35}_{44}$

【戽】fu^{53} 动踢开；甩开：细人子会～被窝啊。sei^{53}ɲin$^{13}_{44}$tsɿ^{0}uɔi^{53}fu^{53}p^{h}i^{35}p^{h}o$^{35}_{44}$a^{0}.

【戽壁沟】fu^{53}piak^{3}kei^{35} 耕田时用耙子将靠近内侧塝下的泥弄到田中间去：～呀，渠是咁个，山里个田塝高，系唔系？塝高。塝高嘞一方面呢就有草，爱分箇塝个草嘞铲下去。铲草就会戽兜泥下去吧，系唔系？还有一方面呢，就落水，箇个塝上个泥沙会冲下箇田壁下去。所以一般个田，山田子，只爱后背有只塝个话，山田子个壁下就更高，壁下更高。好，箇壁下更高嘞，搞犁耙嘞就带唔出来，箇泥呀舞唔出来，就只好用人工个方法，背张铁扎，分箇个壁下个高个箇个泥，有多个欸泥，一铁扎一铁扎调下外背去，调下田中间去，安做～。调一路过，形成一条沟，壁下低滴子形成一条沟都要得。呃，耙正哩田以后，箇壁下不能更高，搞么个嘞？壁下低兜都做得，因为不久就会有又会有泥打得下来呀，系唔系？又会有泥打得下来呀。箇就安做～。～个目的就系使箇丘田更平，欸，就咁子作用。fu^{53}piak^{3} kei^{35}ia^{0},ci$^{13}_{21}$ʂʅ$^{53}_{44}$kan^{21}kei^{53},san^{35}ni^{21}ke^{0} t^{h}ien^{13}k^{h}an^{53}kau^{35},xei$^{53}_{44}$me$^{53}_{44}$?k^{h}an^{53}kau^{35}.k^{h}an^{53}kau$^{35}_{44}$lei^{0} iet^{3} xɔŋ$^{35}_{53}$mien$^{53}_{44}$nei^{0} ts^{h}iəu$^{53}_{44}$iəu$^{35}_{44}$ts^{h}au^{21},ɔi$^{53}_{44}$pən$^{35}_{44}$kai$^{53}_{44}$k^{h}an^{53}ke^{0} ts^{h}au^{21}lei^{0} ts^{h}an^{21}na$^{53}_{21}$çi^{53}.ts^{h}an^{21}ts^{h}au^{21}ts^{h}iəu^{53}uɔi^{53}fu^{53}te$^{35}_{53}$lai^{13}xa$^{53}_{44}$c^{h}i$^{53}_{44}$pa^{0},xei^{53}me^{53}?xai$^{13}_{21}$iəu$^{35}_{44}$iet^{3} fɔŋ^{35}mien$^{53}_{21}$nei^{0},ts^{h}iəu$^{53}_{44}$lɔk^{53}ʂei^{21},kai$^{53}_{44}$ke$^{53}_{44}$k^{h}an^{53}xɔŋ$^{53}_{44}$ke^{0} lai^{13}sa$^{35}_{44}$uɔi^{53}tʂ^{h}əŋ^{35}ŋa^{53}kai^{53}t^{h}ien^{13}piak^{3} xa^{53}çi^{53}.so^{21}i$^{35}_{53}$iet^{3} pɔn^{35}ke^{53}t^{h}ien^{13},san^{35}t^{h}ien$^{13}_{21}$tsʅ^{0},tʂʅ^{21}ɔi$^{53}_{44}$xei^{53}pɔi$^{53}_{44}$iəu^{35}tʂak^{3} k^{h}an^{53}ke$^{53}_{44}$fa$^{53}_{44}$,san^{35}t^{h}ien$^{13}_{44}$tsʅ^{0} ke$^{53}_{44}$piak^{3} xa$^{53}_{44}$ts^{h}iəu$^{53}_{44}$cien$^{53}_{21}$kau^{35},piak^{3} xa^{53}cien$^{53}_{44}$kau$^{35}_{44}$.xau$_{44}$,kai^{53}piak^{3} xa$^{53}_{44}$cien$^{53}_{21}$kau$^{35}_{44}$lei^{0},kau^{21}lai^{13}p^{h}a^{13}lei^{0} ts^{h}iəu^{53}tai^{53}n̩$^{13}_{21}$tʂ^{h}ət^{3} lɔi$^{13}_{21}$,kai^{53}lai^{13}ia^{0} u^{21}n̩$^{13}_{44}$tʂ^{h}ət^{3} lɔi^{13},ts^{h}iəu^{53}tʂʅ^{21}xau$^{21}_{44}$iəŋ^{53}ɲin^{13}kəŋ$^{35}_{44}$ke^{0}fɔŋ^{35}fait^{3},pi^{53}tʂɔŋ$^{35}_{44}$t^{h}iet^{3} tsait^{3},pən^{35}kai$^{53}_{44}$ke$^{53}_{44}$piak^{3} xa^{53}ke^{53}kau^{35}ke^{53}kai^{53}cie$^{53}_{44}$lai^{13},iəu$^{35}_{44}$to^{35}ke^{0} e$_{53}$lai$^{13}_{21}$,iet^{3} t^{h}iet^{3} tsait^{3} iet^{3} t^{h}iet^{3} tsait^{3} tiau^{53}ua$^{53}_{44}$ŋɔi^{53}pɔi$^{53}_{21}$çi$^{53}_{21}$,tiau^{53}ua$^{53}_{44}$t^{h}ien$^{13}_{21}$tʂəŋ$^{35}_{44}$kan^{35}çi^{53},ɔn$^{35}_{44}$tso$^{53}_{44}$fu^{53}piak^{3} kei^{35}.tiau^{53}iet^{3} ləu^{53}ko^{53},çin^{13}tʂ^{h}ən$^{13}_{44}$iet^{3} t^{h}iau$^{13}_{21}$kei^{35},piak^{3} xa$^{53}_{44}$te^{35}tiet^{5} tsʅ^{0} çin^{13}tʂ^{h}ən$^{13}_{44}$iet^{3} t^{h}iau$^{13}_{21}$kei^{35}təu$^{35}_{44}$iau^{53}tek^{3} .ə$_{44}$,p^{h}a^{13}tʂaŋ^{53}li^{0} t^{h}ien^{13}i$^{35}_{44}$xei$^{53}_{44}$,kai$^{53}_{44}$piak^{3} xa^{53}pət^{3} len$^{13}_{21}$cien$^{53}_{44}$kau^{35},kau^{21}mak^{3} e^{0} lei^{0} ?piak^{3} xa$^{53}_{44}$te^{35}te$^{35}_{44}$təu$^{35}_{44}$tso^{53}tek^{3} ,in^{35}uei^{53}pət^{3} ciəu^{21}ts^{h}iəu^{53}uɔi$^{53}_{44}$iəu$^{35}_{44}$iəu^{53}uɔi$^{53}_{44}$iəu$^{35}_{53}$lai^{13}ta^{21}tek^{3} xa^{35}lɔi$^{13}_{21}$ia^{0} ,xei^{53}me^{53}?iəu^{53}uɔi$^{53}_{44}$iəu$^{35}_{53}$lai^{13}ta^{21}tek^{3} xa$^{35}_{44}$lɔi$^{13}_{21}$ia^{0} .kai$^{53}_{21}$ts^{h}iəu$^{53}_{44}$ɔn$^{35}_{44}$tso$^{53}_{44}$fu^{53}piak^{3} kei^{35}.fu^{53}piak^{3} kei$^{35}_{44}$ke$^{53}_{44}$muk^{3} tiet^{3} ts^{h}iəu^{53}xei^{53}ʂʅ^{21}kai^{53}c^{h}iəu^{35}t^{h}ien$^{13}_{21}$cien^{53}p^{h}iaŋ^{13},e$_{21}$,ts^{h}iəu^{53}kan^{21}tsʅ^{0} tsɔk^{3} iəŋ^{53}.

【庰庰耷耷】fu^{53}fu^{53}tait^{5} tait^{5} 形容动作非常快：欸，我新舅做起事来呀就系～，做起事来～，走起路来也～。e$_{21}$,ŋai^{13}sin^{35}c^{h}iəu^{35}tso^{53}çi^{21}sʅ^{53}lɔi$^{13}_{21}$ia^{0} ts^{h}iəu^{53}xe$^{53}_{44}$fu^{53}fu$^{53}_{44}$tait^{5} tait^{5} ,tso^{53}çi^{21}sʅ^{53}lɔi$^{13}_{21}$fu^{53}fu$^{53}_{44}$tait^{5} tait^{5} ,tsei^{21}çi^{21}ləu^{53}lɔi$^{13}_{21}$ia^{35}fu^{53}fu$^{53}_{44}$tait$^{5}_{3}$ tait^{5} .

【瓠瓜】fu^{53}kua$^{35}_{44}$ 名 葫芦：箇～啊，我等又安做蒲子嘞，又安做渠蒲水嘞。kai$^{53}_{44}$fu^{53}kua$^{35}_{44}$a^{0} ,ŋai$^{13}_{21}$tien^{0} iəu$^{53}_{44}$ɔn$^{35}_{44}$tso$^{53}_{44}$p^{h}u^{13}tsʅ^{0} lei^{0} ,iəu$^{53}_{44}$ɔn$^{35}_{44}$tso$^{53}_{44}$ci$^{13}_{21}$p^{h}u^{13}ʂei^{21}lei^{0} .

【花$_{1}$】fa^{35} 名 植物的繁殖器官：掐滴子～ k^{h}ait^{3} tiet^{5} tsʅ^{0} fa^{35} ｜～开哩。fa^{35}k^{h}ɔi^{35}li^{0} .

【花$_{2}$】fa^{35} 动 使用；花费：（薄膜）唔～么个钱呢。n̩^{13}fa^{35}mak^{3} ke^{53}ts^{h}ien^{13}ne^{0} . ｜箇系晓得～一□子人工做个。kai^{53}xe$^{53}_{44}$çiau^{21}tek$^{3}_{5}$ fa$^{35}_{44}$iet^{3} tsiau$^{35}_{44}$tsʅ^{0} ɲin$^{13}_{21}$kəŋ$^{35}_{44}$tso^{53}ke$^{53}_{21}$.

【花板】fa^{35}pan^{21} 名 建筑、家具等上面镶嵌的镂空或刻有花纹图案的木板：欸，从前就讲究好看呢，有～。（床架子）面前一线，就放几块子～。箇～呢么个嘞，就用箇张树板子，镂空个欸雕个～。其实都唔系雕个，就系咁子钻正只眼来，箇个唔爱个栏场嘞钻正只眼，𢑚条钢丝子，钢丝锯子，穿过去，就咁子箑嘿滴去，锯嘿滴去。就咁子欸镂空个。e$_{21}$,ts^{h}əŋ^{13}ts^{h}ien^{13}ts^{h}iəu^{53}kɔŋ^{21}ciəu^{53}xau^{21}k^{h}ɔn^{53}ne^{0} ,iəu$^{35}_{53}$fa^{35}pan^{21}.mien^{53}ts^{h}ien$^{13}_{21}$iet^{3} sen^{53},ts^{h}iəu$^{53}_{44}$fɔŋ^{53}ci^{21}k^{h}uai^{53}tsʅ^{0} fa^{35}pan^{21}.kai$^{53}_{44}$fa^{35}pan^{21}ne^{0}mak^{3} e^{0} lei^{0} ,ts^{h}iəu$^{53}_{44}$iəŋ$^{53}_{44}$kai$^{53}_{44}$tʂɔŋ^{35}ʂəu^{53}pan^{21}tsʅ^{0} ,ləu^{53}k^{h}əŋ^{35}ke^{0} ei^{0} tiau$^{35}_{44}$ke^{53}fa^{35}pan^{21}. c^{h}i^{13}ʂət^{5} təu$^{35}_{53}$m̩$^{13}_{21}$p^{h}e$^{53}_{44}$tiau^{35}ke^{0} ,ts^{h}iəu^{53}xe^{53}kan^{21}tsʅ^{0} tsɔn^{53}tʂaŋ^{53}tʂak^{3} ŋan^{21}nɔi^{13},kai$^{53}_{44}$ke$^{53}_{44}$m̩$^{13}_{21}$mɔi^{53}ke^{0} laŋ$^{13}_{21}$tʂ^{h}ɔŋ$^{13}_{21}$lei^{0} tsɔn^{53}tʂaŋ^{53}tʂak^{3} ŋan^{21},u^{21}t^{h}iau^{13}kɔŋ^{35}sʅ$^{35}_{44}$tsʅ^{0} ,kɔŋ^{35}sʅ$^{35}_{44}$cie^{53}tsʅ^{0} ,tʂ^{h}ɔn^{53}ko^{53}çi^{53},tsiəu^{53}kan^{21}tsʅ^{0} sak^{3} (x)ek^{3} tet^{5} çi^{53},cie^{53}(x)ek^{3} tet^{5} çi^{53}.ts^{h}iəu^{53}kan$^{21}_{13}$tsʅ^{0} e$_{44}$ləu^{53}k^{h}əŋ^{35}ke^{0}.

【花板床】fa^{35}pan^{21}ts^{h}ɔŋ^{13} 名 雕花床，装饰有花板的架子床：床头镜，箇是有滴人个～上啊嵌面镜子去嘞。ts^{h}ɔŋ^{13}t^{h}ei^{13}ciaŋ^{53},kai$^{53}_{44}$ʂʅ$^{53}_{44}$iəu^{35}tet^{5} ɲin$^{13}_{44}$ke$^{53}_{44}$fa^{35}pan^{21}ts^{h}ɔŋ^{13}xɔŋ$^{53}_{44}$ŋa$_{44}$(←a^{35})xan^{53}mien$^{53}_{44}$ciaŋ^{53}tsʅ^{0} çi^{53}lei^{0} .

【花瓣】fa^{35}p^{h}an^{53} 名 构成花冠的叶状部分：一朵花就系由一只一只个～组成个。系唔系？箇个就～呐。欸，中间箇只就花心呢。iet^{3} to^{21}fa^{35}ts^{h}iəu^{53}xei^{53}iəu$^{13}_{44}$iet^{3} tʂak^{3} iet^{3} tʂak^{3} ke^{0} fa^{35}p^{h}an^{53}tsəu^{21}tʂ^{h}ən^{13}ke^{0} .xei^{53}me^{53}?kai$^{53}_{44}$ke$^{53}_{44}$ts^{h}iəu$^{53}_{44}$fa^{35}p^{h}an^{53}na^{0} .ei$_{21}$,tʂəŋ^{35}kan$^{35}_{44}$kai^{53}tʂak^{3} ts^{h}iəu^{53}fa^{35}sin^{35}ne^{0} .

【花苞子】fa^{35}pau^{35}tsʅ^{0} 名 花蕾：石榴花开哩两个月以后嘞，就一只～都爱搞你个把月，然后正结石榴。ʂak^{5} liəu$^{13}_{21}$fa$^{35}_{44}$k^{h}ɔi$^{35}_{44}$li^{0} iɔŋ^{21}ke^{53}ɲiet$^{5}_{3}$ i$^{35}_{44}$xei$^{53}_{44}$lei^{0} ,ts^{h}iəu^{53}iet^{3} tʂak^{3} fa^{35}pau^{35}tsʅ^{0} təu$^{35}_{44}$ɔi^{53}kau^{21}ɲi$^{13}_{21}$cie^{53}pa^{21}ɲiet^{5} ,vien^{13}xei$^{53}_{44}$tʂaŋ^{53}ciet^{3} ʂak^{5} liəu^{13}.

【花边】fa^{35}pien^{35} 名 ①镶在衣服边做装饰用的花纹条带。也称“花边子”：细人子个衫裤就欸有兜箇个爱美个爷娭呀娭子啊就喜欢同渠个尤其系细妹子个衫裤，系唔系？同渠贴只子～子去。蛮好看，箇只东西蛮好看。sei^{53}ɲin$^{13}_{44}$tsʅ^{0} ke$^{53}_{44}$san$^{35}_{44}$fu$^{53}_{44}$ts^{h}iəu^{53}ei$_{21}$iəu^{35}tei$^{35}_{44}$kai^{53}ke$^{53}_{44}$ŋai^{53}mei^{21}ke$^{53}_{44}$ia^{13}ɔi^{35}ia^{0} ɔi^{35}tsʅ^{0} a^{0} ts^{h}iəu$^{53}_{44}$çi^{21}fɔn$^{35}_{53}$t^{h}əŋ$^{13}_{21}$ci$^{13}_{44}$ke$^{53}_{44}$iəu^{13}c^{h}i$^{13}_{44}$xe^{53}sei^{53}mɔi^{53}tsʅ^{0} ke^{0} san$^{35}_{44}$fu$^{53}_{44}$,xei^{53}me^{53}?t^{h}əŋ$^{13}_{21}$ci$^{13}_{44}$t^{h}iait^{3} tʂak^{3} tsʅ^{0} fa^{35}pien$^{35}_{44}$tsʅ^{0} çi^{53}.man^{13}xau^{21}k^{h}ɔn^{53},kai$^{53}_{44}$(tʂ)ak^{3} təŋ$^{35}_{44}$si^{0} man$^{13}_{21}$xau^{21}k^{h}ɔn^{53}. ②银圆。又称“绾花边”：欸，我听我公公讲过呢，渠话一只当兵个人呐，跍倒街上看得一只婆婆子叫起来，么

个分别人家舞倒渠呀一块～呢成哩舞倒一块假～分渠，箇只当兵个人麻溜拿块真～同渠对倒，对倒箇只婆婆子个假～，系啊？箇婆婆子就可以拿倒箇块～去买东西了吵。以只当兵个人呢拿倒箇块～呢长日子袋下以映话，袋下表袋子里。有一次打仗啊，一枪打下去，打下去箇块～上，救倒哩渠个命。爱做好人呐。我公公是讲倒我只二叔公是渠讲起真个样哦。e$_{44}$,ŋai$^{13}_{21}$ tʰaŋ^{35}ŋai$^{13}_{44}$kəŋ^{35}kəŋ^{35}kəŋ^{21}ko^{53}nei^{0},ci$^{13}_{21}$ua^{53}iet^{3} tʂak^{3} təŋ^{35}pin^{35}ke^{53}ɲin$^{13}_{44}$na^{0},kʰu^{35}tau^{21}kai^{35}xɔŋ$^{35}_{44}$kʰɔn^{53}tek^{3} iet^{3} tʂak^{3} pʰo^{13}pʰo$^{13}_{44}$tsɿ^{0} ciau^{53}çi^{21}lɔi^{13},mak^{3} ke^{53}pən^{35}pʰiet^{5} in$^{13}_{21}$ka$^{35}_{44}$u^{21}tau^{21}ci$^{13}_{44}$ia$_{21}$,iet^{3} kʰuai^{53}fa^{35}pien$^{35}_{44}$nei^{0} tʂʰaŋ$^{13}_{21}$li^{0} u^{21}tau^{21}(i)et^{3} kʰuai^{53}cia^{21}fa$^{35}_{44}$pien$^{35}_{44}$pən$^{35}_{44}$ci$^{13}_{44}$,kai^{53}tʂak^{3} təŋ$^{35}_{44}$pin$^{35}_{44}$ke^{53}ɲin$^{13}_{21}$ma$^{13}_{21}$liəu$^{35}_{44}$la^{53}kʰuai$^{53}_{44}$tʂən^{35}fa$^{35}_{44}$pien$^{35}_{44}$ tʰəŋ$^{13}_{21}$ci$^{13}_{21}$ti^{53}tau^{21},ti^{53}tau^{21}kai^{53}tʂak^{3} pʰo$^{13}_{44}$pʰo$^{13}_{44}$tsɿ^{0} kei^{53}cia^{21}fa$^{35}_{44}$pien^{35},xei^{53}a^{0} ?kai^{53}pʰo^{13}pʰo$^{13}_{44}$tsɿ^{0} tsʰiəu^{53}kʰo^{21}i$^{35}_{44}$ la^{53}tau^{21}kai$^{53}_{44}$kʰuai$^{53}_{44}$fa$^{35}_{44}$pien$^{35}_{44}$çi^{53}mai^{35}təŋ^{35}si^{0} liau^{0} ʂa^{0}.i^{21}tʂak^{3} təŋ^{35}pin^{35}ke^{53}ɲin$^{13}_{21}$nei^{0} la^{53}tau^{21}kai$^{53}_{44}$kʰuai$^{53}_{44}$fa$^{35}_{44}$ pien$^{35}_{44}$nei^{0} tʂʰɔŋ$^{13}_{21}$ɲiet^{3} tsɿ^{0} tʰɔi^{53}(x)a$^{53}_{44}$i$^{13}_{21}$iaŋ$^{53}_{44}$ua$^{53}_{44}$,tʰɔi$^{53}_{44}$(x)a$^{53}_{44}$piau^{21}tʰɔi^{53}tsɿ^{0} li^{0} .iəu^{35}iet^{3} tsʰɿ^{53}ta^{21}tʂɔŋ^{53}ŋa^{0},iet^{3} tsʰiɔŋ^{35}ta^{21}xa$^{53}_{44}$çi^{53},ta^{21}xa$^{53}_{44}$ci$^{13}_{44}$kai$^{53}_{44}$kʰuai$^{53}_{44}$fa$^{35}_{44}$pien$^{35}_{44}$xɔŋ^{53},ciəu^{53}tau^{21}li^{0} ci$^{13}_{21}$ke$^{53}_{44}$miaŋ^{53}.ɔi^{53}tso^{53}xau^{21}ɲin$^{13}_{21}$na^{0}. ŋai$^{13}_{21}$kəŋ^{35}kəŋ$^{35}_{44}$ʂɿ$^{53}_{44}$kɔŋ^{21}tau^{21}ŋai$^{13}_{21}$tʂak^{3} ɲi^{53}ʂəuk^{3} kəŋ^{35}ʂɿ$^{53}_{44}$ci$^{13}_{21}$kɔŋ^{21}çi$^{21}_{44}$tʂən^{35}cie$^{53}_{44}$iɔŋ$^{53}_{44}$ŋo^{0}.

【花布】fa^{35}pu^{53} 名采用各种办法将花纹或图案制作到布料上而形成的布：以前是只有箇个后生妹子就着～。以下我等箇有只亲戚去长沙箇，渠话："输哩命！嗯，舞倒我等六七十岁了着～！"渠话："我都真唔好意思，着哩么个？眙下子箇边上个夫娘子尽着～。"嘿，渠箇到打电话分我呀。我等喊表姑哇。i$^{35}_{53}$tsʰien^{13}ʂɿ$^{53}_{44}$tʂɿ^{21}iəu$^{35}_{53}$kai$^{53}_{44}$ke$^{53}_{44}$xei^{53}saŋ$^{35}_{44}$mɔi^{53}tsɿ^{0} tsiəu$^{53}_{21}$tʂɔk^{3} fa$^{35}_{44}$pu^{53}.i^{21} xa$^{53}_{44}$ŋai^{13}tien^{0} kai$^{53}_{44}$iəu^{35}tʂak^{3} tsʰin^{35}tsʰiet^{3} çi$^{53}_{44}$tʂʰɔŋ^{13}sa$^{35}_{44}$kai^{53},ci$^{13}_{21}$ua$^{53}_{44}$:"ʂəu$^{35}_{44}$li^{0} miaŋ^{53}!n̩$_{44}$,u^{21}tau^{21}ŋai^{13}tien^{0} liəuk^{3} tsʰiet^{3} ʂət^{5} sɔi^{53}liau^{0} tʂɔk^{3} fa^{35}pu^{53}!"ci^{13}ua^{53}:"ŋai^{13}təu$^{35}_{53}$tʂən$^{35}_{44}$n̩^{13}xau^{21}i^{53}sɿ$^{35}_{44}$,tʂɔk^{3} li^{0} mak^{3} e^{0} ?tʂʰɿ^{35}xa$^{53}_{44}$tsɿ^{0} kai$^{53}_{44}$pien^{35}xɔŋ$^{53}_{44}$ke^{0} pu$^{35}_{44}$ɲiɔŋ$^{13}_{21}$tsɿ^{0} tsʰin^{53}tʂɔk^{3} fa^{35}pu^{53}."xe$_{53}$,ci$^{13}_{21}$kai$^{53}_{44}$tau$^{53}_{44}$ta^{21}tʰien^{53}fa^{53}pən^{35}ŋai$^{13}_{21}$ia^{0} .ŋai^{13}tien^{0} xan^{53}piau^{21}ku^{35}ua^{0} .

【花菜】fa^{35}tsʰɔi^{53} 名花椰菜：箇只～还有别么啊喊法吗？/冇得，只有只晓得喊～。跟倒喊～。开花个唠，食这个花唠。/食个花。我等又少有赠种。赠种。/种唔多倒。产量唔高。箇还有西兰花噢。kai^{53}tʂak^{3} fa^{35}tsʰɔi^{53}xai^{13}iəu$^{35}_{44}$pʰiek^{5} mak^{3} a^{0} xan^{53}fait^{3} ma^{0} ?/mau^{13}tek^{3} ,tʂɿ^{21}tsʰiəu$^{53}_{44}$tʂɿ^{21}çiau^{21}tek^{3} xan^{53}fa^{35}tsʰɔi^{53}.cien^{35}tau^{21}xan^{53}fa^{35}tsʰɔi^{53}.kʰɔi^{35}fa^{35}ke$^{53}_{44}$lau^{0} ,ʂət^{5} tʂe$^{53}_{21}$ke$^{53}_{21}$fa^{35}lau^{0} ./ʂek^{5} ke$^{53}_{21}$fa^{35}.ŋai^{13}tien^{0} iəu$^{53}_{44}$ ʂau$^{21}_{53}$iəu$^{35}_{44}$maŋ^{13}tʂəŋ$^{53}_{44}$.maŋ^{13}tʂəŋ$^{53}_{44}$./tʂəŋ^{53}n̩$^{13}_{21}$to$^{35}_{44}$tau^{21}.tsʰan^{53}liɔŋ^{53}ŋ̍$^{13}_{21}$kau$^{35}_{44}$.kai$^{53}_{44}$xai$^{13}_{21}$iəu$^{35}_{44}$si^{35}lan$^{13}_{21}$fa^{35}au^{0} .

【花池】fa^{35}tʂʰɿ^{13} 名花坛。又称"花池子"：我等箇只冇得～。屋肚里冇得～。天心里有。天心里就有～，屋肚里冇得。就～，就～子。ŋai^{13}tien^{0} kai^{53}tʂak^{3} mau^{13}tek^{3} fa^{35}tʂʰɿ$^{13}_{21}$.uk^{3} təu^{21}li^{0} mau$^{13}_{21}$ tek^{3} fa^{35}tʂʰɿ$^{13}_{21}$.tʰien^{35}sin$^{35}_{44}$ni^{21} iəu^{35} .tʰien^{35}sin$^{35}_{44}$ni^{21} tsʰiəu$^{53}_{44}$iəu$^{35}_{44}$fa^{35}tʂʰɿ$^{13}_{21}$,uk^{3} təu^{21}li^{0} mau^{13}tek^{3} .tsʰiəu$^{53}_{44}$fa^{35} tʂʰɿ^{13},tsʰiəu$^{53}_{44}$fa^{35}tʂʰɿ^{13}tsɿ^{0} .

【花带】fa^{35}tai$^{53}_{21}$ 名带状花纹：肚里还做滴花纹去啊，做滴颜色哦。切倒箇只玉兰片就好看呐，就有～。təu^{21}li^{35}xai^{13}tso$^{53}_{44}$tet^{5} fa^{35}uən^{13}cʰi$^{53}_{44}$a^{0} ,tso$^{53}_{44}$tet$^{5}_{3}$ ŋan^{13}sek^{3} o^{0} .tsʰiet^{3} tau^{21}kai$^{53}_{44}$tʂak^{3} y^{53}lan^{13}pʰien$^{53}_{44}$ tsʰiəu$^{53}_{44}$xau^{21}kʰɔn^{53}na^{0} ,tsʰiəu$^{53}_{44}$iəu$^{35}_{44}$fa^{35}tai$^{53}_{21}$.

【花灯】fa^{35}ten$^{35}_{44}$ 名歌舞表演的一种道具：欸，以前也会出一起箇个正月头出一起灯，安做～。～有么个蛮多巧嘞，搞几只妹子，拿兜子花，扛只箇音箱子，到哩家家屋门口跳下子舞，就安做～。以几年就赠搞了，早几年都搞哩。还唱……箇是到哩一只栏场是有人接倒食饭箇只是，搞几桌是，还爱唱箇个哦，唱戏哟。ei$_{21}$,i$^{35}_{53}$tsʰien$^{13}_{44}$ia^{35}uɔi^{53}tʂʰət^{3} iet^{3} çi^{21}kai$^{53}_{44}$kei$^{53}_{44}$tʂaŋ$^{35}_{44}$ ɲiet^{5} tʰei$^{13}_{21}$tʂʰət^{3} iet^{3} çi^{21}ten^{35},ɔn$^{35}_{44}$tso$^{53}_{44}$fa^{35}ten$^{35}_{44}$.fa^{35}ten$^{35}_{44}$mau$^{13}_{21}$mak^{3} e^{0} man$^{13}_{21}$to$^{35}_{53}$cʰiau^{21}lei^{0} ,kau^{21}ci^{21}tʂak^{3} mɔi^{53} tsɿ^{0} ,la^{53}te$^{35}_{53}$tsɿ^{0} fa^{35},kʰuai^{21}tʂak^{3} kai$^{53}_{44}$in^{35}siɔŋ^{35}tsɿ^{0} ,tau$^{53}_{44}$li^{0} ka^{35}ka^{35}uk^{5} mən$^{13}_{21}$xei^{21}tʰiau^{53}xa$^{53}_{21}$tsɿ^{0} u^{35} ,tsʰiəu$^{53}_{44}$ɔn$^{35}_{44}$ tso$^{53}_{44}$fa^{35}ten$^{35}_{44}$.i^{21}ci^{21}ɲien$^{13}_{21}$tsʰiəu^{53}maŋ$^{13}_{21}$kau^{21}liau^{0} ,tsau^{21}ci^{21}ɲien$^{13}_{44}$təu$^{35}_{53}$kau^{21}li^{0} .xa^{13}tʂʰɔŋ^{53}···kai^{53}ʂɿ$^{53}_{44}$tau^{53}li^{0} iet^{3} tʂak^{3} laŋ$^{13}_{21}$tʂʰɔŋ$^{13}_{21}$ʂɿ$^{53}_{21}$iəu^{35}ɲin$^{13}_{21}$tsiait^{3} tau^{21}ʂət^{5} fan^{53}kai$^{53}_{44}$tʂak^{3} ʂɿ$^{53}_{44}$,kau^{21}ci^{21}tsɔk^{3} ʂɿ$^{53}_{21}$,xa$^{13}_{21}$ɔi^{53}tʂʰɔŋ^{53}kai$^{53}_{44}$ke$^{53}_{44}$o^{0}, tʂʰɔŋ$^{53}_{44}$çi^{53}io^{0} .｜出～是正月呀，呣，正月出～。箇收钱喏，收红包喔。面前一只人提马灯呐，后背一只人提只马灯呐，欸，带只篮子，收红包个，扛只袋子。tʂʰət^{3} fa^{35}ten$^{35}_{44}$ʂɿ$^{53}_{21}$tʂaŋ^{35}ɲiet^{5} ia^{0} ,m̩$_{21}$,tʂaŋ^{35}ɲiet^{5} tʂʰət^{3} fa$^{35}_{44}$ten$^{35}_{44}$.kai^{53}ʂəu$^{35}_{44}$tsʰien$^{13}_{21}$no^{0} ,ʂəu$^{35}_{44}$fəŋ^{13}pau$^{35}_{44}$uo^{0} .mien^{53}tsʰien$^{13}_{44}$iet^{3} tʂak^{3} ɲin$^{13}_{44}$tʰia$^{35}_{44}$ ma^{35}tien$^{35}_{44}$na^{0} ,xei^{53}pɔi$^{53}_{44}$iet^{3} tʂak^{3} ɲin$^{13}_{44}$tʰia$^{35}_{44}$tʂak^{3} ma$^{35}_{44}$ten$^{35}_{44}$na^{0} ,e$_{53}$,tai^{53}tʂak^{3} lan^{13}tsɿ^{0} ,ʂəu$^{35}_{44}$fəŋ$^{13}_{21}$pau$^{35}_{44}$ke^{0} ,kʰuai^{21} (tʂ)ak^{3} tʰɔi^{53}tsɿ^{0} .

【花豆】fa^{35}tʰei^{53} 名一种表皮有花纹的大颗粒豆类：～就一种豆子呢，灥大一只个豆子呢。欸，搣开来箇豆子个身上有花纹，皮上有花纹。豆子皮上，肚里箇果实箇层皮上有花纹，壳上冇得花纹呐，壳上就绿个。用来食啦。～就系煮倒食，做菜食。fa^{35}tʰei^{53}tsʰiəu$^{53}_{44}$iet^{3} tʂəŋ^{21}tʰei^{53}tsɿ^{0}

nei^{0},mən^{35}t^{h}ai^{53}iet^{3} tʂak^{3} ke^{0} t^{h}ei^{53}tsɿ^{0} nei^{0} .e$_{21}$,met^{3} k^{h}ɔi$^{35}_{53}$lɔi$^{35}_{44}$kai$^{53}_{44}$t^{h}ei^{53}tsɿ^{0} ke$^{53}_{44}$ʂən$^{35}_{44}$xɔŋ$^{53}_{44}$iəu$^{35}_{53}$fa^{35}uən$^{13}_{44}$,p^{h}i^{13} xɔŋ$^{53}_{44}$iəu$^{35}_{44}$fa^{35}uən$^{13}_{21}$.t^{h}ei^{53}tsɿ^{0} p^{h}i^{13}xɔŋ^{53},təu^{21}li^{0} kai^{53}ko^{21}ʂət^{5} kai^{53}ts^{h}ən$^{13}_{21}$p^{h}i^{13}xɔŋ^{53}iəu$^{35}_{53}$fa$^{35}_{44}$uən$^{13}_{44}$,k^{h}ɔk^{3} xɔŋ^{53} mau$^{13}_{44}$tek^{3} fa^{35}uən$^{13}_{21}$na^{0} ,k^{h}ɔk^{3} xɔŋ^{53}ts^{h}iəu^{53}liəuk^{5} ke^{0} .iəŋ$^{53}_{44}$lɔi$^{13}_{44}$ʂət^{5} la^{0} .fa^{35}t^{h}ei^{53}ts^{h}iəu^{53}xe$^{53}_{21}$tʂəu^{21}tau^{21}ʂət^{5} ,tso^{53} ts^{h}ɔi^{53}ʂət^{5} .

【花房】fa^{35}xɔŋ$^{13}_{21}$ 名 妓院：浏阳以前有条街出哩名个，梅花巷。食花酒呢。舞倒箇个妓女陪倒食酒哇，就食花酒呢。安做～呢。liəu^{13}iɔŋ$^{13}_{44}$i^{35}ts^{h}ien$^{13}_{21}$iəu$^{35}_{44}$t^{h}iau$^{13}_{21}$kai^{35}tʂ^{h}ət^{3} li^{0} miaŋ^{13}ke$^{53}_{44}$,mɔi^{13}fa$^{35}_{44}$ xɔŋ^{53}.ʂət^{3} fa^{35}tsiəu^{21}nei^{0} .u^{21}tau^{21}kai$^{53}_{44}$ke$^{53}_{44}$çi^{53}ɲy^{21}p^{h}ei^{13}tau^{21}ʂət^{5} tsiəu^{21}ua^{0} ,ts^{h}iəu$^{53}_{44}$ʂət^{5} fa^{35}tsiəu^{21}nei^{0} .ɔn$^{35}_{44}$tso$^{53}_{44}$ fa^{35}xɔŋ$^{13}_{21}$nei^{0} .

【花格子】fa^{35}kak^{3} tsɿ^{0} 名 指建筑、家具中经过榫合拼接形成的各种装饰图案：格子门呶，格子～唠。kak^{3} tsɿ^{0} mən^{13}nau^{0},kak^{3} tsɿ^{0} fa^{35}kak^{3} tsɿ^{0} lau^{0} .

【花根】fa^{35}cien^{35} 名 用面粉或米粉加工成的短条状油炸食品：用灰面做成咁个一条条子，做成咁长子一条条子，欸，大嘞就系几大子啊？大就细人子，摸摸子个手指子咁大子，咁大子一条子，用油一炮，就舞倒去卖，就安做～呐。我觉得爱发酵呢，我觉得爱发酵。用灰面做，爱发酵，发哩酵炮倒个更松。用米粉也做得成，用灰面也做得成。我觉得一般就用灰面做个多，因为米粉更贵。箇个就发哩呢，舞倒箇个箇泡打粉去发哩个呢。唔发就绷硬啊，唔发就绷硬一条哇，唔好食唠。我等搞就只会做箇起绷硬个啊，唔会去发呀，唔会发，发唔好。我只有箇东西总从来都赠成功。iəŋ^{53}fei^{35}mien^{53}tso^{53}tʂ^{h}ən$^{13}_{21}$kan$^{21}_{44}$ke^{53}iet^{3} t^{h}iau$^{13}_{21}$t^{h}iau^{13}tsɿ^{0} ,tso^{53}tʂ^{h}ən$^{13}_{21}$kan^{21} tʂ^{h}ɔŋ^{13}tsɿ^{0} iet^{3} t^{h}iau$^{13}_{21}$t^{h}iau^{13}tsɿ^{0} ,e$_{21}$,t^{h}ai^{53}lei^{0} ts^{h}iəu^{53}xe^{53}ci^{21}t^{h}ai^{53}tsa^{0} ?t^{h}ai^{53}ts^{h}iəu$^{53}_{44}$sei^{53}ɲin$^{13}_{21}$tsɿ^{0} ,mo^{35}mo$^{35}_{53}$tsɿ^{0} ke^{0} ʂəu^{21}tʂɿ^{21}tsɿ^{0} kan^{21}t^{h}ai^{53}tsɿ^{0} ,kan^{21}t^{h}ai^{53}tsɿ^{0} iet^{3} t^{h}iau^{13}tsɿ^{0} ,iəŋ^{53}iəu^{13}iet^{3} p^{h}au^{13},ts^{h}iəu$^{53}_{44}$u^{21}tau^{21}çi^{53}mai^{53},tsiəu$^{53}_{44}$ ɔn$^{35}_{44}$tso$^{53}_{44}$fa^{35}cien$^{35}_{44}$na^{0} .ŋai$^{13}_{21}$kɔk^{3} tek^{3} ɔi^{53}fait^{3} çiau^{53}nei^{0} ,ŋai$^{13}_{21}$kɔk^{3} tek^{3} ɔi^{53}fait^{3} çiau^{53}.iəŋ^{53}fei^{35}mien$^{53}_{44}$tso^{53} ,ɔi^{53} fait^{3} çiau^{53},fait^{3} li^{0} çiau^{53}p^{h}au$^{13}_{21}$tau^{21}kei^{0} cien$^{53}_{44}$səŋ^{35}.iəŋ^{53}mi^{21}fən^{21}na$^{35}_{53}$tso^{53}tek^{3} ʂaŋ$^{13}_{53}$,iəŋ$^{53}_{44}$fei^{35}mien$^{53}_{44}$ia^{35}tso^{53} (t)ek^{3} ʂaŋ$^{13}_{53}$.ŋai$^{13}_{21}$kɔk^{3} tek^{3} iet^{3} pɔn^{35}ts^{h}iəu^{53}iəŋ^{53}fei^{35}mien^{53}tso^{53}ke^{0} to^{35},in^{35}uei$^{53}_{44}$mi^{21}fən^{21}cien$^{53}_{44}$kuei^{53}.kai^{53}ke^{53} ts^{h}iəu^{53}fait^{3} li^{0} nei^{0} ,u^{21}tau^{21}kai$^{53}_{44}$ke$^{53}_{44}$kai$^{53}_{44}$p^{h}au^{53}ta^{21}fən^{21}çi^{53}fait^{3} li^{0} ke^{0} nei^{0} .m̩^{13}fait^{3} ts^{h}iəu$^{53}_{21}$paŋ^{35}ŋaŋ^{53}ŋa^{0} ,m̩^{13} fait^{3} ts^{h}iəu$^{53}_{44}$paŋ^{35}ŋaŋ^{53}iet^{3} t^{h}iau$^{13}_{44}$ua^{0} ,n̩$^{13}_{21}$xau^{21}ʂət^{5} lau^{0} .ŋai^{13}tien^{0} kau^{21}ts^{h}iəu$^{53}_{44}$tʂɿ^{21}uɔi^{53}tso$^{53}_{44}$kai^{53}çi^{21}paŋ$^{35}_{44}$ŋaŋ$^{53}_{44}$ ke$^{53}_{44}$a^{0} ,m̩$^{13}_{21}$uɔi^{53}çi^{53}fait^{3} ia^{0} ,m̩^{13}uɔi^{53}fait^{3} ,fait^{3} n̩$^{13}_{44}$xau^{21}.ŋai$^{13}_{21}$tʂɿ^{21}iəu$^{35}_{53}$kai$^{53}_{44}$təŋ$^{35}_{44}$si^{0} tsəŋ^{21}ts^{h}əŋ^{13}lɔi$^{13}_{44}$təu$^{35}_{53}$maŋ$^{13}_{21}$ tʂ^{h}ən$^{13}_{21}$kəŋ^{35}.

【花鼓戏】fa^{35}ku^{21}çi^{53} 名 湖南最著名的一种地方戏种：唱～ tʂ^{h}ɔŋ^{53}fa^{35}ku^{21}çi^{53}｜对我等客姓人影响最大个就～。tei^{53}ŋai$^{13}_{21}$tien^{0} k^{h}ak^{3} sin^{53}ɲin$^{13}_{21}$in^{21}çiɔŋ^{21}tsei^{53}t^{h}ai$^{53}_{44}$ke$^{53}_{44}$ts^{h}iəu$^{53}_{44}$fa^{35}ku^{21}çi^{53}.

【花楼】fa^{35}lei^{13} 名 旧时闺房的阳台：箇个从前是讲箇妹子人，妹子人个间里箇个吊楼渠就有只子光窗伸出去，系呀？箇个安做～。从前讲妹子人用个妹子人个间门口箇箇只吊楼就安做～。以下冇得咁个分别了唠。kai$^{53}_{44}$kei$^{53}_{44}$ts^{h}əŋ^{13}ts^{h}ien^{13}ʂɿ$^{53}_{44}$kɔŋ^{21}kai$^{53}_{44}$mɔi^{53}tsɿ^{0} ɲin^{13},mɔi^{53}tsɿ^{0} ɲin^{13}ke$^{53}_{44}$ kan$^{35}_{44}$ni^{0} kai$^{53}_{44}$ke$^{53}_{44}$tiau^{53}lei^{13}ci^{13}tsiəu$^{53}_{44}$iəu^{35}tʂak^{3} tsɿ^{0} kɔŋ^{35}ts^{h}əŋ$^{35}_{44}$ʂən$^{35}_{44}$tʂ^{h}ət^{3} çi$^{53}_{21}$,xei$^{53}_{44}$ia^{0} ?kai$^{53}_{44}$ke$^{53}_{44}$ɔn$^{35}_{44}$tso$^{53}_{44}$fa^{35} lei$^{13}_{21}$.ts^{h}əŋ^{13}ts^{h}ien$^{13}_{44}$kɔŋ^{21}mɔi^{53}tsɿ^{0} ɲin^{13}iəŋ$^{53}_{44}$kei$^{53}_{44}$mɔi^{53}tsɿ^{0} ɲin^{13}kei$^{53}_{44}$kan^{35}mən$^{13}_{21}$xei^{21}kai$^{53}_{44}$kai$^{53}_{21}$tʂak^{3} tiau^{53}lei$^{13}_{21}$ ts^{h}iəu$^{53}_{44}$ɔn$^{53}_{44}$tso$^{53}_{44}$fa^{35}lei$^{13}_{21}$.i^{21}xa^{53}mau$^{13}_{21}$tek^{3} kan^{21}cie$^{53}_{44}$fən^{35}p^{h}iek^{5} liau^{21}lau^{0} .

【花楼墈】fa^{35}lei^{13}k^{h}an^{53} 名 旧时屋后的墈：好，以下嘞就箇个壁下，箇个起哩箇屋，壁下箇只墈，我等是都系山里吵，有只墈蛮高吵，安做～。箇就一……渠是咁个，妹子人系个间嘞一般都系靠只肚里，唔得靠外背。隐秘滴子吵，系唔系？箇只墈就安做～。现在是反正让门子箇屋后背箇只墈就都安做～。xau^{21},i^{21}xa$^{53}_{44}$lei^{0} ts^{h}iəu$^{53}_{44}$kai^{53}kei^{53}piak^{3} xa^{53},kai^{53}kei^{53}çi^{21}li^{0} kai^{53}uk^{3} ,piak^{3} xa$^{53}_{44}$kai$^{53}_{44}$tʂak^{3} k^{h}an^{53} ,ŋai$^{13}_{21}$tien^{0} ʂɿ$^{53}_{21}$təu$^{35}_{44}$xe$^{53}_{44}$san^{35}ni^{21}ʂa^{0} ,iəu$^{35}_{44}$tʂak^{3} k^{h}an^{53}man^{13}kau^{35}ʂa^{0} ,ɔn$^{35}_{44}$tso$^{53}_{44}$fa^{35}lei$^{13}_{21}$ k^{h}an^{53}.kai$^{53}_{44}$ts^{h}iəu$^{53}_{44}$iet^{3} …ci^{13}ʂɿ$^{53}_{44}$kan^{21}ke^{53},mɔi^{53}tsɿ^{0} ɲin^{13}xei^{53}kei$^{53}_{44}$kan^{35}nei^{0} iet^{3} pɔn^{35}təu$^{35}_{53}$xei$^{53}_{44}$k^{h}au$^{53}_{44}$tʂak^{3} təu^{21} li^{0} ,n̩^{13}tek^{3} k^{h}au$^{53}_{44}$ŋɔi^{53}pɔi$^{53}_{44}$.in^{21}mi^{53}tiet^{5} tsɿ^{0} ʂa^{0} ,xei$^{53}_{44}$me$^{53}_{44}$?kai$^{53}_{44}$tʂak^{3} k^{h}an^{53}ts^{h}iəu$^{53}_{21}$ɔn$^{35}_{44}$tso$^{53}_{44}$fa^{35}lei$^{13}_{21}$k^{h}an^{53}.çien$^{53}_{44}$ ts^{h}ai$^{53}_{44}$ʂɿ$^{53}_{21}$fan^{21}tʂən^{53}ɲiɔŋ$^{53}_{44}$mən^{0} tsɿ^{0} kai$^{53}_{44}$uk^{3} xei^{53}pɔi$^{53}_{44}$kai$^{53}_{44}$tʂak^{3} k^{h}an^{53}tsiəu$^{53}_{44}$təu^{35}ɔn$^{35}_{44}$tso$^{53}_{44}$fa^{35}lei$^{13}_{21}$k^{h}an^{53}.

【花鹿子】fa^{35}ləuk^{5} tsɿ^{0} 名 本地野生鹿子的别称：欸，我等以个栏场以前呢就有咁个～。箇鹿子到底安做么个鹿子唔晓得，反正不是麋鹿，也不是梅花鹿。梅花鹿个体型更大呀，以个栏场个鹿子有几大子。以前有鹿子哦。我听老班子讲过。e$_{21}$,ŋai^{13}tien^{0} i^{21}ke^{53}laŋ$^{13}_{21}$tʂ^{h}ɔŋ$^{13}_{44}$i^{35}ts^{h}ien^{13}ne^{0} ts^{h}iəu$^{53}_{44}$iəu^{35}kan^{21}cie^{53}fa^{35}ləuk^{5} tsɿ^{0} .kai^{53}ləuk^{5} tsɿ^{0} tau^{53}ti^{21}ɔn$^{35}_{44}$tso$^{53}_{44}$mak^{3} e^{0} ləuk^{5} tsɿ^{0} n̩$^{13}_{21}$çiau^{21}tek^{3} ,fan^{21}tʂən^{53} pət^{3} ʂɿ^{53}mi^{13}ləuk^{5} ,ia^{35}pət^{3} ʂɿ^{53}mɔi^{13}fa$^{35}_{44}$ləuk^{5} .mɔi^{13}fa$^{35}_{44}$ləuk^{5} ke$^{53}_{44}$t^{h}i^{21}çin^{13}cien^{53}t^{h}ai^{53}ia^{0} ,i^{21}ke^{53}laŋ$^{13}_{21}$tʂ^{h}ɔŋ$^{13}_{44}$ke$^{53}_{44}$ ləuk^{5} tsɿ^{0} mau^{13}ci^{21}t^{h}ai^{53}tsɿ^{0} .i$^{35}_{44}$ts^{h}ien$^{13}_{21}$iəu^{35}ləuk^{5} tsɿ^{0} o^{0} .ŋai$^{13}_{21}$t^{h}aŋ^{35}lau^{21}pan^{35}tsɿ^{0} kɔŋ^{21}ko^{53}.

【花麦】fa35mak5 名荞麦，分冬、秋两种：～羹 fa35mak5kaŋ35 | 欸，还有起～，你讲麦是。/～就荞麦。/～是过唔得秋天个～是怕霜打。/～两只特点。荞麦，两只特点。第一只，产量低，箇要讲么个东西产量低嘞，收～样。安做收～样。就有滴滴子，冇几多，有滴滴子，收～样。第二只嘞，生育期短，生长期短。～是让门子啊？欸，大暑前三天就……唔系，唔系，爱爱爱箇个吧？/欸，大暑，大暑下土。/啊？/大暑下土咯。到立……立秋，到立秋哇，到还还可以作哟。e_44,xai13iəu35_44çi21fa35mak5, ɲi13kɔŋ21mak5 ʂʅ53_44./fa35mak5 tsʰiəu53_44cʰiau13mak5./fa35mak5 ʂʅ53_44ko53ŋ̍13_44 tek3 tsʰiəu35tʰien35ke53fa35mak5 ʂʅ53_44pʰa53sɔŋ35ta21./fa35mak5 liɔŋ21tʂak3 tʰek5 tian21.cʰiau13mak5,iɔŋ21tʂak3 tʰek5 tian21.tʰi53iet3 tʂak3,tsʰan21liɔŋ53te35,kai53_44iau53_44kɔŋ21mak3 ke53_44təŋ35_44si0 tsʰan21liɔŋ53te35le0,ʂəu35fa35mak5 iɔŋ53_44.ɔn35_44 tso53_44ʂəu35fa35mak5 iɔŋ53_44.tsʰiəu53_44iəu35tiet5 tiet5 tsʅ0,mau13ci21to35,iəu35tiet5 tiet5 tsʅ0,ʂəu35fa35mak5 iɔŋ53_44.tʰi53ɲi53 tʂak3 lei0,sen35iəuk3 cʰi13tɔn21,sen35tʂɔŋ21cʰi13tɔn21.fa35mak5 ʂʅ53_44ɲiɔŋ53mən0 tsa0?e_21,tʰai53tʂʰəu21tsʰien13san35_44 tʰien35_44tsʰiəu53_44…m̩13_21pʰe53,m̩13_21pʰe53,ɔi53_44ɔi53_44ɔi53_21kai53ke53pa0?/e_21,tʰai53tʂʰəu21,tʰai53tʂʰəu21xa35tʰəu21./a_35?/tʰai53 tʂʰəu21xa35_44tʰəu21ko0.tau53_44liet5_3…liet5 tsʰiəu35,tau53liet5 tsʰiəu35ua0,tau53_44xa13_21xa13_21kʰo21i35tsɔk3 iau0.

【花麦粉】fa35mak5 fən21 名荞麦面：～还好食嘞，～是箇个啦欸粗纤维啦，系唔系？食哩对人身体好。fa35mak5 fən21xai13_44xau21ʂət5 lei0,fa35mak5 fən21ʂʅ53_21kai53ke53la0 e_21tsʰəu35tsʰien35uei13_21la0,xei53_44me53_44? ʂət5 li0 tei53ɲin13ke0 ʂən35tʰi21xau21.

【花面】fa35mien53_44 名传统戏曲人物脚色行当中净角的俗称：唱～ tʂʰɔŋ53_44fa35mien53_44

【花炮】fa35pʰau53_44 名烟花和爆竹：箇（浏阳）南乡就箇就～就唔得了啦。南乡就啦。家家会做～，人人会做～。kai53lan13çiɔŋ35tsʰiəu53_44kai53_44tsʰiəu53_44fa35pʰau53_44tsʰiəu53n̩13_21tek3 liau21la0.lan13çiɔŋ35tsʰiəu53 la0.ka35ka35_44uɔi53tso53fa35pʰau53_44, ɲin13ɲin13_21uɔi53tso53fa35pʰau53_44.

【花炮厂】fa35pʰau53tʂʰɔŋ21 名生产烟花爆竹的工厂：我等以映子东乡个夫娘子，你到～里，寻饭唔来食。ŋai13tien0 i21iaŋ53tsʅ0 təŋ35çiɔŋ35_44ke53_44pu35ɲiɔŋ13_44tsʅ0, ɲi13tau53fa35_44pʰau53_44tʂʰɔŋ21li35,tsʰin13fan53n̩13_21lɔi13 ʂət5.

【花片子】fa35pʰien21tsʅ0 名小花片：箇就系箇起安做……欸，安做么个？安做～唠。就同箇猪耳朵样噢。欸，安做～，唔安做猪耳朵。咁大一片片呶，有大滴子个有细滴子个唠。咁大一片片呶。大概是用糯米粉做个。有咁个。～。kai53_44tsʰiəu53xei53_44kai53çi21ɔn35tso53_44…e_21,ɔn35tso53_44mak3 ke53_44?ɔn35_44tso53_44fa35pʰien21tsʅ0 lau0.tsiəu53_21tʰəŋ13_21kai53_44tʂəu35ɲi13_21to21iɔŋ53_44ŋau0.e_21,ɔn35tso53_44fa35pʰien21tsʅ0,n̩13_21ɔn35_44tso53_44 tʂəu35_44ɲi13_21to21.kan21tʰai53iet3 pʰien21_44pʰien21_44nau0,iəu35tʰai53tiet5 tsʅ0 ke53_44iəu35_44se53tiet5_3 tsʅ0 ke53_44lau0.kan21tʰai53iet3 pʰien21_44pʰien21_44nau0.tʰai53_44kʰai53_44ʂʅ53_44iəŋ53_44lo53mi21fən21tso53ke53_44.iəu35kan21cie53.fa35pʰien21tsʅ0.

【花圈】fa35cʰien35 名用纸花或鲜花等扎成的环形祭奠物品，献给死者表示哀悼与纪念：（科仪店）卖个～呢。mai53_44ke53_44fa35cʰien35_44ne0 | 第二个嘞就系么个嘞，就～，～，就接稳去。有滴是～太多哩，本来是每一只～就爱两个人，两个人攋稳呢。欸呀，搞阵头有咁多人了是，就一个人拿攋一只噢。一个人攋一只。有滴唔想攋哩是，攋哩几只子是就搞辆车噢，□一车～，□做一车，唔想攋噢。攋唔得咁多。有滴几百只～个，或者五六十只～呐，攋哩几只子就算哩。有滴就还出钱请人攋啊。你同我喊几个人，你同我攋～。五块钱一只。搞五块钱分你。十块钱分你。唔想攋啊。tʰi53_44ɲi53ke53_44le0 tsʰiəu53_44xei53_44mak3 ke53_44le0,tsʰiəu53_44fa35cʰien35_44,fa35cʰien35_44,tsʰiəu53_44 tsiet3 uən21çi53.iəu35tet5 ʂʅ53_44fa35_44cʰien35_44tʰai53to35_44li0,pən21nai13ʂʅ53_44mei35iet3 tʂak3 fa35_44cʰien35_44tsiəu0 ɔi53_44iɔŋ21ke53 ɲin13_21,iɔŋ21ke53ɲin13_21ɲiaŋ13uən21ne0.ei_21ia_21,kau21tʂʰən53tʰəu13_21mau13kan21to35_44ɲin13_21liau0 ʂʅ53_44,tsʰiəu53_44iet3 cie53ɲin13_21 na53ɲiaŋ13iet3 tʂak3 au0.iet3 cie53ɲin13_21ɲiaŋ13_21iet3 tʂak3.iəu35tet5 n̩13siɔŋ21ɲiaŋ13li0 ʂʅ53_44, ɲiaŋ13li0 ci21tʂak3 tsʅ0 ʂʅ53_44 tsʰiəu53_44kau21liɔŋ21tʂʰa35au0,tsiau35iet3 tʂʰa35_44fa35_44cʰien35_44,tsiau35tso53iet3 tʂʰa35,n̩13siɔŋ21ɲiaŋ13ŋau0. ɲiaŋ13n̩13_21tek3 kan21to35_44.iəu35tet5 ci21pak3 tʂak3 fa35_44cʰien35_44ke53_44,xɔit5_3 tʂa21ŋ̍21liəuk3 ʂət5 tʂak3 fa35_44cʰien35_44na0, ɲiaŋ13li0 ci21tʂak3 tsʅ0 tsʰiəu53_44sɔn53ni0.iəu35tet5 tsʰiəu53_44xai13tʂʰət3 tsʰien13tsʰiaŋ21ɲin13ɲiaŋ13ŋa0. ɲi13_21tʰəŋ13_21ŋai13_44xan53ci21ke53ɲin13, ɲi13_21tʰəŋ13_21ŋai13_21ɲiaŋ13fa35cʰien35_44.ŋ̍21kʰuai53tsʰien13_21iet3 tʂak3.kau21ŋ̍21kʰuai53tsʰien13pən35ɲi13_21.ʂət5 kʰuai53tsʰien13 pən35ɲi13_21.n̩13siɔŋ21ɲiaŋ13ŋa0.

【花生】fa35sen35 名落花生的简称：干～kɔn35_44fa35_44sen35 | 生～saŋ35_44fa35_44sen35 | 我等以个栏场～呢一般都就整换茶子食。有么人去……榨油个很少。ŋai13tien0 i21_13ke53laŋ13_21tʂʰɔŋ13_21fa35sen35_44nei0 iet3 pɔn35 təu35_44tsʰiəu53tʂən21uɔn53tsʰa13_21tsʅ0 ʂət5.mau13mak3 ɲin13_44ç…tsa53iəu13ke53xen21ʂau21.

【花生米】fa35sen35mi21 名花生仁：早晨食米粉个时候子放兜子～哟，炒香哩个～蛮好食唠。tsau21ʂən13_44ʂət5 mi21fən21ke0 ʂʅ13xəu53_44tsʅ0 fɔŋ53tei35_53tsʅ0 fa35_44sen35_44mi21io0,tsʰau21çiɔŋ35li0 ke0 fa35_44sen35_44mi21man13 xau^{21}ʂət^{5} lau^{0}.

【花生苗】fa^{35}sen^{35}miau^{13} 名 花生的秸秆：～有么个用哦，我等以映子就咁子丢咁哩噢。也我等箇栏场花生唔多。嗬，烧火就我等有的是箇柴。系山里。喂牛嘞有的是箇芒头。都唔用箇只东西。fa$^{35}_{44}$sen$^{35}_{53}$miau$^{13}_{21}$mau$^{13}_{21}$mak^{3} e^{0} iəŋ^{53}ŋo^{0},ŋai$^{13}_{21}$tien^{0} i$^{21}_{44}$iaŋ$^{53}_{44}$tsɿ^{0} ts^{h}iəu^{53}kan^{21}tsɿ^{0} tiəu^{35}kan^{21}ni^{0} au^{0} .ia^{35} ŋai^{13}tien^{0} kai^{53}laŋ$^{13}_{21}$tʂ^{h}əŋ$^{13}_{21}$fa^{35}sen$^{35}_{44}$n̩$^{13}_{21}$to^{35}.xo$_{53}$,ʂau^{35}fo^{21}ts^{h}iəu^{53}ŋai^{13}tien^{0} iəu^{35}tet^{3} ʂɿ^{53}kai$^{53}_{44}$ts^{h}ai^{13}.xei^{53}san^{35} ni^{0}.uei^{53}ɲiəu^{13}lei^{0} iəu^{35}tet^{3} ʂɿ^{53}kai$^{53}_{44}$məŋ^{13}t^{h}ei$^{13}_{44}$.təu^{35}n̩^{13}iəŋ$^{53}_{44}$kai^{53}(tʂ)ak^{3} təŋ$^{35}_{44}$si^{0}.

【花生肉】fa^{35}sen^{35}ɲiəuk^{3} 名 花生果实去掉壳后的部分。相对于花生壳而言：一只花生，肚里有只～，外背有只花生壳。iet^{3} tʂak^{3} fa^{35}sen$^{35}_{44}$,təu^{21}li^{0} iəu$^{35}_{44}$tʂak^{3} fa^{35}sen^{35}ɲiəuk^{3} ,ŋɔi^{53}pɔi^{53}iəu$^{35}_{44}$tʂak^{3} fa^{35} sen^{35}k^{h}ɔk^{3}.

【花生糖】fa^{35}sen$^{35}_{44}$t^{h}ɔŋ$^{13}_{21}$ 名 将花生米炒熟后上糖切块做成的副食品：箇就系同箇个安做冻米糖样个唠，～，安做～。kai$^{53}_{44}$ts^{h}iəu^{53}xe$^{53}_{44}$t^{h}əŋ^{13}kai^{53}ke$^{53}_{44}$ɔn$^{35}_{44}$tso$^{53}_{44}$təŋ^{53}mi^{21}t^{h}ɔŋ^{13}iɔŋ^{53}ke$^{53}_{44}$lau^{0} ,fa^{35}sen$^{35}_{44}$ t^{h}ɔŋ^{13},ɔn$^{35}_{44}$tso$^{53}_{44}$fa^{35}sen$^{35}_{44}$t^{h}ɔŋ$^{13}_{21}$.

【花箱】fa^{35}siɔŋ^{35} 名 用厚纸做成或篾片织成，用以烧化给死者“使用”：～，箇个是哄鬼个。以前是不是厚纸做个嘞，以前是硬系篾箕子扎倒啦，篾箕子扎个啦，篾箕子扎个用白纸子䘯倒，同箇个灵屋子样咁子扎个啦～啦。以下是就搞兜箇厚纸壳。～就有讲究啦。第一只，最好嘞箇颜色嘞男红女绿，男子人用红个，夫娘子用绿个。第二只，～肚里爱放东西。你系烧分男子人个，有男子人个东西，男子人个衫裤箇兜，男子人个行头，欸，衫裤，一般就衫裤。欸，箇是第二只。第三只，～莫咁子懵懵懂懂就咁子烧，爱写只扉子，顶高爱写张子扉子。……装兜么个？一只就装箇个唠，一只就装衫裤唠，纸做个衫裤哇，还有鞋呀袜呀，嗯，有兜是欸做倒咁个样品做倒箇咁个么个欸手机呀，欸，搞兜咁个如今是。以下就还有就放兜子箇个唠，放兜子安做阴人票子唠，嗯，冥币呀放倒箇肚里唠。就咁个，冇别么个。用衫裤个有兜还放帽子嘞还嘞，都系纸做个，烧得着个。fa^{35}siɔŋ^{35},kai$^{53}_{44}$ke$^{53}_{44}$ʂɿ$^{53}_{44}$fəŋ^{21}kuei^{21}cie^{53}.i$^{35}_{53}$ts^{h}ien^{13} ʂɿ$^{53}_{44}$pət^{3} ʂɿ^{53}xei^{35}tʂɿ^{21}tso^{53}ke^{53}le^{0} ,i$^{35}_{53}$ts^{h}ien^{13}ʂɿ$^{53}_{44}$ɲiaŋ^{53}xe^{53}miet^{5} sak^{3} tsɿ^{0} tsait^{3} tau^{21}la^{0} ,miet^{5} sak^{3} tsɿ^{0} tsait^{3} cie^{53} la^{0} ,miet^{5} sak^{3} tsɿ^{0} tsait^{3} cie^{53}iəŋ^{53}p^{h}ak^{5} tʂɿ^{21}tsɿ^{0} pɔi^{53}tau^{21},t^{h}əŋ^{13}kai$^{53}_{44}$ke$^{53}_{44}$lin^{13}uk^{3} tsɿ^{0} iəŋ^{53}kan^{21}tsɿ^{0} tsait^{3} cie$^{53}_{44}$la^{0} fa$^{35}_{44}$siɔŋ$^{35}_{44}$la^{0} .i$^{21}_{21}$xa$^{53}_{44}$ʂɿ$^{53}_{44}$ts^{h}iəu^{53}kau^{21}tei$^{35}_{53}$kai^{53}xei^{35}tʂɿ^{21}k^{h}ɔk^{3} .fa^{35}siɔŋ$^{35}_{44}$ts^{h}iəu$^{53}_{44}$iəu^{35}kɔŋ^{21}ciəu^{53}la^{0} .t^{h}i^{53}iet^{3} tʂak^{3} , tsei^{53}xau^{21}lei^{0} kai^{53}ŋan^{13}sek^{3} lei^{0} lan^{13}fəŋ$^{13}_{21}$ŋy^{21}liəuk^{5} ,lan^{13}tsɿ^{0} ɲin$^{13}_{44}$iəŋ^{53}fəŋ^{13}ke^{53},pu^{35}ɲiɔŋ$^{13}_{21}$tsɿ^{0} iəŋ$^{53}_{44}$liəuk^{5} ke$^{53}_{44}$. t^{h}i$^{53}_{44}$ɲi^{53}tʂak^{3} ,fa^{35}siɔŋ$^{35}_{44}$təu^{21}li^{0} ɔi^{53}fɔŋ^{53}təŋ^{35}si$^{0}_{44}$. ɲi^{13}xei$^{53}_{44}$ʂau$^{35}_{44}$pən$^{35}_{44}$lan^{13}tsɿ^{0} ɲin$^{13}_{21}$kei^{53},iəu$^{35}_{53}$lan^{13}tsɿ^{0} ɲin^{13}ke^{0} təŋ$^{35}_{44}$ si^{0} ,lan^{13}tsɿ^{0} ɲin^{13}ke^{0} san^{35}fu$^{53}_{44}$kai$^{53}_{44}$te$^{35}_{44}$,lan^{13}tsɿ^{0} ɲin^{13}kei^{53}çin$^{13}_{21}$t^{h}ei$^{13}_{44}$,e$_{21}$,san^{35}fu^{53},iet^{3} pɔn$^{35}_{44}$ts^{h}iəu$^{53}_{44}$san^{35} fu^{53}.ei$_{21}$,kai$^{53}_{21}$ʂɿ$^{53}_{21}$t^{h}i^{53}ɲi^{53}tʂak^{3} .t^{h}i^{53}san^{35}tʂak^{3} ,fa^{35}siɔŋ$^{35}_{44}$mɔk^{5} kan^{21}tsɿ^{0} məŋ^{21}məŋ^{21}təŋ^{21}təŋ^{21}ts^{h}iəu^{53}kan^{21}tsɿ^{0} ʂau^{35},ɔi^{53}sia^{21}tʂak^{3} fei^{35}tsɿ^{0} ,taŋ^{21}kau$^{35}_{44}$ɔi^{53}sia^{21}tʂɔŋ$^{35}_{44}$tsɿ^{0} fei^{35}tsɿ^{0} .…tʂɔŋ^{35}tei$^{35}_{53}$mak^{3} ke$^{53}_{44}$?iet^{3} tʂak^{3} ts^{h}iəu^{53}tsɔŋ^{35} kai$^{53}_{44}$ke$^{53}_{44}$lau^{0} ,iet^{3} tʂak^{3} ts^{h}iəu^{53}tsɔŋ$^{35}_{44}$san^{35}fu^{53}lau^{0} ,tʂɿ^{21}tso$^{53}_{44}$ke$^{53}_{44}$san$^{35}_{44}$fu^{53}ua^{0} ,xai$^{13}_{21}$iəu$^{35}_{53}$xai^{13}ia^{0} mait^{3} ia^{0} ,n̩$_{21}$,iəu^{35} tei$^{35}_{53}$ʂɿ$^{53}_{44}$e$_{21}$tso^{53}tau^{21}kan^{21}ke$^{53}_{44}$iəŋ^{53}p^{h}in^{21}tso$^{53}_{21}$tau$^{21}_{44}$kai^{53}kan^{21}ke$^{53}_{44}$mak^{3} ke$^{53}_{44}$e$_{44}$ʂəu^{21}ci$^{35}_{44}$ia^{0} ,e$_{53}$,kau^{21}tei$^{35}_{53}$kan^{21}cie^{53}i$^{13}_{21}$ cin$^{35}_{44}$ʂɿ$^{53}_{21}$.i^{21}xa^{53}ts^{h}iəu$^{53}_{44}$xai$^{13}_{21}$iəu$^{35}_{53}$ts^{h}iəu$^{53}_{44}$fɔŋ^{53}tei$^{35}_{53}$tsɿ^{0} kai^{53}cie$^{53}_{44}$lau^{0} ,fɔŋ^{53}tei$^{35}_{53}$tsɿ^{0} ɔn$^{35}_{44}$tso$^{53}_{44}$in^{35}ɲin$^{13}_{21}$p^{h}iau^{53}tsɿ^{0} lau^{0} ,n̩$_{21}$,min^{13}p^{h}i^{53}ia^{0} fɔŋ^{53}tau^{21}kai^{53}təu^{21}li^{0} lau^{0} .ts^{h}iəu^{53}kan^{21}cie^{53},mau^{13}p^{h}iet^{5} mak^{3} ke^{0} .iəŋ$^{53}_{44}$san^{35}fu$^{53}_{44}$ke^{0} iəu^{35} tei$^{35}_{44}$xai$^{13}_{21}$fɔŋ$^{53}_{44}$mau^{53}tsɿ^{0} le^{0} xai^{13}lei^{0} ,təu^{35}xei^{53}tʂɿ^{21}tso$^{53}_{44}$ke^{0} ,ʂau^{35}tek^{3} tʂ^{h}ɔk^{5} ke^{0}.

【花心子】fa^{35}sin^{35}tsɿ^{0} 名 花蕊：箇红花子啊，我等细细子舞倒摘倒，舞倒箇红花子来食呢，就咁子食生个，洗都唔洗哟。但是爱分中间个～摘咁，唔知搞么个，又系话～食唔得。也更唔好食嘞让门子个？就咁子放倒嘴里去嚼嘞，我等食过嘞。箇～摘下来。kai$^{53}_{44}$fəŋ^{13}fa$^{35}_{44}$tsa^{0} ,ŋai^{13} tien^{0} se^{53}se^{53}tsɿ^{0} u^{21}tau^{21}tsak^{3} tau^{21},u^{21}tau^{21}kai$^{53}_{44}$fəŋ^{13}fa$^{35}_{44}$tsɿ^{0} lɔi$^{13}_{21}$ʂət^{5} ne^{0} ,ts^{h}iəu^{53}kan^{21}tsɿ^{0} ʂət^{5} saŋ^{35}ke^{0} ,se^{21}təu^{53} m̩$^{13}_{21}$se^{21}io^{0} .tan^{53}ʂɿ^{53}ɔi^{53}pən^{35}tʂəŋ^{35}kan$^{35}_{44}$ke^{0} fa^{35}sin^{35}tsɿ^{0} tsak^{3} kan$^{21}_{44}$,n̩^{13}ti$^{35}_{53}$kau$^{21}_{44}$mak^{3} ke^{0} ,iəu$^{53}_{44}$xei^{53}ua$^{53}_{44}$fa^{35}sin$^{35}_{44}$tsɿ^{0} ʂət^{5} n̩$^{13}_{21}$tek^{3} .ia^{35}cien^{53}m̩$^{13}_{21}$xau^{21}ʂət^{5} le^{0} ɲiɔŋ^{53}mən^{0} tsɿ^{0} ke^{0} ?ts^{h}iəu^{53}kan^{21}tsɿ^{0} fɔŋ^{53}tau$^{21}_{44}$tʂɔi^{53}li^{0} çi$^{53}_{44}$ts^{h}iau^{53}lei^{0} ,ŋai^{13} tien^{0} ʂət^{5} ko^{53}le^{0} .kai$^{53}_{44}$fa^{35}sin$^{35}_{44}$tsɿ^{0} tsak^{3} (x)a$^{53}_{21}$lɔi$^{13}_{21}$.

【花油】fa^{35}iəu^{13} 名 网子油和鸡冠油的统称，与板油相对：箇还有嘞，欸，箇个肠子上个就网子油。还哪映子个嘞就安做鸡冠油。鸡冠花样个油，鸡冠油。欸，箇个油都安做都称做么个嘞？都称～呢。欸，就掺板油……区别于板油个就～。……统称～，箇几种油，分箇，欸，肠子上个油，网子油，鸡冠油，都安做～。kai$^{53}_{44}$xai$^{13}_{21}$iəu$^{35}_{44}$le^{0} ,e$_{21}$,kai^{53}ke$^{53}_{44}$tʂ^{h}ɔŋ^{13}tsɿ^{0} xɔŋ^{53}ke^{53}ts^{h}iəu$^{53}_{44}$ mɔŋ^{21}tsɿ^{0} iəu^{13}.xai^{13}lai^{53}iaŋ^{53}tsɿ^{0} ke$^{53}_{44}$lei^{0} ts^{h}iəu$^{53}_{44}$ɔn$^{35}_{44}$tso$^{53}_{44}$cie^{35}kɔn$^{35}_{44}$iəu$^{13}_{21}$.cie^{35}kɔn$^{35}_{44}$fa^{35}iɔŋ$^{53}_{44}$ke$^{53}_{44}$iəu^{13},cie^{35}kɔn$^{35}_{44}$ iəu$^{13}_{21}$.e$_{21}$,kai$^{53}_{44}$ke$^{53}_{44}$iəu^{13}təu^{35}ɔn$^{35}_{44}$tso$^{53}_{44}$təu^{35}tʂ^{h}ən^{35}tso$^{53}_{44}$mak^{3} (k)e$^{53}_{44}$le^{0} ?təu^{35}tʂ^{h}ən$^{35}_{44}$fa^{35}iəu$^{13}_{21}$nei^{0} .e$_{21}$,ts^{h}iəu^{53}lau^{35}

pan^{21}iəu^{13}…tʂʰʅ^{35}pʰiek^{5}ʅ$^{13}_{21}$pan^{21}iəu^{13}ke$^{53}_{44}$tsiəu$^{53}_{44}$fa^{35}iəu^{13}.…tʰəŋ^{21}tʂʰən$^{35}_{44}$fa^{35}iəu$^{13}_{44}$,kai^{53}ci^{21}tʂəŋ^{21}iəu^{13},pən$^{35}_{44}$kai$^{53}_{44}$,e$_{21}$,tʂʰəŋ^{13}tsʅ^{0}xəŋ^{53}ke^{53}iəu$^{13}_{21}$,məŋ^{21}tsʅ^{0}iəu^{13},cie^{53}kən$^{53}_{44}$iəu^{13},təu^{35}ən$^{35}_{44}$tso$^{53}_{44}$fa^{35}iəu$^{13}_{21}$.

【花子】fa^{35}tsʅ^{0} 名窗花：渠卖下谢家里，渠等箇团转几十里呀，团转子姓谢个又多，几千人，欸，卖妹子讨新舅，尽喊倒渠去，剪～，欸，剪窗花，剪箇～，只系我姑姑就真里手。箇阵子我话爱渠来开只班，爱渠来教，欸，教我等人剪。ci^{13}mai^{53}ia$^{53}_{44}$tsʰia^{53}ka$^{35}_{44}$li^{0},ci$^{13}_{21}$tien^{0}kai$^{53}_{44}$tʰən^{13}tʂuən^{21}ci^{21}ʂət^{5}li^{35}ia^{0},tʰən^{13}tʂuən^{21}tsʅ^{0}siaŋ^{53}tsʰia^{53}ke$^{53}_{44}$iəu$^{53}_{44}$to^{35},ci^{21}tsʰien^{35}ɲin^{13}pa^{0},e$_{21}$,mai^{53}məi^{53}tsʅ^{0}tʰau^{21}sin^{35}cʰiəu^{35},tsʰin^{53}xan^{53}tau^{21}ci$^{13}_{21}$çi^{53},tsien^{21}fa^{35}tsʅ^{0},e$_{21}$,tsien^{21}tsʰəŋ^{35}fa^{35},tsien^{21}kai$^{53}_{44}$fa^{35}tsʅ^{0},tʂʅ^{21}xe^{53}ŋai$^{13}_{21}$ku^{35}ku$^{35}_{44}$tsʰiəu^{53}tʂən^{35}ti^{21}ʂəu^{21}.kai^{53}tʂʰən^{53}tsʅ^{0}ŋai^{13}ua$^{53}_{44}$əi^{53}ci$^{13}_{44}$ləi^{13}kʰəi^{35}tʂak^{3}pan^{35},əi^{53}ci$^{13}_{21}$ləi$^{13}_{21}$kau^{35},e$_{21}$,kau^{35}ŋai$^{13}_{21}$tien^{0}in$^{13}_{21}$tsien^{21}.

【划$_1$】fa^{13} 动①拨水前进：～船 fa^{13}ʂən^{13}｜水肚里也有老鼠，在水里～着过欸。ʂei^{21}təu^{21}li^{0}ia$^{35}_{44}$iəu$^{35}_{44}$lau$^{21}_{53}$tʂʰəu^{21},tsai$^{53}_{44}$ʂei^{21}li^{0}fa^{13}tʂək^{3}ko^{53}ŋe^{0}.②花费：年年政府爱～不□少个钱呐去搞哇。ɲien^{13}ɲien$^{13}_{44}$tʂən^{53}fu^{21}əi^{53}fa^{13}pət^{3}ʂen^{53}ke$^{53}_{44}$tsʰien^{13}na^{0}çi^{53}kau^{21}ua^{0}.｜又～哩钱吵。iəu^{53}fa^{13}li^{0}tsʰien^{13}ʂa^{0}.③合算：～得来 fa^{13}tek^{3}ləi^{13}｜～唔来 fa^{13}n̩^{13}ləi^{13}不合算

【划$_2$】fa^{53} 动割开：分箇个断个～嘿。pən^{35}kai$^{53}_{44}$ke$^{53}_{44}$tʰən^{35}ke$^{53}_{44}$fa^{53}xek^{3}.

【划船】fa^{13}ʂən^{13} 动划桨行船：我等以个大围山脚下嘞河流也狭，船也少，所以～个人呢比……～个人蛮少。欸，以前呢，早年间子嘞就系放排个多，～个比放排个更少，放排个比～个多多哩。ŋai^{13}tien^{0}i^{21}ke$^{53}_{44}$tʰai^{53}uei$^{13}_{21}$san^{35}ciək^{3}xa$^{53}_{44}$lei^{0}xo^{13}liəu$^{13}_{21}$ua$^{35}_{44}$cʰiait^{5},ʂən^{13}na$^{35}_{44}$ʂau^{21},so^{21}i$^{35}_{53}$fa$^{13}_{21}$ʂən^{13}ke^{53}ɲin$^{13}_{21}$ne^{0}pi^{21}…fa$^{13}_{21}$ʂən$^{13}_{21}$ke^{53}ɲin$^{13}_{21}$man$^{13}_{44}$ʂau^{21}.e$_{44}$,i$^{35}_{53}$tsʰien^{13}nei^{0},tsau^{21}ɲien^{13}kan$^{35}_{44}$tsʅ^{0}lei^{0}tsʰiəu$^{53}_{44}$xe$^{53}_{44}$fəŋ^{53}pʰai^{13}ke^{0}to^{35},fa^{13}ʂən^{13}ke^{53}pi^{21}fəŋ^{53}pʰai^{13}ke$^{53}_{44}$cien^{53}ʂau^{21},fəŋ^{53}pʰai^{13}ke$^{53}_{44}$pi^{21}fa^{13}ʂən^{13}ke$^{53}_{44}$to$^{35}_{44}$to$^{35}_{44}$li^{0}.

【划得来】fa^{13}tek^{3}ləi^{13} 形合算；值得：渠也～，你买只新硒鼓硬几百咯，系唔系？一百几咯，两百多块咯，我以个加得蛮多到咯。ci$^{13}_{21}$ia^{35}fa^{13}tek^{3}ləi^{13}, ɲi$^{13}_{21}$mai^{35}tʂak^{3}sin^{35}si^{35}ku^{21}ɲiaŋ^{53}ci^{21}pak^{3}ko^{0},xei$^{53}_{44}$me$^{53}_{44}$?iet^{3}pak^{3}ci^{21}ko^{0},iəŋ^{21}pak^{3}to^{35}kʰuai^{53}ko^{0},ŋai^{13}i$^{21}_{13}$ke^{53}cia^{35}tek^{3}man^{13}to$^{35}_{44}$tau^{53}ko^{0}.

【划算】fa^{13}sən^{53} 动盘算、掂量：～下子 fa^{13}sən^{53}xa^{53}tsʅ^{0}

【划唔来】fa^{13}n̩^{13}ləi^{13} 形不合算：你去买花生几块钱一斤个花生买倒来（榨油），欸，花生油又只抵得咁多钱，又只有咁贵，～。ɲi^{13}çi^{53}mai^{35}fa^{35}sien$^{35}_{44}$ci^{21}kʰuai^{53}tsʰien$^{13}_{21}$iet^{3}cin^{35}ke$^{53}_{44}$fa^{35}sien$^{35}_{44}$mai^{35}tau^{21}ləi^{13},e$_{21}$,fa$^{35}_{44}$sen$^{35}_{44}$iəu^{13}iəu^{53}tʂʅ^{21}ti^{21}tek^{3}kan^{21}to$^{35}_{44}$tsʰien^{13},iəu$^{53}_{44}$tʂʅ^{21}iəu^{35}kan^{21}kuei^{53},fa^{13}n̩$^{13}_{44}$nəi^{13}.

【划子$_1$】fa^{13}tsʅ^{21} 动下上天棋时三名参与者各自拿出棋子来，然后将上面的数字相加，决定谁走棋：好，箇以一步就走嘿哩吧？三个人又来。又来～，安做～。三个人拿出来。嗯，三个人三只手拿出来。加起来。xau^{21},kai$^{53}_{44}$i^{21}iet^{3}pʰu$^{53}_{44}$tsʰiəu$^{53}_{44}$tsei^{21}xek^{3}li^{0}pa^{0}?san^{35}ke$^{53}_{44}$in$^{13}_{21}$iəu^{53}ləi^{13}.iəu^{53}ləi$^{13}_{21}$fa^{13}tsʅ^{21},ən$^{35}_{44}$tso$^{53}_{44}$fa^{13}tsʅ^{21}.san^{35}ke$^{53}_{44}$in$^{13}_{21}$la^{53}tʂʰət^{3}ləi^{13}.ən$_{21}$,san^{35}ke$^{53}_{44}$in$^{13}_{21}$san^{35}tʂak^{3}ʂəu^{21}la^{53}tʂʰət^{3}ləi^{13}.cia^{35}çi^{21}ləi^{13}.

【划子$_2$】fa^{13}tsʅ^{0} 名汽船：细～。欸。以起以前就喊～。sei^{53}fa$^{13}_{21}$tsʅ^{0}.ei$_{21}$,i^{21}çi$^{21}_{53}$i$^{35}_{44}$tsʰien$^{13}_{21}$tsʰiəu$^{53}_{44}$xan^{53}fa$^{13}_{21}$tsʅ^{0}.

【滑$_1$】uait^{5} 形①光溜；滑溜：如今我发现最～个就系么个啊？箇个打赤脚，一双湫湿个赤脚去箇个地板砖上走，溜滑，真系蛮～。我箇晡渠等爱我去，我话我唔着鞋试下子看呶。箇都走得啊？硬寸步难行，溜滑个。i$^{13}_{21}$cin^{53}ŋai$^{13}_{21}$fait^{3}çien$^{53}_{44}$tsei^{53}uait$^{5}_{3}$ke^{53}tsʰiəu$^{53}_{44}$xei$^{53}_{44}$mak^{3}ke^{0}a^{0}?kai$^{53}_{44}$ke$^{53}_{44}$ta^{21}tʂʰak^{3}ciək^{3},iet^{3}ʂəŋ$^{35}_{44}$tsiet^{5}ʂət^{3}ke^{0}tʂʰak^{3}ciək$^{3}_{5}$çi^{53}kai^{53}ke^{53}tʰi^{53}pan^{21}tʂuən$^{35}_{44}$xəŋ^{53}tsei^{21},liəu$^{35}_{53}$uait$^{5}_{3}$,tʂən^{35}ne^{53}man$^{13}_{21}$uait^{5}.ŋai$^{13}_{21}$kai$^{53}_{44}$pu$^{35}_{44}$ci$^{13}_{21}$tien^{0}əi^{53}ŋai$^{13}_{44}$çi$^{53}_{44}$,ŋai^{13}ua^{53}ŋai$^{13}_{44}$n̩$^{13}_{21}$tʂək^{3}xai$^{13}_{21}$ʂʅ^{53}(x)a$^{53}_{44}$tsʅ^{0}kʰən$^{53}_{44}$nau^{0}.kai^{53}təu$^{35}_{44}$tsei^{21}tek^{3}a^{0}?ɲiaŋ$^{53}_{44}$tsʰən^{53}pʰu^{53}lan$^{13}_{21}$çin$^{13}_{21}$,liəu^{35}uait^{3}ke^{0}.②狡猾：有兜人真～。iəu^{35}tei$^{35}_{53}$ɲin$^{13}_{44}$tʂən^{35}uait^{5}.

【滑$_2$】uait^{5} 动①在光溜的物体表面上溜动：以双鞋扎滑，着倒唔～呀。i^{21}səŋ$^{35}_{44}$xai$^{13}_{21}$tsait^{3}uait^{5},tʂək^{3}tau^{21}m̩^{13}uait^{5}ia^{0}.②流动：一只射就系就箇～月经个吵。iet^{3}tʂak^{3}ʂa^{53}tsʰiəu$^{53}_{44}$xei$^{53}_{44}$tsiəu$^{53}_{44}$kai$^{53}_{44}$uait^{3}ɲiet^{5}cin$^{35}_{44}$ke^{0}ʂa^{0}.

【化$_1$】fa^{53} 动性质或形态发生改变：有只踏盆架子，踏盆放得更高，欸，又更稳，又更有事～，箇火屎更唔得～。iəu^{35}tʂak^{3}tʰait^{5}pʰən$^{13}_{21}$ka^{53}tsʅ^{0},tʰait^{5}pʰən$^{13}_{21}$fəŋ^{53}tek^{3}cien$^{53}_{44}$kau^{35},e$_{21}$,iəu^{53}cien^{53}uən^{21},iəu^{53}cien^{53}mau$^{13}_{21}$sʅ$^{53}_{44}$fa^{53},kai$^{53}_{44}$fo^{21}ʂʅ^{21}cien^{53}n̩^{13}tek^{3}fa^{53}.

【化$_2$】fa^{53} 形（想法）极妙：以个生活经验呢我发现，箇个龙衣罂子系蛮好个东西。我等老祖宗子发明个东西真系有兜硬想～哩。i^{21}ke^{53}sen$^{35}_{44}$xoit^{5}cin^{35}ɲien^{53}nei^{0}ŋai^{13}fait^{3}çien^{53},kai$^{53}_{44}$ke$^{53}_{44}$ləŋ^{13}i$^{35}_{44}$aŋ^{35}tsʅ^{0}xei^{53}man$^{13}_{21}$xau^{21}ke^{0}təŋ$^{35}_{44}$si^{0}.ŋai^{13}tien^{0}lau^{21}tsəu^{21}tsəŋ$^{35}_{44}$tsʅ^{0}fait^{3}min^{13}ke^{0}təŋ$^{35}_{44}$si^{0}tʂən^{35}xei$^{53}_{44}$iəu^{35}tei$^{35}_{44}$ɲiaŋ^{53}siəŋ^{21}fa^{53}li^{0}.

【化财】fa^{53}tsʰɔi^{13} 出殡前晚上祭祀活动结束后为死者焚烧灵屋等纸扎、装有纸钱的篾笼以及生前衣物用品等：就系箇个祭祀活动结束吵，箇夜晡就结束哩吵，搞完哩吵，夜晡搞完哩以后，就安做～。就爱～。箇就多烧爱烧蛮多纸。扎倒个灵屋子，请人用纸扎只屋子，分渠去阴间系个，扎倒，也爱烧嘿去，欸，也还搞滴纸，又搞滴笼，开头讲个是落气笼，只爱落气个时候子烧个，以到是就系第二晡就会嘞葬了，埋葬了，系啊？埋了。箇要烧纸，要烧笼，箇就有滴就烧你几担纸啦。欸，烧你几担笼啊。以下就就倒来就分箇渠个亡者个衫裤箇只都烧嘿去，都唔爱哩。包括渠生前用过个箇咁个行头呀，尤其系衫裤唔留哩。包括渠渠死个时候子啊，放下箇个竹床上啊，系啊？连竹床都烧嘿去。唔爱哩。渠睡过个席，被窝，枕头，通通烧嘿去，唔爱哩，唔留哩。tsʰiəu$^{53}_{44}$xei$^{53}_{44}$kai$^{53}_{44}$ke$^{53}_{44}$tsi^{53}sɿ$^{53}_{44}$xɔit^{5} tʰəŋ$^{53}_{44}$ciet^{3} tʂəuk^{5} ʂa^{0} ,kai$^{53}_{44}$ia^{53}pu$^{35}_{44}$tsʰiəu$^{53}_{44}$ ciet^{3} tʂəuk^{5} li^{0} ʂa^{0} ,kau^{21}ien^{13}li^{0} ʂa^{0} ,ia^{53}pu$^{35}_{44}$kau^{21}ien^{13}li^{0} i^{35}xei^{53},tsʰiəu$^{53}_{44}$ɔn$^{35}_{44}$tso$^{53}_{44}$fa^{53}tsʰɔi^{13}.tsʰiəu$^{53}_{44}$ɔi$^{53}_{44}$fa^{53} tsʰɔi^{13}.kai$^{53}_{44}$tsʰiəu$^{53}_{44}$to^{35}ʂau$^{35}_{44}$ɔi$^{53}_{44}$ʂau$^{35}_{44}$man$^{13}_{21}$to^{35}tʂɿ^{21}.tsait^{3} tau^{21}ke$^{53}_{44}$lin^{13}uk^{3} tsɿ^{0} ,tsʰiaŋ^{21}ɲin^{13}iəŋ^{53}tʂɿ^{21}tsait^{3} tʂak^{3} uk^{3} tsɿ^{0} ,pən^{35}ci$^{13}_{21}$çi$^{53}_{44}$in^{35}kan$^{35}_{44}$xe^{53}ke$^{53}_{44}$,tsait^{3} tau^{21},ia^{35}ɔi$^{53}_{44}$ʂau$^{35}_{44}$xek^{3} çi^{53},ei$_{21}$,ie$^{35}_{44}$xai$^{13}_{44}$kau^{21}tet^{5} tʂɿ^{21},iəu$^{53}_{44}$kau^{21}tet^{5} ləŋ^{21},kʰɔi^{35}tʰau^{0} kɔŋ^{21}ke^{53}sɿ$^{53}_{44}$lɔk^{5} çi$^{53}_{44}$ləŋ^{13},tʂɿ^{21}ɔi$^{53}_{44}$lɔk^{5} çi^{53}ke$^{53}_{44}$sɿ$^{13}_{21}$xəu$^{53}_{44}$tsɿ^{0} ʂau$^{35}_{44}$ke$^{53}_{44}$,i^{21}tau$^{53}_{44}$sɿ$^{53}_{44}$tsʰiəu$^{53}_{44}$xei$^{53}_{44}$tʰi$^{53}_{44}$ ɲi$^{53}_{44}$pu$^{35}_{44}$tsʰiəu$^{53}_{44}$uɔi$^{53}_{44}$le^{0} tsɔŋ^{53}liau^{0} ,mai^{13}tsɔŋ^{53}liau^{0} ,xei^{53}a^{0} ?mai^{13}liau^{0} .kai$^{53}_{44}$iau$^{53}_{44}$ʂau^{35}tʂɿ^{21},iau$^{53}_{44}$ʂau$^{35}_{44}$ləŋ^{21},kai$^{53}_{44}$ tsʰiəu$^{53}_{44}$iəu^{35}tet^{5} tsʰiəu$^{53}_{44}$ʂau$^{35}_{44}$ni$^{13}_{21}$ci^{21}tan^{35}tʂɿ^{21}la^{0} .e$_{21}$,ʂau$^{35}_{44}$ni$^{13}_{21}$ci^{21}tan^{35}nəŋ^{21}ŋa^{0} .i^{21}xa$^{53}_{44}$tsʰiəu$^{53}_{44}$tsʰiəu^{53}tau^{21}lɔi^{13} tsʰiəu$^{53}_{44}$pən^{35}kai$^{53}_{44}$ci$^{13}_{21}$ke$^{53}_{44}$mɔŋ^{13}tʂa^{21}ke^{53}san^{35}fu^{53}kai$^{53}_{44}$tʂak^{3} təu$^{35}_{44}$ʂau^{35}xek^{3} çi^{53},təu^{35}m̩$^{13}_{21}$mɔi$^{53}_{44}$li^{0} .pau^{35}kuak^{3} ci$^{13}_{21}$ sien^{35}tsʰien$^{13}_{21}$iəŋ^{53}ko$^{53}_{44}$ke$^{53}_{44}$kai^{53}kan^{21}ke$^{53}_{21}$çin$^{13}_{21}$tʰei$^{13}_{21}$ia^{0} ,iəu$^{13}_{21}$cʰi^{13}xe$^{53}_{44}$san$^{35}_{44}$fu$^{53}_{44}$m̩$^{13}_{21}$liəu^{13}li^{0} .pau^{35}kuak^{3} ci$^{13}_{21}$ci$^{13}_{21}$si^{21} ke^{53}sɿ^{13}xəu$^{53}_{44}$tsa^{0} ,fɔŋ$^{53}_{44}$xa$^{53}_{44}$kai$^{53}_{44}$ke$^{53}_{44}$tʂəuk^{3} tsʰəŋ^{13}xɔŋ^{53}ŋa^{0} ,xei$^{53}_{44}$a^{0} ?lien^{13}tʂəuk^{3} tsʰəŋ^{13}təu$^{35}_{44}$ʂau$^{35}_{44}$xek^{3} çi$^{53}_{44}$.m̩$^{13}_{21}$ mɔi$^{53}_{44}$li^{0} .ci$^{13}_{21}$ʂɔi^{53}ko$^{53}_{44}$ke$^{53}_{44}$tsʰiak^{5} ,pʰi^{35}pʰo$^{35}_{44}$,tʂən^{21}tʰei$^{13}_{44}$,tʰəŋ^{35}tʰəŋ$^{35}_{44}$ʂau$^{35}_{44}$xek^{3} çi$^{53}_{44}$,m̩$^{13}_{21}$mɔi$^{53}_{44}$li^{0} ,n̩$^{13}_{21}$liəu$^{13}_{21}$li^{0} .

【化灰】fa^{53}fɔi^{35} 名 熟石灰；生石灰与水反应生成的化合物，为白色粉末：生石灰去哩水以后就成哩～，就成哩熟石灰，就成哩～。saŋ^{35}ʂak^{5} fɔi^{35}cʰie^{53}li^{0} ʂei^{21}i$^{35}_{44}$xei^{53}tsiəu^{53}ʂaŋ$^{13}_{21}$li^{0} fa^{53}fɔi^{35},tsiəu$^{53}_{44}$ ʂaŋ$^{13}_{21}$li^{0} ʂəuk^{5} ʂak$^{5}_{3}$ fɔi$^{35}_{44}$,tsiəu^{53}ʂaŋ$^{13}_{21}$li^{0} fa^{53}fɔi^{35}.

【化积】fa^{53}tsiet^{3} 动 健脾导滞，消食除疳：细人子营养不良就安做有积有积滞，爱～。sei^{53} ɲin$^{13}_{44}$tsɿ^{0} in$^{13}_{21}$iəŋ$^{35}_{44}$pət^{3} liɔŋ^{13}tsʰiəu$^{53}_{44}$ɔn$^{35}_{44}$tso$^{53}_{44}$iəu^{35}tsiet^{3} iəu^{35}tsiet^{3} tʂʰɿ^{53},ɔi$^{53}_{44}$fa^{53}tsiet^{3}.

【化士】fa^{53}sɿ^{53} 动 象棋运动术语。支士：～就分士子欸撑开来，安做～。只有话作象棋作倒箇映子就爱～哩，爱动士了就爱～啦。fa^{53}sɿ^{53}tsʰiəu$^{53}_{44}$pən^{35}sɿ^{53}tsɿ^{0} e$_{21}$tsʰaŋ^{35}kʰɔi^{35}lɔi$^{13}_{21}$,ɔn$^{35}_{44}$tso$^{53}_{44}$fa^{53}sɿ^{53}. tʂɿ^{21}iəu$^{35}_{44}$ua$^{53}_{44}$tsɔk^{3} siɔŋ^{53}cʰi$^{13}_{21}$tsɔk^{3} tau^{21}kai^{53}iaŋ^{53}tsɿ^{0} tsʰiəu^{53}ɔi^{53}fa^{53}sɿ^{53}li^{0} ,ɔi$^{53}_{44}$tʰəŋ^{35}sɿ^{53}liau^{0} tsiəu$^{53}_{44}$ɔi$^{53}_{44}$fa^{53}sɿ^{53}la^{0} .

【化学】fa^{53}xɔk^{5} 形 塑料的：欸，如今～篓子多啦，垃圾桶啊都系用～篓子来做啦，屋下个啊，肚里放只子薄膜袋子去啊，屋下个垃圾桶啊唔系用～篓子来做？e$_{21}$,i$^{13}_{21}$cin$^{35}_{44}$fa^{53}xɔk^{5} lei^{21}tsɿ^{0} to^{35} la^{0} ,la$^{35}_{44}$ci$^{35}_{44}$tʰəŋ^{21}ŋa^{0} təu^{35}xe$^{53}_{44}$iəŋ^{53}fa^{53}xɔk^{5} lei^{21}tsɿ^{0} lɔi^{35}tso^{53}la^{0} ,uk^{3} xa^{53}ke^{53}a^{0} ,təu^{21}li^{0} fɔŋ^{53}tʂak^{3} tsɿ^{0} pʰɔk^{5} mo$^{13}_{21}$ tʰɔi^{53}tsɿ^{0} çi$^{53}_{44}$a^{0} ,uk^{3} xa^{53}ke^{53}la$^{35}_{44}$ci$^{35}_{44}$tʰəŋ^{21}ŋa^{0} m̩$^{13}_{21}$pʰe^{53}iəŋ^{53}fa^{53}xɔk^{5} lei^{21}tsɿ^{0} lɔi$^{13}_{21}$tso^{53}?｜如今个人个衫上个衫裤上个褂子唔系尽系～纽子啊？系唔系？有得别么个纽子嘞，全部系～纽子。i$^{13}_{21}$cin$^{35}_{53}$ke^{53}ɲin$^{13}_{21}$ ke^{0} san^{35}xɔŋ$^{53}_{44}$ke^{53}san^{35}fu$^{53}_{44}$xɔŋ$^{53}_{44}$ke^{0} kua^{53}tsɿ^{0} m̩$^{13}_{21}$pʰe$^{53}_{44}$tsʰin^{53}xe$^{53}_{44}$fa^{53}xɔk^{5} lei^{21}tsɿ^{0} a^{0} ?xei^{53}me^{53}?mau^{13}tek^{3} pʰiet^{5} mak^{3} e^{0} lei^{21}tsɿ^{0} le^{0} ,tsʰien$^{13}_{21}$pʰu$^{53}_{44}$xe$^{53}_{44}$fa^{53}xɔk^{5} lei^{21}tsɿ^{0} .

【化缘】fa^{53}vien^{13} 动 ①和尚、尼姑或道士向人求乞布施：如今箇街上我等看倒去浏阳看倒箇街上箇起咁个么个着倒咁个衫裤个箇起咁个欸安做少林寺个弟子箇兜咁个，其实就系么个就系讨食个样，～样，一路来个。i$^{13}_{21}$cin$^{35}_{44}$kai$^{53}_{44}$kai^{35}xɔŋ$^{53}_{21}$ŋai^{13}tien^{0} kʰɔn^{53}tau^{21}çi^{53}liəu^{13}iəŋ$^{13}_{44}$kʰɔn^{53}tau^{21}kai^{53} kai^{35}xɔŋ$^{53}_{44}$kai$^{53}_{21}$çi^{21}kan^{21}ke^{0} mak^{3} ke$^{53}_{44}$tʂɔk^{3} tau^{21}kan^{21}ke^{0} san^{35}fu$^{53}_{44}$ke^{0} kai^{53}çi^{21}kan^{21}ke$^{53}_{44}$e$_{21}$ɔn$^{35}_{44}$tso$^{53}_{44}$ʂau^{53}lin$^{13}_{21}$sɿ^{53} ke^{0} tʰi^{53}tsɿ^{0} kai$^{53}_{21}$təu$^{35}_{53}$kan^{21}cie$^{53}_{21}$,cʰi$^{13}_{21}$ʂət^{5} tsʰiəu^{53}xei$^{53}_{44}$mak^{3} ke$^{53}_{44}$tsʰiəu^{53}xe$^{53}_{44}$tʰau^{21}ʂət^{5} ke^{0} iɔŋ$^{53}_{44}$,fa^{53}vien^{13}iɔŋ$^{53}_{44}$,iet^{3} ləu^{53}lɔi$^{13}_{21}$ke^{0} . ②引申指乞讨或类似乞讨的行为：以前有只人咯渠邀我去旅游，渠话：“万老师，跟倒我来去旅游啦。一个人一张单车，骑单车。么个都不要，带兜子衫裤子，么个都不要，不要袋钱呐，不要袋个钱。”我话：“箇唔袋钱箇让门子搞唠？夜里箇到哪映去歇欸？”“有哪映歇唠，你跟倒我来去啰，系唔系？”唔晓得就去～呢，要讨食样嘞，讨一路去嘞。我话：“打比样我今晡走哩，骑乘单车，骑倒还赠到长沙，骑到箇路子上哪映子，夜嘿哩，让门搞哇？”“就去人家屋下歇。”我话，“夜饭呢，系让门搞哇？”拿只碗去爱别人家搞兜子来凑。“哎，”我话，“我唔摎你去。箇我唔摎你去。我搞唔得。我受唔得箇苦。”去浏阳嘞一只箇人呢。渠咯渠系哪映人呢？渠系山东人呢。渠话渠七十几岁了，渠话渠从五十几子就搞起，咁子搞，欸，年年搞一趟，爱两个月，欸，两个月走到山东，欸，一个月走到山东，骑单车，

又归，身上唔袋一分钱，一分钱都唔爱。我箇肯我唔搽你搞咁个路子。我去唔得，爱我讨食讨一路去啊，衫裤身脚都冇洗呀，系唔系？一天到夜，箇都搞得啊我？我唔得搞，我话我唔去，哼哼哼，笑死人。i$^{35}_{53}$ts^{h}ien$^{13}_{21}$iəu^{35}tʂak^{3}ɲin^{13}ko^{0}ci$^{13}_{21}$iau^{35}ŋai$^{13}_{21}$çi$^{53}_{44}$li^{35}iəu^{13},ci$^{13}_{44}$(u)a$^{53}_{44}$:"uan^{53}nau^{21}sʅ$^{35}_{44}$,cien^{35}tau$^{21}_{44}$ŋai^{13}lɔi$^{13}_{21}$çi$^{53}_{44}$li^{35}iəu^{13}la^0.iet^{3}ke^{53}ɲin$^{13}_{44}$iet^{3}tʂɔŋ$^{35}_{44}$tan^{35}tʂ^{h}a$^{35}_{44}$,c^{h}i$^{13}_{21}$tan^{35}tʂ^{h}a$^{35}_{44}$.mak^{3}ke^{53}təu$^{35}_{53}$pət^{3}iau^{53},tai^{53}tei$^{35}_{53}$tsʅ^{0}san^{35}fu^{53}tsʅ^0,mak^{3}e^{0}təu$^{35}_{53}$pət^{3}iau^{53},pət^{3}iau^{53}t^{h}ɔi^{53}ts^{h}ien^{13}na^0,pət^{3}iau^{53}t^{h}ɔi^{53}cie^{53}ts^{h}ien^{13}."ŋai^{13}ua^{53}:"kai^{53}n̩^{13}t^{h}ɔi^{53}ts^{h}ien^{13}kai$^{53}_{44}$ɲiɔŋ^{53}mən$^{13}_{44}$tsʅ^{0}kau^{21}lau^0?ia^{53}li^{0}kai$^{53}_{44}$tau^{53}la^{53}iaŋ^{53}c^{h}i^{53}çiet^{3}ei^0?""iəu^{35}la^{53}iaŋ^{53}çiet^{3}lau^0,ɲi$^{13}_{21}$cien^{35}tau^{21}ŋai$^{13}_{21}$lɔi$^{13}_{21}$çi^{53}lo^0,xei^{53}me^{53}?"n̩^{13}çiau^{21}tek^{3}tsiəu^{53}çi^{53}fa^{53}vien^{13}nei^0,iau^{53}t^{h}au^{21}ʂət^{5}iɔŋ$^{53}_{21}$lei^0,t^{h}au^{21}iet^{3}ləu^{53}çi$^{53}_{44}$lei^0.ŋai^{13}ua^{53}:"ta^{21}pi^{21}iɔŋ$^{53}_{44}$ŋai$^{13}_{21}$cin$^{35}_{44}$pu$^{35}_{44}$tsei^{21}li^0,c^{h}i$^{13}_{21}$ʂən$^{13}_{21}$tan^{35}tʂ^{h}a^{35},c^{h}i^{13}tau^{21}xai$^{13}_{21}$maŋ$^{13}_{21}$tau^{53}tʂ^{h}ɔŋ$^{13}_{21}$sa$^{35}_{44}$,c^{h}i^{13}tau$^{53}_{44}$kai$^{53}_{44}$ləu^{53}tsʅ^{0}xɔŋ$^{53}_{21}$lai^{53}iaŋ^{53}tsʅ^0,ia^{53}xek^{3}li^0,ɲiɔŋ^{53}mən^{0}kau^{21}ua^0?""ts^{h}iəu^{53}c^{h}i^{53}ɲin$^{13}_{21}$ka$^{35}_{53}$uk^{3}xa^{53}çiet^3."ŋai^{13}ua^{53}:"ia^{53}fan^{53}nei^0,xei^{53}ɲiɔŋ^{53}mən^{0}kau^{21}ua^0?"la^{53}tʂak^{3}uən^{21}c^{h}i$^{53}_{44}$ɔi$^{53}_{44}$p^{h}iet^{5}in$^{13}_{44}$ka$^{35}_{44}$kau^{21}tei$^{35}_{53}$tsʅ^{0}lɔi$^{13}_{21}$ts^{h}e^0."ai$_{35}$,"ŋai$^{13}_{21}$ua$_{44}$,"ŋai$^{13}_{44}$n̩$^{13}_{21}$nau$^{35}_{44}$ɲi$^{13}_{21}$çi^{53}.kai^{53}ŋai$^{13}_{21}$n̩$^{13}_{21}$nau$^{35}_{44}$ɲi$^{13}_{21}$çi^{53}.ŋai^{13}kau^{21}n̩^{13}tek^3.ŋai^{13}ʂəu^{53}n̩$^{13}_{21}$tek^{3}kai^{53}k^{h}u^{21}."çi^{53}liəu^{13}iɔŋ$^{13}_{44}$lei^{0}iet^{3}tʂak^{3}kai^{53}ɲin$^{13}_{44}$ne^0.ci$^{13}_{21}$ko^{0}ci$^{13}_{21}$xei^{53}lai^{53}iaŋ$^{53}_{44}$ɲin$^{13}_{21}$ne^0?ci$^{13}_{21}$xei^{53}san^{35}tɔŋ$^{35}_{44}$ɲin$^{13}_{21}$nei^0.ci^{13}ua^{53}ci$^{13}_{21}$ts^{h}iet^{5}ʂət^{5}ci^{21}sɔi^{53}liau^0,ci^{13}ua^{53}ci$^{13}_{44}$ts^{h}əŋ^{13}ŋ̍^{21}ʂət^{5}ci^{21}tsʅ^{0}ts^{h}iəu^{53}kau^{21}çi^{21},kan$^{21}_{13}$tsʅ^{0}kau^{21},e$_{21}$,ɲien^{13}ɲien$^{13}_{44}$kau^{21}iet^{3}t^{h}ɔŋ^{53},ɔi^{53}iɔŋ^{21}ke^{53}ɲiet^5,e$_{21}$,iɔŋ^{21}ke^{53}ɲiet^{5}tsei^{21}tau^{53}san^{35}tɔŋ^{35},ei$_{21}$,iet^{3}ke^{53}ɲiet^{5}tsei^{21}tau$^{53}_{44}$san^{35}tɔŋ^{35},c^{h}i$^{13}_{21}$tan^{35}tʂ^{h}a^{35},iəu$^{35}_{44}$kuei^{35},ʂən$^{35}_{44}$xɔŋ^{53}n̩$^{13}_{21}$t^{h}ɔi^{53}iet^{3}fən^{35}ts^{h}ien$^{13}_{44}$,iet^{3}fən^{35}ts^{h}ien$^{13}_{21}$təu$^{35}_{53}$m̩$^{13}_{21}$mɔi^{53}.ŋai^{13}kai^{53}xen^{21}ŋai^{13}n̩^{13}nau$^{35}_{44}$ɲi$^{13}_{21}$kau^{21}kan$^{21}_{13}$(k)e^{0}ləu^{53}tsʅ^0.ŋai^{13}çi^{53}n̩$^{13}_{21}$tek^3,ɔi$^{53}_{44}$ŋai$^{13}_{44}$t^{h}au^{21}ʂət^{5}t^{h}au^{21}iet^{3}ləu^{53}çi^{53}a^0,san^{35}fu$^{53}_{44}$ʂən^{35}ciɔk^{3}təu$^{35}_{53}$mau$^{13}_{21}$sei^{21}ia^0,xei^{53}me^{53}?iet^{3}t^{h}ien^{35}tau^{53}ia^{53},(k)ai^{53}təu$^{35}_{44}$kau^{21}tek^{3}a^{0}ŋai^{13}?ŋai^{13}n̩$^{13}_{21}$tek^{3}kau^{21},ŋai^{13}ua^{53}ŋai$^{13}_{21}$n̩$^{13}_{21}$çi$^{13}_{21}$,xŋ̍$_{53}$,xŋ̍$_{53}$xŋ̍$_{53}$,siau^{53}si^{21}ɲin$^{13}_{21}$.

【化斋】fa^{53}tsai^{35} 动 和尚、尼姑或道士向人求乞布施：庙里箇和尚啊渠等人就会到处去云游哇，云游渠等就靠～，欸，就靠～嘞，冇食了冇饭食了箇兜就靠～。miau^{53}li^{0}kai^{53}uo^{13}ʂɔŋ^{53}ŋa^{0}ci^{13}tien^{0}in$^{13}_{44}$ts^{h}iəu$^{53}_{44}$uɔi$^{53}_{44}$tau^{53}tʂ^{h}əu$^{53}_{21}$çi^{53}uən^{13}iəu^{13}ua^0,uən^{13}iəu$^{13}_{44}$ci$^{13}_{21}$tien^{0}ts^{h}iəu^{53}k^{h}au^{53}fa^{53}tsai^{35},e$_{21}$,ts^{h}iəu^{53}k^{h}au^{53}fa^{53}tsai^{35}le^0,mau^{13}ʂət^{5}liau^{0}mau^{13}fan^{53}ʂət^{5}liau^{0}kai$^{53}_{44}$tei$^{35}_{44}$ts^{h}iəu^{53}k^{h}au^{53}fa^{53}tsai^{35}.

【划$_3$】fak^3 动 以手掌击打：～你两耳巴 fak^{3}ɲi$^{13}_{21}$iɔŋ^{21}ɲi^{21}pa$^{35}_{44}$

【划粉】fa^{53}fən^{21} 名 用来打粉线的粉块：落尾正后来正有箇个～。欸，后来就有～，就一片片个。系唔系？欸，拿倒箇粉笔样啊，咁子拿倒去划个。lɔk^{5}mi^{35}tʂaŋ$^{53}_{44}$xei^{53}lɔi^{13}tʂaŋ^{53}iəu$^{35}_{44}$kai^{53}ke$^{53}_{44}$fa^{53}fən^{21}.e$_{21}$,xei^{53}lɔi^{13}ts^{h}iəu$^{53}_{44}$iəu^{35}fa^{53}fən^{21},ts^{h}iəu$^{53}_{44}$iet^{3}p^{h}ien^{53}p^{h}ien^{53}cie$^{53}_{44}$.xei$^{53}_{44}$me$^{53}_{44}$?e$_{21}$,la^{53}tau^{21}kai$^{53}_{44}$fən^{21}piet^{3}iɔŋ^{53}ŋa^0,kan^{21}tsʅ^{0}la^{53}tau^{21}çi^{53}fa^{53}ke$^{53}_{44}$.

【华佗庙】fa^{13}t^{h}o^{13}miau^{53} 名 供奉华佗先师的庙：凤溪箇映就有只，我等老家箇映就有只～。据说是好像话清朝时代手里搞个，清朝时候子搞个，搞起唔知几像哦。全部拆嘿造过哩。箇起留唔住哩啊，会殊嘿哩啊。首先是以前是有箇映子。落尾“文化革命”一搞冇得哩。“文化革命”以后嘞，就有兜人又搞起来个。欸，搞起来嘞，最先呢就舞倒土墙筑两间子，筑两三间子土墙。落尾箇土墙嘞又唔适应了就拆嘿去，箇就砌作红砖个，就咁子个。fɔŋ^{53}çi$^{35}_{44}$kai$^{53}_{44}$iaŋ$^{53}_{44}$ts^{h}iəu$^{53}_{44}$iəu$^{35}_{53}$tʂak^3,ŋai^{13}tien^{0}lau^{21}cia$^{35}_{44}$kai$^{53}_{44}$iaŋ$^{53}_{44}$ts^{h}iəu$^{53}_{44}$iəu$^{35}_{53}$tʂak^{3}fa$^{13}_{21}$t^{h}o$^{13}_{21}$miau^{53}.tʂʮ^{53}ʂet^{3}ʂʅ$^{53}_{44}$xau^{21}ts^{h}iɔŋ^{53}ua^{53}ts^{h}in^{35}tʂ^{h}au$^{13}_{21}$ʂʅ$^{13}_{21}$t^{h}ɔi$^{53}_{44}$ʂəu^{21}li^{21}kau^{21}ke^0,ts^{h}in^{35}tʂ^{h}au$^{13}_{21}$ʂʅ$^{13}_{21}$xei$^{53}_{44}$tsʅ^{0}kau^{21}ke^0,kau^{21}çi$^{21}_{44}$n̩^{13}ti$^{35}_{44}$ci^{21}ts^{h}iɔŋ^{53}ŋo^0.ts^{h}ien^{13}p^{h}u^{53}ts^{h}ak^{3}xek^{3}tsau^{53}ko^{53}li^0.kai^{53}çi$^{21}_{44}$liəu^{13}n̩$^{13}_{21}$tʂ^{h}əu^{53}li^{0}a^0,uɔi$^{53}_{44}$mət^{3}lek^{3}li^{0}a^0.ʂəu^{21}sien$^{35}_{44}$ʂʅ$^{53}_{44}$i$^{35}_{53}$ts^{h}ien^{13}ʂʅ$^{53}_{44}$iəu^{35}kai^{53}iaŋ^{53}tsʅ^0.lɔk^{5}mi^{35}"uən^{13}fa^{53}kek^{3}min^{53}"iet^{3}kau^{21}mau^{13}tek^{3}li^0."uən^{13}fa$^{53}_{44}$kek^{3}min$^{53}_{21}$"i^{35}xei^{53}lei^0,ts^{h}iəu$^{53}_{44}$iəu^{35}tei$^{35}_{53}$ɲin$^{13}_{21}$iəu^{53}kau^{21}çi^{21}lɔi^{13}ke^{53}.e$_{21}$,kau^{21}çi^{21}lɔi^{13}lei^0,tsei^{53}sien$^{35}_{44}$nei^{0}ts^{h}iəu^{53}u^{21}tau^{21}t^{h}əu^{21}ts^{h}iɔŋ^{13}tʂəuk^{3}iɔŋ^{21}kan$^{35}_{44}$tsʅ^0,tʂəuk^{3}iɔŋ^{21}san$^{35}_{44}$kan$^{35}_{44}$tsʅ^{0}t^{h}əu^{21}ts^{h}iɔŋ$^{13}_{21}$.lɔk^{5}mi$^{35}_{53}$kai^{53}t^{h}əu^{21}ts^{h}iɔŋ^{13}lei^{0}iəu^{53}n̩^{13}ʂət^{5}in^{53}niau^{0}tsiəu$^{53}_{21}$ts^{h}ak^3(x)ek^{3}çi^{53},kai$^{53}_{44}$tsiəu$^{53}_{44}$ts^{h}i^{53}tsɔk^{3}fɔŋ^{13}tʂuon$^{35}_{44}$cie^0,ts^{h}iəu^{53}kan$^{21}_{13}$tsʅ^{0}ke^{53}.

【华佗仙师】fa^{13}t^{h}o^{13}sien^{35}sʅ^{35} 名 对医界行业神华佗的尊称：～就系会整病啊，欸，蛮多人就到箇华佗庙里去，就求～降张子阴单子。fa^{13}t^{h}o$^{13}_{21}$sien$^{35}_{44}$sʅ$^{35}_{44}$tsiəu$^{53}_{44}$xe$^{53}_{44}$uɔi^{53}tʂaŋ^{21}p^{h}iaŋ^{53}ŋa^0,e$_{21}$,man^{13}to$^{35}_{53}$ɲin$^{13}_{21}$ts^{h}iəu$^{53}_{44}$tau^{53}kai^{53}fa^{13}t^{h}o$^{13}_{21}$miau^{53}li^{0}çi^{53},ts^{h}iaŋ^{21}c^{h}iəu$^{13}_{21}$fa^{13}t^{h}o$^{13}_{21}$sien$^{35}_{44}$sʅ$^{35}_{44}$kɔŋ^{53}tʂɔŋ$^{35}_{44}$tsʅ^{0}in^{35}tan$^{35}_{44}$tsʅ^0.

【画$_1$】fa^{53} 动 书写文字或绘制图形等：～符 fa^{53}p^{h}u^{13} | （箇梁上）还～两只子咁个八卦图箇只。xai^{13}fa^{53}iɔŋ^{21}tʂak^{3}tsʅ^{0}kan^{21}kei$^{53}_{44}$pait^{3}kua$^{53}_{44}$t^{h}əu^{13}kai$^{53}_{44}$tʂak^3. | 拿倒箇粉笔样啊，咁子拿倒去～个。la^{53}tau^{21}kai$^{53}_{44}$fən^{21}piet^{3}iɔŋ^{53}ŋa^0,kan^{21}tsʅ^{0}la^{53}tau^{21}çi^{53}fa^{53}ke$^{53}_{44}$.

【画$_2$】fa^{53} 量 指笔画。又称“笔”：欸，我就去学哩箇个书法。我写个字唔好看，落尾我话练毛笔字只爱分间架写好来，箇毛笔字就好看哩。其实我去学哩书法以后呀，我改变哩看法，笔画蛮重要。间架也重要，笔画呀更重要，一笔一～硬爱写好来，写规范来。e$_{44}$,ŋai^{13}ts^{h}iəu$^{53}_{44}$

çi^{53}xɔk^{5} li^{0} kai$^{53}_{44}$ke$^{53}_{44}$ʂəu^{35}fait^{3} .ŋai^{13}sia^{21}ke$^{53}_{44}$sɿ^{53}n̩$^{13}_{21}$xau^{21}k^{h}ɔn^{53},lɔk^{5} mi$^{35}_{53}$ŋai$^{13}_{21}$ua^{53}lien^{53}mau^{35}piet^{3} sɿ^{53}tʂʅ^{21}ɔi^{53}pən$^{35}_{44}$ kan^{35}ka^{53}sia^{21}xau^{21}lɔi$^{13}_{21}$,kai^{53}mau^{13}piet^{3} sɿ^{53}ts^{h}iəu^{53}xau^{21}k^{h}ɔn$^{53}_{44}$ni^{0} .c^{h}i$^{13}_{21}$ʂət^{5} ŋai$^{13}_{21}$çi$^{53}_{44}$xɔk^{5} li^{0} ʂəu^{35}fait^{3} i$^{35}_{44}$xei^{53}ia^{0} , ŋai^{13}kɔi^{21}pien^{53}ni^{0} k^{h}ɔn^{53}fait^{3} ,piet^{3} fa^{53}man^{13}tʂ^{h}əŋ^{53}iau^{53}.kan^{35}ka^{53}ia^{35}tʂ^{h}əŋ^{53}iau$^{53}_{44}$,piet^{3} fa$^{53}_{44}$ia^{0} cien^{53}tʂ^{h}əŋ^{53} iau^{53},iet^{3} piet^{3} iet^{3} fa^{53}ɲiaŋ^{53}ɔi^{53}sia^{21}xau^{21}lɔi$^{13}_{21}$,sia^{21}kuei^{35}fan^{53}nɔi^{13}.

【画符】fa^{53}fu^{13} 动本指道士将咒语写成符箓，引申指无中生有、凭空捏造：我就真冇得箇只事啊，你不要～啦。ŋai^{13}ts^{h}iəu^{53}tʂən^{35}mau$^{13}_{21}$tek^{3} kai$^{53}_{44}$tʂak^{3} sɿ^{53}a^{0} , ɲi$^{13}_{21}$pət^{3} iau$^{53}_{44}$fa^{53}fu^{13}la^{0} .｜你莫听渠等啦，箇个～个。ɲi^{13}mɔk^{5} t^{h}aŋ^{35}ci$^{13}_{21}$tien^{0} la^{0} ,kai$^{53}_{44}$ke$^{53}_{44}$fa^{53}fu^{13}ke^{53}.｜以只事你硬系画哩符。我冇得箇个事。i^{21}tʂak^{3} sɿ^{53}ɲi^{13}ɲiaŋ^{53}xei$^{53}_{44}$fa^{53}li^{0} fu^{13}.ŋai^{13}mau^{13}tek^{3} kai^{53}(k)e^{53}sɿ$^{53}_{21}$.

【画押】fa^{53}ait^{3} 动旧时在公文、契约或供状上画花押或写“押”字、“十”字,表示认可：如今我等人写下子咁个么个契约子啊，就～，签字～。为了慎重起见呢，还拿倒箇个印油来，点只子指纹去。i$^{13}_{21}$cin$^{35}_{53}$ŋai^{13}tien^{0} ɲin$^{13}_{21}$sia^{21}xa^{53}tsɿ^{0} kan^{21}ke^{53}mak^{3} ke^{53}c^{h}ie^{53}iɔk^{5} tsɿ^{0} a^{0} ,ts^{h}iəu^{53}fa^{53}ait^{3} ,ts^{h}ien^{35} ts^{h}ʅ$^{53}_{44}$fa^{53}ait^{3} .uei^{53}liau^{0} ʂən^{53}tʂ^{h}əŋ^{53}çi^{21}cien^{53}nei^{0} ,xai^{13}la^{53}tau^{21}kai^{53}ke^{53}in^{53}iəu^{13}lɔi$^{13}_{44}$,tian^{21}tʂak^{3} tsɿ^{0} tʂʅ^{21}uən^{13}çi^{53}.

【话$_1$】ua^{53} 动①说：（神仙土）渠～可以食个是。(ʂən^{13}sien$^{35}_{44}$t^{h}əu^{21})ci$^{13}_{21}$ua$^{53}_{44}$k^{h}o^{21}i$^{35}_{44}$ʂek^{5} ke$^{53}_{21}$ʂʅ$^{53}_{21}$.｜如今是～来～去是“不要脸”个更多。i$^{13}_{21}$cin^{35}ʂʅ$^{53}_{44}$ua$^{53}_{44}$lɔi$^{13}_{21}$ua$^{53}_{44}$çi$^{53}_{44}$ʂʅ$^{53}_{44}$pət^{3} iau^{53}lien^{21}ke$^{53}_{44}$cien^{53}to^{35}. ②指劝告或建议：有滴～唔信呢。iəu^{35}tet^{5} ua$^{53}_{44}$n̩$^{13}_{21}$sin^{53}ne^{0}. ③与“知、听”搭配使用，表示告诉的意思：你问倒哩～我知唠。ɲi^{13}uən^{53}tau$^{21}_{44}$li^{0} ua^{53}ŋai$^{13}_{21}$ti$^{35}_{44}$lau^{0}.｜我会～你听啦，会打电话分你呀。ŋai^{13}uɔi^{53} ua^{53}ɲi$^{13}_{44}$t^{h}iaŋ$^{35}_{53}$la^{0} ,uɔi$^{53}_{44}$ta^{21}t^{h}ien^{53}fa^{53}pən^{35}ɲi$^{13}_{21}$ia^{0} .

【话$_2$】fa^{53} 名言语，说出来的能表达思想感情的声音：讲一句～ kɔŋ^{21}iet^{3} tʂʯ$^{53}_{44}$fa^{53}

【话$_3$】ua^{53} 助附在句末，用以提示前文为听闻的内容，有据说、说是、听说的意思：箇后生子就爱食鸡公子～。kai$^{53}_{44}$xei^{53}saŋ^{35}tsɿ^{0} ts^{h}iəu$^{53}_{44}$ɔi$^{53}_{44}$ʂət^{5} cie^{35}kəŋ^{35}tsɿ^{0} ua$^{53}_{44}$.｜汶妹子会来～。uən^{53}mɔi$^{53}_{44}$ tsɿ^{0} uɔi^{53}lɔi$^{13}_{21}$ua$^{53}_{44}$.

【话法】ua^{53}fait^{3} 名①表达的方式；说话所用的词句：箇指“长把搂箕”是我等箇映有只咁个～，欸，也系客家人个～唠。kai$^{53}_{44}$ʂʅ$^{53}_{44}$ŋai$^{13}_{21}$tien^{0} kai$^{53}_{44}$iaŋ$^{53}_{44}$iəu^{35}tʂak^{3} kan^{21}ke$^{53}_{21}$ua^{53}fait^{3} ,e$_{21}$,ia^{35}xei$^{53}_{44}$k^{h}ak^{3} ka^{35}ɲin^{13}ke$^{53}_{44}$ ua^{53}fait^{3} lau^{0}. ②看法；观念：渠有只咁样～，安做先归先发财。即即哩归，你不要逗留。你不要跍倒箇地坟塘里唔归。ci$^{13}_{21}$iəu^{35}tʂak^{3} kan^{21}iɔŋ$^{53}_{44}$ua^{53}fait^{3} ,ɔn$^{35}_{44}$tso$^{53}_{44}$sien^{35}kuei^{35}sien$^{35}_{44}$fait^{3} ts^{h}ɔi^{13}.tsek^{5} tsek^{5} li^{0} kuei^{35}, ɲi$^{13}_{21}$pət^{3} iau$^{53}_{44}$t^{h}əu^{53}liəu$^{13}_{21}$. ɲi$^{13}_{21}$pət^{3} iau$^{53}_{44}$ku$^{35}_{44}$tau$^{21}_{44}$kai$^{53}_{44}$t^{h}i^{53}fən$^{13}_{21}$t^{h}ɔŋ^{13}li^{0} n̩$^{13}_{21}$kuei^{35}.

【话媒】ua^{53}mɔi^{13} 动说媒；说合婚姻：渠～是渠让门子话唔到哇？就别人家唔听你，也安做话唔到哇。ci$^{13}_{44}$ua^{53}mɔi^{13}ʂʅ$^{53}_{44}$ci$^{13}_{44}$niɔŋ^{53}mən^{0} tsɿ^{0} ua^{53}n̩$^{13}_{21}$tau^{53}ua^{0} ?ts^{h}iəu$^{53}_{44}$p^{h}iet^{5} in$^{13}_{21}$ka$^{35}_{44}$n̩$^{13}_{21}$t^{h}aŋ^{35}ɲi$^{13}_{21}$,ia^{35}ɔn$^{35}_{53}$tso^{53}ua^{53} n̩^{13}tau^{53}ua^{0}.｜我就去话过媒啦。ŋai^{13}ts^{h}iəu^{53}çi^{53}ua^{53}ko^{53}mɔi^{13}la^{0}.

【话起】ua^{53}çi^{21} 动①告诉；告知：你～渠，𫜐去箇映，也𫜐去以映，到底系去哪映呢？ɲi^{13} ua^{53}çi^{21}ci^{13},maŋ^{13}çi^{53}kai^{53}iaŋ^{35},ia^{35}maŋ^{13}çi^{53}i^{21}iaŋ^{35},tau^{53}ti^{21}xe^{53}çi^{53}lai^{53}iaŋ^{35}ne^{0}? ②提起；说到：还有～ xai^{13}mau^{13}ua^{53}çi^{21}为时尚早

【话唔到】ua^{53}ŋ̍^{13}tau^{53} 说话不会有作用：欸，打比样有么个矛盾纠纷样，爱我去调解。“以只路子我～。” ei$_{21}$,ta^{21}pi^{21}iɔŋ^{53}iəu$^{35}_{44}$mak^{3} e^{0} mau^{13}tən^{53}ciəu^{35}fən$^{35}_{44}$iɔŋ^{53},ɔi^{53}ci$^{13}_{21}$çi^{53}t^{h}iau^{13}kai^{21}."i^{21}tʂak^{3} ləu^{53}tsɿ^{0} ŋai^{13}ua^{53}n̩$^{13}_{21}$tau^{53}."｜打比欸以只伢子想讨哪映只妹子，系唔系？请倒我去话媒。“吔嘿，以场婚事就我就～哈。” ta^{21}pi^{21}ei$_{44}$i^{21}tʂak^{3} ŋa^{13}tsɿ^{0} siɔŋ^{21}t^{h}au^{21}lai^{53}iaŋ^{53}tʂak^{3} mɔi^{53}tsɿ^{0} ,xei^{53}me^{53}?ts^{h}iaŋ^{21}tau^{21}ŋai^{13} çi^{53}ua^{53}mɔi^{13}."ie$_{13}$xe$_{21}$,i^{21}tʂ^{h}ɔŋ^{13}fən^{35}sɿ^{53}ts^{h}iəu$^{53}_{44}$ŋai^{13}ts^{h}iəu$^{53}_{44}$ua^{53}n̩$^{13}_{21}$tau^{53}xa^{0}."

【话唔清】ua^{53}n̩$^{13}_{21}$ts^{h}in^{35} 说不明白：名字我就～。miaŋ^{13}ts^{h}ʅ$^{53}_{44}$ŋai$^{13}_{21}$ts^{h}iəu$^{53}_{44}$ua^{53}n̩$^{13}_{21}$ts^{h}in^{35}.

【话唔转】ua^{53}n̩^{13}tʂuɔn^{21} 说话不流利，常有字音错误、重复或词句中断：以前我等箇映有只老子咯，也唔系结舌子呢，渠就系有个别字渠～。渠话一只字，硬长日笑渠。渠读哩两个子书，真喜欢卖弄渠个才华，“我硬真有才华”，渠就箇个自家屋下打祭咯，渠就哪到都读祭文，我同你讲过吧？有只箇人喜第一喜欢读祭文。渠读祭文呢箇是撞怕是就等渠去读哦，欸紧你，咁喜欢读祭文子，系唔系？又唔系么个读得咁好，渠就好仰。欸，唔系话结巴子就好讲咯。又系结舌，渠话，欸，有只咁个话法，作象棋咯三步棋唔出车就系屎棋，系唔系？渠就～，出车个出字，屎棋个屎字，渠～。渠让门话嘞？话……七八十岁了嘞还咁子话啦，三步棋唔 k^{h}ət^{3} 车，出车渠就话做 k^{h}ət^{3} 车，箇屎棋嘞渠嘞 xə^{21}棋，渠是箇……长日笑渠“三步棋唔 k^{h}ət^{3} 车就 xə^{21}棋”。箇只结舌子渠只有箇两只字就结。欸，箇个就结舌子。所以渠可想而知渠箇个读祭文是硬唔知几多结舌子，有兜人听得好笑，也就搞一阵就冇人笑了唠。i$^{35}_{53}$ts^{h}ien$^{13}_{21}$ŋai$^{13}_{21}$tien^{0}

kai^{53}iaŋ^{53}iəu$^{35}_{44}$tʂak^{3}lau^{21}tsɿ^{0}ko^{0},ia^{35}m̩$^{13}_{21}$pʰei$^{53}_{44}$ciet^{3}ʂet^{5}tsɿ^{0}nei^{0},ci$^{13}_{21}$tsʰiəu^{53}xei^{53}iəu^{35}ko^{53}pʰiet^{5}sɿ^{53}ci^{13}ua^{53}n̩^{13}tʂuən^{21}.ci^{13}ua^{53}iet^{3}tʂak^{3}sɿ^{53}, ɲiaŋ^{53}tʂʰəŋ^{13}ɲiet^{3}siau^{53}ci$^{13}_{21}$.ci$^{13}_{21}$tʰəuk^{5}li^{0}iəŋ^{21}cie^{53}tsɿ^{0}ʂəu^{35},tʂən^{35}çi^{21}fən$^{35}_{44}$mai^{53}ləŋ$^{53}_{44}$ci$^{13}_{44}$ke$^{53}_{44}$tsʰɔi^{13}fa^{13},ŋai^{13}ɲiaŋ$^{53}_{44}$tʂən^{35}iəu$^{35}_{44}$tsʰɔi$^{13}_{21}$fa$^{13}_{21}$,ci$^{13}_{21}$tsʰiəu^{53}kai$^{53}_{44}$ke$^{53}_{44}$tsʰɿ^{35}ka$^{35}_{53}$uk^{3}xa$^{53}_{44}$ta^{21}tsi^{53}ko^{0},ci$^{13}_{21}$tsʰiəu$^{53}_{44}$lai^{53}tau$^{53}_{21}$təu$^{35}_{44}$tʰəuk^{5}tsi^{53}uən$^{13}_{21}$,ŋai$^{13}_{21}$tʰəŋ$^{13}_{21}$ɲi$^{13}_{21}$kəŋ^{21}ko^{53}pa^{0}?iəu$^{35}_{53}$tʂak^{3}(k)ai^{53}ɲin$^{13}_{44}$çi$^{21}_{44}$tʰi^{53}iet^{3}çi^{21}fən$^{35}_{44}$tʰəuk^{5}tsi^{53}uən$^{13}_{21}$.ci$^{13}_{21}$tʰəuk^{5}tsi^{53}uən$^{13}_{21}$ne^{0}kai$^{53}_{44}$ʂɿ$^{53}_{44}$tsʰɔŋ^{21}pʰa^{53}ʂɿ$^{53}_{44}$tsʰiəu^{53}ten^{21}ci$^{13}_{21}$çi^{53}tʰəuk^{5}o^{0},e$_{53}$cin^{21}ɲi^{13},kan^{21}çi^{21}fən$^{35}_{44}$tʰəuk^{5}tsi^{53}uən$^{13}_{21}$tsɿ^{0},xei^{53}me^{53}?iəu^{53}m̩$^{13}_{21}$pʰei^{53}mak^{3}e^{0}tʰəuk^{5}tek^{3}kan^{21}xau^{21},ci$^{13}_{21}$tsʰiəu$^{53}_{44}$xau^{53}ɲiəŋ^{21}.e$_{21}$,m̩^{13}pʰei^{53}ua^{53}ciet^{3}pa^{35}tsɿ^{0}tsʰiəu^{53}xau^{53}kəŋ^{21}ko^{0}.iəu$^{53}_{21}$xe^{53}ciet^{3}ʂet^{5},ci^{13}ua^{53},ei$_{44}$,iəu^{35}tʂak^{3}kan^{21}(k)ei$^{53}_{44}$ua^{53}fait^{3},tsɔk^{3}siəŋ^{53}cʰi$^{13}_{44}$ko^{0}san^{35}pʰu^{53}cʰi$^{13}_{21}$n̩^{13}tʂʰət^{3}cie^{35}tsiəu^{53}xe^{53}ʂɿ^{21}cʰi^{13},xei$^{53}_{44}$me$^{53}_{44}$?ci^{13}tsʰiəu^{53}ua^{53}n̩$^{13}_{44}$tʂuən^{21},tʂʰət^{3}cie^{35}ke^{0}tʂʰət^{3}tsʰɿ^{53},ʂɿ^{21}cʰi^{13}ke^{53}ʂɿ^{21}tsʰɿ^{53},ci^{13}ua^{53}n̩^{13}tʂuən^{21}.ci^{13}ɲiəŋ$^{53}_{44}$mən$^{13}_{44}$ua$^{53}_{21}$lei^{0}?ua$^{53}_{44}$⋯tsʰiet^{3}pait^{3}ʂət^{5}sɔi^{53}liau^{21}le^{0}xai$^{13}_{21}$kan^{21}tsɿ^{0}ua^{53}la^{0},san^{35}pʰu^{53}cʰi$^{13}_{44}$n̩^{13}kʰət^{3}cie^{35},tʂʰət^{3}cie^{35}ci$^{13}_{44}$tsʰiəu$^{53}_{44}$ua$^{53}_{44}$tso$^{53}_{44}$kʰət^{3}cie^{35},kai^{53}ʂɿ^{21}cʰi^{13}lei^{0}ci$^{13}_{21}$le^{0}xə^{21}cʰi^{13}.ci^{13}ʂɿ$^{53}_{21}$kai^{53}⋯tʂʰəŋ^{13}ɲiet^{3}siau^{53}ci$^{13}_{44}$"san^{35}pʰu$^{53}_{44}$cʰi$^{13}_{44}$n̩$^{13}_{21}$kʰət^{3}cie^{35}tsʰiəu$^{53}_{44}$xə^{21}cʰi^{13}".kai$^{53}_{21}$tʂak^{3}ciet^{3}ʂet^{5}tsɿ^{0}ci$^{13}_{21}$tʂɿ^{21}iəu$^{35}_{53}$kai^{53}iəŋ^{21}tʂak^{3}sɿ^{53}tsʰiəu$^{53}_{44}$ciet^{3}.e$_{21}$,kai$^{53}_{44}$ke$^{53}_{44}$tsʰiəu$^{53}_{44}$ciet^{3}ʂet^{5}tsɿ^{0}.so^{21}i$^{35}_{53}$ci$^{13}_{21}$kʰo^{21}siəŋ^{21}ɥ$^{13}_{21}$tʂɿ$^{35}_{44}$ci$^{13}_{21}$kai$^{53}_{44}$ke$^{53}_{44}$tʰəuk^{5}tsi^{53}uən$^{13}_{21}$ʂɿ$^{53}_{44}$ɲiaŋ^{53}n̩^{13}ti$^{35}_{53}$ci$^{21}_{44}$to$^{35}_{44}$ciet^{3}ʂet^{3}tsɿ^{0},iəu^{35}tei$^{35}_{53}$ɲin$^{13}_{21}$tʰaŋ^{35}tek^{3}xau^{21}siau^{53},a$^{35}_{53}$tsʰiəu^{53}kau^{21}iet^{3}tʂʰən^{53}tsʰiəu^{53}mau^{13}ɲin$^{13}_{44}$siau^{53}liau^{21}lau^{0}.

【怀死声】uai^{13}si^{21}ʂaŋ^{35} 发出极其凄惨的叫声：～就系让门子就么个是安做～嘞？只有以咁个欸秋天到岭上去秋天个夜晡哇箇岭上个麂子啊就～，麂子叫真吓人，真豺人，硬～。uai^{13}si^{21}ʂaŋ$^{35}_{44}$tsʰiəu^{53}xei^{53}ɲiəŋ^{53}mən$^{13}_{44}$tsɿ^{0}tsʰiəu^{0}mak^{3}ke^{53}ʂɿ^{53}ɔn$^{35}_{44}$tso$^{53}_{44}$uai^{13}si^{21}ʂaŋ$^{35}_{44}$lei^{0}?tʂɿ^{21}iəu$^{35}_{53}$i^{21}kan$^{21}_{13}$kei^{53}e^{0}tsʰiəu^{35}tʰien$^{35}_{44}$tau^{53}liaŋ^{35}xɔŋ^{53}çi^{53}tsʰiəu^{35}tʰien$^{35}_{44}$ke^{0}ia^{53}pu$^{35}_{44}$ua^{0}kai$^{53}_{44}$liaŋ^{35}xɔŋ^{53}ke^{0}ci^{21}tsɿ^{0}a^{0}tsʰiəu^{53}uai^{13}si^{21}ʂaŋ$^{35}_{44}$,ci^{21}tsɿ^{0}ciau^{53}tʂən^{35}xak^{3}ɲin$^{13}_{44}$,tʂən^{35}ɲia^{13}ɲin^{13}, ɲiaŋ^{53}uai^{13}si^{21}ʂaŋ$^{35}_{44}$.

【怀天怀地】uai^{13}tʰien^{35}uai^{13}tʰi^{53} ①指人因痛苦或伤心而大声哭闹挣扎：箇个欸人呐叫哇有兜人叫起来，～叫哇。kai^{53}kei$^{53}_{44}$ei$_{21}$ɲin^{13}na^{0}ciau^{53}ua^{0}iəu^{35}tei$^{35}_{44}$ɲin$^{13}_{21}$ciau^{53}çi^{21}lɔi$^{13}_{21}$,uai^{13}tʰien$^{35}_{44}$uai^{13}tʰi$^{53}_{44}$ciau^{53}ua^{0}. ｜以个手指节子肚里（有痞积），嗯，挑起～。i^{21}ke^{53}ʂəu^{21}tʂɿ^{21}tset^{3}tsɿ^{0}təu^{21}li^{0},n̩$_{21}$,tʰiau^{35}çi$^{21}_{44}$uai^{13}tʰien$^{35}_{44}$uai^{13}tʰi^{53}. ②动物发出凄厉的叫声：～，怀呀就系做死个子叫个叫声。如今箇个我等以个山里啊就经常听得倒嘞箇麂子跕倒箇岭上～嘞。uai^{13}tʰien$^{35}_{44}$uai^{13}tʰi^{53},uai^{13}ia^{0}tsʰiəu^{53}xe^{53}tso^{53}si^{21}ke^{53}tsɿ^{0}ciau^{53}ke^{0}ciau^{53}ʂaŋ^{35}.i$^{13}_{21}$cin$^{35}_{44}$kai^{53}ke^{53}ŋai^{13}tien^{0}i^{21}ke^{0}san^{35}ni^{21}a^{0}tsʰiəu^{53}cin^{35}tʂʰɔŋ$^{13}_{21}$tʰaŋ$^{35}_{53}$tek^{3}tau$^{21}_{44}$le^{0}kai^{53}ci^{21}tsɿ^{0}ku^{35}tau^{21}kai^{53}liaŋ^{35}xɔŋ$^{53}_{44}$uai^{13}tʰien$^{35}_{53}$uai^{13}tʰi^{53}lei^{0}.

【怀疑】fai^{13}ɲi^{13} 动心中存疑：太～渠指豆豉油个卫生。tʰai^{53}fai^{13}ɲi^{13}ci$^{13}_{21}$ke$^{53}_{44}$uei^{53}sien^{35}.

【坏$_{1}$】fai^{53} 动①变质，变得不好或有害：酸菜箇东西渠会～。sɔn^{35}tsʰɔi^{53}kai$^{53}_{44}$təŋ$^{35}_{44}$si^{0}ci$^{13}_{21}$uɔi$^{53}_{44}$fai^{53}. ②指胎儿死亡：我老妹子头只（细子）赠带倒，去肚子里就～咁哩。ŋai^{13}lau^{21}mɔi^{53}tsɿ^{0}tʰei^{13}tʂak^{3}maŋ^{13}tai^{53}tau^{21},çi^{53}təu^{21}tsɿ^{0}li^{0}tsiəu$^{53}_{44}$fai^{53}kan^{21}ni^{0}.

【坏$_{2}$】fai^{53} 形歹毒；品质恶劣：箇个人～得唔得了。kai^{53}ke$^{53}_{44}$ɲin$^{13}_{21}$fai^{53}tek^{3}n̩^{13}tek^{3}liau^{21}.

【坏话】fai^{53}fa^{53} 名对人对事不利的话：爱讲渠个好话，莫讲渠个～。ɔi^{53}kɔŋ^{21}ci^{13}ke^{53}xau^{21}fa^{53},mɔk^{5}kɔŋ^{21}ci^{13}ke^{53}fai^{53}fa^{53}.

【坏事】fai^{53}sɿ^{53} 名不正当的事情；有害的事情：鼓动别人家去做～ku^{21}tʰəŋ$^{35}_{44}$pʰiet^{5}in$^{13}_{21}$ka$^{35}_{44}$çi$^{53}_{44}$tso$^{53}_{44}$fai^{53}sɿ$^{53}_{44}$

【欢欢转】kʰuan^{35}kʰuan^{35}tʂuən^{21} 动①形容不停地快速转动的样子：箇个整米个水车～。kai$^{53}_{44}$ke$^{53}_{44}$tʂaŋ^{21}mi^{21}ke^{53}ʂei^{21}tʂʰa$^{35}_{44}$kʰuan^{35}kʰuan^{35}tʂuən^{21}. ｜风车叶子～。fəŋ^{35}tʂʰa^{35}iait^{5}tsɿ^{0}kʰuan^{35}kʰuan^{35}tʂuən^{21}. ②形容忙碌的样子：以发真多事，搞起我～。i^{21}fait^{3}tʂən^{35}to^{35}sɿ^{53},kau^{21}çi$^{21}_{53}$ŋai$^{13}_{21}$kʰuan^{35}kʰuan^{35}tʂuən^{21}.

【欢喜】fɔn^{35}çi^{21} 动①疼爱：咁得人家惜个孙子我真～呀。kan^{21}tek^{3}in$^{13}_{21}$ka$^{35}_{53}$siak^{3}ke$^{53}_{44}$sən^{35}tsɿ^{0}ŋai^{13}tʂən^{35}fɔn^{35}çi^{21}ia^{0}. ②喜欢：我是唔～打牌呢。我就～看下子书呢，～去旅游呢，走动下子呢，到处去嬲下子呢我就～呢。ŋai^{13}ʂɿ^{53}m̩^{13}fɔn$^{35}_{44}$çi$^{21}_{44}$ta^{21}pʰai^{13}nei^{0}.ŋai^{13}tsʰiəu^{53}fɔn^{35}çi^{21}kʰɔn^{53}na$^{53}_{21}$tsɿ^{0}ʂəu^{35}nei^{0},fɔn^{35}çi^{21}çi^{53}li^{35}iəu^{13}nei^{0},tsei^{21}tʰəŋ^{53}ŋa^{53}tsɿ^{0}nei^{0},tau^{53}tʂʰəu$^{53}_{44}$çi$^{53}_{44}$liau^{53}ua$^{53}_{21}$tsɿ^{0}nei^{0}ŋai^{13}tsʰiəu^{53}fɔn^{35}çi^{21}nei^{0}. ③高兴：箇只事渠～倒<u>哩啊</u>。kai^{53}tʂak^{3}sɿ$^{53}_{44}$ci$^{13}_{21}$fɔn^{35}çi^{21}tau^{21}lia^{0}.

【欢喜钱子】fɔn^{35}çi^{21}tsʰien^{13}tsɿ^{0} 名用来增加喜庆气氛的小红包。又称“赏封”：箇个就包封啊。箇个就不是赏封啊，箇就不是么啊<u>～啊</u>。kai^{53}ke$^{53}_{44}$tsʰiəu$^{53}_{44}$pau^{35}fəŋ^{35}ŋa^{0}.kai$^{53}_{44}$ke$^{53}_{44}$tsʰiəu$^{53}_{44}$pət^{3}ʂɿ^{53}ʂɔŋ^{21}fəŋ^{35}ŋa^{0},kai$^{53}_{44}$tsʰiəu$^{53}_{44}$pət^{3}ʂɿ^{53}mak^{3}a^{0}fɔn^{35}çi^{21}tsʰien^{13}tsa^{0}.

【獾狗子】xɔn^{35}kei^{21}tsɿ^{0} 名獾的俗称：～嘞就喜欢挖湖鳅话呢，喜欢食湖鳅哇箇动物啊，喜欢挖箇个田里个湖鳅子食嘞。话哩以前我等箇映子我等箇映有只老子唠，渠个绰号子就安做～，渠十分喜欢挖湖鳅，嗯，十分喜欢搞湖鳅。xɔn^{35}kei^{21}tsɿ^{0}le^{0}tsʰiəu^{53}çi^{21}fɔn$^{35}_{44}$ua$^{35}_{44}$fu^{13}tsʰiəu$^{35}_{44}$ua^{53}nei^{0},çi^{21}fɔn$^{35}_{44}$ʂət^{5}fu^{13}tsʰiəu$^{35}_{44}$ua^{0}kai$^{53}_{21}$tʰəŋ$^{53}_{44}$uk^{5}a^{0},çi^{21}fɔn$^{35}_{53}$ua^{35}kai$^{53}_{44}$ke$^{53}_{44}$tʰien$^{13}_{21}$ni^{21}ke^{53}fu^{13}tsʰiəu$^{35}_{44}$tsɿ^{0}ʂət^{5}le^{0}.ua$^{53}_{44}$li^{0}i$^{35}_{53}$tsʰien$^{13}_{21}$ŋai^{13}tien^{0}kai$^{53}_{44}$iaŋ$^{53}_{44}$tsɿ^{0}ŋai^{13}tien^{0}kai$^{53}_{44}$iaŋ$^{53}_{44}$iəu$^{35}_{44}$tʂak^{3}lau^{21}tsɿ^{0}lau^{0},ci$^{13}_{21}$ke^{53}tʂʰɔk^{3}xau^{53}tsɿ^{0}tsʰiəu^{53}ɔn$^{35}_{53}$tso^{53}xɔn^{35}kei^{21}tsɿ^{0},ci$^{13}_{21}$ʂət^{5}fɔn$^{35}_{44}$çi^{21}fɔn$^{35}_{44}$ua$^{35}_{44}$fu$^{13}_{21}$tsʰiəu$^{35}_{53}$,n̩$_{21}$,ʂət^{5}fɔn$^{35}_{44}$çi^{21}fɔn$^{35}_{44}$kau^{21}fu$^{13}_{21}$tsʰiəu$^{35}_{53}$.

【还$_{3}$】uan^{13} 动 归还，把钱或物送回原主或原地：我有只人借我两万块钱总都唔～转分我，唔～分我。还有只人借去几千块子，咁个也冇得～，总都唔～。搞倒我自家几冇钱用。ŋai^{13}iəu$^{35}_{53}$tʂak^{3}ɲin$^{13}_{44}$tsia^{53}ŋai$^{13}_{44}$iɔŋ^{21}uan^{53}kʰuai^{53}tsʰien$^{13}_{21}$tsəŋ^{21}təu$^{35}_{53}$m̩$^{13}_{21}$uan^{13}tʂuɔn^{21}pən$^{35}_{44}$ŋai$^{13}_{44}$,m̩^{13}uan$^{13}_{21}$pən$^{35}_{53}$ŋai$^{13}_{21}$.xai^{13}iəu$^{35}_{53}$tʂak^{3}ɲin^{13}tsia^{53}çi$^{53}_{44}$ci^{21}tsʰien^{35}kʰuai^{53}tsɿ^{0},kan^{21}ke$^{53}_{44}$ia^{35}mau^{13}tek^{3}uan^{13},tsəŋ$^{21}_{44}$təu$^{35}_{53}$n̩$^{13}_{21}$uan^{13}.kau^{21}tau^{21}ŋai$^{13}_{21}$tsʰɿ^{35}ka^{35}ci^{21}mau$^{13}_{21}$tsʰien^{13}iəŋ^{53}.

【还$_{4}$】uan^{13} 动 前后用相同的词语，表示所说的事物与其他事物互不相干，不能混淆：狗姜～狗姜。cieu^{21}ciɔŋ^{35}uan^{13}cieu^{21}ciɔŋ^{35}.｜欸，乌豆子～乌豆子与乌眼豆不同。e$_{21}$,u^{35}tʰəu^{53}tsɿ^{0}uan^{13}u^{35}tʰəu^{53}tsɿ^{0}.｜橱子～橱子，柜子～柜子，唔同。tʂʰəu^{13}tsɿ^{0}uan^{13}tʂʰəu^{13}tsɿ^{0},kʰuei^{53}tsɿ^{0}uan^{13}kʰuei^{53}tsɿ^{0},n̩^{13}tʰəŋ^{13}.

【还价】uan^{13}cia^{53} 动 买方因嫌货价高而提出愿付的价格。又称“杀价”：唔～ ŋ̍^{13}uan^{13}cia^{53}

【还山】fan^{13}san^{35} 动 出殡安葬。又称“送岭”：我等有以映有只咁个规矩，就系嘞～个箇晡，做嘿哩道场了，系唔系？最后箇晡就～呐，打比昨晡个正斋，箇客佬子都来悼念，箇就系正酒哇，系唔系？正酒个第二晡，就系～。ŋai$^{13}_{21}$tien^{0}iəu^{35}i^{21}iaŋ^{53}iəu^{35}tʂak^{3}kan^{21}cie$^{53}_{44}$kuei^{35}tʂʅ^{21},tsʰiəu$^{53}_{44}$xe$^{53}_{44}$lei$^{53}_{44}$fan^{13}san^{35}cie$^{53}_{21}$kai$^{53}_{44}$pu^{35},tso^{53}xek^{3}li^{0}tʰau^{53}tʂʰɔŋ$^{13}_{21}$liau^{0},xei^{53}me^{53}?tsei^{53}xei$^{53}_{44}$kai$^{53}_{44}$pu$^{35}_{44}$tsʰiəu$^{53}_{44}$fan$^{13}_{21}$san^{35}na^{0},ta^{21}pi^{21}tsʰo^{35}pu$^{35}_{53}$ke^{0}tʂən^{53}tsai^{35},kai$^{53}_{44}$kʰak^{3}lau^{21}tsɿ^{0}təu^{35}lɔi^{13}tiau^{53}ɲien$^{53}_{44}$,kai$^{53}_{44}$tsʰiəu$^{53}_{44}$xei$^{53}_{44}$tʂən^{53}tsiəu^{21}ua^{0},xei^{53}me$^{53}_{44}$?tʂən^{53}tsiəu^{21}ke^{0}tʰi^{53}ɲi^{53}pu^{35},tsʰiəu$^{53}_{44}$xe$^{53}_{44}$fan$^{13}_{21}$san^{35}.

【还山上岭】fan^{13}san^{35}ʂɔŋ^{35}liɔŋ^{35} 指出殡安葬：就系～个头晡夜晡，就会打家祭。tsʰiəu$^{53}_{44}$xe$^{53}_{44}$fan^{13}san^{35}ʂɔŋ^{35}liɔŋ^{35}ke$^{53}_{44}$tʰei^{13}pu$^{35}_{44}$ia^{53}pu$^{35}_{44}$,tsʰiəu$^{53}_{44}$uɔi$^{53}_{44}$ta^{21}cia^{35}tsi^{53}.

【还愿】uan^{13}ɲien^{53} 动 （求神保佑的人）实践对神许下的报酬：我箇年动哩手术，我腰上动哩手术。我自家是都赠去求神，我嫔子同我去求哩神。落尾我个手术好哩以后我自家走得了，到处走得了，以下我嫔子又去同我问让门子来欸～，或者烧兜子纸或者舞兜子油箇兜，舞兜子灯油箇兜。好，落尾问倒嘞，么个都唔爱，箇个唔爱烧纸箇兜唔爱，爱到庙里去服务一天。以下就问下子嘞箇庙里嘞，渠话十二月二十三晡华佗庙里做生日，可能就系过年呢，整餐酒唠。渠话爱来你就箇晡来。ŋai^{13}kai^{53}ɲien$^{13}_{21}$tʰəŋ^{53}li^{0}ʂəu^{21}ʂət^{5},ŋai$^{13}_{21}$iau$^{35}_{44}$xɔŋ$^{53}_{44}$tʰəŋ^{53}li^{0}ʂəu^{21}ʂət^{5}.ŋai^{13}tsʰɿ$^{21}_{44}$ka$^{35}_{53}$ʂɿ$^{53}_{21}$təu$^{35}_{53}$maŋ^{13}çi^{53}cʰiəu$^{13}_{21}$ʂən$^{13}_{21}$,ŋai$^{13}_{21}$ɔi^{35}tsɿ^{0}tʰəŋ$^{13}_{21}$ŋai$^{13}_{21}$çi^{53}cʰiəu$^{13}_{21}$li^{0}ʂən^{13}.lɔk^{5}mi$^{35}_{44}$ŋai$^{13}_{21}$ke$^{53}_{44}$ʂəu^{21}ʂət^{5}xau^{21}li^{0}i$^{35}_{44}$xei$^{53}_{44}$ŋai$^{13}_{21}$tsʰɿ^{35}ka$^{35}_{53}$tsei^{21}tek^{3}liau^{0},tau^{53}tʂʰəu^{53}tsei^{21}tek^{3}liau^{0},i^{21}xa$^{53}_{44}$ŋai$^{13}_{21}$ɔi^{35}tsɿ^{0}iəu^{53}çi^{53}tʰəŋ$^{13}_{21}$ŋai$^{13}_{21}$uən^{13}ɲiɔŋ^{53}mən^{0}tsɿ^{0}lɔi$^{13}_{44}$e$_{21}$uan^{13}ɲien^{53},xɔit^{5}tʂa^{21}ʂau^{35}te$^{35}_{53}$tsɿ^{0}tʂɿ^{21}xɔit^{5}tʂa^{21}u^{21}te$^{35}_{53}$tsɿ^{0}iəu^{13}kai$^{53}_{44}$te$^{35}_{53}$,u^{21}te$^{35}_{53}$tsɿ^{0}ten^{35}iəu^{13}kai$^{53}_{44}$te$^{35}_{53}$.xau^{21},lɔk^{5}mi$^{35}_{44}$uən^{53}tau^{21}lei^{0},mak^{3}ke$^{53}_{44}$təu$^{35}_{44}$m̩$^{13}_{21}$mɔi^{53},kai^{53}ke^{53}m̩$^{13}_{21}$mɔi^{53}ʂau^{35}tʂɿ^{21}kai$^{53}_{44}$te$^{35}_{44}$m̩$^{13}_{21}$mɔi^{53},ɔi^{53}tau^{53}miau^{53}li^{0}çi$^{53}_{44}$fuk^{5}u^{53}iet^{3}tʰien^{35}.i^{21}xa$^{53}_{44}$tsʰiəu$^{53}_{44}$uən^{53}na$^{53}_{21}$tsɿ^{0}lei^{0}kai$^{53}_{44}$miau^{53}li^{21}lei^{0},ci$^{13}_{21}$ua$^{53}_{44}$ʂət^{5}ɲi^{53}ɲiet^{5}ɲi^{53}ʂət^{5}san^{35}pu$^{35}_{44}$fa^{13}tʰo$^{13}_{21}$miau^{53}li^{0}tso^{53}saŋ^{35}ɲiet^{3},kʰo^{21}len^{13}tsʰiəu$^{53}_{44}$xe$^{53}_{44}$ko^{53}ɲien^{13}ne^{0},tʂaŋ^{21}tsʰɔn^{35}tsiəu^{21}lau^{0}.ci$^{13}_{21}$ua$^{53}_{44}$ɔi^{53}lɔi$^{13}_{21}$ɲi^{13}tsʰiəu^{53}kai^{53}pu^{35}lɔi$^{13}_{21}$.

【还账】uan^{13}tʂɔŋ^{53} 动 归还所欠的债或偿付所欠的贷款：借哩别人家钱就爱～。tsia^{53}li^{0}pʰiet^{5}in$^{13}_{44}$ka$^{13}_{44}$tsʰien$^{13}_{21}$tsʰiəu$^{53}_{44}$ɔi$^{53}_{44}$uan^{13}tʂɔŋ^{53}.

【换$_{1}$】uɔn^{53} 动 ①更换，改换：牙齿唔好哩，要～。我老婆是多时～个牙齿，～来～去冇哩～了。冇哩～，重新做一挂活动个，活动个，花四千多块钱做一挂活动个。ŋa^{13}tʂʰʅ^{21}n̩^{13}xau^{21}li^{0},iau$^{53}_{44}$uɔn^{53}.ŋai^{13}lau^{21}pʰo^{13}ʂɿ$^{53}_{21}$to^{35}ʂʅ$^{13}_{44}$uɔn^{53}cie$^{53}_{44}$ŋa^{13}tʂʰʅ^{21},uɔn^{53}lɔi$^{13}_{44}$uɔn^{53}çi^{53}mau^{13}li^{0}uɔn^{53}niau^{0}.mau^{13}li^{0}uɔn^{53},tʂʰəŋ^{13}sin$^{35}_{44}$tso^{53}iet^{3}kua^{53}uɔit^{5}tʰəŋ$^{35}_{44}$ke^{0},xɔit^{5}tʰəŋ$^{35}_{44}$ke^{0},fa^{35}si^{53}tsʰien$^{35}_{44}$to$^{35}_{44}$kʰuai^{53}tsʰien$^{13}_{21}$tso^{53}iet^{3}kua^{53}xɔit^{5}tʰəŋ^{53}ke^{0}. ②给人东西同时从他那里取得别的东西。又称“斢、对”：箇到我嫔子买只茶缸子，我就同渠～做茶壶子呢。kai^{53}tau^{53}ŋai$^{13}_{21}$ɔi^{35}tsɿ^{0}mai^{35}tʂak^{3}tsʰa^{13}kɔŋ^{35}tsɿ^{0},ŋai$^{13}_{21}$tsʰiəu^{53}tʰəŋ$^{13}_{21}$ci$^{13}_{44}$uɔn^{53}tso^{53}tsʰa^{13}fu^{13}tsɿ^{0}nei^{0}.

【换$_{2}$】fɔn^{53} 量 动量词，相当于“次”：落哩一～雪。一～雪就时间唔系几长子。lɔk^{5}li^{0}iet^{3}fɔn^{53}set^{3}.iet^{3}fɔn^{53}set^{3}tsʰiəu$^{53}_{44}$ʂʅ$^{13}_{21}$kan$^{35}_{44}$m̩$^{13}_{21}$pʰe$^{53}_{44}$ci$^{13}_{21}$tʂʰɔŋ^{13}tsɿ^{0}.

【换茶】uɔn^{53}tsʰa^{13} 名 用来招待客人的副食品及炒花生、豆子、瓜子等的总称。又称“换茶子”：

如今都统称～嘞。糖食～。/箇只～～就系旱。/旱茶，就系旱。/浏阳讲做就写只天欸干旱个旱呢，抗旱箇只旱。旱茶呢。浏阳讲做长日写旱茶呢。/应该系以只挑手旁个，就系食哩以只东西，爱斢滴茶来，渠就是。换碗茶，你食哩咁东西，就爱～。i$^{13}_{21}$cin$^{35}_{44}$təu$^{35}_{44}$tʰəŋ^{21}tʂʰən^{35} uən^{53}tsʰa$^{13}_{21}$lei^{0}.tʰəŋ^{13}ʂət^{5} uən^{53}tsʰa$^{13}_{21}$./kai$^{53}_{44}$tʂak^{3} uən^{53}tsʰa$^{13}_{21}$uən^{53}tsʰa$^{13}_{21}$tsʰiəu^{53}xe$^{53}_{44}$xən^{53}./xən^{53}tsʰa^{13},tsʰiəu$^{53}_{21}$xe$^{53}_{21}$ xən^{53}./liəu^{13}iəŋ$^{13}_{44}$kəŋ$^{21}_{53}$tso$^{53}_{44}$tsʰiəu^{53}sia^{21}tʂak^{3} tʰien^{35}e$_{44}$kən^{35}xən^{53}ke$^{53}_{44}$xən^{53}nei^{0},kʰəŋ^{53}xən^{53}kai$^{53}_{21}$tʂak^{3} xən^{53}.xən^{53} tsʰa^{13}nei^{0}.liəu^{13}iəŋ$^{13}_{44}$kəŋ$^{21}_{53}$tso$^{53}_{44}$tʂʰəŋ^{13}ɲiet^{3} sia^{21}xən^{53}tsʰa$^{13}_{21}$nei^{0}./in$^{35}_{44}$kəi$^{35}_{44}$uei(←xei^{53})i^{21}tʂak^{3} tʰiau^{35}ʂəu^{21}pʰəŋ^{13} ke^{53},tsʰiəu$^{53}_{21}$xe$^{53}_{21}$ʂət^{5} li^{0} i^{21}tʂak^{3} təŋ$^{35}_{44}$si^{0},əi$^{53}_{44}$tʰiau^{21}tiet^{5} tsʰa^{13}ləi^{13},ci$^{13}_{21}$tsʰiəu^{53}ʂɿ$^{53}_{44}$.uən^{53}uan^{21}tsʰa^{13}, ɲi^{13}ʂət^{5} li^{0} kan$^{21}_{44}$ təŋ$^{35}_{44}$si^{0},tsʰiəu$^{53}_{44}$əi$^{53}_{44}$uən^{53}tsʰa^{13}. | 咁个唠，哦晒……安做晒起～子唠。kan^{21}cie^{53}lau^{0},o^{0} sai^{53}…ən$^{35}_{44}$tso$^{53}_{44}$ sai^{53}çi^{21}uən^{53}tsʰa^{13}tsɿ^{0} lau^{0}.

【换茶托子】uən^{53}tsʰa^{13}tʰək^{3} tsɿ^{0} 名用来装茶点招待客人的盘子：欸，正月头呀，客佬子来哩啊，家家户户都拿倒～装兜换茶分客佬子食。箇阵我等系倒横巷里个时候子，嗯，正月初一晡拜年个来哩，家家都装几托换茶放下厅下，欸，客佬子来拜年个大家到厅下来食换茶。也蛮有味道嘞。e$_{44}$,tʂaŋ^{35}ɲiet^{5} tʰei$^{13}_{44}$ia^{0},kʰak^{3} lau^{21}tsɿ^{0} ləi^{13}li^{0} a^{0},ka^{35}ka$^{35}_{44}$fu^{53}fu$^{53}_{21}$təu$^{35}_{44}$la^{35}tau^{21}uən^{53}tsʰa$^{13}_{21}$tʰək^{3} tsɿ^{0} tʂəŋ$^{35}_{44}$ te$^{35}_{44}$uən^{53}tsʰa$^{13}_{21}$pən^{35}kʰak^{3} lau^{21}tsɿ^{0} ʂət^{5}.kai$^{53}_{44}$tʂʰən$^{53}_{44}$ŋai$^{13}_{21}$tien^{0} xei^{53}tau^{21}uaŋ^{13}xəŋ$^{53}_{44}$li^{0} ke^{53}ʂɿ^{13}xei$^{53}_{21}$tsɿ^{0},n̩$_{21}$,tʂaŋ^{35} ɲiet$^{5}_{3}$tsʰɿ^{35}iet^{3} pu^{35}pai^{53}ɲien^{13}ke^{53}ləi^{13}li^{0},ka^{35}ka$^{35}_{44}$təu$^{35}_{44}$tʂəŋ^{35}ci^{21}tʰək^{3} uən^{53}tsʰa$^{13}_{21}$fəŋ^{53}ŋa^{53}tʰaŋ^{35}xa$^{53}_{44}$,e$_{21}$,kʰak^{3} lau^{21} tsɿ^{0} ləi^{13}pai^{53}ɲien^{13}ke^{53}tʰai^{53}cia$^{35}_{44}$tau^{53}tʰaŋ^{35}xa$^{53}_{44}$ləi$^{13}_{21}$ʂət^{5} uən^{53}tsʰa$^{13}_{21}$.ia^{35}man$^{13}_{21}$iəu$^{35}_{44}$uei^{53}tʰau^{53}le^{0}.

【换肩】fən^{53}/uən^{53}cien^{35} 动调换另一个肩膀或换另一个人来挑、扛物品：那还有只嘞撞怕嘞，渠跕倒路上呢搞远哩嘞爱～，箇就分人背两张凳，两张梭凳，去……爱～了嘞，麻溜舞张凳放倒箇映子来，分棺材搁下凳上，欸，省子放下地泥下嘞就要起肩就蛮累人。na$^{53}_{44}$xai$^{13}_{21}$iəu$^{35}_{44}$ tʂak^{3} lei^{0} tsʰəŋ^{21}pʰa$^{53}_{44}$lei^{0},ci$^{13}_{21}$ku$^{35}_{44}$tau$^{21}_{44}$ləu^{53}xəŋ$^{53}_{44}$nei^{0} kau^{21}ien^{21}li^{0} lei^{0} əi$^{53}_{44}$fən^{53}cien^{35},kai$^{53}_{44}$tsʰiəu$^{53}_{44}$pən^{35}ɲin$^{13}_{21}$pi$^{53}_{44}$ iəŋ^{21}tʂəŋ$^{35}_{44}$tien^{53},iəŋ^{21}tʂəŋ^{35}so^{35}tien^{53},çi^{53}f…əi$^{53}_{44}$fən$^{53}_{44}$cien^{35}niau^{0} lei^{0},ma$^{13}_{21}$liəu$^{35}_{44}$u^{21}tʂəŋ^{35}tien^{53}fəŋ$^{53}_{44}$tau$^{21}_{44}$kai$^{53}_{44}$iaŋ$^{53}_{44}$ tsɿ^{0} ləi^{13},pən^{35}kən$^{35}_{44}$tsʰəi$^{13}_{21}$kək^{3} a^{0} tien^{53}xəŋ$^{53}_{44}$,e$_{21}$,saŋ^{21}tsɿ^{0} fəŋ^{53}ŋa$^{53}_{44}$tʰi^{53}lai$^{13}_{21}$xa^{35}lei^{0} tsʰiəu$^{53}_{44}$iau$^{53}_{44}$çi^{21}cien^{35}tsʰiəu$^{53}_{44}$ man$^{13}_{21}$li^{53}ɲin^{13}. | 换下子肩呐，斢下子肩呐。uən^{53}na$_{44}$(←xa^{53})tsɿ^{0} cien^{35}na^{0},tʰiau^{21}(x)a$^{53}_{44}$tsɿ^{0} cien^{35}na^{0}.

【换肩礼】uən^{53}/xuən^{53}cien^{35}li^{35} 名半路上轿夫或司机向女方送亲者索要或获赠的赏封钱：如今个～是如今就唔系坐轿吵，你就坐车吵，系唔系？结果到哩一只栏场，打比样，以映子下放去，新人呢去□出发。新人呢去张坊出发，爱嫁凤溪去。到哩牛轭岭，到箇有座桥个栏场子，停下来，等下子，等下子换他。箇新郎子嘞就下来，以只师傅也发他包烟，打只子红包分渠，箇只开车……开箇场车个师傅也……反正系接亲个箇一换车，就打只子红包分渠。箇就讲起来就～呀。我晓得让门搞么个爱咁子搞？有咁个搞法，不是么啊所有个都咁子搞。有咁个搞法，～。i$^{13}_{21}$cin$^{35}_{44}$ke$^{53}_{44}$xuən^{53}cien^{35}li^{35}ʂɿ$^{53}_{44}$i$^{13}_{21}$cin$^{35}_{44}$tsiəu^{53}m̩$^{13}_{21}$pʰe$_{44}$(←xei^{53})tsʰo$^{35}_{44}$cʰiau^{53}ʂa^{0}, ɲi$^{13}_{21}$tsʰiəu$^{53}_{44}$tsʰo$^{35}_{44}$tʂʰa^{35} ʂa^{0},xei$^{53}_{44}$me^{53}(←xei^{53})?ciet^{3} ko$^{21}_{44}$tau^{53}li^{0} iet^{3} tʂak^{3} laŋ$_{21}$(←lan^{13})tʂʰəŋ$^{13}_{44}$,ta^{21}pi^{21}iəŋ$^{53}_{44}$,i^{21}iaŋ$^{53}_{44}$tsɿ^{0} xa$^{53}_{44}$fəŋ^{53}çi$^{53}_{44}$,sin^{35} ɲin$^{13}_{21}$nei^{0} çi$^{53}_{44}$tʂəu$_{44}$tʂʰət^{3} fait^{3}.sin^{35}ɲin^{13}nei^{0} çi$^{53}_{44}$tʂəŋ^{35}xəŋ$^{13}_{44}$tʂʰət^{3} fait^{3},əi$^{53}_{21}$ka$^{53}_{44}$fəŋ^{53}çi$^{53}_{44}$çi$^{53}_{44}$.tau^{53}li^{0} ɲiəu$^{13}_{21}$uak^{3} (←ak^{3})liaŋ^{35},tau$^{53}_{44}$kai$^{53}_{44}$iəu^{35}tsʰo$^{35}_{44}$cʰiau^{13}ke^{53}lan$^{13}_{21}$tʂʰəŋ$^{13}_{21}$tsɿ^{0},tʰin^{13}xa$^{53}_{44}$ləi$^{13}_{21}$,tien^{21}na^{0} tsɿ^{0},tien^{21}xa$^{53}_{44}$tsɿ^{0} uən^{53} tʰa$^{35}_{21}$.kai$^{53}_{44}$sin^{35}nəŋ$^{13}_{21}$tsɿ^{0} lei^{0} tsʰiəu$^{53}_{44}$xa$^{53}_{44}$ləi$^{13}_{21}$,i^{21}tʂak^{3} ʂɿ$^{35}_{44}$fu$^{53}_{44}$ia^{35}fait^{3} tʰa$^{35}_{21}$pau^{21}ien^{35},ta^{21}tʂak^{3} tsɿ^{0} fəŋ^{13}pau$^{35}_{44}$pən^{35} ci$^{13}_{21}$.kai^{53}tʂak^{3}kʰəi^{35}tʂʰa$^{35}_{44}$…kʰəi^{35}kai^{53}tʂʰəŋ$^{13}_{21}$tʂʰa$^{35}_{44}$ke$^{53}_{44}$ʂɿ$^{35}_{44}$fu$^{53}_{44}$ia^{35}…fan^{21}tʂən$^{53}_{44}$xe^{53}tsiet^{3} tsʰin^{35}ke$^{53}_{44}$kai$^{53}_{44}$iet^{3} fən^{53} tʂʰa^{35},tsʰiəu$^{53}_{44}$ta^{21}tʂak^{3} tsɿ^{0} fəŋ^{13}pau$^{35}_{44}$pən^{35}ci$^{13}_{21}$.kai$^{53}_{44}$tsʰiəu$^{53}_{44}$kəŋ^{21}çi^{21}ləi$^{13}_{21}$tsʰiəu$^{53}_{44}$uən^{53}cien$^{35}_{44}$li^{35}ia^{0} .ŋai^{13}çiau^{21}tek^{3} ɲiəŋ^{53}mən^{0} kau^{21}mak^{3} ke^{53}əi^{53}kan^{21}tsɿ^{0} kau^{21}?iəu^{35}kan^{21}ke^{53}kau^{21}fait^{3},pət^{3} ʂɿ^{53}mak^{3} a^{0} so^{21}iəu^{35}ke^{53}təu^{35}kan^{21} tsɿ^{0} kau^{21}.iəu^{35}kan^{21}ke^{53}kau^{21}fait^{3},uən^{53}cien$^{35}_{44}$li^{35}.

【换鞋】uən^{53}xai^{13} 新娘出娘家门上轿或上车时换双鞋子：以前是上轿唠爱换双鞋唠，就我着双鞋去上轿，好，到哩轿门口，如今就坐车唠，莫去讲轿唠。上车了，换双鞋，箇双鞋就拿归去。欸，换双新鞋，坐下车上去。～。i^{35}tsʰien$^{13}_{21}$ʂɿ$^{53}_{44}$ʂəŋ^{35}cʰiau^{53}lau^{0} əi$^{53}_{44}$uən^{53}səŋ$^{35}_{44}$xai^{13}lau^{0},tsʰiəu$^{53}_{44}$ ŋai^{13}tʂək^{3} səŋ^{35}xai^{13}çi$^{53}_{44}$ʂəŋ^{35}cʰiau^{53},xau^{21},tau^{53}li^{0} cʰiau^{53}mən^{13}xei^{21},i$^{13}_{21}$cin^{35}tsʰiəu^{53}tsʰo$^{35}_{44}$tʂʰa^{35}lau^{0},mək^{5} çi^{53} kəŋ^{21}cʰiau^{53}lau^{0} .ʂəŋ$^{53}_{44}$tʂʰa^{35}liau^{0},uən^{53}səŋ$^{35}_{44}$xai^{13},kai$^{53}_{44}$səŋ$^{35}_{44}$xai^{13}tsʰiəu$^{53}_{44}$la^{35}kuei^{35}çi^{53}.e^{21},uən^{53}səŋ$^{35}_{44}$sin^{35} xai$^{13}_{21}$,tsʰo$^{35}_{44}$a^{0} tʂʰa$^{35}_{44}$xəŋ$^{53}_{44}$çi^{53}.uən^{53}xai^{13}.

【擐】kʰuan^{53} 动①拴，襻：欸，（假领子）～稳呢。欸，但是以颈根手胁下～稳呢。以映子～稳呢。ei$_{21}$,kʰuan^{53}uən^{21}ne^{0}.ei$_{35}$,tan^{53}ʂɿ^{53}i^{21}ciaŋ^{21}cien$^{35}_{44}$ʂəu^{21}cʰiet^{3} xa^{35}kʰuan^{53}uən^{21}ne^{0}.iaŋ$_{35}$(←i^{21}iaŋ^{53}) tsɿ^{0} kʰuan^{53}uən^{21}ne^{0}. ②怀孕：（我老妹子）摎我老婆两子嫂同时～只大肚。lau^{35}ŋai$^{13}_{21}$lau^{21}pʰo$^{13}_{44}$iəŋ^{21} tsɿ^{21}sau^{21}tʰəŋ^{13}ʂɿ$^{13}_{44}$kʰuan^{53}tʂak^{3} tʰai^{53}təu^{21}.

【掼竹筒】k^{h}uan^{53}tʂəuk^{3}t^{h}əŋ^{13} 借指要饭、乞讨：后生走纸棚就老哩～。～讨食啦，就系后生时都摭得倒来食，老哩就冇人爱哩啊，冇人请哩啊。xei^{53}saŋ$^{35}_{44}$tsei^{21}tʂʅ^{21}p^{h}əŋ^{13}ts^{h}iəu^{53}lau^{21}li^{0}k^{h}uan^{53}tʂəuk^{3}t^{h}əŋ^{13}.k^{h}uan^{53}tʂəuk^{3}t^{h}əŋ$^{13}_{21}$t^{h}au^{21}ʂət^{5}la^{0},ts^{h}iəu$^{53}_{44}$xe$^{53}_{21}$xei^{53}saŋ$^{35}_{44}$ʂʅ$^{13}_{44}$təu$^{35}_{53}$ləuk^{3}tek^{3}tau^{21}lɔi^{13}ʂət^{5},lau^{21}li^{0}ts^{h}iəu^{53}mau^{13}ɲin^{13}ɔi^{53}li^{0}a^{0},mau^{13}ɲin$^{13}_{44}$ts^{h}iaŋ^{21}li^{0}a^{0}.

【荒田】fɔŋ^{35}t^{h}ien^{13} 名 荒弃的水田：以下我等生产队上是硬到处系～了。冇人种。欸，我个田都成哩～呶。如今种倒也空个嘞，你栽兜禾去唠，你栽兜禾去分野猪同你搞得洁净，有野猪箇岭上。怕栽个，成哩～。好，落尾嘞栽兜杉树，栽兜杉树又死，欸欸，又系成哩～。舞下我等是丢嘿几千块钱丢下去，栽两到嘞，如今呢如今唔知有两三十只子树么？i^{21}ia$_{44}$(←xa^{53})ŋai$^{13}_{21}$tien^{0}sen$^{35}_{44}$ts^{h}an^{21}ti^{53}xɔŋ$^{53}_{44}$ʂʅ$^{53}_{44}$ɲiaŋ^{53}tau^{53}tʂ^{h}u$^{53}_{44}$xe^{53}fɔŋ^{35}t^{h}ien$^{13}_{21}$niau^{0}.mau$^{13}_{21}$ɲin$^{13}_{44}$tʂəŋ^{53}.e$_{21}$,ŋai^{13}ke^{53}t^{h}ien$^{13}_{21}$təu$^{35}_{53}$ʂaŋ$^{13}_{21}$li^{0}fɔŋ^{35}t^{h}ien$^{13}_{21}$nau^{0}.ci$^{13}_{21}$ɲin^{13}tʂəŋ^{53}tau$^{21}_{44}$ua$^{35}_{44}$k^{h}əŋ^{53}ke$^{53}_{44}$le^{0},ɲi$^{13}_{21}$tsɔi^{35}tei$^{35}_{53}$uo^{13}çi$^{53}_{44}$lau^{0},ɲi$^{13}_{21}$tsɔi^{35}(t)e$^{35}_{53}$uo$^{13}_{21}$çi$^{53}_{44}$pən$^{35}_{44}$ia$^{35}_{44}$tʂəu$^{35}_{44}$t^{h}əŋ$^{13}_{21}$ɲi$^{13}_{21}$kau^{21}tek^{3}ciet^{5}ts^{h}iaŋ$^{53}_{44}$,iəu^{35}ia^{35}tʂəu$^{35}_{44}$kai^{53}liaŋ$^{35}_{44}$xɔŋ$^{53}_{44}$.p^{h}a^{53}tsɔi$^{35}_{44}$ke^{0},ʂaŋ$^{13}_{21}$li^{0}fɔŋ^{35}t^{h}ien$^{13}_{21}$.xau^{21},lɔk^{5}mi$^{35}_{44}$le^{0}tsɔi$^{35}_{44}$tei$^{35}_{44}$sa^{35}ʂəu^{53},tsɔi$^{35}_{44}$tau$^{21}_{44}$sa^{35}ʂəu^{53}iəu^{53}si^{21},ei$_{53}$e$_{21}$,iəu^{53}xei$^{53}_{44}$ʂaŋ$^{13}_{44}$li^{0}fɔŋ^{35}t^{h}ien$^{13}_{44}$.u^{21}xa$^{53}_{44}$ŋai$^{13}_{44}$t^{h}ien^{13}ʂʅ$^{53}_{44}$tiəu^{35}xek^{3}ci^{21}ts^{h}ien^{35}k^{h}uai$^{53}_{44}$ts^{h}ien$^{13}_{21}$tiəu^{35}xa$^{53}_{44}$c^{h}i$^{53}_{44}$,tsɔi^{35}iɔŋ^{21}tau^{53}lei^{0},i$^{13}_{21}$cin$^{35}_{44}$ne^{0}i$^{13}_{21}$cin$^{35}_{44}$n̩$^{13}_{21}$ti$^{35}_{44}$iəu^{35}iɔŋ^{21}san^{35}ʂət^{5}tʂak^{3}tsʅ^{0}ʂəu^{53}mo^{0}?

【皇帝】fɔŋ^{13}t^{h}i^{53}/ti^{53} 名 君主制帝国的君主或统治者：光绪～kɔŋ^{35}si$^{53}_{44}$fɔŋ$^{13}_{21}$t^{h}i$^{53}_{44}$ | ～缴洋枪，洋枪打布狗，布狗□鸡，鸡嗒白蚁，白蚁蛀～。fɔŋ^{13}ti^{53}ciau^{21}iɔŋ^{13}ts^{h}iɔŋ$^{35}_{44}$,iɔŋ^{13}ts^{h}iɔŋ$^{35}_{44}$ta^{21}pu^{53}kei^{21},pu^{53}kei^{21}lo^{35}cie^{35},cie^{35}tsan$^{35}_{44}$p^{h}ak^{5}le$^{35}_{44}$,p^{h}ak^{5}le$^{35}_{44}$tʂəu^{53}fɔŋ^{13}ti^{53}.一首儿童游戏的念词

【黄$_{1}$】uɔŋ^{13} 形 像金子或向日葵花的颜色：以只竹绒嘞就更～了。i^{21}tʂak^{3}tʂəuk^{3}iəŋ^{13}le^{0}ts^{h}iəu$^{53}_{44}$ken^{53}uɔŋ^{13}liau^{0}.

【黄$_{2}$】uɔŋ^{13} 动 ①变成黄色：箇只谷啊，～又还[女曾]～啊，浆又已经灌哩了哇。kai^{53}tʂak^{3}kuk^{3}a^{0},uɔŋ^{13}iəu^{53}xai$^{13}_{21}$maŋ^{13}uɔŋ^{13}ŋa^{0},tsiɔŋ^{35}iəu$^{53}_{44}$i^{21}cin$^{35}_{44}$kɔn^{53}li^{0}liau^{21}ua^{0}. ②事情失败或计划不能实现：渠两个人婚事就～嘿哩。ci$^{13}_{21}$iɔŋ^{21}ke$^{53}_{44}$in$^{13}_{44}$fən$^{35}_{44}$sʅ$^{53}_{44}$ts^{h}iəu$^{53}_{44}$uɔŋ^{13}(x)ek^{3}li^{0}.

【黄白黄白子】uɔŋ^{13}p^{h}ak^{5}uɔŋ^{13}p^{h}ak^{5}tsʅ^{0} 形容白中带黄的颜色：我买辆车就～个。ŋai^{13}mai^{35}liɔŋ^{21}tʂ^{h}a^{35}ts^{h}iəu$^{53}_{44}$uɔŋ^{13}p^{h}ak^{5}uɔŋ^{13}p^{h}ak^{5}tsʅ^{0}ke^{0}.

【黄表纸】uɔŋ^{13}piau^{21}tʂʅ^{21} 名 用来敬神或祭祀死者的黄纸：如今箇个欸科仪店里卖个箇起烧分亡人个纸啊就有～。箇～么个做个嘞？箇个锯屎做个，竹子个锯屎，欸，竹器厂里个锯屎做个。i$^{13}_{21}$cin^{35}kai$^{53}_{44}$ke$^{53}_{44}$e$_{21}$k^{h}o^{35}ɲi^{13}tian^{53}ni^{0}mai^{53}ke^{53}kai^{53}çi^{21}ʂau^{35}pən^{35}mɔŋ^{13}ɲin$^{13}_{21}$ke^{53}tʂʅ^{21}a^{0}ts^{h}iəu^{53}iəu^{35}uɔŋ^{13}piau^{21}tʂʅ^{21}.kai^{53}uɔŋ^{13}piau^{21}tʂʅ^{21}mak^{3}e^{0}tso$^{53}_{44}$ke^{0}lei^{0}?kai^{53}ke$^{53}_{44}$cie^{53}ʂʅ^{21}tso^{53}ke^{0},tʂəuk^{3}tsʅ^{0}ke^{0}cie^{53}ʂʅ^{21},e$_{21}$,tʂəuk^{3}çi^{53}tʂ^{h}ɔŋ^{21}li^{0}ke^{0}cie^{53}ʂʅ^{21}tso^{53}ke^{0}.

【黄菜】uɔŋ^{13}ts^{h}ɔi^{53} 名 将青菜等绿叶菜焯过以后放入水中，任其变酸后做成的菜：～。焯熟来以后放下水肚里，等……会有带带滴子酸味，系唔系？箇就～。一般系用青菜吧，青菜嘞。也其他也会酸呢，也安做～。/顶多还带滴子白菜。以几年嘞我等就做买滴滴棒菜做～。买娃娃菜，也做～。～只系一种做法，青菜个一种做法。uɔŋ^{13}ts^{h}ɔi^{53}.tʂ^{h}ɔk^{3}ʂəuk^{5}lɔi$^{13}_{21}$i^{35}xei^{53}fɔŋ$^{53}_{44}$ŋa$_{44}$(←xa^{53})ʂei^{21}təu^{21}li^{0},ten^{21}…uɔi$^{53}_{44}$iəu^{35}tai^{53}tai^{53}tiet^{5}tsʅ^{0}sɔn^{35}uei^{53},xei$^{53}_{44}$me$^{53}_{44}$?kai$^{53}_{44}$ts^{h}iəu$^{53}_{44}$uɔŋ^{13}ts^{h}ɔi^{53}.iet^{3}pan^{35}xei^{53}iɔŋ^{53}ts^{h}iaŋ^{35}ts^{h}ɔi$^{53}_{44}$pa^{0},ts^{h}iaŋ^{35}ts^{h}ɔi^{53}lei^{0}.ia^{35}c^{h}i^{13}t^{h}a$^{35}_{44}$ia^{35}uɔi$^{53}_{44}$sɔn$^{35}_{44}$nei^{0},ia^{35}ɔn$^{35}_{44}$tso$^{53}_{44}$uɔŋ^{13}ts^{h}ɔi^{53}./tin^{21}to^{35}xai$^{13}_{21}$tai$^{53}_{44}$tiet^{5}tsʅ^{0}p^{h}ak^{5}ts^{h}ɔi$^{53}_{44}$.i^{21}ci^{21}ɲien^{13}le^{0}ŋai^{13}tien^{0}ts^{h}iəu$^{53}_{44}$tso$^{53}_{21}$mai^{35}tiet$^{5}_{3}$tiet$^{5}_{3}$pɔŋ^{53}ts^{h}ɔi^{53}tso^{53}uɔŋ^{13}ts^{h}ɔi^{53}.mai^{35}ua^{13}ua$^{13}_{44}$ts^{h}ɔi^{53},ia^{35}tso^{53}uɔŋ^{13}ts^{h}ɔi^{53}.uɔŋ^{13}ts^{h}ɔi^{53}tʂʅ^{21}xe^{53}iet^{3}tʂəŋ^{21}tso^{53}fait^{3},ts^{h}iaŋ^{35}ts^{h}ɔi$^{53}_{44}$ke$^{53}_{44}$iet^{3}tʂəŋ^{21}tso^{53}fait^{3}.

【黄草菌】uɔŋ^{13}ts^{h}au^{21}c^{h}in^{35} 名 一种野生食用菌：～食得。uɔŋ^{13}ts^{h}au^{21}c^{h}in$^{35}_{44}$ʂət^{5}tek^{3}.

【黄草纸】uɔŋ^{13}ts^{h}au^{21}tʂʅ^{21} 名 用稻草等植物的秸秆为原料制成的纸，黄色，多用于祭祀或法事：～啊，咁阔子一绺子个，我等个栏场都是马路上都看得倒嘞。uɔŋ^{13}ts^{h}au^{21}tʂʅ^{21}a^{0},kan^{21}k^{h}ɔit^{3}tsʅ^{0}iet^{3}liəu^{53}tsʅ^{0}ke$^{53}_{44}$,ŋai^{13}tien^{0}ke$^{53}_{44}$laŋ$^{13}_{21}$tʂ^{h}ɔŋ$^{13}_{21}$təu$^{35}_{44}$ʂʅ$^{53}_{44}$ma^{35}ləu$^{53}_{44}$xɔŋ$^{53}_{44}$təu$^{35}_{44}$k^{h}ɔn^{53}tek^{3}tau^{21}le^{0}.

【黄蚻】uɔŋ^{13}ts^{h}ait^{5} 名 蟑螂：蟑螂就系欸安做箇个呢，安做～呢。浏阳话就箇本地就安做蚻耳婆。tʂaŋ$^{35}_{44}$lɔŋ^{13}ts^{h}iəu^{53}xe$^{53}_{44}$e$_{21}$ɔn$^{35}_{44}$tso$^{53}_{44}$kai$^{53}_{44}$ke$^{53}_{44}$nei^{0},ɔn$^{35}_{44}$tso$^{53}_{44}$uɔŋ^{13}ts^{h}ait^{5}nei^{0}.liəu^{13}iɔŋ^{13}fa^{53}ts^{h}iəu$^{53}_{44}$kai^{53}pən^{21}t^{h}i$^{53}_{44}$ts^{h}iəu$^{53}_{44}$ɔn$^{35}_{44}$tso$^{53}_{44}$ts^{h}ait^{5}ɲi$_{21}$p^{h}o$_{35}$.

【黄虫子】uɔŋ^{13}tʂ^{h}əŋ^{13}tsʅ^{0} 名 一种身体呈黄色的虫子：～是指系话背囊上黄个身上个颜色系黄个唠。反正～多得是。最明显个箇只～嘞就系食瓜子个，黄瓜，栽嘿黄瓜，嫩嫩子时候子，就有起～会食。渠只食箇馥嫩子个叶子。一分渠食哩么，就冇得哩，箇黄瓜子就冇得哩。让

H

门子去整渠嘞？就曳兜子石灰去呢，渠就唔得食哩，曳兜子石灰。～，欸，就箇～。uɔŋ^{13} tʂʰəŋ$^{13}_{44}$tsɿ^{0} ʂʅ$^{53}_{44}$tʂʅ^{21} xei^{53}ua$^{53}_{44}$pɔi^{53}lɔŋ$^{13}_{21}$xɔŋ^{53}uɔŋ^{13}ke^{53}ʂən^{35} xɔŋ$^{53}_{44}$ke^{53}ŋan^{13}sek^{3} xe^{53}uɔŋ^{13}ke^{53}lau^{0}.fan^{21}tʂən$^{53}_{44}$uɔŋ^{13} tʂʰəŋ$^{13}_{44}$tsɿ^{0} to$^{35}_{44}$tek^{3} ʂʅ^{53}.tsei^{53}min^{13}çien^{53}ke^{53}kai^{53}tʂak^{3} uɔŋ^{13}tʂʰəŋ$^{13}_{21}$tsɿ^{0} lei^{0} tsʰiəu$^{53}_{44}$xe$^{53}_{44}$ʂət^{5} kua^{35}tsɿ^{0} kei^{53},uɔŋ^{13} kua$^{35}_{44}$,tsɔi^{35}xek^{3} uɔŋ^{13}kua$^{35}_{44}$,lən^{53}lən^{53}tsɿ^{0} ke^{0} ʂʅ^{13}xəu$^{53}_{44}$tsɿ^{0},tsʰiəu$^{53}_{44}$iəu$^{35}_{53}$çi^{21} uɔŋ^{13}tʂʰəŋ$^{13}_{21}$tsɿ^{0} uɔi$^{53}_{21}$ʂət^{5}.ci$^{13}_{21}$tʂət^{3} ʂət^{5} kai^{53}fət^{5} lən^{53}tsɿ^{0} ke$^{53}_{21}$iait^{5} tsɿ^{0}.iet^{3} pən$^{35}_{44}$ci^{13}ʂət^{5} li^{0} me^{0},tsiəu^{53}mau^{13}tek^{3} li^{0},kai^{53}xɔŋ$^{53}_{21}$kua$^{35}_{44}$tsɿ^{0} tsʰiəu^{53}mau^{13}tek^{3} li^{0}. ɲiɔŋ^{53}mən$^{13}_{44}$tsɿ^{0} çi^{53}tʂaŋ^{21}ci$^{13}_{21}$lei^{0}?tsʰiəu^{53}ue^{53}tei$^{35}_{44}$tsɿ^{0} ʂak^{5} fɔi$^{35}_{44}$çi^{53}nei^{0},ci$^{13}_{21}$tsʰiəu^{53}n̩$^{13}_{21}$tek^{3} ʂət^{5} li^{0},ue^{53}tei$^{35}_{53}$tsɿ^{0} ʂak^{5} fɔi$^{35}_{44}$.uɔŋ^{13}tʂʰəŋ$^{13}_{44}$tsɿ^{0},e$_{21}$,tsiəu^{53}kai^{53}uɔŋ^{13}tʂʰəŋ^{13}tsɿ^{0}.

【黄疸症】uɔŋ^{13}tan^{21}tʂən^{53} 名病名，表现为皮肤等变黄：我二十岁子个时候子得过～。欸，屙个尿耷黄，硬耷黄个。眼珠子耷黄。欸，面上耷黄。好，还有嘞，冇得劲，做事冇得劲。请倒箇只老中医，安做廖纪海，一张单子食哩，就赠去转单子了喔。赠去转单子哩。一张单子食哩就好蛮多。落尾渠就话我知，渠话你搞一捆箇个黄花茵陈，就系利水湿个，你去食一捆黄花茵陈。搞倒一捆黄花茵陈来泡茶食，食倒箇一捆，就冇哩事。嗯，食倒箇黄花茵陈，只爱几块子钱，哎，有效嘞。以下寻唔倒哩啰。我箇旧年箇到去寻呐，箇我当年拗哩黄花茵陈个栏场啊，冇得哩啰，只赠寻得，都只寻倒一条。只拗倒一条黄花茵陈。ŋai^{13}ɲi^{53}ʂət^{5} sɔi^{53}tsɿ^{0} ke^{0} ʂʅ$^{13}_{44}$xəu$^{53}_{44}$tsɿ^{0} tek^{3} ko^{53}uɔŋ^{13}tan^{21}tʂən^{53}.e$_{21}$,o^{35}ke$^{53}_{44}$ɲiau^{53}ləŋ^{35}uɔŋ$^{13}_{21}$, ɲiaŋ^{53}ləŋ^{35}uɔŋ^{13}ke^{0}.ŋan^{21}tʂəu^{35}tsɿ^{21}ləŋ^{35} uɔŋ$^{13}_{21}$.ei$_{21}$,mien^{53}xɔŋ^{53}ləŋ^{35}uɔŋ$^{13}_{44}$.xau$_{21}$,xai^{13}iəu$^{35}_{53}$lei^{0},mau^{13}te$^{35}_{53}$cin^{53},tso^{53}sɿ^{53}mau^{13}te$^{35}_{53}$cin^{53}.tsʰiaŋ^{21}tau^{21}kai^{53} tʂak^{3} lau^{21}tʂəŋ^{35}i^{35},ɔn$^{35}_{44}$tso$^{53}_{44}$liau^{53}ci^{21}xɔi^{21},iet^{3} tʂɔŋ^{35}tan$^{35}_{44}$tsɿ^{0} ʂət^{5} li^{0},tsʰiəu$^{53}_{21}$maŋ^{13}çi^{53}tʂuɔn^{21}tan$^{35}_{44}$tsɿ^{0} liau^{0} uo^{0}. maŋ^{13}çi^{53}tʂuɔn^{21}tan$^{35}_{44}$tsɿ^{0} li^{0}.iet^{3} tʂɔŋ^{35}tan$^{35}_{44}$tsɿ^{0} ʂət^{5} li^{0} tsʰiəu^{53}xau^{21}man^{13}to$^{35}_{44}$.lɔk^{5} mi$^{35}_{53}$ci$^{13}_{21}$tsʰiəu$^{53}_{44}$ua^{53}ŋai$^{13}_{21}$ti$^{35}_{53}$,ci$^{13}_{21}$ ua$^{53}_{44}$ɲi^{13}kau$^{21}_{53}$iet^{3} kʰuən^{21}kai^{53}ke^{53}uɔŋ^{13}fa$^{35}_{44}$in^{35}tʂʰən^{13},tsʰiəu$^{53}_{44}$xe$^{53}_{44}$li^{53}ʂei^{21}ʂət^{3} ke^{0}, ɲi$^{13}_{21}$çi$^{53}_{44}$ʂət^{5} iet^{3} kʰuən^{21}uɔŋ$^{13}_{21}$ fa$^{35}_{44}$in^{35}tʂʰən$^{13}_{21}$.kau^{21}tau^{21}iet^{3} kʰuən^{21}uɔŋ^{13}fa$^{35}_{53}$in$^{35}_{44}$tʂʰən$^{13}_{21}$nɔi$^{13}_{21}$pʰau^{53}tsʰa^{13}ʂət^{5},ʂət^{5} tau^{21}kai^{53}iet^{3} kʰuən^{21},tsʰiəu^{53} mau$^{13}_{21}$li^{0} sɿ^{53}.n̩$_{21}$,ʂət^{5} tau$^{21}_{44}$kai$^{53}_{44}$uɔŋ^{13}fa$^{35}_{44}$in$^{35}_{44}$tʂʰən$^{13}_{44}$,tʂʅ^{21}ɔi$^{53}_{44}$ci^{21}kʰuai^{53}tsɿ^{0} tsʰien$^{13}_{21}$,ai$_{21}$,iəu^{35}çiau^{53}lei^{0}.i^{21}xa^{53}tsʰin$^{13}_{21}$ n̩$^{13}_{44}$tau^{21}li^{0} lo^{0}.ŋai^{13}kai$^{53}_{44}$cʰiəu^{53}ɲien$^{13}_{44}$kai$^{53}_{44}$tau$^{53}_{44}$çi^{53}tsʰin^{13}na^{0},kai^{53}ŋai$^{13}_{44}$tɔŋ^{35}ɲien$^{13}_{21}$au^{21}li^{0} uɔŋ$^{13}_{21}$fa$^{35}_{44}$in^{35}tʂʰən$^{13}_{21}$ke^{53} lan$^{13}_{21}$tʂʰɔŋ$^{13}_{21}$ŋa^{0},mau^{13}tek^{3} li^{0} lo^{0},tʂʅ^{21}maŋ^{13}tsʰin^{13}tek^{3},təu$^{35}_{53}$tʂʅ^{21}tsʰin$^{13}_{44}$tau^{53}(i)et^{3} tʰiau^{13}.tʂʅ^{21}au^{53}tau$^{13}_{21}$(i)et^{3} tʰiau^{13}uɔŋ$^{13}_{21}$fa$^{35}_{44}$in^{35}tʂʰən$^{13}_{21}$.

【黄道】uɔŋ^{13}tʰau^{53} 名趋吉避凶之道：箇也就讲到～。我箇阵子就唔晓得，反正同你乱搞得下去。渠有滴人，我就唔懂啊，有滴人就，有滴人写碑文呐，欸，写碑石箇中间箇只字啊，渠爱写之坟墓，么个之坟墓，有滴写之墓，呣，有滴写噢之字都冇得，就系么人么人，墓，咁子写。欸，但是箇三只字总会有一只凑。我就唔懂么啊时候子爱写之坟墓，之墓，或者墓，么啊时候子写墓。以到我正晓得<u>系爱</u>根据～算下去嘞渠就少哩……多哩字渠就爱省嘿只去嘞。渠只爱箇只意思在嘿哩啦。之墓，之坟墓，墓，欸，都要得。kai$^{53}_{44}$ie^{21}tsʰiəu$^{53}_{44}$kɔŋ^{21}tau^{53}uɔŋ^{13} tʰau^{53}.ŋai$^{13}_{21}$kai$^{53}_{44}$tʂʰən^{53}tsɿ^{0} tsiəu^{53}m̩^{13}çiau^{21}tek^{3},fan^{21}tʂən$^{53}_{44}$tʰəŋ$^{13}_{21}$ɲi$^{13}_{21}$lɔn^{53}kau^{21}tek^{3} çia^{53}çy$^{53}_{35}$.ci$^{13}_{21}$iəu^{35}tet^{5} ɲin$^{13}_{21}$,ŋai^{13}tsʰiəu^{53}m̩^{13}təŋ^{21}ŋa^{0},iəu^{35}tet^{5}ɲin$^{13}_{21}$tsʰiəu$^{53}_{44}$,iəu^{35}tet^{5}ɲin$^{13}_{21}$sia^{21}pei^{35}uən$^{13}_{21}$na^{0},ei$_{21}$,sia^{21}pi^{35}ʂak^{5} kai$^{53}_{44}$tʂəŋ^{35} kan$^{35}_{44}$kai^{53}tʂak^{3} tsʰɿ$^{53}_{44}$a^{0},ci$^{13}_{21}$ɔi^{53}sia^{21}tʂʅ^{35}fən^{13}mu^{53},mak^{3} ke^{53}tʂʅ^{35}fən^{13}mu^{53},iəu^{35}tet^{5} sia^{21}tʂʅ^{35}mu^{53},m̩$_{21}$,iəu^{35}tiet^{5} sia^{21}au^{0} tʂʅ^{35}tsɿ$^{53}_{44}$təu$^{35}_{44}$mau$^{13}_{21}$tek^{3},tsʰiəu^{53}uei^{53}mak^{3}ɲin$^{13}_{44}$mak^{3}ɲin$^{13}_{44}$,mu^{53},kan^{21}tsɿ^{0} sia^{21}. e$_{21}$,tan$^{53}_{44}$ʂʅ$^{53}_{44}$kai$^{53}_{44}$san^{35} tʂak^{3} tsʰɿ^{53}tsəŋ^{21}uɔi$^{53}_{44}$iəu^{35}iet^{3} tʂak^{3} tsʰe^{0}.ŋai$^{13}_{21}$tsʰiəu^{53}m̩$^{13}_{21}$təŋ^{21}mak^{3} a^{0} ʂʅ$^{13}_{21}$xəu$^{53}_{44}$tsɿ^{0} ɔi$^{53}_{44}$sia^{21}tʂʅ^{35}fən^{13}mu^{53},tʂʅ^{35} mu^{53},xɔit^{5} tʂa^{21}mu^{53},mak^{3} a^{0} ʂʅ$^{13}_{21}$xəu$^{53}_{44}$tsɿ^{0} sia^{21}mu^{53}.i^{21}tau$^{53}_{44}$ŋai$^{13}_{21}$tʂaŋ^{53}çiau^{21}tek^{3} xɔi$_{44}$cien^{35}tʂʮ$^{53}_{44}$uɔŋ^{13}tʰau^{53}suan^{53} na$^{53}_{44}$çi$^{53}_{44}$lei^{0} ci$^{13}_{44}$tsʰiəu$^{53}_{44}$ʂau^{21}li^{0} ⋯to^{35}li^{0} sɿ^{53}ci$^{13}_{21}$tsʰiəu$^{53}_{44}$ɔi$^{53}_{44}$saŋ^{21}xek^{3} tʂak^{3} çi^{53}lei^{0}.ci$^{13}_{21}$tʂʅ^{21}ɔi$^{53}_{44}$kai$^{53}_{44}$tʂak^{3} i^{53}sɿ^{0} tsʰɔi^{53} ek^{3} li^{0} la^{0}.tʂʅ^{35}mu^{53},tʂʅ^{35}fən^{13}mu^{53},mu^{53},e$_{21}$,təu^{35}iau$^{53}_{21}$tek^{3}.

【黄豆子】uɔŋ^{13}tʰei^{53}/tʰəu^{53}老派 tsɿ^{0} 名大豆：所以栽～爱高产必须让门子嘞？安做有句有只顺口溜，让门子啊？让门子个顺口溜去哩？～命苦，唔怕硬土。渠个熟土你栽哩辣椒个，下咁多肥个土栽～冇得，冗苗冗嘿哩，会饿风。爱硬土，～命苦，唔怕硬土，就系～唔多消肥个东西。只有么个就消肥？只有麦子就消肥，十分爱肥。油菜也见得，就系麦子爱肥。一块土栽哩两三年麦子，硬刮瘦个箇块土，十分扯肥。但是栽哩两三年油菜，栽哩两三年欸～，箇个土还系蛮好，还系肥分赠多损伤。so^{21}i$^{35}_{44}$tsɔi$^{35}_{44}$uɔŋ^{13}tʰei^{53}tsɿ^{0} ɔi^{53}kau^{35}tsʰan^{21}piet^{3} si$^{35}_{44}$ɲiɔŋ^{53}mən^{0}tsɿ^{0}lei^{0}? ɔn$^{35}_{44}$tso$^{53}_{44}$iəu^{35}tʂʮ^{53}iəu^{35}tʂak^{3} ʂən^{53}kʰei^{21}liəu^{35}, ɲiɔŋ$^{53}_{44}$mən^{0} tsɿ^{0} a^{0}?ɲiɔŋ^{53}mən^{0} tsɿ^{0} ke^{0} ʂən^{53}kʰei^{21}liəu^{35}çi$^{53}_{44}$li^{0}? uɔŋ^{13}tʰei$^{53}_{44}$tsɿ^{0} miaŋ^{53}kʰu^{21},m̩^{13}pʰa$^{53}_{44}$ŋaŋ^{53}tʰəu^{21}.ci^{13}ke$^{53}_{44}$ʂəuk^{3} tʰəu^{21}ɲi$^{13}_{21}$tsɔi^{35}li^{0} lait^{5} tsiau$^{35}_{44}$ke^{0},xa^{35}kan^{21}to$^{35}_{44}$pʰi^{13} ke^{0} tʰəu^{21}tsɔi^{35}uɔŋ^{13}tʰei^{53}tsɿ^{0} mau^{13}tek^{3},iəŋ^{21}miau^{13}iəŋ^{21}ŋek^{3} li^{0},uɔi^{53}tsʰiaŋ^{35}fəŋ^{35}.ɔi^{53}ŋaŋ^{53}tʰəu^{21},uɔŋ^{13}tʰei^{53}tsɿ^{0} miaŋ^{53}kʰu^{21},m̩^{13}pʰa$^{53}_{44}$ŋaŋ^{53}tʰəu^{21},tsʰiəu^{53}xei^{53}uɔŋ^{13}tʰei^{53}tsɿ^{0} n̩^{13}to$^{35}_{44}$siau$^{35}_{44}$pʰi^{13}ke^{0} təŋ$^{35}_{44}$si^{0}.tʂʅ^{21}iəu$^{35}_{53}$mak^{3} e^{0} tsiəu$^{53}_{44}$

siau$^{35}_{44}$pʰi$^{13}_{21}$?tʂʅ^{21}iəu$^{35}_{53}$mak^{5}tsɿ^{0}tsʰiəu$^{53}_{44}$siau$^{35}_{44}$pʰi$^{13}_{21}$,ʂət^{5}fən$^{35}_{44}$ɔi^{53}pʰi^{13}.iəu^{13}tsʰɔi$^{53}_{44}$a$^{35}_{44}$cien^{53}tek^{3},tsʰiəu^{53}xei$^{53}_{44}$mak^{5}tsɿ^{0} ɔi^{53}pʰi^{13}.iet^{3}kʰuai^{53}tʰəu^{21}tsɔi^{35}li^{0}iɔŋ^{21}san$^{35}_{44}$ɲien^{13}mak^{5}tsɿ^{0}, ɲiaŋ^{53}kuait^{5}sei^{53}ke^{0}kai$^{53}_{44}$kʰuai$^{53}_{44}$tʰəu^{21},ʂət^{5}fən$^{35}_{44}$ tʂʰa^{21}pʰi^{13}.tan$^{53}_{44}$ʂʅ$^{53}_{44}$tsɔi^{35}li^{0}iɔŋ^{21}san$^{35}_{44}$ɲien$^{13}_{21}$iəu^{13}tsʰɔi^{53},tsɔi^{35}li^{0}iɔŋ^{21}san$^{35}_{44}$ɲien$^{13}_{21}$e$_{21}$uɔŋ^{13}tʰei^{53}tsɿ^{0},kai^{53}ke^{53}tʰəu^{21} xai^{13}xe^{53}man^{13}xau^{21},xai^{13}xe^{53}pʰi^{13}fən^{53}maŋ^{13}to$^{35}_{44}$sən^{21}ʂɔŋ^{35}.

【黄牯】uɔŋ^{13}ku^{21} 名黄色的公牛：黄牛牯咯有兜人又话～呢。uɔŋ^{13}ɲiəu^{13}ku^{21}ko^{0}iəu^{35}tei$^{35}_{53}$ɲin$^{13}_{21}$iəu^{53} ua^{53}uɔŋ^{13}ku^{21}nei^{0}.

【黄瓜】uɔŋ^{13}kua^{35} 名葫芦科一年生蔓生或攀援草本植物，夏季主要菜蔬之一：但有箇只～啊，么个西红柿箇只，凉拌呢，从前我等就安做咬个嘞。tan$^{53}_{44}$iəu$^{35}_{44}$kai$^{53}_{44}$tʂak^{3}uɔŋ^{13}kua^{35}a^{0},mak^{3}(k)e$^{53}_{44}$ si^{35}fəŋ^{13}ʂʅ^{53}kai$^{53}_{44}$tʂak^{3},liɔŋ^{13}pʰɔn^{53}ne^{0},tsʰəŋ$^{13}_{21}$tsʰien$^{13}_{21}$ŋai$^{13}_{21}$tien^{0}tsiəu^{53}ɔn$^{35}_{53}$tso^{53}ŋau^{21}ke^{53}lei^{0}.

【黄拐】uɔŋ^{13}kuai^{21} 名蛙名：黄拐子有哇。捉你个～呀，小……绰号子安做捉你个～。捉～。有么人加“子”嘞好像，～，就～。uɔŋ^{13}kuai^{21}tsɿ^{0}iəu$^{35}_{44}$ua^{0}.tsɔk^{3}ɲi$^{13}_{44}$ke^{53}uɔŋ^{13}kuai^{21}ia^{0},siau^{21}…tʂʰɔk^{3} xau$^{53}_{44}$tsɿ^{0}ɔn$^{35}_{44}$tso$^{53}_{44}$tsɔk^{3}ɲi$^{13}_{44}$ke^{53}uɔŋ^{13}kuai^{21}.tsɔk^{3}uɔŋ^{13}kuai^{21}.mau^{13}mak^{3}in$^{13}_{44}$cia$^{35}_{44}$tsɿ^{21}lei^{0}xau^{21}tsʰiɔŋ$^{53}_{44}$,uɔŋ^{13} kuai^{21},tsʰiəu^{53}uɔŋ^{13}kuai^{21}.

【黄花茵陈】uɔŋ^{13}fa^{35}in^{35}tʂʰən^{13} 名中药铃茵陈的俗称：渠话你搞一捆箇个～，就系利水湿个，你去食一捆～。ci$^{13}_{21}$ua$^{53}_{44}$ɲi^{13}kau$^{21}_{53}$iet^{3}kʰuən^{21}kai^{53}ke^{53}uɔŋ^{13}fa$^{35}_{44}$in^{35}tʂʰən^{13},tsʰiəu$^{53}_{44}$xe$^{53}_{44}$li^{53}ʂei^{21}ʂət^{3}ke^{0}, ɲi$^{13}_{21}$çi$^{53}_{44}$ ʂət^{5}iet^{3}kʰuən^{21}uɔŋ$^{13}_{21}$fa$^{35}_{44}$in^{35}tʂʰən$^{13}_{21}$.

【黄黄子】uɔŋ^{13}uɔŋ^{13}tsɿ^{0} 形黄色貌：也还有还有就金桂，～个桂花，～个花就是金桂。ia$^{35}_{44}$xai$^{13}_{21}$ iəu$^{35}_{44}$xai$^{13}_{21}$iəu$^{35}_{53}$tsʰiəu$^{53}_{44}$cin^{35}kuei^{53},uɔŋ^{13}uɔŋ^{13}tsɿ^{0}ke^{53}kuei^{53}fa$^{35}_{44}$,uɔŋ^{13}uɔŋ^{13}tsɿ^{0}ke^{53}fa$^{35}_{44}$tsʰiəu$^{53}_{21}$ʂʅ$^{53}_{21}$cin^{35}kuei^{53}.

【黄鸡嫲子】uɔŋ^{13}ke^{35}ma^{13}tsɿ^{0} 名①浑身毛呈黄色的母鸡：我头番子去我阿舅子箇嘝，渠畜倒几……渠总有五六十只鸡，菢哩一窠又一窠。欸，渠箇个新鸡嫲子啊，有乌个子，欸，也有白个子，欸，～就蛮少。～就蛮少，乌个子有，白个子有。ŋai^{13}tʰei^{13}fan$^{35}_{44}$tsɿ^{0}çi^{53}ŋai$^{13}_{21}$a^{35}cʰiəu$^{35}_{44}$tsɿ^{0} kai$^{53}_{44}$liau^{53},ci^{13}çiəuk^{3}tau^{21}ci^{21}ʂ…ci^{13}tsəŋ^{21}iəu$^{35}_{53}$ŋ̍^{21}liəuk^{3}ʂət^{5}tʂak^{3}ke^{35},pʰu^{53}li^{0}iet^{3}kʰo^{35}iəu$^{53}_{44}$iet^{3}kʰo^{35}.e$_{21}$,ci^{13} kai$^{53}_{44}$ke$^{53}_{44}$sin^{35}cie$^{35}_{44}$ma$^{13}_{21}$tsɿ^{0}a^{0},iəu^{35}u^{35}ke^{53}tsɿ^{0},e$_{21}$,ia^{35}iəu$^{35}_{44}$pʰak^{5}ke^{53}tsɿ^{0},e$_{21}$,uɔŋ^{13}cie$^{35}_{44}$ma$^{13}_{21}$tsɿ^{0}tsʰiəu$^{53}_{44}$man^{13}ʂau^{21}. uɔŋ^{13}cie$^{35}_{44}$ma$^{13}_{21}$tsɿ^{0}tsʰiəu$^{53}_{44}$man$^{13}_{21}$ʂau^{21},u^{35}ke^{53}tsɿ^{0}iəu^{35},pʰak^{5}ke^{53}tsɿ^{0}iəu^{35}. ②一种虫子，较大，叮人：早晨你到岭上去做事是你真爱着正箇个啦，爱全副武装啦，唔系就多着兜衫裤，唔系就包得自家煞煞哩，唔系就让门子啊？爱搽兜花露水箇兜么个。唔系是箇～你硬挡不住硬。就系咁多子～，踪法子来。同箇个会飞个蚊家子样，短短子，箇～咯，欸，唔系哟，会飞个苍蝇样哦，苍蝇样，蛮像哩，欸，蛮像。苍蝇样，箇就安做～。tsau^{21}ʂən^{13}ɲi^{13}tau$^{53}_{44}$liaŋ^{35}xɔŋ$^{53}_{44}$çi$^{53}_{44}$tso$^{53}_{44}$sɿ^{53}ʂʅ$^{53}_{21}$ɲi$^{13}_{21}$ tʂən^{35}ɔi$^{53}_{44}$tʂɔk^{3}tʂaŋ$^{53}_{44}$kai$^{53}_{44}$ke$^{53}_{44}$la^{0},ɔi$^{53}_{44}$tsʰien^{13}fu^{53}u^{35}tsɔŋ$^{35}_{44}$la^{0},m̩^{13}pʰei$^{53}_{44}$tsʰiəu$^{53}_{44}$to^{35}tʂɔk^{3}tei$^{35}_{53}$san^{35}fu^{53},m̩^{13}pʰei$^{53}_{44}$ tsʰiəu$^{53}_{44}$pau^{35}tek^{3}tsʰɿ^{35}ka$^{35}_{44}$sait^{3}sait^{3}li^{0},m̩^{13}pʰei$^{53}_{44}$tsʰiəu$^{53}_{44}$ɲiɔŋ$^{53}_{44}$mən$^{13}_{44}$tsɿ^{0}a^{0}?ɔi^{53}tsʰa^{13}tei$^{35}_{53}$fa^{35}ləu^{53}ʂei^{21}kai^{53}təu$^{35}_{53}$ mak^{3}ke^{0}.m̩^{13}pʰei^{53}ʂʅ$^{53}_{44}$kai$^{53}_{44}$uɔŋ^{13}cie$^{35}_{44}$ma$^{13}_{21}$tsɿ^{0}ɲi$^{13}_{21}$ɲiaŋ^{53}tʰɔŋ^{21}n̩^{13}tʂʰəu^{53}ɲiaŋ^{53}.tsʰiəu^{53}xei$^{53}_{44}$kan^{21}to$^{35}_{44}$tsɿ^{0}uɔŋ^{13}cie$^{35}_{44}$ ma$^{13}_{21}$tsɿ^{0},tsəŋ^{35}fait^{3}tsɿ^{0}lɔi$^{13}_{21}$.tʰəŋ^{13}kai^{53}ke^{53}uɔi^{53}fei^{35}ke^{53}mən^{35}ka$^{35}_{44}$tsɿ^{0}iɔŋ^{53},tɔn^{21}tɔn^{21}tsɿ^{0},kai^{53}uɔŋ^{13}cie$^{35}_{44}$ma$^{13}_{21}$tsɿ^{0} ko^{0},e$_{21}$,m̩^{13}pʰei$^{53}_{44}$io^{0},uɔi^{53}fei^{35}ke^{53}tsʰɔŋ^{35}in$^{13}_{21}$iɔŋ$^{53}_{44}$ŋo^{0},tsʰɔŋ^{35}in^{13}iɔŋ^{53},man^{13}tsʰiɔŋ^{53}li^{0},ei$_{21}$,man^{13}tsʰiɔŋ^{53}.tsʰɔŋ^{35} in^{13}iɔŋ^{53},kai$^{53}_{44}$tsʰiəu^{53}ɔn$^{35}_{44}$tso$^{53}_{44}$uɔŋ^{13}cie^{35}ma$^{13}_{21}$tsɿ^{0}.

【黄荆】uɔŋ^{13}ciaŋ^{35} 名一种灌木或小乔木：～唔知指哪起。唔知指过路黄荆过路黄荆啊还系么个，还系布荆子欸我。～系唔系做得药个如今？又安做过路黄荆啊。/～又喊布荆子吧？/欸。高个喊布荆子。/喷香。/箇种叶子就喷香。/有只特殊个香味。/欸以个叶子它喷香。如今搞粽子啊，炆粽子啊。欸。/做咁呶。/做米粿啊。箇就可以放箇只东西。好，以种是专门做药，箇是专门做药个。/矮矮子个就。/箇就喊过路黄荆。其实渠就安做～。但是搞么个舞只过路黄荆嘞？渠爱挖倒箇路边上个。箇起就更好，药性更好。/箇做药个。/欸，箇就是过路黄荆。/整筋骨唠。/除水湿。枝呀除水湿。/利水湿啦。/爱用根哩爱。/箇个箇个么个脚痛箇只啦个个啊，舞倒去炆，炆汤。欸，整脑壳痛，也用。uɔŋ^{13}ciaŋ$^{35}_{44}$n̩$^{13}_{21}$ti$^{35}_{44}$tʂʅ^{21}lai^{53}çi^{21}.n̩$^{13}_{21}$ti$^{35}_{44}$tʂʅ^{21}ko^{53}ləu^{53} uɔŋ^{13}ciaŋ^{35}ko^{53}ləu$^{53}_{44}$uɔŋ^{13}ciaŋ$^{35}_{44}$a^{0}xai^{13}xe$^{53}_{44}$mak^{3}e^{0},xai^{13}xe$^{53}_{44}$pu^{53}ciaŋ^{35}tsɿ^{0}e^{0}ŋai$^{13}_{21}$.uɔŋ^{13}ciaŋ$^{35}_{44}$xei$^{53}_{44}$mei$^{53}_{44}$tso^{53}tek^{3} iɔk^{5}ke$^{53}_{44}$i$^{13}_{21}$cin^{35}?iəu$^{53}_{44}$ɔn^{35}tso$^{53}_{44}$ko^{53}ləu^{53}uɔŋ^{13}ciaŋ$^{35}_{44}$ŋa^{0}./uɔŋ^{13}ciaŋ^{35}iəu$^{53}_{44}$xan^{53}pu^{53}ciaŋ^{35}tsɿ^{0}pa^{0}?/e$_{53}$.kau^{35}ke$^{53}_{44}$ xan$^{53}_{44}$pu^{53}ciaŋ^{35}tsɿ^{0}./pʰəŋ^{35}çiɔŋ^{35}./kai^{53}tʂəŋ^{21}iait^{5}tsɿ^{0}tsʰiəu$^{53}_{44}$pʰəŋ^{35}çiɔŋ^{35}./iəu^{35}tʂak^{3}tʰek^{5}çy$^{35}_{44}$ke$^{53}_{44}$çiɔŋ^{35} uei$^{53}_{44}$./e$_{44}$i^{21}ke$^{53}_{44}$iait^{5}tsɿ^{0}tʰa$^{35}_{44}$pʰəŋ^{35}çiɔŋ^{35}.i$^{13}_{21}$cin$^{35}_{44}$kau^{21}tsəŋ^{53}tsɿ^{0}a^{0},uən^{13}tsəŋ^{53}tsɿ^{0}a^{0}.e$_{44}$./tso^{53}kan^{21}nau^{0}./tso^{53}mi^{21} ko^{21}a^{0}.kai$^{53}_{44}$tsʰiəu$^{53}_{44}$kʰo^{21}i^{35}xɔŋ$^{53}_{44}$kai$^{53}_{44}$tʂak^{3}təŋ$^{35}_{44}$si^{0}.xau^{21},i^{21}tʂəŋ^{21}ʂʅ^{53}tʂen^{35}mən$^{13}_{21}$tso^{53}iɔk^{5},kai$^{53}_{44}$ʂʅ$^{53}_{44}$tʂen^{35}mən$^{13}_{21}$ tso$^{53}_{44}$iɔk$^{5}_{3}$ke$^{53}_{44}$./ai^{21}ai^{21}tsɿ^{0}ke$^{53}_{44}$tsʰiəu$^{53}_{44}$./kai$^{53}_{44}$tsʰiəu$^{53}_{21}$xan$^{53}_{44}$ko^{53}ləu^{53}uɔŋ^{13}ciaŋ$^{35}_{44}$.cʰi^{13}ʂət^{5}ci^{13}tsʰiəu$^{53}_{44}$ɔn$^{35}_{44}$tso$^{53}_{44}$uɔŋ^{13}

ciaŋ^{35}.tan$^{53}_{44}$ʂʅ$^{53}_{44}$kau^{21}mak^{3}ke^{53}u^{21}tʂak^{3}ko^{53}ləu^{53}uɔŋ^{13}ciaŋ$^{35}_{44}$le^{0}?ci$^{13}_{44}$ɔi$^{53}_{44}$uait^{3}tau^{21}kai$^{53}_{44}$ləu^{53}pien^{35}xɔŋ^{53}ke$^{53}_{44}$.kai^{53} çi^{21}tsʰiəu$^{53}_{44}$ken^{53}xau^{21},iɔk^{5}sin$^{53}_{44}$ken^{53}xau^{21}./kai$^{53}_{44}$tso$^{53}_{44}$iɔk^{5}ke$^{53}_{44}$./e$_{44}$,kai^{53}tsʰiəu$^{53}_{44}$ʂʅ$^{53}_{44}$ko^{53}ləu$^{53}_{44}$uɔŋ^{13}ciaŋ$^{35}_{44}$./tʂaŋ^{21} cin^{35}kuət^{3}lau^{0}./tʂʰəu^{13}ʂei^{21}ʂət^{3}.tʂʅ^{35}ia^{0}tʂʰəu^{13}ʂei^{21}ʂət^{3}./li^{53}ʂei^{21}ʂət$^{3}_{5}$la^{0}./ɔi$^{53}_{44}$iəŋ$^{53}_{44}$cin^{35}ni^{0}ɔi$^{53}_{44}$./kai$^{53}_{44}$ke$^{53}_{44}$kai$^{53}_{44}$ke$^{53}_{44}$ mak^{3}ke$^{53}_{44}$ciɔk^{3}tʰəŋ^{53}kai$^{53}_{44}$tʂak^{3}la^{21}ke$^{53}_{44}$ke^{53}a^{0},u^{21}tau^{21}çi$^{53}_{44}$uən^{13},uən^{13}tʰɔŋ^{35}.e$_{21}$,tʂaŋ^{21}lau^{21}kʰɔk^{3}tʰɔŋ^{35},ia^{35}iəŋ$^{53}_{44}$.

【黄荆蛇】uɔŋ^{13}cin$^{35}_{44}$ʂa^{13} 名蛇名：黄荆条有，聋黄个，黄荆条。听讲过啊，看得赠得见呐。～。uɔŋ^{13}cin$^{35}_{44}$tʰiau^{13}iəu^{35},ləŋ^{35}uɔŋ^{13}ke$^{53}_{44}$,uɔŋ^{13}cin$^{35}_{44}$tʰiau^{13}.tʰaŋ^{35}kɔŋ^{21}ko^{53}a^{0},kʰɔn^{53}tek^{3}maŋ^{13}tek^{3}cien^{53}na^{0}.uɔŋ^{13} cin$^{35}_{44}$ʂa^{13}.

【黄蜡】uɔŋ^{13}lait^{5} 名蜂蜡：我箇只姨妹子箇就畜哩蜂子，渠等人年年割蜂糖个时候子就收得蛮多～倒。欸，就舞得蛮多～倒。割蜂糖个时候子啊，割倒个镜最后留倒个去熬倒，就有蜡，就流出箇个蜡来。真正蜂镜是同箇个塑料个东西样冇么个用就丢嘿哩。欸，渠箇种是老式个割蜜个方法，渠会破坏蜂镜个。如今是摇蜜机，渠侪都唔得破坏蜂镜，渠会分箇箇蜂糖蜂蜜嘞摇出来，箇个也会跑出一部分个蜂蜡来欸～来。ŋai^{13}kai^{53}tʂak^{3}i^{13}mɔi^{53}tsʅ^{0}kai^{53}tsʰiəu^{53}çiəuk^{3}li^{0} fəŋ^{35}tsʅ^{0},ci^{13}tien^{0}ɲin$^{13}_{44}$ɲien^{13}ɲien$^{13}_{44}$kɔit^{3}fəŋ^{35}tʰɔŋ$^{13}_{21}$ke$^{53}_{44}$ʂʅ$^{13}_{44}$xei^{53}tsʅ^{0}tsʰiəu$^{53}_{44}$ʂəu^{35}tek^{3}man^{13}to$^{35}_{44}$uɔŋ^{13}lait^{5}tau^{21}.e$_{21}$, tsʰiəu^{53}u^{21}tek^{3}man^{13}to$^{35}_{53}$uɔŋ^{13}lait^{5}tau^{21}.kɔit^{3}fəŋ^{35}tʰɔŋ$^{13}_{21}$ke$^{53}_{44}$ʂʅ^{13}xei$^{53}_{44}$tsʅ^{0}a^{0},kɔit^{3}tau^{21}ke^{0}ciaŋ^{53}tsei^{53}xei^{53}liəu^{13} tau^{21}ke^{53}çi^{53}ŋau^{13}tau^{21},tsʰiəu$^{53}_{44}$iəu^{35}lait^{5},tsʰiəu^{53}liəu^{13}tʂʰət^{3}kai$^{53}_{44}$ke$^{53}_{44}$lait^{5}lɔi$^{13}_{21}$.tʂən^{35}tʂən$^{53}_{21}$fəŋ^{35}ciaŋ^{53}ʂʅ$^{53}_{21}$tʰəŋ^{13} kai$^{53}_{44}$ke$^{53}_{44}$sɔk^{3}liau$^{53}_{44}$ke^{0}təŋ$^{53}_{44}$si^{0}iɔŋ$^{53}_{44}$mau$^{13}_{21}$mak^{3}e^{0}iəŋ$^{53}_{44}$tsʰiəu$^{53}_{44}$tiəu^{35}(x)ek^{3}li^{0}.e$_{21}$,ci^{13}kai^{53}tʂəŋ^{21}ʂʅ$^{53}_{44}$lau^{21}ʂʅ$^{53}_{21}$ke^{53} kɔit^{3}miet^{5}ke^{0}fɔŋ^{35}fait^{3},ci$^{13}_{21}$uɔi$^{53}_{44}$pʰo^{53}fai^{53}fəŋ^{35}ciaŋ^{53}ke^{0}.i$^{13}_{21}$cin$^{35}_{44}$ʂʅ$^{53}_{44}$iau^{13}miet^{5}ci$^{35}_{44}$,ci$^{13}_{44}$tsʰi^{13}təu$^{35}_{53}$n̩^{13}tek^{3}pʰo^{53} fai^{53}fəŋ$^{35}_{44}$ciaŋ^{53},ci$^{13}_{21}$uɔi$^{53}_{44}$pən^{35}kai$^{53}_{44}$kai^{53}fəŋ^{35}tʰɔŋ$^{13}_{44}$fəŋ^{35}miet^{5}lei^{0}iau^{13}tʂʰət^{3}lɔi$^{13}_{44}$,kai$^{53}_{44}$ke$^{53}_{44}$ia^{35}uɔi^{53}pʰau^{21}tʂʰət^{3} iet^{3}pʰu^{53}fən^{35}ke^{0}fəŋ^{35}lait^{5}lɔi^{0}e$_{21}$uɔŋ^{13}lait^{3}lɔi$^{13}_{44}$.

【黄辣椒子】uɔŋ^{13}lait^{5}tsiau^{35}tsʅ^{0} 名本地出产的一种黄色的朝天椒：～有啊。/也系钉椒子肚箇里个。最先我等以映子个有个是就系黄箇子。uɔŋ^{13}lait^{5}tsiau$^{35}_{44}$tsʅ^{0}iəu^{35}a^{0}./ia^{35}xe^{53}taŋ^{35}tsiau$^{35}_{44}$tsʅ^{0}təu^{21} kai$^{53}_{21}$li^{0}ke^{53}.tsei^{53}sien$^{35}_{44}$ŋai$^{13}_{21}$tien^{0}i^{21}iaŋ$^{53}_{44}$tsʅ^{0}ke$^{53}_{44}$iəu^{35}ke^{53}ʂʅ$^{53}_{21}$tsʰiəu^{53}xe^{53}uɔŋ^{13}kai^{53}tsʅ^{0}.

【黄老鼠】uɔŋ^{13}lau$^{21}_{53}$tʂʰəu^{21} 名黄鼬的俗称：箇就～会打屁个。棕毛老鼠嘞就是麻麻色子，～嘞就硬系～，会打屁。～个皮冬下个冬下都过哩冬至咯～个皮就立哩冬吧～个皮都是蛮金贵。有滴人专门去装～。kai$^{53}_{44}$tsʰiəu$^{53}_{44}$uɔŋ^{13}lau$^{21}_{44}$tʂʰəu^{21}uɔi$^{53}_{44}$ta^{21}pʰi^{53}ke$^{53}_{44}$.tsəŋ^{35}mau^{35}lau^{21}tʂʰəu^{21}lei^{0}tsəu^{35}ʂʅ$^{53}_{21}$ ma^{13}ma^{13}sek^{3}tsʅ^{0},uɔŋ^{13}tʂʰəu^{21}lɔŋ^{13}lei^{0}tsʰiəu^{53}ɲiaŋ^{53}xei^{53}uɔŋ^{13}lau$^{21}_{53}$tʂʰəu^{21},uɔi$^{53}_{44}$ta^{21}pʰi^{53}.uɔŋ^{13}lau$^{21}_{53}$tʂʰəu^{21}ke$^{53}_{44}$ pʰi^{13}təŋ^{35}xa$^{53}_{44}$ke^{53}təŋ^{35}xa$^{53}_{44}$təu$^{35}_{44}$ko^{53}li^{0}təŋ^{35}tʂʅ^{53}ko^{0}uɔŋ^{13}lau$^{21}_{53}$tʂʰəu^{21}ke^{53}pʰi^{13}tsʰiəu$^{53}_{44}$liet^{5}li^{0}təŋ^{35}pa^{0}uɔŋ^{13}lau$^{21}_{53}$ tʂʰəu^{21}ke$^{53}_{44}$pʰi^{13}təu$^{35}_{44}$ʂʅ^{53}man^{13}cin^{35}kuei^{53}.iəu^{35}tet^{5}ɲin$^{13}_{21}$tʂen^{35}mən$^{13}_{21}$çi$^{53}_{44}$tsɔŋ^{35}uɔŋ^{13}lau$^{21}_{53}$tʂʰəu^{21}.

【黄萝卜】uɔŋ^{13}lo^{13}pʰek^{5} 名胡萝卜：我等喊～嘞，系唔系？唔系喊红萝卜嘞。喊～嘞。/你箇个炒猪肝呐，交～咯。ŋai^{13}tien^{0}xan^{53}uɔŋ^{13}lo^{13}pʰek^{5}lei^{0},xei$^{53}_{44}$me$^{53}_{44}$?m̩^{13}pʰe^{53}(←xe^{53})xan^{53}fəŋ^{13}lo^{13}pʰek^{5} lei^{0}.xan^{53}uɔŋ^{13}lo^{13}pʰek^{5}lei^{0}./ɲi^{13}kai$^{53}_{44}$ke$^{53}_{44}$tsʰau^{21}tʂəu^{35}kɔn^{35}na^{0},ciau$^{35}_{44}$uɔŋ^{13}lo^{13}pʰek^{5}ko^{0}.

【黄麻】uɔŋ^{13}ma^{13} 名一种韧皮纤维作物：～箇只讲就听讲哩，我也赠看过。/～有么人种。/么个～个啊？/～，打绳个。/有哇。啊，渠是□长。一丈，丈多高个。/有种过啊以前呐？/有哇。/有哇？我等就赠看到嘞。/我等个横巷里冇人家种。/“大跃进”个时候唔系以红砂个哪里都种几多子。喊～。/～？/欸。/舞倒打麻绳呶，系啊？/是系打绳呶。uɔŋ^{13}ma^{13}kai$^{53}_{44}$ tʂak^{3}kɔŋ^{21}tsʰiəu^{53}tʰaŋ^{35}kɔŋ^{21}li^{0},ŋai^{13}ia$^{35}_{53}$maŋ^{13}kʰɔn^{53}ko$^{53}_{44}$./uɔŋ^{13}ma$^{13}_{44}$mau^{13}mak^{3}in$^{13}_{44}$tʂəŋ^{53}./mak^{3}ke$^{53}_{44}$uɔŋ^{13}ma^{13} ke$^{53}_{44}$a^{0}?/uɔŋ^{13}ma$^{13}_{44}$,ta^{21}ʂən^{13}ke$^{53}_{44}$./iəu^{35}ua^{0}.a$_{53}$,ci$^{13}_{21}$ʂʅ^{53}lai$^{53}_{21}$tʂʰɔŋ$^{13}_{21}$.iet^{3}tʂʰɔŋ^{53},tʂʰɔŋ^{53}to$^{35}_{44}$kau$^{35}_{44}$ke$^{53}_{44}$./iəu^{35}tʂəŋ^{53}ko$^{53}_{44}$ a^{0}i$^{35}_{44}$tsʰien$^{13}_{21}$na^{0}?/iəu^{35}ua^{0}./iəu^{35}ua^{0}?ŋai$^{13}_{21}$tien^{0}tsʰiəu^{53}maŋ^{13}kʰɔn$^{53}_{44}$tau$^{53}_{44}$lei^{0}./ŋai$^{13}_{21}$tien^{0}ke$^{53}_{44}$uaŋ^{13}xɔŋ^{53}li^{0}mau$^{13}_{21}$ in$^{13}_{21}$ka$^{35}_{44}$tʂəŋ$^{53}_{44}$./"tʰai^{53}iɔk^{3}tsin^{53}"ke$^{53}_{44}$ʂʅ^{13}xəu^{53}m̩$^{13}_{21}$pʰe^{53}(←xe^{53})i^{21}fəŋ^{13}sa$^{35}_{44}$ke$^{53}_{44}$la^{53}li^{21}təu$^{35}_{44}$tʂəŋ^{53}ci^{21}to^{35}tsʅ^{0}.xan^{53} uɔŋ^{13}ma^{13}./uɔŋ^{13}ma^{13}?/e$_{21}$./u^{21}tau^{21}ta^{21}ma^{13}ʂən^{13}nau^{0},xei$^{53}_{44}$a^{0}?/ʂʅ^{53}xe^{53}ta^{21}ʂən^{13}nau^{0}.

【黄毛】uɔŋ^{13}mau^{35} 名本指黄色的毛发，借指头发黄的人：箇街上有只人渠等喊渠～，呃，绰号子，渠头发聋黄个。kai$^{53}_{44}$kai^{35}xɔŋ^{53}iəu^{35}tʂak^{3}ɲin$^{13}_{44}$ci^{13}tien^{0}xan^{53}ci$^{13}_{21}$uɔŋ^{13}mau^{35},ə$_{21}$,tʂʰɔk^{3}xau$^{53}_{44}$tsʅ^{0},ci$^{13}_{44}$ tʰei$^{13}_{21}$fait^{3}ləŋ^{35}uɔŋ$^{13}_{44}$cie^{0}.

【黄泥】uɔŋ^{13}lai^{13} 名黄土：石灰，～，沙公，我等箇映安做三沙。ʂak^{5}fɔi^{35},uɔŋ^{13}lai^{13},sa^{35} kəŋ^{35},ŋai$^{13}_{21}$tien^{0}kai$^{53}_{44}$iaŋ$^{35}_{44}$ɔn$^{35}_{44}$tso$^{53}_{44}$san^{35}sa$^{35}_{44}$.

【黄泥塥】uɔŋ^{13}lai^{13}kak^{3} 名地层深处的黄壤：如今箇个蛮多栽箇搞绿化个人舞倒箇～去搞绿化呢。去就铺底下铺一层～，面上就舞倒箇个草皮铺倒去。搞么个嘞？箇～肚里冇得冇么个草种。渠个唔知几深个黄泥呀，渠冇得箇冇得杂草。你慢底下铺兜黄泥，长倒唔知几多杂草，面上放倒草皮去呀，好像还盖渠唔过，欸，够除哩草，所以渠就寻～，舞倒～个黄泥去。i$^{13}_{21}$cin^{35}kai$^{53}_{44}$ke$^{53}_{44}$man^{13}to$^{35}_{44}$tsɔi^{35}kai$^{53}_{44}$kau^{21}liəuk^{5} fa$^{53}_{44}$ke$^{53}_{44}$ɲin$^{13}_{44}$u^{21}tau^{21}kai^{53}uɔŋ^{13}lai^{13}kak^{3} çi^{53}kau^{21}liəuk^{5} fa^{53}nei^{0}.ci^{13}tsʰiəu^{53}pʰu^{35}tei^{21}xa^{53}pʰu^{35}iet^{3} tsʰen$^{13}_{44}$uɔŋ^{13}lai$^{13}_{44}$kak^{3},mien^{53}xɔŋ^{53}tsʰiəu^{53}u^{21}tau^{21}kai^{53}ke^{53}tsʰau^{21}pʰi^{13}pʰu^{35}tau^{21}çi^{53}.kau^{21}mak^{3} e^{0} lei^{0} ?kai^{53}uɔŋ^{13}lai$^{13}_{44}$kak^{3} təu^{21}li^{0} mau^{13}tek^{3} mau^{13}mak^{3} e^{0} tsʰau^{21}tʂəŋ^{21}.ci^{13}ke$^{53}_{44}$n̩^{13}ti$^{35}_{53}$ci^{21}tʂʰən^{35}cie^{53}uɔŋ^{13}lai^{13}ia^{0},ci$^{13}_{21}$mau^{13}tek^{3} kai$^{53}_{44}$mau^{13}tek^{3} tsʰait^{5} tsʰau$^{21}_{44}$. ɲi^{13}man^{53}tei^{21}xa$^{53}_{44}$pʰu^{35}te$^{35}_{53}$uɔŋ^{13}lai$^{13}_{44}$,tʂɔŋ^{21}tau^{21}n̩^{13}ti^{53}ci^{21}to$^{35}_{44}$tsʰait^{5} tsʰau^{21},mien^{53}xɔŋ^{53}fɔŋ^{53}tau^{21}tsʰau^{21}pʰi^{13}cʰi^{53}ia^{0},xau^{21}tsʰiɔŋ^{53}xai$^{13}_{21}$kɔi^{53}ci$^{13}_{21}$n̩^{13}ko^{53},e$_{21}$,cie^{53}tʂʰəu^{13}li^{0} tsʰau^{21},so^{21}i$^{35}_{53}$ci$^{13}_{21}$tsʰiəu^{53}tsʰin^{13}uɔŋ^{13}lai$^{13}_{21}$kak^{3},u^{21}tau^{21}uɔŋ^{13}lai^{13}kak^{3} ke^{53}uɔŋ^{13}lai$^{13}_{21}$çi^{53}. ◇塥，《正字通》各额切，音革。《管子·地员》："沙土之次曰五塥。五塥之状，累然如仆累。"

【黄泥岭】uɔŋ^{13}lai$^{13}_{21}$liaŋ^{35} 名黄壤山地：渠箇映箇沿溪箇栏场吵，渠个岭岗唔高，尽系摸摸岭子，尽系～。ci$^{13}_{21}$kai^{53}iaŋ^{53}kai^{53}vien^{13}çi^{35}kai^{53}laŋ$^{13}_{21}$tʂʰɔŋ$^{13}_{21}$ʂa^{0},ci^{13}ke^{53}liaŋ^{35}kɔŋ$^{35}_{44}$n̩$^{13}_{21}$kau^{35},tsʰin^{53}xe^{53}mo^{35}mo^{35}liaŋ^{35}tsɿ^{0},tsʰin^{53}xe$^{53}_{21}$uɔŋ^{13}lai$^{13}_{21}$liaŋ^{35}.

【黄泥田】uɔŋ^{13}lai^{13}tʰien^{13} 名在黄壤上耕作的水田：以前我等人分倒个箇几亩田咯尽系～呢。～就唔喜禾呢，但是也唔发虫呢，也渠更唔发虫呢，欸～个好处。i$^{35}_{53}$tsʰien$^{13}_{21}$ŋai^{13}tien^{0}ɲin$^{13}_{21}$fən^{35}tau^{21}ke^{53}kai^{53}ci^{21}miau^{35}tʰien^{13}ko^{0} tsʰin^{53}xe$^{53}_{44}$uɔŋ^{13}lai$^{13}_{44}$tʰien$^{13}_{21}$nei^{0}.uɔŋ^{13}lai$^{13}_{44}$tʰien^{13}tsʰiəu^{53}n̩^{13}çi^{21}uo^{13}nei^{0},tan^{53}ʂɿ^{53}ia^{35}n̩$^{13}_{21}$fait^{3} tʂʰəŋ^{13}nei^{0},ie$^{21}_{44}$ci^{13}cien^{53}n̩$^{13}_{21}$fait^{3} tʂʰəŋ^{13}nei^{0},e^{0} uɔŋ^{13}lai$^{13}_{44}$tʰien$^{13}_{21}$ke^{53}xau^{21}tʂʰəu^{53}.

【黄牛】uɔŋ^{13}ɲiəu^{13} 名牛的一种，毛多呈黄色：讲只事唠，以前我等生产队上啊就有几条～，冇得水牛，只有～。～作起田来就欸唔多煞，唔多熬。但是～嘞更慈善，箇个身材冇咁大呀。kɔŋ^{21}tʂak^{3} sɿ^{53}lau^{0} ,i$^{35}_{53}$tsʰien$^{13}_{21}$ŋai$^{13}_{21}$tien^{0} sen$^{35}_{44}$tsʰan^{21}ti^{53}xɔŋ^{53}ŋa^{0} tsʰiəu$^{53}_{44}$iəu^{35}ci^{21}tʰiau$^{13}_{21}$uɔŋ^{13}ɲiəu$^{13}_{44}$,mau^{13}tek^{3} ʂei^{21}ɲiəu^{13},tʂɿ^{21}iəu$^{35}_{53}$uɔŋ^{13}ɲiəu^{13}.uɔŋ^{13}ɲiəu^{13}tsɔk^{3} çi^{21}tʰien^{13}nɔi^{13}tsʰiəu^{53}e$_{21}$n̩$^{13}_{21}$to$^{35}_{44}$sait^{3} ,n̩$^{13}_{21}$to$^{35}_{44}$ŋau^{13}.tan^{53}ʂɿ^{53}uɔŋ^{13}ɲiəu$^{13}_{21}$lei^{0} cien^{53}tsʰɿ^{13}ʂen^{53},kai$^{53}_{44}$ke$^{53}_{44}$ʂən^{35}tsʰɔi$^{13}_{21}$mau$^{13}_{21}$kan^{21}tʰai^{53}ia^{0}.

【黄牛牯子】uɔŋ^{13}ɲiəu^{13}ku^{21}tsɿ^{0} 名雄性小黄牛：如今箇个牛贩子买牛哇，渠就喜欢买～。搞么个买～嘞？牛贩子是只讲剐牛，只讲有肉。因为箇～嘞胚子唔大，但是肉多，肉好，肉个质量好，胚子唔大，但是肉个质量好。牛贩子啊，就系用来剐牛。i$^{13}_{21}$cin$^{35}_{53}$kai$^{53}_{44}$ke$^{53}_{44}$ɲiəu^{13}fan^{53}tsɿ^{0}mai$^{35}_{44}$ɲiəu^{13}ua^{0},ci^{13}tsʰiəu^{53}çi^{21}fən$^{35}_{44}$mai^{35}uɔŋ^{13}ɲiəu$^{13}_{44}$ku^{21}tsɿ^{0}.kau^{21}mak^{3} ke$^{53}_{44}$mai$^{35}_{44}$uɔŋ$^{13}_{21}$ɲiəu$^{13}_{21}$ku^{21}tsɿ^{0} lei^{0} ?ɲiəu^{13}fan^{53}tsɿ^{0} ʂɿ$^{53}_{44}$tʂɿ^{21}kɔŋ^{21}tʂʰɿ^{13}ɲiəu^{13},tʂɿ^{21}kɔŋ^{21}iəu^{35}ɲiəuk^{3} .in^{35}uei$^{53}_{44}$kai^{53}uɔŋ^{13}ɲiəu$^{13}_{44}$ku^{21}tsɿ^{0} lei^{0} pʰɔi^{35}tsɿ^{0} n̩^{13}tʰai^{53},tan$^{53}_{44}$ʂɿ$^{53}_{44}$ɲiəuk^{3} to^{35}, ɲiəuk^{3} xau^{21}, ɲiəuk^{3} ke^{53}tʂət^{3} liɔŋ^{53}xau^{21},pʰɔi^{35}tsɿ^{0} n̩^{13}tʰai^{53},tan^{53}ʂɿ^{53}ɲiəuk^{3} ke^{53}tʂət^{3} liɔŋ^{53}xau^{21}. ɲiəu^{13}fan^{53}tsa^{0},tsʰiəu$^{53}_{44}$xei^{53}iɔŋ^{53}lɔi$^{13}_{21}$tʂʰɿ$^{13}_{21}$ɲiəu$^{13}_{21}$.

【黄皮寡瘦】uɔŋ^{13}pʰi^{13}kua^{21}sei^{53} 形容面黄肌瘦：欸，过苦日子个时候子是有兜人都系～。我都……过苦日子就系六零年呐，六一年，六二年，六二年呢箇唔系我就十岁子吵？我五二年个吵。我十岁子个，硬一只真冇几重子哦，我自家都记得哦硬哦，又矮又轻，嗯，营养不良啊，饭都冇食啦，～。e$_{21}$,ko^{53}kʰu^{21}ɲiet^{3} tsɿ^{0} ke^{0} ʂɿ^{13}xəu$^{53}_{44}$tsɿ^{0} ʂɿ$^{53}_{44}$iəu$^{35}_{44}$tei$^{35}_{44}$ɲin$^{13}_{21}$təu^{35}xei$^{53}_{44}$uɔŋ^{13}pʰi^{13}kua^{21}sei^{53}. ŋai^{13}təu$^{35}_{53}$…ko^{53}kʰu^{21}ɲiet^{3} tsɿ^{0} tsʰiəu^{53}xe^{53}liəuk^{3} lin^{13}ɲien$^{13}_{44}$na^{0},liəuk^{3} iet^{3} ɲien$^{13}_{21}$,liəuk^{3} ɲi^{53}ɲien$^{13}_{44}$,liəuk^{3} ɲi^{53}ɲien$^{13}_{44}$ne^{0} kai^{53}m̩$^{13}_{44}$pʰe$^{53}_{44}$ŋai^{13}tsʰiəu$^{53}_{44}$ʂət^{5} sɔi^{53}tsɿ^{0} ʂa^{0} ?ŋai^{13}ŋ̍^{21}ɲi^{53}ɲien$^{13}_{44}$ke^{0} ʂa^{0} .ŋai^{13}ʂət^{5} sɔi^{53}tsɿ^{0} ke^{0}, ɲiaŋ^{53}iet^{3} tʂak^{3} tʂən^{35}mau^{13}ci^{21}tʂʰəŋ^{35}tsɿ^{0} o^{0} ,ŋai$^{13}_{21}$tsʰɿ^{35}ka$^{35}_{44}$təu$^{35}_{53}$ci^{53}tek^{3} o^{0}ɲiaŋ$^{53}_{44}$o^{0} ,iəu^{53}ai^{21}iəu^{53}cʰiaŋ^{35},n̩$_{21}$,in$^{13}_{21}$iɔŋ$^{35}_{53}$pət^{3} liɔŋ^{13}a^{0},fan^{53}təu$^{35}_{53}$mau$^{13}_{21}$ʂət^{5} la^{0},uɔŋ^{13}pʰi^{13}kua^{21}sei^{53}.

【黄皮梨子】uɔŋ^{13}pʰi^{13}li^{13}tsɿ^{0} 名一种本地出产的梨子：就如今今晡早晨街上都有卖呀～啊。一种本地产个梨子呢，我等本地产个一种梨子，个子蛮大，好食，蛮好食，嗯，津甜。今晡早晨我都想买兜子～食哩。tsʰiəu^{53}i$^{13}_{21}$cin$^{35}_{44}$cin^{35}pu$^{35}_{53}$tsau^{21}ʂən$^{13}_{44}$kai$^{35}_{44}$xɔŋ$^{53}_{44}$təu$^{35}_{44}$iəu$^{35}_{44}$mai^{53}ia^{0} uɔŋ$^{13}_{44}$pʰi$^{13}_{44}$li$^{13}_{44}$tsɿ^{0} a^{0}.iet^{3} tʂəŋ^{21}pən^{21}tʰi^{53}tsʰan^{21}cie^{53}li^{13}tsɿ^{0} nei^{0},ŋai^{13}tien^{0} pən^{21}tʰi^{53}tsʰan^{21}cie^{53}iet^{3} tʂəŋ^{21}li^{13}tsɿ^{0},ko^{53}tsɿ^{0} man^{13}tʰai^{53},xau^{21}ʂət^{5},man^{13}xau^{21}ʂət^{5},n̩$_{21}$,tsin^{35}tʰian$^{13}_{21}$.cin^{35}pu$^{35}_{53}$tsau^{21}ʂən$^{13}_{44}$ŋai^{13}təu$^{35}_{53}$siɔŋ^{21}mai^{35}tei$^{35}_{53}$tsɿ^{0} uɔŋ^{13}pʰi$^{13}_{44}$li$^{13}_{44}$tsɿ^{0} ʂət^{5} li^{0}.

【黄蒲】uɔŋ^{13}pʰu^{13} 名南瓜的俗称。又称"番蒲"：渠箇东西黄黄子个吵？就系～。ci^{13}kai$^{53}_{44}$təŋ$^{35}_{44}$si^{0} uɔŋ^{13}uɔŋ^{13}tsɿ^{0} ke$^{53}_{44}$ʂa^{0} ?tsʰiəu^{53}ue^{53}(←xe^{53})uɔŋ^{13}pʰu^{13}.

【黄蒲饼】uɔŋ^{13}pʰu^{13}piaŋ^{21} 名南瓜饼：箇番薯饼啊，～啊，其实就番薯米馃嘞，黄蒲米馃嘞。kai$^{53}_{44}$fan^{35}ʂəu$^{13}_{21}$piaŋ^{21}ŋa^{0},uɔŋ^{13}pʰu^{13}piaŋ^{21}ŋa^{0},cʰi$^{13}_{21}$ʂət^{5} tsʰiəu$^{53}_{44}$fan^{35}ʂəu$^{13}_{21}$mi^{21}ko^{21}lei^{0},uɔŋ^{13}pʰu^{13}mi^{21}ko^{21}lei^{0}.

【黄蒲米馃】uɔŋ^{13}pʰu^{13}mi^{21}ko^{21} 名南瓜饼的俗称：还有黄蒲饼噢。～，写做～个更多。xai^{13}iəu$^{35}_{53}$uɔŋ^{13}pʰu^{13}piaŋ^{21}ŋau^{0}.uɔŋ^{13}pʰu^{13}mi^{21}ko^{21},sia^{21}tso^{53}uɔŋ^{13}pʰu^{13}mi^{21}ko^{21}ke$^{53}_{44}$ken$^{53}_{44}$to$^{35}_{44}$.

【黄蒲苗】uɔŋ^{13}pʰu^{13}miau^{13} 名南瓜藤，可取其很嫩的部分食用：欸，如今张坊街上卖个菜里头就卖兜咁个，～。一掐一掐个～，真多人买哟。我唔买，我唔喜欢食。食都还好食唠，食都还食得。e$_{53}$,i$^{13}_{21}$cin$^{35}_{53}$tʂɔŋ^{35}xɔŋ$^{35}_{44}$kai$^{35}_{44}$xɔŋ$^{53}_{44}$mai^{53}ke^{53}tsʰɔi^{53}li^{21}tʰei$^{13}_{21}$tsiəu$^{53}_{21}$mai^{53}tei$^{35}_{53}$kan^{21}ke^{53},uɔŋ^{13}pʰu$^{13}_{21}$miau^{13}.iet^{3}kʰa^{35}iet^{3}kʰa^{35}ke^{53}uɔŋ^{13}pʰu^{13}miau^{13},tʂən^{35}to$^{35}_{44}$ɲin$^{13}_{21}$mai^{35}io^{0}.ŋai^{13}n̩^{13}mai$^{35}_{44}$,ŋai$^{13}_{21}$n̩^{13}çi$^{21}_{44}$fɔn$^{35}_{53}$ʂət^{5}.ʂət^{5}təu$^{35}_{44}$xai$^{13}_{44}$xau^{21}ʂət^{5}lau^{0},ʂət^{5}təu$^{35}_{44}$xai$^{13}_{21}$ʂət^{5}tek^{3}.

【黄蒲仁】uɔŋ^{13}pʰu^{13}in^{13} 名南瓜籽：如今店子欸有～卖。箇店子里个～呢渠炒得蛮香，蛮好食，贵也蛮贵，两十多块钱一斤呢。i$^{13}_{21}$cin$^{35}_{44}$tian^{53}tsɿ^{0}e$_{21}$iəu^{35}uɔŋ$^{13}_{44}$pʰu$^{13}_{44}$in^{13}mai^{53}.kai$^{53}_{44}$tian^{53}tsɿ^{0}li^{0}ke^{53}uɔŋ$^{13}_{21}$pʰu$^{13}_{21}$in^{13}ne^{0}ci^{13}tsʰau^{21}tek^{3}man^{13}çiɔŋ^{35},man^{13}xau^{21}ʂət^{5},kuei^{53}ia$^{35}_{44}$man^{13}kuei^{53},iɔŋ^{21}ʂət^{5}to$^{35}_{44}$kʰuai^{53}tsʰien$^{13}_{21}$iet^{3}cin$^{35}_{44}$nei^{0}.

【黄钱】uɔŋ^{13}tsʰien^{13} 名用黄纸制成的纸钱：白纸啊，黄纸啊，黄草纸啊，咁阔子一绺子个，我等个栏场都是马路上都看得倒嘞。渠箇只老……人死嘿哩呀，箇个送倒去火葬啊，到火葬场去呀，渠都带滴带一叠纸，归了哇，归屋下哩去，火葬场里归了，渠就分人呢快路上丢纸，一张一张子丢，丢下，丢一张子，咁长子又丢一张，咁子一就安做。箇纸嘞，箇火葬场有卖呀。上背还打哩几只子印，安做～呢。个冇得规定个，也打哩印就要得哩。有滴是剪只子眼子呢。渠就区别出一般个纸来呀。箇正就系～纸啊。意思就黄泉路上啊。箇一直丢到屋下，从浏阳咁远就一直丢到屋下。你慢慢子丢哇。一张一张，只丢一张，又等下子，又丢一张啊。百把米远又丢一张啊。箇是一只。箇还山个时候子嘞还山呢也咁子丢，也丢。丢～。pʰak^{5}tʂɿ^{21}a^{0},uɔŋ^{13}tʂɿ^{21}a^{0},uɔŋ^{13}tsʰau^{21}tʂɿ^{21}a^{0},kan^{21}kʰɔit^{3}tsɿ^{0}iet^{3}liəu^{53}tsɿ^{0}ke$^{53}_{44}$,ŋai^{13}tien^{0}ke$^{53}_{44}$laŋ$^{13}_{21}$tʂʰɔŋ$^{13}_{21}$təu$^{35}_{44}$ʂɿ$^{53}_{44}$ma^{35}ləu$^{53}_{44}$xɔŋ$^{53}_{44}$təu$^{35}_{44}$kʰɔn^{53}tek^{3}tau^{21}le^{0}.ci^{13}kai$^{53}_{44}$tʂak^{3}lau^{21}…ɲin^{13}si^{21}ek^{3}li^{0}ia^{0},kai$^{53}_{44}$ke$^{53}_{44}$səŋ^{53}tau^{21}çi$^{53}_{44}$xo^{21}tsɔŋ^{53}ŋa^{0},tau^{53}fo^{21}tsɔŋ^{53}tʂʰɔŋ$^{13}_{21}$çi$^{53}_{44}$ia^{0},ci$^{13}_{21}$təu^{35}tai^{53}tiet^{3}tai^{53}iet^{3}tʰet^{5}tʂɿ^{21},kuei^{35}liau^{0}ua^{0},kuei^{35}uk^{3}xa$^{53}_{44}$li^{0}çi$^{53}_{44}$,fo^{21}tsɔŋ^{53}tʂʰɔŋ$^{13}_{21}$li^{21}kuei^{35}liau^{0},ci$^{13}_{21}$tsʰiəu$^{53}_{44}$pən^{35}ɲin$^{13}_{21}$ne^{0}kʰuai$^{53}_{44}$ləu^{53}xɔŋ$^{53}_{44}$tiəu$^{35}_{44}$tʂɿ^{21},iet^{3}tʂɔŋ^{35}iet^{3}tʂɔŋ^{35}tsɿ^{0}tiəu$^{35}_{44}$,tiəu$^{35}_{44}$xa$^{53}_{44}$,tiəu$^{35}_{44}$iet^{3}tʂɔŋ$^{35}_{44}$tsɿ^{0},kan^{21}tʂʰɔŋ$^{13}_{21}$tsɿ^{0}iəu^{53}tiəu^{35}iet^{3}tʂɔŋ$^{35}_{44}$,kan^{21}tsɿ^{0}iet^{3}tsʰiəu$^{53}_{21}$ɔn$^{35}_{44}$tso$^{53}_{44}$.kai$^{53}_{44}$tʂɿ^{21}lei^{0},kai$^{53}_{44}$fo^{21}tsɔŋ$^{53}_{44}$tʂʰɔŋ$^{13}_{21}$iəu^{35}mai^{53}ia^{0}.ʂɔŋ^{53}pɔi$^{53}_{44}$xai$^{13}_{21}$ta^{21}li^{0}ci^{21}tʂak^{3}tsɿ^{0}in^{53},ɔn$^{35}_{44}$tso^{53}uɔŋ^{13}tsʰien$^{13}_{21}$ne^{0}.ke^{53}mau$^{13}_{21}$tek^{3}kuei$^{35}_{44}$tʰin$^{53}_{44}$ke$^{53}_{44}$,ia^{21}ta^{21}li^{0}in$^{53}_{44}$tsʰiəu$^{53}_{44}$iau^{53}tek^{3}li^{0}.iəu^{35}tet^{5}ʂɿ$^{53}_{44}$tsien^{21}tʂak^{3}tsɿ^{0}ŋan^{21}tsɿ^{0}nei^{0}.ci$^{13}_{21}$tsʰiəu$^{53}_{44}$tʂʰɥ^{35}pʰiet^{5}tʂʰət^{3}iet^{3}pən^{35}cie^{53}tʂɿ^{21}lɔi$^{13}_{21}$ia^{0}.kai$^{53}_{44}$tʂaŋ$^{53}_{44}$tsiəu^{53}xe$^{53}_{21}$uɔŋ^{13}tsʰien^{13}tʂɿ^{21}a^{0}.i$^{53}_{44}$sɿ^{0}tsʰiəu$^{53}_{44}$uɔŋ^{13}tsʰien^{13}ləu^{53}xɔŋ^{53}ŋa^{0}.kai$^{53}_{44}$iet^{3}tʂʰət^{5}tiəu$^{35}_{44}$tau$^{53}_{44}$uk^{3}xa^{53},tsʰəŋ^{13}liəu^{13}iɔŋ^{13}kan^{21}ien^{21}tsʰiəu$^{53}_{44}$iet^{3}tʂʰət^{5}tiəu$^{35}_{44}$tau$^{53}_{44}$uk^{3}xa^{53}.ɲi^{13}man^{53}man^{53}tsɿ^{0}tiəu^{35}ua^{0}.iet^{3}tʂɔŋ^{35}iet^{3}tʂɔŋ^{35},tʂɿ^{21}tiəu^{35}iet^{3}tʂɔŋ$^{35}_{44}$,iəu$^{53}_{44}$tien^{21}xa^{53}tsɿ^{0},iəu$^{53}_{44}$tiəu^{35}iet^{3}tʂɔŋ$^{35}_{44}$ŋa^{0}.pak^{3}pa^{21}mi^{21}ien^{21}iəu$^{53}_{44}$tiəu$^{35}_{44}$iet^{3}tʂɔŋ$^{35}_{44}$ŋa^{0}.kai$^{53}_{44}$ʂɿ$^{53}_{44}$iet^{3}tʂak^{3}.kai$^{53}_{44}$fan$^{13}_{21}$san^{35}ke$^{53}_{44}$ʂɿ$^{13}_{44}$xei$^{53}_{44}$tsɿ^{0}lei^{0}fan^{13}san^{35}nei^{0}ia^{35}kan^{21}tsɿ^{0}tiəu$^{35}_{44}$,ia^{35}tiəu$^{35}_{44}$.tiəu$^{35}_{44}$uɔŋ^{13}tsʰien^{13}.

【黄泉】uɔŋ^{13}tsʰan^{13}/tsʰien^{13} 名①泉水：～呐。/就系指泉水啦。uɔŋ^{13}tsʰan^{13}na^{0}./tsʰiəu$^{53}_{44}$xe$^{53}_{44}$tʂɿ^{21}tsʰan^{13}ʂei^{21}la^{0}. ②迷信者称人死后居住的地方：箇正就系黄钱纸啊。意思就～路上啊。kai$^{53}_{44}$tʂaŋ$^{53}_{44}$tsiəu^{53}xe$^{53}_{21}$uɔŋ^{13}tsʰien^{13}tʂɿ^{21}a^{0}.i$^{53}_{44}$sɿ^{0}tsʰiəu$^{53}_{44}$uɔŋ^{13}tsʰien^{13}ləu^{53}xɔŋ^{53}ŋa^{0}.

【黄泉路】uɔŋ^{13}tsʰan^{13}ləu^{53} 名冥途；人死后所归之处：箇个孝敬爷娭呀，想倒哩就爱做，你等得娭子死嘿哩了，爷娭死嘿哩了，箇～上你就补渠唔转哩了，系唔系？～上你就空个哩了。你箇爷娭走上哩～了么，你就想孝敬渠都空个哩了。kai$^{53}_{44}$ke$^{53}_{44}$çiau^{53}cin^{53}ia^{13}ɔi^{35}ia^{0},siɔŋ^{21}tau^{21}li^{0}tsʰiəu$^{53}_{44}$ɔi$^{53}_{44}$tso^{53}, ɲi$^{13}_{21}$ten^{21}tek^{3}ɔi^{35}tsɿ^{0}si^{21}xek^{3}li^{0}liau^{0},ia^{13}ɔi$^{35}_{44}$si^{21}xek^{3}li^{0}liau^{0},kai^{53}uɔŋ^{13}tsʰan^{13}ləu^{53}xɔŋ^{53}ɲi^{13}tsʰiəu^{53}pu^{21}ci$^{13}_{21}$n̩$^{13}_{21}$tʂuon^{21}li^{0}liau^{0},xei^{53}me$^{53}_{21}$?uɔŋ^{13}tsʰan$^{13}_{21}$ləu^{53}xɔŋ^{53}ɲi^{13}tsʰiəu$^{53}_{44}$kʰəŋ^{53}ke$^{53}_{44}$li^{0}liau^{0}. ɲi^{13}kai^{53}ia^{13}ɔi$^{35}_{44}$tsei^{21}ʂɔŋ^{53}li^{0}uɔŋ^{13}tsʰan^{13}ləu^{53}liau^{21}me^{0}, ɲi^{13}tsʰiəu^{53}siɔŋ^{21}çiau^{53}cin^{53}ci^{13}təu$^{35}_{44}$kʰəŋ^{53}ke^{53}li^{0}liau^{0}.

【黄雀】uɔŋ^{13}tsʰiɔk^{3} 名鸟名，为雀科金翅雀属的鸟类：系我听过，系听讲过嘞。用～鸟子去啄。首先请起神来，系唔系？请动神明。欸，分情况讲嘿来，我爱求张签。好，最后嘞，唔系摇竹筒，也唔系手里信天去抽，系用～鸟子等渠去啄，看下渠啄倒哪张签就哪张签，嗯，然后你再去问神，系唔系以张签，系唔系三十五签，或者几多十签。欸，你问倒神明系，箇就箇张签就系你个。渠就系搞只子搞只～去箇子啄嘞就好像更神奇滴子样。我唔记得安做么个，我爷子讲过。xe^{53}ŋai$^{13}_{21}$tʰaŋ$^{35}_{44}$ko^{0},xe^{53}tʰaŋ^{35}kɔŋ^{21}ko^{53}le^{0}.iəŋ$^{53}_{44}$uɔŋ^{13}tsʰiɔk^{3}tiau^{35}tsɿ^{0}çi$^{53}_{44}$tsait^{5}.ʂəu^{21}sien$^{35}_{53}$tsʰiaŋ^{21}çi^{21}ʂən^{13}nɔi^{13},xei^{53}me^{53}?tsʰiaŋ^{21}tʰəŋ^{53}ʂən^{13}min^{13}.e$_{21}$,pən$^{35}_{44}$tsʰin^{13}kʰɔŋ^{53}kɔŋ^{21}ŋek^{3}lɔi^{13},ŋai^{13}ɔi^{53}cʰiəu$^{13}_{21}$tʂɔŋ$^{35}_{44}$tsʰian^{35}.xau^{21},tsei^{53}xei^{53}lei^{0},m̩^{13}pʰei^{53}iau^{13}tʂəuk^{3}tʰəŋ$^{13}_{44}$,ia^{35}m̩$^{13}_{21}$pʰe$^{53}_{44}$ʂəu^{21}li^{0}sin^{53}tʰien$^{35}_{44}$çi$^{53}_{44}$tʂʰəu^{35},xei^{53}iəŋ$^{53}_{44}$uɔŋ^{13}tsʰiɔk^{3}tiau^{35}tsɿ^{0}ten^{21}ci^{13}çi$^{53}_{44}$tsait^{5},kʰɔn$^{53}_{44}$na$^{53}_{44}$ci^{13}tsait^{5}tau^{21}lai^{53}tʂɔŋ$^{35}_{44}$tsʰian$^{35}_{44}$tsʰiəu$^{53}_{44}$lai^{53}tʂɔŋ^{35}tsʰian^{35},n̩$_{21}$,vien^{13}xei$^{53}_{44}$ɲi^{13}tsai^{53}çi$^{53}_{44}$uən^{53}ʂən^{13},xei^{53}mei$^{53}_{44}$i^{21}tʂɔŋ$^{35}_{44}$tsʰian^{35},xei^{53}mei$^{53}_{44}$san$^{35}_{44}$ʂət^{5}ŋ̍^{21}tsʰian^{35},xɔit^{5}tʂa^{21}ci^{21}to$^{35}_{44}$ʂət^{5}tsʰian^{35}.ei$_{21}$, ɲi^{13}uən^{53}tau^{21}ʂən^{13}min^{13}xe^{53},kai$^{53}_{44}$tsʰiəu$^{53}_{44}$kai$^{53}_{44}$tʂɔŋ$^{35}_{44}$tsʰian$^{13}_{21}$tsʰiəu^{53}xei$^{53}_{44}$ɲi$^{13}_{44}$ke^{0}.ci^{13}tsʰiəu^{53}xei$^{53}_{21}$

kau^{21}tʂak^{3} tsɿ^{0} kau^{21}tʂak^{3} uɔŋ^{13}tsʰiɔk^{3} çi^{53}kai^{53}tsɿ^{0} tsait^{5} lei^{0} tsiəu$^{53}_{44}$xau^{21}tsʰiɔŋ$^{53}_{44}$ken$^{53}_{44}$ʂən^{13}cʰi^{13}tiet^{5} tsɿ^{0} iɔŋ^{53}.ŋai^{13} n̩^{13}ci^{53}tek^{3} ɔn$^{35}_{44}$tso$^{53}_{44}$mak^{3} ke^{53},ŋai$^{13}_{21}$ia^{13}tsɿ^{0} kɔŋ^{21}ko^{53}.

【黄色】uɔŋ^{13}sek^{3} [名]像金子或向日葵的颜色：架势转～ cia^{53}ʂɿ^{53}tʂɔn^{21}uɔŋ^{13}sek^{3}

【黄沙泡】uɔŋ^{13}sa$^{35}_{44}$pʰau^{53} [名]沙岩：伸出来个石嘴，岭岗嘴上更多吧？壁上啊，岭岗壁上多咯，箇窝里更冇得。我等喊～。tʂʰən$^{35}_{44}$tʂʰət^{3} lɔi$^{13}_{21}$ke$^{53}_{44}$ʂak^{5} tsi^{21},liaŋ^{35}kɔŋ$^{35}_{44}$tsi^{21}xɔŋ^{53}ken$^{53}_{44}$to$^{35}_{44}$pa^{0} ?piak^{3} xɔŋ^{53} a^{0},liaŋ^{35}kɔŋ$^{35}_{44}$piak^{3} xɔŋ$^{53}_{44}$to$^{35}_{21}$ko^{0},kai$^{53}_{44}$uo^{35}li^{0} cien^{53}mau^{13}tek^{3}.ŋai$^{13}_{21}$tien^{0} xan$^{53}_{44}$uɔŋ$^{13}_{21}$sa$^{35}_{44}$pʰau^{53}.

【黄鳝】uɔŋ^{13}ʂen^{53} [名]鳝鱼：照～个黄鳝剪 tʂau^{53}uɔŋ^{13}ʂen^{53}ke$^{53}_{44}$uɔŋ^{13}ʂen$^{53}_{35}$tsien^{21}

【黄鳝剪】uɔŋ^{13}ʂen^{53}tsien^{21} [名]用三块篾片做成的捕捉黄鳝的工具。又称“黄鳝钳”：就黄鳝就黄鳝让门子啊？～。/系，照黄鳝个～唠系。/欸，用～。～是可以唔爱铁个嘞，用竹子也做得嘞。/欸，用竹篾箇只。/三块篾篾就做成。tsʰiəu$^{53}_{44}$uɔŋ^{13}ʂen$^{53}_{44}$tsʰiəu$^{53}_{44}$uɔŋ^{13}ʂen$^{53}_{44}$ɲiɔŋ$^{53}_{21}$mən^{0} tsa^{0} ?uɔŋ^{13}ʂen^{53}tsien^{21}./xe^{53},tʂau^{53}uɔŋ^{13}ʂen^{53}ke$^{53}_{44}$uɔŋ^{13}ʂen$^{53}_{35}$tsien^{21}lau^{0} xe$^{53}_{21}$./e$_{44}$,iɔŋ$^{53}_{44}$uɔŋ^{13}ʂen$^{53}_{44}$tsien^{21}.uɔŋ^{13}ʂen$_{44}$ tsien^{21} ʂɿ$^{53}_{44}$kʰo^{21} i^{35} m̩$^{13}_{21}$mɔi$^{53}_{44}$tʰiet^{3} ke^{53} le^{0} ,iɔŋ$^{53}_{44}$tʂəuk^{3} tsa^{0} (←tsɿ^{0} a^{35})tso^{53} tek^{3} le^{0} ./e$_{21}$,iɔŋ^{53} tʂəuk^{3} sak^{3} kai^{53} tʂak^{3}./san^{35}kʰuai$^{53}_{44}$miet^{5} sak^{3} tsʰiəu$^{53}_{44}$tso^{53}tʂʰən$^{13}_{21}$.

【黄鳝钳】uɔŋ^{13}ʂen$^{53}_{44}$cʰian^{13} [名]黄鳝剪的别称：安做夹湖鳅个安做么个？/欸，箇只安做么啊钳呐？～呢。/不是夹湖鳅嘞。夹黄鳝个。ɔn$^{35}_{44}$tso$^{53}_{44}$kait^{3} fu^{13}tsʰiəu$^{35}_{53}$ke$^{53}_{44}$ɔn$^{35}_{44}$tso$^{53}_{44}$mak^{3} ke^{53}?/e$_{21}$,kai$^{53}_{44}$tʂak^{3} ɔn$^{35}_{44}$tso$^{53}_{44}$mak^{3} a^{0} cʰian^{13}na^{0} ?uɔŋ^{13}ʂen$^{53}_{44}$cʰian^{13}nei^{0}./pət^{3} ʂɿ$^{53}_{44}$ciak^{3} fu^{13}tsʰiəu^{35}le^{0} .ciak^{3} uɔŋ^{13}ʂen$^{53}_{44}$ke^{53}.

【黄粟】uɔŋ^{13}siəuk^{3} [名]小米：安做～。听讲过，赠种过。ɔn$^{35}_{44}$tso$^{53}_{44}$uɔŋ^{13}siəuk^{3}.tʰaŋ^{35}kɔŋ^{21}ko^{53},maŋ^{13} tʂəŋ^{53}ko$^{53}_{21}$.

【黄檀树】uɔŋ^{13}tʰan^{13}ʂəu^{53} [名]一种乔木，木质细密。也称“黄泉树”：第一硬个是～。～第一硬。/箇是昨晡讲个做舂槌哩，就选箇只东西哩。/多得很～哇。/～是有。/多得很就唔去咁子话。我个岭上都么冤了。/长得慢，还有只，箇条树嘞发芽系所有个树肚里，渠系冬下会落叶欸，爱等渠长叶就最迟个。我等是上背就有只咁个样个话法，～都开哩叶了，还赠发泉，箇年个泉水就冇滴发了。/箇还有滴讲，欸，有滴箇就直接讲，安做黄泉树。/黄泉呐。安做黄泉树。/也有讲黄泉树个啦。就系指泉水啦。/就系开叶子最迟，开叶开得最迟啊，唔系生长期短就唔系嘞。所有个落叶树都开哩，都开哩叶了，渠正渠正还赠开。/渠也赠开。渠都还赠开。/渠就最迟个。/到四月啊，渠多细子。/唔得到得大呀。生长慢呶。生长是真慢箇只东西。/黄泉黄檀都系渠。/欸。/～，绷硬啊，箇只树就蛮硬啊。tʰi^{53}iet^{3} ŋaŋ$^{53}_{44}$ke$^{53}_{44}$ʂɿ$^{53}_{44}$uɔŋ^{13}tʰan^{13}ʂəu^{53}.uɔŋ^{13} tʰan^{13}ʂəu^{53}tʰi^{53}iet^{3} ŋaŋ^{53}./kai$^{53}_{44}$ʂɿ$^{53}_{44}$tsʰo^{35}pu$^{35}_{53}$kɔŋ^{21}ke$^{53}_{44}$tso^{53}tʂʰəŋ^{35}tʂʰei^{13}li^{0} ,tsʰiəu$^{53}_{44}$sien^{21}kai$^{53}_{44}$tʂak^{3} (t)əŋ$^{35}_{44}$si^{0} li^{0} ./to^{35}tek^{3} xen^{21}uɔŋ^{13}tʰan^{13}ʂəu^{53}ua^{0} ./uɔŋ^{13}tʰan^{13}ʂəu^{53}ʂɿ$^{53}_{44}$iəu^{35}./to^{35}tek^{3} xen^{21}tsʰiəu^{53}n̩$^{13}_{21}$çi^{53}kan^{21}tsɿ^{0} ua$_{44}$.ŋai^{13} ke^{53}liaŋ^{35}xɔŋ$^{53}_{44}$təu$^{35}_{44}$mak^{3} tən^{21}liau^{0} ./tʂəŋ^{21}tek^{3} man^{53},xai^{13}iəu$^{35}_{44}$tʂak^{3},kai$^{53}_{44}$tʰiau^{13}ʂəu^{53}lei^{0} fait^{3} ŋa^{13}xe$^{53}_{44}$so^{21}iəu$^{35}_{44}$ ke$^{53}_{44}$ʂəu^{53}təu^{21}li^{0} ,ci^{13}xe$^{53}_{44}$təŋ$^{35}_{44}$xa$^{53}_{44}$uɔi$^{53}_{44}$lɔk^{3} iait^{5} e^{0} ,ɔi^{53}ten^{21}ci^{13}tʂəŋ$^{21}_{53}$iait^{5} tsʰiəu$^{53}_{44}$tsei^{53}tʂʰɿ^{13}ke^{53}.ŋai^{13}tien^{0} ʂɿ$^{53}_{44}$ʂəŋ^{53} pɔi$^{53}_{35}$tsʰiəu$^{53}_{44}$iəu$^{35}_{44}$tʂak^{3} kan^{21}ke$^{53}_{44}$iɔŋ$^{53}_{44}$ke$^{53}_{44}$ua^{53}fait^{3} ,uɔŋ^{13}tʰan^{13}ʂəu^{53}təu$^{35}_{44}$kʰɔi^{35}li^{0} iait^{5} liau^{0} ,xai^{13}maŋ^{13}fait$^{3}_{5}$ tsʰan^{13},kai^{53}ɲien^{13}ke^{53}tsʰan^{13}ʂei^{21}tsʰiəu^{53}mau$^{13}_{21}$tiet^{5} fait^{3} liau^{0} ./kai^{53}xai^{13}iəu^{35}tiet^{5} kɔŋ^{21},e$_{21}$,iəu^{35}tiet$^{5}_{3}$ kai$^{53}_{44}$tsiəu$_{44}$ tʂʰət^{5} tsiet^{3} kɔŋ^{21},ɔn$^{35}_{44}$tso$^{53}_{44}$uɔŋ^{13}tsʰan^{13}ʂəu$^{53}_{44}$./uɔŋ^{13}tsʰan^{13}na^{0} ./ɔn$^{35}_{44}$tso$^{53}_{44}$uɔŋ^{13}tsʰan^{13}ʂəu^{53}./ia^{35}iəu$^{35}_{53}$kɔŋ^{21}uɔŋ^{13} tsʰan^{13}ʂəu$^{53}_{44}$ke$^{53}_{44}$la^{0} .tsʰiəu$^{53}_{44}$xe$^{53}_{44}$tʂɿ^{21}tsʰan^{13}ʂei^{21}la^{0} ./tsiəu$^{53}_{44}$xe$^{53}_{44}$kʰɔi^{35}iait^{5} tsɿ^{0} tsei^{53}tʂʰɿ^{13},kʰɔi^{35}iait^{5} kʰɔi^{35}tek^{3} tsei^{53} tʂʰɿ^{13}a^{0} ,m̩^{13}pʰe$_{44}$(←xe^{53})sen^{35}tʂəŋ^{21}cʰi$^{13}_{44}$tən^{21}tsiəu^{53}m̩$^{13}_{21}$pʰe$_{44}$(←xe^{53})le^{0} .so^{21}iəu$^{35}_{44}$ke^{53}lɔk^{5} iait^{5} ʂəu^{53}təu^{35}kʰɔi^{35} li^{0} ,təu^{35}kʰɔi^{35}li^{0} iait^{5} liau^{0} ,ci$^{13}_{21}$tʂaŋ^{53}ci^{13}tʂaŋ^{53}xai$^{13}_{21}$maŋ$^{13}_{21}$kʰɔi^{35}./ci$^{13}_{21}$ia$^{35}_{44}$maŋ$^{13}_{21}$kʰɔi^{35}.ci^{13}təu$^{35}_{53}$xai$^{13}_{21}$maŋ$^{13}_{21}$kʰɔi^{35}./ci^{13} tsʰiəu$^{53}_{44}$tsei^{53}tʂʰɿ^{13}ke$^{53}_{44}$./tau$^{53}_{44}$si^{53}ɲiet^{5} a^{0} ,ci$^{13}_{21}$to^{35}se^{53}tsɿ^{0} ./n̩^{13}tek^{3} tau$^{53}_{21}$tek^{3} tʰai^{53}ia^{0} .sen^{35}tʂəŋ^{21}man^{53}nau^{0} .sen^{35} tʂəŋ^{21}ʂɿ$^{53}_{44}$tʂən^{35}man^{53}kai$^{35}_{44}$tʂak^{3} (t)əŋ$^{35}_{44}$si^{0} ./uɔŋ^{13}tsʰan^{13}uɔŋ^{13}tʰan^{13}təu^{35}xei^{53}ci^{13}./ei$_{53}$./uɔŋ^{13}tʰan^{13}ʂəu$^{53}_{44}$,paŋ^{35}ŋaŋ$^{53}_{44}$ ŋa^{0} ,kai^{53}tʂak^{3} ʂəu^{53}tsʰiəu$^{53}_{44}$man^{13}ŋaŋ^{53}ŋa^{0} .

【黄糖】uɔŋ^{13}tʰɔŋ^{13} [名]蔗糖的一种，含有少量矿物质和有机物，呈黄色：箇又有～，系，讲起是起～。也系砂砂，砂样个。以下冇得哩～。kai$^{53}_{21}$iəu$^{53}_{44}$iəu$^{35}_{44}$uɔŋ^{13}tʰɔŋ^{13},xe$^{53}_{44}$,kɔŋ^{21}çi^{21} ʂɿ$^{53}_{44}$çi^{21}uɔŋ^{13} tʰɔŋ^{13}.ia^{35}xe^{53}sa^{35}sa^{35},sa^{35}iɔŋ$^{53}_{44}$ke$^{53}_{44}$.i^{21}xa^{53}mau$^{13}_{21}$tek^{3} li^{0} uɔŋ^{13}tʰɔŋ$^{13}_{44}$.

【黄藤精】uɔŋ^{13}tʰien^{13}tsin^{35} [名]一种药：有种箇个呃痨鱼个药，安做～。iəu^{35}tʂəŋ^{21}kai^{53}kei$^{53}_{44}$ə$_{21}$lau^{53} ŋ̍^{13}ke$^{53}_{44}$iɔk^{5} ,ɔn$^{35}_{44}$tso$^{53}_{44}$uɔŋ^{13}tʰien$^{13}_{21}$tsin^{35}.

【黄土出白肉】uɔŋ^{13}tʰəu^{21}tʂʰət^{3} pʰak^{5} ɲiəuk^{3} 指冰冻天气下，松软黄土中水分凝结成冰并撑开表层黄土的现象。又称“打麦芽凌”：～是硬爱唔知几蛮冷子个零下几多度箇个天正有～个现象。如今以咁多年来都箇个打大凌个日子冇得，赠碰倒，欸，咁多年个冬下都冇得打大凌个日子，就～哇就嫺看倒有过。uəŋ^{13}tʰəu^{21}tʂʰət^{3} pʰak^{5}ɲiəuk^{3} ʂʅ$^{53}_{21}$ɲiaŋ^{53}ɔi^{53}n̩^{13}ti$^{35}_{53}$ci^{21}man^{13}laŋ^{35}tsʅ^{0}ke$^{53}_{44}$lin^{13} çia^{53}ci^{21}to^{35}tʰəu^{53}kai$^{53}_{44}$ke$^{53}_{44}$tʰien^{35}tʂaŋ^{53}iəu^{35}uəŋ^{13}tʰəu^{21}tʂʰət^{3} pʰak^{5}ɲiəuk^{3} ke$^{53}_{44}$çien^{53}siəŋ^{53}.i$^{13}_{21}$cin$^{35}_{44}$i^{21}kan^{21}to^{35} ɲien$^{13}_{21}$nɔi$^{13}_{21}$təu$^{35}_{44}$kai$^{53}_{44}$ke$^{53}_{44}$ta^{21}tʰai^{13}lin$^{53}_{44}$ke^{0}ɲiet^{3} tsʅ^{0} mau^{13}tek^{3},maŋ^{13}pʰəŋ^{53}tau^{21},e$_{44}$,kan^{21}to^{35}ɲien$^{13}_{21}$ke$^{53}_{44}$təŋ$^{35}_{44}$xa^{53} təu$^{35}_{53}$mau^{13}tek^{3} ta^{21}tʰai^{13}lin$^{53}_{44}$ke^{0}ɲiet^{3} tsʅ^{0},tsʰiəu$^{35}_{44}$uəŋ^{13}tʰəu^{21}tʂʰət^{3} pʰak^{5}ɲiəuk^{3} ua^{0} tsʰiəu^{53}maŋ^{13}kʰən$^{53}_{44}$tau^{21} iəu^{35}ko$^{53}_{44}$.

【黄尾】uəŋ^{13}mi^{35} 名 鱼名，一二斤重，白色，尾黄：系，系有～。以只～听讲过。xei^{53},xei^{53} iəu$^{35}_{44}$uəŋ^{13}mi^{35}.i$^{13}_{21}$tʂak^{3} uəŋ^{13}mi^{35}tʰaŋ^{35}kəŋ^{21}ko^{53}.

【黄心番薯】uəŋ^{13}sin$^{35}_{44}$fan$^{35}_{44}$ʂəu$^{13}_{21}$ 名 一种肉质呈黄色的番薯：有箇起同箇饽饽黄样个～。iəu^{35} kai^{53}çi^{21}tʰəŋ^{13}kai$^{53}_{44}$pɔk^{5} pɔk^{5} uəŋ^{13}iəŋ$^{35}_{44}$ke$^{53}_{44}$uəŋ^{13}sin$^{35}_{44}$fan$^{35}_{44}$ʂəu$^{13}_{21}$.

【黄丫角】uəŋ^{13}a^{35}kɔk^{3} 名 黄颡鱼的俗称，皮黄，两侧有刺。也称“黄丫角子”：街上有卖～。真贵哟，二十几块钱一斤呶。冇得野生个，都系畜个。有嫳，～。欸，～会叫。～个味道蛮鲜美。蛮多人欸病哩人呐，住院箇兜啦，买倒～分渠食。炖汤食，肉是冇么个肉。kai$^{35}_{44}$xəŋ$^{53}_{44}$ iəu^{35}mai^{53}uəŋ^{13}a$^{35}_{44}$kɔk^{3}.tʂən^{35}kuei^{53}io^{0}, ɲi^{53}ʂət^{5} ci^{21}kʰuai^{53}tsʰien$^{13}_{21}$iet^{3} cin^{35}nau^{0}.mau^{13}tek^{3} ia$^{35}_{44}$saŋ$^{35}_{44}$ke^{0},təu$^{35}_{44}$ xei^{53}çiəuk^{3} ke^{0}.iəu^{35}let^{3},uəŋ^{13}a$^{35}_{44}$kɔk^{3}.e$_{21}$,uəŋ^{13}a$^{35}_{44}$kɔk^{3} uɔi$^{53}_{44}$ciau^{53}.uəŋ^{13}a$^{35}_{44}$kɔk^{3} ke$^{53}_{44}$uei^{53}tʰau^{53}man$^{13}_{21}$sien^{35} mei^{21}.man^{13}to$^{35}_{44}$ɲin$^{13}_{21}$e$_{21}$pʰiaŋ^{53}li^{0}ɲin^{13}na^{0},tʂʰʅ^{53}vien^{53}kai$^{53}_{44}$tei$^{35}_{53}$la^{0},mai^{35}tau$^{21}_{44}$uəŋ^{13}a$^{35}_{44}$kɔk^{3} pən^{35}ci^{21}ʂət^{3}.tən^{53} tʰəŋ^{35}ʂət^{5}, ɲiəuk^{3} ʂʅ$^{53}_{21}$mau$^{13}_{21}$mak^{3} e^{0}ɲiəuk^{3}.｜箇阵子我等去搂鱼子，翻开箇石头来，肚里有箇～子嘞，有箇石坜牯子～子。kai^{53}tʂʰən^{53}tsʅ^{0}ŋai^{13}tien^{0}çi^{53}lei^{35}ŋ̍^{13}tsʅ^{0},fan^{35}kʰɔi^{35}kai$^{53}_{44}$ʂak^{5} tʰei$^{13}_{21}$lɔi$^{13}_{21}$,təu^{21}li^{0} iəu$^{35}_{53}$kai^{53}uəŋ^{13}a$^{35}_{53}$kɔk^{3} tsʅ^{0} lei^{0},iəu^{35}kai$^{53}_{21}$ʂak^{5} lak^{5} ku^{21}tsʅ^{0}uəŋ^{13}a$^{35}_{53}$kɔk^{3} tsʅ^{0}.

【黄叶一枝花】uəŋ^{13}iait^{5} iet^{3} tʂʅ^{35}fa^{35} 名 外来入侵有害植物名，学名为加拿大一枝黄花：还有么个～唠，还有水葫芦噢，浏阳都有几项东西真讨嫌呀！xai^{13}iəu$^{35}_{44}$mak^{3} ke$^{53}_{44}$uəŋ^{13}iait^{5} iet^{3} tʂʅ^{35}fa^{35} lau^{0},xai^{13}iəu$^{35}_{44}$ʂei^{21}fu^{13}ləu^{13}uau^{0},liəu^{13}iəŋ$^{13}_{44}$təu$^{35}_{44}$iəu$^{35}_{44}$ci^{21}xəŋ^{53}təŋ^{35}si^{0}tʂən^{35}tʰau^{21}çian^{13}ia^{0}！

【黄栀子】uəŋ^{13}ci^{35}tsʅ^{0} 名 茜草科植物栀子的果实：～树嘞就会结～。～嘞就系做一味药，同时嘞又系蛮多人舞倒拿渠来做一种颜料，做黄色个颜料。聋黄子啊。又做颜料，又做药。～树就欸有起观赏个，观赏个好像冇得～结呢，只开花，白花子，系唔系？黄花子也有。uəŋ^{13} ci$^{35}_{44}$tsʅ^{0}ʂəu^{53}lei^{0}tsʰiəu^{35}uɔi^{35}ciet^{3} uəŋ^{13}ci$^{35}_{44}$tsʅ^{0}.uəŋ^{13}ci$^{35}_{44}$tsʅ^{0} lei^{0} tsʰiəu$^{53}_{44}$xe$^{53}_{44}$tso^{53}iet^{3} uei$^{53}_{44}$iɔk^{5},tʰəŋ^{13}ʂʅ$^{13}_{21}$lei^{0} iəu^{53} xe$^{53}_{44}$man^{13}to$^{35}_{44}$ɲin$^{13}_{21}$u^{21}tau^{21}la^{53}ci$^{13}_{21}$lɔi$^{13}_{21}$tso^{53}iet^{3} tʂəŋ^{21}ŋan^{13}liau^{53},tso^{53}uəŋ^{13}sek^{3} ke^{53}ŋan^{13}liau^{53}.ləŋ^{35}uəŋ^{13}tsa^{0}.iəu$^{53}_{44}$ tso^{53}ŋan^{13}liau$^{53}_{44}$,iəu$^{53}_{44}$tso$^{53}_{44}$iɔk^{5}.uəŋ^{13}ci^{35}tsʅ^{0}ʂəu^{53}tsʰiəu$^{53}_{44}$e$_{21}$iəu^{35}çi^{21}kɔn^{35}ʂəŋ^{21}ke^{0},kɔn^{35}ʂəŋ^{21}ke$^{53}_{44}$xau^{21}tsʰiəŋ^{53} mau^{13}tek^{3} uəŋ^{13}ci$^{35}_{44}$tsʅ^{0}ciet^{3} nei^{0},tʂʅ^{21}kʰɔi$^{35}_{44}$fa$^{35}_{44}$,pʰak^{5} fa$^{35}_{44}$tsʅ^{0},xei^{53}me^{53}?uəŋ^{13}fa$^{35}_{44}$tsʅ^{0} a$^{35}_{44}$iəu$^{35}_{44}$.｜～是渠会结只子咁个一只咁个罂子样个咯。uəŋ^{13}ci^{35}tsʅ^{0}ʂʅ$^{53}_{44}$ci$^{13}_{21}$uɔi^{53}ciet^{3} tʂak^{3} tsʅ^{0}kan$^{21}_{13}$ke^{53}iet^{3} tʂak^{3} kan$^{21}_{13}$ke^{53}aŋ^{35}tsʅ^{0} iəŋ$^{53}_{44}$ke^{53}ko^{0}.｜～花唠。箇个野生。唔系到处都有。/栀子花啰？/系呀，～花嘞。uəŋ^{13}ci$^{35}_{44}$tsʅ^{0} fa$^{35}_{44}$lau^{0}.kai$^{53}_{44}$ke$^{53}_{44}$ia^{35}saŋ$^{35}_{44}$.m̩$^{13}_{21}$pʰe$_{44}$(←xe^{53})tau^{53}tʂʰəu$^{53}_{21}$təu$^{35}_{44}$iəu$^{35}_{44}$./tʂʅ^{35}tsʅ^{0} fa^{35}lo^{0}?/xei$^{53}_{44}$ia^{0},uəŋ^{13}ci^{35}tsʅ^{0} fa$^{35}_{44}$lei^{0}.

【黄纸】uəŋ^{13}tʂʅ^{21} 名 黄色的草纸，多用于祭祀或法事：～啊，黄草纸啊，咁阔子一绺子个，我等个栏场都是马路上都看得倒嘞。uəŋ^{13}tʂʅ^{21}a^{0},uəŋ^{13}tsʰau^{21}tʂʅ^{21}a^{0},kan^{21}kʰɔit^{3} tsʅ^{0} iet^{3} liəu^{53}tsʅ^{0}ke$^{53}_{44}$,ŋai^{13} tien^{0}ke$^{53}_{44}$laŋ$^{13}_{21}$tʂʰəŋ$^{13}_{21}$təu$^{35}_{44}$ʂʅ$^{53}_{44}$ma^{35}ləu$^{53}_{44}$xəŋ$^{53}_{44}$təu$^{35}_{44}$kʰən^{53}tek^{3} tau^{21}le^{0}.

【黄竹】uəŋ^{13}tʂəuk^{3} 名 一种竹子。又称“黄竹子”：～嘞都系小竹子。小。渠就冇得大个，我等以映冇得么啊冇得～子系大竹个。uəŋ^{13}tʂəuk^{3} le^{0} təu$^{35}_{44}$xe$^{53}_{44}$siau^{21}tʂəuk^{3} tsʅ^{0}.siau^{21}.ci^{13}tsiəu^{53}mau$^{13}_{21}$ tek^{3} tʰai^{53}ke$^{53}_{44}$,ŋai^{13}tien^{0} i$^{21}_{44}$iaŋ$^{53}_{44}$mau$^{13}_{21}$tek^{3} mak^{3} a^{0} mau$^{13}_{21}$tek^{3} uəŋ^{13}tʂəuk^{3} tsʅ^{0} xei^{53}tʰai^{53}tʂəuk^{3} ke^{53}.

【黄竹李】uəŋ^{13}tʂəuk^{3} li^{21} 名 一种李子，皮黄：欸～就渠就嘞黄哩落尾系老哩。e$_{21}$uəŋ^{13}tʂəuk^{3} li^{21} tsʰiəu$^{53}_{44}$ci^{13}tsʰiəu$^{53}_{44}$li^{35}uəŋ$^{13}_{44}$li^{0} lɔk$^{5}_{3}$mi$^{35}_{44}$(x)e$^{53}_{44}$lau^{21}li^{0}.

【灰$_{1}$】fɔi^{35} 名 物体燃烧后剩下的东西：灶窿坑里个～tsau^{53}ləŋ$^{13}_{21}$xaŋ^{35}li^{0}ke$^{53}_{44}$fɔi^{35}｜冇得化肥就用么啊嘞？就用～。mau^{13}tek^{3} fa^{53}fei^{13}tsʰiəu^{53}iəŋ^{53}mak^{3} a^{0} le^{0}?tsiəu^{53}iəŋ^{53}fɔi^{35}.

【灰$_{2}$】fɔi^{35} 形 灰色：（麻梨子）还唔系～。xai^{13}m̩$^{13}_{21}$pʰe$_{44}$(←xe^{53})fɔi^{35}.

【灰包菌】fɔi^{35}pau$^{35}_{44}$cʰin^{35} 名 一种野生菌：～莫系有一起咁个啊？一只子箇雪白子个包子欸是雪白子个球球样。箇个路边子上生倒，一踩下去，一坌灰，系唔系？～。系有，箇系有，箇我等箇上背有，老家有。fɔi^{35}pau$^{35}_{44}$cʰin$^{35}_{44}$mɔk^{5} xei^{53}iəu^{35}iet^{3} çi^{21}kan^{21}cie^{53}a^{0}?iet^{3} tʂak^{3} tsʅ^{0}kai$^{53}_{44}$siet^{5} pʰak^{5} tsʅ^{0}ke^{0}pau^{35}tsʅ^{0}e$_{21}$ʂʅ$^{53}_{44}$siet^{5} pʰak^{5} tsʅ^{0}ke^{0} cʰiəu^{13}cʰiəu$^{13}_{21}$iəŋ^{53}.kai$^{53}_{44}$ke$^{53}_{44}$ləu^{53}pien$^{35}_{44}$tsʅ^{0} xəŋ^{53}saŋ^{35}tau^{21},iet^{3} tsʰai^{21} (x)a^{53}çi^{53},iet^{3} pʰən^{53}fɔi^{35},xei^{53}me^{53}?fɔi^{35}pau$^{35}_{44}$cʰin^{35}.xei$^{53}_{44}$iəu^{35},kai^{53}xei^{53}iəu$^{35}_{53}$,kai^{53}ŋai^{13}tien^{0}kai$^{53}_{44}$ʂəŋ$^{53}_{44}$pɔi$^{53}_{44}$iəu$^{35}_{44}$, lau^{21}cia$^{35}_{44}$iəu^{35}.

【灰尘】fɔi35tʂʰən13_21 [名]尘土；尘埃：地泥下尽～。tʰi53lai13_21xa35tsʰin53fɔi35tʂʰən13_21.

【灰尘坌天】fɔi35tʂʰən13pʰən53tʰien35 灰尘飞扬的样子：跑到湖洋田里，～。pʰau21tau53fu13iɔŋ13tʰien13li21,fɔi35tʂʰən13pʰən53tʰien35.

【灰凼】fɔi35tʰɔŋ53 [名]石灰池：呃，系唔系箇起泥水师傅用来和水泥个凼？挖只凼，欸，又就安做～。欸，箇个呢，有兜就也用树箱，钉只箱箱懑大。有兜嘞就地泥下挖只凼。灰系哪起灰嘞？石灰。分箇石灰洗倒，放下箇肚里。安做～。以下爱用了嘞，到箇肚里调两铲，舞出来，加兜子水泥子和下倒，放兜沙公去，箇就尽系石……安做石灰凼啊。～放个就石灰。ə44,xei53mci53kai53çi21_44lai13ʂei21sɿ35_44ʃu53iɔŋ53lɔi13_21xo13ʂei21lai13ke53_44tʰɔŋ53?ua35tʂak3tʰɔŋ53,e21iɔu53_21tsʰiɔu53ɔn35_53tso53fɔi35tʰɔŋ53.e21,kai53ke53_44nei0,iɔu35tei35_53tsʰiɔu53_44ia35iɔŋ53ʂəu53siɔŋ35,taŋ35tʂak3siɔŋ35siɔŋ35_44mən35tʰai53_44.iɔu35te35_53lei0tsʰiɔu53_44tʰi53lai13_21xa53_44uait3(tʂ)ak3tʰɔŋ53.fɔi35xe53_44lai53çi21fɔi35lei0?ʂak5fɔi35_44.pən35_44kai53_44ʂak5fɔi35_44se21tau21,fɔŋ53xa53kai53tɔu21li0.ɔn35_44tso53_44fɔi35tʰɔŋ53.i21xa53_44ɔi53iɔŋ53_44liau0lei0,tau53_44kai53_44tɔu21li0tiau53iɔŋ21tsʰan21,u21tʂʰət3lɔi13,cia35tei35_53tsɿ0ʂei21lai13tsɿ0xo13(x)a53tau21,fɔŋ53_44tei35_53sa35_44kəŋ35_44çi53,kai53_44tsʰiɔu53tsʰin53xe53_44ʂak5…ɔn35_44tso53_44ʂak5fɔi35_44tʰɔŋ53ŋa0.fɔi35tʰɔŋ53fɔŋ53ke53_44tsʰiɔu53_44ʂak5fɔi35_44.

【灰灰色子】fɔi35fɔi35sek3tsɿ0 [形]灰色的样子：箇渠指蓑衣箇就主要是～。kai35_44ci13tsʰiɔu53_44tʂʅ21iau53_44ʂʅ53_44fɔi35fɔi35sek3tsɿ0.

【灰间子】fɔi35kan35tsɿ0 [名]用来放置农家肥料的屋子：但是还有只咁个间呢，有只～嘞。有～。从前爱作田嘞，作田就爱爱肥料哇。欸，箇个舞倒箇秆灰呀，草木灰箇只啦，舞滴粪去作啊。舞滴箇个欸人粪尿哇，猪粪尿哇，去去和啊，和倒堆倒箇映啊。欸牛粪箇只只上唠。～有一只嘞。灰间，～，硬安做～。就是放肥料个，放农家肥个～。tan53ʂʅ53xai13_21iɔu35tʂak3kan21cie53_44kan35_44nei0,iɔu35_44tʂak3fɔi35kan35tsɿ0lei0.iɔu35fɔi35kan35_44tsɿ0.tsʰəŋ13tsʰien13ɔi53tsɔk3tʰien13ne0,tsɔk3tʰien13tsʰiɔu53ɔi53ɔi53fei13liau53ua0.e21,kai53kei53_44u21tau21kai53kɔn21fɔi35ia0,tsʰau21muk3fɔi35kai53_44tʂak3la0,u21tiet5pən53çi53_44tsɔk3a0.u21tiet5kai53_44kei53_44e21ɲin13fən53ɲiau53ua0,tʂəu35fən53_44ɲiau53ua0,çi53_44çi53xo13a0,xo13tau21tei35tau21kai53_44iaŋ53_44ŋa0.e44ɲiəu13pən53kai53_44tʂak3tʂak3xɔŋ53_44lau0.fɔi35kan35tsɿ0iɔu35_44iet3tʂak3lei0.fɔi35kan35_44,fɔi35kan35_44tsɿ0,ɲiaŋ53_44ɔn35_44tso53_44fɔi35kan35_44tsɿ0.tsʰiɔu53_44ʂʅ53_44fɔŋ53fei13liau53_44ke53_44,fɔŋ53ləŋ13cia35_44fei13kei53fɔi35kan35_44tsɿ0.

【灰浆】fɔi35tsiɔŋ35 [名]由水泥、石灰、沙子等加水拌合而成的浆状混合料，用于粉刷等：～就系交哩石灰个沙子水泥个一种三合土样个。用来粉壁，用来打底子。fɔi35tsiɔŋ35tsʰiɔu53xei53ciau35li0ʂak5fɔi35_44ke0sa35tsɿ21ʂei21lai13ke53iet3tʂəŋ21san35xɔit5tʰəu21iɔŋ53_21ke53.iəŋ53lɔi13_44fən21piak3,iəŋ53lɔi13_21ta21te21tsɿ0.

【灰蒙蒙哩】fɔi35məŋ13məŋ13li0 [形]暗淡模糊：欸，箇个啦，雾霾天就～啊。还有嘞就系欸春天个早晨呐～啊。今晡早晨我下我到箇映子都～哟一片。e21,kai53ke53la0,u53mai13_21tʰien35_44tsʰiɔu53fɔi35_44məŋ13_21məŋ13_21li0a0.xai13iɔu35_44le0tsʰiɔu53xe53_44e21tʂʰən35tʰien35_44ke0tsau21ʂən13na0fɔi35_44məŋ13_21məŋ13_21li0a0.cin35pu35_53tsau21ʂən13_44ŋai13xa53ŋai13tau53kai53iaŋ53tsɿ0tɔu35_44fɔi35_44məŋ13_21məŋ13_21li0io0iet3pʰien53.

【灰面】fei35mien53 [名]面粉：我等舞倒箇～自家来做面食唠。天天早晨做面食唠。如今𫠛做了。唔想做哩。我爱做我就买只箇好机子来做，买只六百多块钱个话，我等箇邻舍渠就买只六百多块钱个，临时插电，自家会和，和得匀称箇就。ŋai13tien0u21tau21kai53_44fei35mien53tsʰʅ35_44ka35_53lɔi13_21tso53mien53ʂət5_3lau0.tʰien35_44tʰien35_44tsau21ʂən13_44tso53mien53ʂət5lau0.i13_21cin35_44maŋ13tso53liau0.ṇ13_21siɔŋ21tso53li0.ŋai13_21ɔi53tso53ŋai13_21tsiɔu53_44mai35tʂak3kai53xau21ci35_44tsɿ0lɔi13_21tso53,mai35tʂak3liəuk3pak3to35_44kʰuai53tsʰien13_21ke53ua53,ŋai13tien0kai53lin13ʂa53ci13_21tsʰiɔu53_44mai35tʂak3liəuk3pak3to35_44kʰuai53tsʰien13_21ke53,lin13ʂʅ13_44tsʰait3tʰien53,tsʰʅ35_44ka35_53uɔi53_44xo13,xo13tek3in13tsʰin53kai53tsiɔu53.

【灰色子】fɔi35sek3tsɿ0 [形]介于黑白之间的颜色：箇皮系～唠。kai53pʰi13xe53fɔi35sek3tsɿ0lau0.

【灰桶子】fɔi35tʰəŋ21tsɿ0 [名]泥工用来装灰泥的桶：唔安做泥桶子，安做～。ṇ13ɔn35_44tso53_44lai13tʰəŋ21tsɿ0,ɔn35_44tso53_44fɔi35tʰəŋ21tsɿ0.

【灰指甲】fɔi35tʂʅ21kait3 [名]甲癣：我都有滴子～哟。～会传染呢。ŋai13tɔu35_53iɔu35tiet5tsɿ0fɔi35tʂʅ21kait3iau0.fɔi35tʂʅ21kait3uɔi53tʂʰen13vien21nei0.

【回₁】fei13 [动]①从别处走向原来的地方：以只翘起来个东西就～哩原原位。i21tʂak3cʰiau53çi21lɔi13ke53_44təŋ35si0tsʰiɔu53_44fei13_21li0ien13vien13uei53.②答复；回复：渠第二晡渠就～我信，渠话依论有么个路子啊。ci13_21tʰi53ɲi53_44pu35ci13_21tsʰiɔu53_44fei13_21ŋai13_44sin53_44,ci13_44a53_44i35_44lən53mau13_21mak3ke53_44ləu53tsɿ0a0.

【回₂】fei13 [量]动量词。次；趟；遍：去一～çi53iet3fei13｜我等叔叔就得过一～（拦腰蛇）哟。

ŋai13tien0 ʂəuk3 ʂəuk3 tsʰiəu53tek3ko53iet3 fei13iau0.｜我有一～走箇过。ŋai13iəu35iet3 fei13tsei21kai53_44ko53.

【回避】fei13pʰei53 [动]因有所顾忌而离开、躲避：碰倒送亲个，一般呢渠箇边会～。箇个送亲个人～呀。唔吉利呀。或者渠唔再个过正啊。或者渠停倒箇远天远地呀远远子个栏场啊。欸，晓得面前来哩，停倒，停倒远方，远地方啊。孝家渠唔得～哟。死者为大哟。亡者为大呀。pʰəŋ53tau21səŋ53tsʰin35ke53_44,iet3 pɔn35ne0 ci13_21kai53_44pien35_44uɔi53 fei13pʰei53.kai53_44ke53_44səŋ53tsʰin35cie53ɲin13_21fei13pʰei53_44ia0.ŋ13ciet3 li53ia0.xɔit5 tʂa21ci13_21ṇ13tsai53_44ke53_44ko53tʂaŋ53ŋa0.xɔit5 tʂa21ci13_21tʰin13tau21kai53_44ien21tʰien35_44ien21tʰi53ia0 ien21ien21tsɿ0 ke53_44laŋ13_21tʂʰɔŋ13_21ŋa0.e21,çiau21tek3 mien53tsʰien13_21lɔi13li0,tʰin13tau21,tʰin13tau21ien21fɔŋ35_44,ien21tʰi53 fɔŋ35_44ŋa0.çiau53ka35_44ci13_21ṇ13_21tek3 fei13pʰei53iau0.si21tʂa21uei13tʰai53iau0.mɔŋ13tʂa21uei13tʰai53ia0.

【回步】fei13pʰu53 [动]回拜：欸，别人家来，几十八远跑倒来我屋下来看我，欸，我硬爱去回下子步。e44pʰiet5 in13_21ka35_53lɔi13_44,ci21ʂət5 pait3 ien21pʰau21tau21lɔi13_21ŋai13_21uk3 xa53lɔi13_21kʰɔn53ŋai13_44,e21,ŋai13ɲiaŋ53ɔi53 çi53_44fei13(x)a53_44tsɿ0 pʰu53.

【回潮】fei13tʂʰau13 [动]已经晒干或烤干的东西又变潮湿：石灰缸就系搞么个嘞？就保证渠冇事～个东西嘞。ʂak5 fɔi35_44kɔŋ35tsʰiəu53kau21mak3 e0 lei?tsiəu53_44pau21tʂən53ci13_21mau13sɿ53fei13_21tʂʰau13ke53_44təŋ35_44si0 lei0.

【回答】fei13tait3 [动]答复：欸，陈老师，欸，昨晡嘞我硬一直𫠊～你个话，𫠊～你个以只信。e21,tʂʰən13lau21sɿ35_44,e21,tsʰo35_21pu35_44le0 ŋai13ɲiaŋ53_44iet3 tʂʰət5 maŋ13fei13tait3ɲi13ke53_44fa53,maŋ13fei13tait3ɲi13ke53_44i21tʂak3 sin53.

【回复】fei13fuk5 [名]指弹性、回力：箇还系钢丝个更好，板钢圈只系扎实，冇～啊。kai53xai13_21 xe53_44kɔŋ35_44sɿ35_44ke0 cien53_44xau21,pan21kɔŋ35cʰien35tʂɿ21xei53tsait3 ʂət5,mau13_21fei13fuk5 a0.｜（树扁担）绷硬，冇～，冇得～，唔比得竹扁担。paŋ35ŋaŋ53,mau13fei13fuk5,mau13_21tek3 fei13fuk5,ṇ13pi21tek3 tʂəuk3 pien21 tan53.

【回和席】fei13xo13siet5 [动]新娘的爷爷奶奶年纪大了，不能去男方参加婚礼，男家委托高亲带给他们菜肴，今有折为礼金的：有滴人是有滴妹子是欸新娘吵还有公公婆婆，因为渠老嘿哩，渠不能来咁样子食饭，还爱回一桌酒席分渠，渠𫠊来食饭。唔系回门个时候子，就系高亲归屋下个时候子，爱回一桌酒席。又但是不能够话提咁多菜去吵，有滴就……安做～。一般就现在就一桌酒席子个钱呶，乡下就五百块子钱，城里一千块子钱呶。以前就讲～就回一桌菜哟，欸，有滴就回……以前就因为不能回菜就搞几斤猪肉哇，也安做整和席唠。反正爱回只和席才。爱有公公婆婆个。冇得公公婆婆个唔爱～。现在都是都系拿钱折。安做拿钱折。折价个意思啊，折做钱呐。用钱折啊。iəu35tet5ɲin13_21ʂʅ53_44iəu35tet5 mɔi53tsɿ0 ʂʅ53_44e21sin35ɲiɔŋ13_21ʂa0 xai13_21iəu35 kəŋ35kəŋ35pʰo13pʰo13_44,in35uei53_44ci13_21lau21ek3 li0,ci13_21pət3 nən13_21lɔi13kan21_35iɔŋ53_44tsɿ0 ʂət5 fan53,xa13_21ɔi53 fei13_21iet3 tsɔk3 tsiəu21siet5 pən35ci13_21,ci13_21maŋ13_21lɔi13_21ʂət5 fan53.m̩13_21pʰe53fei13mən13_21ke53_44ʂʅ13_44xei53_44tsɿ0,tsʰiəu53_44xe53_44kau35_44tsʰin35_44kuei35uk3 xa53_44ke53_44ʂʅ13_44xei53_44tsɿ0,ɔi53fei13_21iet3 tsɔk3 tsiəu21siet5.iəu53_44tan53ʂʅ53pət3 lən13_21kəu53_44ua53_44tʰia35kan21to35_44tsʰɔi53çi53_44 ʂa0,iəu35tet5 tsʰiəu53_44⋯ɔn35_44tso53_44fei13xo13siet5.iet3 pɔn35tsʰiəu53_44çien53_44tsʰai53_44tsʰiəu53_44iet3 tsɔk3 tsiəu21siet5 tsɿ0 ke53_44 tsʰien13_21nau0,çiɔŋ35xa53_44tsʰiəu53_44ŋ̍21pak3 kʰuai53tsɿ0 tsʰien13_21,tʂʰən13ni0 iet3 tsʰien35kʰuai53tsɿ0 tsʰien13_21nau0.i35_44 tsʰien13_21tsʰiəu53kɔŋ21fei13xo13siet5 tsʰiəu53_44fei13iet3 tsɔk3 tsʰɔi53iau0,e21,iəu35tet5 tsʰiəu53_44fei13⋯i35_44tsʰien13_21tsiəu53_44in35_21 uɔi53_35pət3 lən13fei13tsʰɔi53tsʰiəu53_44kau21ci21cin35_44tʂəu35ɲiəuk3 ua0,ia35ɔn35_44tso53_44tʂən21xo13siet5 lau0.fan21tʂən53_44ɔi53 fei13_21tʂak3 xo13siet5 tsʰai0.ɔi53_44iəu35_44kəŋ35kəŋ35_44pʰo13_21pʰo13_21ke53.mau13tek3 kəŋ35_44kəŋ35_44pʰo13_21pʰo13_21ke53m̩13_21mɔi53_44fei13xo13 siet5.çien53tsʰai53təu35_44ʂʅ53_44təu35xe53_44la53tsʰien13tʂek3.ɔn35tso53_44la53tsʰien13tʂek3.tʂek3 cia53ke53_44i53sɿ0 a0,tʂek3 tso53 tsʰien13na0.iəŋ53tsʰien13tʂek3 a0.

【回礼】fei13li35 [动]回赠礼品：我爱～。ŋai13_21ɔi53_44fei13li35.

【回龙】fei13liəŋ13 [动]出殡途中遇到转死角、走之字的地方，将棺材前后调换方向：噢，还有只东西嘞，有滴栏场是山路唔好走呀，渠就爱分面前斢做后背，后背斢做面前。欸，转倒……转倒箇映子转死角个栏场啊，走之字个栏场啊，渠就冲倒角上，好，分后背走面前，安做～。我开头𫠊讲倒箇只事。安做～。回下龙。分前面就走后背，同箇个么个詹天佑跍倒箇箇箇箇八达岭个箇修铁路样啊，系唔系啊？欸，走之字形。走倒箇映子，我记得细细子读书哇，走倒箇八达岭箇映子就让门子啊？走倒箇八达岭箇映子就欸火车就转只向。欸，面前个就走……到哩箇映子青龙桥就用两只火车头，系啊？走倒箇映子嘞就，欸，后背个火车头走面前了，就咁子转下向，正爬得上去。也系箇个，做八仙也咁子讲，安做做八仙呐，捆，搁棺材个。安做～。au^21,xai^13_21iəu^35tʂak^3 təŋ^53_44si^0 lei^0,iəu^35tet^5 lan^13_21tʂʰɔŋ^13_21ʂʅ^53_44san^35nəu^53n̩^13xau^21tsei^21ia^0,ci^13_21tsʰiəu^53_44ɔi^53_44pən^53_44mien^53tsʰien^13_21tʰiau^21tso^53_44xei^53pɔi^53_44,xei^53pɔi^53_44tʰiau^21tso^53_44mien^53tsʰien^13.e_21,tʂɔn^21tau^53_44k…tʂɔn^21tau^53_44kai^53_44iaŋ^53_44tsʅ^0 tʂɔn^21si^21kɔk^3 ke^53laŋ^13_21tʂʰɔŋ^13_21ŋa^0,tsei^21tʂʅ^35tsʰʅ^53_44ke^53_44laŋ^13_21tʂʰɔŋ^13_21ŋa^0,ci^13_21tsʰiəu^53_44tʂʰəŋ^35tau^21_44kɔk^3 xɔŋ^53,xau^21,pən^35_44xei^53pɔi^53_44tsei^21mien^53tsʰien^13_21,ɔn^35_44tso^53_44fei^13liəŋ^13.ŋai^13_44kʰɔi^35tʰei^13_21maŋ^13_21kɔŋ^21tau^21kai^53_44tʂak^3 sʅ^53.ɔn^35tso^53fei^13liəŋ^13.fei^13xa^53liəŋ^13.pən^35tsʰien^13mien^53_44tsʰiəu^53_44tsei^21xei^53pɔi^53_44,tʰəŋ^13kai^53_44ke^53_44mak^3 ke^53tʂuen^35tʰien^35_44iəu^53ku^35tau^21_44kai^53_44kai^53kai^53_44kai^53pait^3 tʰait^5 liaŋ^35ke^53_44kai^53_44siəu^35_44tʰiet^3 ləu^53_44iɔŋ^53_44ŋa^0,xei^53_44me^53_44a^0 ?e_21,tsei^21tʂʅ^35_44tsʅ^53çin^13.tsei^21tau^53_44kai^53_44iaŋ^53_44tsʅ^0,ŋai^13_21ci^53tek^3 se^53se^53tsʅ^0 tʰəuk^5 ʂəu^35ua^0,tsei^21tau^21_44kai^53_44pait^3 tʰait^5 liaŋ^35kai^53_44iaŋ^53_44tsʅ^0 tsʰiəu^53_44ɲiɔŋ^53_44mən^0 tsʅ^0 a^0 ?tsei^21tau^21_44kai^53_44pait^3 tʰait^5 liaŋ^35kai^53_44iaŋ^53_44tsʅ^0 tsʰiəu^53_44ei_21fo^21tʂʰa^35_44tsʰiəu^53_44tʂɔn^21tʂak^3 çiɔŋ^53.e_21,mien^53tsʰien^13_21ke^53_44tsʰiəu^53_44tsei^21…tau^53li^0 kai^53_44iaŋ^53_44tsʅ^0 tsʰin^35ləŋ^13_21cʰiau^13tsʰiəu^53_44iəŋ^53iɔŋ^21tʂak^3 fo^21tʂʰa^35_44tʰei^13,xei^53_44a^0 ?tsei^21tau^21_44kai^53_44iaŋ^53_44tsʅ^0 lei^0 tsʰiəu^53_44,e_21,xei^53pɔi^53_44ke^53fo^21tʂʰa^35_44tʰei^13_21tsei^21mien^53tsʰien^13_21liau^0,tsʰiəu^53_44kan^21tsʅ^0 tʂɔn^21na^0 çiɔŋ^53,tʂaŋ^53_21pʰa^13_21tek^3 ʂɔŋ^35çi^53_44.ia^35xe^53_44kai^53_44ke^53_44,tso^53pait^3 sien^35_44ia^35kan^21tsʅ^0 kɔŋ^21,ɔn^35_44tso^53_44tso^53pait^3 sien^35_44na^0,kɔŋ^35_44,kɔŋ^35_44kɔn^35_44tsʰɔi^13_44ke^53_44.ɔn^35_44tso^53fei^13_21liəŋ^13.

【回门】fei^13mən^13 动新婚夫妻在结婚后的第三日，携礼前往女方家里省亲、探访。又称“三朝回门”：今晡个结婚酒样，明晡过一天，后日晡就三朝。三朝就～。就系新郎新娘，一般就渠两公婆归去。归娘家。食餐饭。就咁个。渠箇边呢唔爱送。也可以来送。箇箇个么个就拿滴子酒哇，欸，提滴子猪肉哇，买滴子水果箇只啦，如今是开辆车去啦。以前就也就系买滴子换茶子箇只送滴子酒箇只，拿只子红包哇。就渠两公婆去。归去哩嘞就箇边也还爱搞餐饭呐，办餐饭呐。cin^35pu^35_44ke^53ciet^3 fən^35_44tsiəu^21iɔŋ^53_44,miaŋ^13pu^35_44ko^53iet^3 tʰien^35_44,xei^35ɲiet^3 pu^35_44tsʰiəu^53_44san^35_21tʂau^35_44.san^35_44tʂau^35_44tsiəu^53_44fei^13_21mən^13_21.tsʰiəu^53xe^53sin^35nɔŋ^13_21sin^35ɲiɔŋ^13_21,iet^3 pɔn^35tsʰiəu^53ci^13_21iɔŋ^21kəŋ^35_44pʰo^13kuei^35çi^53.kuei^35ɲiɔŋ^13cia^35_44.ʂət^5 tsʰɔn^35_44fan^53.tsʰiəu^53kan^21cie^53_44.ci^13_21kai^53pien^35_44ne^0 m̩^13_21mɔi_44(←ɔi^53)səŋ^53.ia^35kʰo^21i^35_44lɔi^13_21səŋ^53.kai^53_44kai^53_44ke^53_44mak^3 xe^53(←ke^53)tsʰiəu^53_44la^53tiet^5 tsʅ^0 tsiəu^21ua^0,e^21,tʰia^35tiet^5 tsʅ^0 tʂəu^35ɲiəuk^3 ua^0,mai^35tiet^5 tsʅ^0 ʂei^21ko^21kai^53_44tʂak^3 la^0,i^13_21cin^35_44ʂʅ^53_44kʰɔi^35_44liɔŋ^21tʂʰa^35çi^53_44la^0.i^35_44tsʰien^13tsʰiəu^53ia^35tsʰiəu^53xe^53mai^35tiet^5 tsʅ^0 uɔn^53tsʰa^13_21tsʅ^0 kai^53_44tʂak^3 səŋ^53tet^5 tsʅ^0 tsiəu^21kai^53_44tʂak^3,la^53tʂak^3 tsʅ^0 fəŋ^13pau^35_44ua^0.tsʰiəu^53ci^13_21iɔŋ^21kəŋ^35pʰo^13_21çi^53_44.kuei^35çi^53li^0 lei^0 tsʰiəu^53_44kai^53pien^35_44ie^21xa^13_21ɔi^53_44kau^21tsʰɔn^35_44fan^53na^0,pʰan^53tsʰɔn^35_44fan^53na^0.

【回门酒】fei^13mən^13tsiəu^21 名新婚后第三天新郎新娘回门时女方家所置办的酒宴：如今是有咁个唠，我等以映子有咁子个，渠有滴女方吵渠结婚箇晡唔整酒，卖妹子箇晡唔整酒，回门箇晡嘞，新人，两公婆归来哩，整～。箇是现在个搞法嘞，以前冇得咁个搞法。女方整～。女方个卖妹子个酒就箇晡回门箇晡来整。渠个好处就么个嘞？箇就男方可以多去几个人呢。欸，两边个亲家，可以坐在一起来哩。男方个家长可以去哩。但是你系爱话嘞头晡整酒，打比今晡早晨整卖妹子酒，定倒今晡日子，早晨就女方个卖妹子个酒，昼边就男方个收亲酒，系唔系？安做收亲酒嘞。收亲呐。箇就男方个家长唔去嘞。箇男方个家长唔去啊。一般是客姓人是欸爷娭唔送嫁啦。父母唔送嫁。我卖妹子我就赠去呀。我两公婆都赠去。都唔去。唔系么啊面子，我就……我觉得过，我忘啦，渠等爱我去唠，我婿郎都爱我去啊，我又当老师个吵，渠跟渠等箇箇阵子个箇学校里个老师尽系掺我唔知几熟啊，爱你岳老子来哟，我婿郎硬讲嘿几到，我话渠莫，我走唔得，我还咁多客去以映啊，我就一走呀，屋下让爱了哇，系唔系？屋下咁多事啊。咁多客来哩咯，我冇送倒渠客走嘿，冇捡场啊，系啊？欸，我还有大客咯。i^13_21cin^35_44ʂʅ^53_44iəu^35_44kan^21_13cie^53_44lau^0,ŋai^13tien^0 i^21iaŋ^53tsʅ^0 iəu^35_44kan^21tsʅ^0 cie^53_44,ci^13_21iəu^35tet^5 ɲy^21fɔŋ^35_44ʂa^0 ci^13_21ciet^3 fən^35kai^35_44pu^35_44ŋ̍^13tʂaŋ^21tsiəu^21,mai^53_44mɔi^53tsʅ^0 kai^53_44pu^35_44ŋ̍^13tʂaŋ^21tsiəu^21,fei^13_21mən^13kai^53_44pu^35_44le^0,sin^35ɲin^13_21,iɔŋ^21kəŋ^35_44pʰo^13_21kuei^35lɔi^13_21li^0,tʂaŋ^21fei^13mən^13tsiəu^21.kai^53_21ʂʅ^53_44sien^53tsʰai^53_44ke^53_44kau^21fait^3 le^0,i^35tsʰien^13mau^13_21tek^3 kan^21ke^53kau^21fait^3. ɲy^21fɔŋ^35_44tʂaŋ^21fei^13mən^13tsiəu^21. ɲy^21fɔŋ^35_44ke^53_44mai^53mɔi^53tsʅ^0 ke^53_44tsiəu^21tsʰiəu^53_44kai^53pu^35fei^13mən^13kai^53_44pu^35_44lɔi^13_21tʂaŋ^21.ci^13ke^53_44xau^21tʂʰʮ^53_44tsʰiəu^53_44mak^3 ke^53_44lei^0 ?kai^53_44tsʰiəu^53_44lan^13fɔŋ^35_44kʰo^21i^35_44to^35çi^53ci^21ke^53_44ɲin^13nei^0.ei^21,iɔŋ^21pien^35_44ke^53_44tsʰin^35ka^35_44,kʰo^21i^35tsʰo^35tsʰai^53iet^3 çi^21lɔi^13li^0.lan^13_21fɔŋ^35_44ke^53_44cia^35tʂɔŋ^21kʰo^21i^35çi^53li^0.tan^53ʂʅ^53ɲi^13_21xei^53_44ɔi^53_44ua^53lei^0 tʰei^13pu^53_44tʂaŋ^21tsiəu^21,ta^21pi^21cin^35pu^35_44tsau^21ʂən^13tʂaŋ^21mai^53mɔi^53tsʅ^0 tsiəu^21,tʰin^53tau^21cin^35_44pu^35_44ɲiet^3 tsʅ^0,tsau^21ʂən^13_44tsʰiəu^53_44ɲy^21fɔŋ^35_44ke^53_44mai^53mɔi^53tsʅ^0 ke^53_44tsiəu^21,tʂəu^53pien^35_44tsʰiəu^53_44lan^13_21fɔŋ^35_44ke^53_44ʂəu^35_44tsʰin^35_44tsiəu^21,xei^53_44me^35_44?ɔn^35_44tso^53_44ʂəu^35tsʰin^35_44tsiəu^21le^0.ʂəu^35_44tsʰin^35na^0.kai^53tsʰiəu^53_44lan^13_21fɔŋ^35_44ke^53_44cia^35_44tʂɔŋ^21m̩^13_21çi^53le^0.kai^53lan^13_21fɔŋ^35_44ke^53_44cia^35_44tʂɔŋ^21m̩^13_21çi^53a^0.iet^3 pɔn^35ʂʅ^53_44kʰak^3 sin^53ɲin^13_21ʂʅ^53_44e_21ia^13ɔi^35_44n̩^13səŋ^53ka^53la^0.fu^53mu^35n̩^13səŋ^53ka^53.ŋai^13mai^53mɔi^53tsʅ^0 ŋai^13tsʰiəu^53maŋ^13çi^53ia^0.ŋai^13iɔŋ^21kəŋ^35_44pʰo^13təu^35_44maŋ^13çi^53.təu^35_44n̩^13çi^53.m̩^13pʰe^53mak^3 a^0 mien^53tsʅ^0,ŋai^13tsʰiəu^53_44…ŋai^13kɔk^3 tek^3 ko^53,ŋai^13_21uaŋ^53la^0,ci^13_21tien^0 ɔi^53ŋai^13_21çi^53lau^0,ŋai^13_21sei^53lɔŋ^13_21 tɔu$^{35}_{44}$ɔi^{53} ŋai$^{13}_{21}$çi^{53}a^{0} ,ŋai$^{13}_{21}$iɔu$^{53}_{44}$tɔŋ^{35}lau^{21}sɿ$^{35}_{44}$ke$^{53}_{44}$ʂa^{0} ,ci$^{13}_{21}$kən$^{35}_{44}$ci$^{13}_{21}$tien^{0} kai$^{53}_{44}$kai^{53}tʂʰən$^{53}_{44}$tsɿ^{0} ke$^{53}_{44}$kai$^{53}_{44}$çiɔk^{5} çiau$^{53}_{44}$li^{0} ke$^{53}_{44}$lau^{21}sɿ$^{35}_{44}$tsʰin^{53}xe$^{53}_{44}$lau^{35}ŋai$^{13}_{21}$m̩$^{13}_{21}$ti$^{53}_{44}$ci^{21}ʂouk$^{5}_{3}$a^{0} ,ɔi^{53}ɲi$^{13}_{44}$iɔk^{5} lau^{21}tsɿ^{0} lɔi$^{13}_{21}$iau^{0} ,ŋai$^{13}_{21}$se^{53}lɔŋ$^{13}_{44}$ɲiaŋ^{53}kɔŋ^{21}ek^{3} ci^{21} tau^{53},ŋai^{13}ua^{53}ci$^{13}_{21}$mɔk^{5} ,ŋai$^{13}_{21}$tsei^{21}n̩$^{13}_{21}$tek^{3} ,ŋai$^{13}_{21}$xai^{13}kan^{21}to^{35}kʰak^{3} çi$^{53}_{21}$i^{21}iaŋ^{53}ŋa^{0} ,ŋai^{13}tsʰiɔu^{53}iet^{3} tsei^{21}ia^{0} ,uk^{3} xa$^{53}_{44}$ɲiɔŋ^{53}ɔi$^{53}_{21}$liau^{21}ua^{0} ,xei$^{53}_{44}$me$^{53}_{44}$?uk^{3} xa$^{53}_{44}$kan^{21}to$^{35}_{44}$sɿ^{53}a^{0} .kan^{21}to^{35}kʰak^{3} lɔi$^{13}_{21}$li^{0} ko^{0} ,ŋai$^{13}_{21}$mau^{13} səŋ^{53}tau^{21}ci^{13} kʰak^{3} tsei^{21}xek^{3} ,mau^{13}cian^{21}tʂʰɔŋ^{13}ŋa^{0} ,xei^{53}a^{0} ?e^{21},ŋai$^{13}_{21}$xai$^{13}_{21}$iɔu$^{35}_{44}$tʰai^{3}kʰak^{3} ko^{0} .

【回润】fei^{13}in^{53} 动已经晒干或烤干的东西又变潮湿：过年（用石灰缸）放换茶真好嘞，有事～呐。ko^{53}ɲien^{13}fɔŋ^{53}uɔn^{53}tsʰa$^{13}_{21}$tʂən^{35}xau^{21}le^{0} ,mau$^{13}_{21}$sɿ^{53}fei^{13}in^{53}na^{0}.

【回头】fei^{13}tʰei^{13} 动①向后转头：～就硬系蛮多人都翻转去看渠，尽兜都翻转去看渠。打比张家坊街上来只外国人样啊，高鼻公啊几十八高哇，箇肯定蛮多人都会～看渠，欸。fei$^{13}_{21}$tʰei$^{13}_{21}$tsʰiɔu$^{53}_{44}$ɲiaŋ^{53}xei^{53}man$^{13}_{21}$to$^{53}_{53}$ɲin$^{13}_{21}$tɔu$^{35}_{44}$fan$^{35}_{44}$tʂuon^{21}çi$^{53}_{44}$kʰɔn^{53}ci^{13} ,tsʰin^{53}te$^{35}_{44}$tɔu$^{35}_{44}$fan^{35}tʂuon^{21}çi$^{53}_{44}$kʰɔn^{53}ci$^{13}_{21}$.ta^{21} pi^{21}tʂɔŋ$^{35}_{44}$ka$^{35}_{44}$xɔŋ$^{35}_{44}$kai^{35}xɔŋ^{53}lɔi^{13}tʂak^{3} uai^{53}kɔit^{3} ɲin^{13}iɔŋ^{53}ŋa^{0} ,kau$^{35}_{44}$pʰi^{5}i^{5} kəŋ^{35}ŋa^{0} ci^{21} ʂət^{5} pait^{3} kau^{35}ua^{0} ,kai^{53} cʰien^{53}tʰin^{53}man$^{13}_{21}$to$^{35}_{53}$ɲin$^{13}_{21}$tɔu^{35}uɔi$^{53}_{44}$fei$^{13}_{21}$tʰei$^{13}_{21}$kʰɔn^{53}ci$^{13}_{21}$,e^{21}. ②有所觉悟而改邪归正：箇个犯哩事个人呐食毒个人呐，或者犯哩法个人呐，一定爱晓得～。莫总咁子法子做下去，系啊？爱～，回哩头就系好人。欸，浪子～金不换咯。kai$^{53}_{44}$ke$^{53}_{44}$fan^{53}ni^{0} sɿ^{53}ke^{0} ɲin$^{13}_{21}$na^{0} ʂət^{5} tʰəuk^{5} ke^{0} ɲin$^{13}_{21}$na^{0} ,xɔit^{5} tʂa^{21}fan^{53}ni^{0} fait^{3} ke^{5} ɲin$^{13}_{21}$na^{0} ,iet^{3} tʰin^{53}ɔi^{53}çiau^{21}tek^{3} fei^{13}tʰei^{13}.mɔk^{5} tsəŋ^{21}kan^{21}tsɿ^{0} fait^{3} tsɿ^{0} tso$^{53}_{21}$xa$^{53}_{21}$çi^{53} ,xei^{53}a^{0} ? ɔi^{53}fei^{13}tʰei^{13},fei^{13}li^{0} tʰei^{13}tsʰiɔu^{53}xei^{53}xau^{21}ɲin$^{13}_{44}$.e^{44},lɔŋ^{53}tsɿ^{0} fei$^{13}_{21}$tʰei$^{13}_{21}$cin$^{35}_{44}$pət^{3} xɔn^{53}ko^{0}. ③等一会儿；稍等：欸，我等经常有咁个嘞，箇个村上个干部哇，拿两只箇欸安做欸粉盒来加粉，放下我箇映子，渠就话："欸，我是爱去……我还有兜事，你同我加粉，哈，我～就来拿，～我就来拿。" e$_{21}$, ŋai^{13}tien^{0} cin^{35}tʂʰɔŋ$^{13}_{21}$iɔu^{35}kan^{21}cie^{53}lei^{0} ,kai$^{53}_{44}$ke$^{53}_{44}$tsʰən^{35}xɔŋ$^{53}_{44}$ke^{0} kɔn^{35}pʰu^{53}ua^{0} ,la^{53}iɔŋ^{21}tʂak^{3} kai^{53}e$_{21}$ɔn$^{35}_{44}$tso$^{53}_{44}$e$_{21}$ fən^{21}xait^{5} lɔi$^{13}_{21}$cia$^{35}_{44}$fən^{21},fɔŋ^{53}xa^{53}ŋai$^{13}_{21}$kai^{53}iaŋ^{53}tsɿ^{0} ,ci$^{13}_{21}$tsʰiɔu$^{53}_{44}$ua$^{53}_{44}$:"e$_{21}$,ŋai^{13}ʂɿ$^{53}_{44}$ɔi^{53}çi^{53}…ŋai$^{13}_{21}$xai$^{13}_{21}$iɔu^{35}te$^{35}_{44}$sɿ^{53}, ɲi$^{13}_{21}$tʰəŋ$^{13}_{21}$ŋai$^{13}_{21}$cia$^{35}_{44}$fən^{21},xa$_{53}$,ŋai$^{13}_{21}$fei^{13}tʰei$^{13}_{21}$tsʰiɔu$^{53}_{44}$lɔi$^{13}_{21}$la^{53},fei^{13}tʰei^{13}ŋai^{13}tsʰiɔu^{53}lɔi$^{13}_{21}$la^{53}.

【回小门】fei^{13}siau^{21}mən^{13} 动回门；女子出嫁后，首次偕同夫婿回娘家探亲：～就系卖出去个妹子嘞，结哩婚以后，过两晡子，会来会又倒转娘家去嬲下子，箇只就安做～。有只规矩，～不能去婞子屋下歇。你去婞子屋下歇哩，老鼠会啮帐子，会啮你个帐子，有只咁个话法。渠就系你莫留恋外家啊。你卖嘿哩人家了，你卖哩了，结哩婚了，你就爱顾你自家屋下了哇，系唔系？你莫总跍倒娘家，跍倒婞子屋下。就一只咁个～个意思啊。一般是回三朝门呢，三朝箇晡呢。天数唔多哩凑，不能天数多哩，还有兜是第二晡。fei^{13}siau^{21}mən^{13}tsʰiɔu^{53}xei$^{53}_{44}$ mai^{53}tʂʰət^{3} çi$^{53}_{44}$ke$^{53}_{44}$mɔi^{53}tsɿ^{0} lei^{0} ,ciet^{3} li^{0} fən^{35}i^{35}xei^{53},ko^{53}iɔŋ^{21}pu^{35}tsɿ^{0} ,uɔi^{53}lɔi^{13}uɔi^{53}iɔu^{53}tau^{53}tʂuon^{21}ɲiɔŋ^{13}cia$^{35}_{44}$ çi^{53}liau^{53}xa$^{53}_{44}$tsɿ^{0} ,kai^{53}tʂak^{3} tsʰiɔu^{53}ɔn$^{35}_{53}$tso^{53}fei^{13}siau^{21}mən$^{13}_{44}$.iɔu^{35}tʂak^{3} kuei^{35}tʂʮ^{21},fei^{13}siau^{21}mən^{13}pət^{3} len^{13}çi^{53} ɔi^{35}tsɿ^{0} uk^{3} xa^{53}çiet^{3}. ɲi^{13}çi^{53}ɔi^{35}tsɿ^{0} uk^{3} xa^{53}çiet^{3} li^{0} ,lau^{21}tʂʰəu^{21}uɔi^{53}ŋait^{3} tʂɔŋ^{53}tsɿ^{0} ,uɔi$^{53}_{21}$ŋait^{3} ɲi^{13}(k)e^{0} tʂɔŋ^{53}tsɿ^{0}, iɔu^{35}tʂak^{3} kan^{21}cie$^{53}_{44}$ua^{53}fait^{3} .ci$^{13}_{21}$tsʰiɔu^{53}xe$^{53}_{44}$ɲi^{13}mɔk^{5} liəu^{13}lien^{53}ŋɔi^{53}ka$^{35}_{44}$a^{0} . ɲi^{13}mai^{53}(x)ek^{3} li^{0} ɲin^{13}ka$^{35}_{44}$liau^{0}, ɲi$^{13}_{21}$mai^{53}li^{0} liau^{0} ,ciet^{3} li^{0} fən^{35}liau^{0} , ɲi$^{13}_{21}$tsʰiɔu^{53}ɔi^{53}ku^{53}ɲi$^{13}_{21}$tsʰɿ^{35}ka$^{35}_{44}$uk^{3} xa^{53}liau^{0} ua^{0} ,xei^{53}me^{53}?ɲi^{13}mɔk^{5} tsəŋ^{21} ku^{35}tau$^{21}_{44}$ɲiɔŋ^{13}cia$^{35}_{44}$,ku^{35}tau^{21}ɔi^{35}tsɿ^{0} uk^{3} xa$^{53}_{44}$.tsʰiɔu^{53}iet^{3} tʂak^{3} kan$^{21}_{13}$ke^{53}fei^{13}siau^{21}mən^{13}ke$^{53}_{44}$i^{53}sɿ$^{35}_{44}$a^{0} .iet^{3} pɔn^{35}ʂɿ$^{53}_{44}$ fei^{13}san^{35}tʂau$^{35}_{44}$mən$^{13}_{21}$ne^{0} ,san^{35}tʂau$^{35}_{44}$kai$^{53}_{44}$pu$^{35}_{44}$nei^{0} .tʰien$^{35}_{44}$sɿ^{53}n̩$^{13}_{21}$to^{35}li^{0} tsʰe^{0} ,pət^{3} len$^{13}_{21}$tʰien^{35}sɿ^{53}to^{35}li^{0} ,xai$^{13}_{21}$iɔu^{35} te$^{35}_{44}$ʂʮ$^{53}_{44}$tʰi^{53}ɲi^{53}pu^{35}.

【回信】fei^{13}sin^{53} 动收到信件、信息或询问后给予回复：欸，陈老师，嗯，昨晡你提箇问题我硬想懒哩，今晡正回你个信。e$_{21}$,tʂʰən^{13}lau^{21}sɿ$^{35}_{44}$,ŋ̍^{53},tsʰo$^{53}_{21}$pu$^{35}_{44}$ɲi$^{13}_{21}$tʰi^{13}kai$^{53}_{44}$uən^{53}tʰi$^{13}_{21}$ŋai^{13}iaŋ$^{53}_{44}$siɔŋ^{21}lan^{35} li^{0},cin^{35}pu$^{35}_{44}$tʂaŋ^{53}fei$^{13}_{21}$ɲi^{13}ke$^{53}_{44}$sin^{53}.

【回揖】fei^{13}iet^{3} 动以同样的办法酬答向自己作揖的人：第三个人呢徛倒你面前，同你作只揖，作揖。你就回只揖。tʰi$^{53}_{44}$san^{35}ke$^{53}_{44}$in$^{13}_{21}$ne^{0} cʰi^{35}tau^{21}ɲi$^{13}_{44}$mien^{53}tsʰien$^{53}_{44}$.tʰəŋ^{13}ɲi$^{13}_{44}$tsɔk^{3} tʂak^{3} iet^{3} ,tsɔk^{3} iet$^{3}_{5}$. ɲi^{13} tsʰiɔu$^{53}_{44}$fei^{13}tʂak^{3} iet^{3}.

【茴饼】fei^{13}piaŋ^{21} 名浏阳五大土特产之一，主要原料是面粉、菜油、饴糖、茶油、桂花糖、小茴香等，口味松脆酥香，有茴香独特风味：南乡箇～就蛮出名嘞，欸文家市个～啊。lan^{13} çiɔŋ$^{35}_{44}$ke$^{53}_{44}$fei^{13}piaŋ^{21}tsʰiɔu$^{53}_{44}$man^{13}tʂʰət$^{3}_{5}$ miaŋ^{13}le^{0} ,e$_{44}$uən^{13}cia$^{35}_{44}$ʂɿ^{53}ke$^{53}_{44}$fei^{13}piaŋ^{21}a^{0} .

【茴香】fei^{13}çiɔŋ^{35} 名多年生草本植物，其茎叶和种子有芳香气味而常被用做香料：～是一种植物。叶子嘞同箇个针咁大子个叶子。欸，～个本身，渠箇种植物喷香。黄白黄白子，箇种植物啊。到冬下头就会死咁呢，但是你只爱留倒箇只蔸，第二年又会生。fei^{13}çiɔŋ$^{35}_{44}$ʂʮ$^{53}_{44}$iet^{3} tʂəŋ^{21}tʂʰət^{5} uk^{5} .iait^{3} tsɿ^{0} lei^{0} tʰəŋ^{13}kai$^{53}_{44}$kei$^{53}_{44}$tʂən^{35}kan^{21}tʰai^{53}tsɿ^{0} ke^{0} iait^{5} tsɿ^{0} .e$_{21}$,fei^{13}çiɔŋ$^{35}_{44}$ke^{0} pən^{21}ʂən$^{35}_{44}$,ci^{13}

kai^{53}tʂəŋ^{21}tʂʰət^{5} uk^{5} pʰəŋ^{35}çiɔŋ^{35}.uɔŋ^{13}pʰak^{53}uɔŋ^{13}pʰak^{5} tsɿ^{0},kai$^{53}_{21}$tʂəŋ^{21}tʂʰət^{5} uk^{5} a^{0}.tau^{53}təŋ^{35}xa$^{53}_{44}$tʰei$^{13}_{44}$tsʰiəu^{53} uɔi^{53}si^{21}kan^{21}nei^{0},tan^{53}ʂɿ^{53}ɲi$^{13}_{21}$tʂɿ^{21}ɔi^{53}liəu^{13}tau^{21}kai^{53}tʂak^{3} tei^{35},tʰi^{53}ɲi^{53}ɲien$^{13}_{21}$iəu^{53}uɔi^{53}saŋ$^{35}_{44}$.

【茴香茶】fei^{13}çiɔŋ^{35}tsʰa^{13} 名浏阳北乡人爱喝的一款茶：欸，北乡人呐，我等浏阳北乡人就喜欢泡～呢。用茴香籽去泡茶呢。系蛮好食，茴香籽，芝麻，呃炒香哩个黄豆子，花生米，泡做一碗，喷香哦，箇系喷香哦，蛮好食啦。我等人东乡人唔泡，北乡人泡。北乡人喜欢食～。爱唔知几尊贵个客正会泡～。e$_{21}$,pɔit^{3} çiɔŋ$^{35}_{44}$ɲin$^{13}_{21}$na^{0},ŋai^{13}tien^{0} liəu^{13}iɔŋ$^{13}_{44}$pɔit^{5} çiɔŋ^{35}ɲin$^{13}_{21}$tsʰiəu^{53}çi^{21}fɔn$^{35}_{44}$ pʰau^{53}fei^{13}çiɔŋ$^{35}_{44}$tsʰa^{13}nei^{0}.iəŋ^{53}fei^{13}çiɔŋ$^{35}_{53}$tsɿ^{21}çi^{53}pʰau^{53}tsʰa^{13}nei^{0}.xei^{53}man$^{13}_{21}$xau^{21}ʂət^{5},fei^{13}çiɔŋ$^{35}_{44}$tsɿ^{21},tʂɿ^{35}ma^{13}, ə^{0} tsʰau^{21}çiɔŋ$^{35}_{44}$li^{0} ke^{0} uɔŋ^{13}tʰei^{53}tsɿ^{0},fa^{35}sen$^{35}_{44}$mi^{21},pʰau^{53}tso^{53}(i)et^{3} uɔn^{21},pʰəŋ^{35}çiɔŋ$^{35}_{44}$ŋo^{0},kai$^{53}_{44}$xei^{53}pʰəŋ^{35}çiɔŋ$^{35}_{44}$ ŋo^{0},man$^{13}_{21}$xau^{21}ʂət^{5} la^{0}.ŋai^{13}tien^{0} in$^{13}_{44}$təŋ^{35}çiɔŋ^{35}ɲin$^{13}_{21}$m̩^{13}pʰau^{53},pɔit^{3} çiɔŋ$^{35}_{44}$ɲin$^{13}_{21}$pʰau^{53}.pɔit^{5} çiɔŋ$^{35}_{53}$ɲin$^{13}_{21}$çi^{21}fɔn$^{35}_{44}$ ʂət^{5} fei$^{13}_{21}$çiɔŋ$^{35}_{53}$tsʰa$^{13}_{21}$.ɔi^{53}n̩^{13}ti$^{35}_{53}$ci^{21}tsən^{35}kuei^{53}ke^{0} kʰak^{3} tʂaŋ^{53}uɔi^{53}pʰau^{53}fei^{13}çiɔŋ$^{35}_{44}$tsʰa^{13}.

【茴香籽】fei^{13}çiɔŋ^{35}tsɿ^{0} 名茴香的种子：茴香嘞会结～，～也喷香嘞。～就系味中药，安做小茴。fei^{13}çiɔŋ$^{35}_{44}$lei^{0} uɔi^{53}ciet^{3} fei^{13}çiɔŋ$^{35}_{44}$tsɿ^{21},fei^{13}çiɔŋ$^{35}_{53}$tsɿ^{21}a$^{35}_{53}$pʰəŋ^{35}çiɔŋ^{35}lei^{0}.fei^{13}çiɔŋ$^{35}_{53}$tsɿ^{21}tsʰiəu^{53}xei^{53}uei^{53} tʂəŋ^{35}iɔk^{5},ɔn$^{35}_{44}$tso$^{53}_{44}$siau^{21}fei^{13}.

【蛔虫】fei^{13}tʂʰəŋ^{13} 名人体肠道内的一种寄生线虫：～多啊，肚子懑大呀。fei^{13}tʂʰəŋ^{13}to^{35}a^{0},təu^{21} tsɿ^{0}mən^{35}tʰai^{53}ia^{0}.

【会$_{1}$】uɔi^{53}/xuɔi^{53} 动①熟习；通晓：学～哩 xɔk^{5} uɔi^{53}li^{0} ｜我教（渠作揖）都教唔～呀。ŋai$^{13}_{21}$ kau^{35}təu$^{35}_{44}$kau^{35}m̩$^{13}_{21}$uɔi^{53}ia^{0}. ②助动词。表示有能力：（水狼蜂）～叼人啵箇个～！uɔi$^{53}_{44}$tiau^{35}ɲin^{13} nau^{0} kai$^{53}_{21}$kei$^{53}_{21}$xuɔi$^{53}_{44}$! ③助动词。表示有可能：～落水了，暗□□哩。uɔi$^{53}_{44}$lɔk^{5} ʂei^{21}liau^{0},an^{53}təŋ^{13} təŋ^{13}li^{0}.｜～□记了啊。uɔi^{53}ŋai$_{21}$(←lai^{13})ci$^{53}_{44}$liau^{0} a^{0}. ④助动词。表示将要：你～到哪映去？ɲi^{13} uɔi$^{53}_{44}$tau^{53}lai$^{53}_{44}$iaŋ$^{53}_{44}$çi^{53}?

【会$_{2}$】uɔi^{53} 形能干；有本事。又称“煞”：箇夫娘子真～哟。kai^{53}pu^{35}ɲiɔŋ$^{13}_{21}$tsɿ^{0} tʂən^{35}uɔi^{53}io^{0}. ｜我自家话我还蛮～，我还留倒十多万块子钱。ŋai$^{13}_{21}$tsʰɿ^{35}ka$^{35}_{44}$ua^{53}ŋai$^{13}_{21}$xai$^{13}_{21}$man^{13}uɔi^{53},ŋai$^{13}_{21}$xai$^{13}_{21}$liəu$^{13}_{21}$ tau$^{21}_{44}$ʂət^{5} to$^{35}_{53}$uan^{53}kʰuai^{53}tsɿ^{0} tsʰien$^{13}_{21}$.

【昏】fən^{13} 形昏聩；糊涂：脑壳都搞～哩。lau^{21}kʰɔk^{3} təu$^{35}_{44}$kau^{21}fən^{13}ni^{0}.

【昏血】fən^{35}çiet^{3} 动有晕血症，见到血液会出现晕眩的感觉：我都我～我箇只人呐～。ŋai^{13} təu$^{35}_{53}$ŋai$^{13}_{21}$fən^{35}çiet^{3} ŋai^{13}kai^{53}tʂak^{3} ɲin$^{13}_{44}$na^{0} fən^{35}çiet^{3}.

【荤】fən^{35} 名指鸡鸭鱼肉等食物，与“素”相对：（祭碗）都系～个，都系荤菜。təu^{35}xe^{53}fən^{35} cie^{53},təu^{35}xe^{53}fən^{35}tsʰɔi^{53}.

【荤菜】fən^{35}tsʰɔi^{53} 名用鸡鸭鱼肉等做成的菜肴。例见“荤”条。

【荤腥】fən^{35}siaŋ^{35} 名指肉、鱼之类的食品：搞咁个～东西还好食，放兜子蚝油，煮鱼子箇兜啦，欸，放兜子蚝油好食。kau^{21}kan^{21}cie^{0} fən^{35}siaŋ$^{35}_{44}$təŋ$^{35}_{44}$si^{0} xan$^{13}_{21}$xau^{21}ʂət^{5},fɔŋ^{53}təu$^{35}_{53}$tsɿ^{0} xau^{13}iəu$^{13}_{44}$,tʂəu^{21} ŋ̍^{13}tsɿ^{0} kai$^{53}_{44}$tei$^{35}_{53}$la^{0},e$_{21}$.fɔŋ^{53}tei$^{35}_{53}$tsɿ^{0} xau$^{13}_{21}$iəu$^{13}_{21}$xau^{21}ʂət^{5}.

【婚事】fən^{35}sɿ^{53} 名有关结婚的事：家长去就提亲，提起箇场～。cia^{35}tʂɔŋ^{21}çi$^{53}_{44}$tsʰiəu$^{53}_{44}$tʰi^{13} tsʰin^{35},tʰi^{13}çi^{21}kai$^{53}_{44}$tʂʰɔŋ$^{13}_{21}$fən^{35}sɿ^{53}.｜渠两个人～就黄嘿哩。ci$^{13}_{21}$iɔŋ^{21}ke$^{53}_{44}$in$^{13}_{44}$fən$^{35}_{44}$sɿ$^{53}_{44}$tsʰiəu$^{53}_{44}$uɔŋ^{13}(x)ek^{3} li^{0}.

【魂】fən^{13} 名迷信者指附于人体上主宰人又可离开肉体而独立存在的实体：吓蚀哩～xak^{3} ʂet^{5} li^{0} fən^{13}

【魂魄】fən^{13}pʰak^{3} 名迷信者指附于人体的精神灵气：我细细子有一回呀，欸，去亲戚屋下。你话我跍倒箇巷子里嬲个时候子，捆只死尸子我面前过，我硬～都吓蚀嘿哩凑。吓尽哩命，啊～都蚀嘿哩样。ŋai^{13}se^{53}se^{53}tsɿ^{0} iəu^{35}iet^{3} fei$^{13}_{21}$ia^{0},e$_{21}$,çi^{53}tsʰin^{35}tsʰiet^{3} uk^{3} xa^{53}. ɲi^{13}ua$^{53}_{44}$ŋai$^{13}_{21}$ku^{35}tsu^{21}kai^{53} xɔŋ^{53}tsɿ^{0} li^{0} liau^{53}ke^{0} ʂɿ^{13}xəu^{53}tsɿ^{0},kɔŋ^{35}tʂak^{3} si^{21}ʂɿ$^{35}_{44}$tsɿ^{0} ŋai^{13}mien^{53}tsʰien^{13}ko^{53},ŋai^{13}ɲiaŋ^{53}fən^{13}pʰak^{3} təu$^{35}_{53}$xak^{3} ʂet^{5} (x)ek^{3} li^{0} tsʰe^{0}.xak^{3} tsʰin^{53}ni^{0} miaŋ^{53},a^{0} fən^{13}pʰak^{3} təu$^{35}_{44}$ʂet^{5} (x)ek^{3} li^{0} iɔŋ$^{53}_{44}$.

【混】fən^{53}/fən^{21} 动混淆，混同：我是分渠掺箇个掺箇扣肉搞做～做一下去了。ŋai^{13}ʂɿ$^{53}_{44}$pən^{35}ci$^{13}_{21}$ lau^{35}kai^{53}ke$^{53}_{44}$lau^{35}kai$^{53}_{44}$kʰei^{53}ɲiəuk^{3} kau^{21}tso^{53}fən^{53}tso$^{53}_{21}$iet^{3} xa$^{53}_{44}$çi$^{53}_{44}$liau^{0}.

【混淆】fən^{21}cʰiau^{13} 动混同；使界限模糊：我等就系会分箇个客姓滴掺别么个～，会混起去。ŋai^{13}tien^{0} tsʰiəu^{53}xe$^{53}_{44}$uɔi^{53}pən^{35}kai$^{53}_{44}$ke$^{53}_{44}$kʰak^{3} sin$^{53}_{44}$tiet$^{5}_{3}$ lau^{35}pʰiet^{5} mak^{3} ke$^{53}_{44}$fən^{21}cʰiau^{13},uɔi^{53}fən^{21}çi^{21}cʰie^{53}.

【混账】fən^{53}tʂɔŋ^{53} 动骂人的话，用于指责对方无理而愚蠢：你讲兜咁个，～硬，～！ɲi^{13}kɔŋ^{21} tei$^{35}_{53}$kan^{21}ke^{0},fən^{53}tʂɔŋ^{53}ɲiaŋ^{53},fən^{53}tʂɔŋ^{53}!

【和$_{2}$】xo^{13} 动①在粉状物中加液体搅拌或揉弄使有黏性：舞倒面粉，放上老面，咁子～哩以后，或者过一夜，或者过段时间等渠膨胀，发酵，箇就安做发面呢。u^{21}tau^{21}mien^{53}fən^{21},fəŋ^{53} ʂəŋ^{53}lau^{21}mien^{53},kan^{21}tsɿ^{0}xo^{13}li^{0} i^{35}xei^{53},xɔit$^{5}_{3}$tʂa^{21}ko^{53}iet^{3} ia^{53},xɔit^{5}tʂa^{21}ko^{53}tən^{53}ʂɿ$^{13}_{21}$kan$^{35}_{44}$tien^{21}ci^{13}pʰən^{13} tʂəŋ^{53},fait^{3}çiau^{53},kai$^{53}_{44}$tsiəu$^{53}_{44}$ən$^{35}_{44}$tso$^{53}_{44}$fait^{3}mien^{53}nei^{0}. ②拌，混杂：舞滴箇个欸人粪尿哇，猪粪尿哇，去去～啊，～倒堆倒箇映啊。u^{21}tiet^{5}kai$^{53}_{44}$kei$^{53}_{44}$e$_{21}$ɲin^{13}fən^{53}ɲiau^{0}ua^{0},tʂəu^{35}fən$^{53}_{44}$ɲiau^{0}ua^{0},çi$^{53}_{44}$çi^{53}xo^{13} a^{0},xo^{13}tau^{21}tei^{35}tau^{21}kai$^{53}_{44}$iaŋ$^{53}_{44}$ŋa^{0}.

【活$_{1}$】uɔit^{5} 形①有生命，生存，与"死"相对：箇只鸡死嘿哩哦，唔系～个哦。kai^{53}tʂak^{3} ke^{35}si^{21}xek^{3}li^{0}o^{0},m$^{13}_{21}$pʰe$_{44}$(←xe^{53})uɔit^{5}ke^{53}o^{0}.｜（火焙鱼子）就系不能用死鱼子，欸，用～鱼子就更好食。tsʰiəu^{53}xe^{53}pət^{3}len^{13}iəŋ^{53}si^{21}ŋ̍^{13}tsɿ^{0},e$_{21}$,iəŋ$^{53}_{44}$uɔit^{5}ŋ̍$^{13}_{44}$tsɿ^{0}tsʰiəu$^{53}_{44}$cien$^{53}_{44}$xau^{21}ʂət^{5}. ②不稳固：箇张凳个凳脚噢～个唠，摇摇当当啊就。kai$^{53}_{44}$tʂəŋ^{35}ten^{53}ke^{0}ten^{53}ciɔk^{3}au^{0}uɔit^{5}ke^{0}lau^{0},iau^{13}iau$^{13}_{21}$təŋ$^{35}_{44}$təŋ^{35} ŋa^{0}tsiəu$^{53}_{44}$.｜箇只搲手个东西～个唠。kai^{53}tʂak^{3}ia^{21}ʂəu^{21}ke^{0}təŋ$^{35}_{44}$si^{0}uɔit^{5}ke^{0}lau^{0}. ③可解开的：打～结坨 ta^{21}uɔit^{5}ciet^{3}tʰo^{13}。④指家庭经济条件好：以前我等就有只锡面盆。最早就有只铝面盆，落尾就有只锡面盆。铝面盆就唔知哪映来个嘞，锡面盆就系我舅爷等分我个，嗯，我舅爷箇阵子渠等蛮～呀，分我等个。i$^{35}_{53}$tsʰien$^{13}_{21}$ŋai$^{13}_{21}$tien^{0}tsʰiəu$^{53}_{44}$iəu$^{35}_{53}$tʂak^{3}siak^{3}mien^{53}pʰən$^{13}_{21}$.tsei^{53}tsau^{21}tsʰiəu$^{53}_{44}$ iəu$^{35}_{53}$tʂak^{3}lei^{21}mien^{53}pʰən$^{13}_{21}$,lɔk^{5}mi$^{35}_{44}$tsʰiəu$^{53}_{44}$iəu$^{35}_{53}$tʂak^{3}siak^{3}mien^{53}pʰən$^{13}_{21}$.lei^{21}mien^{53}pʰən$^{13}_{21}$tsʰiəu^{53}n̩$^{13}_{21}$ti$^{35}_{44}$lai^{53} iaŋ^{53}lɔi$^{13}_{21}$ke^{53}lei^{0},siak^{3}mien^{53}pʰən$^{13}_{21}$tsʰiəu^{53}xe^{53}ŋai$^{13}_{21}$cʰiəu^{35}ia$^{13}_{21}$tien^{0}pən^{35}ŋai$^{13}_{21}$ke^{0},n̩$_{21}$,ŋai$^{13}_{21}$cʰiəu^{35}ia$^{13}_{21}$kai^{53} tʂʰən^{53}tsɿ^{0}ci$^{13}_{21}$tien^{0}man^{13}fɔit^{5}ia^{0},pən^{35}ŋai$^{13}_{21}$tien^{0}ke^{0}.

【活$_{2}$】uɔit^{5} 副非常：箇个$_{指手青盒子}$～易得熔。kai^{53}ke$^{53}_{44}$uɔit^{5}i^{53}tek^{3}iəŋ^{13}.

【活络丸】xɔit^{5}lɔk^{5}ien^{13} 名一种中成药，有祛风舒筋、活络除湿的作用：～欸，蛮大子一只呢，也有两色，有起咁个丁啮大子个，一包包子个，欸。两种规格。一种嘞就系同箇上清丸样，比上清丸细滴子，～，还有种就系丁啮大子个丸子。xɔit^{5}lɔk^{5}ien^{13}e$_{21}$man^{13}tʰai^{53}tsɿ^{0}iet^{3}tʂak^{3} nei^{0},ia^{35}iəu$^{35}_{44}$iɔŋ^{21}sek^{3},iəu$^{35}_{44}$çi^{21}kan^{21}ke$^{53}_{44}$tin^{35}ŋait^{3}tʰai^{53}tsɿ^{0}ke^{0},iet^{3}pau$^{35}_{44}$pau^{35}tsɿ^{0}ke^{0},e$_{21}$.iɔŋ^{21}tʂəŋ^{21}kuei^{35} kek^{3}.iet^{3}tʂəŋ^{21}lei^{0}tsʰiəu$^{53}_{44}$xei$^{53}_{44}$tʰəŋ$^{13}_{21}$kai$^{53}_{44}$ʂəŋ$^{53}_{44}$tsʰin^{35}ien^{13}iəŋ^{53},pi^{21}ʂəŋ$^{53}_{44}$tsʰin^{35}ien^{13}sei^{53}tiet^{5}tsɿ^{0},xɔit^{5}lɔk^{5} ien^{13},xai^{13}iəu$^{35}_{53}$tʂən^{21}tsʰiəu$^{53}_{44}$xe$^{53}_{44}$tin^{35}ŋait^{3}tʰai^{53}tsɿ^{0}ke^{0}ien^{13}tsɿ^{0}.

【活络油】xɔit^{5}lɔk^{5}iəu^{13} 名外用药名，有舒筋活络、祛风散瘀的作用：我崽子就长日用箇个～呢，渠就欸活络丸就食过一回子呢，食过一回子活络丸。渠肯系用～。～真冲人。ŋai$^{13}_{21}$ɔi^{35}tsɿ^{0} tsʰiəu^{53}tʂʰəŋ^{13}ɲiet^{3}iəŋ^{53}kai$^{53}_{44}$ke$^{53}_{44}$xɔit^{5}lɔk^{5}iəu^{13}nei^{0},ci$^{13}_{21}$tsʰiəu^{53}e$_{21}$xɔit^{5}lɔk^{5}ien^{13}tsʰiəu$^{53}_{44}$ʂət^{5}ko^{53}iet^{3}fei^{13}tsɿ^{0}nei^{0}, ʂət^{5}ko^{53}iet^{3}fei^{13}tsɿ^{0}xɔit^{5}lɔk^{5}ien^{13}.ci$^{13}_{21}$(x)en^{21}(x)e^{53}iəŋ^{53}xɔit^{5}lɔk^{5}iəu^{13}.xɔit^{5}lɔk^{5}iəu^{13}tʂən^{35}tʂʰəŋ^{35}ɲin$^{13}_{21}$.

【活弄】uɔit^{5}ləŋ$^{53}_{44}$ 形①灵活聪明：讲人蛮灵活就～，真～。kɔŋ^{21}ɲin^{13}man$^{13}_{44}$lin^{13}xɔit^{5}tsʰiəu$^{53}_{44}$uɔit^{5} ləŋ^{53},tʂən^{35}uɔit^{5}ləŋ^{53}. ②灵巧：渠个手真～，画得蛮好看。ci^{13}ke^{53}ʂəu^{21}tʂən^{35}uɔit^{5}ləŋ^{53},fa^{53}tek^{3}man^{13} xau^{21}kʰɔn^{53}.

【活血气】fɔit^{5}çiet^{3}çi^{53} 动使血脉运行通畅：箇东西食哩～。kai$^{53}_{44}$təŋ$^{35}_{44}$si^{0}ʂət^{5}li^{0}fɔit^{5}çiet^{3}çi^{53}.

【火】fo^{21} 名①物体燃烧所发的光、焰和热：雪白个～噢。siet^{5}pʰak$^{5}_{3}$ke$^{53}_{21}$fo^{21}au^{0}. ②泛指燃烧的物体：（炕床）底下可以放～个啊，烧～个啊。te^{21}xa$^{53}_{44}$kʰo^{21}i^{35}fəŋ^{53}fo^{21}ke^{53}a^{0},ʂau^{35}fo^{21}ke^{53}a^{0}. ③比喻心中的怒气：怄倒一肚子～ ei^{53}tau^{21}iet^{3}təu^{21}tsɿ^{0}fo^{21}

【火杯子】fo^{21}pai^{35}tsɿ^{0} 名拨火的铁片：箇也安做可以安做火筷子，欸，一般都是用火钳去夹哟。哦，唔系，安做么个，～，～，系，欸欸，拨个，～。一般用铁个唠，～唠。以起倒□动下子箇火唠。系呀？唔系火筷子嘞。kai$^{53}_{44}$ia^{35}ən$^{35}_{44}$tso$^{53}_{44}$kʰo^{21}i^{35}ən$^{35}_{44}$tso$^{53}_{44}$fo^{21}kʰuai^{53}tsɿ^{0},e$_{21}$,iet^{3}pən^{35}təu$^{35}_{44}$ʂɿ$^{53}_{44}$ iəŋ$^{53}_{44}$fo^{21}cʰian^{13}çi^{53}kait^{3}iau^{0}.o$_{53}$,m^{13}pʰe$_{44}$(←xe^{53}),ən$^{35}_{44}$tso$^{53}_{44}$mak^{3}ke$^{53}_{44}$,fo^{21}pai^{35}tsɿ^{0},fo^{21}pai^{35}tsɿ^{0},xei^{53},e$_{44}$e$_{44}$,pɔit^{3} ke^{53},fo^{21}pai^{35}tsɿ^{0}.iet^{3}pən^{35}iəŋ^{53}tʰiet^{3}cie$^{53}_{44}$lau^{0},fo^{21}pai^{35}tsɿ^{0}lau^{0}.i^{21}çi^{21}tau$^{21}_{44}$tsʰau^{53}tʰəŋ^{35}xa$^{53}_{44}$tsɿ^{0}kai^{53}fo^{21} lau^{0}.xei$^{53}_{44}$ia^{0}?m^{13}pʰe$_{44}$(←xe^{53})fo^{21}kʰuai^{53}tsɿ^{0}le^{0}.

【火焙鱼子】fo^{21}pʰɔi^{53}ŋ̍^{13}tsɿ^{0} 名将鱼去掉内脏，用锅子在火上焙干，再熏烘而成的鱼：最好嘞就舞倒箇个活鱼子，大大细细都要得，活鱼子嘞，破咁，洗净来，跌滗水来，放兜子油，用细火子去煎，煎哩以后就去舞兜糠啊，舞倒火去熏。爱熏，～就系爱焙，爱用火去焙，唔焙就唔好食。还有只嘞就莫去用油炸，油一炸就唔好食哩，箇～油一炸就唔好食哩。油炮咯，油一炮就唔好食哩。最好就炼才干，箇就好食，炼倒干呐，炼干来呀。生生子就放倒去炼啊，跌滗下子水来就炼，炼做干。食个时候子就简单了唠，碗碗哩装倒，放兜子青辣椒子，以下放兜子油盐呐，放兜茶油放兜盐呐，欸，放兜子味精子，放兜子么个配料子箇只嘞，就食得啊，蒸倒就食得。tsei^{53}xau^{21}lei^{0}tsʰiəu^{53}u^{21}tau^{21}kai^{53}ke^{53}uɔit^{5}ŋ̍$^{13}_{21}$tsɿ^{0},tʰai^{53}tʰai^{53}se^{53}se^{53}təu$^{35}_{44}$iau^{53}tek^{3},uɔit^{5}

ŋ̍$^{13}_{44}$tsɿ^{0} le^{0},p^{h}o^{53}kan^{21},sei^{21}ts^{h}iaŋ^{53}lɔi$^{13}_{44}$,tet^{3} lian^{21}ʂei^{21}lɔi$^{13}_{44}$,fɔŋ^{53}te$^{35}_{53}$tsɿ^{0} iəu$^{13}_{21}$,iəŋ^{53}se^{53}fo^{21}tsɿ^{0} çi$^{53}_{44}$tsen^{35},tsen^{35}ni^{0} i$^{35}_{44}$ xei^{53}ts^{h}iəu^{53}çi^{53}u^{21}tei$^{35}_{44}$xɔŋ^{35}ŋa^{0},u^{21}tau^{21}fo^{21}çi^{53}çiəŋ^{35}.ɔi$^{53}_{44}$çiəŋ^{35},fo^{21}p^{h}ɔi^{53}ŋ̍^{13}tsɿ^{0} ts^{h}iəu$^{53}_{44}$xei$^{53}_{44}$ɔi$^{53}_{44}$p^{h}ɔi^{53},ɔi$^{53}_{44}$iəŋ$^{53}_{44}$ fo^{21}çi$^{53}_{44}$p^{h}ɔi^{53},n̩^{13}p^{h}ɔi^{53}ts^{h}iəu$^{53}_{21}$m̩$^{13}_{21}$mau^{21}(←xau^{21})ʂət^{5}.xai^{13}iəu$^{35}_{53}$tʂak^{3} lei^{0} ts^{h}iəu$^{53}_{44}$mɔk^{5} çi^{53}iəŋ$^{53}_{44}$iəu^{13}tsa^{53},iəu^{13} iet^{3} tsa^{53}ts^{h}iəu^{53}m̩$^{13}_{21}$mau^{21}(←xau^{21})ʂət^{5} li^{0},kai$^{53}_{44}$fo^{21}p^{h}ɔi^{53}ŋ̍^{13}tsɿ^{0} iəu^{13}iet^{3} tsa^{53}tsiəu$^{53}_{44}$n̩$^{13}_{21}$nau^{21}(←xau^{21})ʂət^{5} li^{0}. iəu^{13}p^{h}au^{13}ko^{0},iəu^{13}iet^{3} p^{h}au^{13}tsiəu^{53}n̩$^{13}_{21}$nau^{21}(←xau^{21})ʂət^{5} li^{0}.tsei^{53}xau^{21}tsiəu$^{53}_{44}$xɔk^{3} ts^{h}ai$^{13}_{44}$kɔn^{35},kai^{53}ts^{h}iəu^{53} xau^{21}ʂət^{5},xɔk^{3} tau^{21}kɔn^{35}na^{0},xɔk^{3} kɔn^{35}nɔi$^{13}_{21}$ia^{0}.saŋ^{35}saŋ^{35}tsɿ^{0} tsiəu$^{53}_{44}$fɔŋ^{53}tau^{21}çi^{53}xɔk^{3} a^{0},tet^{3} lian^{21}xa^{53}tsɿ^{0} ʂei^{21} lɔi^{13}ts^{h}iəu^{53}xɔk^{3},xɔk^{3} tso^{53}kɔn^{35}.ʂət^{5} ke^{0} ʂʅ$^{13}_{44}$xei^{53}tsɿ^{0} ts^{h}iəu$^{53}_{44}$kan^{21}tan$^{35}_{44}$niau^{21}lau^{0},uɔn^{21}uɔn^{21}ni^{0} tʂɔŋ^{35}tau^{21},fɔŋ^{53} təu$^{35}_{53}$tsɿ^{0} ts^{h}iaŋ^{35}lait^{5} tsiau^{35}tsɿ^{0},i^{21}xa$^{53}_{44}$fɔŋ^{53}təu$^{35}_{53}$tsɿ^{0} iəu^{13}ian$^{13}_{44}$na^{0},fɔŋ^{53}tei$^{35}_{53}$ts^{h}a$^{13}_{44}$iəu$^{53}_{44}$fɔŋ^{53}tei$^{35}_{53}$ian^{13}na^{0},e$_{21}$,fɔŋ$^{53}_{44}$ tei$^{35}_{53}$tsɿ^{0} uei^{53}tsin$^{35}_{44}$tsɿ^{0},fɔŋ^{53}tei$^{35}_{53}$tsɿ^{0} mak^{3} ke$^{53}_{44}$p^{h}ei^{53}liau$^{53}_{44}$tsɿ^{0} kai^{53}tʂak^{3} le^{0},ts^{h}iəu$^{53}_{44}$ʂət^{5} tek^{3} a^{0},tʂən^{35}tau$^{21}_{44}$ts^{h}iəu$^{53}_{44}$ ʂət^{5} tek^{3}.

【火焙子】fo^{21}p^{h}ɔi^{53}tsɿ^{0} 名一种木制器具，下方可放火笼或火钵，用于烘烤东西，圆柱形，中部有篾笪子将烤的东西与火隔开：有起～。～嘞，箇就同箇一只子咁个柜子样嘞。有以咁长啊，也用木做个，用树做个。底下就，顶高一层就放衫裤啊，放湿衫裤啊，爱焙个东西呀。底下就放只火笼去呀。欸，放只火个钵去呀，或者火……放只火钵呀，火笼啊，火缸啊，都可以放下底下。中间就用么个，用箇笪子，织倒个篾笪子啊，隔开来呀。莫分渠箇跌下去呀。iəu^{35}çi^{21}fo^{21}p^{h}ɔi^{53}tsɿ^{0}.fo^{21}p^{h}ɔi^{53}tsɿ^{0} le^{0},kai^{53}ts^{h}iəu^{53}t^{h}əŋ$^{13}_{21}$kai^{53}iet^{3} tʂak^{3} tsɿ^{0} kan^{21}cie$^{53}_{44}$k^{h}uei^{53}tsɿ^{0} iɔŋ^{53}lei^{0}.iəu$^{35}_{53}$i^{21} kan^{21}tʂ^{h}ɔŋ^{13}ŋa^{0}.ia$^{35}_{21}$iəŋ^{53}muk^{3} tso^{53}ke$^{53}_{44}$,iəŋ$^{53}_{44}$ʂəu^{53}tso$^{53}_{44}$ke$^{53}_{44}$.tei^{21}xa$^{53}_{44}$ts^{h}iəu$^{53}_{44}$,taŋ^{21}kau$^{35}_{44}$iet^{3} ts^{h}ien$^{13}_{21}$tsiəu$^{53}_{44}$fɔŋ^{53} san^{35}fu^{53}a^{0},fɔŋ^{53}ʂət^{3} san^{35}fu^{53}a^{0},ɔi$^{53}_{44}$p^{h}ɔi^{53}ke$^{53}_{21}$təŋ$^{35}_{44}$si^{0} ia^{0}.tei^{21}xa$^{53}_{44}$ts^{h}iəu$^{53}_{44}$fɔŋ^{53}tʂak^{3} xo^{21}ləŋ^{35}çi$^{53}_{44}$ia^{0}.e$_{21}$,fɔŋ^{53} tʂak^{3} xo^{21}ke^{0} pait^{3} çi$^{53}_{44}$ia^{0},xɔit^{5} tʂa^{21}xo^{21}⋯fɔŋ^{53}tʂak^{3} xo^{21}pait^{3} ia^{0},xo^{21}ləŋ^{35}ŋa^{0},fo^{21}kɔŋ^{35}ŋa^{0},təu$^{35}_{21}$k^{h}o^{21}i^{35}fɔŋ$^{53}_{44}$ ŋa$_{44}$(←xa^{53})tei^{21}xa$^{53}_{44}$.tʂəŋ^{35}kan$^{35}_{44}$ts^{h}iəu$^{53}_{44}$iəŋ^{53}mak^{3} ke$^{53}_{44}$,iəŋ^{53}kai^{53}tait^{3} tsɿ^{0},tʂek^{3} tau^{21}ke$^{53}_{44}$miet^{5} tait^{3} tsɿ^{0} a^{0},kak^{3} k^{h}ɔi$^{13}_{44}$lɔi$^{13}_{21}$ia^{0}.mo^{53}pən^{35}ci$^{13}_{21}$kai$^{53}_{44}$tet^{3} xa$^{53}_{44}$çi$^{53}_{44}$ia^{0}.

【火钵】fo^{21}pait^{3} 名用来烧木炭取暖的陶盆：渠$_{指火焙子}$有两层嘞，隔做两层呶，系唔系？中间用篾箕子做只倒隔倒，底下就放火，放火箱火斗，放火斗也做得，火笼也做得，～也做得。ci^{13} iəu$^{35}_{53}$iɔŋ^{21}ts^{h}ien^{13}ne^{0},kak^{3} tso^{53}iɔŋ^{21}ts^{h}ien^{13}nau^{0},xe$^{53}_{44}$me$^{53}_{44}$?tʂəŋ$^{35}_{44}$kan$^{53}_{44}$iəŋ$^{53}_{44}$miet^{5} sak^{3} tsɿ^{0} tso$^{53}_{44}$tʂak^{3} tau^{21}kak^{3} tau$^{21}_{53}$,te^{21}xa$^{53}_{44}$tsiəu$^{53}_{44}$fɔŋ^{53}fo^{21},fɔŋ^{53}fo^{21}siɔŋ^{35}fo^{21}tei^{21},fɔŋ^{53}fo^{21}tei^{21}a$^{35}_{44}$tso^{53}tek^{3},fo^{21}ləŋ^{35}ŋa$^{35}_{44}$tso^{53}tek^{3},fo^{21}pait^{0} a$^{35}_{44}$ tso^{53}tek^{3}.

【火叉子】fo^{21}ts^{h}a^{35}tsɿ^{0} 名烧火用的叉子（有钱者用铁制的，钱少或节省者用木制的，烧坏了就换一个）：～吧？烧火用个叉子。有大有细。以前呢，搞么个会有～嘞？以前烧柴咯，要冇得柴烧了就烧箇个硇叽，烧箇个秆，我等人个山里嘞烧秆还更得，更赠多烧。如今箇墩里是硬真多烧秆个，欸，我等山角落里个嘞就烧咁个岔子。山角落里人呢，～更赠多用，但是火夹呀爱用，就同如今个火钳样啊。fo^{21}ts^{h}a^{35}tsɿ^{0}pa^{0}?ʂau$^{35}_{44}$fo^{21}iəŋ$^{53}_{44}$kei$^{53}_{44}$ts^{h}a^{35}tsɿ^{0}.iəu^{35}t^{h}ai$^{53}_{44}$iəu^{35}se^{53}.i^{35} ts^{h}ien^{13}nei^{0},kau^{21}mak^{3} e^{0} uɔi^{53}iəu$^{35}_{53}$fo^{21}ts^{h}a^{35}tsɿ^{0} lei^{0}?i$^{35}_{53}$ts^{h}ien$^{13}_{44}$ʂau$^{35}_{44}$ts^{h}ai$^{13}_{21}$ko^{0},iau$^{53}_{21}$mau^{13}(t)ek^{3} ts^{h}ai^{13}ʂau$^{35}_{44}$liau^{0} ts^{h}iəu^{53}ʂau$^{35}_{44}$kai$^{53}_{44}$ke$^{53}_{44}$ləu^{35}ci$^{35}_{44}$,ʂau^{35}kai$^{53}_{44}$ke$^{53}_{44}$kɔn^{21},ŋai^{13}tien^{0} in$^{13}_{21}$ke^{0} san^{35}ni^{21}le^{0} ʂau^{35}kɔn^{21}xan^{13}cien^{53}tek^{3},cien$^{53}_{44}$ maŋ^{13}to$^{35}_{44}$ʂau$^{35}_{44}$.i$^{13}_{21}$cin$^{35}_{44}$kai$^{53}_{44}$t^{h}ɔn^{53}ni^{21}ʂʅ$^{53}_{44}$niaŋ^{53}tʂən^{35}to$^{35}_{44}$ʂau$^{35}_{44}$kɔn^{21}cie^{0},e$_{21}$,ŋai^{13}tien^{0} san^{35}kɔk^{3} lɔk^{3} li^{0} ke$^{53}_{44}$lei^{0} tsiəu$^{53}_{44}$ʂau^{35}kan^{21}ke$^{53}_{44}$ts^{h}a^{53}tsɿ^{0}.san^{35}kɔk^{3} lɔk^{3} li^{0}ɲin^{13}nei^{0},fo^{21}ts^{h}a^{35}tsɿ^{0} cien^{53}maŋ$^{13}_{21}$to$^{35}_{44}$iəŋ^{53},tan^{53}ʂʅ^{53}fo^{21}kait^{3} ia^{0} ɔi^{53}iəŋ^{53},ts^{h}iəu^{53}t^{h}əŋ$^{13}_{21}$i$^{13}_{21}$cin$^{35}_{53}$ke^{53}fo^{21}c^{h}ian^{13}iɔŋ^{53}ŋa^{0}.

【火柴】fo^{21}/xo^{21}ts^{h}ai^{13} 名用细小的木条蘸上磷或硫的化合物制成的取火物。旧称"洋柴"：拿洋柴，（以下）都话只拿～来。la^{53}iɔŋ^{13}ts^{h}ai^{13},təu^{35}ua$^{53}_{44}$tʂak^{3} la^{53}xo^{21}ts^{h}ai^{13}lɔi$^{13}_{21}$.

【火柴盒子】fo^{21}ts^{h}ai^{13}xait^{5} tsɿ^{0} 名装火柴的小盒子：一只～放倒箇火柴边子上。iet^{3} tʂak^{3} fo^{21} ts^{h}ai^{13}xait^{5} tsɿ^{0} fɔŋ^{53}nau^{21}(←tau^{21})kai^{53}fo^{21}ts^{h}ai^{13}pien^{35}tsɿ^{0} xɔŋ^{53}.

【火柴头】fo^{21}ts^{h}ai^{13}t^{h}ei^{13} 名指火柴上粘附上易燃化合物的一端：我等舞倒个～，～放下肚里。墨黑个火柴头子啊，箇舞滴子箇～药子啊，系啊？～个药啊，放下肚里，放箇子弹箇个凶子肚里。ŋai$^{13}_{21}$tien^{0} u^{21}tau^{21}ke^{53}xo^{21}ts^{h}ai^{13}t^{h}ei^{13},fo^{21}ts^{h}ai^{13}t^{h}ei^{13}fɔŋ^{53}ŋa^{53}(←xa^{53})təu^{21}li^{0}.mek$^{5}_{3}$ xek^{3} ke^{53}fo^{21}ts^{h}ai^{13} t^{h}ei^{13}tsa^{0},kai$^{53}_{21}$u^{21}tet^{5} tsɿ^{0} kai$^{53}_{44}$xo^{21}t^{h}ai$_{21}$(←ts^{h}ai^{13})t^{h}ei^{13}iɔk^{5} tsa^{0},xe$^{53}_{44}$a^{0}?fo^{21}ts^{h}ai$^{13}_{21}$t^{h}ei$^{13}_{21}$ke$^{53}_{44}$iɔk^{5} a^{0},fɔŋ^{53}ŋa^{53} (←xa^{53})təu^{21}li^{0},fɔŋ$^{53}_{44}$kai^{53}tsɿ^{21}t^{h}an^{53}kai$^{53}_{44}$ke$^{53}_{44}$t^{h}ɔŋ^{53}tsɿ^{0} təu^{21}li^{0}.

【火铲】fo^{21}ts^{h}an^{21} 名用来铲火屎的工具：铲火屎个～ ts^{h}an^{21}fo^{21}ʂʅ^{21}ke$^{53}_{44}$fo^{21}ts^{h}an^{21}｜（猪肉个皮上）有毛以前是拿倒～来烧，放来去烈嘞。iəu$^{35}_{44}$mau^{35}i$^{35}_{53}$ts^{h}ien$^{13}_{21}$ʂʅ$^{53}_{44}$la^{53}tau^{21}fo^{21}ts^{h}an^{21}nɔi$^{13}_{21}$ʂau^{35},fɔŋ$^{53}_{44}$lɔi$^{13}_{21}$ çi^{53}lait^{3} lei^{0}.

【火葱子】fo^{21}ts^{h}əŋ^{35}tsɿ^{0} 名小香葱：葱子有两种，一种安做四季葱。一年四季都有个就四季葱。箇种葱子冇咁香。还有种就～，冬下有个。如今热天冇得了，如今冇得哩，～如今冇得哩。渠就同箇个藠子样就剩倒一只蔸了，欸。做向料哇，～只做向料哇。～更香呢。ts^{h}əŋ^{35}tsɿ^{0} iəu^{35}iɔŋ^{21}tʂəŋ^{21},iet^{3} tʂəŋ^{21} ɔn$^{35}_{44}$tso$^{53}_{44}$si^{53} ci^{53}ts^{h}əŋ^{35}.iet^{3} ɲien^{13} si^{53} ci^{53} təu$^{35}_{44}$iəu$^{35}_{44}$ke^{0} ts^{h}iəu$^{53}_{21}$si^{53} ci$^{53}_{44}$ts^{h}əŋ^{35}.kai^{53} tʂəŋ^{21} ts^{h}əŋ$^{35}_{44}$tsɿ^{0} mau$^{13}_{21}$kan^{21} çiɔŋ^{35}.xai$^{13}_{21}$iəu$^{35}_{53}$tʂəŋ^{21}ts^{h}iəu^{53}fo^{21}ts^{h}əŋ^{35}tsɿ^{0},təŋ^{35}xa$^{53}_{44}$iəu$^{35}_{44}$ke^{0}.i$^{13}_{21}$cin$^{35}_{44}$ɲie^{5} t^{h}ien$^{35}_{44}$mau$^{13}_{21}$tek^{3} liau^{0},i$^{13}_{21}$cin$^{35}_{53}$mau$^{13}_{44}$tek^{3} li^{0},fo^{21}ts^{h}əŋ^{35}tsɿ^{0} i$^{13}_{21}$cin$^{35}_{53}$mau$^{13}_{21}$(t)ek^{3} li^{0} .ci$^{13}_{21}$ts^{h}iəu^{53}t^{h}əŋ$^{13}_{21}$kai$^{53}_{44}$kei$^{53}_{44}$c^{h}iau^{35}tsɿ^{0} iɔŋ^{53}ts^{h}iəu^{53} ʂən^{53}tau^{21}iet^{3} tʂak^{3} tei^{35}liau^{0},e$_{21}$.tso$^{53}_{44}$çiɔŋ^{53}liau$^{53}_{21}$ua^{0},fo^{21}ts^{h}əŋ^{35}tsɿ^{0} tsɿ^{21}tso^{53} çiɔŋ^{53}liau$^{53}_{21}$ua^{0} .fo^{21}ts^{h}əŋ$^{35}_{53}$tsɿ^{0}ken$^{53}_{44}$ çiɔŋ^{35}ne^{0}.

【火斗】fo^{21}tei^{21} 名旧时木制斗状器具，内装小瓦钵或洋铁皮盒，冬天可烧木炭取暖：～就木做个。火笼就篾箩做个。fo^{21}tei^{21}ts^{h}iəu^{53}muk^{3} tso^{53}ke$^{53}_{44}$.fo^{21}ləŋ^{13}ts^{h}iəu$^{53}_{44}$miet^{5} sak^{3} tso$^{53}_{44}$ke$^{53}_{44}$.

【火缸】fo^{21}kɔŋ^{35} 名冬天用来烧木炭烤火的陶器：箇是～也算只嘞。～也就系火盆箇一类个东西唠。瓦个，系，瓦做个。kai$^{53}_{44}$ʂɿ$^{53}_{44}$fo^{21}kɔŋ^{35}ŋa$_{44}$(←ia^{35})sɔn^{53}tʂak^{3} lei^{0} .fo^{21}kɔŋ^{35}ia^{35}tsiəu$^{53}_{44}$xei$^{53}_{44}$fo^{21}p^{h}ən^{13} kai$^{53}_{44}$iet^{3} lei^{53}ke$^{53}_{44}$təŋ$^{35}_{44}$si^{0} lau^{0} .ŋa^{21}ke$^{53}_{44}$,xe$^{53}_{44}$,ŋa^{21}tso^{53}ke$^{53}_{44}$. | 以前冇得～，落尾慢慢子有～。i$^{35}_{44}$ts^{h}ien$^{13}_{21}$ mau^{13}tek^{3} fo^{21}kɔŋ^{35},lɔk^{5} mi$^{35}_{44}$man^{53}man$^{53}_{44}$tsɿ^{0} iəu$^{35}_{44}$fo^{21}kɔŋ^{35}.

【火柜】xo^{21}k^{h}uei^{53} 名用来烤火的木箱：渠个嫁妆肚里就有只火……有只树……木板子做个嘞，～，火，安做么个～炙火，唔系火箱哦。ci^{13}ke$^{53}_{44}$ka^{53}tsɔŋ$^{35}_{44}$təu^{21}li^{0} ts^{h}iəu$^{53}_{44}$iəu^{35}tʂak^{3} xo^{21}…iəu^{53} tʂak^{3} ʂəu^{53}…muk^{3} pan^{21}tsɿ^{0} tso$^{53}_{44}$ke$^{53}_{44}$lei^{0},xo^{21}k^{h}uei^{53},xo^{21},ɔn^{35}tso$^{53}_{44}$mak^{3} (x)e$^{53}_{44}$fo^{21}k^{h}uei^{53}tʂak$^{3}_{5}$ fo^{21},m̩^{13}p^{h}e^{53} (←xe^{53})xo^{21}siɔŋ^{35}ŋo^{0}.

【火海】fo^{21}xɔi^{21} 名指大片炽烈的火，也喻指苦难、苦恼或邪恶的境地或状态：下～xa^{35}fo^{21} xɔi^{21}

【火烘楼】fo^{21}/xo^{21}fən^{53}lei^{13} 名厨房的楼上一层：箇～上整个一只灶下烟䵋䵋哩。箇个冇得了，有，蛮少了。可能北乡怕还有。北乡人更冇得哩啊。kai$^{53}_{44}$xo^{21}fən$^{53}_{44}$nei^{13}xɔŋ$^{53}_{44}$tʂən^{21}ko^{53}iet^{3} tʂak^{3} tsau^{53}xa^{35}ien$^{35}_{44}$kəŋ^{53}kəŋ^{53}li^{0} .kai$^{53}_{44}$ke$^{53}_{44}$mau$^{13}_{21}$tek^{3} liau^{0},mau$^{13}_{21}$,man^{13}ʂau^{21}liau^{0} .k^{h}o^{21}len^{13}pɔit^{3} çiɔŋ^{35}p^{h}a^{53}xai$^{13}_{21}$ iəu$^{35}_{44}$.pɔit^{3} çiɔŋ^{35}ɲin$^{13}_{21}$cien^{53}mau$^{13}_{21}$tek^{3} li^{0} a^{0}.

【火夹】fo^{21}kait^{3} 名用竹片弯成的夹柴火的工具：㸙只子细滴子个竹子呢，箇生竹子啦，欸生个，劈开来，咁大子个竹子有哩，劈做两箩，中间削正下子。你看，劈做两箩以后，中间削薄下子，箇只正中间呐，削薄下子。以下子放下火上去熛，放下明火上去熛，熛哩以后嘞，熛软哩下子以后嘞，就咁子拗下转来，就做成哩～，唔爱一分钱。u^{21}tʂak^{3} tsɿ^{0} se^{53}tiet^{5} tsɿ^{0} ke^{0} tʂəuk^{3} tsɿ^{0} nei^{0},kai$^{53}_{44}$saŋ^{35}tʂəuk^{3} tsɿ^{0} la^{0},e^{0} saŋ^{35}kei^{53},p^{h}iak^{3} k^{h}ɔi$^{35}_{44}$lɔi$^{13}_{44}$,kan$^{21}_{13}$t^{h}ai^{53}tsɿ^{0} ke^{0} tʂəuk^{3} tsɿ^{0} iəu^{35}li^{0}, p^{h}iak^{3} tso^{53}iɔŋ^{21}sak^{3},tʂəŋ^{35}kan$^{35}_{44}$siɔk^{3} tʂaŋ^{53}ŋa^{53}tsɿ^{0}. ɲi$^{13}_{44}$k^{h}an$^{53}_{44}$,p^{h}iak^{3} tso^{53}iɔŋ^{21}sak^{3} i$^{35}_{44}$xei$^{53}_{44}$,tʂəŋ^{35}kan$^{35}_{44}$siɔk^{3} p^{h}ɔk^{5} (x)a^{53}tsɿ^{0},kai$^{53}_{44}$tʂak^{3} tʂən^{53}tʂəŋ$^{35}_{44}$kan$^{35}_{44}$na^{0},siɔk^{3} p^{h}ɔk^{5} (x)a^{53}tsɿ^{0} .ia$_{21}$(←i^{21}xa^{53})tsɿ^{0} fɔŋ^{53}ŋa^{53}fo^{21}xɔŋ^{53}çi^{53} t^{h}an^{13},fɔŋ^{53}xa^{53}min^{13}fo^{21}xɔŋ^{53}c^{h}i^{53}t^{h}an^{13},t^{h}an^{13}li^{0} i$^{35}_{44}$xei$^{53}_{44}$lei^{0},t^{h}an^{13}ɲiɔn^{35}ni^{0} xa$^{53}_{44}$tsɿ^{0} i$^{35}_{44}$xei$^{53}_{44}$lei^{0},ts^{h}iəu$^{53}_{44}$kan$^{21}_{44}$tsɿ^{0} au^{21}ua^{53}tʂuɔn^{21}nɔi$^{13}_{44}$,ts^{h}iəu$^{53}_{44}$tso^{53}ʂaŋ$^{13}_{44}$li^{0} fo^{21}kait^{3},m̩$^{13}_{21}$mɔi^{53}iet^{3} fən^{35}ts^{h}ien$^{13}_{44}$.

【火架子】fo^{21}ka^{53}tsɿ^{0} 名罩在火缸或火钵上便于烤火或烘衣物等的架子，也指火斗外围的木架子：～就欸有两起～。一起～嘞就系火缸或者火钵面上个架子，呣，咁多人坐倒来炙箇只～。还有种嘞就火斗面上个架子。火斗就让门搞嘞？肚里用铁皮做只四四方方个一只箇盆盆，铲兜火，系啊？箇炙脚个时候子嘞你就渠就面上可以放只～，人脚就踩下～上。火斗上个～。有兜是火缸上个～，火缸上个～还有焐衫裤也可以用，也可以用～。fo^{21}ka^{53}tsɿ^{0} ts^{h}iəu$^{53}_{44}$ei$_{21}$iəu^{35} iɔŋ^{21}çi^{21}fo^{21}ka^{53}tsɿ^{0}.iet^{3} çi^{21}fo^{21}ka^{53}tsɿ^{0} lei^{0} tsiəu$^{53}_{44}$xei$^{53}_{44}$fo^{21}kɔŋ^{35}xɔit^{5} tʂa^{21}fo^{21}pait^{3} mien^{53}xɔŋ^{53}ke$^{53}_{44}$ka^{53}tsɿ^{0},m̩$_{21}$, kan^{21}to^{35}ɲin$^{13}_{44}$ts^{h}o^{35}tau^{21}lɔi$^{13}_{44}$tʂak^{3} kai$^{53}_{44}$tʂak^{3} fo^{21}ka^{53}tsɿ^{0}.xai$^{13}_{21}$iəu$^{35}_{53}$tʂəŋ^{21}le^{0} tsiəu^{53}fo^{21}tei^{21}mien^{53}xɔŋ$^{53}_{44}$ke$^{53}_{44}$ka^{53}tsɿ^{0}. fo^{21}tei^{21}ts^{h}iəu$^{53}_{44}$ɲiɔŋ^{53}mən^{0} kau^{21}lei^{0} ?təu^{21}li^{0} iɔŋ^{53}t^{h}et^{3} p^{h}i^{13}tso$^{53}_{44}$tʂak^{3} si^{53}si^{53}fɔŋ^{35}fɔŋ^{35}kei$^{53}_{21}$iet^{3} tʂak^{3} kai^{53}p^{h}ən^{13} p^{h}ən$^{13}_{44}$,ts^{h}an^{21}tei$^{35}_{53}$fo^{21},xei$^{53}_{44}$a^{0} ?kai^{53}tʂak^{3} ciɔk^{3} ke^{53}ʂɿ^{13}xəu^{53}tsɿ^{0} lei^{0} ɲi$^{13}_{21}$ts^{h}iəu$^{53}_{44}$ci$^{13}_{21}$ts^{h}iəu^{53}mien^{53}xɔŋ^{53}k^{h}o^{21}i$^{35}_{44}$ fɔŋ^{53}tʂak^{3} fo^{21}ka^{53}tsɿ^{0}, ɲin^{13}ciɔk^{3} ts^{h}iəu^{53}ts^{h}ai^{21}ia^{0} fo^{21}ka^{53}tsɿ^{0} xɔŋ^{53}.fo^{21}tei^{21}xɔŋ^{53}ke^{0} fo^{21}ka^{53}tsɿ^{0} .iəu^{35}tei$^{35}_{53}$ʂɿ$^{53}_{44}$fo^{21} kɔŋ^{35}xɔŋ$^{53}_{44}$ke^{0} fo^{21}ka^{53}tsɿ^{0},fo^{21}kɔŋ^{35}xɔŋ$^{53}_{44}$ke^{0} fo^{21}ka^{53}tsɿ^{0} xai$^{13}_{21}$iəu^{35}xɔk^{3} san^{35}fu^{53}ia$^{35}_{44}$k^{h}o^{21}i$^{35}_{44}$iəŋ^{53},ia^{35}k^{h}o^{21}i$^{35}_{44}$iəŋ^{53} fo^{21}ka^{53}tsɿ^{0}.

【火镜子】fo^{21}ciaŋ^{53}tsɿ^{0} 名老花眼镜：老花眼镜又安做～。～就渠会聚焦哇。老花眼镜会聚焦哇。欸嘿，我是用客姓讲法。欸，因为聚焦哇，系唔系？～渠会着火啊。你底下放条火柴呀，拿老花眼镜搞嘿去，会着火，系啊？底下有欸就可以生火哇，欸。安做～啊。lau^{21}fa^{35}ŋan^{21}

ciaŋ^{53}iəu$^{53}_{44}$ɔn$^{35}_{44}$tso$^{53}_{44}$fo^{21}ciaŋ^{53}tsɿ^{0}.fo^{21}ciaŋ$^{53}_{44}$tsɿ^{0} ts^{h}iəu$^{53}_{44}$ci$^{13}_{21}$fei$^{53}_{44}$ts^{h}i^{53}tsiau^{35}ua^{0}.lau^{21}fa^{35}ŋan^{21}ciaŋ$^{53}_{44}$uɔi$^{53}_{44}$ts^{h}i^{53} tsiau^{35}ua^{0}.e$_{21}$xe$_{21}$,ŋai^{13}ʂʅ$^{53}_{44}$iəŋ$^{53}_{44}$k^{h}ak^{3} sin^{53}kɔŋ^{21}fait^{3}.ei$_{21}$,in$^{35}_{44}$uei$^{53}_{44}$ts^{h}i^{53}tsiau^{35}ua^{0},xei$^{53}_{44}$me$^{53}_{44}$?fo^{21}ciaŋ$^{53}_{44}$tsɿ^{0} ci^{13}uɔi$^{53}_{44}$ tʂ^{h}ɔk^{5} fo^{21}a^{0}. ɲi^{13}te^{21}xa^{53}fɔŋ^{53}t^{h}iau$^{13}_{21}$fo^{21}ts^{h}ai^{13}ia^{0},la^{53}lau^{21}fa$^{35}_{44}$ŋan^{21}ciaŋ^{53}kau^{21}xek^{3} çi$^{53}_{44}$,uɔi^{53}tʂ^{h}ɔk^{5} fo^{21},xe$^{53}_{44}$ a^{0}?te^{21}xa$^{53}_{44}$iəu$^{35}_{44}$e$_{21}$ts^{h}iəu$^{53}_{21}$k^{h}o^{21}i^{35}sen$^{35}_{44}$xo^{21}ua^{0},e$_{21}$.ɔn^{35}tso^{53}fo^{21}ciaŋ^{53}tsa^{0}.

【火笼】fo^{21}ləŋ^{35} 名 一种便携式篾制烤火器具，内装小瓦钵，冬天可烧木炭取暖。也称“火笼子”：我等客姓人最多个就火斗摎～。ŋai^{13}tien^{0}k^{h}ak^{3} sin^{53}ɲin^{13}tsi^{53}to^{35}ke^{53}ts^{h}iəu^{53}fo^{21}tei^{21}lau^{35}fo^{21}ləŋ^{13}.｜（长手巾）底下就放只子～子。炙倒～子。te^{21}xa$^{53}_{44}$tsiəu$^{53}_{44}$fɔŋ^{53}tʂak^{3} tsɿ^{0} fo^{21}ləŋ^{35}tsɿ^{0}.tʂak^{3} tau$^{21}_{44}$fo^{21} ləŋ^{35}tsɿ^{0}.

【火漏子】fo^{21}lei^{53}tsɿ^{0} 名 木板钉成的简易棺材，用于安葬夭亡的儿童：箇一般就细人子个箇咁长子个细人子箇只啦，箇就唔得舞副大棺材呢，箇就舞滴树板子呢。舞滴板子呢钉副子棺材呢。箇个树板子钉个安做～呢。kai$^{53}_{44}$iet^{3} pɔn^{35}ts^{h}iəu$^{53}_{44}$sei^{53}ɲin$^{13}_{21}$tsɿ^{0} ke$^{53}_{44}$kai$^{53}_{44}$kan^{21}tʂ^{h}ɔŋ$^{13}_{21}$tsɿ^{0} ke$^{53}_{44}$sei^{53}ɲin$^{13}_{21}$ tsɿ^{0} kai$^{53}_{44}$tʂak^{3} la^{0},kai$^{53}_{44}$ts^{h}iəu$^{53}_{44}$m̩^{13}tek^{3} u^{21}fu$^{53}_{44}$t^{h}ai^{53}kɔn$^{35}_{44}$ts^{h}ɔi$^{13}_{21}$nei^{0},kai$^{53}_{21}$ts^{h}iəu$^{53}_{44}$u^{21}tiet^{5} ʂəu^{53}pan^{21}tsɿ^{0} nei^{0}.u^{21}tiet^{5} pan^{21}tsɿ^{0} nei^{0} taŋ^{35}fu^{53}tsɿ^{0} kɔn^{35}ts^{h}ɔi$^{13}_{21}$nei^{0}.kai$^{53}_{44}$ke$^{53}_{44}$ʂəu^{53}pan^{21}tsɿ^{0} taŋ$^{35}_{44}$ke$^{53}_{44}$ɔn$^{35}_{44}$tso$^{53}_{44}$fo^{21}lei^{53}tsɿ^{0} nei^{0}.

【火炉间】fo^{21}ləu^{13}kan^{35} 名 冬天烧明火取暖的房间：我等以映子嘞冇得箇个，唔系是有滴栏场是还舞只间嘞。箇我等以映客家人冇得咁个。渠等安做烤火房啊。烧明火。舞只……客家人有滴也有嘞。有滴人也有嘞。烤火房啊。～呶，～，安做～。冷天冷起来啊，分四边个门关得煞煞子啊。肚里箇屋就比较高哇。欸，屋就蛮高哇，冇得楼板呐。欸，等渠高哇渠个烟灰就放放倒箇上背吵。欸，以下就吊……欸，楼栿上就吊只箇个么个，舞只铁丝吊只钩钩呀，钩上就吊把茶壶哇。底下就烧明火。茶壶顶高就还有滴这个吊滴猪肉箇只啦。就来炕猪肉啊箇起，箇个明火。箇是你烟狃狃哩哦。箇一出来只鼻公鼻公肚里鼻公肚里都墨乌个噢。欸就安做～嘞。也有咁子人搞法，但唔多。都系客姓人学倒箇个本……当地人个。ŋai^{13}tien^{0} i^{21}iaŋ^{53} tsɿ^{0} lei^{0} mau^{13}tek^{3} kai^{53}cie$^{53}_{44}$,m̩$^{13}_{21}$p^{h}e$_{44}$(←xe^{53})ʂʅ$^{53}_{44}$iəu^{35}tiet^{5} lɔŋ$^{13}_{21}$tʂ^{h}ɔŋ$^{13}_{44}$ʂʅ$^{53}_{44}$xai$^{13}_{21}$u^{21}tʂak^{3} kan^{35}nei^{0}.kai^{53}ŋai^{13}tien^{0} i^{21}iaŋ$^{53}_{44}$k^{h}ak^{3} ka$^{35}_{44}$ɲin$^{13}_{21}$mau^{13}tek^{3} kan^{21}ke$^{53}_{21}$.ci^{13}tien^{0} ɔn$^{35}_{44}$tso$^{53}_{44}$k^{h}au^{21}fo^{21}fɔŋ^{13}ŋa^{0}.ʂau^{35}min^{13}fo^{21}.u^{21}tʂak^{3} …k^{h}ak^{3} ka$^{35}_{44}$ɲin$^{13}_{21}$iəu^{35}tet^{5} ia$^{35}_{44}$iəu$^{35}_{44}$lei^{0}.iəu^{35}tet^{5} ɲin$^{13}_{21}$ia$^{35}_{44}$iəu$^{35}_{53}$lei^{0}.k^{h}au^{21}fo^{21}fɔŋ^{13}ŋa^{0}.xo^{21}ləu^{13}kan^{35}nau^{0},fo^{21}ləu^{13} kan^{35},ɔn$^{35}_{44}$tso^{53}fo^{21}ləu^{13}kan^{35}.laŋ^{35}t^{h}ien$^{35}_{21}$laŋ^{35}çi^{21}lɔi$^{13}_{44}$a^{0},pən^{35}si^{53}pien$^{35}_{44}$ke$^{53}_{44}$mən^{13}kuan^{35}tek^{3} sait^{3} sait^{3} tsa^{0}.təu^{21} li^{0} kai^{53}uk^{3} ts^{h}iəu^{53}pi^{21}ciau$^{53}_{44}$kau^{35}ua^{0}.e$_{21}$,uk^{3} ts^{h}iəu^{53}man$^{13}_{21}$kau^{35}ua^{0},mau^{13}tek^{3} lei^{13}pan^{21}na^{0}.e$_{21}$,tien^{21}ci$^{13}_{21}$kau^{35} ua^{0} ci^{13}ke$^{53}_{44}$ien^{35}fɔi^{35}ts^{h}iəu$^{53}_{44}$fɔŋ^{53}fɔŋ$^{53}_{44}$tau^{21}kai$^{53}_{44}$ʂɔŋ^{53}pɔi^{53}ʂa^{0}.ei$_{21}$,i^{21}xa$^{53}_{44}$ts^{h}iəu$^{53}_{44}$tiau^{53}…e$_{44}$,lei^{13}fuk^{5} xɔŋ$^{53}_{44}$ts^{h}iəu$^{53}_{44}$ tiau^{53}tʂak^{3} kai$^{53}_{44}$kei$^{53}_{44}$mak^{3} kei$^{53}_{44}$,u^{21}tʂak^{3} t^{h}iet^{3} sɿ$^{35}_{44}$tiau^{53}tʂak^{3} ciei^{35}ciei$^{35}_{44}$ia^{0},ciei^{35}xɔŋ$^{53}_{44}$ts^{h}iəu$^{53}_{44}$tiau^{53}pa^{21}ts^{h}a^{13}fu^{13} ua^{0}.tei^{21}xa^{53}ts^{h}iəu^{53}ʂau$^{35}_{44}$min^{13}fo^{21}.ts^{h}a^{13}fu^{13}taŋ^{21}kau^{35}ts^{h}iəu^{53}xai^{13}iəu^{35}tiet$^{5}_{3}$tʂe$^{53}_{21}$ke$^{53}_{21}$tiau^{53}tet^{5} tʂəu^{35}ɲiəuk^{3} kai$^{53}_{44}$ tʂak^{3} la^{0}.ts^{h}iəu$^{53}_{44}$lɔi$^{13}_{21}$k^{h}ɔŋ^{53}tʂəu^{35}ɲiəuk^{3} a^{0} kai$^{53}_{44}$(ç)i^{21},kai$^{53}_{44}$ke$^{53}_{44}$min^{13}fo^{21}.kai$^{53}_{44}$ʂʅ$^{53}_{44}$ɲi$^{13}_{44}$ien^{35}kəŋ$^{53}_{21}$kəŋ^{53}li^{0} o^{0}.kai$^{53}_{44}$ iet^{3} tʂ^{h}ət^{3} lɔi^{13}tʂak^{3} p^{h}i$^{53}_{44}$kəŋ$^{35}_{44}$p^{h}i$^{53}_{44}$kəŋ$^{35}_{44}$təu^{21}li^{0} p^{h}i$^{53}_{44}$kəŋ$^{35}_{44}$təu^{21}li^{0} təu$^{35}_{44}$mek^{5} u$^{35}_{44}$ke$^{53}_{44}$au^{0}.e$_{21}$tsiəu$^{53}_{44}$ɔn$^{35}_{44}$tso$^{53}_{44}$fo^{21}ləu^{13} kan^{35}ne^{0}.ia^{35}iəu^{35}kan^{21}tsɿ^{0}ɲin^{13}kau^{21}fait^{3},tan^{53}n̩$^{13}_{21}$to^{35}.təu^{35}xei$^{53}_{44}$k^{h}ak^{3} sin^{53}ɲin$^{13}_{21}$xɔk^{5} tau^{21}kai$^{53}_{44}$ke$^{53}_{44}$pən^{21}…tɔŋ^{35} t^{h}i^{53}ɲin$^{13}_{21}$cie$^{53}_{44}$.

【火络子】fo^{21}lɔk^{5}tsɿ^{0} 名 盛放松明子以照明的器具。又称“松光络”：介绍一下松光络，～哦。/～。/松光照湖鳅。kai^{53}ʂau$^{13}_{21}$iet$^{3}_{5}$xa$^{53}_{44}$ts^{h}iəŋ^{13}kɔŋ$^{35}_{44}$lɔk^{5},fo^{21}lɔk^{5} tsɿ^{0} o^{0}./fo^{21}lɔk^{5} tsɿ^{0}./ts^{h}əŋ^{13}kɔŋ$^{35}_{44}$tʂau^{53}fu^{13} ts^{h}iəu$^{35}_{44}$.

【火喷筒】fo^{21}p^{h}aŋ^{35}t^{h}əŋ^{13} 名 吹火筒；用以吹气助燃的竹筒：舞筒竹，舞筒长长哩个欸蛮长子个竹，唔爱几大，就咁大子有哩，上背打穿来，底下留只节，底下留只节啊，底下箇只节嘞就莫打穿哩，用钻子钻只子眼，用么个东西舞只子眼，咁子去喷，箇个风嘞就走箇只眼子肚里吹下箇映去哩，就呃就安做～。渠就系代替风箱个作用，欸，以个～只爱嘴巴喷。嘴巴你咁子，箇肚里烧火箇灶是蛮长，系啊？咁子喷是喷唔倒喷唔倒，渠就舞只～，窿下箇肚里去，以映子嘴上只爱吹凑。箇是箇只东西冇么个蛮干净哟，你也吹渠也吹哟，尽兜都舞倒放下嘴里去吹哟。如今是灶下就几项东西嘞，一只就火夹呀，一只就～噢，还有只就铲呶。一般就三项子东西。u^{21}t^{h}əŋ$^{13}_{44}$tʂəuk^{3},u^{21}t^{h}əŋ$^{13}_{44}$tʂ^{h}ɔŋ^{13}tʂ^{h}ɔŋ$^{13}_{21}$li^{0} ke^{0} ei^{0} man$^{13}_{21}$tʂ^{h}ɔŋ$^{13}_{21}$tsɿ^{0} ke^{0} tʂəuk^{3},m̩$^{13}_{21}$mɔi$^{53}_{44}$ci^{21}t^{h}ai^{53}, tsiəu$^{53}_{21}$kan^{21}t^{h}ai$^{53}_{44}$tsɿ^{0} iəu^{35}li^{0},ʂɔŋ^{53}pɔi$^{53}_{44}$ta^{21}tʂ^{h}uɔn^{35}nɔi$^{13}_{44}$,te^{21}xa^{53}liəu$^{13}_{44}$tʂak^{3} tset^{3},tsei^{53}tei^{21}xa^{53}liəu$^{13}_{44}$tʂak^{3} tset^{3} a^{0},tei^{21}xa$^{53}_{44}$kai^{53}tʂak^{3} tsiet^{3} lei^{0} ts^{h}iəu$^{53}_{44}$mɔk^{5} ta^{21}tʂ^{h}uɔn^{35}ni^{0},iəŋ^{53}tsɔn^{53}tsɿ^{0} tsɔn^{53}tʂak^{3} tsɿ^{0} ŋan^{21},iəŋ^{53}mak^{3} e^{0} təŋ$^{35}_{44}$ si^{0} u^{21}tʂak^{3} tsɿ^{0} ŋan^{21},kan^{21}tsɿ^{0} çi^{53}p^{h}aŋ^{35},kai$^{53}_{44}$ke$^{53}_{44}$fəŋ^{35}lei^{0} ts^{h}iəu^{53}tsei^{21}kai^{53}tʂak^{3} ŋan^{21}tsɿ^{0} təu^{21}li^{0} tʂ^{h}ʮ^{35}(x)a$^{53}_{44}$ kai$^{53}_{44}$iaŋ$^{53}_{44}$çi^{53}li^{0},ts^{h}iəu$^{53}_{44}$ə^{0} ts^{h}iəu^{53}ɔn$^{35}_{53}$tso^{53}fo^{21}p^{h}aŋ$^{35}_{53}$t^{h}əŋ^{13}.ci$^{13}_{21}$ts^{h}iəu$^{53}_{44}$xe$^{53}_{44}$t^{h}ɔi^{53}t^{h}i$^{53}_{44}$fəŋ^{35}siɔŋ$^{35}_{44}$ke^{0} tsɔk^{3} iəŋ^{53},e$_{21}$, i21 ke53 fo21 pʰaŋ35_53 tʰəŋ13_44 tʂʅ21 ɔi53 tsi21 pa35_44 pʰaŋ35.tsi21 pa35_44 ɲi13_21 kan21 tsʅ0,kai53_44 təu21 li0 ʂau35 fo21 kai53_44 tsau53 ʂʅ53_44 man13_44 tʂʰɔŋ13,xei53 a0 ?kan21 tsʅ0 pʰən35 ʂʅ53_44 pʰən35 n̩13_44 tau21 pʰaŋ35 n̩13_21 tau21,ci13_21 tsiəu53 u21 tʂak3 fo21 pʰaŋ35 tʰəŋ13,ləŋ13 ŋa53 kai53 təu21 li0 çi53,i21 iaŋ53 tsʅ0 tʂɔi53 ʂɔŋ53_44 tʂʅ21 ɔi53_44 tʂʰei35 tsʰe0.kai53 ʂʅ53_44 kai53 tʂak3 təŋ35_44 si0 mau13 mak3 e0 man13 kɔn35 tsʰin53 iau0, ɲi13 ia35_44 tʂʰei35_44 ci13_21 ia35_53 tʂʰei35_44 iau0,tsʰin53 te35_44 təu35_53 u21 tau21 fɔŋ53 xa53 tʂɔi53 li0 çi53_44 tʂʰei35 iau0.i13_21 cin35_44 ʂʅ53_44 tsau53 xa53_44 tsʰiəu53 ci21 xɔŋ53 təŋ35_44 si0 le0,iet3 tʂak3 tsʰiəu53 fo21 kait3 ia0,iet3 tʂak3 tsʰiəu53 fo21 pʰaŋ35_44 tʰəŋ13 ŋau0,xai13_21 iəu35_53 tʂak3 tsʰiəu53 tsʰan21 nau0.iet3 pɔn35 tsʰiəu53 san35_44 xɔŋ53 tsʅ0 təŋ35_44 si0.

【火盆】fo21 pʰən13 名炭盆。又称“踏盆”：欸，我等是以前就箇个嘞～让门子来个嘞？欸箇阵子冇也冇得钱买火缸，就舞只烂面盆呢。嗯。舞只烂面盆就呃底下垫兜灰呀，欸铲兜火去，就成哩只～呐。但是有一种专门个火盆，有箇个爱去买个。专门个～让门子嘞？铁做个，一只碟子样，一只懑大个碟子，咁大个碟子样。同时嘞，箇碟子也系咁大个碟子，你想，渠有只咁个，真正个碟子嘞渠放下桌上就放稳哩，渠有只圈圈，系唔系？底下有只圈圈。渠箇只箇～呢渠冇得箇只圈圈，冇得箇铁圈。渠咁子平个放唔稳。就爱舞只做只脚子，用四块四筒树做只脚子，承下地泥下，箇只～呢就放下箇脚子上，你等炙火嘞唔脱鞋，就咁子搁倒箇个火盆边上，安做踏盆，又安做踏盆。箇个我等都有，我等屋下都有，我都炙过，嗯，有一只，铁个。e_21 ŋai13 tien0 ʂʅ53 i35_53 tsʰien13_44 tsʰiəu53_44 kai53 ke53 lei0 fo21 pʰən13 ɲiɔŋ53 mən13_44 tsʅ0 lɔi13_44 ke0 ?ei_21 kai53 tʂʰən53 tsʅ0 mau13 ia35 mau13 tek3 tsʰien13 mai35 fo21 kɔŋ35,tsʰiəu53 u21 tʂak3 lan53 mien53 pʰən13 nei0.n̩_21.u21 tʂak3 lan53 mien53 pʰən13 tsʰiəu53 ə_44 tei21 xa53 tʰian53 təu35_53 fɔi35 ia0,e0 tsʰan21 tei35_53 fo21 çi53_44,tsʰiəu53_44 ʂaŋ13_44 li0 tʂak3 fo21 pʰən13 na0.tan53_44 ʂʅ53_44 iəu35 iet3 tʂəŋ21 tʂen35 mən13_44 ke0 fo21 pʰən13,iəu35 kai53_44 ke53_44 ɔi53 çi53 mai35 ke53.tʂen35 mən13_44 ke0 fo21 pʰən13 ɲiɔŋ53_44 mən13_44 tsʅ0 lei0? tʰet3 tso53 ke0,iet3 tʂak3 tʰiait5 tsʅ0 iɔŋ53,iet3 tʂak3 mən35 tʰai53_44 ke0 tʰiait5 tsʅ0,kan21 tʰai53 ke0 tʰiait5 tsʅ0 iɔŋ53.tʰəŋ13 ʂʅ13_21 lei0,kai53_44 tʰiait5 tsʅ0 ia35 xei53_44 kan21 tʰai53 ke0 tʰiait5 tsʅ0, ɲi13 siɔŋ21,ci13_21 iəu35 tʂak3 kan21_13 kei53,tʂən35 tʂən53_44 ke0 tʰiait5 tsʅ0 lei0 ci13_21 fɔŋ53 xa53 tsɔk3 xɔŋ53_44 tsʰiəu53_44 fɔŋ53 uən21 ni0,ci13_21 iəu35_53 tʂak3 cʰien35 cʰien35,xei53 me53_21?tei21 xa53 iəu35_44 tʂak3 cʰien35 cʰien35_44.ci13_21 kai53 tʂak3 kai53 fo21 pʰən13 nei0 ci13_44 mau13 tek3 kai53 (tʂ)ak3 cʰien35 cʰien35_44,mau13 tek3 kai53 tʰiet3 cʰien35.ci13 kan21_44 tsʅ0 pʰiaŋ13 ke0 fɔŋ53 n̩13_44 uən21.tsʰiəu53 ɔi53 u21 tʂak3 tso53 tʂak3 ciɔk3 tsʅ0,iəŋ53_44 si53 kʰuai53 si53 tʰəŋ13 ʂəu53 tso53 tʂak3 ciɔk3 tsʅ0,ʂən13 na53_44 tʰi53 lai13_21 xa35,kai53 tʂak3 fo21 pʰən13 ne0 tsʰiəu53_44 fɔŋ53 xa53 kai53 ciɔk3 tsʅ0 xɔŋ53, ɲi13 tien0 tʂak3 fo21 lei0 n̩13 tʰɔit3 xai13,tsʰiəu53 kan21 tsʅ0 kɔk3 tau21 kai53 ke53 fo21 pʰən13 pien35 xɔŋ53,ɔn35_44 tso53_44 tʰait5 pʰən13,iəu53_44 ɔn35_44 tso53_44 tʰait5 pʰən13.kai53_44 ke53_44 ŋai13_21 tien0 təu35_44 iəu35,ŋai13 tien0 uk3 xa53_44 təu35_44 iəu35_44,ŋai13 təu35_44 tʂak3 ko53,n̩_21,iəu35 iet3 tʂak3,tʰiet3 ke53.

【火气】fo21 çi53 名①物质燃烧的势头：暗炭子啊，就烧滴烧箇炭子木木柴烧着哩以后呀，欸烧烧着哩以后，隔绝空气，封嘿～。渠就慢慢子就会成哩炭子。an53_44 tʰan53 tsʅ0 a0,tsʰiəu53_44 ʂau35 tet5_3 ʂau35 kai53_44 tʰan53 tsʅ0 muk3 muk3 tsʰai13 ʂau35 tʂʰɔk5 li0 i35 xei53_44 ia0,e_21 ʂau35 ʂau35 tʂʰɔk5 li0 i35 xei53_44,kak3 tsʰiet5_3 kʰəŋ35 çi53_44,fəŋ35 ŋek3 (←xek3)fo21 çi53.ci13_21 tsʰiəu53_44 man53 man53 tsʅ0 tsʰiəu53_44 uɔi53_44 ʂaŋ13_21 li0 tʰan53 tsʅ0. ②中医所谓致病的“六淫邪气”之一，指引起红、热、肿、痛等阳亢表现的病邪：箇个假设箇菜忒炒烈哩，有火气。欸，忒烈哩，会上火啊。kai53_44 ke53_44 cia21 ʂət3 kai53_44 tsʰɔi53 tʰiet3 tsʰau21 lait3 li0,iəu35 fo21 çi53.e_21,tʰiet3 lait3 li0,uɔi53_44 ʂɔŋ35 fo21 a0. ③脾气：你莫咁大个～哟，欸，咁易得发躁喔，系唔系？ɲi13 mɔk5 kan21 tʰai53 ke0 fo21 çi53 io0,e_44,kan21 i53 tek3 fait3 tsau53 uo0,xei53_44 me53_44?

【火钳】fo21 cʰian13 名用来夹取柴火或煤炭的铁制工具：我等箇阵子唔用～呢，冇得～。欸～呢爱系铁打个，爱拿钱去买。ŋai13 tien0 kai53 tʂʰən53 tsʅ0 n̩13 iəŋ53 fo21 cʰian13 nei0,mau13 tek3 fo21 cʰian13.e_53 fo21 cʰian13 ne0 ɔi53 xe53 tʰet3 ta21 ke53,ɔi53 la53 tsʰien13_21 çi53_44 mai35.

【火锹】fo21 tsʰiau35 名一种烧火用具：欸～哇，～就同火铲差唔多嘞就系嘞。～唔系火铲，唔系火铲。火铲是专门用来铲火屎个，铲火笼啊铲火斗个。～是用来搞么个？欸，用来摝那箇镬下个，用来摝箇镬下，用来摝箇个火。渠箇火屎火吵渠箇灶下灶箇火屎多哩渠也歇倒箇肚里嘞，欸，歇倒箇肚里唔烈嘞，镬头唔烈嘞，爱松啊。俗话讲，让门子啊？人爱虚心，火爱空心。火就爱空心，人爱虚心。火唔空心了就用～去摝啊，冇得～就用火铲呶。我硬会唔记得了，箇只～个路子就。e_53 fo21 tsʰiau35 ua0,fo21 tsʰiau35 tsʰiəu53 tʰəŋ13_21 fo21 tsʰan21 tsa35 n̩13_44 to35_44 lei0 tsʰiəu53_44 xei53 lei0.fo21 tsʰiau35 n̩13 xe53 fo21 tsʰan21,m̩13 pʰe53 fo21 tsʰan21.fo21 tsʰan21 ʂʅ53_21 tʂen35_44 mən13 iəŋ53 lɔi13_21 tsʰan21 fo21 ʂʅ21 ke0,tsʰan21 fo21 ləŋ35 ŋa0 tsʰan21 fo21 tei21 ke0.fo21 tsʰiau35 ʂʅ53_21 iəŋ53 lɔi13_44 kau21 mak3 ke53?e_21,iəŋ53 lɔi13_21 ləuk3 lai53_44 kai53_44 uɔk5 xa35 ke0, iəŋ53 lɔi13_21 ləuk3 kai53_44 uɔk5 xa35_44,iəŋ53 lɔi13_21 ləuk3 kai53 ke53 fo21.ci13 kai53 fo21 ʂʅ21 fo21 ʂa0 ci13 kai53 tsau53 xa53_44 tsau53 kai53 fo21 ʂʅ21 to35 li0 ci13_21 ia35 çiet3 tau21 kai53 təu21 li0 lei0,e_21,çiet3 tau21_44 kai53_44 təu21 li0 n̩13 nait3 le0,uɔk3 tʰei13_21 n̩13 nait3 le0,ɔi53 səŋ35 ŋa^{0} .səuk^{3} fa^{53}kɔŋ^{21}, ɲiɔŋ^{53}mən$^{13}_{44}$tsɿ^{0} a^{0} ?ɲin^{13}ɔi^{53}ʂʮ^{35}sin^{35},fɔi^{21}ɔi^{53}kʰəŋ^{35}sin^{35}.fo^{21}tsʰiəu^{53}ɔi^{53}kʰəŋ^{35}sin^{35}, ɲin^{13}ɔi^{53} ʂʮ^{35}sin$^{35}_{44}$.fo^{21}n̩^{13}kʰəŋ^{35}sin$^{35}_{44}$niau^{0} tsʰiəu^{53}iəŋ^{53}fo^{21}tsʰiau^{35}çi^{53}ləuk^{3} a^{0} ,mau^{13}tek^{3} fo^{21}tsʰiau$^{35}_{44}$tsʰiəu^{53}iəŋ^{53}fo^{21} tsʰan^{21}nau^{0} .ŋai^{13}ɲiaŋ^{53}uɔi^{53}n̩^{13}ci^{53}tek^{3} liau^{0} ,kai$^{53}_{44}$tʂak^{3} fo^{21}tsʰiau^{35}ke^{0} ləu^{53}tsɿ^{0} tsʰiəu$^{53}_{44}$.

【火烧鬼】fo^{21}ʂau^{35}kuei^{21} 名被火烧死的人死后变成的鬼：真正被火烧死个人是很少，就有兜子话别人家～嘞就系你就系同箇么个诅咒别人家，咒别人家会惹火烧死，欸，你会变成～个人都，你会成～个人都。tʂən^{35}tʂən^{53}pʰei^{53}fo^{21}ʂau^{35}si^{21}ke^{0}ɲin$^{13}_{44}$ʂɿ$^{53}_{44}$xen^{21}ʂau^{21},tsʰiəu$^{53}_{44}$iəu^{35}tei$^{35}_{53}$tsɿ^{0}ua^{53}pʰiet^{5} in$^{13}_{44}$ka$^{35}_{44}$fo^{21}ʂau^{35}kuei^{21}lei^{0} tsʰiəu^{53}xe^{53}ɲi$^{13}_{21}$tsʰiəu^{53}xe^{53}tʰəŋ$^{13}_{21}$kai^{53}mak^{3} ke$^{53}_{44}$tsəu^{21}tʂəu^{53}pʰiet^{5} in$^{13}_{21}$ka$^{35}_{44}$,tʂəu^{53}pʰiet^{5} in$^{13}_{21}$ka^{35}uɔi^{53}ɲia^{35}fo^{21}ʂau^{35}si^{21},ei$_{21}$, ɲi^{13}uɔi^{53}pien^{53}ʂaŋ$^{13}_{21}$fo^{21}ʂau$^{35}_{44}$kuei^{21}ke^{0}ɲin$^{13}_{21}$təu$^{35}_{53}$, ɲi$^{13}_{21}$uɔi^{53}ʂaŋ$^{13}_{21}$fo^{21}ʂau$^{35}_{44}$kuei^{21} ke^{0}ɲin$^{13}_{21}$təu$^{35}_{53}$.

【火烧杨梅】fo^{21}ʂau^{35}iɔŋ^{13}mɔi^{13} 名杨梅的一种，果实很小且不好吃：我栽过一只杨梅树咯。咁大一只个杨梅。欸，莫去讲渠。一栽，分我一栽以后嘞，成哩点啱大子一只唠咁个～呀。点啱大子一只唠。结嘿就结唔知几多，结就结，晓知让门个？渠等话冇肥话呢，爱下肥话呢。我去摘个时候子，我都记得嘞，我妹子带倒一滴同事，带倒一滴老师啊来我箇嬲，爱摘杨梅，来凤溪中学啊。箇唔系箇阵我系啊凤溪中学？我就带倒渠到岭上去摘杨梅。哈，尽兜都有味呀，箇树杨梅呀，我就记倒哩箇条树去哪映子。咁大子嘞，有咁大子个树嘞。落尾我就冬下头我就跑倒去挖下倒，我一梢，箇一百几十斤呢，我箇阵子背得嘞。一梢，背下归来，栽下箇对盆排行上，栽下咁个菜土里。栽是分我栽活哩噢，结倒滴箇～咁子吃倒冇得味道。哪么让门咁个会变种？冇得肥话呢，就爱下肥啰。箇我等箇映箇有起箇杨梅咁大一只只。咁大一只只。墨乌哇，硬乌个。ŋai$^{13}_{21}$tsɔi^{35}ko^{53}iet^{3} tʂak^{3} iɔŋ^{13}mɔi^{13}ʂu^{53}ko^{0}.kan^{21}tʰai^{53}iet^{3} tʂak^{3} ke^{0} iɔŋ^{13}mɔi$^{13}_{44}$.e$_{53}$, mɔk^{5} çi^{53}kɔŋ^{21}ci$^{13}_{21}$.iet^{3} tsɔi^{35},pən^{35}ŋai$^{13}_{21}$iet^{3} tsɔi^{35}i$^{35}_{44}$xei$^{53}_{44}$le^{0},ʂaŋ$^{13}_{21}$li^{0} tian^{53}ŋait^{3} tʰai$^{53}_{44}$tsɿ^{0} iet^{3} tʂak^{3} lau^{0} kan$^{21}_{44}$ke$^{53}_{44}$fo^{21} ʂau^{35}iɔŋ$^{13}_{21}$mɔi$^{13}_{44}$ia^{0} .tian^{53}ŋait^{3} tʰai$^{53}_{44}$tsɿ^{0} iet^{3} tʂak^{3} lau^{0} .ciet$^{3}_{5}$ xek^{3} tsʰiəu^{53}ciet^{3} n̩^{13}ti$^{35}_{53}$ci^{21}to^{35},ciet^{3} tsʰiəu^{53} ciet^{3} ,çiau^{21}ti^{35}ɲiɔŋ$^{53}_{44}$mən^{0} ke^{0} ?ci$^{13}_{21}$tien^{0} ua^{53}mau$^{13}_{21}$pʰi^{13}ua$^{53}_{44}$nei^{0} ,ɔi$^{53}_{44}$xa$^{53}_{44}$pʰi^{13}ua$^{53}_{44}$nei^{0} .ŋai^{13}çi^{53}tsak^{3} ke^{0} ʂɿ^{13}xəu^{53} tsɿ^{0} ,ŋai^{13}təu$^{35}_{44}$ci^{53}tek^{3} le^{0} ,ŋai^{13}mɔi^{53}tsɿ^{0} tai^{53}tau^{21}(i)et^{3} tiet^{5} tʰəŋ^{13}sɿ^{53},tai^{53}tau^{21}(i)et^{3} tiet^{5} lau^{21}sɿ$^{35}_{44}$a^{0} lɔi^{13}ŋai$^{13}_{21}$kai$^{53}_{44}$ liau^{53},ɔi^{53}tsak^{3} iɔŋ^{13}mɔi$^{13}_{44}$,lɔi^{13}fəŋ^{53}çi$^{35}_{44}$tʂəŋ$^{35}_{44}$çiɔk^{5} a^{0} .kai^{53}m̩$^{13}_{21}$pʰei^{53}kai^{53}tʂʰən^{53}ŋai^{13}xei^{53}a^{0} fəŋ^{53}çi$^{35}_{44}$tʂeŋ$^{35}_{44}$çiɔk^{5}? ŋai^{13}tsʰiəu$^{53}_{44}$tai^{53}tau^{21}ci$^{13}_{21}$tau^{53}liaŋ^{35}xɔŋ^{53}çi^{53}tsak^{3} iɔŋ^{13}mɔi^{13}.xa$_{53}$,tsʰin^{53}təu$^{35}_{44}$təu$^{35}_{44}$iəu$^{35}_{44}$uei$^{53}_{44}$ia^{0} ,kai^{53}ʂu^{53}iɔŋ$^{13}_{21}$mɔi$^{13}_{21}$ ia^{0} ,ŋai$^{13}_{21}$tsʰiəu$^{53}_{44}$ci^{53}tau^{21}li^{0} kai^{53}tʰiau$^{13}_{21}$ʂu^{53}çi$^{53}_{44}$lai^{53}iaŋ^{53}tsɿ^{0} .kan^{21}tʰai^{53}tsɿ^{0} le^{0} ,iəu$^{35}_{53}$kan^{21}tʰai$^{53}_{44}$tsɿ^{0} ke^{0} ʂu^{53}le^{0} .lɔk$^{5}_{3}$ mi$^{35}_{53}$ŋai$^{13}_{21}$tsʰiəu$^{53}_{44}$təŋ$^{35}_{44}$xa$^{53}_{44}$tʰei$^{13}_{21}$ŋai$^{13}_{21}$tsʰiəu$^{53}_{44}$pʰau^{21}tau^{21}çi$^{53}_{44}$uait^{3} xa^{53}tau^{21},ŋai^{13}iet^{3} sau^{35},kai^{53}iet^{3} pak^{3} ci^{21}ʂət^{5} cin$^{35}_{44}$ nei^{0} ,ŋai$^{13}_{21}$kai^{53}tʂʰən$^{53}_{44}$tsɿ^{0} pi^{53}tek^{3} le^{0} .iet^{3} sau^{35},pi^{53}ia$^{53}_{44}$kuei$^{35}_{44}$lɔi$^{13}_{21}$,tsɔi^{35}ia$^{53}_{44}$kai$^{53}_{44}$ti^{53}pʰən$^{13}_{21}$pʰai$^{13}_{21}$xɔŋ^{13}xɔŋ^{53},tsɔi$^{35}_{44}$ia$^{53}_{44}$ kan^{21}ke^{0} tsʰɔi^{53}tʰəu^{21}li^{0} .tsɔi^{35}ʂɿ$^{53}_{44}$pən$^{35}_{44}$ŋai$^{13}_{21}$tsɔi$^{35}_{44}$uɔit^{5} li^{0} au^{0} ,ciet^{3} tau^{21}tiet^{5} kai$^{53}_{44}$fo^{21}ʂau^{35}iɔŋ$^{13}_{21}$mɔi$^{13}_{21}$kan$^{21}_{44}$tsɿ^{0} tʂʰak^{3} tau^{21}mau$^{13}_{21}$tek^{3} uei^{53}tʰau^{53}.la$^{53}_{44}$mo^{0}ɲiɔŋ^{53}mən^{0} kan^{21}ke^{0} uɔi^{53}pien^{53}tʂəŋ^{21}?mau^{13}tek^{3} pʰi^{13}ua^{53}nei^{0} ,tsʰiəu^{53} ɔi^{53}xa$^{53}_{44}$fei^{13}lo^{0} .kai^{53}ŋai^{13}tien^{0} kai$^{53}_{44}$iaŋ$^{53}_{44}$kai$^{53}_{44}$iəu^{35}çi^{21}kai^{53}iɔŋ$^{13}_{21}$mɔi$^{13}_{44}$kan^{21}tʰai^{53}iet^{3} tʂak^{3} tʂak^{3} .kan^{21}tʰai^{53}iet^{3} tʂak^{3} tʂak^{3} .miet^{5} u^{35}ua^{0} , ɲiaŋ^{53}u^{35}ke^{0} .

【火蛇子】fo^{21}ʂa^{13}tsɿ^{0} 名闪电，天空中云与云之间或云与地面之间肉眼可以见到的放电现象：曳～ ia^{53}fo^{21}ʂa^{13}tsɿ^{0} ｜ 甩～ ʂai^{53}fo^{21}ʂa^{13}tsɿ^{0}

【火绳】fo^{21}ʂən^{13} 名①一种用来照明的东西，多由放排时用过的篾缆绳充当：～就咁个呢，以前用得最多个箇～呢就用来搞么个走夜路嘞。同箇杉壳把样嘞。箇～系让门子嘞？最好个～就系欸箇个嘞箇个放排个人，放排个人呐爱用篾箩用箇个绳驳个篾箩织成咁个缆绳，箇缆绳就用箇么织成欸是□长个啊□长个篾箩个缆绳呐驳长来呀，箇个箇蛮经呢。渠箇放排个时候子，第一挂排摎第二挂排就咁子吵，系唔系？渠爱缔稳，渠两挂排嘞爱连起来。连起来用么个嘞？用缆绳，用篾箩绳。搞一到用过哩嘞就唔爱哩，有兜就唔爱哩箇缆绳就，渠因为渠要篾匠师傅破篾箩，破成篾箩去织嘞。真经呢箇缆绳呢。箇个篾箩绳用过哩，你分渠浸哩水……浸下水肚里浸嘿咁久，起码爱七八天上十天，系唔系？浸倒，去放高排咯，放高排起码爱七八上十天，箇唔系浸得来就浸嘿半个月样，箇个缆绳真好做～就系，我等看倒箇～就系箇起～，欸，就篾箩做个～。渠只爱咁子嘞点着来嘞，舞一莖子嘞，舞得咁长子一莖子，点着来，就咁子拿倒，划下子就又着嘞，划下子又着火，划下子又着火嘞，就走得蛮远走夜路，用来走夜路箇缆绳，篾箩做个～，用来走夜路个。用别么个做～个就唔晓得，系硬我唔晓得用别么～用个。不过我等用过走夜路嘞除嘿用～还用么个嘞？用～用得少，因为我等箇山角落里冇得咁个东西，冇么人编，渠肯用杉壳把。fo^{21}ʂən^{13}tsʰiəu^{53}kan$^{21}_{13}$cie^{53}nei^{0} ,i^{35}tsʰien^{13}iəŋ^{53}

tek3 tsei53 to$^{35}_{44}$ke0 kai53 fo21 ʂən13 ne0 tsʰiəu53 iəŋ53 lɔi$^{13}_{21}$kau21 mak3 e0 tsei21 ia53 ləu$^{53}_{21}$lei0 .tʰəŋ$^{13}_{21}$kai53 sa35 kʰɔk3 pa21 iəŋ$^{53}_{44}$lei0 .kai53 fo21 ʂən13 xei$^{53}_{44}$ɲiɔŋ53 mən$^{13}_{44}$tsʅ0 lei0 ?tsei53 xau21 ke53 fo21 ʂən13 tsʰiəu53 xei$^{53}_{44}$e$_{21}$kai53 ke53 lei0 kai$^{53}_{44}$ke$^{53}_{44}$fɔŋ53 pʰai13 ke53 ɲin$^{13}_{44}$,fɔŋ53 pʰai13 ke53 ɲin$^{13}_{44}$na0 ɔi$^{53}_{44}$iəŋ$^{53}_{44}$miet5 sak3 iəŋ53 kai$^{53}_{44}$ke$^{53}_{44}$ʂen13 pʰɔk5 ke0 miet5 sak3 tʂət3 ʂaŋ$^{13}_{44}$kan$^{21}_{44}$ke53 lan21 ʂən13 ,kai53 lan21 ʂən13 tsʰiəu53 iəŋ53 kai$^{53}_{44}$mak3 tʂət3 ʂaŋ$^{13}_{44}$e$_{21}$ʂʅ$^{53}_{44}$lai35 tʂʰɔŋ$^{13}_{21}$ke53 a0 lai35 tʂʰɔŋ$^{13}_{21}$ke$^{53}_{44}$miet5 sak3 ke53 lan21 ʂən13 na0 pɔk3 tʂʰɔŋ$^{13}_{21}$lɔi$^{13}_{21}$ia0 ,kai$^{53}_{44}$ke0 kai53 man$^{13}_{21}$cin35 ne0 .ci13 kai53 fɔŋ53 pʰai13 ke53 ʂʅ13 xəu$^{53}_{44}$tsʅ0 ,tʰi13 iet3 kua53 pʰai13 lau35 tʰi13 ɲi53 kua53 pʰai13 tsiəu53 kan21 tsʅ0 ʂa0 ,xei53 me53 ?ci$^{13}_{21}$ɔi13 tʰak3 uən21 ,ci13 iəŋ21 kua53 pʰai13 le0 ɔi53 lien13 çi21 lɔi13 .lien13 çi21 lɔi13 iəŋ53 mak3 ke$^{53}_{44}$lei0 ?iəŋ53 lan21 ʂən13 ,iəŋ53 miet5 sak3 ʂən13 .kau21 iet3 tau$^{53}_{44}$iəŋ53 ko53 li0 le0 tsʰiəu$^{53}_{44}$m̩$^{13}_{21}$mɔi53 li0 ,iəu35 te$^{35}_{53}$tsʰiəu53 m̩$^{13}_{21}$mɔi53 li0 kai53 lan21 ʂən13 tsiəu53 ,ci$^{13}_{21}$in35 uei$^{53}_{44}$ci$^{13}_{44}$iau$^{53}_{44}$miet5 tsʰiəŋ$^{53}_{44}$sʅ$^{35}_{44}$fu$^{35}_{44}$pʰo53 miet5 sak3 ,pʰo$^{53}_{44}$ʂaŋ$^{13}_{21}$miet5 sak3 çi53 tʂət3 le0 .tʂən35 cin35 ne0 kai53 lan21 ʂən13 ne0 .kai$^{53}_{44}$ke$^{53}_{44}$miet5 sak3 ʂən13 iəŋ53 ko53 li0 , ɲi$^{13}_{21}$pən35 ci$^{13}_{21}$tsin53 ni0 ʂei⋯tsin53 na53 ʂei21 təu21 li0 tsin53 xek3 kan21 ciəu21 ,çi21 ma$^{35}_{44}$ɔi53 tsʰiet3 pait3 tʰien35 ʂɔŋ$^{53}_{21}$ʂət3 tʰien35 ,xei$^{53}_{44}$me$^{53}_{44}$?tsin53 tau21 ,çi$^{13}_{44}$fɔŋ53 kau$^{35}_{44}$pʰai$^{13}_{21}$ko0 ,fɔŋ53 kau$^{35}_{44}$pʰai$^{13}_{21}$çi21 ma$^{35}_{44}$ɔi53 tsʰiet3 pait3 ʂɔŋ$^{53}_{21}$ʂət53 tʰien35 ,kai53 m̩$^{13}_{21}$pʰei$^{53}_{44}$tsin53 tek3 lɔi$^{13}_{21}$tsʰiəu$^{53}_{44}$tsin53 nek3 pan53 cie53 ɲiet5 iəŋ$^{53}_{44}$,kai53 ke53 lan21 ʂən13 tʂən35 xau21 tso53 fo21 ʂən13 tsʰiəu53 xe53 ,ŋai13 tien0 kʰɔn53 tau$^{21}_{44}$kai53 fo21 ʂən13 tsʰiəu53 xe53 kai53 çi21 fo21 ʂən$^{13}_{21}$,e$_{21}$,tsiəu$^{53}_{44}$miet5 sak3 tso53 ke53 fo21 ʂən13 .ci13 tʂʅ21 ɔi53 kan21 tsʅ0 lei0 tian21 tʂʰɔk5 lɔi$^{13}_{44}$lei0 ,u21 iet3 tsʰo53 tsʅ0 lei0 ,u21 tek3 kan21 tʂʰɔŋ13 tsʅ0 iet3 tsʰo53 tsʅ0 , tian21 tʂʰɔk5 lɔi$^{13}_{44}$,tsʰiəu53 kan21 tsʅ0 la53 tau21 ,fa53 (x)a$^{53}_{44}$tsʅ0 tsʰiəu$^{53}_{44}$iəu53 tʂʰɔk5 lei0 ,fa53 (x)a$^{53}_{44}$tsʅ0 iəu53 tʂʰɔk5 fo21 ,fa53 (x)a$^{53}_{44}$tsʅ0 iəu53 tʂʰɔk5 fo21 lei0 ,tsiəu53 tsei21 tek3 man13 ien21 tsei21 ia53 ləu$^{53}_{44}$,iəŋ53 lɔi$^{13}_{21}$tsei21 ia53 ləu$^{53}_{44}$kai53 lan$^{13}_{21}$ʂən13 , miet5 sak3 tso53 ke53 fo21 ʂən13 ,iəŋ53 lɔi$^{13}_{21}$tsei21 ia53 ləu$^{53}_{44}$ke0 .iəŋ$^{53}_{44}$pʰiet5 mak3 ke53 tso53 fo21 ʂən13 ke53 tsʰiəu$^{53}_{21}$n̩13 çiau21 tek3 ,xei$^{53}_{44}$ɲiaŋ53 ŋai$^{13}_{21}$n̩$^{13}_{21}$çiau21 tek3 iəŋ53 pʰiet5 mak3 fo21 ʂən13 iəŋ53 ke0 .puk3 ko53 ŋai13 tien0 iəŋ53 ko$^{53}_{21}$tsei21 ia53 ləu$^{53}_{44}$lei0 tʂʰəu13 xek3 iəŋ53 fo21 ʂən13 xai13 iəŋ53 mak3 e0 lei0 ?iəŋ53 fo21 ʂən13 iəŋ53 tek3 ʂau21 ,in35 uei$^{53}_{44}$ŋai13 tien0 kai53 san35 kɔk3 lɔk3 li0 mau13 tek3 kan21 ke$^{53}_{44}$təŋ$^{35}_{44}$si0 ,mau13 mak3 in$^{13}_{21}$pien35 ,ci$^{13}_{21}$xen$^{21}_{44}$iəŋ$^{53}_{44}$sa35 kʰɔk3 pa21 . ②早期用于火绳枪等以点燃火药的引信：据说从前最早个时候子冇得箇只火子，爱舞条～。欸以下爱打铳了嘞，拿箇～点下着来，点下着来呀。于是有只咁个话法，以只东西就蛮多……安做黑哩～呐。tʂʅ53 ʂet3 tsʰəŋ13 tsʰien13 tsei53 tsau21 ke53 ʂʅ13 xəu$^{53}_{44}$tsʅ0 mau13 tek3 kai53 tʂak3 xo21 tsʅ21 ,ɔi53 u21 tʰiau$^{13}_{44}$fo21 ʂən13 .ei0 ia$_{44}$ (←i21 xa53)ɔi53 ta21 tʂʰəŋ53 liau21 lei0 ,la53 kai53 fo21 ʂən13 tian21 na53 tʂʰɔk5 lɔi$^{13}_{44}$,tian21 na53 tʂʰɔk5 lɔi$^{13}_{21}$ia0 .ʮ$^{13}_{21}$ʂʅ$^{53}_{44}$tsʰiəu53 iəu35 tʂak3 kan21 ke$^{53}_{44}$ua53 fait3 ,i21 tʂak3 (t)əŋ$^{35}_{44}$si0 tsʰiəu$^{53}_{44}$man$^{13}_{21}$to$^{35}_{44}$⋯ɔn$^{35}_{44}$tso$^{53}_{44}$xek3 li0 fo21 ʂən13 na0 .

【火屎】fo21 ʂʅ21 名小树枝、荆棘等烧成的碎木炭，比木炭质轻，易碎，易燃，耐燃时间比木炭短得多，热量也不及木炭：以前我等个灶下家家都有只火屎罂，灶角里啊，有只火屎罂，欸，煨～个。i$^{35}_{53}$tsʰien$^{13}_{21}$ŋai13 tien0 ke0 tsau53 xa$^{53}_{44}$ka35 ka$^{35}_{44}$təu$^{35}_{44}$iəu$^{35}_{53}$tʂak3 fo21 ʂʅ21 aŋ35 ,tsau53 kɔk3 li0 a0 ,iəu35 tʂak3 fo21 ʂʅ21 aŋ35 ,e$_{21}$,siet5 fo21 ʂʅ21 ke0 .

【火屎罂】fo21 ʂʅ21 aŋ35 名沤制碎木炭的陶器：箇是煨火屎个栏场，煨火屎啊，火屎卖得钱倒咯，夏天，热天煨倒火屎到冬下来炙火，火屎卖得钱倒，煨倒火屎嘞，欸，一方面自家爱用，第二方面卖得钱倒。箇就～煨火屎。～就随便捡只罂头呀，只爱唔系烂个，滴把子烂烂子都唔多怕。舞只罂头呀，大滴子个，就系火铲铲倒个火铲下罂里，铲完哩以后，你不能打开盖来啦。铲完哩以后，舞只盖盖下稳。一般用么个盖嘞？用茶鈷。用茶鈷盖，别么个盖会烧咁呢。系啊？茶鈷个盖是最好。就隔绝空气呀，欸，渠就会乌嘿啊，你系打开盖来是赠盖得是，哦嗬，一罂火屎下化嘿哩。kai$^{53}_{44}$ʂʅ$^{53}_{21}$siet5 fo21 ʂʅ21 ke53 laŋ$^{13}_{21}$tʂʰɔŋ$^{13}_{44}$,siet5 fo21 ʂʅ21 a0 ,fo21 ʂʅ21 mai53 tek3 tsʰien13 tau21 ko0 ,çia53 tʰien$^{35}_{44}$, ɲiet5 tʰien$^{35}_{44}$siet5 tau21 fo21 ʂʅ21 tau53 təŋ35 xa53 lɔi$^{13}_{21}$tʂak3 fo21 ,fo21 ʂʅ21 mai53 tek3 tsʰien13 tau21 ,siet5 tau21 fo21 ʂʅ21 le0 ,e$_{21}$,iet3 fɔŋ$^{53}_{35}$mien53 tsʰi35 ka$^{35}_{44}$ɔi53 iəŋ53 ,tʰi13 ɲi$^{53}_{44}$fɔŋ$^{53}_{35}$mien53 mai53 tek3 tsʰien13 tau21 .kai$^{53}_{44}$tsʰiəu53 fo21 ʂʅ21 aŋ35 siet5 fo21 ʂʅ21 .fo21 ʂʅ21 aŋ35 tsʰiəu53 sei13 pʰien53 cian21 tʂak3 aŋ35 tʰei$^{13}_{44}$ia0 ,tʂʅ21 ɔi$^{53}_{44}$m̩$^{13}_{44}$pʰei$^{53}_{44}$lan53 ke0 ,tiet5 pa21 tsʅ0 lan53 lan53 tsʅ0 təu$^{35}_{53}$n̩$^{13}_{21}$to$^{35}_{44}$pʰa53 .u21 tʂak3 aŋ35 tʰei$^{13}_{21}$ia0 ,tʰai35 tiet5 tsʅ0 ke0 ,tsʰiəu53 xe53 fo21 tsʰan21 tsʰan21 tau21 ke53 fo21 tsʰan21 na53 aŋ35 li0 ,tsʰan21 ien13 li0 i$^{35}_{44}$xei$^{53}_{44}$, ɲi13 pət3 len$^{13}_{44}$ta21 kʰɔi$^{35}_{44}$kɔi53 lɔi$^{13}_{44}$la0 .tsʰan21 ien13 ni0 i$^{35}_{44}$xei53 ,u21 tʂak3 kɔi53 kɔi53 ia$^{53}_{44}$uən21 .iet3 pɔn35 iəŋ53 mak3 e0 kɔi$^{53}_{44}$lei0 ?iəŋ53 tsʰa13 kʰu$^{35}_{44}$.iəŋ$^{53}_{44}$tsʰa13 kʰu$^{35}_{44}$kɔi53 ,pʰiet5 mak3 e0 kɔi53 uɔi$^{53}_{44}$ʂau35 kan21 ne0 .xei$^{53}_{44}$a0 ?tsʰa13 kʰu$^{35}_{44}$ke0 kɔi53 ʂʅ$^{53}_{44}$tsei53 xau21 .tsʰiəu$^{53}_{44}$kak3 tsʰiet5 kʰəŋ35 çi$^{53}_{44}$ia0 ,e$_{21}$,ci$^{13}_{21}$tsʰiəu53 uɔi$^{53}_{44}$u35 xek3 a0 , ɲi13 xei53 ta21 kʰɔi35 lɔi$^{13}_{44}$ʂʅ$^{53}_{44}$maŋ13 kɔi53 tek3 ʂʅ$^{53}_{44}$,o$_{44}$xe$_{44}$,iet3 aŋ$^{35}_{44}$fo21 ʂʅ21 xa53 fa53 (x)ek3 li0 .

【火土】fo21 tʰəu21 名火土灰的简称：打比样子昨晡讲个，煀～，箇也系煀。ta21 pi21 iəŋ$^{53}_{44}$tsʅ0 tsʰo$^{35}_{21}$pu$^{35}_{53}$kɔŋ21 ke$^{53}_{44}$,ei53 fo21 tʰəu21 ,kai$^{53}_{21}$ia35 xe$^{53}_{44}$ei$^{53}_{44}$.

【火土灰】fo21 tʰəu21 fɔi35 名带泥土烧的草木灰：我等以映过去舞倒去改良土壤个就用～，最好。ŋai$^{13}_{21}$tien0 i21 iaŋ$^{53}_{44}$ko53 çi53 u21 tau21 çi$^{53}_{44}$kai21 liɔŋ13 tʰəu21 iɔŋ$^{53}_{44}$ke$^{53}_{44}$tsʰiəu53 iəŋ$^{53}_{44}$xo21 tʰəu21 fɔi35 ,tsei53 xau21 .

【火眼】fo21ŋan21 名风泪眼。一种眼疾，症状为见风流泪：～呢，也得过啦，我等箇映子得过～啦，吹唔得风哦，爱蒙稳呢。fo21ŋan21ne0,ia35_44tek3 ko53la0,ŋai13_21tien0 kai53_44iaŋ53_44tsɿ0 tek3 ko53fo21ŋa21 la0,tʂhei35_44n13_44tek3 fəŋ35ŋo0,ɔi53_44maŋ35uən21ne0.

【火印】fo21in53 名用烧热的铁质图章烙下的标记：家具上箇有～，但是很少。一般冇多滴人搞。cia35_44tʂʮ53xɔŋ53_44kai53_44iəu35_44fo21in53,tan53ʂʅ53xen21ʂau21.iet3 pən35mau13_21to35_53tet5_3ɲin13kau21.

【火甑子】fo21tsien53_21tsɿ0 名一种圆形或椭圆形篾器，下方可放火笼或火盆，用于烘烤东西：用得最多个就～。底下放两只火笼。或者放只火盆，放下底下。用篾篓做个，瀍大个眼。分衫裤放倒去去炼。冇几高。就咁高子。底下放火笼啊，火笼只有咁高子嘞。火笼顶高还稍微高丁子嘞。有咁长子嘞。～，安做～。欸，圆个，长个，都有；方个冇得。iəŋ53tek3 tsei53to35_44ke53_44 tsiəu53_44fo21tsien53_21tsɿ0.te21xa53_44fəŋ53iəŋ21tʂak3 fo21ləŋ13.xɔit5 tʂa21fəŋ53tʂak3 xo21phən13,fəŋ53_44ŋa44(←xa53)te21 xa53_44.iəŋ53_44miet5 sak3 tso53_44ke53_44,mən35thai53ke53_44ŋan21.pən35san35fu53_44fəŋ53tau21çi53_44çi53_44xək3.mau13ci21kau35_44.tsiəu53 kan21kau35_44tsɿ0.te21xa53fəŋ53fo21ləŋ35ŋa0,fo21ləŋ35tʂʅ21iəu35_44kan21kau35_44tsɿ0 lei0.fo35ləŋ35taŋ21kau35_44xai13_21sau21uei13_21 kau35tin35tsɿ0 lei0.iəu35_44kan21tʂhəŋ13tsɿ0 lei0.fo21tsien53_21tsɿ0,ɔn35_44tso53_44fo21tsien21tsɿ0.e21,ien13cie53_44,tʂhəŋ13ke53_44,təu35_44 iəu35_44;fəŋ35ke53_21mau13_44tek3.

【火砖】fo21tʂən35 名烧过的砖头：～呶。系唔系？安做～呶，过哩火个唠。渠就区别箇起𫫇烧个砖呶。𫫇个就砖坯唠。fo21tʂən35nau0.xei53_44me53_44?ɔn35_44tso53_44fo21tʂən35nau0,ko53li0 fo21ke53_44lau0.ci13_21 tshiəu53_44tʂhʮ35phiek5 kai53_44çi21maŋ13ʂau35_44ke53_44tʂən35_44nau0.maŋ13ke53_44tshiəu53_21tʂən35_44phɔi35lau0.

【火子】fo21tsɿ21 名发令纸上的火药颗粒：～啊，就系纸肚里箇只会发……会着火个东西。fo21 tsɿ21a0,tshiəu53xei53tʂʅ21təu21li0 kai53tʂak3 uɔi53fait3 …uɔi53tʂhɔk5 fo21ke53_44təŋ35_44si0.｜据说从前个铳啊，最早个箇个响铳鸟铳啊，冇得～，以个我等自看倒箇铳是有～啊。舞只子箇～，打下去，一我一抠，箇顶高就一只咁个碓子嘞砸下去嘞，砸得唔知几紧呢，砸下去，箇只～嘞就打着哩。打着哩嘞就引着哩肚里个硝。硝一着嘞就膨胀吵，就分箇个铳沙子打出推出去哩。箇是打……箇鸟铳啊，箇原理就系咁子个吵。tʂʮ53ʂet3 tshəŋ13tshien13ke53_44tʂhəŋ53ŋa0,tsei53tsau21ke53_44kai53kei53_44çiɔŋ21 tʂhəŋ53ɲiau35tʂhəŋ53ŋa0,mau13tek3 fo21tsɿ21_44,i21ke0 ŋai13tien0 tshɿ35khɔn53tau21kai53_44tʂhəŋ53ʂʮ44iəu35fo21tsɿ0 a0.u21 tʂak3 tsɿ0 kai53fo21tsɿ21,ta21xa53_44çi53_44,iet3 ŋai13_53iet3 khei35,kai53_44taŋ21kau35_44tshiəu53iet3 tʂak3 kan21ke53_44tɔi53tsɿ0 le0 tsait5 ia53_44çi53le0,tsait5 tek3 n13ti53_53ci21_44cin21ne0,tsait5 ia53_44çi53,kai53tʂak3 fo21tsɿ21lei0 tshiəu53_44ta21tʂhɔk5 li0.ta21tʂhɔk5 li0 lei0 tshiəu53in21tʂhɔk5 li0 təu21li0 ke53siau35.siau35iet3 tʂhɔk5 le0 tshiəu53phən13tsɔŋ53ʂa0,tshiəu53_44pən35kai53_44ke53_44tʂhəŋ53 sa35tsɿ0 ta21tʂhət3 thi35tʂhət3 çi53li0.kai53_44ʂʅ53ta21…kai53ɲiau35tʂhəŋ53ŋa0,kai53_44vien13_21ni35tshiəu53xei53kan21tsɿ0 ke53_44 ʂa0.

【火子纸】fo21tsɿ21tʂɿ21 名发令纸，用氯酸钾、雄黄、米汤、薄纸等制成：火子啊，就系纸肚里箇只会发……会着火个东西。欸，以前打铳就爱箇只东西啦。引火啦。我等就买倒箇起箇只一盒一盒一买倒，就同我现在买个嘿嘿嘿丸子样啊，系唔系啊？买倒欸当做纸子舞倒欸舞……做咁子箇枪子啊，打一叭响一下。～啊。打下去，响一下唠，出蒲烟呶。fo21tsɿ21 a0,tshiəu53xei53tʂʅ21təu21li0 kai53tʂak3 uɔi53fait3 …uɔi53tʂhɔk5 fo21ke53_44təŋ35_44si0.e21,i35_44tshien13_21ta21tʂhəŋ53tshiəu53_21ɔi53_44 kai53_21tʂak3 təŋ35_44si0 la0.in21fo21la0.ŋai13tien0 tshiəu53_44mai35tau21kai53_44çi21kai53_44iak3(←tʂak3)iet3 xak5 iet3 xak5 iet3 mai35tau21,tshiəu53_44thəŋ13_21ŋai13_21çien53_44tsai53_44mai53ke53_44xei53xei21xei53ien13tsɿ0 iɔŋ53_44a0,xei53_44me53_44a0?mai53_44tau21_44ei0 taŋ53_44 tso53_44tʂʅ21tsɿ0 u21tau21e44u21k…tso53kən21tsɿ0 kai53_44tshiɔŋ35tsɿ0 a0,ta21iet3 pa53çiɔŋ21iet3 xa53.fo21tsɿ21tʂʅ21ʐa0.ta21xa53_44 çi53_44,çiɔŋ21iet3 xa53_44lau0,tʂhət3 phu13_21ien35nau0.

【伙】fo21 名用于成群的人，含贬义：箇一～ kai53iet3 fo21｜一～人 iet3 fo21ɲin13

【伙计】fo21ci53 名①指相处甚好的人：两个人唔知几好，两～，两～样。两～，老～，箇个就会长日讲个，就系嬲得好个人，欸，年龄相仿，嬲得好，就安做两～。iəŋ21ke53ɲin13_44n13ti35_53ci21 xau21,iəŋ21fo21ci53,iəŋ21fo21ci53iəŋ53_44.iəŋ21fo21ci53,lau21fo21ci53,kai53ke53tshiəu53_44uɔi53_44tʂhəŋ13ɲiet3 kɔŋ21ke53,tshiəu53_44 xe53_44liau53tek3 xau21ke53ɲin13,e21, ɲien13lin13_21siɔŋ35fəŋ21,liau53tek3 xau21,tshiəu53_44ɔn35_44tso53_44iəŋ21fo21ci53. ②引申指配偶：好像有兜人家两公婆也可以话做～呢，两公婆也有话～个嘞。“以只是我等～，我等老～。”“以只是我等～呀。”两公婆啊也有咁子话个嘞。“以只是我箇只～呀。”xau21tshiəŋ53 iəu35tei35_53ɲin13_21ka35_44iəŋ21kəŋ35_53pho13ia35kho21i35_44ua53tso53fo21ci53nei0,iəŋ21kəŋ35_53pho13a35_53iəu35_53ua53fo21ci53ke53lei0."i21 tʂak3 ʂʅ53_21ŋai13_21tien0 fo21ci53,ŋai13_21tien0 lau21fo21ci53.""i21tʂak3 ʂʅ53_21ŋai13tien0 fo21ci53ia0."iəŋ21kəŋ35pho13a0 ia35_44iəu35_53 kan21tsɿ0 ua53ke53lei0."i21tʂak3 ʂʅ53_21ŋai13kai53tʂak3 fo21ci53ia0."｜我以只～病嘿哩哦。ŋai13i21_44tʂak3 fo21ci53_44 p^{h}iaŋ^{53}xek^{3}li^{0}o^{0}.

【伙计伴】fo^{21}ci^{53}p^{h}ɔn^{53} 名指相处甚好的人（集合概念）：伙计伴哩，～，～肚里个事就安做伙计伴哩。fo^{21}ci^{53}p^{h}ɔn^{53}ni^{0},fo^{21}ci$^{53}_{44}$p^{h}ɔn^{53},fo^{21}ci^{53}p^{h}ɔn^{53}təu^{21}li^{0}ke$^{53}_{44}$sɿ^{53}ts^{h}iəu$^{53}_{44}$ɔn$^{35}_{44}$tso$^{53}_{44}$fo^{21}ci$^{53}_{44}$p^{h}ɔn^{53}ni^{0}.

【伙计伴哩】fo^{21}ci$^{53}_{44}$p^{h}ɔn^{53}li^{0} 名指相处甚好的人之间的关系：我等～就莫咁置圆。ŋai^{13}tien^{0}fo^{21}ci$^{53}_{44}$p^{h}ɔn^{53}ni^{0}ts^{h}iəu$^{53}_{44}$mɔk^{5}kan^{21}tʂɿ^{53}ien^{13}.

【伙食】fo^{21}ʂət^{5} 名饭食，多指集体所办的饭食：如今学堂里个～都蛮好个，因为赠食完个钱冇得分渠等人分，冇得分老师来整利润整福利来发放，冇得。赚倒，赚钱也好就亏本也好，你都冇得拿倒来分老师分钱，都交公，交咁哩，所以渠等人老师个～唔知几好。欸，像张坊中学，我有几回也去食哩饭，～蛮好，～都蛮好。欸，平时都冇得么个事都食起箇羊肉狗肉箇兜。呣，～唔知几好。但是箇起老师嘞食餐饭也无所谓，但是箇起老师嘞有兜嘞你～咁好还喊唔好食，欸，冇得去屋下箇样啊自家搞倒食箇样，还话～唔好。i$^{13}_{21}$cin$^{35}_{44}$xɔk^{5}t^{h}ɔŋ$^{13}_{21}$li^{0}ke^{0}fo^{21}ʂət^{5}təu^{35}man$^{13}_{21}$xau^{21}ke^{53},in^{35}uei^{53}maŋ^{13}ʂət^{5}ien$^{13}_{21}$ke^{53}ts^{h}ien$^{13}_{44}$mau^{13}tek^{3}pən^{35}ci$^{13}_{21}$tien^{0}in$^{13}_{21}$fən^{35},mau^{13}tek^{3}pən^{35}lau^{21}sɿ$^{35}_{53}$lɔi$^{13}_{21}$tʂən^{21}li^{53}uən$^{53}_{44}$tʂən^{21}fuk^{3}li^{0}lɔi$^{13}_{21}$fait^{3}fɔŋ^{53},mau$^{13}_{21}$tek^{3}.ts^{h}an^{53}tau^{21},ts^{h}an^{53}ts^{h}ien$^{13}_{21}$na$^{35}_{53}$xau^{21}tsiəu^{53}k^{h}uei^{35}pən^{21}na$^{35}_{53}$xau$^{21}_{44}$, ɲi$^{13}_{21}$təu^{35}mau^{13}tek^{3}la^{53}tau^{21}lɔi$^{13}_{21}$pən$^{35}_{44}$lau^{21}sɿ$^{35}_{44}$fən$^{35}_{44}$ts^{h}ien^{13},təu$^{35}_{44}$ciau$^{35}_{44}$kəŋ^{35},ciau$^{35}_{44}$kan^{21}ni^{0},so^{21}i$^{35}_{44}$ci$^{13}_{21}$tien^{0}in$^{13}_{44}$lau^{21}sɿ$^{35}_{44}$ke$^{53}_{44}$fo^{21}ʂət^{5}n̩$^{13}_{21}$ti$^{35}_{53}$ci^{21}xau^{21}.e$_{21}$,ts^{h}iɔŋ^{53}tʂɔŋ^{35}fɔŋ$^{35}_{44}$tʂəŋ$^{35}_{44}$çiɔk^{5},ŋai$^{13}_{21}$iəu$^{35}_{53}$ci^{21}fei$^{13}_{21}$ia^{35}çi$^{53}_{44}$ʂət^{5}li^{0}fan^{53},fo^{21}ʂət^{5}man^{13}xau^{21},fo^{21}ʂət^{5}təu$^{35}_{44}$man^{13}xau^{21}.e$_{21}$,p^{h}in^{13}ʂɿ$^{13}_{21}$təu$^{35}_{44}$mau^{13}tei$^{35}_{53}$mak^{3}a^{0}sɿ$^{53}_{44}$təu$^{35}_{44}$ʂət^{5}çi^{21}kai^{53}iɔŋ^{13}ɲiəuk^{3}kei^{21}ɲiəuk^{3}kai$^{53}_{21}$təu$^{35}_{53}$.m̩$_{21}$,fo^{21}ʂət^{5}n̩$^{13}_{21}$ti$^{35}_{53}$ci$^{21}_{44}$xau$^{21}_{44}$.tan$^{53}_{44}$ʂɿ$^{53}_{44}$kai^{53}çi^{21}lau^{21}sɿ$^{35}_{44}$lei^{0}ʂət^{5}ts^{h}ɔn$^{35}_{44}$fan^{53}ia^{35}u^{13}so^{21}uei^{53},tan$^{53}_{44}$ʂɿ$^{53}_{44}$kai^{53}çi^{21}lau^{21}sɿ$^{35}_{44}$lei^{0}iəu$^{35}_{44}$te$^{35}_{44}$lei^{0}ɲi$^{13}_{21}$fo^{21}ʂət^{5}kan^{21}xau^{21}xai^{13}xan^{53}n̩^{13}xau^{21}ʂət^{5},e$_{21}$,mau^{13}tek^{3}çi^{53}uk^{3}xa$^{53}_{44}$kai^{53}iɔŋ^{53}a^{0}ts^{h}ɿ^{35}ka$^{35}_{53}$kau^{21}tau$^{21}_{44}$ʂət^{5}kai^{53}iɔŋ^{53},xai^{13}ua^{53}fo^{21}ʂət^{5}n̩$^{13}_{21}$xau^{21}.

【伙食摊子】fo^{21}ʂət^{5}t^{h}an^{35}tsɿ^{0} 名指做饭吃饭的场所，多用于计算场所的数量而非实指：～就系一只火灶，比如一只单位就有只～，当然我话我等屋下搞三只～，箇是也系也就系有三只灶唠，三只栏场做煮三只栏场开伙食唠，就安做三只～。fo^{21}ʂət^{5}t^{h}an^{35}tsɿ^{0}ts^{h}iəu^{53}xe^{53}iet^{3}tʂak^{3}fo^{21}tsau^{53},pi^{21}ɿ$^{13}_{44}$iet^{3}tʂak^{3}tan^{35}uei^{53}ts^{h}iəu^{53}iəu$^{35}_{53}$tʂak^{3}fo^{21}ʂət^{5}t^{h}an^{35}tsɿ^{0},tɔŋ^{35}vien$^{13}_{21}$ŋai^{13}ua^{53}ŋai^{13}tien^{0}uk^{3}xa$^{53}_{44}$kau^{21}san^{35}tʂak^{3}fo^{21}ʂət^{5}t^{h}an^{35}tsɿ^{0},kai$^{53}_{44}$ʂɿ$^{53}_{44}$ia^{35}xei^{53}ia^{35}ts^{h}iəu^{53}xe$^{53}_{44}$iəu$^{35}_{44}$san^{35}tʂak^{3}tsau^{53}lau^{0},san^{35}tʂak^{3}laŋ$^{13}_{21}$tʂ^{h}ɔŋ$^{13}_{21}$tso^{53}tʂəu^{21}san^{35}tʂak^{3}laŋ$^{13}_{44}$tʂ^{h}ɔŋ$^{13}_{44}$k^{h}ɔi$^{35}_{44}$fo^{21}ʂət^{5}lau^{0},ts^{h}iəu$^{53}_{44}$ɔn$^{35}_{44}$tso$^{53}_{44}$san^{35}tʂak^{3}fo^{21}ʂət^{5}t^{h}an^{35}tsɿ^{0}.

【或】fət^{5} 连表示选择或列举：出元宵，定主意，～食智，～食力。tʂ^{h}ət^{3}ɲien^{13}siau^{35},t^{h}in^{53}tʂəu^{21}i^{53},fət^{5}ʂət^{5}tʂɿ^{53},fət^{5}ʂət^{5}liet^{5}.

【或者】xɔit^{5}tʂa^{21} 连用来连接词、词组或分句，表示从两种或两种以上的事物中选择一种，或是两种或两种以上的事物同时存在：挖好哩以后，就用砖～用水泥，用石头，就下草脚安做。uait^{3}xau^{21}li^{0}i$^{35}_{44}$xei$^{53}_{44}$,ts^{h}iəu$^{53}_{44}$iəŋ$^{53}_{44}$tʂɔn^{35}xɔit^{5}tʂa^{21}iəŋ$^{53}_{44}$ʂei^{21}lai^{13},iəŋ$^{53}_{44}$ʂak^{5}t^{h}ei$^{13}_{21}$,ts^{h}iəu$^{53}_{44}$xa^{35}ts^{h}au^{21}ciɔk^{3}ɔn^{35}tso$^{53}_{44}$.

【和$_{3}$】uo^{53} 动混合：和菜，就几起菜～做一下。uo^{53}ts^{h}ɔi$^{53}_{44}$,ts^{h}iəu$^{53}_{44}$ci^{21}çi^{21}ts^{h}ɔi^{53}uo^{53}tso$^{53}_{21}$iet^{3}xa^{53}.

【和$_{4}$】uo^{53} 介①表示包括在内，连同：～饭甑捆倒（岭上）去啊，唔用饭桶噢。～倒箇只饭甑捆倒去啊，分饭甑都捆倒去啊。uo^{53}fan^{53}tsien^{53}kɔŋ^{35}tau^{21}çi^{53}a^{0},n̩^{13}niəŋ^{53}fan^{53}t^{h}əŋ^{21}ŋau^{0}.uo^{53}tau^{21}kai$^{53}_{21}$tʂak^{3}fan^{53}tsien^{53}kɔŋ^{35}tau^{21}çi^{53}a^{0},pən^{35}fan^{53}tsien$^{53}_{44}$təu$^{35}_{44}$kɔŋ^{35}tau^{21}çi$^{53}_{44}$a^{0}.｜花麦有壳，打下来以后有壳，我等是～壳去磨。如今让门搞我就唔晓嘞。fa^{35}mɔk^{5}iəu^{35}k^{h}ɔk^{3},ta^{21}xa$^{53}_{44}$lɔi$^{13}_{21}$i$^{35}_{44}$xei$^{53}_{44}$iəu^{35}k^{h}ɔk^{3},ŋai^{13}tien^{0}ʂɿ^{53}uo^{53}k^{h}ɔk^{3}çi$^{53}_{44}$mo^{53}.i$^{13}_{21}$cin$^{35}_{44}$ɲiɔŋ^{53}mən^{0}kau^{21}ŋai^{13}ts^{h}iəu^{53}n̩$^{13}_{44}$çiau^{21}le^{0}. ②引介方向，相当于“向、朝”：箇老公就拿倒老婆个手机～地泥下一扮，千多块钱手机分渠扮得冇滴用。kai$^{53}_{44}$lau^{21}kəŋ$^{35}_{44}$ts^{h}iəu$^{53}_{44}$la^{53}tau^{21}lau^{21}p^{h}o^{13}ke^{0}ʂəu^{21}ci$^{35}_{44}$uo^{53}t^{h}i$^{53}_{44}$lai$^{13}_{21}$xa$^{53}_{44}$iet^{3}p^{h}an^{35},ts^{h}ien$^{35}_{44}$to$^{35}_{44}$k^{h}uai^{53}ts^{h}ien$^{35}_{44}$ʂəu^{21}ci$^{35}_{44}$pən$^{35}_{44}$ci$^{13}_{21}$p^{h}an$^{35}_{44}$tek^{3}mau^{13}tiet^{5}iəŋ$^{53}_{44}$.

【和菜】uo^{53}ts^{h}ɔi^{53} 名杂烩：如今我等人都点菜都还点过～，如今饭店里都还有～。欸，有以兜么个～呀，分箇个欸安做肉丸，欸，平肚，香菇，嗯，箇就三起了吧？以下就，还可以猪肉，欸火腿肠，搞做一碗，也安做～，就安做～嘞。但是渠以只菜嘞，渠～嘞必须性格差唔多子个。正我讲个箇几起菜嘞渠就唔得和兜么个去啊？唔得和兜箇个么个火焙鱼子去，箇唔得，因为渠味道唔同。也唔得放兜腊猪肉去，欸，箇渠就味道唔同了。味道比较接近个菜舞做一下，安做～。i$^{13}_{21}$cin$^{35}_{44}$ŋai^{13}tien^{0}ɲin$^{13}_{21}$təu$^{35}_{44}$tian^{21}ts^{h}ɔi$^{53}_{44}$təu$^{35}_{44}$xai$^{13}_{21}$tian^{21}ko$^{53}_{44}$uo^{53}ts^{h}ɔi$^{53}_{44}$,i$^{13}_{21}$cin$^{35}_{44}$fan^{53}tian^{53}ni^{0}təu$^{35}_{44}$xai$^{13}_{21}$iəu$^{35}_{44}$uo^{53}ts^{h}ɔi^{53}.ei$_{35}$,iəu^{35}i^{21}tei$^{35}_{44}$mak^{3}e^{0}uo^{53}ts^{h}ɔi^{53}ia^{0},pən^{35}kai$^{53}_{44}$kei$^{53}_{44}$e$_{21}$ɔn^{35}tso$^{53}_{44}$ɲiəuk^{3}ien^{13},e$_{21}$,p^{h}in^{13}təu^{21},çiɔŋ^{35}ku^{35},n̩$_{21}$,kai$^{53}_{44}$tsiəu$^{53}_{44}$san^{35}çi^{21}liau^{21}pa^{0}?i^{21}xa$^{53}_{44}$ts^{h}iəu$^{53}_{44}$,xai^{13}k^{h}o^{21}i$^{35}_{44}$tʂəu^{35}ɲiəuk^{3},e$_{21}$fo^{21}t^{h}ei^{21}tʂ^{h}ɔŋ^{13},kau^{21}tso^{53}iet^{3}uɔn^{21},ia^{35}ɔn$^{35}_{44}$tso^{53}uo^{53}ts^{h}ɔi$^{53}_{44}$,ts^{h}iəu$^{53}_{44}$ɔn^{35}tso$^{53}_{44}$uo^{53}ts^{h}ɔi$^{53}_{21}$le^{0}.tan^{53}ʂɿ^{53}ci$^{13}_{21}$i^{21}tʂak^{3}ts^{h}ɔi^{53}lei^{0},ci^{13}uo^{53}

tsʰɔi$^{53}_{44}$lei^{0} piet^{3} si$^{35}_{44}$sin^{53}kek^{3} tsa^{35}ṇ$^{13}_{21}$to^{35}tsʅ^{0} ke^{0}.tʂaŋ^{53}ŋai^{13}kɔŋ^{21}ke^{53}kai^{53}ci^{21}çi^{21}tsʰɔi^{53}lei^{0} ci^{13}tsʰiəu^{53}ṇ^{13}tek^{3} uo^{53} tei$^{35}_{44}$mak^{3} ke$^{53}_{44}$çi$^{53}_{44}$a^{0} ?ṇ^{13}tek^{3} uo^{53}tei$^{35}_{44}$kai$^{53}_{44}$ke$^{53}_{44}$mak^{3} ke$^{53}_{44}$fo^{21}pʰɔi^{53}ŋ̍^{13}tsʅ^{0} çi^{53},kai^{53}ṇ^{13}tek^{3},in^{35}uei^{53}ci$^{13}_{21}$uei^{53}tʰau$^{53}_{44}$ṇ$^{13}_{21}$ tʰəŋ^{13}.ia^{35}ṇ$^{13}_{21}$tek^{3} fɔŋ^{53}te$^{35}_{53}$lait^{5} tʂəu$^{35}_{44}$ɲiəuk^{3} çi^{53},e$_{21}$,kai$^{53}_{44}$ci$^{13}_{21}$tsʰiəu^{53}uei^{53}tʰau^{53}ṇ$^{13}_{21}$tʰəŋ$^{13}_{21}$liau^{0} .uei^{53}tʰau$^{53}_{44}$pi^{21}ciau$^{53}_{44}$ tsiait^{3} cʰin^{53}ke^{0} tsʰɔi^{53}u^{21}tso^{53}(i)et^{3} xa^{53},ɔn^{35}tso$^{53}_{44}$uo^{53}tsʰɔi^{53}.

【货】xo^{53} [名]①货物，商品：出门卖～tʂʰət^{3} mən^{13}mai^{53}xo^{53}。②喻指女性，含贬义：箇只人讨只老婆唔系一只好～，好～是唔得卖分渠。kai^{53}tʂak^{3} ɲin$^{13}_{44}$tʰau^{21}tʂak^{3} lau^{21}pʰo^{13}m̩^{13}pʰei^{53}iet^{3} tʂak^{3} xau^{21} fo^{53},xau^{21}fo^{53}ʂʅ$^{53}_{44}$n^{13}tek^{3} mai^{53}pən$^{35}_{44}$ci^{13}.

【镬$_{1}$】uɔk^{5} [名]锅。形如大盆，用以烧水、煮食物等的铁器：去～里舀个。çi$^{53}_{44}$uɔk^{5} li^{0} iau^{21}ke^{53}.

【镬$_{2}$】uɔk^{5} [量]用于用锅装的东西：蒸一～米馃 tʂən^{35}iet^{3} uɔk^{5} mi^{21}ko^{21} | 十个人食一～饭。ʂek^{5} ke^{53}ɲin^{13}ʂek^{5} iet^{3} uɔk^{5} fan^{53}.

【镬铲】uɔk^{5} tsʰan^{21} [名]①炒菜用的锅铲：（冷饭）用～舞碎来。iəŋ^{53}uɔk^{5} tsʰan^{21}u^{21}si^{53}lɔi$^{13}_{21}$. ②发型名，理发时，囟门处保留一部分头发，形似炒菜时用的铁锅铲：留只～，系，有起咁个，如今冇多咁个了。留～就系以边上都冇得头发，顶高留只子咁个方形子咁个样子，留只子咁个，看呶，留只子咁个，渠咁子个留倒，两边个头发都唔爱。欸，留～头呀。liəu^{13}tʂak^{3} uɔk^{5} tsʰan^{21}, xei^{53},iəu^{35}çi$^{21}_{44}$kan$^{21}_{44}$cie$^{53}_{44}$,i$^{53}_{21}$cin$^{35}_{53}$mau$^{13}_{21}$to$^{35}_{44}$kan^{21}cie$^{53}_{44}$liau^{0} .liəu^{13}uɔk^{5} tsʰan^{21}tsʰiəu$^{53}_{44}$xei$^{53}_{44}$i^{21}pien^{35}xɔŋ^{53}təu$^{35}_{53}$mau^{13} tek^{3} tʰei^{13}fait^{3} ,taŋ^{21}kau$^{35}_{44}$liəu^{13}tʂak^{3} tsʅ^{0} kan^{21}ke^{53}fɔŋ^{35}çin$^{13}_{44}$tsʅ^{0} kan^{21}ke$^{53}_{44}$iɔŋ^{53}tsʅ^{0} ,liəu^{13}tʂak^{3} tsʅ^{0} kan^{21}ke^{53},kʰɔn$^{53}_{44}$ nau^{0} ,liəu^{21}tʂak^{3} tsʅ^{0} kan^{21}cie$^{53}_{44}$,ci$^{13}_{21}$kan^{21}tsʅ^{0} ke^{0} liəu$^{13}_{21}$tau^{21},iɔŋ^{21}pien^{35}ke^{53}tʰei$^{13}_{21}$fait^{3} təu$^{35}_{53}$m̩$^{13}_{21}$mɔi^{53}.e$_{21}$.liəu^{13}uɔk^{5} tsʰan^{21}tʰei$^{13}_{44}$ia^{0} .

【镬铲皮子】uɔk^{5} tsʰan^{21}pʰi^{13}tsʅ^{0} [名]指锅铲的铲斗或铲身：（丝瓜）用～刨呢。iəŋ$^{53}_{44}$uɔk^{5} tsʰan^{21}pʰi^{13} tsʅ^{0} pʰau$^{13}_{21}$nei^{0} .

【镬耳朵子】uɔk^{5}ɲi^{21}to^{21}tsʅ^{0} [名]锅子两边的提手。又称“镬头耳朵”：用两耳镬煮好哩饭食以后，就手里提倒两只～提起来，分只镬头提起来。iəŋ^{53}iɔŋ^{21}ɲi^{21}uɔk^{5} tʂəu^{21}xau^{21}li^{0} fan^{53}ʂət^{5} i$^{35}_{44}$xei^{53},tsiəu^{53} ʂəu^{21}li^{0} tʰia^{35}tau^{21}iɔŋ^{21}tʂak^{3} uɔk^{5}ɲi^{21}to^{21}tsʅ^{0} tʰia^{35}çi^{21}lɔi$^{13}_{21}$,pən$^{35}_{44}$tʂak^{3} uɔk^{5} tʰei$^{13}_{21}$tʰia^{35}çi^{21}lɔi$^{13}_{21}$.

【镬盖】uok^{5}kɔi^{53} [名]锅盖：欸，～，□稳，□稳～。e$_{21}$,uɔk^{5} kɔi^{53},cʰiet^{3} uən^{21},cʰiet^{3} uən^{21}uɔk^{5} kɔi^{53}.

【镬客】uɔk^{5} kʰak^{3} [名]厨师：我等以前箇映子有只老子，渠就安做渠嘞，讲啊讲哩咯，渠就长日晒……吹牛皮咯，渠是第一会炒菜，渠是掌镬个，老掌镬个。渠安做渠自家是老～。以下就落尾渠个绰号子就成哩～，尽兜喊渠～。ŋai$^{13}_{21}$tien^{0} i$^{35}_{53}$tsʰien$^{13}_{21}$kai^{53}iaŋ^{53}tsʅ^{0} iəu^{35}tʂak^{3} lau^{21}tsʅ^{0},ci$^{13}_{21}$ tsʰiəu$^{53}_{44}$ɔn$^{35}_{44}$tso$^{53}_{44}$ci^{13}lei^{0},kɔŋ^{21}ŋa^{0} kɔŋ^{21}li^{0} ko^{0},ci$^{13}_{21}$tsʰiəu$^{53}_{44}$tʂʰɔŋ^{13}ɲiet^{3} sai$^{35}_{44}$…tʂʰei^{35}ɲiəu^{13}pʰi$^{13}_{21}$ko^{0},ci^{13}ʂʅ$^{53}_{44}$tʰi^{53}iet^{3} uɔi^{53}tsʰau^{21}tsʰɔi^{53},ci^{13}ʂʅ$^{53}_{44}$tʂɔŋ^{21}uɔk^{5} ke^{0},lau^{21}tʂɔŋ^{21}uɔk^{5} ke^{0} .ci$^{13}_{21}$ɔn^{35}tso^{53}ci$^{13}_{21}$tsʰʅ^{35}ka$^{35}_{44}$ʂʅ$^{53}_{44}$lau^{21}uɔk^{5} kʰak^{3} .i^{21}xa$^{53}_{44}$ tsʰiəu$^{53}_{44}$lɔk^{5} mi$^{35}_{53}$ci$^{13}_{21}$kei^{53}tʂʰɔk^{3} xau^{53}tsʅ^{0} tsʰiəu^{53}ʂaŋ$^{13}_{21}$li^{0} uɔk^{5} kʰak^{3} ,tsʰin^{53}te$^{35}_{53}$xan^{53}ci$^{13}_{44}$uɔk^{5} kʰak^{3} .

【镬空】uɔk^{5} kʰəŋ^{35} [名]灶台上用来安放铁锅的孔，也指灶膛：箇只眼就安做～，箇肚里，底下也安做～嘞。箇只眼就～。kai^{53}tʂak^{3} ŋan^{21}tsʰiəu$^{53}_{44}$ɔn$^{35}_{44}$tso$^{53}_{44}$uɔk^{5} kʰəŋ$^{35}_{44}$,kai^{53}təu^{21}li^{0} ,te^{21}xa$^{53}_{44}$ia^{35}ɔn$^{35}_{44}$tso$^{53}_{44}$ uɔk^{5} kʰəŋ$^{35}_{44}$lei^{0} .kai^{53}tʂak^{3} ŋan^{21}tsʰiəu$^{53}_{44}$uɔk^{5} kʰəŋ$^{35}_{44}$.

【镬瘌】uɔk^{5} lait^{3} [名]锅巴。又称“饭瘌”：烧哩镬，有～。ʂau^{35}li^{0} uɔk^{5},iəu^{35}uɔk^{5} lait^{3}. | 箇就唔讲锅巴饭呢，只讲有～吗嘞。kai^{53}tsiəu$^{53}_{44}$ŋ̍^{13}kɔŋ^{21}ko$^{35}_{44}$pa$^{35}_{44}$fan^{53}ne^{0} ,tʂʅ^{21}kɔŋ^{21}iəu^{35}uɔk^{3} lait^{3} ma^{0} le^{0} .

【镬膀】uɔk^{5} lau^{35} [名]锅烟子：客姓人安做～。kʰak^{3} sin^{53}ɲin$^{13}_{21}$ɔn^{35}tso$^{53}_{44}$uɔk^{5} lau$^{35}_{44}$.

【镬圈】uɔk^{5} cʰien^{35} [名]锅圈儿：～个作用就系省子出烟呶，就冇事冇事漏烟呶。uɔk^{5} cʰien$^{35}_{44}$ke$^{53}_{44}$ tsɔk^{3} iəŋ^{53}tsʰiəu$^{53}_{44}$xe$^{53}_{44}$saŋ^{21}tsʅ^{0} tʂʰət^{3} ien^{35}nau^{0} ,tsʰiəu^{53}mau$^{13}_{21}$sʅ^{53}mau$^{13}_{21}$sʅ$^{53}_{44}$lei^{53}ien^{35}nau^{0} .

【镬头】uɔk^{5} tʰei$^{13}_{21}$ [名]铁锅：～大哩。uɔk^{5} tʰei$^{13}_{21}$tʰai^{53}li^{0}. | ～个大细都有有箇个咯，牛三，牛四，牛五咯。欸，还有王镬哦。大镬，细镬，牛三，牛四，牛五镬。牛三镬子，牛四镬，牛五镬。uɔk^{5} tʰei$^{13}_{21}$ke$^{53}_{44}$tʰai^{53}se^{53}təu$^{35}_{44}$iəu$^{35}_{44}$iəu^{35}kai^{53}ke$^{53}_{21}$ko^{0}, ɲiəu^{13}san^{35}, ɲiəu^{13}si^{53}, ɲiəu^{13}ŋ̍^{21}ko^{0} .e$_{21}$,xai$^{13}_{21}$iəu$^{35}_{44}$uɔŋ^{13}uɔk^{5} o^{0} .tʰai^{53}uɔk^{5},se^{53}uɔk^{5}, ɲiəu^{13}san^{35}, ɲiəu^{13}si^{53}, ɲiəu^{13}ŋ̍^{21}uɔk^{5}. ɲiəu^{13}san^{35}uɔk^{5} tsʅ^{0}, ɲiəu^{13}si^{53}uɔk^{5}, ɲiəu^{13}ŋ̍^{21} uɔk^{5}.

【镬头耳朵】uɔk^{5} tʰei^{13}ɲi^{21}to^{21} 锅子两边的提手。又称“镬耳朵子”：我等～上欸缔兜子箇个烂布子呢，因为煮哩饭食以后，你咁子去嘞熝人，熝手，欸，就缔兜子烂布子，冇咁熝手。ŋai^{13}tien^{0} uɔk^{5} tʰei$^{13}_{21}$ɲi^{21}to^{21}xɔŋ$^{53}_{44}$e$_{44}$tʰak^{3} təu$^{35}_{53}$tsʅ^{0} kai$^{53}_{44}$ke$^{53}_{44}$lan^{53}pu^{53}tsʅ^{0} nei^{0} ,in^{35}uei$^{53}_{44}$tʂəu^{21}li^{0} fan^{53}ʂət$^{5}_{3}$ i$^{35}_{44}$xei$^{53}_{44}$, ɲi$^{13}_{21}$kan^{21}tsʅ^{0} çi^{53}le^{0} ləuk^{5}ɲin$^{13}_{21}$,ləuk^{5} ʂəu^{21},e$_{21}$,tsiəu$^{53}_{44}$tʰak^{3} tei$^{35}_{53}$tsʅ^{0} lan^{53}pu$^{53}_{44}$tsʅ^{0} ,mau$^{13}_{21}$kan^{21}ləuk^{5} ʂəu^{21}.

【镬子】uɔk^{5} tsʅ^{0} [名]锅子：从前个柴灶吵，以映子系～。tsʰəŋ^{13}tsʰien^{13}ke^{53}tsʰai^{13}tsau^{53}ʂa^{0} ,i^{21}iaŋ^{53}tsʅ^{0}

H

xei$^{53}_{21}$uɔk^{5}tsɿ^{0}.

【藿香水】xɔk^{5}çiɔŋ$^{35}_{44}$ʂei^{21} 名藿香正气水的简称：～又安做藿香正气水。用得最多个嘞就系冷天呢，冷天惹哩寒，食滴子藿香正气水也蛮好。热天也好嘞，我记得热天食哩也好嘞，热天呢防暑，系，防暑。传统上映子都箇是藿香丸子呢，渠箇上背都有只正气两只字。但是我等人话嘞就唔话箇两只字，～，藿香丸子。xɔk^{5}çiɔŋ$^{35}_{44}$ʂei^{21}iəu^{53}ɔn$^{35}_{44}$tso$^{53}_{44}$xɔk^{5}çiɔŋ$^{35}_{44}$tʂən^{53}çi^{53}ʂei^{21}.iəŋ^{53}tek^{3}tsei^{53}to$^{35}_{44}$ke^{0}lei^{0}ts^{h}iəu$^{53}_{44}$xe$^{53}_{44}$laŋ^{35}t^{h}ien$^{35}_{44}$nei^{0},laŋ^{35}t^{h}ien$^{35}_{44}$ɲia^{35}li^{0}xɔn^{13},ʂət^{5}tiet^{5}tsɿ^{0}xɔk^{5}çiɔŋ$^{35}_{44}$tʂən^{53}çi^{53}ʂei^{21}ia^{35}man$^{13}_{21}$xau$^{21}_{44}$. ɲiet^{5}t^{h}ien$^{35}_{44}$ia$^{35}_{44}$xau^{21}le^{0},ŋai^{13}ci^{53}tek^{3}ɲiet^{5}t^{h}ien$^{35}_{44}$ʂət^{5}li^{0}ia^{35}xau^{21}le^{0}, ɲiet^{5}t^{h}ien$^{35}_{44}$ne^{0}fɔŋ^{13}ʂəu^{21}, xe^{53},fɔŋ^{13}ʂəu^{21}.tʂ^{h}uɔn^{13}t^{h}əŋ^{21}xɔŋ^{53}iaŋ^{53}tsɿ^{0}təu$^{35}_{44}$kai^{53}ʂɿ$^{53}_{21}$xɔk^{5}çiɔŋ$^{35}_{44}$ien^{13}tsɿ^{0}nei^{0},ci$^{13}_{21}$kai$^{53}_{44}$ʂɔŋ^{53}pɔi$^{53}_{44}$təu^{35}iəu$^{35}_{44}$tʂak^{3}tʂən^{53}çi^{53}iɔŋ^{21}tʂak^{3}ts^{h}ɿ^{53}.tan^{53}ʂɿ^{53}ŋai^{13}tien^{0}ɲin$^{13}_{21}$ua^{53}lei^{0}ts^{h}iəu^{53}m̩^{13}ua^{53}kai^{53}iɔŋ^{21}tʂak^{3}ts^{h}ɿ^{53},xɔk^{5}çiɔŋ$^{35}_{44}$ʂei^{21},xɔk^{5}çiɔŋ$^{35}_{44}$ien^{13}tsɿ^{0}.

H

J

【击】ciet^{3} [动]敲打；敲击：（行家奠礼）爱～鼓鸣金放炮哇。ɔi$^{53}_{44}$ciet^{3} ku^{21}min$^{13}_{21}$cin$^{35}_{44}$fɔŋ^{53}p^{h}au^{53}ua^{0}.｜～鼓，鸣金，放炮，宣诫词，爱搞三到。ciet^{3} ku^{21},min^{13}cin$^{35}_{44}$,fɔŋ^{53}p^{h}au^{53},sien^{35}kai^{53}ts^{h}ɿ^{13},ɔi$^{53}_{44}$kau^{21} san^{35}tau^{53}.

【饥】ci^{35} [形]饿；肚子空，想吃东西：真～了。tʂən^{35}ci^{35}liau^{0}.｜肚子～个时候子只爱食得兜子么个就好多哩，就更有力气。嘴动三分力。təu^{21}tsɿ^{0} ci^{35}ke^{53}ʂʅ$^{13}_{21}$xei^{53}tsɿ^{0} tʂʅ^{21}ɔi$^{53}_{44}$ʂət^{5} tek^{3} tei$^{35}_{53}$tsɿ^{0} mak^{3} ke^{53}ts^{h}iəu^{53}xau^{21}to^{35}li^{0},ts^{h}iəu$^{53}_{44}$cien$^{53}_{44}$iəu^{35}liet^{5} çi$^{53}_{44}$.tʂɔi^{53}t^{h}əŋ^{35}san$^{35}_{44}$fən$^{35}_{44}$liet^{5}.

【机关】ci^{35}kuan^{35} [名]控制整个机械的关键部分：～就去（锁）箇肚子里。ci^{35}kuan^{35}ts^{h}iəu$^{53}_{44}$çi$^{53}_{44}$ kai$^{53}_{44}$təu^{21}tsɿ^{0} li^{0}.

【机器炉子】ci^{35}c^{h}i^{53}/çi^{53}ləu^{13}tsɿ^{0} [名]电饭煲：～煮个饭 ci^{35}c^{h}i^{53}ləu^{13}tsɿ^{0}tʂəu^{21}ke$^{53}_{44}$fan^{53}｜～嘞就一种铁个或者铝个做个，可以用来欸蒸菜蒸饭呢烧水个箇起咁个炉子，有盖。但是渠本身唔发热。呃，只有以后背就有么个电炉子就会发热。ci^{35}çi^{53}ləu^{13}tsɿ^{0} lei^{0} ts^{h}iəu^{53}iet^{3} tʂəŋ^{21}t^{h}iet^{3} ke^{53}xɔit^{5} tʂa^{21} lei^{21}ke^{53}tso^{53}ke^{53},k^{h}o^{21}i$^{35}_{44}$iəŋ^{53}lɔi$^{13}_{21}$e$_{21}$tʂən^{35}ts^{h}ɔi^{53}tʂən^{35}fan^{53}ne^{0} ʂau^{35}ʂei^{21}cie^{53}kai^{53}çi^{21}kan^{21}cie^{53}ləu^{13}tsɿ^{0},iəu^{35} kɔi^{53}.tan^{53}ʂʅ^{53}ci$^{13}_{21}$pən^{21}ʂən$^{35}_{53}$n̩^{13}fait^{3} ɲiet^{5} .ə$_{21}$,tʂʅ^{21}iəu$^{35}_{53}$i^{21}xei^{53}pɔi$^{53}_{44}$ts^{h}iəu$^{53}_{44}$iəu$^{35}_{44}$mak^{3} e^{0} t^{h}ien^{53}nəu$^{13}_{21}$tsɿ^{0} tsiəu$^{53}_{44}$uɔi$^{53}_{44}$ fait^{3} ɲiet^{5}.

【机针】ci^{35}tʂən^{35} [名]缝纫机上用的针：～就更长啊，欸，箇头上更粗啊。ci^{35}tʂən^{35}ts^{h}iəu$^{53}_{44}$cien^{53} tʂ^{h}ɔŋ^{13}ŋa^{0},ei$_{21}$,kai^{53}t^{h}ei$^{13}_{21}$xɔŋ$^{53}_{44}$cien^{53}ts^{h}əu^{35}ua^{0}.

【机子】ci^{35}tsɿ^{0} [名]机器：箇～打个席，丝席子。kai$^{53}_{44}$ci^{35}tsɿ^{0} ta^{21}ke$^{53}_{44}$ts^{h}iak^{5},sɿ^{35}ts^{h}iak^{5} tsɿ^{0}.｜如今用～车筒子。i$^{13}_{21}$cin$^{35}_{44}$iəŋ$^{53}_{44}$ci^{35}tsɿ^{0} tʂ^{h}a$^{35}_{44}$t^{h}əŋ^{13}tsɿ^{0}.

【鸡】ke^{35}/cie^{35}新派 [名]家禽名：七宝山人又唔同啊。我等话～，畜只～，七宝山人就让门呢？kai^{35}，喊 kai^{35}嘞。咁远子唔同。ts^{h}iet^{3} pau^{21}san^{35}ɲin$^{13}_{21}$iəu$^{53}_{44}$n̩$^{13}_{21}$t^{h}əŋ$^{13}_{21}$ŋa^{0} .ŋai^{13}tien^{0} ua$^{53}_{44}$cie^{35},çiəuk^{3} tʂak^{3} cie^{35},ts^{h}iet^{3}pau^{21}san^{35}ɲin$^{13}_{21}$ts^{h}iəu$^{53}_{44}$ɲiɔŋ$^{53}_{44}$mən^{0} ne^{0} ?kai^{35},xan$^{53}_{44}$kai^{35}lei^{0} .kan^{21}ien^{21}tsɿ^{0} nən^{53}t^{h}əŋ^{13}.

【鸡把】cie^{35}pa^{53} [名]鸡腿，多称“鸡髀”：～就鸡腿呀。我箇只孙子就第一喜欢食～。cie^{35}pa^{53} ts^{h}iəu^{53}cie^{35}t^{h}ɔi^{21}ia^{0} .ŋai^{13}kai^{53}(tʂ)ak^{3} sən^{35}tsɿ^{0} tsiəu^{53}t^{h}i^{53}iet^{3} çi^{21}fɔn$^{35}_{44}$ʂət^{5} cie$^{35}_{44}$pa^{53}.

【鸡髀】cie^{35}pi^{21} [名]鸡腿，又称“鸡把”：渠有只话法安做～甑下□嘿哩。𫠛做得面子，欸，代价付嘿哩，钱又出嘿哩。本来我就系想搞只，～是比较重视个东西。正月头，正月，外甥来哩，外甥，喊舅爷个喊姐公个来哩，爱舞只子，姐公啊欸舅爷就爱舞滴子～分外甥食。舞两只子～分外甥食。欸，就有体面，就看得渠重样。但是你舞又舞哩嘞，又𫠛食得～嘞，你就𫠛做得面子，欸，𫠛搞得面子，就安做～甑下□嘿哩。饭甑底下，饭甑脚下□咁哩，𫠛摆出来得。ci$^{13}_{21}$iəu^{35}tʂak^{3} ua^{53}fait^{3} ɔn$^{35}_{44}$tso$^{53}_{44}$cie^{35}pi^{21}tsien^{53}xa^{35}sait^{5} (x)ek^{3} li^{0} .maŋ^{13}tso^{53}tek^{3} mien^{53}tsɿ^{0} ,e$_{21}$,t^{h}ɔi^{53} cia$^{53}_{44}$fu^{53}xek^{3} li^{0} ,ts^{h}ien^{13}iəu^{53}tʂ^{h}ət^{3} (x)ek^{3} li^{0} .pən^{21}nɔi^{13}ŋai^{13}ts^{h}iəu^{53}xei^{53}siɔŋ^{21}kau^{21}tʂak^{3} ,cie^{35}pi^{21}ʂʅ$^{53}_{44}$pi^{21}ciau$^{53}_{44}$ tʂ^{h}əŋ^{53}ʂʅ$^{53}_{44}$ke$^{53}_{44}$təŋ$^{35}_{44}$si^{0} .tʂaŋ^{35}ɲiet^{5} t^{h}ei$^{13}_{21}$,tʂaŋ^{35}ɲiet^{5} ,e^{21},ŋɔi^{53}saŋ$^{35}_{44}$lɔi$^{13}_{21}$li^{0} ,ŋɔi^{53}saŋ^{35},xan^{53}c^{h}iəu^{35}ia$^{13}_{21}$ke$^{53}_{44}$xan^{53}tsia^{21}

kəŋ$^{35}_{44}$ke^{53}lɔi$^{13}_{21}$li^{0},ɔi$^{53}_{44}$u^{21}tʂak^{3}tsɿ^{0},tsia^{21}kəŋ$^{35}_{44}$ŋa^{0} ei$_{21}$cʰiəu^{35}ia$^{13}_{21}$tsʰiəu^{53}ɔi^{53}u^{21}tiet^{5}tsɿ^{0} cie^{35}pi^{21}pən^{35}ŋɔi^{53}saŋ^{35} ʂət^{5}.u^{21}iɔŋ^{21}tʂak^{3}tsɿ^{0} cie^{35}pi^{21}pən^{35}ŋɔi^{53}saŋ^{35}ʂət^{5}.e^{21},tsʰiəu$^{53}_{44}$iəu$^{35}_{44}$tʰi^{21}mien$^{53}_{44}$,tsʰiəu$^{53}_{44}$kʰɔn^{53}tek^{3}ci$^{13}_{21}$tʂʰəŋ^{53} iɔŋ$^{53}_{44}$.tan$^{53}_{44}$ʂʅ^{53}ɲi^{13}u^{21}iəu^{53}u^{21}li^{0} lei^{0},iəu^{53}maŋ^{13}ʂət^{5}tek^{3}cie^{35}pi^{21}lei^{0}, ɲi^{13}tsʰiəu^{53}maŋ^{13}tso^{53}tek^{3}mien^{53} tsɿ^{0},e$_{21}$,maŋ^{13}kau^{21}tek^{3}mien^{53}tsɿ^{0},tsʰiəu$^{53}_{21}$ɔn$^{35}_{44}$tso$^{53}_{44}$cie^{35}pi^{21}tsien^{53}xa$^{53}_{44}$sait^{5}(x)ek^{3}li^{0}.fan^{53}tsien^{53}tei^{21}xa$^{53}_{44}$,fan^{53} tsien^{53}ciɔk^{3}xa$^{53}_{44}$sait^{5}kan^{21}li^{0},maŋ^{13}pai^{21}tʂʰət^{3}lɔi^{13}tek^{3}.

【鸡蛋糕】cie^{35}tʰan^{53}kau^{35} 名蛋糕：～张坊街上有做蛋糕个，我等难多得买倒食，～。cie^{35}tʰan^{53} kau$^{35}_{44}$tʂɔŋ$^{35}_{44}$xɔŋ$^{35}_{53}$kai$^{35}_{44}$xɔŋ$^{53}_{44}$iəu^{35}tso$^{53}_{44}$tʰan^{53}kau$^{35}_{44}$ke^{0},ŋai^{13}tien^{0}lan^{13}to$^{35}_{44}$tek^{3}mai^{35}tau^{21}ʂət^{5},cie$^{35}_{44}$tʰan$^{53}_{21}$kau$^{35}_{44}$.

【鸡窦】cie^{35}tei^{53} 名鸡窝（下蛋或孵鸡处）：菢鸡崽子个～又蛮有讲究啦。欸，别么个讲究都还得，就系热天个～，因为箇鸡嫲嘞跍倒箇肚里嘞爱三只星期，系唔系？菢鸡崽子爱三只星期，跍倒箇肚里，热天呢气温高，往往箇鸡子都还赠出，欸，鸡饽饽就已经就变哩质了。往往啊，渠来个时候子看唔出吵，鸡饽饽来个时候子好唔好看唔出吵。就系一只咁个，热天絮～嘞，爱放□乌子箇肚里。欸，还爱放松毛。松毛也爱晒燸来。渠就更冇事箇个冇事变质啦，更凉快吧又系吧，又杀毒啊。pʰu^{53}cie^{35}tse^{21}tsɿ^{0}ke^{0}cie^{35}tei^{53}iəu$^{53}_{44}$man^{13}iəu$^{35}_{53}$kɔŋ^{21}ciəu^{53}la^{0}.ei$_{44}$, pʰiet^{5}mak^{3}e^{0}kɔŋ^{21}ciəu$^{53}_{44}$təu$^{35}_{44}$xan^{13}tek^{3},tsʰiəu$^{53}_{44}$xe$^{53}_{44}$ɲiet^{5}tʰien$^{35}_{44}$ke$^{53}_{44}$cie^{35}tei^{53},in^{35}uei$^{53}_{44}$kai$^{53}_{44}$cie^{35}ma$^{13}_{21}$lei^{0}kʰu^{35} tau$^{21}_{44}$kai$^{53}_{44}$təu^{21}li^{21}le^{0}ɔi$^{53}_{44}$san^{35}tʂak^{3}sin^{35}cʰi$^{13}_{44}$,xei$^{53}_{44}$me$^{53}_{44}$?pʰu$^{53}_{44}$cie^{35}tse^{21}tsɿ^{0}ɔi^{53}san^{35}tʂak^{3}sin^{35}cʰi$^{13}_{44}$,kʰu$^{35}_{44}$tau$^{21}_{44}$kai^{53} təu^{21}li^{0}, ɲiet^{5}tʰien$^{35}_{44}$nei^{0}çi^{53}uən$^{35}_{44}$kau^{35},uɔŋ^{21}uɔŋ^{21}kai^{53}cie^{35}tsɿ^{0}təu$^{35}_{53}$xai$^{13}_{21}$maŋ$^{13}_{21}$tʂʰət^{3},ei$_{21}$,cie^{35}pɔk^{5}pɔk^{5}tsʰiəu^{53} i^{21}cin$^{35}_{44}$tsʰiəu$^{53}_{44}$pien^{53}ni^{0}tʂət^{3}liau^{0}.uɔŋ^{21}uɔŋ^{21}ŋa^{0},ci^{13}lɔi^{13}ke^{53}ʂʅ$^{13}_{44}$xəu$^{53}_{44}$tsɿ^{0}kʰɔn^{53}n̩$^{13}_{21}$tʂʰət^{3}ʂa^{0},cie^{35}pɔk^{5}pɔk^{5}lɔi^{13} ke^{53}ʂʅ$^{13}_{44}$xəu$^{53}_{44}$tsɿ^{0}xau^{21}m̩^{13}xau^{21}kʰɔn^{53}n̩$^{13}_{21}$tʂʰət^{3}ʂa^{0}.tsʰiəu$^{53}_{44}$xei^{53}iet^{3}tʂak^{3}kan$^{21}_{13}$cie^{53}, ɲiet^{5}tʰien$^{35}_{44}$si^{53}cie^{35}tei^{53}lei^{0}, ɔi^{53}fɔŋ^{35}lai^{35}tiau$^{35}_{44}$tsɿ^{0}kai^{53}təu^{21}li^{0}.ei$_{21}$,xai$^{13}_{21}$ɔi$^{53}_{44}$fɔŋ^{53}tsʰəŋ^{13}mau^{35}.tsʰəŋ^{13}mau$^{35}_{44}$ia$^{35}_{53}$ɔi^{53}sai^{53}tsau$^{35}_{44}$lɔi$^{13}_{21}$.ci^{13}tsʰiəu^{53} cien^{53}mau^{13}sɿ^{53}kai^{53}ke^{53}mau^{13}sɿ^{53}pien^{53}tʂət^{3}la^{0},cien^{53}liɔŋ^{13}kʰuai^{53}pa^{0}iəu^{53}xei^{53}pa^{0},iəu^{53}sait^{3}tʰəuk^{5}a^{0}.

【鸡公】cie^{35}kəŋ^{35} 名公鸡。又称“鸡公子、雄鸡”：～个髻鲜红子嘞表示箇只～就系身体好唠，正旺盛，旺盛时候唠，系唔系？性欲旺盛呶。箇只时候子个做个种，箇个鸡嫲生个饽饽嘞也更菢得鸡崽子出来。～好嘞，饽饽也就更好。cie^{35}kəŋ^{35}ke^{0}ci^{53}çien^{35}fəŋ^{13}tsɿ^{0}lei^{0}piau^{21}ʂʅ$^{53}_{44}$kai^{53}tʂak^{3} cie^{35}kəŋ$^{35}_{44}$tsʰiəu^{53}xei^{53}ʂən^{35}tʰi^{21}xau^{21}lau^{0},tʂən^{53}uɔŋ^{53}ʂən^{53},uɔŋ^{53}ʂən^{53}ʂʅ$^{13}_{21}$xei$^{53}_{44}$lau^{0},xei^{53}me^{53}?sin^{53}iəuk^{3}uɔŋ^{53} ʂən^{53}nau^{0}.kai^{53}tʂak^{3}ʂʅ^{13}xei^{53}tsɿ^{0}ke^{53}tso^{53}ke^{53}tʂəŋ^{21},kai$^{53}_{44}$ke$^{53}_{44}$cie^{35}ma$^{13}_{21}$saŋ$^{35}_{44}$ke$^{53}_{44}$pɔk^{5}pɔk^{5}lei^{0}ia$^{35}_{44}$cien^{53}pʰu^{53}tek^{3} cie^{35}tse^{21}tsɿ^{0}tʂʰət^{3}lɔi^{13}.cie^{35}kəŋ$^{35}_{53}$xau^{21}le^{0},pɔk^{5}pɔk^{5}a$^{35}_{44}$tsʰiəu$^{53}_{44}$cien^{53}xau^{21}.｜还唔会啼个半大个～子 xai^{13} m̩^{13}uɔi$^{53}_{44}$tʰai^{13}ke$^{53}_{44}$pan^{53}tʰai^{53}ke$^{53}_{21}$cie^{35}kəŋ^{35}tsɿ^{0}

【鸡公髻蛇】cie^{35}kəŋ^{35}ci^{53}ʂa^{13} 名鸡冠蛇：～，好像箇脑壳顶上有只咁个同箇鸡公样有只髻，有只冠。～。髻，欸，就系冠个意思呢。髻就系冠呶，髻就系箇头上个箇滴子呢。禾呀禾吵，箇个箇打哩禾啊，打嘿哩禾，就割嘿哩吵，系唔系？割嘿哩，底下有只禾蔸吵。分禾蔸挖起来，从箇割嘿哩个栏场到地泥下箇一段安做禾蔸髻。～，系，系有～。渠有蛇冠，本来是鸡冠髻呢，～。唔知让门我等读做～呢。大概同鸡公样有髻。cie^{35}kəŋ^{35}ci^{53}ʂa^{13},xau^{21}siɔŋ^{53}kai$^{53}_{44}$lau^{21} kʰɔk^{3}taŋ^{21}xɔŋ^{53}iəu$^{35}_{53}$tʂak^{3}kan$^{21}_{44}$cie$^{53}_{21}$tʰəŋ^{13}kai$^{53}_{44}$cie^{35}kəŋ$^{35}_{44}$iɔŋ$^{53}_{21}$iəu$^{35}_{44}$tʂak^{3}ci^{53},iəu^{35}tʂak^{3}kɔn^{35}.cie^{35}kəŋ$^{35}_{44}$ci^{53} ʂa$^{13}_{44}$.ci^{53},e$_{21}$,tsʰiəu^{53}xe$^{53}_{44}$kɔn^{35}ke$^{53}_{44}$i$^{53}_{44}$sɿ^{0}nei^{0}.ci^{53}tsʰiəu$^{53}_{44}$xe$^{53}_{44}$kʰɔn$^{53}_{44}$nau^{0},ci^{53}tsʰiəu$^{53}_{44}$xe$^{53}_{44}$kai$^{53}_{44}$tʰei^{13}xɔŋ$^{53}_{44}$ke$^{53}_{44}$kai$^{53}_{44}$ tiet^{5}tsɿ^{0}nei^{0}.uo^{13}ia$_{44}$uo^{13}ʂa^{0},kai$^{53}_{44}$ke$^{53}_{44}$kai$^{53}_{44}$ta^{21}li^{0}uo^{13}a^{0},ta^{21}(x)ek^{3}li^{0}uo^{13},tsʰiəu$^{53}_{44}$kɔit^{3}(x)ek^{3}li^{0}ʂa^{0},xei$^{53}_{44}$ me$^{53}_{44}$?kɔit^{3}(x)ek^{3}li^{0},tei^{21}xa$^{53}_{44}$iəu$^{35}_{44}$tʂak^{3}uo^{13}tei$^{35}_{44}$ʂa^{0}.pən^{35}uo^{13}tei$^{35}_{44}$uait^{3}çi^{21}lɔi$^{13}_{44}$,tsʰəŋ^{13}kai$^{53}_{44}$kɔit^{3}(x)ek^{3}li^{0}ke^{53} lɔŋ$^{13}_{21}$tʂʰɔŋ$^{13}_{44}$tau^{53}tʰi^{53}lai$^{13}_{21}$xa^{35}kai$^{53}_{44}$iet^{3}tɔn^{53}ɔn$^{35}_{44}$tso$^{53}_{44}$uo^{13}tei$^{35}_{44}$ci^{53}.cie^{35}kəŋ$^{35}_{44}$ci^{53}ʂa$^{13}_{44}$,xei$^{53}_{21}$,xei$^{53}_{44}$iəu^{35}cie$^{35}_{44}$kəŋ$^{35}_{44}$ci^{53} ʂa$^{13}_{21}$.ci^{13}iəu$^{35}_{44}$ʂa^{13}kɔn^{35},pən^{21}nɔi^{13}ʂʅ$^{53}_{44}$cie^{35}kɔn^{35}ci^{53}nei^{0},cie^{35}kɔn^{35}ci^{53}ʂa$^{13}_{21}$.n̩$^{13}_{21}$ti$^{35}_{44}$ɲiɔŋ^{53}mən^{0}ŋai$^{13}_{21}$tien^{0}tʰəuk^{5}tso$^{53}_{44}$ cie^{35}kəŋ^{35}ci^{53}ʂa$^{13}_{44}$nei^{0}.tʰai$^{53}_{44}$kʰai$^{53}_{44}$tʰəŋ$^{13}_{21}$cie^{35}kəŋ$^{35}_{44}$iɔŋ$^{53}_{44}$iəu^{35}ci^{53}.

【鸡公精】ke^{35}kəŋ^{35}tsin^{35} 名喻指性欲旺盛、喜欢寻花问柳的人。有鄙视意味：箇系搞“文化革命”个时候子，有只老师，我等是正架势教书啦，我是正架势教书，七几年呢正架势教书，还去下搞“文化革命”。箇个暑假就开全体老师会呀。就有人就检举哩有两只老师，都系张家坊个，有两只老师生活作风唔好，走一只学堂嘞就偷一只学堂个附近个夫娘子，偷野老婆，以下就舞倒大会上来斗呀。我如今都记得。箇只老师斗渠，箇只老师斗渠个就唔在哩嘞以下就唔凑。渠话：“你箇个游三猪牯，～，夜游神。”我只记得箇渠同渠搞一路个罪名啊。欸。“你箇游三猪牯，～，嗯，夜游神。你走一只栏场就偷一只栏场个夫娘子，偷一只栏场个野老婆。”箇两只老师就咁子开除嘿哩凑。kai^{53}xe^{53}kau^{21}"uən^{13}fa^{53}kek^{3}min^{53}"ke^{0}ʂʅ^{13}xei^{53}tsɿ^{0},iəu^{35}tʂak^{3} lau^{21}sɿ$^{35}_{44}$,ŋai^{13}tien^{0}ʂʅ$^{53}_{44}$tʂaŋ^{53}cia^{53}ʂʅ^{53}kau$^{35}_{44}$ʂəu$^{35}_{44}$la^{0},ŋai^{13}ʂʅ$^{53}_{44}$tʂaŋ^{53}cia$^{53}_{44}$ʂʅ$^{53}_{44}$kau^{35}ʂəu^{35},tsʰiet^{3}ci^{21}ɲien^{13}ne^{0}tʂaŋ^{53}

cia$^{53}_{44}$ʂɿ$^{53}_{44}$kau^{35}ʂəu^{35},xai^{13}çi$^{53}_{44}$xa$^{53}_{44}$kau^{21}"uən^{13}fa$^{53}_{44}$kek^{3} min^{53}".kai$^{53}_{44}$ke$^{53}_{44}$ʂəu^{21}cia^{21}tsʰiəu$^{53}_{44}$kʰɔi^{35}tsʰien^{13}tʰi^{21}lau^{21}sɿ$^{35}_{44}$ fei^{53}ia^{0} .tsʰiəu$^{53}_{44}$iəu^{35}ɲin$^{13}_{21}$tsʰiəu^{53}cian^{21}tʂɥ^{21}li^{0} iəu^{35}iɔŋ^{21}tʂak^{3} lau^{21}sɿ$^{35}_{44}$,təu$^{35}_{44}$xei^{53}tʂɔŋ$^{35}_{44}$ka$^{35}_{44}$fɔŋ^{35}ke^{53},iəu^{35}iɔŋ^{21} tʂak^{3} lau^{21}sɿ$^{35}_{53}$sen$^{35}_{44}$xɔit^{5} tsɔk^{3} fəŋ$^{35}_{53}$n̩$^{13}_{21}$xau^{21},tsei^{21}iet^{3} tʂak^{3} xɔk^{5} tʰɔŋ$^{13}_{21}$lei^{0} tsʰiəu$^{53}_{44}$tʰei^{35}iet^{3} tʂak^{3} xɔk^{5} tʰɔŋ$^{13}_{21}$ke^{53} fu^{53}cʰin$^{35}_{44}$ke$^{53}_{44}$pu^{35}ɲiɔŋ$^{13}_{21}$tsɿ^{0} ,tʰei^{35}ia$^{35}_{44}$lau^{21}pʰo$^{13}_{21}$,i^{21}xa^{53}tsʰiəu^{53}u^{21}tau^{21}tʰai^{53}fei$^{53}_{44}$xɔŋ$^{35}_{44}$lɔi$^{13}_{21}$tei^{53}ia^{0} .ŋai$^{13}_{21}$i$^{13}_{21}$cin$^{35}_{44}$təu$^{35}_{44}$ ci^{53}tek^{3} .kai$^{53}_{44}$tʂak^{3} lau^{21}sɿ$^{35}_{44}$tei^{53}ci$^{13}_{21}$,kai$^{53}_{44}$tʂak^{3} lau^{21}sɿ$^{35}_{44}$tei^{53}ci$^{13}_{21}$ke^{0} tsʰiəu$^{53}_{21}$n̩$^{13}_{21}$tsʰɔi$^{53}_{44}$li^{0} le^{0} i$^{13}_{21}$xa^{53}tsʰiəu$^{53}_{44}$n̩$^{13}_{21}$tsʰe^{0} .ci$^{13}_{44}$ ua$^{53}_{44}$:"ɲi^{13}kai$^{53}_{44}$ke$^{53}_{44}$iəu^{13}san$^{35}_{44}$tʂəu^{35}ku^{21},ke^{35}kəŋ$^{35}_{44}$tsin^{35},ia^{53}iəu$^{13}_{44}$ʂən^{13}."ŋai^{13}tʂɿ^{21}ci^{53}tek^{3} kai^{53}ci$^{13}_{44}$tʰɔŋ$^{13}_{21}$ci$^{13}_{44}$kau^{21}iet^{3} ləu^{53}ke$^{53}_{44}$tsʰei^{53}miaŋ^{13}ŋa^{0} .e$_{21}$."ɲi^{13}kai$^{53}_{44}$iəu^{13}san$^{35}_{44}$tʂəu^{35}ku^{21},ke^{35}kəŋ$^{35}_{44}$tsin^{35},n̩$_{21}$,ia^{53}iəu$^{13}_{21}$ʂən^{13}. ɲi^{13}tsei^{21}iet^{3} tʂak^{3} laŋ$^{13}_{21}$tʂʰɔŋ$^{13}_{21}$tsʰiəu$^{53}_{21}$tʰei^{35}iet^{3} tʂak^{3} laŋ$^{13}_{21}$tʂʰɔŋ$^{13}_{21}$ke^{53}pu^{35}ɲiɔŋ$^{13}_{21}$tsɿ^{0} ,tʰei^{35}iet^{3} tʂak^{3} laŋ$^{13}_{21}$tʂʰɔŋ$^{13}_{21}$ke^{0} ia^{35}lau^{21} pʰo$^{13}_{21}$."kai^{53}iɔŋ^{21}tʂak^{3} lau^{21}sɿ$^{35}_{53}$tsʰiəu^{53}kan^{21}tsɿ^{0} kʰɔi^{35}tʂʰɥ$^{13}_{21}$xek^{3} li^{0} tsʰe^{0} .

【鸡冠】cie^{35}kɔn$^{35}_{44}$ 名鸡头上高起的肉冠：哪只部位个唠就安做鸡冠油啦？有滴像～个。lai^{53} tʂak^{3} pʰu^{53}uei$^{53}_{44}$ke$^{53}_{44}$lau^{0} tsʰiəu$^{53}_{44}$ɔn$^{35}_{44}$tso$^{53}_{44}$cie^{35}kɔn$^{35}_{44}$iəu$^{13}_{21}$la^{0} ?iəu^{35}tet^{5} tsʰiɔŋ$^{53}_{44}$cie^{35}kɔn$^{35}_{44}$cie$^{53}_{44}$.

【鸡冠髻】cie^{35}kɔn^{35}ci^{53} 名鸡冠：鸡公也好，鸡嬷也好，都有只～。～嘞箇只东西嘞欸开头讲哩，也系鸡子身上健康个一只标志。只看～个颜色啊就晓得箇只鸡子健康唔健康。～欸鲜红子个，因为渠系红个哕，系唔系？cie^{35}kəŋ$^{35}_{44}$ia$^{35}_{53}$xau^{21},cie^{35}ma^{13}ia$^{35}_{53}$xau^{21},təu$^{35}_{44}$iəu$^{35}_{44}$tʂak^{3} cie$^{35}_{44}$kɔn$^{35}_{44}$ ci^{53}.cie^{35}kɔn^{35}ci^{53}lei^{0} kai^{53}tʂak^{3} təŋ$^{35}_{44}$si^{0} lei^{0} e$_{21}$kʰɔi^{35}tʰei$^{13}_{21}$kɔŋ^{21}li^{0} ,ia^{35}xei^{53}cie^{35}tsɿ^{21}ʂən^{35}xɔŋ$^{53}_{44}$cʰien^{53}kʰɔŋ$^{35}_{44}$ke^{53} iet^{3} tʂak^{3} piau^{35}tʂɿ^{53}.tʂɿ^{21}kʰɔn^{53}cie^{35}kɔn^{35}ci^{53}ke$^{53}_{44}$ŋan^{13}sek^{3} a^{0} tsʰiəu^{53}çiau^{21}tek^{3} kai^{53}tʂak^{3} cie^{35}tsɿ^{21}cʰien^{53}kʰɔŋ$^{35}_{44}$ n̩^{13}cʰien^{53}kʰɔŋ^{35}.cie^{35}kɔn$^{35}_{44}$ci^{53}e$_{44}$çien^{35}fɔŋ$^{13}_{21}$tsɿ^{0} ke^{53},in^{35}uei$^{53}_{44}$ci$^{13}_{21}$xei^{53}fəŋ^{13}ke$^{53}_{44}$ʂa^{0} ,xei^{53}me^{53}?

【鸡冠髻花】cie^{35}kɔn^{35}ci^{53}fa^{35} 名鸡冠花：～就欸岭上个一种欸野生植物。也有人栽，也有人移栽。cie^{35}kɔn$^{35}_{44}$ci^{53}fa^{35}tsʰiəu$^{53}_{44}$ei^{0} liaŋ^{35}xɔŋ$^{53}_{44}$kei^{53}iet^{3} tʂəŋ^{21}ei$_{21}$ia^{35}sen$^{35}_{44}$tʂʰət^{5} uk^{5} .ia^{35}iəu$^{35}_{44}$ɲin$^{13}_{21}$tsɔi^{35},ia^{35}iəu$^{35}_{53}$ɲin$^{13}_{21}$ i^{13}tsɔi^{35}.

【鸡冠油】cie^{35}kɔn$^{35}_{44}$iəu^{13} 名猪小肠外附着的脂肪，形如鸡冠：还哪映子个嘞就安做～。鸡冠花样个油，～。xai^{13}lai^{53}iaŋ^{53}tsɿ^{0} ke$^{53}_{44}$lei^{0} tsʰiəu$^{53}_{44}$ɔn$^{35}_{44}$tso$^{53}_{44}$cie^{35}kɔn$^{35}_{44}$iəu$^{13}_{21}$.cie^{35}kɔn$^{35}_{44}$fa^{35}iɔŋ$^{53}_{44}$ke$^{53}_{44}$iəu^{13},cie^{35}kɔn$^{35}_{44}$ iəu$^{13}_{21}$.｜～好食嘞。cie^{35}kɔn$^{35}_{44}$iəu$^{13}_{21}$xau^{21}ʂət^{5} le^{0} .

【鸡脚耙】cie^{35}ciɔk^{3} pʰa^{13} 名鸡的爪子：～就鸡脚爪，蛮多人喜欢食箇只东西。欸，舞得好系好食。据说话美国人就唔食，就系中国人就会食，我等～尽系鸡脚爪～尽系美国来个话，进口个。国内哪映有咁多，～鸡脚爪，你爱万斤都有哇，系唔系？cie^{35}ciɔk^{3} pʰa^{13}tsʰiəu$^{53}_{44}$cie^{35}ciɔk^{3} tsau^{21},man^{13}to$^{35}_{44}$ɲin$^{13}_{21}$çi^{21}fɔn$^{35}_{44}$ʂət^{5} kai$^{53}_{44}$tʂak^{3} təŋ$^{35}_{44}$si^{0} .e$_{21}$,u^{21}tek^{3} xau^{21}xe^{53}xau^{21}ʂət^{5} .tʂɥ^{53}ʂet^{3} ua^{53}mei^{35}kɔit^{3} ɲin$^{13}_{44}$ tsʰiəu^{53}n̩^{13}ʂət^{5} ,tsʰiəu$^{53}_{44}$xei$^{53}_{44}$tʂəŋ$^{35}_{44}$kɔit^{3} ɲin$^{13}_{21}$tsiəu$^{53}_{21}$uɔi$^{53}_{21}$ʂət^{5} ,ŋai^{13}tien^{0} cie$^{35}_{44}$ciɔk^{3} pʰa^{13}tsʰin^{53}ne$^{53}_{44}$cie^{35}ciɔk^{3} tsau^{21} cie^{35}ciɔk^{3} pʰa^{13}tsʰin^{53}ne$^{53}_{44}$mei^{35}kɔit^{3} lɔi$^{13}_{21}$ke$^{53}_{44}$ua^{53},tsin^{53}kʰei^{21}ke^{53}.kɔit^{3} lei^{53}la^{53}iaŋ$^{53}_{44}$iəu$^{35}_{44}$kan^{21}to$^{35}_{44}$,cie^{35}ciɔk^{3} pʰa$^{13}_{44}$ cie^{35}ciɔk^{3} tsau$^{21}_{44}$, ɲi$^{13}_{21}$ɔi$^{53}_{44}$uan^{53}cin$^{35}_{44}$təu$^{35}_{44}$iəu$^{35}_{44}$ua^{0} ,xei$^{53}_{44}$me$^{53}_{44}$?

【鸡菌】cie^{35}cʰin^{35} 名鸡肫：蛮多人喜欢买～食哩。～炒倒嘞，放兜子欸酸辣椒子箇兜炒倒嘞，系蛮开口味嘞，又好食又开口味，以经得嚼。man^{13}to$^{35}_{53}$ɲin$^{13}_{44}$çi^{21}fɔn$^{35}_{44}$mai$^{35}_{44}$cie^{35}cʰin^{35}ʂət^{5} li^{0} .cie^{35} cʰin^{35}tsʰau^{21}tau^{21}lei^{0} ,fɔŋ^{53}təu$^{35}_{53}$tsɿ^{0} e$_{44}$sɔn$^{35}_{44}$lait^{5} tsiau^{35}tsɿ^{0} kai$^{53}_{44}$tei$^{35}_{44}$tsʰau^{21}tau^{21}lei^{0} ,xei^{53}man^{13}kʰɔi$^{35}_{44}$kʰei^{21}uei^{53} lei^{0} ,iəu$^{53}_{44}$xau^{21}ʂət^{5} iəu^{53}kʰɔi$^{35}_{44}$kʰei^{21}uei^{53},i^{21}cin^{35}tek^{3} tsiɔk^{3} .

【鸡菌皮】cie^{35}cʰin^{35}pʰi^{13} 名鸡内金：鸡子个胃欸劈开来以后肚里摎箇个食物相黪个箇块皮欸搣下来，安做～，又安做鸡内金，系味药。我等一般剐鸡是有人爱，丢嘿哩。～就好像细人子食哩伺脾土呢，整营养不良呢。cie^{35}tsɿ^{21}ke$^{53}_{44}$uei^{53}e$_{44}$pʰiak^{3} kʰɔi^{35}lɔi$^{13}_{21}$i$^{35}_{44}$xei^{53}təu^{21}li$^{21}_{44}$lau^{35}kai^{53}ke$^{53}_{44}$ʂət^{5} uk^{5} siɔŋ^{35}ɲia^{13}kei^{53}kai^{53}kʰuai^{53}pʰi^{13}e$_{21}$miet^{3} xa^{53}lɔi$^{13}_{21}$,ɔn$^{35}_{44}$tso$^{53}_{44}$cie^{35}cʰin^{35}pʰi^{13},iəu$^{53}_{44}$ɔn$^{35}_{44}$tso$^{53}_{44}$cie$^{35}_{44}$lei^{53}cin^{35},xei$^{53}_{44}$uei$^{53}_{44}$ iɔk^{5} .ŋai^{13}tien^{0} iet^{3} pɔn$^{35}_{44}$tʂʰɥ^{13}cie$^{35}_{44}$ʂɿ^{53}mau$^{13}_{2}$ɲin$^{13}_{21}$ɔi$^{53}_{44}$,tiəu^{35}(x)ek^{3} li^{0} .cie$^{35}_{44}$cʰin$^{35}_{44}$pʰi^{13}tsʰiəu$^{53}_{44}$xau^{21}tsʰiɔŋ$^{53}_{44}$sei^{53} ɲin$^{13}_{21}$tsɿ^{0} ʂət^{5} li^{0} tsʰɿ^{53}pʰi^{13}tʰəu^{21}nei^{0} ,tʂaŋ^{21}in^{13}iɔŋ$^{35}_{44}$pət^{3} liɔŋ^{13}nei^{0} .

【鸡啦恰】cie^{35}la$^{53}_{35}$cʰia^{53} 名①将一截竹子从一端破开，摇动时能发出声响，用来赶鸡：噢，箇～安做。欸，赶鸡岔。就系赶鸡岔。又安做～，我等安做～。欸，嗑嗑响噢，敲起来嗑嗑响。好像系～就我等客家人个话法。赶鸡岔嘞就系就系本地人个讲法。欸，～。～。au^{21},kai$^{53}_{44}$cie^{35}la$^{53}_{35}$cʰia^{53}ɔn$^{35}_{44}$tso$^{53}_{44}$.e$_{21}$,kɔn^{21}cie^{35}tsʰa^{53}.tsʰiəu^{53}xe$^{53}_{21}$kɔn^{21}cie^{35}tsʰa^{53}.iəu$^{53}_{44}$ɔn$^{35}_{44}$tso$^{53}_{44}$cie^{35}la$^{53}_{35}$cʰia^{53},ŋai$^{13}_{21}$ tien^{0} ɔn$^{35}_{44}$tso$^{53}_{44}$cie^{35}la$^{53}_{35}$cʰia^{53}.e$_{21}$,kʰo^{53}kʰo$^{53}_{44}$çiɔŋ^{21}ŋau^{0} ,kʰau^{35}çi^{21}lɔi^{13}kʰo^{53}kʰo$^{53}_{44}$çiɔŋ^{21}.xau^{21}tsʰiɔŋ$^{53}_{44}$xei$^{53}_{44}$cie^{35}la$^{53}_{35}$ cʰia^{53}tsʰiəu$^{53}_{44}$ŋai$^{13}_{21}$tien^{0} kʰak^{3} ka$^{35}_{35}$ɲin$^{13}_{21}$kei$^{53}_{44}$ua^{53}fait^{3} .kɔn^{21}cie^{35}tsʰa^{53}lei^{0} tsʰiəu^{53}xe$^{53}_{44}$tsʰiəu^{53}xe^{53}pən^{21}tʰi^{53}ɲin^{13} kei^{53}kɔŋ^{21}fait^{3}.e$_{21}$,cie^{35}la$^{53}_{35}$cʰia^{53}.cie^{35}la^{53}cʰia^{53}. ②比喻喜欢搬弄是非的人：有只妹子安做啦恰嬷。～样个。iəu^{35}tʂak^{3} mɔi^{53}tsɿ^{0} ɔn$^{35}_{44}$tso$^{53}_{44}$la^{53}cʰia^{53}ma^{13}.cie^{35}la$^{53}_{21}$cʰia^{53}iɔŋ$^{53}_{21}$kei^{53}.

J

【鸡健子】cie^{35}lən^{53}tsɿ^{0} 名未开始下蛋的小母鸡或还不会打鸣的小公鸡：我等以映子有滴子学倒渠箇本地人箇，我就觉得系学……安做～呢。～，我觉得以东西有滴子学倒箇本地人让门。～，𫜵生饽饽个。包括还唔会啼个半大个鸡公子，都安做～。我老婆就听倒唔知么人讲个，么个爱买滴箇个唔……还𫜵啼个，还唔会啼个，鸡公子，分我孙子食话。食哩箇大概就系增强男性功能啰，可能就咁个哦。渠话要么，箇后生子就爱食鸡公子话。欸，信得咁个么？ŋai^{13}tien^{0} i^{21}iaŋ$^{53}_{44}$tsɿ^{0} iəu^{35}tet^{5} tsɿ^{0} xɔk^{5} tau^{21}ci^{13}kai^{53}pən^{21}t^{h}i$^{13}_{44}$ɲin^{13}kai^{53},ŋai^{13}ts^{h}iəu^{53}kɔk^{3} tek^{3} xe$^{53}_{44}$xɔk^{5} t⋯ɔn$^{35}_{44}$tso$^{53}_{44}$cie^{35}lən^{53}tsɿ^{0} nei^{0}.cie^{35}lən^{53}tsɿ^{0},ŋai^{13}kɔk^{3} tek^{3} i$^{21}_{13}$(t)əŋ$^{35}_{44}$si^{0} iəu^{35}tet^{5} tsɿ^{0} xɔk^{5} tau^{21}kai$^{53}_{44}$pən^{21}t^{h}i$^{53}_{44}$ɲin^{13}ɲiɔŋ$^{53}_{44}$mən^{0}.cie^{35}lən^{53}tsɿ^{0},maŋ^{13}saŋ$^{35}_{44}$pɔk^{5} pɔk$^{5}_{3}$ ke$^{53}_{44}$.pau^{35}k^{h}ɔk^{3} xai^{13}m̩^{13}uɔi$^{53}_{44}$t^{h}ai^{13}ke$^{53}_{44}$pan^{53}t^{h}ai^{53}ke$^{53}_{21}$cie^{35}kəŋ^{35}tsɿ^{0},təu^{35}ɔn$^{35}_{44}$tso$^{53}_{44}$cie^{35}lən^{53}tsɿ^{0}.ŋai^{13}lau^{21}p^{h}o^{13}ts^{h}iəu$^{53}_{44}$t^{h}aŋ$^{53}_{44}$tau^{21}ŋ̍$^{13}_{21}$ti$^{53}_{53}$mak^{3} in^{13}kəŋ^{21}ke$^{53}_{44}$,mak^{3} ke$^{53}_{44}$ɔi$^{53}_{44}$mai^{35}tet$^{5}_{3}$ kai$^{53}_{44}$ke$^{53}_{44}$m̩^{13}⋯xai^{13}maŋ^{13}t^{h}ai^{13}ke^{53},xai^{13}m̩^{13}uɔi$^{53}_{44}$t^{h}ai^{13}ke$^{53}_{44}$,cie^{35}kəŋ^{35}tsɿ^{0},pən^{35}ŋai$^{13}_{21}$sən^{35}tsɿ^{0} ʂət$^{5}_{3}$ ua$^{53}_{44}$.ʂət^{5} li^{0} kai$^{53}_{44}$t^{h}ai^{53}k^{h}ai$^{53}_{44}$ts^{h}iəu$^{53}_{44}$xe$^{53}_{44}$tsen^{35}c^{h}iɔŋ$^{13}_{44}$lan^{13}sin^{53}kəŋ^{35}len$^{53}_{21}$no^{0},k^{h}o^{21}len^{13}ts^{h}iəu^{53}kan^{21}cie$^{53}_{44}$o^{0}.ci^{13}ua$^{53}_{44}$iau^{53}mo^{0},kai$^{53}_{44}$xei^{53}saŋ^{35}tsɿ^{0} ts^{h}iəu$^{53}_{44}$ɔi$^{53}_{44}$ʂət^{5} cie^{35}kəŋ^{35}tsɿ^{0} ua$^{53}_{44}$.e$_{21}$sin^{53}tek^{3} kan^{21}cie$^{53}_{44}$me^{0}？◇《尔雅·释畜》："未成鸡，健。"［晋］郭璞注："江东呼鸡少者曰健。"《广韵》郎甸切："健，鸡未成也。"

【鸡笼】cie^{35}ləŋ^{35} 名用来装鸡的竹笼子：有～。有两种～。一种～嘞，噢，～还只有一种。一种～嘞就像只么啊东西嘞？像只现在箇街上个装老鼠个箇笼样个。长长子，用篾篓织个，有眼，渠会爱通气吵，系唔系？有眼。以几向都系密封，欸，都系有眼再。都系出唔得。只有一向进出。正以向就进出。一只咁个嘞一只咁个东西样个。咁子方方子个嘞，长长子，系欸？以底下也有个嘞，系啊？也有个嘞，底下嘞舞两条子竹子，承起来，承起来呀。唔直接放下地泥下，承起来。以头就也封嘿哩个。以个都有眼，以个栏场都有眼，篾篓织，□□□一□，同箇番薯篓样。欸，透气。以只面向嘞，就圆圆子个，圆个。以映子圆个。特事又织一块子咁个络络子样个东西，蒙下去。底下嘞……一只络络子样个东西，一只圆东西就蒙下去。底下要伸出来，撮下□□咯，以映子。你会鸡子赶进去哩就要插下去。嗯。插下去嘞，以上背一只把就有咁长，咁子搭下子转，封下倒。好，以下顶高嘞有只提个东西。还是提倒走得。～，箇就～。iəu$^{35}_{44}$cie$^{35}_{44}$ləŋ^{35}.iəu^{35}iɔŋ^{21}tʂəŋ^{21}cie^{35}ləŋ^{35}.iet^{3} tʂəŋ^{21}cie^{35}ləŋ^{35}le^{0},au$_{21}$,cie^{35}ləŋ^{35}xai$^{13}_{44}$tʂɿ^{21}iəu$^{35}_{53}$iet^{3} tʂəŋ^{21}.iet^{3} tʂəŋ^{21}cie^{35}ləŋ^{35}lei^{0} ts^{h}iəu^{53}ts^{h}iɔŋ^{53}tʂak^{3} mak^{3} a^{0} təŋ$^{35}_{44}$si^{0} lei^{0}？ts^{h}iɔŋ^{53}tʂak^{3} çien^{53}tsai^{53}kai^{53}kai^{35}xɔŋ$^{53}_{44}$kei$^{53}_{44}$tsɔŋ^{35}lau^{21}tʂ^{h}u^{21}ke^{53}kai$^{53}_{44}$ləŋ^{35}iɔŋ$^{53}_{44}$ke$^{53}_{21}$.tʂ^{h}ɔŋ^{13}tʂ^{h}ɔŋ^{13}tsɿ^{0},iəŋ$^{53}_{44}$miet^{5} sak^{3} tʂek^{3} ke^{53},iəu^{35}ŋan^{21},ci$^{13}_{21}$uɔi$^{53}_{44}$ɔi$^{53}_{44}$t^{h}əŋ^{35}çi^{53}ʂa^{0},xei$^{53}_{44}$me$^{53}_{44}$？iəu^{35}ŋan^{21}.i^{21}ci^{21}çiɔŋ^{53}təu^{35}xei^{53}miet^{5} fəŋ$^{35}_{44}$,ei$_{44}$,təu^{35}xei$^{53}_{44}$iəu^{35}ŋan^{21}tsai^{53}.təu^{35}xei$^{53}_{53}$tʂ^{h}ət^{3} ŋ̍^{13}tek^{3}.tʂɿ^{21}iəu^{35}iet^{3} çiɔŋ^{53}tsin^{53}tʂ^{h}ət^{3}.tʂəm^{53}i^{21}çiɔŋ$^{53}_{44}$ts^{h}iəu$^{53}_{44}$tsin^{53}tʂ^{h}ət^{3}.iet^{3} tʂak^{3} kan^{21}ke$^{53}_{44}$lei^{0} iet^{3} tʂak^{3} kan$^{21}_{35}$ke$^{53}_{44}$təŋ^{35}si^{0} iɔŋ$^{53}_{21}$ke$^{53}_{21}$.kan^{21}tsɿ^{0} fɔŋ^{35}fɔŋ^{35}tsɿ^{0} ke$^{53}_{44}$le^{0},tʂ^{h}ɔŋ^{13}tʂ^{h}ɔŋ^{13}tsɿ^{0},xe$^{53}_{44}$e^{0}？i^{21}te^{21}xa$^{53}_{44}$ia^{35}iəu^{35}ke$^{53}_{44}$le^{0},xe$^{53}_{44}$a^{0}？ia^{35}iəu^{35}ke$^{53}_{44}$le^{0},tei^{21}xa$^{53}_{44}$lei^{0} u^{21}iɔŋ^{21}t^{h}iau^{13}tsɿ^{0} tʂəuk^{3} tsɿ^{0},ʂən^{13}çi^{21}lɔi^{13},ʂən^{13}çi^{21}lɔi^{13}ia^{0}.ŋ̍^{13}tʂ^{h}ət^{5} tsiet^{3} fɔŋ$^{53}_{44}$(x)a$^{53}_{44}$t^{h}i^{53}lai$^{13}_{21}$xa^{35},ʂən^{13}çi^{21}lɔi^{13}.i^{21}t^{h}ei^{13}ts^{h}iəu^{53}ia^{35}fəŋ^{35}ŋek^{3}(←xek^{3})li^{0} ke$^{53}_{44}$.i^{21}ke$^{53}_{44}$təu^{35}iəu$^{35}_{44}$ŋan^{21},i^{21}ke^{53}lɔŋ$^{13}_{21}$tʂ^{h}ɔŋ$^{13}_{44}$təu^{35}iəu$^{35}_{44}$ŋan^{21},miet^{5} sak^{3} tʂek^{3},tʂət^{3} tsiet^{3} k^{h}ai$^{35}_{44}$iet^{3} lau^{53},t^{h}əŋ$^{13}_{21}$kai$^{53}_{44}$fan^{35}ʂəu$^{35}_{21}$lei^{21}iɔŋ^{53}.e$_{21}$,t^{h}əu$^{53}_{21}$çi^{53}.i^{21}tʂak^{3} mien^{53}çiɔŋ$^{53}_{44}$lei^{0},ts^{h}iəu^{53}ien$^{13}_{21}$ien$^{13}_{21}$tsɿ^{0} ke^{53},ien^{13}ke$^{53}_{44}$.i$^{21}_{13}$iaŋ^{53}tsɿ^{0} ien^{13}ke^{53}.t^{h}ek^{5} sɿ^{53}iəu^{53}tʂek^{3} iet^{3} k^{h}uai^{53}tsɿ^{0} kan^{21}ke$^{53}_{44}$lɔk^{5} lɔk^{5} tsɿ^{0} iɔŋ$^{53}_{44}$ke$^{53}_{44}$təŋ$^{35}_{44}$si^{0},maŋ^{13}ŋa$_{44}$(←xa^{53})çi$^{53}_{44}$.te^{21}xa$^{53}_{44}$lei^{0}⋯iet^{3} tʂak^{3} lɔk^{5} lɔk^{5} tsɿ^{0} iɔŋ$^{53}_{44}$ke$^{53}_{44}$təŋ$^{35}_{44}$si^{0},iet^{3} tʂak^{3} ien^{13}təŋ^{35}si^{0} ts^{h}iəu$^{53}_{44}$maŋ^{13}ŋa$_{44}$(←xa^{53})çi$^{53}_{44}$.te^{21}xa$^{53}_{44}$iau$^{53}_{35}$tʂ^{h}ən^{35}tʂ^{h}ət^{3} lɔi^{13},k^{h}uan^{53}na$_{44}$(←xa^{53})iau$^{53}_{44}$lai$^{53}_{44}$ko^{0},i^{21}iaŋ$^{53}_{35}$tsɿ^{0}.ɲi$^{13}_{21}$uɔi$^{53}_{44}$cie^{35}tsɿ^{0} kɔn^{21}tsin^{53}çi$^{53}_{44}$li^{0} ts^{h}iəu$^{53}_{44}$iau$^{53}_{35}$ts^{h}ait^{3}(x)a$^{53}_{44}$çi^{53}.ŋ̍$_{21}$.ts^{h}ait^{3}(x)a$^{53}_{44}$çi$^{53}_{44}$lei^{0},i^{21}ʂɔŋ^{53}pɔi$^{53}_{44}$iet^{3} tʂak^{3} pa^{53}ts^{h}iəu$^{53}_{44}$iəu^{35}kan^{21}tʂ^{h}ɔŋ^{13},kan^{21}tsɿ^{0} tait^{3}(x)a^{53}tsɿ^{0} tʂɔn^{21},fəŋ^{35}ŋa^{53}(←xa^{53})tau^{21}.xau^{21},i^{21}xa$^{53}_{44}$taŋ^{21}kau$^{35}_{44}$lei^{0} iəu$^{35}_{44}$tʂak^{3} t^{h}ia^{35}ke^{53}təŋ$^{35}_{44}$si^{0}.xai$^{13}_{21}$sɿ$^{53}_{21}$t^{h}ia^{35}tau^{21}tsei^{21}tek^{3}.cie^{35}ləŋ^{35},kai$^{53}_{44}$ts^{h}iəu$^{53}_{21}$cie^{35}ləŋ^{35}.

【鸡嫲】cie^{35}ma^{13} 名①母鸡：我等以映有只咁个欸习惯子呢，么个箇伢子人呐箇个年轻个箇个初中生子啊，伢子人呐，十几岁子个，爱食兜箇个欸箇个𫜵生蛋个～子去话嘞，摎𫜵啼个鸡公子也要得话呢。欸，只有箇两起鸡子就最有营养话食倒，嗯。ŋai^{13}tien^{0} i$^{21}_{44}$iaŋ$^{53}_{44}$iəu^{35}tʂak^{3} kan$^{21}_{13}$ke^{53}e$_{21}$siet^{5} kuan$^{53}_{44}$tsɿ^{0} nei^{0},mak^{3} kei$^{53}_{44}$kai^{53}ŋa^{13}tsɿ^{21}ɲin^{13}na^{0} kai^{53}kei$^{53}_{44}$ɲien^{13}c^{h}in$^{35}_{44}$ke$^{53}_{21}$kai$^{53}_{44}$ke$^{53}_{44}$ts^{h}əu^{35}tʂəŋ$^{35}_{44}$sen$^{35}_{44}$tsɿ^{0} a^{0},ŋa^{13}tsɿ^{21}ɲin$^{13}_{44}$na^{0},ʂət^{5} ci^{21}sɔi^{53}tsɿ^{0} ke^{0},ɔi^{53}ʂət^{5} tei$^{35}_{44}$kai$^{53}_{44}$ke$^{53}_{44}$e$_{21}$kai$^{53}_{44}$ke$^{53}_{44}$maŋ^{13}saŋ$^{35}_{44}$t^{h}an^{53}ke$^{53}_{44}$cie^{35}ma$^{13}_{21}$tsɿ^{0} çi^{53}ua$^{53}_{44}$lei^{0},lau^{35}maŋ^{13}t^{h}ai^{13}ke^{0} cie^{35}kəŋ^{35}tsɿ^{0} a^{35}iau$^{53}_{44}$tek^{3} ua$^{53}_{44}$nei^{0}.ei$_{21}$,tʂɿ^{21}iəu$^{35}_{44}$kai^{53}iɔŋ^{21}çi^{21}cie^{35}tsɿ^{0} ts^{h}iəu$^{53}_{44}$tsei^{53}iəu$^{35}_{44}$in^{13}iɔŋ^{35}ua$^{53}_{44}$ʂət^{5} tau$^{21}_{44}$,ŋ̍$_{21}$. ②喻指妓女：我系个栏场箇后背就有只～店。箇有兜箇老子硬真系几十岁了还咁老不死还去寻～店。ŋai^{13}xei^{53}ke^{53}laŋ$^{13}_{44}$tʂ^{h}ɔŋ$^{13}_{44}$kai$^{53}_{44}$xei^{53}pɔi$^{53}_{44}$ts^{h}iəu^{53}iəu$^{35}_{44}$tʂak^{3} cie$^{35}_{44}$ma$^{13}_{21}$tian^{53}.kai^{53}iəu^{35}tei$^{35}_{53}$kai^{53}lau^{21}tsɿ^{21}ɲiaŋ^{53}tʂən^{35}xe$^{53}_{44}$ci^{21}ʂət^{5} sɔi^{53}liau^{21}xai^{13}kan^{21}lau^{21}pət^{3} si^{21}xai$^{13}_{44}$çi^{53}ts^{h}in$^{13}_{21}$

cie^{35}ma$^{13}_{21}$tian^{53}.

【鸡嫲皮】cie^{35}ma^{13}pʰi^{13} 名 鸡皮疙瘩：天气十分冷，冷起起～。tʰien^{35}çi$^{53}_{44}$ʂət^{5} fən$^{35}_{44}$laŋ^{35},laŋ^{35}çi$^{21}_{44}$çi^{21} cie$^{35}_{44}$ma$^{13}_{21}$pʰi^{13}.

【鸡嫲竹】cie^{35}ma^{13}tʂəuk^{3} 名 一种竹子，丛生，节长，可用来制作箫：～就一大蒲。/一大蒲生个噢。/一大堆。/欸，只做观赏植物嘞。做观赏。一蔸呀。生作一团呢。几十根呶。/欸，吹箫子就用箇只。/节疤长咁长啊。蚝真长。/箇个就系吹箫子哩。cie^{35}ma^{13}tʂəuk^{3} tsʰiəu^{53}iet^{3} tʰai$^{53}_{21}$pʰu^{13}./iet^{3} tʰai$^{53}_{21}$pʰu^{13}saŋ^{35}ke^{53}au^{0}./iet^{3} tʰai^{53}təi^{35}./e$_{53}$,tsɿ$^{21}_{35}$tso^{53}kən^{35}ʂəŋ^{21}tʂʰət$^{5}_{3}$uk^{5} le^{0}.tso$^{53}_{44}$kən^{35}ʂəŋ^{21}.iet^{3} tei^{35}ia^{0}.saŋ^{35}tsək^{3} iet^{3} tʰən^{13}ne^{0}.ci^{21}ʂət^{5} kən$^{35}_{44}$nau^{0}./e$_{21}$,tʂʰei^{35}siau^{35}tsɿ^{0} tsʰiəu$^{53}_{44}$iəŋ$^{53}_{44}$kai^{53}tʂak^{3}./tsiek^{3} pa^{0} tʂʰəŋ$^{13}_{44}$ kan^{21}tʂʰəŋ$^{13}_{21}$ŋa^{0}.siəŋ^{21}tʂən^{35}tʂʰəŋ$^{13}_{21}$./kai$^{53}_{44}$ke$^{53}_{44}$tsʰiəu$^{53}_{44}$xe$^{53}_{44}$tʂʰei^{35}siau^{35}tsɿ^{0} li^{0}.｜挖箫子就～。有尺多长箇样高。ua^{35}siau^{35}tsɿ^{0} tsʰiəu^{53}ke^{35}ma^{13}tʂəuk^{3}.iəu^{35}tʂʰak^{3} to^{35}tʂʰəŋ$^{13}_{21}$kai^{53}iəŋ$^{53}_{44}$kau^{35}.

【鸡毛扫】cie^{35}mau^{35}sau^{53} 名 鸡毛帚：我等以映子也蛮多人有有买～。但是也有人呢就唔买箇～，就舞倒箇个芒花呢，舞倒箇芒梗啊，芒啊，欸，扎芒花扫把个啊，扎只子细扫把子嘞，也整～扫下子灰尘。ŋai^{13}tien^{0} i^{21}iaŋ^{53}tsɿ^{0} ia^{35}man$^{13}_{21}$to$^{35}_{53}$ɲin$^{13}_{21}$iəu^{35}iəu$^{35}_{44}$mai^{35}cie$^{35}_{44}$mau$^{35}_{44}$sau^{53}.tan^{53}ʂɿ^{53}ia^{35}iəu$^{35}_{44}$ ɲin$^{13}_{21}$nei^{0} tsʰiəu$^{53}_{44}$m̩^{13}mai$^{35}_{44}$kai$^{53}_{44}$cie$^{35}_{44}$mau$^{35}_{44}$sau^{53},tsʰiəu$^{53}_{44}$u^{21}tau^{21}kai^{53}ke$^{53}_{44}$məŋ^{13}fa^{35}nei^{0},u^{21}tau^{21}kai^{53}məŋ^{13}kuaŋ^{21} ŋa^{0},məŋ^{13}ŋa^{0},e$_{21}$,tsait^{3} məŋ^{13}fa$^{35}_{44}$sau^{53}pa^{21}ke^{53}a^{0},tsait^{3} tʂak^{3} tsɿ^{0} se^{53}sau^{53}pa^{21}tsɿ^{0} lei^{0},ia^{35}tʂən^{21}cie^{35}mau$^{35}_{44}$sau^{53} sau^{53}xa$^{53}_{44}$tsɿ^{0} fəi^{35}tʂʰən$^{13}_{21}$.

【鸡毛眼】cie^{35}mau^{35}ŋan^{21} 名 夜盲症：欸我等以映有客姓人有只咁个话法，鸡进埘个时候子，鸡子进埘个时候子啊，就挨夜子啊，不要去看书，不要用眼珠，箇只时候子最容易欸坏眼珠，容易形成～，因为箇只时候子鸡进埘个时候子，莫去看书，莫去用眼珠。e$_{21}$ŋai^{13}tien^{0} i$^{21}_{44}$iaŋ$^{53}_{44}$ iəu$^{35}_{44}$kʰak^{3} sin^{53}ɲin$^{13}_{44}$iəu$^{35}_{44}$tʂak^{3} kan$^{21}_{13}$cie$^{53}_{44}$ua^{53}fait^{3},cie^{35}tsin^{53}tsi^{53}ke$^{53}_{44}$ʂɿ^{13}xei^{53}tsɿ^{0},cie^{35}tsɿ^{0} tsin^{53}tsi^{53}ke^{0} ʂɿ$^{13}_{44}$xəu$^{53}_{44}$ tsa^{0},tsʰiəu$^{53}_{44}$ai^{35}ia^{53}tsa^{0},pət^{3} iau$^{53}_{44}$çi$^{53}_{44}$kʰən^{53}ʂəu^{35},pət^{3} iau$^{53}_{44}$iəŋ^{53}ŋan^{21}tʂəu$^{35}_{44}$,kai^{53}tʂak^{3} ʂɿ^{13}xei^{53}tsɿ^{0} tsei^{53}iəŋ^{13}i^{53}e$_{21}$ fai^{53}ŋan^{21}tʂəu$^{35}_{44}$,iəŋ^{13}i^{53}çin$^{13}_{21}$tʂʰən$^{13}_{21}$cie^{35}mau^{35}ŋan^{21},in^{35}uei$^{53}_{44}$kai^{53}(tʂ)ak^{3} ʂɿ^{13}xei$^{53}_{44}$tsɿ^{0} cie^{35}tsin^{53}tsi^{53}ke$^{53}_{21}$ʂɿ^{13}xei^{53} tsɿ^{0},mək^{5} çi^{53}kʰən^{53}ʂəu^{35},mək^{5} çi^{53}iəŋ^{53}ŋan^{21}tʂəu$^{35}_{44}$.

【鸡肉菜】kei^{35}/cie^{35}ɲiəuk^{3}tsʰəi^{53} 名 荠菜：阴历三月初三箇晡哇，就舞倒箇个～去炆饽饽食。食哩唔知话让门子啊？食哩就对身体好吧，咁个吧。箇箇晡个～就呃以个栏场以个箇个农贸市场就真多～卖啦箇晡啦，开花打朵个都有啊撞怕是。in^{35}liet^{3} san^{35}ɲiet^{5} tsʰɿ^{35}san^{35}kai$^{53}_{44}$pu^{35}ua^{0}, tsʰiəu$^{53}_{44}$u^{21}tau^{21}kai$^{53}_{44}$ke$^{53}_{44}$kei^{35}ɲiəuk^{3} tsʰəi^{53}çi^{53}uən^{13}pək^{5} pək^{5} ʂət^{5}.ʂət^{5} li^{0} n̩^{13}ti$^{35}_{53}$ua^{53}ɲiəŋ^{53}mən$^{13}_{44}$tsa^{0}?ʂət^{5} li^{0} tsʰiəu$^{53}_{44}$tei^{53}ʂən^{35}tʰi^{21}xau^{21}pa^{0},kan^{21}cie^{53}pa^{0}.kai^{53}kai$^{53}_{44}$pu^{35}ke^{53}cie^{35}ɲiəuk^{3} tsʰəi$^{53}_{53}$tsʰiəu$^{53}_{44}$ə$_{44}$i^{21}kei^{53}laŋ$^{13}_{21}$tʂʰəŋ$^{13}_{44}$i^{21} kei^{53}kai^{53}ke^{53}ləŋ^{13}miau^{53}ʂɿ^{53}tʂʰəŋ$^{13}_{21}$tsʰiəu$^{53}_{44}$tʂən^{35}to$^{35}_{44}$cie$^{35}_{44}$ɲiəuk^{3} tsʰəi^{53}mai^{53}la^{0} kai^{53}pu$^{35}_{44}$la^{0},kʰəi^{35}fa^{35}ta^{21}to^{21}ke^{0} təu$^{35}_{44}$iəu$^{35}_{44}$a^{0} tsʰəŋ^{21}pʰa^{53}ʂɿ$^{53}_{44}$.

【鸡肉菌】ciei^{35}ɲiəuk^{3} cʰin^{35} 名 一种味似鸡肉的菌子：同个么～样啊，就系鸡肉个味道。tʰəŋ^{13} ke^{53}mak^{3} ciei^{35}ɲiəuk^{3} cʰin^{35}iəŋ$^{53}_{44}$ŋa^{0},tsiəu$^{53}_{44}$xei^{53}ciei^{35}ɲiəuk^{3} ke$^{53}_{44}$uei^{53}tʰau$^{53}_{44}$.

【鸡虱子】ke^{35}/cie^{35}tʂʰɿ^{13}tsɿ^{0} 名 鸡身上的一种寄生虫，属昆虫纲食毛目短角鸟虱科，吸食鸡血：～嘞就系开头我讲个话欸鸡窠里搞么个要放□鸟子指辣蓼草咯，就系热天个鸡窦肚里容易起一种咁个虫子，～丁啮大子，密密麻麻，墨乌，墨乌个，欸，～多哩个是硬挜得起。你想下子箇鸡崽子跕倒箇个栏场让门跕倒。系啊？鸡嫲也跕唔得，渠就唔跕哇，鸡嫲就唔得跕哇。只有放□鸟子，晒燶来个□鸟子，晒燶来个姜嫲，晒燶来个松毛做个窦就有事起～。ke^{35} tʂʰɿ^{13}tsɿ^{0} le^{0} tsʰiəu^{53}xe^{53}kʰəi^{35}tʰei$^{13}_{21}$ŋai$^{13}_{21}$kəŋ^{21}ke^{53}ua^{53}e$_{21}$cie^{35}kʰo$^{35}_{44}$li^{0} kau^{21}mak^{3} e^{0} iau^{53}fəŋ^{53}lai^{35}tiau$^{35}_{44}$tsɿ^{0} ko^{0}, tsʰiəu$^{53}_{44}$uei$^{53}_{44}$ɲiet^{5} tʰien$^{35}_{44}$ke$^{53}_{44}$cie^{35}tei^{53}təu^{21}li^{0} iəŋ^{13}i^{53}çi^{21}iet^{3} tʂəŋ^{21}kan$^{21}_{44}$kei^{53}tʂʰəŋ^{13}tsɿ^{0},cie^{35}tʂʰɿ^{13}tsɿ^{0} tin^{53}ŋait^{3} tʰai^{53}tsɿ^{0},miet^{5} miet$^{5}_{3}$ma^{13}ma$^{13}_{21}$,met^{5} u^{35},met^{5} u^{35}ke^{53},e$_{21}$,cie$^{35}_{44}$tʂʰɿ^{13}tsɿ^{0} to^{35}li^{0} ke^{53}ʂɿ$^{53}_{44}$ɲiaŋ^{53}ia^{21}tek^{3} çi^{21}. ɲi$^{13}_{21}$siəŋ^{21} ua^{53}tsɿ^{0} kai^{53}cie^{35}tse^{21}tsɿ^{0} ku^{35}tau^{21}kai$^{53}_{21}$ke^{53}laŋ$^{13}_{21}$tʂʰəŋ$^{13}_{44}$ɲiəŋ$^{53}_{44}$mən$^{13}_{44}$ku^{35}tek^{3} .xei$^{53}_{44}$a^{0} ?kei^{35}ma$^{13}_{21}$ia$^{35}_{44}$ku$^{35}_{44}$n̩$^{13}_{21}$tek^{3} ,ci$^{13}_{21}$ tsʰiəu$^{53}_{44}$n̩^{13}ku$^{35}_{44}$ua^{0} ,cie^{35}ma$^{13}_{21}$tsʰiəu^{53}n̩^{13}tek^{3} ku$^{35}_{44}$ua^{0} .tʂɿ^{21}iəu$^{35}_{53}$fəŋ^{53}lai^{35}tiau$^{35}_{44}$tsɿ^{0} ,sai^{53}tsau$^{35}_{44}$ləi$^{13}_{21}$ke$^{53}_{44}$lai^{35}tiau$^{35}_{44}$tsɿ^{0}, sai^{53}tsau$^{35}_{44}$ləi$^{13}_{21}$kei$^{53}_{21}$ciəŋ^{35}miau$^{13}_{21}$,sai^{53}tsau$^{35}_{44}$ləi$^{13}_{21}$kei^{53}tsʰəŋ^{13}mau^{35}tso^{53}cie^{35}tei^{53}tsʰiəu^{53}mau$^{13}_{21}$sɿ^{53}çi^{21}cie^{35}tʂʰɿ$^{13}_{21}$tsɿ^{0}.

【鸡埘】cie^{35}tsi^{53} 名 鸡上宿处，砖砌的或木制的：还有起～。～嘞就有两种。一种系树做个～。舞只咁烂柜也可以嘞。欸，～嘞。烂柜也可以嘞。欸，烂衣橱也可以嘞。还有他用砖砌。用只土砖子砌倒。嗯。砌倒咁个，顶高用板子搁倒。以映子也有只埘门。～门。装鸡个栏场。还有关下地泥下个。欸，安做……关下地泥下个就安做么个唠？安做……有只话法咯。土埘，安做土埘。xai^{13}iəu$^{35}_{44}$çi$^{21}_{44}$cie^{35}tsi^{53}.cie^{35}tsi^{53}lei^{0} tsʰiəu$^{53}_{44}$iəu^{35}iəŋ^{21}tʂəŋ^{21}.iet^{3} tʂəŋ^{21}xe$^{53}_{44}$ʂəu^{53}tso^{53}ke$^{53}_{21}$cie^{35}tsi^{53}.u^{21}

J

tʂak^{3} kan$^{21}_{44}$lan^{53}kʰuei^{53}ia$^{35}_{44}$kʰo^{21}i$^{35}_{44}$lei^{0} .e$_{21}$,cie^{35}tsi^{53}lei^{0} .lan^{53}kʰuei^{53}ia$^{35}_{44}$kʰo^{21}i$^{35}_{44}$lei^{0} .e$_{21}$,lan^{53}i^{35}tʂʰəu^{13}a$^{35}_{53}$kʰo^{21}i$^{35}_{44}$lei^{0} .xai$^{13}_{21}$iəu$^{35}_{44}$tʰa$^{35}_{44}$iəŋ$^{53}_{44}$tʂən^{35}tsʰi^{53} .iəŋ$^{53}_{21}$tʂak^{3} tʰəu^{21}tʂən^{35}tsɿ^{0} tsʰi^{53}tau^{21} .n̩$_{21}$.tsʰi^{53}tau^{21}kan^{21}ke$^{53}_{44}$,taŋ^{21}kau$^{35}_{44}$iəŋ$^{53}_{44}$pan^{21}tsɿ^{0} kɔk^{3} tau^{21} .i^{21}iaŋ$^{53}_{44}$tsɿ^{0} ia^{35}iəu$^{35}_{44}$tʂak^{3} tsi^{53}mən^{13} .cie^{35}tsi^{53}mən^{13} .tsɔŋ^{35}cie$^{35}_{44}$ke$^{53}_{44}$lɔŋ$^{13}_{21}$tʂʰɔŋ$^{13}_{21}$.xai$^{13}_{21}$iəu$^{35}_{44}$kuan$^{35}_{44}$na$_{44}$(←xa^{53})tʰi^{53}lai$^{13}_{21}$xa^{35}ke^{53} .e$_{21}$,ɔn^{35}tso$^{53}_{21}$…kɔn^{35}na$_{44}$(←xa^{53})tʰi^{53}lai$^{13}_{21}$xa^{35}ke$^{53}_{44}$tsʰiəu$^{53}_{44}$ɔn^{35}tso$^{53}_{21}$mak^{3} ke$^{53}_{44}$lau^{0} ?ɔn^{35}tso$^{53}_{44}$…iəu^{35}tʂak^{3} ua^{53}fait^{3} ko^{0} .tʰəu^{21}tsi^{53},ɔn$^{35}_{44}$tso$^{53}_{44}$tʰəu^{21}tsi^{53}.

【鸡屎】cie^{35}ʂʅ^{21} 名鸡排泄的粪便：舞～个时候子分茴个板子下翻开来，就分茴～舞出来。u^{21}cie^{35}ʂʅ^{21}ke^{53}ʂʅ^{13}xei$^{53}_{44}$tsɿ^{0} pən^{35}kai$^{53}_{44}$kei$^{53}_{21}$pan^{21}tsɿ^{0} xa^{53}fan^{35}kʰɔi^{35}lɔi$^{13}_{21}$,tsʰiəu$^{53}_{21}$pən$^{35}_{44}$kai$^{53}_{44}$cie^{35}ʂʅ^{21}u^{21}tʂʰət^{3} lɔi^{13}.｜又怕屙～。iəu^{53}pʰa^{53}o^{35}cie^{35}ʂʅ^{21}.

【鸡屎墨】cie^{35}ʂʅ^{21}met^{5} 名一种臭味浓烈的墨条：～嘞就我等细细子读书和时候子茴个磨个墨呢。磨个墨有一种最便宜个墨，臭鸡屎，安做～，最便宜个。我记得咁长子一条子个墨，茴磨个。几多钱一条？五分钱一条哇几多钱，我等细细子去买呀，咁长子一条，五分钱一条么个。茴磨得蛮久，欸～，就系便宜。欸有带臭鸡屎凑。cie^{35}ʂʅ^{21}met^{5} le^{0} tsʰiəu^{53}ŋai$^{13}_{21}$tien^{0} se^{53}se^{53}tsɿ^{0} tʰəuk^{5} ʂəu^{35}ke^{53}ʂʅ$^{13}_{44}$xei$^{53}_{44}$tsɿ^{0} kai^{53}ke$^{53}_{44}$mo^{13}ke^{53}met^{5} nei^{0} .mo^{13}ke^{53}met^{5} iəu^{35}iet^{3} tʂəŋ^{21}tsei^{53}pʰien$^{13}_{21}$ɲin$^{13}_{21}$ke^{53}met^{5},tʂʰəu^{53}cie^{35}ʂʅ^{21},ɔn$^{35}_{44}$tso$^{53}_{44}$cie$^{35}_{44}$ʂʅ^{21}met^{5},tsei^{53}pʰien$^{13}_{21}$ɲin$^{13}_{21}$ke^{53}.ŋai^{13}ci^{53}tek^{3} kan^{21}tʂʰɔŋ^{13}tsɿ^{0} iet^{3} tʰiau^{13}tsɿ^{0} ke$^{53}_{44}$met^{5},kai^{53}mo^{13}ke^{53}.ci^{21}(t)o$^{35}_{53}$tsʰien$^{13}_{44}$iet^{3} tʰiau$^{13}_{44}$?ŋ̍^{21}fən$^{35}_{44}$tsʰien$^{13}_{21}$iet^{3} tʰiau$^{13}_{21}$ua^{0} ci^{21}(t)o$^{35}_{53}$tsʰien$^{13}_{21}$,ŋai^{13}tien^{0} se^{53}se^{53}tsɿ^{0} çi$^{53}_{44}$mai^{35}ia^{0} ,kan^{21}tʂʰɔŋ^{13}tsɿ^{0} iet^{3} tʰiau$^{13}_{21}$,ŋ̍^{21}fən$^{35}_{44}$tsʰien$^{13}_{21}$iet^{3} tʰiau$^{13}_{21}$mak^{3} ke^{0} .kai^{53}mo^{13}tek^{3} man^{13}ciəu^{21},ei$_{21}$ cie^{35}ʂʅ^{21}met^{5},tsʰiəu^{53}xei^{53}pʰien^{13}ɲin$^{13}_{44}$.ei$_{44}$iəu^{35}tai^{53}tʂʰəu^{53}ke^{35}ʂʅ^{21}tsʰe^{0}.

【鸡屎藤】cie^{35}ʂʅ^{21}tʰien^{13} 名中药名。为茜草科植物鸡矢藤的全草：（药米馃）就系放下几种中草药唠，～之类个。tsʰiəu^{53}xe^{53}fɔŋ^{53}ŋa$_{44}$(←xa^{53})ci^{21}tʂəŋ^{21}tʂəŋ^{35}tsʰau^{21}iɔk^{5} lau^{0} ,cie^{35}ʂʅ^{21}tʰien^{13}tʂʅ$^{35}_{44}$lei$^{53}_{44}$ke^{53}.

【鸡条子】cie^{35}tʰiau^{13}tsɿ^{0} 名子鸡：～就系半大鸡子，斤把子个。半大鸡子就安做～。畜大下子剮倒食。就再畜大下子就系话细人子食哩好哇。畜倒茴斤把子啊，爱畜倒渠欸鸡公子会啼了哇，鸡嫲子会生饽饽了哇，就麻溜剮嘿食嘿去啊。cie^{35}tʰiau^{13}tsɿ^{0} tsʰiəu$^{53}_{44}$xe$^{53}_{44}$pan^{53}tʰai$^{53}_{44}$cie$^{35}_{44}$tsɿ^{0},cin^{35}pa^{21}tsɿ^{0} ke^{0} .pan^{53}tʰai$^{53}_{44}$cie$^{35}_{44}$tsɿ^{0} tsʰiəu$^{53}_{44}$ɔn$^{35}_{44}$tso$^{53}_{44}$cie^{35}tʰiau$^{13}_{21}$tsɿ^{0} .çiəuk^{3} tʰai^{53}xa^{53}tsɿ^{0} tʂʰʅ^{13}tau^{21}ʂət^{5} .tsʰiəu$^{53}_{44}$tsai^{53}çiəuk^{3} tʰai^{53}xa$^{53}_{21}$tsɿ^{0} tsiəu^{53}xe^{53}ua$^{53}_{44}$sei^{53}ɲin$^{13}_{21}$tsɿ^{0} ʂət^{5} li^{0} xau^{21}ua^{0} .çiəuk^{3} tau^{21}kai$^{53}_{21}$cin^{35}pa^{21}tsɿ^{21}a^{0} ,ɔi$^{53}_{44}$çiəuk^{3} tau^{21}ci$^{13}_{44}$ei$_{44}$cie^{35}kəŋ$^{35}_{44}$tsɿ^{0} uɔi^{53}tʰai^{13}liau$^{21}_{44}$ua^{0} ,cie^{35}ma$^{13}_{21}$tsɿ^{0} uɔi$^{53}_{44}$saŋ^{35}pɔk^{5} pɔk^{5} liau^{21}ua^{0} ,tsʰiəu^{53}ma^{13}liəu$^{35}_{53}$tʂʰʅ$^{13}_{21}$xek^{3} ʂət^{5} xek^{3} çi$^{53}_{44}$a^{0}.

【鸡旺子】cie^{35}uɔŋ^{53}tsɿ^{0} 名用作菜肴的鸡血：～啊？有兜人舞倒食，我是剮鸡是侪都倾嘿哩，唔爱。我新舅就会舞倒来蒸熟下子来，就咁子食嘿去。渠真煞达，么个好就食么个，我是硬自愿……除哩话爱茴个了爱救命了，唔系是我硬唔得食。咁个～让门食得下唠硬啦咁个东西啊？cie^{35}uɔŋ^{53}tsɿ^{0} a^{0} ?iəu^{35}tei$^{35}_{53}$ɲin$^{13}_{44}$u^{21}tau^{21}ʂət^{5} ,ŋai^{13}ʂʅ^{53}tʂʰʅ$^{13}_{21}$cie^{35}ʂʅ$^{53}_{44}$tsʰi$^{13}_{21}$təu$^{35}_{53}$kʰuaŋ^{35}xek^{3} li^{0} ,m̩$^{13}_{21}$mɔi$^{53}_{44}$.ŋai$^{13}_{21}$sin^{35}cʰiəu$^{35}_{53}$tsʰiəu^{53}uɔi$^{53}_{44}$u^{21}tau^{21}lɔi$^{13}_{21}$tʂən^{35}ʃəuk^{5} (x)a$^{53}_{44}$tsɿ^{0} lɔi$^{13}_{44}$,tsʰiəu^{53}kan^{21}tsɿ^{0} ʂət^{3} (x)ek^{3} çi^{53}.ci^{13}tʂən^{35}sait^{3} tʰait^{5} ,mak^{3} ke^{53}xau^{21}tsʰiəu$^{53}_{44}$ʂət^{5} mak^{3} ke$^{53}_{44}$,ŋai^{13}ʂʅ$^{53}_{44}$ɲiaŋ^{53}tsʰʅ^{53}ɲien$^{53}_{44}$…tʂʰəu^{13}li^{0} ua^{53}ɔi^{53}kai^{53}ke^{53}liau^{21}ɔi^{53}ciəu^{53}miaŋ^{53}liau^{0} ,m̩$^{13}_{21}$pʰei^{53}ʂʅ$^{53}_{21}$ŋai^{13}ɲiaŋ^{53}n̩$^{13}_{21}$tek^{3} ʂət^{5} .kan^{21}ke$^{53}_{21}$cie^{35}uɔŋ^{53}tsɿ^{0} ɲiɔŋ^{53}mən$^{13}_{44}$ʂət^{5} tek^{3} xa$^{53}_{44}$lau^{0} ɲiaŋ$^{53}_{44}$la^{0} kan^{21}ke$^{53}_{21}$təŋ$^{35}_{44}$si^{0} a^{0} ?

【鸡心底】cie^{35}sin$^{35}_{44}$te^{21} 纳鞋底时的一种方法，针脚组合成菱形：（打鞋底）还有起～。～让门打嘞？以映第一针是一针。好，第二针以映，以映。第三针以映，以映，以映。第四针以映，以映，以映。也就打成一只咁子个菱形样个，系啊？以下就第五针就以映对倒以映来，以映对倒以映来，以映对倒以映来，以映子以以映子又加一针，系啊？以映一针，以映一针，以映一针，就打成咁子个，以样就安～。欸，以个就平底。其实一样个。其实冇么个区别。xai^{13}iəu$^{35}_{53}$çi$^{21}_{44}$cie^{35}sin$^{35}_{44}$te^{21}.cie^{35}sin$^{35}_{44}$tei^{21}ɲiɔŋ^{53}mən^{0} ta^{21}le^{0} ?i^{21}iaŋ^{53}tʰi^{53}iet^{3} tʂən^{35}ʂʅ$^{53}_{44}$iet^{3} tʂən^{35}.xau^{21},tʰi^{53}ɲi^{53}tʂən$^{35}_{44}$i^{21}iaŋ^{53},i^{21}iaŋ^{53}.tʰi$^{53}_{44}$san$^{35}_{44}$tʂən$^{35}_{44}$i^{21}iaŋ^{53},i^{21}iaŋ^{53},i^{21}iaŋ^{53}.tʰi$^{53}_{44}$si^{53}tʂən$^{35}_{44}$i^{21}iaŋ^{53},i^{21}iaŋ^{53},i^{21}iaŋ^{53}.ia^{35}tsʰiəu^{53}ta^{21}ʂaŋ^{13}iet^{3} tʂak^{3} kan$^{21}_{13}$tsɿ^{0} ke^{53}lin^{13}çin^{13}iɔŋ$^{53}_{44}$ke^{0} ,xei$^{53}_{44}$a^{0} ?ia$_{35}$(←i^{21}xa^{53})tsiəu$^{53}_{44}$tʰi^{53}ŋ̍^{21}tʂən^{35}tsʰiəu$^{53}_{44}$i^{21}iaŋ$^{53}_{44}$ti^{53}tau^{21}i^{21}iaŋ^{53}lɔi$^{13}_{21}$,i^{21}iaŋ$^{53}_{44}$ti^{53}tau^{21}i^{21}iaŋ^{53}lɔi$^{13}_{21}$,i^{21}iaŋ$^{53}_{44}$ti^{53}tau^{21}i^{21}iaŋ^{53}lɔi$^{13}_{21}$,i^{21}iaŋ^{53}tsɿ^{0} i^{21}i^{21}iaŋ$^{53}_{44}$tsɿ^{0} iəu$^{53}_{44}$cia^{35}iet^{3} tʂən^{35},xei^{53}a^{0} ?i^{21}iaŋ$^{53}_{44}$iet^{3} tʂən^{35},i^{21}iaŋ$^{53}_{44}$iet^{3} tʂən$^{35}_{44}$,i^{21}iaŋ$^{53}_{44}$iet^{3} tʂən$^{35}_{44}$,tsʰiəu^{53}ta^{21}ʂaŋ^{13}kan$^{21}_{13}$tsɿ^{0} ke^{0} ,i^{21}iɔŋ$^{53}_{44}$tsʰiəu$^{53}_{44}$ɔn$^{35}_{44}$cie^{35}sin^{35}te^{21}.e$_{21}$,i^{21}ke^{53}tsʰiəu^{53}pʰiaŋ^{13}te^{21}.cʰi^{13}ʂət^{5} iet^{3} iɔŋ^{53}ke^{0} .cʰi^{13}ʂət^{5} mau^{13}mak^{3} e^{0} tʂʰʮ^{35}pʰiet^{5}.

【鸡眼】cie^{35}ŋan^{21} 名足部皮肤局部长期受压或摩擦引起的圆锥状角质增生：我娭子是长日都买～膏，剪嘿哩又来哩，剪嘿又来哩，唔知让门子个会长起来咁个肉。痛啊，唔知几痛啊。ŋai$^{13}_{21}$ɔi^{35}tsɿ^{0} ʂʅ$^{53}_{44}$tʂʰɔŋ^{13}ɲiet^{3} təu$^{35}_{44}$mai$^{35}_{44}$cie$^{35}_{44}$ŋan^{21}kau$^{35}_{44}$,tsien^{21}nek^{3} li^{0} iəu^{53}lɔi$^{13}_{44}$li^{0} ,tsien^{21}nek^{3} iəu^{53}lɔi$^{13}_{44}$li^{0} ,n̩^{13}ti$^{35}_{53}$

ȵiɔŋ^{53}mən$^{13}_{44}$tsɿ^{0} ke$^{53}_{44}$uɔi^{53}tʂɔŋ^{21}çi^{21}lɔi^{13}kan^{21}ke^{53}ȵiəuk^{3}.t^{h}əŋ^{53}ŋa^{0},n̩$^{13}_{21}$ti$^{35}_{53}$ci^{21}t^{h}əŋ^{53}ŋa^{0}.

【鸡杂】cie^{35}ts^{h}ait^{5} 名鸡杂碎的统称：本身来讲～是就系除嘿鸡肉剩下个都喊～。鸡肠子，鸡肝，鸡心，鸡菌，但是现在嘞箇兜东西冇多么人食，只有鸡菌就有人食，所以现在鸡菌就安做～，只有话鸡菌是～。本身来讲是所有个都统称为～，就相当于猪子个猪杂，就系猪下水。pən^{21}ʂən$^{35}_{44}$nɔi$^{13}_{21}$kɔŋ^{21}cie^{35}ts^{h}ait^{5} ʂʅ$^{53}_{21}$ts^{h}iəu^{53}xe^{53}tʂ^{h}əu^{13}xek^{3} cie^{35}ȵiəuk^{3} ʂən^{53}çia^{53}ke$^{53}_{44}$təu$^{35}_{44}$xan^{53}cie^{35}ts^{h}ait^{5}.cie^{35}tʂ^{h}ɔŋ^{13}tsɿ^{0},cie^{35}kɔn^{35},cie^{35}sin^{35},cie^{35}c^{h}in^{35},tan$^{53}_{44}$ʂʅ$^{53}_{44}$çien^{53}ts^{h}ai$^{53}_{44}$lei^{0} kai^{53}tei$^{35}_{44}$təŋ$^{35}_{44}$si^{0} mau^{13}to$^{35}_{44}$mak^{3} in$^{13}_{44}$ʂət^{5},tʂʅ$^{13}_{21}$iəu$^{35}_{53}$cie^{35}c^{h}in^{35}ts^{h}iəu$^{53}_{44}$iəu$^{35}_{53}$ȵin$^{13}_{21}$ʂət^{5},so^{21}i$^{35}_{44}$çien^{53}ts^{h}ai$^{53}_{44}$cie^{35}c^{h}in^{35}ts^{h}iəu$^{53}_{44}$ɔn$^{35}_{44}$tso$^{53}_{44}$cie$^{35}_{44}$ts^{h}ait^{5},tʂʅ^{21}iəu$^{35}_{44}$ua^{53}cie^{35}c^{h}in^{35}ʂʅ$^{53}_{44}$cie$^{35}_{44}$ts^{h}ait^{5}.pən^{21}ʂən$^{35}_{44}$nɔi$^{13}_{21}$kɔŋ^{21}ʂʅ$^{53}_{44}$so^{21}iəu^{35}ke^{53}təu^{35}t^{h}əŋ^{21}tʂ^{h}ən^{35}uei$^{13}_{21}$cie^{35}ts^{h}ait^{5},ts^{h}iəu$^{53}_{44}$siɔŋ$^{35}_{44}$tɔŋ$^{35}_{44}$ɥ$^{13}_{21}$tʂəu^{35}tsɿ^{21}kei^{53}tʂəu^{35}ts^{h}ait^{5},ts^{h}iəu^{53}xei^{53}tʂəu^{35}çia^{53}ʂei^{21}.

【鸡崽子】cie^{35}tse^{21}tsɿ^{0} 名小鸡：我等一只亲戚屋下就畜渠就畜蛮多鸡。自家菢～。欸我箇到到渠箇去嫐都，箇总有六七十只啊七八十只鸡噢，尽土鸡哟，箇是蛮好喔。就系冇几大子，大个都还系斤把子。ŋai^{13}tien^{0} iet^{3} tʂak^{3} ts^{h}in^{35}ts^{h}iet^{3} uk^{3} xa^{53}ts^{h}iəu^{53}çiəuk^{3} ci$^{13}_{21}$ts^{h}iəu^{53}çiəuk^{3} man$^{13}_{21}$to$^{35}_{44}$cie^{35}.ts^{h}ʅ^{35}ka$^{35}_{44}$p^{h}u^{53}cie^{35}tse^{21}tsɿ^{0}.e$_{21}$ŋai^{13}kai$^{53}_{44}$tau$^{53}_{44}$tau^{53}ci$^{13}_{21}$kai$^{53}_{44}$çi^{53}liau^{53}təu$^{35}_{44}$,kai^{53}tsəŋ^{21}iəu$^{35}_{44}$liəuk^{3} ts^{h}iet^{3} ʂət^{5} tʂak^{3} a^{0} ts^{h}iet^{3} pait^{3} ʂət^{5} tʂak^{3} cie$^{35}_{44}$au^{0},ts^{h}in^{53}t^{h}əu^{21}cie$^{35}_{44}$iau^{0},kai^{53}ʂʅ$^{53}_{44}$man$^{13}_{44}$xau^{21}uo^{0}.ts^{h}iəu^{53}xe^{53}mau^{13}ci^{21}t^{h}ai^{53}tsɿ^{0},t^{h}ai^{53}ke^{53}təu$^{35}_{44}$xai$^{13}_{44}$xe$^{53}_{44}$cin^{35}pa^{21}tsɿ^{0}.

【鸡甑】cie^{35}tsien$^{53}_{21}$ 名白天用来罩鸡的篾具，顶上有可开合的圆孔：箇个～呶，渠就顶高有只眼，底下又冇得么个个。底下就系地泥下，系啊？罩下地泥下。就同我等桌上罩菜样啊。但是顶高有只眼。顶高开只眼，圆眼。嗯。开只圆眼嘞，也做只咁个圆圆子个笪子，盖下去，唔系箇鸡会飞出来咯。欸，也咁子罩下去，就同～样啊，欸，同啊同箇个欸鸡笼样啊，提倒走得个鸡笼噢，渠箇箇只门嘞，进门个箇东西啊。箇东西就安做～嘞。kai^{53}kei$^{53}_{44}$cie^{35}tsien$^{53}_{21}$nau^{0},ci^{13}ts^{h}iəu$^{53}_{44}$taŋ^{21}kau$^{35}_{44}$iəu$^{35}_{44}$tʂak^{3} ŋan^{21},te^{21}xa^{53}iəu$^{53}_{44}$mau^{13}tek^{3} mak^{3} ke$^{53}_{44}$ke$^{53}_{44}$.te^{21}xa$^{53}_{44}$ts^{h}iəu$^{53}_{44}$xe$^{53}_{44}$t^{h}i^{53}lai$^{13}_{21}$xa^{35},xe$^{53}_{44}$a^{0}?tsau$^{53}_{44}$(x)a$^{53}_{44}$t^{h}i^{53}lai$^{13}_{21}$xa^{35}.ts^{h}iəu$^{53}_{44}$t^{h}əŋ$^{13}_{21}$ŋai$^{13}_{21}$tien^{0} tsɔk^{3} xɔŋ$^{53}_{44}$tsau^{53}ts^{h}ɔi^{53}iɔŋ$^{53}_{21}$ŋa^{0}.tan^{53}ʂʅ^{53}taŋ^{21}kau$^{35}_{44}$iəu$^{35}_{53}$tʂak^{3} ŋan^{21}.taŋ^{21}kau$^{35}_{44}$k^{h}ɔi^{35}tʂak^{3} ŋan^{21},ien^{13}ŋan^{21}.n̩$_{21}$.k^{h}ɔi^{35}tʂak^{3} ien^{13}ŋan^{21}nei^{0},ia^{35}tso^{53}tʂak^{3} kan$^{21}_{35}$kei^{53}ien^{13}ien^{13}tsɿ^{0} ke$^{53}_{44}$tait^{3} tsɿ^{0},kɔi^{53}ia$_{44}$(←xa^{53})çi$^{53}_{21}$,m̩$^{13}_{21}$p^{h}e$_{44}$(←xe^{53})kai$^{53}_{44}$cie^{35}uɔi$^{53}_{44}$fei^{35}tʂ^{h}ət^{3} lɔi$^{13}_{21}$ko^{0}.ei$_{21}$,ia^{35}kan^{21}tsɿ^{0} tsau^{53}xa$^{53}_{44}$çi$^{53}_{44}$,ts^{h}iəu^{53}t^{h}əŋ$^{13}_{21}$cie^{35}tsien$^{53}_{21}$iɔŋ$^{53}_{44}$ŋa^{0},e$_{21}$,t^{h}əŋ$^{13}_{21}$ŋa^{0} t^{h}əŋ^{13}kai$^{53}_{44}$kei$^{53}_{44}$e$_{21}$cie^{35}ləŋ^{35}iɔŋ^{53}ŋa^{0},t^{h}ia^{35}tau^{21}tsei^{21}tek^{3} ke$^{53}_{44}$cie^{35}ləŋ$^{35}_{44}$ŋau^{0},ci$^{13}_{44}$kai$^{53}_{44}$kai^{53}tʂak^{3} mən^{13}ne^{0},tsin^{53}mən^{13}ke$^{53}_{44}$kai$^{53}_{44}$təŋ$^{35}_{44}$si^{0} a^{0}.kai$^{53}_{21}$təŋ$^{35}_{44}$si^{0} ts^{h}iəu$^{53}_{44}$ɔn$^{35}_{44}$tso$^{53}_{44}$cie^{35}tsien$^{53}_{21}$ne^{0}.

【鸡爪】cie^{35}tsau^{21} 名鸡的脚爪：欸，我孙子摎我箇只外甥女第一喜欢食我老婆做个～。渠～嘞嗯做得好，但是渠个～也爱我帮渠做，渠就做得更好。渠做嘞渠就偷懒。欸，我等爱分箇～，买倒来个箇起～，箇冻哩个，系啊？分箇～嘞一只只子搣开来，分箇个粗皮搣嘿去，欸，分箇脚上个脚趾甲子剪嘿去，然后分箇几只脚趾劈开来，又劈做三坨子，一只～劈做三坨子。渠更进盐味。好，然后嘞就蒸熟来。蒸熟来放在一边，等渠摊冷来。然后镬里就放正大蒜子啊，欸，油哇，辣椒干呐，欸，八角粉呐，放正蛮多配料，欸，舞兜油，一交正来以后，分～倾下去，一和，箇系蛮好食。箇比箇卤个更好食。e$_{44}$,ŋai^{13}sən^{35}tsɿ^{21}lau^{35}ŋai$^{13}_{21}$kai$^{53}_{44}$tʂak^{3} ŋɔi^{53}saŋ$^{35}_{44}$ŋ̍^{21}t^{h}i^{53}iet^{3} çi^{21}fɔn$^{35}_{44}$ʂət^{5} ŋai$^{13}_{21}$lau^{21}p^{h}o^{13}tso$^{53}_{44}$ke$^{53}_{44}$cie^{35}tsau^{21}.ci$^{13}_{44}$cie^{35}tsau^{21}lei^{0} n̩$_{21}$tso^{53}tek^{3} xau^{21},tan^{53}ʂʅ^{13}ci^{13}ke^{0} cie^{35}tsau^{21}ia^{35}ɔi^{53}ŋai^{13}pɔŋ^{35}ci$^{13}_{21}$tso^{53},ci$^{13}_{21}$ts^{h}iəu$^{53}_{44}$tso^{53}tek^{3} cien^{53}xau^{21}.ci^{13}tso^{53}lei^{0} ci$^{13}_{21}$ts^{h}iəu^{53}t^{h}ɔi^{35}lan^{35}.e$_{21}$,ŋai^{13}tien^{0} ɔi$^{53}_{44}$pən$^{35}_{44}$kai$^{53}_{44}$cie^{35}tsau^{21},mai^{35}tau^{21}lɔi$^{13}_{21}$kei^{53}kai^{53}çi^{21}cie^{35}tsau^{21},kai$^{53}_{44}$təŋ^{53}li^{0} ke^{53},xei^{53}a^{0}?pən^{35}kai^{53}cie^{35}tsau^{21}lei^{0} iet^{3} tʂak^{3} tʂak^{3} tsɿ^{0} met^{3} k^{h}ɔi^{35}lɔi$^{13}_{21}$,pən^{35}kai$^{53}_{44}$kei$^{53}_{44}$ts^{h}ɿ^{35}p^{h}i^{13}miet^{3} (x)ek^{3} çi^{53},e$_{21}$,pən^{35}kai$^{53}_{44}$ciɔk^{3} xɔŋ$^{53}_{44}$kei^{53}ciɔk^{3} tʂʅ^{21}kait^{3} tsɿ^{0} tsien^{21}nek^{3} çi^{53},vien^{13}xei$^{53}_{44}$pən^{35}kai$^{53}_{44}$ci^{21}tʂak^{3} ciɔk^{3} tʂʅ^{21}p^{h}iak^{3} k^{h}ɔi^{35}lɔi$^{13}_{21}$,iəu^{53}p^{h}iak^{3} tso^{53}san^{35}t^{h}o$^{13}_{21}$tsɿ^{0},iet^{3} tʂak^{3} cie^{35}tsau^{21}p^{h}iak^{3} tso^{53}san^{35}t^{h}o$^{13}_{21}$tsɿ^{0}.ci^{13}cien^{53}tsin^{53}ian^{13}mi^{53}.xau^{21},vien^{13}xei$^{53}_{44}$lei^{0} ts^{h}iəu^{53}tʂən^{35}ʂəuk^{5} lɔi^{13}.tʂən^{35}ʂəuk^{5} lɔi$^{13}_{21}$fɔŋ^{53}ts^{h}ai^{53}iet^{3} pien^{35},ten^{21}ci$^{13}_{44}$t^{h}an$^{35}_{44}$laŋ$^{35}_{44}$lɔi$^{13}_{21}$.vien$^{13}_{21}$xei$^{53}_{44}$uɔk^{5} li^{0} ts^{h}iəu$^{53}_{44}$fɔŋ^{53}tʂaŋ^{53}t^{h}ai^{53}sɔn^{53}tsɿ^{21}za^{0},e$_{21}$,iəu^{13}ua^{0},lait^{5} tsiau$^{35}_{44}$kɔn^{35}na^{0},e$_{44}$,pait^{3} kɔk^{3} fən^{21}na^{0},fɔŋ^{53}tʂaŋ^{53}man$^{13}_{21}$to$^{35}_{44}$p^{h}ei^{53}liau^{53},e$_{21}$,u^{21}tei$^{35}_{53}$iəu^{13},iet^{3} ciau^{35}tʂaŋ$^{53}_{21}$lɔi$^{13}_{21}$i$^{35}_{44}$xei$^{53}_{44}$,pən$^{35}_{44}$cie^{35}tsau^{21}k^{h}uaŋ^{35}ŋa^{53}çi^{53},iet^{3} xo^{13},kai$^{53}_{44}$xei^{53}man^{13}xau^{21}ʂət^{5}.kai^{53}pi^{21}kai^{53}ləu^{21}ke$^{53}_{44}$cien$^{53}_{44}$xau^{21}ʂət^{5}.

【鸡爪梨】cie^{35}tsau^{21}li^{13} 名枳椇：有种箇个植物安做～。我等又话安做结肉子。渠个长出来个东西同箇鸡爪样个，系啊？iəu^{35}tʂəŋ^{21}kai$^{53}_{44}$ke$^{53}_{21}$tʂ^{h}ət^{5} uk^{5} ɔn$^{35}_{44}$tso$^{53}_{44}$cie^{35}tsau^{21}li^{13}.ŋai^{13}tien^{0} iəu^{53}ua^{53}ɔn$^{35}_{44}$tso^{53}ciet^{3} ȵiəuk^{3} tsɿ^{0}.ci^{13}ke$^{53}_{44}$tʂɔŋ^{21}tʂ^{h}ət^{3} lɔi$^{13}_{21}$ke^{0} təŋ$^{35}_{44}$si^{0} t^{h}əŋ$^{13}_{21}$kai$^{53}_{21}$cie^{35}tsau^{21}iɔŋ$^{53}_{21}$ke$^{53}_{21}$,xei^{53}a^{0}?

【鸡子】cie^{35}tsɿ^{0} 名①鸡。鸟纲雉科家禽：打比个欸我放滴子菜去箇映子啊放下地泥下，箇～

去哆呀，我趟开箇鸡呀，趟嘿去啊。ta^{21}pi^{21}ke$^{53}_{44}$e$_{21}$ŋai^{13}fəŋ$^{53}_{44}$tet^{5}tsɿ^{0} tsʰɔi^{53}çi$^{53}_{44}$kai$^{53}_{44}$iaŋ^{53}tsa^{0} fəŋ$^{53}_{44}$a$^{53}_{44}$tʰi$^{53}_{44}$lai$^{13}_{21}$xa$^{35}_{44}$,kai$^{53}_{44}$cie^{35}tsɿ^{0} çi$^{53}_{44}$tsait^{5}ia^{0},ŋai^{13}ciəuk^{5} kʰɔi$^{35}_{44}$kai$^{53}_{44}$cie^{35}ia^{0},ciəuk^{5}ek^{3} çi$^{53}_{44}$a^{0}. ②男孩子的生殖器：如今我等箇只孙子正两岁多子，就我等就训练渠待倒屙尿。欸，分只手捉稳渠箇只～来屙尿。训练渠待倒屙尿，省子跍倒滴尿箇兜。i$^{13}_{21}$cin$^{35}_{53}$ŋai^{13}tien^{0} kai^{53}tʂak^{3} sən^{35}tsɿ^{0} tʂaŋ^{53}iəŋ^{21}sɔi^{53}to$^{35}_{44}$tsɿ^{0}, tsʰiəu^{53}ŋai^{13}tien^{0} tsʰiəu$^{53}_{44}$ʂən^{53}nien^{53}ci$^{13}_{21}$cʰi^{35}tau^{21}o$^{35}_{44}$ɲiau$^{53}_{44}$.e$_{21}$,pən^{35}tʂak^{3} ʂəu^{21}tsok^{3} uən^{21}ci$^{13}_{21}$kai^{53}tʂak^{3} cie^{35}tsɿ^{0} lɔi$^{13}_{21}$o$^{35}_{44}$ɲiau^{53}.ʂən^{53}nien^{53}ci$^{13}_{21}$cʰi^{35}tau^{21}o$^{35}_{44}$ɲiau$^{53}_{44}$,saŋ^{21}tsɿ^{0}ku^{35}tau^{21}lai^{13}ɲiau^{53}kai^{53}te$^{35}_{21}$.

【积滞】tsiet^{3}tʂʰʅ^{53} 名 中医病名。因喂养不当，内伤乳实，停积胃肠，脾运失司所引起的一种小儿常见的脾胃病症：细人子营养不良就安做有积有～，爱化积。就系营养不良，就系冇么个食，𫣚食得饭，欸关键就系么个嘞？就系箇只从脱燃到食饭个箇只阶段𫣚转得好，渠个肠胃唔适应。饭就唔食，爱瞄燃，欸燃又冇得哩食，饭又冇得食。箇就营养不良啊。就肚子就滮大呀。欸，就面黄寡瘦呀，就唔知几多病啊，啰嗦多啊。箇晡讲哩啊，唔系话有烧火个，有挑积个，挑以只手指子个。啊，箇个都系～嘞。系话有射箇兜个，系唔系？欸，爱化积。sei^{53}ɲin$^{13}_{44}$tsɿ^{0} in$^{13}_{21}$iəŋ$^{35}_{44}$pət^{3} liəŋ^{13}tsʰiəu$^{53}_{44}$ɔn$^{35}_{44}$tso$^{35}_{44}$iəu^{35}tsiet^{3} iəu^{35}tsiet^{3} tʂʰʅ^{53},ɔi$^{53}_{44}$fa^{53}tsiet^{3} .tsʰiəu^{53}xei^{53}in$^{13}_{21}$iəŋ$^{35}_{44}$pət^{3} liəŋ^{13},tsʰiəu^{53}xei^{53}mau$^{13}_{21}$mak^{3} e^{0} ʂət^{5} ,maŋ^{13}ʂət^{5} tek^{3} fan^{53},e$_{21}$kuan^{35}cien$^{53}_{44}$tsʰiəu^{53}xei^{53}mak^{3} e^{0} lei^{0}? tsʰiəu^{53}xei$^{53}_{44}$kai^{53}tʂak^{3} tsʰəŋ^{13}tʰɔit^{3} lien^{53}tau^{53}ʂət^{5} fan^{53}kei$^{53}_{44}$kai$^{53}_{44}$tʂak^{3} kai$^{35}_{44}$tɔn^{53}maŋ^{13}tʂuɔn^{21}tek^{3} xau^{21},ci^{13}kei^{53} tʂʰəŋ^{13}uei^{53}n̩$^{13}_{21}$ʂət^{3} in^{53}.fan^{53}tsʰiəu^{53}n̩^{13}ʂət^{5} ,ɔi^{53}miau^{53}lien^{53},e^{0} lien^{53}iəu$^{53}_{44}$mau$^{13}_{21}$tek^{3} li^{0} ʂət^{5} ,fan^{53}iəu^{53}mau$^{13}_{21}$tek^{3} ʂət^{5} .kai^{53}tsʰiəu^{53}in$^{13}_{21}$iəŋ$^{35}_{44}$pət^{3} liəŋ^{13}a^{0} .tsʰiəu^{53}təu^{21}tsɿ^{0} tsʰiəu$^{53}_{44}$mən^{35}tʰai^{35}ia^{0} .e$_{21}$,tsʰiəu$^{53}_{44}$mien^{53}fəŋ$^{13}_{21}$kua^{21}sei^{53}ia^{0}, tsʰiəu^{53}n̩^{13}ti$^{35}_{53}$ci^{21}to$^{35}_{44}$pʰiaŋ^{53}ŋa^{0} ,lo^{35}so$^{35}_{44}$to^{35}a^{0} .kai^{53}pu$^{35}_{44}$kəŋ^{21}li^{0} a^{0} ,m̩^{13}pʰei$^{53}_{44}$ua$^{53}_{44}$iəu$^{35}_{44}$ʂau$^{35}_{44}$fo^{21}ke^{53},iəu^{35}tʰiau^{35} tsiet^{3} ke^{53},tʰiau^{35}i^{21}tʂak^{3} ʂəu^{21}tʂʅ^{21}tsɿ^{0} ke^{53}.a$_{21}$,kai$^{53}_{21}$ke$^{53}_{21}$təu^{35}xei^{53}tsiet^{3} tʂʰʅ^{53}le^{0} .xei$^{53}_{44}$ua$^{53}_{44}$iəu^{35}ʂa^{53}kai$^{53}_{44}$tei$^{35}_{53}$ ke$^{53}_{21}$,xei^{53}me^{53}?e$_{21}$,ɔi$^{53}_{44}$fa^{53}tsiet^{3} .

【屐钉牯子】cʰiak^{5} taŋ^{35}ku^{21}tsɿ^{0} 名 未成年的半大公牛：黄牛牯子是你只爱出哩世，一年多子以后就成哩～。uəŋ^{13}ɲiəu^{13}ku^{21}tsɿ^{0} ʂɿ$^{53}_{44}$ni$^{13}_{21}$tʂʅ^{21}ɔi^{53}tʂʰət^{3} li^{0} ʂɿ^{53},iet^{3}ɲien^{13}to^{35}tsɿ^{0} i$^{35}_{44}$xei$^{53}_{44}$tsʰiəu^{53}ʂaŋ$^{13}_{21}$li^{0} cʰiak^{5} taŋ^{35}ku^{21}tsɿ^{0}.

【屐鞋】cʰiak^{5}xai^{13} 名 鞋面、鞋底为牛皮，刷有桐油，底部有铁钉的鞋子。又称“钉鞋”：～就更早个时候子用个。～，～你晓用么个做个吗？面子用牛皮做个。以前冇得套鞋，就起套鞋个作用。底子用皮子做个。皮做个。欸，牛皮呀。面子也系用皮做个。就手工做个，用皮子做个。渠个底吵，舞……渠个面皮个是绷硬。箇底让门搞嘞？就搞滴钉钉倒。钉倒就冇咁滑呀。欸。又安做钉鞋，又安做～。我都着过嘞。硬硬硬真唔好着啊。绷硬个。～。也安做钉鞋，也安做～。安～个多。cʰiak^{5}xai$^{13}_{21}$tsʰiəu^{53}cien^{53}tsau^{21}ke^{53}ʂɿ$^{13}_{21}$xei$^{53}_{44}$tsɿ^{0} iəŋ$^{53}_{44}$ke$^{53}_{44}$.cʰiak^{5}xai$^{13}_{21}$,cʰiak^{5} xai$^{13}_{21}$ɲi$^{13}_{21}$çiau^{21}iəŋ^{53}mak^{3} (k)e$^{53}_{44}$tso^{53}ke$^{53}_{44}$ma^{0} ?mien^{53}tsɿ^{0} iəŋ^{53}ɲiəu^{13}pʰi^{13}tso$^{53}_{44}$ke$^{53}_{44}$.i$^{35}_{44}$tsʰien$^{13}_{21}$mau$^{13}_{21}$tek^{3} tʰau^{53} xai$^{13}_{21}$,tsʰiəu$^{53}_{44}$çi^{21}tʰau^{53}xai$^{13}_{21}$ke$^{53}_{44}$tsok^{3} iəŋ$^{53}_{44}$.te^{21}tsɿ^{0} iəŋ^{53}pʰi^{13}tsɿ^{0} tso$^{53}_{44}$ke$^{53}_{44}$.pʰi^{13}tso^{53}ke$^{53}_{44}$.ei$_{21}$, ɲiəu^{13}pʰi^{13}ia^{0} .mien^{53} tsɿ^{0} ia^{35}xei$^{53}_{44}$iəŋ$^{53}_{44}$pʰi^{13}tso$^{53}_{44}$ke$^{53}_{44}$.tsʰiəu$^{53}_{44}$ʂəu^{21}kəŋ^{35}tso^{53}ke^{53},iəŋ^{53}pʰi^{13}tsɿ^{0} tso$^{53}_{44}$ke$^{53}_{44}$.ci^{13}ke^{53}te^{21}ʂa^{0} ,u^{21}⋯ci$^{13}_{44}$ke^{53} mien^{53}pʰi^{13}cie^{53}ʂɿ$^{53}_{21}$paŋ^{35}ŋaŋ^{53}.kai$^{53}_{44}$te^{21}ɲiəŋ^{53}mən$^{13}_{53}$kau^{21}lei^{0} ?tsʰiəu$^{53}_{44}$kau^{21}tet$^{5}_{3}$ taŋ^{35}taŋ^{35}tau^{21}.taŋ^{35}tau^{21}tsʰiəu$^{53}_{44}$ mau$^{13}_{21}$kan^{21}uait^{5} ia^{0} .e$_{21}$.iəu$^{53}_{44}$ɔn$^{35}_{53}$tso$^{53}_{21}$taŋ^{35}xai$^{13}_{21}$,iəu$^{53}_{44}$ɔn$^{35}_{53}$tso$^{53}_{21}$cʰiak^{5} xai^{13}.ŋai^{13}təu$^{35}_{53}$tʂok^{3} ko^{53}lei^{0} . ɲiaŋ^{53}ɲiaŋ^{53} ɲiaŋ^{53}tʂən^{35}n̩$^{13}_{21}$xau^{21}tʂok^{3} a^{0} .paŋ^{35}ŋaŋ$^{53}_{44}$ke$^{53}_{21}$.cʰiak^{5} xai$^{13}_{21}$.ia^{35}ɔn$^{35}_{53}$tso$^{53}_{44}$taŋ^{35}xai$^{13}_{21}$,ia^{35}ɔn$^{35}_{44}$tso$^{53}_{44}$cʰiak^{5} xai$^{13}_{21}$.ɔn$^{35}_{44}$cʰiak^{5} xai$^{13}_{21}$ke$^{53}_{21}$to$^{35}_{44}$.

【基肥】ci^{35}fei^{13} 名 播种或移栽前施于土壤的肥料：唔系话以前是冇得冇么人放～，落尾嘞就慢慢子嘞舞兜磷肥掺氮肥和下倒去打欸搞犁耙之前就打下去，做～，安做氮磷深施。做～，箇系蛮好。氮磷深施，管好哩水个是硬蛮好。m̩^{13}pʰei^{53}ua$^{53}_{44}$i^{35}tsʰien^{13}ʂɿ$^{53}_{44}$mau^{13}tek^{3} mau^{13}mak^{3}ɲin$^{13}_{44}$ fəŋ^{53}ci^{35}fei$^{13}_{44}$,lɔk^{5} mi$^{35}_{44}$lei^{0} tsʰiəu$^{53}_{44}$man^{53}man$^{53}_{44}$tsɿ^{0} lei^{0} u^{21}tei$^{35}_{53}$lin^{13}fei$^{13}_{44}$lau^{35}tʰan^{53}fei$^{13}_{21}$xo^{13}(x)a^{53}tau^{21}çi^{53}ta^{21}ei$_{21}$ kau^{21}lai^{13}pʰa^{13}tʂʅ$^{35}_{53}$tsʰien$^{13}_{21}$tsʰiəu^{53}ta^{21}xa^{53}çi^{53},tso^{53}ci^{35}fei$^{13}_{21}$,ɔn$^{35}_{44}$tso$^{53}_{44}$tʰan^{53}lin^{13}ʂən^{35}ʂɿ^{35}.tso^{53}ci$^{35}_{44}$fei$^{13}_{21}$,kai^{53}xei^{53} man$^{13}_{21}$xau^{21}.tʰan^{53}lin^{13}ʂən^{35}ʂɿ^{35},kɔn^{21}xau^{21}li^{0} ʂei^{21}ke^{53}ʂɿ^{53}ɲiaŋ^{53}man^{13}xau^{21}.

【箕】ci^{35} 名 喻指皲箕形的指纹，不成圆形：人个手指啊，有箩啊，～。n̩^{13}ke^{53}ʂəu^{21}tʂʅ^{21}za^{0} ,iəu$^{35}_{44}$lo^{13}a^{0} ,ci^{35}.

【羁】cie^{35}/ke^{35} 动 系；打结：～条子围巾 cie^{35}tʰiau^{13}tsɿ^{0} uei^{13}cin^{35} | 以只裤头唔知几大，着啊上去以后嘞，看欸，咁子折一下，～嘿去，舞条绳子缔嘿倒，冇得～皮带个。i^{21}tʂak^{3} fu^{53}tʰei$^{13}_{21}$n̩$^{13}_{21}$ti$^{35}_{44}$ ci^{21}tʰai^{53},tʂok^{3} a^{0} ʂəŋ$^{53}_{44}$çi$^{53}_{44}$i$^{35}_{44}$xei$^{53}_{44}$lei^{0},kʰɔn$^{53}_{44}$nau^{0},kan^{21}tsɿ^{0} tʂait^{3} iet^{3} xa^{53},cie^{35}(x)ek^{3} çi^{53},u^{21}tʰiau^{13}ʂən^{13}tsɿ^{0} tʰak^{3} (x)ek^{3} tau^{21},mau^{13}tek^{3} ke^{35}pʰi^{13}tai$^{53}_{44}$ke$^{53}_{44}$.

【羁腰】cie^{35}iau^{35} [动]系在腰上以起到保护作用：（长手巾）冷天用来～。laŋ^{35}tʰien$^{35}_{44}$iəŋ^{53}ləi$^{13}_{21}$cie^{35}iau^{35}.

【吉利】ciet^{3}li^{53} [形]吉祥顺利：（路遇送葬队伍时）箇个送亲个人回避呀。唔～呀。kai$^{53}_{44}$ke$^{53}_{44}$səŋ^{53}tsʰin^{35}cie^{53}ɲin$^{13}_{21}$fei^{13}pʰei$^{53}_{44}$ia^{0}.ŋ̍^{13}ciet^{3}li^{53}ia^{0}.

【即即哩】tsiet^{5}tsiet^{5}/tset^{5}tset^{5}li^{0} [副]①赶忙，迅疾，匆匆地：～走 tsiet^{5}tsiet^{5}li^{0}tsəu^{21}｜□拔正禾秧来，就～分箇禾苗就栽哩。uek^{5}tʂaŋ^{53}uo^{13}iəŋ^{35}ləi$^{13}_{44}$,tsʰiəu$^{53}_{44}$tsiet^{5}tsiet^{5}li^{0}pən^{35}kai$^{53}_{44}$xo^{13}miau$^{13}_{21}$tsiəu^{53}tsəi$^{35}_{21}$li^{0}. ②频繁、快速而不定向地：眼珠～转 ŋan^{21}tʂəu^{35}tset^{5}tset^{5}li^{0}tʂon^{21}

【即即即即哩】tset^{5}tset$^{5}_{3}$tset^{5}tset$^{5}_{3}$li^{0} [副]非常频繁地：（以前我们那老家有个人呢）箇眼珠～甩。kai$^{53}_{44}$ŋan^{21}tʂəu^{35}tset^{5}tset$^{5}_{3}$tset^{5}tset$^{5}_{3}$li^{0}ʂai$^{21}_{53}$.

【急】ciet^{3}/ciak^{3} [形]①想要马上达到某种目的而激动不安；着急：看渠咁着急，～起面都红哩。kʰən^{53}ci^{13}kan^{13}tʂʰək^{5}ciet^{3},ciet^{3}çi$^{21}_{53}$mien^{53}təu^{35}fəŋ^{13}li^{0}.｜以只路子你就莫～啊。i^{21}iak^{3}(←tʂak^{3})ləu^{53}tsɿ^{0}ɲi^{13}tsʰiəu$^{53}_{44}$mək^{5}ciet^{3}a^{0}. ②匆忙；快速：如今都我赖子还话我食～哩。唔知信，唔知信又～嘿哩。i$^{13}_{21}$cin^{35}təu$^{35}_{53}$ŋai^{13}lai^{53}tsɿ^{0}xai^{13}ua^{53}ŋai$^{13}_{21}$ʂɿt^{5}ciak^{3}li^{0}.ŋ̍^{13}ti$^{35}_{44}$sin^{53},ŋ̍^{13}ti$^{35}_{44}$sin^{53}iəu^{53}ciak^{3}(x)ek^{3}li^{0}. ③水流湍急：箇牛轭岭箇映子有只栏场呢，箇箇个水呀唔知几～。kai^{53}ɲiəu$^{13}_{21}$ak^{3}liaŋ^{35}kai$^{53}_{44}$iaŋ^{53}tsɿ^{0}iəu^{35}tʂak^{3}laŋ$^{13}_{21}$tʂʰəŋ$^{13}_{21}$nei^{0},kai$^{53}_{44}$kai$^{53}_{44}$ke$^{53}_{44}$ʂei^{21}ia^{0}ŋ̍^{13}ti$^{35}_{53}$ci^{21}ciet^{3}. ④（动作）灵活：箇细人子手势又～，点伢太子个细人子啊，手势又～。手势～你晓得么？唔系好，快呀，手脚灵活呀。kai$^{53}_{44}$se^{53}ɲin$^{13}_{21}$tsɿ^{0}ʂəu^{21}ʂɿ^{53}iəu$^{53}_{44}$ciak^{3},tian^{53}ŋa$^{13}_{44}$tʰai$^{53}_{44}$tsɿ^{0}ke$^{53}_{44}$sei$^{53}_{44}$ɲin$^{13}_{44}$tsɿ^{0}a^{0},ʂəu^{21}ʂɿ^{53}iəu$^{53}_{44}$ciak^{3}.ʂəu^{21}ʂɿ^{53}ciak^{3}ɲi$^{13}_{21}$çiau^{21}tek^{3}mo^{0}?m̩$^{13}_{21}$pʰe$^{53}_{44}$xau^{21},kuai^{53}ia^{0},ʂəu^{21}ciək^{3}lin^{13}xuəit^{5}ia^{0}.

【急病】ciet^{3}pʰiaŋ^{53} [名]急症；突然发作、来势很猛的病症：两十多年前呐三十年前，有一晡我到张家坊开会，我去凤溪教书哇，系啊？我到张家坊开会，就看得我箇只细阿舅子，两公婆带只赖子，你话渠以只么啊病啊？走张坊医院一检查出来，么个准备去官渡话。检查出来嘞呃么个疝气，会危害生命了。箇只细子正几岁子一只伢子嘞。会危害生命了，舞倒，渠就话："箇让门搞噢？系唔系？箇让门搞哦？"医师话哩爱去官渡，麻溜到官渡，走嘿官渡，住只院，挂只号，住院。医师一检查，"你麻溜送浏阳，今晡夜晡都会过唔得。"箇我麻溜舞倒我阿舅子我话两……你话袋哩几多钱？袋哩八十块钱。我麻溜同……就想办法，我也学事同倒去哩嘞。去官渡好得我去哩啊，箇都真系好得我去哩啊，我自家都话好得我去哩。我麻溜交代我阿舅子："你麻溜归去，你归去，你唔爱下浏阳。呣，你归去搞么个？搞钱，你去借钱。明晡你到浏阳来，到人民医院来。"我就摎我阿舅嫂两个人带只细人子麻溜下浏阳。冇得一个钱呐袋子里啊。话哩只有八十块钱呶。箇系～，箇就～。箇回真系吓死哩，吓倒哩。iəŋ^{21}ʂət^{5}to$^{35}_{44}$ɲien$^{13}_{21}$tsʰien$^{13}_{21}$na^{0}san^{35}ʂət^{5}ɲien$^{13}_{21}$tsʰien$^{13}_{21}$,iəu^{35}iet^{3}pu$^{35}_{44}$ŋai$^{13}_{21}$tau$^{53}_{44}$tʂəŋ$^{35}_{44}$ka$^{35}_{44}$fəŋ$^{35}_{44}$kʰəi$^{35}_{44}$fei^{53},ŋai$^{13}_{21}$çi$^{53}_{44}$fəŋ^{53}çi$^{35}_{44}$kau$^{35}_{44}$ʂəu$^{35}_{44}$ua^{0},xei^{53}a^{0}?ŋai$^{13}_{21}$tau^{53}tʂəŋ$^{35}_{44}$ka$^{35}_{44}$fəŋ$^{35}_{44}$kʰəi$^{35}_{44}$fei^{53},tsʰiəu^{53}kʰən^{53}tek^{3}ŋai$^{13}_{21}$kai^{53}tʂak^{3}sei^{53}a$^{35}_{44}$cʰiəu$^{35}_{44}$tsɿ^{0},iəŋ^{21}kəŋ$^{35}_{44}$pʰo^{13}tai^{53}tʂak^{3}lai^{53}tsɿ^{0},ɲi^{13}ua$^{53}_{44}$ci$^{13}_{44}$i$^{21}_{44}$tʂak^{3}mak^{3}a^{0}pʰiaŋ^{53}ŋa^{0}?tsei$^{21}_{44}$tʂəŋ^{35}xəŋ$^{35}_{44}$i$^{35}_{44}$vien^{53}iet^{3}cian^{21}tsʰa^{13}tʂʰət^{3}ləi^{13},mak^{3}e^{0}tʂən^{21}pʰei$^{53}_{44}$çi^{53}kən^{35}tʰəu$^{53}_{44}$ua^{53}.cian^{21}tsʰa^{13}tʂʰət^{3}ləi$^{13}_{21}$lei^{0}ə$_{21}$mak^{3}kei$^{53}_{44}$san^{53}çi^{53},uəi^{53}uei^{13}xəi^{53}sen^{35}min$^{53}_{44}$liau^{0}.kai^{53}(tʂ)ak^{3}sei^{53}tsɿ^{0}tʂaŋ^{53}ci^{21}səi^{53}tsɿ^{0}iet^{3}tʂak^{3}ŋa^{13}tsɿ^{21}lei^{0}.fəi^{53}uei^{13}xəi^{53}sen^{35}min$^{53}_{44}$niau^{0},u^{21}tau^{21},ci$^{13}_{21}$tsʰiəu^{53}ua$^{53}_{44}$:"kai^{53}ɲiəŋ^{53}mən$^{13}_{44}$kau^{21}au^{0}?xie$^{53}_{44}$me$^{53}_{44}$?kai^{53}ɲiəŋ^{53}mən$^{13}_{44}$kau^{21}o^{0}?"i^{35}sɿ$^{35}_{44}$ua^{53}li^{0}əi^{53}çi^{53}kən^{35}tʰəu^{53},ma$^{13}_{21}$liəu$^{35}_{44}$tau^{53}kən^{35}tʰəu$^{53}_{44}$,tsei^{21}xek^{3}kən^{35}tʰəu$^{53}_{44}$,tʂʰʮ^{53}tʂak^{3}vien^{53},kua^{53}tʂak^{3}xau^{53},tʂʰʮ$^{53}_{44}$vien^{53}.i^{35}sɿ$^{35}_{44}$iet^{3}cian^{21}tsʰa$^{13}_{44}$,"ɲi$^{13}_{21}$ma$^{13}_{21}$liəu$^{35}_{44}$səŋ^{53}liəu^{13}iəŋ$^{13}_{44}$,cin^{35}pu^{35}ia^{53}pu$^{35}_{44}$təu$^{35}_{44}$uəi$^{53}_{21}$ko^{53}ŋ̍$^{13}_{21}$tek^{3}."kai^{53}ŋai$^{13}_{21}$ma$^{13}_{21}$liəu$^{35}_{53}$u^{21}tau^{21}ŋai$^{13}_{21}$a$^{35}_{44}$cʰiəu$^{35}_{44}$tsɿ^{0}ŋai^{13}ua$^{53}_{44}$iəŋ^{21}⋯ɲi^{13}ua^{53}tʰəi^{53}li^{0}ci^{21}(t)o^{35}tsʰien$^{13}_{21}$?tʰəi^{53}li^{0}pait^{3}ʂət^{5}kʰuai^{53}tsʰien$^{13}_{21}$.ŋai^{13}ma^{13}liəu$^{35}_{53}$tʰəŋ$^{13}_{44}$⋯tsʰiəu^{53}siəŋ^{21}pʰan^{53}fait^{3},ŋai^{13}ia$^{35}_{53}$xək^{5}sɿ^{53}tʰəŋ$^{13}_{21}$tau^{21}çi^{53}li^{0}lei^{0}.çi^{53}kən^{35}tʰəu^{53}xau^{21}tek^{3}ŋai^{13}çi^{53}li^{0}a^{0},kai$^{53}_{44}$təu$^{35}_{44}$tʂən^{35}ne^{53}xau^{21}tek^{3}ŋai$^{13}_{21}$çi^{53}li^{0}la^{0},ŋai$^{13}_{21}$tsʰɿ^{53}ka$^{35}_{53}$təu$^{35}_{53}$ua^{53}xau^{21}tek^{3}ŋai^{13}çi^{53}li^{0}.ŋai$^{13}_{21}$ma^{13}liəu$^{35}_{53}$ciau$^{35}_{44}$tai^{53}ŋai^{13}a$^{35}_{44}$cʰiəu$^{35}_{44}$tsɿ^{0}:"ɲi$^{13}_{21}$ma$^{13}_{21}$liəu$^{35}_{44}$kuei$^{35}_{44}$çi^{53}, ɲi^{13}kuei^{35}çi^{53}, ɲi^{13}m̩^{13}məi$^{53}_{44}$xa$^{35}_{44}$liəu$^{13}_{21}$iəŋ$^{13}_{44}$.m̩$_{21}$, ɲi^{13}kuei$^{35}_{44}$çi^{53}kau^{21}mak^{3}ke^{0}?kau^{21}tsʰien^{13}, ɲi^{13}çi^{53}tsia^{53}tsʰien^{13}.miaŋ^{13}pu$^{35}_{53}$ɲi^{13}tau^{53}liəu$^{13}_{44}$iəŋ$^{13}_{44}$ləi$^{13}_{44}$,tau^{53}uən^{13}min$^{13}_{21}$i$^{35}_{44}$vien^{53}nəi$^{13}_{21}$."ŋai^{13}tsʰiəu^{53}lau^{35}ŋai$^{13}_{21}$a^{35}cʰiəu^{35}sau^{21}iəŋ^{21}ke^{53}ɲin$^{13}_{44}$tai^{53}tʂak^{3}sei^{53}ɲin$^{13}_{21}$tsɿ^{0}ma^{13}liəu$^{35}_{44}$xa$^{35}_{44}$liəu$^{13}_{21}$iəŋ$^{13}_{44}$.mau^{13}tek^{3}iet^{3}cie^{53}tsʰien^{13}na^{0}tʰəi^{53}tsɿ^{0}li^{0}a^{0}.ua^{53}li^{0}tʂɿ^{21}iəu$^{35}_{53}$pait^{3}ʂət^{5}kʰuai^{53}tsʰien$^{13}_{21}$nau^{0}.kai$^{53}_{44}$xei$^{53}_{44}$ciet^{3}pʰiaŋ$^{53}_{44}$,kai^{53}tsʰiəu$^{53}_{44}$ciet^{3}pʰiaŋ$^{53}_{44}$.kai^{53}fei$^{13}_{21}$tʂən^{35}nei$^{53}_{44}$xak^{3}si^{21}li^{0},xak^{3}tau^{21}li^{0}.

【急惊风】ciet^{3}ciaŋ^{35}fəŋ^{35} [名]一种全身抽筋的急病：～就碰倒慢郎中，欸，就冇兜办法呀，以只急病碰倒一只郎中唔爱兜紧个啊，欸，急得尽命。ciet^{3}ciaŋ$^{35}_{44}$fəŋ$^{35}_{44}$tsʰiəu$^{53}_{44}$pʰən^{53}tau^{21}man^{53}ləŋ$^{13}_{21}$tʂəŋ^{35},e$_{44}$,tsʰiəu$^{53}_{44}$mau^{13}tei$^{35}_{53}$pʰan^{53}fait^{3}ia^{0},i^{21}tʂak^{3}ciet^{3}pʰiaŋ$^{53}_{44}$pʰən^{53}tau^{21}iet^{3}tʂak^{3}ləŋ^{13}tʂəŋ$^{35}_{44}$m̩$^{13}_{21}$məi^{53}tei$^{35}_{53}$cin^{21}

cie$^{53}_{44}$a^{0},ei$_{21}$,ciet^{3}tek^{3}tsʰin^{53}miaŋ^{53}.

【急人】ciet^{3}ɲin^{13} 形使人着急：真～ tʂən^{35}ciet^{3}ɲin^{13}

【急惜】ciak^{3}siak^{3} 形动作麻利：做事爱～。tso^{53}sɿ^{53}ɔi^{53}ciak^{3}siak^{3}.｜～滴子 ciak^{3}siak^{3}tiet^{5}tsɿ^{0}

【急性】ciet^{3}sin^{53} 形急躁：渠指发音人的儿子去下开车我硬有兜子真吓人哦，真怕渠。渠就系更～，就系只咁个，冇别么个，渠就系更～。渠拿渠个水平来，系下几多子栏场噢？一射就过嘿哩唠，系唔系？我就有兜子怕，我怕掌唔住哇，我怕盘子掌唔住哇。ci$^{13}_{21}$çi^{53}(x)a^{53}kʰɔi^{35}tʂʰa$^{35}_{44}$ŋai^{13}ɲiaŋ^{53}iəu^{35}te$^{35}_{53}$tsɿ^{0}tʂən^{35}xak^{3}ɲin$^{13}_{21}$o^{0},tʂən^{35}pʰa^{53}ci$^{13}_{21}$.ci^{13}tsʰiəu^{53}xei^{53}cien^{53}ciet^{3}sin^{53},tsʰiəu^{53}xei^{53}tʂak^{3}kan^{21}ke^{53},mau^{13}pʰiet^{5}mak^{3}ke^{53},ci^{13}tsʰiəu^{53}xei^{53}cien^{53}ciet^{3}sin^{53}.ci^{13}la^{53}ci^{13}ke^{53}ʂei^{21}pʰin^{13}nɔi^{13},xei^{53}(x)a$^{53}_{21}$ci^{21}to^{35}tsɿ^{0}laŋ^{13}tʂʰɔŋ$^{13}_{44}$ŋau^{0}?iet^{3}ʂa^{53}tsʰiəu$^{53}_{44}$ko^{53}xek^{3}li^{0}lau^{0},xei^{53}me^{53}?ŋai^{13}tsʰiəu^{53}iəu^{35}te$^{35}_{53}$tsɿ^{0}pʰa^{53},ŋai^{13}pʰa^{53}tʂɔŋ^{21}n̩^{13}tʂʰəu^{53}ua^{0},ŋai^{13}pʰa^{53}pʰan^{13}tsɿ^{0}tʂɔŋ^{21}n̩^{13}tʂʰəu^{53}ua^{0}.

【急直】ciak^{3}tʂʰət^{5} 形僵直：箇只人死嘿哩啊，死得～。kai^{53}tʂak^{3}ɲin$^{13}_{21}$si^{21}(x)ek^{3}lia^{0},si^{21}tek^{3}ciak^{3}tʂʰət^{5}.

【几$_{1}$】ci^{21} 数表示大于一而小于十的不定的数目；若干：我箇只孙子啊，～年子哦，正～年子哦，就同我咁高了，就一米六～了，就大人了。ŋai^{13}kai^{53}tʂak^{3}sən^{35}tsɿ^{0}a^{0},ci^{21}ɲien^{13}tsɿ^{21}o^{0},tʂaŋ^{53}ci^{21}ɲien^{13}tsɿ^{0}o^{0},tsʰiəu^{53}tʰəŋ$^{13}_{21}$ŋai^{13}kan^{21}kau$^{35}_{44}$liau^{0},tsʰiəu^{53}iet^{3}mi^{21}liəuk^{3}ci^{21}liau^{0},tsʰiəu$^{53}_{44}$tʰai^{53}ɲin$^{13}_{21}$niau^{0}.｜渠有～只特点。ci$^{13}_{21}$iəu$^{35}_{44}$ci^{21}tʂak^{3}tʰek^{5}tian^{21}.

【几$_{2}$】ci^{21} 代疑问代词。用于询问数量多少或程度大小：以只东西有～重子？怕有五十零斤吧。i^{21}tʂak^{3}təŋ^{35}si^{35}iəu^{35}ci^{21}tʂʰəŋ^{35}tsɿ^{0}?pʰa^{53}iəu^{35}ŋ̍^{21}ʂət^{5}laŋ^{13}cin^{35}pa^{0}.｜渠讲得～快子？ci$^{13}_{21}$kɔŋ^{21}tek^{3}ci^{21}kʰuai^{53}tsɿ^{0}?

【几$_{3}$】ci^{21} 副表示程度高，相当于“很、非常、多么”：箇只隔～远都臭屎啊。kai^{53}tʂak^{3}kak^{3}ci^{21}ien^{21}təu$^{35}_{44}$tʂʰəu^{53}ʂɿ^{21}ʐa^{0}.｜但是渠指草鞋搭个毛～硬啊。毛～硬哦！tan$^{53}_{44}$ʂɿ$^{53}_{44}$ci^{13}ke$^{53}_{44}$mau^{35}ci$^{21}_{44}$ŋaŋ^{53}ŋa^{0}.mau^{35}ci$^{21}_{44}$ŋaŋ^{53}ŋo^{0}!｜（竹菌子）鲜红子个，唔知～漂亮。çien^{35}fəŋ^{13}tsɿ^{0}ke^{53},n̩^{13}ti$^{35}_{44}$ci^{21}pʰiau^{53}liɔŋ^{53}.

【几多$_{1}$】ci^{21}to^{35} 代疑问代词。①在疑问句中用于询问数量，可加在量词或单位数词前：爱～正够呢？ɔi^{53}ci^{21}to^{35}tʂaŋ^{53}kei^{53}ne^{0}?｜请～个人做醮哇？tsʰiaŋ^{21}ci^{21}to$^{35}_{44}$ke^{53}ɲin$^{13}_{21}$tso^{53}tsiau^{53}ua^{0}?｜也唔知～百块钱呐一千块钱我唔晓得，我𫲭问。ia^{35}n̩$^{13}_{21}$ti$^{35}_{53}$ci^{21}(t)o^{35}pak^{3}kʰuai$^{53}_{44}$tsʰien^{13}na^{0}(i)et^{3}tsʰien^{35}kʰuai^{53}tsʰien$^{13}_{21}$ŋai$^{13}_{21}$n̩^{13}çiau^{21}tek^{3},ŋai$^{13}_{21}$maŋ^{13}uən^{53}. ②在陈述句中，表示不确定的数量：箇头发啦跌头发唠也系慢慢子跌嘞。都不可能话一早晨呢一天呢或者～天呢跌倒一只光脑壳，不可能。kai^{53}tʰei^{13}fait^{3}la^{0}tet^{3}tʰei^{13}fait^{3}lau^{0}ia^{35}xei$^{53}_{44}$man^{53}man$^{53}_{44}$tsɿ^{0}tet^{3}le^{0}.təu$^{35}_{44}$pət^{3}kʰo^{21}len^{13}ua^{53}iet^{3}tsau^{21}ʂən$^{13}_{44}$ne^{0}iet^{3}tʰien^{35}ne^{0}xɔit^{5}tʂa^{21}ci^{21}to^{35}tʰien^{35}ne^{0}tet^{3}tau^{21}iet^{3}tʂak^{3}kɔŋ^{35}lau^{21}kʰɔk^{3},pət^{3}kʰo^{21}len^{13}.

【几多$_{2}$】ci^{21}to^{35} 形许多：哎呀哈，～年，～十年𫲭着箇起长袜咯。ai$_{53}$ia^{0}xa^{0},ci^{21}to$^{35}_{44}$ɲien^{13},ci^{21}to^{35}ʂət^{5}ɲien^{13}maŋ^{13}tʂɔk^{3}kai^{53}çi^{21}tʂʰɔŋ^{13}mait^{3}ko^{0}.｜（布筋草鞋）～十年都冇得哩。ci^{21}to^{35}ʂət^{5}ɲien$^{13}_{21}$təu$^{35}_{53}$mau$^{13}_{21}$tek^{3}li^{0}.

【几多个月】ci^{21}to^{35}ke^{53}ɲiet^{5} ①用于询问月份的数量，相当于“几个月”：渠走嘿～哩？ci^{13}tsəu^{21}xek^{3}ci^{21}to^{35}ke^{53}ɲiet^{5}li^{0}? ②询问月份的次序，相当于“几月”：如今～？i^{13}cin^{35}ci^{21}to^{35}ke^{53}ɲiet^{5}?现在是几月？

【几多子$_{1}$】ci^{21}to^{35}tsɿ^{0} 数表示不定的数量：食～就温～啊。ʂət^{5}ci^{21}to^{35}tsɿ^{0}tsʰiəu$^{53}_{44}$uən^{35}ci^{21}to^{35}tsa^{0}.

【几多子$_{2}$】ci^{21}to^{35}tsɿ^{0} 形很多；许多：（铳藲子树）我等箇～。a$_{21}$(←ŋai^{13})tien^{0}kai$^{53}_{44}$ci^{21}to^{35}tsɿ^{0}.｜～（安做）观伢子个。ci^{21}to^{35}tsɿ^{0}kɔn^{35}ŋa$^{13}_{21}$tsɿ^{0}ke$^{53}_{44}$.

【几久子】ci^{21}ciəu^{21}tsɿ^{0} 或长或短的一段时间：就过得大概系个把子月啊～。tsʰiəu$^{53}_{44}$ko^{53}tek^{3}tʰai^{53}kʰai^{53}xei$^{53}_{44}$cie^{53}pa^{21}tsɿ^{0}ɲiet$^{5}_{3}$a^{0}ci^{21}ciəu^{21}tsɿ^{0}.

【几十八】ci^{21}ʂət^{5}pait^{3} 副修饰形容词，表示程度高，相当于“很”： 张家坊街上来只外国人样啊，高鼻公啊～高哇。tʂɔŋ$^{35}_{44}$ka$^{35}_{44}$xɔŋ$^{35}_{44}$kai^{35}xɔŋ^{53}lɔi^{13}tʂak^{3}uai^{53}kɔit^{3}ɲin^{13}iɔŋ^{53}ŋa^{0},kau$^{35}_{44}$pʰi^{53}kəŋ^{35}ŋa^{0}ci^{21}ʂət^{5}pait^{3}kau^{35}ua^{0}.｜别人家来～远跑倒来我屋下来看我。pʰiet^{5}in$^{13}_{21}$ka$^{35}_{53}$lɔi$^{13}_{44}$ci^{21}ʂət^{5}pait^{3}ien^{21}pʰau^{21}tau^{21}lɔi$^{13}_{21}$ŋai$^{13}_{21}$uk^{3}xa^{53}lɔi$^{13}_{21}$kʰɔn^{53}ŋai$^{13}_{44}$.｜话别人家就系有兜～老了还去嫖货个，系唔系啊？“老不死个！”ua$^{53}_{44}$pʰiet^{5}in$^{13}_{44}$ka$^{35}_{44}$tsʰiəu^{53}xei^{53}iəu^{35}tei$^{35}_{53}$ci^{21}ʂət^{5}pait^{3}lau^{21}liau^{0}xai^{13}çi^{53}pʰiau^{13}fo^{53}ke$^{53}_{44}$,xei^{53}mei^{53}a^{0}?"lau^{21}pət^{3}si^{21}ke^{53}!"

【挤】tsi^{21} 动排除并想取代：欸以个是可能你面前食嘿咁多年了嘞，食哩咁多年个低保了嘞，如今呢有人呢比你更需要，有人～，有人～你，一～嘞你就系讲起来嘞你系冇么个条件食低保。e$_{44}$i^{21}ke$^{53}_{44}$ʂɿ$^{53}_{44}$k^{h}o^{21}len^{13}ɲi^{13}mien^{53}ts^{h}ien$^{13}_{21}$ʂət^{5}lek^{3}kan^{21}to$^{35}_{53}$ɲien$^{13}_{21}$liau^{21}lei^0,ʂət^{5}li^{0}kan^{21}to^{35}ɲien$^{13}_{21}$ke^{0}te^{35}pau^{21}liau^{0}lei^0,i$^{13}_{21}$cin$^{35}_{44}$nei^{0}iəu^{35}ɲin$^{13}_{21}$nei^{0}pi^{21}ɲi^{13}ken^{53}si$^{35}_{44}$iau^{53},iəu^{35}ɲin$^{13}_{21}$tsi^{21},iəu^{35}ɲin$^{13}_{21}$tsi^{21}ɲi$^{13}_{44}$,iet^{3}tsi^{21}lei^{0}ɲi^{13}ts^{h}iəu^{53}xe^{53}kəŋ^{21}çi^{21}ləi^{13}lei^{0}ɲi^{13}xei^{53}mau$^{13}_{21}$mak^{3}e^{0}t^{h}iau^{13}c^{h}ien^{53}ʂət^{5}te^{35}pau^{21}.

【挤麻挤密】tsi^{21}ma^{0}tsi^{21}miet^5 形 形容密度非常大：（钻把竹子）～生倒去。tsi^{21}ma^{0}tsi^{21}miet^{5}saŋ^{35}tau^{21}çi^{53}.

【麂子】ci^{21}tsɿ^0 名 一种鹿科野生动物：只晓～，我等个栏场只有～就系有。～是多。～叫起来怀死声。叫起来怀死声箇～叫起来就。tʂɿ$^{21}_{35}$çiau^{21}ci^{21}tsɿ^0,ŋai^{13}tien^{0}ke$^{53}_{44}$laŋ$^{13}_{21}$tʂ^{h}əŋ$^{13}_{44}$tʂɿ^{21}iəu$^{35}_{53}$ci^{21}tsɿ^{0}ts^{h}iəu$^{53}_{44}$xei$^{53}_{44}$iəu$^{35}_{44}$.ci^{21}tsɿ^{0}sɿ$^{53}_{44}$to^{35}.ci^{21}tsɿ^{0}ciau^{53}çi^{21}ləi$^{13}_{21}$uai^{13}si^{21}ʂaŋ$^{35}_{44}$.ciau^{53}çi^{21}ləi$^{13}_{21}$uai^{13}si^{21}ʂaŋ$^{35}_{44}$kai$^{53}_{44}$ci^{21}tsɿ^{0}ciau^{53}çi^{21}ləi^{13}ts^{h}iəu$^{53}_{44}$.

【计架】ci^{53}ka^{53} 形 形容体积或容积大：系呀，蛮～噢。/因为箇东西体积比较大，所以箇□柴篓就扪出来还……蛮～。xei^{53}ia^0,man^{13}ci^{53}ka^{53}au^0./in^{35}uei$^{53}_{44}$kai$^{53}_{44}$təŋ$^{35}_{44}$si^{0}t^{h}i^{21}tsiet^{3}pi^{21}ciau$^{53}_{44}$t^{h}ai^{53},so^{21}i^{13}kai$^{53}_{44}$lak^{5}ts^{h}ai$^{13}_{21}$lei^{21}ts^{h}iəu$^{53}_{44}$mən^{13}tʂ^{h}ət^{5}ləi$^{13}_{21}$xai^{13}…man^{13}ci^{53}ka^{53}.

【记】ci^{53} 动 ①把印象记在脑子里：～稳哩 ci^{53}uən^{21}li^0。②记录；记载：～账 ci^{53}tʂəŋ^{53}。③回忆：我昨天～错哩。ŋai^{13}ts^{h}o^{35}t^{h}ien$^{35}_{44}$ci^{53}ts^{h}o^{53}li^0.

【记得】ci^{53}tek^3 动 想得起来；没有忘掉：呀唔讲我唔～哩噢。ia$_{21}$n̩^{13}kəŋ^{21}ŋai$^{13}_{21}$n̩$^{13}_{44}$ci^{53}tek^{3}li^{0}au^0.｜你还～啊唔～？ɲi^{13}xai^{13}ci^{53}tek^{3}a^{35}ŋ̍^{13}ci^{53}tek^3?

【记号】ci^{53}xau$^{53}_{44}$ 名 能引起注意、易于记忆辨识的标记：你做下子～正。ɲi^{13}tso$^{53}_{44}$(x)a$^{53}_{44}$tsɿ^{0}ci^{53}xau$^{53}_{44}$tʂaŋ$^{53}_{44}$.｜箇个欸坏人呐额门上又𫜦贴只～。kai$^{53}_{44}$ke$^{53}_{44}$e$_{21}$fai^{53}ɲin$^{13}_{21}$na^{0}ɲiait^{3}mən^{13}xəŋ^{53}iəu^{53}maŋ^{13}tiait^{3}tʂak^{3}ci^{53}xau$^{53}_{44}$.

【记认】ci^{53}ɲin^{53} 名 记号：箇唔认得个人呢就爱提防，箇肚里如果有坏人呢你就……渠自家唔得话起你知，冇得～。kai$^{53}_{44}$n̩^{13}ɲin^{53}tek^{3}ke^{0}ɲin^{13}ne^{0}ts^{h}iəu^{53}əi^{53}c^{h}i$^{13}_{21}$fəŋ^{13},kai$^{53}_{44}$təu^{21}li^{0}ɥ^{13}ko^{21}iəu$^{35}_{44}$fai^{53}ɲin$^{13}_{44}$nei^{0}ɲi$^{13}_{44}$tsiəu$^{53}_{44}$…ci$^{13}_{21}$ts^{h}ɿ$^{35}_{44}$ka$^{35}_{53}$n̩$^{13}_{21}$tek^{3}ua^{53}çi^{21}ɲi^{13}ti$^{35}_{53}$,mau^{13}tek^{3}ci^{53}ɲin$^{53}_{44}$.

【记稳】ci^{53}uən^{21} 动 记住；牢记勿忘：你～呐！ɲi$^{13}_{21}$ci^{53}uən^{21}na^0!｜～□$_{蓋}$稳哈。ci^{53}uən^{21}c^{h}iet^{3}uən^{21}xa^0.

【记想】ci$^{53}_{44}$siəŋ^{21} 动 回想：我～下子（斧头）有几种嘞。ŋai^{13}ci$^{53}_{44}$siəŋ^{21}xa$^{53}_{44}$tsɿ^{0}iəu^{35}ci^{21}tʂəŋ^{21}le^0.

【季节】ci^{53}tsek^3 名 一年中区分出来的具有某种特点的时期：目的都系么个嘞？都系使箇丫禾嘞早滴子长大，欸，箇个欸赶上～嘞。muk^{3}tiet^{3}təu^{35}xe$^{53}_{44}$mak^{3}ke$^{53}_{44}$lei^0?təu^{35}xe$^{53}_{44}$ʂɿ^{21}kai$^{53}_{44}$a^{35}uo^{13}lei^{0}tsau^{21}tiet^{5}tsɿ^{0}tʂəŋ^{21}t^{h}ai^{53},e$_{21}$,kai$^{53}_{44}$kei$^{53}_{44}$e$_{21}$kən^{21}ʂəŋ$^{53}_{44}$ci^{53}tsek^{3}lei^0.

【季节性】ci^{53}tset^{3}sin^{53} 名 与季节变化的相关程度：就说明栽花麦～十分强。tsiəu^{53}ʂek^{3}min$^{13}_{21}$tsəi^{35}fa^{35}mak^{5}ci^{53}tset^{3}sin^{53}ʂət^{5}fən$^{35}_{44}$c^{h}iəŋ^{13}.

【继父】ci^{53}fu^{53} 名 生母再嫁所嫁的男子（书面用词）：～继母都欸箇只书面语。书面语咁子讲。ci^{53}fu^{53}ci^{53}mu^{35}təu$^{35}_{44}$e$_{21}$kai$^{53}_{44}$tʂak^{3}ʂəu^{35}mien^{53}ɲy^{21}.ʂəu^{35}mien$^{53}_{44}$ɲy$^{21}_{44}$kan^{21}tsɿ^{0}kəŋ^{21}.

【继母】ci^{53}mu^{35} 名 生父再婚娶的妻子（书面用词。俗称"后娭"）：好像箇继父～哦，好像一般来……继父来讲，就系我娭子第二嫁嫁分渠，咁就我继父。～嘞，我爷子讨哩第二只讨个第二只老婆，就系后娭，安做后娭，箇就系～。如果有得箇只婚姻关系，唔称继父～，欸就叫带我个，箇就硬系带我个，养父养母。xau^{21}siəŋ$^{53}_{44}$kai$^{53}_{44}$ci^{53}fu$^{53}_{44}$ci^{53}mu^{35}o^0,xau^{21}siəŋ^{53}iet^{3}pən^{35}nəi$^{13}_{44}$…ci^{53}fu^{53}ləi^{13}kəŋ^{21},ts^{h}iəu^{53}xe^{53}ŋai$^{13}_{21}$əi^{35}tsɿ^{0}t^{h}i$^{53}_{44}$ɲi^{53}ka^{53}ka^{53}pən^{35}ci$^{13}_{21}$,kan^{21}ts^{h}iəu$^{53}_{44}$ŋai^{13}ci^{53}fu$^{53}_{44}$.ci^{53}mu^{35}lei^0,ŋai^{13}ia^{13}tsɿ^{0}t^{h}au^{21}li^{0}t^{h}i^{53}ɲi^{53}tʂak^{3}t^{h}au^{21}ke^{53}t^{h}i$^{53}_{44}$ɲi^{53}tʂak^{3}lau^{21}p^{h}o^{13},ts^{h}iəu$^{53}_{44}$xe$^{53}_{44}$xei^{53}əi^{35},ən$^{35}_{44}$tso$^{53}_{44}$xei^{53}əi^{35},kai$^{53}_{44}$ts^{h}iəu$^{53}_{44}$xei$^{53}_{44}$ci^{53}mu^{35}.y^{21}ko^{21}mau^{13}tek^{3}kai^{53}tʂak^{3}fən^{35}in$^{35}_{44}$kuan$^{35}_{44}$çi^{53},n̩^{13}tʂ^{h}ən$^{35}_{44}$ci^{53}fu$^{53}_{44}$ci^{53}mu^{35},e$_{21}$ts^{h}iəu^{53}ciau$^{53}_{21}$tai^{53}ŋai^{13}ke^{53},kai$^{53}_{44}$ts^{h}iəu$^{53}_{44}$ɲiaŋ^{53}xe$^{53}_{44}$tai^{53}ŋai^{13}ke^{53},iəŋ^{35}fu^{53}iəŋ^{35}mu^{35}.

【徛】c^{h}i^{35} 动 站立：门口～倒一伴人。mən^{13}xei^{21}c^{h}i^{35}tau^{21}iet^{3}p^{h}əŋ^{53}ɲin^{13}.｜么啊鸟子都唔去～渠箇只树$_{指百鸟不企}$。mak^{3}a^{0}tiau^{35}tsɿ^{0}təu^{35}ŋ̍^{13}çi^{53}c^{h}i^{35}ci$^{13}_{21}$kai$^{53}_{21}$tʂak^{3}ʂəu$^{53}_{44}$.｜渠等$_{指草鞋搭}$两向都～得啊。ci^{13}tien^{0}iəŋ^{21}çiəŋ^{53}təu$^{35}_{44}$c^{h}i^{35}tek^{3}a^0.

【徛桶】c^{h}i^{35}t^{h}əŋ^{21} 名 供幼儿站着的木桶，冬天底下有炭火供其取暖：欸，～，安做～。啊，有。如今都还有人用。箇只东西蛮好嘞。坐枷，摇篮，～。e$_{21}$,c^{h}i^{35}t^{h}əŋ^{21},ən$^{35}_{44}$tso$^{53}_{44}$c^{h}i^{35}t^{h}əŋ^{21}.a$_{21}$,iəu^{35}.i$^{13}_{21}$cin$^{35}_{44}$təu$^{35}_{44}$xai$^{13}_{21}$iəu$^{35}_{44}$ɲin$^{13}_{21}$iəŋ^{53}.kai^{53}tʂak^{3}təŋ$^{35}_{44}$si^{0}man^{13}xau^{21}lei^0.ts^{h}o^{35}ka$^{35}_{44}$,iau^{13}lan^{13},c^{h}i^{35}t^{h}əŋ^{21}.｜欸就～，会徛了就～。e$_{21}$ts^{h}iəu$^{53}_{44}$c^{h}i^{35}t^{h}əŋ^{21},uəi^{53}c^{h}i^{35}liau^{0}ts^{h}iəu$^{53}_{44}$c^{h}i^{35}t^{h}əŋ^{21}.

【祭】tsi^{53} 动 ①祭祀：欸，有只咁个俗语子，道理讲得清，牛肉都～得祖宗。欸，以句话个重点就系面前一句话。就系爱欸蛮多事情呢爱讲清道理，爱讲嘿理由，爱分理由讲出来，爱说服教育。e$_{21}$,iəu^{35}tʂak^{3} kan$^{21}_{44}$ke$^{53}_{44}$səuk^{5} ɲy^{21}tsɿ^{0},tʰau^{53}li^{35}kɔŋ^{21}tek^{3} tsʰin^{35}, ɲiəu^{13}ɲiəuk^{3} təu$^{35}_{44}$tsi^{53}tek^{3} tsɿ^{21} tsəŋ^{35}.ei$_{44}$,i$^{13}_{21}$tʂʮ^{53}fa^{53}kei$^{53}_{44}$tʂʰəŋ^{53}tian^{21}tsʰiəu$^{53}_{44}$xei$^{53}_{44}$mien^{53}tsʰien$^{13}_{21}$iet^{3} tʂʮ$^{53}_{44}$fa^{53}.tsʰiəu^{53}xe^{53}ɔi^{53} e$_{21}$man$^{13}_{21}$to$^{35}_{44}$sɿ^{53} tsʰin$^{13}_{44}$ne^{0} ɔi^{53}kɔŋ^{21}tsʰin$^{35}_{44}$tʰau^{53}li^{35},ɔi^{53}kɔŋ^{21}nek^{3} li^{35}iəu$^{13}_{21}$,ɔi$^{53}_{21}$pən$^{35}_{53}$li^{35}iəu$^{13}_{21}$kɔŋ^{21}tʂʰət^{3} lɔi$^{13}_{44}$,ɔi^{53}ʂet^{3} fuk^{5} ciau^{53} iəuk^{3}. ②祭奠：无香不成～ u^{13}çiɔŋ^{35}pət^{3} tʂʰən^{13}tsi^{53}

【祭奠】tsi^{53}tʰien^{53} 动 为追念死者并安抚其在天之灵而举行仪式：死个夫娘子样，渠系弄下来哩老表箇只，舅爷箇只啦，来～下子欸阿姐，老妹子箇只嘞。si^{21}ke$^{53}_{44}$pu^{35}ɲiɔŋ$^{13}_{21}$tsɿ^{0} iɔŋ$^{53}_{44}$,ci$^{13}_{21}$xe$^{53}_{44}$ ləŋ^{53}a^{0} lɔi$^{13}_{21}$li^{0} lau^{21}piau^{21}kai$^{53}_{44}$tʂak^{3},cʰiəu^{35}ia$^{13}_{21}$kai$^{53}_{44}$tʂak^{3} la^{0},lɔi$^{13}_{21}$tsi^{53}tʰien^{53}na^{53}tsɿ^{0} e$_{21}$a^{35}tsia^{21},lau^{21}mɔi^{53}tsɿ^{0} kai$^{53}_{44}$ tʂak^{3}le^{0}.

【祭圆】tsi^{53}ien^{13} 名 出殡前一晚上祭祀活动结束以后吃的夜宵：打圆哩祭会搞只打下子点呐。安做～呢。打圆哩祭就食滴子夜宵，箇个夜宵安做～。就食滴子东西呀，唔系就泡碗面食哩啊，唔系就买滴包子箇只食哩啊，哎，就箇因为夜嘿哩啊，搞夜了，会天光，系唔系？就咁子个，安做～呐。食～呐。ta^{21}ien^{13}li^{0} tsi^{53}uɔi^{53}kau^{21}tʂak^{3} ta^{21}xa^{53}tsɿ^{0} tian^{21}na^{0}.ɔn$^{35}_{44}$tso$^{53}_{44}$tsi^{53}ien^{13}ne^{0}.ta^{21} ien^{13}li^{0} tsi^{53}tsʰiəu^{53}ʂət^{5} tiet^{5} tsɿ^{0} ia^{53}siau^{35},kai$^{53}_{44}$ke$^{53}_{44}$ia^{53}siau^{35}ɔn$^{35}_{44}$tso$^{53}_{44}$tsi^{53}ien^{13}.tsʰiəu$^{53}_{44}$ʂət^{5} tiet^{5} tsɿ^{0} təŋ^{35}si^{0} ia^{0},m̩^{13} pʰe$^{53}_{44}$tsʰiəu$^{53}_{44}$pʰau^{53}uɔn^{21}mien^{53}ʂət^{5} li^{0} a^{0},m̩^{13}pʰe$^{53}_{44}$tsʰiəu$^{53}_{44}$mai^{35}tiet^{5} pau^{35}tsɿ^{0} kai$^{53}_{44}$tʂak^{3} ʂət^{5} li^{0} a^{0},ai$_{21}$,tsʰiəu$^{53}_{44}$ kai$^{53}_{44}$in^{35}uei$^{13}_{21}$ia^{53}xek^{3} li^{0} a^{0},kau^{21}ia^{53}liau^{0},uɔi$^{53}_{44}$tʰien$^{35}_{44}$kɔŋ^{35},xei$^{53}_{44}$me$^{53}_{44}$?tsʰiəu$^{53}_{44}$kan^{21}tsɿ^{0} cie$^{53}_{44}$,ɔn$^{35}_{44}$tso$^{53}_{44}$tsi^{53}ien^{13} na^{0}.ʂət$^{5}_{3}$tsi^{53}ien^{13}na^{0}.

【祭碗】tsi^{53}uɔn^{21} 名 祭奠亡人用的菜：～不是指碗，系指供奉个东西，箇个一碗一碗个菜。爱做咯，做～咯，专门同阳间个人个唔同噢。箇～同以等人食个唔同噢。一十二只～呶。一十二碗。～。用来打祭。也系用肉哇，用肉箇只做啊。菜还系菜，但是做法唔同。箇样子，摆正熨是八帖子，只爱只有滴子唠，底下放滴子么个垫底唠。欸，俨俨哩一碗菜，瘩满样唠，底下都爱垫底。面上放滴子啊。打比样猪肝要切几片子猪肝呐。摆满来呀，底下放滴别么个东西。都系荤个，都系荤菜。素个，我都唔多记得哩。但是也有饭。有茶。有茶，有饭，有水果，有点心。tsi^{53}uɔn^{21}pət^{3} ʂɿ^{53}tʂɿ^{21}uɔn^{21},xe^{53}tʂɿ^{21}kəŋ^{53}fəŋ^{53}ke$^{53}_{44}$təŋ^{35}si^{0},kai$^{53}_{44}$ke$^{53}_{44}$iet^{3} uɔn^{21}iet^{3} uɔn^{21}ke$^{53}_{44}$ tsʰɔi^{53}.ɔi$^{53}_{44}$tso^{53}ko^{0},tso^{53}tsi^{53}uɔn^{21}ko^{0},tʂen^{35}mən$^{13}_{21}$tʰəŋ$^{13}_{44}$iɔŋ^{13}kan$^{35}_{44}$ke$^{53}_{44}$ɲin$^{13}_{21}$ke^{53}n̩$^{13}_{21}$tʰəŋ^{13}ŋau^{0}.kai$^{53}_{44}$tsi^{53}uɔn^{21}tʰəŋ^{13} i^{21}tien^{0}ɲin$^{13}_{21}$ʂət^{5} ke^{53}n̩$^{13}_{21}$tʰəŋ^{13}ŋau^{0}.iet^{3} ʂət^{5} ɲi^{53}tʂak^{3} tsi^{53}uɔn^{21}nau^{0}.iet^{3} ʂət^{5} ɲi^{53}uɔn^{21}.tsi^{53}uɔn^{21}.iəŋ^{53}lɔi$^{13}_{21}$ta^{21} tsi^{53}.ia^{35}xei^{53}iəŋ^{53}ɲiəuk^{3} ua^{0},iəŋ^{53}ɲiəuk^{3} kai$^{53}_{44}$tʂak^{3} tso^{53}a^{0}.tsʰɔi^{53}xai$^{13}_{21}$xe$^{53}_{44}$tsʰɔi^{53},tan$^{53}_{44}$ʂɿ$^{53}_{44}$tso^{53}fait^{3} n̩$^{13}_{21}$tʰəŋ^{13}.kai$^{53}_{44}$ iɔŋ^{53}tsɿ^{0},pai^{21}tʂaŋ$^{53}_{44}$iet^{3} sɿ^{53}pait^{3} tʰiet^{3} tsɿ^{0},tʂɿ^{21}ɔi$^{53}_{44}$tʂɿ^{21}iəu$^{35}_{44}$tiet^{5} tsɿ^{0} lau^{0},tei^{21}xa$^{53}_{44}$fɔŋ^{53}tet^{5} tsɿ^{0} mak^{3} ke$^{53}_{44}$tʰian^{53} tei^{21}lau^{0}.e$_{21}$, ɲian^{21}ɲian^{21}ni^{0} iet^{3} uɔn^{21}tsʰɔi$^{53}_{44}$,tei^{53}man$^{35}_{44}$iɔŋ$^{53}_{44}$lau^{0},tei^{21}xa$^{53}_{44}$təu$^{35}_{44}$ɔi$^{53}_{44}$tʰian^{53}tei^{21}.mien^{53}xɔŋ$^{53}_{44}$fɔŋ$^{53}_{44}$ tet^{5} tsɿ^{0} a^{0}.ta^{21}pi^{21}iɔŋ$^{53}_{44}$tʂəu^{35}kɔn$^{35}_{44}$iau$^{53}_{44}$tsʰiet^{3} ci^{21}pʰien^{53}tsɿ^{0} tʂəu$^{35}_{44}$kɔn$^{35}_{44}$na^{0}.pai^{21}man$^{35}_{53}$lɔi$^{13}_{21}$ia^{0},tei^{21}xa$^{53}_{44}$fɔŋ$^{53}_{44}$tet^{5} pʰiet^{5} mak^{3} ke$^{53}_{44}$təŋ$^{35}_{44}$si^{0}.təu^{35}xe^{53}fən^{35}cie^{53},təu^{35}xe^{53}fən^{35}tsʰɔi^{53}.səu^{53}ke^{53},ŋai$^{13}_{21}$təu$^{35}_{44}$n̩$^{13}_{21}$to$^{35}_{44}$ci^{53}tek^{3} li^{0}.tan$^{53}_{44}$ʂɿ$^{53}_{44}$ie^{35} iəu$^{35}_{44}$fan^{53}.iəu^{35}tsʰa^{13}.iəu^{35}tsʰa^{13},iəu^{35}fan^{53},iəu^{35}ʂei^{21}ko^{21},iəu^{35}tian^{21}sin$^{35}_{44}$.

【祭文】tsi^{53}uən^{13} 名 祭祀或祭奠时读的表示哀悼或祷祝的文章。又称"哀章"：第三次献嘿哩，就读文字，跪正箇食案边欸跪正箇时候，孝子跪正咁来，就分人读文，～。tʰi^{53}san^{35}tsʰɿ^{53}çien^{53} nek^{3} li^{0},tsʰiəu$^{53}_{44}$tʰəuk^{5} uən$^{13}_{21}$tsɿ$^{53}_{44}$,kʰuei^{21}tʂaŋ$^{53}_{44}$kai$^{53}_{44}$ʂət^{5} ŋɔn^{53}pien^{35}ei$_{44}$kʰuei^{21}tʂaŋ$^{53}_{44}$kai$^{53}_{44}$ʂʮ$^{13}_{44}$xəu^{0},xau^{53}tsɿ^{21} kʰuei^{21}tʂaŋ$^{53}_{44}$kan$^{21}_{44}$nɔi$^{13}_{21}$,tsʰiəu$^{53}_{44}$pən$^{35}_{44}$ɲin$^{13}_{21}$tʰəuk^{5} uən^{13},tʰəuk^{5} tsi^{53}uən$^{13}_{21}$.

【祭窑】tsi^{53}iau^{13} 动 旧时烧窑的师傅举行的祭祀窑神活动：噢，有，从前有滴烧窑箇滴，爱～噢。咁个有噢。au$_{53}$,iəu^{35},tsʰəŋ$^{13}_{21}$tsʰien$^{13}_{21}$iəu^{35}tet^{5} ʂau^{35}iau^{13}kai$^{53}_{44}$tet^{5},ɔi$^{53}_{44}$tsi^{53}iau^{13}uau^{0}.kan^{21}ke$^{53}_{44}$iəu^{35}uau^{0}.

【祭账】tsi^{53}tʂɔŋ^{53} 名 吊唁活动中的有关账目：（如今）只写下子么个嘞欸送箇有兜人送床被窝，送只么个床单呐做柩，就写下子～啊。写下子～，箇就轻松多哩。tʂɿ^{21}sia^{21}xa^{53}tsɿ^{0} mak^{3} e^{0} lei^{0} e$_{21}$ səŋ^{53}kai^{53}iəu^{35}tei$^{35}_{53}$ɲin$^{13}_{21}$səŋ^{53}tsʰɔŋ$^{13}_{21}$pʰi^{35}pʰo$^{35}_{44}$,səŋ^{53}tʂak^{3} mak^{3} kei$^{53}_{44}$tsʰɔŋ^{13}tan^{35}na^{0} tso$^{53}_{44}$cʰiəu^{53},tsiəu$^{53}_{44}$sia^{21}xa$^{53}_{44}$ tsɿ^{0} tsi^{53}tʂɔŋ^{53}ŋa^{0}.sia^{21}xa$^{53}_{44}$tsɿ^{0} tsi^{53}tʂɔŋ^{53},kai^{53}tsʰiəu$^{53}_{21}$cʰiaŋ$^{35}_{44}$səŋ$^{35}_{44}$to^{35}li^{0}.

【祭祖】tsi^{53}tsəu^{21} 动 祭祀祖先：冬至～唠，做冬至会呀。təŋ$^{35}_{44}$tʂʮ$^{53}_{44}$tsi^{53}tsəu^{21}lau^{0},tso$^{53}_{44}$təŋ$^{35}_{44}$tʂʮ$^{53}_{44}$fei^{53}ia^{0}. ｜欸，一般清明嘞，清明，系唔系啊？冬至啊。尤其系冬至。～，嗯。箇就大家都来，一只家族个人都来。e$_{21}$,iet^{3} pan$^{35}_{44}$tsʰin^{35}min$^{13}_{21}$ne^{0},tsʰin^{35}min$^{13}_{21}$,xei$^{53}_{44}$me$^{53}_{44}$a^{0}?təŋ^{35}tʂʮ$^{53}_{44}$ʐa^{0}.iəu^{13}cʰi^{13}xe^{53}təŋ^{35} tʂʮ^{53}.tsi^{53}tsəu^{21},ŋ̍$_{21}$.kai^{53}tsʰiəu$^{53}_{44}$tʰai^{53}cia$^{35}_{44}$təu$^{35}_{44}$lɔi$^{13}_{21}$,iet^{3} tʂak^{3} cia$^{35}_{44}$tsʰəuk$^{5}_{3}$ke$^{53}_{44}$ɲin$^{13}_{21}$təu^{35}lɔi$^{13}_{21}$.

【寄】ci^{53} 动 ①寄托，托付：怕细人子带唔大呀，怕细人子要么蚀溻呀，分呐名字啊～下箇庙里。pʰa^{53}sei^{53}ɲin$^{13}_{21}$tsɿ^{0} tai^{53}n̩$^{13}_{21}$tʰai^{53}ia^{0},pʰa^{53}sei^{53}ɲin$^{13}_{21}$tsɿ^{0} iau^{53}mak$^{3}_{5}$ʂət^{5} tʰait^{3} ia^{0},pən^{35}na^{0} miaŋ^{13}tsʰɿ$^{53}_{44}$a^{0} ci$^{53}_{44}$a$^{53}_{44}$

kai$^{53}_{44}$miau^{53}li^{21}. ②托人传送：自家不能去个时候你同我～只礼。安做～只礼。ts^{h}ɿ^{35}ka$^{35}_{44}$puk^{3}len^{13} çi^{53}ke$^{53}_{44}$ʂɿ$^{13}_{44}$xei$^{53}_{44}$ɲi$^{13}_{21}$t^{h}əŋ$^{13}_{21}$ŋai$^{13}_{21}$ci^{53}tʂak^{3}li^{35}.ɔn$^{35}_{44}$tso$^{53}_{44}$ci^{53}tʂak^{3}li^{35}.

【寄臭】ci^{53}tʂ^{h}əu^{53} 动 传说中将臭味收集起来寄托到他处的法术：我曾经听讲过一只箇个～个路子。～哇。箇人死哩欸，渠等话欸“屎臭三分香，尸臭就真难当”。我等有只喊叔公个人，两公婆搞筋，失嘿哩，唔知哪去哩。过嘿两十天了哇，跕倒箇后背箇跕啊后背岭上箇茶山里，发现哩，缔颈缔死哩。箇身上都蛆呀敥哩了，系唔系？箇爱舞归来。箇是几十年前个事啊。爱舞归来。以下渠箇只老弟子就同我讲过，我等也喊喊叔公，安做开叔公，渠在同我讲，渠话箇个尸臭真难当啊，渠话“我箇只阿哥死哩欸”，渠话：“你把做开得眼珠吧？”系唔系？渠话：“箇个尸臭啊箇个死嘿哩个人呐都蛆敥敥哩了哇，硬你把做开得眼珠吧？”渠话：“我舞唔知几多花露水呀，么个都空个。硬硬进人都进唔得。”箇个，舞倒去爱舞归来唦。舞归来舞倒箇个舞啊棺材里去唦。渠话么个花露水都空个。箇个开眼珠都开唔得。你话箇渠话箇道士啊真古怪咯。渠话：“我上屋就一只道士。姓谢个。”谢么个系名字。一只道士。渠话同渠讲下子。“唔爱紧呐，你去啰。”渠话：“你去啰。”渠会～。唔知你等老家箇映有咁个话法。渠会～。寄托个寄啊，寄信个寄啊。渠分箇个臭欸打包，寄呀一只岭岗上，呀哪只岭岗上哇。渠话箇映子你就莫去啦，箇有只箇嶂岭你就莫去嘞。欸，寄得远远哩。就箇真系古怪咯。就好哩咯，就冇得哩个。箇只东西你话系唔系有真个？欸就去得人了咯。箇道士啊欸～哇。渠有赖子嘞。箇只人有蛮多子女呢。我都问过渠唠。“𫲡学倒。”渠话：“我等人晓得么个？”我等𫲡去……又有么人搞哩。唔爱～了。如今是舞只咁个唠舞只箇冰箱唠，冻成一块猪肉样唠，冻倒唠。要从前都冇得咁个嘞，就会～。ŋai^{13}ts^{h}ən^{13}cin$^{35}_{53}$t^{h}aŋ$^{35}_{44}$kəŋ^{21}ko^{53}iet^{3}tʂak^{3}kai$^{53}_{44}$kei^{0}ci$^{53}_{44}$tʂ^{h}əu^{53}ke^{0}lu$^{53}_{44}$tsɿ^{0}.ci$^{53}_{44}$tʂ^{h}əu^{53}ua^{0}.kai^{53}ɲin^{13}si^{21}li^{0}e^{0},ci^{13}tien^{0}ua^{53}e$_{21}$"ʂɿ^{21}tʂ^{h}əu^{53}san^{35}fən$^{35}_{44}$çiɔŋ^{35},ʂɿ^{35}tʂ^{h}əu^{53}ts^{h}iəu$^{53}_{44}$tʂən^{35}nan$^{13}_{21}$tɔŋ^{35}".ŋai^{13}tien^{0}iəu$^{35}_{44}$tʂak^{3}xan^{53}ʂəuk^{3}kəŋ^{35}ke^{0}ɲin$^{13}_{21}$,iɔŋ^{21}kəŋ$^{35}_{44}$p^{h}o$^{13}_{21}$kau^{21}cin^{35},ʂek^{3}ek^{0}li^{0},n̩$^{13}_{21}$ti$^{35}_{53}$lai^{53}çi^{53}li^{0}.ko^{53}xek^{3}iɔŋ^{21}ʂət^{5}t^{h}ien^{35}niau^{21}ua^{0},k^{h}u$^{35}_{44}$tau$^{21}_{44}$kai$^{53}_{44}$xei^{53}pɔi$^{53}_{44}$kai$^{53}_{44}$k^{h}u$^{35}_{44}$a^{0}xei^{53}pɔi$^{53}_{44}$liaŋ^{35}xɔŋ$^{53}_{44}$kai$^{53}_{44}$ts^{h}a^{13}san$^{35}_{44}$ni^{0},fait^{3}çien^{53}ni^{0},t^{h}ak^{3}ciaŋ^{21}t^{h}ak^{3}si^{21}li^{0}.kai$^{53}_{44}$ʂən^{35}xɔŋ$^{53}_{44}$təu$^{35}_{44}$ts^{h}i^{35}ia^{0}ian^{53}li^{0}liau^{0},xei$^{53}_{44}$me$^{53}_{44}$?kai$^{53}_{44}$ɔi^{53}u^{21}kuei^{35}lɔi$^{13}_{44}$.kai^{53}ʂɿ$^{53}_{44}$ci^{21}ʂət^{5}ɲien^{13}ts^{h}ien^{21}ke$^{53}_{44}$sɿ$^{53}_{44}$a^{0}.ɔi^{53}u^{21}kuei^{35}lɔi$^{13}_{44}$,i$^{21}_{13}$(x)a$^{53}_{44}$ci^{13}kai^{53}tʂak^{3}lau^{21}t^{h}e^{35}tsɿ^{0}ts^{h}iəu$^{53}_{44}$t^{h}əŋ$^{13}_{21}$ŋai$^{13}_{21}$kəŋ^{21}ko^{53},ŋai^{13}tien^{0}ia^{35}xan^{53}xan$^{53}_{44}$ʂəuk^{3}kəŋ^{35},ɔn$^{35}_{44}$tso$^{53}_{44}$k^{h}ɔi^{35}ʂəuk^{3}kəŋ^{35},ci^{13}ts^{h}ai$^{53}_{44}$t^{h}əŋ$^{13}_{21}$ŋai$^{13}_{44}$kəŋ^{21},ci^{13}ua$^{53}_{44}$kai^{53}ke^{53}ʂɿ^{35}tʂ^{h}əu^{53}tʂən^{35}nan$^{13}_{21}$tɔŋ^{35}ŋa^{0},ci^{13}ua^{53}"ŋai^{13}kai^{53}tʂak^{3}a^{35}ko$^{35}_{44}$si^{21}li^{0}e^{0}",ci^{13}ua$^{53}_{44}$:"ɲi^{13}pa^{21}tsɿ^{53}k^{h}ɔi^{35}tek^{3}ŋan^{21}tʂəu^{35}pa^{0}".xei$^{53}_{44}$me$^{53}_{44}$?ci^{13}ua$^{53}_{44}$:"kai^{53}ke$^{53}_{44}$ʂɿ$^{35}_{44}$tʂ^{h}əu^{53}ua^{0}kai$^{53}_{44}$ke$^{53}_{44}$si^{21}xek^{3}li^{0}ke^{53}ɲin$^{21}_{44}$na^{0}təu$^{53}_{21}$ts^{h}i^{35}ian^{53}ian^{53}li^{0}liau^{0}ua^{0}, ɲiaŋ^{53}ɲi$^{13}_{21}$pa^{21}tsɿ$^{53}_{44}$k^{h}ɔi^{35}tek^{3}ŋan^{21}tʂəu^{35}pa^{0}?"ci$^{13}_{44}$(u)a$^{53}_{44}$:"ŋai^{13}u^{21}n̩^{13}ti$^{35}_{53}$ci$^{13}_{44}$to^{35}fa^{35}lu$^{53}_{44}$ʂei^{21}ia^{0},mak^{3}ke^{0}təu$^{35}_{44}$k^{h}əŋ$^{53}_{44}$ke^{0}. ɲiaŋ^{53}ɲiaŋ$^{53}_{44}$tsin^{53}ɲin^{13}təu$^{35}_{44}$tsin^{53}n̩$^{13}_{21}$tek^{3}."kai$^{53}_{44}$ke$^{53}_{44}$,u^{21}tau^{21}çi^{53}ɔi$^{53}_{44}$u^{21}kuei^{35}lɔi$^{13}_{21}$ʂa^{0}.u^{21}kuei$^{35}_{44}$lɔi$^{13}_{44}$u^{21}tau^{21}kai$^{53}_{44}$ke^{0}u^{21}a^{0}kɔn^{35}ts^{h}ɔi$^{13}_{21}$li^{0}çi^{53}ʂa^{0}.ci$^{13}_{44}$(u)a$^{53}_{44}$mak^{3}e^{0}fa^{35}ləu$^{53}_{44}$ʂei^{21}təu$^{35}_{44}$k^{h}əŋ$^{53}_{44}$ke^{0}.kai$^{53}_{44}$ke$^{53}_{44}$k^{h}ɔi^{35}ŋan^{21}tʂəu^{35}təu$^{35}_{53}$k^{h}ɔi^{35}n̩$^{13}_{21}$tek^{3}. ɲi^{13}(u)a$^{53}_{44}$kai$^{53}_{44}$ci$^{13}_{44}$ua$^{53}_{44}$kai$^{53}_{44}$t^{h}au^{53}sɿ$^{53}_{44}$a^{0}tʂən^{35}ku^{21}kuai^{53}ko^{0}.ci$^{13}_{44}$(u)a$^{53}_{44}$:"ŋai$^{13}_{44}$ʂɔŋ^{53}uk^{3}ts^{h}iəu^{53}iet^{3}tʂak^{3}t^{h}au^{53}sɿ$^{53}_{44}$.siaŋ^{53}ts^{h}ia^{53}cie^{0}."ts^{h}ia^{53}mak^{3}e^{0}xe$^{53}_{44}$miaŋ$^{13}_{21}$ts^{h}ɿ^{53}.iet^{3}(tʂ)ak^{3}t^{h}au^{53}sɿ^{53}.ci$^{13}_{44}$(u)a$^{53}_{44}$t^{h}əŋ$^{13}_{44}$ci$^{13}_{44}$kɔŋ^{53}ŋa^{53}tsɿ^{0}."m̩$^{13}_{21}$mɔi^{53}cin^{53}na^{0}, ɲi^{13}çi$^{53}_{44}$lo^{0}."ci^{13}ua$^{53}_{44}$:"ɲi^{13}çi$^{53}_{44}$lo^{0}".ci^{13}uɔi$^{53}_{44}$ci$^{53}_{44}$tʂ^{h}əu^{53}.n̩^{13}ti$^{35}_{53}$ɲi^{13}tien^{0}lau^{21}cia$^{35}_{44}$kai^{53}iaŋ^{53}iəu$^{35}_{53}$kan^{21}ke^{0}ua$^{53}_{44}$fait^{3}.ci$^{13}_{21}$uɔi$^{53}_{44}$ci$^{53}_{44}$tʂ^{h}əu^{53}.ci^{53}t^{h}ɔk^{3}ke^{0}ci^{53}a^{0},ci^{53}sin^{53}ke^{0}ci^{53}a^{0}.ci$^{13}_{21}$pən^{35}kai$^{53}_{44}$ke^{0}tʂ^{h}əu^{53}e^{0}ta^{21}pau^{35},ci^{53}ia^{0}iet^{3}tʂak^{3}liaŋ^{35}kɔŋ$^{35}_{44}$xɔŋ$^{53}_{44}$,ia^{0}lai^{53}tʂak^{3}liaŋ^{35}kɔŋ$^{35}_{44}$xɔŋ^{53}ua^{0}.ci^{13}ua$^{53}_{44}$kai^{53}iaŋ$^{53}_{44}$tsɿ^{0}ɲi^{13}tsiəu$^{53}_{44}$mɔk^{5}çi^{53}la^{0},kai$^{53}_{44}$iəu$^{35}_{44}$tʂak^{3}kai$^{53}_{44}$tʂɔŋ$^{53}_{44}$liaŋ^{35}ɲi$^{13}_{21}$tsiəu$^{53}_{44}$mɔk^{5}çi^{53}le^{0}.e$_{21}$,ci^{53}tek^{3}ien^{21}ien^{21}li^{0}.tsiəu$^{53}_{44}$kai$^{53}_{44}$tʂən^{35}nei^{53}ku^{21}kuai^{53}ko^{0}.ts^{h}iəu^{53}xau^{21}li^{0}ko^{0},ts^{h}iəu^{53}mau$^{13}_{44}$tek^{3}li^{0}ko^{0}.kai^{53}tʂak^{3}təŋ$^{35}_{44}$si^{0}ɲi^{13}ua$^{53}_{44}$xei^{53}mei$^{53}_{44}$iəu^{35}tʂən^{35}cie^{0}?ei^{0}ts^{h}iəu^{53}çi^{53}tek^{3}ɲin^{13}niau^{0}ko^{0}.kai$^{53}_{44}$t^{h}au^{53}sɿ$^{53}_{44}$a^{0}ei^{0}ci^{53}tʂ^{h}əu^{53}ua^{0}.ci$^{13}_{21}$iəu^{35}lai^{53}tsɿ^{0}lei^{0}.kai^{53}tʂak^{3}ɲin$^{13}_{44}$iəu^{35}man^{13}to$^{35}_{53}$tsɿ^{21}ŋ̍^{21}nei^{0}.ŋai^{13}təu$^{35}_{44}$uən^{53}ko^{53}ci$^{13}_{21}$lau^{0}."maŋ^{13}xɔk^{5}tau^{21}."ci^{13}ua$^{53}_{44}$:"ŋai^{13}tien^{0}ɲin$^{13}_{21}$çiau^{21}tek^{3}mak^{3}ke^{0}?"ŋai^{13}tien^{0}maŋ^{13}çi^{53}…iəu^{53}mau^{13}mak^{3}in$^{13}_{44}$kau^{21}li^{0}.m̩^{13}uɔi^{53}ci^{53}tʂ^{h}əu^{53}liau^{0}.i$^{13}_{21}$cin$^{35}_{53}$ʂɿ^{53}u^{21}tʂak^{3}kan^{21}cie^{0}lau^{0}u^{21}tʂak^{3}kai$^{53}_{44}$pin^{35}siɔŋ$^{35}_{44}$lau^{0},təŋ^{53}ʂaŋ$^{13}_{53}$iet^{3}k^{h}uai^{53}tʂəu^{35}ɲiəuk^{3}iɔŋ^{53}lau^{0},təŋ^{53}tau^{21}lau^{0}.iau^{53}ts^{h}əŋ^{13}ts^{h}ien^{13}təu^{0}mau^{13}tek^{3}kan$^{21}_{13}$cie^{53}lei^{0},tsiəu$^{53}_{44}$uɔi$^{53}_{44}$ci$^{53}_{44}$tʂ^{h}əu^{53}.

【寄名】ci^{53}miaŋ^{13} 动 一种旧时的习惯。父母为求小孩顺利成长，而将其托名在菩萨或尼姑、道士处做干儿子或干女儿：系有咁个呢。反正分只细人子名字寄下箇映子，唔知安做搞么个。你箇肚里别人家安做么个？～，嗯，系～，系有，我听讲过有咁个。细人子，怕细人子带唔大，系啊？怕细人子带唔大呀，怕细人子要么蚀溻呀，分呐名字啊寄下箇庙里。xei^{53}iəu^{35}kan^{21}cie^{53}ne^{0}.fan^{21}tʂən$^{53}_{21}$pən^{35}tʂak^{3}sei^{53}ɲin$^{13}_{21}$tsɿ^{0}miaŋ$^{13}_{21}$ts^{h}ɿ$^{53}_{44}$ci^{53}xa$^{53}_{44}$kai$^{53}_{44}$iaŋ$^{53}_{44}$tsɿ^{0},n̩$^{13}_{21}$ti$^{35}_{44}$ɔn$^{35}_{44}$tso$^{53}_{44}$kau^{21}mak^{3}ke$^{53}_{44}$.ɲi^{13}kai$^{53}_{44}$təu^{21}li^{0}p^{h}iet^{5}in$^{13}_{44}$ka$^{35}_{44}$ɔn$^{35}_{44}$tso$^{53}_{44}$mak^{3}ke$^{53}_{44}$?ci^{53}miaŋ^{13},ŋ̍$_{21}$,xei$^{53}_{44}$ci^{53}miaŋ^{13},xei$^{53}_{44}$iəu^{35},ŋai$^{13}_{21}$t^{h}aŋ^{35}kɔŋ^{21}ko$^{53}_{44}$

iəu35-44kan21cie53.sei53ɲin13-21tsɿ0,pʰa53sei53ɲin13-21tsɿ0 tai53n̩13-21tʰai53,xei53-44a0?pʰa53sei53ɲin13-21tsɿ0 tai53n̩13-21tʰai53ia0,pʰa53sei53ɲin13-21tsɿ0 iau53mak3-5 ʂət5 tʰait3 ia0,pən35na0 miaŋ13tsʰɿ53-44a0 ci53-44a53-44kai53-44miau13li21.

【寄宿】ci53siəuk3 动学生在学校住宿：以下落尾读初中了嘞就～唠，去张家坊读啊，箇就～了。i21xa53-44lɔk5-3mi35-44tʰəuk5 tsʰəu35tʂəŋ35-44liau21le0 tsiəu53-44ci53siəuk3 lau0,çi53-44tʂəŋ35-44ka35-44fəŋ35tʰəuk5 a0,kai53-44tsʰiəu53-44 ci53siəuk3 liau0.

【寄宿生】ci53siəuk3 sen35 名在学校宿舍住宿的学生：通学生正安做关夜学啊，～是就不存在关夜学啊。tʰəŋ35xɔk5 saŋ35-44tʂaŋ53ɔn35-44tsɔ53-44kuan35-44ia53xɔk5 a0,ci53siəuk3 sen35ʂɿ53-44tsiəu53pət3 tsʰən13tsʰai53kuan35-44ia53xɔk5 a0.

【寄托哀思】ci53tʰɔk3ŋɔi35sɿ35 遇丧事时写于大门或孝堂帐上方作为白对子的横批：～箇四只字一般呢都系办丧事个时候子嘞写成横幅。欸，贴下灵堂个顶高，或者嘞就大门顶高，或者嘞就去大门肚里个灵堂顶高。嗯，大门肚里个嘞就系箇只……箇块布上啊有亡者像个箇块安做么个？箇块么个布哇？孝堂帐吧？孝堂帐顶高，有兜就贴嘿孝堂帐顶高，有兜就贴嘿大门口。箇四只字，欸，横个写，～。ci53tʰɔk3ŋɔi35sɿ35-44kai53si53tʂak3 sɿ53iet3 pɔn35ne0 təu35xe53-44pʰan53sɔŋ35sɿ53-44ke53-44 ʂɿ13-21xei53-44tsɿ0 lei0 sia21ʂaŋ13uaŋ13fuk5.e21,tiait3 ia53lin13tʰɔŋ13ke53taŋ21kau35,xɔit5 tʂa21lei0 tsʰiəu53-44tʰai53mən13taŋ21kau35,xɔit5 tʂa21lei0 tsʰiəu53çi53 tʰai53mən13təu21li0 ke53lin13tʰɔŋ13taŋ21kau35-44.n̩21,tʰai53mən13-21təu21li0 ke53lei0 tsʰiəu53 xei53kai53tʂak3 …kai53-44kʰuai53-44pu53xɔŋ53-44ŋa0 iəu35mɔŋ13tʂa21siɔŋ53ke0 kai53-44kʰuai53-44ɔn35-44tsɔ53-44mak3 kei53-44?kai53-44kʰuai53 mak3 e0 pu53ua0 ?xau53tʰɔŋ13-21tʂɔŋ53pa0 ?xau53tʰɔŋ13-21tʂɔŋ53taŋ21kau35-44,iəu35tei35-53tsʰiəu53-44tiait3 (x)ek3 xau53tʰɔŋ13-21tʂɔŋ53 taŋ21kau35-44,iəu35tei35-53tsʰiəu53-44tiait3 (x)ek3 tʰai53mən13-21xei21.kai53-44si53tʂak3 sɿ53,e21,uaŋ13ke53sia21,ci53tʰɔk3ŋɔi35sɿ35-44.

【绩1】tsiak3 动①把麻纤维批开，接续起来捻成线或绳：～苎麻 tsiak3 tʂəu35ma13｜渠箇阵子～来卖钱咯。ci13kai53tʂʰən53-44tsɿ0 tsiak3 lɔi13mai53tsʰien13ko0.｜～倒一饽啊，箇一饽箇个线。tsiak3 tau21-44 iet3 pʰɔk5 a0,kai53-44iet3 pʰɔk5 kai53-44ke53-44sien53. ②编织：～网 tsiak3 mɔŋ21 织网

【绩2】tsiak3 名绩好的麻线：绩成～tsiak3 ʂaŋ13tsiak3｜苎麻嘞就冇倒箇人去绩啊，分渠分得细细子啊，一条一条子□起来呀，去绩啊。绩倒个～嘞就来去织，织夏布哇，安做夏布哇。tʂʰəu35ma13-21lei0 tsʰiəu53-44u21tau21kai53ɲin13çi53tsiak3 a0,pən35ci13-44fən35tek3 se53se53tsɿ0 a0,iet3 tʰiau13iet3 tʰiau13tsɿ0 puk3 çi21lai13-44ia0,çi53tsiak3 a0.tsiak3 tau21ke53tsiak3 lei0 tsʰiəu53-44lɔi13-21çi13tʂət3,tʂət3 çia53pu53ua0,ɔn35-44tsɔ53-44çia53pu53 ua0.

【绩绩】tsiak3 tsiak3 动把麻纤维批开接续起来搓成线：箇阵子你唔系～个时候子啊。kai53 tʂʰən53tsɿ0ɲi13-21m̩13me13-21tsiak3 tsiak3 ke53ʂɿ13xei53tsɿ0 a0.｜我个我丈人娭呀，岳母娘啊，渠就箇阵子就长日～。ŋai13ke53ŋai13-21tʂʰɔŋ53-44in13-21ɔi35ia0,iɔk5 mu21ɲiɔŋ13ŋa0,ci13tsʰiəu53-44kai53tʂʰən53-21tsɿ0 tsʰiəu53-44tʂʰɔŋ13ɲiet3 tsiak3 tsiak3.

【绩笼】tsiak3 ləŋ13 名绩苎麻时用的篾笼：打发妹子个他还有只～噢。是绩苎麻个啊。/绩字实际是就系成绩个绩字嘞。ta21fait3 mɔi53tsɿ0 ke53tʰa35-21xai13iəu35-53tʂak3 tsiak3 ləŋ13ŋau0.ʂɿ53-44tsiak3 tʂəu35ma13ke53-44 a0./tsiak3 tsʰɿ53ʂɿ53-44cʰi13-21ʂɿ13tsʰiəu53uei53(←xei53)tʂʰən13tsiet3 ke53tsiet3 tsʰɿ53lei0.

【绩苎麻】tsiak3 tʂʰəu35ma13 把苎麻纤维批开，接续起来，搓捻成线或绳。又称“捻麻”：～是箇起是箇箇起就喊苎麻，不是黄麻。/也有喊捻麻。/捻呐，用手去捻呐。□呐，用手去□呐。让门子剥下去个唠箇两条子？只系安做么个如今□谟脑壳就里手哇。/渠箇阵子靠绩……绩来卖钱咯。赚钱咯。/我等箇婆婆子也尽绩翻哩哦，冇年纪个时候。/系啊，绩翻哩。以前个绩倒个线就绩倒个绩是也爱去打线个。正月天打发人呶，卖妹子是箇就爱打蛮多线呶。我老妹子，我大老妹子结婚都还打哩线。都还打哩线，我就记得。tsiak3 tʂʰəu35ma13-44ʂɿ53-44kai53çi21ʂɿ53-44 kai53kai53çi21-44tsʰiəu53-44xan53-44tʂʰəu35ma13-44,pət3 ʂɿ53uɔŋ13ma13-44./ia35iəu35-44xan53lien21ma13./lien21na0,iəŋ53ʂəu21çi53lien21 na0.lən21na0,iəŋ53ʂəu21çi53lən21na0. ɲiɔŋ53mən0 tsɿ0 pɔk3 (x)a53-44çi53-44ke53-44lau0 kai53iɔŋ21tʰiau13-21tsɿ0?tʂɿ21(x)e53-44ɔn35-44 tsɔ53-44mak3 ke53-44i13-44cin35-44tsei13mu13-44lau21kʰɔk3 tsʰiəu53-44ti21ʂəu21ua0./ci13kai53tʂʰən53-44tsɿ0 kʰau53tsiak3 …tsiak3 lɔi13mai53 tsʰien13ko0.tsʰɔn53tsʰien13ko0./ŋai13tien0 kai53-44pʰo13pʰo13-44tsɿ0 ia35tsʰin53tsiak3 fan35ni0 o0,mau13ɲien13-21ci21ke53ʂɿ13-21 xəu53-44./xe53-44a0,tsiak3 fan35ni0.i35-44tsʰien13ke53tsiak3 tau21ke53-44sien53tsʰiəu53-44tsiak3 tau21ke53-44tsiak3 ʂɿ53-44ia35-44ɔi53-44cʰi53-44ta21 sien53ko0.tʂaŋ35ɲiet5 tʰien35-44ta21fait3ɲin13nau0,mai53mɔi53tsɿ0 ʂɿ53-44kai53-44tsʰiəu53-21ɔi53ta21man13to35-44sien53nau0.ŋai13 lau21mɔi53tsɿ0,ŋai13tʰai53lau21mɔi53tsɿ0 ciet3 fən35təu35-44xai13-21ta21li0 sien53.təu35-44xai13ta21li0 sien53,ŋai13tsiəu53-44ci53tek3.

【鲫鱼】tsiet3ŋ̍13 名一种常见杂食性淡水鱼类。体型较小，多称“鲫鱼子”：～是系唔知几烂贱个一种鱼子。欸，我等乡下咯箇塘里咯真古怪，从来～不要种。你箇口塘哩你挖口塘，你

放兜草鱼，鲢鱼，鲤鱼，系唔系？唯独你唔爱放～子。～子就来哩，唔知哪映来个，系。唔知哪映来个。～子发得快，繁殖快呀。一只就唔爱种，正讲个。第二只嘞繁殖快，月月鲫安做，个个月渠都会有～子出来。欸，现在街上买个～子蛮贵，十几块钱一斤，比鲤鱼都更贵。欸～子肉就冇得嘞，但是～子个汤有营养，蛮多人买倒食，蛮多人买倒熬汤炖汤食。tsiet3 ŋ̍13 ʂʅ53_44 xe53 n̩13 ti35_53 ci21 lan53 tsʰien53 ke53_44 iet3 tʂəŋ21 ŋ̍13 tsʅ0.ei44,ŋai13 tien0 çiəŋ35 xa35_44 ko0 kai53 tʰəŋ13 li21 ko0 tʂən35 ku21 kuai53, tsʰəŋ13 lɔi13 tsiet3 ŋ̍13 pət3 iau53 tʂəŋ21. ɲi13 kai53 xei21 tʰəŋ13 li0 ɲi13 ua35_44 xei21 tʰəŋ13, ɲi13 fəŋ53 te35_53 tsʰau21 ŋ̍13,lien13 ŋ̍13,li35 ŋ̍13,xei53 me53 ʔuei13 tʰək5 ɲi13 m̩13_21 mɔi53 fəŋ53 tsiet3 ŋ̍13 tsʅ0.tsiet3 ŋ̍13 tsʅ0 tsʰiəu53 lɔi13_21 li0,n̩13_21 ti35_53 lai53 iaŋ53_44 lɔi13_21 ke53,xe53_21 n̩13_21 ti35_53 lai53 iaŋ53 lɔi13_21 ke53.tsiet3 ŋ̍13 tsʅ0 fait3 tek3 kʰuai53,fan13 tʂʰət5 kʰuai53 ia0.iet3 tʂak3 tsʰiəu53 m̩13_21 mɔi53 tʂəŋ21,tʂaŋ53_44 kəŋ21 ke0.tʰi53 ɲi53 tʂak3 lei0 fan13 tʂʰət5 kʰuai53, ɲiet5 ɲiet5 tsiet3 ɔn53_44 tso53_44,cie53 cie53 ɲiet5 ci13_21 təu35_44 uɔi53_44 iəu35 tsiet3 ŋ̍13 tsʅ0 tʂʰət3 lɔi13_21.e21,çien53 tsʰai53 kai35_44 xəŋ53 mai53 ke0 tsiet3 ŋ̍13_21 tsʅ0 man13 kuei53,ʂət5 ci21 kʰuai53 tsʰien13_21 iet3 cin35_44,pi21 li35 ŋ̍13_21 təu35_44 cien35_44 kuei53.ei44 tsiet3 ŋ̍13 tsʅ0 ɲiəuk3 tsʰiəu53 mau13_21 tek3 le0,tan53 ʂʅ53 tsiet3 ŋ̍13 tsʅ0 ke0 tʰəŋ35 iəu35 in13 iəŋ35, man13_21 to35_44 ɲin13_21 mai35 tau21 ʂət5,man13_21 to35_44 ɲin13_21 mai35 tau21 ŋau13 tʰəŋ35 tən53 tʰəŋ35 ʂət5.

【髻】ci53 名 鸟类头顶长的肉质的冠状凸起。也称“冠”：以个鸡公个～，鸡嫲也有兜子～嘞。i13_21 ke53 ʂʅ53_44 cie35 kəŋ35 ke0 ci53,cie35 ma13 ia35_44 iəu35 təu35_53 tsʅ0 ci53 le0.

【髻冠】ci53 kɔn35_44 名 禽类头上高起的肉冠：箇个会生蛋个鸡嫲嘞箇就～爱鲜红子，就爱鲜红子。如果～都唔鲜红嘞，箇鸡嫲冇得饽饽生，硬还冇得。kai53 ke53_44 uɔi53 san35_44 tʰan35 ke0 cie35 ma13_21 le0 kai53_44 tsʰiəu53_44 ci53 kɔn35_44 ɔi53 çien35 fəŋ13 tsʅ0,tsʰiəu53 ɔi53_44 çien35 fəŋ13_21 tsʅ0.ɻʅ13 ko21 ci53 kɔn35_44 təu35_53 n̩13 çien35_44 fəŋ13 lei0,kai53_44 cie35 ma13_21 mau13_21 tek3 pək5 pək5 saŋ35_53, ɲiaŋ53 xai13_21 mau13 tek3.

【髻子】ci53 tsʅ0 名 一种发型：～就系脑壳顶上个分箇头发扎下上，系啊？扎下脑壳顶上，欸，扎做一蒲。欸，夫娘子人扎只～，有一种清爽索利个味道。欸，据说以前是男子人也扎～，分兜头发扎起来，扎下脑壳顶上，扎只～，欸箇个老……古装戏肚里就有，系啊？ci53 tsʅ0 tsʰiəu53 xe53 lau21 kʰək3 taŋ21 xəŋ53 ke53 pən35 kai53_44 tʰei13 fait3 tsait3 (x)a53_44 ʂəŋ35,xei53_44 a0?tsait3 (x)a53 lau21 kʰək3 taŋ21 xəŋ53,e21,tsait3 tso53 iet3 pʰu13.ei44,pu35 ɲiəŋ13_21 tsʅ0 ɲin13 tsait3 tʂak3 ci53 tsʅ0,iəu35 iet3 tʂəŋ21 tsʰin35 səŋ21 sək3 li53 ke53_44 uei53 tʰau53.ei21,tʂʅ53 ʂet3 i35 tsʰien13 ʂʅ53_44 lan13 tsʅ0 ɲin13_21 na35_53 tsait3 ci53 tsʅ0,pən35_44 tei35_44 tʰei13 fait3 tsait3 çi21 lɔi13_21,tsait3 (x)a53 lau21 kʰək3 taŋ21 xəŋ53,tsait3 tʂak3 ci53 tsʅ0,e21 kai53 ke53 lau21…ku21 tsɔŋ35 çi53 təu21 li0 tsʰiəu53_44 iəu35,xei53 a0?

【檵柴】ci53 tsʰai13 名 檵木的俗称，其叶子可用于止血：箇系如果工程大滴子，手上啊有只蛮大的口子样，箇你就麻溜捋一捱箇个～呢，青～呀，～叶呀，馥嫩子个。嫩个，爱嫩个，唔莫老个。放下嘴里，捱一蒲啊，放下嘴里一嚯哇，箇就揪苦啦，和倒箇个口水箇只，嚼烂哩以后，退嘿手上，一□下去，就止倒哩血。～叶，爱用嘴去嚼嘞，嚼烂以后，放下嘴里嚼烂以后，敷上去，欸真好喔，箇只东西真好喔。马上止血，欸。箇只蛮大，大滴子个工程。箇是去岭上。箇只是讲去屋下，箇只是，箇豹符子是工程大哩是空个。还系以只～好，～叶好，箇只东西真好。kai53 xei53 vy13 ko21 kəŋ35 tʂʰən13 tʰai53 tiet5 tsʅ0,ʂəu21 xəŋ53_44 ŋa0 iəu35_44 tʂak3 man13 tʰai53 ke0 xei21 tsʅ0 iəŋ53,kai53_44 ɲi35_44 tsʰiəu53_44 ma13 liəu35_44 lɔit5 iet3 ia21 kai53 ke53_44 ci53 tsʰai13_44 nei0,tsʰiaŋ35 ci53 tsʰai13_21 ia0,ci53 tsʰai13 iait5 ia0,fət5 lən53 tsʅ0 ke0.lən53 cie53_44,ɔi53_44 lən53 cie53_44,m̩13 mɔk5 lau21 ke53.fəŋ53_44 xa53_44 tʂɔi53 li0,ia21 iet3 pʰu13 a0,fəŋ53 xa53 tʂɔi53 li0 iet3 tsʰiau53 ua0,kai53_44 tsʰiəu53 tsiəu35 fu21 la0,xo13 tau21 kai53 ke53 xei21 ʂei53_44 kai53 tʂak3_5,tsʰiau53 lan53 li0 i35_44 xei53_44,tʰi53 xek3 ʂəu21 xəŋ53,iet3 tək5 (x)a53_44 çi53,tsʰiəu53 tʂʅ21 tau21 li0 çiet3.ci53 tsʰai13 iait5,ɔi53_44 iəŋ53_44 tʂɔi53 çi53_44 tsiək3 le0,tsiək3 lan53 i35_44 xei53,fəŋ53_44 xa53_44 tʂɔi53 li0 tsiək3 lan53 i35_44 xei53,fu35 ʂəŋ53_44 çi53_44,e0 tʂən35 xau21 uo0,kai53 (tʂ)ak3 (t)əŋ35_53 si0 tʂən35_44 xau21 uo0.ma21 ʂəŋ53 tʂʅ21_44 çiet3,e21.kai53_44 ʂʅ53_44 man13 tʰai53,tʰai53 tiet5 tsʅ0 ke0 kəŋ35_44 tʂʰən13_44.kai53_44 ʂʅ53_44 çi53_44 liaŋ35 xəŋ53.kai53 tʂak3 sʅ53_44 kəŋ21_44 çi53 uk3 xa53,kai53 tʂak3 ʂʅ53_44,kai53_44 pau53 fu53_44 tsʅ0 ʂʅ53_44 kəŋ35_44 tʂʰən13_21 tʰai53 li0 ʂʅ53_21 kʰəŋ35_44 ke0.xai13 xe53 i21 tʂak3 ci53 tsʰai13_21 xau21,ci53 tsʰai13 iait5 xau21,kai53 iak3 (t)əŋ35_44 si0 tʂən35 xau21.

【加】cia35 ①把几个数合起来计算总数：三个人，我一，我，打比我拿一只，你拿两只，渠拿三只样，系唔系？就～起来就六只。san35 ke53_44 in13,ŋai13 iet3,ŋai13,ta21 pi21 ŋai13 la53 iet3 tʂak3, ɲi13 la53 iəŋ21 tʂak3,ci13 la53_44 san35 tʂak3 iəŋ53_44,xe53_44 me53_44?tsʰiəu53_44 cia35_44 çi21_44 lɔi13_21 tsʰiəu53 liəuk3 tʂak3. ②添加，另加：冷稳哩啊，～件子衫呐。laŋ35 uən21 lia0,cia35 cʰien53 tsʅ0 san35 na0.

【加法】cia35 fait3 名 数学运算方法之一，是把两个或两个以上的数合成一个数的方法：加，做～呀，（上天棋）就三人，三个人手里拿个子就来做～，看下么人先走。cia35,tso53_44 cia35 fait3 ia0,tsʰiəu53_44 san35 ɲin13_21,san35 ke53 in13_21 ʂəu21 li0 la53 ke53_44 tsʅ21 tsʰiəu53_44 lɔi13 tso53 cia35 fait3,kʰɔn53 na44 mak3 ɲin13_44 sien35 tsei21.

【加工】cia35 kəŋ35 动 通过特殊处理使原材料、半成品变得合用或达到某种要求：哦，笋干喏。

笋子～个办法。o$_{21}$,sən^{21}kən^{35}no^{0} .sən^{21}tsɿ^{0} cia^{35}kəŋ^{35}ke$^{53}_{44}$p^{h}an^{53}fait^{3}.

【加热】cia$^{35}_{44}$ɲiet^{5} 动使温度升高：（镬）底下就～欸烧火。te^{21}xa$^{53}_{44}$ts^{h}iəu$^{53}_{44}$cia$^{35}_{44}$ɲiet^{5} e^{0} ʂau^{35}fo^{21}.

【加先】ka^{35}sien$^{35}_{44}$ 名时间词。①先前：大豌就系～个讲个就蚕豆。t^{h}ai^{53}uan^{35}ts^{h}iəu$^{53}_{44}$xe$^{53}_{44}$ka^{35}sien$^{35}_{44}$ ke$^{53}_{44}$kəŋ^{21}ke$^{53}_{44}$ts^{h}iəu$^{53}_{44}$ts^{h}an^{13}t^{h}əu$^{53}_{44}$. ②事先；事前：哎以箇只丫禾嘞就～舞正。ai$_{44}$i^{21}kai^{53}tʂak^{3} a^{35}uo$^{13}_{21}$ lei^{0} ts^{h}iəu$^{53}_{44}$ka^{35}sien$^{35}_{44}$u^{21}tʂaŋ$^{53}_{44}$.

【夹$_1$】kait^{3} 动①从两旁钳住：～起来 kait^{3} çi^{21}lɔi$^{13}_{44}$ | ～面 kait^{3} mien^{53} 用筷子将面条从锅里捞出。②从两旁钳住并使之破裂：爱拿只夹子去～，正～得烂个箇起核桃哇。ɔi$^{53}_{44}$la^{53}tʂak^{3}kait^{3}tsɿ^{0}çi^{53}kait^{3},tʂaŋ^{53} kait^{3}tek^{3}lan^{53}ke$^{53}_{44}$kai$^{53}_{44}$çi^{21}xek^{3}t^{h}au$^{13}_{21}$ua^{0}.

【夹$_2$】kait^{3} 量指用筷子夹一次的量：夹一～菜 kait^{3}iet^{3}kait^{3}ts^{h}ɔi^{53}

【夹板】kait^{3}pan^{21} 名用来夹持物体的薄板：筑墙箇工具啊？首先就系箇只～。墙板，也话墙板。tʂəuk^{3}ts^{h}iɔŋ^{13}ke$^{53}_{44}$kəŋ$^{35}_{44}$tʂʮ$^{53}_{44}$a^{0} ?ʂəu^{21}sien$^{35}_{44}$ts^{h}iəu$^{53}_{44}$xei$^{53}_{44}$kai^{53}tʂak^{3} kait^{3} pan^{21}.ts^{h}iɔŋ^{13}pan^{21},ia^{35}ua^{53}ts^{h}iɔŋ^{13} pan^{21}.

【夹肥腈】kait^{3}p^{h}i^{13}tsiaŋ^{35} 名不精明的人。也称"夹肥腈子"：还有啊还有话别人家欸你系～。唔太精明，唔多精明个人呢。男女都咁子话，～子，就是系～子。xai$^{13}_{21}$iəu$^{35}_{44}$a^{0} xai$^{13}_{21}$iəu$^{35}_{44}$ua^{53} p^{h}iek^{5} in$^{13}_{44}$ka$^{35}_{44}$e$_{21}$ɲi^{13}xe$^{53}_{44}$kait^{3} p^{h}i^{13}tsiaŋ^{35}.n̩^{13}t^{h}ai^{53}tsin^{35}min$^{13}_{21}$,n̩$^{13}_{21}$to$^{35}_{44}$tsin^{35}min$^{13}_{21}$ke$^{53}_{44}$ɲin$^{13}_{21}$ne^{0} .lan^{13}ɲy^{21}təu$^{35}_{44}$kan^{21} tsɿ^{0} ua^{53},kait^{3} p^{h}i^{13}tsiaŋ^{35}tsɿ^{0} ,tsiəu$^{53}_{21}$ʂʅ$^{53}_{21}$xe^{53}kait^{3} p^{h}i^{13}tsiaŋ^{35}tsɿ^{0}.

【夹浆饭】kait^{3} tsiɔŋ^{35}fan^{53} 名夹生饭：𫠣蒸熟个就安做～呢箇就系。maŋ^{13}tʂən$^{35}_{44}$ʂəuk^{5} ke$^{53}_{44}$ts^{h}iəu$^{53}_{44}$ ɔn$^{35}_{44}$tso$^{53}_{44}$kait^{3} tsiɔŋ^{35}fan^{53}nei^{0} kai$^{53}_{44}$ts^{h}iəu^{53}xei$^{53}_{44}$.

【夹裤】kait^{3} fu^{53} 名双层的裤子：两重布个裤就～。iɔŋ^{21}tʂ^{h}əŋ^{13}pu^{53}ke^{0} fu^{53}ts^{h}iəu^{53}kait^{3} fu^{53}.

【夹拢】kait^{3} ləŋ^{35} 动夹住使之并拢：使渠箇块咁子尧起下子来个东西嘞，就～下子来。ʂʅ^{21}ci^{13} kai$^{53}_{44}$k^{h}uai$^{53}_{44}$kan^{21}tsɿ^{0}ɲiau^{35}çi^{21}(x)a$^{53}_{44}$tsɿ^{0} lɔi$^{13}_{21}$ke$^{53}_{44}$təŋ$^{35}_{44}$si^{0} lei^{0} ,ts^{h}iəu$^{53}_{44}$kait^{3} ləŋ^{35}ŋa^{53}(←xa^{53})tsɿ^{0} lɔi$^{13}_{21}$.

【夹生饭】kait^{3} saŋ^{35}fan^{53} 名半生不熟的饭：煮饭个时候子，蒸饭个时候子，𫠣蒸熟就退嘿哩火，箇就～。tʂəu^{21}fan^{53}ke^{0} ʂʅ$^{13}_{44}$xei$^{53}_{44}$tsɿ^{0} ,tʂən^{35}fan^{53}ke^{0} ʂʅ$^{13}_{21}$xei^{53}tsɿ^{0} ,maŋ^{13}tʂən$^{35}_{44}$ʂəuk^{5} ts^{h}iəu^{53}t^{h}i^{53}xek^{3} li^{0} fo^{21},kai$^{53}_{44}$ts^{h}iəu$^{53}_{44}$kait^{3} saŋ^{35}fan^{53}.

【夹生熟】kait^{3} saŋ$^{35}_{44}$ʂəuk^{5} 形也称"夹生熟子"。①（饭等）半生不熟：蒸饭个时候子就火爱匀净呢，爱一灶火就蒸熟来。如果中途系冇得火，中途系火□下来哩就会～，就会成夹生饭。唔好食啦。tʂən^{35}fan^{53}ke^{0} ʂʅ^{13}xəu^{53}tsɿ^{0} ts^{h}iəu^{53}fo^{21}ɔi^{53}in^{13}ts^{h}in^{53}nei^{0} ,ɔi$^{53}_{44}$iet^{3} tsau^{53}fo^{21}ts^{h}iəu$^{53}_{44}$tʂən^{35}ʂəuk^{5} lɔi$^{13}_{44}$. ʮ^{13}ko^{21}tʂəŋ^{35}t^{h}əu$^{13}_{21}$xei^{53}mau^{13}tek^{3} fo^{21},tʂəŋ^{35}t^{h}əu$^{13}_{21}$xei^{53}fo^{21}ɲin^{53}xa$^{53}_{44}$lɔi$^{13}_{21}$li^{0} ts^{h}iəu$^{53}_{44}$uɔi$^{53}_{44}$kait^{3} saŋ^{35}ʂəuk^{5} ,ts^{h}iəu^{53} uɔi^{53}ʂaŋ$^{13}_{21}$kait^{3} saŋ^{35}fan^{53}.m̩$^{13}_{21}$xau^{21}ʂət^{5} la^{0}. | ～子个时候子，箇只时候子就掐饭饽。kait^{3} saŋ$^{35}_{44}$ʂəuk^{5} tsɿ^{0} ke$^{53}_{44}$ʂʅ^{13}xei$^{53}_{44}$tsɿ^{0} ,kai^{53}tʂak^{3} ʂʅ^{13}xəu$^{53}_{44}$tsɿ^{0} ts^{h}iəu$^{53}_{44}$k^{h}ak^{5} fan^{53}p^{h}ɔk^{5}. ②与人有些交往，但不是很熟悉：我摎渠～子。ŋai$^{13}_{21}$lau$^{35}_{44}$ci$^{13}_{21}$kak^{3} saŋ$^{35}_{44}$ʂəuk^{5}tsɿ^{0}.

【夹屎】kan^{3} ʂʅ^{21} 动拾粪；捡拾禽畜粪便作为肥料：我等以映子个生活习惯好，除哩话牛子羊子会去外背吊，欸，猪子鸡子箇个都关倒畜，都关倒来畜。鸡是也唔关呶。欸，好像话北方就会去～，箇马路边上都有人～。我等以映冇多么人夹。客姓人冇么人去～，讲法就有，欸，勤快个老人家子会去夹欸，勤快个老人家子拿倒地屑盆会去夹欸，狗屎箇兜啊夹起来呀。ŋai^{13}tien^{0} i^{21}iaŋ^{53}tsɿ^{0} kei$^{53}_{44}$sen$^{35}_{44}$xɔit^{3} siet^{5} kuan^{53}xau^{21},tʂ^{h}əu^{13}li^{0} ua^{53}ɲiəu^{13}tsɿ^{0} iɔŋ^{13}tsɿ^{0} uɔi^{53}çi^{53}ŋɔi^{53}pɔi$^{53}_{44}$ tiau^{53},e$_{44}$,tʂəu^{35}tsɿ^{0} cie^{35}tsɿ^{0} kai^{53}ke^{53}təu^{35}kuan^{35}tau^{21}çiəuk^{3},təu^{35}kuan^{35}tau^{21}lɔi^{13}çiəuk^{3} .kei^{21}ʂʅ$^{53}_{21}$ia^{35}n̩$^{13}_{21}$kuan$^{35}_{44}$ nau^{0} .ei$_{21}$,xau^{21}ts^{h}iɔŋ^{53}ua^{53}pɔit^{3} fəŋ^{35}ts^{h}iəu^{53}uɔi^{53}çi^{53}kait^{3} ʂʅ^{21},kai$^{53}_{44}$ma^{35}ləu^{53}pien$^{35}_{44}$xɔŋ^{53}təu$^{35}_{44}$iəu^{35}ɲin$^{13}_{21}$kait^{3} ʂʅ^{21}. ŋai^{13}tien^{0} i^{21}iaŋ^{53}mau$^{13}_{21}$to$^{35}_{53}$mak^{3} in$^{13}_{44}$kait^{3} .k^{h}ak^{3} sin^{53}ɲin$^{13}_{21}$mau$^{13}_{21}$mak^{3} in$^{13}_{44}$çi^{53}kait^{3} ʂʅ^{21},kəŋ^{21}fait^{3} ts^{h}iəu$^{53}_{44}$iəu^{35}, ei$_{53}$,c^{h}in^{13}k^{h}uai^{53}kei^{53}lau^{21}ɲin^{13}ka^{35}tsɿ^{0} uɔi^{53}çi^{53}kait^{3} ei^{0} ,c^{h}in^{13}k^{h}uai^{53}kei^{53}lau^{21}ɲin^{13}ka^{35}tsɿ^{0} la^{53}tau$^{21}_{44}$t^{h}i^{53}sɔit^{3} p^{h}ən^{13}uɔi^{53}çi^{53}kait^{3} ei^{0} ,kei^{21}ʂʅ^{21}kai$^{53}_{44}$tei$^{35}_{53}$a^{0} kait^{3} çi$^{21}_{53}$lɔi$^{13}_{21}$ia^{0} .

【夹子$_1$】kait^{3}tsɿ^{0} 名用来夹东西的器具：（核桃）爱拿只～去夹。ɔi$^{53}_{44}$la^{53}tʂak^{3}kait^{3} tsɿ^{0}çi^{53}kait^{3}.

【夹子$_2$】kait^{3}tsɿ^{0} 量指用筷子夹一次的量：就两～啊就系。或者一下筷子两下筷子。就系一夹两夹。我只夹倒两～，只夹倒一～，就冇得哩，系呀？就分你等食咁哩。欸，咁个意思。一下筷子两下筷子。ts^{h}iəu^{53}iɔŋ^{21}kait^{3} tsɿ^{0} a^{0} tsiəu^{53} xei$^{53}_{44}$.xɔit$_{3}$ tʂa^{21}iet^{3} xa^{53}k^{h}uai^{53}tsɿ^{0} iɔŋ^{21}xa^{53}k^{h}uai^{53} tsɿ^{0}.ts^{h}iəu^{53}xei^{53}iet^{3} kait^{3} iɔŋ^{21}kait^{3}.ŋai^{13}tʂʅ$^{21}_{53}$kait^{3} tau^{21}iɔŋ^{21}kait^{3} tsɿ^{0},tʂʅ^{21}kait^{3} tau^{21}iet^{3} kait^{3} tsɿ^{0} ,ts^{h}iəu$^{53}_{44}$mau$^{13}_{21}$ tek^{3} li^{0} ,xei$^{53}_{44}$a^{0} ?ts^{h}iəu$^{53}_{44}$pən$^{35}_{44}$ni$^{13}_{21}$tien^{0} ʂət^{5} kan^{21}ni^{0} .ei$_{21}$,kan^{21}cie$^{53}_{44}$i^{53}sɿ^{0} .iet^{3} xa^{53}k^{h}uai^{53}tsɿ^{0} iɔŋ^{21}xa^{53}k^{h}uai^{53}tsɿ^{0}.

【家$_1$】ka^{35} 名眷属共同所住的地方：但是～远哩，我就就自家屋下安只临时个（祖牌）。tan^{53}

ʂʅ^{53}ka$^{35}_{44}$ien^{21}li^{0},ŋai$^{13}_{21}$tsʰiəu^{53}tsʰiəu^{53}tsʰʅ$^{35}_{21}$ka$^{35}_{44}$uk^{3}xa^{53}ən$^{35}_{44}$tʂak^{3}lin^{13}ʂʅ^{13}ke^{53}.

【家$_{2}$】ka^{35} 量①用于计算家庭，相当于“户”：箇是欸一～人家晒番薯是尽滴都来帮忙。kai^{53}ʂʅ$^{53}_{44}$ei$_{21}$iet^{3}ka^{35}ɲin$^{13}_{21}$ka^{35}sai^{53}fan^{35}ʂəu$^{13}_{21}$ʂʅ$^{53}_{44}$tsʰin^{53}tet$^{5}_{3}$təu$^{35}_{44}$lɔi$^{13}_{21}$pɔŋ$^{35}_{44}$mɔŋ^{13}. ②表示家庭的全体成员：渠正月头是有新客是就……欸欸，一般系指女婿，还有就指箇个啦，还有指婿郎个箇一～人呐。ci$^{13}_{21}$tʂaŋ^{35}ɲiet$^{3}_{5}$tʰei^{0}ʂʅ$^{53}_{44}$iəu$^{53}_{44}$sin^{35}kʰak^{3}ʂʅ$^{53}_{44}$tsʰiəu$^{53}_{44}$…e$_{21}$e$_{21}$,iet^{3}pɔn$^{35}_{44}$xe$^{53}_{44}$tʂʅ^{21}ɲy^{21}sy^{53},xai$^{13}_{21}$iəu$^{35}_{44}$tsʰiəu$^{53}_{44}$tʂʅ^{21}kai^{53}ke$^{53}_{44}$la^{0},xai$^{13}_{21}$iəu$^{35}_{44}$tʂʅ^{21}se^{53}lɔŋ$^{13}_{21}$ke$^{53}_{44}$kai^{53}iet^{3}ka$^{35}_{44}$ɲin^{13}na^{0}. ③用于店铺或企业：渠$_{打铁个}$张坊街上都有几～。ci$^{13}_{21}$tʂɔŋ^{35}fɔŋ$^{35}_{44}$kai$^{35}_{44}$xɔŋ$^{53}_{44}$təu$^{35}_{44}$iəu$^{35}_{44}$ci^{21}ka^{35}. | 箇个白果树下箇映就有一～就系做酒卖欸。kai$^{53}_{44}$kei$^{53}_{44}$pʰak^{5}ko^{21}ʂəu^{53}xa$^{53}_{44}$kai$^{53}_{44}$iaŋ$^{53}_{44}$tsʰiəu$^{53}_{44}$iəu^{35}iet^{3}ka$^{35}_{44}$tsʰiəu$^{53}_{44}$xe$^{53}_{44}$tso^{53}tsiəu^{21}mai^{53}e^{0}.

【家奠】cia^{35}tʰien^{53} 名出殡前一晚上本家人举行的祭奠仪式：本家人个，渠个赖子，孙子，撂侄子，兄弟，箇个就安做～。本家人。pən^{21}ka$^{35}_{44}$ɲin$^{13}_{21}$ke^{53},ci$^{13}_{21}$ke$^{53}_{44}$lai^{53}tsʅ^{0},sən^{35}tsʅ^{0},lau^{35}tʂʰət^{5}tsʅ^{0},çiəŋ^{35}tʰi^{53},kai$^{53}_{44}$ke$^{53}_{44}$tsʰiəu$^{53}_{44}$ən$^{35}_{44}$tso$^{53}_{44}$cia^{35}tʰien^{53}.pən^{21}ka^{35}ɲin$^{13}_{21}$.

【家法】cia^{35}fait^{3} 名旧时一种家族自治的规范：据说从前个～是就硬会打人喏，箇就系宗族个～样啊，从前个宗族个～呀。箇个有兜违背哩～家规个是硬会打人，欸，硬会惩罚。以下哪只宗族都冇得么人箇个了。tʂʅ^{53}ʂet^{3}tsʰəŋ^{13}tsʰien^{13}ke^{0}cia^{35}fait^{3}ʂʅ$^{53}_{44}$tsʰiəu^{53}ɲiaŋ^{53}uɔi^{53}ta^{21}ɲin^{13}no^{0},kai$^{53}_{44}$tsʰiəu$^{53}_{44}$xe$^{53}_{44}$tsəŋ^{35}tsʰəuk^{5}kei^{0}cia$^{35}_{44}$fait^{3}iɔŋ^{53}ŋa^{0},tsʰəŋ^{13}tsʰien^{13}ke^{0}tsəŋ^{35}tsʰəuk^{5}kei^{0}cia$^{35}_{44}$fait^{3}ia^{0}.kai$^{53}_{44}$ke$^{53}_{44}$iəu^{35}tei$^{35}_{53}$uei^{13}pei^{53}li^{0}cia^{35}fait^{3}cia^{35}kuei^{35}ke^{53}ʂʅ$^{53}_{44}$ɲiaŋ^{53}uɔi^{53}ta^{21}ɲin^{13},e$_{21}$, ɲiaŋ^{53}uɔi$^{53}_{44}$tʂʰən^{21}fait^{5}.i^{21}xa^{53}lai^{53}tʂak^{3}tsəŋ$^{35}_{44}$tsʰəuk^{5}təu$^{35}_{53}$mau$^{13}_{21}$tek^{3}mak^{3}ɲin$^{13}_{44}$kai^{53}ke^{53}liau^{21}.

【家凡事】cia^{35}fan^{13}sʅ^{53} 名家庭内部的矛盾琐事：哪家人家都有～啊，讲不尽个～。家家都有本难念个经呐，有讲不尽个～。lai^{53}ka^{35}ɲin$^{13}_{21}$ka$^{35}_{44}$təu$^{35}_{44}$iəu$^{35}_{44}$cia^{35}fan$^{13}_{21}$sʅ^{53}a^{0},kɔŋ^{21}pət^{3}tsʰin^{53}kei^{0}cia^{35}fan$^{13}_{21}$sʅ^{53}.ka^{35}ka$^{35}_{44}$təu$^{35}_{44}$iəu$^{35}_{44}$pən^{21}nan^{13}ɲian^{53}kei$^{53}_{44}$cin^{35}na^{0},iəu$^{35}_{44}$kɔŋ^{21}pət^{3}tsʰin^{53}kei$^{53}_{44}$cia$^{35}_{44}$fan$^{13}_{21}$sʅ^{53}.

【家饭子】ka^{35}fan^{53}tsʅ^{0} 名小锅饭菜，又称“小镬小灶”：如今呢小镬小灶，蛮多人家个煮饭食都就同箇煮～样了。i$^{13}_{21}$cin$^{35}_{53}$ne$_{44}$siau^{21}uɔk^{53}siau^{21}tsau^{53},man^{13}to$^{35}_{44}$ɲin$^{13}_{21}$ka$^{35}_{44}$ke$^{53}_{44}$tʂəu^{21}fan$^{53}_{44}$ʂət^{5}təu$^{35}_{53}$tsʰiəu^{53}tʰəŋ$^{13}_{21}$kai$^{53}_{44}$tʂəu^{21}ka^{35}fan^{53}tsʅ^{0}iɔŋ$^{53}_{44}$liau^{0}.

【家肥】cia^{35}fei^{13} 名指农家积攒的粪肥等：箇茅司里个箇屙倒个屎是爱留起来咯，爱淋菜咯。搞集体个时候子是卖～咯。kai^{53}mau^{13}sʅ^{53}li^{21}kei^{53}kai$^{53}_{44}$o^{35}tau^{21}ke^{53}ʂʅ^{21}ʂʅ$^{53}_{44}$ɔi^{53}liəu^{13}çi^{21}lɔi$^{13}_{44}$ko^{0},ɔi$^{53}_{44}$lin^{13}tsʰɔi^{53}ko^{0}.kau^{21}tsʰiet^{5}tʰi^{21}ke^{53}ʂʅ^{13}xei^{53}tsʅ^{0}ʂʅ$^{53}_{44}$mai^{53}cia^{35}fei$^{13}_{21}$ko^{0}.

【家父】ka^{35}fu^{53} 名谦辞。对人称自己的父亲。俗称“我爷子”：比方我对别人家来称爷子，“欸，～是系二零零一年，七十八岁箇年就过哩世，欸。～从前也系一只退休老师。”pi^{21}fɔŋ$^{35}_{44}$ŋai^{13}tei^{53}pʰiet^{5}in$^{13}_{21}$ka$^{35}_{53}$lɔi$^{13}_{21}$tʂʰən$^{35}_{53}$ia$^{13}_{21}$tsʅ^{0},"ei$_{21}$,cia^{35}fu^{53}ʂʅ$^{53}_{21}$xei^{53}ɲi^{53}lin$^{13}_{21}$lin$^{13}_{21}$iet^{3}ɲien^{13},tsʰiet^{3}ʂət^{5}pait^{3}sɔi^{53}kai$^{53}_{21}$ɲien^{13}tsʰiəu$^{53}_{44}$ko^{53}li^{0}ʂʅ^{53},e$_{21}$.cia^{35}fu^{53}tsʰəŋ$^{13}_{21}$tsʰien$^{13}_{21}$ia^{35}xei^{53}iet^{3}tʂak^{3}tʰei^{53}çiəu$^{35}_{44}$lau^{21}sʅ$^{35}_{44}$."

【家倌】ka^{35}kən^{35} 名丈夫的父亲：（新娘子）同家娘～致见。tʰəŋ$^{13}_{21}$ka^{35}ɲiɔŋ$^{13}_{21}$ka^{35}kən$^{35}_{44}$tʂʅ$^{53}_{44}$cien^{53}.

【家机布】ka^{35}/cia^{35}ci$^{35}_{44}$pu^{53} 名家织的土布：还有北乡人就欸舞个～。用人家屋下个欸土机子织个，～哇。xai$^{13}_{21}$iəu$^{35}_{44}$pɔit^{3}çiɔŋ$^{35}_{44}$ɲin$^{13}_{21}$tsʰiəu$^{53}_{44}$e$_{21}$u^{21}kei$^{53}_{44}$cia^{35}ci$^{35}_{44}$pu^{53}.iəŋ^{53}ɲin$^{13}_{21}$ka$^{35}_{53}$uk^{3}xa$^{53}_{44}$ke$^{53}_{44}$e$_{21}$tʰəu^{21}ci^{35}tsʅ^{0}tʂek^{3}cie^{53},ka^{35}ci$^{35}_{44}$pu^{53}ua^{0}.

【家家户户】ka^{35}ka^{35}fu$^{53}_{44}$fu$^{53}_{44}$ 名每家每户；各家各户：只有～做滴子搞滴子茶叶嘞。tʂʅ^{21}iəu$^{35}_{44}$ka^{35}ka^{35}fu$^{53}_{44}$fu$^{53}_{44}$tso^{53}tiet^{5}tsʅ^{0}kau^{21}tet^{5}tsʅ^{0}tsʰa^{13}iait^{5}lei^{0}.

【家姐】ka^{35}tsia^{21} 名谦辞。对人称自己的姐姐。俗称“我阿姐”：～嘞就比我大一岁，𫠡读过书𫠡读么啊书，我等几姊妹就系渠吃哩亏，欸，就渠𫠡读得书，冇得文化，欸，屋下也更困难。ka^{35}tsia^{21}lei^{0}tsʰiəu^{53}pi^{21}ŋai$^{13}_{21}$tʰai^{53}iet^{3}sɔi^{53},maŋ$^{13}_{21}$tʰəuk^{5}ko$^{53}_{44}$ʂəu$^{35}_{44}$maŋ$^{13}_{21}$tʰəuk^{5}mak^{3}a^{0}ʂəu^{35},ŋai^{13}tien^{0}ci^{21}tsi^{21}mɔi^{53}tsʰiəu^{53}xei^{53}ci$^{13}_{21}$cʰiak^{3}li^{0}kʰuei^{35},e$_{21}$,tsʰiəu^{53}ci$^{13}_{21}$maŋ$^{13}_{21}$tʰəuk^{5}tek^{3}ʂəu^{35},mau^{13}tek^{3}uən^{13}fa^{53},e$_{21}$,uk^{3}xa$^{53}_{44}$ia$^{35}_{44}$cien$^{53}_{21}$kʰuən^{53}nan$^{53}_{44}$.

【家具】cia$^{35}_{44}$tʂʅ^{53} 名家庭所用的器具，多指木器：～上箇有火印。cia$^{35}_{44}$tʂʅ^{53}xɔŋ$^{53}_{44}$kai$^{53}_{44}$iəu^{35}fo^{21}in^{53}.

【家老孺人】cia^{35}lau^{21}ʮ^{13}ɲin^{13} 名挽联上对亡故的同姓妇女的尊称：呃，老哩人，打比样，欸，我个姑姑卖下谢家里，过哩身，我就爱送只柩分渠，送床么个大花被箇只分渠，系唔系？或者送副对子送副挽联分渠。箇挽联上让门写嘞，让门称呼渠嘞？嘞，“谢母”，本来是“万老孺人”，系唔系？因为我也姓万呐，箇只“万老孺人”个箇只“万”字，别人家写“万老孺人”，我就唔写“万老孺人”，我送分渠个咯写“～”，欸，因为同姓啊，箇就“谢母～”，咁子称。早两年早几年过哩身呐我箇只姑姑。ə$_{44}$,lau^{21}li^{0}ɲin^{13},ta^{21}pi^{21}iɔŋ^{53},e$_{21}$,ŋai^{13}ke^{53}ku^{35}ku^{35}mai$^{53}_{44}$ia$^{53}_{44}$

ts^{h}ia^{53}ka^{35}li^{0},ko^{53}li^{0} ʂən^{35},ŋai^{13}ts^{h}iəu$^{53}_{44}$ɔi$^{53}_{44}$səŋ^{53}tʂak^{3} c^{h}iəu^{53}pən$^{35}_{44}$ci$^{13}_{21}$,səŋ^{53}ts^{h}ɔŋ$^{13}_{44}$mak^{3} e^{0} t^{h}ai^{53}fa$^{35}_{44}$p^{h}ei^{53}kai$^{53}_{44}$ tʂak^{3} pən$^{35}_{44}$ci$^{13}_{44}$,xei$^{53}_{44}$me$^{53}_{44}$?xɔit^{5} tʂa^{21}səŋ^{53}fu$^{53}_{44}$ti^{53}tsɿ^{0} səŋ^{53}fu$^{53}_{44}$uan^{21}lien^{13}pən^{35}ci$^{13}_{44}$.kai^{53}uan^{21}lien^{13}xɔŋ$^{53}_{44}$ɲiɔŋ$^{53}_{44}$ mən$^{13}_{44}$sia^{21}lei^{0}, ɲiɔŋ$^{53}_{44}$mən$^{13}_{44}$tʂ^{h}ən^{35}fu^{35}ci^{13}lei^{0}?lei$_{44}$,"ts^{h}ia^{53}mu^{35}",pən^{21}nɔi$^{13}_{44}$ʂʅ$^{53}_{44}$"uan^{53}lau^{21}ʮ^{13}ɲin^{13}",xei^{53} me^{53}?in^{35}uei$^{53}_{44}$ŋai^{13}ia$^{35}_{44}$siaŋ^{53}uan^{53}na^{0},kai$^{53}_{44}$tʂak^{3}"uan^{53}lau^{21}ʮ$^{13}_{21}$ɲin$^{13}_{21}$"ke^{0} kai$^{53}_{44}$tʂak^{3}"uan^{53}"ts^{h}ʅ$^{53}_{21}$,p^{h}iet^{5}ɲin$^{13}_{21}$ka$^{35}_{44}$ sia^{21}"uan^{53}lau^{21}ʮ$^{13}_{21}$ɲin$^{13}_{21}$",ŋai^{13}ts^{h}iəu^{53}n̩$^{13}_{21}$sia$^{21}_{44}$"uan^{53}lau^{21}ʮ^{13}ɲin$^{13}_{21}$",ŋai^{13}səŋ^{53}pən$^{35}_{53}$ci$^{13}_{21}$ke$^{53}_{44}$ko^{0} sia^{21}"cia^{35}lau^{21}ʮ^{13} ɲin^{13}",e$_{21}$,in^{35}uei$^{53}_{44}$t^{h}əŋ^{13}siaŋ^{53}ŋa^{0},kai$^{53}_{44}$ts^{h}iəu$^{53}_{44}$"ts^{h}ia^{53}mu^{35}cia^{35}lau^{21}ʮ^{13}ɲin$^{13}_{21}$",kan^{21}tsɿ^{0} tʂ^{h}ən$^{35}_{44}$.tsau^{21}iɔŋ^{21}ɲien$^{13}_{44}$ tsau^{21}ci^{21}ɲien$^{13}_{21}$ko^{53}li^{0} ʂən^{35}na^{0} ŋai$^{13}_{21}$kai^{53}tʂak^{3} ku$^{35}_{44}$ku^{0}.

【家里】ka^{35}li^{0} 放在姓氏后表示该姓人家：王～ uɔŋ^{13}ka^{35}li^{0} | 朱～蛮多人，李～也蛮多人。tʂəu^{35}ka$^{35}_{44}$li^{0} man$^{13}_{21}$to$^{35}_{44}$ɲin$^{13}_{21}$,li^{21}ka$^{35}_{44}$li^{0} ia^{35}man$^{13}_{21}$to$^{35}_{44}$ɲin$^{13}_{21}$.

【家门】ka^{35}老派/cia^{35}mən^{13} 名指同宗同姓的人，也泛指同姓的人：～就系指嫪自家同姓个人。cia^{35}mən$^{13}_{21}$ts^{h}iəu^{53}xe^{53}tʂʅ^{21}lau$^{35}_{44}$ts^{h}ʅ$^{35}_{44}$ka$^{35}_{44}$t^{h}əŋ^{13}siaŋ^{53}ke$^{53}_{21}$ɲin^{13}.

【家门饭】cia^{35}mən^{13}fan^{53} 名倒头饭的别称。见“倒头饭”：爱请只安做倒头饭，有滴又安做～。ɔi$^{53}_{44}$ts^{h}iaŋ^{21}tʂak^{3} ɔn$^{35}_{44}$tso$^{53}_{44}$tau^{21}t^{h}ei^{13}fan^{53},iəu^{35}tet^{5} iəu$^{53}_{44}$ɔn$^{35}_{44}$tso$^{53}_{44}$cia^{35}mən^{13}fan^{53}.

【家母】ka^{35}老派/cia^{35}mu^{35} 名谦辞。对人称自己的母亲。俗称“我娭子”：～是今年八十又八。嗯，身体还算好。～姓唐。cia^{35}mu^{35}ʂʅ$^{53}_{44}$cin^{35}ɲien$^{13}_{44}$pait^{3} ʂət^{5} iəu^{53}pait^{3} .n̩$_{21}$,ʂən^{35}t^{h}i^{21}xai^{13}sɔn^{53}xau^{21}.cia^{35} mu^{35}siaŋ^{53}t^{h}ɔŋ^{13}.

【家娘】ka^{35}ɲiɔŋ^{13} 名丈夫的母亲：你妹子个～家爷 ɲi^{13}mɔi^{53}tsɿ^{0} ke$^{53}_{44}$ka$^{35}_{44}$ɲiɔŋ$^{13}_{21}$ka$^{35}_{44}$ia^{13}

J

【家旗】cia^{35}c^{h}i^{13} 名标有死者（男子）的自家姓氏或（女子的）夫家姓氏的旗子，多用于送葬活动：首先就～哟。打比我等姓万个人呢，万母哇，～，姓万个人个旗。如果系箇只夫娘子箇只婆婆子本身姓李或者姓张，你就万母李氏啊，系唔系？李老孺人呢。就姓李个外氏个旗就姓李个人渠也会搞面旗来呀。欸，姓万个走面前。姓李个，李老孺人。箇去两起旗吧？渠就这两起呀。男子人就只爱一起呀。只爱～。以前是都冇得，冇得，只有以下是就会搞下子咁个了。以只十多两三十年就有，以只十多两十年就有了。以前好像我等细细子冇得样。也可能箇阵子冇得钱呐，十分穷啊。ʂəu^{21}sien$^{35}_{44}$ts^{h}iəu$^{53}_{44}$cia^{35}c^{h}i$^{13}_{21}$iau^{0}.ta^{21}pi^{21}ŋai$^{13}_{21}$tien^{0} siaŋ^{53}uan^{53}ke$^{53}_{44}$ɲin$^{13}_{21}$ ne^{0},uan^{53}mu^{35}ua^{0},cia^{35}c^{h}i$^{13}_{21}$,siaŋ$^{53}_{44}$uan^{53}ke$^{53}_{44}$ɲin$^{13}_{21}$ke$^{53}_{44}$c^{h}i^{13}.ʮ^{13}ko^{21}xei$^{53}_{44}$kai$^{53}_{44}$tʂak^{3} pu^{35}ɲiɔŋ$^{13}_{21}$tsɿ^{0} kai$^{53}_{44}$tʂak^{3} p^{h}o^{13} p^{h}o$^{13}_{44}$tsɿ^{0} pən^{21}ʂən$^{35}_{44}$siaŋ^{53}li^{21}xɔit^{5} tʂa^{21}siaŋ^{53}tʂɔŋ^{35}, ɲi$^{13}_{21}$ts^{h}iəu$^{53}_{44}$uan^{53}mu^{35}li^{21}ʂʅ^{53}a^{0},xei$^{53}_{44}$me$^{53}_{44}$?li^{21}lau^{21}ʮ^{13}ɲin$^{13}_{21}$ ne^{0}.ts^{h}iəu$^{53}_{44}$siaŋ^{53}li^{21}ke$^{53}_{44}$ŋɔi^{53}ʂʅ^{53}ke$^{53}_{44}$c^{h}i$^{13}_{21}$ts^{h}iəu$^{53}_{44}$siaŋ^{53}li^{21}ke^{53}ɲin$^{13}_{21}$ci^{13}ie$^{35}_{44}$uɔi$^{53}_{44}$kau^{21}mien^{53}c^{h}i$^{13}_{21}$lɔi$^{13}_{21}$ia^{0}.e$_{21}$,siaŋ^{53} uan^{53}ke$^{53}_{44}$tsei^{21}mien^{53}ts^{h}ien^{13}.siaŋ^{53}li^{21}ke^{53},li^{21}lau^{21}ʮ^{13}ɲin^{13}.kai$^{53}_{44}$çi^{53}iɔŋ^{21}çi^{21}c^{h}i^{13}pa^{0}?c^{h}i^{13}ts^{h}iəu^{53}tʂei^{53}iɔŋ^{21}çi^{21} ia^{0}.lan^{13}tsɿ^{0}ɲin^{13}ts^{h}iəu$^{53}_{44}$tʂʅ^{21}ɔi^{53}iet^{3} çi^{21}ia^{0}.tʂʅ^{21}ɔi^{53}cia$^{35}_{44}$c^{h}i$^{13}_{21}$.i$^{35}_{44}$ts^{h}iən$^{13}_{21}$ʂʅ$^{53}_{44}$təu$^{35}_{44}$mau$^{13}_{21}$tek^{3},mau^{13}tek^{3},tʂʅ^{21}iəu$^{35}_{44}$i^{21} xa$^{53}_{44}$ʂʅ$^{53}_{44}$ts^{h}iəu$^{53}_{44}$uɔi^{53}kau^{21}a$_{44}$tsɿ^{0} kan^{21}ke^{53}liau^{0}.i^{21}tʂak^{3} ʂət^{5} to$^{35}_{44}$iɔŋ^{21}san$^{35}_{44}$ʂət^{5}ɲien^{13}ts^{h}iəu$^{53}_{44}$iəu^{35},i^{21}tʂak^{3} ʂət^{5} to$^{35}_{44}$ iɔŋ^{21}ʂət^{5}ɲien^{13}ts^{h}iəu$^{53}_{44}$iəu^{35}liau^{0}.i^{35}ts^{h}ien^{13}xau^{21}ts^{h}iɔŋ^{53}ŋai^{13}tien^{0} se^{53}se^{53}tsɿ^{0} mau$^{13}_{21}$tek^{3} iɔŋ$^{53}_{44}$.ia^{35}k^{h}o^{21}lən^{13}kai$^{53}_{44}$ tʂ^{h}ən^{53}tsɿ^{0} mau^{13}tek^{3} ts^{h}ien^{13}na^{0},ʂət^{5} fən$^{35}_{44}$c^{h}iəŋ^{13}ŋa^{0}.

【家神】cia^{35}ʂən$^{13}_{21}$ 名指本家的列祖列宗：屋下个哪只～作吵。uk^{3} xa$^{53}_{44}$ke$^{53}_{44}$lai^{53}tʂak^{3} cia^{35}ʂən$^{13}_{21}$tsɔk^{3} ts^{h}au^{21}.

【家务事】cia^{35}u^{53}sɿ^{53} 名家庭内部的日常生活事务：煮饭食啦，斫柴烧哇箇兜咁个就～，洗衫裤啊，箇～。tʂəu^{21}fan^{53}ʂət^{5} la^{0},tʂɔk^{3} ts^{h}ai^{13}ʂau$^{35}_{44}$ua^{0} kai^{53}tei$^{35}_{53}$kan^{21}kei^{53}ts^{h}iəu^{53}cia^{35}u^{53}sɿ^{53},sei^{21}san$^{35}_{44}$fu^{53} a^{0},kai$^{53}_{44}$cia^{35}u^{53}sɿ^{53}.

【家下】ka^{35}xa^{53} 名家里：～让门子。ka^{35}xa^{53}ɲiɔŋ^{53}mən$^{13}_{53}$tsɿ^{0}.

【家先】ka^{35}/cia^{35}sien^{35} 名家族中亡故的长辈：箇只深田，以等渠箇起～讲个呢，箇呀还有一种么个竹耙。kai$^{53}_{44}$tʂak^{3} tʂ^{h}ən^{35}t^{h}ien^{13},i^{21}ten^{0} ci$^{13}_{21}$kai^{53}çi^{21}ka^{35}sien$^{35}_{44}$kɔŋ^{21}ke$^{53}_{44}$ne^{0},kai^{53}ia^{0} xai$^{13}_{21}$iəu$^{35}_{44}$iet^{3} tʂəŋ^{21} mak^{3} ke^{53}tʂəuk^{3} p^{h}a^{13}.

【家先生】cia^{35}sien^{35}saŋ^{35}/sen^{35} 名对同宗同姓的人的尊称：家门呶。～唠，有话，尊称滴子就称～唠。家先呶，有滴就称家先呶。简称家先。cia^{35}mən^{13}nau^{0}.cia^{35}sien$^{35}_{44}$saŋ$^{35}_{44}$lau^{0},iəu^{35}ua$^{35}_{44}$,tsən^{35} tʂ^{h}ən$^{35}_{44}$tiet^{3} tsɿ^{0} tsiəu$^{53}_{44}$tʂ^{h}ən^{35}cia^{35}sien$^{35}_{44}$saŋ$^{35}_{44}$lau^{0}.cia^{35}sien$^{35}_{44}$nau^{0},iəu$^{35}_{44}$tet$^{5}_{3}$ tsiəu$^{53}_{44}$tʂ^{h}ən$^{35}_{44}$cia^{35}sien$^{35}_{44}$nau^{0}.kan^{21} tʂ^{h}ən$^{35}_{44}$cia^{35}sien$^{35}_{44}$. | 欸，如果称男个，如果我箇只老弟过哩身，系唔系？我爱送只挽联分渠，箇让门称呢？欸？箇就“～□□老大人”，咁子称。欸就“～”，欸不能称“家公”吵，系唔系啊？就不能咁子称吵。或者嘞本本称“万公”，“万公□□老大人”。一般来讲嘞就系嘞搞么个嘞？红喜事就称“～”个多。又打比□□讨老婆，欸，我爱送只中堂画分渠，系唔系？

欸，就可以称“～”欸“□□贤弟”，咁子称。箇是唔系“老大人”吵，嘿，𫟼死就唔系“老大人”吵，系啊？ ei$_{44}$,ʮ^{13}ko^{21}tʂʰən$^{35}_{44}$lan^{13}cie^{53},səŋ^{53}lan^{13}ke^{53},ʮ^{13}ko^{21}ŋai^{13}kai^{53}tʂak^{3} lau^{21}tʰei$^{35}_{44}$ko^{53}li^{0} ʂən$^{35}_{44}$,xei$^{53}_{44}$me$^{53}_{44}$?ŋai^{13}ɔi^{53}səŋ^{53}tʂak^{3} uan^{21}lien^{13}pən$^{35}_{44}$ci$^{13}_{44}$,kai$^{53}_{44}$ɲiəŋ$^{53}_{44}$mən$^{13}_{44}$tʂʰən$^{35}_{44}$nei^{0}?e$_{44}$?kai$^{53}_{44}$tsʰiəu^{53}"cia^{35}sien$^{35}_{44}$sen$^{35}_{44}$iəu^{53}tsʰʅ$^{35}_{44}$lau^{21}tʰai^{53}ɲin^{13}",kan$^{21}_{13}$tsʅ^{0} tʂʰən$^{35}_{44}$.e^{0} tsʰiəu$^{53}_{44}$"cia^{35}sien$^{35}_{44}$sen$^{35}_{44}$",ei$_{21}$pət^{3} len$^{13}_{21}$tʂʰən$^{35}_{44}$"cia^{35}kəŋ$^{35}_{44}$"ʂa^{0},xei$^{53}_{44}$mei$^{53}_{44}$a^{0}?tsiəu^{53}pət^{3} len$^{13}_{21}$kan^{21}tsʅ^{0} tʂʰən$^{35}_{44}$ʂa^{0}.xɔit^{5} tʂa^{21}lei^{0} pən^{21}pən^{21}tʂʰən^{35}uan^{53}kəŋ^{35},"uan^{53}kəŋ^{35}iəu^{53}tsʰʅ$^{35}_{44}$lau^{21}tʰai^{53}ɲin$^{13}_{21}$".iet^{3} pən^{35}nɔi^{13}kəŋ^{21}lei^{0} tsʰiəu^{53}xei^{53}lei^{0} kau^{21}mak^{3} e^{0} lei^{0}?fəŋ^{13}çi^{21}sʅ^{53}tsʰiəu$^{53}_{21}$tʂʰən^{35}"cia^{35}sien$^{35}_{44}$sen$^{35}_{44}$"ke$^{53}_{44}$to^{35}.iəu$^{53}_{44}$ta^{21}pi$^{21}_{44}$iəu^{53}tsʰʅ^{35}tʰau^{21}lau^{21}pʰo^{13},e$_{21}$,ŋai^{13}ɔi^{53}səŋ^{53}tʂak^{3} tʂəŋ^{35}tʰəŋ$^{13}_{21}$fa^{53} pən$^{35}_{44}$ci$^{13}_{44}$,xei^{53}me$^{53}_{21}$?e$_{21}$tsʰiəu^{53}kʰo^{21}i$^{13}_{44}$tʂʰən^{35}"cia^{35}sien$^{35}_{44}$sen$^{35}_{44}$"e$_{21}$"iəu^{53}tsʰʅ^{35}çien^{13}tʰi^{53}",kan$^{21}_{13}$tsʅ^{0} tʂʰən$^{35}_{44}$.kai$^{53}_{44}$ʂʮ$^{53}_{44}$ m̩$^{13}_{21}$pʰe$^{53}_{44}$"lau^{21}tʰai^{53}ɲin$^{13}_{21}$"ʂa^{0},xe$_{53}$,maŋ$^{13}_{21}$si^{21}tsʰiəu^{53}m̩$^{13}_{21}$pʰe^{53}"lau^{21}tʰai^{53}ɲin$^{13}_{21}$"ʂa^{0},xe^{53}a^{0}?

【家兄】ka^{35}老派/cia^{35}çiəŋ^{35} 名 谦辞。对人称自己的哥哥。俗称“我阿哥”：我冇得嫡亲个阿哥。我只有搁下子个。～安做□□，□□系我～。～今年六十又八，比我大两岁。ŋai^{13}mau$^{13}_{44}$tek^{3} tiet^{3} tsʰin^{35}kei$^{53}_{44}$a^{35}ko$^{35}_{44}$.ŋai^{13}tʂʅ^{21}iəu$^{35}_{44}$kɔk^{3} (x)a$^{53}_{21}$tsʅ^{0} kei^{53}.cia^{35}çiəŋ$^{35}_{44}$ɔn^{35}tso$^{53}_{44}$fuk^{5} tsʰəu$^{35}_{44}$,fuk^{5} tsʰəu$^{35}_{44}$xei^{53}ŋai$^{13}_{21}$ cia^{35}çiəŋ^{35}.cia^{35}çiəŋ$^{35}_{44}$cin^{35}ɲien$^{13}_{21}$liəuk^{3} ʂət^{5} iəu^{53}pait^{3},pi^{21}ŋai$^{13}_{21}$tʰai^{53}iəŋ^{21}sɔi^{53}.

【家爷】ka^{35}ia^{13} 名 丈夫的父亲：你妹子个家娘～ ɲi^{13}mɔi^{53}tsʅ^{0} ke$^{53}_{44}$ka$^{35}_{44}$ɲiəŋ$^{13}_{21}$ka$^{35}_{44}$ia^{13}

【家爷老子】ka^{35}ia$^{13}_{44}$lau^{21}tsʅ^{0} 名 丈夫的父亲：～是还爱送耙子嘞。ka^{35}ia$^{13}_{44}$lau^{21}tsʅ^{0} ʂʅ$^{53}_{44}$xa$^{13}_{21}$ɔi$^{53}_{44}$səŋ^{53} pʰa^{13}tsʅ^{0} le^{0}.

【家长】cia^{35}tʂəŋ^{21} 名 旧称一家之主，今多指父母或其他监护人：如果～去，系啊？箇就系提亲。vy^{13}ko^{21}cia^{35}tʂəŋ^{21}çi$^{53}_{44}$,xei$^{53}_{44}$a^{0}?kai$^{53}_{44}$tsʰiəu^{53}xei$^{53}_{44}$tʰi^{13}tsʰin^{35}.

【家族】cia$^{35}_{44}$tsʰəuk^{5} 名 以血统关系为基础而形成的群体，通常有几代人：一只～个人都来。iet^{3} tʂak^{3} cia$^{35}_{44}$tsʰəuk$^{5}_{3}$ ke$^{53}_{44}$ɲin$^{13}_{21}$təu^{35}lɔi$^{13}_{21}$.

【夹$_{3}$】kait^{3} 形 属性词。双层的：（背褡）肯定就系起码就～个，欸，因为渠系保暖个东西啊。kʰen^{21}tʰin^{53}tsʰiəu^{53}xei^{53}çi^{21}ma^{35}tsʰiəu^{53}kait^{3} ke^{53},ei$_{21}$,in^{35}uei^{53}ci$^{13}_{21}$xei^{53}pau^{21}lɔn^{35}cie^{53}təŋ$^{35}_{44}$si^{0} a^{0}.

【夹绰子】kait^{3}tʂʰɔk^{3}tsʅ^{0} 名 双层的长衫：我箇年呐箇阵子“文化革命”时候子，我等大队上演样板戏。演么个嘞？演《白毛女》。舞倒我就扮么个？扮黄世仁。箇咁多去演戏个人就系我更高，箇阵子就系我更高大，渠等都箇都冇几高子。让门个黄世仁呐以只财主是大地主是总爱着像兜子，系唔系？又冇得……箇阵子箇大队上个唱戏又冇么个咁个么个服装有么个钱拨欸？么个都冇得嘞。借倒我等箇只伯伯一件长衫，一件咁个风衣样个，就系～，安做～。渠是我等箇伯伯是蛮讲究个人呐。渠就有件子咁个风衣子样个。以下箇底下箇箇个排戏个时候子咯箇底下个箇起人来话：“耶，万老师你着倒箇件衫就真硬威风多哩哈！威风多哩，就系你唔恶哦。”渠话：“你爱箇黄世仁呐地主是都系只恶霸地主咯。你又冇得箇只恶相，你唔像，你扮唔像，嘿。你冇得箇只恶行恶相个样子。” ŋai^{13}kai^{53}ɲien$^{13}_{44}$na$_{21}$kai^{53}tʂʰən$^{53}_{44}$tsʅ^{0}"uən$^{13}_{21}$fa$^{53}_{44}$ kek^{3} min^{53}"ʂʅ^{13}xəu$^{53}_{44}$tsʅ^{0},ŋai^{13}tien^{0} tʰai^{53}ti$^{53}_{44}$xəŋ$^{53}_{44}$ien^{21}iəŋ^{53}pan^{21}çi^{53}.ien^{21}mak^{3} ke$^{53}_{44}$lei^{0}?ien^{21}pʰak^{5} mau^{13}ɲy^{21}.u^{21} tau^{21}ŋai^{13}tsʰiəu^{53}pan^{53}mak^{3} ke^{53}?pan^{53}uəŋ^{13}ʂʅ^{53}uən^{13}.kai^{53}kan^{21}to^{35}çi^{53}ien^{21}çi^{53}ke$^{53}_{44}$ɲin$^{13}_{44}$tsʰiəu^{53}xe^{53}ŋai^{13}cien^{53} kau^{35},kai$^{53}_{44}$tʂʰən^{53}tsʅ^{0} tsʰiəu^{53}xe^{53}ŋai^{13}cien^{53}kau^{35}tʰai^{53},ci^{13}tien^{0} təu^{35}kai^{53}təu$^{35}_{53}$mau^{13}ci^{21}kau^{35}tsʅ^{0}. ɲiəŋ$^{13}_{44}$mən$^{13}_{44}$ ke$^{53}_{44}$uəŋ^{13}ʂʅ^{53}uən^{13}na$_{44}$i^{21}tʂak^{3} tsʰɔi^{13}tʂəu^{21}ʂʅ$^{53}_{44}$tʰai$^{53}_{44}$tʰi^{53}tʂəu^{21}ʂʅ$^{53}_{44}$tsəŋ^{21}ɔi^{53}tʂɔk^{3} tsʰiəŋ^{53}tei$^{53}_{53}$tsʅ^{0},xei^{53}me^{53}?iəu^{53} mau^{13}tek^{3} …kai^{53}tʂʰən^{53}tsʅ^{0} kai$^{53}_{44}$tʰai^{53}ti$^{53}_{44}$xəŋ$^{53}_{44}$ke$^{53}_{44}$tʂʰəŋ^{53}çi$^{53}_{44}$iəu^{53}iəu$^{35}_{44}$mak^{3} (k)ei$^{53}_{44}$kan^{21}ke^{53}mak^{3} ke$^{53}_{44}$fuk^{5} tsəŋ$^{35}_{44}$iəu$^{35}_{44}$mak^{3} e^{0} tsʰien^{13}pɔit^{3} ei^{0}?mak^{3} e^{0} təu^{53}mau$^{13}_{44}$tek^{3} lei^{0}.tsia^{53}tau^{21}ŋai^{13}tien^{0} kai^{53}tʂak^{3} pak^{3} pak^{3} iet^{3} cʰien^{53}tʂʰəŋ^{13}san^{35},iet^{3} cʰien^{53}kan^{21}ke^{53}fəŋ^{35}i$^{35}_{44}$iəŋ$^{53}_{21}$ke^{53},tsʰiəu$^{53}_{44}$xei$^{53}_{44}$kait^{3} tʂʰɔk^{3} tsʅ^{0} ,ɔn$^{35}_{44}$tso^{53}kait^{3} tʂʰɔk^{3} tsʅ^{0}. ci^{13}ʂʅ$^{53}_{44}$ŋai^{13}tien^{0} kai^{53}pak^{3} pak^{3} ʂʅ$^{53}_{44}$man^{13}kəŋ^{21}ciəu^{53}ke^{53}ɲin$^{13}_{21}$na^{0} .ci^{13}tsʰiəu^{53}iəu^{53}cʰien^{53}tsʅ^{0} kan^{21}ke$^{53}_{21}$fəŋ^{35}i^{35}tsʅ^{0} iəŋ$^{53}_{44}$ke^{0} .i^{21}xa^{53}kai^{53}tei^{21}xa$^{53}_{44}$kai^{53}kai$^{53}_{44}$ke$^{53}_{44}$pʰai^{13}çi^{53}ke$^{53}_{44}$ʂʅ^{13}xəu^{53}tsʅ^{0} ko^{0} kai^{53}tei^{21}xa^{53}kei^{53}kai^{53}çi^{21}ɲin$^{13}_{21}$nɔi$^{13}_{21}$ ua$^{53}_{21}$:"ie$_{53}$,uan^{53}lau^{21}sʅ$^{35}_{53}$ɲi^{13}tʂɔk^{3} tau^{21}kai^{53}cʰien^{53}san$^{35}_{44}$tsʰiəu$^{53}_{44}$tʂən$^{35}_{44}$ɲiaŋ^{53}uei$^{35}_{44}$fəŋ$^{35}_{44}$to^{35}li^{0} xa^{0} !uei^{35}feŋ$^{35}_{44}$to$^{35}_{44}$li^{0}, tsʰiəu^{53}xei^{53}ɲi^{13}n̩^{13}ɔk^{3} o$_{53}$."ci^{13}ua^{53}:"ɲi^{13}ɔi$^{53}_{44}$kai$^{53}_{44}$uəŋ^{13}ʂʅ^{53}uən^{13}na^{0} tʰi^{53}tʂʮ^{21}ʂʅ$^{53}_{44}$təu$^{35}_{53}$(x)e$^{53}_{21}$tʂak^{3} ɔk^{3} pa^{53}tʰi^{53}tʂʮ^{21} ko^{0}. ɲi^{13}iəu^{53}mau^{13}tek^{3} kai^{53}tʂak^{3} ɔk^{3} siəŋ^{53}, ɲi$^{13}_{21}$n̩^{13}tsʰiəŋ^{53}, ɲi^{13}pan^{53}n̩^{13}tsʰiəŋ^{53},xe$_{53}$. ɲi^{13}mau^{13}tek^{3} kai^{53}tʂak^{3} ɔk^{3} çin^{13}ɔk^{3} siəŋ^{53}ke^{53}iəŋ^{53}tsʅ^{0} ."

【夹裤】kait^{3} fu^{53} 名 双层的裤子：以下我婇子咁热个天都还着条～。渠硬箇个身上个肉硬干枯哩。干嘿哩，系啊？怕冷。ia$_{44}$(←i^{21}xa^{53})ŋai$^{13}_{21}$ɔi^{35}tsʅ^{21}kan^{21}ɲiet^{5} ke^{0} tʰien$^{35}_{44}$təu$^{35}_{53}$xai$^{13}_{21}$tʂɔk^{3} tʰiau^{13}kait^{3} fu^{53}.ci$^{13}_{21}$ɲiaŋ^{53}kai$^{53}_{44}$ke$^{53}_{44}$ʂən^{35}xəŋ$^{53}_{44}$ke$^{53}_{44}$ɲiəuk^{3} ɲiaŋ^{53}kɔn^{35}kʰu^{35}li^{0} .kɔn^{35}nek^{3} li^{0} ,xei^{53}a^{0} ?pʰa^{53}laŋ^{35}.

【夹袍】kait^{3} pʰau^{13} 名 双层的长袍：～就系夹个长袍子。箇个都𫟼着过。kait^{3} pʰau^{13}tsʰiəu^{53}xe$^{53}_{44}$

kait3 ke53tʂʰɔŋ13pʰau13tsɿ0.kai53/44ke53/44təu35maŋ13tʂɔk3 ko53/44.

【夹墙】kait3 tsʰiɔŋ13 名双层的墙壁：欸，～，我等老家箇映子话就话有，啊，有有是有～，但是嬒看过，我就嬒看过～。e/53,kait3 tsʰiɔŋ13,ŋai13tien0 lau21cia35/44kai53iaŋ53tsɿ0 ua53tsʰiəu53/44ua53/44iəu35,a/21,iəu35iəu35ʂʅ53/44iəu35kait3 tsʰiɔŋ13/21,tan53/44ʂʅ53maŋ13kʰɔn53ko53/21,ŋai13tsiəu53/44maŋ13kʰɔn53ko53/21kait3 tsʰiɔŋ13/21.

【夹衫】kait3 san35 名夹衣：～就系两重子以上个唠，系唔系？就安做～呶。kait3 san35/44tsʰiəu53/21xe53iɔŋ21tʂʰəŋ13/21tsɿ0 i35ʂɔŋ53ke53lau0,xei53me53?tsiəu53/44ɔn35/44tso53/44kait3 san35/44nau0.

【甲】kait3 名十天干之一：～乙丙丁 kait3 iet3 pin21tin35

【甲子】kait3 tsɿ21 名干支纪年或记岁数时六十组干支轮一周称一个甲子，共六十年：六十年就一只～。满哩六十岁个人呢，我就话“我是六十～了喔，过嘿一只～了喔”。liəuk3 ʂət5 ɲien13/21 tsʰiəu53iet3 tʂak3 kait3 tsɿ21.man35li0 liəuk3 ʂət5 sɔi53ke53/44ɲin13/44ne0,ŋai13/21tsʰiəu53ua53"ŋai13/21ʂʅ53/21liəuk3 ʂət5 kait3 tsɿ21 liau0uo0,ko53xek3 iet3 tʂak3 kait3 tsɿ21liau21uo0".

【假】cia21 形与客观事实不符的；不真实的；伪造的：你个生烟就都～个了吧？ɲi13ke53/44saŋ35/44 ien35/44tsiəu53/21təu35/44cia21ke53liau21pa0?

【假话】cia21fa53 名虚伪不实的谎话：尽讲～。tsʰin53ciaŋ21cia21fa53.

【假领子】cia21liaŋ35tsɿ0 名一种只有领子和衬衫上半截的服装式样：还有～嘞。我就看过嘞。就系只子领子。两条子筋筋。俚俚哩着哩一件子褂子样。冇得么个。其他冇得，就系只子衣领子。欸，擐稳呢。欸，但是以颈根手胁下擐稳呢，以映子擐稳呢。以映有滴子嘞，以映有滴子嘞。咁多子，以映咁多子。我看过。～安做。～，欸，真假个假。xai13/21iəu35/44cia21liaŋ35tsɿ0 le0.ŋai13/21tsʰiəu53/44kʰɔn53ko53le0.tsʰiəu53ue53(←xe53)tʂak3 tsɿ0 liaŋ35tsɿ0.iɔŋ21/44tʰiau13/21tsɿ0 cin35cin35/44. ɲian21ɲian21/44li0 tʂɔk3 li0 iet3 cʰien53/44tsɿ0 kua53tsɿ0 iɔŋ53,mau13tek3 mak3 ke53.cʰi13/21tʰa35/44mau13tek3,tsʰiəu53xei53tʂak3 tsɿ0 i35/21liaŋ35 tsɿ0,ei/21,kʰuan53uən21ne0.ei/35,tan53ʂʅ53i21ciaŋ21cien35/44ʂəu21cʰiet3 xa35kʰuan53uən21ne0,iaŋ/35(←i21iaŋ53)tsɿ0 kʰuan53uən21ne0.i21iaŋ53/44iəu35tiet5 tsɿ0 le0,i21iaŋ53/44iəu35/44tiet5 tsɿ0 lei0.kan21to35/44tsɿ0,i21iaŋ53/44kan21to35/44tsɿ0.ŋai13kʰɔn53 ko53/21.cia21liaŋ35tsɿ0 ɔn35/44tso53/44.cia21liaŋ35tsɿ0,e/21,tʂən35cia21ke53/44cia21.

【假如】cia21ɥ13 连表示假设，相当于“如果，假使”：～冇得箇一块翻下去个，冇得箇一块翻下去，就成哩顿领子。cia21ɥ13mau13tek3 kai53iet3 kʰuai53fan35xa53/44çi53/44ke53/44,mau13tek3 kai53iet3 kʰuai53 fan35xa53/44çi53/44,tsiəu53ʂaŋ13/21li0 tən53liaŋ35tsɿ0.

【假设】cia21ʂət3 动假定；姑且认定：～以映有条子椅渠箇个以个以咁个棍子，以咁个棍子，欸，安做椅桄子。cia21ʂet3 i21iaŋ53iəu35/53tʰiau13/21tsɿ0 i21ci13/21kai53/35cie53/44i21ke53/44i21kan21cie53/44kuən53tsɿ0,i21kan21cie53/44 kuən53tsɿ0,e/21,ɔn35/44tso53/44i21kuaŋ35tsɿ0.

【假鱼子】cia21ŋ̍13tsɿ0 名用木头雕成鱼的形状，宴席上充当一碗菜：我只看过，但是以下冇么人咁子搞了。箇就冇得哩咯。以前有喔，我都看过。我还食过咁个酒席啦。一只～啊，树挖木挖个，一筒树挖个鱼子啊，放倒箇映子啊，整碗菜呀，系唔系？凑起十二只碗呐。有，我看过，欸，箇个就系我都食过。箇有么个讲究，就系看下子哦，冇么人食唠。就放倒箇桌上，么人食嘿进？放下箇桌上看下子。ŋai13tʂʅ21kʰɔn53ko53/44,tan53ʂʅ53i21xa53mau13mak3 in13/44kan21tsɿ0 kau21 liau0.kai53tsiəu53/44mau13/21tek3 li0 ko0.i35/44tsʰien13/21iəu35uo0,ŋai13/21təu35/44kʰɔn53ko53.ŋai13/21xai13/44ʂət5 ko53/44kan21ke53tsiəu21 siet5 la0.iet5 tʂak3 cia21ŋ̍13tsɿ0 a0,ʂəu53ua35muk3 ua35/44ke53,iet3 tʰəŋ13ʂəu53ua35ke53ŋ̍13/21tsɿ0 a0,fɔŋ53tau21kai53/44iaŋ53tsɿ0 a0,tʂən21uɔn21tsʰɔi53ia0,xei53me53?tsʰe53çi21ʂət5 ɲi53tʂak3 uɔn21na0.iəu35,ŋai13kʰɔn53ko0,e/21,kai53/44ke53/44tsiəu21siet5 ŋai13/21təu35/44ʂət5 ko0.kai53/44mau13mak3 e0 kɔŋ21ciəu53,tsʰiəu53xei53kʰɔn53na53/44tsɿ0 o0,mau13mak3 in13/44ʂət5 lau0.tsiəu53/44 fɔŋ53tau21kai53tsɔk3 xɔŋ53/44,mak3 in13/44ʂət5 xek3 tsin53?fɔŋ53xa53kai53tsɔk3 xɔŋ53/44kʰɔn53na53/44tsɿ0.

【价】ka53/cia53 名商品所值的钱数：跌哩～tet3 li0 ka53｜渠有人讲我听个。我话：“如今个猪～蛮好吧？”渠话：“唔好，唔好。”我话：“还去下畜猪么？”“还畜猪。”我话：“还好唠，赚哩钱呶。”“冇～，六块多钱呐。”ci13/21iəu35ɲin13/21kɔŋ21ŋai13/21tʰaŋ35ke53.ŋai13ua53:"i13/21cin35/44ke53tʂəu35/44cia53man13/21 xau21pa0?"ci13/44(u)a53/44:"n̩13xau21/44,n̩13xau21/44."ŋai13ua53:"xai13çi53xa53çiəuk3 tʂəu35mo0?""xai13çiəuk3 tʂəu35/44."ŋai13 ua53/44:"xai13xau21lau0,tsʰan53li0 tsʰien13/44nau0.""mau13cia53,liəuk3 kʰuai53to35/44tsʰien13/21na0."

【价钱】cia53tsʰien13/21 名指商品的价格：杀下～来 sait3 xa35cia53tsʰien13/21nɔi13/21｜据说嘞，废品个～慢慢子提升，就系经济回升个标志。tʂɥ53ʂet3 lei0,fei53pʰin21ke53/44cia53tsʰien13man53man53tsɿ0 tʰi13ʂən35, tsʰiəu53/44xei53/44cin35tsi53fei13ʂən35ke0 piau35tʂʅ53.

【架$_1$】ka53 名用若干材料纵横交叉地构成的东西，用来放置器物、支撑物体或安装工具等：

（衣箱）底下一只～噢。底下还带架子噢。te^{21}xa$^{53}_{44}$iet^{3} tʂak^{3} ka^{53}au^{0}.te^{21}xa$^{53}_{44}$xai$^{13}_{21}$tai$^{53}_{44}$ka^{53}tsɿ^{0}au^{0}.

【架$_{2}$】ka^{53}/cia^{53} 量①用于有支柱或有机械的东西：一～飞机 iet^{3}ka^{53}fei^{35}ci^{35}。②动量词。用于争斗殴打之类的行为：你去摎渠打一～！ɲi^{13}çi$^{53}_{44}$lau^{35}ci$^{13}_{21}$ta^{21}iet^{3}cia^{53}!

【架架】ka^{53}ka^{53} 名架子；框架：做只钉只四四方方个～，放下箇只放下箇床上。tso^{53}tʂak^{3}taŋ^{35} tʂak^{3}si^{53}si$^{53}_{44}$fɔŋ$^{35}_{44}$fɔŋ$^{35}_{44}$ke$^{53}_{44}$ka^{53}ka$^{53}_{44}$,fɔŋ^{53}xa^{53}kai$^{53}_{21}$tʂak^{3} fɔŋ^{53}xa$^{53}_{44}$kai$^{53}_{44}$tsʰɔŋ$^{13}_{21}$xɔŋ$^{53}_{44}$.｜以前个学生个床箇双层床只有只空～嘞，几条树枋子嘞，你爱自家去带倒床笪篾来嘞。i$^{35}_{53}$tsʰien$^{13}_{21}$ke$^{53}_{44}$xɔk^{5} saŋ$^{35}_{44}$ke^{0}tsʰɔŋ$^{13}_{21}$ kai$^{53}_{44}$sɔŋ^{35}tsʰen$^{13}_{21}$tsʰɔŋ^{13}tʂʅ^{21}iəu$^{35}_{53}$tʂak^{3} kʰəŋ^{35}ka^{53}ka^{53}le^{0},ci^{21}tʰiau^{13}ʂəu^{53}fɔŋ$^{35}_{44}$tsɿ^{0}le^{0}, ɲi$^{13}_{21}$ɔi$^{53}_{44}$tsʰɿ^{35}ka$^{35}_{53}$çi^{53}tai^{53}tau^{21} tsʰɔŋ$^{13}_{21}$tait^{3}miet^{5}lɔi$^{13}_{21}$lc^{0}.

【架势】cia^{53}ʂʅ^{53} 动开始、着手做某事。也称“架势子”：箇个早禾嘞～黄哩。kai$^{53}_{44}$ke$^{53}_{44}$tsau^{21}uo^{13} lei^{0}cia^{53}ʂʅ^{53}uɔŋ^{13}li^{0}.｜我先架哩势了哈。ŋai$^{13}_{21}$sien$^{35}_{44}$cia^{53}li^{0}ʂʅ^{53}liau^{0}xa^{0}.｜还正～子开叶个箇起就喊嫩竹。xai^{13}tʂaŋ^{53}cia^{53}ʂʅ$^{53}_{44}$tsɿ^{0}kʰɔi^{35}iait^{5}ke$^{53}_{44}$kai$^{53}_{44}$çi^{21}tsʰiəu$^{53}_{44}$xan^{21}lən^{53}tʂəuk^{3}.

【架子】ka^{53}tsɿ^{0} 名①用若干材料纵横交叉地构成的东西，用来放置器物、支撑物体或安装工具等：（衣箱）底下一只架噢。底下还带～噢。te^{21}xa$^{53}_{44}$iet^{3}tʂak^{3}ka^{53}au^{0}.te^{21}xa$^{53}_{44}$xai$^{13}_{21}$tai$^{53}_{44}$ka^{53}tsɿ^{0}au^{0}. ②自高自大、装腔作势的作风：出门摆～，罩衫整褂子。tʂət^{3}mən^{13}pai^{21}ka^{53}tsɿ^{0},tsau^{53}san^{35}tʂən^{21} kua^{53}tsɿ^{0}.

【架子床】ka^{53}tsɿ^{0}tsʰɔŋ^{13} 名一种卧具，床身上架置四柱、四杆：欸，公家欸集体个地方就都系荡耙床，只有屋下就有～啊。e$_{21}$,kəŋ^{35}ka$^{35}_{21}$e$_{44}$tsʰiet^{5}tʰi^{21}ke$^{53}_{44}$tʰi$^{53}_{44}$fɔŋ^{35}tsʰiəu$^{53}_{44}$təu^{35}xe$^{53}_{44}$tʰɔŋ^{53}pʰa$^{13}_{21}$tsʰɔŋ$^{13}_{21}$, tʂʅ^{21}iəu$^{35}_{53}$uk^{3}xa$^{53}_{44}$tsʰiəu$^{53}_{44}$iəu$^{35}_{44}$ka^{53}tsɿ^{0}tsʰɔŋ$^{13}_{21}$ŋa^{0}.

【嫁$_{1}$】ka^{53} 动①（女子）出嫁：箇个妹子人渠～都唔～下外背去渠箇向指浏阳南乡。kai$^{53}_{44}$ke$^{53}_{44}$mɔi^{53} tsɿ^{0}ɲin$^{13}_{21}$ci^{13}ka^{53}təu$^{35}_{44}$n̩^{13}ka$^{53}_{44}$xa$^{53}_{44}$ŋɔi^{53}pɔi$^{53}_{44}$çi$^{53}_{44}$ci^{13}kai$^{53}_{44}$çiɔŋ$^{53}_{44}$. ②送女儿与男子成婚：～女 ka^{53}ɲy^{21}

【嫁$_{2}$】ka^{53} 量表示出嫁的次数：有滴骂人家卖千～，骂别人家卖千～。iəu^{35}tet^{5}ma^{53}ɲin$^{13}_{21}$ka$^{35}_{44}$ mai^{53}tsʰien^{35}ka$^{53}_{44}$,ma^{53}pʰiek^{5}ɲin$^{13}_{44}$ka$^{35}_{44}$mai^{53}tsʰien^{35}ka^{53}.｜讨只嫁过一～个夫娘子。tʰau^{21}tʂak^{3}ka^{53}ko$^{53}_{44}$ iet^{3}ka^{53}kei$^{53}_{44}$pu^{35}ɲiɔŋ$^{13}_{21}$tsɿ^{0}.

【嫁人家】ka^{53}ɲin^{13}ka^{35} 动出嫁：箇～卖妹子就爱拜祖嘞。kai$^{53}_{21}$ka$^{53}_{44}$ɲin$^{13}_{21}$ka$^{35}_{44}$mai$^{53}_{44}$mɔi^{53}tsɿ^{0}tsʰiəu$^{53}_{44}$ɔi$^{53}_{44}$ pai^{53}tsɿ^{21}lei^{0}.

【嫁妆】ka^{53}tsɔŋ^{35} 名女子出嫁时，从娘家带到丈夫家去的衣被、家具及其他用品：以前是，我等箇映有只人呐，渠讨只老婆系大地主个妹子，解放前呐，欸，也系客家，我等客家人吵，系啊？有钱。箇家人唔知几有钱，箇家地主有钱。箇渠是全套～安做。除哩屋冇得，么个都有。水桶脚盆都有。床啊，欸，座钟啊，欸，书桌啊，么啊都有。凳呐，尿桶脚盆都有。欸，全套个～，箇个是。渠个～呢，渠因为结婚箇晡搞唔成器呀，多哩啊，几十杠啊，安做，几十杠啊，尽人扛倒去吵。就爱结婚酒个半个月之前就架势送～。送呐，送～，女方送倒来。一般是男方去接。渠箇个，渠有钱呐。渠咁个啦，渠个～是，打比爱送只懑大个礼，衣橱，系唔系？箇衣橱肚里嘞，不能窾空个啦，爱放滴子东西，不能窾空个，你放滴子衫裤，放滴子被窝箇只。欸，放滴衫裤，放滴子零碎行头，不能放空个。渠江西人有个我等个崆背有，也唔系么啊完全江西咯，有个有滴人个规矩是，渠冇么啊舞了呀，搞箩谷，放一箩谷放下肚里。要捆尽哩命啊硬话。又有车嘞以前呢。几十斤呐，百多斤呐，又系一只一杠橱哇，又几十斤谷啊，百多斤谷啊，系要捆尽哩命啊。肩膊都捆痛哩啊，捆你几十里呀。欸，远又咁远呐，重又咁重啊。i$^{35}_{44}$tsʰien^{13}ʂʅ$^{53}_{44}$,ŋai$^{13}_{21}$tien^{0}kai$^{53}_{44}$iaŋ$^{53}_{44}$iəu$^{35}_{44}$tʂak^{3}ɲin$^{13}_{21}$na^{0},ci$^{13}_{21}$tʰau^{21}tʂak^{3}lau^{21}pʰo^{13}xe$^{53}_{44}$tʰai^{53} tʰi$^{53}_{44}$tʂʮ^{21}ke$^{53}_{44}$mɔi^{53}tsɿ^{0},kai^{21}fɔŋ^{53}tsʰien^{13}na^{0},e^{21},ia^{35}xe$^{53}_{44}$kʰak^{3}ka$^{35}_{44}$,ŋai^{13}tien^{0}kʰak^{3}ka$^{35}_{44}$ɲin$^{13}_{21}$ʂa^{0},xei$^{53}_{44}$a^{0}?iəu^{35} tsʰien$^{13}_{21}$.kai$^{53}_{44}$ka$^{35}_{44}$ɲin$^{13}_{21}$n̩$^{13}_{21}$ti$^{35}_{44}$ci^{21}iəu^{35}tsʰien$^{13}_{21}$,kai$^{53}_{44}$ka$^{35}_{44}$tʰi^{53}tʂʮ^{21}iəu^{35}tsʰien$^{13}_{21}$.kai$^{53}_{44}$ci^{21}ʂʅ$^{53}_{44}$tsʰien$^{13}_{21}$tʰau$^{53}_{44}$ka^{53}tsɔŋ^{35}ɔn$^{35}_{44}$ tso$^{53}_{44}$.tʂʰəu$^{13}_{21}$li^{0}uk^{3}mau$^{13}_{44}$tek^{3},mak^{3}ke$^{53}_{44}$təu$^{35}_{44}$iəu$^{35}_{44}$.ʂei^{21}tʰəŋ^{21}ciɔk^{3}pʰən$^{13}_{21}$təu$^{35}_{44}$iəu^{35}.tsʰɔŋ^{13}ŋa^{0},e^{21},tsʰo^{53}tʂəŋ^{35} ŋa^{0},e^{21},ʂəu^{35}tsɔk^{3}a^{0},mak^{3}a^{0}təu$^{35}_{44}$iəu$^{35}_{44}$.tien^{53}na^{0},ɲiau^{53}tʰəŋ^{21}ciɔk^{3}pʰən$^{13}_{21}$təu$^{35}_{44}$iəu^{35}.e^{21},tsʰien^{13}tʰau^{53}ke$^{53}_{44}$ka^{53} tsɔŋ^{35},kai$^{53}_{44}$ke$^{53}_{44}$ʂʅ$^{53}_{44}$.ci$^{13}_{21}$ke$^{53}_{44}$ka^{53}tsɔŋ$^{35}_{44}$nei^{0},ci$^{13}_{21}$in^{35}uei$^{53}_{44}$ciet^{3}fən^{35}kai^{53}pu$^{35}_{44}$kau^{21}ŋ̍^{13}ʂaŋ^{13}çi^{53}ia^{0},to^{35}li^{0}a^{0},ci^{21}ʂət^{5} kɔŋ^{53}ŋa^{0},ɔn$^{35}_{44}$tso$^{53}_{44}$,ci^{21}ʂət^{5}kɔŋ^{53}ŋa^{0},tsʰin^{53}ɲin^{13}kɔŋ^{35}tau^{21}çi^{53}ʂa^{0}.tsʰiəu$^{53}_{44}$uɔi$^{53}_{44}$ciet^{3}fən^{35}tsiəu^{21}ke$^{53}_{44}$pan^{53}cie^{53}ɲiet^{5} tʂʮ$^{35}_{44}$tsʰien$^{13}_{21}$tsʰiəu$^{53}_{44}$cia^{53}ʂʅ^{53}səŋ^{53}ka^{53}tsɔŋ^{35}.səŋ^{53}na^{0},səŋ^{53}ka$^{53}_{44}$tsɔŋ$^{35}_{21}$, ɲi^{21}fɔŋ$^{35}_{44}$səŋ^{53}tau^{21}lɔi$^{13}_{21}$.iet^{3}pɔn^{35}ʂʅ^{53}lan$^{13}_{21}$ fɔŋ$^{35}_{44}$çi$^{53}_{44}$tsiait^{3}.ci^{13}kai$^{53}_{44}$ke$^{53}_{44}$,ci$^{13}_{21}$iəu^{35}tsʰien^{13}na^{0}.ci^{13}kan^{21}cie^{53}la^{0},ci$^{13}_{21}$ke$^{53}_{44}$ka^{53}tsɔŋ^{35}ʂʅ$^{53}_{44}$,ta^{21}pi^{21}ɔi$^{53}_{44}$səŋ^{53}tʂak^{3} mən^{35}tʰai^{53}ke$^{53}_{44}$li$^{35}_{44}$,i^{35}tʂʰəu$^{13}_{21}$,xei$^{53}_{44}$me$^{53}_{44}$?kai$^{53}_{44}$i^{35}tʂʰəu$^{13}_{21}$təu^{21}li^{0}le^{0},pət^{3}lən$^{13}_{44}$lau^{35}kʰəŋ^{35}ke$^{53}_{44}$la^{0},ɔi$^{53}_{44}$fɔŋ^{53}tiet^{5}tsɿ^{0} təŋ^{35}si^{0},pət^{3}lən$^{13}_{44}$lau^{35}kʰəŋ^{35}ke$^{53}_{44}$, ɲi$^{13}_{21}$fɔŋ$^{53}_{44}$tet^{5}tsɿ^{0}san^{35}fu^{53},fɔŋ^{53}tet^{5}tsɿ^{0}pʰi^{35}pʰo$^{35}_{44}$kai$^{53}_{44}$tʂak$^{3}_{0}$.e^{21}.fɔŋ^{53}tet^{5}san^{35}

fu^{53},fəŋ^{53}tet^{5}tsɿ^{0}laŋ^{13}sei^{53}çin^{13}tʰei$^{13}_{44}$,pət^{3}lən^{13}fəŋ^{53}kʰəŋ^{35}ke^{53}.ci$^{13}_{21}$kəŋ^{35}si$^{35}_{44}$ɲin$^{13}_{21}$iəu^{35}ke$^{53}_{44}$ŋai^{13}tien^{0}kei$^{53}_{44}$cien^{53} pɔi$^{53}_{44}$iəu$^{35}_{44}$,ia^{35}m̩$^{13}_{21}$pʰe^{53}mak^{3}a^{0}uən$^{13}_{21}$tsʰien$^{13}_{44}$kəŋ^{35}si$^{35}_{44}$ko^{0},iəu^{35}ke$^{53}_{0}$iəu^{35}tet^{5}ɲin$^{13}_{44}$ke$^{53}_{44}$kuei$^{35}_{44}$tʂʅ^{21}ʂʅ$^{53}_{44}$,ci^{21}mau$^{13}_{21}$ mak^{3}a^{0}u^{21}liau^{0}ia^{0},kau^{21}lo^{13}kuk^{3},fəŋ^{53}iet^{3}lo$^{13}_{21}$kuk^{3}fəŋ$^{53}_{44}$(x)a$^{53}_{44}$təu^{21}li^{0}.iau$^{53}_{44}$kəŋ$^{35}_{44}$tsʰin$^{53}_{44}$li^{0}miaŋ^{53}ŋa^{0}ɲiaŋ^{53} ua$^{53}_{44}$.iəu^{53}mau$^{13}_{21}$tʂʰa^{35}lei^{0}i$^{35}_{44}$tsʰien$^{13}_{44}$ne^{0}.ci^{21}ʂət^{5}cin^{35}na^{0},pak^{3}to$^{35}_{44}$cin^{35}na^{0},iəu^{53}xei$^{53}_{44}$iet^{3}tʂak^{3}iet^{3}kəŋ^{53}tʂʰəu^{13} ua^{0},iəu^{53}ci^{21}ʂət^{5}cin$^{35}_{44}$kuk^{3}a^{0},pak^{3}to$^{35}_{44}$cin$^{35}_{44}$kuk^{3}a^{0},xei$^{53}_{21}$iau$^{53}_{44}$kəŋ^{35}tsʰin$^{53}_{44}$li^{0}miaŋ^{53}ŋa^{0}.cien^{35}pɔk^{3}təu$^{35}_{21}$kəŋ$^{35}_{44}$ tʰəŋ^{53}li^{0}a^{0},kəŋ^{35}ɲi$^{13}_{21}$ci$^{13}_{21}$ʂət^{5}li^{35}ia^{0}.ei^{21},ien^{21}iəu$^{53}_{44}$kan^{21}ien^{21}na^{0},tʂʰəŋ^{35}iəu$^{53}_{44}$kan^{21}tʂʰəŋ^{35}ŋa^{0}.

【尖$_{1}$】tsian^{35} 形①物体的末端细削而锐利：爱分箇齿搞～来。ɔi$^{53}_{44}$pən^{35}kai$^{53}_{44}$tʂʰʅ^{21}kau^{21}tsian^{35}nɔi$^{13}_{21}$. ｜一头～一头扁个。iet^{3}tʰei^{13}tsian$^{35}_{44}$iet^{3}tʰei^{13}pien^{21}ke$^{53}_{44}$. ②声音高甚至刺耳：牙笛子就声音更～呶。ŋa^{13}tʰak^{5}tsɿ^{0}tsʰiəu$^{53}_{44}$saŋ^{35}in$^{35}_{44}$cien^{53}tsian^{35}nau^{0}.

【尖$_{2}$】tsian^{35} 名用作地名中的通名：鹰嘴～ in^{35}tsʰi$^{13}_{21}$tsian^{35}

【尖刀】tsian^{35}tau$^{35}_{44}$ 名前端尖锐而锋利的刀子：箇张刀欸渠就张箇尖刀嘞，晶尖个嘞。kai$^{53}_{44}$tʂəŋ$^{35}_{44}$tau^{35}ei^{0}ci$^{13}_{21}$tsʰiəu^{53}tʂəŋ^{35}kai$^{53}_{44}$tsian^{35}tau$^{35}_{44}$lei^{0},li^{35}tsian^{35}ke^{53}lei^{0}.

【尖尖子】tsian^{35}tsian^{35}tsɿ^{0} 形尖尖的样子：春天呐丝芒正长起来个时候～个。tʂʰən^{35}tʰien$^{35}_{44}$na^{0}sɿ^{35} məŋ$^{13}_{21}$tʂaŋ^{53}tʂəŋ^{21}çi^{21}lɔi^{13}ke$^{53}_{44}$ʂʅ$^{13}_{44}$xei$^{53}_{44}$tsian^{35}tsian^{35}tsɿ^{0}ke^{53}.

【尖栗】tsian^{35}liet^{5} 名与板栗同科，果实为带刺球型圆球，壳头内一般只有一个锥状的坚果，味同板栗：～窝tsian^{35}liet^{5}uo^{35} 地名｜啊，～树，箇种树结出来个栗子嘞溜尖个。欸，掺渠相对个嘞，板栗树。板栗树结个栗子嘞就瀌大一只，溜圆个，更方正。欸，还有起嘞毛栗子树。毛栗子树嘞渠箇就结个毛栗子嘞丁啮大子。如今呢政府我看下子噢我旧年冬下听讲渠等讲话箇扶贫呐就爱老百姓去栽～树。但是～虽然唔大，但是产量高。欸，烂贱，箇只东西真烂贱。食啊，舞倒来食啦，好食。留得好就真好食。爱留得好，津甜呶箇就。你还再一个月啊两个月你就欸再过个多月欸，以个栏场就有～食了，有板栗食了。a$_{21}$,tsian^{35}liet^{5}ʂəu^{53},kai$^{53}_{44}$tʂəŋ^{21}ʂəu^{53} ciet^{3}tʂʰət^{3}lɔi$^{13}_{44}$ke$^{53}_{44}$liet^{5}tsɿ^{0}lei^{0}liəu^{35}tsian$^{35}_{44}$cie^{0}.e$_{21}$,lau^{35}ci$^{13}_{21}$siɔŋ^{35}tei^{53}ke$^{53}_{44}$lei^{0},pan^{21}liet^{5}ʂəu^{53}.pan^{21}liet^{5}ʂəu^{53} ciet^{3}ke^{53}liet^{5}tsɿ^{0}lei^{0}tsʰiəu$^{53}_{44}$mən^{35}tʰai^{53}iet^{3}tʂak^{3},liəu^{35}ien^{13}ke^{53},cien^{53}fəŋ^{35}tʂən^{53}.e$_{21}$.xai$^{13}_{21}$iəu$^{35}_{53}$çi$^{21}_{44}$lei^{0}mau^{35} liet^{5}tsɿ^{0}ʂəu^{53}.mau^{35}liet^{5}tsɿ^{0}ʂəu^{53}lei^{0}ci$^{13}_{44}$kai^{53}tsʰiəu$^{53}_{44}$ciet^{3}ke^{53}mau^{35}liet^{5}tsɿ^{0}lei^{0}tin$^{35}_{53}$ŋait^{3}tʰai^{53}tsɿ^{0}.i$^{13}_{21}$cin$^{35}_{44}$nei^{0} tʂən^{53}fu$^{21}_{44}$ŋai$^{13}_{21}$kʰɔn^{53}xa^{53}tsɿ^{21}au$_{44}$ŋai$^{13}_{44}$cʰiəu^{53}ɲien$^{13}_{21}$təŋ$^{35}_{44}$xa$^{53}_{44}$tʰaŋ^{35}kəŋ^{21}ci$^{13}_{21}$tien^{0}kəŋ^{21}ua$^{53}_{21}$kai^{53}fu^{13}pʰin^{13}na^{0} tsʰiəu^{53}ɔi^{53}lau^{21}pɔit^{3}sin^{53}cʰi$^{53}_{44}$tsɔi^{35}tsian^{35}liet^{5}ʂəu^{53}.tan$^{53}_{44}$ʂʅ$^{53}_{44}$tsian^{35}liet^{5}sei^{35}vien$^{13}_{21}$n̩^{13}tʰai^{53},tan^{53}ʂʅ^{53}tsʰan^{21}liɔŋ^{53} kau^{35}.e$_{21}$,lan^{53}tsʰien^{53},kai$^{53}_{21}$(tʂ)ak^{3}təŋ$^{35}_{44}$si^{0}tʂən^{35}lan^{53}tsʰien^{53}.ʂət^{5}a^{0},u^{21}tau^{21}lɔi$^{13}_{21}$ʂət^{5}la^{0},xau^{21}ʂət^{5}.liəu^{13}tek^{3} xau^{21}tsiəu$^{53}_{44}$tʂən^{35}xau^{21}ʂət^{5}.ɔi^{53}liəu^{13}tek^{3}xau^{21},tsin^{35}tʰian$^{13}_{44}$nau^{0}kai$^{53}_{44}$tsʰiəu$^{53}_{44}$. ɲi$^{13}_{21}$xai^{13}tsai^{53}iet^{3}cie^{53}ɲiet^{5}a$_{44}$iɔŋ^{21} ke^{53}ɲiet^{5}ɲi^{13}tsʰiəu^{53}e^{0}tsai^{53}ko^{53}cie^{53}to$^{35}_{44}$ɲiet^{5}e^{0},i^{21}ke^{53}laŋ$^{13}_{44}$tʂʰɔŋ$^{13}_{44}$tsʰiəu$^{53}_{44}$iəu$^{35}_{44}$tsian^{35}liet^{5}ʂət^{5}liau^{0},iəu$^{35}_{44}$pan^{21} liet^{5}ʂət^{5}liau^{21}.

【尖捋捋哩】tsian^{35}lɔit^{5}lɔit^{5}li^{0} 形尖尖的样子：箇个做观赏用个箇个亭子啊，亭子箇屋顶啊做起箇～，真好看。箇个四只角个六咁个亭……凉亭子啊，亭子个屋顶啊，～做倒，嗯，真好看。kai$^{53}_{44}$ke$^{53}_{44}$tso^{53}kɔn^{35}ʂɔŋ^{21}iəŋ^{53}ke^{53}kai$^{53}_{44}$kei$^{53}_{44}$tʰin^{13}tsɿ^{0}a^{0},tʰin^{13}tsɿ^{0}kai^{53}uk^{3}taŋ^{21}ŋa^{0}tso$^{53}_{44}$cʰi^{21}kai$^{53}_{44}$tsian$^{35}_{44}$lɔit^{5} lɔit^{5}li^{0},tʂən^{35}xau^{21}kʰɔn^{53}.kai$^{53}_{44}$ke$^{53}_{44}$si^{53}tʂak^{3}kɔk^{3}ke^{0}liəuk^{3}kan^{21}ke^{53}tʰin^{13}…liɔŋ^{13}tʰin^{13}tsa^{0},tʰin^{13}tsɿ^{0}ke^{53}uk^{3} taŋ^{21}a^{0},tsian^{35}lɔit^{5}lɔit^{5}li^{0}tso$^{53}_{44}$tau$^{21}_{44}$,n$_{21}$,tʂən^{35}xau^{21}kʰɔn^{53}.

【尖屋笠子】tsian^{35}təuk^{3}liet^{3}tsɿ^{0} 名一种用棕丝和篾片编成的圆锥形小斗笠（多产自湘乡、宁乡，可遮阳也可遮雨）：分得清楚滴子就～唠。又唔系嘞，～是外背来个嘞。fən^{35}tek^{3}tsʰin^{35}tsʰu^{21} tiet^{5}tsɿ^{0}tsʰiəu$^{53}_{44}$tsian^{35}təuk^{3}liet$^{5}_{3}$tsɿ^{0}lau^{0}.iəu^{53}m̩^{13}pʰe^{53}(←xe^{53})lei^{0}.tsian^{35}təuk^{3}liet$^{5}_{3}$tsɿ^{0}ʂʅ$^{53}_{44}$ŋɔi^{53}pɔi$^{53}_{44}$lɔi$^{13}_{21}$ke^{53} lei^{0}.

【尖屋瓮】tsian^{35}təuk^{3}uəŋ^{53} 名①泛指一头溜尖的东西：欸，如今箇个街上卖个箇起尖屋笠子啊，顶高溜尖个，只好挂下壁上，放是放唔稳。咁子翻覆覆哩欸咁子张张哩放咯，放就放唔稳，只好挂下壁上。溜尖个箇顶高哇，溜尖个。当然咁子覆下去是可以唠。箇个就～样。安做尖屋笠子。ei$_{21}$,i$^{13}_{21}$cin$^{35}_{53}$kai$^{53}_{44}$ke$^{53}_{44}$kai^{35}xɔŋ$^{53}_{44}$mai^{53}ke$^{53}_{44}$kai$^{53}_{44}$çi^{21}tsian^{35}təuk^{3}liet^{3}tsɿ^{0}a^{0},taŋ^{21}kau$^{35}_{44}$liəu^{35}tsian$^{35}_{44}$ cie^{0},tʂʅ^{21}xau^{21}kua^{53}(x)a^{53}piak^{3}xɔŋ^{53},fəŋ^{53}ʂʅ$^{53}_{44}$fəŋ^{53}n̩$^{13}_{21}$uən^{21}.kan^{21}tsɿ^{0}fan$^{35}_{44}$pʰuk^{3}pʰuk^{3}li^{0}e$_{21}$kan^{21}tsɿ^{0}tʂɔŋ^{35}tʂɔŋ$^{35}_{44}$ li^{0}fəŋ^{53}ko^{0},fəŋ^{53}tsʰiəu$^{53}_{44}$fəŋ^{53}n̩$^{13}_{21}$uən^{21},tʂʅ^{21}(x)au^{21}kua^{53}(x)a$^{53}_{44}$piak^{3}xɔŋ^{53}.liəu^{35}tsian$^{35}_{44}$cie^{0}kai^{53}taŋ^{21}kau$^{35}_{44}$ua^{0}, liəu^{35}tsian$^{35}_{44}$cie^{0}.tɔŋ^{35}vien$^{13}_{21}$kan^{21}tsɿ^{3}pʰuk^{3}(x)a^{53}çi^{53}ʂʅ$^{53}_{21}$kʰo^{21}i$^{35}_{44}$lau^{0}.kai$^{53}_{44}$ke^{53}tsʰiəu$^{53}_{44}$tsian$^{35}_{44}$təuk^{3}uəŋ^{53}iɔŋ$^{53}_{44}$.ɔn$^{35}_{44}$ tso$^{53}_{44}$tsian^{35}təuk^{3}liet^{3}tsɿ^{0}. ②喻指爱占便宜、气量小、好嫉妒因而不受人待见的人：欸正先讲就话我等箇映箇只喊叔公个真檝须呀，只想占别人家便宜，欸，结果嘞渠就一只～样。首先系

下欸箇阵子因为渠屋下出身唔多好，因为渠个爷子个原因，舞倒渠系下箇边我等大队上个箇边箇条冲里，安做冷水坑，跍唔住，～样。又系归来，系归我等箇本地来，系唔系？又系归本地来，又家家都斗外角，家家都搞惹哩，～样。如今是两公婆系下箇岭角里，唔知几山个栏场。有么人摎渠㰖了。我唔系话有兜子唔想归去系咯，就系有兜子咁个唔想归去系。即使做只屋咯都唔想归去系。箇～样嘞，么个都咁㰖呢。渠还有只嘞，渠除哩㰖你以外嘞，渠还呢真眼热别人家，长日眼热别人家，看唔得别人家好。e^{0} tʂaŋ$^{53}_{44}$sien^{35}kɔŋ^{21}tsʰiəu^{53}ua^{53}ŋai^{13}tien^{0} kai^{53}iaŋ^{53}kai^{53}tʂak^{3} xan^{53}ʂəuk^{3} kəŋ^{35}ke^{0} tʂən$^{35}_{44}$tsian$^{35}_{44}$si$^{35}_{44}$ia^{0},tʂʅ^{21}siɔŋ^{21}tʂan$^{35}_{44}$pʰiet^{5} in$^{13}_{44}$ka$^{35}_{44}$pʰien$^{13}_{21}$ɲin$^{13}_{44}$,ei$_{21}$,ciet^{3} ko^{21}lei^{0} ci^{13}tsʰiəu^{53}iet^{3} tʂak^{3} tsian^{35}təuk^{3} uəŋ^{53}iɔŋ^{53}.ʂəu^{21}sen^{35}xei$^{53}_{44}$(x)a$^{53}_{44}$e$_{21}$kai^{53}tʂʰən^{35}tsʅ^{0} in^{35}uei$^{53}_{21}$ci$^{53}_{21}$uk^{3} xa$^{53}_{44}$ tʂʰət^{3} ʂən$^{35}_{53}$n̩$^{13}_{21}$to$^{35}_{44}$xau^{21},in^{35}uei$^{53}_{44}$ci$^{13}_{44}$kei^{53}ia^{13}tsʅ^{0} ke$^{35}_{44}$vien$^{35}_{21}$in^{35},u^{21}tau^{21}ci$^{13}_{44}$xei^{53}(x)a$^{53}_{44}$kai^{53}pien$^{35}_{44}$ŋai$^{13}_{21}$tien^{0} tʰai^{53}ti$^{53}_{44}$ xɔŋ$^{53}_{44}$kei$^{53}_{44}$kai^{53}pien$^{35}_{44}$kai^{53}tʰiau$^{13}_{21}$tʂʰəŋ^{35}li^{0},ɔn$^{35}_{44}$tso$^{53}_{44}$laŋ^{35}ʂei^{21}xaŋ^{35},ku$^{35}_{44}$n̩$^{13}_{21}$tʂʰəu^{53},tsian$^{35}_{44}$təuk^{3} uəŋ^{53}iɔŋ$^{53}_{44}$.iəu^{53} xei^{53}kuei^{35}lɔi$^{13}_{21}$,xei^{53}kuei$^{35}_{44}$ŋai$^{13}_{21}$tien^{0} kai^{53}pən^{21}ti^{53}lɔi$^{13}_{21}$,xei^{53}me$^{53}_{44}$?iəu$^{35}_{44}$xei^{53}kuei$^{35}_{44}$pən^{21}ti^{53}lɔi$^{13}_{44}$,iəu^{53}ka^{35}ka$^{35}_{44}$təu$^{35}_{44}$ tei^{53}uai^{53}kɔk^{3},ka^{35}ka$^{35}_{44}$təu$^{35}_{44}$kau^{21}ɲia^{53}li^{0},tsian^{35}təuk^{3} uəŋ^{53}iɔŋ$^{53}_{44}$.i$^{13}_{21}$cin$^{35}_{53}$ʂʅ$^{53}_{44}$iɔŋ^{21}kɔŋ^{35}pʰo$^{13}_{21}$xei^{53}(x)a$^{53}_{44}$kai^{53}liaŋ^{35} kɔk^{3} li^{0},n̩^{13}ti$^{35}_{53}$ci$^{13}_{44}$san$^{35}_{44}$ke$^{53}_{44}$lan$^{13}_{21}$tʂʰɔŋ$^{13}_{21}$.mau$^{13}_{21}$mak^{3} in$^{13}_{44}$lau$^{35}_{44}$ci$^{13}_{44}$tsian$^{35}_{44}$niau^{0}.ŋai^{13}m̩^{13}pʰei$^{53}_{44}$ua$^{53}_{44}$iəu^{35}təu$^{35}_{53}$tsʅ^{0} n̩^{13} siɔŋ^{21}kuei^{35}çi^{35}xe^{53}ko^{0},tsʰiəu$^{53}_{44}$xei$^{53}_{44}$iəu^{35}tei$^{35}_{53}$tsʅ^{0} kan^{21}cie^{53}n̩^{13}siɔŋ^{21}kuei$^{35}_{44}$çi$^{35}_{44}$xe^{53}.tsiet^{3} ʂʅ^{21}tso^{53}tʂak^{3} uk^{3} ko^{0} təu$^{35}_{53}$n̩$^{13}_{21}$siɔŋ^{21}kuei$^{35}_{44}$çi^{35}xe^{53}.kai$^{53}_{44}$tsian$^{35}_{44}$təuk^{3} uəŋ^{53}iɔŋ^{53}le^{0},mak^{3} ke^{53}təu$^{35}_{53}$kan^{21}tsian^{35}nei^{0}.ci$^{13}_{21}$xai^{13}iəu$^{35}_{53}$tʂak^{3} lei^{0},ci$^{13}_{21}$tʂʰəu^{13}li^{0} tsian^{35}ɲi$^{13}_{44}$i$^{35}_{44}$uai^{53}lei^{0},ci$^{13}_{21}$xan$^{13}_{21}$ne^{0} tʂən^{35}ŋan^{21}ɲiet^{5} pʰiet^{5} in$^{13}_{44}$ka$^{35}_{44}$,tʂʰɔŋ$^{13}_{21}$ɲiet^{3} ŋan^{21}ɲiet^{5} pʰiet^{5} in$^{13}_{21}$ka$^{35}_{53}$,kʰɔn^{53}n̩$^{13}_{21}$tek^{3} pʰiet^{5} in$^{13}_{44}$ka$^{35}_{53}$xau^{21}.

【尖嘴钳】tsian^{35}tsi^{21}cʰian^{13} 名 一种钳子，由尖头、刀口和钳柄组成：箇个东西是以前是冇得。如下箇名字是就系学倒个了。以前冇得，～呐，虎钳呐。kai^{53}ke$^{53}_{44}$təŋ$^{35}_{44}$si^{0} ʂʅ$^{53}_{44}$i$^{35}_{44}$tsʰien^{13}ʂʅ$^{53}_{44}$mau^{13} tek$^{3}_{5}$.i$^{13}_{21}$xa^{53}kai^{53}miaŋ^{13}tsʰʅ^{53}ʂʅ$^{53}_{44}$tsʰiəu^{53}xe$^{53}_{44}$xɔk^{5} tau^{21}ke$^{53}_{44}$liau^{0}.i$^{35}_{44}$tsʰien$^{13}_{21}$mau^{13}tek^{3},tsian$^{35}_{44}$tsi^{21}cʰian^{13}na^{0},fu^{21} cʰian^{13}na^{0}.

【尖嘴子】tsian^{35}tsi^{21}tsʅ^{0} 名 某些物体呈尖锐形状的一端：（笋干）有只～。iəu^{35}tʂak^{3} tsian^{35}tsi^{21} tsʅ^{0}.

【间$_{1}$】kan^{35} 名 ①屋子。房子内隔成的部分，与“厅子”相对：箇就中间只厅，一边一只～。kai$^{53}_{44}$tsʰiəu$^{53}_{44}$tʂəŋ^{35}kan$^{35}_{44}$tʂak^{3} tʰaŋ^{35},iet^{3} pien^{35}iet^{3} tʂak^{3} kan^{35}.｜（槽门）两边系有～个。iɔŋ^{21}pien$^{35}_{44}$xe$^{53}_{44}$ iəu$^{35}_{44}$kan^{35}cie$^{53}_{21}$. ②特指内室、卧室：～你就莫分狗进去。kan^{35}ni^{21}tsʰiəu$^{53}_{44}$mo$^{53}_{44}$pən$^{35}_{44}$ciei^{21}tsin$^{53}_{44}$çi$^{53}_{44}$.

【间$_{2}$】kan^{35} 量 用于屋子：一～屋 iet^{3}kan^{35}uk^{3}｜如只上背五～。i$^{13}_{21}$iak^{3} ʂɔŋ^{53}pɔi$^{53}_{44}$ŋ̍^{21}kan$^{35}_{44}$.

【间里】kan^{35}li^{0} 名 指卧室：客姓人就硬话～，睡人个，睡目个～。kʰak^{3} sin^{53}ɲin$^{13}_{44}$tsʰiəu$^{53}_{44}$ɲiaŋ^{53} ua$^{53}_{44}$kan^{35}ni^{0},ʂɔi^{53}ɲin^{13}cie$^{53}_{44}$,ʂɔi^{53}muk^{3} ke^{53}kan^{35}ni^{0}.

【间门】kan^{35}mən$^{13}_{21}$ 名 房间的门，多指卧室门：抱下～外啦。pʰau$^{53}_{44}$ua^{0} kan^{35}mən$^{13}_{21}$uai^{53}la^{0}.

【肩】cien^{35} 名 肩膀：换下子～呐，蔸下子～呐。uɔn^{53}na$_{44}$(←xa^{53})tsʅ^{0} cien^{35}na^{0},tʰiau^{21}(x)a$^{53}_{44}$tsʅ^{0} cien^{35}na^{0}.

【肩膊】cien^{35}pɔk^{3} 名 肩膀：以下就荷唔得哩啊，以下腰上动哩手术就荷唔得哩啊，～荷滴都荷唔得哩啊。i^{21}xa^{53}tsʰiəu^{53}kʰai^{35}n̩$^{13}_{44}$tek^{3} li^{0} a^{0},i^{21}xa^{53}iau^{35}xɔŋ$^{53}_{44}$tʰəŋ^{53}li^{0} ʂəu^{21}ʂət^{5} tsʰiəu$^{53}_{44}$kʰai^{35}n̩$^{13}_{21}$tek^{3} li^{0} a^{0},cien$^{35}_{44}$pɔk^{3} kʰai$^{35}_{44}$tiet^{5} təu$^{35}_{44}$kʰai$^{35}_{44}$n̩$^{13}_{21}$tek^{3} li^{0} a^{0}.

【肩胛】cien^{35}kait^{3} 名 指肩部：担担子个时候子就承倒箇个～窝里。tan^{35}tan^{35}tsʅ^{0} ke^{0} ʂʅ$^{13}_{44}$xei$^{53}_{44}$tsʅ^{0} tsʰiəu$^{53}_{44}$ʂən$^{13}_{21}$tau^{21}kai$^{53}_{44}$ke$^{53}_{44}$cien^{35}kait^{3} uo^{35}li^{0}.｜我以只～箇到～痛个时候子以只手都弯唔过来，弯手唔过来。ŋai^{13}i^{21}tʂak^{3} cien^{35}kait^{3} kai^{53}tau^{53}cien^{35}kait^{3} tʰəŋ^{53}ke^{53}ʂʅ$^{53}_{44}$xəu$^{53}_{44}$tsʅ^{0} i^{21}tʂak^{3} ʂəu^{21}təu$^{35}_{53}$uan^{35}n̩$^{13}_{21}$ko^{53} lɔi$^{13}_{21}$,uan^{35}ʂəu^{21}n̩^{13}ko^{53}lɔi$^{13}_{44}$.

【肩胛骨】cien^{35}kait^{3} kuət^{3} 名 肩关节上的隆生部分：肩胛箇就欸肩膊上箇映就安做肩胛，箇肚里个骨头就安做～。～容易得肩周炎呐。得哩肩周炎是箇只～是硬真痛哦硬哦。cien^{35}kait^{3} kai$^{53}_{44}$tsʰiəu^{53}e^{0} cien^{35}pɔk^{3} xɔŋ$^{53}_{44}$kai$^{53}_{44}$iaŋ$^{53}_{44}$tsʰiəu$^{53}_{44}$ɔn$^{35}_{44}$tso$^{53}_{44}$cien^{35}kait^{3},kai^{53}təu^{21}li^{0} ke^{0} kuət^{3} tʰei^{13}tsʰiəu$^{53}_{44}$ɔn$^{35}_{44}$tso$^{53}_{44}$ cien^{35}kait^{3} kuət^{3} .cien^{35}kait^{3} kuət^{3} iəŋ^{13}i^{53}tek^{3} cien^{35}tʂəu$^{35}_{44}$ien^{13}na^{0} .tek^{3} li^{0} cien$^{35}_{44}$tʂəu$^{35}_{44}$ien^{13}ʂʅ$^{53}_{44}$kai^{53}tʂak^{3} cien^{35} kait^{3} kuət^{3} ʂʅ$^{53}_{44}$ɲian^{53}tʂən^{35}tʰəŋ^{53}ŋo$_{44}$ɲian$^{53}_{44}$ŋo^{0}.

【肩窝】cien^{35}uo^{35} 名 肩膀上凹下的部分：欸，以前呐荷担子啊荷起～都痛。e$_{44}$,i^{35}tsʰien^{13}na^{0} kʰai$^{35}_{44}$tan$^{35}_{44}$tsʅ^{0} a^{0} kʰai$^{35}_{44}$çi^{21}cien^{35}uo^{35}təu$^{35}_{44}$tʰəŋ^{53}.

【监】kan^{35} 动 督促：我新舅是渠就觉得你爱屙尿了，你唔屙哇以就系就打屁股，就～渠硬～渠卡倒渠屙。ŋai^{13}sin^{35}cʰiəu^{35}ʂʅ$^{53}_{44}$ci$^{13}_{21}$tsʰiəu^{53}ci^{13}kɔk^{3} tek^{3} ɲi^{13}ɔi$^{53}_{44}$o^{35}ɲiau$^{53}_{44}$liau^{0}, ɲi$^{13}_{21}$n̩$^{13}_{21}$o^{35}ua^{0} i^{21}tsʰiəu^{53}xe$^{53}_{44}$

tsʰiəu^{53}ta^{21}pʰi$^{53}_{44}$ku^{21},tsʰiəu$^{53}_{44}$kan$^{35}_{44}$ci$^{13}_{44}$ȵiaŋ^{53}kan$^{35}_{44}$ci$^{13}_{44}$kʰa^{21}tau$^{21}_{44}$kʰa^{21}tau^{21}ci$^{13}_{21}$o^{35}.

【监牲】kan$^{35}_{44}$sien^{35} 动 办丧事时宰杀猪羊等牲畜：有滴嘞为了表示敬重呢，剐猪，死哩人呐，杀猪杀羊个时候子嘞，爱打祭，爱～安做。～，监督个监。～要打祭。iəu^{35}tet^{5}lei^{0}uei^{53}liau^{0}piau^{21}ʂʅ$^{53}_{44}$cin^{35}tʂʰəŋ$^{53}_{44}$nei^{0},tʂʰʅ^{13}tʂəu^{35},si^{21}li^{0}ȵin^{13}na^{0},sait^{3}tʂəu^{35}sait^{3}iɔŋ$^{13}_{21}$ke^{53}ʂʅ$^{13}_{21}$xəu$^{53}_{44}$tsʅ^{0}lei^{0},ɔi$^{53}_{44}$ta^{21}tsi^{53},ɔi$^{53}_{44}$kan$^{35}_{44}$sien^{35}ɔn$^{35}_{44}$tso$^{53}_{44}$.kan$^{35}_{44}$sien^{35},kan^{35}təuk^{3}ke$^{53}_{44}$kan^{35}.kan$^{35}_{44}$sien^{35}niau^{53}ta^{21}tsi$^{53}_{44}$.

【兼问】cien^{35}mən^{53} 动 打听：同你～下子。tʰəŋ^{35}ȵi^{13}cien^{35}mən^{53}xa^{53}tsʅ^{0}.

【煎】tsien^{35} 动 烹饪方法。把食物放在少量的热油里弄熟：煎辣椒是会～倒食，就是放滴油去～。完只去～。tsien^{35}lait^{5}tsiau$^{35}_{44}$ʂʅ$^{53}_{44}$uɔi$^{53}_{44}$tsien$^{35}_{44}$tau^{21}ʂət^{5},tsiəu$^{53}_{21}$ʂʅ$^{53}_{44}$fɔŋ$^{53}_{44}$tet^{5}iəu^{13}çi$^{53}_{44}$tsien^{35}.uɔn^{13}tʂak^{3}çi^{53}tsien^{35}.

【煎饽饽】tsien^{35}/tsen^{35}pɔk^{5}pɔk^{5} 名 煎熟的蛋：一般我等以映个～是就系一般就咁子煎呢，就系搕两三只饽饽搕下碗里呀，欸，交兜么个东西去一调呢，和匀来嘞，和匀来，放兜油盐呐，放兜箇个欸哦放兜盐，放兜盐嘞，放兜子配料箇个，交匀净来嘞。镬里放兜油，然后就倾倒去煎呢，煎成一只饼嘞，系啊？～好食嘞。欸，有兜么个～啊？欸，箇个最好食个就系椿烟～，嗯，椿，最好食。iet^{3}pɔn$^{35}_{53}$ŋai^{13}tien^{0}i$^{13}_{21}$iaŋ^{53}ke^{0}tsen^{35}pɔk^{5}pɔk^{5}ʂʅ$^{53}_{44}$tsʰiəu^{53}xe^{53}iet^{3}pɔn^{35}tsʰiəu^{53}kan$^{21}_{13}$tsʅ^{0}tsen^{35}nei^{0},tsiəu$^{53}_{44}$xe$^{53}_{44}$kʰɔk^{5}iɔŋ^{21}san$^{35}_{44}$tʂak^{3}pɔk^{5}pɔk^{5}kʰɔk^{5}(x)a^{53}uɔn^{21}ni^{21}ia^{0},e$_{21}$,ciau^{35}tei$^{35}_{53}$mak^{3}e^{0}təŋ$^{35}_{44}$si^{0}çi^{53}iet^{3}tʰiau^{13}nei^{0},xo^{13}uən^{13}nɔi$^{13}_{44}$lei^{0},xo^{13}uən^{13}nɔi$^{13}_{44}$,fɔŋ^{53}tei$^{35}_{53}$iəu^{13}ian^{13}na^{0},fɔŋ^{53}tei^{35}kai$^{53}_{44}$ke$^{53}_{44}$e$_{44}$o^{0}xɔŋ^{53}tei$^{35}_{53}$ian^{13},xɔŋ^{53}tei$^{35}_{53}$ian^{13}le^{0},xɔŋ^{53}tei$^{35}_{53}$tsʅ^{0}pʰei^{53}liau$^{53}_{44}$kai$^{53}_{44}$kei$^{53}_{44}$,ciau^{35}in^{13}tsʰin^{53}nɔi$^{13}_{44}$lei^{0}.uɔk^{5}li^{0}fɔŋ^{53}te$^{35}_{44}$iəu^{13},vien^{13}xei$^{53}_{44}$tsiəu$^{53}_{44}$kʰuaŋ^{35}tau^{21}çi$^{53}_{44}$tsien^{35}nei^{0},tsien^{35}ʂaŋ$^{13}_{21}$iet^{3}tʂak^{3}piaŋ^{21}lei^{0},xei^{53}a^{0}?tsien^{35}pɔk^{5}pɔk^{5}xau^{21}ʂət^{5}le^{0}.ei$_{21}$,iəu^{35}tei$^{35}_{44}$mak^{3}e^{0}tsen$^{35}_{44}$pɔk^{5}pɔk^{5}a^{0}?e$_{21}$,kai^{53}ke^{53}tsei^{53}xau^{21}ʂət^{5}ke$^{53}_{44}$tsʰiəu^{53}xe^{53}tʂʰən^{35}ien^{35}tsen$^{35}_{44}$pɔk^{5}pɔk^{5},n̩$_{53}$,tʂʰən^{35},tsei^{53}xau^{21}ʂət^{5}.

【煎蛋】tsien^{35}tʰan^{53} 名 煎熟的蛋。又称“煎饽饽”：～就系煎饽饽啊。～爱放兜子么个放兜子别么个加兜子别么个东西去煎，更好食。欸，可以欸交酸菜，可以交藠苗，藠蔸藠苗，欸，咁子去煎蛋，煎倒箇更香。还有只～呢也爱本，爱有油，爱油多，油少哩煎倒唔好食，豩镬油少哩是。tsen^{35}tʰan^{53}tsʰiəu^{53}xe$^{53}_{44}$tsen$^{35}_{44}$pɔk^{5}pɔk^{5}a^{0}.tsen^{35}tʰan^{53}ɔi^{53}fɔŋ^{53}tei$^{35}_{53}$tsʅ^{0}mak^{3}kei^{53}fɔŋ^{53}tei$^{35}_{53}$tsʅ^{0}pʰiet^{5}mak^{3}e^{0}cia^{35}tei$^{35}_{53}$tsʅ^{0}pʰiet^{5}mak^{3}e^{0}təŋ$^{35}_{44}$si^{0}çi$^{53}_{44}$tsen^{35},cien$^{53}_{44}$xau^{21}ʂət^{5}.e$_{21}$,kʰo^{21}i$^{13}_{44}$e$_{44}$ciau^{35}sɔn^{35}tsʰɔi^{53},kʰo^{21}i$^{35}_{44}$ciau^{35}cʰiau^{35}miau^{13},cʰiau^{35}tei$^{35}_{44}$cʰiau^{35}miau^{13},e$_{21}$,kan^{21}tsʅ^{0}çi^{53}tsen$^{35}_{44}$tʰan^{53},tsen^{35}tau^{21}kai^{53}cien$^{53}_{44}$çiɔŋ^{35}.xai$^{13}_{21}$iəu$^{35}_{53}$tʂak^{3}tsen^{35}tʰan^{53}nei^{0}ia^{35}ɔi^{53}pən^{21},ɔi^{53}iəu^{35}iəu^{13},ɔi^{53}iəu^{13}to^{35},iəu^{13}ʂau^{21}li^{0}tsen^{35}tau^{21}m̩$^{13}_{21}$xau^{21}ʂət$^{5}_{3}$,ȵia^{13}uɔk^{5}iəu^{13}ʂau^{21}li^{0}ʂʅ^{53}.

【煎豆腐】tsien^{35}tʰei$^{53}_{44}$fu$^{53}_{44}$ 名 用少量的油将豆腐两面煎黄后焖制成的菜肴：欸，～，一般就系水豆腐就放倒去煎。欸，解细下子来，镬里放正兜子油，欸，放煎，煎倒嘞，然后小心呢慢慢子又翻转来，两面都煎倒哩以后，放倒水去煮，箇就系～。e$_{21}$,tsen^{35}tʰei^{53}fu$^{53}_{44}$,iet^{3}pɔn^{35}tsʰiəu^{53}xe^{53}ʂei^{21}tʰei^{53}fu^{53}tsʰiəu^{53}fɔŋ^{53}tau^{21}çi^{53}tsien^{35}.e$_{21}$,kai^{53}sei^{53}xa$^{53}_{44}$tsʅ^{0}lɔi^{13},uɔk^{5}li^{21}fɔŋ^{53}tʂaŋ$^{53}_{44}$tei$^{35}_{53}$tsʅ^{0}iəu^{13},e$_{21}$,fɔŋ^{53}tsen^{35},tsen^{35}tau^{21}lei^{0},vien^{13}xei$^{53}_{44}$siau^{21}sin$^{35}_{44}$ne^{0}man^{53}man^{53}tsʅ^{0}iəu$^{53}_{44}$fan^{35}tʂuɔn^{21}nɔi^{13},iɔŋ^{21}mien$^{53}_{44}$təu$^{35}_{44}$tsen^{35}tau^{21}li^{0}i$^{35}_{44}$xei^{53},fɔŋ^{53}tau^{21}ʂei^{21}cʰi^{53}tʂəu^{21},kai$^{53}_{21}$tsʰiəu$^{53}_{21}$xe$^{53}_{21}$tsen^{35}tʰei^{53}fu^{53}.

【煎辣椒】tsien^{35}lait^{5}tsiau^{35} 名 煎制的辣椒：～是会煎倒食，就是放滴油去煎。完只去煎，系啊？箇有。tsien^{35}lait^{5}tsiau$^{35}_{44}$ʂʅ$^{53}_{44}$uɔi$^{53}_{44}$tsien$^{35}_{44}$tau^{21}ʂət^{5},tsiəu$^{53}_{21}$ʂʅ$^{53}_{44}$fɔŋ$^{53}_{44}$tet^{5}iəu^{13}çi$^{53}_{44}$tsien^{35}.uɔn^{13}tʂak^{3}çi^{53}tsien^{35},xei$^{53}_{44}$a^{0}?kai$^{53}_{44}$iəu^{35}.

【櫼$_{1}$】tsian^{35} 名 ①楔子：渠指铁锤子是锤箇只长刨个刨铁，锤箇只～。ci^{13}ʂʅ$^{53}_{44}$tʂʰei^{13}kai^{53}tʂak^{3}tʂʰɔŋ^{13}pʰau^{13}ke$^{53}_{44}$pʰau^{13}tʰiet^{3},tʂʰei^{13}kai^{53}tʂak^{3}tsian^{35}. ②榨枋子中的一种，外头宽大里头窄小：欸，打油个时候子啊，就分箇个用箇撞来欸撞箇～，箇～就放势挤，挤倒箇个油出来哩嘞，然后嘞再搕嘿箇个顺去，就分箇榨就松嘿哩。e$_{44}$,ta^{21}iəu^{13}kei^{53}ʂʅ$^{13}_{44}$xəu$^{53}_{44}$tsa^{0},tsʰiəu^{53}pən^{35}kai$^{53}_{44}$kei$^{53}_{44}$iɔŋ$^{53}_{44}$kai$^{53}_{44}$tsʰɔŋ^{53}lɔi$^{13}_{21}$e$_{21}$,tsʰɔŋ^{53}kai^{53}tsian^{35},kai$^{53}_{44}$tsian^{35}tsʰiəu^{53}xɔŋ^{53}ʂʅ^{53}tsi^{21},tsi^{21}tau^{21}kai^{53}ke^{53}iəu^{13}tʂʰət^{3}lɔi$^{13}_{21}$li^{0}lei^{0},vien^{13}xei$^{53}_{44}$lei^{0}tsai^{53}kʰɔk^{5}(x)ek^{3}kai$^{53}_{44}$ke$^{53}_{44}$ʂən^{53}çi$^{53}_{44}$,tsʰiəu$^{53}_{44}$pən$^{35}_{44}$kai$^{53}_{44}$tsa^{53}tsʰiəu$^{53}_{21}$səŋ^{35}ŋek^{3}li^{0}.

【櫼$_{2}$】tsian^{35} 动 ①挤紧；楔住：分箇东西～紧来。pən^{35}kai$^{53}_{44}$təŋ$^{35}_{44}$si^{0}tsian^{35}cin^{21}lɔi^{13}. ②设法获取（非分的利益）：～别人家～兜～得滴子倒都好。tsian^{35}pʰiet^{5}in$^{13}_{21}$ka$^{35}_{44}$tsian^{35}təu$^{35}_{53}$tsian$^{35}_{44}$tek^{3}tiet^{5}tsʅ^{0}tau^{21}təu$^{35}_{53}$xau^{21}. ③将柴火放入灶里烧：～滴灶里去烧 tsian^{35}tiet^{5}tsau^{53}li^{0}çi$^{53}_{44}$ʂau^{35}

【櫼须】tsian^{35}si^{35} 形 爱占便宜又气量小：渠个群众关系唔好嘞表现在渠十分～，食滴子亏都食唔得，真～。ci^{13}ke^{53}tʂʰən^{13}tʂəŋ^{53}kuan$^{35}_{44}$çi^{53}n̩$^{13}_{21}$xau^{21}lei^{0}piau^{21}çien^{53}tsʰai^{53}ci$^{13}_{21}$ʂət^{5}fən$^{35}_{44}$tsian^{35}si^{35},ʂət^{5}tiet^{5}

tsɿ^{0} k^{h}uei^{35}təu$^{35}_{44}$ʂət^{5} n̩$^{13}_{21}$tek^{3},tʂən^{35}tsian$^{35}_{44}$si$^{35}_{53}$.

【櫼油】tsian^{35}iəu^{13} 动 一种儿童游戏。靠墙站成一排，各人往前方的人身上用力，被挤出队伍的为输家，要站回队伍末尾：欸，我等细细子啊，冷天，冷稳哩啊，就会去～呢，你等搞过吗？徛倒檐头下，徛倒箇弁倒箇墙啊，系唔系？弁倒箇墙上啊，就来櫼呐。～，安做～呢。箇一身就喷滚呢。一种游戏嘞。欸～个游戏蛮好。e$_{44}$,ŋai$^{13}_{21}$tien^{0} sei^{53}sei^{53}tsɿ^{0}a^{0},laŋ^{35}t^{h}ien$^{35}_{44}$,laŋ^{35}uən^{21} ni^{0}a^{0},ts^{h}iəu$^{35}_{44}$uɔi$^{53}_{44}$çi$^{53}_{44}$tsian$^{35}_{44}$iəu^{13}nei^{0}, ɲi^{13}tien^{0}kau^{21}ko$^{53}_{44}$ma^{0}?c^{h}i^{35}tau^{21}ian^{13}t^{h}ei$^{13}_{44}$xa$^{53}_{44}$,c^{h}i^{35}tau^{21}kai^{53}p^{h}ien^{53} tau^{21}kai^{53}ts^{h}iɔŋ^{13}ŋa^{0},xei^{53}me^{53}?p^{h}ien^{53}tau$^{21}_{44}$kai$^{53}_{44}$ts^{h}iɔŋ^{13}xɔŋ^{53}ŋa^{0},tsiəu^{53}lɔi$^{13}_{21}$tsian^{35}na^{0}.tsian^{35}iəu^{13},ɔn^{35}tso^{53} tsian$^{35}_{44}$iəu^{13}nei^{0}.kai^{53}iet^{3} ʂən^{35}ts^{h}iəu$^{53}_{44}$p^{h}aŋ^{53}kuən^{21}nei^{0}.iet^{3} tʂəŋ^{21}iəu^{13}çi^{53}lei^{0}.e^{0} tsian$^{35}_{44}$iəu$^{13}_{21}$ke^{53}iəu$^{13}_{21}$çi^{53}man$^{13}_{21}$ xau^{21}.

【拣】kan^{21} 动 挑选：（放栋梁）还爱～日子。xa$^{13}_{21}$ɔi^{53}kan^{21}ɲiet^{3} tsɿ^{0}.｜渠～个日子。ci^{13}kan^{21}ke^{53} ɲiet^{3} tsɿ^{0}.

【拣床】kan^{21}ts^{h}ɔŋ^{13} 动 择床：欸，我是喜欢睡自家个间，唔想……会～，我自家个间呢狗窦样都好哩。e$_{21}$,ŋai^{13}ʂɿ$^{53}_{44}$çi^{21}fɔn$^{35}_{44}$ʂɔi^{53}ts^{h}ɿ^{35}ka$^{35}_{44}$ke^{53}kan^{35},n̩^{13}siɔŋ^{21}…uɔi^{53}kan^{21}ts^{h}ɔŋ^{13},ŋai$^{13}_{21}$ts^{h}ɿ^{35}ka$^{35}_{44}$ke$^{53}_{44}$kan$^{35}_{44}$nei^{0} kei^{21}tei$^{53}_{44}$iɔŋ$^{53}_{44}$təu$^{35}_{53}$xau^{21}li^{0}.

【拣尽卖了】kan^{21}ts^{h}in^{53}mai^{53}liau^{21} 被顾客挑选完剩下的：～个落脚货 kan^{21}ts^{h}in^{53}mai^{53}liau^{21}ke$^{53}_{44}$ lɔk^{5} ciɔk^{3} fo^{53}

【柬】kan^{21} 量 指结婚时礼帖或请帖用红纸折叠出的等分数：男家头个礼，用红纸子写倒，几多～个全书，几多～。lan^{13}ka$^{35}_{44}$t^{h}ei$^{13}_{21}$ke^{53}li^{21},iəŋ^{53}fəŋ^{13}tʂɿ^{21}tsɿ^{0} sia^{21}tau^{21},ci^{21}to^{35}kan^{21}ke$^{53}_{0}$ts^{h}ien^{13}ʂəu^{35},ci^{21} to^{35}kan^{21}.｜（请帖）用整张红纸折做八下子，折做六下子，哎，八～全书，六～全书。iəŋ^{53} tʂən^{21}tʂɔŋ^{35}fəŋ^{13}tʂɿ^{21}tʂait^{3} tso^{53}pait^{3} xa^{53}tsɿ^{0},tʂait^{3} tso^{53}liəuk^{3} xa^{53}tsɿ^{0},ai^{21},pait^{3} kan^{21}ts^{h}ien^{13}ʂəu^{35},liəuk^{3} kan^{21} ts^{h}ien^{13}ʂəu^{35}.

【捡】cian^{21} 动 ①拾取：粉石子河坝里有～呶。fən^{21}ʂak^{5} tsɿ^{0} xo^{13}pa^{53}li^{0} iəu^{35}cian^{21}nau^{0}. ②收拾；拾掇；摆放妥当：我就拿倒如只位子上个碗筷～正下子。ŋai^{13}ts^{h}iəu$^{53}_{44}$la^{35}tau^{21}i$^{13}_{21}$tʂak^{3} uei^{53}tsɿ^{0} xɔŋ$^{53}_{44}$ ke$^{53}_{44}$uɔn^{21}k^{h}uai^{53}cian^{21}tʂaŋ^{53}xa$^{53}_{44}$tsɿ^{0}. ③购买（中药）：～两包老茶食哩。cian^{21}iɔŋ^{21}pau$^{35}_{44}$lau^{21}ts^{h}a^{13}ʂət^{5} li^{0}. ④取来：～几块旧板子 cian^{21}ci^{21}k^{h}uai$^{53}_{44}$c^{h}iəu^{53}pan^{21}tsɿ^{0}. ⑤抱养；收养：～只子带哩唠，安做唠。～，～只妹子带嘿哩唠。～只赖子带下子唠。cian^{21} tʂak^{3} tsɿ^{0} tai^{53} li^{0} lau^{0},ɔn$^{35}_{44}$tso^{53} lau^{0}.cian^{21},cian^{21}tʂak^{3} mɔi^{53}tsɿ^{0}tai^{53}(x)ek^{3} li^{0} lau^{0}.cian^{21}tʂak^{3} lai^{53}tsɿ^{0}tai^{53}xa$^{53}_{44}$tsɿ^{0} lau^{0}.

【捡把个】cian^{21}pa^{21}ke^{53} 指负责事前准备、事后收场等辅助工作的人：～，欸，箇唔单是演戏哟，还蛮多东西搞一只么个活动都蛮多都有～噢。打堂祭就有～，就爱～。欸，开只会有～。你煮餐饭食都有～噢，欸，买菜呀，搞正搞嘿哩饭食以后呀洗碗筷箇兜，收碗筷呀，欸，首先就开桌箇兜啦，箇都系～，都有～。唱戏箇～安做么个？安做剧务哦，系唔系？剧务。cian^{21}pa^{21}ke^{53},e$_{21}$,kai^{53}n̩$^{13}_{21}$tan$^{35}_{44}$ʂɿ$^{53}_{44}$ian^{21}çi^{53}io^{0},xai^{13}man^{13}to$^{35}_{44}$təŋ$^{35}_{44}$si^{0} kau^{21}iet^{3} tʂak^{3} mak^{3} ke$^{53}_{44}$xɔit^{5} t^{h}əŋ$^{35}_{44}$təu$^{35}_{44}$ man$^{13}_{21}$to$^{35}_{44}$təu$^{35}_{44}$iəu$^{35}_{44}$cian^{21}pa^{21}ke^{53}au^{0}.ta^{21}t^{h}ɔŋ^{13}tsi^{53}ts^{h}iəu$^{53}_{44}$iəu$^{35}_{44}$cian^{21}pa^{21}ke^{53},ts^{h}iəu$^{53}_{44}$ɔi^{53}cian^{21}pa^{21}kei^{53}.e$_{21}$, k^{h}ɔi$^{35}_{44}$tʂak^{3} fei^{53}iəu$^{35}_{53}$cian^{21}pa^{21}kei^{53}. ɲi^{13}tʂəu^{21}ts^{h}ɔn$^{35}_{44}$fan^{53}ʂət^{5} təu$^{35}_{44}$iəu$^{35}_{44}$cian^{21}pa^{21}ke^{53}au^{0},e$_{21}$,mai^{35}ts^{h}ɔi^{53} ia^{0},kau^{21}tʂaŋ^{53}kau^{21}xek^{3} li^{0} fan^{53}ʂət^{5} i$^{35}_{44}$xei^{53}ia^{0} sei^{21}uɔn^{21}k^{h}uai$^{53}_{44}$kai$^{53}_{44}$te$^{35}_{44}$,ʂəu^{35}uɔn^{21}k^{h}uai^{53}ia^{0},e$_{21}$,ʂəu^{21}sen$^{35}_{44}$ ts^{h}iəu^{53}k^{h}ɔi^{35}tsɔk^{3} kai^{53}tei$^{35}_{53}$la^{0},kai$^{53}_{44}$təu^{35}xei^{53}cian^{21}pa^{21}kei^{53},təu^{35}iəu$^{35}_{53}$cian^{21}pa^{21}kei^{53}.tʂ^{h}ɔŋ$^{53}_{44}$çi^{53}kei$^{53}_{44}$cian^{21}pa^{21} ke^{53}ɔn$^{35}_{44}$tso$^{53}_{44}$mak^{3} ke$^{53}_{44}$?ɔn$^{35}_{44}$tso$^{53}_{44}$tʂət^{3} u^{53}o^{0},xei^{53}me^{53}?tʂət^{3} u^{53}.

【捡场】cian^{21}tʂ^{h}ɔŋ^{13} 名 收拾：请渠等快滴子～啊。ts^{h}iaŋ^{21}ci$^{13}_{21}$tien^{0} k^{h}uai^{53}tiet^{5} tsɿ^{0} cian^{21}tʂ^{h}ɔŋ^{13}ŋa^{0}. ｜咁多客来哩咯，我冇送倒渠客走嘿，冇～啊，系啊？kan^{21}to^{35}k^{h}ak^{3} lɔi$^{13}_{21}$li^{0} ko^{0},ŋai$^{13}_{21}$mau^{13}səŋ^{53} tau^{21}ci^{13}k^{h}ak^{3} tsei^{21}xek^{3},mau^{13}cian^{21}tʂ^{h}ɔŋ^{13}ŋa^{0},xei^{53}a^{0}?

【捡倒$_{1}$】cian^{21}tau^{21} 副 ①不花钱而得到：～食cian^{21}tau^{21}ʂek^{5}｜～看个cian^{21}tau^{21}k^{h}ɔn^{53}ke^{0}。②付出代价却得不到回报：～做cian^{21}tau^{21}tso^{53}｜～去个钱 cian^{21}tau^{21}çi^{53}ke^{0}ts^{h}ien^{13}｜～走一转，𫧮看倒人。cian^{21}tau^{21}tsei^{21}iet^{3} tʂɔn^{21},maŋ^{13}k^{h}ɔn^{53}tau^{21}ɲin^{13}.

【捡倒$_{2}$】cian^{21}tau^{21} 介 引进所处置的对象（可依据语境省略）：箇只租也租哩两三年呢，落尾～硬唔得了哩啊，硬嘞去下子扯皮扮筋呐。kai^{53}tʂak^{3} tsəu^{35}ia$^{35}_{53}$tsəu$^{35}_{44}$li^{0} iɔŋ^{21}san$^{35}_{44}$ɲien^{13}nei^{0},lɔk^{5} mi$^{35}_{53}$cian^{21}tau^{21}ɲiaŋ^{53}n̩^{13}tek^{3} liau^{21}li^{0} a^{0}, ɲiaŋ^{53}le^{0}çi^{53}xa^{53}tsɿ^{0} tʂ^{h}a^{21}p^{h}i^{13}pan$^{53}_{44}$cin$^{35}_{44}$na^{0}.

【捡地】cian^{21}t^{h}i^{53} 动 指客家二次葬习俗。葬后若干年开棺将骨头捡出入瓮再葬。又称“捡骨头”：箇个有专门个人搞咁一路子。有人搞咁个路子箇只。自家唔搞。请人搞唠。不是自家做。自家最多系挖下子啊。捡骨头个人呶，～个人呶安做唠，～个人。kai$^{53}_{44}$ke$^{53}_{44}$iəu^{35}tʂen^{35}mən$^{13}_{21}$ke$_{44}$ɲin$^{13}_{21}$kau^{21}kan^{21}iet^{3}ləu^{53}tsʅ^{0}.iəu^{35}ɲin$^{13}_{21}$kau^{21}kan^{21}ke$^{53}_{44}$ləu^{53}tsʅ^{0}kai$^{53}_{44}$tʂak^{3}.ts^{h}ʅ^{35}ka$^{35}_{44}$ŋ̍$^{13}_{21}$kau^{21}.ts^{h}iaŋ^{21}ɲin^{13}kau^{21}lau^{0}.pət^{3}ʂʅ$^{53}_{44}$ts^{h}ʅ$^{35}_{21}$ka$^{35}_{44}$tso$^{53}_{21}$.ts^{h}ʅ^{35}ka$^{35}_{44}$tsei^{53}to$^{35}_{44}$xe^{53}uait^{3}a^{53}tsa^{0}.cian^{21}kuət^{3}t^{h}ei^{0}cie^{53}ɲin$^{13}_{44}$nau^{0},cian^{21}t^{h}i^{53}ke$^{53}_{44}$ɲin$^{13}_{21}$nau^{0}ɔn$^{35}_{44}$tso^{53}lau^{0},cian^{21}t^{h}i^{53}ke$^{53}_{44}$ɲin$^{13}_{21}$.

【捡骨头】cian^{21}kuət^{3}t^{h}ei^{0} 动 指客家二次葬习俗。葬后若干年开棺将骨头捡出入甕再葬。又称“捡地”：捡哩骨头了，客家人是还爱～，捡哩骨头了，骨头金罂个顶上，箇映子就安做暖土。cian^{21}ni^{0}kuət^{3}t^{h}ei^{13}liau^{0},k^{h}ak^{3}ka$^{35}_{44}$ɲin$^{13}_{21}$ʂʅ$^{53}_{44}$xai$^{13}_{21}$ɔi^{53}cian^{21}kuət^{3}t^{h}ei^{0},cian^{21}ni^{0}kuət^{3}t^{h}ei^{0}liau^{0},kuət^{3}t^{h}ei^{0}cin^{35}aŋ$^{35}_{44}$ke$^{53}_{44}$taŋ^{21}xɔŋ^{53},kai$^{53}_{44}$iaŋ$^{53}_{44}$tsʅ^{0}ts^{h}iəu$^{53}_{44}$ɔn$^{35}_{44}$tso$^{53}_{44}$lɔn^{35}t^{h}əu^{21}.

【捡痨河】cian^{21}lau^{53}xo^{13} 动 下河去捡他人毒杀的鱼：去～。人家搞倒箇毒药，搞倒箇个痨鱼子个痨药去痨哩鱼，河里有有死有痨倒个鱼，如等人去捡鱼，安做～。就系痨哩鱼啊，河里痨哩鱼，欸，有鱼子捡，有死鱼子捡，安做～。çi$^{53}_{44}$cian^{21}lau^{53}xo^{13}.in^{13}ka$^{35}_{44}$kau^{21}tau^{21}kai$^{53}_{44}$t^{h}əuk^{5}iɔk$^{5}_{3}$,kau^{21}tau^{21}kai$^{53}_{44}$ke$^{53}_{44}$lau^{53}ŋ̍^{13}tsʅ^{0}ke$^{53}_{44}$lau^{53}iɔk$^{5}_{3}$çi$^{53}_{44}$lau^{53}li^{0}ŋ̍^{13},xo^{13}li^{0}iəu$^{35}_{44}$iəu^{35}si^{21}iəu^{35}lau^{53}tau^{21}ke$^{53}_{44}$ŋ̍^{13},i$^{13}_{21}$tien^{0}ɲin$^{13}_{21}$çi$^{53}_{44}$cian^{21}ŋ̍^{13},ɔn$^{35}_{44}$tso$^{53}_{44}$cian^{21}lau^{53}xo^{13}.ts^{h}iəu$^{53}_{44}$xe$^{53}_{44}$lau^{53}li^{0}ŋ̍^{13}ŋa^{0},xo^{13}li^{21}lau^{53}li^{0}ŋ̍^{13},e$_{21}$,iəu^{35}ŋ̍^{13}tsʅ^{0}cian^{21},iəu^{35}si^{21}ŋ̍^{13}tsʅ^{0}cian^{21},ɔn$^{35}_{44}$tso$^{53}_{44}$cian^{21}lau^{53}xo^{13}.

【捡屋】cian^{21}uk^{3} 动 把屋顶的瓦片重新整理一遍，使房屋不漏雨：箇个瓦指青瓦嘞经得久，但是会漏水，有蛮多年唔想用，爱～啊，长日爱～啊，唔想用，容易漏水呀，容易箇个。kai^{53}ke$^{53}_{44}$ŋa^{21}lei^{0}cin^{35}tek^{3}ciəu^{21},tan^{53}ʂʅ^{53}uɔi^{53}lei^{53}ʂei^{21},iəu$^{35}_{44}$man^{13}to$^{35}_{44}$ɲien$^{13}_{21}$n̩$^{13}_{21}$siɔŋ^{21}iəŋ^{53},ɔi^{53}cian^{21}uk^{3}a^{0},tʂ^{h}ɔŋ^{13}ɲiet^{3}ɔi^{53}cian^{21}uk^{3}a^{0},n̩^{13}siɔŋ^{21}iəŋ^{53},iəŋ^{13}i^{53}lei^{53}ʂei^{21}ia^{0},iəŋ^{13}i^{53}kai^{53}ke$^{53}_{44}$.

【捡药】cian^{21}iɔk^{5} 动 抓药；购买中药：～啊，捡两包老茶食哩。cian^{21}iɔk^{5}a^{0},cian^{21}iɔŋ^{21}pau$^{35}_{44}$lau^{21}ts^{h}a^{13}ʂət^{5}li^{0}.

【捡药个】cian^{21}iɔk^{5}ke^{0} 药剂师的旧称：欸，～就药剂师。箇张坊街上个箇药剂师我看倒渠长日放正一本书，有空又看书。我话：“你还爱考试啦？”“哎哟，万老师，硬会输咁呐硬啊，长日考哇。”考又考唔过啊，年纪又大了啊，箇夫娘子咯，年纪又大哩，记性又冇得啊，硬食以碗饭真不容易哦。你唔去考唠，你考唔过唠，听睛都冇你搞哩。如今箇个药品食品监督比较蛮到位嘞。要求蛮严格嘞。e$_{21}$,cian^{21}iɔk^{5}ke^{0}ts^{h}iəu$^{53}_{44}$iɔk^{5}tsi^{53}sʅ^{35}.kai$^{53}_{44}$tʂɔŋ$^{35}_{44}$xɔŋ$^{35}_{44}$kai$^{35}_{44}$xɔŋ$^{35}_{44}$ke$^{53}_{44}$kai$^{53}_{44}$iɔk^{5}tsi^{53}sʅ$^{35}_{44}$ŋai$^{13}_{21}$k^{h}ɔn^{53}tau^{21}ci$^{13}_{21}$tʂ^{h}ɔŋ^{13}ɲiet^{3}fɔŋ^{53}tʂaŋ^{53}(i)et^{3}pən^{21}ʂəu^{35},iəu^{35}k^{h}əŋ^{53}iəu$^{53}_{44}$k^{h}ɔn$^{53}_{44}$ʂəu^{35}.ŋai^{13}ua^{53}:"ɲi$^{13}_{44}$xa$^{13}_{21}$ɔi^{53}k^{h}au^{21}ʂʅ^{53}la^{0}?""ai$_{21}$io$_{21}$,uan^{53}nau^{21}sʅ^{35}, ɲiaŋ^{53}uɔi$^{53}_{44}$ʂəu^{35}kan^{21}na^{0}ɲiaŋ^{53}ŋa^{0},tʂ^{h}ɔŋ^{13}ɲiet^{3}k^{h}au^{21}ua^{0}."k^{h}au^{21}iəu^{53}k^{h}au^{21}n̩^{13}ko^{53}a^{0}, ɲien^{13}ci^{21}iəu^{53}t^{h}ai^{53}liau^{21}a^{0},kai$^{53}_{44}$pu^{35}ɲiɔŋ$^{13}_{21}$tsʅ^{0}ko^{0}, ɲien^{13}ci^{21}iəu$^{53}_{44}$t^{h}ai^{53}li^{0},ci^{53}sin$^{53}_{44}$iəu^{53}mau^{13}tek^{3}a^{0}, ɲiaŋ$^{53}_{44}$ʂət^{5}i^{21}uən^{21}fan^{53}tʂən^{35}pət^{3}iəŋ^{13}i^{53}o^{0}. ɲi^{13}n̩$^{13}_{44}$çi^{53}k^{h}au^{21}lau^{0},ɲi$^{13}_{21}$k^{h}au^{21}n̩$^{13}_{44}$ko$^{53}_{44}$lau^{0},t^{h}in$^{35}_{53}$pu$^{35}_{53}$təu$^{35}_{53}$mau^{13}ɲi$^{13}_{44}$kau^{21}li^{0}.i$^{13}_{21}$cin$^{35}_{53}$kai$^{53}_{44}$kei$^{53}_{21}$iɔk^{5}p^{h}in^{21}ʂət^{5}p^{h}in^{21}kan^{35}təuk^{3}pi^{21}ciau^{53}man^{13}tau$^{53}_{44}$uei^{53}le^{0}.iau$^{35}_{44}$c^{h}iəu$^{13}_{21}$man$^{13}_{44}$ɲien$^{13}_{44}$kek^{3}le^{0}.

【笕】kan^{21} 名 ①用来引水的长竹槽：探水个～呐。一筒竹，劈做两箑，中间分节舞嘿去。箇唔系水就走以映过去哩？t^{h}an^{53}ʂei^{21}ke^{53}kan^{21}na^{0}.iet^{3}t^{h}əŋ^{13}tʂəuk^{3},p^{h}iak^{3}tso^{53}iɔŋ^{21}sak^{3},tʂəŋ^{35}kan$^{35}_{44}$pən$^{35}_{44}$tset^{3}u^{21}xek^{3}çi^{53}.kai$^{53}_{44}$m̩$^{13}_{21}$p^{h}e^{53}ʂei^{21}ts^{h}iəu^{53}tsei^{21}i^{21}iaŋ^{53}ko^{53}çi^{53}li^{0}？②刨铁上的缺口：箇木匠师傅欸刨子是渠真唔得分你去刨箴箑啦，刨箴箑就会现～，就够磨哩。kai$^{53}_{44}$muk^{3}siɔŋ$^{53}_{44}$sʅ$^{35}_{53}$fu^{53}e^{0}p^{h}au^{13}tsʅ^{0}ʂʅ$^{53}_{44}$ci$^{13}_{21}$tʂən^{35}n̩$^{13}_{21}$tek^{3}pən$^{35}_{44}$ɲi$^{13}_{21}$çi^{53}p^{h}au^{13}miet^{5}sak^{3}la^{0},p^{h}au^{13}miet^{5}sak^{3}ts^{h}iəu^{53}uɔi^{53}çien^{53}kan^{21},ts^{h}iəu^{53}kei^{53}mo^{13}li^{0}.

【笕钻】kan^{21}tsɔn^{53} 名 绱钻的一种，钻头上有槽：还有起就～。就正讲个以映子以只钻头上以映子抽条子槽，抽条子沟呀。箇绳子嘞走沟子肚里放下去。渠就箇只唔爱扯出来吵。渠就可以走沟子肚里过去。以向就走沟子肚里过。箇个安做～。竹笕个笕呐。渠箇个咯，渠箇只钻头以中间窝下去咯，有条沟咯，有滴竹笕样个，探得水过去样咯，竹笕个笕。xai^{13}iəu$^{35}_{53}$çi^{21}ts^{h}iəu$^{53}_{44}$kan^{21}tsɔn^{53}.ts^{h}iəu$^{53}_{44}$tʂaŋ^{53}kɔŋ^{21}ke^{53}i^{21}iaŋ^{53}tsʅ^{0}i^{21}tʂak^{3}tsɔn^{53}t^{h}ei^{13}xɔŋ$^{53}_{44}$i^{21}iaŋ^{53}tsʅ^{0}tʂ^{h}əu^{35}t^{h}iau$^{13}_{21}$tsʅ^{0}ts^{h}au^{13},tʂ^{h}əu^{35}t^{h}iau$^{13}_{21}$tsʅ^{0}kei^{35}ia^{0}.kai$^{53}_{44}$ʂən^{13}tsʅ^{0}lei^{0}tsei^{21}kei^{35}tsʅ^{0}təu^{21}li^{0}fɔŋ^{53}xa^{53}çi^{53}.ci^{13}ts^{h}iəu^{53}kai^{53}tʂak^{3}m̩^{13}mɔi^{53}tʂ^{h}a^{21}tʂ^{h}ət^{3}lɔi^{13}ʂa^{0}.ci$^{13}_{44}$ts^{h}iəu^{53}k^{h}o^{21}i$^{21}_{53}$tsei^{21}kei^{35}tsʅ^{0}təu^{21}li^{0}ko^{53}çi^{53}.i^{21}çiɔŋ^{53}ts^{h}iəu^{53}tsei^{21}kei^{35}tsʅ^{0}təu^{21}li^{0}ko^{53}.kai$^{53}_{44}$ke$^{53}_{44}$ɔn$^{35}_{44}$tso$^{53}_{44}$kan^{21}tsɔn^{53}.tʂəuk^{3}kan^{21}ke^{53}kan^{21}na^{0}.ci^{13}kai^{53}ke^{53}ko^{0},ci^{13}kai^{53}tʂak^{3}tsɔn^{53}t^{h}ei^{13}i^{21}tʂəŋ$^{35}_{44}$kan$^{35}_{44}$uo^{35}xa^{53}çi^{53}ko^{0},iəu$^{35}_{44}$t^{h}iau$^{13}_{21}$kei^{35}ko^{0},iəu^{35}tiet^{5}tʂəuk^{3}kan^{21}iɔŋ^{53}ko^{0},t^{h}an^{53}tek^{3}ʂei^{21}ko^{53}çi^{53}iɔŋ^{53}ko^{0},tʂəuk^{3}kan^{21}ke^{53}kan^{21}.

【检查】cian^{21}ts^{h}a^{13} 动 点验查看：我带滴东西来哩啦。好，你带倒去个东西少哩吗？齐哩吗？爱女家头～。系唔系咁多子？ŋai^{13}tai^{53}tiet^{3}təŋ^{35}si^{0}lɔi$^{13}_{21}$li^{0}la^{0}.xau^{21}, ɲi^{13}tai^{53}tau^{21}çi^{53}ke$^{53}_{0}$təŋ^{35}si^{0}ʂau^{21}li^{0}ma^{0}?ts^{h}e^{13}li^{0}ma^{0}?ɔi^{53}ɲy^{21}ka$^{35}_{44}$t^{h}ei$^{13}_{21}$cian^{21}ts^{h}a^{13}.xe^{53}me$^{53}_{44}$kan^{21}to^{35}tsʅ^{0}?

【检查伙食】cian^{21}tsʰa^{13}fo^{21}ʂət^{5} 喻指蹭饭吃，含有委婉或戏谑意味：欸，想到别人家箇映子，箇是早几年子，想到别人家箇映食饭了，就安做去～。“我是来……我到你箇来～。”还有嘞箇个领导下来搞检查，箇个教育办个领导哇，乡镇府个领导哇，我等是接触箇是就箇起人吵，系啊？箇起人下来搞检查，箇一般人有兜人就会话：“检查么个？就系～唠。”看下招待好唔好哇，系啊？ e$_{44}$,siɔŋ^{21}tau^{53}pʰiet^{5}ɲin$_{21}^{13}$ka$_{44}^{35}$kai^{53}iaŋ^{53}tsɿ^{0},kai^{53}ʂʅ$_{21}^{53}$tsau^{21}ci^{21}ɲien^{13}tsɿ^{0},siɔŋ^{21}tau^{53}pʰiet^{5}ɲin$_{21}^{13}$ka$_{44}^{35}$kai$_{44}^{53}$iaŋ$_{44}^{53}$ʂət^{5} fan^{53}ɲiau^{0},tsʰiəu$_{44}^{53}$ɔn$_{44}^{35}$tso$_{44}^{53}$çi^{53}cian^{21}tsʰa$_{21}^{13}$fo^{21}ʂət^{5}."ŋai^{13}ʂʅ$_{44}^{53}$lɔi$_{21}^{13}$ɲ…ŋai^{13}tau^{53}ɲi^{13}kai^{53}lɔi$_{21}^{13}$cian^{21}tsʰa$_{21}^{13}$fo^{21}ʂət^{5}."xai^{13}iəu$_{44}^{35}$lei^{0} kai$_{44}^{53}$ke$_{44}^{53}$lin^{35}tʰau^{53}xa^{35}lɔi$_{44}^{13}$kau^{21}cian^{21}tsʰa^{13},kai$_{44}^{53}$ke$_{44}^{53}$ciau^{53}iəuk^{3} pʰan^{53}ke^{0} lin^{35}tʰau^{53}ua^{0},çiɔŋ^{35}tʂən^{53}fu^{21}ke^{0} lin^{35}tʰau^{53}ua^{0},ŋai^{13}tien^{0} ʂʅ$_{21}^{53}$tsiet^{3} tʂʰəuk^{5} kai^{53}ʂʅ$_{44}^{53}$tsʰiəu^{53}kai^{53}çi^{21}ɲin$_{21}^{13}$ʂa^{0},xei^{53}a^{0}?kai^{53}çi^{21}ɲin$_{21}^{13}$xa^{35}lɔi$_{44}^{13}$kau^{21}cian^{21}tsʰa^{13},kai^{53}iet^{3} pɔn^{35}ɲin$_{44}^{13}$iəu^{35}tei$_{53}^{35}$ɲin$_{44}^{13}$tsʰiəu$_{44}^{53}$uɔi$_{44}^{53}$ua^{53}:"cian^{21}tsʰa$_{21}^{13}$mak^{3} kei^{53}?tsʰiəu^{53}uei^{53}cian^{21}tsʰa^{13}fo^{21}ʂət^{5} lau^{0}."kʰɔn$_{44}^{53}$na$_{44}^{53}$tʂau^{35}tʰɔi^{53}xau^{21}m̩^{13}xau^{21}ua^{0},xei^{53}a^{0}?

【检点】cian^{21}tian^{21} 动讲究清洁；收拾得干净整洁：我等话～是就系……我等客姓人话个～就系收拾个意思。收捡呐。屋下，屋下个东西欸……唔～就乱七八糟唠，箇就唔～。ŋai^{13}tien^{0} ua$_{44}^{53}$cian^{21}tian^{21}ʂʅ$_{21}^{53}$tsʰiəu^{53}xe$_{44}^{53}$…ŋai^{13}tien^{0} kʰak^{3} sin^{53}ɲin$_{21}^{13}$ua^{53}ke$_{44}^{53}$cian^{21}tian^{21}tsʰiəu$_{44}^{53}$xe$_{44}^{53}$ʂəu^{35}ʂət^{5} ke$_{44}^{53}$i^{53} sɿ^{0}.ʂəu^{35}cian^{21}na^{0}.uk^{3} xa^{53},uk^{3} xa^{53}ke$_{44}^{53}$təŋ$_{44}^{35}$si^{0} e$_{44}$…n̩^{13}cian^{21}tian^{21}tsʰiəu$_{44}^{53}$lɔn^{53}tsʰiet^{3} pait^{3} tsau$_{44}^{35}$lau^{0},kai$_{44}^{53}$tsʰiəu$_{44}^{53}$n̩^{13}cian^{21}tian^{21}.

【检枋子】cian^{21}fɔŋ^{35}tsɿ^{0} 指榨木匠检修榨枋子：箇榨木匠修理枋子嘞，渠真系蛮古怪嘞，以兜人唔懂，渠只爱拿倒箇枋子一看，嗯，哪映子□嘿哩，哪映唔好，拿倒刨子刨两下子，欸，刨一下子，渠就箇枋子就检正哩。就安做～，安做检呐。渠等话，榨木匠～嘞，欸，刨出来个树皮咯，系食得个话，渠自家食都唔够。有非常重要个技术去箇肚里。以兜人唔会检，一般个人你唔会检。欸，只有渠渠只有榨木匠正会检。只爱修滴子，修滴子就要得哩。工资又高高嘞，系一般木匠个两倍咁高。只有渠正会，箇只东西只有渠正会。你等去检呶，你检倒个枋子，舞下去慢人都莫打倒哩，一钟下去，以只枋子一砣声下就射出来哩。欸，就唔系呀，撞怕有兜枋子坏稳哩了哇，𫠛去检得啊，我等就碰过箇样路子啊，一撞下去，哦嗬，砰声一下，箇个枋子下退出来哩，下往面前倒。打人呢，会打倒人呢。箇枋子尽系几十斤呐，尽系柞树做个啦，唔知几硬个柞树做个。有兜是咁阔啦咁高啦，一坨枋子。有四四方方个，有溜尖个，有转以向个，有箇边更大肚里更大外背更狭个，箇个安做顺。欸，有一般个就系以头更大，外背头更大肚里更细，箇个就系櫼。还有嘞一只櫼搭一只顺呢，有兜嘞还有四四方方个。箇枋子都爱检过，都爱检一到。kai$_{44}^{53}$tsa^{53}muk^{3} siɔŋ^{53}siəu$_{44}^{35}$li$_{44}^{35}$fɔŋ^{35}tsɿ^{0} lei^{0},ci$_{21}^{13}$tʂən^{35}xe$_{44}^{53}$man^{13}ku^{21}kuai^{53}lei^{0},i^{21}tei$_{53}^{35}$ɲin$_{21}^{13}$n̩^{13}təŋ^{21},ci^{13}tʂʅ^{21}ɔi$_{44}^{53}$la^{53}tau^{21}kai$_{21}^{53}$fɔŋ^{35}tsɿ^{0} iet^{3} kʰɔn^{53},n̩$_{21}$,la^{53}iaŋ$_{44}^{53}$tsɿ^{0} ko^{35}(x)ek^{3} li^{0},la^{53}iaŋ^{53}n̩^{13}xau^{21},la^{53}tau^{21}pʰau^{13}tsɿ^{0} pʰau^{13}iɔŋ^{21}xa^{53}tsɿ^{0},e$_{53}$,pʰau^{13}iet^{3} xa^{53}tsɿ^{0},ci$_{21}^{13}$tsʰiəu$_{44}^{53}$kai$_{44}^{53}$fɔŋ^{35}tsɿ^{0} tsʰiəu$_{44}^{53}$cian^{21}tʂaŋ^{53}li^{0}.tsʰiəu$_{21}^{53}$ɔn$_{44}^{35}$tso$_{44}^{53}$cian^{21}fɔŋ^{35}tsɿ^{0},ɔn$_{44}^{35}$tso$_{44}^{53}$cian^{21}na^{0}.ci$_{21}^{13}$tien^{0} ua^{53},tsa^{53}muk^{3} siɔŋ^{53}cian^{21}fɔŋ^{35}tsɿ^{0} lei^{0},e$_{21}$,pʰau^{13}tʂʰət^{3} lɔi^{13}ke^{53}ʂəu^{53}pʰi^{13}ko^{0},xei$_{44}^{53}$ʂət^{5} tek^{3} ke$_{44}^{53}$fa^{53},ci$_{21}^{13}$tsʰɿ^{35}ka$_{44}^{35}$ʂət^{53}təu$_{44}^{35}$n̩$_{21}^{13}$ciei^{53}.iəu$_{44}^{35}$fei^{35}ʂɔŋ$_{21}^{13}$tʂʰəŋ^{53}iau$_{44}^{53}$ke$_{44}^{53}$çi^{53}ʂət^{5} çi^{53}kai^{53}təu^{21}li^{0}.i^{21}tei^{35}ɲin$_{21}^{13}$m̩$_{21}^{13}$uɔi^{53}cian^{21},iet^{3} pɔn^{35}ke^{53}ɲin$_{21}^{13}$ɲi$_{21}^{53}$m̩^{13}uɔi^{53}cian^{21}.e$_{21}$,tʂʅ^{21}iəu$_{53}^{35}$ci$_{21}^{13}$ci$_{21}^{13}$tʂʅ^{21}iəu$_{53}^{35}$tsa^{53}muk^{3} siɔŋ^{53}tʂaŋ^{53}uɔi^{53}cian^{21}.tʂʅ^{21}ɔi^{53}siəu^{35}tiet^{5} tsɿ^{0},siəu^{35}tiet^{5} tsɿ^{0} tsʰiəu^{53}iau^{53}tek^{3} li^{0}.kəŋ^{35}tsɿ^{35}iəu^{53}kau^{35}kau^{35}lei^{0},xei^{53}iet^{3} pɔn^{35}muk^{3} siɔŋ$_{44}^{53}$ke^{0} iɔŋ^{21}pʰei^{53}kan^{21}kau$_{44}^{35}$.tʂʅ^{21}iəu$_{53}^{35}$ci$_{21}^{13}$tʂaŋ$_{44}^{53}$uɔi$_{44}^{53}$,kai^{53}tʂak^{3} təŋ$_{44}^{35}$si^{0} tʂʅ^{21}iəu$_{53}^{35}$ci$_{21}^{13}$tʂaŋ$_{44}^{53}$uɔi$_{44}^{53}$. ɲi^{13}tien^{0} çi$_{44}^{53}$cian^{21}nau^{0}, ɲi^{13}cian^{21}tau^{21}ke^{0} fɔŋ$_{44}^{35}$tsɿ^{0},u^{21}xa^{53}çi$_{44}^{53}$man$_{44}^{53}$ɲin^{13}təu$_{44}^{35}$mɔk^{5} ta^{21}tau^{21}li^{0},iet^{3} tʂəŋ^{35}ŋa$_{44}^{53}$çi$_{44}^{53}$,iak^{3} (←i^{21}tʂak^{3})fɔŋ^{35}tsɿ^{0} iet^{3} kʰəŋ^{53}ʂaŋ$_{44}^{35}$(x)a^{53}tsʰiəu$_{44}^{53}$ʂa^{53}tʂʰət^{3} lɔi$_{21}^{13}$li^{0}.e$_{21}$,tsʰiəu$_{44}^{53}$m̩$_{21}^{13}$pʰei^{53}ia^{0},tsʰɔŋ^{21}pʰa$_{44}^{53}$iəu^{35}te$_{53}^{35}$fɔŋ^{35}tsɿ^{0} fai^{53}uən^{21}li^{0} liau^{21} ua^{0},maŋ^{13}çi^{53}cian^{21}tek^{3} a^{0},ŋai^{13}tien^{0} tsʰiəu$_{44}^{53}$pʰəŋ^{53}ko$_{21}^{53}$kai$_{21}^{53}$iɔŋ$_{44}^{53}$ləu^{53}tsɿ^{0} a^{0},iet^{3} tsʰɔŋ^{53}ŋa$_{44}^{53}$çi$_{44}^{53}$,o$_{44}$xo$_{44}$,pʰəŋ^{53}ʂaŋ$_{44}^{35}$iet^{3} xa$_{21}^{53}$,kai^{53}e^{0} fɔŋ^{35}tsɿ^{0} xa^{53}tʰi^{53}tʂʰət^{3} lɔi$_{21}^{13}$li^{0},xa^{53}uɔŋ^{53}mien^{53}tsʰien$_{44}^{13}$tau^{21}.ta^{21}ɲin^{13}ne^{0},uɔi^{53}ta^{21}tau^{21}ɲin^{13}ne^{0}.kai$_{44}^{53}$fɔŋ^{35}tsɿ^{0} tsʰin$_{44}^{53}$nei$_{44}^{53}$ci^{21}ʂət^{5} cin^{35}na^{0},tsʰin^{53}xe$_{44}^{53}$tsʰɔk^{5} ʂəu^{53}tso^{53}ke^{53}la^{0},n̩^{13}ti$_{53}^{35}$ci^{21}ŋaŋ^{53}ke$_{44}^{53}$tsʰɔk^{5} ʂəu$_{44}^{53}$tso^{53}ke^{53}.iəu^{35}tei$_{53}^{35}$ʂʅ$_{44}^{53}$kan^{21}kʰɔit^{3} la^{0} kan^{21}kau$_{44}^{35}$la^{0},iet^{3} tʰo^{13}fɔŋ^{35}tsɿ^{0}.iəu^{35}si^{53}si$_{44}^{53}$fɔŋ$_{44}^{35}$fɔŋ$_{44}^{35}$ke^{0},iəu^{35}liəu^{35}tsian^{35}cie^{53},iəu^{35}tʂuɔn^{21}i^{21}çiɔŋ^{53}kei^{0},iəu^{35}kai^{53}pien$_{44}^{35}$cien$_{44}^{53}$tʰai$_{44}^{53}$təu^{21}li^{0} cien^{53}tʰai^{53}ŋɔi^{53}pɔi$_{44}^{53}$cien$_{44}^{53}$cʰiait^{5} ke^{0},kai$_{44}^{53}$kei$_{44}^{53}$ɔn$_{44}^{35}$tso$_{44}^{53}$ʂən^{53}.e$_{21}$,iəu^{35}iet^{3} pɔn^{35}ke^{0} tsʰiəu^{53}xei^{53}i^{21}tʰei$_{44}^{13}$cien^{53}tʰai^{53},ŋɔi^{53}pɔi^{53}tʰei$_{21}^{13}$cien^{53}tʰai^{53}təu^{21}li^{0} cien$_{44}^{53}$sei^{53},kai$_{44}^{53}$ke$_{44}^{53}$tsʰiəu$_{44}^{53}$xei$_{44}^{53}$tsian^{35}.xai$_{21}^{13}$iəu$_{44}^{35}$lei^{0} iet^{3} tʂak^{3} tsian^{35}tait^{3} iet^{3} tʂak^{3} ʂən^{53}ne^{0},iəu^{35}te$_{44}^{35}$lei^{0} xai$_{21}^{13}$iəu$_{44}^{35}$si^{53}si$_{21}^{53}$fɔŋ$_{44}^{35}$fɔŋ$_{44}^{35}$ke^{0}.kai$_{44}^{53}$fɔŋ^{35}tsɿ^{0} təu^{35}ɔi^{53}cian^{21}ko^{53},təu^{35}ɔi^{53}cian^{21}iet^{3} tau^{53}.

【检系】cien^{21}xe^{53} 副大部分时候；大都：我～去张家坊系倒，撞下又会去下子浏阳。ŋai^{13} cien^{21}xe^{53}çi^{53}tʂɔŋ$_{44}^{35}$ka$_{44}^{35}$fɔŋ^{35}xe^{53}tau^{21},tsʰɔŋ^{21}xa^{53}iəu^{53}uɔi^{53}çi^{53}(x)a$_{21}^{53}$tsɿ^{0} liəu^{13}iɔŋ$_{44}^{13}$.

【趼】cien^{21} 名手或脚上因长久磨擦而生的硬皮：起～系有，又话起～。客姓人话起□个话得多。～，也有话～个。起～呐。çi^{21}cien^{21}ne$_{44}$(←xe^{53})iəu$^{35}_{44}$,iəu$^{35}_{35}$ua^{53}çi^{21}cien^{21}.k^{h}ak^{3} sin^{53}ɲin$^{13}_{21}$ua^{53}çi^{21}tʂən^{21}ke$^{53}_{44}$ua^{53}tek^{3} to$^{35}_{44}$.cien^{21},ia^{35}iəu$^{35}_{44}$ua$^{53}_{44}$cien^{21}ke^{53}.çi^{21}cien^{21}na^{0}.

【减】kan^{21} 动降低：～下价钱来。kan^{21}xa^{35}cia^{53}ts^{h}ien$^{13}_{21}$nɔi$^{13}_{21}$.

【减价】kan^{21}cia^{53} 动降低价钱：长日搞滴个亏本大甩卖呀，系啊？如个就是～。～，减下价钱来。tʂ^{h}ɔŋ^{13}ɲiet^{3} kau^{21}tet^{5} ke$^{53}_{44}$k^{h}uei^{35}pən^{21}t^{h}ai^{53}sai^{21}mai^{53}ia^{0} ,xei$^{53}_{44}$a^{0} ?i$^{13}_{21}$ke^{53}ts^{h}iəu$^{53}_{21}$ʂʅ$^{53}_{21}$kan^{21}cia^{53}.kan^{21}cia^{53},kan^{21}xa^{35}cia^{53}ts^{h}ien$^{13}_{21}$nɔi$^{13}_{21}$.

【剪$_1$】tsien^{21} 动①用剪刀铰：～头发tsien^{21}t^{h}ei^{13}fait^{3} ｜蒲扇渠只爱分箇个棕……箇箇个蒲葵～啦下来，镶只边，就可以卖嘿。p^{h}u^{13}ʂen^{53}ci^{13}tʂʅ^{21}ɔi$^{53}_{44}$pən^{35}kai$^{53}_{44}$ke$^{53}_{44}$tsəŋ^{35}…kai$^{53}_{44}$kai$^{53}_{44}$ke$^{53}_{44}$p^{h}u^{13}k^{h}uei^{13} tsien^{21}nau^{0} xa^{53}lɔi$^{13}_{21}$,siɔŋ^{35}tʂak^{3} pien^{35},ts^{h}iəu$^{53}_{44}$k^{h}o^{21}i^{35}mai^{53}iek^{3}(←xek^{3}). ②用铡刀切。多称“铡”：用秆铡，～做咁长子，铡细来，用马剪去铡呀，～做咁长子。iəŋ^{53}kɔn^{21}ts^{h}ait^{5},tsien^{21}tso^{53}kan^{21}tʂ^{h}ɔŋ^{13} tsʅ^{0},ts^{h}ait^{5} si^{53}lɔi$^{13}_{21}$,iəŋ$^{53}_{44}$ma^{35}tsien^{21}çi$^{53}_{44}$ts^{h}ait^{5} ia^{0},tsien^{21}tso^{53}kan^{21}tʂ^{h}ɔŋ^{13}tsʅ^{0}. ③夹取：～黄鳝是一下竹个唠，拿（黄鳝）～唠。/～黄鳝。欸欸。tsien^{21}uɔŋ^{13}ʂen$^{53}_{35}$ʂʅ$^{53}_{44}$iet$^{3}_{5}$ xa$^{53}_{44}$tʂəuk^{3} ke^{53}lau^{0},la$^{53}_{44}$tsien^{21} lau^{0}./tsien^{21}uɔŋ^{13}ʂen$^{53}_{44}$.e$_{21}$e$_{21}$. ④裁剪衣服：你同我～件衫做哩看呐。ɲi^{13}t^{h}əŋ$^{13}_{44}$ŋai$^{13}_{44}$tsien^{21}c^{h}ien^{53}san^{35} tso^{53}li^{0} k^{h}ɔn$^{53}_{44}$na^{0}.

【剪$_2$】tsien^{21} 名理发用的手动推子：我箇到我话自家来学剃头嘞，我买倒一把～。爱我孙子同我剃头嘞，渠又唔敢剪。爱我老婆同我剪几下剪起狗啮哩样。麻溜跑嘿剃……理发店里剃只光头，嘿。ŋai^{13}kai^{53}tau^{53}ŋai^{13}ua^{53}ts^{h}ʅ^{35}ka$^{35}_{53}$lɔi$^{13}_{21}$xɔk^{5} t^{h}e^{53}t^{h}ei$^{13}_{21}$lei^{0},ŋai$^{13}_{21}$mai^{35}tau$^{21}_{44}$iet^{3} pa^{21}tsien^{21}.ɔi^{53}ŋai$^{13}_{21}$ sən^{35}tsʅ^{0} t^{h}əŋ$^{13}_{21}$ŋai$^{13}_{21}$t^{h}e^{53}t^{h}ei$^{13}_{21}$lei^{0},ci^{13}iəu^{53}m^{13}kan^{21}tsien^{21}.ɔi$^{53}_{44}$ŋai$^{13}_{21}$lau^{21}p^{h}o^{13}t^{h}əŋ$^{13}_{21}$ŋai$^{13}_{21}$tsien^{21}ci^{21}xa^{53}tsien^{21}çi$^{21}_{53}$ kei^{21}ŋait^{3} li^{0} iɔŋ^{53}.ma^{13}liəu$^{35}_{53}$p^{h}au^{21}xek$^{3}_{4}$t^{h}e^{53}…^{5} li^{35}fait^{3} tian^{53}ni^{0} t^{h}e^{53}tʂak^{3} kɔŋ^{35}t^{h}ei^{13},xe$_{53}$.

【剪刀】tsien^{21}tau^{35} 名①铰断布、纸、绳等东西的金属器具。由一对金属刀面组成，中间有铆钉固定，可以开合切剪：做成一把～样个。tso^{53}ʂaŋ$^{13}_{21}$iet^{3} pa^{21}tsien^{21}tau^{35}iɔŋ$^{53}_{44}$ke^{53}. ②理发用的：剃头个时候子，第一步，就系用梳子同你梳抻下子。然后就用～剪，剪嘿兜长个，多个。t^{h}e^{53} t^{h}ei^{13}ke$^{53}_{44}$ʂʅ$^{13}_{44}$xəu$^{53}_{44}$tsʅ^{0},t^{h}i^{53}iet^{3} p^{h}u^{53},ts^{h}iəu^{53}xei^{53}iəŋ^{53}sʅ^{35}tsʅ^{0} t^{h}əŋ$^{13}_{21}$ɲi$^{13}_{21}$sʅ^{35}tʂ^{h}ən^{35}na^{53}tsʅ^{0}.vien^{13}xei$^{53}_{44}$ts^{h}iəu^{53}iəŋ^{53} tsien^{21}tau$^{35}_{44}$tsien^{21},tsien^{21}nek^{3} təu$^{35}_{53}$tʂ^{h}ɔŋ^{13}kei^{0},to^{35}kei^{0}.

【简单】kan^{21}tan^{35} 形简易；不复杂：荡耙床就系后背个比较～个床。t^{h}ɔŋ^{53}p^{h}a$^{13}_{21}$ts^{h}ɔŋ^{13}tsiəu$^{53}_{44}$xe$^{53}_{44}$ xei^{53}pɔi$^{53}_{44}$ke$^{53}_{44}$pi^{21}ciau$^{53}_{44}$kan^{21}tan$^{35}_{44}$ke^{53}ts^{h}ɔŋ$^{13}_{21}$. ｜外背个枕套子你就可以～也可以复杂滴子唠。ŋɔi^{53} pɔi$^{53}_{44}$ke$^{53}_{44}$tʂən^{21}t^{h}au^{53}tsʅ^{0}ɲi^{13}ts^{h}iəu$^{53}_{21}$k^{h}o^{21}i^{35}kan^{21}tan$^{35}_{44}$ia^{35}k^{h}o^{21}i^{35}fuk^{3} ts^{h}ait^{5} tiet^{5} tsʅ^{0} lau^{0}.

【碱】kan^{21} 名碳酸钠的俗称：（石灰水）肚里就揪结，就有～。təu^{21}li^{0} ts^{h}iəu$^{53}_{44}$tsiəu$^{35}_{44}$ciait^{3},ts^{h}iəu$^{53}_{44}$ iəu^{35}kan^{21}.

【碱灰水】kan^{21}fɔi^{35}ʂei^{21} 名用稻草、布荆子等烧成灰，加水沉淀所得的溶液：欸，搞么个就用～嘞？踏米粿，裹粽子，用～。如今是蛮多人是就系买兜箇纯碱做碱，欸实在最好个碱水嘞就爱～。e$_{21}$,kau^{21}mak^{3} ke^{53}ts^{h}iəu^{53}iəŋ$^{53}_{44}$kan^{21}fɔi^{35}ʂei^{21}lei^{0} ?t^{h}ait^{5} mi^{21}ko^{21},ko^{21}tsəŋ^{53}tsʅ^{0},iəŋ^{53}kan^{21}fɔi^{35}ʂei^{21}. i$^{13}_{21}$cin$^{35}_{53}$ʂʅ^{53}man$^{13}_{21}$to^{35}ɲin$^{13}_{44}$ʂʅ$^{53}_{44}$ts^{h}iəu^{53}xe$^{53}_{21}$mai^{35}tei$^{35}_{53}$kai$^{53}_{44}$sən^{13}kan^{21}tso^{53}kan^{21},e^{0} ʂət^{5} ts^{h}ai$^{53}_{44}$tsei^{53}xau^{21}kei^{53}kan^{21}ʂei^{21} lei^{0} ts^{h}iəu^{53}ɔi^{53}kan^{21}fɔi^{35}ʂei^{21}.

【碱水】kan^{21}ʂei^{21} 名用茶壳灰、布荆子灰、石灰等做成的溶液，旧时用来洗头发或做米粿：但是箇只～就可以有不同个东西嘞，有不同个东西。茶壳灰。有布荆子灰。布荆子水，布荆水。布荆水咯欸本来就咁子炆倒也可以嘞。茶壳灰，布荆灰，欸，还有石灰碱。石灰呀。石灰，舞倒箇石灰一摝以后，系啊？石灰也系碱呢其实嘞。停鲜来，分底下个，分面上个镜鲜子个水，肚里就揪结，就有碱。都系用来做碱，～。tan$^{53}_{44}$ʂʅ$^{53}_{44}$kai$^{53}_{44}$tʂak^{3} kan^{21}ʂei^{21}ts^{h}iəu^{53}k^{h}o^{21}i^{35}iəu$^{35}_{44}$ pət^{3} t^{h}əŋ^{13}ke$^{53}_{44}$təŋ$^{35}_{44}$si^{0} le^{0} ,iəu$^{35}_{44}$pət^{3} t^{h}əŋ^{13}ke$^{53}_{44}$təŋ$^{35}_{44}$si^{0} .ts^{h}a^{13}k^{h}ɔk^{3} fɔi^{35}.iəu^{35}pu^{53}ciaŋ$^{35}_{44}$tsʅ^{0} fɔi^{35}.pu^{53}ciaŋ$^{35}_{44}$tsʅ^{0} ʂei^{21},pu^{53}ciaŋ$^{35}_{44}$ʂei^{21}.pu^{53}ciaŋ$^{35}_{44}$ʂei^{21}ko^{0} ei^{0} pən^{21}nɔi^{13}ts^{h}iəu^{53}kan^{21}tsʅ^{0} uən$^{13}_{21}$tau^{21}ia$^{35}_{53}$k^{h}o^{21}i$^{35}_{53}$lei^{0} .ts^{h}a^{13}k^{h}ɔk^{3} fɔi^{35},pu^{53}ciaŋ$^{35}_{44}$fɔi^{35},e$_{53}$,xai$^{13}_{21}$iəu$^{35}_{44}$ʂak^{5} fɔi$^{35}_{44}$kan^{21}.ʂak^{5} fɔi^{35}ia^{0} .ʂak^{5} fɔi$^{35}_{44}$,u^{21}tau^{21}kai$^{53}_{44}$ʂak^{5} fɔi$^{35}_{44}$iet^{3} ləuk^{3} i^{35} xei$^{53}_{21}$,xei$^{53}_{44}$a^{0} ?ʂak^{5} fɔi$^{35}_{44}$ia$^{35}_{44}$xei$^{53}_{44}$kan^{21}nei^{0} c^{h}i$^{13}_{21}$ʂət^{5} lei^{0} .t^{h}in^{13}sien^{35}nɔi$^{13}_{21}$,pən^{35}tei^{21}xa$^{53}_{44}$ke$^{53}_{44}$,pən^{35}mien^{53}xɔŋ$^{53}_{44}$kei$^{53}_{44}$ ciaŋ^{53}sien$^{35}_{44}$tsʅ^{0}ke$^{53}_{44}$ʂei^{21},təu^{21}li^{0} ts^{h}iəu$^{53}_{44}$tsiəu$^{35}_{44}$ciait^{3},ts^{h}iəu$^{53}_{44}$iəu^{35}kan^{21}.təu^{35}xei$^{53}_{44}$iəŋ^{53}lɔi$^{13}_{44}$tso^{53}kan^{21},kan^{21}ʂei^{21}.

【见】cien^{53} 动①看见：只有（镬头）～火了……欸就箇就有哩用嘞。tʂʅ^{21}iəu$^{35}_{44}$cien^{53}fo^{21}liau^{0}… e$_{21}$tsiəu^{53}kai^{53}ts^{h}iəu^{53}mau$^{13}_{21}$li^{0} iəŋ$^{53}_{44}$le^{0}. ②见面：蛮久嫱～了哈。man^{13}ciəu^{21}maŋ^{13}cien^{53}liau^{21}xa^{0}.

【见得】cien^{53}tek^{3} 动①看得出来，可以确定：照如下就，如下是，如下～了。tʂau$^{53}_{44}$i$^{13}_{21}$xa$^{53}_{44}$

tsʰiəu$^{53}_{44}$,i$^{13}_{21}$xa$^{53}_{44}$ʂʅ$^{53}_{44}$,i$^{13}_{21}$xa$^{53}_{44}$cien^{53}tek^{3}liau^{0}. ②无大碍，说得过去：我去哩都～，箇请我也唔爱紧。ŋai^{13}çi^{53}li^{0}təu$^{35}_{44}$cien$^{53}_{44}$tek^{3},kai$^{53}_{44}$tsʰiaŋ^{21}ŋai^{13}ia$^{35}_{44}$m̩$^{13}_{21}$mɔi$^{53}_{44}$cin^{21}.

【见功】cien^{53}kəŋ^{35} 形 功效显著：箇阵子打箇个尿素哇真～啊。箇田里个秧苗哇黄稳哩啊，耷黄个了哇，一到尿素打哩，一夜就翻青。kai^{53}tʂʰən^{53}tsʅ^{0}ta^{21}kai$^{53}_{44}$ke$^{53}_{44}$ɲiau^{53}səu^{53}ua^{0}tʂən^{35}cien$^{53}_{44}$kəŋ^{35} ŋa^{0}.kai^{53}tʰien^{13}ni^{0}ke^{0}iəŋ^{35}miau$^{13}_{21}$ua^{0}uəŋ^{13}uən^{21}li^{0}a^{0},ləŋ^{35}uəŋ^{13}ke^{53}liau^{21}ua^{0},iet^{3}tau$^{53}_{44}$ɲiau^{53}səu^{53}ta^{21}li^{0},iet^{3}ia^{53} tsʰiəu^{53}fan^{35}tsʰiaŋ^{35}.

【见怪】cien^{53}kuai^{53} 动 责备；责怪：渠又怕有滴爱请（坐上）个𫠛请得，请多哩嘞会～。ci$^{13}_{21}$ iəu$^{53}_{44}$pʰa^{53}iəu^{35}tet^{5}ɔi^{53}tsʰiaŋ^{21}ke$^{53}_{44}$maŋ^{13}tsʰiaŋ^{21}tek^{3},tsʰiaŋ^{21}tɔ^{35}li^{0}lei^{0}uɔi$^{53}_{44}$cien$^{53}_{44}$kuai^{53}.

【见好】cien^{53}xau^{21} 动 疾病减轻或痊愈：落尾让门子～哩嘞？lɔk^{5}mi$^{35}_{44}$ɲiɔŋ^{53}mən^{0}tsʅ^{0}cien^{53}xau^{21}li^{0} lei^{0}?

【见面】cien^{53}mien^{53} 动 会面；相见：同家娘家倌致见。阿公阿婆。爱～。就致见。tʰəŋ$^{13}_{21}$ka^{35} ɲiɔŋ$^{13}_{21}$ka^{35}kɔn$^{35}_{44}$tʂʅ$^{53}_{44}$cien^{53}.a^{35}kəŋ$^{35}_{44}$a^{35}pʰo$^{13}_{21}$.ɔi$^{53}_{44}$cien$^{53}_{44}$mien^{53}.tsʰiəu$^{53}_{44}$tʂʅ^{53}cien^{53}.｜箇个是𫠛见过面个。我等以前就𫠛见过面。kai^{53}ke^{53}ʂʅ$^{53}_{44}$maŋ^{13}cien$^{53}_{44}$ko$^{53}_{44}$mien^{53}cie$^{53}_{21}$.ŋai^{13}tien^{0}i$^{35}_{44}$tsʰien$^{13}_{21}$tsiəu$^{53}_{44}$maŋ^{13}cien$^{53}_{44}$ko$^{53}_{44}$mien^{53}.

【见面茶】cien^{53}mien^{53}tsʰa^{13} 名 男子去女家相亲，女孩对男孩满意，即亲自端给男孩喝的茶：问你只事啊，箇个欸伢子人去看老婆啊，箇老婆掇杯茶分渠食啦，箇妹子掇杯茶分箇只郎子食啦，箇杯茶安做么个茶唠？你记得吗？安做么个茶？哈？～吧？系啊系啊，茶钱呐，爱拿茶钱呢。～话。箇碗茶安做～，系吧？系安做～唠。就爱拿见面礼，系啊？啊，拿见面礼。欸，系，欸，嗯。uən^{53}ɲi$^{13}_{21}$tʂak^{3}sʅ^{53}a^{0},kai$^{53}_{44}$ke$^{53}_{44}$e$_{21}$ŋa^{13}tsʅ^{0}ɲin^{13}çi^{21}kʰən^{53}lau^{21}pʰo^{13}a^{0},kai^{53}lau^{21}pʰo^{13}tɔit^{3} pei$^{35}_{44}$tsʰa^{13}pən^{35}cʰi$^{13}_{21}$ʂət^{5}la^{0},kai$^{53}_{44}$mɔi^{53}tsʅ^{0}tɔit^{3}pei$^{35}_{44}$tsʰa^{13}pən^{35}kai$^{53}_{44}$tʂak^{3}ləŋ^{13}tsʅ^{0}ʂət^{5}la^{0},kai$^{53}_{44}$pei$^{35}_{44}$tsʰa^{13}ɔn$^{35}_{44}$tso$^{53}_{44}$ mak^{3}(k)e$^{53}_{44}$tsʰa$^{13}_{21}$lau^{0}?ɲi$^{13}_{21}$ci^{53}tek^{3}ma^{0}?ɔn^{35}tso^{53}mak^{3}(k)e$^{53}_{44}$tsʰa$^{13}_{21}$?xa$_{35}$?cien^{53}mien$^{53}_{44}$tsʰa$^{13}_{21}$pʰa^{0}?xei$^{53}_{44}$a^{0} xei$^{53}_{44}$ a^{0},tsʰa^{13}tsʰien^{13}na^{0},ɔi^{53}la^{35}tsʰa^{13}tsʰien$^{13}_{44}$ne^{0}.cien^{53}mien^{53}tsʰa^{13}ua^{53}.kai^{53}uən^{21}tsʰa^{13}ɔn$^{35}_{44}$tso$^{53}_{44}$cien^{53}mien$^{53}_{44}$ tsʰa^{13},xei^{53}pa^{0}?xei^{53}ɔn$^{35}_{44}$tso$^{53}_{44}$cien^{53}mien$^{53}_{44}$tsʰa^{13}lau^{0}.tsʰiəu^{53}ɔi^{53}la^{35}cien^{53}mien$^{53}_{21}$li^{35},xei$^{53}_{44}$a^{0}?a$_{21}$,la$^{35}_{44}$cien^{53}mien$^{53}_{21}$ li^{35}.e$_{21}$,xe^{53},e$_{21}$,n̩^{21}.

【见面礼】cien^{53}mien$^{53}_{44}$li^{35} 名 与人初次见面时送给对方的礼金等：欸，爱拿茶钱，就系～。就拿只……拿只红包。我等箇阵子拿一块钱。一块钱就爱得。箇就最少啦，起点呐。ei$_{21}$,ɔi^{53}la^{53} tsʰa^{13}tsʰien^{13},tsʰiəu^{53}xe$^{53}_{44}$cien^{53}mien$^{53}_{44}$li^{35}.tsʰiəu$^{53}_{21}$la$^{35}_{44}$tʂak^{3}…la^{53}tʂak^{3}fəŋ$^{13}_{21}$pau$^{35}_{44}$.ŋai^{13}tien^{0}kai^{53}tʂʰən$^{53}_{44}$tsʅ^{0}la$^{35}_{44}$ iet^{3}kʰuai^{53}tsʰien$^{13}_{21}$.iet^{3}kʰuai^{53}tsʰien$^{13}_{21}$tsʰiəu$^{53}_{44}$ɔi$^{53}_{44}$tek^{3}.kai$^{53}_{21}$tsʰiəu$^{53}_{21}$tsei^{53}ʂau^{21}la^{0},çi^{21}tian^{21}na^{0}.

【见识】cien^{53}ʂət^{3} 名 知识；见闻：东乡人呢渠就～比较少，看得比较少。təŋ^{35}çiɔŋ$^{35}_{44}$ɲin$^{13}_{21}$nei^{0}ci$^{13}_{21}$ tsʰiəu$^{53}_{44}$cien^{53}ʂət^{3}pi^{21}ciau$^{53}_{44}$ʂau^{21},kʰən^{53}tek^{3}pi^{21}ciau$^{53}_{21}$ʂau^{21}.

【见天】cien^{53}tʰien^{35} 动 露天；无遮盖：塘底都见哩天嘿。tʰɔŋ^{13}te^{21}təu$^{35}_{44}$cien^{53}li^{0}tʰien^{35}xek^{3}.

【见证】cien^{53}tʂən^{53} 动 亲眼看见、可以作证：如下就两公婆来去见祖宗。请祖宗菩萨来～以只事情指婚姻大事。i$^{13}_{21}$xa$^{53}_{44}$tsʰiəu^{53}iɔŋ^{21}kəŋ$^{35}_{44}$pʰo^{13}lɔi$^{13}_{44}$çi$^{53}_{44}$cien^{53}tsəu^{21}tsəŋ$^{35}_{44}$.tsʰiaŋ^{21}tsəu^{21}tsəŋ$^{35}_{44}$pʰu$^{13}_{21}$sait^{3}lɔi$^{13}_{21}$cien^{53} tʂən^{53}i^{21}(tʂ)ak^{3}sʅ^{53}tsʰin$^{13}_{21}$.

【件】cʰien^{53} 量 用于某些个体事物、衣服等。也称"件子"：欸，以～衫呐，纽子都冇得哩。e$_{21}$,i^{21}cʰien^{53}san$^{35}_{44}$na^{0},lei^{21}tsʅ^{0}təu$^{35}_{53}$mau$^{13}_{21}$tek^{3}li^{0}.｜渠话冷，少哩就掌～子衫噻哩啊。ci$^{13}_{21}$ua$^{53}_{44}$laŋ^{35},ʂau^{21} li^{0}tsʰiəu$^{53}_{44}$tsʰaŋ^{53}cʰien^{53}tsʅ^{0}san^{35}sei^{53}lia^{0}.

【间$_3$】kan^{53} 动 ①空间上隔开：筑（墙）个时候子以映放一坨，～哩有个人咁高子，又放一坨。tʂəuk^{3}ke$^{53}_{44}$ʂʅ^{13}xei$^{53}_{44}$tsʅ^{0}i^{21}iaŋ$^{53}_{44}$fəŋ^{53}iet^{3}tʰo$^{13}_{21}$,kan^{53}li^{0}iəu$^{35}_{53}$ue$_{44}$(←ke^{53})ɲin^{13}kan^{21}kau^{35}tsʅ^{0},iəu^{53}fəŋ$^{53}_{44}$iet^{3}tʰo^{13}. ②时间上间隔、间断：我姨子就纵走唔得都～哩蛮久子又爱到庙里去敬下子菩萨啦，欸，爱我骑倒摩托车拖倒渠去敬菩萨。ŋai$^{13}_{21}$ɔi^{35}tsʅ^{0}tsʰiəu$^{53}_{44}$tsəŋ^{53}tsei^{21}n̩^{13}tek^{3}təu$^{35}_{44}$kan^{53}ni^{0}man^{13}ciəu^{21}tsʅ^{0}iəu^{53} ɔi^{53}tau^{53}miau^{53}li^{0}çi^{53}cin^{53}na$^{53}_{44}$tsʅ^{0}pʰu^{13}sait^{3}la^{0},e$_{21}$,ɔi^{53}ŋai$^{13}_{44}$cʰi$^{13}_{21}$tau^{21}mo^{13}tʰɔk^{3}tʂʰa^{35}tʰo^{35}tau^{21}ci^{21}çi$^{53}_{44}$cin^{53}pʰu^{13} sait^{3}.

【间吧间子】kan$^{53}_{44}$pa^{0}kan$^{53}_{44}$tsʅ^{0} 副 间或；时不时地：渠就～都有笋挖。ci^{13}tsʰiəu$^{53}_{44}$kan$^{53}_{44}$pa^{0}kan$^{53}_{44}$tsʅ^{0} təu$^{35}_{44}$iəu$^{35}_{44}$sən^{21}uait^{3}.

【间编】kan^{53}pien^{35} 名 由大小鞭炮混编成的鞭炮串：渠是一挂爆竹尽系细爆竹子。中间呢隔几多……隔几远又一只大爆竹，安做～。ci$^{13}_{21}$ʂʅ$^{53}_{44}$iet^{3}kua^{53}pau^{53}tʂəuk^{3}tsʰin$^{53}_{44}$ne$_{44}$(←xei^{53})se^{53}pau^{53}tʂəuk^{3} tsʅ^{0}.tʂəŋ^{35}kan$^{35}_{44}$ne^{0}kak^{3}ci^{21}to$^{35}_{44}$i…kak^{3}ci^{21}ien^{21}iəu^{53}iet^{3}tʂak^{3}tʰai^{53}pau^{53}tʂəuk^{3},ɔn$^{35}_{44}$tso$^{53}_{44}$kan^{53}pien$^{35}_{44}$.

【荐】tsien^{53} 动 垫托，支撑：上坡个时候子，箇以只人指后排就爱攒劲，渠爱揰稳上，爱～稳上。

ʂəŋ^{35}pʰo$^{35}_{44}$ke$^{53}_{44}$ʂʅ^{13}xəu$^{53}_{44}$tsʅ^{0},kai^{53}i^{21}tʂak^{3}ɲin^{13}tsʰiəu^{53}ɔi^{53}tsan^{21}cin^{53},ci$^{13}_{21}$ɔi$^{53}_{44}$tsʰəŋ^{21}uən^{21}ʂəŋ^{35},ɔi$^{53}_{44}$tsien^{53}uən^{21}ʂəŋ^{35}.

【荐媒】tsien^{53}mɔi^{13} 名 附和媒人举荐婚配对象的人：做媒人个人呐，渠安做有种有还有种媒人唔同呐。一种媒人呢，就打比样，欸，你只学生爱结婚，系唔系？欸，“那只伢子就要得”，系唔系？欸，“那只妹子就要得”。箇你就是做媒呀。你就做媒。“我同你讲呶，你摎那只妹子两个人去欸箇个唠谈下子唠试下子唠。”系啊？“你唔多熟悉嘞。你去问下子万老师唠。”欸。箇我听倒以后嘞，“要得啊，箇只妹子蛮好哇”，或者“箇只伢子蛮好”。你就安做正式个媒人，我就安做～，打总荐。tso^{53}mɔi^{13}ɲin$^{13}_{21}$ke^{0}ɲin$^{13}_{44}$na^{0},ci$^{13}_{21}$ɔn$^{35}_{44}$tso$^{53}_{44}$iəu$^{35}_{44}$tʂəŋ^{21}iəu^{35}xai^{13}iəu^{35}tʂəŋ^{21}mɔi^{13}ɲin$^{13}_{44}$n̩$^{13}_{44}$tʰəŋ$^{13}_{21}$na^{0}.iet^{3}tʂəŋ^{21}mɔi^{13}ɲin^{13}nei^{0},tsiəu$^{53}_{44}$ta^{21}pi^{21}iɔŋ$^{53}_{44}$,ei$_{21}$, ɲi^{13}tʂak^{3}xɔk^{5}saŋ$^{35}_{44}$ɔi^{53}ciet^{3}fən^{35},xei^{53}me^{53}?ei$_{53}$,"lai^{53}tʂak^{3}ŋa$^{13}_{21}$tsʅ^{0}tsʰiəu^{53}iau^{53}tek^{3}",xei^{53}me^{53}?e$_{21}$,"lai^{53}tʂak^{3}mɔi^{53}tsʅ^{0}tsʰiəu^{53}iau$^{53}_{44}$tek^{3}".kai^{53}ɲi$^{13}_{21}$tsʰiəu^{53}ʂʅ$^{53}_{44}$tso^{53}mɔi^{13}ia^{0}. ɲi^{13}tsʰiəu$^{53}_{44}$tso^{53}mɔi^{13}."ŋai^{13}tʰəŋ$^{13}_{21}$ɲi$^{13}_{44}$kɔŋ^{21}nau^{0}, ɲi^{13}lau^{35}lai^{53}tʂak^{3}mɔi^{53}tsʅ^{0}iɔŋ^{21}ke^{53}ɲin$^{13}_{44}$çi$^{53}_{44}$e$_{44}$kai$^{53}_{44}$ke$^{53}_{44}$lau^{0}tʰan^{13}na$^{53}_{44}$tsʅ^{0}lau^{0}ʂʅ^{53}xa$^{53}_{44}$tsʅ^{0}lau^{0}."xei$^{53}_{44}$a^{0}?"ɲi^{13}n̩$^{13}_{21}$to$^{35}_{44}$ʂəuk^{5}siet^{3}le^{0}. ɲi^{13}çi^{53}uən^{53}xa$^{53}_{44}$tsʅ^{0}uan^{53}nau^{21}sʅ^{35}lau^{0}."e$_{21}$.kai^{53}ŋai^{13}tʰaŋ$^{35}_{44}$tau^{21}i$^{35}_{44}$xei$^{53}_{44}$lei^{0},"iau^{53}tek^{3}a^{0},kai^{53}tʂak^{3}mɔi^{53}tsʅ^{0}man^{13}xau^{21}ua^{0}",xɔit^{5}tʂa$^{21}_{44}$"kai^{53}tʂak^{3}ŋa^{13}tsʅ^{0}man$^{13}_{44}$xau$^{21}_{44}$". ɲi^{13}tsʰiəu^{53}ɔn$^{35}_{44}$tso$^{53}_{44}$tʂən^{53}ʂʅ^{53}ke^{0}mɔi^{13}ɲin$^{13}_{44}$,ŋai^{13}tsʰiəu$^{53}_{44}$ɔn$^{35}_{44}$tso$^{53}_{44}$tsien^{53}mɔi^{13},ta^{21}tsəŋ^{21}tsien^{53}.

【贱】tsʰien^{53} 形 ①卑微：有滴分细人子取个名字取得唔知几～呢。iəu^{35}tet^{5}pən^{35}se^{53}ɲin$^{13}_{21}$tsʅ^{0}tsʰi^{21}ke^{53}miaŋ^{13}tsʰʅ$^{53}_{44}$tsʰi^{21}tek^{3}n̩$^{13}_{21}$ti$^{35}_{44}$ci^{21}tsʰien^{53}nei^{0}. ②手不安分：嘴莫咁多，手莫咁～！tʂɔi^{53}mɔk^{5}kan^{21}to^{35},ʂəu^{21}mɔk^{5}kan^{21}tsʰien^{53}!

【贱鬼】tsʰien^{53}kuei^{21} 名 对不自尊、不知羞耻或不知好歹的人的鄙称。也称“贱骨头”：～，贱骨头，系欸！也话下贱个人贱骨头。tsʰien^{53}kuei^{21},tsʰien^{53}kuət^{3}tʰei^{13},xei$^{53}_{44}$e^{0}!ia^{35}ua^{53}çia^{53}tsʰien$^{53}_{44}$ke$^{53}_{44}$in^{13}tsʰien^{53}kuət^{3}tʰei^{13}.

【贱贱哩】tsʰien^{53}tsʰien^{53}li^{0} 形 卑微貌：渠箇只（细子）就赠带倒。所以第二只嘞渠就安得渠～，安得狗……狗妹子。ci$^{13}_{21}$kai^{53}tʂak^{3}tsʰiəu^{53}maŋ$^{13}_{21}$tai^{53}tau^{21}.so^{21}i$^{35}_{44}$tʰi^{53}ɲi^{53}tʂak^{3}lei^{0}ci$^{13}_{21}$tsʰiəu$^{53}_{44}$ɔn^{35}tek^{3}ci$^{13}_{21}$tsʰien^{53}tsʰien^{53}li^{0},ɔn^{35}tek^{3}kei^{21}…kei^{21}mɔi^{53}tsʅ^{0}.

【剑刀】cian^{53}tau^{35} 名 由两片组成，用于限定篾的宽度的刀具：篾匠个刀也蛮多把嘞。/篾匠蛮多名堂个。有～。一把剑个剑。一边一张刀，篾子走只眼过来。篾子舞做样宽子。唔系刮平，刮平个就是刨刀。渠限定渠箇只宽度个是～。/手工破是有唔匀称呐，阔狭唔匀称呐。/有宽个宽呐，狭个狭滴子啊。渠就过下～。/箇个就安做～。/～箇控制宽度箇。刨刀嘞控制箇只厚薄个。miet$^{5}_{3}$siɔŋ$^{53}_{44}$ke$^{53}_{44}$tau^{35}ia$^{35}_{44}$man$^{13}_{21}$to$^{35}_{53}$pa^{21}le^{0}./miet^{5}siɔŋ^{53}man$^{13}_{21}$to$^{35}_{44}$min^{13}tʰɔŋ$^{13}_{44}$ke$^{53}_{44}$.iəu^{35}cian^{53}tau^{35}.iet^{3}pa^{21}cian^{53}ke$^{53}_{44}$cian^{53}.iet^{3}pien^{35}iet^{3}tʂɔŋ^{35}tau^{35},miet^{5}tsʅ^{0}tsei^{21}tʂak^{3}ŋan$^{21}_{44}$ko$^{53}_{44}$lɔi$^{13}_{44}$.miet^{5}tsʅ^{0}u^{21}tso^{53}iɔŋ^{53}kʰɔn^{35}tsʅ^{0}.m̩$^{13}_{21}$pʰe^{53}kuait^{3}pʰiaŋ^{13},kuait^{3}pʰiaŋ^{13}ke$^{53}_{44}$tsiəu$^{53}_{44}$ʂʅ$^{53}_{44}$pʰau^{13}tau$^{35}_{44}$.ci^{13}xan^{53}tʰin^{53}ci$^{13}_{21}$kai^{53}tʂak^{3}kʰɔn^{35}tʰəu^{53}ke$^{53}_{44}$ʂʅ$^{53}_{44}$cian^{53}tau^{35}./ʂəu^{21}kəŋ^{35}pʰo^{53}ʂʅ$^{53}_{44}$iəu^{35}n̩^{13}in^{13}tsʰin^{53}na^{0},kʰɔit^{3}cʰiait^{5}n̩$^{13}_{21}$in^{13}tsʰin^{53}na^{0}./iəu$^{35}_{44}$kʰɔn^{35}ke$^{53}_{44}$kʰɔn^{35}na^{0},cʰiait^{5}ke^{53}cʰiait^{5}tiet^{5}tsʅ^{0}a^{0}.ci$^{13}_{21}$tsʰiəu$^{53}_{44}$ko$^{53}_{44}$xa$^{53}_{21}$cian^{53}tau^{35}./kai$^{53}_{44}$ke$^{53}_{44}$tsʰiəu$^{53}_{44}$ɔn$^{35}_{44}$tso$^{53}_{44}$cian^{53}tau$^{35}_{44}$./cian^{53}tau$^{35}_{44}$kai$^{53}_{44}$kʰəŋ^{53}tʂʅ$^{53}_{44}$kʰɔn^{35}tʰəu$^{53}_{44}$kai$^{53}_{44}$.pʰau^{13}tau$^{35}_{44}$lei^{0}kʰəŋ^{53}tʂʅ$^{53}_{44}$kai^{53}tʂak^{3}xei^{35}pʰɔk^{5}ke$^{53}_{44}$.

【剑筛子】cian^{53}sai^{35}/si^{35}老派 tsʅ^{0} 名 用来筛细粉的筛子：～也喊筛粉个。箇蚕虫丝做个唠，～。cian^{53}sai$^{35}_{44}$tsʅ^{0}ia^{35}xan^{53}si^{35}fən^{21}ke$^{53}_{44}$.kai$^{53}_{44}$tsʰan^{13}tʂʰəŋ^{13}sʅ^{35}tso^{53}ke$^{53}_{44}$lau^{0},cien^{53}sai^{35}tsʅ^{0}.

【剑香蒲】cian^{53}çiɔŋ^{35}pʰu^{13} 名 菖蒲：～唔知几长，箇叶子像刀样个，像剑样个，叶子有兜子锋利子，叶子搧薄啊，欸，叶片搧薄，同一把剑样，就安做～。～也用来过端阳挂倒门口。cian^{53}çiɔŋ^{35}pʰu$^{13}_{21}$n̩^{13}ti$^{35}_{53}$ci^{21}tʂʰɔŋ^{13},kai$^{53}_{44}$iait^{5}tsʅ^{0}tsʰiɔŋ$^{53}_{44}$tau^{35}iɔŋ^{53}ke^{0},tsʰiɔŋ$^{53}_{44}$cian^{53}iɔŋ^{53}ke^{0},iait^{5}tsʅ^{0}iəu^{35}tei$^{35}_{53}$tsʅ^{0}fəŋ^{35}li^{53}tsʅ^{0},iait^{5}tsʅ^{0}ʂuen^{35}pʰɔk^{5}a^{0},e$_{21}$,iait^{5}pʰien^{53}ʂuen^{35}pʰɔk^{5},tʰəŋ^{13}iet^{3}pa^{21}cian^{53}iɔŋ^{53},tsʰiəu$^{53}_{44}$ɔn$^{35}_{44}$tso$^{53}_{44}$cian^{53}çiɔŋ^{35}pʰu$^{13}_{21}$.cian^{53}çiɔŋ$^{35}_{44}$pʰu$^{13}_{21}$ia^{35}iəŋ^{53}lɔi$^{13}_{21}$ko$^{53}_{44}$tɔn^{35}iɔŋ$^{13}_{21}$kua^{53}tau$^{21}_{44}$mən^{13}xei^{21}.

【健】cʰien^{53} 形 身体好：还～吧？xan^{13}cʰien^{53}pa^{0}?｜渠话让门你叔叔哇八十几岁咁～，你爷子七十几子就死嘿哩，系唔系？ci$^{13}_{21}$ua^{53}ɲiɔŋ^{53}mən^{0}ɲi$^{13}_{21}$ʂəuk^{3}ʂəuk^{3}ua^{0}pait^{3}ʂət^{5}ci^{21}sɔi^{53}kan^{21}cʰien^{53}, ɲi$^{13}_{21}$ia^{13}tsʅ^{0}tsʰiet^{3}ʂət^{5}ci^{21}tsʅ^{0}tsʰiəu$^{53}_{44}$si^{21}xek^{3}li^{0},xei$^{53}_{44}$me$^{53}_{44}$?

【健旺】cʰien^{53}uɔŋ^{53} 形 健康强壮，精力旺盛：你老人家还～吧？你老人家～就好哇。ɲi^{13}lau^{21}in$^{13}_{21}$ka$^{35}_{44}$xan$^{13}_{21}$cʰien^{53}uɔŋ^{53}pa^{0}?ɲi^{13}lau^{21}in$^{13}_{21}$ka$^{35}_{44}$cʰien^{53}uɔŋ^{53}tsʰiəu^{53}xau^{21}ua^{0}.

【健壮】cʰien^{53}tsɔŋ^{53} 形 健康强壮。多用于指中年人：你看，几～子啊，几好子个身体呀，咁～啊。ɲi^{13}kʰɔn$^{53}_{44}$,ci^{21}cʰien^{53}tsɔŋ$^{53}_{44}$tsa^{0},ci^{21}xau^{21}tsʅ^{0}ke$^{53}_{44}$ʂən$^{35}_{44}$tʰi$^{21}_{44}$ia^{0},kan^{21}cʰien^{53}tsɔŋ^{53}ŋa^{0}.

【渐渐子】tsʰien^{53}tsʰien^{53}tsʅ^{0} 副 逐渐；慢慢地：秋分是日夜平分了嘞，欸，天气～凉快。tsʰiəu^{35}

fən^{35}ʂʅ$^{53}_{21}$ɲiet^{3} ia^{53}p^{h}iaŋ^{13}fən^{35}niau^{21}le^{0},ei$_{21}$,t^{h}ien$^{35}_{44}$çi^{53}ts^{h}ien^{53}ts^{h}ien^{53}tsɿ^{0} liɔŋ^{13}k^{h}uai^{53}.

【毽子】cien^{53}tsɿ^{0} 名一种游戏用具。以皮或布包裹铜钱，并在钱孔中装上羽毛等制成。游戏时，用脚连续踢它，使其上下起落，不坠于地：踢～ t^{h}et^{3} cien^{53}tsɿ^{0}

【鉴】kan^{53} 动①明察；查看：我送滴么啊礼来哩，我有只清单。请你看下子，～下子。ŋai^{13} sən^{53}tet^{5} mak^{3} a^{0} li^{35}lɔi$^{13}_{21}$li^{0} ,ŋai^{13}iəu^{35}tʂak^{3} ts^{h}in^{35}tan$^{35}_{44}$.ts^{h}iaŋ^{21}ɲi$^{13}_{44}$k^{h}ɔn^{53}na^{0} (←xa^{53})tsɿ^{0},kan^{53}na^{0} (←xa^{53})tsɿ^{0}. ②斟酌确定：～日子，欸，一般就系指箇个呢，欸，整结婚酒呢，渠就要爱用倒双方个吵。箇个以边就讨哇，箇边就嫁，系唔系啊？双方日子。渠等话～日，箇是讨亲个日子吵，～日子个目的就系么个嘞？有兜人讲嘞就系爱女方～日子是就系女方通过～日子避开箇只妹子个月经期。欸，从前是就婚前是见面都冇得见呐，就更不存在欸两个人在一起生活唠，系唔系啊？如果你拣倒箇只日子正好箇妹子箇个月经期，欸，箇更岂不是更嫁归去几尴尬子嘞，系唔系唠？渠就系只咁个意思以前是，就系避开箇只月经期，就咁子～日子。渠又唔做声嘞。渠就一般就系话箇只日子要唔得，爱斢过只日子，系唔系？女方就去～。kan^{53}ɲiet^{3} tsɿ^{0},e$_{21}$,iet^{3} pɔn^{35}ts^{h}iəu^{53}xei^{53}tʂʅ^{21}kai^{53}ke^{53}nei^{0},e$_{21}$,tʂaŋ^{21}ciet^{3} fən^{35}tsiəu^{21}nei^{0},ci$^{13}_{21}$ts^{h}iəu^{53}iau$^{53}_{21}$ɔi^{53}iəŋ^{53}tau^{21}sɔŋ^{35}fɔŋ$^{35}_{44}$ke^{53}ʂa^{0}. kai^{53}ke^{53}i^{21}pien$^{35}_{44}$tsiəu^{53}t^{h}au^{21}ua^{0},kai^{53}pien$^{35}_{44}$tsiəu$^{53}_{44}$ka^{53},xei$^{53}_{44}$mei$^{53}_{44}$a^{0}?sɔŋ^{35}fɔŋ$^{35}_{44}$ɲiet^{3} tsɿ^{0}.ci$^{13}_{21}$tien^{0} ua$^{53}_{44}$kan^{53}ɲiet^{3}, kai^{53}ʂʅ^{53}t^{h}au^{21}ts^{h}in^{35}ke^{53}ɲiet^{3} tsɿ^{0} ʂa^{0},kan^{53}ɲiet^{3} tsɿ^{0} ke^{53}muk^{3} tiet^{3} ts^{h}iəu^{53}xei^{53}mak^{3} e^{0} lei^{0}?iəu^{35}tei$^{35}_{53}$ɲin$^{13}_{21}$kɔŋ^{21} lei^{0} ts^{h}iəu^{53}xei^{53}ɔi^{53}ɲy^{21}fɔŋ^{35}kan^{53}ɲiet^{3} tsɿ^{0} ʂʅ$^{53}_{21}$ts^{h}iəu^{53}xei^{53}ɲy^{21}fɔŋ^{35}t^{h}əŋ$^{35}_{44}$ko$^{53}_{44}$kan^{53}ɲiet^{3} tsɿ^{0} p^{h}ei^{53}k^{h}ɔi$^{35}_{44}$kai$^{53}_{44}$ tʂak^{3} mɔi^{53}tsɿ^{0} kei^{53}ɲiet^{5} cin$^{35}_{44}$c^{h}i$^{13}_{21}$.e$_{21}$,ts^{h}əŋ^{13}ts^{h}ien^{13}ʂʅ$^{53}_{44}$tsiəu$^{53}_{21}$fən^{13}ts^{h}ien^{13}ʂʅ$^{53}_{44}$cien^{53}mien^{53}təu$^{35}_{44}$mau$^{13}_{21}$tek^{3} cien^{53} na^{0},ts^{h}iəu$^{53}_{44}$cien^{53}pət^{3} ts^{h}ən^{13}ts^{h}ai^{53}ei$_{21}$iɔŋ^{21}kei^{53}ɲin$^{13}_{44}$ts^{h}ai^{53}iet^{3} çi^{21}sen^{35}xɔit^{5} lau^{0},xei^{53}me^{53}a^{0}?ɥ^{13}ko^{21}ɲi^{13}kan^{21} tau^{21}kai^{53}tʂak^{3} ɲiet^{3} tsɿ^{0} tʂən^{53}xau^{21}kai^{53}mɔi^{53}tsɿ^{0} kai^{53}cie$^{53}_{44}$ɲiet^{5} cin$^{35}_{44}$c^{h}i^{13},ei$_{21}$,kai^{53}cien$^{53}_{44}$c^{h}i^{21}pət^{3} ʂʅ^{53}cien$^{53}_{44}$ka^{53} kuei$^{35}_{44}$çi$^{53}_{44}$ci^{21}kan^{35}kai^{53}tsɿ^{0} lei^{0},xei^{53}mei^{53}lau^{0}?ci^{13}ts^{h}iəu^{53}xei$^{53}_{44}$tʂak^{3} kan$^{21}_{13}$ke^{53}i^{53}sɿ$^{35}_{44}$i$^{35}_{53}$ts^{h}ien$^{13}_{21}$ʂʅ$^{53}_{44}$,ts^{h}iəu^{53}xei$^{53}_{44}$ p^{h}ei^{53}k^{h}ɔi$^{35}_{44}$kai$^{53}_{44}$tʂak^{3} ɲiet^{5} cin$^{35}_{44}$c^{h}i$^{13}_{21}$,tsiəu^{53}kan$^{21}_{13}$tsɿ^{0} kan^{53}ɲiet^{3} tsɿ^{0}.ci^{13}iəu^{53}n̩^{13}tso^{53}ʂaŋ^{35}lei^{0}.ci$^{13}_{44}$tsiəu$^{53}_{44}$iet^{3} pɔn^{35} ts^{h}iəu$^{53}_{44}$xei$^{53}_{44}$ua$^{53}_{21}$kai$^{53}_{44}$tʂak^{3} ɲiet^{3} tsɿ^{0} iau^{53}n̩$^{13}_{21}$tek^{3},ɔi^{53}t^{h}iau^{21}ko^{53}tʂak^{3} ɲiet^{3} tsɿ^{0},xei^{53}me^{53}?ɲi^{21}fɔŋ$^{35}_{44}$ts^{h}iəu$^{53}_{44}$çi$^{53}_{44}$ kan^{53}.

【箭】tsien^{53} 动蹬：用脚～ iəŋ$^{53}_{44}$ciɔk^{3} tsien^{53}｜脚一～ ciɔk^{3} iet^{3} tsien^{53}

【箭毛】tsien^{53}mau^{35} 名翎子：箇翼拍上个毛比较长，比较粗，系唔系啊？安做～吧？翼拍上个毛，呣，～个讲法。kai$^{53}_{44}$iet^{5} p^{h}ak^{3} xɔŋ$^{53}_{44}$ke^{53}mau^{35}pi^{21}ciau$^{53}_{44}$tʂ^{h}ɔŋ^{13},pi^{21}ciau$^{53}_{44}$ts^{h}əu^{35},xei$^{53}_{44}$me$^{53}_{44}$a^{0}?ɔn$^{35}_{44}$ tso$^{53}_{44}$tsien^{53}mau^{35}pa^{0}?iet^{5} p^{h}ak^{3} xɔŋ$^{53}_{44}$ke^{53}mau^{35},m̩$_{21}$,tsien^{53}mau^{35}ke$^{53}_{44}$kɔŋ^{21}fait^{3}.

【江车】kɔŋ^{35}tʂ^{h}a^{35} 量或前或后的一大群：一～个鸭子 iet^{3} kɔŋ^{35}tʂ^{h}a$^{35}_{44}$ke^{0} ait^{3} tsɿ^{0}｜义狗一～一～，成群结队呀。ɲi^{53}kei^{21}iet^{3} kɔŋ^{35}iet^{3} kɔŋ^{35},tʂ^{h}ən^{13}tʂ^{h}ən$^{13}_{21}$ciet^{3} tei^{53}ia^{0}.｜打比样几十个人来以映宾馆里食饭，欸渠等走箇下背一路来，走个走面前走个走后背，系唔系？搞成一～。ta^{21}pi^{21}iɔŋ$^{53}_{44}$ci^{21} ʂət^{5} ke^{53}ɲin$^{13}_{21}$lɔi^{13}i^{21}iaŋ^{53}pin$^{35}_{44}$kɔn^{21}li^{21}ʂət^{5} fan^{53},ei$_{21}$ci$^{13}_{21}$tien^{0} tsei^{21}kai^{53}xa^{35}pɔi$^{53}_{44}$iet^{3} ləu^{53}lɔi^{13},tsei^{21}ke$^{53}_{44}$tsei^{21}mien^{53} ts^{h}ien^{13}tsei^{21}ke$^{53}_{44}$tsei^{21}xei^{53}pɔi^{53},xei^{53}me^{53}?kau^{21}ʂaŋ^{13}iet^{3} kɔŋ^{35}tʂ^{h}a^{35}.

【将】tsiɔŋ^{35} 名“将军”的简称。指下中国象棋时攻击对方的“将”或“帅”：𫎰～倒 maŋ^{13} tsiɔŋ$^{35}_{44}$tau^{21}｜～唔死 tsiɔŋ^{35}ŋ̍^{13}si^{21}｜～死哩 tsiɔŋ^{35}si^{21}li^{0}

【将牯子】tsiɔŋ^{35}ku^{21}tsɿ^{0} 名拜将军老爷为干爸的男孩子的小名：拜将军老爷个～安做。将伢子。嗯。欸。拜将军老爷个。妹子也可以啊，将妹子啊，安做将妹子啊。pai^{53}tsiɔŋ^{35}tʂən$^{35}_{44}$nau^{21}ia^{13} ke$^{53}_{44}$tsiɔŋ^{35}ku^{21}tsɿ^{0} ɔn$^{35}_{44}$tso$^{53}_{44}$.tsiɔŋ^{35}ŋa$^{13}_{21}$tsɿ^{0}.ŋ̍$_{21}$.e$_{21}$.pai^{53}tsiɔŋ^{35}tʂən$^{35}_{44}$nau^{21}ia^{13}ke$^{53}_{44}$.mɔi^{53}tsɿ^{0} ia^{35}k^{h}o^{21}i$^{35}_{44}$a^{0},tsiɔŋ^{35} mɔi$^{53}_{44}$tsɿ^{0} a^{0},ɔn$^{35}_{44}$tso$^{53}_{44}$tsiɔŋ^{35}mɔi$^{53}_{44}$tsɿ^{0} a^{0}.

【将就】tsiɔŋ^{35}ts^{h}iəu^{53} 动①降低要求，勉强适应不满意的事物或环境：箇个以前我等人到浏阳去呀，到哪映子食酒箇兜嘞，夜晡睡目是冇年纪个时候子是哪映都睡得啊，～下子，～一夜凑，系唔系？以下老哩是，箇就收拾哩，以下是就硬我自愿归来了。噢自愿归来，箇哟～唔成，一夜都睡唔着。kai^{53}ke$^{53}_{44}$i$^{35}_{53}$ts^{h}ien^{13}ŋai^{13}tien^{0}ɲin$^{13}_{21}$tau^{53}liəu^{13}iɔŋ$^{13}_{21}$çi^{53}ia^{0},tau^{53}lai^{53}iaŋ^{53}tsɿ^{0} ʂət^{5} tsiəu^{21} kai^{53}tei$^{35}_{53}$la^{0},ia^{53}pu$^{35}_{53}$ʂɔi^{53}muk^{3} ʂʅ^{53}mau^{13}ɲien^{13}ci^{21}ke^{53}ʂʅ$^{13}_{44}$xəu$^{53}_{44}$tsɿ^{0} ʂʅ$^{53}_{44}$lai^{53}iaŋ$^{53}_{44}$təu$^{35}_{44}$ʂɔi^{53}tek^{3} a^{0},tsiɔŋ^{35}ts^{h}iəu^{53} xa$^{53}_{44}$tsɿ^{0},tsiɔŋ^{35}ts^{h}iəu^{53}iet^{3} ia^{53}ts^{h}e^{0},xei$^{53}_{44}$me$^{53}_{44}$?i^{21}xa^{53}lau^{21}li^{0} ʂʅ$^{53}_{44}$,kai$^{53}_{44}$ts^{h}iəu$^{53}_{44}$ʂəu$^{35}_{44}$ʂət^{5} li^{0},i^{21}xa$^{53}_{44}$ʂʅ$^{53}_{44}$ts^{h}iəu$^{53}_{44}$ɲiaŋ^{53} ŋai$^{13}_{44}$ts^{h}ɿ^{53}ɲien$^{53}_{44}$kuei^{35}lɔi$^{13}_{21}$liau^{21}.au$_{53}$ts^{h}ɿ$^{53}_{44}$ɲien$^{53}_{44}$kuei^{35}lɔi$^{13}_{21}$,kai^{53}io^{0} tsiɔŋ^{35}ts^{h}iəu^{53}n̩$^{13}_{21}$ʂaŋ^{13},iet^{3} ia^{53}təu$^{35}_{44}$ʂɔi^{53}n̩$^{13}_{21}$ tʂ^{h}ɔk^{5}. ②迁就；不顾己意或事理之宜而委曲求全：打比样我箇只孙子唔想去张坊中学读书，渠想去浏阳箇一么个一所学校读书，箇我等就总啊想尽办法～下子渠。ta^{21}pi^{21}iɔŋ^{53}ŋai^{13}kai^{53}iak^{3} sən^{35}tsɿ^{0} n̩^{13}siɔŋ^{21}çi^{53}tʂɔŋ^{35}fɔŋ^{35}tʂəŋ$^{35}_{44}$çiɔk^{5} t^{h}əuk^{5} ʂəu$^{35}_{44}$,ci^{13}siɔŋ^{21}çi^{53}liəu^{13}iɔŋ$^{13}_{21}$kai^{53}iet^{3} mak^{3} e^{0} iet^{3} so^{21}çiɔk^{5}

çiau$^{53}_{44}$tʰəuk^{5} ʂəu^{35},kai^{53}ŋai^{13}tien^{0} tsʰiəu^{53}tsəŋ^{21}a^{0} sioŋ^{21}tsʰin^{53}pʰan^{53}fait^{3} tsioŋ^{35}tsʰiəu^{53}xa$^{53}_{21}$tsɿ^{0} ci$^{13}_{21}$.

【将军$_{1}$】tsioŋ^{35}tʂən^{35} 名 武官名：将军庙肚里就供奉倒蛮多～。欸，箇个，关公老爷，关公，系其中个一只～。tsioŋ^{35}tʂən$^{35}_{44}$miau^{53}təu^{21}li^{0} tsʰiəu$^{53}_{44}$kəŋ^{53}fəŋ^{53}tau^{21}iəu$^{35}_{44}$man$^{13}_{21}$to$^{35}_{44}$tsioŋ$^{35}_{44}$tʂən$^{35}_{44}$.e$_{21}$,kai$^{53}_{44}$ke$^{53}_{44}$,kuan^{35}kəŋ$^{35}_{44}$lau^{21}ia$^{13}_{21}$,kuan^{35}kəŋ$^{35}_{44}$,xei$^{53}_{44}$cʰi$^{13}_{21}$tʂəŋ$^{35}_{44}$ke^{53}iet^{3} tʂak^{3} tsioŋ^{35}tʂən^{35}.

【将军$_{2}$】tsioŋ^{35}tʂən^{35} 动 下中国象棋时攻击对方的"将"或"帅"：作象棋个时候子如果对方箇士象栅齐，你一只车牯就将渠～就将渠唔死。tsɔk^{3} sioŋ^{53}cʰi$^{13}_{44}$ke$^{53}_{44}$ʂʅ$^{13}_{44}$xəu$^{53}_{44}$tsɿ^{0} ʮ^{13}ko^{21}tei^{53}fəŋ$^{53}_{44}$kai^{53} sɿ^{53}sioŋ^{53}tsait^{5} tsʰe^{13}, ɲi^{13}iet^{3} tʂak^{3} kei^{35}ku^{21}tsʰiəu$^{53}_{21}$tsioŋ^{35}ci$^{13}_{21}$tsioŋ^{35}tʂən^{35}tsiəu$^{53}_{44}$tsioŋ^{35}ci$^{13}_{21}$n̩$^{13}_{21}$si^{21}.

【将军老爷】tsioŋ^{35}tʂən$^{35}_{44}$nau^{21}ia^{13} 名 神名：拜～（做干爷）个将牯子安做。pai^{53}tsioŋ^{35}tʂən$^{35}_{44}$nau^{21}ia^{13}ke$^{53}_{44}$tsioŋ^{35}ku^{21}tsɿ^{0} ɔn$^{35}_{44}$tso$^{53}_{44}$.

【将军庙】tsioŋ^{35}tʂən$^{35}_{44}$miau^{53} 名 供奉关公、张飞、赵子龙等将军神像的庙宇：以只张坊境内都有我就晓得有～。小河下背就有～。～肚里就供奉倒有蛮多将军。欸，箇个，关公老爷，关公，系其中个一只将军。我听晡有机会来去查，请下子看呶，来去拜访下子箇～看呐。iak^{3} (←i^{21}tʂak^{3})tʂəŋ$^{35}_{44}$xəŋ$^{35}_{44}$cin^{53}nei$^{53}_{44}$təu$^{35}_{44}$iəu$^{35}_{44}$ŋai$^{13}_{21}$tsiəu^{53}çiau^{21}tek^{3} iəu$^{35}_{44}$tsioŋ$^{35}_{44}$tʂən$^{35}_{44}$miau^{53}.siau^{21}xo$^{13}_{21}$xa^{35}pɔi^{53} tsʰiəu$^{53}_{44}$iəu$^{35}_{44}$tsioŋ$^{35}_{44}$tʂən$^{35}_{44}$miau^{53}.tsioŋ^{35}tʂən$^{35}_{44}$miau^{53}təu^{21}li^{0} tsʰiəu$^{53}_{44}$kəŋ^{53}fəŋ^{53}tau^{21}iəu$^{35}_{44}$man$^{13}_{21}$to$^{35}_{44}$tsioŋ$^{35}_{44}$tʂən$^{35}_{44}$.e$_{21}$, kai$^{53}_{44}$ke$^{53}_{44}$,kuan^{35}kəŋ$^{35}_{44}$lau^{21}ia$^{13}_{21}$,kuan^{35}kəŋ$^{35}_{44}$,xei$^{53}_{44}$cʰi$^{13}_{21}$tʂəŋ$^{35}_{44}$ke^{53}iet^{3} tʂak^{3} tsioŋ^{35}tʂən^{35}.ŋai^{13}tʰin$^{35}_{44}$pu$^{35}_{44}$iəu$^{35}_{44}$ci$^{35}_{44}$fei$^{53}_{44}$ lɔi$^{13}_{21}$çi^{53}tsʰa^{13},tsʰin^{21}na$^{53}_{44}$tsɿ^{0} kʰɔn^{53}nau^{0},lɔi$^{13}_{21}$çi$^{53}_{44}$pai^{53}fəŋ^{21}xa$^{53}_{44}$tsɿ^{0} kai$^{53}_{44}$tsioŋ$^{35}_{44}$tʂən$^{35}_{44}$miau^{53}kʰɔn$^{53}_{44}$na^{0}.

【将军样】tsioŋ^{35}cin^{35}iəŋ^{53} 形容人皮肤黑：话渠～哕。晓渠让门子安做～？ua^{53}ci$^{13}_{21}$tsioŋ^{35}cin$^{35}_{44}$iəŋ$^{53}_{21}$ lau^{0}.çiau^{21}ci$^{13}_{21}$ɲiəŋ^{53}mən$^{13}_{44}$tsɿ^{0} ɔn$^{35}_{44}$tso$^{53}_{44}$tsioŋ^{35}cin$^{35}_{44}$iəŋ$^{53}_{44}$?

【将来】tsioŋ^{35}lɔi$^{13}_{21}$ 名 时间词。未来；现在以后的时间：虽然你系，你系只，你有，你留哩子女去箇映子，但是～嘞，不认下堂之母。sei^{35}vien$^{13}_{21}$ɲi^{13}xe^{53}, ɲi$^{13}_{21}$xe^{53}tʂak^{3}, ɲi^{13}iəu$^{35}_{44}$, ɲi^{13}liəu^{13}li^{0} tsɿ^{21} ɲy^{21}çi^{53}kai$^{53}_{44}$iaŋ^{53}tsɿ^{0},tan$^{53}_{44}$ʂʅ$^{53}_{44}$tsioŋ^{35}lɔi$^{13}_{21}$lei^{0},pət^{3}ɲin^{53}xa^{35}tʰɔŋ$^{13}_{21}$tʂʅ$^{35}_{44}$mu^{35}.

【将妹子】tsioŋ^{35}mɔi$^{53}_{44}$tsɿ^{0} 名 拜将军老爷为干爸的女孩子的小名：拜将军老爷个。妹子也可以啊，～啊，安做～啊。pai^{53}tsioŋ^{35}tʂən$^{35}_{44}$nau^{21}ia^{13}ke$^{53}_{44}$.mɔi^{53}tsɿ^{0} ia^{35}kʰo^{21}i$^{35}_{44}$a^{0} ,tsioŋ^{35}mɔi$^{53}_{44}$tsɿ^{0} a^{0} ,ɔn$^{35}_{44}$tso$^{53}_{44}$ tsioŋ^{35}mɔi$^{53}_{44}$tsɿ^{0}a^{0}.

【将伢子】tsioŋ^{35}ŋa$^{13}_{21}$tsɿ^{0} 名 拜将军老爷做干爸的男孩子的小名：拜将军老爷个将牯子安做。～。pai^{53}tsioŋ^{35}tʂən$^{35}_{44}$nau^{21}ia^{13}ke$^{53}_{44}$tsioŋ^{35}ku^{21}tsɿ^{0} ɔn$^{35}_{44}$tso$^{53}_{44}$.tsioŋ^{35}ŋa$^{13}_{21}$tsɿ^{0}.

【姜】ciɔŋ^{35} 名 ①姜科植物：野生个～？/有哇。ia^{35}saŋ$^{35}_{44}$ke$^{53}_{44}$ciɔŋ^{35}?/iəu^{35}ua^{0}. ②生姜的根状茎：我等年年都唔爱买～。ŋai^{13}tien^{0}ɲien^{13}ɲien$^{13}_{44}$təu$^{35}_{53}$m̩$^{13}_{21}$mɔi$^{53}_{44}$mai$^{35}_{44}$ciɔŋ^{35}.

【姜筋】ciɔŋ^{35}cin^{35} 名 姜的根：姜嫲个筋是就刮瘦个东西。刮瘦，唔壮，所以渠话～样就系滴伢大子。ciɔŋ^{35}ma$^{13}_{44}$(k)ei^{0} cin^{35}ʂʅ$^{53}_{44}$tsʰiəu$^{53}_{44}$kuait$^{3}_{5}$ sei^{53}ke^{0} təŋ$^{35}_{44}$si^{0} .kuait$^{3}_{5}$ sei^{53},n̩^{13}tsɔŋ^{53},so^{21}i$^{35}_{53}$ci$^{13}_{44}$ua$^{53}_{44}$ciɔŋ^{35}cin$^{35}_{44}$ iɔŋ$^{53}_{44}$tsʰiəu$^{53}_{44}$xe$^{53}_{44}$tiet^{5} ŋa$^{13}_{44}$tʰai^{53}tsɿ^{0}.

【姜酒】ciɔŋ^{35}tsiəu^{21} 名 办半月酒时最先上的用水酒酿和姜煮的菜品：送哩～个，箇嘞就咁个啦，欸食半月酒个话，第一碗菜系爱～，就系舞兜水酒娘啊煮一镬啊，以下就放兜姜嫲去啊，舞兜水酒娘欸放兜姜嫲去煮倒，每桌一碗呐，箇碗唔算菜呀。箇碗就系～，第一碗。səŋ^{53}li^{0} ciɔŋ^{35}tsiəu^{21}ke^{53},kai^{53}lei^{0} tsʰiəu^{53}kan^{21}cie^{53}la^{0},e$_{44}$ʂət^{5} pan^{53}ɲiet^{5} tsiəu^{21}ke$^{53}_{44}$fa$^{53}_{44}$,tʰi^{53}iet^{3} uɔn^{21}tsʰɔi^{53}xei^{53}ɔi$^{53}_{44}$ciɔŋ^{35} tsiəu^{21},tsʰiəu$^{53}_{44}$xei$^{53}_{44}$u^{21}te$^{35}_{53}$ʂei^{21}tsiəu^{21}ɲiɔŋ^{13}ŋa^{0} tʂəu^{21}iet^{3} uɔk^{5} a^{0} ,i^{21}xa$^{53}_{44}$tsʰiəu^{53}fəŋ$^{53}_{44}$tei$^{35}_{53}$ciɔŋ^{35}ma$^{13}_{21}$çi^{53}a^{0} ,u^{21}te$^{35}_{53}$ ʂei^{21}tsiəu^{21}ɲiɔŋ^{13}ei$_{21}$fəŋ^{53}tei$^{35}_{53}$ciɔŋ^{35}ma$^{13}_{21}$çi^{53}tʂəu^{21}tau^{21},mei^{35}tsɔk^{3} iet^{3} uɔn^{21}na^{0} ,kai^{53}uɔn^{21}n̩^{13}sɔn^{53}tsʰɔi^{53}ia^{0} .kai$^{53}_{44}$ uɔn^{21}tsʰiəu^{53}xei^{53}ciɔŋ^{35}tsiəu^{21},tʰi^{53}iet^{3} uɔn^{21}.

【姜嫲】ciɔŋ^{35}ma^{13} 名 姜科植物：我等年年都唔爱买～，唔爱买姜。我等箇个箇只欸我老妹子啊，我等箇只阿舅子啊，年年都送兜～来分我等人。渠等屋下栽倒蛮多～。ŋai^{13}tien^{0}ɲien^{13} ɲien$^{13}_{44}$təu$^{35}_{53}$m̩$^{13}_{21}$mɔi$^{53}_{44}$mai$^{35}_{44}$ciɔŋ^{35}ma$^{13}_{21}$,m̩$^{13}_{21}$mɔi$^{53}_{44}$mai$^{35}_{44}$ciɔŋ^{35}.ŋai^{13}tien^{0}kai^{53}kei$^{53}_{44}$kai^{53}tʂak^{3} e$_{21}$ŋai$^{13}_{21}$lau^{21}mɔi^{53}tsɿ^{0}a^{0}, ŋai^{13}tien^{0} kai^{53}tʂak^{3} a^{35}cʰiəu^{35}tsɿ^{0} a^{0}, ɲien^{13}ɲien$^{13}_{21}$təu$^{35}_{53}$səŋ^{53}tei$^{35}_{53}$ciɔŋ^{35}ma$^{13}_{21}$lɔi$^{13}_{21}$pən$^{35}_{44}$ŋai$^{13}_{21}$tien^{0}ɲin$^{13}_{44}$.ci^{13}tien^{0} uk^{3} xa$^{53}_{44}$tsɔi$^{35}_{44}$tau^{21}man$^{13}_{21}$to$^{35}_{44}$ciɔŋ$^{35}_{44}$ma$^{13}_{21}$.

【姜苗】ciɔŋ^{35}miau$^{13}_{21}$ 名 姜的茎和枝叶：本本箇只苗就本本像～。pən^{21}pən^{21}kai^{53}tʂak^{3}miau^{13}tsʰiəu^{53} pən^{21}pən^{21}tsʰiɔŋ$^{53}_{44}$ciɔŋ^{35}miau$^{13}_{21}$.

【姜末】ciɔŋ^{35}mait^{5} 名 切碎的姜：～其实就系分箇姜嫲剁得末碎。不是么个欸姜嫲个咁个唔爱哩个末末。ciɔŋ^{35}mait^{5} cʰi$^{13}_{21}$ʂət^{5} tsʰiəu$^{53}_{44}$xei$^{53}_{44}$pən$^{35}_{44}$kai$^{53}_{44}$ciɔŋ^{35}ma$^{13}_{21}$to^{53}tek^{3} mait^{5} si^{53}.pət^{3} ʂʅ^{3} mak^{3} kei^{53}ei$_{21}$ ciɔŋ^{35}ma$^{13}_{21}$ke^{53}kan^{21}kei^{53}m̩$^{13}_{21}$mɔi$^{53}_{35}$li^{0} ke^{53}mait^{5} mait^{5}.

【姜片】ciɔŋ^{35}p^{h}ien^{53} 名切成片状的姜：我娭子就长日拿倒箇姜嫲，一片片子个～咯去额门上贴呢，贴嘿额门上嘞，贴嘿额门上就整脑壳车昏呢。贴嘿肚脐眼上就整肚脐痛嘞。ŋai$^{13}_{21}$ɔi^{35}tsɿ^{0} ts^{h}iəu^{53}tʂ^{h}ɔŋ^{13}ɲiet^{3} la^{53}tau^{21}kai^{53}ciɔŋ^{35}ma$^{13}_{44}$,iet^{3} p^{h}ien^{53}p^{h}ien^{53}tsɿ^{0} ke^{0} ciɔŋ^{35}p^{h}ien^{53}ko^{0} çi^{53}ɲiait^{3} mən$^{13}_{21}$xɔŋ^{53} tiait^{3} nei^{0},tiait^{3} (x)ek^{3} ɲiait^{3} mən^{13}xɔŋ^{53}lei^{0},tiait^{3} (x)ek^{3} ɲiait^{3} mən^{13}xɔŋ^{53}ts^{h}iəu^{53}tʂaŋ^{21}nau^{21}k^{h}ɔk^{3} tʂ^{h}a^{35}fən^{13} nei^{0}.tiait^{3} (x)ek^{3} təu^{21}ts^{h}i$^{13}_{21}$ŋan^{21}xɔŋ^{53}ts^{h}iəu^{53}tʂaŋ^{21}təu^{21}tsɿ^{0} t^{h}əŋ^{53}lei^{0}.

【姜丝】ciɔŋ^{35}sɿ^{35} 名切成丝状的姜：～就用来向菜个。比方说煮丝瓜，箇就放兜子～去好食，箇唔用姜片。ciɔŋ^{35}sɿ^{35}ts^{h}iəu^{53}iəŋ^{53}lɔi$^{13}_{21}$çiɔŋ^{53}ts^{h}ɔi^{53}ke^{0}.pi^{21}fɔŋ$^{35}_{53}$ʂet^{3} tʂəu^{21}sɿ^{35}kua$^{35}_{44}$,kai$^{53}_{44}$ts^{h}iəu^{53}fɔŋ^{53}təu$^{35}_{53}$tsɿ^{0} ciɔŋ^{35}sɿ^{35}çi^{53}xau^{21}ʂət^{5},kai^{53}n̩$^{13}_{21}$iəŋ$^{53}_{44}$ciɔŋ^{35}p^{h}ien^{53}.

【姜太公到此】ciɔŋ^{35}t^{h}ai^{53}kəŋ^{35}tau^{53}ts^{h}ɿ^{21} 民俗。将这句话写在纸上，张贴在牲畜圈栏以期六畜兴旺："～"嘞欸么个时候写都冇得规定。就系写倒以后嘞贴嘿哪映嘞？贴嘿箇个畜头牲个栏场。打比猪栏下，牛栏下，羊栏下，猪栏，牛栏，羊栏，欸。"～"嘞，意思就系我觉得箇只姜太公嘞就系么个意思嘞？就系欸兽医个意思样。姜太公到哩，你箇个头牲就会顺遂，冇事发病。就只咁个意思。"ciɔŋ^{35}t^{h}ai^{53}kəŋ^{35}tau^{53}ts^{h}ɿ^{21}"lei^{0} e$_{21}$mak^{3} kei^{53}ʂɿ^{13}xei^{53}sia^{21}təu$^{35}_{44}$mau^{13}tek^{3} kuei^{35}t^{h}in$^{53}_{44}$.ts^{h}iəu^{53}xe$^{53}_{44}$sia^{21}tau$^{21}_{44}$i$^{35}_{44}$xei$^{53}_{44}$lei^{0} t^{h}iait^{3} (x)ek^{3} lai^{53}iaŋ$^{53}_{44}$lei^{0} ?t^{h}iait^{3} (x)ek^{3} kai$^{53}_{44}$ke$^{53}_{44}$çiəuk^{3} t^{h}ei^{13}saŋ$^{35}_{44}$ ke$^{53}_{44}$laŋ^{13}tʂ^{h}ɔŋ^{13}.ta^{21}pi$^{21}_{44}$tʂəu^{35}lan$^{13}_{21}$xa^{35}, ɲiəu^{13}lan$^{13}_{21}$xa^{35},iɔŋ^{13}lan$^{13}_{21}$xa^{35},tʂəu^{35}lan^{13}, ɲiəu^{13}lan^{13},iɔŋ^{13}lan^{13},e$_{21}$. "ciɔŋ^{35}t^{h}ai^{53}kəŋ^{35}tau^{53}ts^{h}ɿ^{21}"lei^{0} ,i^{53}sɿ^{0} ts^{h}iəu^{53}xe^{53}ŋai^{13}kɔk^{3} tek^{3} kai^{53}tʂak^{3} ciɔŋ^{35}t^{h}ai^{53}kəŋ^{35}lei^{0} ts^{h}iəu^{53}xe^{53}mak^{3} ke$^{53}_{44}$i^{53}sɿ^{0} lei^{0} ?ts^{h}iəu^{53}xe^{53}e$_{21}$ʂəu^{53}i$^{35}_{44}$ke$^{53}_{44}$i^{53}sɿ^{0} iɔŋ$^{53}_{44}$.ciɔŋ^{35}t^{h}ai^{53}kəŋ^{35}tau^{53}li^{0} ,ɲi^{13}kai$^{53}_{44}$ke$^{53}_{44}$t^{h}ei^{13}saŋ$^{35}_{44}$ts^{h}iəu^{53}uɔi^{53} ʂən^{53}si^{53},mau^{13}sɿ$^{53}_{44}$fait^{3} p^{h}iaŋ^{53}.ts^{h}iəu$^{53}_{44}$tʂak^{3} kan^{21}ke$^{53}_{44}$i^{53}sɿ^{0} .

【浆$_1$】tsiɔŋ^{35} 名①浓厚的液体：榨出～来。榨出豆腐～来。tsa^{53}tʂ^{h}ət^{3} tsiɔŋ^{35}lɔi$^{13}_{21}$.tsa^{53}tʂ^{h}ət^{3} t^{h}ei^{53}fu$^{53}_{44}$ tsiɔŋ^{35}lɔi$^{13}_{21}$. ②建筑上砌砖使用的各种黏结物质的通称：从前个石灰就是老式石灰是还爱磨一到嘞。磨～啊。ts^{h}əŋ^{13}ts^{h}ien^{13}ke$^{53}_{44}$ʂak^{5} fɔi^{35}ts^{h}iəu$^{53}_{21}$sɿ$^{53}_{21}$lau^{21}ʂɿ$^{53}_{21}$ʂak$^{5}_{3}$ fɔi$^{35}_{44}$ʂɿ$^{53}_{44}$xa$^{13}_{21}$ɔi$^{53}_{44}$mo^{53}iet^{3} tau^{53}le^{0} .mo^{53} tsiɔŋ^{35}ŋa^{0}.

【浆$_2$】tsiɔŋ^{35} 动用粉浆或米汤等浸润纱、布、衣服等物：箇衫裤哇，欸厚哩，箇布十分厚，又舞兜么个欸舞兜饭汤一～，～倒渠硬跷跷哩。kai$^{53}_{44}$san^{35}fu^{53}va^{0} ,e$_{21}$xei^{35}li^{0} ,kai$^{53}_{44}$pu^{53}ʂət^{5} fən$^{35}_{44}$xei^{35}, iəu^{53}u^{21}tei$^{35}_{53}$mak^{3} ke^{53}e$_{21}$u^{21}tei$^{35}_{53}$fan^{53}t^{h}ɔŋ$^{35}_{44}$iet^{3} tsiɔŋ^{35},tsiɔŋ^{35}tau^{21}ci$^{13}_{21}$ŋaŋ^{53}c^{h}iau$^{35}_{44}$c^{h}iau^{35}li^{0}.

【浆糊】tsiɔŋ^{35}fu^{13} 名用面粉等做成的可以粘贴东西的糊状物：唔系箇晡讲哩我等箇只老弟是去别人箇映搞纸扎，一走嘿去就搞一斤灰面粉就□一钵羹整～。同老板省哩钱呐。你系买箇个一壶壶子个咁大子个是硬唔知爱几多子，渠用欸用得多啊，欸，□一钵羹。～其实就系粮食做个嘞。m̩$^{13}_{21}$p^{h}ei$^{53}_{44}$kai^{53}pu^{35}kɔŋ^{21}li^{0} ŋai^{13}tien^{0} kai$^{53}_{44}$tʂak^{3} lau^{21}t^{h}e^{35}ʂɿ$^{53}_{44}$çi$^{53}_{44}$p^{h}iet^{5} in$^{13}_{21}$kai^{53}iaŋ^{53}kau^{21}tʂɿ^{21}tsait^{3}, iet^{3} tsei^{21}(x)ek^{3} çi^{53}ts^{h}iəu^{53}kau^{21}iet^{3} cin$^{35}_{44}$fei$^{35}_{44}$mien^{53}fən^{21}ts^{h}iəu$^{53}_{44}$c^{h}iet^{5} iet^{3} pait^{3} kaŋ^{35}tʂən^{21}tsiɔŋ^{53}fu$^{13}_{21}$.t^{h}əŋ^{13}lau^{21} pan^{21}saŋ^{21}li^{0} ts^{h}ien$^{13}_{21}$na^{0} . ɲi^{13}xei^{53}mai^{35}kai^{53}ke^{53}iet^{3} fu^{13}fu^{13}tsɿ^{0} kei^{53}kan$^{21}_{13}$t^{h}ai^{53}tsɿ^{0} ke$^{53}_{44}$ʂɿ$^{53}_{44}$ɲiaŋ^{53}n̩^{13}ti$^{35}_{53}$ɔi^{53}ci^{21} (t)o$^{35}_{44}$tsɿ^{0} ,ci^{13}iəŋ^{53}ŋe^{0} iəŋ^{53}tek^{3} to^{35}a^{0} ,e$_{21}$,c^{h}iet^{5} iet^{3} pait^{3} kaŋ$^{35}_{44}$.tsiɔŋ^{53}fu^{13}c^{h}i^{13}ʂət^{5} ts^{h}iəu^{53}xei^{53}liɔŋ^{13}ʂət^{5} tso^{53}ke$^{53}_{44}$ lei^{0}.

【僵蚕】ciɔŋ^{35}ts^{h}an$^{13}_{21}$ 名因感染（或人工接种）白僵菌而致死的家蚕幼虫干燥体，可治风化痰：还有起蚕，蚕是还有只东西啦，～呐。箇死……箇蚕唔知系唔系让门子唔知到哪只阶段哩，渠死嘿哩，死嘿哩以后嘞，箇种死嘿哩个箇蚕呢系一味好药呢。～安做。箇个僵尸个僵啊，系啊。做药呢。xai^{13}iəu$^{35}_{44}$çi^{21}ts^{h}an^{13},ts^{h}an^{13}ʂɿ$^{53}_{44}$xai^{13}iəu$^{35}_{44}$tʂak^{3} təŋ$^{35}_{44}$si^{0} la^{0} ,ciɔŋ^{35}ts^{h}an$^{13}_{21}$na^{0} .kai^{53}si…kai$^{53}_{44}$ ts^{h}an^{13}n̩^{13}ti$^{35}_{44}$xei$^{53}_{44}$mei$^{53}_{44}$ɲiɔŋ^{53}mən^{0} tsɿ^{0} n̩^{13}ti$^{35}_{44}$tau^{53}lai^{53}tʂak^{3} kai^{35}tɔn^{53}ni^{0} ,ci$^{13}_{21}$si^{21}xek^{3} li^{0} ,si^{21}xek^{3} li^{0} i^{35}xei$^{53}_{44}$le^{0} ,kai$^{53}_{44}$ tʂəŋ$^{21}_{44}$si^{21}xek^{3} li^{0} ke^{53}kai^{53}ts^{h}an^{13}nei^{0} xei^{53}iet^{3} uei^{53}xau^{21}iɔk^{5} ne^{0} .ciɔŋ^{35}ts^{h}an$^{13}_{21}$ɔn^{35}tso^{53}.kai^{53}ke^{53}ciɔŋ$^{35}_{44}$ʂɿ$^{35}_{44}$ke^{53} ciɔŋ$^{35}_{44}$ŋa^{0} ,xei$^{53}_{44}$a^{0} .tso^{53}iɔk^{5} nei^{0}.

【讲】kɔŋ^{21} 动①说话：你莫～，听我～！ɲi$^{13}_{21}$mɔk^{5} kɔŋ^{21},t^{h}aŋ^{35}ŋai^{13}kɔŋ^{21}！②讲求：唔～卫生 ŋ̍$^{13}_{21}$ kɔŋ^{21}uei^{53}sien$^{35}_{44}$

【讲传】kɔŋ^{21}tʂ^{h}ɔn^{53} 动说书：欸，从前个老班子啊有兜人真喜欢～，讲传书。呃，么个讲得最多个渠是系么个传呢？《隋唐演义传》。欸就讲薛仁贵呀，薛仁贵征东征西呀，欸真有讲。以前我教小学个时候子箇侧边一只谢有彩老师硬真喜欢～，讲起我等尽兜都睡着哩，唔知么个时候子渠走咁哩。门都赠关，灯也赠喷。多时唔在哩，死嘿十多年了。e$_{21}$,ts^{h}əŋ$^{13}_{21}$ts^{h}ien$^{13}_{21}$ke$^{53}_{44}$ lau^{21}pan$^{35}_{44}$tsɿ^{0} a^{0} iəu^{35}tei$^{35}_{53}$ɲin$^{13}_{21}$tʂən^{35}çi^{21}fɔn$^{35}_{44}$kɔŋ^{21}tʂ^{h}uɔn^{53},kɔŋ^{21}tʂ^{h}uɔn^{53}ʂəu^{35}.ə$_{21}$,mak^{3} kei$^{53}_{44}$kɔŋ^{21}tek^{3} tsei^{53}to^{35} ke^{0} ci^{13}ʂɿ^{53}xei^{53}mak^{3} e^{0} tʂ^{h}uɔn^{53}ne^{0} ?sei^{13}t^{h}ɔŋ^{13}ien^{21}ɲi^{53}tʂ^{h}uɔn^{53}.e$_{21}$tsiəu^{53}kɔŋ^{21}siet^{3} uən^{13}kuei^{53}ia^{0} ,siet^{3} uən^{13}

kuei^{53}tʂən$^{35}_{44}$təŋ$^{35}_{44}$tʂən$^{35}_{44}$si^{35}ia^{0},e^{0}tʂən^{35}iəu$^{35}_{44}$kɔŋ^{21}.i$^{35}_{53}$ts^{h}ien$^{13}_{44}$ŋai$^{13}_{21}$kau$^{35}_{44}$siau^{21}çiɔk^{5}ke^{0}ʂʅ^{13}xəu$^{53}_{44}$tsɿ^{0}kai$^{53}_{44}$tset^{3}pien$^{35}_{44}$iet^{3}tʂak^{3}ts^{h}ia^{53}iəu$^{35}_{53}$ts^{h}ai^{21}lau^{21}sɿ$^{35}_{44}$ɲiaŋ^{53}tʂən^{35}çi^{21}fən^{35}kɔŋ^{21}tʂ^{h}uən^{53},kɔŋ^{21}çi$^{21}_{53}$ŋai$^{13}_{21}$tien^{0}ts^{h}in^{53}te$^{35}_{53}$təu$^{35}_{44}$ʂɔi^{53}tʂ^{h}ɔk^{5}li^{0},n̩$^{13}_{21}$ti$^{35}_{53}$mak^{3}e^{0}ʂʅ$^{13}_{44}$xəu$^{53}_{44}$tsɿ^{0}ci$^{13}_{21}$tsei^{21}kan^{21}ni^{0}.mən^{13}təu$^{35}_{53}$maŋ$^{13}_{21}$kuan$^{35}_{44}$,ten^{35}na$^{35}_{53}$maŋ$^{13}_{44}$p^{h}ən^{35}.to^{35}ʂʅ$^{13}_{53}$n̩$^{13}_{21}$ts^{h}ɔi$^{53}_{44}$li^{0},si^{21}xek^{3}ʂət^{5}to$^{35}_{44}$ɲien^{13}niau^{0}.

【讲到底】kɔŋ^{21}tau^{53}ti^{21} 副终归；毕竟：渠指酸枣～是蛮像红枣箇只东西。ci^{13}kɔŋ^{21}tau^{53}ti^{21}ʂʅ$^{53}_{44}$man^{13}ts^{h}iɔŋ^{53}fəŋ^{13}tsau^{21}kai$^{53}_{21}$tʂak^{3}(t)əŋ$^{35}_{44}$si^{0}.

【讲好话】kɔŋ^{21}xau^{21}fa^{53} 求情：渠指新郎就爱发下子烟，拿下红包，讲下子好话……请渠等快滴子捡场啊。ci^{13}ts^{h}iəu^{53}ɔi^{53}fait^{3}a^{53}tsɿ^{0}ien^{35},la^{53}a^{53}fəŋ^{13}pau$^{35}_{44}$,kɔŋ^{21}ŋa^{53}tsɿ^{0}xau^{21}fa^{53}…ts^{h}iaŋ^{21}ci$^{13}_{21}$tien^{0}k^{h}uai^{53}tiet^{5}tsɿ^{0}cien^{21}tʂ^{h}ɔŋ^{13}ŋa^{0}.

【讲话$_{1}$】kɔŋ^{21}ua^{53} 动①说：藉势你～洗么啊洗箇只咁个东西呀，洗细滴子个噢，还有只就洗芋子哦。tʂa^{53}ʂʅ$^{53}_{44}$ɲi^{13}kɔŋ^{21}ua^{53}se^{21}mak^{3}a^{0}se^{21}kai^{53}tʂak^{3}kan^{21}ke$^{53}_{44}$(t)əŋ$^{35}_{44}$si^{0}ia^{0},se^{21} se^{53}tiet^{5}tsɿ^{0}ke$^{53}_{44}$au^{0},xai$^{13}_{21}$iəu$^{35}_{44}$tʂak^{3}tsiəu$^{53}_{44}$se^{21}u^{53}tso^{0}. ②发言：渠医院里个领导箇只嘞只系来讲下子话。ci$^{13}_{21}$i^{35}vien^{53}li^{21}cie$^{53}_{44}$lin^{35}t^{h}au^{53}kai$^{53}_{44}$tʂak^{3}lei^{0}tʂʅ^{21}xe$^{53}_{44}$lɔi$^{13}_{21}$kɔŋ^{21}ŋa$^{53}_{44}$tsɿ^{0}fa^{53}.

【讲话$_{2}$】kɔŋ^{21}ua^{53} 动听说是；据说：人到后面死嘿哩，讲话浸死哩。ɲin^{13}tau$^{53}_{44}$xəu^{53}mien$^{53}_{44}$si^{21}xek^{3}li^{0},kɔŋ^{21}ua$^{53}_{21}$tsin^{53}si^{21}li^{0}.

【讲价】kɔŋ^{21}cia^{53} 动交易货物时买卖双方商议价格：我到街上买咁个小菜子啊，我如今去街上买菜呀，买咁小菜子啊，买猪肉箇兜，天天买么个菜，从来唔～，唔好意思样。我也唔问价。“辣椒几多钱一斤呐？”系唔系？么个“苦瓜几多钱一斤呐”。嗯，我就“同你买只苦瓜，买两只苦瓜”，或者“同你买两块钱豆子”“同你买四块钱辣椒”，就咁个，我唔～。ŋai^{13}tau^{53}kai$^{35}_{44}$xɔŋ^{53}mai^{35}kan^{21}ke$^{53}_{44}$siau^{21}ts^{h}ɔi^{53}tsɿ^{0}a^{0},ŋai$^{13}_{21}$i$^{13}_{21}$cin$^{35}_{53}$çi^{53}kai^{35}xɔŋ^{53}mai^{35}ts^{h}ɔi^{53}ia^{0},mai^{35}kan$^{21}_{44}$siau^{21}ts^{h}ɔi^{53}tsɿ^{0}a^{0},mai^{35}tʂəu^{35}ɲiəuk^{3}kai$^{53}_{44}$te$^{35}_{44}$,t^{h}ien$^{35}_{44}$t^{h}ien$^{35}_{44}$mai^{35}mak^{3}e^{0}ts^{h}ɔi^{53},ts^{h}əŋ^{13}lɔi$^{13}_{44}$n̩$^{13}_{44}$kɔŋ^{21}cia^{53},n̩$^{13}_{21}$xau^{21}i^{53}sɿ$^{35}_{44}$iɔŋ^{53}.ŋai$^{13}_{21}$ia$^{35}_{53}$n̩^{13}uən^{53}cia^{53}."lait^{5}ciau$^{35}_{44}$ci^{21}(t)o$^{35}_{53}$ts^{h}ien$^{13}_{21}$iet^{3}cin^{35}na^{0}?"xei$^{53}_{44}$me$^{53}_{44}$?mak^{3}kei^{53}"fu^{21}kua$^{35}_{44}$ci^{21}(t)o$^{35}_{53}$ts^{h}ien$^{13}_{21}$iet^{3}cin^{35}na^{0}".n̩$_{21}$,ŋai$^{13}_{21}$ts^{h}iəu^{53}"t^{h}əŋ$^{13}_{21}$ɲi$^{13}_{21}$mai^{35}tʂak^{3}fu^{21}kua$^{35}_{53}$,mai^{35}iɔŋ^{21}tʂak^{3}fu^{21}kua$^{35}_{53}$",xɔit^{5}tʂa^{21}"t^{h}əŋ$^{13}_{21}$ɲi$^{13}_{21}$mai^{35}iɔŋ^{21}k^{h}uai^{53}ts^{h}ien$^{13}_{21}$t^{h}ei^{53}tsɿ^{0}""t^{h}əŋ$^{13}_{21}$ɲi$^{13}_{21}$mai^{35}si^{53}k^{h}uai^{53}ts^{h}ien$^{13}_{21}$lait^{5}tsiau$^{35}_{44}$",tsiəu^{53}kan$^{21}_{44}$cie$^{53}_{44}$,ŋai^{13}n̩$^{13}_{21}$kɔŋ^{21}cia^{53}.

【讲究】kɔŋ^{21}ciəu$^{53}_{44}$ 动注重；力求完美：箇是只有买衫裤个时候子，去买衫裤个时候子，有滴人就有滴～。kai$^{53}_{44}$ʂʅ$^{53}_{44}$tʂʅ^{21}iəu$^{35}_{44}$mai^{35}san$^{35}_{44}$fu$^{53}_{44}$ke$^{53}_{44}$ʂʅ$^{13}_{21}$xei^{53}tsɿ^{0},çi^{53}mai^{35}san$^{35}_{44}$fu$^{53}_{44}$(k)e$^{53}_{44}$ʂʅ$^{13}_{21}$xei^{53}tsɿ^{0},iəu^{35}tet^{5}ɲin^{13}ts^{h}iəu$^{53}_{44}$iəu$^{35}_{44}$tiet^{5}kɔŋ^{21}ciəu^{53}.

【讲起】kɔŋ^{21}çi^{21} 动说到；提及：～皮箩皮篓子嘞，以前老班子手里还有项东西呢，安做篾套栊。kɔŋ^{21}çi^{21}p^{h}i^{13}lo^{13}p^{h}i^{13}lei^{21}tsɿ^{0}lei^{0},i$^{35}_{44}$ts^{h}ien$^{13}_{21}$lau^{21}pan$^{35}_{44}$tsɿ^{0}ʂəu^{21}li^{0}xai^{13}iəu$^{35}_{44}$xɔŋ^{53}təŋ$^{35}_{44}$si^{0}nei^{0},ɔn$^{35}_{44}$tso$^{53}_{44}$miet^{5}t^{h}au^{53}ləŋ^{13}.

【讲事】kɔŋ^{21}sɿ^{53} 动①说话：大舌头哟，～都讲唔清呶。t^{h}ai^{53}ʂet^{5}t^{h}ei^{13}iau^{0},kɔŋ^{21}sɿ$^{53}_{44}$təu$^{35}_{44}$kɔŋ^{21}n̩$^{13}_{21}$ts^{h}in$^{35}_{44}$nau^{0}. ②闲谈，聊天：哎哟，我映子～唔得咯，我映子去下录音咯。ai$_{44}$iau^{0},ŋai$^{13}_{21}$iaŋ$^{53}_{44}$tsɿ^{0}kɔŋ^{21}sɿ^{53}n̩$^{13}_{21}$tek^{3}ko^{0},ŋai$^{13}_{21}$iaŋ$^{53}_{44}$tsɿ^{0}çi$^{53}_{44}$xa$^{53}_{44}$luk^{5}in^{35}ko^{0}. ③互相搭理：唔～ ŋ̍^{13}kɔŋ^{21}sɿ^{53}

【讲台】kɔŋ^{21}t^{h}ɔi^{13} 名高出地面的台子，讲课或讲演的人站在上面讲：欸，我等看得最多个就系教室里个～，～桌子。我箇阵子带倒我箇只赖子，冷天冇哪映放，冇哪映嬲，系啊？我去畬田教书嘞，我就分我箇只赖子带下学堂里，～子底下嘞就舞只火缸，铲正只火缸，舞只火甑子，舞张凳子分渠坐正来，我就去下上课。箇黑板上写倒个字渠坐倒箇映子看，看箇黑……渠也坐倒去下子看吵，系唔系？我撞怕问学生嘞，“以只么个字啊？”箇学生答唔出欸，我赖子跍下～底下就报嘿哩。嘿嘿，渠报嘿哩，渠都认得。渠跍下～底下都认得。还系两……三四岁子嘞。箇阵子又冇得幼儿园呢。只好我带下学堂里去欸。因为我老婆带过几回，带倒去做事啊搞么个，去出工啊搞么个，结果搞病哩唠，冷病哩哦。我就带下学堂里，不过我只带一只凑，带两只就带唔得。带两只上课都上唔成。e$_{21}$,ŋai^{13}tien^{0}k^{h}ɔn^{53}tek^{3}tsei^{53}to^{35}ke^{0}ts^{h}iəu$^{53}_{44}$xei$^{53}_{44}$ciau^{53}ʂət^{3}li^{35}ke^{53}kɔŋ^{21}t^{h}ɔi^{13},kɔŋ^{21}t^{h}ɔi^{13}tsɔk^{3}tsɿ^{0}.ŋai^{13}kai^{53}tʂ^{h}ən^{53}tsɿ^{0}tai^{53}tau^{21}ŋai^{13}kai^{53}tʂak^{3}lai^{53}tsɿ^{0},laŋ^{35}t^{h}ien$^{35}_{44}$mau^{13}lai$^{53}_{44}$iaŋ$^{53}_{44}$fɔŋ^{53},mau^{13}lai$^{53}_{44}$iaŋ$^{53}_{44}$liau^{53},xei$^{53}_{44}$a^{0}?ŋai^{13}çi^{53}sak^{3}t^{h}ien^{13}kau$^{35}_{44}$ʂəu$^{35}_{44}$lei^{0},ŋai^{13}ts^{h}iəu^{53}pən^{35}ŋai$^{13}_{21}$kai$^{53}_{44}$tʂak^{3}lai^{53}tsɿ^{0}tai^{53}ia$^{53}_{44}$xɔk^{5}t^{h}ɔŋ$^{13}_{21}$li^{0},kɔŋ^{21}t^{h}ɔi$^{13}_{44}$tsɿ^{0}tei^{21}xa$^{53}_{44}$lei^{0}ts^{h}iəu^{53}u^{21}tʂak^{3}fo^{21}kɔŋ$^{35}_{44}$,ts^{h}an^{21}tʂaŋ^{53}tʂak^{3}fo^{21}kɔŋ^{35},u^{21}tʂak^{3}fo^{21}tsien$^{53}_{21}$tsɿ^{0},u^{21}tʂɔŋ$^{35}_{44}$ten^{53}tsɿ^{0}pən^{35}ci$^{13}_{21}$ts^{h}o^{35}tʂaŋ$^{53}_{21}$lɔi$^{13}_{21}$,ŋai^{13}ts^{h}iəu$^{53}_{44}$çi$^{53}_{44}$xa$^{53}_{44}$ʂɔŋ^{35}k^{h}o^{53}.kai^{53}xek^{3}pan^{21}xɔŋ^{53}sia^{21}tau^{21}ke$^{53}_{44}$sɿ^{53}ci$^{13}_{21}$ts^{h}o^{35}tau^{21}kai$^{53}_{44}$iaŋ^{53}tsɿ^{0}k^{h}ɔn^{53},k^{h}ɔn^{53}kai$^{53}_{44}$xek^{3}…ci$^{13}_{21}$ia^{35}ts^{h}o^{35}tau^{21}çi$^{53}_{44}$xa$^{53}_{44}$tsɿ^{0}k^{h}ɔn^{53}ʂa^{0},xei^{53}me^{53}?ŋai^{13}ts^{h}ɔŋ^{21}p^{h}a^{53}uən^{53}xɔk^{5}saŋ$^{35}_{44}$lei^{0},"i^{21}tʂak^{3}mak^{3}e^{0}sɿ^{53}a^{0}?"kai$^{53}_{44}$xɔk^{5}

saŋ$^{35}_{44}$tait^{3} n̩$^{13}_{21}$tʂʰət^{3} e$_{44}$,ŋai$^{13}_{44}$lai^{53}tsɿ^{0} ku$^{35}_{44}$(x)a$^{53}_{44}$kɔŋ^{21}tʰɔi^{13}tei^{21}xa^{53}tsʰiəu$^{53}_{44}$pau^{53}xek^{3} li^{0}.xe$_{44}$xe$_{53}$,ci$^{13}_{21}$pau^{53}xek^{3} li^{0},ci$^{13}_{21}$təu$^{35}_{44}$ɲin^{53}tek^{3}.ci$^{13}_{44}$ku$^{35}_{53}$xa^{53}kɔŋ^{21}tʰɔi^{13}tei^{21}xa^{53}təu$^{35}_{53}$ɲin^{53}tek^{3}.(x)ai$^{13}_{44}$xei^{53}iɔŋ^{21}…san^{35}si^{53}sɔi^{53}tsɿ^{0} lei^{0}.kai^{53} tʂʰən^{53}tsɿ^{0} iəu^{53}mau$^{13}_{21}$tek^{3} iəu^{53}vy$^{13}_{44}$vien^{13}ne^{0}.tʂʅ$^{21}_{44}$xau$^{21}_{44}$ŋai^{13}tai^{53}ia^{53}xɔk^{5} tʰɔŋ$^{13}_{44}$li^{0} çi^{53}ei^{0}.in^{35}uei$^{53}_{44}$ŋai$^{13}_{44}$lau^{21}pʰo^{13} tai^{53}ko$^{53}_{44}$ci^{21}fei^{13},tai^{53}tau^{21}çi$^{53}_{44}$tso$^{53}_{44}$sɿ^{53}a^{0} kau^{21}mak^{3} ke$_{44}$,çi^{53}tʂʰət^{3} kɔŋ^{35}ŋa^{0} kau^{21}mak^{3} kei^{0},ciet^{3} ko^{21}kau^{21}pʰiaŋ^{53} li^{0} lau^{0},laŋ^{35}pʰiaŋ^{53}li^{0} o^{0}.ŋai$^{13}_{21}$tsʰiəu^{53}tai^{53}ia$^{53}_{44}$xɔk^{5} tʰɔŋ$^{13}_{21}$li^{0},pət^{3} ko^{53}ŋai$^{13}_{21}$tʂʅ^{21}tai^{53}iet^{3} tʂak^{3} tsʰe^{0},tai^{53}iɔŋ^{21}tʂak^{3} tsʰiəu$^{53}_{44}$tai^{53}n̩$^{13}_{21}$tek^{3}.tai^{53}iɔŋ^{21}tʂak^{3} ʂɔŋ^{35}kʰo^{53}təu$^{35}_{44}$ʂɔŋ$^{35}_{44}$n̩$^{13}_{21}$ʂaŋ$^{13}_{21}$.

【讲唔清】kɔŋ^{21}n̩^{13}tsʰin^{35} 说不明白。又称“话不到”：箇我就～呐，我是～。kai^{53}ŋai^{13}tsʰiəu^{53} kɔŋ^{21}n̩^{13}tsʰin^{35}na^{0},ŋai^{13}ʂʅ$^{53}_{44}$kɔŋ^{21}n̩^{13}tsʰin$^{35}_{44}$.

【讲夜话】kɔŋ^{21}ia^{53}kua^{53} 聊天；闲聊。不限于夜晚。又称“打夜话”：欸谢有彩就喜欢讲，又喜欢讲传就又喜欢～。不过谢有彩更喜欢个还系喜欢讲传，～渠更唔喜欢。渠就系一只一只个故事啊，一只一只个么个薛仁贵征东征西呀个两姨夫箇故事啊，欸，三姨夫啊，哦么个曹操七十万大军下江南呐，嗯，箇个都系渠讲个。～就系打闲讲啊，夜晡，欸，不过也唔限定夜晡嘞。欸，撞怕他话别人家以个人去下子打讲啊，也唔限定夜晡嘞。“你等又讲么个夜话去哩啊？又讲么个夜话？” e$_{44}$tsʰia^{53}iəu$^{35}_{53}$tsʰai^{21}tsiəu^{53}çi^{21}fɔn$^{35}_{44}$kɔŋ^{21},iəu^{53}çi^{21}fɔn$^{35}_{44}$kɔŋ^{21}tʂʰuɔn^{35}tsʰiəu$^{53}_{44}$ iəu^{53}iəu^{53}çi^{21}fɔn$^{35}_{44}$kɔŋ^{21}ia^{53}kua^{53}.puk^{3} ko^{53}tsʰia^{53}iəu$^{35}_{53}$tsʰai$^{13}_{21}$cien^{53}çi^{21}fɔn$^{35}_{44}$ke^{53}xai$^{53}_{21}$xe$^{53}_{44}$çi^{21}fɔn$^{35}_{44}$kɔŋ^{21}tʂʰuɔn^{35}, kɔŋ^{21}ia^{53}kua^{53}ci$^{13}_{21}$cien^{53}n̩$^{13}_{21}$çi^{21}fɔn$^{35}_{44}$.ci$^{13}_{21}$tsʰiəu^{53}xei$^{53}_{44}$iet^{3} tʂak^{3} iet^{3} tʂak^{3} kei$^{53}_{44}$ku^{53}sɿ^{53}a^{0},iet^{3} tʂak^{3} iet^{3} tʂak^{3} kei^{53} mak^{3} e^{0} set^{3} uən^{13}kuei^{53}tʂən$^{35}_{44}$təŋ$^{35}_{44}$tʂən$^{35}_{44}$si^{35}ia^{0} ke^{53}iɔŋ^{21}i^{13}fu^{35}kai$^{53}_{44}$ku^{53}sɿ^{53}a^{0},e$_{21}$,san^{35}i$^{13}_{21}$fu^{35}va^{0},o$_{44}$mak^{3} kei^{53} tsʰau^{13}tsʰau$^{13}_{44}$tsʰiet^{3} ʂət^{5} uan$^{53}_{44}$tʰai^{53}tʂən$^{35}_{44}$çia^{53}ciɔŋ^{35}lan^{13}na^{0},n̩$_{21}$,kai$^{53}_{44}$ke$^{53}_{44}$təu^{35}xei$^{53}_{44}$ci$^{13}_{21}$kɔŋ^{21}ke^{53}.kɔŋ^{21}ia^{53}kua$^{53}_{44}$ tsʰiəu^{53}xe^{53}ta^{21}xan^{13}kɔŋ^{21}ŋa^{0},ia^{53}pu$^{35}_{44}$,e$_{44}$,pət^{3} ko^{53}ia^{35}n̩^{13}kʰan$^{53}_{44}$tʰin^{53}ia^{53}pu$^{35}_{44}$lei^{0}.e$_{21}$,tsʰɔŋ^{21}pʰa^{53}tʰa$^{53}_{44}$ua^{53}pʰiet^{5} in$^{13}_{44}$ka$^{35}_{44}$i^{21}ke^{53}ɲin$^{13}_{44}$çi^{53}xa^{53}tsɿ^{0} ta^{21}kɔŋ^{21}ŋa^{0},ia^{35}n̩$^{13}_{21}$kʰan$^{53}_{44}$tʰin^{53}ia^{53}pu$^{35}_{44}$lei^{0}."ɲi^{13}tien^{0} iəu^{53}kɔŋ^{21}mak^{3} e^{0} ia^{53}kua$^{53}_{44}$ çi^{53}li^{0} a^{0}?iəu^{53}kɔŋ^{21}mak^{3} e^{0} ia^{53}kua^{53}?"

【降】kɔŋ^{53} 动（神明）赐予：欸，华佗仙师，请你～张子阴单子。e$_{21}$,fa$^{13}_{21}$tʰo$^{13}_{21}$sien$^{35}_{44}$sɿ$^{35}_{44}$,tsʰiaŋ^{21} ɲi$^{13}_{44}$kɔŋ^{53}tʂɔŋ$^{35}_{44}$tsɿ^{0} in^{35}tan$^{35}_{44}$tsɿ^{0}.｜如果系以张单子你指华佗仙师就～只子阴卦，或者～两只子阴卦，一般唔用阳卦。ɥ^{21}ko$^{53}_{44}$xei^{53}i^{21}tʂɔŋ$^{35}_{44}$tan$^{35}_{44}$tsɿ^{0}ɲi$^{13}_{21}$tsʰiəu^{53}kɔŋ^{53}tʂak^{3} tsɿ^{0} in^{35}kua^{53},xɔit$^{5}_{3}$ tʂa^{21}kɔŋ^{53}iɔŋ^{21}tʂak^{3} tsɿ^{0} in^{35} kua^{53},iet^{3} pɔn^{35}n̩^{13}iɔŋ^{53}iɔŋ^{13}kua^{53}.

【降乩】kɔŋ^{53}ci^{35} 动扶乩：但是有～个。～呀，好像两个人就舞只沙盘，系吗？箇只人就请神，以映两个人就挒只咁个的棍棍，挒只欸东西。我赠看过，但是渠等讲话有～，我爷子讲过～。tan$^{53}_{44}$ʂʅ$^{53}_{44}$iəu^{35}kɔŋ^{53}ci^{35}ke^{0}.kɔŋ^{53}ci^{35}ia^{0},xau^{21}siɔŋ^{53}iɔŋ^{21}ke^{53}ɲin$^{13}_{21}$tsʰiəu$^{53}_{44}$u^{21}tʂak^{3} sa^{35}pʰan^{13},xe$^{53}_{44}$ma^{0}?kai^{53}tʂak^{3} ɲin$^{13}_{21}$tsʰiəu$^{53}_{44}$tsʰiaŋ^{21}ʂən^{13},i^{21}iaŋ$^{53}_{44}$iɔŋ^{21}ke^{53}in$^{13}_{21}$tsʰiəu$^{53}_{44}$kɔŋ^{35}tʂak^{3} kan^{21}ke$^{53}_{21}$tet^{3} kuən^{53}kuən$^{53}_{44}$,kɔŋ^{35}tʂak^{3} e$_{21}$təŋ$^{35}_{44}$ si^{0}.ŋai^{13}maŋ$^{13}_{21}$kʰɔn^{53}ko$^{53}_{44}$,tan$^{53}_{44}$ʂʅ$^{53}_{44}$ci$^{13}_{21}$tien^{0} kɔŋ^{21}ua$^{53}_{44}$iəu^{35}kɔŋ^{53}ci^{35},ŋai$^{13}_{21}$ia$^{13}_{21}$tsɿ^{0} kɔŋ^{21}ko$^{53}_{44}$kɔŋ^{53}ci^{35}.

【降价】ciɔŋ^{53}cia^{53} 动降低价格。又称“减价”：箇映箇只超市开业个时候子硬推进人出个人。推进人出个人呐，就系咁多子人。搞么个？有～个东西啊。欸。我是从来唔相信咁个东西，唔想去凑咁热闹。我去进去嬲一转都出都冇赢。我拿正几只东西嘞我话来交钱呢，收拾哩，箇交钱个栏场排起□长个队唠，我唔事讲哩哦我哟，捞总都好……好把做，捞总欸怕省得有两块钱倒啊，爱舞倒我待倒箇映待半点钟啊。我也唔想省倒箇两块钱。哦落尾过哩背了嘞去买东西嘞，渠等就话箇开业个箇几晡系省蛮多钱，系降哩价，系～蛮大。哎呀～蛮大也唔系买也就买倒一回嘞，咁个空个嘞。kai^{53}iaŋ^{53}kai^{53}tʂak^{3} tʂʰau^{35}ʂʅ^{13}kʰɔi^{35}ɲiait^{5} ke$^{53}_{44}$ʂʅ^{13}xei^{53}tsɿ^{0} ɲiaŋ^{35}tʰi^{35} tsin^{53}ɲin$^{13}_{21}$tʂʰət^{3} ke^{53}ɲin$^{13}_{21}$.tʰi^{35}tsin^{53}ɲin$^{13}_{21}$tʂʰət^{3} ke^{53}ɲin$^{13}_{21}$na^{0},tsʰiəu^{53}xe^{53}kan^{21}to$^{35}_{44}$tsɿ^{0}ɲin$^{13}_{21}$.kau^{21}mak^{3} ke$^{53}_{44}$?iəu^{35} ciɔŋ^{53}cia^{53}ke$^{53}_{21}$təŋ$^{35}_{44}$si^{0}a^{0}.e$_{21}$.ŋai^{13}ʂʅ$^{53}_{44}$tsʰəŋ$^{13}_{21}$lɔi$^{13}_{44}$n̩^{13}siɔŋ$^{35}_{44}$sin^{53}kan^{21}ke$^{53}_{44}$təŋ$^{35}_{44}$si^{0},n̩^{13}siɔŋ^{21}çi^{53}tsʰei^{53}kan^{21}ɲiet^{5} lau^{53}. ŋai^{13}çi^{53}tsin^{53}çi$^{53}_{44}$liau^{53}iet^{3} tʂuɔn^{21}təu$^{35}_{53}$tʂʰət^{3} təu$^{35}_{53}$mau$^{13}_{44}$iaŋ$^{13}_{44}$.ŋai^{13}la^{53}tʂaŋ$^{53}_{44}$ci^{21}tʂak^{3} təŋ$^{35}_{44}$si$^{35}_{44}$lei^{0} ŋai^{13}ua$^{53}_{44}$lɔi$^{13}_{44}$ ciau$^{35}_{44}$tsʰien^{13}nei^{0},ʂəu^{35}ʂət^{5} li^{0},kai^{53}ciau^{35}tsʰien$^{13}_{21}$ke^{53}laŋ$^{13}_{21}$tʂʰɔŋ$^{13}_{21}$pʰai^{13}çi$^{21}_{53}$lai^{35}tʂʰɔŋ$^{13}_{21}$ke$^{53}_{44}$ti^{53}lau^{0},ŋai$^{13}_{44}$n̩$^{13}_{44}$sɿ$^{53}_{44}$ kɔŋ^{21}li^{0} o^{0} ŋai$^{13}_{44}$iau^{0},lau^{13}tsəŋ^{21}təu$^{35}_{53}$xau^{21}…xau^{21}pa^{21}tso^{53},lau^{13}tsəŋ^{21}ŋe^{0} pʰa$^{53}_{44}$saŋ^{21}tek^{3} iəu$^{35}_{44}$iɔŋ^{21}kʰuai^{53}tsʰien^{13} tau^{21}a^{0},ɔi^{53}u^{21}tau^{21}ŋai$^{13}_{21}$cʰi^{35}tau^{21}kai$^{53}_{44}$iaŋ$^{53}_{44}$cʰi^{35}pan^{53}tian^{21}tʂəŋ$^{35}_{44}$ŋa^{0}.ŋai^{13}ia$^{35}_{53}$n̩$^{13}_{21}$siɔŋ^{21}saŋ^{21}tau^{21}kai^{53}iɔŋ^{21}kʰuai^{53} tsʰien$^{13}_{21}$.o$_{21}$lɔk^{5} mi$^{35}_{44}$ko^{53}li^{0} pɔi^{53}liau^{21}lei^{0} çi^{53}mai$^{35}_{44}$təŋ$^{35}_{44}$si^{0} lei^{0},ci$^{13}_{21}$tien^{0} tsʰiəu^{53}ua^{53}kai^{53}kʰɔi^{35}ɲiait^{5} ke$^{53}_{44}$kai$^{53}_{44}$ci^{21} pu$^{35}_{44}$xei^{53}saŋ^{21}man$^{13}_{21}$to^{35}tsʰien$^{13}_{21}$,xei^{53}ciɔŋ^{53}li^{0} cia^{53},xei$^{53}_{44}$ciɔŋ^{53}cia^{53}man$^{13}_{21}$tʰai^{53}.ai$_{21}$ia$_{44}$ciɔŋ^{53}cia$^{53}_{44}$man^{13}tʰai^{53}a$^{35}_{44}$m̩$^{13}_{44}$ pʰe$^{53}_{44}$mai^{35}ia$^{35}_{53}$tsʰiəu^{53}mai^{35}tau^{21}iet^{3} fei^{13}lei^{0},kan$^{21}_{13}$cie$^{53}_{44}$kʰəŋ^{53}ke$^{53}_{21}$lei^{0}.

【酱菜】tsiɔŋ^{53}tsʰɔi^{53} 名用酱腌渍的各种菜蔬：～本地方会做嘞。我唔爱做。做倒留唔得几久。tsiɔŋ^{53}tsʰɔi$^{53}_{44}$pən^{21}tʰi$^{53}_{44}$fɔŋ$^{35}_{44}$uɔi^{53}tso^{53}le^{0}.ŋai^{13}m̩$^{13}_{21}$mɔi$^{53}_{35}$tso$^{53}_{21}$.tso^{53}tau^{21}liəu^{13}n̩$^{13}_{44}$tek^{3} ci^{21}ciəu^{21}.

【酱碟】tsiɔŋ^{53}t^{h}iait^{5} 名装酱料的碟子：食番薯，摆～。ʂət^{5} fan^{35}ʂəu^{13},pai^{21}tsiɔŋ^{53}t^{h}iait^{5}.讽刺人摆谱儿。

【酱油】tsiɔŋ^{53}iəu^{13} 名用煮熟的豆（如黄豆）及炒熟的小麦粉经过长期发酵，再使之长期浸在盐水中消化后制成的一种液体调味品：～有两种啊，一种就老抽，一种生抽哇。我以前侪都唔晓得有生抽，只晓得老抽，□浉个箇起～。本地冇得～，我等以映冇么人做～。以下是打～也冇得了。欸，唔系话哩以前只有打～嘞。打～也冇得打哩，冇么人卖散装～，都系瓶子～了。tsiɔŋ^{53}iəu$^{13}_{21}$iəu$^{35}_{53}$iɔŋ^{21}tʂəŋ^{21}ŋa^{0},iet^{3} tʂəŋ^{21}ts^{h}iəu^{53}lau^{21}tʂ^{h}əu^{35},iet^{3} tʂəŋ^{21}saŋ^{35}tʂ^{h}əu$^{35}_{44}$ua^{0}.ŋai^{13}i$^{35}_{53}$ts^{h}ien$^{13}_{21}$ts^{h}i$^{13}_{21}$təu$^{35}_{53}$n̩$^{13}_{21}$çiau^{21}tek^{3} iəu$^{35}_{44}$saŋ^{35}tʂ^{h}əu$^{35}_{44}$,tʂʅ^{21}çiau^{21}tek^{3} lau^{21}tʂ^{h}əu$^{35}_{44}$,kuət^{5} lei^{13}ke$^{53}_{44}$kai^{53}çi^{21}tsiɔŋ^{53}iəu$^{13}_{21}$.pən^{21}t^{h}i^{53}mau^{13}tek^{3} tsiɔŋ^{53}iəu^{13},ŋai^{13}tien^{0} i$^{21}_{44}$iaŋ$^{53}_{44}$mau$^{13}_{21}$mak^{3} in$^{13}_{44}$tso^{53}tsiɔŋ^{53}iəu$^{13}_{44}$.i^{21}xa^{53}ʂʅ^{53}ta^{21}tsiɔŋ^{53}iəu^{13}a$^{35}_{53}$mau$^{13}_{44}$tek^{3} liau^{0}.e$_{53}$,m̩$^{13}_{21}$p^{h}ei$^{53}_{44}$ua^{53}li^{0} i$^{35}_{53}$ts^{h}ien$^{13}_{21}$tʂʅ^{21}iəu$^{35}_{53}$ta^{21}tsiɔŋ^{53}iəu$^{13}_{21}$le^{0}.ta^{21}tsiɔŋ^{53}iəu$^{13}_{21}$a$^{35}_{53}$mau$^{13}_{21}$tek^{3} ta^{21}li^{0},mau$^{13}_{21}$mak^{3} in$^{13}_{44}$mai^{53}san^{21}tsɔŋ^{35}tsiɔŋ^{53}iəu$^{13}_{44}$,təu^{35}xei^{53}p^{h}in^{13}tsɿ^{0} tsiɔŋ^{53}iəu$^{13}_{44}$liau^{0}.

【犟】ciɔŋ^{53} 形倔强；固执：脾气蛮～ p^{h}i^{13}çi$^{53}_{44}$man^{13}ciɔŋ^{53}

【交$_{1}$】kau^{35}/ciau^{35} 动①呈送；把事物转移给有关方面：头一只～卷子t^{h}ei^{13}iet^{3} tʂak^{3} kau^{35}tʂen^{53}tsɿ^{0} | 剐猪爱～税。tʂ^{h}ʅ$^{13}_{21}$tʂəu^{35}ɔi$^{53}_{44}$ciau^{35}ʂei^{53}. ②结交；交往；相处：我话让门子你～倒以个人？ŋai$^{13}_{21}$ua$^{53}_{44}$ɲiɔŋ^{53}mən^{13}tsɿ^{0} ɲi^{13}ciau^{35}tau$^{21}_{44}$i^{21}ke$^{53}_{44}$ɲin^{13}? | 两个人～得好。iɔŋ^{21}ke^{53}ɲin$^{13}_{44}$ciau^{35}tek^{3} xau^{21}. | 我摎箇只今晡上昼打电话箇只人呐，我等就真系两伙计，嗯，老伙计。细细子～做大个，爱讲青梅竹马嘞我等就真系青梅竹马个伙计。ŋai$^{13}_{21}$lau$^{35}_{44}$kai$^{53}_{44}$tʂak^{3} cin^{35}pu$^{35}_{44}$ʂɔŋ^{53}tʂəu$^{53}_{44}$ta^{21}t^{h}ien^{53}fa$^{53}_{44}$kai$^{53}_{44}$tʂak^{3} ɲin^{13}na^{0},ŋai^{13}tien^{0} ts^{h}iəu^{53}tʂən$^{35}_{44}$xe$^{53}_{44}$iɔŋ^{21}fo^{21}ci^{53},n̩$_{21}$,lau^{21}fo^{21}ci^{53}.se^{53}se^{53}tsɿ^{0} ciau$^{35}_{44}$tso$^{53}_{44}$t^{h}ai^{53}ke^{0},ɔi$^{53}_{44}$kɔŋ^{21}ts^{h}in^{35}mei$^{13}_{21}$tʂəuk^{3} ma^{35}lei^{0} ŋai^{13}tien^{0} ts^{h}iəu^{53}tʂən^{35}ne$^{53}_{44}$ts^{h}in^{35}mei$^{13}_{21}$tʂəuk^{3} ma^{35}ke^{53}fo^{21}ci^{53}. ③掺入；混合：茶鮎水～秆灰水，系，去洗头。ts^{h}a^{13}k^{h}u^{35}ʂei^{21}ciau^{35}kan^{21}fɔi^{35}ʂei^{21},xe$^{53}_{21}$,çi$^{53}_{44}$se^{21}t^{h}ei^{13}. | 么个都～辣椒炒。mak^{3} e^{0} təu$^{35}_{44}$ciau^{35}lait^{5} tsiau$^{35}_{44}$ts^{h}au^{21}. ④到（某一时辰或季节）：～哩子时就可以（拜祖）欸。ciau^{35}li^{0} tsɿ^{21}ʂʅ^{13}tsiəu^{53}k^{h}o^{21}i$^{35}_{44}$e^{0}. | ～哩秋个刺瓜，食哩会跌头发，冇人爱哩。ciau$^{35}_{44}$li^{0} ts^{h}iəu^{35}ke^{0} ts^{h}i^{53}kua$^{35}_{44}$,ʂət^{5} li^{0} uɔi^{53}tet^{3} t^{h}ei^{13}fait^{3},mau$^{13}_{21}$ɲin$^{13}_{44}$ɔi^{53}li^{0}.

【交$_{2}$】ciau^{35} 连表示并列关系，相当于“和”：烟砖～瓦一窑货。ien^{35}tʂuɔn$^{35}_{44}$ciau$^{35}_{44}$ŋa^{21}iet^{3} iau^{13}fo^{53}.

【交叉布】kau^{35}ts^{h}a$^{35}_{44}$pu^{53} 名棉布的俗称：箇起棉布帐子嘞就系～帐子用棉布做的蚊帐。kai^{53}çi^{21}mien^{13}pu^{53}tʂɔŋ^{53}tsɿ^{0} le^{0} ts^{h}iəu$^{53}_{44}$uei$_{44}$(←xei^{53})kau^{35}ts^{h}a$^{35}_{44}$pu$^{53}_{44}$tʂɔŋ^{53}tsɿ^{0}.

【交春】ciau^{35}tʂ^{h}ən^{35} 动过了立春，进入春季：哪晡～哈？lai^{53}pu$^{35}_{44}$ciau$^{35}_{44}$tʂ^{h}ən^{35}xa^{0}? | 交哩春呢哈。ciau$^{35}_{44}$li^{0} tʂ^{h}ən^{35}ne^{0} xa$_{44}$.

【交佮】ciau^{35}kait^{3} 动与人融洽相处：有兜人真会～人，欸，做生意个人呢就爱会～人，唔会～人呢，你个生意就做唔大。欸，爱会～朋友。iəu^{35}tei$^{35}_{53}$ɲin$^{13}_{44}$tʂən^{35}uɔi^{53}ciau^{35}kait^{3} ɲin^{13},e$_{21}$,tso^{53}sen^{35}i^{53}ke$^{53}_{44}$ɲin$^{13}_{44}$ne^{0} ts^{h}iəu^{53}ɔi^{53}uɔi^{53}ciau^{35}kait^{3} ɲin^{13},n̩^{13}uɔi^{53}ciau^{35}kait^{3} ɲin^{13}nei^{0}, ɲi^{13}(k)e$^{53}_{44}$sen^{35}i$^{53}_{44}$tsiəu$^{53}_{44}$tso$^{53}_{44}$n̩^{13}t^{h}ai^{53}.e$_{21}$,ɔi$^{53}_{44}$uɔi^{53}ciau^{35}kait^{3} p^{h}əŋ^{13}iəu$^{35}_{44}$.

【交知】ciau^{35}ti^{35} 动交代；嘱咐；告诉：我～渠，欸，渠渠封哩火啊，开头下来，渠以到正放倒。正我走我正扯开煤盖子来呀。我～渠，架势响稳哩就打电话分我，话我知。ŋai^{13}ciau^{35}ti$^{35}_{44}$ci$^{13}_{21}$,e$_{21}$,ci$^{13}_{21}$ci$^{13}_{21}$fəŋ^{35}li^{0} fo^{21}a^{0},k^{h}ɔi^{35}t^{h}ei$^{13}_{21}$xa$^{53}_{44}$lɔi$^{13}_{21}$,ci$^{13}_{21}$i^{21}tau$^{53}_{44}$tʂaŋ$^{53}_{44}$fəŋ^{53}tau^{21}.tʂaŋ^{53}ŋai^{13}tsei^{21}ŋai^{13}tʂaŋ^{53}tʂ^{h}a^{21}k^{h}ɔi$^{35}_{44}$mei^{13}kɔi^{53}tsɿ^{0} lɔi$^{13}_{21}$ia^{0}.ŋai^{13}ciau^{35}ti$^{35}_{44}$ci$^{13}_{21}$,cia^{53}ʂʅ^{53}çiɔŋ^{21}uən^{21}li^{0} ts^{h}iəu^{53}ta^{21}t^{h}ien^{53}fa$^{53}_{21}$pən^{35}ŋai$^{13}_{21}$,ua^{53}ŋai$^{13}_{21}$ti$^{35}_{44}$.

【娇苗】ciau^{35}miau^{13} 形长而细：蛮～ man^{13}ciau^{35}miau^{13}

【胶板笪】ciau^{35}pan^{21}tait^{3} 名竹胶板：箇是做～哟。织成笪子，几块笪子搞下去做成个胶板，用来搞建筑材料个，欸箇个操架个。做～呀，胶板篾呀。如今白果树下箇只老板是就系搞箇个～。赚钱个嘞。kai$^{53}_{44}$ʂʅ$^{53}_{44}$tso^{53}ciau^{35}pan^{21}tait^{3} io^{0}.tʂət^{3} ʂaŋ$^{13}_{44}$tait^{3} tsɿ^{0},ci^{21}k^{h}uai^{53}tait^{3} tsɿ^{0} kau^{21}xa^{53}çi^{53}tso^{53}tʂ^{h}ən$^{13}_{21}$ke$^{53}_{44}$ciau^{35}pan^{21},iəŋ^{53}lɔi$^{13}_{21}$kau^{21}cien^{53}tʂəuk^{3} ts^{h}ɔi^{13}liau$^{53}_{44}$ke^{0},e$_{21}$kai$^{53}_{44}$ke$^{53}_{44}$tsiau^{21}ka^{53}ke^{0}.tso$^{53}_{44}$ciau^{35}pan^{21}tait^{3} ia^{0},ciau^{35}pan^{21}miet^{5} ia^{0}.i$^{13}_{21}$cin$^{35}_{44}$p^{h}ak^{5} ko^{21}ʂəu^{53}xa^{53}kai^{53}tʂak^{3} lau^{21}pan^{21}ʂʅ$^{53}_{21}$ts^{h}iəu^{53}xei^{53}kau^{21}kai$^{53}_{44}$ke$^{53}_{44}$ciau^{35}pan^{21}tait^{3}.ts^{h}an^{53}ts^{h}ien$^{13}_{21}$ke^{53}le^{0}.

【教】kau^{35} 动①把知识和技能传授给别人：请只先生来～。ts^{h}iaŋ^{21}tʂak^{3} sien$^{35}_{44}$saŋ$^{35}_{44}$lɔi$^{13}_{21}$kau^{35}. ②教育；叮嘱：我～渠莫阳奉阴违哟，欸，搞箇手机箇兜吵，你爱晓得分头哟，爱记得分头哟。ŋai$^{13}_{21}$kau^{35}ci$^{13}_{21}$mɔk^{5} iɔŋ^{13}fəŋ$^{53}_{44}$in^{35}uei^{13}io^{0},e$_{21}$,kau^{21}kai^{53}ʂəu^{21}ci$^{35}_{44}$kai$^{53}_{44}$tei$^{35}_{44}$ʂa^{0}, ɲi$^{13}_{21}$ɔi^{53}çiau^{21}tek^{3} fən^{53}t^{h}ei$^{13}_{21}$io^{0},ɔi^{53}ci^{53}tek^{3} fən^{53}t^{h}ei$^{13}_{21}$io^{0}.

【教书先生】kau^{35}ʂəu^{35}sien^{35}saŋ^{35} 老师的旧称：从前个～冇滴子地位，又唔知几苦。我屋下是几只～啦。我个公太，我爷子系～啊。硬就系咁苦子啊，从前个～就系咁苦子，哪有如今咁好？tsʰəŋ^{13}tsʰien^{13}kei$^{53}_{44}$kau^{35}ʂəu$^{35}_{44}$sien$^{35}_{44}$saŋ$^{35}_{44}$mau^{13}tiet^{5}tsɿ^{0}tʰi^{53}uei^{53},iəu^{53}n̩^{13}ti$^{35}_{53}$ci^{21}kʰu^{21}.ŋai^{13}uk^{3}xa^{53}ʂʅ$^{53}_{21}$ci^{21}tʂak^{3}kau$^{35}_{44}$ʂəu$^{35}_{44}$sien$^{35}_{44}$saŋ$^{35}_{44}$la^{0}.ŋai^{13}kei^{53}kəŋ^{35}tʰai^{53},ŋai$^{13}_{44}$ia^{13}tsɿ^{0}(x)e$^{53}_{44}$kau$^{35}_{44}$ʂəu$^{35}_{44}$sien$^{35}_{44}$saŋ$^{35}_{44}$ŋa^{0}. ɲiaŋ^{53}tsʰiəu^{53}xei$^{53}_{44}$kan^{21}kʰu^{21}tsɿ^{0}a^{0},tsʰəŋ$^{13}_{21}$tsʰien$^{13}_{21}$(k)e$^{53}_{44}$kau$^{35}_{44}$ʂəu$^{35}_{44}$sien$^{35}_{44}$saŋ$^{35}_{44}$tsʰiəu^{53}xei$^{53}_{44}$kan^{21}kʰu^{21}tsɿ^{0},la^{53}iəu^{35}i$^{13}_{21}$cin^{35}kan^{21}xau^{21}?

【焦干】tsiau^{35}kɔn^{35} 形状态词。很干：箇河里啊，以发晴久哩啊，河里都～个。kai^{53}xo^{13}li^{0}a^{0},i^{21}fait^{3}tsʰiaŋ^{13}ciəu^{21}li^{0}a^{0},xo^{13}li^{0}təu$^{35}_{53}$tsiau^{35}kɔn$^{35}_{44}$cie^{0}.

【跤】kau^{35} 量①指摔跟头：跌一～tet^{3}iet^{3}kau^{35}。②用于病，相当于"场"：你莫话嘞，尽兜都唔得去破坏渠嘞，箇鸟你还系保护渠啦。我等人只系会捉倒箇鸟子来搞凑，但是唔得话分渠丢嘿去啊，扮死渠去呀，舞倒来食啦，箇就唔搞。会放归去。会保护渠。搞么个嘞？有只咁个话法，我等客姓人有只话法，安做"耍手捉鸟"，就随手捉鸟咯，"唔死都会病一～"。"耍手捉鸟"，就系玩耍个手哇，去捉鸟哇，捉鸟子啊，"唔死都会病一～"，唔系是会死，严重个是会死，唔死都会病一～，尽兜就唔敢捉哩啊。ɲi^{13}mɔk^{5}ua^{53}le^{0},tsʰin^{53}te$^{35}_{53}$təu$^{35}_{53}$n̩^{13}tek^{3}çi$^{53}_{44}$pʰo^{53}fai^{53}ci$^{13}_{21}$le^{0},kai$^{53}_{44}$tiau^{35}ɲi$^{13}_{21}$xai^{13}xei^{53}pau^{21}fu^{53}ci$^{13}_{21}$la^{0}.ŋai$^{13}_{21}$tien^{0}ɲin$^{13}_{21}$tʂʅ^{21}xei^{53}uɔi^{53}tsɔk^{3}tau^{21}kai$^{53}_{44}$tiau^{35}tsei^{21}tsɿ^{0}lɔi$^{13}_{21}$kau^{21}tsʰe^{0},tan^{53}ʂʅ^{53}n̩^{13}tek^{3}ua^{53}pən$^{35}_{44}$ci$^{13}_{44}$tiəu^{35}uek^{3}çi^{53}a^{0},pʰan^{35}si^{21}ci$^{13}_{21}$çi^{53}ia^{0},u^{21}tau^{21}lɔi$^{13}_{21}$ʂət^{5}la^{0},kai^{53}tsʰiəu^{53}n̩$^{13}_{21}$kau^{21}.uɔi$^{53}_{44}$fɔŋ^{53}kuei$^{35}_{44}$çi$^{53}_{44}$.uɔi^{53}pau^{21}fu^{53}ci$^{13}_{44}$.kau^{21}mak^{3}e^{0}lei^{0}?iəu^{35}tʂak^{3}kan^{21}kei$^{53}_{44}$ua^{53}fait^{3},ŋai^{13}tien^{0}kʰak^{3}sin^{53}ɲin$^{13}_{21}$iəu^{35}tʂak^{3}ua^{53}fait^{3},ɔn$^{35}_{44}$tso$^{53}_{44}$"sa^{21}ʂəu^{21}tsɔk^{3}tiau^{35}",tsʰiəu^{53}sei^{13}ʂəu^{21}tsɔk^{3}tiau^{35}ko^{0},"n̩^{13}si^{21}təu$^{35}_{44}$uɔi$^{53}_{44}$pʰiaŋ^{53}iet^{3}kau^{35}"."sa^{21}ʂəu^{21}tsɔk^{3}tiau^{35}",tsʰiəu^{53}xei^{53}uan^{13}sa^{21}ke^{53}ʂəu^{21}ua^{0},çi^{53}tsɔk^{3}tiau^{35}ua^{0},tsɔk^{3}tiau^{35}tsɿ^{0}a^{0},"n̩^{13}si^{21}təu$^{35}_{44}$uɔi$^{53}_{44}$pʰiaŋ^{53}iet^{3}kau^{35}",m̩^{13}pʰei$^{53}_{44}$ʂʅ$^{53}_{44}$uɔi^{53}si^{21}, ɲien^{13}tʂʰəŋ$^{53}_{44}$ke$^{53}_{44}$ʂʅ$^{53}_{44}$uɔi^{53}si^{21},n̩^{13}si^{21}təu$^{35}_{44}$uɔi$^{53}_{44}$pʰiaŋ^{53}iet^{3}kau$^{35}_{44}$,tsʰin^{53}te$^{35}_{53}$tsʰiəu^{53}n̩^{13}kan^{21}tsɔk^{3}li^{0}a^{0}.

【角$_{1}$】kɔk^{3} 名①牛、羊、鹿等头上长出的坚硬的东西：羊子个～iɔŋ^{13}tsɿ^{0}ke^{53}kɔk^{3}。②物体边沿相接的地方：（箱子）以前都系四四方方个～啊。i$^{35}_{21}$tsʰien^{13}təu^{35}xe$^{53}_{44}$si^{53}si^{53}fɔŋ$^{35}_{44}$fɔŋ$^{35}_{44}$ke$^{53}_{44}$kɔk^{3}a^{0}.｜舀满哩了分（兜巾个）四只～牵拢来。iau^{21}mən^{53}li^{0}liau^{0}pən^{35}si^{53}tʂak^{3}kɔk^{3}cʰien^{35}nəŋ^{35}lɔi^{13}. ③两面墙或类似墙的屏障物相接的地方：去箇只茅司下搞只～çi^{53}kai^{53}tʂak^{3}mau$^{13}_{21}$sɿ$^{35}_{44}$xa^{35}kau^{21}tʂak^{3}kɔk^{3}。④用来舀东西的带柄竹制器具：尿角，舀粪个粪角，都安做～。ɲiau^{53}kɔk^{3},iau^{21}pən^{53}ke$^{53}_{44}$pən^{53}kɔk^{3},təu^{35}ɔn$^{35}_{53}$tso^{53}kɔk^{3}.

【角$_{2}$】kɔk^{3} 动用眼角看：眼珠～下子渠 ŋan^{21}tʂəu^{35}kɔk^{3}(x)a^{53}tsɿ^{0}ci$^{13}_{21}$

【角$_{3}$】kɔk^{3} 量①指用水角等舀取的东西：渠哦分箇兜子饭铲下出来哩，一～水一舞下去。ci$^{13}_{21}$o$_{21}$pən^{35}kai$^{53}_{44}$təu$^{35}_{53}$tsɿ^{0}fan^{53}tsʰan^{21}na^{53}tʂʰət^{3}lɔi$^{13}_{21}$li^{0},iet^{3}kɔk^{3}ʂei^{21}iet^{3}u^{21}(x)a$^{53}_{44}$çi^{53}. ②我国货币单位，十分为一角，十角等于一元：一～钱一条。iet^{3}kɔk^{3}tsʰien$^{13}_{44}$iet^{3}tʰiau^{13}.

【角菜子】kɔk^{3}tsʰɔi^{53}tsɿ^{0} 名菠菜。又称"扯根菠"：～有兜人食唔得咯。我等婿郎就食唔得咯。唔系～嘞含有丰富个碘，我婿郎嘞渠就得哩甲亢症，甲状腺亢奋，就系碘个成分忒多哩，身体内部碘忒多哩，食加碘盐嘞食唔得嘞，食箇个欸～也食唔得。kɔk^{3}tsʰɔi^{53}tsɿ^{0}iəu^{35}tei$^{35}_{53}$ɲin$^{13}_{21}$ʂət^{5}n̩$^{13}_{44}$tek^{3}ko^{0}.ŋai^{13}tien^{0}se^{53}lɔŋ$^{13}_{21}$tsʰiəu$^{53}_{44}$ʂət^{5}n̩$^{13}_{21}$tek^{3}ko^{0}.m̩$^{13}_{44}$pʰei$^{53}_{44}$kɔk^{3}tsʰɔi^{53}tsɿ^{21}lei^{0}xan^{13}iəu$^{13}_{44}$fɔŋ^{35}fu^{53}ke$^{53}_{44}$tian^{21},ŋai^{13}se^{53}lɔŋ$^{13}_{21}$lei^{0}ci$^{13}_{21}$tsʰiəu^{53}tek^{3}li^{0}kait^{3}kʰɔŋ^{53}tʂən^{53},kait^{3}tsʰɔŋ^{53}sien^{53}kʰɔŋ^{53}fən^{53},tsʰiəu^{53}xe^{53}tian^{21}kei^{53}tʂʰən^{13}fən^{53}tʰet^{3}to^{35}li^{0},ʂən^{35}tʰi^{21}lei^{53}pʰu^{53}tian^{21}tʰet^{3}to^{35}li^{0},ʂət^{5}cia$^{35}_{44}$tian^{21}ian^{13}le^{0}ʂət^{5}n̩$^{13}_{21}$tek^{3}le^{0},ʂət^{5}kai$^{53}_{44}$ke$^{53}_{44}$e$_{21}$kɔk^{3}tsʰɔi$^{53}_{44}$tsɿ^{0}a$^{35}_{44}$ʂət^{5}n̩$^{13}_{21}$tek^{3}.

【角尺】kɔk^{3}tʂʰak^{3} 名曲尺：箇起安做～欸，～，垂直角个，系唔系？kai$^{53}_{44}$çi$^{21}_{44}$ɔn$^{35}_{44}$tso$^{53}_{44}$kɔk^{3}tʂʰak^{3}e^{0},kɔk^{3}tʂʰak^{3},tʂʰei^{13}tʂʰət^{5}kɔk^{3}ke$^{53}_{44}$,xei$^{53}_{44}$me$^{53}_{44}$?

【角撮】kɔk^{3}tsʰait^{3} 名用来撮收粮食等的篾箕：箇是～唠。～。唔系装饭。～唔用来装饭。～用来装米装谷。欸要用得最多个是搞么个嘞，～嘞？就用来，蛮多东西可以装唠，欸，要用得最多个势必一定爱用个嘞就系么啊收谷。舞床晒簟呐，箇谷就晒下晒簟肚里。挨夜子去收谷吵，收谷爱圆拢来。欸，圆拢来。就咁子分谷扒拢来。扒拢来，扒下箇～里。用～掇下掇倒倾下箩里。kai^{53}ʂʅ^{53}kɔk^{3}tsʰait^{3}lau^{0}.kɔk^{3}tsait^{3}.m̩^{13}pʰe$_{44}$(←xe^{53})tʂɔŋ^{35}fan^{53}.kɔk^{3}tsait^{3}n̩^{13}iəŋ^{53}lɔi$^{13}_{21}$tʂɔŋ$^{35}_{44}$fan^{53}.kɔk^{3}tsait^{3}iəŋ^{53}lɔi$^{13}_{21}$tʂɔŋ^{35}mi^{21}tʂɔŋ^{35}kuk^{3}.e^{0}iau$^{53}_{21}$iəŋ^{53}tek^{3}tsei^{53}to$^{35}_{44}$ke$^{53}_{44}$ʂʅ$^{53}_{21}$kau^{21}mak^{3}(k)e$^{53}_{44}$lei^{0},kɔk^{3}tsait^{3}lei^{0}?tsiəu$^{53}_{44}$iəŋ^{53}lɔi$^{13}_{21}$,man^{13}to$^{35}_{44}$təŋ$^{35}_{44}$si^{0}kʰo^{21}i$^{35}_{44}$tʂɔŋ^{35}lau^{0},e$_{21}$,iau$^{53}_{21}$iəŋ^{53}tek^{3}tsei^{53}to$^{35}_{44}$ke$^{53}_{44}$ʂʅ$^{53}_{21}$piet^{3}iet^{3}tʰin^{53}ɔi^{53}iəŋ^{53}ke$^{53}_{44}$lei^{0}tsʰiəu$^{53}_{44}$xei$^{53}_{44}$mak^{3}a^{0}ʂəu^{35}kuk^{3}.u^{21}tsʰɔŋ^{13}sai^{53}tʰian$^{53}_{44}$na^{0},kai$^{53}_{44}$kuk^{3}tsʰiəu$^{53}_{44}$sai$^{53}_{44}$xa$^{53}_{35}$sai^{53}tʰian$^{53}_{44}$təu^{21}li^{0}.ai$^{35}_{44}$ia^{53}tsɿ^{0}çi$^{53}_{44}$ʂəu^{35}kuk^{3}ʂa^{0},ʂəu^{35}kuk^{3}ɔi$^{53}_{44}$ien^{13}ləŋ$^{35}_{44}$lɔi$^{13}_{21}$.e$_{21}$,ien^{13}ləŋ$^{35}_{44}$lɔi$^{13}_{21}$.tsʰiəu$^{53}_{44}$kan^{21}tsɿ^{0}pən^{35}kuk^{3}pʰa^{13}ləŋ$^{35}_{44}$

lɔi$^{13}_{21}$.pʰa^{13}lɔŋ$^{35}_{44}$lɔi$^{13}_{21}$,pʰa^{13}(x)a$^{53}_{44}$kai$^{53}_{44}$kɔk^{3}tsʰait^{3}li^{0}.iɔŋ$^{53}_{35}$kɔk^{3}tsʰait^{3}tɔit^{3}ia^{53}(←xa^{53})tɔit^{3}tau$^{21}_{44}$kʰuaŋ^{35}ŋa$_{44}$(←xa^{53})lo^{13}li^{0}.

【角撮帽】kɔk^{3}tsʰait^{3}mau^{53} 名 一种前部扁平的帽子：～有。一只角撮样。面前更平，更薄。后背更深。欸，一只角撮样。～，欸，有。哎呀，么个盘古开天地个东西都记忆都分你翻出来哩。kɔk^{3}tsʰait^{3}mau$^{53}_{44}$iəu$^{35}_{44}$.iet^{3}tʂak^{3}kɔk^{3}tsʰait^{3}iɔŋ^{53}.mien^{53}tsʰien$^{13}_{21}$cien^{53}pʰiaŋ^{13},cien$^{53}_{44}$pʰɔk^{5}.xei^{53}pɔi^{53}cien^{53}tʂʰən^{35}.e$_{21}$,iet^{3}tʂak^{3}kɔk^{3}tsʰait^{3}iɔŋ^{53}.kɔk^{3}tsʰait^{3}mau^{53},e$_{53}$,iəu$^{35}_{44}$.ai^{53}ia^{0},mak^{3}ke^{53}pʰan^{13}ku^{21}kʰɔi$^{35}_{44}$tʰien$^{35}_{44}$tʰi^{53}ke$^{53}_{44}$tɔŋ$^{35}_{44}$si^{0}tɔu$^{35}_{53}$ci^{53}i$^{13}_{44}$tɔu$^{35}_{44}$pən^{35}ɲi$^{13}_{21}$fan^{35}tʂʰət^{3}lɔi$^{13}_{21}$li^{0}.

【角柜子】kɔk^{3}kʰuei^{53}tsɿ^{0} 名 三角柜。可以充分利用墙角的空间：我等就以前就有只～，我等老家箇映有只～，欸，用来放下子咁个欸零里八碎。落尾拆屋个时候子唔知搞下哪映去哩，冇得哩，失咁哩。ŋai^{13}tien^{0}tsʰiəu^{53}i$^{35}_{53}$tsʰien$^{13}_{21}$tsʰiəu$^{53}_{44}$iəu^{35}tʂak^{3}kɔk^{3}kʰuei^{53}tsɿ^{0},ŋai^{13}tien^{0}lau^{21}cia$^{35}_{44}$kai$^{53}_{44}$iaŋ$^{53}_{44}$iəu$^{35}_{44}$tʂak^{3}kɔk^{3}kʰuei^{53}tsɿ^{0},e$_{21}$,iɔŋ^{53}lɔi$^{13}_{21}$fɔŋ^{53}xa$^{53}_{44}$tsɿ^{0}kan$^{21}_{13}$ke^{53}e$_{21}$laŋ^{13}li^{0}pait^{3}si^{53}.lɔk^{5}mi$^{35}_{53}$tsʰak^{3}uk^{3}ke^{53}ʂɿ^{13}xəu$^{53}_{44}$tsɿ$^{21}_{44}$n̩^{13}ti$^{35}_{53}$kau^{21}(x)a$^{53}_{21}$lai^{53}iaŋ^{53}çi^{53}li^{0},mau^{13}tek^{3}li^{0},ʂek^{5}kan^{21}ni^{0}.

【角落】kɔk^{3}lɔk^{3} 名 两面墙或类似墙的屏障物相接的地方：箇个就系墙～哩。kai^{53}ke^{53}tsʰiəu^{53}xe$^{53}_{44}$tsʰiɔŋ^{13}kɔk^{3}lɔk^{3}li^{0}.｜讲到底是我等老家就系山～里，就系下箇～里。人都有几多个，如今爱我归去系确实也系唔想。kɔŋ^{21}tau^{53}ti^{21}ʂɿ$^{53}_{44}$ŋai^{13}tien^{0}lau^{21}cia$^{35}_{44}$tsʰiəu$^{53}_{44}$xe^{53}san^{35}kɔk^{3}lɔk^{3}li^{0},tsiəu$^{53}_{44}$xei^{53}(x)a$^{53}_{44}$kai$^{53}_{44}$kɔk^{3}lɔk^{3}li^{0}. ɲin^{13}tɔu$^{35}_{53}$mau$^{13}_{21}$ci^{21}(t)o^{35}ke^{53},i$^{13}_{21}$cin$^{35}_{44}$ɔi^{53}ŋai$^{13}_{21}$kuei^{35}çi^{53}xe^{53}kʰɔk^{3}ʂət^{5}ia^{35}xei^{53}n̩^{13}siɔŋ^{21}.

【角落槠】kɔk^{3}lɔk^{3}tʂei^{35} 名 一种橡实：～呀？比苦槠子更圆。～长长子。/长长子，也系也底下更大。/～像么啊东西啊？像莲子。有滴像莲子。/系系呀，就系像莲子。/系唔系？～有滴子像莲子。kɔk^{3}lɔk^{3}tʂei^{35}ia^{0}?pi^{21}fu^{21}tʂei^{35}tsɿ^{0}ken^{53}ien^{13}.kɔk^{3}lɔk^{3}tʂei^{35}tʂʰɔŋ^{13}tʂʰɔŋ^{13}tsɿ^{0}./tʂʰɔŋ^{13}tʂʰɔŋ^{13}tsɿ^{0},ia$^{35}_{44}$xei$^{53}_{35}$ia$^{35}_{44}$te^{21}xa^{53}ken$^{53}_{44}$tʰai$^{53}_{44}$./kɔk^{3}lɔk^{3}tʂei^{35}tsʰiɔŋ^{53}mak^{3}a^{0}tɔŋ$^{35}_{44}$si^{0}a^{0}?tsʰiɔŋ^{53}lien^{13}tsɿ^{0}.iəu^{35}tet^{5}tsʰiɔŋ^{53}lien^{13}tsɿ^{0}./xe$^{53}_{44}$xe$^{53}_{44}$ia^{0},tsʰiəu^{53}xe^{53}tsʰiɔŋ^{53}lien^{13}tsɿ^{0}./xe$^{53}_{44}$me$^{53}_{44}$?kɔk^{3}lɔk^{3}tʂei^{35}iəu^{35}tet^{5}tsɿ^{0}tsʰiɔŋ^{53}lien^{13}tsɿ^{0}.｜～也有人家食。kɔk^{3}lɔk^{3}tʂei^{35}ie^{53}mau^{13}in$^{13}_{44}$ŋa$_{44}$(←ka^{35})ʂət^{5}.

【角子】kɔk^{3}tsɿ^{0} 名 两面墙或类似墙的屏障物相接的地方：角柜子就做倒放下墙角上个，后背系呈垂直个，后背系垂直个，正好放下～里个箇只柜子。kɔk^{3}kʰuei^{53}tsɿ^{0}tsʰiəu^{53}tso^{53}tau^{21}fɔŋ^{53}ŋa^{53}tsʰiɔŋ^{13}kɔk^{3}xɔŋ^{53}ke^{53},xei^{53}pɔi$^{53}_{44}$xei^{53}tʂʰən^{13}tʂʰei^{13}tʂʰət^{5}cie^{0},xei^{53}pɔi$^{53}_{44}$xei^{53}tʂʰei^{13}tʂʰət^{5}cie^{0},tʂən^{53}xau^{21}fɔŋ^{53}xa^{53}kɔk^{3}tsɿ^{0}li^{0}ke$^{53}_{44}$kai^{53}tʂak^{3}kʰuei^{53}tsɿ^{0}.

【绞$_{1}$】ciau^{21} 动 ①扭；拧：底下一条绳，顶高一条绳，箇条东西（杠子）穿下去，～两下。tei^{21}xa^{53}iet^{3}tʰiau^{13}ʂən^{13},taŋ^{21}kau^{35}iet^{3}tʰiau$^{13}_{21}$ʂən$^{13}_{21}$,kai$^{53}_{44}$tʰiau$^{13}_{21}$tɔŋ$^{35}_{44}$si^{0}tʂʰuən^{53}na$^{53}_{44}$çi$^{53}_{44}$,ciau^{21}iɔŋ^{21}xa^{53}. ②缝合：如下就用针线一～，欸，针线一～就做做枕头芯子，枕芯。ia$_{44}$(←i^{13}xa^{53})tsʰiəu$^{53}_{44}$iəŋ$^{53}_{44}$tʂən^{35}sien^{53}iet^{3}ciau^{21},e$_{21}$,tʂən^{35}sien^{53}iet^{3}ciau^{21}tsʰiəu$^{53}_{44}$tso$^{53}_{44}$tso$^{53}_{44}$tʂən^{21}tʰei^{13}sin^{35}tsɿ^{0},tʂən^{21}sin^{35}.

【绞$_{2}$】ciau^{21} 量 束：用绳子一～～子搞好 iəŋ^{53}ʂən^{13}tsɿ^{0}iet^{3}ciau^{21}ciau^{21}tsɿ^{0}kau^{21}xau$^{21}_{44}$

【绞边】ciau^{21}pien^{35} 动 一种缝纫方法，用于衣物边缘或扣眼儿上，针脚很密，线斜交或钩连：衫裤个边怕渠须须划划，嗯，脱嘿，就用针线分渠绞一下，安做～。以下嘞就所有做衫裤，呃，服装厂里嘞就专门有架机子，安做绞边机。san^{35}fu^{53}ke^{0}pien^{35}pʰa^{53}ci$^{13}_{21}$si^{35}si$^{35}_{44}$fa$^{13}_{21}$fa^{13},n̩$_{21}$,tʰɔit^{3}xek^{3},tsʰiəu$^{53}_{44}$iəŋ$^{53}_{44}$tʂən^{35}sien^{53}pən$^{35}_{44}$ci$^{13}_{44}$ciau^{21}iet^{3}xa^{53},ɔn$^{35}_{44}$tso$^{53}_{44}$ciau^{21}pien^{35}.i^{21}xa$^{53}_{44}$lei^{0}tsʰiəu$^{53}_{44}$so^{21}iəu^{35}tso^{53}san^{35}fu$^{53}_{44}$,ə$_{21}$,fuk^{5}tsɔŋ$^{35}_{44}$tʂʰɔŋ^{21}li^{0}le^{0}tsʰiəu^{53}tʂen^{35}mən$^{13}_{21}$iəu^{35}ka^{53}ci^{35}tsɿ^{0},ɔn$^{35}_{44}$tso$^{53}_{44}$ciau^{21}pien$^{35}_{44}$ci^{35}.

【绞肠痧】ciau^{21}tʂɔŋ^{13}sa^{35} 名 不吐不泻而有剧烈腹痛的病症：肚子绞绞转痛，箇个病嘞就往往就系～。tɔu^{21}tsɿ^{21}ciau^{21}ciau^{21}tʂuən^{21}tʰɔŋ^{53},kai$^{53}_{44}$ke$^{53}_{44}$pʰiaŋ^{53}lei^{0}tsʰiəu$^{53}_{44}$uɔŋ^{21}uɔŋ^{21}tsʰiəu$^{53}_{44}$xei$^{53}_{44}$ciau^{21}tʂʰɔŋ$^{13}_{21}$sa^{35}.

【绞伙】ciau^{21}fo^{21} 动 合伙。又称"打伙"：欸，我揪你～做生意。e$_{21}$,ŋai^{13}lau$^{35}_{53}$ɲi$^{13}_{21}$ciau^{21}fo^{21}tso^{53}sen^{35}i^{53}.｜欸，打比我屋下我有辆摩托车，你借倒去，长日来借，借倒又唔还。"我又嫖揪你～嘞箇张摩托车嘞。不是我等合伙买个嘞，你嫖出钱呢，系啊？你就搞起箇你也有股份样。"ei$_{21}$,ta^{21}pi^{21}ŋai^{13}uk^{3}xa^{53}ŋai^{13}iəu$^{35}_{53}$liɔŋ^{21}mo^{13}tʰɔk^{3}tʂʰa^{35}, ɲi^{13}tsia^{53}tau^{21}çi^{53},tʂʰɔŋ^{13}ɲiet^{3}lɔi^{13}tsia^{53},tsia^{53}tau^{21}iəu^{53}m$^{13}_{21}$van^{13}."ŋai^{13}iəu^{53}maŋ$^{13}_{21}$lau$^{35}_{53}$ɲi$^{13}_{21}$ciau^{21}fo^{21}lei^{0}kai$^{53}_{44}$tʂɔŋ$^{35}_{53}$mo$^{13}_{21}$tʰɔk^{3}tʂʰa^{35}lei^{0}.pət^{3}ʂɿ^{53}ŋai^{13}tien^{0}xɔit^{5}fo^{21}mai^{35}ke^{53}lei^{0}, ɲi^{13}maŋ$^{13}_{21}$tʂʰət^{3}tsʰien^{13}nei^{0},xei^{53}a^{0}?ɲi^{13}tsʰiəu^{53}kau^{21}çi$^{21}_{44}$kai$^{53}_{44}$ɲi^{13}ia$^{35}_{44}$iəu$^{35}_{44}$ku^{21}fən$^{53}_{44}$iɔŋ$^{53}_{44}$."

【脚$_{1}$】ciɔk^{3} 名 ①人身体最下部接触地面的部分：渠会～会踩倒哇箇<u>起欸</u>。ci$^{13}_{21}$uɔi^{53}ciɔk^{3}uɔi^{53}tsʰai^{21}tau^{21}ua^{0}kai^{53}çie^{21}. ②下肢（包括大腿及以下）：箇个箇个么个～痛箇只啦个个啊，舞倒（过路黄荆）去炆，炆汤。kai$^{53}_{44}$ke$^{53}_{44}$kai$^{53}_{44}$ke$^{53}_{44}$mak^{3}ke$^{53}_{44}$ciɔk^{3}tʰəŋ^{53}kai$^{53}_{44}$tʂak^{3}la^{21}ke$^{53}_{44}$ke^{53}a^{0},u^{21}tau^{21}çi$^{53}_{44}$uən^{13},uən^{13}tʰɔŋ^{35}. ③指墙基：以只～，以映也安做只～，安做明脚。i^{21}tʂak^{3}ciɔk$^{3}_{5}$,i^{21}iaŋ$^{53}_{35}$ia^{35}ɔn$^{35}_{44}$

tso$^{53}_{21}$tʂak^{3} ciɔk^{3},ɔn$^{35}_{44}$tso$^{53}_{21}$min^{13}ciɔk^{3}. ④水垢：起一层～ çi^{21}iet^{3}ts^{h}ien$^{13}_{44}$ciɔk^{3}

【脚$_{2}$】ciɔk^{3} 量①用于计算脚步数量：一～一～子上个，台阶样，一～～子上个，就箇就安做碬子。iet^{3}ciɔk^{3}iet^{3}ciɔk^{3}tsɿ^{0} ʂɔŋ^{35}ke$^{53}_{44}$,t^{h}ɔi^{13}kai$^{35}_{44}$iɔŋ^{53},iet^{3}ciɔk^{3}ciɔk^{3}tsɿ^{0} ʂɔŋ^{35}ke$^{53}_{44}$,ts^{h}iəu$^{53}_{44}$kai$^{53}_{44}$ts^{h}iəu$^{53}_{44}$ɔn$^{35}_{44}$tso$^{53}_{44}$tən^{53}tsɿ^{0}. ②表示走动、出行的次数：渠话爱我掺渠去～浏阳，欸，去～浏阳箇么个啊？欸，安做民政办，民政局。ci^{13}ua^{53}ɔi^{53}ŋai^{13}lau^{35}ci$^{13}_{21}$çi^{53}ciɔk^{3} liəu^{13}iɔŋ^{13},e$_{21}$,çi^{53}ciɔk^{3} liəu^{13}iɔŋ$^{13}_{44}$kai^{53}mak^{3} ke$^{53}_{44}$ a^{0} ?e$_{21}$,ɔn$^{35}_{44}$tso$^{53}_{44}$min^{13}tʂən^{53}p^{h}an^{53},min^{13}tʂən^{53}tʂət^{3}.｜还爱归～子屋下吧？归去一～吧，系唔系？xa$^{13}_{21}$ ɔi$^{53}_{44}$kuei^{35}ciɔk^{3} tsɿ^{0} uk^{3} xa$^{53}_{44}$pa^{0} ?kuei^{35}çi^{53}it^{3} ciɔk^{3} pa^{0},xei$^{53}_{44}$me$^{53}_{44}$? ③用于路程：我老人家来开是唔知开得几多～路哈。ŋai^{13}lau^{21}ɲin^{13}ka$^{35}_{44}$lɔi$^{13}_{21}$k^{h}ɔi^{35}ʂɿ$^{53}_{44}$n^{13}ti$^{35}_{44}$k^{h}ɔi^{35}tek^{3} ci^{21}to^{35}ciɔk^{3} ləu^{53}xa^{0}. ④用于计算下棋的步数：就加起来就六只，箇就渠走，（手里个棋子系）三六九个人走，走一～。欸，三六九个人走一～。ts^{h}iəu$^{53}_{44}$cia$^{35}_{44}$çi$^{21}_{21}$lɔi$^{13}_{21}$ts^{h}iəu^{53}liəuk^{3} tʂak^{3} ,kai$^{53}_{44}$ts^{h}iəu$^{53}_{44}$ci^{13}tsei^{21},san^{35}liəuk^{3} ciəu^{21}ke^{53}ɲin$^{13}_{21}$tsei^{21}, tsei^{21}iet^{3} ciɔk^{3} .e$_{21}$,san^{35}liəuk^{3} ciəu^{21}ke^{53}ɲin$^{13}_{21}$tsei^{21}iet^{3} ciɔk^{3}.

【脚凹】ciɔk^{3} au^{35} 名脚掌上凹入的部分：箇～里嘞就硬爱要凹进去，凹得深兜子还更好。如果冇得箇只～个人，当兵都唔爱，验兵都验唔上。kai^{53}ciɔk^{3} au^{35}li^{0} lei^{0} ts^{h}iəu^{53}ɲiaŋ^{53}ɔi$^{53}_{44}$iau$^{53}_{44}$au^{35} tsin$^{53}_{44}$çi$^{53}_{44}$,au^{35}tek^{3} tʂ^{h}ən^{35}tei$^{35}_{53}$tsɿ^{0} xan^{13}cien^{53}xau^{21}.ɻ^{13}ko^{21}mau^{13}tek^{3} kai^{53}tʂak^{3} ciɔk^{3} au$^{35}_{44}$ke^{53}ɲin$^{13}_{21}$,tɔŋ$^{35}_{44}$pin$^{35}_{44}$təu$^{35}_{44}$ m$^{13}_{21}$mɔi$^{53}_{44}$, ɲian^{53}pin^{35}təu$^{35}_{44}$ɲian^{53}n$^{13}_{21}$ʂɔŋ$^{53}_{44}$.

【脚板】ciɔk^{3}pan^{21} 名脚掌：正讲个箇只嘞就整个～实在整个～都割嘞，但是最容易割个就系脚凹里，整个～都割，割起一只春天欸犁耙做哩是硬箇双脚硬欸底下硬百圻碗样啊硬啊。tʂaŋ^{53}kɔŋ^{21}ke^{53}kai$^{53}_{44}$tʂak^{3} le^{0} ts^{h}iəu$^{53}_{44}$tʂən^{21}ko^{53}ciɔk^{3} pan^{21}ʂət^{5} ts^{h}ai^{53}tʂən^{21}ko^{53}ciɔk^{3} pan^{21}təu^{35}kɔit^{3} le^{0} ,tan$^{53}_{44}$ʂɿ$^{53}_{44}$ tsei^{53}iɔŋ^{13}i^{53}kɔit^{3} ke^{0} ts^{h}iəu^{53}xei^{53}ciɔk^{3} au^{35}li^{0} ,tʂən^{21}ko^{53}ciɔk^{3} pan^{21}təu$^{35}_{44}$kɔit^{3} ,kɔit^{3} çi$^{21}_{53}$iet^{3} tʂak^{3} tʂ^{h}ən^{35}t^{h}ien$^{35}_{44}$ ei$_{44}$lai^{13}p^{h}a^{13}tso^{53}li^{0} ʂɿ$^{53}_{44}$ɲiaŋ^{53}kai$^{53}_{44}$sɔŋ^{35}ciɔk^{3} ɲiaŋ^{53}e^{0} tei^{21}xa^{53}ɲiaŋ^{53}pak^{3} ts^{h}ak^{3} uən^{21}iɔŋ^{53}ŋa^{0}ɲiaŋ^{53}ŋa^{0}.

【脚板薯】ciɔk^{3}pan^{21}ʂəu^{13} 名一种薯类作物，块茎为不规则的扁块形，状似脚板：～哇？箇也有。因为渠同番薯差唔多，（饭肚里）放～。ciɔk^{3} pan^{21}ʂəu^{13}ua^{0} ?kai^{53}ia^{35}iəu$^{35}_{44}$.in^{35}uei$^{53}_{44}$ci$^{13}_{21}$t^{h}əŋ$^{13}_{21}$fan^{35} ʂəu$^{13}_{21}$tsa^{35}n$^{13}_{44}$to$^{35}_{44}$,fɔŋ^{53}ciɔk^{3} pan^{21}ʂəu$^{13}_{21}$.

【脚板心】ciɔk^{3}pan^{21} 名脚心：我搞过一回呀，～里呀，～里橛一只东西呀，唔知橛枚钉子啊系橛只么个，渠等话最怕嘞橛倒就么个橛蛇骨，橛倒箇蛇骨嘞，蛇个骨头。橛倒哩蛇骨就会做祸。我～里如今唔知还有冇得，橛只么个东橛枚钉子啊是么个，舞倒我嬲啊半个月。脚痛啊，做祸哦。～里做祸。ŋai^{13}kau^{21}ko^{53}(i)et^{3} fei^{13}ia^{0},ciɔk^{3} pan^{21}sin$^{35}_{44}$ni^{0} ia^{0} ,ciɔk^{3} pan^{21}sin$^{35}_{44}$ni^{21}tsio^{35}iet^{3} tʂak^{3} təŋ$^{35}_{44}$si$^{35}_{44}$ia^{0} ,n^{13}ti$^{35}_{53}$tsio^{35}mɔi$^{13}_{21}$taŋ^{35}tsɿ$^{21}_{44}$a$_{44}$xe^{53}tsio^{35}tʂak^{3} mak^{3} e^{0} ,ci$^{13}_{21}$tien^{0} ua^{53}tsei^{53}p^{h}a^{53}lei^{0} tsio^{35}tau^{21}ts^{h}iəu^{53} mak^{3} e^{0} tsio^{13}ʂa^{13}kuət^{3} ,tsio^{35}tau^{21}kai^{53}ʂa^{13}kuət^{3} le^{0} ,ʂa^{13}ke^{53}kuət^{3} t^{h}ei^{13}.tsio^{35}tau^{21}li^{0} ʂa^{13}kuət^{3} ts^{h}iəu$^{53}_{44}$uɔi$^{53}_{44}$tso^{53} xo^{53}.ŋai^{13}ciɔk^{3} pan^{21}sin$^{35}_{44}$ni$^{21}_{44}$i$^{13}_{21}$cin$^{35}_{53}$n$^{13}_{21}$ti$^{35}_{53}$xai$^{13}_{21}$iəu$^{35}_{53}$mau$^{13}_{21}$tek^{3} ,tsio^{35}tʂak^{3} mak^{3} e^{0} təŋ$^{35}_{44}$tsio^{35}mɔi$^{13}_{21}$taŋ^{35}tsɿ^{0} a$_{44}$ʂɿ$^{53}_{44}$ mak^{3} ke^{53},u^{21}tau^{21}ŋai$^{13}_{44}$liau^{53}a^{0} pan^{53}cie^{53}ɲiet^{5} .ciɔk^{3} t^{h}əŋ^{53}ŋa^{0} ,tso^{53}fo^{53}o^{0} .ciɔk^{3} pan^{21}sin$^{35}_{44}$ni^{0} tso^{53}fo^{53}.

【脚背】ciɔk^{3} pɔi^{53} 名脚掌的反面：～更唔多得受伤啊。～也受过一回伤，就搞么个嘞？就背张欸提张耙呢，去耙田提张耙呢，欸，提张耙个时候子嘞，提倒上只墈呢，唔小心呶，捉倒～上划一下唠，牛就还去下跑哇，牛牵倒走呀，箇好得赠舞倒几深凑，只系划倒出哩血凑。哎，莫去讲起箇个。ciɔk^{3} pɔi^{53}cien^{53}n$^{13}_{21}$to$^{35}_{44}$tek^{3} ʂəu^{53}ʂɔŋ$^{35}_{44}$ŋa^{0} .ciɔk^{3} pɔi^{53}ia^{35}ʂəu^{53}ko^{53}(i)et^{3} fei^{13}ʂɔŋ$^{35}_{44}$, ts^{h}iəu^{53}kau^{21}mak^{3} e^{0} lei^{0} ?ts^{h}iəu$^{53}_{44}$pi^{53}tʂɔŋ$^{35}_{44}$e$_{21}$t^{h}ia^{35}tʂɔŋ$^{35}_{44}$p^{h}a^{13}nei^{0} ,çi^{53}p^{h}a^{13}t^{h}ien^{13}t^{h}ia^{35}tʂɔŋ$^{35}_{44}$p^{h}a^{13}nei^{0} ,ei$_{21}$,t^{h}ia^{35} tʂɔŋ$^{35}_{44}$p^{h}a^{13}ke^{53}ʂɿ^{13}xəu$^{53}_{44}$tsɿ^{0} lei^{0} ,t^{h}ia^{13}tau^{21}ʂɔŋ^{35}tʂak^{3} k^{h}an^{53}nei^{0} ,n^{13}siau^{21}sin^{35}nau^{0} ,tsɔk^{3} tau^{21}ciɔk^{3} pɔi^{53}xɔŋ$^{53}_{44}$fa^{53} (i)et^{3} xa^{53}lau^{0}, ɲiəu^{13}ts^{h}iəu^{53}xai$^{13}_{21}$çi^{53}xa^{53}p^{h}au^{21}ua^{0} , ɲiəu$^{13}_{21}$c^{h}ien$^{35}_{53}$tau^{21}tsei^{21}ia^{0} ,kai^{53}xau^{21}tek^{3} maŋ^{13}u^{21}tau^{21}ci^{21} tʂ^{h}ən^{35}ts^{h}e^{0} ,tʂɿ^{21}xe$^{53}_{44}$fa^{53}tau^{21}tʂ^{h}ət^{3} li^{0} çiet^{3} ts^{h}e^{0} .ai$_{53}$,mɔk^{5} çi^{53}kɔŋ^{21}çi$^{21}_{44}$kai$^{53}_{44}$ke^{0}.

【脚步】ciɔk^{3} p^{h}u^{53} 名行走或奔跑时脚的动作：渠个～更稳。ci$^{13}_{21}$ke$^{53}_{44}$ciɔk^{3} p^{h}u^{53}cien$^{53}_{44}$uən^{21}.

【脚缠】ciɔk^{3} tʂen^{13} 名绑腿：从前当兵个人，因为搞么个爱～呢爱缠稳箇只脚囊肚嘞？系就缠稳脚囊肚唠。因为当兵个人爱走路，嗯。当兵个爱走路，撞怕一天爱走一百几十里，两百嘞一百几十里，系啊？就分箇脚囊肚缔稳，缔稳就更唔得脚痛，就～。ts^{h}əŋ^{13}ts^{h}ien$^{13}_{44}$tɔŋ$^{35}_{44}$pin^{35}ke^{53} ɲin$^{13}_{21}$,in^{35}uei^{53}kau^{21}mak^{3} ke^{53}ɔi^{53}ciɔk^{3} tʂ^{h}en^{13}ne^{0} ɔi^{53}tʂ^{h}en^{13}uən^{21}kai^{53}tʂak^{3} ciɔk^{3} lɔŋ$^{13}_{44}$təu^{21}lei$_{53}$?xe$^{53}_{44}$ts^{h}iəu^{53} tʂ^{h}en$^{13}_{44}$uən$^{21}_{44}$ciɔk^{3} lɔŋ$^{13}_{44}$təu^{21}lau^{0} .in^{35}uei$^{53}_{44}$tɔŋ$^{35}_{44}$pin$^{35}_{44}$ke$^{53}_{44}$ɲin$^{13}_{21}$ɔi$^{53}_{44}$tsei^{21}ləu^{53},n$_{21}$.tɔŋ^{35}pin$^{35}_{44}$ke$^{53}_{44}$ɔi$^{53}_{44}$tsei^{21}ləu^{53},ts^{h}ɔŋ^{21} p^{h}a^{53}iet^{3} t^{h}ien^{35}ɔi$^{53}_{44}$tsei^{21}iet^{3} pak^{3} ci^{21}ʂət^{5} li^{35},iɔŋ^{21}pak^{3} lei^{0} it^{3} pak^{3} ci^{21}ʂət^{5} li^{35},xei$^{53}_{44}$a^{0} ?ts^{h}iəu^{53}pən$^{35}_{44}$kai$^{53}_{21}$ciɔk^{3} lɔŋ$^{13}_{21}$təu^{21}t^{h}ak^{3} uən^{21},t^{h}ak^{3} uən^{21}ts^{h}iəu^{53}cien^{53}n$^{13}_{21}$tek^{3} ciɔk^{3} t^{h}əŋ^{53},ts^{h}iəu^{53}ciɔk^{3} tʂ^{h}en^{13}.

【脚底下】ciɔk^{3} te^{21}xa^{35} 名脚底：我觉得做工夫个时候子最受伤个就～，就箇双脚掺～。搞么个？长日打赤脚。嗯，你唔打赤脚搞唔成嘞。你话哪有如今个作田个着双筒子套着身雨裤来做事个？着双筒子套鞋来跦田个？欸，都爱打双赤脚哇。ŋai^{13}kɔk^{3}tek^{3}tso^{53}kəŋ^{35}fu$^{35}_{44}$(k)e$^{53}_{44}$ʂʅ^{13}xəu$^{53}_{44}$tsʅ^{0}tsei^{53}ʂəu^{53}ʂɔŋ^{35}ke^{53}tsʰiəu^{53}ciɔk^{3}tei^{21}xa$^{35}_{53}$,tsʰiəu$^{53}_{44}$kai$^{53}_{44}$səŋ^{35}ciɔk^{3}lau^{35}ciɔk^{3}tei^{21}xa^{35}.kau^{21}mak^{3}e^{0}?tʂʰɔŋ^{13}ɲiet^{3}ta^{21}tʂʰak^{3}ciɔk^{3}.n̩$_{21}$, ɲi$^{13}_{21}$n̩^{13}ta^{21}tʂʰak^{3}ciɔk^{3}kau$^{21}_{44}$n̩$^{13}_{44}$ʂaŋ^{13}lei^{0}. ɲi^{13}(u)a$^{53}_{44}$la^{53}iəu$^{35}_{53}$i$^{13}_{21}$cin^{35}ke^{0}tsɔk^{3}tʰien^{13}kei^{53}tʂɔk^{3}səŋ^{35}tʰəŋ$^{13}_{21}$tsʅ^{0}tʰau^{53}tʂɔk^{3}ʂən$^{35}_{44}$ʮ^{21}kʰu^{53}lɔi$^{13}_{21}$tso^{53}sʅ^{53}kei$^{53}_{44}$?tʂɔk^{3}səŋ^{35}tʰəŋ$^{13}_{21}$tsʅ^{0}tʰau^{53}xai$^{13}_{44}$lɔi$^{13}_{44}$lai$^{13}_{44}$tʰien^{13}kei^{53}?e$_{21}$,təu^{35}ɔi^{53}ta^{21}səŋ^{35}tʂʰak^{3}ciɔk^{3}ua^{0}.

【脚碓】ciɔk^{3}tɔi^{53} 名 脚踏的碓：我等都是尽到柳树坡去踏～哦。/系呀，踏～是踩个。/一个人踩唔起，两个人。ŋai^{13}tien^{0}təu$^{35}_{44}$sʅ$^{53}_{44}$tsʰin^{53}tau^{53}liəu^{35}ʂəu^{53}pʰo^{35}çi$^{53}_{44}$tʰait^{5}ciɔk^{3}tɔi^{53}o^{0}./xei$^{53}_{21}$ia^{0},tʰait^{5}ciɔk^{3}tɔi^{53}ʂʅ$^{53}_{44}$tsʰai^{21}ke^{53}./iet^{3}ke^{53}ɲin^{13}tsʰai^{21}n̩^{13}çi^{21},iɔŋ^{21}ke^{53}ɲin^{13}.

【脚梗】ciɔk^{3}kuaŋ^{21} 名 小腿：做工夫就有子咯，～最容易受伤个就哪映嘞？就系只当面臁，当面臁呐。欸，也系～上吵。当面臁搞下子又撞一下，搞下子撞一下。tso^{53}kəŋ^{35}fu$^{35}_{44}$tsʰiəu^{53}iəu$^{35}_{53}$tsʅ^{0}ko^{0},ciɔk^{3}kuaŋ^{21}tsei^{53}iəŋ^{13}i^{53}ʂəu^{53}ʂɔŋ^{35}ke$^{53}_{44}$tsʰiəu$^{53}_{44}$lai$^{53}_{44}$iaŋ$^{53}_{44}$lei^{0}?tsʰiəu^{53}xei^{53}tʂak^{3}tɔŋ$^{35}_{44}$mien^{53}lian^{13},tɔŋ$^{35}_{44}$mien^{53}lian^{13}na^{0}.ei$_{21}$,ia^{35}xei^{53}ciɔk^{3}kuaŋ^{21}xɔŋ^{53}ʂa^{0}.tɔŋ$^{35}_{44}$mien^{53}lian$^{13}_{44}$kau^{21}ua^{53}tsʅ^{0}iəu$^{53}_{44}$tsʰɔŋ$^{53}_{44}$iet^{3}xa^{53},kau^{21}ua^{53}tsʅ^{0}tsʰɔŋ^{53}iet^{3}xa^{53}.

【脚箍子】ciɔk^{3}kʰu^{35}tsʅ^{0} 名 戴在脚上的镯子：箇是细人子呃为了保佑渠健康成长，欸，脚上就戴只～，银子个，～，玲玲琅琅响。我孙子赠戴，手圈子啊～都赠戴。kai^{53}ʂʅ$^{53}_{44}$se^{53}ɲin^{13}tsʅ^{0}ə$_{21}$uei^{53}liau^{0}pau^{21}iəu^{53}ci$^{13}_{44}$cʰien^{53}kʰɔŋ$^{35}_{44}$tʂʰən^{13}tʂɔŋ^{21},ei$_{21}$,ciɔk^{3}xɔŋ$^{53}_{44}$tsʰiəu$^{53}_{44}$tai^{53}tʂak^{3}ciɔk^{3}kʰu^{35}tsʅ^{0}, ɲin^{13}tsʅ^{21}ke^{0},ciɔk^{3}kʰu$^{35}_{44}$tsʅ^{0},lin^{13}lin$^{13}_{44}$laŋ$^{13}_{44}$laŋ$^{13}_{44}$çiɔŋ^{21}.ŋai^{13}sən$^{35}_{44}$tsʅ^{0}maŋ$^{13}_{21}$tai^{53},ʂəu^{21}cʰien^{35}tsʅ^{21}a^{0}ciɔk^{3}kʰu^{35}tsʅ^{0}təu^{35}maŋ^{13}tai^{53}.

【脚骨】ciɔk^{3}kuət^{3} 名 脚部的骨头：你～放底下，先放～。ɲi$^{13}_{21}$ciɔk^{3}kuət^{3}fɔŋ^{53}tei^{21}xa^{53},sien^{35}fɔŋ^{53}ciɔk^{3}kuət^{3}.

【脚行】ciɔk^{3}xɔŋ^{13} 名 旧时专门从事为别人搬运工作的机构：我等箇只以前欸有只喊叔公个，唔系话荷一世人个脚。渠荷一世人个脚嘞渠赠进过～，渠赠进过，渠尽系搞箇散担子个，欸。ŋai^{13}tien^{0}kai^{53}tʂak^{3}i^{35}tsʰien$^{13}_{44}$ei$_{21}$iəu^{35}tʂak^{3}xan^{53}ʂəuk^{3}kəŋ^{35}ke$^{53}_{44}$,m̩$^{13}_{21}$pʰei$^{53}_{44}$ua$^{53}_{44}$kʰai^{35}iet^{3}ʂʅ^{53}ɲin$^{13}_{21}$ke^{53}ciɔk^{3}.ci^{13}kʰai^{35}iet^{3}ʂʅ^{53}ɲin$^{13}_{21}$ke^{53}ciɔk^{3}lei^{0}ci$^{13}_{21}$maŋ^{13}tsin^{53}ko^{53}ciɔk^{3}xɔŋ$^{13}_{44}$,ci$^{13}_{21}$maŋ^{13}tsin^{53}ko^{53},ci^{13}tsʰin^{53}nei$^{53}_{44}$kau^{21}kai$^{53}_{44}$san^{21}tan^{35}tsʅ^{0}ke^{0},e$_{21}$.

【脚尖】ciɔk^{5}tsian^{35} 名 脚的最前部分：其实男子人一身最怕个最大个弱处就在以映子指睾丸，你只爱一～是命都唔爱哩，系唔系？cʰi^{13}ʂət^{5}lan^{13}tsʅ^{0}ɲin$^{13}_{44}$iet^{3}ʂən^{35}tsei^{53}pʰa^{53}kei^{0}tsei^{53}tʰai$^{53}_{44}$ke$^{53}_{44}$ɲiɔk^{5}tʂʰəu^{53}tsʰiəu$^{53}_{44}$tsʰai$^{53}_{44}$i^{21}iaŋ^{53}tsʅ^{0}, ɲi^{13}tʂʅ^{21}ɔi^{53}iet^{3}ciɔk^{5}tsian$^{35}_{44}$ʂʅ$^{53}_{44}$miaŋ^{53}təu$^{35}_{53}$m̩$^{13}_{21}$mɔi$^{53}_{44}$li^{0},xei$^{53}_{44}$me$^{53}_{44}$?

【脚力钱】ciɔk^{3}liet^{5}tsʰien^{13} 名 力脚夫挑担子赚来的钱：荷脚个人也蛮辛苦，赚倒滴子～。kʰai^{35}ciɔk^{3}ke^{53}ɲin$^{13}_{44}$ia^{35}man$^{13}_{21}$sin$^{35}_{44}$kʰu^{21},tsʰan^{53}tau^{21}tiet^{5}tsʅ^{0}ciɔk^{3}liet^{5}tsʰien$^{13}_{21}$.

【脚囊肚】ciɔk^{3}lɔŋ^{35}təu^{21} 名 腿肚子：我呀头几晡子夜晡唔知搞么个抽筋呢，箇～上就抽筋呢。抽筋就最先就～上抽。欸，渠等看倒我抽哩筋。"收哩，"渠话，"你收拾哩，你爱食药哦。""啊，你莫去下子，我有么个药食得嘞？"我话："有么个药食得嘞？"欸，渠话："你刚抽得咁子咯。"我话："一夜过哩就好哩啊，慢今晡一天过哩就好哩，根本冇得哩。"我就唔得随便随随便便就去食药啦。我冇得咁怕死呀。ŋai^{13}ia^{0}tʰei$^{13}_{21}$ci^{21}pu$^{35}_{53}$tsʅ^{0}ia^{53}pu$^{35}_{53}$n̩$^{13}_{21}$ti$^{35}_{53}$kau^{21}mak^{3}kei^{53}tʂʰəu^{35}cin^{35}nei^{0},kai^{53}ciɔk^{3}lɔŋ$^{13}_{44}$təu^{21}xɔŋ$^{53}_{44}$tsʰiəu$^{53}_{44}$tʂʰəu^{35}cin^{35}nei^{0}.tʂʰəu^{35}cin^{35}tsʰiəu^{53}tsei^{53}sien$^{35}_{44}$tsʰiəu^{53}ciɔk^{3}lɔŋ$^{13}_{21}$təu^{21}xɔŋ^{53}tʂʰəu$^{35}_{44}$.ei$_{44}$,ci$^{13}_{21}$tien^{0}kʰɔn^{53}tau^{21}ŋai$^{13}_{21}$tʂʰəu$^{35}_{44}$li^{0}cin^{35}."ʂəu$^{35}_{44}$li^{0},"ci$^{13}_{21}$ua^{53}:"ɲi$^{13}_{21}$ʂəu^{35}ʂət^{5}li^{0}, ɲi$^{13}_{21}$ɔi$^{53}_{44}$ʂət^{5}iɔk^{5}o^{0}.""a$_{2}$ɲi$^{13}_{44}$mɔk^{5}çi^{53}xa^{53}tsʅ^{0},ŋai^{13}iəu$^{35}_{53}$mak^{3}e^{0}iɔk^{5}ʂət^{5}tek^{3}lei^{0}?"ŋai^{13}ua$^{53}_{44}$:"iəu$^{35}_{53}$mak^{3}e^{0}iɔk^{5}ʂət^{5}tek^{3}le^{0}?"e$_{21}$,ci$^{13}_{44}$ua$^{53}_{44}$:"ɲi$^{13}_{44}$ciɔŋ^{35}tʂʰəu^{35}tek^{3}kan^{21}tsʅ^{0}ko^{0}."ŋai^{13}ua$^{53}_{44}$:"iet^{3}ia^{53}ko^{53}li^{0}tsʰiəu^{53}xau^{21}li^{0}a^{0},man$^{53}_{21}$cin^{35}pu$^{35}_{53}$iet^{3}tʰien^{35}ko^{53}li^{0}tsʰiəu^{53}xau^{21}li^{0},kən$^{35}_{44}$pən^{21}mau$^{13}_{21}$tek^{3}li^{0}."ŋai^{13}tsʰiəu^{53}n̩^{13}tek^{3}sei^{13}pʰien^{53}sei^{13}sei$^{13}_{44}$pʰien^{53}pʰien^{53}tsʰiəu$^{53}_{44}$çi$^{53}_{44}$ʂət^{5}iɔk^{5}la^{0}.ŋai$^{13}_{21}$mau^{13}tek^{3}kan^{21}pʰa^{53}si^{21}ia^{0}.

【脚盘】ciɔk^{3}pʰan^{13} 名 脚掌：脚腕子就系以只～呐转动个地方。ciɔk^{3}uɔn^{21}tsʅ^{0}tsʰiəu^{53}xei^{53}i^{21}tʂak^{3}ciɔk^{3}pʰan^{13}na^{0}tʂuɔn^{21}tʰəŋ^{53}ke$^{53}_{44}$tʰi^{53}fɔŋ$^{35}_{44}$.

【脚盆】ciɔk^{3}pʰən^{13} 名 用来洗澡洗脚的盆子：（猪食盆）一只～样。iet^{3}tʂak^{3}ciɔk^{3}pʰən^{13}niɔŋ^{53}. | 妹子人用个～吧？mɔi^{53}tsʅ^{0}ɲin^{13}iəŋ$^{53}_{44}$ke$^{53}_{44}$ciɔk^{3}pʰən^{13}pa^{0}?

【脚屎馒】ciɔk^{3}ʂʅ^{21}man^{53} 名 脚趾之间的泥垢：～就系箇个脚唔干净，你只爱舞倒洗个时候子嘞爱攒劲去擦呀去蹭呐，蹭出箇个来就系蹭出～来。ciɔk^{3}ʂʅ^{21}man^{53}tsʰiəu^{53}xei^{53}kai^{53}ke^{53}ciɔk^{3}n̩^{13}

kɔn^{35}ts^{h}in^{53}, ɲi^{13}tʂʅ^{21}ɔi^{53}u^{21}tau^{21}sei^{21}ke^{53}ʂʅ$^{13}_{44}$xəu$^{53}_{44}$tsɿ^{0}lei^{0}ɔi$^{53}_{44}$tsan^{21}cin$^{53}_{44}$çi$^{53}_{44}$ts^{h}ait^{3}ia^{0}çi$^{53}_{44}$ts^{h}ən^{53}na^{0},ts^{h}ən^{53}tʂ^{h}ət^{3}kai$^{53}_{44}$ke$^{53}_{44}$lɔi$^{13}_{21}$tsiəu$^{53}_{44}$xei$^{53}_{21}$ts^{h}ən^{53}tʂ^{h}ət^{3}ciɔk^{3}ʂʅ^{21}man^{53}nɔi$^{13}_{21}$.

【脚踏子】ciɔk^{3}t^{h}ait^{5}tsɿ^{0} 名自行车上的踏板：箇个自行车上个～啊真易得坏。箇～真易得坏，坏哩就硬爱只好换。kai^{53}kei$^{53}_{44}$ts^{h}ɿ^{53}çin$^{13}_{21}$tʂ^{h}a^{35}xɔŋ$^{53}_{44}$ke^{0}ciɔk^{3}t^{h}ait^{5}tsɿ^{0}a^{0}tʂən^{35}i^{53}tek^{3}fai^{53}.kai$^{53}_{44}$ciɔk^{3}t^{h}ait^{5}tsɿ^{0}tʂən^{35}i^{53}tek^{3}fai^{53},fai^{53}li^{0}ts^{h}iəu^{53}ɲiaŋ^{53}ɔi^{53}tʂʅ^{21}xau^{21}uɔn^{53}.

【脚弯】ciɔk^{3}uan^{35} 名指膝盖背面凹下的部位：以只栏场个肉咯确实也系比较嫩呐么个嘞，真惹蚊家呢，惹蚊子，确实系惹蚊子以只～里啊，所以着裤爱着长兜子个，着短裤子也啦最先就啮呀，箇就～里。i^{21}tʂak^{3}lan^{13}tʂ^{h}ɔŋ$^{13}_{44}$kei^{53}ɲiəuk^{3}ko^{0}k^{h}ɔk^{3}ʂət^{5}ia$^{35}_{44}$xei^{53}pi^{21}ciau$^{53}_{44}$lən^{53}na^{0}mak^{3}e^{0}lei^{0},tʂən^{35}ɲia^{35}mən^{35}ka$^{35}_{44}$nei^{0}, ɲia^{35}mən^{35}tsɿ^{0},k^{h}ɔk^{3}ʂət^{5}xe^{53}ɲia^{35}mən^{35}tsɿ^{0}i^{21}tʂak^{3}ciɔk^{3}uan^{35}ni^{0}a^{0},so^{21}i$^{35}_{53}$tʂɔk^{3}fu^{53}ɔi^{53}tʂɔk^{3}tʂ^{h}ɔŋ$^{13}_{21}$tei$^{35}_{53}$tsɿ^{0}ke^{0},tʂɔk^{3}tɔn^{21}fu^{53}tsɿ^{0}ia$^{35}_{44}$la^{0}tsei^{53}sien$^{35}_{44}$ts^{h}iəu^{53}ŋait^{3}ia^{0},kai$^{53}_{44}$ts^{h}iəu$^{53}_{44}$ciɔk^{3}uan^{35}ni^{0}.

【脚腕子】ciɔk^{3}uɔn^{21}tsɿ^{0} 名脚踝：～就系以只脚盘呐转动个地方。以两只螺蛳饽以映子啊，就系转动个地方就安做～。ciɔk^{3}uɔn^{21}tsɿ^{0}ts^{h}iəu^{53}xei^{53}i^{21}tʂak^{3}ciɔk^{3}p^{h}an^{13}na^{0}tʂuɔn^{21}t^{h}əŋ^{53}ke$^{53}_{44}$t^{h}i^{53}fɔŋ$^{35}_{44}$.i^{21}iɔŋ^{21}tʂak^{3}lo^{13}sɿ$^{35}_{44}$p^{h}ɔk^{5}i^{21}iaŋ^{53}tsɿ^{0}a^{0},ts^{h}iəu$^{53}_{44}$xei$^{53}_{44}$tʂuɔn^{21}t^{h}əŋ^{53}ke$^{53}_{44}$t^{h}i$^{53}_{44}$fɔŋ$^{35}_{44}$ts^{h}iəu$^{53}_{44}$ɔn$^{35}_{44}$tso$^{53}_{44}$ciɔk^{3}uɔn^{21}tsɿ^{0}.

【脚下】ciɔk^{3}xa$^{53}_{44}$ 名①脚底下：～个铁巴掌 ciɔk^{3}xa$^{53}_{44}$ke$^{53}_{44}$t^{h}iet^{3}pa$^{35}_{44}$tʂɔŋ^{21}。②方位词，加在体词性词语后表示位置在其下：（鸡髀）饭甑～□$_{煮烂}$咁哩。fan^{53}tsien^{53}ciɔk^{3}xa$^{53}_{44}$sait^{5}kan^{21}li^{0}. ③指山下平原地区：去～打工。çi^{53}ciɔk^{3}xa^{53}ta^{21}kəŋ^{35}.

【脚眼珠仁】ciɔk^{3}ŋan^{21}tʂəu^{35}in^{13} 名踝子骨：～就以只栏场就安做～呢，也安做螺蛳饽呢。ciɔk^{3}ŋan^{21}tʂəu$^{35}_{44}$in^{13}ts^{h}iəu$^{53}_{44}$i^{21}tʂak^{3}laŋ$^{13}_{21}$tʂ^{h}ɔŋ$^{13}_{44}$ts^{h}iəu^{53}ɔn$^{35}_{53}$tso^{53}ciɔk^{3}ŋan^{21}tʂəu$^{35}_{44}$in$^{13}_{21}$nei^{0},ia^{35}ɔn$^{35}_{44}$tso$^{53}_{44}$lo^{13}sɿ$^{35}_{44}$p^{h}ɔk^{5}nei^{0}.

【脚胁里】ciɔk^{3}c^{h}iait^{5}li^{0} 名大腿内侧和躯干交接的部位：～就去箇大腿根部哇就安做～。ciɔk^{3}c^{h}iait^{5}li^{0}ts^{h}iəu$^{53}_{44}$çi$^{53}_{21}$kai$^{53}_{44}$t^{h}ai^{53}t^{h}ɔi^{21}cien^{35}p^{h}u$^{53}_{44}$ua^{0}tsiəu$^{53}_{44}$ɔn$^{35}_{44}$tso$^{53}_{44}$ciɔk^{3}c^{h}iait^{5}li^{0}.

【脚映】ciɔk^{3}iaŋ^{53} 名脚踩踏过的痕迹：箇墙上啊欸有～有手映。kai^{53}ts^{h}iɔŋ^{13}xɔŋ^{53}ŋa^{0}ei$_{21}$iəu$^{35}_{44}$ciɔk^{3}iaŋ^{53}iəu$^{35}_{44}$ʂəu^{21}iaŋ^{53}.｜落雪天就箇脚欸到箇雪地里去走呀，～就真清楚呢。lɔk^{5}set^{3}t^{h}ien$^{35}_{44}$ts^{h}iəu^{53}kai$^{53}_{44}$ciɔk^{3}e$_{21}$tau$^{53}_{44}$kai$^{53}_{44}$set^{3}t^{h}i^{53}li^{21}çi^{53}tsei^{21}ia^{0},ciɔk^{3}iaŋ^{53}ts^{h}iəu$^{53}_{44}$tʂən^{35}ts^{h}in^{35}ts^{h}əu^{21}ne^{0}.

【脚映迹】ciɔk^{3}iaŋ^{53}tsiak^{3} 名脚印：雪地里走个时候子箇～就显看呐。set^{3}t^{h}i^{53}li^{0}tsei^{21}ke^{53}ʂʅ^{13}xəu^{53}tsɿ^{0}kai$^{53}_{44}$ciɔk^{3}iaŋ^{53}tsiak^{3}ts^{h}iəu^{53}çien^{21}k^{h}ɔn^{53}na^{0}.

【脚鱼】ciɔk^{3}ŋ̍^{13} 名团鱼：呃，以前就真多～啊，我等箇个栏场真多～啊。箇个河子里，箇细河子里只爱舞只咁个钀，用打个铁钀，欸，中间斗只把，两头都系铁钀，系啊？箇头上下上，以头上啊下。分一头就锋利个，分一头子咁子去剁，安做剁～。到箇河里去剁。有兜一昼边都剁得几只个噢碰得好是噢。渠有路哇，渠箇个～有路。我等唔认得，爱箇专门剁～个。箇有只老子我如今都记得唠，渠剁哩～啊，跕下我等上新屋啊箇只大屋里啊，跑上跑下来卖，卖～，几多钱一斤呐你晓得吗？六角钱一斤。尽兜都话以只东西冇味道，还爱油炒，六角钱一斤，冇人买，爱油炒个。以下嘞～又冇得哩。（以前）耘田都耘得～倒咯，箇田里都有～咯。ə$_{44}$,i^{35}ts^{h}ien^{13}ts^{h}iəu$^{53}_{44}$tʂən^{35}to^{35}ciɔk^{3}ŋ̍$^{13}_{21}$ŋa^{0},ŋai^{13}tien^{0}kai^{53}ke^{53}laŋ$^{13}_{21}$tʂ^{h}ɔŋ$^{13}_{21}$tʂən^{35}to^{35}ciɔk^{3}ŋ̍$^{13}_{21}$ŋa^{0}.kai^{53}ke^{53}xo^{13}tsɿ^{0}li^{0},kai$^{53}_{44}$se^{53}xo^{13}tsɿ^{0}li^{0}tʂʅ^{21}ɔi^{53}u^{21}tʂak^{3}kan^{21}kei$^{53}_{44}$tsian^{35},iəŋ^{53}ta^{21}ke^{0}t^{h}iet^{3}tsian^{35},e$_{21}$,tʂəŋ^{35}kan$^{35}_{44}$tei^{53}tʂak^{3}pa^{53},iɔŋ^{21}t^{h}ei^{13}təu$^{35}_{53}$xe^{53}t^{h}iet^{3}tsian^{35},(x)ei^{53}a^{0}?kai^{53}t^{h}ei$^{13}_{21}$ʂɔŋ$^{53}_{44}$xa$^{53}_{44}$ʂɔŋ^{35},i^{21}t^{h}ei^{13}ʂɔŋ$^{53}_{44}$a^{0}xa^{35}.pən^{35}iet^{3}t^{h}ei^{13}ts^{h}iəu$^{53}_{44}$fəŋ^{35}li$^{53}_{44}$ke^{0},pən^{35}iet^{3}t^{h}ei$^{13}_{21}$tsɿ^{0}kan^{21}tsɿ^{0}çi$^{53}_{44}$təuk^{5},ɔn$^{35}_{44}$tso$^{53}_{44}$təuk^{5}ciɔk^{3}ŋ̍^{13}.tau^{53}kai$^{53}_{44}$xo$^{13}_{21}$li^{35}çi$^{53}_{44}$təuk^{5}.iəu^{35}tei$^{35}_{44}$iet^{3}tʂəu^{53}pien$^{35}_{44}$təu$^{35}_{44}$təuk^{5}tek^{3}ci^{21}tʂak^{3}ke^{53}au^{0}p^{h}ən^{53}tek^{3}xau^{21}ʂʅ^{53}au^{0}.ci$^{13}_{21}$iəu^{13}ləu^{53}ua^{0},ci$^{13}_{21}$kai$^{53}_{44}$ke$^{53}_{44}$ciɔk^{3}ŋ̍^{13}iəu^{35}ləu^{53}.ŋai^{13}tien^{0}n̩^{13}ɲin^{53}tek^{3},ɔi^{53}kai^{53}tʂen^{35}mən$^{13}_{21}$təuk^{5}ciɔk^{3}ŋ̍^{13}ke^{0}.kai$^{53}_{44}$iəu^{35}tʂak^{3}lau^{21}tsɿ^{0}ŋai$^{13}_{21}$i$^{13}_{21}$cin$^{35}_{44}$təu$^{35}_{44}$ci^{53}tek^{3}lau^{0},ci^{13}təuk^{5}li^{0}ciɔk^{3}ŋ̍^{13}ŋa^{0},k^{h}u$^{35}_{44}$xa$^{53}_{44}$ŋai$^{13}_{21}$tien^{0}ʂɔŋ$^{53}_{44}$sin^{35}uk^{3}a^{0}kai$^{53}_{21}$tʂak^{3}t^{h}ai^{53}uk^{3}li^{0}a^{0},p^{h}au^{21}ʂɔŋ$^{53}_{44}$p^{h}au^{21}xa$^{53}_{44}$lɔi$^{13}_{21}$mai^{53},mai^{53}ciɔk^{3}ŋ̍$^{13}_{21}$,ci$^{21}_{44}$(t)o^{35}ts^{h}ien$^{13}_{21}$iet^{3}cin$^{35}_{44}$na^{0}ɲi$^{13}_{21}$çiau^{21}(t)ek^{3}ma^{0}?liəuk^{3}kɔk^{3}ts^{h}ien$^{13}_{21}$iet^{3}cin^{35}.ts^{h}in^{53}tei$^{35}_{44}$təu$^{35}_{44}$ua^{53}i^{21}tʂak^{3}təŋ$^{35}_{44}$si^{0}mau$^{13}_{21}$uei$^{53}_{44}$t^{h}au$^{53}_{44}$,xa$^{13}_{21}$ɔi^{53}iəu^{13}ts^{h}au^{21},liəuk^{3}kɔk^{3}ts^{h}ien$^{13}_{21}$iet^{3}cin$^{35}_{44}$,mau$^{13}_{21}$ɲin$^{13}_{21}$mai^{35},ɔi^{53}iəu^{13}ts^{h}au^{21}ke^{53}.i^{21}xa$^{53}_{44}$lei^{0}ciɔk^{3}ŋ̍^{13}iəu^{53}mau$^{13}_{21}$(t)ek^{3}li^{0}.in^{13}t^{h}ien^{13}təu$^{35}_{53}$in^{13}tek^{3}ciɔk^{3}ŋ̍^{13}tau^{21}ko^{0},kai^{53}t^{h}ien^{13}ni^{0}təu$^{35}_{44}$iəu$^{35}_{44}$ciɔk^{3}ŋ̍^{13}ko^{0}.

【脚踭筋】ciɔk^{3}tsaŋ$^{35}_{44}$cin^{35} 名脚跟；脚的后部：欸，就话别人家～上啮稳来哩呀。就安做～。e$_{21}$,ts^{h}iəu$^{53}_{44}$ua^{53}p^{h}iet^{5}in$^{13}_{44}$ka$^{35}_{44}$ciɔk^{3}tsaŋ$^{35}_{44}$cin^{35}xɔŋ$^{53}_{21}$ŋait^{3}uən^{21}lɔi^{13}li^{0}ia^{0}.ts^{h}iəu$^{53}_{44}$ɔn$^{35}_{44}$tso$^{53}_{44}$ciɔk^{3}tsaŋ$^{35}_{44}$cin^{35}.

【脚趾】ciɔk^{3}tʂʅ^{21} 名脚前端的分支：箇三只～冇得么称谓欸。kai^{53}san^{35}tʂak^{3}ciɔk^{3}tʂʅ^{21}mau^{13}tek^{3}mak^{3}tʂ^{h}ən$^{35}_{44}$uei^{53}e^{0}.

【脚趾公】ciɔk^{3}tʂʅ^{21}kəŋ^{35} 名大脚趾头：除哩中脚趾，～，脚趾尾，中脚趾，箇三只脚趾冇得么个话法。tʂʰəu^{13}li^{0} tʂəŋ^{35}ciɔk^{3} tʂʅ^{21},ciɔk^{3} tʂʅ^{21}kəŋ^{35},ciɔk^{3} tʂʅ^{21}mi^{35},tʂəŋ^{35}ciɔk^{3} tʂʅ^{21},kai$^{53}_{44}$san^{35}tʂak^{3} ciɔk^{3} tʂʅ^{21} mau^{13}tek^{3} mak^{3} ke$^{53}_{44}$ua^{53}fait^{3}.

【脚趾甲】ciɔk^{3} tʂʅ^{21}kait^{3} 名 脚趾尖上所生的坚硬角质物：～爱勤剪。你唔勤剪下子啊，箇个袜子是冇咁多来换，欸。ciɔk^{3} tʂʅ^{21}kait^{3} ɔi^{53}cʰin^{13}tsen^{21}. ɲi$^{13}_{21}$n̩^{13}cʰin^{13}tsen^{21}na^{53}tsʅ^{0} a^{0},kai^{53}ke^{53}mait^{3} tsʅ^{0} ʂʅ^{53} mau$^{13}_{21}$kan^{21}to$^{35}_{53}$lɔi$^{13}_{21}$uɔn^{53},e$_{21}$.

【脚趾头】ciɔk^{3} tʂʅ^{21}tʰei^{13} 名 脚趾的最前端：冬下头～都冷得痛噢。təŋ^{35}xa$^{53}_{44}$tʰei$^{13}_{44}$ciɔk^{3} tʂʅ^{21}tʰei^{13}təu$^{35}_{44}$ laŋ^{35}tek^{3} tʰəŋ^{53}ŋau^{0}.

【脚趾尾】ciɔk^{3} tʂʅ^{21}mi^{35} 名 小脚趾头。例见“脚趾公”条。

【脚趾丫】ciɔk^{3} tʂʅ^{21}a^{35} 名 脚趾之间的连接部分：洗哩身以后呀，箇～里爱舞倒么个擦嘈来，唔擦嘈来就会发痨虫。～里就会发痨虫。se^{21}li^{0} ʂən^{35} i$^{21}_{44}$xei^{53}ia^{0} ,kai^{53}ciɔk^{3} tʂʅ^{21}a^{35}li^{0} ɔi^{53}u^{21}tau^{21}mak^{3} ke^{53}tsʰət^{5} tsau$^{35}_{44}$lɔi$^{13}_{21}$,n̩$^{13}_{21}$tsʰət^{5} tsau$^{35}_{44}$lɔi$^{13}_{21}$tsʰiəu^{53}uɔi^{53}fait^{3} sa^{35}tʂʰəŋ$^{13}_{21}$.ciɔk^{3} tʂʅ^{21}a^{35}li^{0} tsʰiəu^{53}uɔi^{53}fait^{3} sa^{35}tʂʰəŋ$^{13}_{21}$.

【脚猪】ciɔk^{3} tʂəu^{35} 名 种猪；专供交配用的公猪：从前呢有兜人家嘞渠就畜只箇个种猪，系啊？用箇来赚钱。嗯，但是嘞箇门路子嘞冇么个蛮光彩。系渠等讲过：“搞么个都做得啦，你不要去赶～啦！”安做赶～。赶～个人是别人家看唔起呀。安做赶～个人是子孙三代都唔爱安哩名。搞么个意思嘞？欸，只爱话箇只么人呢去箇脚猪老子啊，赶～个，以下子孙三代嘞，欸，脚猪老子个赖子啊，脚猪老子个孙子啊。三代唔爱安哩名渠话。tsʰəŋ^{13}tsʰien^{13}nei^{0} iəu^{35}tei$^{35}_{53}$ ɲin^{13}ka$^{35}_{44}$lei^{0} ci$^{13}_{21}$tsʰiəu^{53}çiəuk^{3} tʂak^{3} kai^{53}(k)e^{53}tʂəŋ^{21}tʂəu$^{35}_{44}$,xei$^{53}_{44}$a^{0} ?iəŋ^{53}kai^{53}lɔi$^{13}_{21}$tsʰan^{53}tsʰien^{13}.en$_{21}$,tan$^{53}_{44}$ʂʅ$^{53}_{44}$ lei^{0} kai^{53}mən$^{13}_{21}$ləu^{53}tsʅ^{0} lei^{0} mau^{13}mak^{3} e^{0} man$^{13}_{21}$kəŋ^{35}tsʰai^{21}.xei^{53}ci$^{13}_{21}$tien^{0} kəŋ^{21}ko$^{53}_{44}$:"kau^{21}mak^{3} ke$^{53}_{44}$təu$^{35}_{44}$tso^{53} tek^{3} la^{0}，ɲi^{13}pət^{3} iau^{53}çi^{53}kɔn^{21}ciɔk^{3} tʂəu$^{35}_{44}$la^{0} !"ɔn$^{35}_{44}$tso^{53}kɔn^{21}ciɔk^{3} tʂəu$^{35}_{53}$.kɔn^{21}ciɔk^{3} tʂəu$^{35}_{53}$ke^{0} ɲin$^{13}_{44}$ʂʅ$^{53}_{44}$pʰiet^{5} in$^{13}_{21}$ ka$^{35}_{53}$kʰɔn^{53}n̩$^{13}_{21}$cʰi^{21}ia^{0} .ɔn$^{35}_{44}$tso$^{53}_{44}$kɔn^{21}ciɔk^{3} tʂəu$^{35}_{44}$ke^{0} ɲin$^{13}_{21}$ʂʅ$^{53}_{44}$tsʅ^{21}sən$^{35}_{44}$san^{35}tʰɔi$^{53}_{44}$təu$^{35}_{53}$m̩$^{13}_{21}$mɔi^{53}ɔn^{35}ni^{0} miaŋ^{13}.kau^{21} mak^{3} e^{0} i$^{53}_{44}$sʅ$^{35}_{44}$lei^{0} ?e$_{21}$,tʂʅ^{21}ɔi$^{53}_{44}$ua^{53}kai^{53}tʂak^{3} mak^{3} ɲin$^{13}_{44}$ne^{0} çi^{53}kai^{53}ciɔk^{3} tʂəu^{35}lau^{21}tsʅ^{21}a^{0} ,kɔn^{21}ciɔk^{3} tʂəu$^{35}_{44}$ ke^{53},i^{21}xa$^{53}_{44}$tsʅ^{21}sən$^{35}_{44}$san$^{35}_{44}$tʰɔi^{53}lei^{0},e$_{44}$,ciɔk^{3} tʂəu^{35}lau^{21}tsʅ^{0} ke$^{53}_{44}$lai^{53}tsa^{0},ciɔk^{3} tʂəu^{35}lau^{21}tsʅ^{0} ke$^{53}_{44}$sən^{35}tsʅ^{0} a^{0}.san^{35} tʰɔi^{53}m̩$^{13}_{21}$mɔi$^{53}_{44}$ɔn$^{35}_{44}$ni^{0} miaŋ$^{13}_{21}$ci$^{13}_{44}$ua$^{53}_{44}$.

【脚猪老子】ciɔk^{3} tʂəu^{35}lau^{21}tsʅ^{0} 名 饲养并常赶着种公猪去为他人的母猪配种的人：箇阵子我有一回我讲过，我话只爱舞得钱倒哇，别人家搞么个都在乎渠啊，只爱系正正当当个职业，系唔系？“哎呀！”箇有只人就话，“万老师，我唔是唔同意。箇赶脚猪个人是硬三代都唔爱安哩名哦硬哦。”嗯，～，～个赖子，～个孙子，三代都唔安哩名。搞箇只事嘞就系惹别人家笑。kai$^{53}_{44}$tʂʰən$^{53}_{44}$tsʅ^{0} ŋai$^{13}_{21}$iəu^{35}iet^{3} fei$^{13}_{21}$ŋai^{13}kəŋ^{21}ko^{53},ŋai^{13}ua^{53}tʂʅ^{21}ɔi^{53}u^{21}tek^{3} tsʰien^{13}tau^{21}ua^{0} ,pʰiet^{5} in$^{13}_{44}$ka$^{35}_{44}$kau^{21} mak^{3} ke$^{53}_{44}$təu$^{35}_{44}$tsʰai^{53}fu$^{35}_{44}$ci$^{13}_{21}$a^{0} ,tʂʅ^{21}ɔi$^{53}_{44}$xei$^{53}_{44}$tʂən^{53}tʂən$^{53}_{44}$təŋ^{35}təŋ^{53}ke^{0} tʂət^{3} ɲiait^{5} ,xei^{53}me$^{53}_{21}$?"ai$_{44}$ia$_{21}$!"kai$^{53}_{44}$iəu^{35} tʂak^{3} ɲin^{13}tsʰiəu$^{53}_{44}$ua$^{53}_{44}$,"uan^{53}lau^{21}sʅ$^{35}_{53}$,ŋai^{13}n̩$^{13}_{21}$ʂʅ$^{53}_{44}$n̩^{13}tʰəŋ^{13}i^{53}.kai^{53}kɔn^{21}ciɔk^{3} tʂəu$^{35}_{44}$ke^{0} ɲin$^{13}_{21}$ʂʅ$^{53}_{44}$ɲiaŋ^{53}san^{35}tʰɔi$^{53}_{44}$ təu$^{35}_{53}$m̩$^{13}_{21}$mɔi^{53}ɔn^{35}ni^{0} miaŋ^{13}ŋo^{0} ɲiaŋ$^{53}_{44}$ŋo^{0} ."n̩$_{21}$,ciɔk^{3} tʂəu$^{35}_{53}$lau^{21}tsʅ^{0} ,ciɔk^{3} tʂəu$^{35}_{53}$lau^{21}tsʅ^{0} ke$^{53}_{44}$lai^{53}tsʅ^{0} ,ciɔk^{3} tʂəu^{35} lau^{21}tsʅ^{0} ke$^{53}_{44}$sən^{35}tsʅ^{0} ,san^{35}tʰɔi^{53}təu$^{35}_{44}$n̩$^{13}_{44}$ɔn$^{35}_{44}$ni^{0} miaŋ$^{13}_{21}$.kau^{21}kai^{53}tʂak^{3} sʅ^{53}lei^{0} tsʰiəu^{53}xei^{53}ɲia^{35}pʰiet$^{5}_{3}$ in$^{13}_{44}$ka$^{35}_{44}$ siau^{53}.

【脚子】ciɔk^{3} tsʅ^{0} 名 支撑物；器物的底座：渠(指火盆)咁子平个放唔稳。就爱舞只做只～，用四块四筒树做只～，承下地泥下，箇只火盆呢就放下箇～上。ci^{13}kan$^{21}_{44}$tsʅ^{0} pʰiaŋ^{13}ke^{0} fɔŋ^{53}n̩$^{13}_{44}$uən^{21}. tsʰiəu^{53}ɔi^{53}u^{21}tʂak^{3} tso^{53}tʂak^{3} ciɔk^{3} tsʅ^{0},iəŋ$^{53}_{44}$si^{53}kʰuai^{53}si^{53}tʰəŋ^{13}ʂəu^{53}tso^{53}tʂak^{3} ciɔk^{3} tsʅ^{0},ʂən^{13}na$^{53}_{44}$tʰi^{53}lai$^{13}_{21}$ xa^{35},kai^{53}tʂak^{3} fo^{21}pʰən^{13}ne^{0} tsʰiəu$^{53}_{44}$fɔŋ^{53}xa^{53}kai^{53}ciɔk^{3} tsʅ^{0} xɔŋ^{53}.｜(铁丝镜子)底下还弯只子箇样～。te^{21}xa^{53}xa$^{13}_{21}$uan^{35}tʂak^{3} tsʅ^{0} kai$^{53}_{44}$iɔŋ$^{53}_{44}$ciɔk^{3} tsʅ^{0}.

【搅】ciau^{21} 动 用棍子等在混合物中转动、和弄，使均匀：欸，如今箇个粉壁个人就舞倒箇个双飞粉搞兜箇胶哇一番事搅拌呢，～一下。ei$_{21}$,i$^{13}_{21}$cin$^{35}_{53}$kai^{53}ke^{53}fən^{21}piak^{3} ke^{53}ɲin$^{13}_{44}$tsʰiəu$^{53}_{44}$u^{21}tau^{21}kai^{53} ke^{53}sɔŋ^{35}fei^{35}fən^{21}kau^{21}tei$^{35}_{53}$kai^{53}ciau^{35}ua^{0} ie^{3} fɔn$^{35}_{44}$sʅ$^{53}_{44}$ciau^{21}pʰɔn^{35}ne^{0},ciau^{21}iet^{3} xa^{53}.

【摷架】tsiau^{21}ka^{53} 动 搭脚手架：以前～就用码钉嘞，以下冇么人用码钉嘞，都用铁丝。欸，还有起箇个外背来个如今最先进个是就用钢管子～。如今我等唔多用码钉～了，都用铁丝紧下去，落尾嘞一剪，架就松嘿哩。i$^{13}_{53}$tsʰien$^{13}_{44}$tsiau^{21}ka$^{53}_{44}$tsʰiəu$^{53}_{44}$iəŋ^{53}ma^{35}taŋ$^{35}_{44}$lei^{0},i^{21}xa^{53}mau^{13}mak^{3} in$^{13}_{44}$ iəŋ^{53}ma^{35}taŋ$^{35}_{44}$le^{0},təu^{35}iəŋ^{53}tʰiet^{3} sʅ$^{35}_{44}$.e$_{44}$,xai$^{13}_{21}$iəu$^{35}_{53}$çi$^{21}_{44}$kai^{53}kei$^{53}_{44}$ŋɔi^{53}pɔi$^{53}_{44}$lɔi$^{13}_{21}$ke$^{53}_{44}$i$^{13}_{21}$cin$^{35}_{44}$tsei^{53}sien^{35}tsin$^{53}_{44}$ke$^{53}_{44}$ʂʅ$^{53}_{44}$ tsʰiəu$^{53}_{21}$iəŋ^{53}kɔŋ^{35}kɔn^{21}tsʅ^{0} tsiau^{21}ka^{53}.i$^{13}_{21}$cin$^{35}_{53}$ŋai^{13}tien^{0} n̩^{13}to$^{35}_{44}$iəŋ^{53}ma^{35}taŋ$^{35}_{44}$tsiau^{21}ka^{53}liau^{0},təu^{35}iəŋ^{53}tʰiet^{3} sʅ$^{35}_{44}$ cin^{21}na^{53}çi^{53},lɔk^{5} mi$^{35}_{53}$lei^{0} iet^{3} tsien^{21},ka^{53}tsʰiəu^{53}səŋ$^{35}_{21}$(x)ek^{3} li^{0}.｜摷只架tsiau^{21}tʂak^{3} ka^{53}

【缴】ciau^{21} 动 ①迫使交出：皇帝就分你洋枪～咁。fɔŋ^{13}ti$^{53}_{44}$tsʰiəu$^{53}_{44}$pən$^{35}_{44}$ni$^{13}_{44}$iɔŋ^{13}tsʰiɔŋ$^{35}_{44}$ciau^{21}kan^{21}.

②负担；提供开支：我有只摎我喊阿叔个，比我……摎我两老庚，比我细滴子，早几年尽打零工，～一家人呐。渠只赖子是卵弹琴，一分钱都寻唔倒个人呐，以只赖子啊，高高大大呀，分钱都寻唔倒。以下渠也空个哩，六十几了，零工都冇人爱哩，箇做箇个做屋个栏场箇泥水师傅啊唔请哩渠嘞，唔请哩渠，怕潲场啊，和下子水泥都不要哩渠。以下渠就真系只好跍倒屋下“享福”了。ŋai^{13}iəu^{35}tʂak^{3}lau^{35}ŋai$^{13}_{21}$xan^{53}a^{35}ʂəuk^{3}ke^{53},pi^{21}ŋai^{13}…lau^{35}ŋai$^{13}_{21}$iɔŋ^{21}lau^{21}cien$^{35}_{44}$,pi^{21}ŋai^{13}se^{53}tiet^{5}tsɿ^{0},tsau^{21}ci^{21}ɲien^{13}tsʰin^{53}ta^{21}laŋ^{13}kəŋ$^{35}_{44}$,ciau^{21}iet^{3}ka$^{35}_{44}$ɲin^{13}na^{0}.ci$^{13}_{44}$(tʂ)ak^{3}lai^{53}tsɿ^{0}ʂɿ$^{53}_{44}$lən^{21}tʰan^{13}cʰin^{13},iet^{3}fən^{35}tsʰien$^{13}_{21}$təu$^{35}_{53}$tsʰin^{13}ɳ$^{13}_{21}$tau^{21}ke^{53}ɲin$^{13}_{44}$na^{0},i$^{13}_{21}$(tʂ)ak^{3}lai^{53}tsɿ^{0}a^{0},kau^{35}kau$^{35}_{44}$tʰai^{53}tʰai^{53}ia^{0},fən^{35}tsʰien$^{13}_{21}$təu$^{35}_{53}$tsʰin$^{13}_{21}$ɳ$^{13}_{44}$tau$^{21}_{44}$.i^{21}xa$^{53}_{44}$ci$^{13}_{44}$a$^{35}_{44}$kʰəŋ^{53}ke$^{53}_{44}$li^{0},liəuk^{3}ʂət^{5}ci^{21}liau^{0},laŋ^{13}kəŋ$^{35}_{44}$təu$^{35}_{53}$mau$^{13}_{21}$ɲin$^{13}_{44}$ɔi^{53}li^{0},kai$^{53}_{44}$tso^{53}kai$^{53}_{44}$ke$^{53}_{44}$tso^{53}uk^{3}ke^{53}laŋ$^{13}_{44}$tʂʰɔŋ$^{13}_{44}$kai^{53}lei^{13}ʂei^{21}sɿ$^{35}_{44}$fu$^{53}_{44}$a^{0}ɳ^{13}tsʰiaŋ^{21}li^{0}ci$^{13}_{44}$lei^{0},ɳ^{13}tsʰiaŋ^{21}li^{0}ci$^{13}_{44}$,pʰa^{53}tʰait^{3}tʂʰɔŋ^{13}ŋa^{0},xo^{13}(x)a$^{53}_{44}$tsɿ^{0}ʂei^{21}lai^{13}təu$^{35}_{53}$pət^{3}iau^{53}li^{0}ci$^{13}_{44}$.i^{21}xa$^{53}_{44}$ci$^{13}_{21}$tsiəu$^{53}_{44}$tʂən^{35}nei$^{53}_{44}$tʂɿ^{21}(x)au^{21}ku^{35}tau^{21}uk^{3}xa$^{53}_{44}$"çiɔŋ^{21}fuk^{3}"liau^{0}.

【缴书】ciau^{21}ʂəu^{35} 动 供孩子读书：箇我等有只人渠话我，渠话：“你等箇坟地就硬系蛮好，龙脉好，发人。”以下我就：“嗨，唔～是么个地都空个啊。系唔系？还爱～哇。你唔～是么个地都空个啊。纵好个么个么个地都空个啊。”箇渠又掌我嘞：“人都冇得有么个书缴？”后人都冇得啊，有么个书缴凑，还缴么个书？就首先一条就爱发倒有人呐，系唔系？渠就搞么个嘞渠箇只人呢箇只正讲箇只事个人呢？就系我等人我等个老祖宗箇坟地去下子改地，渠去下子讲个。我等个就唔知几多人，渠箇一房人呢渠自家渠箇只赖子讨只老婆啊，如今七八年了赠供人，冇得人供，硬急都急得尽命，尽兜想都想得渠死，渠老婆又冇得哩嘞，老婆死嘿哩嘞，要老婆唔死也好兜子。就系两子爷，一只新舅，就三个人来食茶饭。总都有人供。渠唔系渠话渠等箇坟地唔好哇。“人都冇得还缴么个书凑？”渠话渠屋下箇坟地唔好哇，冇用啊。kai$^{53}_{44}$ŋai$^{13}_{21}$tien^{0}iəu^{35}tʂak^{3}ɲin$^{13}_{21}$ci$^{13}_{21}$ua^{53}ŋai^{13},ci$^{13}_{21}$ua^{53}:"ɲi^{13}tien^{0}kai^{53}pʰən^{13}tʰi^{53}tsʰiəu$^{53}_{44}$ɲiaŋ^{53}xei$^{53}_{44}$man$^{13}_{21}$xau^{21},liəŋ^{13}mak^{3}xau^{21},fait^{3}ɲin^{13}."i^{21}xa^{53}ŋai^{13}tsiəu^{53}:"xai$_{53}$,ɳ^{13}ciau^{21}ʂəu^{35}ʂɿ$^{53}_{44}$mak^{3}ke^{53}tʰi^{53}təu$^{35}_{53}$kʰəŋ^{53}cie$^{53}_{44}$a^{0}.xei$^{53}_{44}$me$^{53}_{44}$?xa$^{13}_{21}$ɔi^{53}ciau^{21}ʂəu^{35}ua^{0}. ɲi^{13}ɳ^{13}ciau^{21}ʂəu^{35}ʂɿ^{53}mak^{3}ke$^{53}_{44}$tʰi$^{53}_{44}$təu$^{35}_{44}$kʰəŋ$^{53}_{44}$cie$^{53}_{44}$a^{0}.tsəŋ^{53}xau^{21}ke^{53}mak^{3}e^{0}mak$^{3}_{44}$kei$^{53}_{44}$tʰi^{53}təu$^{35}_{44}$kʰəŋ^{53}cie^{53}a^{0}."kai$^{53}_{44}$ci^{13}iəu^{35}tsʰaŋ^{53}ŋai$^{13}_{44}$le^{0}:"ɲin^{13}təu$^{35}_{53}$mau$^{13}_{44}$tek^{3}iəu$^{35}_{44}$mak^{3}e^{0}ʂəu^{35}ciau^{21}?"xei^{53}ɲin^{13}təu$^{35}_{53}$mau$^{13}_{44}$tek^{3}a^{0},iəu^{35}mak^{3}e^{0}ʂəu^{35}ciau^{21}tsʰe^{0},xai^{13}ciau^{21}mak^{3}e^{0}ʂəu^{35}?tsʰiəu$^{53}_{44}$ʂəu^{21}sien$^{35}_{53}$iet^{3}tʰiau^{13}tsʰiəu^{53}ɔi^{53}fait^{3}tau^{21}iəu^{35}ɲin^{13}na^{0},xei^{53}me^{53}?ci$^{13}_{21}$tsʰiəu^{53}kau^{21}mak^{3}e^{0}lei^{0}ci$^{13}_{21}$kai^{53}tʂak^{3}ɲin^{13}nei^{0}kai^{53}tʂak^{3}tʂaŋ^{53}kəŋ^{21}kai^{53}tʂak^{3}sɿ^{53}ke^{53}ɲin$^{13}_{21}$nei^{0}?tsʰiəu^{53}xei^{53}ŋai^{13}tien^{0}ɲin$^{13}_{21}$ŋai^{13}tien^{0}ke^{53}lau^{21}tsəu^{21}tsəŋ$^{35}_{44}$kai$^{53}_{44}$pʰən^{13}tʰi^{53}çi^{53}xa$^{53}_{44}$tsɿ^{0}kɔi^{21}tʰi^{53},ci$^{13}_{21}$çi^{53}xa^{53}tsɿ^{0}kəŋ^{21}ke^{53}.ŋai^{13}tien^{0}ke^{53}tsʰiəu^{53}ɳ^{13}ti$^{35}_{53}$ci^{21}to^{35}ɲin$^{13}_{21}$,ci^{13}kai^{53}iet^{3}fəŋ^{13}ɲin^{13}ne^{0}ci$^{13}_{21}$tsʰɿ^{35}ka$^{35}_{44}$ci^{13}kai^{53}tʂak^{3}lai^{53}tsɿ^{0}tʰau^{21}(tʂ)ak^{3}lau^{21}pʰo^{13}a^{0},i$^{13}_{21}$cin$^{35}_{53}$tsʰiet^{3}pait^{3}ɲien^{13}niau^{0}maŋ^{13}ciəŋ^{53}ɲin$^{13}_{21}$,mau^{13}tek^{3}ɲin^{13}ciəŋ^{53}, ɲiaŋ^{53}ciet^{3}təu$^{35}_{53}$ciet^{3}tek^{3}tsʰin^{53}miaŋ^{53},tsʰin^{53}təu$^{35}_{44}$siəŋ^{21}təu$^{35}_{53}$siəŋ$^{21}_{44}$tek^{3}ci$^{13}_{44}$si^{21},ci^{13}lau^{21}pʰo^{13}iəu^{53}mau$^{13}_{44}$tek^{3}li^{0}le^{0},lau^{21}pʰo^{13}si^{21}xek^{3}li^{0}le^{0},iau^{53}lau^{21}pʰo^{13}ɳ^{13}si^{21}ia$^{35}_{53}$xau^{21}te$^{35}_{53}$tsɿ^{0}.tsʰiəu^{53}xei^{53}iɔŋ^{21}tsɿ^{21}ia^{13},iet^{3}tʂak^{3}sin$^{35}_{44}$cʰiəu$^{35}_{44}$,tsʰiəu^{53}san$^{35}_{44}$ke^{53}in$^{13}_{21}$lɔi$^{13}_{21}$ʂət^{5}tsʰa$^{13}_{21}$fan$^{53}_{21}$.tsəŋ^{21}təu$^{35}_{53}$mau$^{13}_{21}$ɲin^{13}ciəŋ^{53}.ci$^{13}_{21}$m^{13}pʰei^{53}ci$^{13}_{44}$ua$^{53}_{44}$ci^{13}tien^{0}kai$^{53}_{44}$pʰən^{13}tʰi^{53}ɳ$^{13}_{21}$xau^{21}ua^{0}."ɲin^{13}təu$^{35}_{53}$mau$^{13}_{21}$tek^{3}xai^{13}ciau^{21}mak^{3}e^{0}ʂəu^{35}tsʰe^{0}?"ci^{13}ua$^{53}_{44}$ci^{13}uk^{3}xa^{53}kai$^{53}_{44}$pʰən^{13}tʰi^{53}ɳ^{13}xau^{21}ua^{0},mau^{13}iəŋ^{53}ŋa^{0}.

【缴用】ciau^{21}iəŋ^{53} 名 开支：读书有读书个～啊，欸，住家有住家个～，系唔系？学堂有学堂个～。tʰəuk^{5}ʂəu^{35}iəu$^{35}_{53}$tʰəuk^{5}ʂəu^{35}kei^{53}ciau^{21}iəŋ^{53}ŋa^{0},ei$_{44}$,tʂʰɥ^{53}ka^{35}iəu$^{35}_{44}$tʂʰɥ^{53}ka^{35}kei^{53}ciau^{21}iəŋ$^{53}_{44}$,xei$^{53}_{44}$me$^{53}_{44}$?xɔk^{5}tʰɔŋ$^{13}_{21}$iəu$^{35}_{44}$xɔk^{5}tʰɔŋ$^{13}_{21}$kei^{53}ciau^{21}iəŋ^{53}.

【叫】ciau^{53} 动 ①（动物）鸣叫：鹿子～起来怀死声。ci^{21}tsɿ^{0}ciau^{53}çi^{21}lɔi$^{13}_{21}$uai^{13}si^{21}ʂaŋ$^{35}_{44}$. ②（人）哭。又称“叫嘴”：～起阿弥陀佛 ciau^{53}çi^{21}o^{35}mi$^{13}_{44}$tʰo^{13}fət^{5} | 有就一般是讲细人子嘴一扁就架势～喔。iəu^{35}tsʰiəu$^{53}_{44}$iet^{3}pən^{35}sɿ$^{53}_{44}$kəŋ$^{21}_{53}$sei^{53}ɲin$^{13}_{21}$tsɿ^{0}tʂɔi^{53}iet^{3}pien^{21}tsʰiəu$^{53}_{44}$cia$^{53}_{44}$ʂɿ$^{53}_{44}$ciau^{53}uo^{0}. ③称为：（养父养母）欸就～带我个。e$_{21}$tsʰiəu^{53}ciau$^{53}_{21}$tai^{53}ŋai^{13}ke^{53}. ④称呼，把……称为：“晚姑子个老公”，我老婆～我老妹子个老公。"man^{35}ku$^{35}_{44}$tsɿ^{0}ke$^{53}_{44}$lau^{21}kəŋ^{35}",ŋai^{35}lau^{21}pʰo^{13}ciau^{53}ŋai^{13}lau^{21}mɔi^{53}tsɿ^{0}ke$^{53}_{44}$lau^{21}kəŋ^{35}.

【叫化】kau^{53}fa^{53} 动 乞讨：当兵难讲话，学～。～难挎筒，学钉砻。təŋ^{35}pin^{35}lan^{13}kəŋ^{21}fa^{53},xɔk^{5}kau^{53}fa^{53}.kau^{53}fa^{53}lan^{13}kʰuan^{53}tʰəŋ^{13},xɔk^{5}taŋ^{35}ləŋ^{13}.

【叫旋旋哩】ciau^{21}sen^{13}sen^{13}li^{0} 形 哭丧着脸：欸，箇只细子啊搞么个～？你姆妈打哩你吧？欸，～。e$_{21}$,kai^{53}tʂak^{3}sei^{53}tsɿ^{0}a^{0}kau^{21}mak^{3}kai^{53}ciau^{53}sen$^{13}_{21}$sen^{13}ni^{0}?ɲi$^{13}_{21}$m^{13}me$^{35}_{44}$ta^{21}li^{0}ɲi$^{13}_{44}$pa^{0}?e$_{21}$,ciau^{53}sen$^{13}_{21}$sen^{13}ni^{0}.

【叫夜郎】ciau^{53}ia^{53}ləŋ^{13} 名 指因受惊吓或其他原因夜晚常大声啼哭的小孩：箇还有噢，还有贴张子条子个噢。舞张子红纸，箇细人子着哩吓啊，夜晡总系，欸，打针食药箇只么啊总系咁子夜咖哩叫哇。总咁子叫哇，长夜咁子叫哇，着哩吓啊。吓倒哩啊。就睡着哩会咁子□啊，睡着哩会咁子心悸个讲法。你食药箇只食唔好嘞。渠就舞张子红纸子，写几句子话，贴嘿个电线树上："天皇皇，地皇皇，我家有个～。"夜晡放势叫嘴个，系？"过路君子念一念，安眠顺睡到天光。"箇写几句咁个话。"天皇皇，地皇皇，我家有个～，过路君子念一念，安眠顺睡到天光。"就写箇几句话。你等就分你等看呐，也贴哩去唔管哩去啊个。就分你等去看下子，分箇过路个人睇下子啊看。念个就念啦有睇个就睇啊。有滴人就看下子啊。有滴人就念呢箇，也念下子啊。有滴人是像就我等咁大个人，年纪个人是渠就会做下子好事啊，明个晓得渠滴么个会念下子，特事去念下子啊。"天皇皇，地皇皇"，系啊？欸，"我家有个～"。"我"字，欸，渠写"我"，欸，我等就读，都要读做 ŋo^{21}。箇就唔读 ŋai^{13}家。我家。"过路君子念一念，安眠顺睡到天光。"我等就会同别人家念下子，同箇做好事样啊。又唔晓么人呢。反正唔晓么人。唔晓得系么人写个。也有名，冇名冇姓。也有写好哩个。kai$^{53}_{44}$xai$^{13}_{21}$iəu$^{35}_{44}$ au^{0},xai$^{13}_{21}$iəu$^{35}_{44}$tiet^{3} tʂɔŋ^{35}tsɿ^{0} t^{h}iau^{13}tsɿ^{0} ke^{53}au^{0} .u^{21}tʂɔŋ$^{35}_{53}$tsɿ^{0} fəŋ^{13}tʂʅ^{21},kai$^{53}_{44}$sei^{53}ɲin$^{13}_{44}$tsɿ^{0} tʂ^{h}ɔk^{5} li^{0} xak^{3} a^{0} ,ia$^{53}_{44}$pu$^{35}_{44}$ tsəŋ^{21}xe$^{53}_{44}$,e$_{21}$,ta^{21}tʂən^{35}ʂət^{5} iɔk^{5} kai$^{53}_{44}$tʂak^{3} mak^{3} a^{0} tsəŋ^{21}xei^{53}kan^{21}tsɿ^{0} ia^{53}ka^{0} li^{0} ciau^{53}ua^{0} .tsəŋ^{21}kan$^{21}_{44}$tsɿ^{0} ciau^{53} ua^{0} ,tʂ^{h}ɔŋ^{13}ia^{53}kan^{21}tsɿ^{0} ciau^{53}ua^{0} ,tʂ^{h}ɔk^{5} li^{0} xak^{3} a^{0} .xak^{3} tau^{21}lia^{0} .ts^{h}iəu$^{53}_{21}$ʂɔi^{53} tʂ^{h}ɔk^{5} li^{0} uɔi^{53}kan^{21}tsɿ^{0} luŋ^{53} a^{0} ,ʂɔi^{53}tʂ^{h}ɔk^{5} li^{0} uɔi^{53}kan^{21}tsɿ^{0} sin^{35}ci^{53}ke$^{53}_{44}$kɔŋ^{21}fait^{3} . ɲi$^{13}_{21}$ʂət^{5} iɔk^{5} kai$^{53}_{44}$tʂak^{3} ʂət^{5} n̩$^{13}_{21}$xau^{21}le^{0} .ci$^{13}_{21}$ts^{h}iəu^{53}u^{21}tʂɔŋ$^{35}_{53}$ tsɿ^{0} fəŋ^{13}tʂʅ^{21}tsɿ^{0} ,sia^{21}ci^{21}tʂʮ$^{53}_{44}$tsɿ^{0} fa^{53},tiet^{3} ek$^{3}_{5}$ ke$^{53}_{44}$t^{h}ien^{53}sien$^{53}_{44}$ʂəu^{53}xɔŋ$^{53}_{44}$:"t^{h}ien^{35}fɔŋ^{13}fɔŋ$^{13}_{44}$,t^{h}i^{53}fɔŋ$^{13}_{21}$fɔŋ^{13},ŋo^{21} cia$^{35}_{44}$iəu^{35}ko$^{53}_{44}$ciau^{53}ia^{53}lɔŋ^{13}."ia^{53}pu^{35}xɔŋ^{53}ʂʅ$^{53}_{44}$ciau$^{53}_{44}$tʂɔi^{53}ke$^{53}_{21}$,xe$^{53}_{21}$?"ko^{53}ləu^{53}tʂən^{35}tsɿ^{0} ɲian^{53}iet^{3} ɲian^{53},ŋɔn^{35} min^{13}ʂen^{53}ʂɔi^{53}tau^{53}t^{h}ien$^{35}_{44}$kɔŋ^{35}."kai$^{53}_{44}$sia^{21}ci^{21}ci$^{53}_{44}$kan^{21}cie$^{53}_{44}$fa^{53}."t^{h}ien^{35}fɔŋ^{13}fɔŋ$^{13}_{44}$,t^{h}i^{53}fɔŋ$^{13}_{21}$fɔŋ^{13},ŋo^{21}cia$^{35}_{44}$iəu$^{35}_{21}$ ko$^{53}_{44}$ciau^{53}ia^{53}lɔŋ^{13},ko^{53}ləu^{53}tʂən^{35}tsɿ^{0}ɲian^{53}iet^{3}ɲian^{53},ɔn^{35}min^{13}ʂen^{53}ʂɔi^{53}tau^{53}t^{h}ien$^{35}_{44}$kɔŋ^{35}."ts^{h}iəu$^{53}_{44}$sia^{21}kai$^{53}_{44}$ci^{21} tʂʮ$^{53}_{44}$fa^{53}. ɲi$^{13}_{21}$tien^{0} ts^{h}iəu$^{53}_{44}$pən^{35}ɲi$^{13}_{21}$tien^{0} k^{h}ɔn^{53}na^{0} ,ia^{35}t^{h}iait^{5} li^{0} çi^{53}ŋ̍^{13}kɔn^{21}ni^{0} çi$^{53}_{44}$a^{0} ke$^{53}_{21}$.ts^{h}iəu$^{53}_{44}$pən^{35}ɲi$^{13}_{21}$tien^{0} çi$^{53}_{44}$kɔn^{53}na$^{53}_{44}$tsɿ^{0} ,pəŋ^{35}kai$^{53}_{44}$ko^{53}ləu^{53}ke$^{53}_{44}$ɲin$^{13}_{21}$tʂ^{h}ʅ^{35}a^{53}tsa^{0} k^{h}ɔn^{0} .ɲian^{53}ke$^{53}_{44}$ts^{h}iəu$^{53}_{44}$ɲian^{53}la^{0} iəu^{35}tʂ^{h}ʅ^{35}ke$^{53}_{44}$ts^{h}iəu$^{53}_{44}$ tʂ^{h}ʅ^{35}a^{0} .iəu^{35}tet^{5} ɲin$^{13}_{21}$ts^{h}iəu$^{53}_{44}$k^{h}ɔn^{53}na^{53}tsa^{0} .iəu^{35}tet^{5} ɲin$^{13}_{21}$ts^{h}iəu$^{53}_{44}$ɲian^{53}nei^{0} kai$^{53}_{21}$,ia^{35}ɲian^{53}na$^{53}_{44}$tsa^{0} .iəu^{35}tet^{5} ɲin$^{13}_{21}$ʂʅ$^{53}_{44}$ts^{h}iɔŋ^{53}ts^{h}iəu$^{53}_{44}$ŋai$^{13}_{21}$tien^{0} kan^{21}t^{h}ai^{53}ke$^{53}_{44}$ɲin$^{13}_{21}$, ɲien$^{13}_{21}$ci^{21}cie^{53}ɲin$^{13}_{21}$ʂʅ^{0} ci$^{13}_{21}$ts^{h}iəu$^{53}_{44}$uɔi$^{53}_{44}$tso^{53}a^{0} tsɿ^{0} xau^{21}sɿ^{53} a^{0} ,min^{13}ke^{53}çiau^{21}tek^{3} ci^{13}tet^{5} mak^{3} ke$^{53}_{44}$uɔi$^{53}_{44}$ɲian^{53}na$^{53}_{21}$tsɿ^{0} ,t^{h}ek^{5} sɿ$^{53}_{44}$çi$^{53}_{44}$ɲian^{53}na$^{53}_{21}$tsa^{0} ."t^{h}ien^{35}fɔŋ$^{13}_{21}$fɔŋ$^{13}_{21}$,t^{h}i^{53} fɔŋ$^{13}_{21}$fɔŋ$^{13}_{21}$",xei$^{53}_{44}$a^{0} ?e$_{21}$,"ŋo^{21}cia$^{35}_{44}$iəu$^{35}_{21}$ko^{53}ciau^{53}ia^{53}lɔŋ^{13}"."ŋo^{21}"ts^{h}ɿ^{53},e$_{21}$,ci^{13}sia^{21}"ŋo^{21}",e$_{21}$,ŋai$^{13}_{21}$tien^{0} ts^{h}iəu$^{53}_{44}$ t^{h}əuk^{5} ,təu$^{35}_{44}$iau$^{53}_{44}$t^{h}əuk^{5} tso$^{53}_{44}$ŋo^{21} .kai$^{53}_{44}$ts^{h}iəu$^{53}_{44}$m̩$^{13}_{21}$t^{h}əuk^{5} ŋai$^{13}_{21}$cia^{35} .ŋo^{21} cia$^{35}_{44}$."ko^{53}ləu^{53}tʂən^{35}tsɿ^{0} ɲian^{53}iet^{3} ɲian^{53},ɔn^{35}min^{13}ʂen^{53}ʂɔi^{53}tau^{53}t^{h}ien$^{35}_{44}$kɔŋ^{35}."ŋai^{13}tien^{0} ts^{h}iəu$^{53}_{44}$uɔi$^{53}_{44}$t^{h}əŋ$^{13}_{21}$p^{h}iet^{5} ŋin$^{13}_{44}$ka$^{35}_{44}$ɲian^{53}na$^{53}_{21}$tsɿ^{0} ,t^{h}əŋ$^{13}_{21}$ kai$^{53}_{44}$tso^{53}xau^{21}sɿ^{53}iɔŋ$^{53}_{44}$ŋa^{0} .iəu^{53}m̩$^{13}_{21}$çiau^{21}mak^{3}ɲin^{13}nei^{0} .fan^{21}tʂən^{53}n̩$^{13}_{44}$çiau^{21}mak^{3}ɲin$^{13}_{21}$.n̩^{13}çiau^{21}tek^{3}xei^{53}mak^{3} ɲin$^{13}_{44}$sia^{21}ke^{53}.ia^{35}mau$^{13}_{21}$miaŋ^{13},mau^{13}miaŋ$^{13}_{21}$mau^{13}siaŋ^{53}.ia^{35}iəu$^{35}_{44}$sia^{21}xau^{21}li^{0} ke$^{53}_{44}$.

【叫嘴】ciau^{53}tʂɔi^{53} 动 ①哭：渠归来就叫。系欸？欸，叫个叫起……就～呀。ci$^{13}_{21}$kuɔi^{35}lɔi$^{13}_{21}$ ts^{h}iəu$^{53}_{21}$ciau^{53}.xe$^{53}_{44}$e^{0} ?e$_{21}$,ciau^{53}kei$^{53}_{44}$ciau^{53}ç···ts^{h}iəu$^{53}_{21}$ciau$^{53}_{44}$tʂɔi^{53}ia^{0}. ②哭嫁：箇一般都冇得肯定冇限定了唠。有箇个有～个，安做么个安做？我去食过嘞，食过一餐酒嘞。我个姑姑卖妹子。我等以边一般都唔搞咁个路子了，一般都唔正式了。以下就以咁多年都冇得咁个路子了。还蛮多年前呢。渠个就还保留哩我等以边个，渠就系嘿江西呀，毅稳呐，渠就还保留哩我等客姓人个规矩。我等以向冇么个人搞哩。渠等就还保留哩。以前有哇。我细细子，唔晓，我懂事就冇得哩。箇是喊倒一个一个子来～哟。喊倒来哟。喊倒来，打比方，舅爷喊倒来，喊倒舅爷来，欸，喊倒姑姑来，嗯，以下是我是明晡爱出嫁了，欸，唔舍得你，系唔系？就叫起来，箇新人就叫起来。欸，箇个妹子啊就叫起来。箇只时候子嘞你箇只当舅爷个当姑姑个嘞你就拿红包分渠。安做么个礼呀？安做么个礼去哩啊？我都去食哩啦。我舞……我也……舞倒我只当老表个也打只红包喔。kai^{53}iet^{3} pɔn^{35}təu^{35}mau^{13}tek^{3} c^{h}ien^{21}t^{h}in^{53}mau^{13}xan^{53}t^{h}in^{53}liau^{0} lau^{0} .iəu^{35}kai^{53} ke$^{53}_{44}$iəu^{35}ciau^{53}tʂɔi^{53}ke$^{53}_{44}$,ɔn^{35}tso$^{53}_{44}$mak^{3} ke$^{53}_{44}$ɔn^{35}tso$^{53}_{44}$?ŋai^{13}çi$^{53}_{44}$ʂət^{5} ko^{53}le^{0} ,ʂət^{5} ko^{53}iet^{3} ts^{h}ɔn^{35}tsiəu^{21}le^{0} .ŋai^{13}ke$^{53}_{44}$ ku^{35}ku^{35}mai^{53}mɔi^{53}tsɿ^{0} .ŋai^{13}tien^{0} i^{21}pien^{35}iet^{3} pɔn^{35}təu$^{35}_{44}$ŋ̍^{13}kau^{21}kan^{21}cie$^{53}_{35}$ləu$^{53}_{44}$tsɿ^{0} liau^{0} ,iet^{3} pɔn^{35}təu$^{35}_{44}$n̩^{13}tʂən^{53} ʂʮ$^{53}_{44}$liau^{0} .i^{21}xa^{53}ts^{h}iəu$^{53}_{44}$i^{21}kan^{21}to^{35}ɲien$^{13}_{21}$təu$^{35}_{44}$mau^{13}tek^{3} kan^{21}ke$^{53}_{44}$ləu^{53}tsɿ^{0} liau^{0} .xai^{13}man$^{13}_{21}$to$^{35}_{44}$ɲien$^{13}_{21}$ts^{h}ien$^{13}_{21}$ nei^{0} .ci^{13}ke$^{53}_{44}$ts^{h}iəu^{53}xai^{13}pau^{21}liəu^{13}li^{0} ŋai^{13}tien^{0} i^{21}pien^{35}ke$^{53}_{44}$,ci$^{13}_{21}$ts^{h}iəu$^{53}_{44}$xe^{53}(x)ek^{3} kɔŋ^{35}si$^{35}_{44}$ia^{0} ,ɲia^{13}uən^{21} na^{0} ,ci^{13}ts^{h}iəu^{53}xai$^{13}_{21}$pau^{21}liəu^{13}li^{0} ŋai^{13}tien^{0} k^{h}ak^{3} sin^{53}ɲin$^{13}_{21}$ke$^{53}_{44}$kuei^{35}tʂʮ^{21} .ŋai^{13}tien^{0} i^{21}çiɔŋ^{53}mau^{13}mak^{3} in$^{13}_{44}$ kau^{21}li^{0} .ci^{13}tien^{0} ts^{h}iəu^{53}xai$^{13}_{21}$pau^{21}liəu^{13}li^{0} .i^{35}ts^{h}ien$^{13}_{21}$iəu^{35}ua^{0} .ŋai^{13}se^{53}se^{53}tsɿ^{0} ,ŋ̍$^{13}_{21}$çiau^{21},ŋai^{13}təŋ^{21}sɿ^{53}tsiəu^{53} mau^{13}tek^{3}li^{0} .kai$^{53}_{44}$ʂʮ$^{53}_{44}$xan^{53}tau^{21}iet^{3} cie^{53}iet^{3} cie^{53}tsɿ^{0} lɔi^{13}ciau^{53}tʂɔi^{53}io^{0} .xan^{53}tau^{21}lɔi$^{13}_{44}$io^{0} .xan^{53}tau^{21}lɔi^{13},ta^{21}pi^{21}

xɔŋ$^{35}_{44}$,cʰiəu^{35}ia^{13}xan^{53}tau^{21}lɔi$^{13}_{21}$,xan^{53}tau^{21}cʰiəu^{35}ia^{13}lɔi^{13},e$_{21}$,xan^{53}tau^{21}ku^{35}ku$^{35}_{44}$lɔi^{13},ŋ̍$_{21}$,i^{21}xa^{53}ʂʅ$^{53}_{44}$ŋai$^{13}_{21}$ʂʅ$^{53}_{44}$miaŋ^{13} pu$^{35}_{44}$ɔi^{53}tʂʰət^{3}ka^{53}liau^{0},e$_{21}$,n̩^{13}ʂa^{21}tek^{3}ɲi$^{13}_{44}$,xei$^{53}_{44}$me$^{53}_{44}$?tsʰiəu$^{53}_{44}$ciau^{53}çi^{21}lɔi^{13},kai$^{53}_{44}$sin^{35}ɲin$^{13}_{21}$tsʰiəu$^{53}_{44}$ciau^{53}çi^{21} lɔi$^{13}_{21}$.e$_{44}$,kai$^{53}_{44}$ke$^{53}_{44}$mɔi^{53}tsʅ^{0}a^{0}tsʰiəu$^{53}_{44}$ciau^{53}çi^{21}lɔi$^{13}_{21}$.kai^{53}tʂak^{3}ʂʅ^{13}xei$^{53}_{44}$tsʅ^{0}lei^{0}ɲi^{13}kai$^{53}_{44}$tʂak^{3}tɔŋ^{35}cʰiəu^{35}ia$^{13}_{21}$ke$^{53}_{44}$ tɔŋ^{35}ku^{35}ku$^{35}_{44}$ke$^{53}_{44}$lei^{0}ɲi^{13}tsʰiəu$^{53}_{44}$la^{53}fəŋ^{13}pau$^{35}_{44}$pən^{35}ci$^{13}_{21}$.ɔn^{35}tso$^{53}_{44}$mak^{3}(k)e$^{53}_{44}$li^{35}ia^{0}?ɔn$^{35}_{44}$tso$^{53}_{44}$mak^{3}ke$^{53}_{44}$li^{35}çi$^{53}_{44}$ lia^{0}?ŋai^{13}təu$^{35}_{44}$çi$^{53}_{44}$ʂət^{5}li^{0}la^{0}.ŋai$^{13}_{21}$u^{21}…ŋai^{13}ia$^{35}_{44}$…u^{21}tau^{21}ŋai^{13}tʂak^{3}tɔŋ$^{35}_{44}$lau^{21}piau^{21}ke^{53}ia^{35}ta^{21}tʂak^{3}fəŋ^{13}pau$^{35}_{44}$ uo^{0}. ③哭丧：分人去～，夫娘子人就专门～。pən^{35}ɲin$^{13}_{21}$çi$^{53}_{44}$ciau$^{53}_{44}$tʂɔi^{53},pu^{35}ɲiɔŋ$^{13}_{21}$tsʅ^{0}ɲin$^{13}_{21}$tsʰiəu$^{53}_{44}$ tʂen$^{35}_{44}$mən$^{13}_{21}$ciau$^{53}_{44}$tʂɔi^{53}.

【觉】kau^{53} 量 睡眠一次为一觉：睡一～目 ʂɔi^{53}iet^{3}kau^{53}muk^{3}

【珓子】kau^{53}tsʅ^{0} 名 占卜的用具：渠指华佗仙师唔会做声，你就只好问渠，问渠就通过～。ci^{13}m̩$^{13}_{21}$ uɔi$^{53}_{44}$tso$^{53}_{44}$ʂaŋ^{35},ɲi$^{13}_{21}$tsʰiəu$^{53}_{44}$tʂʅ^{21}(x)au^{21}uən^{53}ci$^{13}_{21}$,uən^{53}ci$^{13}_{44}$tsʰiəu$^{53}_{44}$tʰəŋ$^{35}_{44}$ko$^{53}_{44}$kau^{53}tsʅ^{0}.

【轿】cʰiau^{53} 名 由人抬着走的箱式交通工具：做高亲个，来当高亲个就会坐～。因为高亲呐坐轿子，所以嘞高亲就不能多。如今是坐车唠，有滴去几十个人呶。以前是只能一个，一只高亲，坐～来。其他高亲唔来哩。落尾唔坐～了嘞箇就可以多去几个唠。两个呀，四个呀，欸，两个六个呀，成双呢，高亲爱成双。箇一伴人爱算正人来嘞，你不能够七八个人呢。八个人就抲死尸个嘞，抲棺材个嘞。所以我等客姓人呢对“八”字唔太么啊蛮感冒哇。不能八只高亲。不能要去八只高亲。箇一伴人，箇接新人个箇一伴人，也不能系八个。tso^{53}kau^{35} tsʰin$^{35}_{44}$ke$^{53}_{44}$,lɔi^{13}tɔŋ$^{35}_{44}$kau^{35}tsʰin$^{35}_{44}$ke$^{53}_{44}$tsʰiəu$^{53}_{44}$uɔi$^{53}_{44}$tsʰo^{35}cʰiau^{53}.in$^{35}_{44}$uei$^{53}_{44}$kau^{35}tsʰin$^{35}_{44}$na^{0}tsʰo$^{35}_{44}$cʰiau^{53}tsʅ^{0},so^{21}i$^{35}_{44}$lei^{0} kau$^{35}_{44}$tsʰin$^{35}_{44}$tsʰiəu$^{53}_{44}$pət^{3}lən$^{13}_{21}$to^{35}.i$^{13}_{21}$cin$^{35}_{44}$ʂʅ$^{53}_{44}$tsʰo$^{35}_{44}$tʂʰa^{35}lau^{0},iəu^{35}tet^{5}çi^{53}ci^{21}ʂət^{5}ke^{53}ɲin$^{13}_{21}$nau^{0}.i^{35}tsʰien$^{13}_{21}$ʂʅ$^{53}_{44}$tʂe^{21} lən$^{13}_{21}$iet^{3}cie^{53},iet^{3}tʂak^{3}kau$^{35}_{44}$tsʰin$^{35}_{44}$,tsʰo^{35}cʰiau^{53}lɔi$^{13}_{21}$.cʰi$^{13}_{21}$tʰa$^{35}_{44}$kau$^{35}_{44}$tsʰin$^{35}_{44}$n̩$^{13}_{21}$nɔi$^{13}_{21}$li^{0}.lɔk^{5}mi$^{35}_{44}$n̩^{13}tsʰo$^{35}_{44}$cʰiau^{53} liau^{0}lei^{0}kai$^{53}_{44}$tsʰiəu$^{53}_{44}$kʰo^{21}i$^{35}_{44}$to^{35}çi^{53}ci$^{13}_{21}$cie^{53}lau^{0}.iɔŋ^{21}ke^{53}ia^{0},si^{53}ke^{53}ia^{0},e$_{21}$,iɔŋ^{21}ke^{53}liəuk^{3}ke^{53}ia^{0},tʂʰən$^{13}_{21}$sɔŋ^{35} ne^{0},kau$^{35}_{44}$tsʰin$^{35}_{44}$nɔi$^{35}_{44}$tʂʰən$^{13}_{21}$sɔŋ^{35}.kai^{53}iet^{3}pʰɔn^{53}ɲin^{13}ɔi^{53}sɔn^{53}tʂaŋ^{53}ɲin^{13}nɔi$^{13}_{21}$le^{0},ɲi$^{13}_{21}$pət^{3}lən$^{13}_{44}$ciau^{53}tsʰiet^{3}pait^{3} cie^{53}ɲin$^{13}_{21}$ne^{0}.pait^{3}cie^{53}ɲin$^{13}_{21}$tsʰiəu$^{53}_{44}$kɔŋ$^{35}_{44}$si^{21}ʂʅ$^{35}_{44}$ke^{53}le^{0},kɔŋ$^{35}_{44}$kɔn^{35}tsʰɔi$^{13}_{21}$ke$^{53}_{21}$le^{0}.so^{21}i$^{35}_{44}$ŋai$^{13}_{21}$tien^{0}kʰak^{3}sin^{53}ɲin$^{13}_{21}$ ne^{0}tei^{53}"pait^{3}"sʅ^{53}n̩^{13}tʰai^{53}mak^{3}a^{0}man^{13}kɔn^{21}mau^{53}ua^{0}.pət^{3}lən^{13}pait^{3}tʂak^{3}kau$^{35}_{44}$tsʰin$^{35}_{44}$.pət^{3}lən^{13}iau^{53}çi^{53}pait^{3} tʂak^{3}kau$^{35}_{44}$tsʰin$^{35}_{44}$.kai^{53}iet^{3}pʰɔn^{53}ɲin^{13},kai^{53}tsiet^{3}sin^{35}ɲin$^{13}_{21}$ke^{53}kai^{53}iet^{3}pʰɔn^{53}ɲin^{13},ia^{35}pət^{3}lən^{13}xei^{53}pait^{3}ke^{53}.

【轿夫】cʰiau^{53}fu^{35} 名 抬轿子的人：以下是轿子也蛮少了就～啊更有么个几多了。轿子也有得人……有么人去坐轿了。i^{21}xa^{53}ʂʅ$^{53}_{44}$cʰiau^{53}tsʅ^{21}ia^{35}man$^{13}_{21}$ʂau^{21}liau^{21}tsʰiəu^{53}cʰiau^{53}fu$^{35}_{44}$va^{0}ken^{53}mau^{13}mak^{3} e^{0}ci^{21}to^{35}liau^{0}.cʰiau^{53}tsʅ^{0}a$^{35}_{44}$mau$^{13}_{21}$mak^{3}in$^{13}_{44}$…mau$^{13}_{21}$mak^{3}in$^{13}_{44}$çi^{53}tsʰo^{35}cʰiau^{53}liau^{0}.

【轿子】cʰiau^{53}tsʅ^{0} 名 由人抬着走的箱式交通工具：渠等话南乡箇边有，有兜人欸结婚呢追求咁个古老个箇个老个婚礼呀。第一爱钱呐搞咁个。你话租辆车欸咁好把做几百块钱呐，系啊？箇舞乘～啊，你爱四个子人抲是爱呀，一个人两百块钱爱哟，比租辆车还更贵哟。以下又还搞唔得几远呶，你一样个爱租车嘞。箇个～只系意思下子嘞。欸，会到屋了，箇个里把两里路来抲下子嘞，你话子还抲得十里八里还么个，系唔系？所以箇～还系蛮难让门子话回归以前个搞法嘞，箇还系只系象征性个搞下子。欸，有钱个人，欸，别出心裁个人呢，渠就会去搞下子。～还有嘞，不过我蛮唔多看倒了。ci$^{13}_{21}$tien^{0}ua^{53}lan^{13}çiɔŋ$^{35}_{44}$kai$^{53}_{21}$pien$^{35}_{44}$iəu^{35},iəu^{35}tei$^{53}_{53}$ɲin$^{13}_{21}$ei^{0} ciet^{3}fən^{35}ne^{0}tʂei^{35}cʰiəu$^{13}_{21}$kan^{21}ke^{53}ku^{21}lau^{21}ke$^{53}_{44}$kai$^{53}_{21}$ke^{53}lau^{21}ke$^{53}_{44}$fən$^{35}_{44}$ni$^{35}_{44}$ia^{0}.tʰi^{35}iet^{3}ɔi^{53}tsʰien^{13}na^{0}kau^{21}kan^{21} ke$^{53}_{21}$.ɲi^{13}ua^{53}tsəu^{35}liɔŋ^{21}tʂʰa^{35}e$_{21}$kan^{21}xau^{21}pa^{21}tso^{53}ci^{21}pak^{3}kʰuai^{53}tsʰien$^{13}_{21}$na^{0},xei^{53}a^{0}?kai^{53}u^{21}ʂən^{13}cʰiau^{53}tsʅ^{0} a^{0},ɲi^{13}ɔi$^{53}_{44}$si^{53}ke^{53}tsʅ^{0}ɲin$^{13}_{21}$kɔŋ^{35}ʂʅ$^{53}_{44}$ɔi^{53}ia^{0},iet^{3}ke^{53}in$^{13}_{21}$iɔŋ^{21}pak^{3}kʰuai^{53}tsʰien$^{13}_{21}$ɔi^{53}io^{0},pi^{21}tsəu^{35}liɔŋ^{21}tʂʰa^{35}xa$^{13}_{44}$ ken^{53}kuei^{53}io^{0}.i^{21}xa$^{53}_{44}$iəu^{53}xai$^{13}_{21}$kau^{21}n̩$^{13}_{44}$tek^{3}ci^{21}ien^{21}nau^{0},ɲi^{13}iet^{3}iɔŋ^{53}ke^{0}ɔi^{53}tsəu$^{35}_{44}$tʂʰa$^{35}_{44}$le^{0}.kai$^{53}_{44}$ke$^{53}_{44}$cʰiau^{53}tsʅ^{0} tʂʅ^{21}(x)e$^{53}_{44}$i^{53}sʅ$^{35}_{44}$(x)a^{53}tsʅ^{0}lei^{0}.e$_{21}$,uɔi^{53}tau^{53}uk^{3}liau^{0},kai$^{53}_{44}$ke$^{53}_{44}$li^{35}pa^{21}iɔŋ^{21}li^{35}ləu^{53}lɔi$^{13}_{21}$kɔŋ^{35}ŋa^{53}tsʅ^{0}lei^{0},ɲi^{13}ua$^{53}_{44}$ tsʅ^{0}xai$^{13}_{21}$kɔŋ^{35}tek^{3}ʂət^{5}li$^{35}_{44}$pait^{3}li^{35}xai$^{13}_{44}$mak^{3}ke^{53},xei^{53}me^{53}?so^{21}i$^{35}_{44}$kai$^{53}_{44}$cʰiau^{53}tsʅ^{0}xai$^{13}_{21}$xei^{53}man^{13}lan^{13}ɲiɔŋ^{53} mən$^{13}_{44}$tsʅ^{0}ua$^{53}_{44}$fei^{13}kuei^{35}i$^{35}_{44}$tsʰien^{13}ke^{53}kau^{21}fait^{3}lei^{0},kai^{53}xai$^{13}_{21}$xe^{53}tʂʅ^{21}xe$^{53}_{44}$siɔŋ^{53}tʂən$^{35}_{44}$sin^{35}ke^{0}kau^{21}xa^{53}tsʅ^{0}.ei$_{21}$, iəu^{35}tsʰien$^{13}_{21}$ke^{53}ɲin$^{13}_{44}$,e$_{21}$,pʰiet^{3}tʂʰət^{3}sin^{35}tsʰai^{13}ke$^{53}_{44}$ɲin^{13}nei^{0},ci$^{13}_{21}$tsiəu^{53}uɔi^{53}çi^{53}kau^{21}xa^{53}tsʅ^{0}.cʰiau^{53}tsʅ^{0}xai$^{13}_{21}$ iəu^{35}le^{0},puk^{3}ko^{53}ŋai^{13}man^{13}n̩$^{13}_{21}$to$^{35}_{44}$kʰɔn^{53}tau^{21}liau^{0}.

【窖$_1$】kau^{53} 名 收藏东西的地洞或坑：欸有我等晓得个～嘞有番薯窖。番薯窖我面前讲哩，以只番薯窖我等个番薯窖就系欸平行个，同箇隧道样打下岭肚里去个。欸，据说有兜地方个番薯窖嘞就窖下地泥下个，欸，打下地泥下，仰天窖。欸，唔系话我面前讲哩，番薯窖，还有么个～哇？噢野猪窖，嗯，野猪窖是爱用来装野猪个，番薯窖就用来装番薯个。仰天窖嘞就系口向上个，地底下打，箇就不论装么个，也呀可以装番薯，也可以放零碎，放行头，其实箇映放行头有么个好？箇肚里咁潮湿嘞。系唔系？地泥下潮湿啊，同箇地下室样啊。箇仰天窖个作用是蛮多是就么个嘞？动乱年代，躲兵躲箇兜么个。日本鬼子来哩，或者么个白军来哩，麻溜打开仰天窖来，麻溜缩下箇底下～里去，欸渠个口爱箇个嘞渠个口爱隐蔽滴子嘞，冇分别人家看倒哩嘞。一般就系夹墙肚里呢舞只仰天窖。ei$_{21}$,iəu$^{35}_{44}$ŋai^{13}tien^{0}çiau^{21}tek^{3}ke$^{53}_{21}$kau^{53}lei^{0} iəu$^{35}_{44}$fan^{35}ʂəu$^{13}_{21}$kau^{53}.fan^{35}ʂəu$^{13}_{21}$kau^{53}ŋai$^{13}_{44}$mien^{53}tsʰien$^{13}_{21}$kɔŋ^{21}li^{0},i^{21}tʂak^{3} fan^{35}ʂəu$^{13}_{21}$kau^{53}ŋai^{13}tien^{0}ke^{53}fan^{35}ʂəu$^{13}_{21}$kau$^{53}_{44}$tsiəu^{53}xei^{53}ei$_{21}$pʰiaŋ^{13}çin^{13}cie^{53},tʰəŋ^{13}kai$^{53}_{44}$sei^{53}tʰau$^{53}_{44}$iɔŋ$^{53}_{44}$ta^{21}xa^{53}liaŋ^{35}təu^{21}li^{0} çi$^{53}_{44}$ke$^{53}_{44}$.ei$_{21}$,tʂʅ^{53}ʂet^{3} iəu^{35}tei$^{35}_{53}$tʰi$^{53}_{44}$fɔŋ$^{35}_{44}$ɲe^{0} fan^{35}ʂəu^{21}kau$^{53}_{44}$lei^{0} tsʰiəu$^{53}_{44}$kau$^{53}_{44}$ua$^{53}_{44}$tʰi^{53}lai$^{13}_{21}$xa^{35}ke^{53},e$_{21}$,ta^{21}(x)a$^{53}_{44}$tʰi^{53}lai$^{13}_{21}$xa^{35},ŋɔŋ^{35}tʰien$^{35}_{44}$kau^{53}.e$_{21}$,m̩$^{13}_{21}$pʰei^{53}ua^{53}ŋai$^{13}_{21}$mien^{53}tsʰien$^{13}_{21}$kɔŋ^{21}li^{0},fan^{35}ʂəu$^{13}_{21}$kau^{53},xai$^{13}_{21}$iəu$^{35}_{53}$mak^{3} e^{0} kau^{53}ua^{0}?au$_{21}$ia^{35}tʂəu$^{35}_{44}$kau^{53},n̩$_{21}$,ia^{35}tʂəu$^{35}_{44}$kau^{53}ʂʅ$^{53}_{44}$ɔi$^{53}_{44}$iəŋ^{53}lɔi$^{13}_{21}$tsɔŋ^{35}ia^{35}tʂəu$^{35}_{44}$ke$^{53}_{44}$,fan^{35}ʂəu$^{13}_{21}$kau^{53}tsʰiəu^{53}iəŋ^{53}lɔi$^{13}_{21}$tʂɔŋ^{35}fan^{35}ʂəu$^{13}_{21}$ke^{53}. ŋɔŋ^{35}tʰien$^{35}_{44}$kau^{53}le^{0} tsiəu^{53}(x)e^{53}xei^{21}çiɔŋ^{53}ʂɔŋ^{35}ke^{0},ti^{53}te^{21}xa^{53}ta^{21},ka^{53}tsʰiəu^{53}pət^{3} lən$^{53}_{44}$tʂɔŋ$^{35}_{44}$mak^{3} kei^{53},ia^{35}ia^{0} kʰo^{21}i$^{35}_{44}$tʂɔŋ$^{35}_{44}$fan^{35}ʂəu$^{13}_{21}$,ia^{35}kʰo^{21}i$^{35}_{44}$fɔŋ^{53}laŋ^{13}si^{53},fɔŋ^{53}çin^{13}tʰei$^{13}_{44}$,cʰi^{13}ʂət^{5} kai$^{53}_{44}$iaŋ$^{53}_{44}$fɔŋ^{53}çin^{13}tʰei$^{13}_{44}$iəu$^{35}_{53}$mak^{3} e^{0} xau^{21}?kai^{53}təu^{21}li^{0} kan^{21}tʂʰau^{13}ʂət^{3} le^{0}.xei^{53}me^{53}?tʰi^{53}lai$^{13}_{21}$xa^{35}tʂʰau^{13}ʂət^{3} a^{0},tʰəŋ$^{13}_{21}$kai$^{53}_{44}$tʰi^{53}çia^{53}ʂət^{3} iɔŋ^{53}ŋa^{0}. kai^{53}ŋɔŋ^{35}tʰien$^{35}_{44}$kau^{53}ke$^{53}_{44}$tsɔk^{3} iəŋ^{53}ʂʅ$^{53}_{44}$man$^{13}_{21}$to$^{35}_{53}$ʂʅ$^{53}_{44}$tsiəu^{53}mak^{3} e^{0} lei^{0}?tʰəŋ^{53}lɔn^{53}ɲien$^{13}_{21}$tʰɔi^{53},to^{21}pin^{35}to^{21}kai^{53}tei$^{35}_{53}$mak^{3} ke^{53}. ɲiet^{3} pən^{21}kuei^{21}tsʅ^{0} lɔi$^{13}_{21}$li^{0},xɔit^{5} tʂa^{21}mak^{3} kei$^{53}_{44}$pʰak^{5} tʂən$^{35}_{44}$nɔi$^{13}_{21}$li^{0},ma^{13}liəu^{35}ta^{21}kʰɔi$^{35}_{44}$ŋɔŋ^{35}tʰien$^{35}_{44}$kau^{53}lɔi$^{13}_{21}$,ma$^{13}_{21}$liəu$^{35}_{44}$sɔk^{3} (x)a$^{53}_{44}$kai^{53}tei^{21}xa$^{53}_{44}$kau^{53}li^{0} çi^{53},e$_{21}$ci^{13}ke^{53}xei^{21}ɔi^{53}kai^{53}ke^{53}le^{0} ci^{13}ke^{53}xei^{21}ɔi^{53}in^{21}pi^{53}tiet^{5} tsʅ^{0} le^{0},mau^{13}pən$^{35}_{44}$pʰiet$^{5}_{3}$ in$^{13}_{44}$ka$^{35}_{44}$kʰɔn^{53}tau^{21}li^{0} lei^{0}.iet^{3} pɔn^{35}tsʰiəu^{53}xei^{53}kait^{3} tsʰiɔŋ$^{13}_{44}$təu$^{21}_{44}$li^{0} nei^{0} u^{21}tʂak^{3} ŋɔŋ^{35}tʰien$^{35}_{44}$kau^{53}.

【窖$_{2}$】kau^{53} 动①将物品收藏到地窖里：番薯种我等一般是～平窖进去嘞。fan^{35}ʂəu$^{13}_{21}$tʂəŋ^{21}ŋai$^{13}_{21}$tien^{0} iet^{3} pɔn^{35}ʂʅ$^{53}_{44}$kau^{53}pʰiaŋ^{35}kau^{53}tsin^{53}çi$^{53}_{44}$lei^{0}. ②将部分作物的种苗埋在土里：藠子就硬爱～，就系种藠子咯，欸，就埋下土里，～藠子。cʰiau^{35}tsʅ^{0} tsʰiəu$^{53}_{44}$ɲiaŋ$^{53}_{44}$ɔi$^{53}_{44}$kau^{53},tsʰiəu$^{53}_{44}$xe$^{53}_{44}$tʂəŋ^{53}cʰiau$^{35}_{44}$tsʅ^{0} ko^{0},e$_{21}$,tsʰiəu^{53}mai^{13}ia^{53}tʰəu^{21}li^{0},kau^{53}cʰiau^{13}tsʅ^{0}.｜种番薯虽然系秧，但是渠个秧唔同，爱剪倒一茎茎，系唔系啊？咁子去种，去～，去～兜子。tʂəŋ^{53}fan^{35}ʂəu$^{13}_{21}$sei^{35}vien$^{13}_{21}$xe^{53}iɔŋ^{35},tan^{53}ʂʅ^{53}ci$^{13}_{21}$ke^{53}iɔŋ^{35}n̩$^{13}_{21}$tʰəŋ^{13},ɔi^{53}tsien^{21}tau^{21}iet^{3} tsʰo^{53}tsʰo^{53},xei^{53}me^{53}a^{0}?kan^{21}tsʅ^{0} çi$^{53}_{44}$tʂəŋ^{53},çi$^{53}_{21}$kau^{53},çi$^{53}_{44}$kau^{53}te$^{35}_{44}$tsʅ^{0}. ③安放；设置：隔几里路，甚至隔十几里，欸，去横巷里捡地，我张家坊爱～只火笼。kak^{3} ci^{21}li^{35}ləu^{53},ʂən$^{53}_{44}$tʂʅ$^{53}_{44}$kak^{3} ʂət^{5} ci^{21}li^{35},e$_{21}$,çi^{53}uaŋ^{13}xɔŋ^{53}li^{0} cian^{21}tʰi^{53},ŋai$^{13}_{21}$tʂaŋ^{35}ka$^{35}_{53}$fɔŋ^{35}ɔi^{53}kau^{53}tʂak^{3} fo^{21}ləŋ^{35}.

【窖骑子】kau^{53}ci^{35}tsʅ^{0} 名婴儿和尚服。也泛指旧式大襟衫：～就系细人子，摸摸子，正出世个摸摸子着个咁个衫。～让门子嘞？一只就冇衫领，第二只冇纽子，渠等……安哩纽子嘞怕揞倒细人子啊，欸，冇得纽子。以件衫以向就搭嘿以向来。欸，以下以件以边一簟，以边以簟咁子溜尖子，有尖子个，以边以簟溜尖子。后背就一样个。欸，细人子穿下去，穿下去嘞，以边以簟嘞就箇头上咁子尖尖子嘞箇头上安条子绳子。以向一簟嘞手胁下就安只子眼，舞只子眼，穿箇条绳子个。欸，以边以向一簟，左边箇一簟也系箇头上也长长子嘞头上嘞也安条绳子。以条绳子走外背翻嘿去，箇条走手胁下穿下出，后背绨下倒，欸，唔用纽子。箇就安做～。冇得衫领，冇得纽子个，用条子绳子绨倒个咁个。又搞么个两块都爱伸出兜子来嘞？就包倒冇事冷肚子，细人子肚子冇事冷倒。欸，有单～，热天着单～。冷天放兜子棉花去，肚里絮兜棉花，棉～。统称都系～。据说以前个老班子大人也咁子着话。古装戏肚里唔系就有咁子绨下去个吧？系唔系？以咁子搭下去箇，欸，以块就放更下，箇块就更上，嗯，也系～。kau^{53}ci^{35}tsʅ^{0} tsʰiəu^{53}xei^{53}se^{53}ɲin$^{13}_{21}$tsʅ^{0},mo^{35}mo^{35}tsʅ^{0},tʂaŋ^{53}tʂʰət^{3} ʂʅ^{53}ke^{0} mo^{35}mo^{35}tsʅ^{0} tʂɔk^{3} ke^{0} kan^{21}cie$^{53}_{44}$san^{35}.kau^{53}ci$^{35}_{44}$tsʅ^{0}ɲiɔŋ$^{53}_{44}$mən$^{13}_{44}$tsʅ^{0} lei^{0}?iet^{3} tʂak^{3} tsʰiəu^{53}mau$^{13}_{21}$san^{35}liaŋ^{35},tʰi^{53}ɲi^{53}tʂak^{3} mau^{13}lei^{21}tsʅ^{0},ci^{13}tien^{0} s⋯ɔn^{35}li^{0} lei^{21}tsʅ^{0} lei^{0} pʰa^{53}an^{21}tau^{21}sei^{53}ɲin$^{13}_{21}$tsa^{0},e$_{21}$,mau^{13}tek^{3} lei^{21}tsʅ^{0}.i^{21}cʰien$^{53}_{44}$san^{35}i^{21}çiɔŋ$^{53}_{44}$tsʰiəu$^{53}_{44}$tait^{3} (x)ek^{3} i^{21}çiɔŋ^{53}lɔi^{13}.ei$_{21}$,i^{21}xa^{53}i^{21}cʰien$^{53}_{44}$i^{21}pien^{35}iet^{3} sak^{3},i^{21}pien$^{35}_{53}$i^{21}sak^{3} kan^{21}tsʅ^{0} li^{35}tsian^{35}tsʅ^{0},iəu^{35}tsian^{35}tsʅ^{0} ke^{0},i^{21}pien$^{35}_{53}$i^{21}sak^{3} liəu^{35}tsian^{35}tsʅ^{0}.xei^{53}pɔi$^{53}_{44}$tsʰiəu^{53}iet^{3} iɔŋ^{53}ke^{0}.e$_{21}$,sei^{53}ɲin$^{13}_{21}$tsʅ^{0} tʂʰuɔn^{53}na$^{53}_{44}$çi$^{53}_{44}$,tʂʰuɔn$^{53}_{44}$na$^{53}_{44}$çi$^{53}_{44}$lei^{0},i^{21}pien^{35}i^{21}sak^{3} lei^{0} tsʰiəu^{53}kai$^{53}_{44}$tʰei^{13}xɔŋ^{53}kan^{21}tsʅ^{0} tsian^{35}tsian^{35}tsʅ^{0} lei^{0} kai^{53}tʰei^{13}xɔŋ^{53}ɔn^{35}tʰiau$^{13}_{21}$tsʅ^{0} ʂən^{13}tsʅ^{0}.i^{21}çiɔŋ^{53}iet^{3} sak^{3} lei^{0} ʂəu^{21}cʰiait$^{5}_{3}$ xa$^{53}_{44}$tsʰiəu$^{53}_{44}$ɔn^{35}tʂak^{3} tsʅ^{0} ŋan^{21},u^{21}tʂak^{3} tsʅ^{0} ŋan^{21},tʂʰuɔn^{53}kai^{53}tʰiau$^{13}_{21}$ʂən^{13}tsʅ^{0} ke^{53}.ei$_{21}$,i^{21}pen$^{35}_{44}$i^{21}çiɔŋ^{53}iet^{3} sak^{3},tso^{21}pen^{35}kai^{53}iet^{3} sak^{3} ia^{35}xe^{53}kai$^{53}_{44}$tʰei^{13}xɔŋ^{53}ia^{35}tʂʰɔŋ$^{13}_{21}$tʂʰɔŋ$^{13}_{21}$tsʅ^{0} le^{0} tʰei^{13}xɔŋ$^{53}_{44}$lei^{0} ia^{35}ɔn$^{35}_{44}$tʰiau$^{13}_{21}$ʂən^{13}tsʅ^{0}.i^{21}tʰiau$^{13}_{21}$ʂən^{13}tsʅ^{0} tsei^{21}ŋɔi^{53}pɔi$^{53}_{44}$fan$^{35}_{44}$(x)ek^{3} çi^{53},kai^{53}tʰiau$^{13}_{21}$tsei^{21}ʂəu^{21}cʰiait^{5} xa^{35}tʂʰuɔn^{53}na$^{53}_{44}$tʂʰət^{3},xei^{53}pɔi$^{53}_{44}$tʰak^{3} (x)a^{53}tau^{21},e$_{21}$,n̩^{13}iəŋ^{53}lei^{21}tsʅ^{0}.kai$^{53}_{44}$tsiəu^{53}ɔn$^{35}_{44}$tso$^{53}_{44}$kau^{53}ci^{35}tsʅ^{0}. mau^{13}tek^{3} san^{35}liaŋ^{35},mau^{13}tek^{3} lei^{21}tsʅ^{0} ke^{53},iəŋ^{53}tʰiau$^{13}_{44}$tsʅ^{0} ʂən^{13}tsʅ^{0} tʰak^{3} tau^{21}ke^{53}kan^{21}cie^{53}.iəu^{53}kau^{21}mak^{3} ke^{53}iɔŋ^{21}kʰuai$^{53}_{44}$təu^{35}ɔi$^{53}_{44}$tʂʰən^{35}tʂʰət^{3} təu$^{35}_{44}$tsʅ^{3} lɔi$^{13}_{21}$lei^{0}?tsiəu$^{53}_{44}$pau^{35}tau^{21}mau^{13}sʅ^{53}laŋ^{35}təu^{21}tsʅ^{0},sei^{53}ɲin$^{13}_{21}$tsʅ^{0} təu^{21}

tsɿ^{0} mau^{13}sɿ$^{53}_{44}$laŋ^{35}tau^{21}.e$_{21}$,iəu^{35}tan^{35}kau$^{53}_{44}$ci^{35}tsɿ^{0}, ɲiet^{5} t^{h}ien$^{35}_{44}$tʂɔk^{3} tan^{35}kau$^{53}_{44}$ci^{35}tsɿ^{0}.laŋ^{35}t^{h}ien$^{35}_{44}$fɔŋ^{53}təu$^{35}_{53}$tsɿ^{0} mien^{13}fa$^{35}_{44}$çi^{53},təu^{21}li^{0} si^{53}təu$^{35}_{53}$mien^{13}fa$^{35}_{44}$,mien^{13}kau^{53}ci^{35}tsɿ^{0}.t^{h}əŋ^{21}tʂ^{h}ən$^{35}_{44}$təu$^{35}_{44}$xe$^{53}_{44}$kau^{53}ci^{35}tsɿ^{0}.tʂʮ^{53} ʂet^{3} i^{35} ts^{h}ien$^{13}_{44}$ke$^{53}_{44}$lau^{21}pan^{35}tsɿ^{0} t^{h}ai^{53}ɲin$^{13}_{21}$ia^{35}kan^{21}tsɿ^{0} tʂɔk^{3} ua^{53}.ku^{21}tsɔŋ$^{35}_{44}$çi^{53}təu^{21}li^{0} m̩^{13}p^{h}ei^{53}ts^{h}iəu$^{53}_{44}$iəu^{35}kan^{21}tsɿ^{0} t^{h}ak^{3} (x)a$^{53}_{44}$çi$^{53}_{44}$ke^{0} pa^{0} ?xei^{53}me^{53}?i^{21}kan^{21}tsɿ^{0} tait^{3} (x)a$^{53}_{44}$çi$^{53}_{44}$kai$^{53}_{44}$,e$_{21}$,i^{21}k^{h}uai$^{53}_{44}$ts^{h}iəu$^{53}_{44}$fɔŋ$^{53}_{44}$cien$^{53}_{44}$xa^{35},kai^{53}k^{h}uai$^{53}_{44}$ tsiəu$^{53}_{44}$cien^{53}ʂɔŋ^{35},n̩$_{21}$,ia^{35}xe^{53}kau^{53}ci^{35}tsɿ^{0}.

【藠蔸】c^{h}iau^{35}tei^{35} 名藠子的鳞茎：～是也系藠子个种嘞。藠苗谢嘿哩以后嘞要留倒箇只～留下来又来窖哇，又来窖藠子。c^{h}iau^{35}tei$^{35}_{44}$ʂʅ$^{53}_{21}$ia^{35}xei$^{53}_{21}$c^{h}iau^{35}tsɿ^{0} ke^{53}tʂən^{21}lei^{0}.c^{h}iau^{35}miau^{13}ts^{h}ia^{53}xek^{3} li^{0} i^{35}xei$^{53}_{44}$lei^{0} iau^{53}liəu$^{13}_{21}$tau^{21}kai^{53}tʂak^{3} c^{h}iau^{35}tei$^{35}_{44}$liəu^{13}xa$^{53}_{44}$lɔi$^{13}_{21}$iəu^{53}lɔi$^{13}_{21}$kau^{53}ua^{0},iəu^{53}lɔi$^{13}_{21}$kau^{53}c^{h}iau^{35}tsɿ^{0}.

【藠牯】c^{h}iau^{35}ku^{21} 名藠子的别称：藠子也有人安做～。c^{h}iau^{35}tsɿ^{0} ia^{35}iəu$^{35}_{44}$ɲin$^{13}_{21}$ɔn$^{35}_{44}$tso$^{53}_{44}$c^{h}iau^{35}ku^{21}.

【藠苗】c^{h}iau^{35}miau$^{13}_{21}$ 名藠子的茎叶：箇只～舞倒渠咯舞箇只一样个食得。kai^{53}tʂak^{3} c^{h}iau^{35} miau$^{13}_{21}$u^{21}tau^{21}ci^{13}ko^{0} u$^{21}_{44}$kai$^{53}_{44}$tʂak^{3} iet$^{3}_{5}$ iɔŋ$^{53}_{44}$ke$^{53}_{44}$ʂət^{53}tek^{3}.

【藠子】c^{h}iau^{35}tsɿ^{0} 名薤的俗称。又称“藠牯”：～也有人安做藠牯。客姓人也又安……又喊～，又喊藠牯，一样个，都系一只意思。c^{h}iau^{35}tsɿ^{0} ia^{35}iəu$^{35}_{44}$ɲin$^{13}_{21}$ɔn$^{35}_{44}$tso$^{53}_{44}$c^{h}iau^{35}ku^{21}.k^{h}ak^{3} sin^{53}ɲin$^{13}_{21}$ia^{35}iəu^{53} ɔn$^{35}_{44}$…iəu^{53}xan^{53}c^{h}iau^{35}tsɿ^{0},iəu$^{53}_{44}$xan$^{53}_{44}$c^{h}iau^{35}ku^{21},iet^{3} iɔŋ^{53}ke$^{53}_{44}$,təu^{35}xe^{53}iet^{3} tʂak^{3} i^{53}sɿ^{0}.

【醮】tsiau^{53} 量用于阵雨：天上落一～水。t^{h}ien$^{53}_{44}$xɔŋ$^{53}_{44}$lɔk^{5} iet^{3} tsiau^{53}ʂei^{21}.｜落嘿几～水。lɔk^{5} xek^{3} ci^{21}tsiau^{53}ʂei^{21}.

【噍】ts^{h}iau^{53} 动用上下牙齿磨碎食物：莫食咁快哟，～烂下子。mɔk^{5} ʂət^{5} kan^{21}k^{h}uai^{53}iau^{0},ts^{h}iau^{53} lan^{53}na$_{44}$(←xa^{53})tsɿ^{0}.◇《广韵》才笑切：“嚼也。”

【疖子】tset^{3} tsɿ^{0} 名皮肤病，由葡萄球菌或链状菌侵入毛囊引起。症状是局部出现充血硬块，化脓，红肿，疼痛：又安做～，有滴人话，滴啱大子个就～。iəu^{53}ɔn$^{35}_{53}$tso^{53}tset^{3} tsɿ^{0},iəu^{35}tet^{5} in$^{13}_{44}$ ua$^{53}_{44}$,tiet^{5} ŋait^{3} t^{h}ai^{53}tsɿ^{0} ke$^{53}_{44}$ts^{h}iəu$^{53}_{44}$tset^{3} tsɿ^{0}.

【结$_{1}$】ciait^{3}/ciet^{3} 动①植物长果实：松树也～咁个松饽子。ts^{h}əŋ^{13}ʂəu^{53}ia^{35}ciait^{3} kan^{21}ke$^{53}_{44}$ts^{h}əŋ^{13} pɔk^{5} tsɿ^{0}. ②口吃：箇只人讲事有兜子结呢。kai^{53}tʂak^{3} ɲin$^{13}_{21}$kɔŋ^{21}sɿ^{53}iəu^{35}tei$^{35}_{53}$tsɿ^{0} ciet^{3} nei^{0}.

【结$_{2}$】ciait^{3} 形涩口，一种使舌头感到不滑润不好受的滋味。又称“锁嘴”：石灰李唔好食，绷硬。/好～。ʂak^{5} fɔi^{35}li^{21}m̩^{21}xau^{21}ʂət^{5},paŋ^{35}ŋaŋ^{53}./xau^{21}ciait^{3}.

【结巴】ciet^{3} pa^{35} 动口吃。多称“结舌”：欸，你讲事讲清楚兜子，莫～。ei^{0}, ɲi$^{13}_{21}$kɔŋ^{21}sɿ^{53}kɔŋ^{21} ts^{h}in^{35}ts^{h}əu^{21}tei$^{35}_{44}$tsɿ^{0},mɔk^{5} ciet^{3} pa^{35}.

【结巴子】ciet^{3} pa^{35}tsɿ^{0} 名口吃的人。也称“结舌子”：我等老家箇映子有只人咯，看下，三只赖子五只妹子八只细人子，硬哪只细人子都细细子就结舌，一只～，硬七八岁了都还系一只～凑。好得嘞老哩以后嘞欸年纪大哩两三十岁了嘞箇如今是看唔出哩，唔结巴了，唔结舌了，唔系～。ŋai^{13}tien^{0} lau^{21}cia^{35}kai$^{53}_{44}$iaŋ$^{53}_{44}$tsɿ^{0} iəu^{35}tʂak^{3} ɲin$^{13}_{21}$ko^{0},k^{h}ɔn$^{53}_{44}$na$^{53}_{44}$,san^{35}tʂak^{3} lai^{53}tsɿ^{0} ŋ̍^{21}tʂak^{3} mɔi^{53} tsɿ^{0} pait^{3} tʂak^{3} sei^{53}ɲin$^{13}_{21}$tsɿ^{0}, ɲiaŋ$^{53}_{44}$lai^{53}tʂak^{3} sei^{53}ɲin$^{13}_{21}$tsɿ^{0} təu$^{35}_{53}$se^{53}se^{53}tsɿ^{0} ts^{h}iəu$^{53}_{44}$ciet^{3} ʂet^{5},iet^{3} tʂak^{3} ciet^{3} pa^{35} tsɿ^{0}, ɲiaŋ^{53}ts^{h}iet^{3} pait^{3} sɔi^{53}liau^{21}təu$^{35}_{53}$xan$^{13}_{21}$xe^{53}iet^{3} tʂak^{3} ciet^{3} pa^{35}tsɿ^{0} ts^{h}e^{0}.xau^{21}tek^{3} lei^{0} lau^{21}li^{0} i$^{35}_{44}$xei$^{53}_{44}$lei^{0} ei$_{44}$ ɲien^{13}ci^{21}t^{h}ai^{53}li^{0} iɔŋ^{21}san$^{35}_{44}$ʂət^{5} sɔi^{53}liau^{21}lei^{0} kai$^{53}_{44}$i$^{13}_{21}$cin$^{35}_{44}$ʂʅ$^{53}_{44}$k^{h}ɔn^{53}n̩$^{13}_{21}$tʂ^{h}ət^{3} li^{0},n̩$^{13}_{21}$ciet^{3} pa$^{35}_{44}$liau^{0},n̩^{13}ciet^{3} ʂet^{5} liau^{0},m̩$^{13}_{21}$p^{h}ei$^{53}_{44}$ciet^{3} pa^{35}tsɿ^{0}.

【结舌】ciet^{3} ʂet^{5} 动口吃：细人子有兜子细细子讲事有兜子～，如今就我箇只孙子样，有兜子～，箇个系正常现象，欸，箇个唔系结巴子，唔系结舌子。关键就系箇起大哩还～个，箇就系结舌子。sei^{53}ɲin$^{13}_{44}$tsɿ^{0} iəu^{35}təu$^{35}_{53}$tsɿ^{0} se^{53}se^{53}tsɿ^{0} kɔŋ^{21}sɿ^{53}iəu^{35}təu$^{35}_{53}$tsɿ^{0} ciet^{3} ʂet^{5},i$^{13}_{21}$cin$^{35}_{53}$ts^{h}iəu^{53}ŋai$^{13}_{21}$kai^{53} tʂak^{3} sən^{35}tsɿ^{0} iɔŋ$^{53}_{44}$,iəu^{35}təu$^{35}_{53}$tsɿ^{0} ciet^{3} ʂet^{5},kai^{53}ke^{53}xe^{53}tʂən^{53}tʂ^{h}ɔŋ$^{13}_{21}$çien$^{53}_{44}$siɔŋ$^{53}_{44}$,e$_{21}$,kai^{53}ke^{53}m̩^{13}p^{h}e^{53}ciet^{3} pa$^{35}_{44}$ tsɿ^{0},m̩$^{13}_{21}$p^{h}ei^{53}ciet^{3} ʂet^{5} tsɿ^{0}.kuan^{35}cien$^{53}_{44}$ts^{h}iəu^{53}xei^{53}kai^{53}çi$^{21}_{44}$t^{h}ai^{53}li^{0} xan$^{13}_{21}$ciet^{3} ʂet^{5} cie^{0},kai$^{53}_{44}$ts^{h}iəu$^{53}_{44}$xei$^{53}_{44}$ciet^{3} ʂet^{5} tsɿ^{0}.

【结舌子】ciet^{3} ʂet^{5} tsɿ^{0} 名口吃的人：渠等个赖子咯，渠等箇下一代咯，孙辈咯，都～，细细子都系～，真古怪，会就以会遗传。会遗传。硬真结嘞硬嘞，嘿嘿，真结嘞。ci$^{13}_{21}$tien^{0} ke$^{53}_{44}$lai^{53} tsɿ^{0} ko^{0},ci$^{13}_{21}$tien^{0} kai$^{53}_{44}$xa^{35}iet^{3} t^{h}ɔi^{53}ko^{0},sən^{35}pei^{53}ko^{0},təu^{35}ciet^{3} ʂət^{5} tsɿ^{0},se^{53}se^{53}tsɿ^{0} təu^{35}xe$^{53}_{44}$ciet^{3} ʂet^{5} tsɿ^{0},tʂən^{35} ku^{21}kuai^{53},uɔi^{53}ts^{h}iəu$^{53}_{44}$i^{21}uɔi^{53}i^{13}tʂ^{h}en^{13}.uɔi^{53}i$^{13}_{21}$tʂ^{h}en$^{13}_{44}$. ɲiaŋ^{53}tʂən^{35}ciet^{3} le^{0}ɲiaŋ^{53}lei^{0},xe$_{53}$xe$_{53}$,tʂən^{35}ciet^{3} lei^{0}.

【接】tsiait^{3} 动①迎接，前去取回来，与“送”相对：我老婆去～新人，我可以唔爱去。ŋai^{13} lau^{21}p^{h}o^{13}çi$^{53}_{44}$tsiet^{3} sin$^{35}_{44}$ɲin$^{13}_{21}$,ŋai^{13}k^{h}o^{21}i$^{35}_{44}$m̩$^{13}_{21}$mɔi$^{53}_{44}$çi^{53}.｜一般是男方去～（嫁妆）。iet^{3} pɔn^{35}ʂʅ^{53}lan$^{13}_{21}$fɔŋ$^{35}_{44}$ çi$^{53}_{44}$tsiait^{3}. ②会合，相连：又会看倒箇桁子摎椽皮箇箇箇一摎渠所～个地方。iəu$^{53}_{44}$uɔi$^{53}_{44}$k^{h}ɔn^{53}

tau^{21}kai^{53}xaŋ^{13}tsɿ^{0} lau^{35}ʂən^{13}p^{h}i^{13}kai$^{53}_{44}$kai$^{53}_{44}$kai$^{53}_{44}$iet^{3} lau$^{35}_{44}$ci$^{13}_{21}$so^{21}tsiait^{3}ke$^{53}_{44}$t^{h}i^{53}fɔŋ$^{35}_{44}$. ③连接起来：驳就～啊，～拢来呀。pɔk^{3}ts^{h}iəu^{53}tsiait^{3}a^{0},tsiait^{3}ləŋ^{35}lɔi$^{13}_{21}$ia^{0}. ④托住；承受：箇指扛棺材底就唔系么啊限定爱你个人滴～倒凑，意思下子嘞。kai^{53}ts^{h}iəu$^{53}_{44}$m̩$^{13}_{21}$p^{h}e^{53}mak^{3}a^{0} k^{h}an$^{53}_{21}$t^{h}in$^{53}_{44}$ɔi^{53}ɲi$^{13}_{21}$cie^{53}ɲin$^{13}_{21}$tet$^{5}_{3}$tsiet^{3} tau^{21}ts^{h}e^{0},i^{53}sɿ^{0}(x)a$^{53}_{44}$tsɿ^{0}le^{0}.

【接倒】tsiet^{3}tau^{21} 副表示与前面的动作紧相连：噢，（下上天棋个时候子）有滴总，总走下子又分别人家打嘿哩。就～箇。au$_{21}$,iəu^{35}tet^{5}tsəŋ^{21},tsəŋ^{21}tsei^{21}xa$^{53}_{44}$tsɿ^{0} iəu$^{53}_{44}$pən$^{35}_{44}$p^{h}iet^{3}in$^{13}_{44}$ka$^{35}_{44}$ta^{21}xek^{3} li^{0}.tsiəu$^{53}_{44}$tsiet^{3}tau^{21}kai$^{53}_{44}$.

【接脚】tsiait^{3}ciɔk^{3} 动继承长辈的某项技艺：打比样有兜爷子有兜人真会写字，系唔系啊？但是渠个后代嘞渠个赖子妹子冇一只会写字个，箇就安做～唔倒。ta^{21}pi^{21}iɔŋ^{53}iəu^{35}tei$^{35}_{44}$ia^{13}tsɿ^{0} iəu^{35} tei$^{35}_{44}$ɲin$^{13}_{21}$tʂən^{35}uɔi^{53}sia^{21}sɿ^{53},xei$^{53}_{44}$mei$^{53}_{44}$a^{0}?tan$^{53}_{44}$ʂɿ$^{53}_{44}$ci$^{13}_{44}$ke$^{53}_{44}$xei^{53}t^{h}ɔi$^{53}_{44}$lei^{0} ci^{13}kei^{0}lai^{53}tsɿ^{0}mɔi^{53}tsɿ^{0}mau^{13}iet^{3}tʂak^{3} uɔi^{53}sia^{21}sɿ^{53}ke^{53},kai$^{53}_{44}$ts^{h}iəu$^{53}_{21}$ɔn$^{53}_{44}$so$^{53}_{44}$tsiait^{3}ciɔk^{3}n̩$^{53}_{44}$tau^{21}.｜渠个赖子妹子冇一只接得脚到。渠赖子妹子唔会呀，冇么人接得脚到。ci^{13}ke^{53}lai^{53}tsɿ^{0}mɔi^{53}tsɿ^{0}mau^{13}iet^{3}tʂak^{3}tsiait^{3}tek^{3}ciɔk^{3}tau^{53}.ci$^{13}_{44}$lai^{53}tsɿ^{0} mɔi^{53}tsɿ^{0}m̩^{13}uɔi^{53}ia^{0},mau^{13}mak^{3}in$^{13}_{44}$tsiait^{3}tek^{3}ciɔk^{3}tau^{53}.

【接近】tsiet^{3}c^{h}in^{53} 动①（事物）差别不大：箇就有滴子摎箇个本地人相接……比较～嘞。kai$^{53}_{44}$ts^{h}iəu$^{53}_{44}$iəu^{35}tet^{5}tsɿ^{0} lau^{35}kai$^{53}_{44}$ke$^{53}_{44}$pən^{21}t^{h}i^{53}ɲin$^{13}_{21}$siɔŋ^{35}tsiet^{3}⋯pi^{21}ciau^{53}tsiet^{3}c^{h}in^{53}nei^{0}. ②（人）亲近：就系唔热情，唔～，生捞捞哩。ts^{h}iəu^{53}xe^{53}n̩^{13}viet^{5}ts^{h}in^{13},n̩^{13}tsiet^{3}c^{h}in^{53},saŋ^{35}lau^{35}lau^{35}li^{0}.

【接客】tsiet^{3}/tsiait^{3} k^{h}ak^{3} 动①日常接待客人：～有两只意思。一只就平时～，平时接客佬子，系啊？平时去屋下，客佬子来哩，我等就爱～。第一只，爱上身，你不能坐正笃笃哩，当主人个爱竦身。第二只，爱让座，嗯，爱分凳坐。第三只，爱酾茶光烟，会食烟个人爱奉烟，爱酾茶。欸。第四只，爱摎渠打讲，欸，爱问下子渠，唔认得个人爱问清楚来搞么个，系唔系？有么个事来哩？欸。第五只，爱留渠食饭箇兜，留渠歇呀留渠食饭箇兜，爱招待渠。就咁个吧？渠有么个事就爱帮渠做。欸，爱接待渠。～，箇是第一只，一般个客人。tsiet^{3}k^{h}ak^{3} iəu$^{35}_{53}$iɔŋ^{21}tʂak^{3}i^{53}sɿ^{0}.iet^{3}tʂak^{3}tsiəu^{53}p^{h}in^{13}ʂɿ$^{13}_{44}$tsiet^{3}k^{h}ak^{3},p^{h}in^{13}ʂɿ$^{13}_{44}$tsiet^{3}k^{h}ak^{3}lau^{21}tsɿ^{0},xei$^{53}_{44}$a^{0}?p^{h}in^{13}ʂɿ$^{13}_{44}$çi^{53} uk^{3}xa^{53},k^{h}ak^{3}lau^{21}tsɿ^{0}lɔi$^{13}_{21}$li^{0},ŋai$^{13}_{21}$tien^{0}ts^{h}iəu$^{53}_{44}$ɔi^{53}tsiet^{3}k^{h}ak^{3}.t^{h}i^{53}iet^{3}tʂak^{3},ɔi^{53}xɔŋ^{53}ʂən^{35},ɲi$^{13}_{21}$pət^{3}len$^{13}_{21}$ts^{h}o^{35} tʂaŋ$^{53}_{44}$təuk^{3}təuk^{3}li^{0},tɔŋ^{35}tʂəu^{21}ɲin$^{13}_{21}$ke$^{53}_{44}$ɔi$^{53}_{44}$xɔŋ$^{53}_{44}$ʂən^{35}.t^{h}i^{53}ɲi^{53}tʂak^{3},ɔi^{53}ɲiɔŋ^{53}ts^{h}o^{35},n̩$_{21}$,ɔi$^{53}_{44}$pən^{35}tien^{53}ts^{h}o^{35}.t^{h}i$^{53}_{44}$ san^{35}tʂak^{3},ɔi$^{53}_{44}$sai$^{53}_{44}$ts^{h}a^{13}kɔŋ^{35}ien^{35},uɔi^{53}ʂət^{5}ien$^{35}_{44}$ke$^{53}_{44}$ɲin$^{13}_{21}$ɔi^{53}fəŋ^{53}ien^{35},ɔi$^{53}_{44}$sai$^{35}_{44}$ts^{h}a^{13}.e$_{21}$.t^{h}i$^{53}_{44}$si^{53}tʂak^{3},ɔi$^{53}_{44}$lau^{35} ci$^{13}_{21}$ta^{21}kɔŋ^{21},e$_{21}$,ɔi$^{53}_{44}$uən^{53}na$^{53}_{21}$tsɿ^{0}ci$^{13}_{21}$,n̩$^{13}_{21}$ɲin^{13}tek^{3}ke$^{53}_{44}$ɲin$^{13}_{44}$ɔi$^{53}_{44}$uən^{53}ts^{h}in$^{35}_{44}$ts^{h}əu^{21}lɔi$^{13}_{21}$kau^{21}mak^{3}kei^{53},xei$^{53}_{44}$me$^{53}_{44}$? iəu^{35}mak^{3}e^{0}sɿ^{53}lɔi^{13}li^{0}?e$_{21}$.t^{h}i^{53}ŋ̍^{21}tʂak^{3},ɔi^{53}liəu$^{13}_{21}$ci$^{13}_{44}$ʂət^{5}fan^{53}kai$^{53}_{21}$təu$^{35}_{44}$,liəu$^{13}_{21}$ci$^{13}_{44}$çiet^{3}ia^{0}liəu^{13}ci$^{13}_{21}$ʂət^{5}fan^{53}kai$^{53}_{21}$ təu$^{35}_{53}$,ɔi$^{53}_{44}$tʂau^{35}t^{h}ɔi^{53}ci$^{13}_{44}$.ts^{h}iəu^{53}kan^{21}ke^{53}pa^{0}?ci$^{13}_{21}$iəu$^{35}_{53}$mak^{3}e^{0}sɿ^{53}ts^{h}iəu$^{53}_{44}$ɔi$^{53}_{44}$pɔŋ^{35}ci$^{13}_{21}$tso^{53}.e$_{21}$,ɔi$^{53}_{44}$tsiait^{3}t^{h}ɔi^{53}ci$^{13}_{44}$. tsiait^{3}k^{h}ak^{3},kai$^{53}_{44}$ʂɿ$^{53}_{21}$t^{h}i^{53}iet^{3}tʂak^{3},iet^{3}pən^{35}kei$^{53}_{21}$k^{h}ak^{3}ɲin$^{13}_{44}$. ②婚丧喜庆时迎接客人：第二只～嘞就箇就系做好事个～嘞。打比样欸丧事，有兜客就硬爱接啦，打比死哩夫娘子，死哩男子人也样个唠，渠外氏来哩人，一般呢我等对外氏还系蛮重视，欸，外氏来哩人，箇就硬爱～。死哩人是爱让门子～嘞？第一只，箇客佬子来哩，还赠到你屋下箇时候子，还隔蛮远子，还去外背个时候子，系啊？还去箇个百把米子远呐，欸，去外背个时候子，你爱分人出去打招呼，东家爱派只人出去打招呼，系唔系？欸，你你等欸或者等下子，或者欸可以进去了，肚里准备正哩了，或者还赠准备正，你还徛下子正，系啊？一爱去打招呼。箇个～嘞就系欸做好事时候子～。t^{h}i$^{53}_{44}$ɲi^{53}tʂak^{3}tsiait^{3}k^{h}ak^{3}lei^{0}tsiəu$^{53}_{44}$kai$^{53}_{44}$tsiəu$^{53}_{44}$xei$^{53}_{44}$tso^{53}xau^{21}sɿ^{53}ke^{53}tsiait^{3}k^{h}ak^{3}lei^{0}.ta^{21}pi^{21}iɔŋ^{53} e$_{21}$sɔŋ^{35}sɿ^{53},iəu^{35}tei$^{35}_{53}$k^{h}ak^{3}ts^{h}iəu^{53}ɲiaŋ^{53}ɔi^{53}tsiait^{3}la^{0},ta^{21}pi^{21}si^{21}li^{0}pu^{35}ɲiɔŋ$^{13}_{21}$tsɿ^{0},si^{21}li^{0}lan^{13}tsɿ^{0}ɲin^{13}na$^{35}_{44}$iɔŋ^{53} ke^{53}lau^{0},ci$^{13}_{44}$ŋɔi^{53}ʂɿ^{53}lɔi$^{13}_{21}$li^{0}ɲin^{13},iet^{3}pən$^{35}_{44}$nei^{0}ŋai^{13}tien^{0}tei$^{35}_{44}$ŋɔi^{53}ʂɿ^{53}xai$^{13}_{21}$xe$^{53}_{44}$man$^{13}_{21}$tʂ^{h}əŋ^{53}ʂɿ$^{53}_{21}$,e$_{21}$,ŋɔi^{53}ʂɿ^{53}lɔi$^{13}_{21}$li^{0} ɲin^{13},kai$^{53}_{44}$ts^{h}iəu$^{53}_{44}$ɲiaŋ^{53}ɔi$^{53}_{44}$tsiet^{3}k^{h}ak^{3}.si^{21}li^{0}ɲin^{13}ʂɿ$^{53}_{44}$ɔi$^{53}_{44}$ɲiɔŋ^{53}mən$^{53}_{44}$tsɿ^{0}tsiet^{3}k^{h}ak^{3}lei^{0}?t^{h}i^{53}iet^{3}tʂak^{3},kai^{53} k^{h}ak^{3}lau^{21}tsɿ^{0}lɔi^{13}li^{0},xai^{13}maŋ^{13}tau^{21}ɲi$^{13}_{21}$uk^{3}xa^{53}kai^{53}ʂɿ^{13}xei$^{53}_{44}$tsɿ^{0},xai^{13}kak^{3}man$^{13}_{21}$ien^{21}tsɿ^{0},xai^{13}çi^{53}ŋɔi^{53}pɔi$^{53}_{44}$ ke$^{53}_{44}$ʂɿ^{13}xei^{53}tsɿ^{0},xei$^{53}_{44}$a^{0}?xai^{13}çi^{53}kai$^{53}_{44}$ke$^{53}_{44}$pak^{3}pa^{21}mi^{21}tsɿ^{0}ien^{21}na^{0},e$_{21}$,çi$^{53}_{44}$ŋɔi^{53}pɔi$^{53}_{44}$ke$^{53}_{44}$ʂɿ$^{13}_{44}$xəu$^{53}_{44}$tsɿ^{0},ɲi$^{13}_{21}$ɔi^{53} pən^{35}ɲin$^{13}_{44}$tʂ^{h}ət^{3}çi^{53}ta^{21}tʂau^{35}fu$^{35}_{44}$,təŋ^{35}ka$^{35}_{44}$ɔi$^{53}_{44}$p^{h}ai^{53}tʂak^{3}ɲin$^{13}_{21}$tʂ^{h}ət^{3}çi^{53}ta^{21}tʂau^{35}fu$^{35}_{44}$,xei$^{53}_{44}$me$^{53}_{44}$?ei$_{21}$,ɲi^{13}ɲi$^{13}_{21}$tien^{0} e$_{21}$xɔit^{5}tʂa^{21}ten^{21}xa^{53}tsɿ^{0},xɔit^{5}tʂa^{21}e$_{21}$k^{h}ɔ^{21}i^{35}tsin^{53}çi^{53}liau^{0},təu^{21}li^{0}tʂən^{21}p^{h}ei^{53}tʂaŋ^{53}li^{0}liau^{0},xɔit^{5}tʂa^{21}xai$^{13}_{21}$ maŋ^{13}tʂən^{21}p^{h}ei^{53}tʂaŋ^{53},ɲi$^{13}_{21}$xai$^{13}_{21}$c^{h}i^{35}xa$^{53}_{21}$tsɿ^{0}tʂaŋ^{53},xei^{53}a^{0}?iet^{3}ɔi^{53}çi^{53}ta^{21}tʂau^{35}fu$^{35}_{44}$.kai^{53}kei^{53}tsiait^{3}k^{h}ak^{3}lei^{0} tsiəu$^{53}_{44}$xe$^{53}_{44}$e$_{21}$tso^{53}xau^{21}sɿ^{53}ʂɿ^{13}xei^{53}tsɿ^{0}tsiet^{3}k^{h}ak^{3}.

【接亲】tsiet^{3}ts^{h}in^{35} 动新郎等到新娘家迎娶新娘：男方～个去哩吧？渠一般呢渠就会咁个，～个去哩嘞，一般呢渠就箇只新郎子，新郎啊，新郎会去接老婆吵，系唔系啊？渠就爱发下子

J

烟，拿下红包，讲下子好话，一只就到箇礼房下发下子烟。渠爱去发滴子烟。请渠等快滴子捡场啊。lan^{13}fɔŋ$^{35}_{44}$tsiet^{3} ts^{h}in^{35}ke$^{35}_{44}$çi^{53}li^{0} pa^{0} ?ci^{13}iet^{3} pɔn^{35}nei^{0} ci^{13}ts^{h}iəu^{35}uɔi^{53}kan$^{21}_{35}$ke^{53},tsiet^{3} ts^{h}in^{35}ke$^{35}_{44}$çi^{53}li^{0} lei^{0},iet^{3} pɔn^{35}nei^{0} ci^{13}ts^{h}iəu$^{53}_{44}$kai^{53}tʂak^{3} sin^{35}lɔŋ^{13}tsɿ^{0},sin^{35}lɔŋ^{13}ɲa^{0},sin^{35}lɔŋ^{13}uɔi^{53}çi^{53}tsiet^{3} lau^{21}p^{h}o^{13}ʂa^{0},xei^{53} mei^{53}a^{0} ?ci^{13}ts^{h}iəu^{53}ɔi^{53}fait^{3} a^{53}tsɿ^{0} ien^{35},la^{53}a^{53}fəŋ^{13}pau$^{35}_{44}$,kɔŋ^{21}ɲa^{53}tsɿ^{0} xau^{21}fa^{53},iet^{3} tʂak^{3} ts^{h}iəu$^{53}_{44}$tau$^{53}_{44}$kai$^{53}_{44}$li^{35} fɔŋ$^{13}_{21}$xa^{35}fait^{3} a^{53}tsɿ^{0} ien^{35}.ci^{13}ɔi^{53}çi^{53}fait^{3} tiet^{5} tsɿ^{0} ien^{35}.ts^{h}iaŋ^{21}ci$^{13}_{21}$tien^{0} k^{h}uai^{53}tiet^{5} tsɿ^{0} cian^{21}tʂ^{h}ɔŋ^{13}ŋa^{0}.

【接亲个】tsiet^{3} ts^{h}in^{35}ke^{0}/cie^{0} 男方派去迎亲的人。又称“接新人个”：～是咁个，男方派倒去个，系，男方派倒去接个。欸，爱去几个人呐？一只就男方代表，爱分个人本姓人当男方代表，欸，怕有咁个么个事情呢还爱协商个。箇是一只男方代表，箇只就安做……安做箇个呢，安做么个？安做炮手师呢，又安做提郎夫子嘞。箇只爱系本家，欸，不能搞只别姓人，因为渠代表男方，代表箇个欸新郎郎子个爷娭箇兜，咁子去个。箇是一只。第二个嘞就系新郎公爱去，系唔系？第三个嘞爱去只箇个，爱去只夫娘子。接新人个，起码少唔得箇三个人呐。有兜是去两只夫娘子去接，欸，两只夫娘子接个，就四个子人，一只子开车个。欸，一辆子车或者两辆子车，有兜是七八辆车个嘞。tsiet^{3} ts^{h}in^{35}cie^{0} ʂɿ$^{53}_{44}$kan$^{21}_{13}$cie^{53},lan^{13}fɔŋ$^{35}_{44}$p^{h}ai^{53}tau^{21}çi$^{53}_{44}$ ke^{0},xe$^{53}_{44}$,lan^{13}fɔŋ$^{35}_{44}$p^{h}ai^{53}tau^{21}çi$^{53}_{44}$tsiet^{3} ke^{0}.e$_{21}$,ɔi^{53}çi^{53}ci^{21}ke^{53}ɲin^{13}na^{0} ?iet^{3} tʂak^{3} ts^{h}iəu^{53}lan^{13}fɔŋ$^{35}_{44}$t^{h}ɔi^{53}piau^{21},ɔi$^{53}_{44}$ pɔn^{35}cie^{53}ɲin$^{13}_{21}$pɔn^{21}siaŋ^{53}ɲin$^{13}_{44}$tɔŋ^{35}lan^{13}fɔŋ$^{35}_{44}$t^{h}ɔi^{53}piau^{21},e$_{21}$,p^{h}a^{53}iəu^{35}kan^{21}ke^{53}mak^{3} ke$^{53}_{44}$sɿ^{53}ts^{h}in$^{13}_{21}$ne^{0} xai$^{13}_{21}$ɔi$^{53}_{44}$ çiet^{3} ʂɔŋ^{35}ke^{53}.kai^{53}ʂɿ$^{53}_{44}$iet^{3} tʂak^{3} lan^{13}fɔŋ$^{35}_{44}$t^{h}ɔi^{53}piau^{21},kai^{53}tʂak^{3} ts^{h}iəu$^{53}_{44}$ɔn$^{35}_{44}$tso$^{53}_{44}$…ɔn$^{35}_{44}$tso$^{53}_{44}$kai^{53}ke^{53}nei^{0},ɔn^{35} tso$^{53}_{44}$mak^{3} ke$^{53}_{44}$?ɔn^{35}tso$^{53}_{44}$p^{h}au^{53}ʂəu^{21}sɿ$^{35}_{44}$nei^{0},iəu^{53}ɔn$^{35}_{44}$tso$^{53}_{44}$t^{h}ia^{35}lɔŋ$^{13}_{21}$fu$^{35}_{44}$tsɿ^{0} lei^{0}.kai^{53}tʂak^{3} ɔi$^{53}_{44}$xei$^{53}_{44}$pɔn^{21}ka$^{35}_{44}$,e$_{21}$, pət^{3} len$^{13}_{44}$kau^{21}tʂak^{3} p^{h}iet^{5} siaŋ^{53}ɲin$^{13}_{21}$,in^{35}uei^{53}ci$^{13}_{21}$t^{h}ɔi^{53}piau^{21}lan^{13}fɔŋ^{35},t^{h}ɔi^{53}piau^{21}kai$^{53}_{44}$ke$^{53}_{44}$e$_{21}$sin^{35}lɔŋ$^{13}_{21}$lɔŋ^{13}tsɿ^{0} ke^{53}ia^{13}ɔi$^{35}_{44}$kai$^{53}_{44}$tei$^{35}_{44}$,kan^{21}tsɿ^{0} çi^{53}ke^{53}.kai^{53}ʂɿ^{53}iet^{3} tʂak^{3} .t^{h}i$^{53}_{44}$ni^{53}ke$^{53}_{44}$lei^{0} ts^{h}iəu$^{53}_{44}$xe$^{53}_{44}$sin^{35}lɔŋ$^{13}_{21}$kɔŋ^{35}ɔi$^{53}_{44}$çi$^{53}_{44}$,xei^{53} me$^{53}_{44}$?t^{h}i^{53}san^{35}cie$^{53}_{44}$lei^{0} ɔi^{53}çi^{53}tʂak^{3} kai$^{53}_{44}$ke^{0},ɔi$^{53}_{44}$çi^{53}tʂak^{3} pu^{35}ɲiɔŋ$^{13}_{21}$tsɿ^{0}.tsiet^{3} sin^{35}ɲin$^{13}_{21}$cie^{0},çi^{21}ma$^{35}_{53}$ʂau^{21}n$_{21}$tek^{3} kai^{53}san$^{35}_{44}$cie^{53}ɲin$^{13}_{21}$na^{0}.iəu^{35}tei$^{35}_{53}$ʂɿ$^{53}_{44}$çi^{53}iɔŋ^{21}tʂak^{3} pu$^{35}_{44}$ɲiɔŋ$^{13}_{21}$tsɿ^{0} çi^{53}tsiet^{3},e$_{21}$,iɔŋ^{21}tʂak^{3} pu$^{35}_{44}$ɲiɔŋ$^{13}_{21}$tsɿ^{0} tsiet^{3} ke^{53}, ts^{h}iəu$^{53}_{21}$si^{53}ke$^{53}_{21}$tsɿ^{0} ɲin$^{13}_{21}$,iet^{3} tʂak^{3} tsɿ^{0} k^{h}ɔi$^{35}_{44}$tʂ^{h}a^{35}ke^{53}.ei$_{21}$,iet^{3} liɔŋ^{21}tsɿ^{0} tʂ^{h}a^{35}xɔit^{5} tʂa^{21}iɔŋ^{21}liɔŋ$^{21}_{13}$tsɿ^{0} tʂ^{h}a^{35},iəu^{35} tei$^{35}_{53}$ʂɿ^{53}ts^{h}iet^{3} pait^{3} liɔŋ^{21}tʂ^{h}a^{35}ke^{53}lei^{0}.

【接生】tsiait^{3} saŋ^{35} 动 助产；帮助产妇分娩，使胎儿安全出生：欸，我等赖子妹子出世嘞就系请倒箇只接生婆到我屋下来～个呢。箇阵子有么人搞下医院里。e$_{21}$,ŋai^{13}tien^{0} lai^{53}tsɿ^{0} mɔi^{53}tsɿ^{0} tʂ^{h}ət^{3} ʂɿ^{53}lei^{0} ts^{h}iəu^{53}xei^{53}ts^{h}iaŋ^{21}tau^{21}kai^{53}tʂak^{3} tsiait^{3} saŋ^{35}p^{h}o^{13}tau^{53}ŋai$^{13}_{44}$uk^{3} xa$^{53}_{44}$lɔi$^{13}_{21}$tsiait^{3} saŋ^{35}ke^{53}nei^{0}.kai^{53} tʂ^{h}ən^{53}tsɿ^{0} mau^{13}mak^{3}ɲin$^{13}_{44}$kau^{21}(x)a^{53}i^{35}vien^{53}ni^{53}.

【接生干娘】tsiait^{3} saŋ$^{35}_{44}$kɔn^{35}ɲiɔŋ$^{13}_{21}$ 名 接生娘：我等妹子等人出世是一发作哩我就麻溜去请倒箇只～来。欸，我赖子出世嘞就～还跍倒箇映歇嘿一夜。嗯，搞嘿两日正下世。我妹子出世嘞，等得我喊倒～归来是，欸，下哩世了，人都呃毛毛子都洗起来哩了，洗嘿哩了。二胎就更箇个啦，二胎就更轻松啊。ŋai^{13}tien^{0} mɔi^{53}tsɿ^{0} ten$^{21}_{44}$ɲin$^{13}_{21}$tʂ^{h}ət^{3} ʂɿ^{53}ʂɿ$^{53}_{44}$iet^{3} fait^{3} tsɔk^{3} li^{0} ŋai^{13}ts^{h}iəu^{53}ma$^{13}_{21}$liəu$^{35}_{44}$ çi^{53}ts^{h}iaŋ^{21}tau^{21}kai^{53}tʂak^{3} tsiait^{3} saŋ$^{35}_{44}$kɔn^{35}ɲiɔŋ$^{13}_{21}$lɔi^{13}.e$_{44}$,ŋai^{13}lai^{53}tsɿ^{0} tʂ^{h}ət^{3} ʂɿ$^{53}_{44}$lei^{0} ts^{h}iəu^{53}tsiait^{3} saŋ$^{35}_{44}$kɔn^{35} ɲiɔŋ$^{13}_{21}$xai$^{13}_{21}$k^{h}u^{35}tau^{21}kai^{53}iaŋ^{53}çiet^{3} xek^{3} iet^{3} ia$^{53}_{44}$.n̩$_{21}$,kau^{21}uek^{3} iɔŋ^{21}ɲiet^{3} tʂaŋ$^{53}_{44}$xa^{35}ʂɿ^{53}.ŋai^{13}mɔi^{53}tsɿ^{0} tʂ^{h}ət^{3} ʂɿ$^{53}_{44}$ lei^{0},tien^{21}tek^{3} ŋai^{13}xan^{53}tau^{21}tsiait^{3} saŋ$^{35}_{44}$kɔn^{35}ɲiɔŋ$^{13}_{21}$kuei^{35}lɔi$^{13}_{21}$ʂɿ$^{53}_{44}$,e$_{21}$,xa^{35}li^{0} ʂɿ^{53}liau^{0}, ɲin$^{13}_{21}$təu$^{35}_{44}$ə$_{21}$mau^{35}mau^{35} tsɿ^{0} təu$^{35}_{44}$se^{21}çi^{21}lɔi$^{13}_{21}$li^{0} liau^{0},se^{21}xek^{3} li^{0} liau^{0}. ɲi^{53}t^{h}ɔi$^{35}_{44}$ts^{h}iəu$^{53}_{44}$cien$^{53}_{44}$kai$^{53}_{44}$ke$^{53}_{44}$la^{0}, ɲi^{53}t^{h}ɔi$^{35}_{44}$ts^{h}iəu$^{53}_{44}$cien^{53}c^{h}iaŋ^{35} səŋ^{35}ŋa^{0}.

【接生娘】tsiait^{3} saŋ$^{35}_{44}$ɲiɔŋ^{13} 名 旧时帮助产妇分娩的妇女。又称“接生干娘”：以前是有～啊。以前是去屋下生细人子啊，唔到医院里去啊，就接生婆去下搞。i$^{35}_{53}$ts^{h}ien$^{13}_{21}$ʂɿ$^{53}_{21}$iəu$^{35}_{44}$tsiait^{3} saŋ$^{35}_{44}$ ɲiɔŋ^{13}ŋa^{0}.i$^{35}_{53}$ts^{h}ien$^{13}_{21}$ʂɿ$^{53}_{44}$çi^{53}uk^{3} xa^{53}saŋ$^{35}_{44}$sei^{53}ɲin$^{13}_{21}$tsɿ^{0} a^{0},n̩^{13}tau^{53}i^{35}vien^{53}li^{0} çi$^{53}_{44}$a^{0},ts^{h}iəu^{53}tsiait^{3} saŋ^{35}p^{h}o^{13}çi^{53}xa^{53} kau^{21}.

【接新人】tsiait^{3}/tsiet^{3} sin^{35}ɲin$^{13}_{21}$ 动 迎娶新媳妇儿。又称“讨新旧”：渠男方去～吵，渠唔限定两公婆去嘞。渠只爱女个去。派女个去～。女家唔爱送噢，就去高亲呶，女家是系高亲。ci^{13} lan^{13}fɔŋ$^{35}_{44}$çi$^{53}_{44}$tsiait^{3} sin^{35}ɲin$^{13}_{21}$ʂa^{0},ci$^{13}_{21}$ŋ̍^{13}k^{h}an$^{53}_{21}$t^{h}in^{53}iɔŋ^{21}kɔŋ$^{35}_{44}$p^{h}o^{13}çi^{53}lei^{0}.ci$^{13}_{21}$tʂɿ^{21}ɔi^{53}ɲy^{21}ke$^{53}_{44}$çi$^{53}_{44}$.p^{h}ai^{53}ɲy^{21}ke$^{53}_{44}$ çi^{53}tsiet^{3} sin^{35}ɲin$^{13}_{21}$. ɲy^{21}ka$^{35}_{44}$m̩$^{13}_{21}$mɔi$^{53}_{44}$səŋ^{53}ŋau^{0},tsiəu$^{53}_{44}$çi^{53}kau^{35}ts^{h}in$^{35}_{44}$nau^{0},ɲy^{21}ka$^{35}_{44}$ʂɿ$^{53}_{44}$xe$^{53}_{44}$kau^{35}ts^{h}in$^{35}_{44}$.

【接新人个】tsiait^{3} sin^{35}ɲin^{13}ke^{53} 男方派去迎亲的人。又称“接亲个”：～就系接亲个。～起码爱四个人。欸，爱去辆子车，爱早兜子去，爱带蛮多东西，莫搞错哩。欸，一只就提郎夫子，也就系炮手师。欸，一只就新郎公爱去接。欸，去两个夫娘子接下子新人。箇四个人让门子少唔得。tsiait^{3} sin^{35}ɲin^{13}ke^{53}ts^{h}iəu^{53}xe^{53}tsiait^{3} ts^{h}in^{35}cie^{53}.tsiait^{3} sin^{35}ɲin$^{13}_{21}$ke^{53}çi^{21}ma$^{35}_{44}$ɔi$^{53}_{44}$si^{53}ke$^{53}_{21}$ɲin$^{13}_{21}$.e$_{21}$,ɔi^{53}

çi^{53}liɔŋ^{21}tsɿ^{0}tʂ^{h}a^{35},ɔi^{53}tsau^{21}tei$^{35}_{53}$tsɿ^{0}çi^{53},ɔi^{53}tai^{53}man$^{13}_{21}$to$^{35}_{44}$təŋ^{35}si$^{35}_{44}$,mɔk^{5}kau^{21}ts^{h}o^{53}li^{0}.ei$_{21}$,iet^{3}tʂak^{3}ts^{h}iəu^{53}t^{h}ia^{35}lɔŋ$^{13}_{21}$fu$^{35}_{44}$tsɿ^{0},ia^{35}ts^{h}iəu^{53}xe$^{53}_{44}$p^{h}au^{53}ʂəu^{21}sɿ^{35}.e$_{21}$,iet^{3}tʂak^{3}ts^{h}iəu^{53}sin^{35}lɔŋ$^{13}_{21}$kəŋ$^{35}_{44}$ɔi^{53}çi^{53}tsiait^{3}.ei$_{21}$,çi^{53}iɔŋ^{21}ke^{53}pu^{35}ɲiɔŋ$^{13}_{21}$tsɿ^{0}tsiait^{3}(x)a^{35}tsɿ^{0}sin^{35}ɲin$^{13}_{21}$.kai$^{53}_{44}$si^{53}ke^{53}ɲin$^{13}_{21}$ɲiɔŋ^{53}mən$^{13}_{44}$tsɿ^{0}ʂau^{21}n̩$^{13}_{21}$tek^{3}.

【街】kai^{35} 名两边有房屋的、比较宽阔的道路，通常指开设商店的地方：浏阳以前有条～出哩名个，梅花巷。liəu^{13}iɔŋ$^{13}_{44}$i^{35}ts^{h}ien$^{13}_{21}$iəu$^{35}_{44}$t^{h}iau$^{13}_{21}$kai^{35}tʂ^{h}ət^{3}li^{0}miaŋ^{13}ke$^{53}_{44}$,mɔi^{13}fa$^{35}_{44}$xɔŋ^{53}.

【街上】kai^{35}xɔŋ^{53} 名①街道：～有几多个人。kai$^{35}_{44}$xɔŋ^{53}mau$^{13}_{21}$ci^{21}to$^{35}_{44}$ke^{53}ɲin^{13}. ②城里；城市：～个人呢欸系倒～个人见得人多，见识更广。欸，我是系下～系下咁多年了，系下～见识更广。kai^{35}xɔŋ$^{53}_{44}$ke^{0}ɲin$^{13}_{21}$ne^{0}e$_{21}$xe^{53}tau^{21}kai^{35}xɔŋ$^{53}_{44}$ke^{0}ɲin$^{13}_{21}$cien^{53}tek^{3}ɲin^{13}to^{35},cien^{53}ʂət^{3}cien^{53}kɔŋ^{21}.e$_{21}$,ŋai^{13}ʂʅ$^{53}_{44}$xei^{53}(x)a$^{53}_{44}$kai$^{35}_{44}$xɔŋ$^{53}_{44}$xei^{53}(x)a$^{53}_{21}$kan^{21}to$^{35}_{44}$ɲien^{13}liau^{0},xei$^{53}_{44}$(x)a$^{53}_{44}$kai$^{35}_{44}$xɔŋ$^{53}_{44}$cien^{53}ʂət^{3}cien^{53}kɔŋ^{21}.

【街上人】kai^{35}xɔŋ^{53}ɲin^{13} 名城里人；城市居民：～得哩嬲，冇得咁多么个家务事。～更有钱，嗯，系下乡角落里是寻么个钱唔倒，～更寻得钱倒。～更冇得人情味。kai^{35}xɔŋ$^{53}_{44}$ɲin$^{13}_{21}$tek^{3}li^{0}liau^{53},mau^{13}tek^{3}kan^{21}to$^{35}_{53}$mak^{3}e^{0}cia$^{35}_{44}$u$^{53}_{44}$sɿ^{53}.kai^{35}xɔŋ$^{53}_{44}$ɲin$^{13}_{44}$cien^{53}iəu^{35}ts^{h}ien^{13},n̩$_{21}$,xei$^{53}_{44}$(x)a$^{53}_{44}$çiɔŋ^{35}kɔk^{3}lɔk^{3}li^{0}ʂʅ$^{53}_{44}$ts^{h}in^{13}mak^{3}e^{0}ts^{h}ien^{13}n̩$^{13}_{44}$tau$^{21}_{44}$,kai$^{35}_{44}$xɔŋ^{53}ɲin^{13}cien^{53}ts^{h}in^{13}tek^{3}ts^{h}ien^{13}tau^{21}.kai^{35}xɔŋ^{53}ɲin$^{13}_{21}$cien^{53}mau$^{13}_{21}$tek^{3}ɲin$^{13}_{21}$ts^{h}in$^{13}_{21}$uei^{53}.

【街头】kai^{35}t^{h}ei^{13} 名街上：斫担柴头，荷下～。tʂɔk^{3}tan^{35}ts^{h}ai^{13}t^{h}ei^{13},k^{h}ai^{35}ia^{35}kai^{35}t^{h}ei^{13}.

【街头市岸】kai^{35}t^{h}ei^{13}ʂʅ^{53}ŋɔn^{53} 指市面繁华的街区：渠就系摎箇个摎山冲角落相对而言个。以个是唔知几热闹，人多个栏场就～，箇起嘞山冲角落。ci^{13}ts^{h}iəu^{53}xe^{53}lau^{35}kai^{53}ke$^{53}_{21}$lau^{35}san^{35}tʂ^{h}əŋ^{35}kɔk^{3}lɔk^{3}siɔŋ^{35}tei^{53}y$^{13}_{21}$ɲien$^{13}_{21}$ke^{0}.i^{21}ke^{53}ʂʅ$^{53}_{44}$n̩^{13}ti$^{35}_{53}$ci^{21}ɲiet^{5}lau$^{53}_{44}$, ɲin^{13}to^{35}ke^{53}laŋ$^{13}_{21}$tʂ^{h}ɔŋ$^{13}_{44}$tsiəu$^{53}_{44}$kai^{35}t^{h}ei$^{13}_{21}$ʂʅ^{53}ŋɔn^{53},kai^{53}çi$^{21}_{44}$lei^{0}san^{35}tʂ^{h}əŋ^{35}kɔk^{3}lɔk^{3}.

【孑孓】tʂʅ^{35}tʂe^{35} 形指人过分拘礼，繁文缛节，不好接待：唔～n̩^{13}tʂʅ^{35}tʂe^{35}｜有的人就真～。iəu^{35}tet^{5}ɲin$^{13}_{44}$ts^{h}iəu$^{53}_{44}$tʂən^{35}tʂʅ^{35}tʂe$^{35}_{44}$.

【节$_{1}$】tsiet^{3} 名①竹子各段之间相连突出处内部坚实、起隔断作用的部分：捅铲，欸，打～个。t^{h}əŋ^{21}ts^{h}an^{21},e$_{21}$,ta^{21}tsiet^{3}ke^{53}. ②草木茎分枝长叶的部分：（吊兰）只只～都会生叶。tʂak^{3}tʂak^{3}tsiet^{3}təu^{35}uɔi$^{53}_{44}$saŋ^{35}iait$^{5}_{3}$.

【节$_{2}$】tset^{3} 量用于骨节：每只手指都有手指～咯，三～吧，应该是三～吧。mei^{35}tʂak^{3}ʂəu^{21}tʂʅ^{21}təu$^{35}_{44}$iəu^{35}ʂəu^{21}tʂʅ^{21}tset^{3}ko^{0},san^{35}tset^{3}pa^{0},in$^{35}_{44}$kai$^{35}_{53}$ʂʅ$^{53}_{44}$san^{35}tset^{3}pa^{0}.

【节疤】tsiet^{3}/tset^{3}pa^{0} 名①竹节；竹子各段之间突出、隔开的部分：分箇～捅出来。pən$^{35}_{44}$kai$^{53}_{44}$tsiet^{3}pa^{0}t^{h}əŋ^{21}tʂ^{h}ət^{3}lɔi$^{13}_{21}$. ②引申指竹节之间的距离：（鸡嫲竹）～长咁长啊。tsiet^{3}pa^{0}tʂ^{h}ɔŋ$^{13}_{44}$kan^{21}tʂ^{h}ɔŋ$^{13}_{21}$ŋa^{0}. ③树干上枝杈去掉后长成的疤瘤：最难劈个就么个柴你晓得吗？就系荷树。荷树柴柴劈唔开呀，揪古带韧，欸，渠有～，箇～穿去穿转。有会有段丝。tsei^{53}lan$^{13}_{21}$p^{h}iak^{3}ke^{53}ts^{h}iəu^{53}mak^{3}e^{0}ts^{h}ai$^{13}_{21}$ɲi$^{13}_{44}$çiau$^{21}_{44}$tek^{3}ma^{0}?ts^{h}iəu^{53}(x)e^{53}xo^{13}ʂəu^{53}.xo^{13}ʂəu^{53}ts^{h}ai^{13}ts^{h}ai$^{13}_{44}$p^{h}iak^{3}n̩$^{13}_{21}$k^{h}ɔi^{35}ia^{0},tsiəu^{35}ku^{21}tai^{53}ɲin^{53},e$_{53}$,ci^{13}iəu^{35}tset^{3}pa^{35},kai$^{53}_{44}$tset^{3}pa$^{35}_{44}$tʂ^{h}uɔn^{53}çi$^{53}_{44}$tʂ^{h}uɔn^{53}tʂuɔn^{21}.iəu^{35}uɔi$^{53}_{44}$iəu^{35}tsiəu^{53}sɿ$^{35}_{44}$.

【节节红】tsiet^{3}tsiet^{3}fəŋ^{13} 名花卉名，一串红。又称"一丈红"：（一丈红）又喊～。iəu^{53}xan^{53}tsiet^{3}tsiet^{3}fəŋ^{13}.

【节子$_{1}$】tset^{3}tsɿ^{0} 名骨节：手指～一节子。ʂəu^{21}tʂʅ^{21}tset^{3}tsɿ^{0}iet^{3}tset^{3}tsɿ^{0}.

【节子$_{2}$】tset^{3}tsɿ^{0} 量用于骨节：一节欸，一～手指？手指节子一～。以映子以～手指，一节。iet^{3}tset^{3}e^{0},iet^{3}tset^{3}tsɿ^{0}ʂəu^{21}tʂʅ$^{21}_{35}$?ʂəu^{21}tʂʅ^{21}tset^{3}tsɿ^{0}iet^{3}tset^{3}tsɿ^{0}.i^{21}iaŋ^{53}tsɿ^{0}i^{21}tset^{3}tsɿ^{0}ʂəu^{21}tʂʅ^{21},iet^{3}tset^{3}.

【劫贼】ciet^{3}ts^{h}et^{5} 名盗匪：渠$_{\text{大门}}$又有兜子么个嘞？有兜子槽门个味道哇。欸，防止外背个～进来呀。ci$^{13}_{21}$iəu^{53}iəu^{35}te$^{35}_{53}$tsɿ^{0}mak^{3}ke$^{53}_{44}$lei^{0}?iəu^{35}te$^{35}_{53}$tsɿ^{0}ts^{h}au^{13}mən^{13}ke$^{53}_{44}$uei^{53}t^{h}au^{53}ua^{0}.e$_{21}$,fɔŋ^{13}tʂʅ^{21}ŋɔi^{53}pɔi^{53}ke$^{53}_{21}$ciet^{3}ts^{h}et^{5}tsin^{53}nɔi$^{13}_{21}$ia^{0}.

【洁净】ciet^{5}ts^{h}iaŋ^{53} 形一点也不剩：你栽兜禾去分野猪同你搞得～。ɲi$^{13}_{21}$tsɔi^{35}(t)e$^{35}_{53}$uo$^{13}_{21}$çi$^{53}_{44}$pən$^{35}_{44}$ia$^{35}_{44}$tʂəu$^{35}_{44}$t^{h}əŋ$^{13}_{21}$ɲi$^{13}_{21}$kau^{21}tek^{3}ciet^{5}ts^{h}iaŋ$^{53}_{44}$.

【洁净子】ciet^{5}ts^{h}iaŋ^{53}tsɿ^{0} 形状态词。①很清洁干净的样子：箇家人家到处都搞得～。kai$^{53}_{44}$ka$^{35}_{53}$ɲin$^{13}_{21}$ka$^{35}_{44}$tau^{53}tʂ^{h}əu^{53}təu$^{35}_{44}$kau^{21}tek^{3}ciet^{5}ts^{h}iaŋ$^{53}_{44}$tsɿ^{0}.｜～个栏场雪白令净子个栏场渠$_{\text{指狗子}}$唔得屙屎嘞。ciet^{5}ts^{h}iaŋ^{53}tsɿ^{0}ke^{0}laŋ$^{13}_{44}$tʂ^{h}ɔŋ$^{13}_{44}$siet^{5}p^{h}ak^{5}laŋ^{53}ts^{h}iaŋ^{53}tsɿ^{0}ke^{0}laŋ$^{13}_{21}$tʂ^{h}ɔŋ$^{13}_{44}$ci$^{13}_{21}$n̩^{13}tek^{3}o^{35}ʂʅ^{21}le^{0}. ②（水）很清，不浑：呃，我等系倒箇山里呀，箇个欸岭上探倒来个水呀，硬～。镜鲜个嘞。ə$_{44}$,ŋai$^{13}_{21}$tien^{0}xe^{53}tau^{21}kai$^{53}_{44}$san^{35}ni^{21}ia^{0},kai$^{53}_{44}$ke$^{53}_{44}$ei^{0}liaŋ^{35}xɔŋ$^{53}_{44}$t^{h}an^{53}tau^{21}lɔi$^{13}_{21}$ke^{0}ʂei^{21}ia^{0}, ɲiaŋ$^{53}_{44}$ciet^{5}ts^{h}iaŋ$^{53}_{44}$tsɿ^{0}.ciaŋ^{53}sien$^{35}_{44}$cie^{53}lei^{0}. ③光秃无物的样子：～吧？箇也唔完全系水，欸，屋下，嗯，箇个地泥下，山上，壁上，

墙上，箇个也有～。ciet^{5} ts^{h}iaŋ^{53}tsɿ^{0} pa^{0} ?kai^{53}ia$^{35}_{53}$ṇ$^{13}_{21}$xɔn$^{13}_{21}$ts^{h}ien$^{13}_{44}$xe^{53}ʂei^{21},e$_{21}$,uk^{3} xa^{53},ṇ$_{21}$,kai$^{53}_{44}$ke$^{53}_{44}$t^{h}i^{53}lai$^{13}_{21}$ xa^{35},san^{35}xɔŋ^{53},piak^{3} xɔŋ^{53},ts^{h}iɔŋ^{13}xɔŋ^{53},kai$^{53}_{44}$ke$^{53}_{44}$ia^{35}iəu$^{35}_{44}$ciet^{5} ts^{h}iaŋ^{53}tsɿ^{0}.

【结$_{3}$】ciet^{3} 动 ①凝固：（牛油）冷哩～做一坨嘞。laŋ^{35}li^{0} ciet^{3} tso^{53}iet^{3} t^{h}o^{13}lei^{0}. ②单个的鞭炮制成后，用棉线将它们编结成挂：（爆竹）～成一挂挂，□长一挂挂。ciet^{3} ʂaŋ$^{13}_{44}$iet^{3} kua^{53}kua^{53},lai$^{35}_{44}$ tʂ^{h}ɔŋ$^{13}_{21}$iet^{3} kua^{53}kua^{53}.

【结拜】ciet^{3} pai^{53} 动 非亲属关系的人因感情深厚或有共同目的而相约为亲人：～兄弟 ciet^{3} pai^{53} çiəŋ^{35}t^{h}i^{53}｜以下就行夫妇礼，也就你正式～为夫妇。i^{21}xa$^{53}_{44}$ts^{h}iəu$^{53}_{44}$çin$^{13}_{21}$fu^{35}fu^{53}li^{35},ia^{21}ts^{h}iəu^{53}ɲi^{13} tʂən^{53}ʂɿ^{53}ciet^{3} pai$^{53}_{44}$uei$^{13}_{21}$fu^{35}fu$^{53}_{21}$.

【结编】ciet^{3} pien^{35} 动 单个的鞭炮制成后，用棉线将它们编结成挂：以下就只爱～呢，结爆竹啊。i^{21}xa$^{53}_{44}$ts^{h}iəu$^{53}_{44}$tʂɿ^{21}ɔi$^{53}_{44}$ciet^{3} pien^{35}ne^{0},ciet^{3} pau^{53}tʂəuk^{3} a^{0}.

【结饽】ciet^{3} p^{h}ɔk^{5} 动 结团：头发都～个，系唔系？头发都打饽哇。卫生唔好。系，系有咁个。t^{h}ei$^{13}_{21}$fait^{3} təu$^{35}_{44}$ciet^{3} p^{h}ɔk^{5} ke^{0},xei^{53}me^{53}?t^{h}ei^{13}fait^{3} təu$^{35}_{53}$ta^{21}tsiəu^{53}ua^{0}.uei^{53}sen$^{35}_{44}$ṇ$^{13}_{21}$xau^{21}.xei^{53},xei^{53}iəu^{35}kan^{21} cie$^{53}_{44}$.

【结果$_{1}$】ket^{3} ko^{21} 副 最后：渠～长长大哩就唔像欸。ci^{13}ket^{3} ko$^{21}_{44}$tʂɔŋ^{21}tʂɔŋ^{21}t^{h}ai^{53}li^{0} tsiəu$^{53}_{44}$ṇ$^{13}_{44}$ts^{h}iɔŋ^{53} ŋei^{0}.

【结果$_{2}$】ciet^{3} ko^{21} 连 表示下文是上文导致的情况：又划哩钱吵，欸，好，～嘞箇只钱又用嘿哩嘞，人又走咁哩。iəu^{53} fa^{13} li^{0} ts^{h}ien^{13} ʂa^{0},e$_{21}$,xau^{21},ciet^{3} ko^{21} lei^{0} kai^{53} tʂak^{3} ts^{h}ien^{13} iəu^{53} iəŋ^{53} xek^{3} li^{0} lei^{0},ɲin^{13}iəu^{53}tsei^{21}kan^{21}ni^{0}.

【结婚酒】ciet^{3} fən^{35}tsiəu^{21} 名 为了庆祝结婚而举办的宴会：今晡个～样，明晡过一天，后日晡就三朝。cin^{35}pu$^{35}_{44}$ke^{53}ciet^{3} fən$^{35}_{44}$tsiəu^{21}iɔŋ$^{53}_{44}$,miaŋ^{13}pu$^{35}_{44}$ko^{53}iet^{3} t^{h}ien$^{35}_{44}$,xei^{35}ɲiet^{3} pu$^{35}_{44}$ts^{h}iəu$^{53}_{44}$san$^{35}_{21}$tʂau$^{35}_{44}$.

【结瘌】ciet^{3} lait^{3} 动 ①（饭）有锅巴：镬头蒸饭呢有兜嘞结哩瘌，有镬瘌。uɔk^{5} t^{h}ei$^{13}_{44}$tʂən^{35}fan^{53} nei^{0} iəu$^{35}_{44}$te$^{35}_{44}$lei^{0} ciet^{3} li^{0} lait^{3},iəu^{35}uɔk^{5} lait^{3}. ②表面有板结的脏物：讲别人家真糊黪，真唔卫生呐，“衫上都～去哩”，系唔系？面上都～，𫠊洗净啊，唔洗净，面上都～。kɔŋ^{21}p^{h}iet^{5} in$^{13}_{21}$ka$^{35}_{44}$tʂən^{35} u^{13}ɲia$^{13}_{53}$,tʂən^{35}ṇ^{13}uei^{53}sien$^{35}_{44}$na^{0},"san^{35}xɔŋ$^{53}_{44}$təu$^{35}_{53}$ciet^{3} lait^{3} çi^{53}li^{0}",xei^{53}me^{53}?mien^{53}xɔŋ^{53}təu$^{35}_{53}$ciet^{3} lait^{3},maŋ^{13} sei^{21}ts^{h}iaŋ^{53}ŋa^{0},ṇ^{13}se^{21}ts^{h}iaŋ^{53},mien^{53}xɔŋ^{53}təu$^{35}_{53}$ciet^{3} lait^{3}.

【结肉子】ciet^{3}/ket^{3}ɲiəuk^{3}tsɿ^{21} 名 枳椇。又称“鸡爪梨”：如今岭上是还有一只嘞，箇只□讲食嘞，还有只就安做～。又安做鸡爪梨。以个怕冇得。都系树上结个。～鸡爪梨是也又难采个。i$^{13}_{21}$cin$^{35}_{44}$lian^{35}xɔŋ$^{53}_{44}$ʂɿ$^{53}_{44}$xai$^{13}_{21}$iəu^{35}iet^{3} tʂak^{3} le^{0},kai$^{53}_{44}$tʂak^{3} tʂen^{21}kɔŋ^{21}ʂət^{5} le^{0},xai$^{13}_{21}$iəu^{35}tʂak^{3} ts^{h}iəu$^{53}_{44}$ɔn$^{35}_{44}$tso$^{53}_{44}$ciet^{3} ɲiəuk^{3} tsɿ^{21}.iəu^{35}ɔn$^{35}_{44}$tso$^{53}_{44}$cie^{35}tsau^{21}li^{13}.i$^{21}_{13}$ke$^{53}_{44}$p^{h}a^{53}mau$^{13}_{21}$tek^{3}.təu^{35}xe$^{53}_{44}$ʂəu^{53}xɔŋ$^{53}_{44}$ciet^{3} ke$^{53}_{44}$.ket^{3} ɲiəuk^{3} tsɿ^{21}ke^{35} tsau^{21}li^{13}ʂɿ$^{53}_{44}$ia^{35}iəu^{53}lan^{13}ts^{h}ai$^{21}_{53}$ke$^{53}_{44}$.

【结头】ciet^{3} t^{h}ei^{13} 名 用长条状的东西绾成的疙瘩：打绳子衫呐打到最后箇只头上就打只～哟，就怕渠□嘿箇只头呀，系唔系？要打只～去哟。ta^{21}ʂən^{13}tsɿ^{0} san^{35}na^{0} ta^{21}tau$^{35}_{44}$tsei^{53}xei$^{53}_{44}$kai^{53}tʂak^{3} t^{h}ei^{13}xɔŋ$^{53}_{44}$ts^{h}iəu$^{53}_{44}$ta^{21}tʂak^{3} ciet^{3} t^{h}ei^{13}io^{0},ts^{h}iəu$^{53}_{44}$p^{h}a^{53}ci$^{13}_{21}$faŋ^{53}xek^{3} kai^{53}tʂak^{3} t^{h}ei^{13}ia^{0},xei^{53}me^{53}?iau^{53}ta^{21}tʂak^{3} ciet^{3} t^{h}ei$^{13}_{21}$çi^{53}io^{0}.

【结账】ciet^{3} tʂɔŋ^{53} 动 结算账目：落尾渠爱我去～啊，寻倒九块多钱。lɔk^{5} mei$^{35}_{44}$ci$^{13}_{21}$ɔi$^{53}_{44}$ŋai$^{13}_{21}$çi$^{53}_{44}$ciet^{3} tʂɔŋ^{53}ŋa^{0},ts^{h}in^{13}tau^{21}ciəu^{21}k^{h}uai$^{53}_{44}$to$^{35}_{44}$ts^{h}ien$^{13}_{21}$.

【结籽】ciet$^{5}_{3}$tsɿ^{21} 动 结出果实：开花又开呀，唔～啊。k^{h}ɔi^{35}fa^{35}iəu^{53}k^{h}ɔi^{35}ia^{0},ṇ^{13}ciet$^{5}_{3}$tsɿ^{21}za^{0}.

【滐湿】tset^{5}/tsiet^{5} ʂət^{3} 形 很湿：早晨，你到箇有草个栏场去走，𨀌起只裤脚～。tsau^{21}ʂən^{13}, ɲi^{13} tau$^{53}_{44}$kai$^{53}_{44}$iəu^{35}ts^{h}au^{21}ke^{53}laŋ^{13}tʂ^{h}ɔŋ^{13}çi^{53}tsei^{21},kaŋ^{53}c^{h}i$_{53}$(←çi^{21})tʂak^{3} fu^{53}ciɔk^{3} tset^{5} ʂət^{3}.

【截】tsiet^{3} 量 ①用于分段的东西。段：一大～都系瘩瘩实实个一大～。iet^{3} t^{h}ai^{53}tsiet^{3} təu$^{35}_{44}$xe$^{53}_{44}$ t^{h}ek^{5} t^{h}ek^{5} ʂət^{5} ʂət$^{5}_{3}$ke$^{53}_{44}$iet^{3} t^{h}ai^{53}tsiet^{3}. ②指整体中的一部分：钱走渠过哩手，渠食一～贪污一～，也安做食筒。ts^{h}ien^{13}tsei^{21}ci^{13}ko^{53}li^{0} ʂəu^{21},ci^{13}ʂət^{5} iet^{3} tsiet^{3} t^{h}an^{35}u$^{35}_{44}$iet^{3} tsiet^{3},ia^{35}ɔn$^{35}_{44}$tso$^{53}_{44}$ʂət^{5} t^{h}əŋ$^{13}_{21}$.

【截截迹迹】tset^{3} tset^{3} tsiak^{3} tsiak^{3} 不整齐，有的地方有有的地方没有的样子：（头）剃起～，狗啮哩样。t^{h}e^{53}çi$^{21}_{44}$tset^{3} tset^{3} tsiak^{3} tsiak^{3},kei^{21}ŋait^{3} li^{0} iɔŋ$^{53}_{44}$.｜点哩籽以后，分籽点下去以后，生个生哩，𫠊生个𫠊生，～。生哩个长得好个生得唔知几高，箇𫠊生出来个，冇得一只空凼子，也系～，狗啮哩样。tian^{53}li^{0} tsɿ^{21}i$^{35}_{44}$xei$^{53}_{44}$,pən^{35}tsɿ^{21}tian^{53}xa$^{53}_{44}$çi$^{53}_{44}$i$^{35}_{44}$xei$^{53}_{44}$,saŋ^{35}ke^{0} saŋ^{35}li^{0},maŋ^{13}saŋ$^{35}_{44}$ke^{0}maŋ^{13}saŋ$^{35}_{44}$,tset^{3} tset^{3} tsiak^{3} tsiak^{3}.saŋ^{35}li^{0} ke^{0} tʂɔŋ^{21}tek^{3} xau^{21}ke^{0} saŋ^{35}tek^{3} ṇ^{13}ti$^{35}_{53}$ci^{21}kau$^{35}_{44}$,kai^{53}maŋ^{13}saŋ^{35}tʂ^{h}ət^{3} lɔi$^{13}_{44}$ke^{0},mau^{13} tek^{3} iet^{3} tʂak^{3} k^{h}əŋ^{35}t^{h}əŋ^{53}tsɿ^{0},ia^{35}xe^{53}tset^{3} tset^{3} tsiak^{3} tsiak^{3},kei^{21}ŋait^{3} li^{0} iɔŋ^{53}.

【截砖子】tset3 tʂuən35tsɿ0 名断砖：～莫丢嘿哩啊，做屋个时候子～莫丢嘿哩。撞怕爱半截爱～爱半截子砖个时候子栽都爱栽一半，栽断来哟。系啊？莫丢嘿哩，～莫丢嘿哩，有用。tset3 tʂuən35tsɿ0 mɔk5 tiəu35uek3 li0 a0 ,tso53/44uk3 ke53 ʂɿ13xəu53tsɿ0 tset3 tʂuən35tsɿ0 mɔk5 tiəu35(x)ek3 li0 .tshɔŋ21pha53 ɔi53pan53tset3 ɔi53tset3 tʂuən35tsɿ0 ɔi53pan53tset3 tsɿ0 tʂuən44ke0 ʂɿ13/44xəu53/44tsɿ0 tshɔi13təu53/53ɔi53tshɔi13/21iet3 pan53 ,tshɔi13/21 thɔn35nɔi13/21io0 .xei53/44a0 ?mɔk5 tiəu35xek3 li0 ,tset3 tʂuən35tsɿ0 mɔk5 tiəu35xek3 li0 ,iəu35iəŋ53 .

【姐夫】tsia21fu35 名①姐姐的丈夫：有滴就欸～噢，有滴老妹婿爱打场子祭个唠。iəu35tet5 tshiəu53/44e21 tsia21fu35au0 ,iəu35tet5/3 lau21mɔi53/44se53ɔi53/44ta21tʂhɔŋ13tsɿ0 tsi53ke53lau0 . ②女子面称丈夫的姐夫：比我更大个，也跟倒我喊～，当面喊喊～，哎。pi21ŋai13cien53/44thai53cie53/44,ia35cien35/44tau21ŋai13/21xan53tsia21 fu35/44,tɔŋ35mien53xan53/44xan53/44tsia21fu35/44,ai21.

【姐公】tsia21kəŋ35 名外祖父：渠就唔论大细啊，唔论箇个比～更大呀还更细，都喊～。我等以映唔喊伯姐公。本地浏阳话就肚里就有"叔外公"噢。ci13tshiəu53n̩13nɔn53/44thai53se53/21a0 ,n̩13nɔn53/44 kai53/44ke53/44pi21tsia21kəŋ35cien53/44thai53ia0 xai13cien53/44se53 ,təu35xan53tsia21kəŋ35 .ŋai13tien0 i21iaŋ53n̩13xan53/21pak3 tsiak3 kəŋ35/44.pɔn21thi53liəu13iɔŋ13/44fa53tshiəu53/44təu21li0 tshiəu53/44iəu35/44ʂəu53ŋai21kəŋ44ŋau0 .

【姐婆】tsia21pho13 名①外祖母：第三种欸如只我侄女个～，咁子介绍。我那只侄女子个～。thi53/44san35/44tʂɔŋ21/44ei0 i13/21tʂak3 ŋai13tʂhət5 ŋ̍21ke53tsia21pho13 ,kan21tsɿ0 kai53ʂau53/21.ŋai13lai53tʂak3 tʂhət5 ŋ̍21tsɿ0 kei53tsia21 pho13 . ②喻指冬天绵绵的雨水：欸，有只咁个话法啦，冬下头落水咯，冬下头天气又冷，系唔系？呃，往往嘞到哩箇十冬八月啊，到哩十二月嘞，一落水嘞就落得蛮久，蛮多人就系咁子话，天晴是唔觉得唠，一落水嘞"以只～来哩就唔得渠倒来归了嘞"，"以醮水以个水落下来哩是以只～来哩就唔得渠倒来归了"，就系意思落下来哩就唔得渠倒来濂了，就有蛮久个水落，欸，冬下头咯，我等以映个气候条件就咁个。冬下头落水来哩，一落就有蛮久子，嗯，一晴就系晴得蛮久。"以只～来哩唔得渠倒来归啦。"e21,iəu35tʂak3 kan21/13kei53ua53fait3 la0 ,təŋ35xa53/44 thei13/21lɔk5 ʂei21ko0 ,təŋ35xa53/44thei13/21thien35/44çi53iəu53/21laŋ35 ,xei53/44me53/44?ə21,uɔŋ21uɔŋ21lei0 tau53li0 kai53/44ʂət5 təŋ35/44pait3 ɲiet5 a0 ,tau53li0 ʂət5 ɲi53ɲiet5 le0 ,iet3 lɔk5 ʂei21lei0 tshiəu53lɔk5 tek3 man13ciəu21 ,man13/21to35/44ɲin13/21tshiəu53xei53kan21 tsɿ0 ua53/44,thien35/44tshiaŋ13ʂɿ53n̩13/44kɔk3 tek3 lau0 ,iet3 lɔk5 ʂei21le0 "i21tʂak3 tsia21pho13lɔi13li0 tshiəu53n̩13/44tek3 ci13/44tau21lɔi13/44 kuei35liau21le0 ","i21tsiau53ʂei21i21ke53ʂei21lɔk5 xa53/44lɔi13/21li0 ʂɿ53/44i21tʂak3 tsia21pho13lɔi13li0 tshiəu53n̩13/44tek3 ci13/44tau21lɔi13/44 kuei35liau21",tshiəu53ue53i53ʂɿ35/44lɔk5 xa53/44lɔi13/21li0 tshiəu53n̩13tek3 ci13/44tau21lɔi13/44lian21liau0 ,tshiəu53iəu35man13ciəu21ke53/44 ʂei21lɔk5 ,e21,təŋ35/44xa53/44thei13/21ko0 ,ŋai13tien0 i21iaŋ53/44ke53/44çi53xei53/44thiau13chien53/44tsiəu53/44kan21cie53/44.təŋ35xa53/44thei13/21lɔk5 ʂei21lɔi13li0 ,iet3 lɔk5 tshiəu53/44iəu35/44man13ciəu21tsɿ0 ,n̩21,iet3 tshiaŋ13tshiəu53xei53tshiaŋ13tek3 man13ciəu21 ."i21tʂak3 tsia21pho13lɔi13li0 n̩13tek3 ci13/44tau21lɔi13/44kuei35la0 ."

【解1】cie21/kai21 动①把束缚着或系着的东西打开：～唔开箇只死结坨。cie21ŋ̍13khɔi35kai53/44tʂak3 si21ciet3 tho13 . ②解释；讲解：我～你听下子嘞么个安做堆道唠。ŋai13kai21ɲi13thaŋ35xa53/44tsɿ0 le0 mak3 ke53/44ɔn35/44tso53/44tɔi35thau53lau0 .

【解手】kai21ʂəu21 动排泄大便或小便：茅司里啊，～个栏场啊，舞只糜烂个篓公（装摈屎拍）啊。mau13sɿ35/53li0 a0 ,kai21ʂəu21ke53lan13/21tʂhɔŋ13/44ŋa0 ,u21tʂak3 mie35lan53/44ke53/44li21kəŋ35ŋa0 .

【解小手】kai21siau21ʂəu21 动排泄小便：～便血。kai21siau21ʂəu21phien53çiet3 .

【解药】kai21iɔk5 动解毒或解酒的药：如果食醉哩酒就爱食滴药去～唠，安做～。食醉哩酒哇，食滴药去啊，缓解箇个酒去，安做～。食滴子～去。y13ko21ʂət5 tsi53li0 tsiəu21tshiəu53/44ɔi53/44ʂət5 tiet5 iɔk5 çi53/44kai21iɔk5 lau0 ,ɔn35/44tso53/44kai21iɔk5 .ʂət5 tsi53li0 tsiəu21ua0 ,ʂət5 tet5 iɔk5 çi53/44a0 ,fɔn21kai21kai53/44ke53/44tsiəu21çi53 ,ɔn35/44 tso53/44kai21iɔk5 .ʂət5 tiet5 tsɿ0 kai21iɔk5/3çi53/44.

【解胀】kai21tʂɔŋ53 动治疗腹胀：消食个东西吧萝卜籽哦，～啊。siau35ʂət5ke53/44təŋ35si0 pa0 lo13phek5 tsɿ21o0 ,kai21tʂɔŋ53ŋa0 .

【介绍】kai53ʂau53 名指媒人：起哩媒以后嘞箇就箇～就媒人公就会来呀。çi21li0 mɔi13i35xei53/44lei0 kai53/44tshiəu53/44kai53/44kai53ʂau53/44tshiəu53/44mɔi13ɲin13/21kəŋ35tshiəu53uɔi13lɔi13ia0 .

【介绍人】kai53ʂau53ɲin13 名媒人的今称。也简称"介绍"：欸，以个我等边上媒人是又安做介绍嘞。～呢。ei21,i21/13(k)e53/44ŋai13tien0 pien35ʂɔŋ53/44mɔi13ɲin13/44ʂɿ53/44iəu53/44ɔn35/44tso53/44kai53ʂau53le0 .kai53ʂau53ɲin13ne0 .

【戒】kai53 动革除不良嗜好：八四年正～烟，八四年正～脱烟。pait3 si53ɲien13/21tʂaŋ53kai53 ien35 ,pait3 si53ɲien13/21tʂaŋ53kai53thɔit3 ien35/44.

【芥蓝】kai53lan13/21 名苤蓝：～嘞冇多么人栽，欸，芥蓝头呀。/买是有买。/栽就冇么人栽。

就系学倒个安做～呐。/箇是照照跟倒渠话。/跟倒话，冇得一只新……/箇只缯经过箇东西。/～啦，欸箇圆圆子啦，也米倮样啊，系啊？圆圆子。kai^{53}lan$^{13}_{21}$le^{0}mau^{13}to$^{35}_{44}$mak^{3}in$^{13}_{44}$tsɔi^{35},e$_{21}$,kai^{53}lan$^{13}_{21}$t^{h}ei^{13}ia^{0}./mai^{35}ʂʅ$^{53}_{44}$iəu$^{35}_{44}$mai$^{35}_{44}$./tsɔi^{35}ts^{h}iəu^{53}mau$^{13}_{21}$mak^{3}in$^{13}_{21}$tsɔi$^{35}_{44}$.ts^{h}iəu$^{53}_{44}$xe$^{53}_{44}$xɔk^{5}tau^{21}ke$^{53}_{21}$ɔn$^{35}_{44}$tso$^{53}_{44}$kai^{53}lan$^{13}_{21}$na^{0}./kai$^{53}_{21}$ʂʅ$^{53}_{21}$tʂau$^{53}_{44}$tʂau$^{53}_{44}$cien^{35}tau^{21}ci^{13}ua$^{53}_{21}$./cien^{35}tau^{21}ua^{53},mau$^{13}_{21}$tek^{3}iet^{3}tʂak$^{3}_{5}$sin^{35}…/kai$^{53}_{44}$tʂak^{3}maŋ^{13}cin^{35}ko$^{53}_{44}$kai$^{53}_{44}$təŋ$^{35}_{44}$si^{0}./kai^{53}lan^{13}la^{0},e$_{21}$kai$^{53}_{44}$ien$^{13}_{44}$ien$^{13}_{44}$tsɿ^{0}la^{0},ia$^{35}_{21}$mi^{21}ko^{21}iɔŋ^{53}ŋa^{0},xe$^{53}_{44}$a^{0}?ien$^{13}_{21}$ien$^{13}_{44}$tsɿ^{0}.

【吤】kai^{0} 助 动态助词，表示完成：箇墙（梆）就会□$_{腐朽}$～，就会□～。kai$^{53}_{44}$ts^{h}iɔŋ^{13}ts^{h}iəu^{53}uɔi^{53}mek^{3}kai^{0},ts^{h}iəu^{53}uɔi^{53}mek^{3}kai^{0}.

【解$_{2}$】kai^{53} 动 押解：～倒走 kai^{53}tau^{21}tsəu^{21}

【借】tsia^{53} 动 ①暂时把财物等给别人使用：你～滴钱分我。ɲi^{13}tsia^{53}tet$^{5}_{3}$ts^{h}ien^{13}pən^{35}ŋai$^{13}_{21}$. ②暂时使用别人的财物等：～只碾船 tsia^{53}tʂak^{3}ŋan^{35}ʂɔn$^{13}_{21}$

【借用】tsia^{53}iɔŋ^{53} 名 假借的用法：打清水网就有一只～啊。ta^{21}ts^{h}iaŋ^{35}ʂei^{21}mɔŋ^{21}ts^{h}iəu$^{53}_{44}$iəu^{35}iet$^{3}_{5}$tʂak^{3}tsia^{53}iɔŋ^{53}ŋa^{0}.

【借指】tsia^{53}tʂʅ^{21} 名 借以指称的事物：虾公脚嘞有只箇一～。xa^{13}kəŋ$^{35}_{44}$ciɔk^{3}lei^{0}iəu^{35}tʂak^{3}kai$^{53}_{21}$iet^{3}tsia^{53}tʂʅ^{21}.

【藉】tʂa^{53} 介 ①引述方向、目的地，相当于“往、朝、向”：～面前走 tʂa^{53}mien^{53}ts^{h}ien$^{13}_{21}$tsei^{21} ｜～外背走 tʂa^{53}ŋɔi^{53}pɔi^{53}tsəu^{21} ｜～西走 tʂa^{53}si^{35}tsəu^{21}。②引述行经的路径，相当于“从、由、经、沿着、顺着”：～以条路走 tʂa^{53}i^{21}t^{h}iau^{13}ləu^{53}tsəu^{21} ｜从前～田塍上栽豆子。ts^{h}əŋ^{13}ts^{h}ien^{13}tʂa$^{53}_{44}$t^{h}ien^{13}ʂən^{13}xɔŋ$^{53}_{44}$tsɔi^{35}t^{h}ei^{53}tsɿ^{0}.

【藉倒】tʂa^{53}tau^{21} 介 沿着，顺着：～以条大路笔直走。tʂa^{53}tau^{21}i^{21}t^{h}iau^{13}t^{h}ai^{53}ləu^{53}piet^{3}tʂ^{h}et^{5}tsei^{21}. ｜～河边走。tʂa^{53}tau^{21}xo^{13}pien^{35}tsei^{21}.

【藉火】tʂa$^{53}_{21}$fo^{21} 副 趁机：放哩假哩时间冧滴子嘞，时间长滴子个你有个时间呢你就去就到处去走。一只暑假欸～走两只子地方吧，系唔系？fɔŋ^{53}li^{0}cia^{21}li^{0}ʂʅ$^{13}_{21}$kan$^{35}_{44}$tɔi^{21}tiet^{5}tsɿ^{0}lei^{0},ʂʅ$^{13}_{21}$kan$^{35}_{44}$tʂ^{h}ɔŋ^{13}tiet^{5}tsɿ^{0}ke$^{53}_{44}$ɲi$^{13}_{21}$iəu$^{35}_{44}$ke$^{53}_{44}$ʂʅ$^{13}_{21}$kan$^{35}_{44}$ne^{0}ɲi$^{13}_{21}$ts^{h}iəu$^{53}_{44}$çi$^{53}_{44}$ts^{h}iəu$^{53}_{44}$tau^{53}tʂ^{h}əu$^{53}_{44}$çi$^{53}_{44}$tsei^{21}.iet^{3}tʂak^{3}ʂəu^{21}cia$^{21}_{35}$e$_{53}$tʂa$^{53}_{21}$fo^{21}tsei^{21}iɔŋ^{21}tʂak^{3}tsɿ^{0}t^{h}i^{53}fɔŋ$^{35}_{44}$pa^{0},xei$^{53}_{44}$me$^{53}_{44}$?

【藉势】tʂa^{53}ʂʅ^{53} 动 谈及，说起：～你讲话洗么啊洗箇只咁个东西呀，洗细滴子个噢，还有只就洗芋子哦。tʂa^{53}ʂʅ$^{53}_{44}$ɲi^{13}kɔŋ^{21}ua^{53}se^{21}mak^{3}a^{0}se^{21}kai^{53}tʂak^{3}kan^{21}ke$^{53}_{44}$(t)əŋ$^{35}_{44}$si^{0}ia^{0},se^{21}se^{53}tiet^{5}tsɿ^{0}ke$^{53}_{44}$au^{0},xai$^{13}_{21}$iəu$^{35}_{44}$tʂak^{3}tsiəu$^{53}_{44}$se^{21}u^{53}tso^{0}.

【斤】cin^{35} 量 中国市制重量单位：十块钱一～。ʂət^{5}k^{h}uai^{53}ts^{h}ien$^{13}_{21}$iet^{3}cin$^{35}_{21}$. ｜焖饭除哩滴把子，欸～把子米，箇就可以镬头去焖。mən^{53}fan^{53}tʂ^{h}əu$^{13}_{21}$li^{0}tiet^{5}pa^{21}tsɿ^{0},ei$_{21}$cin^{35}pa^{21}tsɿ^{0}mi^{21},kai$^{53}_{21}$ts^{h}iəu$^{53}_{44}$k^{h}o^{21}i^{35}uɔk^{5}t^{h}ei$^{13}_{21}$çi$^{53}_{44}$mən$^{53}_{21}$. ｜起码有～多两～一只个。c^{h}i^{21}ma^{35}iəu$^{35}_{44}$cin^{35}to$^{35}_{44}$iɔŋ^{21}cin^{35}iet^{3}tʂak^{3}ke^{53}.

【斤两】cin^{35}liɔŋ^{35} 名 重量：～就爱足哇！cin^{35}niɔŋ^{35}ts^{h}iəu$^{53}_{44}$ɔi$^{53}_{44}$tsəuk^{3}ua^{0}!

【今晡】cin^{35}pu^{35} 名 时间词。①今天：～个结婚酒样，明晡过一天，后日晡就三朝。cin^{35}pu$^{35}_{44}$ke^{53}ciet^{3}fən$^{35}_{44}$tsiəu^{21}iɔŋ$^{53}_{44}$,miaŋ^{13}pu$^{35}_{44}$ko^{53}iet^{3}t^{h}ien$^{35}_{44}$,xei^{35}ɲiet^{3}pu$^{35}_{44}$ts^{h}iəu$^{53}_{44}$san$^{35}_{21}$tʂau$^{35}_{44}$. ②如今；当下：从前就招呼系同～个开祠堂门含义就完全唔同。ts^{h}əŋ^{13}ts^{h}ien^{13}ts^{h}iəu^{53}tʂau$^{35}_{44}$fu$^{35}_{44}$xe^{53}t^{h}əŋ^{13}cin^{35}pu$^{35}_{53}$ke^{53}k^{h}ɔi^{35}ts^{h}ʅ$^{13}_{21}$t^{h}ɔŋ$^{13}_{21}$mən^{13}xɔn^{13}ɲi^{53}ts^{h}iəu^{53}uɔn^{13}ts^{h}ien^{13}n̩$^{13}_{21}$t^{h}əŋ^{13}.

【今后】cin^{35}xei^{53} 名 时间词。从今以后：～是欸有人工是爱来去旅游了，又爱来去旅游了，爱去嬲。cin$^{35}_{44}$xei^{53}ʂʅ$^{53}_{44}$e$_{21}$iəu^{35}ɲin$^{13}_{21}$kəŋ$^{35}_{53}$ʂʅ$^{53}_{44}$ɔi^{53}lɔi$^{13}_{21}$çi$^{53}_{44}$li^{35}iəu^{13}liau^{0},iəu^{53}ɔi$^{53}_{44}$lɔi$^{13}_{21}$çi$^{53}_{44}$li^{35}iəu^{13}liau^{0},ɔi$^{53}_{21}$çi$^{53}_{44}$liau^{53}.

【今年】cin^{35}ɲien^{13} 名 时间词。说话时的这一年：～我还爱帮族间做倒箇只修路个事，修水泥路个事。cin^{35}ɲien$^{13}_{21}$ŋai$^{13}_{21}$xa$^{13}_{21}$ɔi$^{53}_{44}$pɔŋ^{35}ts^{h}əuk^{5}kan^{35}tso^{53}tau^{21}kai$^{53}_{21}$tʂak^{3}siəu^{35}ləu^{53}ke$^{53}_{44}$sɿ$^{53}_{44}$,siəu^{35}ʂei^{21}lai^{13}ləu^{53}ke$^{53}_{44}$sɿ^{53}.

【金店】cin^{53}tian^{53} 名 经营金器等的店铺，又称“金器店”：欸我赖子箇店里间壁就有只～咯。箇侧面有只卖金子个～呢。ei$_{21}$ŋai^{13}lai^{53}tsɿ^{0}kai^{53}tian^{53}ni^{0}kan^{53}piak^{3}ts^{h}iəu^{53}iəu$^{35}_{44}$tʂak^{3}cin^{35}tian^{53}ko^{0}.kai^{53}ts^{h}et^{3}mien$^{53}_{21}$iəu$^{35}_{53}$tʂak^{3}mai^{53}cin^{35}tsɿ^{0}ke$^{53}_{44}$cin^{35}tian^{53}ne^{0}.

【金斗】cin^{35}tei^{21} 名 金罂的别称：如今是又有滴是火化个了，唔系棺材，舞只金罂，～，你就系～也爱放正当来呀，也爱风水先生看呶。i$^{13}_{21}$cin$^{35}_{44}$ʂʅ$^{53}_{44}$iəu$^{53}_{44}$iəu^{35}tet^{5}ʂʅ$^{53}_{44}$xo^{21}fa$^{53}_{44}$ke$^{53}_{44}$liau^{0},m̩$^{13}_{21}$p^{h}e$^{53}_{44}$kɔn^{35}ts^{h}ɔi$^{13}_{44}$,u^{21}tʂak^{3}cin^{35}aŋ$^{35}_{44}$,cin^{35}tei^{21}, ɲi$^{13}_{21}$ts^{h}iəu$^{53}_{44}$p^{h}ei$_{44}$(←xei^{53})cin^{35}tei^{21}ia$^{35}_{44}$ɔi$^{53}_{44}$fɔŋ^{53}tʂən^{53}tɔŋ$^{53}_{44}$lɔi$^{13}_{21}$ia^{0},ia^{35}ɔi^{53}fəŋ^{35}ʂei^{21}sien$^{35}_{44}$saŋ$^{35}_{44}$k^{h}ɔn^{53}nau^{0}.

【金贵】cin^{35}kuei^{53} 形 值钱；贵重：立哩冬吧黄老鼠个皮都是蛮～。liet^{5}li^{0}təŋ^{35}pa^{0}uɔŋ^{13}lau$^{21}_{53}$

tʂʰəu21ke53-44pʰi13təu35ʂʅ53man13cin35kuei53.

【金环蛇】cin35fan13-21ʂa13-21 名 环蛇属的一种，全身体背有黄环和黑环相间排列，毒性很强。俗称“红百节”：～就是红百节。cin35fan13-21ʂa13-21tsʰiəu53-44ʂʅ53-44fəŋ13pak3tsiet3.

【金橘子】cin35ciet3 tsʅ0 名 浏阳金橘，我国特产名果之一。又简称“橘子”：我等以映子沿溪箇映最多～。我等就下浏阳就走箇过。箇映蛮多～。以前呢六七十年代箇阵子就栽蛮多，落尾冇得哩。如今呢又有老板投资去箇，还有香港人台湾人去下投资，栽～。渠箇映箇沿溪箇栏场吵，渠个岭岗唔高，尽系摸摸岭子，尽系黄泥岭。所以渠箇开发容易，唔比得我等以映尽系箇大岭大山。ŋai13tien0 i21iaŋ53tsʅ0 ven13çi35-44kai53-44iaŋ53tsei35to35-44cin35ciet3 tsʅ0.ŋai13tien0 tsʰiəu53-21xa53liəu13-21iəŋ13-44tsʰiəu53tsei21kai53-44ko53.kai53iaŋ53man13-21to35-44cin35ciet3 tsʅ0.i35-53tsʰien13ne0 liəuk3 tsʰiet3 ʂət5 ɲien13-21tʰɔi53-44kai53-44tʂʰən53tsʅ0 tsiəu53-44tsɔi35-44man13-21to35-44,lɔk5 mi35-53mau13tek3 li0.i13-21cin35-44nei0 iəu53iəu35lau21pan21tʰiau13tsʅ35çi53kai35,xai13-21iəu35-53çiɔŋ35kɔŋ21ɲin13-21tʰɔi13uan35-44ɲin13-21çi53xa53tʰiau13-21tsʅ35,tsɔi35cin35ciet3 tsʅ0.ci13-21kai53iaŋ53kai53vien13çi35kai53laŋ13-21tʂʰɔŋ13-21ʂa0,ci13ke53liaŋ35kɔŋ35-44n̩13-21kau35,tsʰin53xe53mo35mo35liaŋ35tsʅ0,tsʰin53xe53-21uɔŋ13lai13-21liaŋ35.so21i35-53ci13-21kai53kʰɔi35fait3 iəŋ13i35,m̩13pi21tek3 ŋai13tien0 i21iaŋ53tsʰin53xe53-21kai53-44tʰai53liaŋ35tʰai35san35.

【金器铺】cin35çi53pʰu53 名 指金属制品店；五金店的旧称：以前个～就如今个五金店。i35-53tsʰien13ke53-44cin35-44çi53-44pʰu53tsʰiəu53i13-21cin35-44ke53ŋ̍21cin35-44tian53.

【金钱豹】cin35tsʰien13pau53 名 豹的一种,身体上遍布古钱状斑纹：～我看过，我等老家箇映子有～。以下几多十年都冇得哩啊，七十年代我看过。话哩有一回一只箇个我等把做老虎咯，一纵步就渠两三两层楼咁高一只墈一下一纵步就上嘿哩，一□就上嘿哩啊箇只东西啊，我等看倒哩，黄黄子啊，隔蛮远子看倒嘞，隔有箇个啦隔有两三百米远呐，两百米远是有哇。看倒箇映子啊看倒箇映子箇个一□下上啊，落尾看倒渠身上尽花，箇就～。自从看哩箇回，我再都𫟰看倒了。箇还有是？如今箇山里还有～是？冇得哩。cin35tsʰien13-21pau53ŋai13kʰɔn53ko53-21,ŋai13tien0 lau21cia35-44kai53-44iaŋ53tsʅ0 iəu35-44cin35tsʰien13-21pau53.i21xa53ci21to35-44ʂət5 ɲien13-21təu35-53mau13-21tek3 li0 a0,tsʰiet3 ʂət5 ɲien13-21tʰɔi53ŋai13kʰɔn53ko53.ua53li0 iəu35iet3 fei13-21iet3 tʂak3 kai53-44ke53-44ŋai13tien0 pa21tso53lau21fu21ko0,iet3 tsəŋ53pʰu53-44tsʰiəu53-44ci13-21iɔŋ21san35iɔŋ21tsʰien13-44nei13-44kan21kau35-44iet3 tʂak3 kʰan53iet3 xa53-21iet3 tsəŋ53pʰu53-44tsʰiəu53-44ʂəŋ35xek3 li0,iet3 tsʰɔi13-21tsʰiəu53ʂəŋ53-44xek3 li0 a0 kai53-44(tʂ)ak3 təŋ35-44si0 a0,ŋai13tien0 kʰɔn53tau21li0,uɔŋ13uɔŋ13tsa0,kak3 man13-21ien21tsʅ0 kʰɔn53tau21le0,kak3 iəu35-53kai53ke53la0 kak3 iəu35-53iɔŋ21san35-44pak3 mi21ien21na0,iɔŋ21pak3 mi21ien21ʂʅ53-21iəu35-44ua0.kʰɔn53tau21kai53iaŋ53tsa0 kʰɔn53tau21kai53iaŋ53tsʅ0 kai53-44ke53-44iet3 tsʰɔi13-21ia53-44ʂəŋ53-44ŋa0,lɔk5 mi35-53kʰɔn53tau21ci13-21ʂən35xɔŋ35-44tsʰin53fa35,kai53-44tsʰiəu53-44cin35-44tsʰien13-21pau53.tsʰʅ13tsʰəŋ13-21kʰɔn53ni0 kai53fei13-21,ŋai13tsai53təu35-53maŋ13-21kʰɔn53tau21liau0.kai53xai13-21iəu35-53ʂʅ53-44?i13-21cin35-44kai53san35-44ni0 xai13-21iəu35-53cin35-44tsʰien13-21pau53ʂʅ53-21?mau13tek3 li0.

【金牙齿】cin35ŋa13-21tʂʰʅ21 名 用金或金属镶嵌的假牙：嗯，从前个人，箇～系一种看相吧，系吧？换牙齿箇时候子换只～。但是箇只～我就唔晓到底系金子个啊硬还系只系黄黄子个，欸，唔晓得。可能有兜有钱人就换金子个。系唔系？n̩21,tsʰəŋ13-21tsʰien13-21ke53ɲin13-44,kai35cin35ŋa13-21tʂʰʅ21xe53iet3 tʂəŋ21kʰɔn53siɔŋ53-21pa0,xei53-21pa0 ?uɔn53ŋa13tʂʰʅ21kai53ʂʅ13-44xəu53-44tsʅ0 uɔn53tʂak3 cin35ŋa13tʂʰʅ21.tan53ʂʅ53kai53(tʂ)ak3 cin35ŋa13-44tʂʰʅ21-44ŋai13tsʰiəu53m̩21çiau21tau53ti21xei53cin35tsʅ0 ke53-44a0 ɲiaŋ53xai53-44xe53tʂʅ21xe53uɔŋ13-21uɔŋ13tsʅ0 ke0,e21,n̩21çiau21tek3.kʰo21len13-44iəu35tei35-53iəu35tsʰien13-21ɲin13-21tsiəu53uɔn53cin35tsʅ0 ke0.xei53me53?

【金银花】cin35ɲin13fa35 名 忍冬的俗称：～，哦，以个栏场蛮多，野生都有，～。下背就有呢，沿溪四路就有呢，种～呢。我等以映子只有野生个，冇么人去种。舞倒摘倒箇个～晒干来泡水食啦，除水湿啦。cin35ɲin13-21fa35,o21,i21ke53laŋ13-21tʂʰɔŋ13-44man13to35-44,ia35saŋ35-44təu35-44iəu35-44,cin35-44ɲin13-21fa35.xa35pɔi53tsʰiəu53-44iəu35-44nei0,vien13çi35-53sʅ53ləu53-44tsʰiəu53-44iəu35-44nei0,tʂəŋ53cin35-44ɲin13-21fa35nei0.ŋai13tien0 i21iaŋ53tsʅ0 tʂʅ21iəu35-53ia35saŋ35-44ke0,mau13-21mak3 in13-44çi53tʂəŋ53.u21tau21tsak3 tau21kai53ke53cin35-44ɲin13-21fa35sai53kɔn35nɔi13-21pʰau53ʂei21ʂət5 la0,tʂʰəu13-44ʂei21ʂət5 la0.

【金罂】cin35aŋ35-44 名 ①客家二次葬时用来装死者骨头的陶器：～上背个泥，就安做暖土。cin35aŋ35-44ʂɔŋ53pɔi53cie53-44lai13,tsʰiəu53-44ɔn35-44tso53-44lən35tʰəu21. ②今也指装骨灰的坛子：如今是又有滴是火化个了，唔系棺材，舞只～，金斗，你就系金斗也爱放正当来呀，也爱风水先生看呶。i13-21cin35-44ʂʅ53-44iəu53iəu35tet5 ʂʅ53-44xo21fa53-44ke53-44liau0,m̩13-21pʰe53-44kɔn35tsʰɔi13-44,u21tʂak3 cin35aŋ35-44,cin35tei21,ɲi13-21tsʰiəu53-44pʰei44(←xei53)cin35tei21ia35-44ɔi53-44fɔŋ53tʂən53tɔŋ53-44lɔi13-21ia0,ia35ɔi53fəŋ35ʂei21sien35-44saŋ35-44kʰɔn53nau0.

【金针】cin35tʂən35 名 黄花菜：～就黄花菜，有野生个，好食，欸摘倒箇花子来食凑，好食。渠你把做渠系蕙大一朵，系唔系？就系一条子咁个。渠摘个时候子，我等以映是冇得箇㞗块戛块个～，只有零个野生个，以映子生几蔸子，箇映生几蔸子，看倒有开稳哩个了，莫慌，咁多子还唔咁个摘。看倒有开稳哩个，有蛮多子了，就去摘。开哩个𫞭开个一下摘倒来，搞得一碗倒，就咁个。放下镬里去煮哇，打汤啊，打汤食。整个都食，冇么人去花心，就咁子食得。～系味药嘞又嘞，唔知有么个箇个。cin^{35}tʂən$^{35}_{44}$ts^{h}iəu^{53}uɔŋ$^{13}_{21}$fa$^{35}_{44}$ts^{h}ɔi^{53},iəu^{35}ia^{35}saŋ$^{35}_{44}$ke^{0},xau^{21}ʂət^{5},e^{0}tsak^{3}tau^{21}kai^{53}fa^{35}tsɿ^{0}lɔi$^{13}_{21}$ʂət^{3}ts^{h}e^{0},xau^{21}ʂət^{5}.ci^{13}ɲi$^{13}_{21}$pa^{21}tso^{53}ci$^{13}_{44}$xei$^{53}_{44}$mən^{35}t^{h}ai^{53}iet^{3}to^{21},xei$^{53}_{44}$mei$^{53}_{44}$?ts^{h}iəu^{53}xe$^{53}_{44}$iet^{3}t^{h}iau^{13}tsɿ^{0}kan^{21}ke^{53}.ci^{13}tsak^{3}ke^{53}ʂʅ^{13}xəu^{53}tsɿ^{0},ŋai^{13}tien^{0}i^{21}iaŋ^{53}ʂʅ$^{53}_{44}$mau^{13}tek^{3}kai^{53}tɔi^{21}k^{h}uai^{53}tɔi^{21}k^{h}uai^{53}kei$^{53}_{44}$cin^{35}tʂən^{35},tʂʅ^{21}iəu$^{35}_{53}$laŋ^{13}kei^{53}ia^{35}saŋ$^{35}_{44}$kei^{53},i^{21}iaŋ^{53}tsɿ^{0}saŋ$^{35}_{44}$ci^{21}tei$^{35}_{44}$tsɿ^{0},kai^{53}iaŋ$^{53}_{44}$saŋ$^{35}_{44}$ci^{21}tei$^{35}_{44}$tsɿ^{0},k^{h}ɔn^{53}tau^{21}iəu$^{35}_{53}$k^{h}ɔi^{35}uən^{21}li^{0}ke$^{53}_{44}$liau^{0},mɔk^{5}fɔŋ^{35},kan$^{21}_{13}$to$^{35}_{53}$tsɿ^{0}xai$^{13}_{21}$n̩^{13}kan$^{21}_{13}$kei^{53}tsak^{3}.k^{h}ɔn^{53}tau^{21}iəu$^{35}_{53}$k^{h}ɔi^{35}uən^{21}li^{0}ke$^{53}_{44}$,iəu^{35}man$^{13}_{21}$to^{35}tsɿ^{0}liau^{0},ts^{h}iəu^{53}çi^{53}tsak^{3}.k^{h}ɔi^{35}li^{0}ke^{53}maŋ^{13}k^{h}ɔi^{35}ke^{53}iet^{3}xa^{53}tsak^{3}tau^{21}lɔi$^{13}_{21}$,kau^{21}tek^{3}iet^{3}uən^{21}tau^{21},tsiəu^{53}kan^{21}cie^{53}.fɔŋ^{53}xa^{53}uɔk^{5}li^{0}çi^{53}tʂəu^{21}ua^{0},ta^{21}t^{h}ɔŋ^{35}ŋa^{0},ta^{21}t^{h}ɔŋ^{35}ʂət^{5}.tʂən^{21}ko$^{53}_{44}$təu$^{35}_{44}$ʂət^{5},mau$^{13}_{21}$mak^{3}in$^{13}_{44}$tʂ^{h}ɥ^{53}fa$^{35}_{53}$sin$^{35}_{21}$,tsiəu^{53}kan^{21}tsɿ^{0}ʂʅt^{5}tek^{3}.cin^{35}tʂən$^{35}_{44}$xe$^{53}_{44}$uei$^{53}_{44}$iɔk^{5}le^{0}iəu^{53}le^{0},n̩^{13}ti$^{35}_{53}$iəu$^{35}_{53}$mak^{3}kei^{53}kai$^{53}_{44}$ke$^{53}_{21}$.

【金子】cin^{35}tsɿ^{0} [名]一种贵重金属，黄赤色，质软，也指金制的器物：以前就银器店就搭倒卖～。i^{35}ts^{h}ien$^{13}_{21}$ts^{h}iəu$^{53}_{44}$ɲin^{13}çi^{53}tian^{53}ts^{h}iəu$^{53}_{44}$tait^{3}tau^{21}mai^{53}cin^{35}tsɿ^{0}.

【津甜】tsin^{35}t^{h}ian^{13} [形]很甜：番薯糖哦安做，欸，～呶。fan^{35}ʂəu$^{13}_{21}$t^{h}ɔŋ^{13}ŋo^{0}ɔn$^{35}_{44}$tso$^{53}_{44}$,e$_{21}$,tsin^{35}t^{h}ian^{13}nau^{0}.｜欸留倒镬里个水，多炆哩几镬番薯，箇水～个。e^{0}liəu^{13}tau$^{21}_{44}$uɔk^{5}li^{0}ke^{0}ʂei^{21},to^{35}uən^{13}ni^{0}ci^{21}uɔk^{5}fan^{35}ʂəu$^{13}_{21}$,kai^{53}ʂei^{21}tsin^{35}t^{h}ian$^{13}_{21}$cie$^{53}_{44}$.｜（乌梅）通过加工啊，唔酸了，嗯，～子。t^{h}əŋ$^{35}_{44}$ko$^{53}_{44}$cia$^{35}_{44}$kəŋ^{35}ŋa^{0},n̩^{13}sɔn^{35}liau^{0},n̩$_{21}$,tsin^{35}t^{h}ian^{13}tsɿ^{0}.

【筋】cin^{35} [名]①肌腱或附着在骨头上的韧带：我箇有一到哇去岭上斫柴呀就一下，箇个脚啊就一下，𡎺倒哩～，痛嘿一发，搞兜药搞倒正见好哩。箇咁个嘞有年纪个人就唔爱紧，老哩是收拾哩𡎺倒哩是，老哩是唔得了哩，唔得好哩。ŋai$^{13}_{21}$kai^{53}iəu$^{35}_{44}$iet^{3}tau^{53}ua^{0}çi^{53}liaŋ^{35}xɔŋ^{53}tʂɔk^{3}ts^{h}ai^{13}ia^{0}tsiəu^{53}iet^{3}xa$^{53}_{44}$,kai$^{53}_{44}$ke$^{53}_{44}$ciɔk^{3}a^{0}tsiəu^{53}iet^{3}xa^{53},tsiəu^{53}tau^{21}li^{0}cin^{35},t^{h}əŋ^{53}xek^{3}iet^{3}fait^{3},kau^{21}te$^{35}_{44}$iɔk^{5}kau^{21}tau^{21}tʂaŋ^{53}cien^{53}xau^{21}li^{0}.kai^{53}kan^{21}cie$^{53}_{44}$lei^{0}mau$^{13}_{21}$ɲien^{13}ci^{21}ke^{53}ɲin^{13}ts^{h}iəu^{53}m̩$^{13}_{21}$mɔi^{53}cin^{21},lau^{21}li^{0}ʂʅ$^{53}_{44}$ʂəu$^{35}_{44}$ʂət^{5}li^{0}tsiəu^{53}tau$^{21}_{44}$li^{0}ʂʅ$^{53}_{44}$,lau^{21}li^{0}ʂʅ$^{53}_{44}$n̩^{13}tek^{3}liau^{21}li^{0},n̩^{13}tek^{3}xau^{21}li^{0}. ②可见的皮下静脉的俗称：手上青筋鼓鼓哩啊，手上尽～呐。ʂəu^{21}xɔŋ^{53}ts^{h}iaŋ^{35}cin^{35}ku^{21}ku^{21}li^{0}a^{0},ʂəu^{21}xɔŋ^{53}ts^{h}in^{53}cin^{35}na^{0}. ③草木的根：欸，箇个番薯哇一把～，一扯～呐。冇得番薯，𫞭结，箇个番薯唔大呀，尽～，丁啮大子。e$_{21}$,kai^{53}ke^{53}fan^{35}ʂəu$^{13}_{21}$ua^{0}iet^{3}pa^{21}cin^{35},iet^{3}ia^{21}cin^{35}na^{0}.mau$^{13}_{21}$tek^{3}fan^{35}ʂəu$^{13}_{44}$,maŋ^{13}ciet^{3},kai$^{53}_{44}$fan^{35}ʂəu$^{13}_{21}$n̩^{13}t^{h}ai^{53}ia^{0},ts^{h}in^{53}cin^{35},tin$^{35}_{53}$ŋait^{3}t^{h}ai^{53}tsɿ^{0}.

【筋骨】cin^{35}kuət^{3} [名]筋肉和骨骼：整～这里指筋骨方面的疾病 tʂaŋ^{21}cin^{35}kuət^{3}

【筋筋】cin^{35}cin^{35} [名]长条形的东西：（假领子）就系只子领子。两条子～。ts^{h}iəu^{53}ue^{53}(←xe^{53})tʂak^{3}tsɿ^{0}liaŋ^{35}tsɿ^{0}.iɔŋ$^{21}_{44}$t^{h}iau$^{13}_{21}$tsɿ^{0}cin^{35}cin$^{35}_{44}$.

【筋襻】cin^{35}p^{h}an^{53} [形]表示小孩难缠：箇只细子真～，长日事头多。要莫咁～呐。kai^{53}tʂak^{3}se^{53}tsɿ^{0}tʂən^{35}cin^{35}p^{h}an^{53},tʂ^{h}ɔŋ^{13}ɲiet^{3}sɿ^{53}t^{h}ei$^{13}_{21}$to$^{35}_{44}$.iau$^{53}_{44}$mɔk^{5}kan^{21}cin^{35}p^{h}an$^{53}_{44}$na^{0}.

【筋渣络膜】cin^{35}tsa^{35}lɔk^{5}mɔk^{5} 筋膜很多，形容很老：草籽嘞就爱唔老唔嫩个时候子，忒嫩哩冇得肥，忒老哩～，也冇得肥，就畜成哩种。ts^{h}au^{21}tsɿ^{21}lei^{0}ts^{h}iəu^{53}ɔi^{53}n̩^{13}lau^{21}n̩^{13}lən^{53}cie^{53}ʂʅ^{13}xei^{53}tsɿ^{0},t^{h}et^{3}lən^{53}li^{0}mau^{13}tek^{3}p^{h}i^{13},t^{h}et^{3}lau^{21}li^{0}cin^{35}tsa^{35}lɔk^{5}mɔk^{5},ia^{35}mau$^{13}_{21}$tek^{3}p^{h}i^{13},ts^{h}iəu^{53}çiəuk^{3}ʂaŋ$^{13}_{44}$li^{0}tʂəŋ^{21}.

【尽$_1$】tsin^{21} [动]让先；优先选择：尽～咁大个买。ts^{h}in^{53}tsin^{21}kan^{21}t^{h}ai^{53}ke$^{53}_{44}$mai$^{35}_{44}$.

【尽$_2$】ts^{h}in^{53}/tsin^{21} [副]①放在某些动词或动词性短语前，表示总是、经常的意思：我舅爷箇映子是渠～食水烟筒啊。ŋai^{13}c^{h}iəu^{35}ia$^{13}_{21}$kai^{53}iaŋ^{53}tsɿ^{0}ʂʅ$^{53}_{44}$ci$^{13}_{21}$ts^{h}in^{53}ʂət^{5}ʂei^{21}ien$^{35}_{44}$t^{h}əŋ$^{13}_{21}$ŋa^{0}.｜～搞名堂。ts^{h}in^{53}kau^{21}min^{13}t^{h}ɔŋ^{13}. ②放在某些动词性短语或形容词前，表示程度极高：羊眼豆是渠箇只豆个皮皮～像羊眼。iɔŋ^{13}ŋan^{21}t^{h}əu^{53}ʂʅ$^{53}_{44}$ci$^{13}_{44}$kai^{53}tʂak^{3}t^{h}əu^{53}ke$^{53}_{44}$p^{h}i^{13}p^{h}i^{13}ts^{h}in^{53}ts^{h}iɔŋ^{53}iɔŋ^{13}ŋan^{21}.｜～够哩！tsin^{21}ciei^{53}li^{0}!

【尽管】ts^{h}in^{53}kɔn^{21} [连]即使，虽然。表示姑且承认某种事实，下文往往转折：～高滴子，系一只子𥕢子咁高子嘞，也安做田墈。ts^{h}in^{53}kɔn^{21}kau^{35}tiet^{5}tsɿ^{0},xei^{53}iet^{3}tʂak^{3}tsɿ^{0}tɔn^{53}tsɿ^{0}kan^{21}kau$^{35}_{44}$tsɿ^{0}lei^{0},ia^{35}ɔn$^{35}_{44}$tso$^{53}_{44}$t^{h}ien^{13}k^{h}an^{53}.

【尽可能】ts^{h}in^{53}k^{h}o^{21}len^{13} [副]尽量：（萝卜）～晒潮下子。ts^{h}in^{53}k^{h}o^{21}len^{13}sai^{53}tʂ^{h}au^{13}ua^{53}(←xa^{53})tsɿ^{0}.

【尽量】ts^{h}in^{53}liɔŋ^{53} [副]表示力求在一定范围内达到最大限度：箇是～搞唠。kai$^{53}_{44}$ʂʅ$^{53}_{44}$ts^{h}in^{53}liɔŋ^{53}kau^{21}lau^{0}.｜～放进去。咁个有么啊用呢。ts^{h}in^{53}liɔŋ$^{53}_{21}$fɔŋ^{53}tsin$^{53}_{21}$çi$^{53}_{21}$.kan^{21}ke^{53}mau$^{13}_{21}$mak^{3}a^{0}iəŋ^{53}ne^{0}.

J

【紧₁】cin21 形①物体受到几方面的拉力或压力后所呈现的状态：真～ tʂən35cin21 ②物体因受外力作用变得固定或牢固：敨～下子 tsiəu21cin21na53(←xa53)tsʅ0｜分箇泥筑～来 pən35kai53/44lai13 tʂəuk3cin21lɔi13

【紧₂】cin21 动使紧或更紧：磨正哩以后，～箇刨头，也用细斧子去～。mo13tʂaŋ53li0i35xei53/44, cin21kai53phau13thei13/44,ia35iəŋ53/44sei53pu21tsʅ0çi21/44cin21.｜用扳手去～螺丝。iəŋ53pan35ʂəu21çi53cin21lo13sʅ35/44.

【紧楼】cin21lei13 动钉楼板；将楼板钉在楼栿上：～个时候子啊，楼板上爱～个时候子啊，会钉钉子啊？/我等用洋钉子钉咯。/箇个就喊三寸个洋钉。/渠最先紧个楼是怕还用竹钉啦。搞么唠你去看，你去看箇个箇个钉椽皮个时间呶，渠都用箇用箇竹钉子嘞。/钉椽皮用竹钉，欸，用用欸烘竹笼。/欸，都系嘞。都系用竹钉嘞。/如今是都唔用哩。/落尾正搞成么啊洋钉子啦。/冇得啊，贵呀。cin21lei13ke53ʂʅ13xei53/44tsa0,lei13pan21xɔŋ53ɔi53/44cin21lei13ke53ʂʅ13xei53/44tsa0,uɔi53/44taŋ35/44 taŋ35tsa0?/ŋai13tien0iəŋ53iəŋ13taŋ35tsʅ0taŋ35ko0./kai53ke53/44tsiəu53/44xan53san35tshən53/44ke53/44iəŋ13taŋ35./ci13/21tsei53sien35/44 cin21ke53/44lei13ʂʅ53/44pha53xai13iəŋ53/44tʂəuk3taŋ35la0.kau21mak3lau0ɲi13/21çi53/44khɔn53/44, ɲi13/21çi53/44khɔn53/44kai53/44ke53/44kai53/44ke53/44taŋ ʂon13/21phi13ke53/44ʂʅ13/21kan35nau0,ci13/21təu35iəŋ53/44kai53/44iəŋ53/44kai53/44tʂəuk3taŋ35tsʅ0le0./taŋ35ʂon13phi13iəŋ53/44tʂəuk3 taŋ35/44,e21,iəŋ53/44iəŋ53/44e21fən53tʂəuk3sien21./e21,təu35xei53le0.təu35xei53iəŋ53/44tʂəuk3taŋ35/44lei0./i13/21cin35ʂʅ53/44təu35/44n̩13iəŋ53 li0./lɔk5mi35tʂaŋ53/44kau21tʂhən13mak3a0iəŋ13/21taŋ35tsʅ0la0./mau13tek3a0,kuei53ia0.

【紧袖子】cin21tshiəu53tsʅ0 名袖口用扣子扣紧的袖子：～就系有箇个有只纽子缔下去个，有只纽子纽稳个，以只就～。一般个褂子都系～多。cin21tshiəu53tsʅ0tshiəu53/44xei53/44iəu35/44kai53ke0iəu35tʂak3 lei21tsʅ0thak3(x)a53çi53ke53,iəu35tʂak3lei21tsʅ0lei21uən21cie53,i21(tʂ)ak3tshiəu53cin21tshiəu53tsʅ0.iet3pən35ke53/44kua53 tsʅ0təu35xei53/44cin21tshiəu53tsʅ0to35.

【紧致】cin21tʂʅ53 形紧实；牢固：欸，一般来讲箇打比屋肚里，屋肚里个门渠就冇得外背箇皮大门呐包边门呐咁～。e21,iet3pən35nɔi13/21kɔŋ21kai53ta21pi21/44uk3təu21li0,uk3təu21li0ke53mən13/44ci13/21tshiəu53mau13 tek3ŋai53pɔi53/44kai53/44phi13/21thai53mən13na0pau35pien35mən13na0kan21cin21tʂʅ53.

【锦鳞】cin21lin13 名礼单中对鱼的雅称：鱼子嘞，就写～。ŋ̍13tsʅ0lei0,tshiəu53sia21cin21lin13.｜～两尾 cin21lin13iɔŋ21mi35

【尽₃】tshin53 动任凭：箇河里钓是～你钓唠，系唔系？你钓得几多条唠？kai53xo13li0tiau53ʂʅ53/21 tshin53ɲi13tiau53lau0,xei53me53?ɲi13tiau53tek3ci21/44(t)o35/44thiau13/21lau0?

【尽₄】tshin53 副①放在某些动词或动词性短语前，表示全部、完全的意思：最早～系红糖呢。tsei53tsau21tshin53xe53/44fəŋ13thɔŋ13ne0.｜渠就爱我莫搿渠讲普通话，爱搿渠～讲客家话。ci13/21tshiəu53/44ɔi53 ŋai13/21mɔk5lau35/44ci13/21kɔŋ21phu21thəŋ35fa53,ɔi53/44lau35ci13/21tshin53kɔŋ21khak3ka35fa53/44. ②放在某些动词或动词性短语前，表示单纯、只是的意思：～食米，唔食面。tshin53ʂek5mi21,ŋ̍13ʂek5mien53. ③放在名词前，表示“全是、到处都是”的意思：箇落哩水去走路，跏起裤脚～泥。kai53/44lɔk5li0ʂei21çi53/44tsei21 ləu53,kaŋ53çi21/44fu53ciɔk3tshin53nai13.｜你箇件袄婆上～布狗窿噢！ɲi13kai53/44chien53/44au21pho13ʂɔŋ53/44tshin53pu53 kei21ləŋ13ŋau44! ④放在形容词后做补语，表示程度极高，相当于“极”，后面常带“哩”：好过～哩 xau21ko53tshin53li0 舒服极了

【尽滴】tshin53tet5 副全部；无例外。可以指事物，也可以指人。也称“尽滴子”：去个时候子落水，～都带倒蓑衣笠嫲。çi53ke53/44ʂʅ13xəu53/44tsʅ0lɔk5ʂei21,tshin53tet5/3təu35/44tai53tau21so35i35/44liet3ma13/21.｜～斗倒钱来，搞只么个路子。tshin53tet5/3tei53tau21tshien13lɔi13/44,kau21tʂak3mak3ke53/44ləu53tsʅ0.｜落尾嘞箇打铳滴尽滴子唔想打唠。lɔk5mi35/44le0kai53/44ta21tʂhəŋ53tet5tshin53tet5tsʅ0n̩13siɔŋ21ta21lau0.

【尽个】tshin53ke53 副全部；无例外：～就梗个。tshin53ke53/44tshiəu53kuaŋ21ke53/44.

【尽哩命】tshin53li0miaŋ53 放在动词后做补语。①表示要人的性命，比喻非常痛苦、困难：要掆～啊硬话。又有车嘞以前呢。几十斤呐，百多斤呐，又系一只一杠橱哇，又几十斤谷啊，百多斤谷啊，系要掆～啊。iau53/44kɔŋ35/44tshin53/44li0miaŋ53ŋa0ɲiaŋ53ua53/44.iəu53mau13/21tʂha35lei0i35/44tshien13/44ne0.ci21 ʂət5cin35na0,pak3to35/44cin35na0,iəu53xei53/44iet3tʂak3iet3kɔŋ53tʂhəu13ua0,iəu53ci21ʂət5cin35/44kuk3a0,pak3to35/44cin35/44 kuk3a0,xei53/21iau53/44kɔŋ35tshin53/44li0miaŋ53ŋa0. ②形容程度达到极点：惹舅老子骂～啊。ɲia35/44chiəu35lau21 tsʅ0ma53/44tshin53/44li0miaŋ53ŋa0.

【尽命】tshin53miaŋ53 动做程度补语，表示程度达到极点，相当于“要命、要死”：吵起～ tshau21çi21/44tshin53/44miaŋ53｜气得～çi53tek3tshin53miaŋ53

【尽畲】tshin53sa35 名各个个体的总和（指人）：～都放势爱寻钱渠等都。tshin53sa35/44təu35/53xɔŋ53ʂʅ53

J

ɔi^{53}tsʰin^{13}tsʰien^{13}ci$^{13}_{21}$tien^{0}təu^{35}.

【尽味道】tsʰin^{53}uei$^{53}_{44}$tʰau$^{53}_{44}$ 做补语，形容津津有味：细人子就背条棍子指膨花食嘞，食起～。sei^{53}ɲin$^{13}_{21}$tsɿ^{0} tsʰiəu$^{53}_{44}$pi^{53}tʰiau$^{13}_{21}$kuən^{53}tsɿ^{0} ʂət^{5}le^{0},ʂət^{5}çi$^{21}_{44}$tsʰin^{53}uei$^{53}_{44}$tʰau$^{53}_{44}$.

【进$_1$】tsin^{53} 动 由外到内；进入：箇砖就咁子，箇一论一论子个，留滴空欸，箇火正～得啊。kai$^{53}_{44}$tʂən^{35}tsʰiəu^{53}kan^{21}tsɿ^{0},kai$^{53}_{44}$iet^{3}lən^{53}net^{3}(←iet^{3})lən^{53}tsɿ^{0}ke$^{53}_{21}$,liəu^{13}tet$^{5}_{3}$kʰəŋ^{53}ŋe^{0},kai$^{53}_{44}$fo^{21}tʂaŋ$^{53}_{44}$tsin^{53}tek^{3} a^{0}.

【进$_2$】tsin^{53} 量 旧式房院一宅之内分前后几排的，一排称为一进：讲屋就讲啊你做几多～呶？你如只屋做两～呢，一～呐两～呐？kəŋ^{21}uk^{3}tsʰiəu^{53}kəŋ^{21}ŋa^{0}ɲi^{13}tso^{53}ci^{21}to^{35}tsin^{53}nau^{0}?ɲi$^{13}_{21}$i$^{13}_{21}$tʂak^{3}uk^{3} tso^{53}iəŋ^{21}tsin^{53}ne^{0},iet^{3}tsin^{53}na^{0}iəŋ^{21}tsin^{53}na^{0}?

【进场】tsin^{53}tʂʰəŋ^{21} 动 入场：～一般是讲死哩人呢，死哩人哪晡架势办丧事啊，丧事哪晡架势啊就安做哪晡～呢。箇个结婚就唔讲～啊，欸，哪晡架势。只系话红喜事就唔讲～，就咁个，其他个都可以讲。tsin^{53}tʂʰəŋ^{13}iet^{3}pən^{35}ʂɿ^{53}kəŋ^{21}si^{21}li^{0}ɲin^{13}nei^{0},si^{21}li^{0}ɲin^{13}lai^{53}pu^{35}cia^{53}ʂɿ^{53}pʰan^{53}səŋ^{35}sɿ^{53} a^{0},səŋ^{35}sɿ^{53}lai^{53}pu^{35}cia^{53}ʂɿ^{53}ʐa^{0} tsʰiəu$^{53}_{44}$ən$^{53}_{44}$tso$^{53}_{44}$lai^{53}pu^{35}tsin^{53}tʂʰəŋ^{21}nei^{0}.kai$^{53}_{44}$kei$^{53}_{44}$ciet^{3}fən^{35}tsʰiəu^{53}n̩^{13}kəŋ^{21} tsin^{53}tʂʰəŋ^{21}ŋa^{0},e$_{21}$lai^{53}pu$^{35}_{44}$cia$^{53}_{44}$ʂɿ^{53}.tʂɿ^{21}xei^{53}ua^{53}fəŋ^{13}çi^{21}sɿ^{53}tsʰiəu^{53}n̩^{13}kəŋ^{21}tsin^{53}tʂʰəŋ^{21},tsiəu^{53}kan^{21}cie^{53},cʰi$^{13}_{21}$ tʰa$^{35}_{53}$ke^{53}təu$^{35}_{44}$kʰo^{21}i$^{35}_{53}$kəŋ^{21}.｜打比样我等人年年都张坊镇是年年都七月一号就爱开只子全体党员会嘞，全体党员开会呢，全镇个党员呢到张坊中学箇映子咁有只咁大个场地，年年都九点钟～。ta^{21}pi^{21}iəŋ^{53}ŋai^{13}tien^{0}ɲin^{13}ɲien^{13}ɲien$^{13}_{44}$təu$^{35}_{53}$tʂəŋ^{35}xəŋ$^{35}_{44}$tʂən^{53}ʂɿ$^{53}_{44}$ɲien^{13}ɲien$^{13}_{21}$təu$^{35}_{53}$tsʰiet^{3}ɲiet^{5} iet^{3} xau$^{53}_{44}$ tsʰiəu$^{53}_{44}$ɔi^{53}kʰɔi^{35}tʂak^{3} tsɿ^{0} tsʰien^{13}tʰi^{21}təŋ^{21}vien^{13}fei^{53}lei^{0},tsʰien^{13}tʰi^{21}təŋ^{21}vien^{13}kʰɔi^{35}fei^{53}nei^{0},tsʰien^{13}tʂən^{53}cie$^{53}_{44}$ təŋ^{21}vien$^{13}_{44}$nei^{0} tau$^{53}_{44}$tʂəŋ$^{35}_{44}$xəŋ$^{35}_{44}$tʂəŋ$^{35}_{44}$çiək^{5} kai$^{53}_{44}$iaŋ$^{53}_{44}$tsɿ^{0} kan$^{21}_{44}$iəu$^{35}_{53}$tʂak^{3} kan^{21}tʰai^{53}ke$^{53}_{44}$tʂʰəŋ^{21}tʰi^{53}, ɲien^{13}ɲien$^{13}_{21}$ təu$^{35}_{44}$ciəu^{21}tian^{21}tʂəŋ$^{35}_{44}$tsin^{53}tʂʰəŋ^{21}.

【进冲】tsin^{53}tʂʰəŋ^{35} 动 凹进去：过苦日子个时候子，我娭子病得唔知几苦，饿倒哩啊。硬眼眶骨都突出来呀。眼眶骨都□现，眼珠都～啊，眼珠都窝进去啊。ko^{53}kʰu^{21}ɲiet^{3}tsɿ^{0}ke^{53}ʂɿ^{13}xei$^{53}_{44}$tsɿ^{0}, ŋai$^{13}_{21}$ɔi^{35}tsɿ^{0}pʰiaŋ^{53}tek^{3}n̩^{13}ti$^{35}_{53}$ci^{21}kʰu^{21},ŋo^{53}tau^{21}li^{0}a^{0}. ɲiaŋ^{53}ŋan^{21}cʰiəŋ^{35}kuət^{3}təu$^{35}_{44}$tʰəuk^{5}tʂʰət^{3}lɔi$^{13}_{21}$ia^{0}.ŋan^{21} cʰiəŋ^{35}kuət^{3}təu$^{35}_{53}$uaŋ^{21}çien^{53},ŋan^{21}tʂəu$^{35}_{44}$təu$^{35}_{44}$tsin^{53}tʂʰəŋ^{35}ŋa^{0},ŋan^{21}tʂəu$^{35}_{44}$təu$^{35}_{44}$uo^{35}tsin$^{53}_{44}$çi$^{53}_{44}$a^{0}.

【进出$_1$】tsin^{53}tʂʰət^{3} 动 往来出入；进来和出去：只有一向～。tʂɿ^{21}iəu^{35}iet^{3}çiəŋ^{35}tsin^{53}tʂʰət^{3}.

【进出$_2$】tsin^{53}tʂʰət^{3} 名 靠里靠外的程度：放～是箇一般都系一般都就系米把子唠。fəŋ$^{53}_{44}$tsin^{53} tʂʰət^{3}ʂɿ$^{53}_{44}$kai$^{53}_{44}$iet^{3}pən^{35}təu$^{35}_{44}$xe$^{53}_{44}$iet^{3}pən^{35}təu$^{35}_{44}$tsʰiəu$^{53}_{44}$xei$^{53}_{44}$mi^{21}pa^{21}tsɿ^{0}lau^{0}.

【进馆子】tsin^{53}kən^{21}tsɿ^{0} 到饭馆吃饭：今晡昼边来哩咁多人是我等来去～啊，省子自家搞，省子去屋下搞，～。cin^{35}pu$^{35}_{44}$tʂəu$^{53}_{44}$pien$^{35}_{44}$lɔi^{13}li^{0}kan^{21}to$^{35}_{53}$ɲin$^{13}_{44}$ʂɿ$^{53}_{44}$ŋai$^{13}_{21}$tien^{0}lɔi$^{13}_{21}$çi^{53}tsin^{53}kən^{21}tsɿ^{0}a^{0},saŋ^{21}tsɿ^{0} tsʰɿ$^{35}_{44}$ka$^{35}_{53}$kau^{21},saŋ^{21}tsɿ^{0}çi^{53}uk^{3}xa^{53}kau^{21},tsin^{53}kən^{21}tsɿ^{0}.

【进火】tsin^{53}fo^{21} 动 让火烧进去：放倒去烧个时子箇底下嘞，爱～。fəŋ^{53}tau^{21}çi$^{53}_{44}$ʂau^{35}(k)e$^{53}_{44}$ʂɿ$^{13}_{21}$tsɿ^{0} kai$^{53}_{44}$te^{21}xa$^{53}_{44}$lei^{0},ɔi^{53}tsin^{53}fo^{21}.

【进来】tsin^{53}lɔi$^{13}_{21}$ 动 趋向动词。①由外入内：你～坐！ɲi$^{13}_{21}$tsin^{53}nɔi$^{13}_{21}$tsʰo^{35}！②从外地到本地：渠指皮箩好像系外背传～个。ci$^{13}_{21}$xau^{21}tsʰiəŋ$^{53}_{44}$xei$^{53}_{44}$ŋɔi^{53}pɔi^{53}tʂʰən^{13}tsin$^{53}_{44}$lɔi^{13}ke^{53}.

【进钱】tsin^{53}tsʰien^{13} 动 收入银钱；赚钱：我坐正来～。ŋai$^{13}_{21}$tsʰo^{35}tʂaŋ^{53}lɔi$^{13}_{44}$tsin^{53}tsʰien$^{13}_{44}$.

【进去】tsin^{53}çi^{53} 动 趋向动词。从外面到里面去：箇就～里背了。kai$^{53}_{44}$tsʰiəu$^{53}_{21}$tsin^{53}çi$^{53}_{44}$ti^{35}pɔi$^{53}_{44}$liau^{0}.｜渠自家会～呀。ci$^{13}_{21}$tsʰɿ^{35}ka$^{35}_{44}$uɔi$^{53}_{44}$tsin^{53}çi$^{53}_{44}$ia^{0}.

【进深】tsin^{53}ʂən^{35} 名 房屋的前后墙之间的距离：箇只屋啊～蛮长，肚里墨暗。～长哩就屋肚里墨暗。kai^{53}tʂak^{3}uk^{3}a^{0} tsin^{53}ʂən$^{35}_{44}$man$^{13}_{21}$tʂʰəŋ^{13},təu^{21}li^{0} miet^{5}an^{53}.tsin^{53}ʂən$^{35}_{44}$tʂʰəŋ^{13}li^{0} tsʰiəu$^{53}_{44}$uk^{3} təu^{21}li^{0} miet^{5}an^{53}.｜渠就根据屋个盘子来做啦，欸～长短就啦，根据屋盘子个长短呐。ci$^{13}_{21}$tsʰiəu$^{53}_{44}$cien$^{35}_{44}$ tʂɿ^{53}uk^{3}kei^{53}pʰan^{13}tsɿ^{0}lɔi^{13}tso^{53}la^{0},e$_{21}$tsin^{53}ʂən$^{35}_{44}$tʂʰəŋ^{13}tən^{21}tsiəu$^{53}_{21}$la^{0},cien^{35}tʂɿ^{53}uk^{3} pʰan^{13}tsɿ^{0}kei^{53}tʂʰəŋ^{13}tən$^{21}_{44}$ na^{0}.

【进账】tsin^{53}tʂəŋ^{53} 名 记收入的账：今晡你箇店里有几多子～啊？cin^{35}pu$^{35}_{53}$ɲi$^{13}_{21}$kai$^{53}_{44}$tian^{53}ni^{0} iəu$^{35}_{44}$ci$^{21}_{44}$ (t)o^{35}tsɿ^{0}tsin^{53}tʂəŋ^{53}a^{0}?

【进馔】tsin$^{53}_{44}$tsʰən^{53} 动 家奠过程中向亡者灵前神案端上菜饭的仪式：然后就～。～，就系分箇个菜饭呐送下箇个神案上去。～也分三次，三～。初～。亚～，就亚～呐，第二次～呐。三～。vien^{13}xei$^{53}_{44}$tsʰiəu$^{53}_{44}$tsin$^{53}_{44}$tsʰən^{53}.tsin$^{53}_{44}$tsʰən^{53},tsʰiəu$^{53}_{44}$xei$^{53}_{44}$pəŋ^{35}kai$^{53}_{21}$ke$^{53}_{21}$tsʰɔi^{53}fan^{53}na^{0} səŋ^{53}ŋa$^{53}_{44}$kai$^{53}_{44}$ke$^{53}_{44}$ ʂən^{13}ŋən^{53}xəŋ$^{53}_{44}$çi^{53}.tsin^{53}tsʰən^{53}na$^{53}_{44}$fən$^{35}_{44}$san^{35}tsʰɿ^{53},san^{35}tsin$^{53}_{44}$tsʰən^{53}.tsʰəu^{35}tsin$^{53}_{44}$tsʰən$^{53}_{44}$.ŋa^{53}tsin$^{53}_{44}$tsʰən$^{53}_{44}$,tsʰiəu$^{53}_{44}$

J

ia53tsin53tshɔn53na0,thi53-44ɲi53tshɿ53-44tsin53tshɔn53na0.san35tsin53-44tshɔn53-44.

【近】chin35 [形]距离短：真～，两脚路就走到哩。tʂən35chin35,iɔŋ21ciɔk3 ləu53tshiəu53tsei21tau53li0.

【近边】chin35pien35-44 [名]附近；旁边：我唔想葬归老家去，我就想跍倒以～买只地方葬倒。ŋai13 n̩13-21siɔŋ21tsɔŋ53kuei35-44lau21cia35-44çi53-44,ŋai13-21tshiəu35-44siɔŋ21khu35tau21i21chin35pien35-44mai53tʂak3thi53-44fɔŋ35-44tsɔŋ53tau21.

【近边人】chin35pien35-44ɲin13-21 [名]附近的居民：唔系和尚呢，就请～念（经）呢。m̩13phe53xo13ʂɔŋ53 nei0,tshiəu53tshiaŋ21chin35pien35-44ɲin13-21ɲian53nei0.

【近路】chin35ləu53 [名]捷径：我店里到屋下走～，唔弯下别哪映去，走～都有里把路。ŋai13 tian53ni0 tau53uk3 xa53-44tsei21chin35nəu53,n̩13uan35na53-44phiet5 lai53-44iaŋ53-44çi53,tsei21chin35nəu53təu35-44iəu35li35pa21pəu53-21.

【近视镜】chin53ʂɿ53-44ciaŋ53 [名]近视眼镜：以个就～，箇起就老花镜。i21ke53-44tshiəu53-44chin53ʂɿ53-44ciaŋ53, kai53çi21-44tshiəu53-44lau21fa35ciaŋ53.

【劲】cin53 [名]力气：一身修软个，冇得～。iet3 ʂən35siəu35ɲiɔn35cie53-44,mau13-21tek3 cin53.

【浸】tsin53 [动]①入水浸泡使之膨胀：～正米来，磨吊浆安做。tsin53tʂaŋ53mi21ləi13,mo53tiau53tsiɔŋ35 ɔn35-44tso53-44. ②入酸水泡制使菜变酸：～辣椒 tsin53nait5 tsiau35-44. ③入酒泡制：还有蛇～个酒，蛇酒。xai13-21iəu35-53ʂa13tsin53ke53-44tsiəu21,ʂa13tsiəu21. ④（洪水）淹没：田里欸水～嘿了，箇丘田分大水～嘿了。thien13ni0 e21ʂei21tsin53xek3 liau0,kai53-44chiəu35-44thien13-21pən35thai53ʂei21tsin53nek3 (←xek3)liau0. ⑤用水溺杀：～狗 tsin53kei21

【浸辣椒】tsin53lait5 tsiau35 [名]用酸水泡制的辣椒：只有～。箇个辣椒放下坛子里，放下罂里呀，辣椒放下罂里，加滴水。加滴么个水嘞？加滴箇个呣米汤水。呣，加滴米汤水。冇得米汤，如今煮饭唔用米汤嘞，就放滴子米，炆滴子唔知几鲜个羹，欸放倒去。渠，如果净水渠冇得么个东西发酵哇，系唔系？哦放滴子也望□去放滴子粮食去渠就会发酵哇，就会酸呢。然后密封，放下罂里，密封，封稳。过段子时间就箇个就酸嘿哩。爱放滴子盐。欸，唔放盐会变质。tʂɿ21iəu35-44tsin53lait5-3 tsiau35-44.kai53-44ke53-44lait5 tsiau35-44fɔŋ53ŋa44(←xa53)than13tsɿ0 li0,fɔŋ53-44ŋa44(←xa53)aŋ35li0 ia0,lait5 tsiau35-44fɔŋ53-44ŋa44(←xa53)aŋ35li0,cia35tiet5 ʂei21.cia35tiet5 mak3 ke53-44ʂei21lei0 ?cia35tiet5 kai53-44ke53-21m̩21mi21 thɔŋ35ʂei21.m̩21,cia35tiet5 mi21thɔŋ35ʂei21.mau13tek3 mi21thɔŋ35,i13-21cin35-44tʂəu21fan53n̩13iɔŋ53-44mi21thɔŋ35lei0,tshiəu35-44 fɔŋ53tet5 tsɿ0 mi21,uən13tiet5 tsɿ0 n̩13ti53-53ci21sien35ke53kaŋ35,e21fɔŋ53tau21çi53.ci13,vy13ko21tshiaŋ53ʂei21ci13-21mau13tek3 mak3 (k)e53-44tɔŋ35-44si0 fait3 çiau53ua0,xei53-44me53-44?o0 fɔŋ53tet5 tsɿ0 ie0 uɔŋ53tʂət3 çi53-44fɔŋ53tet5 tsɿ0 liɔŋ13ʂət3 çi53ci13-21tsiəu53-44 uɔi53-44fait3 çiau53ua0,tsiəu53-44uɔi53-44sɔn35ne0.vien13-21xei53-44miet5 fəŋ35,fɔŋ53-44(x)a53-44aŋ35li0,miet5 fəŋ35,fəŋ35uən21.ko53tɔn53 tsɿ0 ʂɿ13-21kan35-44tshiəu53-44kai53-44ke53-44tshiəu53-44sɔn35nek3 (←xek3)li0.ɔi53-44fɔŋ53-44tet5 tsɿ0 ian13.e21,n̩13fɔŋ53ian13uɔi53-44pien53tʂət3.

【浸萝卜】tsin53lo13phek5 [名]浸泡腌制成的萝卜：～就分萝卜洗净来以后晒潮下子，去浸。一般是咁子浸呢，首先一只就萝卜，萝卜嘞一只爱洗净来，爱晒潮下子来，萝卜那也还可切开来，晒潮来。切开下子来，十分大个唠，十分大个渠让门子嘞？打比咁大一只萝卜，浸唔过箇肚里，系唔系？你就可以切成条条，欸，但是爱厚滴子凑。嗯，切成坨坨，一般都系切成一条一条。好，箇是一只，箇是萝卜，爱晒潮下子来。水分搞得干，你浸倒个萝卜更好食。欸，第二只就系爱水，爱只罂头。箇罂头最好个罂头系么个嘞？龙衣罂。欸，你晓得龙衣罂吵，系唔系？最好就用龙衣罂。欸，莫漏水啦，爱密封啦。第三只嘞就系爱水。箇水嘞就两种嘞，一种嘞就系么个嘞？一种就以前浸过萝卜个呢，可以又用一次。欸，如果以前冇得箇个揪酸个水个，你就可以冷开水，硬爱开水烧泡来以后摊冷来，冷开水放倒去浸。欸，如今渠等人浸个是箇是蛮多名堂哦。欸，渠浸个嘞，放兜子小米椒，就辣辣子啊，系唔系？好食啦。放兜子醋，粮白醋，加兜醋去，更易得酸。好，以下就放倒萝卜去啊，就密封啊，爱密封啊，过两晡子就过几晡子就酸哩。唔知几简单。欸，放酒哇还系可以，放兜酒子可以。唔爱多哩，酒嘞唔爱多哩。～我看想下子看下哈。～可以唔爱放酒，只有箇让门子舞就可以爱放酒嘞？只有箇萝卜唔用浸个办法，用擦个办法，筑啊罂里，筑倒箇个龙衣罂里，箇萝卜也爱晒潮来，筑下箇个罂里，然后就淋兜子酒去，密封，欸，用龙衣罂子，密封。tsin53lo13phek5 tshiəu53pən35 lo13phek3 se21tshiaŋ53ləi13-21i35xei53sai53tʂhau13xa53tsɿ0,çi53-44tsin53.iet3 pɔn35-44ʂɿ53kan21-13tsɿ0 tsin53nei0,ʂəu21sien35-44iet3 tʂak3 tshiəu53-44lo13phek5,lo13phek5 lei0 iet3 tʂak3 ɔi53se21tshiaŋ53ləi13-21,ɔi53-44sai53tʂhau13ua53tsɿ0 ləi13-44,lo13phek5 la53ie21 xai13-21kho21tshiet3 khɔi35ləi13-21,sai53tʂhau13ləi13-44.tshiet3 khɔi35ia53tsɿ0 ləi13-21,ʂət5 fən35-44thai53ke53lau0,ʂət5 fən35-44thai53ke53-44ci13-21 ɲiɔŋ53mən13-44tsɿ0 lei0?ta21pi21kan21thai53iet3 tʂak3 lo13phek5,tsin53n̩13ko53kai53təu21li0,xei53-44me53-44?ɲi13-21tshiəu53kho21i35-53 tshiet3 ʂaŋ13-44thiau13thiau13-44,e21,tan53-44ʂɿ53-44ɔi53-44xei35tiet5 tsɿ0 tshe0.n̩21,tshiet3 ʂaŋ13-44tho13tho13-44,iet3 pɔn35təu35-53xe53-44tshiet3 ʂaŋ$^{13}_{44}$iet^{3} tʰiau^{13}iet^{3} tʰiau^{13}.xau^{21},kai^{53}ʂʅ$^{53}_{44}$iet^{3} tʂak^{3},kai$^{53}_{44}$ʂʅ$^{53}_{44}$lo^{13}pʰek^{3},ɔi$^{53}_{44}$sai^{53}tʂʰau^{13}xa^{53}tsʅ^{0} lɔi$^{13}_{21}$.ʂei^{21}fən^{53}kau^{21} tek^{3} kɔn^{35}, ɲi^{13}tsin^{53}tau^{21}ke^{0} lo^{13}pʰek^{5} ken$^{53}_{44}$xau^{21}ʂət^{5} .e$_{21}$,tʰi^{3}ɲi^{53}tʂak^{3} tsʰiəu$^{53}_{44}$xe$^{53}_{44}$ɔi^{53}ʂei^{21},ɔi$^{53}_{44}$tʂak^{3} aŋ^{35}tʰei$^{13}_{44}$. kai$^{53}_{44}$aŋ^{35}tʰei$^{13}_{21}$tsei^{53}xau^{21}ke$^{53}_{44}$aŋ^{35}tʰei$^{13}_{44}$xei$^{53}_{44}$mak^{3} e^{0} lei^{0} ?ləŋ^{13}i$^{35}_{44}$aŋ^{35}.e$_{21}$, ɲi$^{13}_{21}$çiau^{21}(t)ek^{3} ləŋ^{13}i$^{35}_{44}$aŋ$^{35}_{44}$ʂa^{0} ,xei$^{53}_{44}$me$^{53}_{44}$? tsei^{53}xau^{21}tsʰiəu^{53}iəŋ^{53}ləŋ^{13}i$^{35}_{44}$aŋ$^{35}_{44}$.e$_{21}$,mɔk^{5} lei^{53}ʂei^{21}la^{0} ,ɔi$^{53}_{44}$miet^{5} fəŋ^{35}la^{0} .tʰi^{3}i^{53}san^{35}tʂak^{3} lei^{0} tsʰiəu^{53}xe^{53}ɔi^{53}ʂei^{21}. kai^{53}ʂei^{21}le^{0} tsʰiəu^{53}iəŋ^{21}tʂəŋ^{21}lei^{0} ,iet^{3} tʂəŋ^{21}le^{0} tsʰiəu^{53}xe^{53}mak^{3} ke$^{53}_{44}$le^{0} ?iet^{3} tʂəŋ^{21}tsʰiəu^{53}i^{35}tsʰien^{13}tsin^{53}ko^{53} lo^{13}pʰek^{5} ke^{53}nei^{0} ,kʰo^{21}i$^{35}_{44}$iəu^{53}iəŋ^{53}iet^{3} tsʰʅ^{53}.e$_{44}$,ʮ^{13}ko^{21}i$^{35}_{53}$tsʰien$^{13}_{44}$mau^{13}tek^{3} kai$^{53}_{44}$ke$^{53}_{44}$tsiəu$^{35}_{44}$sɔn$^{35}_{44}$ke^{0} ʂei^{21}ke^{53}, ɲi$^{13}_{21}$tsʰiəu^{53}kʰo^{21}i$^{35}_{44}$laŋ^{35}kʰɔi^{35}ʂei^{21}, ɲiaŋ^{53}ɔi^{53}kʰɔi^{35}ʂei^{21}ʂau^{53}pʰau^{35}lɔi$^{13}_{21}$i$^{35}_{53}$xei$^{53}_{21}$tʰan^{35}laŋ^{35}lɔi$^{13}_{21}$,laŋ^{35}kʰɔi$^{35}_{44}$ʂei^{21}fəŋ^{53} tau^{21}çi$^{53}_{44}$tsin^{53}.e$_{44}$,i$^{13}_{21}$cin$^{35}_{53}$ci$^{13}_{21}$tien^{0} ɲin$^{13}_{21}$tsin^{53}ke^{53}ʂʅ$^{53}_{44}$kai^{53}ʂʅ$^{53}_{44}$man^{13}to$^{35}_{44}$min^{13}tʰəŋ$^{13}_{21}$ŋo^{0} .ei$_{21}$,ci^{13}tsin^{53}ke$^{53}_{44}$le^{0} ,fəŋ^{53}te$^{35}_{53}$ tsʅ^{0} siau^{21}mi^{21}tsiau^{35},tsʰiəu^{53}lait^{5} lait^{5} tsʅ^{0} a^{0} ,xei$^{53}_{44}$me$^{53}_{44}$?xau^{21}ʂət^{5} la^{0} .fəŋ^{53}tiet^{5} tsʅ^{0} tsʰʅ^{53},liəŋ^{13}pʰak^{5} tsʰʅ^{53},cia^{35}te$^{35}_{44}$ tsʰʅ^{53}çi^{53},cien$^{53}_{44}$i^{53}tek^{3} sɔn^{35}.xau^{21},i^{21}xa$^{53}_{44}$tsʰiəu$^{53}_{44}$fəŋ^{53}tau^{21}lo^{13}pʰek^{5} çi^{53}a^{0} ,tsʰiəu$^{53}_{44}$miet^{5} fəŋ$^{35}_{44}$ŋa^{0} ,ɔi$^{53}_{44}$miet^{5} fəŋ$^{35}_{44}$ ŋa^{0} ,ko^{53}iəŋ^{21}pu$^{35}_{44}$tsʅ^{0} tsʰiəu$^{53}_{44}$ko^{53}ci^{21}pu$^{35}_{44}$tsʅ^{0} tsʰiəu$^{53}_{44}$sɔn$^{35}_{44}$ni^{0} .n̩$^{13}_{21}$ti$^{35}_{53}$ci^{21}kan^{21}tan$^{35}_{44}$.e$_{21}$,fəŋ^{53}tsiəu^{21}ua^{0} xai$^{13}_{44}$xe$^{53}_{44}$kʰo^{21} i$^{35}_{44}$,fəŋ^{53}te$^{35}_{53}$tsiəu^{21}tsʅ^{0} kʰo^{21}i^{21}.m̩$^{13}_{21}$mɔi^{53}to^{35}li^{0} ,tsiəu^{21}le^{0} m̩$^{13}_{21}$mɔi$^{53}_{44}$to^{35}li^{0} .tsin^{53}lo^{13}pʰek^{5} ŋai$^{13}_{21}$kʰɔn$^{53}_{44}$siəŋ^{21}xa^{53}tsʅ^{0} kʰɔn$^{53}_{44}$na$^{53}_{44}$xa^{0} .tsin^{53}lo^{13}pʰek^{5} kʰo^{21}i$^{35}_{53}$m̩$^{13}_{21}$mɔi$^{53}_{44}$fəŋ^{53}tsiəu^{21},tʂʅ^{21}iəu$^{35}_{53}$kai^{53}ɲiəŋ^{53}mən$^{13}_{44}$tsʅ^{0} u^{21}tsʰiəu^{53}kʰo^{21}i$^{35}_{44}$ɔi$^{53}_{44}$ fəŋ^{53}tsiəu^{21}le^{0} ?tʂʅ^{21}iəu$^{35}_{53}$kai^{53}lo^{13}pʰek^{5} n̩^{13}iəŋ^{53}tsin^{53}cie$^{53}_{44}$pʰan^{53}fait^{3} ,iəŋ^{53}tsʰait^{3} cie$^{53}_{44}$pʰan^{53}fait^{3} ,tʂəuk^{3} a^{0} aŋ^{35} li^{0} ,tʂəuk^{3} tau$^{21}_{44}$kai^{53}ke^{53}ləŋ^{13}i$^{35}_{44}$aŋ^{35}li^{0} ,kai$^{53}_{44}$lo^{13}pʰek^{5} ia^{35}ɔi$^{53}_{44}$sai^{53}tʂʰau$^{13}_{21}$lɔi$^{13}_{44}$,tʂəuk^{3} ua^{53}kai$^{53}_{44}$ke$^{53}_{44}$aŋ^{35}li^{0} ,vien^{13} xei$^{53}_{44}$tsʰiəu$^{53}_{44}$lin$^{13}_{21}$tei$^{35}_{53}$tsʅ^{0} tsiəu^{21}çi^{53},miet^{5} fəŋ^{35},e$_{21}$,iəŋ^{53}ləŋ$^{13}_{21}$i$^{35}_{44}$aŋ$^{35}_{44}$tsʅ^{0},miet^{5} fəŋ^{35}.

【浸没】tsin^{53}mət^{5} 动沉入液体中：好，以下就放正哩水，放正哩煮青，放滴子盐子，然后就分箇爱煮个衫放倒去。放倒去以后，～来。xau^{21},i^{21}xa$^{53}_{44}$tsʰiəu^{53}fəŋ^{53}tʂaŋ^{53}li^{0} ʂei^{21},fəŋ^{53}tʂaŋ^{53}li^{0} tʂəu^{21} tsʰiaŋ$^{35}_{44}$,fəŋ^{53}tiet^{5} tsʅ^{0} ian^{13}tsʅ^{0} ,vien^{13}xei$^{53}_{44}$tsʰiəu$^{53}_{44}$pən$^{53}_{44}$kai$^{53}_{44}$ɔi^{53}tʂəu^{21}ke^{53}san^{35}fəŋ^{53}tau^{21}çi$^{53}_{44}$.fəŋ^{53}tau^{21}çi$^{53}_{44}$i$^{35}_{44}$xei^{53}, tsin^{53}mət^{5} lɔi$^{13}_{21}$.

【浸湿】tsin^{53}ʂek^{3} 动将物体泡在液体里使其饱含液体：唔系要箇桐油舞油倒去硬完全来～哟。m̩^{13}me^{53}iau$^{53}_{44}$kai^{53}tʰəŋ^{13}iəu$^{13}_{21}$u^{21}iəu^{13}tau^{21}çi$^{53}_{44}$ɲiaŋ^{53}xɔn^{13}tsʰien$^{13}_{21}$nɔi$^{13}_{44}$tsin^{53}ʂek^{3} iau^{0} .

【浸死】tsin^{53}si^{21} 动溺水而亡：箇细人子～哩。kai$^{53}_{44}$se^{53}ɲin$^{13}_{21}$tsʅ^{0} tsin^{53}si^{21}li^{0} .｜有水浸鬼，水肚里～个鬼。iəu^{35}ʂei^{21}tsin^{53}kuei^{21},ʂei^{21}təu^{21}li^{0} tsin^{53}si^{21}ke^{53}kuei^{21}.

【禁】cin^{53} 动禁止：麻将是，今年就～呢，架势～麻将呢。ma^{13}tsiəŋ^{53}ʂʅ$^{53}_{44}$,cin^{35}ɲien$^{13}_{21}$tsʰiəu$^{53}_{44}$cin^{53} ne^{0} ,cia$^{53}_{44}$ʂʅ$^{53}_{44}$cin^{53}ma^{13}tsiəŋ$^{53}_{21}$ne^{0} .

【京白菜】cin^{35}pʰak^{5} tsʰɔi^{53} 名包心白菜。也称“大白菜”：我等系讲大白菜一般是讲～嘞。北方来个白菜就有咁大一蔸蔸呀以前咯。也讲大白菜。ŋai^{13}tien^{0} (x)ei$^{53}_{44}$kɔŋ^{21}tʰai^{53}pʰak^{5} tsʰɔi^{53}iet^{3} pɔn^{35}ʂʅ^{53}kɔŋ^{21}cin^{35}pʰak^{5} tsʰɔi^{53}lei^{0} .pɔit^{3} fəŋ^{35}lɔi^{13}ke^{0} pʰak^{5} tsʰɔi$^{53}_{44}$tsʰiəu$^{53}_{44}$iəu$^{35}_{53}$kan^{21}tʰai^{53}iet^{3} tei$^{35}_{44}$tei$^{35}_{44}$ia^{0} i$^{35}_{53}$ tsʰien$^{13}_{21}$ko^{0} .ia^{35}kɔŋ^{21}tʰai^{53}pʰak^{5} tsʰɔi^{53}.

【经$_{1}$】cin^{35} 动禁受；耐：以个衫呐真～着哦。i^{21}ke^{53}san^{35}na^{0} tʂən^{35}cin^{35}tʂɔk^{3} o^{0} .｜牛肉就～得炆，欸，总炆都炆起唔得烂。ɲiəu^{13}ɲiəuk^{3} tsʰiəu^{53}cin^{35}tek^{3} uən^{13},e$_{21}$,tsəŋ^{21}uən^{13}təu$^{35}_{53}$uən^{13}çi$^{21}_{53}$n̩$^{13}_{21}$tek^{3} lan^{53}.

【经$_{2}$】cin^{35} 形耐用：箇只东西真～呐。kai$^{53}_{44}$(tʂ)ak^{3} (t)əŋ$^{35}_{44}$si^{0} tʂən^{35}cin^{35}na^{0} .｜麻绳一搞哩水就唔～哩。ma^{13}ʂən$^{13}_{44}$iet^{3} kau^{21}li^{0} ʂei^{21}tsʰiəu^{53}n̩^{13}cin$^{35}_{44}$ni^{0} .｜竹椅子冬下头坐倒冰冷，又更有咁～。tʂəuk^{3} i^{21}tsʅ^{0} təŋ$^{35}_{44}$xa$^{53}_{44}$tʰei$^{13}_{21}$tsʰo^{35}tau^{21}pin^{35}laŋ^{35},iəu^{53}cien^{53}mau$^{13}_{21}$kan^{21}cin^{35}.

【经事】cin^{35}sʅ^{53} 形牢固耐用，久用不易坏：扫把草是蛮～哦。sau^{53}pa^{21}tsʰau^{21}ʂʅ$^{53}_{44}$man^{13}cin^{35}sʅ^{53}o^{0}.

【经常】cin^{35}tʂʰɔŋ$^{13}_{21}$ 副时常：～渠等话请我发烛哇。cin^{35}tʂʰɔŋ$^{13}_{21}$ci$^{13}_{21}$tien^{0} ua$^{53}_{44}$tsʰiaŋ^{21}ŋai^{13}fait^{3} tʂəuk^{3} ua^{0}.

【经过】cin^{35}ko^{53} 动通过；经由：冻米一炒哇，～炒或者一炮哇，可以做成冻米糖嘞。təŋ^{53} mi^{21}iet^{3} tsʰau^{21}ua^{0} ,cin^{35}ko$^{53}_{44}$tsʰau^{21}xɔit^{5} tʂa^{21}iet^{3} pʰau^{13}ua^{0} ,kʰo^{21}i^{35}tso^{53}ʂaŋ$^{13}_{21}$təŋ^{53}mi^{21}tʰɔŋ^{13}lei^{0}.

【经墙】cin^{35}tsʰiɔŋ^{13} 名非承重墙：以两边赠承重个，以两边，就安做～。欸，扉墙摎～。扉墙就承重墙啊。～就达平个，顶高可以达平。就如今会……可以达平，系唔系？i^{21}iɔŋ^{21}pien$^{35}_{44}$ maŋ^{13}tʂʰən^{13}tʂʰəŋ^{53}ke$^{53}_{44}$,i^{21}iɔŋ^{21}pien$^{35}_{44}$,tsʰiəu$^{53}_{44}$ɔn$^{35}_{44}$tso$^{53}_{44}$cin^{35}tsʰiɔŋ^{13}.e$_{21}$,fei^{35}tsʰiɔŋ$^{13}_{21}$lau$^{35}_{44}$cin^{35}tsʰiɔŋ$^{13}_{21}$.fei^{35}tsʰiɔŋ$^{13}_{21}$ tsʰiəu$^{53}_{44}$tʂʰən^{13}tʂʰəŋ^{53}tsʰiɔŋ$^{13}_{21}$ŋa^{0} .cin^{35}tsʰiɔŋ$^{13}_{21}$tsʰiəu$^{53}_{44}$tʰait^{5} pʰiaŋ^{13}ke^{53},taŋ^{21}kau$^{35}_{44}$kʰo^{21}i^{35}tʰait^{5} pʰiaŋ^{13}.tsʰiəu$^{53}_{44}$i$^{13}_{21}$ cin$^{35}_{44}$uɔi$^{53}_{21}$…kʰo^{21}i$^{35}_{44}$tʰait^{5} pʰiaŋ^{13},xei$^{53}_{44}$me$^{53}_{44}$?

【经堂】cin^{35}tʰɔŋ$^{13}_{21}$ 名办丧事时道士做道场的场所：道士是做道场，超度，安做超度渠。箇就摆正一只箇个～，安做～。搞几张高桌噢。挂滴箇个如来佛箇只咁个像箇只。欸，观音菩萨个像。～在灵堂个另外一只地方。唔摎灵堂在一起。另外舞间房子，或者另外打只棚。舞细哩个就去侧边子打只棚。就系箇映子就～。tʰau^{53}sʅ$^{53}_{44}$ʂʅ$^{53}_{44}$tso^{53}tʰau^{53}tʂʰɔŋ^{13},tʂʰau^{35}tʰəu$^{53}_{44}$,ɔn$^{35}_{44}$tso$^{53}_{44}$tʂʰau^{35} tʰəu$^{53}_{44}$ci$^{13}_{21}$.kai$^{53}_{44}$tsʰiəu$^{53}_{44}$pai^{21}tʂaŋ^{53}iet^{3} tʂak^{3} kai$^{53}_{44}$ke$^{53}_{44}$cin^{35}tʰɔŋ$^{13}_{21}$,ɔn$^{35}_{44}$tso$^{53}_{44}$cin^{35}tʰɔŋ$^{13}_{21}$.kau^{21}ci^{21}tʂɔŋ$^{35}_{44}$kau^{35}tsɔk^{3} au^{0}.kua^{53}tet^{3} kai$^{53}_{44}$ke$^{53}_{44}$ɯ^{13}lɔi^{13}fət^{5} kai$^{53}_{44}$tʂak^{3} kan^{21}kei$^{53}_{44}$siɔŋ^{53}kai$^{53}_{44}$tʂak^{3} .e$_{21}$,kɔn^{35}in$^{35}_{44}$pʰu$^{13}_{21}$sait^{3} ke$^{53}_{44}$siɔŋ^{53} .cin^{35} tʰɔŋ$^{13}_{21}$tsʰai^{53}lin^{13}tʰɔŋ$^{13}_{21}$ke$^{53}_{44}$lin^{53}uai$^{53}_{44}$iet^{3} tʂak^{3} tʰi$^{53}_{44}$fɔŋ$^{35}_{44}$.n̩^{13}nau^{35}lin^{13}tʰɔŋ$^{13}_{21}$tsʰai^{53}iet^{3} çi^{21}.lin^{53}uai^{53}u^{21}kan$^{35}_{44}$fɔŋ^{13} tsʅ^{0},xɔit^{5} tʂa^{21}lin^{53}uai$^{53}_{44}$ta^{21}tʂak^{3} pʰəŋ^{13}.u^{21}se^{53}li^{0} ke$^{53}_{44}$tsʰiəu$^{53}_{44}$çi$^{53}_{44}$tsek^{3} pien$^{35}_{44}$tsʅ^{0} ta^{21}tʂak^{3} pʰəŋ^{13}.tsʰiəu^{53}xe^{53}kai^{53} iaŋ$^{53}_{44}$tsʅ^{0} tsʰiəu$^{53}_{44}$cin^{35}tʰɔŋ$^{13}_{21}$.

【菁】tsiaŋ^{35} 形①漂亮（用于女性）：蛮～man^{13}tsiaŋ^{35} = 真～tʂən^{35}tsiaŋ^{35} = 十分～ʂət^{5} fən$^{35}_{44}$tsiaŋ^{35}。②好看：反正（红菌）唔知几～个。fan^{21}tʂən^{53}n̩$^{13}_{21}$ti$^{35}_{53}$ci^{21}tsiaŋ^{35}ke^{53}. ③好；强（更好）：你个菜比我个更～哈。你个更～，我个唔～。ɲi^{13}ke^{53}tsʰɔi^{53}pi^{13}ŋai^{13}(k)e$^{53}_{44}$cien^{53}tsiaŋ^{35}xa^{0}. ɲi^{13}cie^{53}cien^{53}tsiaŋ^{35}, ŋai^{13}ke^{53}n̩$^{13}_{21}$tsiaŋ$^{35}_{44}$.｜今年个菜都唔～，今年个菜落多哩水唔～，冇得旧年咁～。cin^{35}ɲien$^{13}_{21}$ke$^{53}_{44}$ tsʰɔi^{53}təu^{35}n̩$^{13}_{21}$tsiaŋ$^{35}_{44}$,cin$^{35}_{44}$ɲien$^{13}_{44}$(k)e$^{53}_{44}$tsʰɔi^{53}lɔk^{5} to$^{35}_{53}$li^{0} ʂei^{21}n̩^{13}tsiaŋ$^{35}_{44}$,mau$^{13}_{21}$tek^{3} cʰiəu^{53}ɲien$^{13}_{21}$kan^{21}tsiaŋ$^{35}_{44}$.｜你个辣椒哇你看几～子啊，你个辣椒更～啊。ɲi^{13}ke$^{53}_{44}$lait^{3} tsiau$^{35}_{44}$ua^{0}ɲi^{13}kʰɔn^{53}ci^{21}tsiaŋ^{35}tsa^{0}, ɲi^{13}ke$^{53}_{44}$ lait^{5} tsiau$^{35}_{44}$cien^{53}tsiaŋ^{35}ŋa^{0}.

【惊】ciaŋ^{35} 量指受惊吓：吓一～ xak^{3} iet^{3} ciaŋ^{35}吓一跳

【惊风】ciaŋ^{35}fəŋ^{35} 名小儿病名。急惊风、慢惊风的统称：箇只细子得哩～。好得系慢～，唔爱紧。kai$^{53}_{44}$tʂak^{3} sei^{53}tsʅ^{0} tek^{3} li^{0} ciaŋ^{35}fəŋ^{35}.xau^{21}tek^{3} xe$^{53}_{44}$man^{53}ciaŋ$^{35}_{44}$fəŋ$^{35}_{44}$,m̩$^{13}_{21}$mɔi^{53}cin^{21}.

【惊心惊胆】ciaŋ^{35}sin^{35}ciaŋ^{35}tan^{21} 提心吊胆：今晡我等箇只孙子啊到浏阳看病去哩，我硬～，唔知会出么个问题嘛，唔知会有么个事嘛。cin^{35}pu$^{35}_{44}$ŋai$^{13}_{21}$tien^{0} kai^{53}tʂak^{3} sən^{35}tsʅ^{0} a^{0} tau^{53}liəu$^{13}_{21}$iɔŋ$^{13}_{44}$ kʰɔn^{53}pʰiaŋ^{53}çi^{53}li^{0} ,ŋai$^{13}_{21}$ɲiaŋ^{53}ciaŋ^{35}sin$^{35}_{44}$ciaŋ^{35}tan^{21},n̩$^{13}_{21}$ti$^{35}_{44}$uɔi^{53}tʂʰət^{3} mak^{3} ke$^{53}_{44}$uən^{53}tʰi$^{13}_{21}$ma^{0} ,n̩$^{13}_{21}$ti$^{35}_{44}$uɔi^{53}iəu^{35} mak^{3} e^{0} sʅ^{53}ma^{0}.

【惊蛰】ciaŋ^{35}tʂʰət^{5} 名二十四节气之一：～过哩以后呀，箇个蛇箇兜啦虫子箇兜就出动了。所以～过哩以后嘞就走路箇兜都爱注意下子。ciaŋ^{35}tʂʰət^{5} ko^{53}li^{0} i$^{35}_{44}$xei^{53}ia^{0} ,kai$^{53}_{44}$kei$^{53}_{44}$ʂa^{13}kai$^{53}_{44}$tei$^{35}_{53}$la^{0} tʂʰəŋ^{13}tsʅ^{0} kai^{53}te$^{35}_{44}$tsʰiəu$^{53}_{44}$tʂʰət^{3} tʰəŋ^{53}liau^{0} .so^{21}i$^{35}_{44}$ciaŋ^{35}tʂʰət^{5} ko^{53}li^{0} i$^{35}_{44}$xei$^{53}_{44}$lei^{0} tsʰiəu$^{53}_{44}$tsei^{21}ləu^{53}kai$^{53}_{44}$te$^{35}_{44}$təu$^{35}_{44}$ ɔi^{53}tʂʮ^{53}i^{53}xa$^{53}_{21}$tsʅ^{0}.

【腈】tsiaŋ^{35} 形瘦的（肉）：～肉比肥肉更好食，肥肉食多哩食唔得。tsiaŋ^{35}ɲiəuk^{3} pi^{21}pʰi^{13}ɲiəuk^{3} cien^{53}xau^{21}ʂət^{5} ,pʰi^{13}ɲiəuk^{3} ʂət^{5} to$^{35}_{44}$li^{0} ʂət^{5} n̩$^{13}_{21}$tek^{3}.｜欸，以前是～猪肉唔受欢迎呢，爱肥猪肉。～猪肉爱油去炒唠，肥猪肉就能够炒出油来呀。欸，以下嘞慢慢子嘞，～猪肉都又还冇得排骨咁时兴了。ei$_{44}$,i$^{35}_{53}$tsʰien^{13}ʂʅ$^{53}_{44}$tsiaŋ$^{35}_{44}$tʂəu$^{35}_{44}$ɲiəuk^{3} n̩^{13}ʂəu^{53}xɔn$^{35}_{44}$ɲin$^{13}_{21}$ne^{0} ,ɔi^{53}pʰi^{13}tʂəu$^{35}_{44}$ɲiəuk^{3} .tsiaŋ^{35}tʂəu$^{35}_{53}$ɲiəuk^{3} ɔi^{53}iəu^{13}çi^{53}tsʰau^{21}lau^{0} ,pʰi^{13}tʂəu$^{35}_{53}$ɲiəuk^{3} tsʰiəu^{53}len$^{13}_{21}$kəu^{53}tsʰau^{21}tʂʰət^{3} iəu^{13}lɔi$^{13}_{53}$ia^{0} .ei$_{21}$,i^{21}xa$^{53}_{44}$lei^{0} man^{53}man^{53} tsʅ^{0} lei^{0} ,tsiaŋ^{35}tʂəu$^{35}_{53}$ɲiəuk^{3} təu$^{35}_{53}$iəu^{53}xai$^{13}_{21}$mau^{13}tek^{3} pʰai^{13}kuət^{3} kan^{21}ʂʅ$^{13}_{21}$çin^{35}niau^{0}.

【精$_{1}$】tsin^{35} 名神话传说中的妖怪：欸乌龟成哩～呐。e$_{21}$u^{35}kuei$^{35}_{44}$tʂʰən$^{13}_{21}$ni^{0} tsin^{35}na^{0}.

【精$_{2}$】tsin^{35} 形（稻谷）饱满：半～半䆀子个箇个就安做二斗子。pan^{53}tsin^{35}pan^{53}iait^{3} tsʅ^{0} ke^{0} kai$^{53}_{44}$ ke$^{53}_{44}$tsʰiəu$^{53}_{44}$ɔn$^{35}_{44}$tso$^{53}_{44}$ɲi^{53}tei^{21}tsʅ^{0}.

【精谷】tsin^{35}kuk^{3} 名颗粒饱满的稻谷：风车车谷，欸，最好个嘞就～，就系装啊箩里装倒。fəŋ^{35}tʂʰa$^{35}_{44}$tʂʰa^{35}kuk^{3} ,e$_{21}$,tsei^{53}xau^{21}ke^{0} lei^{0} tsʰiəu$^{53}_{44}$tsin^{35}kuk^{3} ,tsʰiəu^{53}xe$^{53}_{44}$tʂɔŋ^{35}a^{0} lo^{13}li^{0} tʂɔŋ^{35}tau^{21}.

【精括】tsin^{35}kuak^{5} 形①籽实饱满：禾细就禾～，但是禾细细子，有兜禾唔大呀，禾细细子，但是渠结出来个谷嘞只只都饱满，精壮。禾细就禾～。uo^{13}se^{53}tsʰiəu$^{53}_{44}$uo^{13}tsin^{35}kuak^{5} ,tan$^{53}_{44}$ʂʅ$^{53}_{44}$uo^{13} se^{53}se^{53}tsʅ^{0} ,iəu^{35}te$^{35}_{53}$uo^{13}n̩^{13}tʰai^{53}ia^{0} ,uo^{13}se^{53}se^{53}tsʅ^{0} ,tan^{53}ʂʅ^{53}ci$^{13}_{21}$ciet^{3} tʂʰət^{3} lɔi$^{13}_{21}$ke^{53}kuk^{3} le^{0} tʂak^{3} tʂak^{3} təu$^{35}_{53}$pau^{21} mɔn^{35},tsin^{35}tsɔŋ^{53} .uo^{13}sei^{53}tsʰiəu$^{53}_{44}$uo^{13}tsin^{35}kuak^{5}. ②（人）精明：我等是只有咁～。ŋai^{13}tien^{0} ʂʅ$^{53}_{44}$tʂʅ^{21} iəu$^{35}_{53}$kan^{21}tsin^{35}kuak^{5}.｜欸，我等有只学堂里有只老师真～呢，箇就系尽兜都话渠真～，真精明。渠真雀啊，欸，真雀啊。e$_{21}$,ŋai^{13}tien^{0} iəu$^{35}_{44}$tʂak^{3} xɔk^{5} tʰɔŋ$^{13}_{21}$li^{21} iəu^{35}tʂak^{3} lau^{21}sʅ$^{35}_{44}$tʂən^{35}tsin^{35}kuak^{3} nei^{0} ,kai$^{53}_{44}$tsʰiəu$^{53}_{44}$xei^{53}tsʰin^{53}te$^{35}_{44}$təu$^{35}_{44}$ua^{53}ci$^{13}_{21}$tʂən^{35}tsin^{35}kuak^{5} ,tʂən^{35}tsin^{35}min$^{13}_{44}$.ci$^{13}_{21}$tʂən^{35}tsʰiɔk^{3} a^{0} ,e$_{21}$,tʂən^{35} tsʰiɔk^{3} a^{0}.

【精神】tsin^{35}ʂən^{13} 名表现出来的活力：食哩饭箇下子真尯困倦，真冇～。ʂət^{5} li^{0} fan^{53}kai$^{53}_{44}$xa^{53}tsʅ^{0} tʂən^{35}cʰiɔi^{53},tʂən^{35}mau$^{13}_{21}$tsin$^{35}_{44}$ʂən$^{13}_{21}$.

【精致】tsin^{35}tʂʅ^{53} 形精巧别致：（皮篓子）做得蛮～个啦。tso^{53}tek^{3} man^{13}tsin^{35}tʂʅ$^{53}_{44}$ke$^{53}_{44}$la^{0}.｜如果还做～滴子嘞，以只缝以只缝嘞，肚里，咁子做成咁个斜个子。ʮ^{13}ko^{21}xai^{13}tso^{53}tsin^{35}tʂʅ$^{53}_{44}$tiet^{5} tsʅ^{0} lei^{0} ,i^{21}tʂak^{3} pʰəŋ^{53}i^{21}tʂak^{3} pʰəŋ$^{53}_{44}$lei^{0} ,təu^{21}li^{0} ,kan^{21}tsʅ^{0} tso^{53}ʂaŋ$^{13}_{44}$kan$^{21}_{44}$ke$^{53}_{44}$tsʰia^{13}ke^{53}tsʅ^{0}.

【精壮】tsin^{35}tsɔŋ^{53} 形 指粮食颗粒饱满：系果实比较壮实个意思。唔～，就系瘪瘪子个。唔～个谷嘞一个方面呢渠就欸瘪瘪子，捻倒去都殊绵殊绵，一晒下干来嘞就剩倒点伢子，剩倒重子皮子。箇个就安做唔～。精神个精，壮丽个……壮实个壮。xe^{53}ko^{21}ʂət^{5}pi^{21}ciau$^{53}_{44}$tsɔŋ^{53}ʂət^{5}ke$^{53}_{44}$i$^{53}_{44}$sɿ^{0}.n̩^{13}tsin^{35}tsɔŋ^{53},tsʰiəu$^{53}_{44}$xe$^{53}_{44}$iait^{3}iait^{3}tsɿ^{0}ke$^{53}_{44}$.n̩^{13}tsin^{35}tsɔŋ$^{53}_{44}$ke$^{53}_{44}$kuk^{3}lei^{0}iet^{3}cie$^{53}_{21}$fɔŋ^{35}mien$^{53}_{44}$nei^{0}ci$^{13}_{21}$tsʰiəu$^{53}_{44}$e$_{21}$iait^{3}iait^{3}tsɿ^{0},ɲian^{21}tau^{21}çi$^{53}_{44}$təu$^{35}_{44}$mət^{5}mien^{13}mət^{5}mien^{13},iet^{3}sai^{53}ia$_{44}$(←xa^{53})kɔn^{35}nɔi^{13}lei^{0}tsʰiəu$^{53}_{44}$ʂən^{53}tau^{21}tian^{53}ŋai$^{13}_{21}$tsɿ^{0},ʂən^{53}tau^{21}tʂʰəŋ^{13}tsɿ^{0}pʰi^{13}tsɿ^{0}.kai$^{53}_{44}$ke$^{53}_{44}$tsʰiəu$^{53}_{44}$ɔn$^{35}_{44}$tso$^{53}_{44}$n̩^{13}tsin^{35}tsɔŋ^{53}.tsin^{35}ʂən$^{13}_{21}$ke$^{53}_{21}$tsin^{35},tsɔŋ^{53}li$^{53}_{44}$ke$^{53}_{44}$···tsɔŋ^{53}ʂət^{5}ke$^{53}_{44}$tsɔŋ^{53}.

【井】tsiaŋ^{21} 名 ①人工挖成的能取水的深洞：系下山里个人咯到处都系～。只爱有泉水出，欸，出泉水个栏场就挖只子凼，搞正下子，就系一口～。同我等箇只老屋样啊，一只屋只有七八家子人家，几多口～啊？三口～。当然啦，只有一口，有一口～就最大个，箇就尽兜都用。其他个嘞其他个～嘞就系各家各家舞倒竹筒探倒来个，欸，箇个井水。xei^{53}(x)a^{53}san^{35}ni^{0}kei^{53}ɲin$^{13}_{21}$ko^{0}tau^{53}tʂʰəu^{53}təu$^{35}_{44}$xe^{53}tsiaŋ^{21}.tʂʅ^{21}ɔi^{53}iəu$^{35}_{53}$tsʰan^{13}ʂei^{21}tʂʰət^{3},e$_{21}$,tʂʰət^{3}tsʰan^{13}ʂei^{21}ke^{53}laŋ$^{13}_{21}$tʂʰɔŋ$^{13}_{21}$tsʰiəu^{53}ua^{35}tʂak^{3}tsɿ^{0}tʰɔŋ^{53},kau^{21}tʂaŋ^{53}xa^{53}tsɿ^{0},tsʰiəu^{53}xei^{53}iet^{3}xei^{21}tsiaŋ^{21}.tʰəŋ$^{13}_{21}$ŋai^{13}tien^{0}kai^{53}tʂak^{3}lau^{21}uk^{3}iɔŋ^{53}ŋa^{0},iet^{3}tʂak^{3}uk^{3}tʂʅ^{21}iəu$^{35}_{53}$tsʰiet^{3}pait^{3}ka$^{35}_{44}$tsɿ^{0}ɲin^{13}ka$^{35}_{44}$,ci^{21}to^{35}xei^{21}tsiaŋ^{21}ŋa^{0}?san^{35}xei^{21}tsiaŋ^{21}.tɔŋ^{35}vien$^{13}_{21}$la^{0},tʂʅ^{21}iəu$^{35}_{53}$iet^{3}xei^{21},iəu^{35}iet^{3}xei^{21}tsiaŋ^{21}tsʰiəu$^{53}_{44}$tsei^{53}tʰai$^{53}_{44}$ke^{0},kai$^{53}_{21}$tsiəu$^{53}_{21}$tsʰin^{53}te$^{35}_{44}$təu$^{35}_{44}$iɔŋ^{53}.cʰi^{13}tʰa$^{35}_{44}$ke$^{53}_{44}$lei^{0}cʰi^{13}tʰa^{35}ke^{53}tsiaŋ^{21}lei^{0}tsiəu^{53}xe$^{53}_{44}$kɔk^{3}ka$^{35}_{44}$kɔk^{3}ka^{35}u^{21}tau^{21}tʂəuk^{3}tʰəŋ^{13}tʰan^{53}tau^{21}lɔi^{13}ke^{53},e$_{21}$,kai$^{53}_{44}$ke^{53}tsiaŋ^{21}ʂei^{21}. ②纵向的坟坑，又称“凼”：打～ta^{21}tsiaŋ^{21}挖坟凼（直的）。③前后两根抬棺用的绳索与棺材、大杠之间的方形空间：箇八仙肚里有滴冇么啊劲个人呐，欸，长又长得怪瘦怪瘦个人呢，欸，年纪又比较大个人呢，就舞倒渠去搞前～后梢。kai$^{53}_{44}$pait^{3}sien^{35}təu^{21}li^{35}iəu^{35}tet^{5}mau^{13}mak^{3}a^{0}cin^{53}ke$^{53}_{44}$ɲin$^{13}_{44}$na^{0},e$_{21}$,tʂɔŋ^{21}iəu$^{53}_{44}$tʂɔŋ^{21}tek^{3}kuai^{53}sei^{53}kuai^{53}sei^{53}ke$^{53}_{44}$ɲin$^{13}_{21}$ne^{0},ei$_{21}$, ɲien^{13}ci$^{13}_{44}$iəu$^{53}_{44}$pi^{21}ciau$^{53}_{44}$tʰai^{53}ke$^{53}_{44}$ɲin$^{13}_{21}$nei^{0},tsʰiəu$^{53}_{44}$u^{21}tau^{21}ci$^{13}_{21}$çi$^{53}_{44}$kau^{21}tsʰien^{13}tsiaŋ^{21}xei^{53}sau^{35}.

【井水】tsiaŋ^{21}ʂei^{21} 名 井里的水：荷担～ kʰai$^{35}_{44}$tan$^{35}_{44}$tsiaŋ^{21}ʂei^{21}

【颈箍子】ciaŋ^{21}kʰu^{35}tsɿ^{0} 名 项圈：从前呢箇细人子啊，有兜病痛多，唔多好带，就到庙里去求下神，同渠搞只～戴倒。还有兜嘞就有钱人家，箇有钱人家嘞渠有病痛冇病痛渠都搞只箇～分细人子戴倒。tsʰəŋ^{13}tsʰien^{13}nei^{0}kai$^{53}_{44}$sei^{53}ɲin$^{13}_{21}$tsa^{0},iəu^{35}te$^{35}_{44}$pʰiaŋ^{53}tʰəŋ^{53}to^{35},n̩^{13}to$^{35}_{53}$xau^{21}tai^{53},tsʰiəu^{53}tau$^{53}_{44}$miau^{53}li^{21}çi^{53}cʰiəu^{13}ua^{53}ʂən^{13},tʰəŋ^{13}ci$^{13}_{44}$kau^{21}tʂak^{3}ciaŋ^{21}kʰu^{35}tsɿ^{0}tai^{53}tau^{21}.xai$^{13}_{21}$iəu^{35}te$^{35}_{53}$lei^{0}tsiəu^{53}iəu^{35}tsʰien$^{13}_{21}$ɲin$^{13}_{21}$ka$^{35}_{53}$,kai^{53}iəu^{35}tsʰien$^{13}_{21}$ɲin$^{13}_{21}$ka$^{35}_{44}$lei^{0}ci^{13}iəu^{35}pʰiaŋ^{53}tʰəŋ^{53}mau^{13}pʰiaŋ^{53}tʰəŋ^{53}ci$^{13}_{21}$təu^{35}kau^{21}tʂak^{3}kai^{53}ciaŋ^{21}kʰu^{35}tsɿ^{0}pən$^{35}_{44}$sei^{53}ɲin$^{13}_{21}$tsɿ^{0}tai^{53}tau^{21}.

【颈筋】ciaŋ^{21}cin^{35} 名 脖子：（水鸭子）就更像鹅子个，～更长。tsʰiəu$^{53}_{44}$cien^{53}tsʰiɔŋ^{53}ŋo^{13}tsɿ^{0}ke^{53},ciaŋ^{21}cin^{35}cien^{53}tʂʰɔŋ^{13}.

【颈圈】ciaŋ^{21}cʰien^{35} 名 项圈：细人子戴只～就好像嘞就辟邪，就更好带细人子，更易得成长。sei^{53}ɲin$^{13}_{44}$tsɿ^{0}tai^{53}tʂak^{3}ciaŋ^{53}cʰien^{35}tsʰiəu^{53}xau^{21}tsʰiɔŋ^{53}le^{0}tsʰiəu^{53}pʰiet^{3}sia^{13},tsʰiəu$^{53}_{44}$cien$^{53}_{44}$xau^{21}tai^{53}sei$^{53}_{21}$ɲin$^{13}_{21}$tsɿ^{0},ken$^{53}_{44}$i^{53}tek^{3}tʂʰən^{13}tʂɔŋ^{21}.

【颈缩缩哩】ciaŋ^{21}sɔk^{3}sɔk^{3}li^{0} 两肩上耸，脖子显得短的样子：哦，～唠，话别人家～唠。o$_{21}$,ciaŋ^{21}sɔk^{3}sɔk^{3}li^{0}lau^{0},ua$^{53}_{44}$pʰiet^{5}in$^{13}_{44}$ka$^{35}_{44}$ciaŋ^{21}sɔk^{3}sɔk^{3}li^{0}lau^{0}.

【颈锁】ciaŋ^{21}so^{21} 名 长命锁：～我看过。颈圈～我都看过。～就系好像系唔系以颈筋下有只吊只子咁个锁样个，吊倒个。颈圈是只有圈圈。～嘞除哩圈圈呢还有一把子锁样，吊倒就咁个东西，吊倒，箇只就系锁。ciaŋ^{21}so^{21}ŋai^{13}kʰɔn^{53}ko$^{53}_{21}$.ciaŋ^{21}cʰien^{35}ciaŋ^{21}so^{21}ŋai^{13}təu$^{35}_{53}$kʰɔn^{53}ko$^{53}_{21}$.ciaŋ^{21}so^{21}tsʰiəu^{53}xei^{53}xau^{21}tsʰiɔŋ^{53}xei^{53}mei^{53}i^{21}ciaŋ^{21}cin$^{35}_{44}$xa^{35}iəu$^{35}_{44}$tʂak^{3}tiau^{53}tʂak^{3}tsɿ^{0}kan^{21}ke^{53}so^{21}iɔŋ^{53}ke^{53},tiau^{53}tau^{21}ke^{53}.ciaŋ^{21}cʰien^{35}ʂʅ$^{53}_{44}$tʂʅ^{21}iəu$^{35}_{53}$cʰien^{35}cʰien$^{35}_{44}$.ciaŋ^{21}so^{21}lei^{0}tʂʰəu^{13}li^{0}cʰien^{35}cʰien$^{35}_{44}$ne^{0}xai$^{13}_{21}$iəu$^{35}_{53}$it^{3}pa^{21}tsɿ^{0}so^{21}iɔŋ^{53},tiau^{53}tau^{21}tsiəu$^{53}_{44}$kan^{21}ke$^{53}_{44}$təŋ$^{35}_{44}$si^{0},tiau^{53}tau^{21},kai$^{53}_{44}$tʂak^{3}tsʰiəu$^{53}_{44}$xe$^{53}_{44}$so^{21}.

【净$_{1}$】tsʰiaŋ^{53} 形 ①清洁；干净：渠要洗得～噢，洗～来呀。ci$^{13}_{44}$iau$^{53}_{44}$se^{21}tek^{3}tsʰiaŋ^{53}ŋau^{0},se^{21}tsʰiaŋ^{53}lɔi$^{13}_{21}$ia^{0}. ②没有剩余：（豆腐浆）唔得自然出～吵。n̩^{13}tek^{3}tsʰɿ^{53}vien^{13}tʂʰət^{3}tsʰiaŋ^{53}ʂa^{0}.｜箇是系哟，揩又揩唔～。用篾篓揩屁股。kai^{53}ʂʅ$^{53}_{44}$xei$^{53}_{44}$io^{0},kʰai^{35}iəu^{53}kʰai$^{35}_{44}$n̩$^{13}_{21}$tsʰiaŋ^{53}.iɔŋ$^{53}_{44}$miet^{5}sak^{3}kʰai$^{35}_{44}$pʰi^{53}ku^{21}.

【净$_{2}$】tsʰiaŋ^{53} 副 仅仅（表示从一般的人或事物中指出个别的）：以下我箇只屋子过户又搞嘿几万，忒大哩啊，一百八十几只平方啊。～箇车库就搞嘿万数万块钱个办手续，因为车库个第一贵。i^{21}xa^{53}ŋai^{13}kai^{53}tʂak^{3}uk^{3}tsɿ^{0}ko$^{53}_{44}$fu^{53}iəu$^{53}_{44}$kau^{21}xek^{3}ci^{21}uan^{53},tʰet^{3}tʰai^{53}li^{0}a^{0},iet^{3}pak^{3}pait^{3}ʂət^{5}ci^{21}

tʂak^{3} pʰin$^{13}_{21}$fɔŋ$^{35}_{44}$a^{0}.tsʰiaŋ^{53}kai$^{53}_{44}$tʂʰa^{35}kʰu^{53}tsʰiəu^{53}kau^{21}xek^{3} uan^{53}sɿ$^{53}_{44}$uan^{53}kʰuai$^{53}_{44}$tsʰien$^{13}_{21}$kei$^{53}_{44}$pʰan$^{53}_{44}$ʂəu^{21}səuk^{5}, in^{35}uei$^{53}_{44}$tʂʰa^{35}kʰu$^{53}_{44}$kei$^{53}_{44}$tʰi^{53}iet^{3} kuei^{53}.｜～有沙发还系不行个。哎，我等家家都有还有蛮多椅子。tsʰiaŋ^{53}iəu^{35}sa^{35}fait^{3} xai$^{13}_{21}$xe^{53}pət^{3} çin^{13}cie^{0}.ai$_{21}$,ŋai^{13}tien^{0} ka^{35}ka$^{35}_{44}$təu$^{35}_{44}$iəu$^{35}_{44}$xai$^{13}_{21}$iəu^{35}man$^{13}_{21}$to$^{35}_{44}$i^{21}tsɿ^{0}.

【净手】tsʰin^{53}ʂəu^{21} 动洗手的雅称：请～！tsʰiaŋ^{21}tsʰin^{53}ʂəu^{21}!

【净水】tsʰiaŋ^{53}ʂei^{21} 名纯净的水：渠，如果～渠冇得么个东西发酵哇，系唔系？ci^{13},vy^{13}ko^{21} tsʰiaŋ^{53}ʂei^{21}ci$^{13}_{21}$mau^{13}tek^{3} mak^{3} (k)e$^{53}_{44}$təŋ$^{35}_{44}$si^{0} fait^{3} çiau^{53}ua^{0},xei$^{53}_{44}$me$^{53}_{44}$?

【敬】cin^{53} 动有礼貌、恭敬地送上：又掇滴子饭，又分渠指孝子，渠又～下子唠，咁子表示下子，～下子。iəu$^{53}_{44}$tɔit^{3} tet^{5} tsɿ^{0} fan^{53},iəu^{53}pən^{35}ci$^{13}_{21}$,ci$^{13}_{21}$iəu$^{53}_{44}$cin^{53}xa$^{53}_{44}$tsɿ^{0} lau^{0},kan^{21}tsɿ^{0} piau^{21}ʂɿ^{53}xa$^{53}_{44}$tsɿ^{0},cin^{53} na$^{53}_{44}$tsɿ^{0}.

【敬饭】cin^{53}fan^{53} 动以饭食供奉死者：还有只嘞你只……打比样我三个人食饭，我撂你先架势，还有只人朆来。你就等渠空倒碗放倒箇映子。筷子放下底下。你不要装正碗饭呐筷子放倒箇映子，箇个成哩～。箇就唔好看。你不能就系不能装正碗饭来。不能装正来等，等箇只人。渠朆来你就不要装饭。就咁个，人还朆来你就不要装他饭来。你来哩你装他饭那个可以，渠来哩了你再装。你不要装他碗饭呐，筷子就放下如映子啊，箇就同～样。箇渠就会唔高兴，系啊？特别不能够又分只碗覆转来。安做覆三坟。xai^{13}iəu$^{35}_{44}$tʂak^{3} lei^{0} ɲi$^{13}_{44}$tʂɿ…ta^{21}pi^{21}iɔŋ$^{53}_{44}$ŋai^{13}san^{35} ke$^{53}_{44}$in$^{13}_{21}$ʂət^{5} fan^{53},ŋai^{13}lau$^{35}_{44}$ɲi$^{13}_{21}$sien^{35}cia^{53}ʂɿ^{53},xai^{13}iəu$^{35}_{44}$tʂak^{3} in$^{13}_{21}$maŋ^{13}lɔi^{13}. ɲi$^{13}_{21}$tsʰiəu^{53}ten^{21}ci^{13}kʰəŋ^{35}tau^{21}uɔn^{21} fɔŋ^{53}tau^{21}kai^{53}iaŋ^{53}tsɿ^{0}.kʰuai^{53}tsɿ^{0} fɔŋ$^{53}_{44}$xa$^{53}_{44}$tei^{21}xa$^{53}_{44}$. ɲi$^{13}_{21}$pət^{3} iau$^{53}_{44}$tʂɔŋ^{35}tʂaŋ^{53}uɔn^{21}fan^{53}na^{0} kʰuai^{53}tsɿ^{0} fɔŋ$^{53}_{44}$tau^{21} kai$^{53}_{44}$iaŋ$^{53}_{44}$tsɿ^{0},kai$^{53}_{44}$ke$^{53}_{44}$ʂaŋ$^{13}_{21}$li^{0} cin^{53}fan^{53}.kai$^{53}_{21}$tsʰiəu$^{53}_{44}$m̩$^{13}_{21}$mau^{21}kʰɔn^{53}. ɲi$^{13}_{21}$pət^{3} len$^{13}_{21}$tsʰiəu$^{53}_{44}$xe$^{53}_{44}$pət^{3} len^{13}tʂɔŋ^{35} tʂaŋ^{53}uɔn^{21}fan^{53}nɔi$^{13}_{21}$.pət^{3} len^{13}tʂɔŋ^{35}tʂaŋ^{53}lɔi$^{13}_{21}$tien^{21},tien^{21}kai^{53}tʂak^{3} ɲin^{13}.ci$^{13}_{21}$maŋ^{13}lɔi^{13}ɲi$^{13}_{21}$tsiəu$^{53}_{44}$pət^{3} iau$^{53}_{44}$tʂɔŋ^{35} fan^{53}.tsʰiəu$^{53}_{44}$kan^{21}ke$^{53}_{44}$, ɲin$^{13}_{21}$xa$^{13}_{21}$maŋ^{13}nɔi^{13}ɲi$^{13}_{21}$tsʰiəu$^{53}_{44}$pət^{3} iau$^{53}_{44}$tʂɔŋ^{35}tʰa$^{35}_{44}$fan^{53}nɔi$^{13}_{21}$. ɲi$^{13}_{21}$lɔi$^{13}_{21}$li^{0} ɲi$^{13}_{44}$tʂɔŋ^{35}tʰa$^{35}_{44}$ fan^{53}na^{0} ko^{0} kʰo^{21}i$^{35}_{44}$,ci$^{13}_{21}$lɔi^{13}li^{0} liau^{0} ɲi^{13}tsai^{53}tʂɔŋ^{35}. ɲi$^{13}_{21}$pət^{3} iau$^{53}_{44}$tʂɔŋ^{35}tʰa$^{35}_{44}$uɔn^{21}fan^{53}na^{0},kʰuai^{53}tsɿ^{0} tsʰiəu$^{53}_{44}$fɔŋ$^{53}_{44}$ xa$^{53}_{44}$i$^{13}_{21}$iaŋ$^{53}_{44}$tsɿ^{0} a^{0},ka$^{53}_{44}$tsʰiəu$^{53}_{44}$tʰəŋ^{13}cin^{53}fan^{53}iɔŋ^{53}.ka$^{53}_{44}$ci$^{13}_{44}$tsʰiəu$^{53}_{44}$uɔi$^{53}_{44}$ŋ̍$^{13}_{21}$kau^{35}çin$^{53}_{44}$,xei$^{53}_{44}$a^{0} ?tʰiet^{5} pʰiet^{5} pət^{3} len^{13} ciəu$^{53}_{44}$iəu$^{53}_{44}$pən^{35}tʂak^{3} uɔn^{21}pʰuk^{3} tʂɔn^{21}nɔi^{13}.ɔn$^{35}_{44}$tso$^{53}_{44}$pʰuk^{3} san^{35}fən$^{13}_{21}$.

【敬酒】cin^{53}tsiəu^{21} 动筵席间举杯向人表示敬意：打比你陈老师样啊，今晡我等食酒，陈老师你咁远来哩，难得，硬啊食两杯，我自家先干为敬，系唔系？或者我等平个，都酾满来，欸，酾满来我就食，食酒。我哈，我先架哩势了哈。就咁子来呀，就咁子冇人么事哥两好哇箇样么个，唔搞咁样个就～个，冇得，我等客姓人冇得。我从来都朆搞过。ta^{21}pi^{21}ɲi$^{13}_{21}$tʂʰən^{13}nau^{21} sɿ$^{35}_{44}$iɔŋ^{53}a^{0} ,cin^{35}pu$^{35}_{44}$ŋai$^{13}_{21}$tien^{0} ʂət^{5} tsiəu^{21},tʂʰən^{13}lau^{21}sɿ$^{35}_{44}$ɲi$^{13}_{21}$kan^{21}ien^{21}lɔi$^{13}_{21}$li^{0} ,lan^{13}tek^{3} , ɲiaŋ^{53}a^{0} ʂət^{5} iɔŋ^{21} pi$^{35}_{44}$,ŋai^{13}tsʰɿ$^{35}_{21}$ka$^{35}_{44}$sien^{35}kɔn$^{35}_{44}$uei$^{13}_{21}$cin^{53},xe$^{53}_{44}$me$^{53}_{44}$?xɔit^{3} tʂa^{21}a$_{21}$(←ŋai^{13})tien^{0} pʰiaŋ$^{13}_{21}$ke$^{53}_{44}$,təu$^{35}_{44}$sai$^{35}_{44}$man$^{35}_{53}$ lɔi^{13},e$_{21}$,sai^{35}man$^{35}_{53}$nɔi^{13}ŋai$^{13}_{21}$tsʰiəu$^{53}_{44}$ʂət^{5} ,ʂət^{5} tsiəu^{21}.ŋai$^{13}_{21}$xa^{0} ,ŋai$^{13}_{21}$sien$^{35}_{44}$cia^{53}li^{0} ʂɿ^{53}liau^{0} xa^{0} .tsʰiəu$^{53}_{44}$kan^{21}tsɿ^{0} lɔi^{13} ia^{0} ,tsʰiəu$^{53}_{44}$kan^{21}tsɿ^{0} mau^{13}(ɲ)in$^{13}_{44}$mak^{3} sɿ$^{53}_{44}$ko$^{35}_{44}$liaŋ^{21}xau^{21}ua^{0} kai$^{53}_{44}$iɔŋ$^{53}_{44}$mak^{3} ke$^{53}_{44}$,ŋ̍^{13}kau^{21}kan^{21}iɔŋ$^{53}_{44}$ke$^{53}_{44}$tsiəu$^{53}_{44}$ cin^{53}tsiəu^{21}ke^{53},mau$^{13}_{21}$tek^{3} ,ŋai$^{13}_{21}$tien^{0} kʰak^{3} sin^{53}ɲin$^{13}_{21}$mau$^{13}_{21}$tek^{3} .ŋai$^{13}_{21}$tsʰəŋ^{13}lɔi$^{13}_{21}$təu$^{35}_{53}$maŋ$^{13}_{21}$kau^{21}ko$^{53}_{44}$.｜箇些新郎新娘就去敬下子酒唠。kai$^{53}_{44}$sia$^{35}_{44}$sin^{35}nɔŋ$^{13}_{21}$sin^{35}ɲiɔŋ$^{13}_{21}$tsiəu$^{53}_{44}$çi$^{53}_{44}$cin^{53}na$_{44}$(←xa^{53})tsɿ^{0} tsiəu^{21}lau^{0}.

【敬菩萨】cin^{53}pʰu^{13}sait^{3} 敬奉菩萨：我婈子就纵走唔得都间哩蛮久子又爱到庙里去敬下子菩萨啦，欸，爱我骑倒摩托车拖倒渠去～。到五显庙，最近个箇只庙。远哩渠去唔得了。ŋai$^{13}_{21}$ɔi^{35} tsɿ^{0} tsʰiəu$^{53}_{44}$tsəŋ^{53}tsei^{21}n̩^{13}tek^{3} təu$^{35}_{44}$kan^{53}ni^{0} man^{13}ciəu^{21}tsɿ^{0} iəu^{53}ɔi^{53}tau^{53}miau^{53}li^{0} çi^{53}cin^{53}na$^{53}_{44}$tsɿ^{0} pʰu^{13}sait^{3} la^{0},e$_{21}$,ɔi^{53}ŋai$^{13}_{44}$cʰi$^{13}_{21}$tau^{21}mo^{13}tʰɔk^{3} tʂʰa^{35}tʰo^{35}tau^{21}ci^{21}çi$^{53}_{44}$cin^{53}pʰu^{13}sait^{3} .tau^{53}ŋ̍^{21}çien^{21}miau^{53},tsei^{53}cʰin^{35}cie$^{53}_{44}$ kai^{53}tʂak^{3} miau^{53}.ien^{21}li^{0} ci$^{13}_{44}$çi^{53}n̩$^{13}_{21}$tek^{3} liau^{0}.

【敬神】cin^{53}ʂən^{13} 动敬奉神祇：到庙里去～tau^{53}miau^{53}li^{0} çi$^{53}_{44}$cin^{53}ʂən^{13}｜婊子～样 piau^{21}tsɿ^{0} cin^{53} ʂən^{13}iɔŋ^{53} 比喻假正经

【敬重】cin^{53}tʂʰəŋ^{53} 动恭敬尊重：有滴嘞为了表示～呢，剸猪，死哩人呐，杀猪杀羊个时候子嘞，爱打祭。iəu^{35}tet^{5} lei^{0} uei^{53}liau^{0} piau^{21}ʂɿ$^{53}_{44}$cin^{53}tʂʰəŋ$^{53}_{44}$nei^{0} ,tʂʰɿ^{13}tʂəu^{35},si^{21}li^{0} ɲin^{13}na^{0} ,sait^{3} tʂəu^{35}sait^{3} iɔŋ$^{13}_{21}$ke^{53}ʂɿ$^{13}_{21}$xəu$^{53}_{44}$tsɿ^{0} lei^{0} ,ɔi$^{53}_{44}$ta^{21}tsi^{53}.

【镜$_{1}$】ciaŋ^{53} 名指蜜蜂巢脾：蜜蜂呐，就人家屋下畜个蜂子啊，渠就会渠就跍倒箇个蜂箱肚里结～。欸，摇蜜机嘞就保护哩箇个～，分箇个蜂糖啊摇出来。miet^{5} fəŋ^{35}na^{0} ,tsʰiəu$^{53}_{44}$ɲin$^{13}_{21}$ka$^{35}_{53}$ uk^{3} xa^{53}çiəuk^{3} ke$^{53}_{44}$fəŋ^{35}tsɿ^{0} a^{0},ci$^{13}_{21}$tsʰiəu^{53}uɔi$^{53}_{44}$ci$^{13}_{21}$tsʰiəu$^{53}_{44}$ku^{35}tau^{21}kai$^{53}_{44}$ke$^{53}_{44}$fəŋ^{35}siɔŋ^{35}təu^{21}li^{0} ciet^{3} ciaŋ^{53}.ei$_{44}$, iau^{13}miet^{5} ci$^{35}_{44}$lei^{0} tsʰiəu^{53}pau^{21}fu^{53}li^{0} kai$^{53}_{44}$ke$^{53}_{44}$ciaŋ^{53},pən^{35}kai$^{53}_{44}$kei$^{53}_{44}$fəŋ^{35}tʰɔŋ$^{13}_{44}$ŋa^{0} iau^{13}tʂʰət^{3} lɔi$^{13}_{44}$.

【镜$_{2}$】ciaŋ^{53} 量用于散开的液体：放一～油，放蛮多油，镬里放蛮多油。fɔŋ^{53}iet^{3} ciaŋ^{53}

iəu^{13},fəŋ^{53}man$^{13}_{21}$to^{35}iəu$^{13}_{21}$,uək^{5}li^{0} fəŋ^{53}man$^{13}_{21}$to^{35}iəu$^{13}_{21}$.

【镜鲜】ciaŋ^{53}sien^{35} 形①（水）很清；不浑。也称“镜鲜子”：～个水 ciaŋ^{53}sien$^{35}_{44}$ke$^{53}_{44}$ʂei^{21}｜停鲜来，分底下个，分面上个～子个水，肚里就揪结，就有碱。t^{h}in^{13}sien^{35}nəi$^{13}_{21}$,pən^{35}tei^{21}xa$^{53}_{44}$ ke$^{53}_{44}$,pən^{35}mien^{53}xəŋ$^{53}_{44}$kei$^{53}_{44}$ciaŋ^{53}sien$^{35}_{44}$tsɿ^{0} ke$^{53}_{44}$ʂei^{21},təu^{21}li^{0} ts^{h}iəu$^{53}_{44}$tsiəu$^{35}_{44}$ciait^{3},ts^{h}iəu$^{53}_{44}$iəu^{35}kan^{21}.②很稀（流体中水分很多）：过苦日子个时候子是一碗羹都～个啊。箇阵子我等箇映有只老子渠就讲得咁笑人，渠话：“过苦日子个时候子啊，箇碗羹系么个羹？”渠话搋一阵都正有只有七八只子米呀跕倒箇袅甞袅甞，浮倒来，欸。只有七八只子米，一碗羹咯，尽系水，渠话嘞你两三下都正有七八只子米袅甞袅甞浮倒来。ko^{53}k^{h}u^{21}ɲiet^{3} tsɿ^{0} ke^{53}ʂɿ$^{13}_{44}$xəu$^{53}_{44}$tsɿ^{0} ʂɿ$^{13}_{44}$iet^{3} uən^{21}kaŋ^{35}təu$^{35}_{44}$ciaŋ^{53} sien^{35}cie^{53}a^{0}.kai^{53}tʂ^{h}ən^{53}tsɿ^{0} ŋai^{13}tien^{0} kai^{53}iaŋ^{53}iəu$^{35}_{44}$tʂak^{3} lau^{21}tsɿ^{0} ci^{13}ts^{h}iəu^{53}kəŋ^{21}tek^{3} kan^{21}siau^{53}ɲin$^{13}_{21}$,ci$^{13}_{44}$(u)a$^{53}_{44}$:"ko^{53}k^{h}u^{21}ɲiet^{3} tsɿ^{0} ke^{0} ʂɿ^{13}xəu$^{53}_{44}$tsɿ^{0} a^{0},kai^{53}uən^{21}kaŋ^{35}xei^{53}mak^{3} e^{0} kaŋ^{35}?"ci^{13}ua^{53}ləuk^{3} iet^{3} tʂ^{h}ən^{53}təu$^{35}_{44}$ tʂaŋ^{53}iəu$^{35}_{44}$tʂɿ^{21}iəu$^{35}_{53}$ts^{h}iet^{3} pait^{3} tʂak^{3} tsɿ^{0} mi^{21}ia^{0} ku^{35}tau^{21}kai$^{53}_{44}$ɲiau^{21}ts^{h}aŋ^{53}ɲiau^{21}ts^{h}aŋ^{53},fei^{13}tau^{21}ləi$^{13}_{21}$,e$_{21}$.tʂɿ^{21} iəu$^{35}_{53}$ts^{h}iet^{3} pait^{3} tʂak^{3} tsɿ^{0} mi^{21},iet^{3} uən^{21}kaŋ^{35}ko^{0},ts^{h}in^{53}ne^{53}ʂei^{21},ci^{13}ua^{53}so^{35}ɲi$^{13}_{21}$iəŋ^{21}san$^{35}_{44}$xa^{53}təu$^{35}_{44}$tʂaŋ$^{53}_{44}$iəu$^{35}_{53}$ ts^{h}iet^{3} pait^{3} tʂak^{3} tsɿ^{0} mi^{21}ɲiau^{21}ts^{h}aŋ^{53}ɲiau^{21}ts^{h}aŋ^{53}fei^{13}tau^{21}ləi^{13}.

【镜子】ciaŋ^{53}tsɿ^{0} 名①具有光滑的平面，能照见形象的器具：以前个人冇得咁大个～。i$^{35}_{44}$ ts^{h}ien^{13}ke^{53}ɲin$^{13}_{21}$mau^{13}tek^{3} kan^{21}t^{h}ai^{53}ke$^{53}_{44}$ciaŋ^{53}tsɿ^{0}.②眼镜：戴～ tai^{53}ciaŋ^{53}tsɿ^{0}

【纠仪】ciəu^{35}ɲi^{13} 名祭祀时负责全局的礼生，也指其行为：首先就系安做～。～就搞么个嘞？就系总个箇只祭祀活动呢归渠负责。哪映搞得唔好个归渠负责，渠指出来。渠就去箇子掌稳箇东西，看稳箇只路子。渠就为渠负责啊为首哇。ʂəu^{21}sien$^{35}_{44}$ts^{h}iəu$^{53}_{44}$xe$^{53}_{44}$ən$^{35}_{44}$tso$^{53}_{44}$ciəu^{35}ɲi^{13}.ciəu^{35}ɲi^{13} ts^{h}iəu$^{53}_{44}$kau^{21}mak^{3} ke$^{53}_{44}$le^{0} ?ts^{h}iəu$^{53}_{44}$xei$^{53}_{44}$tsəŋ^{21}ke$^{53}_{44}$kai^{53}tʂak^{3} tsi^{53}sɿ$^{53}_{44}$xoit^{5} t^{h}əŋ$^{53}_{44}$nei^{0} kuei$^{35}_{44}$ci$^{13}_{21}$fu^{53}tsek^{3}.la$^{53}_{44}$iaŋ$^{53}_{44}$ kau^{21}tek^{3} ŋ̍^{13}xau^{21}ke^{53}kuei^{35}ci$^{13}_{21}$fu^{53}tsek^{3},ci^{13}tʂɿ^{21}tʂ^{h}ət^{3} ləi^{13}.ci^{13}ts^{h}iəu$^{53}_{44}$çi$^{53}_{44}$(k)ai$^{53}_{44}$tsɿ^{0} tʂəŋ^{21}uən^{21}kai$^{53}_{44}$təŋ$^{35}_{44}$ si^{0},k^{h}ən^{53}uən^{21}kai^{53}tʂak^{3} ləu^{53}tsɿ^{0}.ci$^{13}_{21}$ts^{h}iəu$^{53}_{44}$uei$^{13}_{21}$ci$^{13}_{21}$fu^{53}tsek^{3} a^{0} uei^{13}ʂəu^{21}ua^{0}.

【揪古带韧】tsiəu^{35}ku^{21}tai^{53}ɲin^{53} 形①形容很有韧性。又称“揪韧”：箇个树枝啊～。kai$^{53}_{44}$ke$^{53}_{44}$ ʂəu^{53}tʂɿ^{35}a^{0} tsiəu^{35}ku^{21}tai^{53}ɲin^{53}.②形容肉等不软烂、咬不动的样子：欸，箇个牛骨头呀，我等以前就喜欢买牛骨头食。牛骨头肚里也有兜子肉，但是嬗炆绵就～，欸，只好丢嘿去，食唔进。e$_{21}$,kai^{53}kei$^{53}_{44}$ɲiəu^{13}kuət^{3} t^{h}ei^{13}ia^{0},ŋai^{13}tien^{0} i$^{35}_{53}$ts^{h}ien$^{13}_{21}$ts^{h}iəu$^{53}_{44}$çi^{21}fən$^{35}_{53}$mai^{35}ɲiəu^{13}kuət^{3} t^{h}ei^{13}ʂət^{5}. ɲiəu^{13}kuət^{3} t^{h}ei^{13}təu^{21}li^{0} ia^{35}iəu$^{35}_{44}$tei$^{35}_{53}$tsɿ^{0} ɲiəuk^{3},tan^{21}sɿ^{53}maŋ^{13}uən^{13}mien^{13}ts^{h}iəu$^{53}_{44}$tsiəu^{35}ku^{21}tai$^{53}_{44}$ɲin$^{53}_{44}$,e$_{21}$,tʂɿ^{21}xau^{21}tiəu^{35} (x)ek^{3} çi$^{53}_{44}$,ʂət^{5} n̩$^{13}_{21}$tsin^{53}.③形容不听使唤：你喊你做下子么个事么～，喊半天都唔去。ɲi$^{13}_{44}$xan^{53}ɲi$^{13}_{21}$ tso^{53}(x)a^{53}tsɿ^{0} mak^{3} ke$^{53}_{44}$sɿ^{53}me^{0} tsiəu^{35}ku^{21}tai^{53}ɲin^{53},xan^{53}pan^{53}t^{h}ien^{35}təu$^{35}_{53}$n̩^{13}çi^{53}.

【揪苦】tsiəu^{35}fu^{21} 形味道很苦：以前个老个（油菜）～，食唔得。i^{35}ts^{h}ien$^{13}_{21}$ke^{53}lau^{21}ke^{53}tsiəu$^{35}_{21}$ fu^{21},ʂət^{5} n̩$^{13}_{21}$tek^{3}.｜～啊箇笋指苦竹的笋子呶。tsiəu^{35}fu^{21}a^{0} kai^{53}sən^{21}nau^{0}.

【揪结】tsiəu^{35}ciait^{3} 形很涩口：（石灰水）肚里就～，就有碱。təu^{21}li^{0} ts^{h}iəu$^{53}_{44}$tsiəu$^{35}_{44}$ciait^{3},ts^{h}iəu$^{53}_{44}$ iəu^{35}kan^{21}.

【揪韧】tsiəu^{35}ɲin^{53} 形很有韧性。又称“揪古带韧”：猪肉～呶。～就啃唔烂呶。tʂəu^{35}ɲiəuk^{3} tsiəu^{35}ɲin^{53}nau^{0}.tsiəu^{35}ɲin^{53}ts^{h}iəu$^{53}_{44}$c^{h}ien^{21}n̩^{13}nan^{53}nau^{0}.｜嬗炆绵，～。maŋ^{13}uən^{13}mien^{13},tsiəu^{35}ɲin^{53}.

【揪酸】tsiəu^{35}sən^{35} 形很酸：渠指铁篱笆唠，～。ci$^{13}_{53}$lau^{0},tsiəu$^{35}_{53}$sən$^{35}_{44}$.｜（毛桃子）～～，冇人食。tsiəu^{35}sən$^{35}_{44}$tsiəu$^{35}_{44}$sən$^{35}_{44}$,mau$^{13}_{21}$ɲin$^{13}_{21}$ʂət^{5}.

【揪咸】tsiəu$^{35}_{44}$xan^{13} 形很咸：咸鱼噢，安做咸鱼噢，～个，尽盐。xan^{13}ŋ̍^{13}ŋau^{0},ən$^{35}_{44}$tso$^{53}_{44}$xan^{13}ŋ̍^{13} ŋau^{0},tsiəu^{35}xan$^{13}_{21}$cie$^{53}_{44}$,ts^{h}in^{53}ian^{13}.｜今晡昼边箇碗菜呀～个，食唔得。cin^{35}pu$^{35}_{44}$tʂəu^{53}pien$^{35}_{44}$kai^{53}uən^{21} ts^{h}əi$^{53}_{53}$ia^{0} tsiəu^{35}xan$^{13}_{21}$cie^{53},ʂət^{5} n̩$^{13}_{21}$tek^{3}.

【九】ciəu^{21} 数八加一后所得的数字：我袋子里还有～块钱。ŋai^{13}t^{h}əi^{53}tsɿ^{0} li^{0} xai$^{13}_{21}$iəu$^{35}_{53}$ciəu^{21}k^{h}uai^{53} ts^{h}ien^{13}.｜我一昼边食了八～缸茶。ŋai^{13}iet^{3} tʂəu^{53}pien^{35}ʂət^{5} liau^{0} pait^{3} ciəu^{21}kəŋ^{35}ts^{h}a$^{13}_{44}$.

【九合升】ciəu^{21}kait^{3} ʂən$^{35}_{44}$ 名量具，升筒的一种，合一斤四两：还有～。～就一斤四两啊。xai$^{13}_{21}$iəu$^{35}_{44}$ciəu^{21}kait^{3} ʂən$^{35}_{44}$.ciəu^{21}kait^{3} ʂən$^{35}_{44}$ts^{h}iəu$^{53}_{44}$iet^{3} cin$^{35}_{44}$si^{53}liəŋ$^{35}_{44}$ŋa^{0}.

【久】ciəu^{21} 形时间长：耘哩头到有蛮～子以后嘞就安做复二到。in^{13}ni^{0} t^{h}ei^{13}tau^{53}iəu^{35}man$^{13}_{21}$ciəu^{21} tsɿ^{0} i^{35}xei$^{53}_{44}$lei^{0} ts^{h}iəu$^{53}_{44}$ən$^{35}_{44}$tso$^{53}_{44}$fuk^{5}ɲi^{53}tau^{53}.｜～晴有～变。晴～哩，爱变下来落水嘞，也爱变几天正得下。ciəu^{21}ts^{h}iaŋ^{13}iəu^{35}ciəu^{21}pien^{53}.ts^{h}iaŋ^{13}ciəu^{21}li^{0},əi$^{53}_{44}$pien^{53}xa$^{53}_{44}$ləi$^{13}_{21}$lək^{5} ʂei^{21}le^{0},ia^{35}əi^{53}pien^{53}ci^{21}t^{h}ien^{35} tʂaŋ^{53}tek^{3} xa^{35}.

【韭菜】ciəu^{21}ts^{h}əi^{53} 名蔬菜名：我等以映人喜欢食～。天天早晨有兜人一大把～都卖咁哩。～

渠等整小菜食，唔系用来向菜。也系好食嘞，炒一碗～食哩，一碗一碗炒倒食嘞。ŋai$^{13}_{21}$tien^{0} i^{21}iaŋ^{53}ɲin$^{13}_{21}$çi^{21}fɔn$^{35}_{44}$ʂɔt^{5} ciəu^{21}tsʰɔi^{53}.tʰien$^{35}_{44}$tʰien$^{35}_{53}$tsau^{21}ʂɔn$^{13}_{44}$iəu$^{35}_{44}$tei$^{13}_{44}$ɲin$^{13}_{44}$iet^{3} tʰai^{53}pa^{21}ciəu^{21}tsʰɔi$^{53}_{44}$təu$^{35}_{44}$mai^{53} kan^{21}ni^{0}.ciəu^{21}tsʰɔi^{53}ci$^{13}_{21}$tien^{0} tʂən^{21}siau^{21}tsʰɔi^{53}ʂɔt^{5},m̩$^{13}_{21}$pʰei$^{53}_{44}$iəŋ^{53}lɔi$^{13}_{21}$çiɔŋ^{53}tsʰɔi^{53}.ia^{35}xei^{53}xau^{21}ʂɔt^{5} le^{0},tsʰau^{21} iet^{3} uɔn^{21}ciəu^{21}tsʰɔi^{53}ʂɔt^{5} li^{0},iet^{3} uɔn^{21}iet^{3} uɔn^{21}tsʰau^{21}tau^{21}ʂɔt^{5} le^{0}.｜～开哩花以后落尾老哩以后就有～籽。～个种子做得一味药。ciəu^{21}tsʰɔi^{53}kʰɔi^{53}li^{0} fa^{35}i$^{35}_{44}$xei$^{53}_{44}$lɔk^{5} mi$^{35}_{53}$lau^{21}li^{0} i^{35}xei$^{53}_{44}$tsiəu$^{53}_{44}$iəu^{35}ciəu^{21}tsʰɔi^{53} tsɿ^{21}.ciəu^{21}tsʰɔi^{53}(k)e^{53}tʂəŋ^{21}tsɿ^{0} tso^{53}tek^{3} iet^{3} uei^{53}iɔk^{5}.

【酒】 tsiəu^{21} 名①用高粱、米、麦或葡萄等发酵制成的含乙醇的饮料：舀～个就酒角子。iau^{21} tsiəu^{21}ke$^{53}_{44}$tsʰiəu$^{53}_{44}$tsiəu^{21}kɔk^{3} tsɿ^{0}.②指筵席：系唔系今晡个～哇？xe$^{53}_{44}$me$^{53}_{44}$cin^{35}pu$^{35}_{44}$ke$^{53}_{44}$tsiəu^{21}ua^{0}？

【酒店】 tsiəu^{21}tian^{53} 名饭馆：浏阳个～个生意唔知几好，大～细～，大大细细。但是大～大店子，会开唔下去了。细店子生意唔知几好。中帮大子细店子生意唔知几好，硬欸一到食饭个时间是硬一席难求。我等有几回去食饭都，"欸你订哩个么？""订哩个。"箇有回是赠订呶，赠订就对唔住，箇你爱等下子正，欸，有位子。liəu^{13}iɔŋ$^{13}_{21}$ke^{53}tsiəu^{21}tian^{53}ke$^{53}_{44}$sen^{35}i^{53}n̩$^{13}_{21}$ti$^{35}_{53}$ci^{21}xau^{21}, tʰai^{53}tsiəu^{21}tian^{53}se^{53}tsiəu^{21}tian^{53},tʰai^{53}tʰai^{53}se^{53}se^{53}.tan$^{53}_{44}$ʂɿ$^{53}_{44}$tʰai^{53}tsiəu^{21}tian^{53}tʰai^{53}tian^{53}tsɿ^{0},uɔi^{53}kʰɔi$^{35}_{44}$n̩$^{13}_{21}$xa^{35} çi^{53}liau^{0}.se^{53}tian^{53}tsɿ^{0} sen$^{35}_{44}$i^{53}n̩^{13}ti$^{35}_{53}$ci^{21}xau^{21}.tʂəŋ^{53}pɔŋ^{53}tʰai^{53}tsɿ^{0} se^{53}tian^{53}tsɿ^{0} sen$^{35}_{44}$i^{53}n̩^{13}ti$^{35}_{53}$ci^{21}xau^{21}, ɲiaŋ^{53}e$_{21}$ iet^{3} tau$^{53}_{44}$ʂɔt^{5} fan^{53}ke$^{53}_{44}$sɿ$^{13}_{21}$kan$^{35}_{44}$ʂɿ$^{53}_{44}$ɲiaŋ$^{53}_{44}$iet^{3} siet^{5} lan$^{13}_{21}$cʰiəu^{13}.ŋai^{13}tien^{0} iəu$^{35}_{44}$ci^{21}fei^{13}çi$^{53}_{44}$ʂɔt^{5} fan^{53}təu$^{35}_{44}$,"e^{0} ɲi^{13} tin^{53}ni^{0} ke^{53}mo^{0}?""tin^{53}ni^{0} ke^{53}."kai$^{53}_{44}$iəu$^{35}_{53}$fei$^{13}_{44}$ʂɿ$^{53}_{44}$maŋ^{13}tin^{53}nau^{0},maŋ^{13}tin^{53}tsʰiəu^{53}ti^{53}n̩$^{13}_{21}$tʂʰəu^{53},kai$^{53}_{44}$ɲi$^{13}_{44}$ɔi$^{53}_{44}$ tien^{21}xa$^{53}_{44}$tsɿ^{0} tʂaŋ^{53},e$_{21}$,mau^{13}uei^{53}tsɿ^{0}.

【酒窦】 tsiəu^{21}tei^{53} 名酿酒时用来捂住并促进其发酵的鸟窝状设施：～呢，安做～，做只窦。tsiəu^{21}tei^{53}nei^{0},ɔn$^{35}_{44}$tso$^{53}_{44}$tsiəu^{21}tei^{53},tso$^{53}_{21}$tʂak^{3} tei^{53}.

【酒缸】 tsiəu^{21}kɔŋ^{35} 名盛酒的缸，圆筒状，底小口大：唔系用～。用瓮。m̩$^{13}_{21}$pʰe$_{44}$(←xe^{53})iəŋ^{53} tsiəu^{21}kɔŋ^{35}.iəŋ$^{53}_{44}$uəŋ^{53}.

【酒鬼】 tsiəu^{21}kuei^{21} 名嗜酒贪杯的人：以前我等学堂里箇有两只老师，嗨呀，～，唔得了。上课都嘴巴都打锣，上课啊，走上课了嘞，食渠一到酒，硬爱上课了。箇让门搞哦？上课，走进去，走嘿教室里去，"同学们，我是食哩滴子酒哈，欸，你等人先看下子，好么？"慢渠就坐倒跍倒箇映子扯炉去哩。一节课就咁子嘿底下就系……经常咁子，话哩食哩酒，长日食酒哇，长日醉酒。～呀，长日醉酒哇。好，以下是惹倒一身个病啦如今就嘞。唔系话每个月爱送两千块钱送下湘雅医院去，每个月送两千，渠自家话个。i$^{35}_{53}$tsʰien$^{13}_{21}$ŋai^{13}tien^{0} xɔk^{5} tʰɔŋ$^{13}_{21}$li^{0} kai$^{53}_{44}$iəu^{35}iɔŋ^{21}tʂak^{3} lau^{21}sɿ$^{35}_{44}$,xai$_{53}$ia$_{44}$,tsiəu^{21}kuei^{21},n̩^{13}tek^{3} liau^{21}.ʂɔŋ^{35}kʰo^{53}təu$^{35}_{44}$tsi^{21}pa$^{35}_{44}$təu$^{35}_{53}$ta^{21}lo^{13},ʂɔŋ^{35}kʰo^{53}a^{0}, tse^{21}ʂɔŋ^{35}kʰo^{53}liau^{21}le^{0},ʂɔt^{5} ci$^{13}_{44}$it^{3} tau$^{53}_{44}$tsiəu^{21}, ɲiaŋ^{53}ɔi$^{53}_{21}$ʂɔŋ^{53}kʰo^{53}liau^{0} .kai$^{53}_{21}$ɲiɔŋ^{53}mən$^{13}_{44}$kau^{21}o^{0}?ʂɔŋ$^{53}_{44}$kʰo$^{53}_{44}$, tsei^{21}tsin^{53}cʰi^{53},tsei^{21}(x)ek^{3} ciau^{53}ʂɔt^{3} li^{21}çi^{53},"tʰəŋ^{13}çiɔk^{5} mən$^{13}_{44}$,ŋai^{13}ʂɿ$^{53}_{44}$ʂɔt^{5} li^{0} tiet^{5} tsɿ^{0} tsiəu^{21}xa^{0},e$_{21}$, ɲi$^{13}_{21}$tien^{0} in$^{13}_{44}$sien^{35}kʰɔn^{53}na$^{53}_{44}$tsɿ^{0},xau$^{21}_{44}$mo^{0}?"man$^{53}_{21}$ci^{13}tsʰiəu^{53}tsʰo^{35}tau^{21}kʰu$^{35}_{53}$tau^{21}kai$^{53}_{44}$iaŋ$^{53}_{44}$tsɿ^{0} tʂʰa^{21}ləu$^{13}_{21}$çi^{53}li^{0}.iet^{3} tsiet^{3} kʰo^{53}tsiəu^{53}kan^{21}tsɿ^{0} xe$_{44}$tei^{21}xa^{53}tsʰiəu$^{53}_{44}$xe$^{53}_{21}$…cin^{35}tʂʰɔŋ$^{13}_{21}$kan^{21}tsɿ^{0},ua$^{53}_{44}$li^{0} ʂɔt^{5} li^{0} tsiəu^{21},tʂʰɔŋ^{13}ɲiet^{3} ʂɔt^{5} tsiəu^{21}ua^{0},tʂʰɔŋ^{13}ɲiet^{3} tsi^{53}tsiəu^{21}.tsiəu^{21}kuei^{21}ia^{0},tʂʰɔŋ^{13}ɲiet^{3} tsi^{53}tsiəu^{21}ua^{0}.xau^{21},i^{21}xa$^{53}_{44}$ʂɿ$^{53}_{44}$ɲia^{35}tau^{21}iet^{3} ʂən$^{35}_{44}$ ke$^{53}_{44}$pʰiaŋ^{53}la^{0} i$^{13}_{21}$cin$^{35}_{53}$tsiəu$^{53}_{21}$le^{0}.m̩$^{13}_{21}$pʰei$^{53}_{44}$ua$^{53}_{44}$mei^{35}cie$^{53}_{44}$ɲiet^{5} ɔi^{53}səŋ^{53}iɔŋ^{21}tsʰien^{35}kʰuai^{53}tsʰien$^{13}_{21}$səŋ^{53}ŋa^{35}siɔŋ^{35} ia^{21}i^{35}vien$^{53}_{44}$çi$^{53}_{44}$,mei^{35}cie$^{53}_{44}$ɲiet^{5} səŋ^{53}iɔŋ^{21}tsʰien$^{35}_{44}$,ci$^{13}_{21}$tsʰɿ^{35}ka$^{35}_{44}$ua^{53}cie$^{53}_{44}$.

【酒壶】 tsiəu^{21}fu^{13} 名盛酒或温酒的壶：温酒是就都用箇个，用～哇。uən^{35}tsiəu^{21}ʂɿ$^{53}_{44}$tsiəu$^{53}_{44}$təu$^{35}_{44}$ iəŋ$^{53}_{21}$kai^{53}ke^{53},iəŋ^{53}tsiəu^{21}fu^{13}ua^{0}.｜酾下～肚里。舞倒～去坐。sai^{35}ia^{53}(←xa^{53})tsiəu^{21}fu^{13}təu^{21}li^{0}.u^{21}tau^{21} tsiəu^{21}fu^{13}çi$^{53}_{44}$tsʰo^{53}.

【酒壶子】 tsiəu^{21}fu^{13}tsɿ^{0} 名酒瓶子：同我拿只～来，装酒个。tʰəŋ$^{13}_{21}$ŋai$^{13}_{21}$la^{53}tʂak^{3} tsiəu^{21}fu^{13}tsɿ^{0} lɔi$^{13}_{44}$, tʂɔŋ^{35}tsiəu^{21}ke^{0}.

【酒角子】 tsiəu^{21}kɔk^{3} tsɿ^{0} 名在一节竹筒上安上柄做成的舀酒器具。又称"酒提子"：舀酒个就～。欸。又安做酒提子唠箇是呶。渠就有量度个。有一两个，两两个，半斤个。酒提子，呣。也系竹子做个。钻只眼。iau^{21}tsiəu^{21}ke$^{53}_{44}$tsʰiəu$^{53}_{44}$tsiəu^{21}kɔk^{3} tsɿ^{0} .e$_{21}$.iəu^{53}ɔn$^{35}_{53}$tso^{53}tsiəu^{21}tʰi^{13}tsɿ^{0} lau^{0} kai$^{53}_{44}$ʂɿ$^{53}_{44}$nau^{0}.ci^{13}tsʰiəu$^{53}_{44}$iəu^{35}liɔŋ^{13}tʰəu^{53}ke$^{53}_{44}$.iəu$^{35}_{44}$iet^{3} liɔŋ^{35}ke^{53},iɔŋ^{21}liɔŋ^{35}ke$^{53}_{44}$,pan^{53}cin$^{35}_{44}$cie$^{53}_{44}$.tsiəu^{21}tʰi^{13}tsɿ^{0}, m̩$_{21}$.ia^{35}xei^{53}tʂəuk^{3} tsɿ^{0} tso$^{53}_{44}$ke$^{53}_{44}$.tsɔn$^{53}_{44}$tʂak^{3} ŋan^{21}.

【酒篓】 tsiəu^{21}li^{21} 名用篾编的盛酒、运酒的篓子，里外经过防水处理：米筛筛米，嫁分～。～背驼，嫁分田螺。mi^{21}si^{35}si^{35}mi^{21},ka^{53}pən^{35}tsiəu^{21}li^{21}.tsiəu^{21}li^{21}pɔi^{53}tʰo^{13},ka^{53}pən^{35}tʰien^{13}lo^{13}.

【酒娘】 tsiəu^{21}ɲiɔŋ^{13} 名糯米蒸熟后，加入酒曲，置于密闭的容器内，发酵而产生的原酒：箇过程中来哩箇个～，就安做来哩～。kai$^{53}_{44}$ko^{53}tʂʰən$^{13}_{21}$tʂəŋ^{35}lɔi^{13}li^{0} kai^{53}ke^{53}tsiəu^{21}ɲiɔŋ$^{13}_{21}$,tsʰiəu$^{53}_{21}$ɔn$^{35}_{53}$tso^{53} lɔi^{13}li^{0} tsiəu^{21}ɲiɔŋ$^{13}_{44}$.

【酒娘饽饽】tsiəu^{21}ɲiɔŋ^{13}pɔk^{5}pɔk^{5} 名酒娘加鸡蛋蒸成的食品：～就系甜酒蒸个饽饽，我食唔得。蒸出来个，欸，分箇个饽饽打下碗里，完只子揾下碗里吵，放兜油盐，系唔系放兜子油盐，莫放多哩盐呐，因为酒娘是系津甜个东西。以下就分酒娘倾倒去，放兜酒娘去，加兜子水子，就咁子去蒸。蒸倒蛮好食。同箇荷包蛋样，唔打散，同荷包蛋样，咁子更好食。打散也可以啊，但是蒸完个更好食。以前呐，我也第一喜欢食咁个。tsiəu^{21}ɲiɔŋ^{13}pɔk^{5}pɔk^{5}tsʰiəu^{53}xe$^{53}_{44}$tʰian^{13} tsiəu^{21}tʂən$^{35}_{44}$cie$^{53}_{44}$pɔk^{5}pɔk^{5},ŋai^{13}ʂət^{5}n̩$^{13}_{44}$tek^{3}.tʂən^{35}tʂʰət^{3}lɔi$^{13}_{21}$ke^{0},e$_{44}$,pən^{35}kai$^{53}_{21}$ke$^{53}_{21}$pɔk^{5}pɔk^{5}ta^{21}(x)a^{53}uɔn^{21}ni^{0}, uɔn^{13}tʂak^{3}tsɿ^{0}kʰɔk^{5}(x)a^{53}uɔn^{21}ni^{0}ʂa^{0},fɔŋ^{53}tei$^{35}_{53}$iəu^{13}ian$^{13}_{44}$,xei^{53}me^{53}fɔŋ^{53}tei$^{35}_{53}$tsɿ^{0}iəu^{13}ian$^{13}_{44}$,mɔk^{5}fɔŋ^{53}to^{35}li^{0}ian^{13} na^{0},in^{35}uei$^{53}_{44}$tsiəu^{21}ɲiɔŋ^{13}ʂɿ$^{53}_{44}$xe$^{53}_{44}$tsin^{35}tʰian^{13}cie$^{53}_{44}$təŋ$^{35}_{44}$si^{0}.ia$_{21}$(←i^{21}xa^{53})tsʰiəu$^{53}_{44}$pən$^{35}_{44}$tsiəu^{21}ɲiɔŋ$^{13}_{21}$kʰuaŋ$^{35}_{44}$tau^{21} çi^{53},fɔŋ^{53}tei$^{35}_{53}$tsiəu^{21}ɲiɔŋ$^{13}_{21}$çi^{53},cia$^{35}_{44}$tei$^{35}_{53}$tsɿ^{0}ʂei^{21}tsɿ^{0},tsiəu^{53}kan^{21}tsɿ^{0}çi$^{53}_{44}$tʂən$^{35}_{44}$.tʂən$^{35}_{44}$tau^{21}man$^{13}_{21}$xau^{21}ʂət^{5}.tʰəŋ$^{13}_{21}$ kai$^{53}_{21}$xo^{13}pau$^{35}_{44}$tʰan^{53}iɔŋ$^{53}_{44}$,n̩$^{13}_{21}$ta^{21}san^{53},tʰəŋ$^{13}_{21}$xo^{13}pau$^{35}_{44}$tʰan^{53}iɔŋ$^{53}_{44}$,kan^{21}tsɿ^{0}cien^{53}xau^{21}ʂət^{5}.ta^{21}san^{53}na$^{35}_{44}$kʰo^{21}i$^{35}_{53}$ a^{0},tan$^{53}_{44}$ʂɿ$^{53}_{44}$tʂən^{35}uɔn^{13}cie$^{53}_{44}$cien$^{53}_{44}$xau^{21}ʂət^{5}.i$^{35}_{53}$tsʰien^{13}na^{0},ŋai^{13}ia$^{35}_{44}$tʰi^{53}iet^{3}çi^{21}fɔn^{35}ʂət^{5}kan^{21}cie^{0}.

【酒瓶子】tsiəu^{21}pʰin^{13}tsɿ^{0} 名装酒的瓶子，也比喻酒量大的人：箇阵子我等有只老师，渠等尽兜喊渠～，蛮会食酒，蛮食得酒。kai^{53}tʂʰən^{53}tsɿ^{0}ŋai$^{13}_{21}$tien^{0}iəu^{35}tʂak^{3}lau^{21}sɿ$^{35}_{44}$,ci$^{13}_{21}$tien^{0}tsʰin^{53}te$^{35}_{44}$xan^{53} ci$^{13}_{21}$tsiəu^{21}pʰin^{13}tsɿ^{0},man^{13}uɔi$^{53}_{44}$ʂət^{5}tsiəu^{21},man^{13}ʂət^{5}tek^{3}tsiəu^{21}.

【酒坛子】tsiəu^{21}tʰan^{13}tsɿ^{0} 名装酒的坛子：～肚里去舀起酒来个酒角子。tsiəu^{21}tʰan^{13}tsɿ^{0}təu^{21}li^{0} çi^{53}iau^{21}çi^{21}tsiəu^{21}lɔi^{13}ke^{53}tsiəu^{21}kɔk^{3}tsɿ^{0}.

【酒提子】tsiəu^{21}tʰi^{13}tsɿ^{0} 名从酒坛中取酒的提筒。又称“酒角子”：（酒角子）又安做～唠箇是呶。iəu^{53}ɔn$^{35}_{53}$tso^{53}tsiəu^{21}tʰi^{13}tsɿ^{0}lau^{0}kai$^{53}_{44}$ʂɿ$^{53}_{44}$nau^{0}.

【酒尾子】tsiəu^{21}mi^{35}tsɿ^{0} 名蒸酒时最末从甑锅流出的酒：欸咁个蒸酒个栏场啊，箇个唔爱哩个箇起啊，嗯，～。e^{0}kan$^{21}_{44}$ke$^{53}_{44}$tʂən^{35}tsiəu^{21}ke^{53}laŋ$^{13}_{44}$tʂʰɔŋ$^{13}_{44}$ŋa^{0},kai$^{53}_{44}$ke$^{53}_{44}$m̩^{13}mɔi^{53}li^{0}ke^{0}kai$^{53}_{44}$çi^{21}a^{0},n̩$_{21}$,tsiəu^{21} mi^{35}tsɿ^{0}.

【酒瓮】tsiəu^{21}uəŋ^{53} 名酒坊里装酒的小口大腹的大陶器：酒缸啊？有是有哇，欸，一般就是箇箇个欸蒸酒个人呢，吊酒个人呢，酒缸。咁大。～，唔系用酒缸。用瓮，欸，～。啊装个百多两百斤个。人家屋下冇得咁大唠，冇得咁大个东西唠。一般是做酒个人，专门做酒卖个人。欸，箇个白果树下箇映就有一家就系做酒卖欸，如今渠就做烧酒卖呀，欸，吊酒哇。可以到箇去看下子唠。tsiəu^{21}kɔŋ^{35}ŋa^{0}?iəu^{35}ʂɿ$^{53}_{44}$iəu^{35}ua^{0},e$_{21}$,iet^{3}pɔn^{35}tsʰiəu$^{53}_{21}$ʂɿ$^{53}_{21}$kai^{53}kai^{53}ke$^{53}_{44}$e$_{21}$tʂən^{35}tsiəu^{21}ke^{53} ɲin$^{13}_{21}$nei^{0},tiau^{53}tsiəu^{21}ke^{53}ɲin$^{13}_{21}$nei^{0},tsiəu^{21}kɔŋ^{35}.kan^{21}tʰai^{53}.tsiəu^{21}uəŋ^{53},m̩$^{13}_{21}$pʰe$_{44}$(←xe^{53})iəŋ^{53}tsiəu^{21}kɔŋ^{35}.iəŋ$^{53}_{44}$ uəŋ^{53},e$_{21}$,tsiəu^{21}uəŋ^{53}.a$_{44}$tʂɔŋ^{35}ke$^{53}_{44}$pak^{3}to^{35}iɔŋ^{21}pak^{3}cin$^{35}_{44}$cie$^{53}_{44}$. ɲin^{13}ka$^{35}_{44}$uk^{3}xa^{53}mau$^{13}_{21}$tek^{3}kan^{21}tʰai^{53}lau^{0},mau^{13} tek^{3}kan^{21}tʰai^{53}ke$^{53}_{44}$təŋ$^{35}_{44}$si^{0}lau^{0}.iet^{3}pan$^{35}_{44}$ʂɿ$^{53}_{44}$tso^{53}tsiəu^{21}ke^{53}ɲin$^{13}_{21}$,tʂen^{35}mən$^{13}_{44}$tso^{53}tsiəu^{21}mai^{53}ke$^{53}_{2}$ɲin$^{13}_{21}$.ei$_{21}$,kai$^{53}_{44}$ kei$^{53}_{44}$pʰak^{5}ko^{21}ʂəu^{53}xa$^{53}_{44}$kai$^{53}_{44}$iaŋ$^{53}_{44}$tsʰiəu$^{53}_{44}$iəu^{35}iet^{3}ka$^{35}_{44}$tsʰiəu$^{53}_{44}$xe$^{53}_{44}$tso^{53}tsiəu^{21}mai^{53}e^{0},i$^{13}_{21}$cin^{35}ci$^{13}_{21}$tsʰiəu$^{53}_{44}$tso$^{53}_{44}$ʂau^{35} tsiəu^{21}mai^{53}ia^{0},e$_{21}$,tiau^{53}tsiəu^{21}ua^{0}.kʰo^{21}i^{35}tau$^{53}_{44}$kai$^{53}_{44}$çi$^{53}_{44}$kʰɔn^{53}na$_{21}$(←xa^{53})tsɿ^{0}lau^{0}.

【酒席】tsiəu^{21}siet^{5} 名宴请宾客或聚会时所用的整桌酒菜。也称“酒席子”：一桌～iet^{3}tsɔk^{3} tsiəu^{21}siet^{5} | ～蛮体面。tsiəu^{21}siet^{5}man^{13}tʰi^{21}mien^{53}. | 一般就现在就一桌～子个钱呶。iet^{3}pɔn^{35} tsʰiəu$^{53}_{44}$çien$^{53}_{44}$tsʰai$^{53}_{44}$tsʰiəu$^{53}_{44}$iet^{3}tsɔk^{3}tsiəu^{21}siet^{5}tsɿ^{0}ke$^{53}_{44}$tsʰien$^{13}_{21}$nau^{0}.

【酒药子】tsiəu^{21}iɔk^{5}tsɿ^{0} 名用来酿酒的曲：街上都有卖欸箇～啊。kai$^{35}_{44}$xɔŋ$^{53}_{44}$təu$^{35}_{44}$iəu$^{35}_{44}$mai^{53}e^{0}kai$^{53}_{44}$ tsiəu^{21}iɔk^{5}tsa^{0}. | ～，就系一只绿色植物做个。tsiəu^{21}iɔk^{5}tsɿ^{0},tsʰiəu^{53}xe$^{53}_{44}$iet^{3}tʂak^{3}liəuk^{5}sek^{3}tʂʰət^{5}uk^{3} tso$^{53}_{44}$ke$^{53}_{44}$.

【酒靥子】tsiəu^{21}iait^{3}tsɿ^{0} 名酒窝：箇阵我等读师范个时候子有只女同学，硬二十七八了也𫌮结婚吧，两只～就蛮好看，唔知几深。kai$^{53}_{44}$tʂʰən$^{53}_{44}$ŋai$^{13}_{21}$tien^{0}tʰəuk^{5}sɿ$^{35}_{44}$fan^{53}ke$^{53}_{21}$ʂɿ$^{13}_{21}$xəu$^{53}_{44}$tsɿ^{0}iəu$^{35}_{44}$tʂak^{3}ɲy^{21} tʰəŋ^{13}çiɔk^{5}, ɲiaŋ$^{53}_{44}$ɲi^{53}ʂət^{5}tsʰiet^{3}pait^{3}liau^{0}a$^{35}_{44}$maŋ^{13}ciet^{3}fən$^{35}_{44}$pa^{0},iɔŋ^{21}tʂak^{3}tsiəu^{21}iait^{3}tsɿ^{0}tsiəu^{53}man$^{13}_{21}$xau^{21} kʰɔn^{53},n̩$^{13}_{21}$ti$^{35}_{53}$ci^{21}tʂʰən^{35}.

【酒罂】tsiəu^{21}aŋ^{35} 名盛酒的坛子：放下～里，就用罂头，罂头，我等话罂头。放下～里，放倒去坐。舞滴滚水，烧滴水去坐。放下～里呀，～里装倒，保存就～。～去保存。有滴是还有嘴哟。我等屋下都有喔。咁高，咁高个，一把大茶壶样，滮大个，咁高个茶壶欸有只嘴巴，有只嘴，茶壶嘴样，欸，顶高盖稳。箇只嘴嘞就平时就窒稳，安做窒稳呢，就密封啊，莫分渠出气呀。欸，也可就咁子去倒，就咁子去酾。酾下茶壶肚里，酾下酾下箇个酾下酒壶肚里。

舞倒酒壶去坐。欸，咁个安做坐酒。箇只大……安做～啊。陶器个。陶器。～唔去温。用来装酒个。温酒是就都用箇个，用酒壶哇。食几多子就温几多子啊。fəŋ$^{53}_{44}$ŋa^{0} tsiəu^{21}aŋ^{35}li^{0},tsʰiəu$^{53}_{21}$iəŋ^{53}aŋ^{35}tʰei^{0},aŋ^{35}tʰei^{0},ŋai$^{13}_{21}$tien^{0} ua$_{44}$aŋ^{35}tʰei^{0}.fəŋ$^{53}_{44}$(x)a$^{53}_{44}$tsiəu^{21}aŋ^{35}li^{0},fəŋ$^{53}_{44}$tau^{21}çi$^{53}_{44}$tsʰo^{53}.u^{21}tet^{5}kuən^{21}ʂei^{21},ʂau^{35}tet$^{5}_{3}$ʂei^{21}çi$^{53}_{44}$tsʰo^{53}.fəŋ$^{53}_{44}$(x)a$^{53}_{44}$tsiəu^{21}aŋ^{35}li^{0} ia^{0},tsiəu^{21}aŋ^{35}li^{0} tʂəŋ^{35}tau^{21},pau^{21}tsʰən^{13}tsʰiəu^{35}tsiəu^{21}aŋ^{35}.tsiəu^{21}aŋ^{35}çi^{53}pau^{21}tsʰən^{13}.iəu^{35}tet^{5}ʂʅ$^{53}_{44}$xai$^{13}_{21}$iəu^{35}tsi^{21}io^{0}.ŋai^{13}tien^{0}uk^{3}xa$^{53}_{44}$təu$^{35}_{44}$iəu^{35}uo^{0}.kan^{21}kau^{35},kan^{21}kau$^{53}_{44}$ke^{53},iet^{3}pa^{21}tʰai^{53}tsʰa^{13}fu$^{13}_{21}$iəŋ$^{53}_{44}$,mən^{35}tʰai$^{53}_{44}$ke$^{53}_{44}$,kan^{21}kau^{35}ke^{53}tsʰa^{13}fu$^{13}_{21}$e^{0} iəu^{35}tʂak^{3}tsi^{21}pa^{0},iəu^{35}tʂak^{3}tsi^{21},tsʰa^{13}fu^{13}tsi^{21}iəŋ^{53},e$_{21}$,taŋ^{21}kau^{35}kɔi^{53}uən^{21}.kai$^{53}_{44}$tʂak^{3}tsi^{21}lei^{0}tsʰiəu^{53}pʰin^{13}ʂʅ^{13}tsʰiəu$^{53}_{44}$tsət^{5}uən^{21},ɔn$^{35}_{44}$tso$^{53}_{44}$tsət^{5}uən^{21}ne^{0},tsʰiəu$^{53}_{44}$miet^{5}fəŋ^{35}ŋa^{0},mɔk^{5}pɔn$^{35}_{44}$ci$^{13}_{44}$tʂʰət^{3}çi^{53}ia^{0}.ei$_{21}$,ie$^{21}_{44}$kʰo$^{21}_{44}$tsʰiəu$^{53}_{44}$kan^{21}tsʅ^{0}çi$^{53}_{44}$tau^{53},tsʰiəu$^{53}_{44}$kan^{21}tsʅ^{0}çi$^{53}_{44}$sai^{35}.sai^{35}ia^{53}(←xa^{53})tsʰa^{13}fu^{13}təu^{21}li^{0},sai^{35}ia^{53}(←xa^{53})sai^{35}ia^{53}(←xa^{53})kai^{53}kei$^{53}_{44}$sai^{35}ia^{53}(←xa^{53})tsiəu^{21}fu^{13}təu^{21}li^{0}.u^{21}tau^{21}tsiəu^{21}fu^{13}çi$^{53}_{44}$tsʰo^{53}.e$_{21}$,kan^{21}ke$^{53}_{44}$ɔn$^{35}_{44}$tso$^{53}_{44}$tsʰo^{53}tsiəu^{21}.kai^{53}tʂak^{3}tʰai$^{53}_{44}$…ɔn^{35}tso$^{53}_{44}$tsiəu^{21}aŋ^{35}ŋa^{0}.tʰau^{13}çi^{53}ke$^{53}_{44}$.tʰau^{13}çi^{53}.tsiəu^{21}aŋ^{35}n̩^{13}çi^{53}uən^{35}.iəŋ^{53}lɔi$^{13}_{21}$tʂəŋ^{35}tsiəu^{21}ke$^{53}_{44}$.uən^{35}tsiəu^{21}ʂʅ$^{53}_{44}$tsiəu$^{53}_{44}$təu$^{53}_{44}$iəŋ$^{53}_{21}$kai^{53}ke^{53},iəŋ^{53}tsiəu^{21}fu^{13}ua^{0}.ʂət^{5}ci^{21}to^{35}tsʅ^{0}tsʰiəu$^{53}_{44}$uən^{35}ci^{21}to^{35}tsa^{0}.

【酒糟】tsiəu^{21}tsau^{35} 名 酿酒产生的渣滓：欸，酒娘来齐哩以后，箇只箇只缸，箇箇个～摎酒娘就会移动，安做移哩缸。e$_{21}$,tsiəu^{21}ɲioŋ^{13}lɔi^{13}tsʰe^{13}li^{0} i^{35}xei^{53},kai$^{53}_{44}$tʂak^{3}kai$^{53}_{44}$tʂak^{3}kɔŋ^{35},kai$^{53}_{44}$kai$^{53}_{44}$ke$^{53}_{44}$tsiəu^{21}tsau^{35}lau^{35}tsiəu^{21}ɲioŋ^{13}tsʰiəu^{53}uɔi^{53}i^{13}tʰəŋ^{35},ɔn^{35}tso^{53}i^{13}li^{0}kɔŋ^{35}.

【酒甑】tsiəu^{21}tsien^{53} 名 专门用来蒸酒的甑：蒸酒个甑呐？～呶，～。tʂən^{35}tsiəu^{21}ke$^{53}_{44}$tsien$^{53}_{44}$na^{0}?tsiəu^{21}tsien^{53}nau^{0},tsiəu^{21}tsien^{53}.

【酒盅子】tsiəu^{21}tʂəŋ^{35}tsʅ^{0} 名 大酒杯，有把：欸，箇个客姓人呢食酒嘞，除哩有～，还爱用酒杯子。酒杯子摎～个区别就～更大，酒杯子更细。ei$_{21}$,kai^{53}ke$^{53}_{44}$kʰak^{3}sin^{53}ɲin$^{13}_{21}$nei^{0}ʂət^{5}tsiəu^{21}lei^{0},tʂʰəu$^{13}_{21}$li^{0}iəu^{35}tsiəu^{21}tʂəŋ^{35}tsʅ^{0},xai$^{13}_{21}$ɔi^{53}iəŋ^{53}tsiəu^{21}pei^{35}tsʅ^{0}.tsiəu^{21}pi^{35}tsʅ^{0}lau^{35}tsiəu^{21}tʂəŋ^{35}tsʅ^{0}ke$^{53}_{44}$tʂʰɥ^{35}pʰiet^{5}tsʰiəu^{53}tsiəu^{21}tʂəŋ^{35}tsʅ^{0}ken$^{53}_{44}$tʰai^{53},tsiəu^{21}pi^{35}tsʅ^{0}ken$^{53}_{44}$se^{53}.

【酒作】tsiəu^{21}tsɔk^{3} 名 酒坊：欸，皇碑树下我老妹子箇间壁就有只～，搞嘿几十年了箇只～。老板就斢嘿蛮多只了，但是欸屋就赠斢。如今是箇只人买下来哩，自家就系下箇酒厂里，又加哩屋，跍倒后背，屋背，后背欸加几间屋嘞就来做～。e$_{21}$,uɔŋ^{13}pi$^{35}_{44}$ʂəu^{53}xa^{53}ŋai$^{13}_{21}$lau^{21}mɔi$^{53}_{44}$tsʅ^{0}kai$^{53}_{44}$kan^{53}piak^{3}tsʰiəu^{53}iəu$^{35}_{53}$tʂak^{3}tsiəu^{21}tsɔk^{3},kau^{21}xek^{3}ci^{21}ʂət^{5}ɲien^{13}niau^{0}kai^{53}tʂak^{3}tsiəu^{21}tsɔk^{3}.lau^{21}pan^{21}tsʰiəu^{53}tʰiau^{21}xek^{3}man^{13}to$^{35}_{53}$tʂak^{3}liau^{0},tan^{53}ʂʅ^{53}e$_{21}$uk^{3}tsʰiəu^{53}maŋ$^{13}_{21}$tʰiau^{21}.i$^{13}_{21}$cin$^{35}_{53}$ʂʅ^{53}kai^{53}tʂak^{3}ɲin^{13}mai^{35}xa$^{53}_{44}$lɔi$^{13}_{21}$li^{0},tsʰʅ^{35}ka$^{35}_{44}$tsʰiəu$^{53}_{44}$xei^{53}(x)a$^{53}_{44}$kai^{53}tsiəu^{21}tʂʰəŋ^{21}li^{0},iəu$^{53}_{44}$cia^{35}li^{0}uk^{3},ku^{35}tau^{21}xei^{53}pɔi$^{53}_{44}$,uk^{3}pɔi^{53},xei^{53}pɔi$^{53}_{44}$e$_{21}$cia^{35}ci^{21}kan$^{35}_{44}$uk^{3}le^{0}tsiəu$^{53}_{44}$lɔi$^{13}_{44}$tso^{53}tsiəu^{21}tsɔk^{3}.

【旧】cʰiəu^{53} 形 因经过长时间或经过使用而变色或变形的：～衫～裤 cʰiəu^{53}san$^{35}_{44}$cʰiəu^{53}fu^{53}｜捡几块～板子也要得。cian^{21}ci^{21}kʰuai$^{53}_{44}$cʰiəu^{53}pan^{21}tsʅ^{0}a$^{35}_{44}$iau^{53}tek^{3}.

【旧年】cʰiəu^{53}ɲien^{13} 名 时间词。去年：厢房箇只是～正拆咯，～正拆嘿啦。sioŋ^{35}fəŋ$^{13}_{21}$kai$^{53}_{44}$tʂak^{3}ʂʅ$^{53}_{21}$cʰiəu^{53}ɲien^{13}tʂaŋ^{53}tsʰak^{3}ko^{0},cʰiəu^{53}ɲien^{13}tʂaŋ^{53}tsʰak^{3}xek^{3}la^{0}.｜～花嘿滴钱呢。cʰiəu^{53}ɲien$^{13}_{21}$fa^{35}(x)ek^{3}tet^{5}tsʰien$^{13}_{21}$ne^{0}.

【柩】ciəu^{53} 名 灵柩；装了死人的棺材：棺材肚里装哩死人就安做～。欸，死人死哩就爱入棺，入哩棺了，箇副棺材就安做～了。还山箇晡早晨就爱出～，分箇个棺材嘞用钉子钉死来，舞倒绳子梢倒，梢正来，捆下岭上去埋嘿去，箇就安做～。kɔn^{35}tsʰɔi$^{13}_{21}$təu^{21}li^{0}tʂɔŋ^{35}li^{0}si^{21}ɲin^{13}tsʰiəu$^{53}_{44}$ɔn$^{35}_{44}$tso$^{53}_{44}$ciəu^{53}.e$_{21}$,si^{21}ɲin^{13}si^{21}li^{0}tsʰiəu$^{53}_{44}$ɔi$^{53}_{44}$ɲiet^{5}kɔn^{35},ɲiet^{5}li^{0}kɔn^{35}liau^{0},kai^{53}fu^{53}kɔn^{35}tsʰɔi$^{13}_{21}$tsʰiəu$^{53}_{44}$ɔn$^{35}_{44}$tso$^{53}_{44}$ciəu^{53}liau^{0}.fan$^{13}_{21}$san^{35}kai$^{53}_{44}$pu^{35}tsau^{21}ʂən^{13}tsʰiəu$^{53}_{44}$ɔi$^{53}_{44}$tʂʰət^{3}ciəu^{53},pən$^{35}_{44}$kai$^{53}_{44}$ke$^{53}_{44}$kɔn^{35}tsʰɔi$^{13}_{21}$lei^{0}iəŋ^{53}taŋ^{35}tsʅ^{0}taŋ^{35}si^{21}lɔi$^{13}_{21}$,u^{21}tau^{21}ʂən^{13}tsʅ^{0}sau^{35}tau$^{21}_{44}$,sau^{35}tʂaŋ^{53}lɔi$^{13}_{44}$,kɔŋ$^{35}_{44}$ŋa$^{35}_{44}$liaŋ$^{35}_{44}$xɔŋ$^{53}_{44}$çi^{53}mai$^{13}_{44}$xek^{3}çi$^{53}_{44}$,kai$^{53}_{21}$tsʰiəu$^{53}_{21}$ɔn$^{35}_{44}$tso$^{53}_{44}$ciəu^{53}.

【救】ciəu^{53} 动 ①保存；剩下；留下：箇只流水簿又赠～倒有了呢，唔知分我等丢下哪映去哩。kai^{53}tʂak^{3}liəu^{13}ʂei^{21}pʰu^{35}iəu^{53}maŋ^{13}ciəu^{53}tau^{21}iəu^{35}liau^{21}nei^{0},n̩$^{13}_{21}$ti$^{35}_{44}$pən^{35}ŋai$^{13}_{21}$tien^{0}tiəu$^{35}_{44}$xa$^{53}_{44}$lai$^{53}_{44}$iaŋ$^{53}_{44}$çi^{53}li^{0}.｜好，第二次嘞就过米筛。米筛嘞就分米跌下去，～兜谷头去面上。xau^{21},tʰi$^{53}_{44}$ɲi^{53}tsʰʅ$^{53}_{44}$lei^{0}tsiəu$^{53}_{44}$ko^{53}mi^{21}sai$^{35}_{44}$.mi^{21}sai$^{35}_{44}$lei^{0}tsiəu$^{53}_{44}$pən^{35}mi^{21}tiet^{3}xa^{53}çi^{53},ciəu^{53}tei$^{35}_{53}$kuk^{3}tʰei^{13}çi^{53}mien^{53}xɔŋ^{53}.｜我赖子新舅嘞就渠等就年年都到广东过年去哩，～倒我三只老家伙，跍倒屋下。ŋai$^{13}_{21}$lai^{53}tsʅ^{0}sin$^{35}_{44}$cʰiəu$^{35}_{44}$lei^{0}tsʰiəu$^{53}_{44}$ci$^{13}_{21}$tien^{0}tsʰiəu$^{53}_{44}$ɲien^{13}ɲien$^{13}_{21}$təu$^{35}_{53}$tau^{53}kɔŋ^{21}təŋ$^{35}_{44}$ko^{53}ɲien$^{13}_{21}$çi^{53}li^{0},ciəu^{53}tau^{21}ŋai$^{13}_{21}$san$^{35}_{44}$tʂak^{3}lau^{21}cia$^{35}_{44}$xo$^{21}_{44}$,ku^{35}tau^{21}uk^{3}xa$^{53}_{44}$. ②余下或通过节约积攒下来（钱）：哎，蛮多人是，工资就蛮高。你箇赖子跍倒外背呀，～得滴钱倒么？～，好像救命个救样。欸，～得滴子钱倒么？就系留得滴子

钱倒，攒得滴子钱倒吗，系啊？攒钱。哎，你箇赖子还会～钱么？就是会攒钱么。箇就硬安做～钱，就留钱个意思。除嘿用个，剩下个钱，系啊？ai$_{21}$,man$^{13}_{21}$to$^{35}_{44}$ɲin$^{13}_{21}$ʂɿ$^{53}_{44}$,kəŋ^{35}tsɿ$^{35}_{44}$tsʰiəu$^{53}_{44}$man$^{13}_{21}$kau$^{35}_{44}$. ɲi^{13}kai$^{53}_{44}$lai^{53}tsɿ^{0} ku^{35}tau^{21}ŋɔi^{53}pɔi^{53}ia^{0} ,ciəu^{53}tek^{3} tet^{5} tsʰien^{13}tau^{21}mo^{0} ?ciəu^{53},xau^{21}tsʰiəŋ$^{53}_{44}$ciəu^{53}miaŋ^{53}ke$^{53}_{44}$ciəu^{53}iəŋ$^{53}_{44}$.ei$_{21}$,ciəu^{53}tek^{3} tet^{5} tsɿ^{0} tsʰien^{13}tau^{21}mo^{0} ?tsʰiəu$^{53}_{44}$xe$^{53}_{44}$liəu^{13}tek^{3} tiet^{5} tsɿ^{0} tsʰien$^{13}_{21}$tau^{21},tsan^{21}tek^{3} tiet^{5} tsɿ^{0} tsʰien$^{13}_{21}$tau^{21}ma^{0} ,xei$^{53}_{44}$a^{0} ?tsan^{21}tsʰien^{13}.ai$_{21}$, ɲi$^{13}_{21}$kai^{53}lai^{53}tsɿ^{0} xai$^{13}_{21}$uɔi^{53}ciəu^{53}tsʰien^{13}mo^{0} ?tsʰiəu$^{53}_{21}$ʂɿ$^{53}_{21}$uɔi^{53}tsan^{21}tsʰien^{13}mo^{0} .kai$^{53}_{21}$tsʰiəu$^{53}_{21}$ɲiaŋ$^{53}_{44}$ɔn$^{35}_{44}$tso$^{53}_{44}$ciəu^{53}tsʰien$^{13}_{21}$,tsʰiəu$^{53}_{44}$liəu^{13}tsʰien$^{13}_{21}$ke$^{53}_{44}$i$^{53}_{44}$sɿ^{0} .tʂʰəu$^{13}_{21}$uek^{3} (←xek^{3})iəŋ^{53}ke$^{53}_{44}$,ʂən^{53}çia$^{53}_{44}$ke$^{53}_{44}$tsʰien$^{13}_{21}$,xe$^{53}_{44}$a^{0} ?

【救命】ciəu^{53}miaŋ^{53} 动 拯救性命；援助有生命危险的人：感谢渠～之恩呐。kən^{21}tsʰia$^{53}_{44}$ci^{13}ciəu^{53}miaŋ^{53}tʂɿ$^{35}_{44}$ɲien^{35}na^{0} .

【毂$_1$】tsiəu^{21}/tsiəu^{53} 动 ①拧：～螺丝 tsiəu^{21}lo^{13}sɿ$^{35}_{44}$｜拿起子去～la^{53}çi^{21}tsɿ^{0} çi^{53}tsiəu^{21}｜𫠛～紧 maŋ^{13}tsiəu^{21}cin^{21}。②扭曲：～下拢来tsiəu^{21}(x)a$^{53}_{44}$ləŋ^{35}lɔi$^{13}_{21}$。③扭伤：～哩脚 tsiəu^{53}li^{0} ciɔk^{3}｜颈根～倒哩。ciaŋ^{21}cin^{35}tsiəu^{53}tau^{21}li^{0}.

【毂$_2$】tsiəu^{53} 名 旋涡状的东西：箇个打旋是硬系头发生成咁个，一只洩螺蛳，一只～。kai^{53}ke$^{53}_{44}$ta^{21}tsʰiən^{53}ʂɿ$^{53}_{44}$ɲiaŋ^{53}xe^{53}tʰei^{13}fait^{3} saŋ^{35}ʂaŋ^{13}kan^{21}cie$^{53}_{44}$,iet^{3} tʂak^{3} çiet^{3} lo^{13}sɿ$^{35}_{44}$,iet^{3} tʂak^{3} tsiəu^{53}.

【毂$_3$】tsiəu^{21} 量 用于扭曲的东西：一～钢丝 iet^{3} tsiəu^{21}kəŋ^{35}sɿ^{35}

【毂毂转】tsiəu^{53}tsiəu^{53}tʂən^{21} 快速地反复转动：箇只水去咁个～吵。kai$^{53}_{44}$tʂak^{3} ʂei^{21}çi$^{53}_{44}$kan^{21}ke$^{53}_{44}$tsiəu^{53}tsiəu^{53}tʂən^{21}ʂa^{0}.

【毂毂子】tsiəu^{53}tsiəu^{53}tsɿ^{0} 形 旋转状或呈旋涡状：（我孙子）箇头发也总系～呢。kai^{53}tʰei^{13}fait^{3} ia$^{35}_{44}$tsəŋ^{21}xei^{53}tsiəu^{53}tsiəu^{53}tsɿ^{0} nei^{0}.

【毂毛】tsiəu^{53}mau^{35} 名 先天卷发的人：还有～喔。xai$^{13}_{21}$iəu$^{35}_{44}$tsiəu^{53}mau^{35}uo^{0}.

【毂螺风】tsiəu^{53}lo^{13}fəŋ^{35} 名 旋风：起～啊，箇有喔。六月伏天个时候子啊，撞怕突然一下子，箇个晒簟呐箇个……箇搞集体个时候子我就搞过，箇晒簟箇只啦哦放势翻，飞倒到处都系，谷都倾嘿哩个都有，起～。但还不是龙卷风箇个。çi^{21}tsiəu^{53}lo$^{13}_{21}$fəŋ^{35}ŋa^{0} ,kai$^{53}_{44}$iəu^{35}uo^{0} .liəuk^{3} ɲiet^{5} fuk^{5} tʰien$^{35}_{44}$kei$^{53}_{44}$ʂɿ^{13}xəu$^{53}_{44}$tsa^{0} ,tsʰəŋ^{21}pʰa$^{53}_{44}$tʰəuk^{5} vien$^{13}_{44}$iet^{3} xa^{53}tsɿ^{0} ,kai$^{53}_{44}$ke$^{53}_{44}$sai^{53}tʰian^{53}na^{0} kai^{53}ke$^{53}_{44}$…kai$^{53}_{44}$kau^{21}tsʰiet^{5} tʰi^{21}ke$^{53}_{44}$ʂɿ^{13}xəu$^{53}_{44}$tsɿ^{0} ŋai^{13}tsʰiəu^{53}kau^{21}ko^{53},kai$^{53}_{44}$sai^{53}tʰian$^{53}_{44}$kai$^{53}_{44}$tʂak^{3} la^{0} o$_{21}$xəŋ^{53}ʂɿ^{53}fan^{35},fei^{35}tau^{21}tau^{53}tʂʰəu$^{53}_{44}$təu$^{35}_{44}$xei^{53},kuk^{3} təu$^{35}_{53}$kʰuaŋ^{35}ŋek^{3} li^{0} ke^{0} təu$^{35}_{44}$iəu$^{35}_{44}$,çi^{21}tsiəu^{53}lo$^{13}_{21}$fəŋ$^{35}_{44}$.tan^{53}xai$^{13}_{44}$pət^{3} ʂɿ^{53}ləŋ^{13}tʂen^{21}fəŋ$^{35}_{44}$kai$^{53}_{21}$ke$^{53}_{21}$.

【毂丝】tsiəu^{53}sɿ^{35} 名 扭曲变形的植物筋丝：荷树柴柴劈唔开呀，揪古带韧，敆，渠有节疤，箇节疤穿去穿转。有会有～。xo^{13}ʂəu^{53}tsʰai^{13}tsʰai$^{13}_{44}$pʰiak^{3} n̩$^{13}_{21}$kʰɔi^{35}ia^{0} ,tsiəu^{35}ku^{21}tai^{53}ɲin^{53},e$_{53}$,ci^{13}iəu^{35}tset^{3} pa^{35},kai$^{53}_{44}$tset^{3} pa$^{35}_{44}$tʂʰuən^{53}çi$^{53}_{44}$tʂʰuən^{53}tʂuən^{21}.iəu^{35}uɔi$^{53}_{44}$iəu^{35}tsiəu^{53}sɿ$^{35}_{44}$.

【毂死】tsiəu^{53}si^{21} 形 ①形容当即死亡，完全没有抢救的机会：一铳打嘿去嘞，捉倒一只侄子打得～。iet^{3} tʂʰəŋ^{53}ta^{21}(x)ek^{3} çi$^{53}_{44}$lei^{0} ,tsɔk^{3} tau^{21}iet^{3} tʂak^{3} tʂʰət^{5} tsɿ^{21}ta^{21}tek^{3} tsiəu^{53}si^{21}. ②状态词。很彻底，没有余地：（渠踩踏脚板）总是～个踩下去，踩下去又有哩动。tsəŋ$^{21}_{53}$ʂɿ$^{53}_{44}$tsiəu$^{53}_{44}$si^{21}ke^{53}tsʰai^{21}xa^{53}çi^{53},tsʰai^{21}xa^{53}çi^{53}iəu^{53}mau$^{13}_{21}$li^{0} tʰəŋ^{53}.

【就】tsʰiəu^{53}/tsiəu^{53} 副 ①用在动词前，表示在某种条件或情况下自然怎么样，相当于“便、即”：我一线风～趫倒哩你呀。ŋai^{13}iet^{3} sien^{53}fəŋ^{35}tsʰiəu$^{53}_{44}$ciəuk^{5} tau^{21}li^{0} ɲi$^{13}_{21}$ia^{0} .｜讲起硇叽红我～记得。kəŋ$^{13}_{21}$çi^{21}ləu^{35}ci$^{35}_{44}$fəŋ$^{13}_{21}$ŋai$^{13}_{21}$tsʰiəu$^{53}_{44}$ci^{53}tek^{0} . ②表示事实正是如此：你话是不是～是五步蛇，我唔就搞唔多清。ɲi^{13}ua$^{53}_{44}$ʂɿ^{53}pət^{3} ʂɿ^{53}tsʰiəu^{53}ʂɿ^{53}ŋ̍^{21}pʰu^{53}ʂa$^{13}_{21}$,ŋai^{13}n̩$^{13}_{21}$tsʰiəu^{53}kau^{21}n̩^{13}to^{35}tsʰin$^{35}_{44}$. ③放在主语和体词性谓语之间表示加强判断：山茶花～茶花。san^{35}tsʰa$^{13}_{21}$fa$^{35}_{44}$tsʰiəu$^{53}_{44}$tsʰa^{13}fa$^{35}_{44}$.｜螺丝钉～螺丝钉啊，就也喊螺丝钉噢。lo^{13}sɿ$^{35}_{44}$taŋ$^{35}_{44}$tsʰiəu$^{53}_{44}$lo^{13}sɿ$^{35}_{44}$taŋ$^{35}_{44}$ŋa^{0} ,tsʰiəu$^{53}_{44}$ia^{35}xan^{53}lo^{13}sɿ$^{35}_{44}$taŋ$^{35}_{44}$ŋau^{0} . ④仅仅；只：箇丘田～栽得七蔸禾。kai$^{53}_{44}$cʰiəu$^{35}_{44}$tʰien$^{13}_{44}$tsiəu$^{53}_{44}$tsɔi^{35}tek^{3} tsʰiet^{3} tei^{35}uo^{13}.｜（硬板床）么个都冇得，～一块板。mak^{3} (k)e^{53}təu$^{35}_{53}$mau$^{13}_{44}$tek^{3},tsʰiəu^{53}iet^{3} kʰuai^{53}pan^{21}. ⑤方；才：天心里～有花池，屋肚里冇得。tʰien^{35}sin$^{35}_{44}$ni^{21}tsʰiəu$^{53}_{44}$iəu$^{35}_{44}$fa^{35}tʂʰɿ$^{13}_{21}$,uk^{3} təu^{21}li^{0} mau^{13}tek^{3}. ⑥立刻；马上：渠话～走，让门咁久了还𫠛走？ci^{13}ua^{53}tsʰiəu^{53}tsei^{21},ɲiɔŋ^{53}men^{0} kan^{21}ciəu^{21}liau^{21}xai^{13}maŋ^{13}tsei^{21}? ⑦表示与前文的情形不同，有所对照，相当于“倒是”：柳条红我唔多记得哩。硇叽红～记得。liəu^{35}tʰiau$^{13}_{21}$fəŋ$^{13}_{21}$ŋai$^{13}_{21}$n̩$^{13}_{21}$to$^{35}_{44}$ci^{53}tek^{3} li^{0} .ləu^{35}ci$^{35}_{44}$fəŋ$^{13}_{21}$tsʰiəu$^{53}_{44}$ci$^{53}_{44}$tek^{0} . ⑧表示让步，相当于“倒是”：猪尿脬打人，痛～唔痛，骚气难耐。tʂəu^{35}ɲiau^{53}pʰau^{53}ta^{21}ɲin^{13},tʰəŋ^{53}tsʰiəu^{53}n̩^{13}tʰəŋ^{53},sau^{35}çi^{53}lan^{13}lai^{53}.批评某人虽然没造成直接的经济损害，但是侮辱了他人的人格 ⑨表示转折关系，相当于“却”：从前做就爱做，食～有食；如今做也爱

J

做，食也有食。tsʰəŋ13tsʰien13tso53tsʰiəu53ɔi53tso53,ʂek5 tsʰiəu53mau13ʂek5;i13cin35tso53ia35ɔi35tso53,ʂek5 a35 iəu35ʂek5.

【就倒】tsʰiəu53tau21 介依照现有情况或趁着当前的便利：渠撞怕夜晡死倒，渠爱一死呀下来一落气就爱准备同渠着，欸，～渠身上还嫲硬。ci13-21tsʰəŋ21pʰa53-44ia53pu35-44si21tau21,ci13-21ɔi53iet3 si21ia0 xa53lɔi13-21 iet3 lɔk5 çi53tsʰiəu53ɔi53-44tʂən21pʰi53tʰəŋ13-44ci13-44tʂɔk3,e21,tsʰiəu53tau21ci13-21ʂən35xɔŋ53xai13-21maŋ13-21ŋaŋ53.

【就筫】tsʰiəu53tɔi21 动凑整（以便买卖）：就只筫 tsʰiəu53tʂak3tɔi21

【就系】tsʰiəu53xei53 连表示转折关系，相当于“但是，可是”：芭蕉花就会开下子呢，～冇得香蕉结呢。pa35-44tsiau35-44fa35tsʰiəu35-44uɔi35-44kʰɔi35ia53(←xa53)tsɿ0 nei0,tsʰiəu53xe53-44mau13tek3 çiɔŋ35tsiau35-44ciet3 nei0.｜以只东西好系好，～忒贵哩。i21tʂak3 təŋ35si35xau21xe53xau21,tsʰiəu53xe53tʰet5 kuei53li0.

【舅老表】cʰiəu35lau21piau21 名指舅父的子女：姨老表，姑老表，～，都称老表。i13lau21 piau21,ku35lau21piau21,cʰiəu35lau21piau21,təu35tʂʰən35-44nau21piau21.

【舅老子】cʰiəu35lau21tsɿ0 名舅父：惹～骂尽哩命啊。ɲia53-44cʰiəu35lau21tsɿ0 ma53-44tsʰin53-44li0 miaŋ53ŋa0.

【舅婆】tʰai53cʰiəu35me35 名舅母：我只有两只～，都唔在哩，一只大～，一只细～。两只～丙丁相傲，嗯，唔讲事。系做一只屋。一世人都交唔得。ŋai13-21tʂɿ21iəu35-53iɔŋ21tʂak3 cʰiəu35-44me35-44,təu35n̩21 tsʰɔi35-44li0,iet3 tʂak3 tʰai53cʰiəu35-44me35,iet3 tʂak3 sei53-44cʰiəu35-44me35-44.iɔŋ21tʂak3 cʰiəu35-44me35-44pin21tin35-44siɔŋ35-44ŋau53,n̩21,n̩13-21 kɔŋ21sɿ53.xei53-44tso53iet3 tʂak3 uk3.iet3 ʂɿ53ɲin13-21təu35-44ciau35-44n̩13-21tek3.

【舅爷】cʰiəu35ia13 名舅父：我老妹子有兜子事欸我外甥子等人长日寻我以只当大～个。渠等有么个事就寻我。我话：“我也六十几岁了嘞。欸嘿，你总寻我以只大～呀，系我？嘿，你等你……”箇外甥都四十几了嘞，我箇晡我话：“你等都四十几岁了，莫总寻我了喔，我都搞唔清哩了哇。老嘿哩哦。”寻我以只当大～个。ŋai13lau21mɔi53tsɿ0 iəu35təu35-53tsɿ0 sɿ53ei35ŋai13ŋɔi53 saŋ35-44tsɿ0 ten21-44ɲin13-21tʂʰəŋ13ɲiet3 tsʰin13ŋai13-21i21tʂak3 təŋ35-44tʰai53-44cʰiəu35ia13ke0.ci13tien0 iəu35mak3 ke0 sɿ53tsʰiəu53 tsʰin13-21ŋai13-21.ŋai13ua53:"ŋai13ia35-53liəuk3 ʂət5 ci21sɔi53-44liau0 lei0.ei44xei44, ɲi13tsəŋ21tsʰin13ŋai13-44i21-44tʂak3 tʰai53cʰiəu35ia13 ia0,xei53a0?xe44, ɲi13tien0ɲi13-21…"kai53-44ŋɔi53saŋ35təu35-44si35ʂət5 ci21liau0 lei0,ŋai13kai53pu35ŋai13-21ua53-44:"ɲi13tien0 təu35 si53ʂət5 ci21sɔi53liau0,mɔk5 tsəŋ21tsʰin13ŋai13-21liau0 uo0,ŋai13təu35-53kau21n̩13tsʰin35ni0 liau0 ua0.lau21uek3 li0 o0."tsʰin13 ŋai13-21i21tʂak3 təŋ35-44tʰai53cʰiəu35ia13ke0.

【车牯】cie35ku21 名车，象棋棋子之一：我箇到摎渠等人作象棋，我就唔会作。箇只人让一只～，车马炮，让一只～，欸，让一只马子让一只炮，我都还作输哩。ŋai13-21kai53tau53lau35ci13-21 tien0 in13-21tsɔk3 siɔŋ53cʰi13-21,ŋai13tsʰiəu53m̩13-21uɔi53tsɔk3.kai53tʂak3ɲin13-21ɲiɔŋ53iet3 tʂak3 cie35ku21,kei35ma35pʰau53, ɲiɔŋ53iet3 tʂak3 cie35ku21,e21, ɲiɔŋ53iet3 tʂak3 ma35tsɿ0ɲiɔŋ53iet3 tʂak3 pʰau53,ŋai13təu35-53xai13tsɔk3 ʂu35-44li0.｜～笔直捋。cie35ku21piet3 tʂʰət5 lɔit5.

【车牯佬】cie35ku21lau21 名车，象棋棋子之一：我觉得要作象棋嘞～就莫分渠蟒嘿哩。～就硬随时随意可以调动个东西。欸，方便。～爱留倒。ŋai13kɔk3 tek3 iau53tsɔk3 siɔŋ53cʰi13-44lei0 cie35-44ku21 lau21tsʰiəu53-44mɔk5 pən35-44ci13-21u21xek3 li0.cie35ku21lau21tsʰiəu53-44ɲiaŋ53sei13ʂɿ13-44sei13i13kʰo21i13-44tiau53tʰəŋ53-44ke53-44təŋ35-44si0. e21,fəŋ35-44pʰien53.cie35-44ku21lau21ɔi53liəu13tau21.

【拘礼】ci35li35 动拘泥礼节：莫～！mɔk5 ci35li35!

【居士】tʂɿ35sɿ53 名对在家信佛的人的泛称：箇个跍倒屋下做下子法哟，做下子个，以前唔系话你阿姐跍倒屋下？箇跍倒屋下搞下子个安做么个？箇起人。也安做～，去屋下做下子个。kai53-44kei53-44ku35tau21uk3 xa53-44tso53a53-44tsɿ0 fait3 iau0,tso53a53-44tsɿ0 kei53-44,i35tsʰien13-21m̩13-21pʰe53-44ua53ɲi13-21a35tsia21ku35-44tau21uk3 xa53-44?kai53-44ku35tau21uk3 xa53-44kau21a53-44tsɿ0 ke53-44ɔn35-44tso53-44mak3 ke53-44?kai53-44çi21ɲin13.ia35ɔn35-44tso53-44tʂɿ35sɿ53-44,çi53uk3 xa53-44tso53 a53-44tsɿ0 ke53-44.

【鞠躬】cʰiəuk3 kəŋ35 动弯腰行礼：鞠三只躬，三～啊。(cʰ)iəuk3 san35tʂak3 kəŋ35,san35cʰiəuk3 kəŋ35 ŋa0.

【菊花】cʰiəuk3 fa35 名一种多年生宿根性草花：一般以上背就只讲箇只黄～，白～。/红～都蟒倒来个。/有是也有哇？/有是有，渠蛮……很少。欸，都系蟒倒来个了。面前我等只有黄～白～。/野～唠。野生个唠。/欸，还有野～唠。/东一朵西一朵唠，到处开得。/箇起野～更细唠。朵子更细唠。花朵更细唠。也系黄个白个。iet3 pan35i21ʂɔŋ53pɔi53tsʰiəu53-44tʂɿ21kɔŋ21 kai53tʂak3 uɔŋ13cʰiəuk3 fa35-44,pʰak5 cʰiəuk3 fa35-44./xəŋ13cʰiəuk3 fa35təu35-44u21tau21lɔi13kei53./iəu35ʂɿ53-44ia35iəu35-44 ua0?/iəu35ʂɿ53-44iəu35-44,ci13-44man13…xen21-53ʂau21.e21,təu35-44xe53-44u21tau21lɔi13kei53liau0.mien53tsʰien13-21ŋai13tien0 tʂɿ21iəu35-53 uəŋ^{13} c^{h}iəuk^{3} fa$^{35}_{44}$p^{h}ak^{5} c^{h}iəuk^{3} fa$^{35}_{21}$./ia^{35} c^{h}iəuk^{3} fa^{35} lau^{0} .ia^{35} saŋ$^{35}_{44}$ke$^{53}_{44}$lau^{0} ./e$_{21}$,xai^{13} iəu$^{35}_{53}$ia^{35}c^{h}iəuk^{3} fa$^{35}_{44}$ lau^{0}./təŋ^{35}iet^{3} to^{21}si^{35}iet^{3} to^{21}lau^{0},tau^{53}tʂ^{h}əu$^{53}_{44}$k^{h}ɔi^{35}tek^{3}./kai$^{53}_{44}$çi$^{21}_{44}$ia^{35}c^{h}iəuk^{3} fa^{35}ken$^{53}_{44}$sei^{53}lau^{0} .to^{21}tsɿ^{0} ken$^{53}_{44}$sei^{53} lau^{0} .fa^{35}to^{21}ken$^{53}_{44}$sei^{53}lau^{0} .ia^{35}xei^{53}uəŋ^{13}ke$^{53}_{44}$p^{h}ak^{5} ke$^{53}_{44}$.

【橘饼】ciet^{3} piaŋ^{21} 名用晒干的金橘子加蜜糖酿制而成的食品：～是系味药啦。～又唔好食呢，～咯。ciet^{3} piaŋ^{21}ʂʅ$^{53}_{44}$xei$^{53}_{44}$uei$^{53}_{44}$iɔk^{5} la^{0}.ciet^{3} piaŋ^{21}iəu^{53}m̩^{13}xau^{21}ʂət^{5} nei^{0},ciet^{3} piaŋ^{21}ko^{0}.｜～啊就系分箇金橘子欸去蒸，唔知到底让门做哈，金橘子压一下呢，压一下就然后就箇个呢，放兜糖呢，～就系糖多哩，唔好食，尽糖。ciet^{3} piaŋ^{21}a^{0} ts^{h}iəu^{53}xe$^{53}_{44}$pən$^{53}_{44}$kai$^{53}_{44}$cin^{35}ciet^{3} tsɿ^{0} e$_{21}$çi^{53}tʂən^{35},n̩^{13}ti$^{35}_{44}$ tau^{53}ti^{21}ɲiɔŋ$^{53}_{44}$mən^{13}tso^{53}xa^{0} ,cin^{35}ciet^{3} tsɿ^{0} iak^{3} iet^{3} xa^{53}nei^{0} ,iak^{3} iet^{3} xa^{53}ts^{h}iəu$^{53}_{44}$vien^{13}xei$^{53}_{44}$ts^{h}iəu$^{53}_{44}$kai$^{53}_{44}$ke$^{53}_{44}$ nei^{0},fɔŋ^{53}te$^{35}_{53}$t^{h}ɔŋ^{13}nei^{0},ciet^{3} piaŋ^{21}ts^{h}iəu^{53}xei^{53}t^{h}ɔŋ^{13}to$^{35}_{44}$li^{0},m̩$^{13}_{21}$mau^{21}ʂət^{5},ts^{h}in^{53}t^{h}ɔŋ$^{13}_{21}$.

【橘子】ciet^{3} tsɿ^{0} 名①一般特指金橘子：柑子，～，柚子，我等只有分如三种。kan^{35}tsɿ^{0},ciet^{3} tsɿ^{0},iəu^{53}tsɿ^{0},ɲai$^{13}_{21}$tien^{0} tʂe^{21}iəu$^{35}_{44}$fən^{35}i$^{13}_{21}$san^{35}tʂəŋ^{21}. ②有时也泛指橘类果实：箇个～指铁篱笆十分酸。kai^{53}ke$^{53}_{44}$ciet^{3} tsɿ^{0} ʂət^{5} fən$^{35}_{44}$sɔn$^{35}_{44}$.

【趜】ciəuk^{5} 动①驱赶：～出去ciəuk^{5} tʂ^{h}ət^{3} çi^{53}｜（打狗粄）就系到阴间去个时候子怕路上有狗，～狗个。ts^{h}iəu$^{53}_{44}$xei$^{53}_{44}$tau^{53}in^{35}kan$^{35}_{44}$çi^{53}ke$^{53}_{44}$ʂʅ$^{13}_{44}$xei$^{53}_{44}$tsɿ^{0} p^{h}a^{53}ləu^{53}xɔŋ$^{53}_{44}$iəu^{35}ciei^{21},ciəuk^{5} ciei^{21}ke^{53}.｜打比个欸我放滴子菜去箇映子啊放下地泥下，箇鸡子去啄呀，我～开箇鸡呀，～嘿去啊。ta^{21} pi^{21}ke$^{53}_{44}$e$_{21}$ɲai^{13}fɔŋ$^{53}_{44}$tet^{5} tsɿ^{0} ts^{h}ɔi^{53}çi$^{53}_{44}$kai$^{53}_{44}$iaŋ^{53}tsa^{0} fɔŋ$^{53}_{44}$a$^{53}_{44}$t^{h}i$^{53}_{44}$lai$^{13}_{21}$xa$^{35}_{44}$,kai$^{53}_{44}$cie^{35}tsɿ^{0} çi$^{53}_{44}$tsait^{5} ia^{0} ,ɲai^{13}ciəuk^{5} k^{h}ɔi$^{35}_{44}$kai$^{53}_{44}$cie^{35}ia^{0},ciəuk^{5} ek^{3} çi$^{53}_{44}$a^{0}.｜拿条竹棍去～牛。la^{53}t^{h}iau$^{13}_{21}$tʂəuk^{3} k^{h}ua^{21}çi$^{53}_{44}$ciəuk^{5}ɲiəu^{13}. ②追赶：我一线风就～倒哩你呀。ɲai^{13}iet^{3} sien^{53}fəŋ^{35}ts^{h}iəu$^{53}_{44}$ciəuk^{5} tau^{21}li^{0} ɲi$^{13}_{21}$ia^{0}. ③（水）漫过或冲刷：箇时候子指氮磷深施的时候就蛮难管水呀。慢呐大水一～是就一丘田个肥就跑咁了。kai^{53}ʂʅ$^{13}_{44}$xei$^{53}_{44}$tsɿ^{0} ts^{h}iəu$^{53}_{44}$man$^{53}_{44}$nan$^{13}_{44}$kɔn^{21}ʂei^{21}ia^{0} .man$^{53}_{44}$na^{0} t^{h}ai^{53}ʂei^{21}iet^{3} ciəuk^{5} ʂʅ$^{53}_{44}$tsiəu$^{53}_{44}$iet^{3} c^{h}iəu^{35}t^{h}ien$^{13}_{44}$ke$^{53}_{44}$p^{h}i^{13}tsiəu$^{53}_{44}$p^{h}au^{21} kan^{21}niau^{0}.

【趜鬼】ciəuk^{5} kuei^{21} 动驱逐鬼怪：请倒箇个圣公来～。ts^{h}iaŋ^{21}tau^{21}kai^{53}ke$^{53}_{44}$ʂaŋ^{53}kəŋ^{35}lɔi$^{13}_{21}$ciəuk^{5} kuei^{21}.

【举】tʂʮ^{21} 动①往上托；往上伸：上课个时候子有问题爱～手。ʂɔŋ^{35}k^{h}o^{53}ke$^{53}_{44}$ʂʅ$^{13}_{44}$xei^{53}tsɿ^{0} iəu^{35} uən^{53}t^{h}i$^{13}_{44}$ɔi^{53}tʂʮ^{21}ʂəu^{21}.｜选你当族长是我～哩手个啦。sen^{21}ɲi^{13}tɔŋ$^{35}_{44}$ts^{h}əuk^{5} tʂɔŋ^{21}ʂʅ$^{53}_{21}$ɲai^{13}tʂʮ^{21}li^{0} ʂəu^{21} ke^{53}la^{0}. ②提出；给出：～个例子，两头失溻个例子你听哩唠。tʂʮ^{21}ke$^{53}_{44}$li^{53}tsɿ^{0},iɔŋ^{21}t^{h}ei^{13}ʂət^{3} t^{h}ait^{3} ke$^{53}_{44}$li^{53}tsɿ^{0} ɲi$^{13}_{21}$t^{h}aŋ^{35}li^{0} lau^{0}.

【举子】ci^{21}tsɿ^{0} 名旧时被举应试的士子：一流～二流医，三流风水四流推指八字先生，五琴棋，六书画，七僧八道九流吹。《九流歌》iet^{3} liəu^{13}ci^{21}tsɿ^{0} ɲi^{53}liəu^{13}i^{35},san^{35}liəu^{13}fəŋ^{35}ʂei^{21}si^{53}liəu^{13}t^{h}i^{35},ŋ̍^{21} c^{h}in^{13}c^{h}i^{13},liəuk^{3} ʂəu^{35}fa^{53},ts^{h}iet^{3} sien^{35}pait^{3} t^{h}au^{53}ciəu^{21}liəu^{13}tʂ^{h}ei^{35}.

【句】ci^{53}/tʂʮ^{53}/tʂʮ^{53} 量用于言语：唱一～tʂ^{h}ɔŋ^{53}iet^{3} ci^{53}｜舅爷食茶，还爱讲几～子好话，高赞下子。c^{h}iəu^{35}ia$^{13}_{21}$ʂət^{5} ts^{h}a^{13},xai^{13}ɔi^{53}kɔŋ^{21}ci^{21}tʂʮ^{53}tsɿ^{0} xau^{21}fa^{53},kau^{35}tsan^{53}na$_{44}$(←xa^{53})tsɿ^{0}.

【剧团】tʂət^{3} t^{h}ɔn^{13} 名表演戏剧的团体：我等以映子是老哩人是讲以个场面大滴子个是爱请～唱戏，我等以个栏场都去在唱花鼓戏。剧团（人数）呐，箇就有多少嘞，有兜有上十个嘞，还带辆演出车来哟又。ɲai^{13}tien^{0} i^{21}iaŋ^{53}tsɿ^{0} ʂʅ$^{53}_{44}$lau^{21}li^{0} ɲin^{13}ʂʅ$^{53}_{44}$kɔŋ^{21}i$^{21}_{44}$(k)e$^{53}_{44}$tʂ^{h}ɔŋ$^{13}_{21}$mien$^{53}_{44}$t^{h}ai^{53}tiet^{5} tsɿ^{0} ke$^{53}_{44}$ ʂʅ$^{53}_{44}$ɔi^{53}ts^{h}iaŋ^{21}tʂət^{3} t^{h}ɔn^{13}tʂ^{h}ɔŋ$^{53}_{44}$çi^{53},ɲai^{13}tien^{0} i^{21}ke^{53}laŋ$^{13}_{21}$tʂ^{h}ɔŋ$^{13}_{21}$təu$^{35}_{53}$çi^{53}ts^{h}ai^{53}tʂ^{h}ɔŋ^{53}fa^{35}ku^{21}çi^{53}.tʂət^{3} t^{h}ɔn^{13} na^{0},kai$^{53}_{44}$ts^{h}iəu$^{53}_{44}$iəu^{35}to^{35}ʂau^{21}le^{0},iəu^{35}te$^{35}_{53}$iəu$^{35}_{44}$ʂɔŋ$^{53}_{21}$ʂət^{5} ke^{53}ɲin$^{13}_{21}$ke$^{53}_{21}$le^{0},xai^{13}tai^{53}liɔŋ$^{21}_{44}$ien^{21}tʂ^{h}ət^{3} tʂ^{h}a^{35}lɔi$^{13}_{21}$io^{0} iəu^{53}.

【据】tʂʮ^{53} 介根据，把某种事物作为得出结论的前提：～我了解（黄鳝剪捞黄鳝钳）都系一只东西。tʂʮ^{53}ɲai^{13}liau^{21}kai^{21}təu^{35}xe^{53}iet^{3} tʂak^{3} təŋ$^{35}_{44}$si^{0}.

【据说】tʂʮ^{53}ʂet^{3} 动依据他人所说；根据传说：～（五步蛇）啮哩人以后五步就人只要走五步就死嘿哩。tʂʮ^{53}ʂet^{3} ɲait^{3} li^{0} ɲin^{13}i$^{35}_{44}$xei$^{53}_{44}$ŋ̍^{21}p^{h}u$^{53}_{44}$ts^{h}iəu$^{53}_{44}$ɲin^{13}tʂʅ^{21}iau$^{53}_{44}$tsei^{21}ŋ̍^{21}p^{h}u^{53}ts^{h}iəu^{53}si^{21}xek^{3} li^{0}.｜～（孔明灯）系孔明，诸葛亮发明个。tʂʮ^{53}ʂet^{3}(x)e$^{53}_{44}$k^{h}əŋ^{21}min^{13},tʂəu^{35}ko^{21}liɔŋ^{53}fait^{3} min$^{13}_{21}$cie$^{53}_{44}$.

【锯$_{1}$】cie^{53} 名锯子：箇只凳脚爱锯条子槽欸，把～嵌下去啊。kai^{53}tʂak^{3} ten^{53}ciɔk^{3} ɔi$^{53}_{44}$cie^{53}t^{h}iau$^{13}_{21}$ tsɿ^{0} ts^{h}au^{13}ei^{0} ,pa^{21}cie$^{53}_{44}$xan^{53}na$_{44}$(←xa^{53})çi$^{53}_{44}$a^{0}.｜（锯子鱼）背囊上有～子齿样。pɔi^{53}lɔŋ^{13}xɔŋ$^{53}_{44}$iəu$^{35}_{44}$ cie^{53}tsɿ^{0} tʂ^{h}ʅ^{21}iɔŋ$^{53}_{44}$.

【锯$_{2}$】ke^{53}/cie^{53} 动用锯子来回拉动切割：～板子 ke^{53}pan^{21}tsɿ^{0}｜以外背嘞，就～只缺样个。i^{21} ŋɔi^{53}pɔi$^{53}_{44}$lei^{0},ts^{h}iəu$^{53}_{44}$cie^{53}tʂak^{3} c^{h}iet^{3} iɔŋ$^{53}_{44}$ke$^{53}_{44}$.

J

【锯掌子】cie53tsʰaŋ53tsɿ0 名框锯上工字形木框架中间的木条：哦，以映子还有只箇个嘞我正想倒嘞，以条摎以条就安做锯梁子，以条安做～，掌稳呐，掌开来，～。o$_{21}$,i21iaŋ53tsɿ0xai13iəu35tʂak3kai$^{53}_{44}$ke$^{53}_{44}$le0ŋai13tʂaŋ53siɔŋ21tau21le0,i21tʰiau13lau35i21tʰiau13tsʰiəu$^{53}_{44}$ɔn$^{35}_{44}$tso$^{53}_{44}$cie53liɔŋ13tsɿ0,i21tʰiau13ɔn$^{35}_{44}$tso$^{53}_{44}$cie53tsʰaŋ53tsɿ0,tsʰaŋ53uən21na0,tsʰaŋ53kʰɔi$^{35}_{44}$lɔi$^{13}_{44}$,cie$^{53}_{44}$tsʰaŋ53tsɿ0.

【锯齿】cie53tʂʰʅ21 名锯条上的尖齿：但是～啊，锯一阵呐，或者夹拢去哩，扯都唔动了。tan$^{53}_{44}$ʂʅ$^{53}_{44}$cie53tʂʰʅ21ʐa0,cie53iet3tʂʰən53na0,xɔit5tʂa21kait3ləŋ35çi53li0,tʂʰa21təu$^{35}_{53}$n̩$^{13}_{21}$tʰəŋ35liau0.

【锯匠】cie53siɔŋ53 名以锯木为业的工匠：哎，尤其是～，欸，锯树个人，斫啊滮大个树（爱请起渠师傅来）。ai$_{21}$,iəu$^{13}_{21}$cʰi$^{13}_{21}$ʂʅ$^{53}_{44}$cie53siɔŋ53,e$_{21}$,cie$^{53}_{44}$ʂəu53ke$^{53}_{44}$ɲin$^{13}_{21}$,tʂɔk3a0mən35tʰai$^{53}_{44}$ke$^{53}_{44}$ʂəu$^{53}_{44}$.

【锯操子】cie53tsiau21tsɿ0 名用来绞紧锯子绞绳的竹片：箇就安做～呢，操紧来呀，操呢。绷紧锯子个，～。kai$^{53}_{44}$tsʰiəu$^{53}_{44}$ɔn$^{35}_{44}$tso$^{53}_{44}$cie53tsiau21tsɿ0nei0,tsiau21cin21nɔi13ia0,tsiau21nei0.paŋ35cin21ke53tsɿ0ke0,cie53tsiau21tsɿ0.

【锯毂子】ke53/cie53tsiəu21tsɿ0 名将锯条两端固定在锯梁子上，并可用来调整锯条角度的旋钮：以个就系锯梁子，包括以条东西，锯梁子，以映头上以个舞锯皮个栏场以映有只东西，以映打只眼，系啊？以映子舞倒舞只头头擐倒，以映子就固定以块锯皮。以只就安做～呢。毂子，同箇个二胡样啊，欸，毂下子个，～。i21ke53tsʰiəu53xei53ke53liɔŋ13tsɿ0,pau35kuak3i21tʰiau$^{13}_{21}$təŋ$^{35}_{44}$si0,ke53liɔŋ13tsɿ0,i21iaŋ53tʰei13xɔŋ53i21ke53u21cie53pʰi$^{13}_{21}$ke53laŋ$^{13}_{21}$tʂʰɔŋ$^{13}_{44}$i21iaŋ$^{53}_{44}$iəu$^{35}_{44}$tʂak3təŋ$^{35}_{44}$si0,i21iaŋ53ta21tʂak3ŋan21,xei53a0?i21iaŋ53tsɿ0u21tau21u21tʂak3tʰei13tʰei$^{13}_{44}$,kʰuan53tau21,i21iaŋ53tsɿ0tsʰiəu$^{53}_{44}$ku53tʰin53i21kʰuai53ke53pʰi13.i21tʂak3tsʰiəu$^{53}_{44}$ɔn$^{35}_{44}$tso$^{53}_{44}$cie53tsiəu21tsɿ0ne0.tsiəu21tsɿ0,tʰəŋ13kai53ke$^{53}_{44}$ɲi53fu13iɔŋ53ŋa0,e$_{21}$,tsiəu21xa53tsɿ0ke0,ke53tsiəu21tsɿ0.

【锯梁子】ke53/cie53liɔŋ13tsɿ0 名框锯上工字形木框架两端的木条：箇只咁个木做个，一只咁个架架样个东西安做～，以映子就舞兜绳，以映就锯皮，锯东西个。以条棍，以条棍，摎以条棍，以三条棍安做～。kai53tʂak3kan21ke53muk3tso53ke53,iet3tʂak3kan21ke$^{53}_{44}$ka53ka$^{53}_{44}$iɔŋ$^{53}_{44}$ke$^{53}_{44}$təŋ$^{35}_{44}$si0ɔn$^{35}_{44}$tso$^{53}_{44}$ke53liɔŋ13tsɿ0.i21iaŋ53tsɿ0tsʰiəu53u21te$^{35}_{53}$ʂən13,i21iaŋ$^{53}_{44}$tsʰiəu$^{53}_{44}$ke53pʰi13,cie$^{53}_{44}$təŋ$^{35}_{44}$si0ke0.i21tʰiau13kuən53,i21tʰiau13kuən53,lau35i$^{13}_{21}$tʰiau13kuən53,i21san$^{35}_{44}$tʰiau13kuən53ɔn$^{35}_{44}$tso$^{53}_{44}$cie53liɔŋ13tsɿ0.

【锯路】cie53ləu53 名锯齿的排列状况：～唔好哩。cie53ləu53ŋ̍13xau21li0.

【锯皮】ke53pʰi13 名锯条：～有两起，一起钢锯皮子，箇个唔知几简单，舞只架子舞下去凑，接下去凑。一起～嘞就系欸么个锯子啊？手工锯子个～。ke53pʰi13iəu35iɔŋ21çi21,iet3çi21kɔŋ$^{35}_{44}$ke53pʰi13tsɿ21,kai$^{53}_{44}$ke$^{53}_{44}$n̩13ti$^{35}_{53}$ci21kan21tan35,u21tʂak3ka53tsɿ0u21xa$^{53}_{44}$çi$^{53}_{44}$tsʰe0,tsiait3(x)a$^{53}_{44}$çi$^{53}_{44}$tsʰe0.iet3çi21ke53pʰi13le0tsʰiəu53xe53e$_{21}$mak3e0cie53tsɿ0a0?ʂəu21kəŋ$^{35}_{44}$cie53tsɿ0ke$^{53}_{44}$ke53pʰi$^{13}_{21}$.

【锯屎】cie53ʂʅ21 名锯木屑：就锯哩柴就有～啊，系唔系？tsʰiəu$^{53}_{44}$cie53li0tsʰai13tsʰiəu$^{53}_{44}$iəu35cie53ʂʅ21a0,xei53me$^{53}_{44}$?｜箇黄表纸么个做个嘞？箇个～做个，竹子个～，欸，竹器厂里个～做个。kai53uɔŋ13piau21tʂʅ21mak3e0tso$^{53}_{44}$ke0lei0?kai53ke$^{53}_{44}$cie53ʂʅ21tso53ke0,tʂəuk3tsɿ0ke0cie53ʂʅ21,e$_{21}$,tʂəuk3çi53tʂʰɔŋ21li0ke0cie53ʂʅ21tso53ke0.

【锯子鱼】cie53tsɿ0ŋ̍13 名一种背鳍像锯齿的鱼：安做～唠。有锯子齿样唠背囊啊，系啊？背囊上有锯子齿样。～。欸，有，有～。就系～。ɔn$^{35}_{44}$tso$^{53}_{44}$cie53tsɿ0ŋ̍13lau0.iəu35cie53tsɿ0tʂʰʅ21iɔŋ$^{53}_{44}$lau0pɔi53lɔŋ13ŋa0,xe$^{53}_{44}$a0?pɔi53lɔŋ13xɔŋ$^{53}_{44}$iəu$^{35}_{44}$cie53tsɿ0tʂʰʅ21iɔŋ$^{53}_{44}$.cie53tsɿ0ŋ̍13.e$_{21}$,iəu35,iəu35cie53tsɿ0ŋ̍13.tsʰiəu$^{53}_{44}$xei$^{53}_{44}$cie53tsɿ0ŋ̍13.

【卷】cien21 动弯转；卷曲：岭上个菜呀晴久哩啊，日头忒煞哩，叶子都～筒去哩。liaŋ35xɔŋ$^{53}_{44}$ke$^{53}_{44}$tsʰɔi53ia$_{44}$tsʰiaŋ13ciəu21li0a0,ɲiet3tʰei13tʰet3sait3li0,iait5tsɿ0təu$^{35}_{53}$cien21tʰəŋ13çi$^{53}_{44}$li0.｜头发上，～起圈圈个，安做旋。tʰei13fait3xɔŋ53,cien21çi21cʰien35cʰien$^{35}_{44}$ke53,ɔn$^{35}_{44}$tso$^{53}_{44}$tsʰiɔn53.

【卷子】tʂen53tsɿ0 名试卷：头一只交～ tʰei13iet3tʂak3kau35tʂen53tsɿ0｜改～ kɔi21tʂen53tsɿ0

【角色】ciɔk3sek3 名①演员扮演的剧中人物：～有两只意思。一只就系演戏个～，系唔系？么人扎旦角啊么人扎青衣啊。ciɔk3sek3iəu35iɔŋ21tʂak3i53sɿ0.iet3tʂak3tsʰiəu53(x)e$^{53}_{44}$ien21çi53ke53ciɔk3sek3,xei53me53?mak3ɲin$^{13}_{44}$tsait3tan53ciɔk3a0mak3ɲin$^{13}_{44}$tsait3tsʰiaŋ35i35a0. ②对有能耐者的称呼：箇只人系一只子～啦。kai53tʂak3ɲin$^{13}_{21}$xei53iet3tʂak3tsɿ0ciɔk3sek3la0.｜箇只人不是～。kai53tʂak3ɲin$^{13}_{21}$pət3ʂʅ$^{53}_{44}$ciɔk3sek3.

【觉得】kɔk3tek3 动①感觉到；意识到：渠两个人呢，都蛮合适样，但是大人呢，～唔多愿意个。ci13iɔŋ21ke53ɲin$^{13}_{21}$ne0,təu$^{35}_{44}$man$^{13}_{21}$xɔit5ʂʅ53iɔŋ$^{53}_{44}$,tan$^{53}_{44}$ʂʅ$^{53}_{44}$tʰai53ɲin$^{13}_{21}$ne0,kɔk3tek3n̩$^{13}_{21}$to$^{35}_{44}$ɲien53i53ke$^{53}_{21}$. ②认为：

我～系咁子分嘛。ŋai^{13}kɔk^{3}tek^{3}xe$^{53}_{44}$kan^{21}tsʅ^{0}fən$^{35}_{44}$ma^{0}.

【绝代鬼】ts^{h}iet^{5}t^{h}ɔi^{53}kuei^{21} 名詈语，骂人没有后代：～，话渠冇赖子啊。话渠有赖子都会死咁呐。话渠～。ts^{h}iet^{5}t^{h}ɔi^{53}kuei^{21},ua^{53}ci$^{13}_{21}$mau^{13}lai^{53}tsʅ^{0}a^{0}.ua^{53}ci$^{13}_{21}$iəu^{35}lai^{53}tsʅ^{0}təu$^{35}_{44}$uɔi$^{53}_{44}$si^{21}kan^{21}na^{0}.ua$^{53}_{21}$ci$^{13}_{21}$ts^{h}iet^{5}t^{h}ɔi^{53}kuei^{21}.

【绝对$_{1}$】ts^{h}iet^{5}tei^{53} 形属性词。一成不变；一定：箇个扁桃体炎呐客姓话安做么啊病？喉咙肿。咽喉肿吧？喉咙肿。噢，好，冇得～个名字，喉咙肿痛就系。kai$^{53}_{44}$ke$^{53}_{44}$pien^{21}t^{h}au^{13}t^{h}i^{21}ien^{13}na^{0}k^{h}ak^{3}sin^{53}fa$^{53}_{44}$ɔn$^{35}_{44}$tso$^{53}_{44}$mak^{3}a^{0}p^{h}iaŋ^{53}?xei^{13}ləŋ^{13}tʂəŋ^{21}.ien^{35}xei$^{13}_{21}$tʂəŋ^{21}pa^{0}?xei^{13}ləŋ^{13}tʂəŋ^{21}.au$_{53}$,xau$_{21}$,mau^{13}tek^{3}ts^{h}iet^{5}tei^{53}ke$^{53}_{44}$miaŋ$^{13}_{21}$ts^{h}ʅ$^{53}_{44}$,xei^{13}ləŋ^{13}tʂəŋ^{21}t^{h}əŋ^{53}ts^{h}iəu$^{53}_{44}$xe$^{53}_{44}$.

【绝对$_{2}$】ciɔk^{3}tei^{53} 副肯定；一定：你话呢种树是箇只老子就～（话）种树。ɲi^{13}ua$^{53}_{44}$ne^{0}tʂəŋ^{53}ʂəu^{53}ʂʅ$^{53}_{44}$kai^{53}tʂak^{3}lau^{21}tsʅ^{21}ts^{h}iəu^{53}ciɔk^{3}tei^{53}tʂəŋ^{53}ʂəu$^{53}_{44}$.

【蕨子】ciet^{3}tsʅ^{0} 名蕨菜；可食的嫩蕨：大硇叽安做么啊唠？～唠。安做～唠。/正生起来个时候子唔系舞倒食，渠等舞倒去？/今年我等舞咁大横巷肚里我等食又赠食。t^{h}ai$^{53}_{44}$ləu$^{35}_{44}$ci^{35}ɔn$^{35}_{44}$tso$^{53}_{44}$mak^{3}a^{0}lau^{0}?ciet^{3}tsʅ^{0}lau^{0}.ɔn$^{35}_{44}$tso$^{53}_{44}$ciet^{3}tsʅ^{0}lau^{0}./tʂaŋ^{53}saŋ^{35}çi^{21}lɔi$^{13}_{21}$ke$^{53}_{44}$ʂʅ^{13}xəu$^{53}_{44}$tsʅ^{0}m̩$^{13}_{21}$p^{h}e$_{44}$(←xe^{53})u^{21}tau^{21}ʂət^{5},ci^{13}tien^{0}u^{21}tau^{21}çi$^{53}_{44}$?/cin^{35}ɲien$^{13}_{21}$ŋai$^{13}_{21}$ten^{0}u^{21}kan^{21}t^{h}ai^{53}uaŋ$^{13}_{21}$xɔŋ^{53}təu^{21}li^{0}ŋai^{13}ten^{0}ʂət^{5}iəu^{53}maŋ^{13}ʂət^{5}.

【橛】ciɔk^{3} 动捆扎并用小木桩悬挂起来：呃，扯哩箇个啦，一般豆子嘞，我等以个栏场栽黄豆子嘞，唔用刀去斫，和蔸扯。欸，扯归来，择净下子，还有有兜有青叶个择净下子。分渠～起来。舞得四五条子一掐，以映也舞得四五条子一掐，用杆咁子缔倒，缔倒，襻做一下，咁唔系中间……以边一掐，中间就有杆，系啊？用箇个东西挂起来，挂下箇个楼栿上，或者嘞舞条□长个树，挂下箇树上，竹篙，舞条□长个竹篙，挂倒，等渠慢慢子风干箇黄豆子。干哩了，燥哩了……因为箇只时候子嘞，两方面，一方面爱打禾，搞唔赢；第二方面嘞，冇哪晒，箇时候子天唔多好了，欸，晒起唔得燥，所以就挂正箇顶高唠。挂正箇顶高嘞，等打嘿哩禾，分箇个黄豆子传下来，舞只禾桶去打。跍倒屋下来打，打豆子。打嘿哩豆子个就系稿。箇个呃分箇豆子舞兜杆缔稳就安做～豆子。ə$_{44}$,tʂ^{h}a^{21}li^{0}kai$^{53}_{44}$ke^{0}la^{0},iet^{3}pɔn^{35}t^{h}ei^{53}tsʅ^{0}lei^{0},ŋai^{13}tien^{0}i^{21}ke^{53}laŋ$^{13}_{21}$tʂ^{h}ɔŋ$^{13}_{44}$tsɔi^{35}uɔŋ^{13}t^{h}ei$^{53}_{44}$tsʅ^{0}lei^{0},n̩^{13}iəŋ^{53}tau^{35}çi^{53}tʂɔk^{3},uo^{53}tei^{35}tʂ^{h}a^{21}.e$_{21}$,tʂ^{h}a^{21}kuei^{35}lɔi$^{13}_{21}$,t^{h}ɔk^{5}ts^{h}iaŋ^{53}xa$^{53}_{44}$tsʅ^{0},xai$^{13}_{21}$iəu$^{35}_{44}$iəu^{35}təu$^{35}_{53}$iəu$^{35}_{44}$ts^{h}iaŋ^{35}iait^{5}ke^{0}t^{h}ɔk^{5}ts^{h}iaŋ^{53}xa$^{53}_{21}$tsʅ^{0}.pən^{35}ci$^{13}_{44}$ciɔk^{3}çi^{21}lɔi$^{13}_{44}$.u^{21}tek^{3}si^{53}ŋ̍^{21}t^{h}iau^{13}tsʅ^{0}iet^{3}k^{h}a^{35},i^{21}iaŋ^{53}ŋa$^{35}_{53}$u^{21}tek^{3}si^{53}ŋ̍^{21}t^{h}iau$^{13}_{21}$tsʅ^{0}iet^{3}k^{h}a^{35},iəŋ^{53}kɔn^{21}kan^{21}tsʅ^{0}t^{h}ak^{3}tau^{21},t^{h}ak^{3}tau^{21},p^{h}an^{53}tso$^{53}_{44}$iet^{3}xa^{53},kan$^{21}_{44}$m̩$^{13}_{44}$p^{h}e$^{53}_{44}$tʂəŋ^{35}kan$^{35}_{44}$…i^{21}pien$^{35}_{44}$iet^{3}k^{h}a^{35},tʂəŋ^{35}kan$^{35}_{44}$ts^{h}iəu$^{53}_{44}$iəu$^{35}_{44}$kɔn^{21},xei^{53}a^{0}?iəŋ^{53}kai$^{53}_{44}$ke$^{53}_{21}$təŋ$^{35}_{44}$si^{0}kua^{53}çi^{21}lɔi^{13},kua^{53}xa$^{53}_{44}$kai$^{53}_{44}$ke$^{53}_{44}$lei^{13}fuk^{5}xɔŋ^{53}.xɔit^{5}tʂa^{21}lei^{0}u^{21}t^{h}iau^{13}lai^{35}tʂ^{h}ɔŋ^{13}ke^{0}ʂəu^{53},kua^{53}xa$^{53}_{44}$kai$^{53}_{44}$ʂəu^{53}xɔŋ$^{53}_{44}$,tʂəuk^{3}kau^{35},u^{21}t^{h}iau$^{13}_{21}$lai^{35}tʂ^{h}ɔŋ$^{13}_{21}$ke^{0}tʂəuk^{3}kau^{35},kua$^{53}_{44}$tau$^{21}_{44}$,ten^{21}ci$^{13}_{44}$man^{53}man$^{53}_{21}$tsʅ^{0}fəŋ^{35}kɔn^{35}kai^{53}uɔŋ^{13}t^{h}ei^{53}tsʅ^{0}.kɔn^{35}ni^{0}liau^{0},tsau^{35}li^{0}liau^{0}…in^{35}uei$^{53}_{44}$kai^{53}(tʂ)ak^{3}ʂʅ^{13}xəu$^{53}_{44}$tsʅ^{0}lei^{0},iɔŋ^{21}fɔŋ^{35}mien^{53},iet^{3}fɔŋ^{35}mien^{53}ɔi^{53}ta^{21}uo^{13},kau^{21}n̩^{13}iaŋ^{13};t^{h}i^{53}ɲi^{53}fɔŋ$^{35}_{44}$mien$^{53}_{44}$lei^{0},mau$^{13}_{21}$lai$^{53}_{44}$sai^{53},kai^{53}ʂʅ$^{13}_{44}$xəu$^{53}_{44}$tsʅ^{0}t^{h}ien^{35}n̩$^{13}_{21}$to$^{35}_{53}$xau^{21}liau^{0},e$_{21}$,sai^{53}çi^{21}n̩$^{13}_{21}$tek^{3}tsau^{35},so^{21}i$^{35}_{44}$ts^{h}iəu$^{53}_{44}$kua^{53}tʂaŋ$^{53}_{44}$kai$^{53}_{44}$taŋ^{21}kau$^{35}_{53}$lau^{0}.kua^{53}tʂaŋ^{53}kai$^{53}_{44}$taŋ^{21}kau$^{35}_{44}$lei^{0},ten^{21}ta^{21}xek^{3}li^{0}uo^{13},pən^{35}kai$^{53}_{44}$ke$^{53}_{44}$uɔŋ^{13}t^{h}ei^{53}tsʅ^{0}tʂ^{h}uɔn$^{13}_{21}$xa$^{53}_{44}$lɔi$^{13}_{44}$,u^{21}tʂak^{3}uo^{13}t^{h}əŋ^{21}çi^{53}ta^{21}.k^{h}u$^{35}_{44}$tau$^{21}_{44}$uk^{3}xa^{53}lɔi$^{13}_{21}$ta^{21},ta^{21}t^{h}ei^{53}tsʅ^{0}.ta^{21}xek^{3}li^{0}t^{h}ei^{53}tsʅ^{0}ke^{0}ts^{h}iəu$^{53}_{44}$xei$^{53}_{44}$kau^{21}.kai^{53}kei^{53}ə^{0}pən^{35}kai$^{53}_{44}$t^{h}ei^{53}tsʅ^{0}u^{21}tei$^{35}_{53}$kɔn^{21}t^{h}ak^{3}uən^{21}ts^{h}iəu$^{53}_{44}$ɔn$^{35}_{44}$tso$^{53}_{44}$ciɔk^{3}t^{h}ei^{53}tsʅ^{0}.｜吊起来，安做～。tiau^{53}çi^{21}lɔi$^{13}_{44}$,ɔn$^{35}_{44}$tso$^{53}_{44}$ciɔk^{3}.｜双面～烟呢。sɔŋ^{35}mien$^{53}_{44}$ciɔk^{3}ien^{35}ne^{0}.

【镢头】ciɔk^{3}t^{h}əu$^{13}_{44}$ 名锄头：～锄头喊啦。/欸，锄头唔系个。箇向子有么人喊锄头嘞？话哩硬莫讲以只东西。你记稳呶，你记稳你只爱照我镜山脑高个讲法，硬爱咁个，你唔爱新个。渠如今就爱搞箇老个。你只爱越老个越好。ciɔk^{3}t^{h}əu$^{13}_{44}$ts^{h}əu^{13}t^{h}əu^{13}xan^{53}la^{0}./e$_{21}$,ts^{h}əu^{13}t^{h}əu^{13}n̩$^{13}_{21}$ne^{53}(←xe^{53})ke^{53}.kai$^{53}_{44}$çiaŋ$^{53}_{21}$tsʅ^{0}iəu$^{35}_{44}$mak^{3}in$^{13}_{44}$xan^{53}ts^{h}əu^{13}t^{h}əu$^{13}_{44}$lei^{0}?ua$^{53}_{44}$li^{0}ɲiaŋ$^{53}_{44}$mɔk^{5}kɔŋ^{21}i^{21}tʂak^{3}təŋ$^{35}_{44}$si^{0}.ɲi$^{13}_{21}$ci$^{53}_{44}$uən^{21}nau^{0}, ɲi$^{13}_{21}$ci^{53}uən^{21}ɲi^{13}tʂʅ^{21}ɔi^{53}tʂau^{53}ŋai^{13}ciaŋ^{53}san^{35}nau^{21}kau$^{35}_{44}$ke^{53}kɔŋ^{21}fait^{3}, ɲiaŋ$^{53}_{44}$ɔi$^{53}_{44}$kan^{21}ke^{53}, ɲi^{13}m̩$^{13}_{21}$mɔi$^{53}_{44}$sin^{35}ke$^{53}_{21}$.ci^{13}i$^{13}_{21}$cin$^{35}_{44}$ts^{h}iəu^{53}ɔi$^{53}_{44}$kau^{21}kai^{53}lau^{21}ke^{53}. ɲi$^{13}_{21}$tʂʅ^{21}ɔi$^{53}_{44}$viet^{5}lau^{21}ke$^{53}_{44}$viet^{5}xau^{21}.

【军大衣】tʂən^{35}t^{h}ai^{53}i^{35} 名本指部队统一配发穿着的制式大衣，后也指百姓穿的军绿色大棉衣：当兵个人着个～ tɔŋ^{35}pin^{35}ke^{53}ɲin$^{13}_{21}$tʂɔk^{3}ke$^{53}_{44}$tʂən^{35}t^{h}ai^{53}i^{35}

【军帽】tʂən^{35}mau^{53} 名军人戴的帽子，也指形似军帽的童帽：我等箇只孙子就看倒～就拿倒，"敬礼"，就喊别人家敬礼。ŋai^{13}tien^{0}kai^{53}(tʂ)ak^{3}sən^{35}tsʅ^{0}ts^{h}iəu$^{53}_{44}$k^{h}ɔn^{53}tau^{21}tʂən^{35}mau^{53}ts^{h}iəu$^{53}_{44}$la^{53}tau^{21},"cin^{53}li^{35}",ts^{h}iəu$^{53}_{44}$xan^{53}p^{h}iet$^{5}_{3}$in$^{13}_{44}$(k)a$^{35}_{44}$cin^{53}li^{35}.

【军棋】tʂən^{35}c^{h}i^{13} 名一种战棋游戏。用木块、木钉、小旗当战斗力量和枪炮，按照模仿打仗

J

的情况所作规定来移动：作～哟。箇是你也晓得唠。～是你晓得唠。tsɔk^{3} tʂən^{35} cʰi$^{13}_{44}$iau^{0}.kai$^{53}_{44}$ ʂʅ$^{53}_{44}$ɲi^{13}a$^{35}_{44}$çiau^{21}tek^{3}lau^{0}.tʂən^{35}cʰi$^{13}_{21}$ʂʅ$^{53}_{44}$ɲi$^{13}_{44}$çiau^{21}tek^{3}lau^{0}.

【军装】tʂən^{35}tsɔŋ^{35} 名军队的制服：着～ tʂɔk^{3} tʂən^{35}tsɔŋ^{35}

【菌菇】cʰin^{35}ku^{35} 名蘑菇的总称：又安做～。有滴人安做～。联合总起来总起来安做～。箇只区别我也搞唔清。舞碗～菜，舞碗～食哩。iəu^{53} ɔn$^{35}_{44}$tso$^{53}_{44}$cʰin^{35}ku^{35}.iəu^{35}tet^{5} ɲin^{13} ɔn$^{35}_{44}$tso$^{53}_{44}$cʰin^{35} ku^{35}.lien^{13}xɔit^{5} tsəŋ^{21}çi^{21}lɔi^{13}tsəŋ^{21}çi^{21}lɔi^{13}ɔn$^{35}_{44}$tso$^{53}_{44}$cʰin^{35}ku$^{35}_{44}$.kai^{53}tʂak^{3} tʂʰʮ^{35} pʰiet^{5} ŋai^{13}ia$^{35}_{21}$kau^{21}n̩$^{13}_{21}$tsʰin^{35}.u^{21} uɔn^{21}cʰin^{35}ku^{35}tsʰɔi^{53},u^{21}uɔn^{21}cʰin^{35}ku^{35}ʂət^{5}li^{0}.

【菌子】cʰin^{35}tsɿ^{0} 名蕈类的俗称：有几起～。欸，松树底下个松树菌。荷树菌。茶树菌。欸，牛屎菌。嗯，秆菌子。秆菌子就系就秆做个，欸，稻草箇秆呐，秆菌子。哦，哎呀，蛮多～。有滴是有毒个。我搞唔多清呢。有点……哪起就有毒个咯。还有黄草菌。黄草菌食得。茶树菌是最贵，最名贵。iəu^{35}ci^{21}çi^{21}cʰin^{35}tsɿ^{0}.e$_{21}$,tsʰəŋ^{13}ʂəu^{53}tei$^{35}_{44}$xa$^{53}_{44}$ke$^{53}_{44}$tsʰəŋ^{13}ʂəu^{53}cʰin^{35}.xo^{13}ʂəu^{53} cʰin^{35}.tsʰa^{13}ʂəu^{53}cʰin^{35}.e$_{21}$, ɲiəu^{13}ʂʅ^{21}cʰin^{35}.n̩$_{21}$,kɔn^{21}cʰin$^{35}_{44}$tsɿ^{0}.kɔn^{21}cʰin$^{35}_{44}$tsɿ^{0}tsʰiəu^{53}xei$^{53}_{44}$tsʰiəu$^{53}_{44}$kɔn^{21}tso^{53} ke$^{53}_{44}$,e$_{21}$,tʰau^{53}tsʰau^{21}kai^{53}kɔn^{21}na^{0},kɔn^{21}cʰin$^{35}_{44}$tsɿ^{0}.o$_{53}$,ai$_{13}$ia$_{21}$,man^{13}to$^{35}_{44}$cʰin$^{35}_{44}$tsɿ^{0}.iəu^{35}tet^{5} ʂʅ$^{53}_{44}$iəu^{35}tʰəuk^{5} ke$^{53}_{44}$.ŋai^{13}kau^{21}n̩^{13}to$^{35}_{44}$tsʰin$^{35}_{44}$nei^{0}.iəu^{35}tian$^{21}_{44}$…lai^{53}çi^{21}tsʰiəu$^{53}_{44}$iəu^{35}tʰəuk^{5} ke$^{53}_{44}$ko^{0}.xai^{13}iəu$^{35}_{53}$uɔŋ^{13}tsʰau^{21} cʰin^{35}.uɔŋ^{13}tsʰau^{21}cʰin$^{35}_{44}$ʂət^{5}tek^{3}.tsʰa^{13}ʂəu^{53}cʰin^{35}ʂʅ$^{53}_{44}$tsei$^{53}_{44}$kuei^{53},tsei^{53}min^{13}kuei^{53}.

【皲公】cien^{35}kəŋ^{35} 名皮肤因寒冷或干燥等原因而出现的裂纹：箇个人是就不可老。我等细细子个时候子从来也唔晓得么个爆～啊，以下到哩五十几岁以上了，一下𠲎招呼得，就爆～，箇手就爆～。欸渠爆～系真痛嘞硬嘞，箇爆～真痛嘞。欸，但是有一句笑话呢。有几只病痛冇么人问候个渠话，一只牙齿痛冇么人问候。“欸，你牙齿痛见好哩么？”欸，冇么人问候，来看你，提滴东西来看你。来看病人，么个病啊？牙齿痛。冇人看。还有只～痛冇人问。“嘿嘿你，你～痛见好里么？”冇人问。kai^{53}kei^{53}ɲin^{13}ʂʅ$^{53}_{44}$tsiəu^{53}pət^{3} kʰo^{21}lau^{21}.ŋai^{13}tien^{0}se^{53}se^{53}tsɿ^{0} ke^{0}ʂʅ$^{13}_{44}$xəu$^{53}_{44}$tsɿ^{0}tsʰəŋ$^{13}_{21}$lɔi^{13}a$^{35}_{53}$n̩$^{13}_{44}$çiau^{21}tek^{3} mak^{3} e^{0} pau^{53}cien^{35}kəŋ$^{35}_{44}$ŋa^{0},i^{21}xa^{53}tau^{53}li^{0} ŋ̍^{21}ʂət^{5} ci$^{21}_{44}$sɔi^{53}i$^{35}_{44}$ʂɔŋ^{53} liau^{0},iet^{3} xa^{53}maŋ$^{13}_{21}$tʂau^{35}fu$^{35}_{44}$tek^{3},tsʰiəu$^{53}_{44}$pau$^{53}_{44}$cien$^{35}_{44}$kəŋ^{35},kai$^{53}_{44}$ʂəu^{21}tsʰiəu$^{53}_{44}$pau$^{53}_{44}$cien$^{35}_{44}$kəŋ$^{35}_{44}$.e$_{44}$ci$^{13}_{21}$pau^{53}cien$^{35}_{44}$ kəŋ$^{35}_{44}$xe$^{53}_{21}$tʂən^{35}tʰəŋ^{53}lei^{0}ɲiaŋ^{53}lei^{0},kai$^{53}_{44}$pau^{53}cien$^{35}_{44}$kəŋ$^{35}_{44}$tʂən^{35}tʰəŋ^{53}le^{0}.e$_{21}$,tan^{53}ʂʅ^{53}iəu^{35}iet^{3} tʂʮ$^{53}_{21}$siau^{53}fa^{53}nei^{0}. iəu^{35}ci^{21}tʂak^{3} pʰiaŋ^{53}tʰəŋ^{53}mau$^{13}_{21}$mak^{3}ɲin$^{13}_{21}$uən^{53}xei$^{53}_{44}$ke^{0}ci$^{13}_{21}$ua^{53},iet^{3} tʂak^{3} ŋa^{13}tʂʰʅ^{21}tʰəŋ^{53}mau$^{13}_{21}$mak^{3}ɲin$^{13}_{44}$uən^{53} xei^{53}."ei$_{53}$, ɲi$^{13}_{21}$ŋa^{13}tʂʰʅ^{21}tʰəŋ^{53}cien^{53}xau^{21}li^{0} mo^{0}?"e$_{21}$,mau$^{13}_{21}$mak^{3}ɲin$^{13}_{44}$uən^{53}xei^{53},lɔi$^{13}_{21}$kʰɔn^{53}ɲi$^{13}_{21}$,tʰia^{35}tiet^{5} təŋ$^{35}_{44}$ si^{0} lɔi$^{13}_{21}$kʰɔn^{53}ɲi$^{13}_{21}$.lɔi$^{13}_{21}$kʰɔn^{53}pʰiaŋ^{53}ɲin$^{13}_{44}$,mak^{3} e^{0} pʰiaŋ^{53}ŋa^{0}?ŋa^{13}tʂʰʅ^{21}tʰəŋ^{53}.mau$^{13}_{21}$ɲin$^{13}_{44}$kʰɔn^{53}.xai$^{13}_{21}$iəu$^{35}_{53}$tʂak^{3} cien^{35}kəŋ$^{35}_{44}$tʰəŋ^{53}mau$^{13}_{21}$ɲin$^{13}_{21}$uən^{53}."xe$_{53}$xe$_{53}$ɲi$^{13}_{21}$, ɲi$^{13}_{21}$cien^{35}kəŋ$^{35}_{44}$tʰəŋ^{53}cien^{53}xau^{21}li^{0} mo^{0}?"mau$^{13}_{21}$ɲin$^{13}_{44}$uən^{53}.

K

【卡$_{1}$】kʰa^{13} 动筑墙时固定好墙盒子：准备筑墙了，用只卡子～稳。tʂən^{21}pʰi^{53}tʂəuk^{3} tsʰiɔŋ^{13} liau^{0},iəŋ$^{53}_{21}$tʂak^{3} kʰa^{13}tsɿ^{0} kʰa^{13}uən^{21}.

【卡$_{2}$】kʰa^{21} 动勉强要求做某事：比方说屙尿样，系啊？我觉倒渠爱屙尿了，我就爱渠屙尿，但是渠硬唔屙嘞也就算哩哦，慢呢就慢呢漓哩尿嘞我也算哩啊，漓哩尿，漓湿哩裤嘞我也箇个。我新舅是渠就渠觉得你爱屙尿了，你唔屙哇以就系就打屁股，就监渠硬监渠～倒～倒渠屙。你话渠就冇咁自由啊，冇咁自在呀。pi^{21}fɔŋ$^{35}_{44}$ʂet^{3} o^{35}ɲiau^{53}iɔŋ$^{53}_{44}$,xei$^{53}_{44}$a^{0}?ŋai^{13}kɔk^{3} tau^{21}ci$^{13}_{21}$ɔi^{53}o$^{35}_{44}$ ɲiau^{53}liau^{0},ŋai^{13}tsʰiəu^{53}ɔi^{53}ci$^{13}_{21}$o$^{35}_{44}$ɲiau^{53},tan$^{53}_{44}$ʂʅ$^{53}_{44}$ci$^{13}_{21}$ɲiaŋ^{53}n̩$^{13}_{21}$o^{35}lei^{0} a$^{35}_{44}$tsʰiəu$^{53}_{44}$sɔn^{53}ni^{0} o^{0},man$^{53}_{44}$ne^{0} tsʰiəu^{53}man$^{53}_{44}$ ne^{0} lai^{13}li^{0} ɲiau^{53}lei^{0} ŋai^{13}ia$^{35}_{44}$sɔn^{53}ni^{0} a^{0},lai^{13}li^{0} ɲiau^{53},lai^{13}ʂət^{5} li^{0} fu^{53}lei^{0} ŋai^{13}ia$^{35}_{53}$kai^{53}cie$^{53}_{44}$.ŋai^{13}sin^{35}cʰiəu^{35}ʂʅ$^{53}_{44}$ ci$^{13}_{21}$tsʰiəu^{53}ci^{13}kɔk^{3} tek^{3} ɲi^{13}ɔi$^{53}_{44}$o^{35}ɲiau$^{53}_{44}$liau^{0}, ɲi$^{13}_{21}$n̩$^{13}_{21}$o^{35}ua^{0} i^{21}tsʰiəu^{53}xe$^{53}_{44}$tsʰiəu^{53}ta^{21}pʰi$^{53}_{44}$ku^{21},tsʰiəu$^{53}_{44}$kan$^{35}_{44}$ci$^{13}_{44}$ ɲiaŋ^{53}kan$^{35}_{44}$ci$^{13}_{44}$kʰa^{21}tau$^{21}_{44}$kʰa^{21}tau^{21}ci$^{13}_{21}$o^{35}. ɲi^{13}(u)a$^{53}_{44}$ci$^{13}_{21}$tsʰiəu^{53}mau$^{13}_{21}$kan^{21}tsʰʅ^{53}iəu^{13}a^{0},mau$^{13}_{21}$kan^{21}tsʰʅ^{53}tsʰai^{53}ia^{0}. ｜咁个栏场也～倒我等人栽早禾栽二禾。kan$^{21}_{13}$cie^{53}laŋ$^{13}_{21}$tʂʰɔŋ$^{13}_{44}$ia^{35}kʰa^{21}tau^{21}ŋai^{13}tien^{0}ɲin$^{13}_{21}$tsɔi$^{35}_{44}$tsau^{21} uo$^{13}_{21}$tsɔi$^{35}_{44}$ɲi^{53}uo$^{13}_{21}$.

【卡子$_{1}$】kʰa^{13}tsɿ^{0} 名筑墙用的墙盒子（一头未封闭的长方形卡槽）：准备筑墙了，用只～卡稳。tʂən^{21}pʰi^{53}tʂəuk^{3} tsʰiɔŋ^{13}liau^{0},iəŋ$^{53}_{21}$tʂak^{3} kʰa^{13}tsɿ^{0} kʰa^{13}uən^{21}.

【卡子$_{2}$】kʰa^{21}tsɿ^{0} 名关卡：欸，以前是以个栏场真多关卡嘞，主要箇关卡嘞大部分都系噢林业上个关卡。欸，林业上个。以下本地个土话嘞就安做～呢。欸，林管会搞只～去箇。e$_{44}$,i$^{35}_{53}$ tsʰien$^{13}_{21}$ʂʅ$^{53}_{44}$i^{21}ke^{53}laŋ$^{13}_{44}$tʂʰɔŋ$^{13}_{44}$tʂən^{35}to$^{35}_{53}$kuan$^{35}_{44}$kʰa^{21}lei^{0},tʂʮ^{21}iau$^{53}_{44}$kai$^{53}_{44}$kuan$^{35}_{44}$kʰa^{21}lei^{0} tʰai^{53}pʰu$^{53}_{44}$fən$^{53}_{44}$təu$^{35}_{44}$xei^{53} au$_{44}$lin^{13}ɲiait^{5} xɔŋ^{53}ke^{0} kuan^{35}kʰa^{21}.e$_{21}$,lin^{13}ɲiait^{5} xɔŋ$^{53}_{44}$ke^{0} .i^{21}xa$^{53}_{44}$pən^{21}tʰi^{53}ke^{53}tʰəu^{21}fa^{53}lei^{0} tsiəu^{53}ɔn$^{35}_{44}$tso$^{53}_{44}$kʰa^{21} tsɿ^{0} nei^{0}.e$_{21}$,lin^{13}kɔn^{21}fei^{53}kau^{21}tʂak^{3} kʰa^{21}tsɿ^{0} çi^{53}kai^{53}.

【咔叽布】kʰa^{21}ci^{35}pu^{53} 名卡其布：～是用来做罩衫箇只啦。kʰa^{21}ci^{35}pu^{53}ʂʅ$^{53}_{44}$iəŋ$^{53}_{44}$lɔi$^{13}_{21}$tso$^{53}_{44}$tsau^{53}san$^{35}_{44}$ kai$^{53}_{44}$tʂak^{3} la^{0}.

【开】kʰɔi^{35} 动①打开：～祠堂门 kʰɔi$^{35}_{44}$tsʰʅ$^{13}_{21}$tʰɔŋ$^{13}_{21}$mən^{13} 旧时打开祠堂门，意味着惩罚族中犯规者 ｜欸你～锁个时候子嘞就让门子～嘞？e$_{44}$ɲi$^{13}_{21}$kʰɔi^{35}so^{21}ke$^{53}_{44}$ʂʅ^{13}xei^{53}tsɿ^{0} lei^{0} tsʰiəu$^{53}_{44}$ɲiɔŋ$^{53}_{44}$mən^{0} tsɿ^{0} kʰɔi^{35}lei^{0}？②抹开：～开来，分箇个砂浆箇只，系唔系？～开来。kʰɔi^{35}kʰɔi^{35}lɔi$^{13}_{21}$,pən^{35}kai^{53}kei$^{53}_{21}$sa^{35}tsiɔŋ^{35}kai$^{53}_{44}$tʂak^{3} ,xei$^{53}_{44}$ me$^{53}_{44}$?kʰɔi^{35}kʰɔi^{35}lɔi$^{13}_{21}$. ③设置：（鸡甑）顶高～只眼。taŋ^{21}kau$^{35}_{44}$kʰɔi^{35}tʂak^{3} ŋan^{21}.｜房间里就～猫籁子。faŋ^{13}cien$^{35}_{44}$ni^{21}tsʰiəu$^{53}_{44}$kʰɔi$^{35}_{44}$miau^{53}lɔi$^{53}_{44}$tsɿ^{0}. ④摆开，开设，多用于筵席：～得一百几十桌 kʰɔi^{35} tek^{3} iet^{3} pak^{3} ci^{21}ʂət^{5} tsɔk^{3} 。⑤开挖：～口塘是也爱到农闲唠。你讲～口塘是爱到农闲。kʰɔi^{35} xəu^{21}tʰɔŋ^{13}ʂʅ$^{53}_{44}$ia$^{35}_{53}$ɔi^{53}tau^{53}ləŋ^{13}xan^{13}lau^{0}. ɲi$^{13}_{21}$kɔŋ^{21}kʰɔi^{35}xəu^{21}tʰɔŋ^{13}ʂʅ$^{53}_{44}$ɔi^{53}tau^{53}ləŋ^{13}xan^{13}. ⑥开设，创办；经营：欸，我赖子等～店子就～嘿蛮多年了，～嘿十几年了。e$_{21}$,ŋai^{13}lai^{53}tsɿ^{0} tien^{0} kʰɔi^{35}tian^{53}tsɿ^{0} tsʰiəu$^{53}_{44}$kʰɔi^{35}xek^{3} man$^{13}_{21}$to$^{35}_{44}$ɲien^{13}niau^{0},kʰɔi^{35}xek^{3} ʂət^{5} ci^{21}ɲien^{13}niau^{0}. ⑦开启电源，使机器运转：欸，～电视，渠晓得让门～。e$_{44}$,kʰɔi^{35}tʰien^{53}ʂʅ$^{53}_{44}$,ci^{13}çiau^{21}tek^{3} ɲiɔŋ$^{53}_{44}$mən^{0} kʰɔi^{35}. ⑧驾驶：你～辆小

车子来哩。ɲi$^{13}_{21}$kʰɔi^{35}liɔŋ^{21}siau^{21}tʂʰa^{35}tsɿ^{0}lɔi$^{13}_{21}$li^{0}. ⑨（花朵）绽放：渠箇只花指望春花～哩了嘞就春天来了。ci^{13}kai^{53}tʂak^{3}fa^{35}kʰɔi^{35}li^{0}liau^{0}lei^{0}tsʰiəu$^{53}_{44}$tʂʰən^{35}tʰien^{35}lɔi$^{13}_{21}$liau^{0}. ⑩沸腾：（豆腐浆）煮泡来嘞，煮倒～哩了。tʂəu^{21}pʰau^{35}lɔi$^{13}_{21}$lei^{0},tʂəu^{21}tau^{21}kʰɔi^{35}li^{0}liau^{0}. ⑪书写，开列，填写：渠是本来爱～正式发票或者正式收据个人，但是渠𫟐～，～张白条子。ci^{13}ʂʮ$^{53}_{44}$pən^{21}nɔi^{13}ɔi$^{53}_{44}$kʰɔi$^{35}_{44}$tʂən^{53}ʂʅ^{53}fait^{3}pʰiau$^{53}_{44}$xɔit^{5}tʂa^{21}tʂən^{53}ʂʅ^{53}ʂəu^{35}tʂʮ^{53}ke$^{53}_{44}$ɲin$^{13}_{21}$,tan$^{53}_{44}$ʂʮ$^{53}_{44}$ci$^{13}_{21}$maŋ^{13}kʰɔi$^{35}_{44}$,kʰɔi$^{35}_{44}$tʂɔŋ$^{35}_{44}$pʰak^{5}tʰiau$^{13}_{21}$tsɿ^{0}. ⑫使刀具变锋利：抢子，～锋口个，欸。tsʰiɔŋ^{21}tsɿ^{0},kʰɔi^{35}fəŋ^{35}kʰei^{21}ke^{53},e$_{21}$. ⑬放在动词后，表示效果：分箇只所爱用个栏场通通都清～来呀。pən^{35}kai^{53}tʂak^{3}so^{21}ɔi$^{53}_{44}$iəŋ^{53}ke$^{53}_{44}$lɔŋ^{13}tʂʰɔŋ^{13}tʰəŋ^{35}tʰəŋ^{35}təu$^{35}_{21}$tsʰin^{35}kʰɔi^{35}lɔi$^{13}_{21}$ia^{0}.

【开边】kʰɔi^{35}pien^{35} 名 方位词。外边；外地：～就是外边。kʰɔi^{35}pien^{35}tsʰiəu$^{53}_{21}$ʂʮ$^{53}_{21}$ŋɔi^{53}pien^{35}.

【开边人】kʰɔi^{35}pien$^{35}_{44}$ɲin$^{13}_{21}$ 名 外地人：以前是还有讲外路客个意思吧？外背来个人呐。欸，外地人我等是喊外背人。外背人。或者话～啵，～。人是话～个更多。也讲外背来个客子。i$^{35}_{44}$tsʰien$^{13}_{21}$ʂʮ$^{53}_{44}$xai$^{13}_{44}$iəu$^{35}_{44}$kɔŋ^{21}ŋɔi^{53}ləu$^{53}_{21}$kʰak^{3}ke$^{53}_{44}$i^{53}sɿ^{0}pa^{0}?ŋɔi^{53}pɔi$^{53}_{21}$lɔi$^{13}_{21}$ke$^{53}_{44}$ɲin$^{13}_{21}$na^{0}.e$_{21}$,uai^{53}tʰi^{53}ɲin$^{13}_{21}$ŋai$^{13}_{21}$tien^{0}ʂʮ$^{53}_{44}$xan$^{53}_{21}$ŋɔi^{53}pɔi$^{53}_{35}$ɲin$^{13}_{21}$.ŋɔi^{53}pɔi$^{53}_{44}$ɲin$^{13}_{21}$.xɔit$^{5}_{3}$tʂa^{21}ua$^{53}_{44}$kʰɔi^{35}pien$^{35}_{53}$in$^{13}_{21}$nau^{0},kʰɔi^{35}pien$^{35}_{44}$ɲin$^{13}_{21}$.in^{13}ʂʮ$^{53}_{44}$ua$^{53}_{44}$kʰɔi^{35}pien$^{35}_{53}$ɲin$^{13}_{21}$ke$^{53}_{44}$ken^{53}to$^{35}_{21}$.ia^{35}kɔŋ^{21}ŋɔi^{53}pɔi$^{53}_{44}$lɔi$^{13}_{21}$ke$^{53}_{44}$kʰak^{3}tsɿ^{0}.

【开坼】kʰɔi^{35}tsʰak^{3} 动 出现裂缝：晒田是爱晒倒渠爱～。sai^{53}tʰien$^{13}_{21}$ʂʮ$^{53}_{44}$ɔi$^{53}_{44}$sai^{53}tau^{21}ci$^{13}_{21}$ɔi$^{53}_{21}$kʰɔi^{35}tsʰak^{3}.

【开裆裤】kʰɔi^{35}tɔŋ$^{35}_{44}$fu^{53} 名 幼儿穿的裆部有口的裤子：□屎裤。如今人就安做～。mak^{3}ʂʅ^{21}fu^{53}.i$^{13}_{21}$cin$^{35}_{44}$in$^{13}_{21}$tsiəu$^{53}_{44}$ɔn$^{35}_{44}$tso$^{53}_{44}$kʰɔi^{35}tɔŋ$^{35}_{44}$fu^{53}.

【开刀】kʰɔi^{35}tau^{35} 动 医生用手术刀给病人做手术：头到我老婆病哩就做嘿几只检查都搞唔成，唔系是爱～哇。箇种也唔去～哇，欸食中药。tʰei^{13}tau^{53}ŋai$^{13}_{21}$lau^{21}pʰo^{13}pʰiaŋ^{53}li^{0}tsiəu^{53}tso^{53}(x)ek^{3}ci^{21}tʂak^{3}cian^{21}tsʰa$^{13}_{21}$təu$^{35}_{53}$kau^{21}n̩$^{13}_{21}$ʂaŋ^{13},m̩$^{13}_{21}$pʰei$^{53}_{44}$ʂʮ$^{53}_{44}$ɔi^{53}kʰɔi$^{35}_{44}$tau^{35}ua^{0}.kai$^{53}_{44}$tʂəŋ^{21}ŋa$^{35}_{53}$n̩$^{13}_{21}$çi$^{53}_{44}$kʰɔi$^{35}_{44}$tau$^{35}_{44}$ua^{0},e$_{21}$ʂət^{5}tʂəŋ$^{35}_{44}$iɔk^{5}.

【开工】kʰɔi^{35} kəŋ^{35} 动 开始生产或开始修建工程：修铁路个啊正月都𫟐开工，二月正开工。嗯，今年修铁路个啊二月正开工。siəu^{35}tʰiet^{3}ləu$^{53}_{44}$ke^{53}a^{0}tʂaŋ^{35}ɲiet^{5}təu$^{35}_{53}$maŋ$^{13}_{21}$kʰɔi$^{35}_{44}$kəŋ^{35}, ɲi^{53}ɲiet^{5}tʂaŋ$^{53}_{21}$kʰɔi^{35}kəŋ^{35}.n̩$_{21}$,cin$^{35}_{44}$ɲien$^{13}_{21}$siəu^{35}tʰiet^{3}ləu^{53}ke^{53}a^{0}ɲi^{53}ɲiet^{5}tʂaŋ$^{53}_{21}$kʰɔi^{35}kəŋ^{35}.

【开沟】kʰɔi^{35}ciei^{35} 动 开挖水沟：（坟地四周）爱～呀。ɔi$^{53}_{44}$kʰɔi$^{35}_{44}$ciei^{35}ia^{0}.

【开关】kʰɔi^{35}kuan$^{35}_{44}$ 名 机器的启动和关闭装置：按下子～ tsʰən^{21}na^{53}(←xa^{53})tsɿ^{0} kʰɔi^{35}kuan$^{35}_{44}$ | 电灯～ tʰien^{53}tien$^{35}_{44}$kʰɔi^{35}kuan$^{35}_{44}$

【开花】kʰɔi^{35}fa^{35} 动 生出花朵：辣椒～了。lait^{3}tsiau$^{35}_{44}$kʰɔi^{35}fa^{35}liau^{0}. | 渠指望春花𫟐开叶，就先～。ci$^{13}_{21}$maŋ^{13}kʰɔi^{35}iait^{5},tsʰiəu$^{53}_{44}$sien^{35}kʰɔi^{35}fa^{35}.

【开花打朵】kʰɔi^{35}fa^{35}ta^{21}to^{21} 花朵开放的样子：箇箇晡指农历三月初三个鸡肉菜就呃以个栏场以个箇个农贸市场就真多鸡肉菜卖啦箇晡啦，～个都有啊撞怕是。kai^{53}kai$^{53}_{44}$pu^{35}ke^{53}cie^{35}ɲiəuk^{3}tsʰɔi$^{53}_{44}$tsʰiəu$^{53}_{44}$ə$_{44}$i^{21}kei^{53}laŋ$^{13}_{21}$tʂʰɔŋ$^{13}_{44}$i^{21}kei^{53}kai^{53}ke^{53}ləŋ^{13}miau^{53}ʂʅ^{53}tʂʰɔŋ$^{13}_{21}$tsʰiəu$^{53}_{44}$tʂən^{35}to$^{35}_{44}$cie$^{35}_{44}$ɲiəuk^{3}tsʰɔi^{53}mai^{53}la^{0}kai^{53}pu$^{35}_{44}$la^{0},kʰɔi^{35}fa^{35}ta^{21}to^{21}ke^{0}təu$^{35}_{44}$iəu$^{35}_{44}$a^{0}tsʰɔŋ^{21}pʰa^{53}ʂʅ$^{53}_{44}$. | 箇烤烟呐一下𫟐等得心呐，就～。kai^{53}kʰau^{21}ien$^{35}_{44}$na^{0}iet^{3}xa^{53}maŋ$^{13}_{21}$tən^{21}tek^{3}sin$^{35}_{44}$na^{0},tsʰiəu$^{53}_{21}$kʰɔi^{35}fa^{35}ta^{21}to^{21}.

【开来】kʰɔi^{35}lɔi$^{13}_{21}$ 动 趋向动词。用在动词后做补语。①表示分开：嫩竹斫下来，劈～，放下石灰肚里去浸。lən^{53}tʂəuk^{3}tʂɔk^{3}xa^{53}lɔi$^{13}_{44}$,pʰiak^{3}kʰɔi^{35}lɔi$^{13}_{44}$,fɔŋ$^{53}_{44}$ŋa$_{44}$(←xa^{53})ʂak^{5}fɔi$^{35}_{44}$təu^{21}li^{0}çi$^{53}_{44}$tsin^{53}. | 爱揫箇豆腐干区别～，以就安做水豆腐。ɔi$^{53}_{44}$lau^{35}kai$^{53}_{44}$tʰei^{53}fu$^{53}_{44}$kɔn^{35}tʂʰʮ$^{35}_{44}$pʰiet$^{5}_{3}$kʰɔi^{35}lɔi$^{13}_{21}$,i^{21}tsʰiəu$^{53}_{44}$ɔn$^{35}_{44}$tso$^{53}_{44}$ʂei^{21}tʰei$^{53}_{44}$fu$^{53}_{44}$. ②表示扩散：开～，分箇个砂浆箇只，系唔系？开～。kʰɔi^{35}kʰɔi^{35}lɔi$^{13}_{21}$,pən^{35}kai^{53}kei$^{53}_{21}$sa^{35}tsiɔŋ^{35}kai$^{53}_{44}$tʂak^{3},xei$^{53}_{44}$me$^{53}_{44}$?kʰɔi^{35}kʰɔi^{35}lɔi$^{13}_{21}$.

【开路】kʰɔi^{35}ləu^{53} 动 将用久的锯条的锯齿用钳子扳开，使锯齿之间形成一定的倾斜角度：箇唔系，箇只夹子，渠就系～用个。箇只东西实在我……一般也就舞张凳呢，铣锯个时候子，舞张凳，翻下转来嘞箇个梭凳啵。翻下转来嘞，箇面凳脚向上啊。两只凳脚，以只凳脚要向上欸，以只凳脚以映子锯条子槽哇，箇只凳脚爱锯条子槽欸，把锯嵌下去啊。渠咁子箇就。箇就用可以用箇唔爱紧箇锯。但是，锯路唔好哩，但是锯齿啊，锯一阵呐，或者夹拢去哩，扯都唔动了，箇就爱拿倒子咁个老蟹钳子样个东西去拨开下子来，拨开子，拨得匀匀称称子，安做钳子嘞，安做钳子。夹稳箇只齿，欸，往以边扳滴子，往以边扳滴子，扳开下子了。箇个路扳开下子。kai^{53}m̩$^{13}_{21}$pʰe$_{44}$(←xe^{53}),kai^{53}tʂak^{3}ciak^{3}tsɿ^{0},ci^{13}tsʰiəu$^{53}_{44}$xe^{53}kʰɔi^{35}ləu^{53}iəŋ$^{53}_{21}$ke^{53}.kai^{53}tʂak^{3}təŋ$^{35}_{44}$

si^{0} ʂət$^{5}_{3}$ tsʰɔi^{53}ŋai$^{13}_{21}$…iet^{3} pɔn^{35}ia$^{35}_{44}$tsʰiəu$^{53}_{44}$u^{21}tʂɔŋ$^{35}_{44}$tien^{53}nei^{0},se^{21}cie$^{53}_{44}$ke$^{53}_{44}$ʂʅ^{13}xəu$^{53}_{44}$tsʅ^{0},u^{21}tʂɔŋ$^{35}_{44}$tien^{53},fan^{35}na^{53} tʂɔn^{21}nɔi^{13}le^{0} kai^{53}ke$^{53}_{44}$so^{35}tien^{53}nau^{0}.fan^{35}na^{53}tʂɔn^{21}nɔi^{13}le^{0},kai$^{53}_{44}$mien$^{53}_{44}$ten^{53}ciɔk^{3} çiɔŋ$^{53}_{44}$ʂɔŋ^{35}ŋa^{0}.iɔŋ^{21}tʂak^{3} ten^{53}ciɔk^{3},i^{21}tʂak^{3} ten^{53}ciɔk^{3} iau$^{53}_{44}$çiɔŋ$^{53}_{44}$ʂɔŋ^{35}ŋei^{0},i^{21}tʂak^{3} ten^{53}ciɔk^{3} i^{21}iaŋ$^{53}_{44}$tsʅ^{0} cie^{53}tʰiau$^{13}_{21}$tsʅ^{0} tsʰau^{13}ua^{0},kai^{53} tʂak^{3} ten^{53}ciɔk^{3} ɔi$^{53}_{44}$cie^{53}tʰiau$^{13}_{21}$tsʅ^{0} tsʰau^{13}ei^{0},pa^{21}cie$^{53}_{44}$xan^{53}na$_{44}$(←xa^{53})çi$^{53}_{44}$a^{0}.ci^{13}kan^{21}tsʅ^{0} kai$^{53}_{44}$tsiəu$^{53}_{44}$.kai^{53} tsʰiəu$^{53}_{44}$iəŋ$^{53}_{44}$kʰo^{21}i^{35}iəŋ$^{53}_{44}$kai$^{53}_{44}$m̩$^{13}_{21}$mɔi$^{53}_{35}$cin^{21}kai^{53}cie$^{53}_{44}$.tan$^{53}_{44}$ʂʅ$^{53}_{44}$,cie^{53}ləu^{53}ŋ̍^{13}xau^{21}li^{0},tan$^{53}_{44}$ʂʅ$^{53}_{44}$cie^{53}tʂʰʅ^{21}za^{0},cie^{53} iet^{3} tʂʰən^{53}na^{0},xɔit^{5} tʂa^{21}kait^{3} ləŋ^{35}çi^{53}li^{0},tʂʰa^{21}təu$^{35}_{53}$n̩$^{13}_{21}$tʰəŋ^{35}liau^{0},kai$^{53}_{44}$tsʰiəu$^{53}_{44}$ɔi$^{53}_{44}$la^{53}tau^{21}tsʅ^{0} kan^{21}cie^{53}lau^{21} xai^{21}cʰian^{13}tsʅ^{0} iɔŋ$^{53}_{44}$ke$^{53}_{44}$təŋ$^{35}_{44}$si^{0} çi$^{53}_{44}$pɔit^{3} kʰɔi^{35}(x)a^{53}tsʅ^{0} lɔi^{13},pɔit^{3} kʰɔi^{35}tsʅ^{0},pɔit^{3} tek^{3} iəŋ^{13}iəŋ^{13}tsʰin^{53}tsʰin^{53} tsʅ^{0},ɔn^{35}tso$^{53}_{44}$cʰian^{13}tsʅ^{0} le^{0},ɔn^{35}tso$^{53}_{44}$cʰian^{13}tsʅ^{0}.kait^{3} uən^{21}kai^{53}tʂak^{3} tʂʰʅ^{21},e$_{21}$,uɔŋ^{21}i^{21}pien$^{35}_{44}$pan^{35}tiet^{5} tsʅ^{0},uɔŋ^{21}i^{21} pien$^{35}_{44}$pan^{35}tiet^{5} tsʅ^{0},pan^{35}kʰɔi^{35}ia^{53}(←xa^{53})tsʅ^{0} liau^{0}.kai$^{53}_{44}$cie^{53}ləu^{53}pan^{35}kʰɔi^{35}(x)a^{53}tsʅ^{0}.

【开锣】kʰɔi^{35}lo^{13} 动 办丧事时道士进场并开始做道场：～嘞，办丧事就讲～嘞。哪晡～嘞。箇个道士架势啊道士架势做道场啊，就安做～啊。kʰɔi^{35}lo^{13}lei^{0},pʰan^{53}sɔŋ$^{35}_{44}$sʅ^{53}tsʰiəu$^{53}_{44}$kɔŋ^{21}kʰɔi^{35}lo^{13} lei^{0}.lai^{53}pu$^{35}_{44}$kʰɔi^{35}lo^{13}lei^{0}.kai$^{53}_{44}$ke$^{53}_{44}$tʰau^{53}sʅ$^{53}_{44}$cia^{53}ʂʅ^{53}a^{0} tʰau^{53}sʅ$^{53}_{44}$cia$^{53}_{44}$ʂʅ$^{53}_{44}$tso$^{53}_{44}$tʰau^{53}tʂʰɔŋ^{21}ŋa^{0},tsʰiəu$^{53}_{44}$ɔn$^{35}_{44}$tso$^{53}_{44}$ kʰɔi^{35}lo^{13}a^{0}.

【开面】kʰɔi^{35}mien^{53} 动 开脸：以前妹子人结婚就爱～呢。我老婆等人结婚个时候子，我等结婚系我老婆都开哩面呐。蛮痛嘞，用线刀子去解，～呐。渠又唔系用箇个唔系用保险刀子割嘞，唔系用保险刀子剃寒毛嘞，以咁是扯寒毛。扯哩以后嘞爱舞兜箇个滑石粉去打。爱搽，搽倒雪白子。i$^{35}_{53}$tsʰien^{13}mɔi^{53}tsʅ^{0}ɲin^{13}ciet^{3} fən^{35}tsʰiəu$^{53}_{44}$ɔi$^{53}_{44}$kʰɔi^{35}mien^{53}ne^{0}.ŋai^{13}lau^{21}pʰo^{13}ten$^{21}_{44}$ɲin$^{13}_{21}$ciet^{3} fən^{35}ke$^{53}_{44}$ʂʅ^{13}xəu^{53}tsʅ^{0},ŋai^{13}tien^{0} ciet^{3} fən$^{35}_{53}$xe^{53}ŋai$^{13}_{21}$lau^{21}pʰo^{13}təu$^{35}_{44}$kʰɔi$^{35}_{44}$li^{0} mien^{53}na^{0}.man^{13}tʰəŋ^{53}lei^{0},iəŋ$^{53}_{44}$sien^{53} tau$^{35}_{44}$tsʅ^{0} çi$^{53}_{44}$kai^{53},kʰɔi$^{35}_{44}$mien^{53}na^{0}.ci$^{13}_{21}$iəu^{53}m̩$^{13}_{21}$pʰei$^{53}_{44}$iəŋ$^{53}_{44}$kai$^{53}_{44}$ke$^{53}_{44}$m̩$^{13}_{21}$pʰei^{53}iəŋ^{53}pau^{21}çian^{21}tau^{35}tsʅ^{0} kɔit^{3} le^{0},m̩$^{13}_{21}$ pʰei^{53}iəŋ^{53}pau^{21}çian^{21}tau^{35}tsʅ^{0} tʰe^{53}xɔn$^{13}_{21}$mau^{35}le^{0},i$^{21}_{13}$kan$^{21}_{44}$sʅ$^{53}_{21}$tʂʰa^{21}xɔn^{13}mau$^{35}_{53}$.tʂʰa^{21}li^{0} i$^{35}_{53}$xei$^{53}_{44}$lei^{0} ɔi^{53}u^{21}tei$^{35}_{53}$kai$^{53}_{44}$ ke$^{53}_{44}$uait^{5} ʂak^{3} fən^{21}çi^{53}ta^{21}.ɔi^{53}tsʰa$^{13}_{21}$,tsʰa$^{13}_{21}$tau^{21}siet^{5} pʰak^{5} tsʅ^{0}.

【开山子】kʰɔi^{35}san^{35}tsʅ^{0} 名 一种斧头(长而窄，用于砍大树)：～就一种斧头，专门用来斫树个斧头，安做～。口狭狭子，箇只段子蛮长。以只口狭，欸，又薄又狭，渠就箇个大树哇，渠正裁得进去。kʰɔi^{35}san^{35}tsʅ^{0} tsʰiəu^{53}iet^{3} tʂəŋ^{21}pu^{21}tʰei$^{13}_{21}$,tʂen^{35}mən$^{13}_{21}$iəŋ^{53}lɔi$^{13}_{21}$tʂɔk^{3} ʂəu^{53}ke^{0} pu^{21}tʰei$^{13}_{21}$,ɔn$^{35}_{44}$tso$^{53}_{44}$kʰɔi^{35} san^{35}tsʅ^{0}.xei^{21}cʰiait^{5} cʰiait^{5} tsʅ^{0},kai$^{53}_{44}$tʂak^{3} tʰɔn^{53}tsʅ^{0} man$^{13}_{21}$tʂʰɔŋ^{13}.i^{21}tʂak^{3} xei^{21}cʰiait^{5},ei$_{21}$,iəu$^{53}_{44}$pʰɔk^{5} iəu$^{53}_{44}$cʰiait^{5}, ci$^{13}_{21}$tsʰiəu^{53}kai$^{53}_{44}$ke$^{53}_{44}$tʰai^{53}ʂəu^{53}ua^{0},ci$^{13}_{21}$tʂaŋ^{53}tsʰɔi$^{13}_{21}$tek^{3} tsin^{53}cʰi$^{53}_{44}$.

【开石】kʰɔi^{35}ʂak^{5} 动 凿开岩石或开采石矿：以个指砖锤～个啊。i$^{21}_{44}$ke$^{53}_{44}$kʰɔi^{35}ʂak^{5} ke$^{53}_{44}$a^{0}.

【开水】kʰɔi^{35}ʂei^{21} 名 煮沸的水：箇～装下茶壶肚里会冷。kai$^{53}_{44}$kʰɔi^{35}ʂei^{21}tʂɔŋ$^{35}_{44}$ŋa$_{44}$(←xa^{53})tsʰa^{13}fu$^{13}_{21}$ təu^{21}li^{0} uɔi^{53}laŋ^{35}.

【开头₁】kʰɔi^{35}tʰei$^{13}_{21}$ 动 着手进行：细人子读书哇也系～爱开得好。sei^{53}ɲin$^{13}_{21}$tsʅ^{0} tʰəuk^{5} ʂəu^{35}ua^{0} ia^{35} xei^{53}kʰɔi^{35}tʰei^{13}ɔi^{53}kʰɔi^{35}tek^{3} xau^{21}.

【开头₂】kʰɔi^{35}tʰei$^{13}_{21}$ 名 ①开始的时候：万事～难唠，欸，我等做么个事嘞就爱开头就爱搞好来。uan^{53}sʅ^{53}kʰɔi^{35}tʰei$^{13}_{21}$lan^{13}lau^{0},e$_{21}$ŋai^{13}tien^{0} tso^{53}mak^{3} e^{0} sʅ^{53}lei^{0} tsʰiəu$^{53}_{44}$ɔi$^{53}_{44}$kʰɔi^{35}tʰei$^{13}_{21}$tsʰiəu^{53}ɔi^{53}kau^{21}xau^{21} lɔi$^{13}_{44}$. ②指刚才或不久前：弹簧床嘞底下就底下箇个底下箇～讲个欸安做么个，安做床板嘞。渠个床板就用弹簧。tʰan^{13}fɔŋ$^{13}_{21}$tsʰɔŋ^{13}lei^{0} te^{21}xa^{53}tsʰiəu^{53}te^{21}xa$^{53}_{44}$kai^{53}kei$^{53}_{44}$te^{21}xa$^{53}_{44}$kai^{53}kʰɔi^{35}tʰei$^{13}_{44}$kɔŋ^{21}ke$^{53}_{44}$ e$_{21}$ɔn$^{35}_{44}$tso$^{53}_{44}$mak^{3} ke$^{53}_{44}$,ɔn^{35}tso^{53}tsʰɔŋ^{13}pan^{21}ne^{0}.ci^{13}ke^{53}tsʰɔŋ^{13}pan^{21}tsʰiəu$^{53}_{44}$iəŋ^{53}tʰan^{13}fɔŋ$^{13}_{44}$.

【开土地门】kʰɔi^{35}tʰəu^{21}tʰi^{53}mən^{13} 当地客家人认为二月初二开始可以进山扫墓，至清明关闭：二月初二就～啵。就系以兜人都话，开哩土地门了，可以去铲地了。𫎇～就铲唔得地。ɲi^{53} ɲiet$^{5}_{3}$ tsʰʅ$^{35}_{44}$ɲi^{53}tsʰiəu$^{53}_{44}$kʰɔi$^{35}_{44}$tʰu^{21}tʰi^{53}mən$^{13}_{21}$nau^{0}.tsʰiəu^{53}xei^{53}i^{21}tei$^{35}_{53}$ɲin$^{13}_{21}$təu^{35}ua^{53},kʰɔi^{35}li^{0} tʰu^{21}tʰi^{53}mən^{13}liau^{0}, kʰo^{21}i$^{35}_{44}$çi^{53}tsʰan^{21}tʰi^{53}liau^{0}.maŋ^{13}kʰɔi$^{35}_{53}$tʰu^{21}tʰi^{53}mən^{13}tsʰiəu^{53}tsʰan^{21}n̩^{13}tek^{3} tʰi^{53}.

【开土皮】kʰɔi^{35}tʰu^{21}/tʰəu^{21}pʰi^{13} 动 破土挖阔：～是咁个，我等以映子个规矩，死哩人，爱寻只地方埋葬吵，系啊？地理先生带倒你去走，选定一只地方。选定一只地方就爱挖呀，系啊？最先挖个箇三镢头，爱你箇只做孝子个人去挖。最先挖个几下咯，爱做孝子个人去挖，爱渠赖子去挖，唔系就妹子去挖。挖三镢头就望后背一丢，箇张镢头就望后背一丢，箇就安做～。kʰɔi^{35}tʰəu^{21}pʰi^{13}ʂʅ$^{53}_{21}$kan$^{21}_{13}$cie^{53},ŋai^{13}tien^{0} i^{21}iaŋ^{53}tsʅ^{0} ke$^{53}_{44}$kuei^{35}tʂʮ^{21},si^{21}li^{0}ɲin^{13},ɔi^{53}tsʰin^{13}tʂak^{3} tʰi$^{53}_{44}$fɔŋ$^{35}_{44}$mai^{13} tsɔŋ^{53}ʂa^{0},xei^{53}a^{0}?tʰi^{53}li^{35}sien$^{35}_{44}$saŋ$^{35}_{44}$tai^{53}tau^{21}ɲi^{13}çi^{53}tsei^{21},sien^{21}tʰin^{53}iet^{3} tʂak^{3} tʰi$^{53}_{44}$fɔŋ$^{35}_{44}$.sien^{21}tʰin^{53}iet^{3} tʂak^{3} tʰi$^{53}_{44}$ fɔŋ$^{35}_{44}$tsʰiəu$^{53}_{44}$ɔi^{53}uait^{3} ia^{0},xei$^{53}_{44}$a^{0}?tsei^{53}sien^{35}uait^{3} cie^{53}kai^{53}san^{35}ciɔk^{3} tʰei^{13},ɔi^{53}ɲi$^{13}_{21}$kai^{53}(tʂ)ak^{3} tso^{53}xau^{53}tsʅ^{0} ke^{53} ɲin$^{13}_{21}$çi^{53}uait^{3}.tsei^{53}sien^{35}uait^{3} ke^{53}ci^{21}xa^{53}ko^{0},ɔi$^{53}_{44}$tso$^{53}_{44}$xau^{53}tsʅ^{0} ke^{53}ɲin$^{13}_{21}$çi^{53}uait^{3},ɔi$^{53}_{44}$ci$^{13}_{21}$lai^{53}tsʅ^{0} çi^{53}uait^{3},m̩$^{13}_{21}$

pʰe53/44tsʰiəu53/44mɔi53tsɿ0 çi53uait3.uait3 san35ciɔk3 tʰei13tsʰiəu53/44uɔŋ53xei53pɔi53iet3 tiəu35,kai53/44tʂɔŋ35/53ciɔk3 tʰei13/21tsiəu53/44 uɔŋ53/44xei53pɔi53iet3 tiəu35,kai53/44tsʰiəu53/44ɔn35/44tso53/44kʰɔi35tʰəu21pʰi13.

【开袜底】kɔi35mait3 te21 将袜子的底部剪开，以便与袜筒缝合在一起：～，欸，剪开箇一刀来欸。本来渠买只新袜子吵，买倒箇新袜子吵，底下一只筒筒吵，系啊？就同如今个袜子一样个唠。爱先剪渠一刀。剪渠一刀以后剪做两箑。剪做两箑嘞，分渠嘞又用针线子连转去，箇两箑又莫丢咁哩嘞。欸，就安做～。……跟那上面这一部分又缝起来，欸。有几多子嘞，只有以滴子嘞。欸以映绺子嘞。只有袜底个一半子。kɔi35mait3 te21,e/21,tsien21kʰɔi35kai53iet3 tau35/44lɔi13/21 e0.pən21nɔi13ci13/21mai35tʂak3 sin35mait3 tsɿ0 ʂa0,mai35tau21/44kai53/44sin35mait3 tsɿ0 ʂa0,te21xa53iet3 tʂak3 tʰəŋ13tʰəŋ13/44 ʂa0,xe53/44a0?tsʰiəu53tʰəŋ13/21i13/21cin35/53ke53/21mait3 tsɿ0 iet3 iɔŋ53/44ke53/44lau0.ɔi53/44sien35tsien21ci13/21iet3 tau35.tsien21ci13/21iet3 tau35i35/44 xei53/44tsien21tso53iɔŋ21sak3.tsien21tso53iɔŋ21sak3 lei0,pən35ci13/21lei0 iəu53iəŋ53tʂən35sien53tsɿ0 lien13tʂɔn21çi53,kai53 iɔŋ21sak3 iəu53mɔk5 tiəu35kan21li0 le0.e/21,tsʰiəu53/21ɔn35/44tso53/44kʰɔi35mait3 te21.…kən35/44na53/44ʂaŋ53mien53tʂe53i/21pʰu53 fən/44iəu53fəŋ13çi21lɔi13/21,e/21.mau13/21ci21/44to35tsɿ0 lei0,tʂʅ21iəu35/53i21tiet5 tsɿ0 lei0.ei/44i21iaŋ53/44liəu53tsɿ0 le0.tʂʅ21iəu35/53mait3 te21 ke53iet3 pan53tsɿ0.

【开席】kʰɔi35siet5 [动]开始入座饮酒用菜：箇张食饭桌上就莫放兜杂七杂八个东西啦，欸，～了嘞。kai53tʂɔŋ35/53ʂət5 fan53tsɔk3 xɔŋ53/44tsʰiəu53/44mɔk5 fɔŋ53te35/53tsʰait5 tsʰiet3 tsʰait5 pait3 ke0 təŋ35/44si0 la0,e/21,kʰɔi35 siet5 liau0 le0.

【开戏】kʰɔi35çi53 [动]开始演戏：～，开始个时候打锣鼓哇，打开台呀安做。kʰɔi35çi53,kʰɔi35/44ʂʅ21 ke53ʂʅ13/21xəu13/21ta21lo13ku21/44ua0,ta21kʰɔi35tʰɔi13/44ia0 ɔn35/44tso53/44.

【开香】kʰɔi35çiɔŋ35 [动]寺庙择日举行活动，接待香客拜祭：庙里嘞箇个举行么个活动，哪只菩萨生日，或者观音娘娘生日，或者么人个生日，系啊？就爱搞箇个活动，搞箇祭祀活动。箇只时候子嘞就会出公告，哪晡日～，就系哪晡日……就同箇死哩人进场样，哪晡日就进场哈。就哪晡日～。miau53li21lei0 kai53ke53/44tʂʅ21çin13mak3 e0 xɔit5 tʰəŋ53/44,lai53tʂak3 pʰu13sait3 saŋ35ɲiet3,xɔit5 tʂa21 kɔn35in35/53ɲiɔŋ13/21ɲiɔŋ13/21saŋ35ɲiet3,xɔit5 tʂa21mak3 ɲin13/21ne0 saŋ35ɲiet3,xei53/44a0?tsʰiəu53ɔi53kau21kai53/44ke53/44xɔit5 tʰəŋ53, kau21kai53/44tsi53sɿ53xɔit5 tʰəŋ53.kai53/44tʂak3 ʂʅ13xei53tsɿ0 lei0 tsʰiəu53uɔi53tʂʰət3 kəŋ35kau53,lai53pu35/44ɲiet3 kʰɔi35çiɔŋ35, tsʰiəu53/44xei53/44lai53pu35ɲiet3 …tsʰiəu53tʰəŋ13/21kai53si21li0 ɲin13tsin53tʂʰɔŋ21iɔŋ53,lai53pu35ɲiet3 tsʰiəu53/44tsin53tʂʰɔŋ21xa0. tsiəu53/44lai53pu35ɲiet3 kʰɔi35çiɔŋ35.

【开小灶】kʰɔi35siau21tsau53 ①集体伙食中另外安排高标准的伙食：～是指特殊照顾啦，特殊个更高档个伙食啦。开只小灶啦。kʰɔi35siau21tsau53ʂʅ53/44tʂʅ21tʰek5 ʂʮ13/21tʂau53ku53la0,tʰek5 ʂʮ13ke53cien53kau35 tɔŋ53ke0 fo21ʂət5 la0.kʰɔi35tʂak3 siau21tsau53la0. ②请老师个别辅导（学生）：学生子读书不行呐，请只老师来个别辅导，箇也安做～。我请只老师来～。xɔk5 saŋ35/44tsɿ0 tʰəuk5 ʂəu35puk3 çin13na0,tsʰiaŋ21 tʂak3 lau21sɿ35/44lɔi13/21ko53pʰiet5 pʰu21tʰau53,kai53/44ia35ɔn35/53tso53kʰɔi35/44siau21tsau53.ŋai13/21tsʰiaŋ21tʂak3 lau21sɿ35/44lɔi13/21kʰɔi35 siau21tsau53.

【开胸衫】kʰɔi35çiəŋ35san35 [名]对襟衣：以个对襟衫，对襟个，系唔系？中间开个吵，系啊？对襟个吵。对襟个就安做～。i21ke53/44tei53cin35san35,tei53cin35/44cie53/44,xe53/44me53/44?tʂəŋ35kan35/44kʰɔi35/44ke53/44ʂa0,xei53/44 a0?tei53cin35/44cie53/44ʂa0.tei53cin35/44ke53/44tsʰiəu53/21ɔn35/44tso53/21kʰɔi35çiəŋ35/44san35/44.

【开丫】kʰɔi35a35 [动]①器物上有分叉：～个（钉锤子）kʰɔi35/44a35ke53/44。②衣服上开衩：（裙头裤）边上～。pien35xɔŋ53kʰɔi35/44a35.

【开眼珠】kʰɔi35ŋan21tʂəu35 睁开眼睛：～都开唔得。kʰɔi35ŋan21tʂəu35təu35/44kʰɔi35/44n̩13/21tek3.

【开秧炮子】kʰɔi35iɔŋ35pʰau53tsɿ0 待早稻即将抽穗时将早先栽的大蔸的秧苗各分作四蔸插在早稻的空隙：欸，箇是从前栽丫禾个时候子就呃生产队上就先打秧炮子啊，欸，打哩秧炮子了以下就早禾架势出禾了就爱～了。出哩禾就掆唔得啊。还赠出禾就爱～，就爱分箇起迟禾啊栽开来呀。首先打秧炮吵，打秧炮是就一大饽栽下去呀。～个时间呢就在选在早禾欸还赠出个时候子，出哩禾了就搞唔得掆唔得哩啊。箇就～，就分箇个秧炮子扯起来，栽开来，欸，分秧炮子栽开来，就安做～。e/21,kai53/44ʂʅ53/44tsʰəŋ13tsʰien13tsɔi35a35uo13/21ke53/44ʂʅ13/44xəu53/44tsɿ0 tsʰiəu53ə/21sen35tsʰan21 ti53xɔŋ53/44tsiəu53/44sien35ta21iɔŋ35pʰau53tsɿ0 a0,e/21,ta21li0 iɔŋ35pʰau53tsɿ0 liau21/44i21xa53/44tsiəu53/44tsau21uo13cia53ʂʅ53tʂʰət3 uo13 liau21/44tsʰiəu53/44ɔi53/44kʰɔi35/44iɔŋ35pʰau53tsɿ0 liau21.tʂʰət3 li0 uo13tsʰiəu53/44kaŋ53n̩13/21tek3 a0.xai13/21maŋ13tʂʰət3 uo13tsʰiəu53ɔi53 kʰɔi35iɔŋ35pʰau53tsɿ0,tsʰiəu53/44ɔi53/44pən35/44kai53çi21tʂʰʅ13uo13a0 tsɔi35kʰɔi35/44lɔi13/21ia0.ʂəu21sien35/44ta21iɔŋ35/44pʰau53ʂa0,ta21 iɔŋ35/44pʰau53ʂʅ53/44tsʰiəu53iet3 tʰai53pʰɔk5 tsɔi35xa53çi53ia0.kʰɔi35iɔŋ35pʰau53tsɿ0 ke53/44ʂʅ13/21kan35/44nei0 tsʰiəu53tsʰai53sien21 tsʰai^{53}tsau^{21}uo^{13}e$_{21}$xai^{13}maŋ^{13}tʂʰət^{3} ke$^{53}_{44}$ʂʅ^{13}xei^{53}tsɿ^{0} ,tʂʰət^{3} li^{0} uo^{13}liau^{0} tsʰiəu^{53}kau^{21}n̩$^{13}_{44}$tek^{3} kaŋ^{53}n̩$^{13}_{21}$tek^{3} li^{0} a^{0} .kai$^{53}_{44}$tsʰiəu^{53}kʰɔi^{35}iɔŋ^{35}pʰau^{53}tsɿ^{0} ,tsʰiəu$^{53}_{44}$pən^{35}kai$^{53}_{21}$ke$^{53}_{21}$iɔŋ^{35}pʰau^{53}tsɿ^{0} tʂʰa^{21}çi^{21}lɔi^{13},tsɔi^{35}kʰɔi^{35}lɔi$^{13}_{21}$,e$_{21}$,pən$^{35}_{44}$ iɔŋ$^{35}_{44}$pʰau^{53}tsɿ^{0} tsɔi^{35}kʰɔi$^{35}_{44}$lɔi$^{13}_{21}$,tsʰiəu$^{53}_{21}$ɔn$^{35}_{53}$tso^{53}kʰɔi^{35}iɔŋ^{35}pʰau^{53}tsɿ^{0} .

【开叶】kʰɔi^{35}iait^{5} 动植物的叶子长出并舒展开来。也称“开叶子”：渠指望春花嬒～，就先开花。ci$^{13}_{21}$maŋ^{13}kʰɔi^{35}iait^{5} ,tsʰiəu$^{53}_{44}$sien^{35}kʰɔi^{35}fa^{35}.｜萝卜箇䊶稳脑高～个箇莖子安做萝卜髻。lo^{13}pʰek^{5} kai$^{53}_{44}$ ɲia^{13}uən^{21}lau^{21}kau$^{35}_{44}$kʰɔi^{35}iait^{5} ke$^{53}_{44}$kai$^{53}_{44}$tsʰɔk^{5} tsɿ^{0} ɔn$^{35}_{44}$tso$^{53}_{44}$lo$^{13}_{21}$pʰek^{5} ci^{53}.

【开夜车】kʰɔi^{35}ia^{53}tʂʰa^{35} ①本指夜间行车：我如今开车我就唔敢～，欸，箇个灯光啊瞪下转来，我唔知上哩啊下哩。箇个会车个时候子对门个灯光一瞪啊，箇大灯一瞪啊，我唔知上哩啊下哩。ŋai^{13}i$^{13}_{21}$cin$^{35}_{44}$kʰɔi$^{35}_{44}$tʂʰa$^{35}_{44}$ŋai$^{13}_{21}$tsʰiəu^{53}n̩^{13}kan^{21}kʰɔi^{35}ia^{53}tʂʰa^{35},e$_{21}$,kai$^{53}_{44}$ke$^{53}_{44}$ten^{35}kɔŋ$^{35}_{44}$ŋa^{0} tsʰaŋ$^{13}_{21}$ŋa^{53}tʂuən^{21}nɔi^{13}, ŋai$^{13}_{21}$n̩$^{13}_{21}$ti$^{35}_{44}$ʂɔŋ$^{53}_{44}$li^{0} a^{0} xa$^{53}_{44}$li^{0} .kai$^{53}_{21}$ke$^{53}_{21}$fei^{53}tʂʰa$^{35}_{44}$ke$^{53}_{44}$ʂʅ$^{53}_{44}$xəu$^{53}_{44}$tsɿ^{0} ti^{53}mən$^{13}_{21}$ke$^{53}_{44}$ten$^{35}_{44}$kɔŋ$^{35}_{44}$iet^{3} tsʰaŋ^{13}ŋa^{0} ,kai$^{53}_{44}$tʰai^{53} ten$^{35}_{44}$iet^{3} tsʰaŋ^{13}ŋa^{0} ,ŋai$^{13}_{21}$n̩^{13}ti$^{35}_{44}$ʂɔŋ$^{53}_{44}$li^{0} a^{0} xa$^{53}_{44}$li^{0}. ②喻指为了赶时间，利用夜晚休息时间继续工作或学习：为倒爱赶工夫，夜晡都做，就安做～。uei^{53}tau^{21}ɔi^{53}kɔn^{21}kəŋ^{35}fu^{35},ia^{53}pu$^{35}_{44}$təu$^{35}_{44}$tso^{53},tsʰiəu$^{53}_{44}$ɔn$^{35}_{44}$ tso$^{53}_{44}$kʰɔi^{35}ia^{53}tʂʰa$^{35}_{44}$.｜箇搞集体个时候子是呃长日搞唔赢哩又～，其实是都真系一只形式。开哩夜车以后嘞，第二晡唔知几昼正出工。队长话都唔好话嘞。箇我夜晡又开哩夜车，夜晡又出哩工啊，我又让日里我让早晨让门爬得趼来得？kai$^{53}_{44}$kau^{21}tsʰiet^{5} tʰi^{21}ke^{53}ʂʅ$^{13}_{21}$xəu^{53}tsɿ^{0} ʂʅ$^{53}_{44}$ə^{0} tʂʰɔŋ^{13} ɲiet^{3} kau^{21}n̩^{13}iaŋ^{13}li^{0} iəu^{53}kʰɔi^{35}ia^{53}tʂʰa^{35},cʰi^{13}ʂət^{5} ʂʅ$^{53}_{44}$təu^{35}tʂən^{35}xei^{53}iet^{3} tʂak^{3} çin^{13}ʂʅ^{53}.kʰɔi^{35}li^{0} ia^{53}tʂʰa^{35}i$^{35}_{44}$xei$^{53}_{44}$ lei^{0} ,tʰi^{53}ɲi^{53}pu$^{35}_{53}$n̩^{13}ti$^{35}_{53}$ci^{21}tʂəu^{53}tʂaŋ^{53}tʂʰət^{3} kəŋ^{35}.ti^{53}tʂɔŋ^{21}ua^{53}təu$^{35}_{53}$n̩$^{13}_{21}$xau^{21}ua^{53}lei^{0} .kai$^{53}_{21}$ŋai^{13}ia^{53}pu$^{35}_{44}$iəu^{53}kʰɔi$^{35}_{44}$ li^{0} ia^{53}tʂʰa^{35},ia^{53}pu$^{35}_{44}$iəu$^{53}_{21}$tʂʰət^{3} li^{0} kəŋ^{35}ŋa^{0} ,ŋai^{13}iəu$^{53}_{44}$ɲiɔŋ$^{53}_{44}$ɲiet^{3} li^{0} ŋai^{13}ɲiɔŋ^{53}tsau^{21}ʂən^{13}ɲiɔŋ^{53}mən$^{13}_{44}$pʰa$^{13}_{21}$tek^{3} xɔŋ^{53}lɔi$^{13}_{21}$tek^{3} ?

【开张】kʰɔi^{35}tʂɔŋ^{35} 动开业：张坊街上蛮多店子～是大架势打爆竹箇就，欸。我赖子箇只店子啊搬嘿两到家正搬嘿如今箇映子。但是我等～都嬒打爆竹箇样仰凑。tʂɔŋ$^{35}_{44}$xɔŋ$^{35}_{44}$kai$^{35}_{44}$xɔŋ$^{53}_{44}$man^{13} to$^{35}_{44}$tian^{53}tsɿ^{0} kʰɔi$^{35}_{44}$tʂɔŋ$^{35}_{44}$ʂʅ$^{53}_{21}$tʰai^{53}cia^{53}ʂʅ^{53}ta^{21}pau^{53}tʂəuk^{3} kai$^{53}_{44}$tsiəu^{53},e$_{21}$.ŋai^{13}lai^{53}tsɿ^{0} kai$^{53}_{44}$tʂak^{3} tian^{53}tsɿ^{0} a^{0} pɔn^{35} nek^{3} iɔŋ^{21}tau^{53}ka$^{35}_{44}$tʂaŋ^{53}pɔn$^{35}_{44}$nek^{3} i^{21}cin$^{35}_{53}$kai$^{53}_{44}$iaŋ^{53}tsɿ^{0} .tan$^{53}_{44}$ʂʅ$^{53}_{44}$ŋai$^{13}_{21}$tien^{0} kʰɔi^{35}tʂɔŋ^{35}təu^{35}maŋ$^{13}_{21}$ta^{21}pau^{53}tʂəuk^{3} kai$^{53}_{44}$iɔŋ$^{53}_{21}$ɲiɔŋ^{21}tsʰe^{0} .

【开嘴】kʰɔi^{35}tʂɔi^{53} 动张口说话：一～就（喊）伯娭。iet^{3} kʰɔi^{35}tʂɔi$^{53}_{21}$tsʰiəu$^{53}_{44}$pak^{3} me$^{35}_{44}$.

【揩】kʰai^{35} 动①擦拭：～净下子 kʰai^{35}tsʰiaŋ^{53}xa$^{53}_{44}$tsɿ^{0} ｜～屁股，以前用篾箧嘞。kʰai^{35}pʰi^{53}ku^{21},i$^{35}_{44}$ tsʰien$^{13}_{44}$iəŋ$^{53}_{44}$miet^{5} sak^{3} lei^{0} . ②涂抹：右手就舞只勺，摝一勺摝□荡子肚里就～。iəu^{53}ʂəu^{21}tsʰiəu$^{53}_{44}$ u^{21}tʂak^{3} ʂɔk^{5} ,uet^{3} iet^{3} ʂɔk^{5} uet^{3} lait^{5} tʰɔŋ^{53}tsɿ^{0} təu^{21}li^{0} tsʰiəu$^{53}_{44}$kʰai^{35}.

【揩屁股】kʰai^{35}pʰi^{53}ku^{21} ①擦拭屁股：以前我等人去岭上呃箇个山里系倒箇时候子啊，～都唔用纸，用篾箧。我曾经摎别人家讲过，我话以下个人呐屁股都高级嘿哩。我有一回呀跍倒哪映子冇得哩卫生纸，～冇哩卫生纸，我冇哩办法呀我就搞几张报纸，系唔系啊？舞倒我只屁股痒嘿几日。我话以前我等跍倒屋下做工夫啊，箇跍下岭上屙屎个时候子，还有纸？捡几条树棍就咁子搞两下，码兜树叶就咁子～。冇滴事咯。你话以下硬一只屁股硬咁金贵了？害死哩。报纸都要唔得哩，限定爱用卫生纸了。以前真系啦，就用树棍呐用箇个大树叶啊，欸大滴子个树叶啊，咁子去～。硬系以下个屁股冇哩用，以下屁股咁金贵了。i$^{35}_{53}$tsʰien$^{13}_{21}$ŋai$^{13}_{21}$tien^{0} ɲin$^{13}_{44}$çi^{53}liaŋ^{35}xɔŋ$^{53}_{44}$ə^{0} kai$^{53}_{44}$ke$^{53}_{44}$san^{35}ni^{21}xei^{53}tau^{21}kai^{53}ʂʅ^{13}xəu$^{53}_{44}$tsɿ^{0} a^{0} ,kʰai^{35}pʰi^{53}ku^{21}təu$^{35}_{44}$n̩^{13}iəŋ^{53}tʂʅ^{21},iəŋ$^{53}_{44}$miet^{5} sak^{3} .ŋai$^{13}_{21}$tsʰən$^{13}_{21}$cin$^{35}_{44}$lau$^{35}_{44}$pʰiet^{5} in$^{13}_{44}$ka$^{35}_{44}$kɔŋ^{21}ko^{53},ŋai^{13}ua^{53}i^{21}xa^{53}ke^{53}ɲin^{13}na^{0} pʰi^{53}ku^{21}təu$^{35}_{53}$kau^{35}ciet^{3} (x)ek^{3} li^{0} . ŋai$^{13}_{21}$iəu^{35}iet^{3} fei$^{13}_{44}$ia^{0} ku^{35}tau^{21}la^{53}iaŋ$^{53}_{44}$tsɿ^{0} mau^{13}tek^{3} li^{0} uei^{53}sen$^{35}_{44}$tʂʅ^{21},kʰai$^{35}_{44}$pʰi^{53}ku^{21}mau$^{13}_{21}$li^{0} uei^{53}sen$^{35}_{44}$tʂʅ^{21},ŋai$^{13}_{44}$ mau$^{13}_{21}$li^{0} pʰan^{53}fait^{3} ia^{0} ŋai$^{13}_{21}$tsiəu^{53}kau^{21}ci^{21}tʂɔŋ$^{35}_{44}$pau^{53}tʂʅ^{21},(x)ei^{53}mei^{53}a^{0} ?u^{21}tau^{21}ŋai^{13}tʂak^{3} pʰi^{53}ku^{21}iɔŋ^{35} (x)ek^{3} ci^{21}ɲiet^{3} .ŋai^{13}ua^{53}i^{35}tsʰien$^{13}_{21}$ŋai$^{13}_{21}$tien^{0} ku$^{35}_{44}$tau$^{21}_{44}$uk^{3} xa$^{53}_{44}$tso^{53}kəŋ^{35}fu$^{35}_{44}$a^{0} ,kai$^{53}_{44}$ku^{35}(x)a$^{53}_{21}$liaŋ^{35}xɔŋ$^{53}_{44}$o^{35}ʂʅ^{21} ke$^{53}_{44}$ʂʅ^{13}xəu$^{53}_{44}$tsɿ^{0} ,xai^{13}iəu$^{35}_{53}$tʂʅ^{21}?cian^{21}ci^{21}tʰiau$^{13}_{44}$ʂəu^{53}kuən^{53}tsiəu^{53}kan^{21}tsɿ^{0} kau^{21}iɔŋ^{21}xa^{53},ma^{35}te$^{35}_{44}$ʂəu^{53}iait^{5} tsʰiəu^{53}kan^{21}tsɿ^{0} kʰai^{35}pʰi^{53}ku^{21}.mau^{13}tiet^{5} sɿ^{53}ko^{0} . ɲi$^{13}_{44}$(u)a$^{53}_{44}$i^{21}xa^{53}ɲiaŋ^{53}iet^{3} tʂak^{3} pʰi^{53}ku^{21}ɲiaŋ^{53}kan^{21}cin^{35} kuei^{53}liau^{0} ?xɔi^{53}si^{21}li^{0} .pau^{53}tʂʅ^{21}təu$^{35}_{44}$iau^{53}n̩$^{13}_{21}$tek^{3} li^{0} ,kʰan$^{53}_{21}$tʰin$^{53}_{44}$ɔi$^{53}_{44}$iəŋ$^{53}_{44}$uei^{53}sen$^{35}_{44}$tʂʅ^{21}liau^{0} .i$^{35}_{53}$tsʰien$^{13}_{21}$tʂən^{35} nei^{53}la^{0} ,tsiəu$^{53}_{21}$iəŋ$^{53}_{21}$ʂəu^{53}kuən^{53}na^{0} iəŋ^{53}kai$^{53}_{21}$ke$^{53}_{21}$tʰai^{53}ʂəu$^{53}_{44}$iait^{5} a^{0} ,e$_{21}$tʰai^{53}tiet^{5} tsɿ^{0} ke^{0} ʂəu^{53}iait^{5} a^{0} ,kan^{21}tsɿ^{0} çi^{53} kʰai$^{35}_{44}$pʰi^{53}ku^{21}. ɲiaŋ^{53}xei$^{13}_{21}$i^{21}xa^{53}ke^{53}pʰi^{53}ku^{21}mau^{13}li^{0} iəŋ^{53},i^{21}xa$^{53}_{44}$pʰi^{53}ku^{21}kan^{21}cin^{35}kuei^{53}liau^{0} . ②比喻收拾烂摊子：你做只咁个事路子舞倒我来～。ɲi^{13}tso^{53}tʂak^{3} kan^{21}(k)e^{0} sɿ^{53}ləu^{53}tsɿ^{0} u^{21}tau^{21}ŋai^{13}lɔi$^{13}_{44}$kʰai$^{35}_{44}$ pʰi^{53}ku^{21}.

【刊】kʰɔn^{35} 动刻；雕刻：～碑就系刻碑石。我等今年还搞一次～碑，搞一坟祖地，老祖宗个地呀，搞倒～碑，打嘿几只夜工。蛮多子孙呐，爱分子孙个名字写上去啊。嗯，唔单讨进来个写上去，嫁出去个妹子都爱写上去。结果就丢嘿几个人，冇下恼哩瘾。硬惹别人家骂哩。k^{h}ɔn^{35}pi^{35}ts^{h}iəu^{53}xe$^{53}_{44}$k^{h}ek^{3} pi^{35}ʂak^{5} .ŋai^{13}tien^{0} cin$^{35}_{44}$ɲin$^{13}_{21}$xai$^{13}_{21}$kau^{21}iet^{3} ts^{h}ʅ$^{53}_{44}$k^{h}ɔn$^{35}_{44}$pi^{35},kau^{21}iet^{3} p^{h}ən$^{13}_{44}$tsɿ^{21}t^{h}i^{53}, lau^{21}tsəu^{21}tsəŋ$^{35}_{44}$ke$^{53}_{44}$t^{h}i^{53}ia^{0} ,kau^{21}tau^{21}k^{h}ɔn$^{35}_{44}$pi^{35} ,ta^{21}xek^{3} ci^{21}tʂak^{3} ia^{53}kəŋ^{35} .man$^{13}_{21}$to$^{35}_{44}$tsɿ^{21}sən^{35}na^{0} ,ɔi$^{53}_{44}$pən^{35}tsɿ^{53} sən$^{35}_{44}$ke$^{53}_{44}$miaŋ^{13}ts^{h}ʅ$^{53}_{44}$sia^{21}ʂɔŋ$^{53}_{44}$çi$^{53}_{44}$a^{0} .e$_{21}$,n̩^{13}tan$^{35}_{44}$t^{h}au^{21}tsin^{53}nɔi$^{13}_{21}$ke^{53}sia^{21}ʂɔŋ$^{53}_{44}$çi$^{53}_{44}$,ka^{53}tʂ^{h}ət^{3} c^{h}i$^{53}_{44}$ke$^{53}_{44}$mɔi^{53}tsɿ^{0} təu^{35}ɔi^{53}sia^{21}ʂɔŋ^{53}çi^{53}.ciet^{3} ko^{21}ts^{h}iəu^{53}tiəu^{35}xek^{3} ci^{21}ke^{53}ɲin^{13},u^{21}(x)a^{53}lau^{21}li^{0} in^{21}. ɲiaŋ$^{53}_{44}$ɲia^{35}p^{h}iet^{5} in$^{13}_{44}$ka$^{35}_{44}$ma^{53} li^{0}.

【勘勘子】k^{h}an^{35}k^{h}an^{35}tsɿ^{0} 副刚好：～十块钱，唔多唔少。k^{h}an^{35}k^{h}an^{35}tsɿ^{0} ʂət^{5} k^{h}uai^{53}ts^{h}ien^{13},ŋ̍^{13} to^{35}ŋ̍^{13}ʂau^{21}.

【看$_{1}$】k^{h}ɔn^{53} 动①以视线接触：要～下子箇老屋嘞。iau$^{53}_{44}$k^{h}ɔn^{53}na$_{44}$(←xa^{53})tsɿ^{0} kai^{53}lau^{21}uk^{3} le^{0}. ②看望：～人$_{指病人}$ k^{h}ɔn^{53}ɲin^{13}。③探视：到班房里去～犯人。tau^{53}pan^{35}fɔŋ$^{13}_{21}$li^{0} çi$^{53}_{44}$k^{h}ɔn^{53}fan^{53}ɲin^{13}. ④问：你掇嘿哩箇东西你打只电话分□妹子～下渠过来吗。ɲi^{13}tɔit^{3} ek^{3} li^{0} kai$^{53}_{44}$təŋ$^{35}_{44}$si^{0} ɲi$^{13}_{21}$ta^{21}tʂak^{3} t^{h}ien^{53}fa$^{53}_{21}$pən$^{35}_{44}$ŋo$_{44}$mɔi$^{53}_{21}$tsɿ^{0} k^{h}ɔn$^{53}_{44}$na^{0} ci$^{13}_{21}$ko$^{53}_{44}$lai$^{13}_{21}$ma^{0}. ⑤判断；确定：草脚嘞，箇就根据基础来～了。ts^{h}au^{21}ciɔk^{3} lei^{0} ,kai$^{53}_{44}$ts^{h}iəu$^{53}_{44}$cien$^{35}_{44}$tʂʮ^{53}ci^{35}ts^{h}əu^{21}lɔi^{13}k^{h}ɔn^{53}niau^{0}.

【看$_{2}$】k^{h}an^{53} 助用在动词或动词性短语后，表示尝试义：还想下子，箇要想下子～呐。xai$^{21}_{53}$ siɔŋ^{21}xa^{53}tsɿ^{0} ,kai$^{53}_{44}$iau$^{53}_{44}$siɔŋ^{21}xa^{53}tsɿ^{0} k^{h}an$^{53}_{44}$na^{0}.

【看病】k^{h}ɔn^{53}p^{h}iaŋ^{53} 动找医生诊治疾病：请郎中，如今是只讲去～。ts^{h}iaŋ^{21}lɔŋ^{13}tʂəŋ^{35} ,i$^{13}_{21}$cin$^{35}_{53}$ʂʅ^{53} tʂʅ^{21}kɔŋ^{21}çi$^{53}_{44}$k^{h}ɔn$^{53}_{44}$p^{h}iaŋ^{53}.

【看场】k^{h}ɔn^{53}tʂ^{h}ɔŋ^{13} 名看头，值得观看欣赏的地方。又称“看首”：箇个戏有么个～哦？箇我以系张坊街上经常有咁个么个河南箇个么个杂技呀箇只么个动物箇箇只咁个。欸，跍倒白果树下箇广场里来唱啊，来表演呐。欸，唔售票哇，安做唔售票哇。唔售票渠是么个，还唔系拿只托子来收钱，系啊？咁个有么个～？kai$^{53}_{21}$ke$^{53}_{21}$çi^{53}iəu$^{35}_{53}$mak^{3} e^{0} k^{h}ɔn^{53}tʂ^{h}ɔŋ$^{13}_{21}$ŋo^{0} ?kai^{53}ŋai$^{13}_{21}$i^{21}xei^{53} tʂɔŋ$^{35}_{44}$xɔŋ$^{35}_{44}$kai$^{35}_{44}$xɔŋ$^{53}_{44}$cin^{35}tʂ^{h}ɔŋ$^{13}_{21}$iəu$^{35}_{44}$kan$^{21}_{44}$ke$^{53}_{44}$mak^{3} kei^{53}xo^{13}lan^{13}kai^{53}ke^{53}mak^{3} e^{0} ts^{h}ait^{5} çi^{53}ia^{0} kai$^{53}_{44}$tʂak^{3} mak^{3} e^{0} t^{h}əŋ^{53}uk^{3} kai$^{53}_{44}$kai$^{53}_{44}$tʂak^{3} kan^{21}cie$^{53}_{21}$.e$_{21}$,ku^{35}tau^{21}p^{h}ak^{5} ko^{21}ʂəu$^{53}_{44}$xa$^{53}_{44}$kai^{53}kɔŋ^{21}tʂ^{h}ɔŋ^{21}li^{21}lɔi^{13}tʂ^{h}ɔŋ^{53}ŋa^{0} ,lɔi$^{13}_{21}$ piau^{21}ien^{21}na^{0} .e$_{21}$,n̩^{13}ʂəu$^{53}_{44}$p^{h}iau^{53}ua^{0} ,ɔn$^{35}_{44}$tso^{53}n̩^{13}ʂəu$^{53}_{44}$p^{h}iau^{53}ua^{0} .n̩^{13}ʂəu$^{53}_{44}$p^{h}iau^{53}ci$^{13}_{21}$ʂʅ^{53}mak^{3} ke$^{53}_{44}$,xai$^{13}_{44}$m̩$^{13}_{21}$p^{h}e$^{53}_{44}$ la^{53}(tʂ)ak^{3} t^{h}ɔk^{3} tsɿ^{0} lɔi$^{13}_{21}$ʂəu$^{35}_{44}$ts^{h}ien$^{13}_{21}$,xei^{53}a^{0} ?kan^{21}ke^{53}iəu$^{35}_{53}$mak^{3} e^{0} k^{h}ɔn^{53}tʂ^{h}ɔŋ$^{13}_{44}$?

【看倒】k^{h}ɔn^{53}tau^{21} 动看见：我小滴时候～以个锤子欸。ŋai^{13}siau^{21}tet$^{5}_{3}$ ʂʅ^{13}xei$^{53}_{44}$k^{h}ɔn^{53}tau^{21}i^{21}ke^{53} tʂ^{h}ei$^{13}_{21}$tsɿ^{0} ei^{0}.

【看得】k^{h}ɔn^{53}tek^{3} 动①看见：～一次啊。k^{h}ɔn^{53}tek^{3} iet^{3} ts^{h}ʅ^{53}a^{0}. ②见面：蛮久嫌～了哈。man^{13} ciəu^{21}maŋ^{13}k^{h}ɔn^{53}tek^{3} liau^{21}xa^{0}.

【看得起】k^{h}ɔn^{53}tek^{3} çi^{21} 动重视；看重：两公婆只有只子赖子，十分～。iɔŋ^{21}kəŋ^{35}p^{h}o^{13}tʂʅ^{21}iəu$^{35}_{53}$ tʂak^{3} tsɿ^{0} lai^{53}tsɿ^{0} ,ʂət^{5} fən$^{35}_{44}$k^{h}ɔn^{53}tek^{3} çi^{21}.

【看得重】k^{h}ɔn^{53}tek^{3} tʂ^{h}əŋ^{53} 动重视；宠爱：冇两只子鸡髀分外甥食。欸，就有体面，就看得渠重样。u^{21}iɔŋ^{21}tʂak^{3} tsɿ^{0} cie^{35}pi^{21}pən^{35}ŋɔi^{53}saŋ^{35}ʂət^{5} .e$_{21}$,ts^{h}iəu$^{53}_{44}$iəu$^{35}_{44}$t^{h}i^{21}mien$^{53}_{44}$,ts^{h}iəu$^{53}_{44}$k^{h}ɔn^{53}tek^{3} ci$^{13}_{21}$tʂ^{h}əŋ^{53} iɔŋ$^{53}_{44}$.

【看老婆】k^{h}ɔn^{53}lau^{21}p^{h}o^{13} （男子）去相亲：箇个欸伢子人去～啊。kai$^{53}_{44}$ke$^{53}_{44}$e$_{21}$ŋa^{13}tsɿ^{0} ɲin^{13}çi^{53} k^{h}ɔn^{53}lau^{21}p^{h}o^{13}a^{0}.

【看妹子】k^{h}ɔn^{53}mɔi^{53}tsɿ^{0} 娘家人在女儿生孩子之前前去看望：会提滴鸡去～。箇是鸡是肯定爱提个。当爷娭个人呀，提滴鸡去～。去看下子渠，就咁个。箇一般唔提鸡公。uɔi^{53}t^{h}ia^{35}tiet^{5} cie^{35}çi$^{53}_{44}$k^{h}ɔn^{53}mɔi^{53}tsɿ^{0} .kai$^{53}_{44}$ʂʅ$^{53}_{44}$cie^{35}ʂʅ$^{53}_{44}$c^{h}ien^{21}t^{h}in$^{53}_{44}$ɔi$^{53}_{44}$t^{h}ia^{35}ke$^{53}_{44}$.tɔŋ$^{35}_{44}$ia^{13}ɔi$^{35}_{44}$ke$^{53}_{44}$ɲin$^{13}_{21}$ia^{0} ,t^{h}ia^{35}tiet^{5} cie^{35}çi$^{53}_{44}$ k^{h}ɔn^{53}mɔi^{53}tsɿ^{0} .çi$^{53}_{44}$k^{h}ɔn^{53}na^{0} (←xa^{53})tsɿ^{0} ci^{13},ts^{h}iəu^{53}kan^{21}cie^{53}.kai$^{53}_{44}$iet^{3} pɔn$^{35}_{44}$n̩$^{13}_{21}$t^{h}ia$^{35}_{44}$cie^{35}kəŋ$^{35}_{44}$.

【看首】k^{h}ɔn^{53}ʂəu^{21} 名看头，指看的价值或必要性。又称“看场”：冇得～哇箇个啊。mau^{13} tek^{3} k^{h}ɔn^{53}ʂəu^{21}ua^{0} kai$^{53}_{44}$ke$^{53}_{44}$a^{0}.

【看望】k^{h}ɔn^{53}uɔŋ$^{53}_{44}$ 动探访问候：箇只叔婆病嘿蛮久了，我硬来去～下子渠。还嫌去～下子。kai^{53}tʂak^{3} ʂəuk^{3} p^{h}o^{13}p^{h}iaŋ^{53}xek^{3} man^{13}ciəu^{21}liau^{21},ŋai^{13}ɲiaŋ^{53}lɔi$^{13}_{21}$çi$^{53}_{44}$k^{h}ɔn^{53}uɔŋ$^{53}_{21}$(x)a$^{53}_{44}$tsɿ^{0} ci$^{13}_{21}$.(x)ai$^{13}_{44}$maŋ$^{13}_{21}$çi$^{53}_{44}$ k^{h}ɔn^{53}uɔŋ$^{53}_{44}$(x)a$^{53}_{44}$tsɿ^{0}.

【看稳】k^{h}ɔn^{53}uən^{21} 副眼看着，指可能性很大：我爷子细细子尽病。～带唔大哩。ŋai$^{13}_{21}$ia^{13}tsɿ^{0} se^{53}se^{53}tsɿ^{0} ts^{h}in^{53}p^{h}iaŋ^{53}.k^{h}ɔn^{53}uən^{21}tai^{53}n̩$^{13}_{21}$t^{h}ai^{53}li^{0}.

【看唔起】kʰɔn^{53}n̩$^{13}_{44}$çi^{21}/cʰi^{21} 动轻视，小看。又称"瞧唔起"：我等箇映子有只妹子卖倒来呀，几年都𫠨供人，渠家娘嘞就～渠哦，看渠唔起哟。你话咁多年都唔供人呐，你话系真急死人呐，就～呀，看渠唔起啦。有滴子看渠唔起。ŋai^{13}tien^{0}kai^{53}iaŋ^{53}tsɿ^{0}iəu^{35}tʂak^{3}mɔi^{53}tsɿ^{0}mai^{53}tau^{21}lɔi$^{13}_{21}$ia^{0},ci^{21}ɲien^{13}təu$^{35}_{53}$maŋ$^{13}_{21}$ciəŋ^{53}ɲin^{21},ci$^{13}_{21}$ka^{35}ɲiɔŋ^{53}lei^{0}tsʰiəu^{53}kʰɔn^{53}n̩$^{13}_{21}$cʰi^{21}ci$^{13}_{44}$o^{0},kʰɔn^{53}ci$^{13}_{21}$n̩^{13}cʰi^{21}io^{0}. ɲi^{13}ua^{53}kan^{21}to^{35}ɲien$^{13}_{21}$təu$^{35}_{53}$n̩^{13}ciəŋ^{53}ɲin^{13}na^{0}, ɲi^{13}ua^{53}xei^{53}tʂən^{35}ciet^{3}si^{21}ɲin^{13}na^{0},tsʰiəu^{53}kʰɔn^{53}n̩$^{13}_{21}$cʰi^{21}ia^{0},kʰɔn^{53}ci$^{13}_{21}$n̩$^{13}_{21}$çi^{21}la^{0}.iəu^{35}tiet^{5}tsɿ^{0}kʰɔn^{53}ci$^{13}_{21}$n̩^{13}çi^{21}.

【看唔住】kʰɔn^{53}n̩$^{13}_{21}$tʂʰəu^{53} 表示不能确定是否如此：以街上～，撞怕就有（葱油饼买），撞怕冇得。i^{21}kai$^{35}_{44}$xɔŋ$^{53}_{44}$kʰɔn^{53}n̩$^{13}_{21}$tʂʰəu^{53},tsʰɔŋ^{21}pʰa$^{53}_{44}$tsʰiəu$^{53}_{44}$iəu$^{35}_{44}$,tsʰɔŋ^{21}pʰa$^{53}_{44}$mau$^{13}_{21}$tek^{3}.

【看相】kʰɔn^{53}siɔŋ^{53} 动以观察面貌而断吉凶祸福：我侪都唔～，我侪都唔去～，唔算八字唔～，咁个我唔信。算八字～我都唔信。我老婆唔信，都唔信，就系我嫔子就信。渠去～看过。我话："你不要话我知，～看倒让门子不要话我知啊，我唔信哈。"ŋai$^{13}_{21}$tsʰi$^{13}_{21}$təu$^{35}_{53}$n̩^{13}kʰɔn^{53}siɔŋ^{53}, ŋai$^{13}_{21}$tsʰi$^{13}_{21}$təu$^{35}_{53}$n̩^{13}çi$^{53}_{44}$kʰɔn^{53}siɔŋ^{53},n̩^{13}sɔn^{53}pait^{3}tsʰɿ^{53}n̩^{13}kʰɔn^{53}siɔŋ^{53},kan^{21}ke$^{53}_{44}$ŋai$^{13}_{21}$n̩^{13}sin^{53}.sɔn$^{53}_{44}$pait^{3}tsʰɿ$^{53}_{44}$kʰɔn^{53}siɔŋ^{53}ŋai$^{13}_{21}$təu$^{35}_{44}$n̩$^{13}_{21}$sin^{53}.ŋai^{13}lau^{21}pʰo$^{13}_{44}$n̩^{13}sin^{53},təu$^{35}_{44}$n̩^{13}sin^{53},tsʰiəu^{53}xei$^{53}_{44}$ŋai$^{13}_{21}$ɔi^{35}tsɿ^{0}tsʰiəu$^{53}_{44}$sin^{53}.ci^{13}çi^{53}kʰɔn^{53}siɔŋ^{53}kʰɔn^{53}ko$^{53}_{44}$.ŋai^{13}ua^{53}:"ɲi^{13}pət^{3}iau$^{53}_{44}$ua^{53}ŋai$^{13}_{21}$ti$^{35}_{53}$,kʰɔn^{53}siɔŋ^{53}kʰɔn^{53}tau^{21}ɲiɔŋ$^{53}_{44}$mən$^{53}_{44}$tsɿ^{0}puk^{3}iau^{53}ua^{53}ŋai$^{13}_{21}$ti$^{35}_{53}$a^{0},ŋai^{13}n̩^{13}sin^{53}xa^{0}."

【看笑话】kʰɔn^{53}siau^{53}fa^{53} 取笑，拿别人不体面的事当做笑料：我等横巷里箇条路如果系𫠨修成是硬会分别人家～。咁多人，一只咁个路子都𫠨搞映个是。ŋai^{13}tien^{0}uaŋ^{13}xɔŋ$^{53}_{44}$li^{0}kai$^{53}_{44}$tʰiau$^{13}_{21}$ləu^{53}ɥ^{13}ko^{21}xei$^{53}_{44}$maŋ$^{13}_{21}$siəu$^{35}_{44}$ʂaŋ$^{13}_{21}$ʂɿ$^{53}_{21}$ɲiaŋ^{53}uɔi^{53}pən$^{35}_{44}$pʰiet^{5}in$^{13}_{21}$ka$^{35}_{44}$kʰɔn^{53}siau^{53}fa^{53}.kan^{21}to$^{35}_{44}$ɲin$^{13}_{21}$,iet^{3}tʂak^{3}kan$^{21}_{13}$ke^{53}ləu^{53}tsɿ^{0}təu$^{35}_{53}$maŋ$^{13}_{21}$kau^{21}iaŋ^{53}ke^{53}ʂɿ$^{53}_{44}$.

【看中】kʰɔn^{53}tʂəŋ^{53} 动观察后感觉中意：我～哪只妹子。ŋai^{13}kʰɔn^{53}tʂəŋ$^{53}_{44}$lai$^{53}_{44}$tʂak^{3}mɔi^{53}tsɿ^{0}.

K

【墈】kʰan^{53} 名①相当陡的斜坡：上只～。ʂɔŋ^{35}tʂak^{3}kʰan^{53}. ②田埂落差较大的一侧：下青草墈个目的嘞就分箇～这里指田墈上个草铲嘿来。xa$^{35}_{44}$tsʰiaŋ^{35}tsʰau^{21}kʰan^{53}ke$^{53}_{44}$muk^{3}tiet^{3}le^{0}tsʰiəu$^{53}_{44}$pən^{35}kai$^{53}_{44}$kʰan^{53}nɔŋ$_{44}$(←xɔŋ^{53})ke$^{53}_{44}$tsʰau^{21}tsʰan^{21}nek^{3}(←xek^{3})lɔi^{13}.

【康膏】kʰɔŋ^{35}kau^{53} 名水蚌，可能原是本地话词语：～肉。也好像系浏阳话一样哩系哩。kʰɔŋ^{35}kau^{53}ɲiəuk^{3}.a$^{35}_{21}$xau^{21}tsʰiɔŋ^{53}xei^{53}liəu^{13}iɔŋ$^{13}_{44}$fa^{53}iet^{3}iɔŋ$^{53}_{44}$li^{0}xe^{53}li^{0}.

【糠】xɔŋ^{35} 名谷物脱落的壳和皮：风车车出来个二度子，箇阵我等装倒再舞倒渠打做～，分猪食。fəŋ^{35}tʂʰa$^{35}_{44}$tʂʰa^{35}tʂʰət^{3}lɔi$^{13}_{21}$ke^{0}ɲi^{53}tʰəu^{53}tsɿ^{0},kai$^{53}_{44}$tʂʰən$^{53}_{44}$ŋai^{13}tien^{0}tʂɔŋ^{35}tau$^{21}_{44}$tsai$^{53}_{44}$u^{21}tau^{21}çi^{53}ta^{21}tso^{53}xɔŋ^{35},pən^{35}tʂəu^{35}ʂət^{5}.

【糠筛】xɔŋ^{35}sai^{35} 名孔很细，用来筛去糠和碎米的筛子：米筛～，从前整米就爱箇个爱分糠筛嘿去。～蛮密，更密嘞。作用就分糠筛嘿去啊，分米留下上背呀，分糠去嘿去啊，摎箇个丁啮大子个碎米子筛嘿去啊，筛嘿底下去啊，分箇米就留倒面上啊。mi^{21}sai$^{35}_{44}$xɔŋ^{35}sai$^{35}_{44}$,tsʰəŋ^{13}tsʰien$^{13}_{44}$tʂaŋ^{21}mi^{21}tsʰiəu^{53}ɔi^{53}kai$^{53}_{44}$ke$^{53}_{44}$ɔi$^{53}_{44}$pən$^{35}_{44}$xɔŋ^{35}sai^{35}(x)ek^{3}çi^{53}.xɔŋ^{35}sai$^{35}_{44}$man^{13}miet^{5},cien$^{53}_{44}$miet^{5}le^{0}.tsɔk^{3}iəŋ$^{53}_{44}$tsʰiəu$^{53}_{44}$pən$^{35}_{44}$xɔŋ^{35}sai^{35}(x)ek^{3}çi$^{53}_{44}$a^{0},pən^{35}mi^{21}liəu^{13}ua$^{53}_{44}$ʂɔŋ^{53}pɔi$^{53}_{44}$ia^{0},pən^{35}xɔŋ^{35}tʂʰɥ^{53}(x)ek^{3}çi^{53}a^{0},lau^{35}kai$^{53}_{21}$ke$^{53}_{21}$tin$^{35}_{53}$ŋait^{3}tʰai^{53}tsɿ^{0}ke$^{53}_{44}$si^{53}mi^{21}tsɿ^{0}sai^{35}xek^{3}çi$^{53}_{21}$a^{0},sai^{35}(x)ek^{3}tei^{21}xa^{53}çi^{53}a^{0},pən^{35}kai^{53}mi^{21}tsʰiəu^{53}liəu^{13}tau^{21}mien^{53}xɔŋ^{53}ŋa^{0}.

【糠头】xɔŋ^{35}tʰei$^{13}_{21}$ 名用风车车出来的较大的谷壳：～就系～嘞就系箇起车出来个，风车车出来个，比较大个谷壳，～就谷壳。xɔŋ^{35}tʰei^{13}tsʰiəu^{53}xe^{53}xɔŋ^{35}tʰei^{13}le^{0}tsʰiəu^{53}xe^{53}kai^{53}çi^{21}tʂʰa^{35}tʂʰət^{3}lɔi$^{13}_{21}$ke^{53},fəŋ^{35}tʂʰa$^{35}_{44}$tʂʰa^{35}tʂʰət^{3}lɔi$^{13}_{21}$ke^{53},piau^{21}ciau$^{35}_{44}$tʰai^{53}ke$^{53}_{44}$kuk^{3}kʰɔk^{3},xɔŋ^{35}tʰei$^{13}_{21}$tsʰiəu^{53}kuk^{3}kʰɔk^{3}.

【扛】kʰɔŋ^{13} 动（双肩）往上耸起：肩膊抐……扛扛哩啊，安做肩膊扛扛哩啊。～肩呶，欸。肩膊～起来哟。咁子～起来。颈筋就缩唠，肩膊一～起来颈筋就缩唠。系呀？箇起人就命唔长嘞，咁就话命唔长。cien^{35}pɔk^{3}kɔŋ^{35}…kʰɔŋ^{13}kʰɔŋ^{13}lia^{0},ɔn^{35}tso$^{53}_{44}$cien^{35}pɔk^{3}kʰɔŋ^{13}kʰɔŋ^{13}lia^{0}.kʰɔŋ^{13}cien^{35}nau^{0},e$_{44}$.cien^{35}pɔk^{3}kʰɔŋ^{13}çi^{21}lɔi^{13}iau^{0}.kan^{21}tsɿ^{0}kʰɔŋ^{13}çi^{21}lɔi^{13}.ciaŋ^{21}cin^{35}tsʰiəu^{53}sɔk^{3}lau^{0},cien^{35}pɔk^{3}iet^{3}kʰɔŋ^{13}çi^{21}lɔi^{13}ciaŋ^{21}cin^{35}tsʰiəu^{53}sɔk^{3}lau^{0}.xei$^{53}_{44}$ia^{0}?kai$^{53}_{44}$çi^{21}ɲin^{13}tsʰiəu$^{53}_{44}$miaŋ^{53}m̩$^{13}_{21}$tʂʰɔŋ^{13}lei^{0},kan^{21}tsʰiəu^{53}ua^{53}miaŋ^{53}n̩$^{13}_{21}$tʂʰɔŋ^{13}.

【扛扛哩】kʰɔŋ^{13}kʰɔŋ^{13}li^{0} 形（双肩）往上耸起的样子：肩膊抐……～啊，安做肩膊～啊。cien^{35}pɔk^{3}kɔŋ^{35}…kʰɔŋ^{13}kʰɔŋ^{13}lia^{0},ɔn^{35}tso$^{53}_{44}$cien^{35}pɔk^{3}kʰɔŋ^{13}kʰɔŋ^{13}lia^{0}.

【炕】kʰɔŋ^{53} 动①熏烤：腊猪肉箇只就放下火上去安做放倒去～嘞或者。～。～猪肉哇。烤摎熏个动作两只加起来就安做～。～猪肉。lait^{5}tʂəu^{35}ɲiəuk^{3}kai$^{53}_{44}$tʂak$^{3}_{5}$tsʰiəu$^{53}_{44}$fɔŋ$^{53}_{44}$xa$^{53}_{44}$fo^{21}xɔŋ$^{53}_{44}$çi$^{53}_{44}$ɔn$^{35}_{44}$

tso$^{53}_{44}$fɔŋ^{53}tau^{21}çi$^{53}_{44}$kʰɔŋ^{53}lei^{0} xɔit^{5} tʂa^{21}.kʰɔŋ^{53}.kʰɔŋ^{53}tʂəu^{35}ɲiəuk^{3} ua^{0}.kʰau^{21}lau$^{35}_{44}$çin^{35}ke$^{53}_{44}$tʰəŋ^{53}tsɔk^{3} iɔŋ^{21}tʂak^{3} cia^{35}çi^{21}lɔi$^{13}_{21}$tsʰiəu$^{53}_{21}$ɔn$^{35}_{44}$tso$^{53}_{44}$kʰɔŋ^{53}.kʰɔŋ^{53}tʂəu^{35}ɲiəuk^{3}. ②烘烤：就来～猪肉啊箇起，箇个明火。tsʰiəu$^{53}_{44}$lɔi$^{13}_{21}$kʰɔŋ^{53}tʂəu^{35}ɲiəuk^{3} a^{0} kai$^{53}_{44}$(ç)i^{21},kai$^{53}_{44}$ke$^{53}_{44}$min^{13}fo^{21}.

【炕床】kʰɔŋ^{53}tsʰɔŋ^{13} 名旧时一种床，床板下方为柜式，前方有两个抽屉，冬天可将火缸放入取暖：还有床都有起床都安做～哦，底下可以炙火个，放火个啊，烧火个啊。～啊。北方人就有炕吵，系唔系？我等以映就～。以个以个，欸，讲起～欸，渠个就面前个床刀板底下嘞本来是空个吵，渠个做成只柜。三箇三向四向都围起来做只柜。也有有两只拖箱。或者有有拖箱板子。可以分只火缸塞进去。安做～。以前我等屋下就有一张，捡倒别人家个。xai$^{13}_{21}$ iəu$^{35}_{44}$tsʰɔŋ^{13}tau$^{35}_{44}$iəu^{35}çi^{21}tsʰɔŋ^{13}tau$^{35}_{44}$ɔn$^{35}_{44}$tso$^{53}_{44}$kʰɔŋ^{53}tsʰɔŋ$^{13}_{21}$ŋo^{0} ,te^{21}xa$^{35}_{44}$kʰo^{21}i^{21}tʂak^{3} fo^{21}ke^{53} ,fɔŋ^{53}fo^{21}ke^{53}a^{0} ,ʂau^{35} fo^{21}ke^{53}a^{0} .kʰɔŋ^{53}tsʰɔŋ^{13}ŋa^{0} .pɔit^{3} fɔŋ$^{35}_{44}$ɲin$^{13}_{21}$tsʰiəu$^{53}_{44}$iəu$^{35}_{44}$kʰɔŋ^{53}ʂa^{0} ,xei$^{53}_{44}$me$^{53}_{44}$?ŋai$^{13}_{21}$tien^{0} i$^{21}_{44}$iaŋ$^{53}_{44}$tsʰiəu$^{53}_{44}$kʰɔŋ^{53} tsʰɔŋ^{13} .i^{21}ke$^{53}_{44}$i^{21}ke$^{53}_{44}$,e$_{21}$,kɔŋ^{21}çi^{21}kʰɔŋ^{53}tsʰɔŋ^{13}ŋe^{0} ,ci$^{13}_{21}$ke^{53}tsəu^{0} mien^{53}tsʰien$^{13}_{21}$ke$^{53}_{44}$tsʰɔŋ^{13}tau^{35}pan^{21}te^{21}xa$^{53}_{44}$lei^{0} pən^{21}lɔi^{13}ʂɿ$^{53}_{44}$kʰəŋ^{35}ke^{53}ʂa^{0} ,ci^{13}ke$^{53}_{44}$tso^{53}tʂʰən$^{13}_{21}$tʂak^{3} kʰuei^{53}.san^{35}kai$^{53}_{44}$san^{35}çiɔŋ$^{53}_{44}$si^{53}çiɔŋ$^{53}_{44}$tau$^{35}_{44}$uei$^{13}_{21}$çi$^{21}_{44}$lɔi$^{13}_{21}$tso$^{53}_{44}$ tʂak^{3} kʰuei^{53}.ia^{35}iəu$^{35}_{44}$iəu^{35}iɔŋ^{21}tʂak^{3} tʰo^{35}siɔŋ$^{35}_{44}$.xɔit^{5} tʂa^{21}iəu$^{35}_{44}$iəu$^{35}_{44}$tʰo^{35}siɔŋ$^{35}_{44}$pan^{21}tsɿ^{0} .kʰo^{21}i^{35}pən$^{35}_{44}$tʂak^{3} fo^{21} kɔŋ$^{35}_{44}$sek^{3} tsin$^{53}_{44}$çi$^{53}_{44}$.ɔn$^{35}_{44}$tso$^{53}_{44}$kʰɔŋ^{53}tsʰɔŋ^{13} .i$^{35}_{53}$tsʰien$^{13}_{21}$ŋai$^{13}_{21}$tien^{0} uk^{3} xa$^{35}_{44}$tsiəu$^{53}_{44}$iəu^{35}iet^{3} tʂɔŋ^{35} ,cian^{21}tau^{21}pʰiet^{5} in$^{13}_{44}$ ka$^{35}_{44}$ke$^{53}_{44}$.

【炕凳子】kʰɔŋ^{53}tien^{53}tsɿ^{0} 名火炉两侧靠墙放置的两张宽大的带靠背的凳子：有，有，～，有。有靠背，欸，坐倒更舒服。～。iəu^{35},iəu^{35},kɔŋ^{53}tien^{53}tsɿ^{0} ,iəu^{35}.iəu^{35}kʰau^{53}pɔi$^{53}_{44}$,e$_{21}$,tsʰo^{35}tau^{21}cien$^{53}_{44}$ʂɿ^{35} fuk^{5}.kɔŋ^{53}tien^{53}tsɿ^{0}.

【尻子】kʰau^{35}tsɿ^{0} 名睾丸。又称“卵子、鸟核子”：（鸟核子）又安做～。iəu$^{53}_{44}$ɔn$^{35}_{44}$tso$^{53}_{44}$kʰau^{35}tsɿ^{0}. ｜公猪子就易得（阉）唠，只爱割嘿箇～去凑。kəŋ^{35}tʂəu^{35}tsɿ^{0} tsʰiəu$^{53}_{44}$i^{53}tek^{3} lau^{0} ,tʂɿ^{21}ɔi^{53}kɔit^{3} (x)ek^{3} kai^{53}kʰau^{35}tsɿ^{0} çi^{53}tsʰe^{0}.

【考】kʰau^{21} 动考试：你细人子～倒哩大学，系唔系？～倒大学，爱搞一餐食哩。ɲi$^{13}_{21}$sei^{53}in$^{13}_{21}$ tsɿ^{0} kʰau^{21}tau^{21}li^{0} tʰai^{53}xɔk^{5} ,xei$^{53}_{44}$me$^{53}_{44}$?kʰau^{21}tau^{21}tʰai^{53}xɔk^{5} ,ɔi$^{53}_{44}$kau^{21}iet^{3} tsʰɔn$^{35}_{44}$ʂət^{5} li^{0}.

【考虑】kʰau^{21}ly^{53} 动思索问题，以便做出决定：或者做事个时候子，自家～不周哇，系唔系？xɔit^{5} tʂa^{21}tso^{53}sɿ^{53}ke$^{53}_{44}$ʂɿ^{13}xəu^{53}tsɿ^{0} ,tsʰɿ$^{53}_{44}$ka$^{35}_{44}$kʰau^{21}ly$^{53}_{44}$pət^{3} tʂəu^{35}ua^{0} ,xe$^{53}_{44}$me$^{53}_{44}$?

【考起】kʰau^{21}çi^{21} 动报考并被录取：～哩 kʰau^{21}çi^{21}li^{0} ｜ 𫠡～ maŋ^{13}kʰau^{21}çi^{21}

【考取】kʰau^{21}tsʰi^{21} 动报考被录取：箇还有只欸也箇讲下子空事哦，我爷子去送倒渠去哩嘞，去报名吵，系啊？报考吵，临时报考就临时考。考哩就跍倒箇歇一夜，歇一夜唔知两夜就两晡子就放榜。我爷子想下子我也来去噢，嗯，我也来去考一下，报只名哦，两兄弟都～哩哦，欸，两兄弟～哩浏阳师范呶。我爷子是首先本来学手艺个了，准备爱渠学手艺了。𫠡学手艺。kai^{53}xai$^{13}_{21}$iəu^{35}tʂak^{3} ei^{0} ia$^{35}_{44}$kai^{53}kɔŋ^{21}xa$^{35}_{44}$tsɿ^{0} kʰəŋ^{53}sɿ$^{53}_{44}$o^{0} ,ŋai^{13}ia^{13}tsɿ^{0} çi^{53}səŋ^{53}tau^{21}ci^{13}çi^{53}li^{0} lei^{0} ,çi$^{53}_{44}$pau^{53}miaŋ^{13} ʂa^{0} ,xei$^{53}_{44}$a^{0} ?pau^{53}kʰau^{21}ʂa^{0} ,lin^{13}ʂɿ^{13}pau^{53}kʰau^{21}tsʰiəu^{53}lin^{13}ʂɿ^{13}kʰau^{21}.kʰau^{21}li^{0} tsʰiəu$^{53}_{44}$ku^{35}tau$^{21}_{44}$kai$^{53}_{44}$çiet^{3} iet^{3} ia^{53} ,çiet^{3} iet^{3} ia^{53} n̩^{13}ti$^{35}_{53}$iɔŋ^{21}ia^{53}tsʰiəu$^{53}_{21}$iɔŋ^{21}pu^{35}tsɿ^{0} tsʰiəu$^{53}_{44}$fɔŋ^{53}pɔŋ^{21}.ŋai$^{13}_{21}$ia^{13}tsɿ^{0} siɔŋ$^{21}_{13}$xa$^{53}_{21}$tsɿ^{0} ŋai^{13}ia$^{35}_{44}$lɔi$^{13}_{21}$çi^{53} au^{0} ,n̩$_{44}$,ŋai^{13}ia$^{35}_{44}$lɔi$^{13}_{21}$çi^{53}kʰau^{21}iet^{3} xa^{53} ,pau^{53}tʂak^{3} miaŋ^{13}ŋo^{0} ,iɔŋ^{21}çiɔŋ$^{35}_{44}$tʰi^{53}tau$^{35}_{53}$kʰau^{21}tsʰi^{21}li^{0} o^{0} ,ei$_{21}$,iɔŋ^{21}çiɔŋ$^{35}_{44}$ tʰi^{53}kʰau^{21}tsʰi^{21}li^{0} liəu^{13}iɔŋ^{13}sɿ$^{35}_{44}$fan^{53}nau^{0} .ŋai$^{13}_{21}$ia^{13}tsɿ^{0} ʂɿ$^{53}_{44}$ʂəu^{21}sien$^{35}_{53}$pən^{21}nɔi^{13}xɔk^{5} ʂəu^{21}ɲi^{53}cie^{53}liau^{0} ,tʂən^{21}pʰi^{53} ɔi^{53}ci$^{13}_{21}$xɔk^{5} ʂəu^{21}ɲi^{53}liau^{0} .maŋ^{13}xɔk^{5} ʂəu^{21}ɲi^{53}.

【烤】kʰau^{21} 动把东西放在火的周围使之变干、变热或变熟：（我等个草烟）唔爱么啊～一下。m̩$^{13}_{21}$mɔi$^{53}_{44}$mak^{3} a^{0} kʰau^{21}iet^{3} xa^{53}. ｜炕猪肉哇。～掺熏个动作两只加起来就安做炕。kʰɔŋ^{53}tʂəu^{35} ɲiəuk^{3} ua^{0} .kʰau^{21}lau$^{35}_{44}$çin^{35}ke$^{53}_{44}$tʰəŋ^{53}tsɔk^{3} iɔŋ^{21}tʂak^{3} cia^{35}çi^{21}lɔi$^{13}_{21}$tsʰiəu$^{53}_{21}$ɔn$^{35}_{44}$tso$^{53}_{44}$kʰɔŋ^{53}.

【烤烟】kʰau^{21}ien^{35} 名①在特设的烤房中烤干的烟叶，是香烟的主要原料：如今以只～唔知喊它么啊烟？/就系～，唔知安做品种个烟。唔晓得。i$^{13}_{21}$cin^{35}i^{21}tʂak^{3} kʰau^{21}ien^{35}n̩$^{13}_{21}$ti$^{35}_{44}$xan^{53}tʰa$^{35}_{21}$mak^{3} a^{0} ien^{35}?/tsʰiəu^{53}ue$_{44}$(←xe^{53})kʰau^{21}ien$^{35}_{44}$,n̩$^{13}_{21}$ti$^{35}_{44}$ɔn$^{35}_{44}$tso$^{53}_{44}$pʰin^{21}tʂəŋ^{21}ke$^{53}_{44}$ien$^{35}_{44}$.n̩$^{13}_{21}$çiau^{21}tek^{3}. ②制造烤烟的烟草：箇就～也有种下子，土烟也有种啊，草烟呐也有人种啊。kai$^{53}_{44}$tsʰiəu$^{53}_{44}$kʰau^{21}ien^{35}ia^{35}iəu^{35}tʂəŋ^{53}ŋa$_{44}$ (←xa^{53})tsɿ^{0} ,tʰəu^{21}ien$^{35}_{44}$ia$^{35}_{44}$iəu$^{35}_{44}$tʂəŋ$^{53}_{44}$ŋa^{0} ,tsʰau^{21}ien$^{35}_{44}$na^{0} ia^{35}iəu$^{35}_{44}$ɲin$^{13}_{21}$tʂəŋ^{53}ŋa^{0}.

【铐】kʰau^{53} 动背绑：～起来 kʰau^{53}çi^{21}lɔi^{13}

【靠】kʰau^{53} 动①倚靠；背靠：背～背咁子翻下过。pɔi^{53}kʰau$^{53}_{44}$pɔi^{53}kan^{21}tsɿ^{0} fan^{35}na$_{44}$ko$^{53}_{44}$. ②接近，挨近：妹子人系个间呢一般都系～只肚里，唔得～外背。mɔi^{53}tsɿ^{0} ɲin^{13}xei^{53}kei$^{53}_{44}$kan^{35}nei^{0} iet^{3} pɔn^{35}tau$^{35}_{53}$xei$^{53}_{44}$kʰau$^{53}_{44}$tʂak^{3} təu^{21}li^{0} ,n̩^{13}tek^{3} kʰau$^{53}_{44}$ŋɔi^{53}pɔi$^{53}_{44}$. ｜一般后背都～山。因为我等都系山里吵，

客家人都去山里，都爱～岭岗。iet^{3} pɔn^{35}xei^{53}pɔi$^{53}_{44}$təu$^{35}_{44}$kʰau^{53}san^{35}.in^{35}uei$^{13}_{21}$ŋai$^{13}_{21}$tien^{0} təu^{35}xe$^{53}_{44}$san^{35}ni^{21} ʂa^{0},kʰak^{3}ka$^{35}_{44}$ɲin$^{13}_{21}$təu$^{35}_{44}$çi$^{53}_{44}$san^{35}ni^{21},təu^{35}ɔi$^{53}_{44}$kʰau^{53}liaŋ^{35}kɔŋ$^{53}_{44}$. ③依赖，仰仗：～荷担子谋生 kʰau^{53}kʰai$^{35}_{44}$ tan^{35}tsɿ^{0} miau^{13}sien^{35}｜渠箇阵子～绩绩来卖钱咯。ci^{13}kai^{53}tʂʰən$^{53}_{44}$tsɿ^{0} kʰau^{53}tsiak^{3} tsiak^{3} lɔi^{13}mai^{53}tsʰien^{13} ko^{0}.

【靠背】kʰau^{53}pɔi^{53} 名 坐具上供人背部倚靠的部分：（炕凳子）有～，欸，坐倒更舒服。iəu^{35} kʰau^{53}pɔi$^{53}_{44}$,e$_{21}$,tsʰo^{35}tau^{21}cien$^{53}_{44}$ʂʅ^{35}fuk^{5}.

【靠背椅子】kʰau^{53}pɔi$^{53}_{44}$i^{21}tsɿ^{0} 名 有靠背的椅子：还有种就矮桌子嘞，就坐箇起咁个～，矮椅子个呢。xai^{13}iəu$^{35}_{44}$tʂəŋ^{21}tsʰiəu^{53}ai^{21}tsɔk^{3} tsɿ^{0} lei^{0} ,tsʰiəu$^{53}_{44}$tsʰo^{35}kai$^{53}_{44}$çi$^{21}_{44}$kan^{21}kei$^{53}_{44}$kʰau^{53}pɔi$^{53}_{44}$i^{21}tsɿ^{0} ,ai^{21}i^{21}tsɿ^{0} ke^{53} nei^{0}.

【靠得住】kʰau^{53}tek^{3} tʂʰəu^{53} 副 肯定；一定：小满箇晡就～会涨水。siau^{21}man^{35}kai^{53}pu$^{35}_{44}$tsʰiəu$^{53}_{44}$ kʰau^{53}tek^{3} tʂʰəu^{53}uɔi^{53}tʂɔŋ^{21}ʂei^{21}.｜以前我爷子讲啊，解放前咯爱读箇个以个张家坊啊以个浏阳个以个张坊小河箇后生人呐爱读书哇爱读初中啊箇阵子只讲，小学毕业都易得，系唔系啊？爱读初中呢爱考，考唔倒。考唔倒让门搞嘞？你就到江西去读，到铜鼓去读，到万载去读。渠话箇江西铜鼓万载嘞箇个学堂嘞箇个初中啊，欸，渠个录取分数唔知几低，真好进。渠话浏阳个学生你只爱……渠等是一般是开学了就来招生呐让门子个以前咯。渠话你硬只爱扛倒被窝去凑噢，～喔硬考得倒喔，～考得倒。渠话六十年过嘿哩了啦，六十几年过嘿哩啊，还系咁个，如今都还系咁个，我等浏阳考高中唔倒个学生，你想读高中个话，你只爱到江西去凑，到万载去，欸，到铜鼓去，～考得到。i$^{35}_{53}$tsʰien$^{13}_{21}$ŋai$^{13}_{21}$ia^{13}tsɿ^{0} kɔŋ^{21}ŋa^{0} ,kai^{21}fɔŋ^{53}tsʰien^{13}ko^{0} ɔi^{53}tʰəuk^{5} kai^{53}ke^{53}i^{21}ke^{53}tʂɔŋ^{35}ka$^{35}_{44}$fɔŋ^{35}ŋa^{0} i^{21}kei^{53}liəu^{13}iɔŋ^{13}kei^{53}i^{21}ke^{53}tʂɔŋ^{35}fɔŋ$^{35}_{44}$siau^{21}xo^{13}kai$^{53}_{44}$xei^{53}saŋ$^{35}_{44}$ɲin$^{13}_{21}$na^{0} ɔi^{53} tʰəuk^{5} ʂəu^{35}ua^{0} ɔi^{53}tʰəuk^{5} tsʰəu^{35}tʂɔŋ^{35}ŋa^{0} kai^{53}tʂʰən^{53}tsɿ^{0} tʂʅ^{21}kɔŋ^{21},siau^{21}çiɔk^{5} piet^{3} ɲiait^{5} təu$^{35}_{53}$i$^{53}_{44}$tek^{3} ,xei^{53}me^{53} a^{0} ?ɔi^{53}tʰəuk^{5} tsʰəu^{35}tʂəŋ$^{35}_{44}$ne^{0} ɔi^{53}kʰau^{21},kʰau^{21}n̩^{13}tau^{21}.kʰau^{21}n̩^{13}tau^{21}ɲiɔŋ^{53}mən^{0} kau^{21}lei^{0} ?ɲi^{13}tsʰiəu^{53}tau^{53}kɔŋ^{35} si$^{35}_{44}$çi$^{53}_{44}$tʰəuk^{5} ,tau^{53}tʰəŋ^{13}ku^{21}çi$^{53}_{44}$tʰəuk^{5} ,tau^{53}uan^{53}tsai^{21}çi$^{53}_{44}$tʰəuk^{5} .ci$^{13}_{21}$ua$^{53}_{44}$kai^{53}kɔŋ^{35}si$^{35}_{44}$tʰəŋ^{13}ku^{21}uan^{53}tsai^{21}lei^{0} kai$^{53}_{44}$ke$^{53}_{44}$xɔk^{5} tʰɔŋ$^{13}_{21}$lei^{0} kai$^{53}_{44}$ke$^{53}_{44}$tsʰəu^{35}tʂəŋ$^{35}_{44}$a^{0} ,e$_{21}$,ci$^{13}_{44}$kei$^{53}_{44}$ləuk^{5} tsʰi^{21}fən^{35}səu^{53}n̩$^{13}_{21}$ti$^{35}_{53}$ci^{21}te^{35},tʂən^{35}xau^{21}tsin^{53}. ci$^{13}_{44}$(u)a$^{53}_{44}$liəu^{13}iɔŋ$^{13}_{21}$ke$^{53}_{44}$xɔk^{5} saŋ$^{35}_{44}$ɲi^{13}tʂʅ^{21}ɔi^{53}…ci^{13}tien^{0} ʂʅ$^{53}_{44}$iet^{3} pɔn^{35}ʂʅ$^{53}_{44}$kʰɔi$^{35}_{44}$çiɔk^{5} liau^{0} tsʰiəu^{53}lɔi$^{13}_{21}$tʂau$^{35}_{44}$sen$^{35}_{44}$ na^{0} ɲiɔŋ$^{53}_{44}$mən$^{13}_{44}$tsɿ^{0} ke^{0} i$^{35}_{44}$tsʰien$^{13}_{21}$ko^{0} .ci$^{13}_{44}$(u)a$^{53}_{44}$ɲi^{13}ɲiaŋ$^{53}_{44}$tʂʅ^{21}ɔi^{53}kʰuai^{21}tau^{21}pʰi$^{35}_{44}$pʰo$^{35}_{44}$çi^{53}tsʰe^{0} au^{0} ,kʰau$^{53}_{44}$tek^{3} tʂʰəu^{53}uo^{0} ɲiaŋ^{53}kʰau^{21}tek^{3} tau^{21}uo^{0} ,kʰau$^{53}_{44}$tek^{3} tʂʰəu^{53}kʰau^{21}tek^{3} tau^{21}.ci$^{13}_{44}$(u)a$^{53}_{44}$liəuk^{3} ʂət^{5} ɲien$^{13}_{21}$ko^{53}xek^{3} li^{0} liau$^{21}_{44}$la^{0} ,liəuk^{3} ʂət^{3} ci^{21}ɲien^{13}ko^{53}xek^{3} li^{0} a^{0} ,xai$^{13}_{21}$xei^{53}kan^{21}ke^{53},i$^{13}_{21}$cin$^{35}_{53}$təu$^{35}_{53}$xai$^{13}_{21}$xei^{53}kan^{21}cie^{53},ŋai^{13}tien^{0} liəu^{13} iɔŋ$^{13}_{21}$kʰau^{21}kau$^{35}_{44}$tʂəŋ$^{35}_{44}$n̩$^{13}_{21}$tau^{21}ke$^{53}_{44}$xɔk^{5} saŋ$^{35}_{44}$, ɲi$^{13}_{21}$siɔŋ^{21}tʰəuk^{5} kau^{35}tʂəŋ$^{35}_{53}$ke$^{53}_{44}$fa$^{53}_{44}$, ɲi$^{13}_{21}$tʂʅ^{21}ɔi$^{53}_{44}$tau^{53}kɔŋ^{35}si$^{35}_{44}$çi$^{53}_{44}$ tsʰe^{0} ,tau^{53}uan^{53}tsai^{21}çi^{53},e$_{21}$,tau^{53}tʰəŋ^{13}ku^{21}çi^{53},kʰau^{53}tek^{3} tʂʰəu^{53}kʰau^{21}(t)ek^{3} tau^{53}.

【靠近】kʰau^{53}cʰin^{53} 动 相距不远；挨近：箇个（南乡）～江西边界上就有（客家人）。kai$^{53}_{21}$ke$^{53}_{44}$ kʰau^{53}cʰin$^{53}_{44}$kɔŋ^{35}si$^{35}_{44}$pien^{35}kai^{53}xɔŋ$^{53}_{44}$tsʰiəu$^{53}_{44}$iəu^{35}.｜～钩子，钩子箇向个，秤盘子箇向个，就头荷。～秤尾个，就二荷。kʰau^{53}cʰin^{53}kei^{35}tsɿ^{0} ,ciei^{35}tsɿ^{0} kai$^{53}_{44}$çiɔŋ$^{53}_{44}$ke$^{53}_{44}$,tʂʰən^{53}pʰan$^{13}_{21}$tsɿ^{0} kai$^{53}_{44}$çiɔŋ$^{53}_{44}$ ke$^{53}_{44}$,tsʰiəu^{53}tʰei$^{13}_{21}$xo$^{13}_{21}$.kʰau$^{53}_{44}$cʰin$^{53}_{44}$tʂʰən^{53}mi^{35}ke$^{53}_{44}$,tsiəu$^{53}_{44}$ɲi^{53}xo$^{13}_{21}$.

【茍茍子】xo^{35}xo^{35}tsɿ^{0} 副 刚好；恰巧：唔大唔细，～合适。ŋ̍^{13}tʰai^{53}ŋ̍^{13}se^{53},xo^{35}xo^{35}tsɿ^{0} xɔit^{5} ʂʅ^{5}.｜～两个人都去箇映。xo^{35}xo^{35}tsɿ^{0} iɔŋ^{21}ke^{53}ɲin^{13}təu^{35}çi^{53}kai^{53}iaŋ$^{53}_{35}$.

【科仪】kʰo^{35}ɲi^{13} 名 纸扎：欸，书上书上个书面讲个就～嘞。科仪店呢。做纸扎呀。安做纸扎，又安做～。科学个科，仪式个仪，～。要舞……以个栏场死哩人吵，死哩人爱列只表。么人搞纸扎，系唔系？么人当么个，管么个唠。箇当搞纸扎个人是唔写纸扎，写～。……箇项工作安做～。e$_{21}$,ʂəu^{35}xɔŋ$^{53}_{44}$ʂəu^{35}xɔŋ$^{53}_{44}$ke$^{53}_{44}$ʂəu^{35}mien^{53}kɔŋ^{21}ŋe^{0} tsʰiəu$^{53}_{44}$kʰo^{35}ɲi$^{13}_{21}$lei^{0} .kʰo^{35}ɲi^{13}tian^{53}nei^{0} .tso^{53}tʂʅ^{21} tsait^{3} ia^{0} .ɔn^{35}tso^{53}tʂʅ^{21}tsait^{3} ,iəu$^{53}_{44}$ɔn$^{35}_{44}$tso$^{53}_{44}$kʰo^{35}ɲi$^{13}_{21}$.kʰo^{35}çiɔk^{5} ke$^{53}_{44}$kʰo^{35}, ɲi^{13}ʂʅ^{53}ke$^{53}_{44}$ɲi^{13},kʰo^{35}ɲi$^{13}_{21}$.iau^{53}u^{21}…i^{21} ke^{53}lɔŋ$^{13}_{21}$tʂʰɔŋ$^{13}_{44}$si^{21}li^{0} ɲin^{13}ʂa^{0} ,si^{21}li^{0} ɲin^{13}ɔi$^{53}_{44}$liet^{5} tʂak^{3} piau^{21}.mak^{3} ɲin$^{13}_{44}$kau^{21}tʂʅ^{21}tsait^{3} ,xei$^{53}_{44}$me$^{53}_{44}$?mak^{3} ɲin$^{13}_{44}$ tɔŋ^{35}mak^{3} ke$^{53}_{44}$,kɔn^{21}mak^{3} ke$^{53}_{44}$lau^{0} .kai^{53}tɔŋ$^{35}_{44}$kau^{21}tʂʅ^{21}tsait^{3} ke^{53}ɲin^{13}ʂʅ^{53}n̩^{13}sia^{21}tʂʅ^{21}tsait^{3} ,sia^{21}kʰo^{35}ɲi^{13}.…kai$^{53}_{44}$ xɔŋ$^{53}_{44}$kəŋ^{35}tsɔk^{3} ɔn$^{35}_{44}$tso$^{53}_{44}$kʰo^{35}ɲi$^{13}_{21}$.

【科仪店】kʰo^{35}ɲi^{13}tian^{53} 名 纸扎店：欸，有滴人开店子，卖咁个么个欸迷信用品吵，渠安做～。～，卖咁个迷信用品呐，卖个花圈呢，卖咁个东西个。ei$_{21}$,iəu^{35}tet^{5}ɲin$^{13}_{44}$kʰɔi^{35}tian^{53}tsɿ^{0}, mai^{53}kan^{21}cie$^{53}_{44}$mak^{3} ke^{53}e$_{21}$mei^{13}sin^{53}iəŋ^{53}pʰin^{21}ʂa^{0} ,ci$^{13}_{21}$ɔn$^{35}_{44}$tso$^{53}_{44}$kʰo^{35}ɲi^{13}tian^{53}.kʰo^{35}ɲi^{13}tian^{53},mai^{53}kan^{21}ke$^{53}_{44}$ mei^{13}sin^{53}iəŋ^{53}pʰin^{21}na^{0} ,mai$^{53}_{44}$ke$^{53}_{44}$fa^{35}cʰien$^{35}_{44}$ne^{0} ,mai^{53}kan^{21}ke$^{53}_{44}$təŋ$^{35}_{44}$si^{0} ke^{53}.

【颏仰下】kɔi^{35}ŋɔŋ^{35}xa^{35} 名 下巴下方：～就以颈筋下，～。kɔi^{35}ŋɔŋ$^{35}_{44}$xa^{35}tsʰiəu^{53}i$^{13}_{21}$ciaŋ^{21}cin$^{35}_{44}$xa^{35}, kɔi^{35}ŋɔŋ$^{35}_{44}$xa^{35}.｜有兜老人家子食起饭来糊糊架架，～搞倒箇口水鼻脓都有哇。iəu^{35}te$^{35}_{53}$lau^{21}ɲin^{13}ka$^{35}_{44}$tsɿ^{0} ʂət^{5} çi^{21}fan^{53}nɔi$^{13}_{44}$fu^{13}fu^{13}cia^{53}cia^{53},kɔi^{35}ŋɔŋ$^{35}_{44}$xa^{35}kau^{21}tau^{21}kai^{53}xei^{21}ʂei^{21}pʰi^{53}ləŋ$^{13}_{21}$təu$^{35}_{44}$iəu$^{35}_{44}$ua^{0}.

【搕】kʰɔk^{3} 动①敲击：～碎 kʰɔk^{3}si^{53}。②敲击以取出：话别人家欸讨只老婆，生哩细人子就细人子就爱，老婆就离嘿去欸，唔爱呀，安做话别人家“～嘿麻子不要麻稿”。就咁个，～嘿哩麻子，赖子就带倒，那就爱，姝子就不要哩。老婆就不要哩啊。就系～……安做～嘿麻稿，～嘿麻子，不要哩麻稿。～嘿麻子，～嘿，那芝麻吵，系唔系？就爱～啊，～嘿麻子，不要麻稿。ua^{53}pʰiet^{5}ɲin$^{13}_{21}$ka$^{35}_{44}$e$_{21}$tʰau^{21}tʂak^{3}lau^{21}pʰo^{13},saŋ^{35}li^{0}se^{53}ɲin$^{13}_{21}$tsɿ^{0}tsʰiəu$^{53}_{44}$se^{53}ɲin$^{13}_{21}$tsɿ^{0}tsʰiəu$^{53}_{44}$ɔi^{53},lau^{21}pʰo^{13}tsʰiəu^{53}li^{13}(x)ek^{3}çi^{53}e^{0},m̩$^{13}_{21}$mɔi$^{53}_{35}$ia^{0},ɔn$^{35}_{44}$tso$^{53}_{44}$ua^{53}pʰiet^{5}ɲin$^{13}_{21}$ka$^{35}_{44}$"kʰɔk^{3}(x)ek^{3}ma^{13}tsɿ^{0}pət^{3}iau^{53}ma^{13}kau^{21}".tsʰiəu$^{53}_{44}$kan^{21}cie$^{53}_{44}$,kʰɔk^{3}(x)ek^{3}li^{0}ma^{13}tsɿ^{0},lai^{53}tsɿ^{0}tsʰiəu$^{53}_{44}$tai^{53}tau^{21},la$^{53}_{21}$tsʰiəu$^{53}_{44}$ɔi^{53},ɔi^{35}tsɿ^{0}tsʰiəu^{53}pət^{3}iau^{53}li^{0}.lau^{21}pʰo^{13}tsʰiəu^{53}pət^{3}iau^{53}li^{0}a^{0}.tsiəu$^{53}_{44}$ue$_{44}$(←xe^{53})kʰɔk^{3}…ɔn$^{35}_{44}$tso$^{53}_{44}$kʰɔk^{3}(x)ek^{3}ma^{13}kau^{21},kʰɔk^{3}(x)ek^{3}ma^{13}tsɿ^{0},pət^{3}iau^{53}li^{0}ma^{13}kau^{21}.kʰɔk^{3}xek^{3}ma^{13}tsɿ^{0},kʰɔk^{3}xek^{3},ne$_{44}$tʂɿ$_{44}$ma^{13}ʂa^{0},xe$^{53}_{44}$me$^{53}_{44}$?tsʰiəu$^{53}_{44}$ɔi$^{53}_{44}$kʰɔk^{3}a^{0},kʰɔk^{3}(x)ek^{3}ma^{13}tsɿ^{0},pət^{3}iau^{53}ma^{13}kau^{21}.

【搕塘码子】kʰɔk^{3}tʰɔŋ^{13}ma^{35}tsɿ^{0} ①敲去塘码子上的某根木方子来调控塘中水位的高低。又称“旱塘码子”：搕哩塘码子 kʰɔk^{3}li^{0}tʰɔŋ^{13}ma^{35}tsɿ^{0}｜搕嘿塘码子去啊。kʰɔk^{3}(x)ek^{3}tʰɔŋ^{13}ma^{35}tsɿ^{0}çi$^{53}_{44}$a^{0}. ②谑称尿很胀时去拉尿：来去搕只塘码子啊！lɔi^{13}çi^{53}kʰɔk^{3}tʂak^{3}tʰɔŋ^{13}ma^{35}tsɿ^{0}a^{0}!

【嗑嗑】kʰo^{53}kʰo$^{53}_{44}$ 拟声摹拟敲击声：（鸡啦恰）敲起来～响。kʰau^{35}çi^{21}lɔi^{13}kʰo^{53}kʰo$^{53}_{44}$çiɔŋ^{21}.

【窠$_{1}$】kʰo^{35} 名①禽兽昆虫的窝：鸦鹊～ a^{35}siak^{3}kʰo^{35}｜羊个～ iɔŋ^{13}ke^{0}kʰo^{35}｜渠$_{燕蜂子}$同箇燕子样作～。箇～也像燕子。ci$^{13}_{21}$tʰəŋ$^{13}_{21}$kai$^{53}_{44}$ien^{53}tsɿ^{0}iɔŋ$^{53}_{44}$tsɔk^{3}kʰo^{35}.kai$^{53}_{21}$kʰo^{35}e$_{44}$(←a^{35})tsʰiɔŋ$^{53}_{44}$ien^{53}tsɿ^{0}. ②喻指类似巢穴的东西：用棉絮子做只～样，包稳（茶壶）。iəŋ^{53}mien^{13}si^{53}tsɿ^{0}tso$^{53}_{21}$tʂak^{3}kʰo^{35}iɔŋ$^{53}_{44}$,pau^{35}uən^{21}.

【窠$_{2}$】kʰo^{35} 量指居于同一巢穴的禽兽昆虫：一～蜂子 iet^{3}kʰo^{35}fəŋ^{35}tsɿ^{0}｜一～鸡崽子 iet^{3}kʰo^{35}cie^{35}tse^{21}tsɿ^{0}｜一～狗崽子 iet^{3}kʰo^{35}kei^{21}tse^{21}tsɿ^{0}

【窠子】kʰo^{35}tsɿ^{0} 名①鸟兽昆虫的窝：去墙上作倒子个点仔大子个～个，安做燕蜂子。渠同箇燕子样作窠。çi$^{53}_{44}$tsʰiɔŋ^{13}xɔŋ^{13}tsɔk^{3}tau^{21}tsɿ^{0}ke$^{53}_{44}$tian^{53}ŋa$^{13}_{44}$tʰai^{53}tsɿ^{0}ke$^{53}_{44}$kʰo^{35}tsɿ^{0}ke$^{53}_{44}$,ɔn^{35}tso$^{53}_{44}$ien^{53}fəŋ^{35}tsɿ^{0}.ci$^{13}_{21}$tʰəŋ$^{13}_{21}$kai$^{53}_{44}$ien^{53}tsɿ^{0}iɔŋ$^{53}_{44}$tsɔk^{3}kʰo^{35}. ②茧：箇个蚕虫箇～肚里箇箇只肉啊，蚕蛹啊。kai^{53}kei^{53}tsʰan^{13}tʂʰəŋ$^{13}_{44}$kai$^{53}_{44}$kʰo^{35}tsɿ^{0}təu^{21}li^{0}kai$^{53}_{44}$kai^{53}tʂak^{3}ɲiəuk^{3}a^{0},tsʰan^{13}iəŋ^{21}ŋa^{0}.

【磕】kʰɔk^{5} 动①敲击：有兜老人家子是长日都拿只子烟筒斗，拿只子长烟筒，拿把子长烟筒，～啊～哩，～啊～哩，嘿，你系细人子唔听话，渠个长烟筒就你屁股头～你两下，欸。iəu^{35}tei$^{35}_{53}$lau^{21}ɲin^{13}ka^{35}tsɿ^{0}ʂɿ$^{53}_{44}$tʂʰɔŋ^{13}ɲiet^{3}təu$^{35}_{44}$la^{53}tʂak^{3}tsɿ^{0}ien^{35}tʰəŋ$^{13}_{21}$tei^{21},la^{53}tʂak^{3}tsɿ^{0}tʂʰɔŋ$^{13}_{21}$ien$^{35}_{44}$tʰəŋ^{13},la^{53}pa^{21}tsɿ^{0}tʂʰɔŋ^{13}ien$^{35}_{44}$tʰəŋ^{13},kʰɔk^{5}a^{0}kʰɔk^{5}li^{0},kʰɔk^{5}a^{0}kʰɔk^{5}li^{0},xe$_{44}$,ɲi^{13}(x)e$^{53}_{44}$sei^{53}ɲin$^{13}_{44}$tsɿ^{0}n̩^{13}tʰaŋ$^{35}_{44}$ua$^{53}_{44}$,ci$^{13}_{44}$(k)e$^{53}_{44}$tʂʰɔŋ^{13}ien$^{35}_{44}$tʰəŋ^{13}tsʰiəu^{53}ɲi^{13}pʰi^{53}ku^{21}tʰei^{13}kʰɔk^{5}ɲi$^{13}_{21}$iɔŋ^{21}xa^{53},e$_{21}$. ②砸坏；打破：莫分茶碗～咁哩（啊）！mɔk^{5}pən^{35}tsʰa^{13}uən^{21}kʰɔk^{5}kan^{21}li^{0}(a^{0})! ③碰在硬东西上：一跌跌下番薯窖肚里，人都～懵。iet^{3}tet^{3}tet^{3}(x)a$^{53}_{44}$fan^{35}ʂəu$^{13}_{21}$kau^{53}təu^{21}li^{0},ɲin^{13}təu$^{35}_{44}$kʰɔk^{5}mən$^{35}_{21}$.

【壳】kʰɔk^{3} 名坚硬的外皮：砻正哩个唔爱箇只～嘁砻糠。ləŋ^{13}tʂaŋ$^{53}_{44}$li^{0}ke$^{53}_{44}$m̩$^{13}_{21}$mɔi$^{53}_{35}$kai^{53}tʂak^{3}kʰɔk^{3}xan^{53}ləŋ^{13}kʰɔŋ^{35}.｜箇～绷硬个啊，箇个指旱茶食个箇个核桃哇。kai^{53}kʰɔk^{3}paŋ^{35}ŋaŋ^{53}ke$^{53}_{44}$a^{0},kai^{53}ke^{53}tʂɿ^{21}uən^{35}tsʰa^{13}ʂət^{5}ke^{53}kai$^{53}_{44}$ke$^{53}_{44}$xek^{3}tʰau^{13}ua^{0}.｜一只人屁股头舞只箇田螺～样个，欸，一只妹子，舞只妹子。iet^{3}tʂak^{3}ɲin$^{13}_{44}$pʰi^{53}ku^{21}tʰei^{13}u^{21}tʂak^{3}kai$^{53}_{44}$tʰien$^{13}_{21}$lo$^{13}_{21}$kʰɔk^{3}iɔŋ$^{53}_{44}$ke$^{53}_{44}$,e$_{21}$,iet^{3}tʂak^{3}mɔi^{53}tsɿ^{0},u^{21}tʂak^{3}mɔi^{53}tsɿ^{0}.

【壳壳】kʰɔk^{3}kʰɔk^{3} 名坚硬的外皮，多指小而多的：烧成箇个空～样个。ʂau^{35}ʂaŋ$^{13}_{21}$kai$^{53}_{44}$ke$^{53}_{44}$kʰəŋ^{35}kʰɔk^{3}kʰɔk^{3}iɔŋ$^{53}_{44}$ke$^{53}_{44}$.｜箇个垃圾是系扫嘿哩，但是又跌倒唔知几多～，欸高粱个～。kai$^{53}_{44}$ke$^{53}_{44}$la^{35}ci$^{35}_{44}$ʂɿ$^{53}_{44}$xe$^{53}_{44}$sau^{53}xek^{3}li^{0},tan$^{53}_{44}$ʂɿ$^{53}_{44}$iəu^{53}tet^{3}tau^{21}n̩^{13}ti$^{35}_{53}$ci^{21}to$^{35}_{53}$kʰɔk^{3}kʰɔk^{3},ei$_{21}$kau^{35}liɔŋ$^{13}_{44}$ke$^{53}_{44}$kʰɔk^{3}kʰɔk^{3}.

【搭】kʰak^{5} 动捏：细人子喜欢～泥坨子搞。sei^{53}ɲin$^{13}_{21}$tsɿ^{0}çi^{21}fən$^{35}_{44}$kʰak^{5}lai^{13}tʰo^{13}tsɿ^{0}kau^{21}.｜酒药子啊，欸，街上都有卖欸箇酒药子啊。舞滴子糯米，加倒一～，～成箇只东西，放下肚里去。tsiəu^{21}iɔk^{5}tsa^{0},e$_{21}$,kai$^{35}_{44}$xɔŋ$^{35}_{44}$təu$^{35}_{44}$iəu$^{35}_{44}$mai^{53}e^{0}kai$^{53}_{44}$tsiəu^{21}iɔk^{5}tsa^{0}.u^{21}tet$^{5}_{3}$tsɿ^{0}lo^{53}mi^{21},cia^{35}tau^{21}iet^{3}kʰak^{5},kʰak^{5}ʂaŋ$^{13}_{44}$kai$^{53}_{21}$tʂak^{3}təŋ$^{35}_{44}$si^{0},fɔŋ^{53}xa$^{53}_{44}$təu^{21}li^{0}çi$^{53}_{44}$.

【可】kʰo^{21} 动助动词。①可以，表示许可：渠箇嘞也可以招待，也～唔招待。ci$^{13}_{21}$kai$^{53}_{44}$lei^{0}ia^{35}kʰo^{21}i^{35}tʂau$^{35}_{44}$tʰɔi^{53},ia^{35}kʰo^{21}n̩$^{13}_{21}$tʂau$^{35}_{44}$tʰɔi^{53}. ②能够，表示可能：渠$_{指木荡子}$个长处就在于更长，更大，～搞得更快呀。ci^{13}ke^{53}tʂʰɔŋ^{13}tʂʰɥ$^{53}_{44}$tsʰiəu$^{53}_{44}$tsʰai^{53}vy$^{13}_{21}$cien^{53}tʂʰɔŋ^{13},cien$^{53}_{44}$tʰai^{53},kʰo^{21}kau^{21}tek^{3}cien$^{53}_{44}$

kʰuai53ia0.

【可大可小】kʰo21tʰai53kʰo21siau21 可以大，也可以小。指大小多少都无关紧要：（赏封）也□讲得来嘞可有可无，～个钱。ia35mai53kɔŋ21tek3lɔi13/21lei0 kʰo21iəu35kʰo21u13,kʰo21tʰai53kʰo21siau21ke53tsʰien13/21.

【可怜₁】kʰo21lien13 形值得怜悯：真～ tʂən35kʰo21lien13

【可怜₂】kʰo21lien13 动怜悯：～渠 kʰo21lien13ci13/44

【可能】kʰo21len13 动助动词。①表示估计、推测：～你讲个不是以只东西。kʰo21len13ɲi13kɔŋ21ke53/44pət3ʂʅ53i21tʂak3təŋ35si0. ②有实现……的可能性：箇我等就唔～去西安呶。kai53/44ŋai13/21tien0tsʰiəu53 n̩13kʰo21len13çi53/44si35ŋɔn35/44nau0.｜后背箇一栋爱高滴子更好看呢。不～平倒，更不～低。xei53pɔi53/44 kai53/44iet3təŋ53/44ɔi53/44kau35tiet5tsʅ0 cien53/44xau21kʰɔn53ne0.puk3kʰo21len13/44pʰiaŋ13tau21,cien53pət3kʰo21len13te35.

【可以】kʰo21i35 动助动词。①可以，表示许可：爱交哩子时正～（拜祖）。ɔi53/44ciau35li0tsʅ21ʂʅ13 tʂaŋ53kʰo21i35.｜冇只咁烂柜也～嘞。u21tʂak3kan21/44lan53kʰuei53ia53/44kʰo21i35/44lei0. ②能够，表示可能或适合：大竹南竹笋～食啦。tʰai53tʂəuk3lan13tʂəuk3sən21kʰo21i35ʂət5la0.

【可有可无】kʰo21iəu35kʰo21u13 可以有，也可以没有。指有没有都无关紧要：（赏封）也□讲得来嘞～，可大可小个钱。ia35mai53kɔŋ21tek3lɔi13/21lei0 kʰo21iəu35kʰo21u13,kʰo21tʰai53kʰo21siau21ke53tsʰien13/21.

【刻】kʰek3 动用刀子等在物品上雕成花纹、文字：～钢板 kʰek3kɔŋ35pan21刻蜡纸｜我～过，箇阵子嘞我自家～自家个章子。ŋai13/21kʰek3ko53,kai53tʂʰən53tsʅ0le0 ŋai13/21tsʰʅ35ka35/53kʰek3tsʰʅ35ka35/53(k)e53/44tʂɔŋ35tsʅ0.

【刻刀】kʰek3tau35 名雕刻所用的刀具：我等是用箇个做～嘞，我等细细子就用箇个呃断嘿哩个箇个安做钢锯皮子啊，第一好做～。欸。磨利磨正下子嘞磨倒锋利子嘞就可以用来刻私章子。ŋai13/21tien0ʂʅ53/44iəŋ53kai53ke53/21tso53kʰek3tau35/44lei0,ŋai13/21tien0se53se53tsʅ0tsiəu53iəŋ53kai53ke53ə0tʰɔn35nek3li0 ke53kai53ke53/44ɔn35/44tso53/44kɔŋ35/44cie53pʰi13tsʅ0a0,tʰi53iet3xau21tso53kʰek3tau35.e21.mo13li53mo13tʂaŋ53xa53/44tsʅ0lei0mo13 tau21fəŋ35li53tsʅ0lei0tsʰiəu53/44kʰo21i35iəŋ53lɔi13/21kʰek3sʅ35tʂɔŋ35tsʅ0.

【客】kʰak3 名客人。又称"客佬子"：～来哩。kʰak3lɔi13/21li0.｜去寻倒箇只～来呀。çi53/44tsʰin13 tau21kai53tʂak3kʰak3lɔi13ia0.

【客祭】kʰak3tsi53 名出殡前一晚上本姓之外举行的祭奠仪式。又称"宾奠、宾奠礼"：好，打完哩箇只祭嘞箇就箇个除嘿姓……除嘿本姓个，剩下来都安做～。也安做宾奠。来宾个宾。呣，宾奠礼。xau21,ta21ien13li0 kai53/44tʂak3tsi53lei0 kai53/44tsʰiəu53/44kai53/44ke53/44tʂʰəu13uek3siaŋ53/44…tʂʰəu13uek3pən21 siaŋ53ke53/44,ʂən53çia53lɔi13/21təu35/44ɔn35/44tso53/44kʰak3tsi53.ia35ɔn35/44tso53/44pin35tʰien35.lɔi13pin35/44ke53/44pin35.m̩21,pin35tʰien35li35.

【客家】kʰak3ka35 名①客家人的简称：（竹椇）喊牛扫子是啦还喊本地人。爱讲～个，本地个莫讲倒嘞！系啊，我等客家人咯。xan53ɲiəu13sau21tsʅ0 ʂʅ53/44la44xa13/21xan53pən21tʰi53ɲin13.ɔi53/44kɔŋ21kʰak3ka35/44 ke53,pən21tʰi53/44ke53/44mɔk5kɔŋ21tau21le0!xei53a0,ŋai13tien0kʰak3ka35/44in13/21ko0. ②代指客家话：我等个～变嘿哩嘞。搞去搛箇个（本地话）搞做一坨去哩嘞。ŋai13tien0ke53/44kʰak3ka35pien53nek3(←xek3)li0 lei0.kau21çi53lau35kai53/44ke53/44kau21tso53iet3tʰo13çi53li0lei0.｜你箇个都还唔系真个～，渠硬爱真～。ɲi13 kai53/44ke53/44təu35/44xai13/21m̩13/21pʰe53/44tʂən35ke53kʰak3ka35/44,ci13ɲiaŋ53/44ɔi53/44tʂən35kʰak3ka35/44.

【客家话】kʰak3ka35fa53 名指客家人使用的汉语方言：我今去下子研究箇只～箇路子。ŋai13/21cin35/44 çia53tsʅ0ɲien35ciəu53/44kai53/44tʂak3kʰak3ka35/44fa53/44kai53/44ləu53/44tsʅ0.｜全部写～吧，系呀？欸，全部要讲～，我就尽讲～。tsʰien13pʰu53sia21kʰak3ka35fa53pa0,xei53/44ia0?e44,tsʰien13pʰu53iau53/44kɔŋ21kʰak3ka35fa53/44,ŋai13tsʰiəu53/44 tsʰin53kɔŋ21kʰak3ka35fa53/44.

【客家人】kʰak3ka35/53ɲin13/21 名属于客家民系的人：～是喊湖藤菜。kʰak3ka35/53ɲin13/21ʂʅ53/44xan53fu13tʰien13 tsʰɔi53.｜攸县个话唠。渠攸县个渠。唔系～呢。iəu35çien53/44ke53/44ua53/21lau0.ci13/21iəu35çien53/44ke53/44ci13/21.m̩13/21pʰe53/44 kʰak3ka35/53in13/21ne0.

【客佬子】kʰak3lau21tsʅ0 名客人。又称"客"：你还爱归去答谢箇起～咯。ɲi13/21xa13/21ɔi53/44kuei35çi53/44 tait3tsʰia53/44kai53/44çi21kʰak3lau21tsʅ0ko0.｜箇只～真索利呀。kai53tʂak3kʰak3lau21tsʅ0tʂən35sɔk3li53ia0.

【客气】kʰak3çi53/kʰek3cʰi53 形①彬彬有礼：到渠屋下真虔诚呢，真～。tau53ci13/21uk3xa35tʂən35 cʰien13tʂʰən13/44nei0,tʂən35/44kʰak3çi53/44. ②体面，符合礼仪，使主客双方都有面子：箇阵子是提哩只苦竹篮走人家噢是就蛮蛮～个嘞。kai53/44tʂʰən53/44tsʅ0 ʂʅ53/44tʰia35li0 tʂak3fu21tʂəuk3lan13tsei21ɲin13ka35/44au0 ʂʅ53/44 tsʰiəu53man13/44man13/44kʰek3cʰi53/21ke53/44lei0.

【客姓】kʰak3sin53/44 名代指客家话：我注意用～讲分你听。ŋai13tʂʅ53/44i53/44iəŋ53/44kʰak3sin53kɔŋ21pən35ɲi13/21 tʰaŋ35.｜如今个～变嘿哩唠。i13/21cin35/44ke53/44kʰak3sin53/44pien53nek3(←xek3)li0lau0.｜哎呀，我等～呀真

系蛮丰富。ai$_{35}$ia$_{13}$,ŋai$^{13}_{21}$tien^{0} kʰak^{3} sin^{53}ia^{0} tʂən^{35}ne^{53}(←xe^{53})man$^{13}_{21}$fəŋ^{35}fu^{53}.

【客姓话】kʰak^{3} sin^{53}fa^{53} 名客家话：你跟倒我在一起来，你个～就有进步。ɲi^{13}cien^{35}tau^{21}ŋai$^{13}_{21}$tsʰai^{53}iet^{3} çi^{21}lɔi^{13}, ɲi^{13}ke$^{53}_{44}$kʰak^{3} sin^{53}fa^{53}tsʰiəu$^{53}_{44}$iəu^{35}tsin^{53}pʰu^{53}.｜苗条～让门讲啊？柳条，欸，柳条。miau^{13}tʰiau^{13}kʰak^{3} sin^{53}fa$^{53}_{21}$ɲiɔŋ^{53}mən^{13}kɔŋ^{21}ŋa^{0}?liəu^{35}tʰiau$^{13}_{44}$,e$_{21}$,liəu^{35}tʰiau$^{13}_{21}$.

【客姓人】kʰak^{3} sin$^{53}_{44}$ɲin$^{13}_{21}$ 名客家人：本地人就安做枕脑哩，我等～安做枕头。pən^{21}tʰi^{53}ɲin$^{13}_{21}$tsʰiəu$^{53}_{44}$ɔn$^{35}_{44}$tso$^{53}_{44}$tʂən$^{13}_{21}$nau^{21}li^{0} ,ŋai$^{13}_{21}$tien^{0} kʰak^{3} sin^{53}ɲin$^{13}_{21}$ɔn$^{35}_{44}$tso$^{53}_{44}$tʂən^{21}tʰei^{13}.

【客栈】kʰak^{3} tsan^{53} 名供人暂时休息、住宿的旅店：哎，箇阵子皇碑树下一只咁大子个地方也系两三只～呢。ai$_{35}$,kai^{53}tʂʰən^{53}tsɿ^{0} uɔŋ$^{13}_{21}$pi$^{35}_{44}$ʂəu^{53}xa$^{53}_{44}$iet^{3} tʂak^{3} kan$^{21}_{13}$tʰai^{53}tsɿ^{0} ke$^{53}_{44}$tʰi$^{53}_{44}$fɔŋ$^{35}_{44}$ia^{35}xei^{53}iɔŋ^{21}san$^{35}_{44}$tʂak^{3} kʰak^{3} tsan^{53}ne^{0}.

【客子】kʰak^{3}tsɿ^{0} 名客人：外背来个～ ŋɔi^{53}pɔi$^{53}_{44}$lɔi$^{13}_{21}$ke$^{53}_{44}$kʰak^{3} tsɿ^{0}

【课桌椅】kʰo^{53}tsɔk^{3} i^{21} 名学生用的课桌和椅子的合称：学生子个就有欸连起来加起来安做～呀。连起来讲，加在一起来话，桌呀摎凳都加起来讲，几多套哇？一套～呀。xɔk^{5} saŋ$^{35}_{44}$tsɿ^{0} ke$^{53}_{44}$tsʰiəu$^{53}_{44}$iəu$^{35}_{44}$ei$_{21}$lien^{13}çi^{21}lɔi^{13}cia^{35}çi^{21}lɔi$^{13}_{44}$ɔn$^{35}_{44}$tso$^{53}_{44}$kʰo^{53}tsɔk^{3} i^{21}ia^{0} .lien^{13}çi^{21}lɔi^{13}kɔŋ^{21},cia^{35}tsʰai^{53}iet^{3} çi^{21}lɔi^{13}ua^{53},tsɔk^{3} ia^{0} lau^{35}tien^{53}təu^{35}cia^{35}çi^{21}lɔi^{13}kɔŋ^{21},ci^{21}to$^{35}_{44}$tʰau^{53}ua^{0} ?iet^{3} tʰau^{53}kʰo^{53}tsɔk^{3} i^{21}ia^{0}.

【肯$_{1}$】xen^{21} 动①愿意：只爱渠～来，我就冇得么个讲了。tʂɿ^{21}ɔi^{53}ci^{13}xen^{21}lɔi^{13},ŋai^{13}tsʰiəu^{53}mau^{13}tek^{3} mak^{3} ke^{53}kɔŋ^{21}liau^{21}. ②易于：箇渠指杉树～大长大以个栽过个，～大。kai$^{53}_{35}$ci$^{13}_{21}$xen^{21}tʰai^{53}i^{21}ke$^{53}_{21}$tsɔi^{35}ko$^{53}_{44}$ke$^{53}_{44}$,xen^{21}tʰai^{53}. ③大量产出：野梨子。揪酸个。/揪酸个。真～结，有几大子。ia^{35}li^{13}tsɿ^{0} .tsiəu^{35}sɔn^{35}ke$^{53}_{44}$./tsiəu^{35}sɔn^{35}ke$^{53}_{44}$.tʂən^{35}xen^{21}ciet^{3} ,mau^{13}ci^{21}tʰai^{53}tsɿ^{0}. ④估算；预计：打比样我今晡去欸爱下凤溪，我～倒爱半点钟正打得转。我就爱算正来，七点钟归倒屋下，我就让门子都六点半就爱出发凑。就～正下子时间来。ta^{21}pi^{21}iɔŋ^{53}ŋai$^{13}_{21}$cin^{35}pu^{35}çi^{53}e$_{21}$ɔi$^{53}_{44}$xa^{35}fəŋ^{53}çi$^{35}_{44}$,ŋai^{13}xen^{21}tau^{21}ɔi^{53}pan^{53}tian^{21}tʂəŋ^{35}tʂaŋ^{53}ta^{21}tek^{3} tʂuɔn^{21}.ŋai^{13}tsʰiəu^{53}ɔi$^{53}_{44}$sɔn^{53}tʂaŋ^{53}lɔi$^{13}_{21}$,tsʰiet^{3} tian^{21}tʂəŋ$^{35}_{44}$kuei^{35}tau^{53}uk^{3} xa^{53}, ŋai^{13}tsiəu$^{53}_{44}$ɲiɔŋ^{53}mən$^{13}_{44}$tsɿ^{0} təu$^{35}_{53}$liəuk^{3} tian^{21}pan^{53}tsʰiəu$^{53}_{44}$ɔi^{53}tʂʰət^{3} fait^{3} tsʰe^{0} .tsiəu$^{53}_{44}$xen^{21}tʂaŋ^{53}ŋa$^{53}_{21}$tsɿ^{0} ʂɿ^{13}kan$^{35}_{44}$nɔi$^{13}_{21}$. ⑤同意；允许：灵桌是一定爱箇个啦，死哩人唦，箇张桌子唦不能借倒来个啦，别人家唔得～你放啦。lin^{13}tsɔk^{3} ʂɿ$^{53}_{44}$iet^{3} tʰin$^{53}_{44}$ɔi$^{53}_{44}$kai^{53}ke^{53}la^{0} ,si^{21}li^{0} ɲin^{13}ʂa^{0} ,kai^{53}tʂɔŋ$^{35}_{53}$tsɔk^{3} tsɿ^{0} ʂa^{0} pət^{3} len^{13}tsia^{53}tau^{21}lɔi^{13}ke^{53}la^{0} ,pʰiet^{5} in$^{13}_{44}$ka$^{35}_{44}$n̩$^{13}_{21}$tek^{3} xen^{21}ɲi^{21}fɔŋ^{53}la^{0}.

【肯$_{2}$】xen^{21} 副①宁可：渠就欸活络丸就食过一回子呢，食过一回子活络丸。渠～系用活络油。ci$^{13}_{21}$tsʰiəu^{53}e$_{21}$xɔit^{5} lɔk^{5} ien^{13}tsʰiəu$^{53}_{44}$ʂət^{5} ko^{53}iet^{3} fei^{13}tsɿ^{0} nei^{0} ,ʂət^{5} ko^{53}iet^{3} fei^{13}tsɿ^{0} xɔit^{5} lɔk^{5} ien^{13}.ci$^{13}_{21}$(x)en^{21}(x)e^{53}iəŋ^{53}xɔit^{5} lɔk^{5} iəu^{13}. ②最好；最为适当。表示建议：裤爱用裤带子，用线。所以有滴人笑人家你不要羁皮带，～就用线呐。死嘿哩就用线唦，就系笑别家。fu^{53}ɔi$^{53}_{44}$iəŋ$^{53}_{44}$fu^{53}tai^{53}tsɿ^{0} ,iəŋ$^{53}_{44}$sien^{53}.so^{21}i$^{35}_{44}$iəu^{35}tet^{5} ɲin$^{13}_{21}$siau$^{53}_{35}$ɲin$^{13}_{21}$ka^{0} ɲi$^{13}_{21}$pət^{3} iau$^{53}_{44}$cie^{35}pʰi$^{13}_{21}$tai^{53},xen^{21}tsiəu$^{53}_{44}$iəŋ$^{53}_{44}$sien^{53}na^{0} .si^{21}ek^{3} li^{0} tsʰiəu$^{53}_{44}$iəŋ$^{53}_{44}$sien^{53}ʂa^{0} ,tsʰiəu^{53}xei^{53}siau$^{53}_{35}$pʰiet^{5} ka^{0}.

【肯定$_{1}$】cʰien^{21}tʰin^{53} 动承认事物的存在或事物的真实性：唔敢～ n̩^{13}kan^{21}cʰien^{21}tʰin^{53}｜唔～ n̩^{13}cʰien^{21}tʰin^{53}

【肯定$_{2}$】cʰien^{21}tʰin^{53} 副毫无疑问；必定：～以只事搞唔好。cʰien^{21}tʰin^{53}i^{21}tʂak^{3} sɿ^{53}kau^{21}ŋ̍^{13}xau^{21}.｜箇个田是～禾就唔好。kai$^{53}_{44}$ke$^{53}_{44}$tʰien^{13}ʂɿ$^{53}_{44}$kʰen^{21}tʰin^{53}uo^{13}tsʰiəu$^{53}_{44}$m̩$^{13}_{21}$xau^{21}.｜（背褡）～就系起码就夹个，欸，因为渠系保暖个东西啊。kʰen^{21}tʰin^{53}tsʰiəu^{53}xei^{53}çi^{21}ma^{35}tsʰiəu^{53}kait^{3} ke^{53},ei$_{21}$,in^{35}uei^{53}ci$^{13}_{21}$xei^{53}pau^{21}lɔn^{35}cie^{53}təŋ$^{35}_{44}$si^{0} a^{0}.

【肯做】xen^{21}tso^{53} 动比不上；不如：我话么啊都～当老师啊，当老师是假是硬多得是啊。ŋai$^{13}_{21}$ua$^{53}_{44}$mak^{3} a^{0} təu$^{35}_{53}$xen^{21}tso$^{53}_{44}$tɔŋ$^{35}_{44}$lau^{21}sɿ$^{35}_{44}$a^{0} ,tɔŋ^{35}lau^{21}sɿ$^{35}_{44}$ʂɿ$^{53}_{21}$cia^{21}ʂɿ$^{53}_{44}$ɲiaŋ^{53}to^{35}tek^{3} ʂɿ^{53}a^{0}.

【啃】cʰien^{21} 动一点儿一点儿地咬下坚硬有韧劲的东西来：（猪肉）揪韧就～唔烂呶。tsiəu^{35}ɲin^{53}tsʰiəu$^{53}_{44}$cʰien^{21}n̩^{13}nan^{53}nau^{0}.

【坑】xaŋ^{35} 名①狭窄的山沟：两边高，或者四边都高个咁个地形就安做～。两边又高又狭个咁个地形。或者四向都更高，又还欸狭狭子个，欸，一边就系狭，箇边就比较长个，箇就系安做～。如果蛮长个箇就安做冲了呢，山冲呢。iɔŋ^{21}pien$^{35}_{44}$kau^{35},xɔit^{5} tʂa^{21}si^{53}pien^{35}təu$^{35}_{44}$kau^{35}ke$^{53}_{44}$kan^{21}ke$^{53}_{44}$tʰi^{53}çin$^{13}_{21}$tsʰiəu$^{53}_{44}$ɔn$^{35}_{44}$tso$^{53}_{44}$xaŋ^{35}.iɔŋ^{21}pien^{35}iəu^{53}kau^{35}iəu^{53}cʰiait^{5} ke^{0} kan^{21}ke$^{53}_{44}$tʰi^{53}çin$^{13}_{21}$.xɔit^{5} tʂa^{21}si^{53}çiɔŋ^{53}təu$^{35}_{44}$cien^{53}kau^{35},iəu^{53}xai$^{13}_{21}$e$_{21}$cʰiait^{5} cʰiait^{5} tsɿ^{0} ke^{53},ei$_{21}$,iet^{3} pien^{35}tsʰiəu$^{53}_{44}$xei$^{53}_{44}$cʰiait^{5} ,kai^{53}pien$^{35}_{44}$tsʰiəu^{53}pi^{21}ciau^{53}tʂʰɔŋ^{13}ke^{0} ,kai$^{53}_{44}$tsiəu$^{53}_{44}$xe$^{53}_{44}$ɔn$^{35}_{44}$tso$^{53}_{44}$xaŋ^{35}.y^{13}ko^{21}man^{13}tʂʰɔŋ^{13}ke^{53}kai$^{53}_{44}$tsʰiəu$^{53}_{44}$ɔn$^{35}_{44}$tso$^{53}_{44}$tʂʰəŋ^{35}liau^{21}nei^{0} ,san^{35}tʂʰəŋ^{35}nei^{0}. ②地名中的通名之一：板～ pan^{21}xaŋ^{35}｜山茶～ san^{35}tsʰa$^{13}_{21}$xaŋ^{35}｜小～ siau^{21}

xaŋ^{35}

【坑漕】xaŋ^{35}tsʰau^{13} 名 溪谷：箇映伸下出来，外背嘞又冇得哩岭岗了，又一只～了。kai$^{53}_{44}$iaŋ$^{53}_{44}$tʂʰən^{35}na^{53}tʂʰət^{3}lɔi^{13},ŋɔi^{53}pɔi$^{53}_{44}$le^{0}iəu^{53}mau^{13}tek^{3}li^{0}liaŋ^{35}kɔŋ$^{35}_{44}$liau^{0},iəu$^{53}_{44}$iet^{3}tʂak^{3}xaŋ^{35}tsʰau$^{13}_{44}$liau^{0}.

【空$_1$】kʰəŋ^{35} 形 内无所有：你就等渠～倒碗放倒箇映子。ɲi$^{13}_{21}$tsʰiəu^{53}ten^{21}ci^{13}kʰəŋ^{35}tau^{21}uən^{21}fɔŋ^{53}tau^{21}kai^{53}iaŋ^{53}tsʅ^{0}.｜全部～个。tsʰien^{13}pʰu$^{53}_{44}$kʰəŋ^{35}ke$^{53}_{21}$.

【空$_2$】kʰəŋ^{35} 名 指孔隙：（麻花）肚里就有～啊。təu^{21}li^{0}tsʰiəu$^{53}_{44}$iəu$^{35}_{44}$kʰəŋ^{35}ŋa^{0}.

【空手】xəŋ^{35}ʂəu^{21} 副 徒手，不借助工具；纯手工：一般是我等就～做唠，信手做，随手做，系唔系？做成箇样米馃。iet^{3}pən^{35}ʂʅ$^{53}_{44}$ŋai$^{13}_{21}$tien^{0}tsʰiəu$^{53}_{44}$xəŋ^{35}ʂəu^{21}tso^{53}lau^{0},sin^{53}ʂəu^{21}tso^{53},sei^{13}ʂəu^{21}tso^{53},xei$^{53}_{44}$me$^{53}_{44}$?tso^{53}tʂʰən$^{13}_{21}$kai$^{53}_{44}$iɔŋ$^{53}_{44}$mi^{21}ko^{21}.

【空心】kʰəŋ^{35}sin^{35} 动 蔬菜、树木因老化、虫蛀等原因，中心变得虚而不实：～萝卜 kʰəŋ$^{35}_{44}$sin$^{35}_{44}$lo^{13}pʰek^{5}萝卜糠子｜我等箇映有只松树呢，箇两个人都抱唔倒呢，啊唔系松树喔，箇只唔系松树，箇只系樟树喔，蛮大，两个人都抱唔倒。就空哩心，空哩心又冇事死嘞，𫠊死嘞。ŋai^{13}tien^{0}kai$^{53}_{44}$iaŋ$^{53}_{44}$iəu$^{35}_{53}$tʂak^{3}tsʰəŋ^{13}ʂəu^{53}nei^{0},kai^{53}iɔŋ^{21}ke$^{53}_{44}$in$^{13}_{44}$təu$^{35}_{44}$pʰau^{53}n̩$^{13}_{21}$tau^{21}nei^{0},a$_{53}$m̩$^{13}_{21}$me^{53}tsʰəŋ$^{13}_{21}$ʂəu$^{53}_{44}$uo^{0},kai^{53}tʂak^{3}m̩$^{13}_{21}$me^{53}tsʰəŋ^{13}ʂəu^{53},kai^{53}tʂak^{3}xei^{53}tʂɔŋ^{35}ʂəu^{53}uo^{0},man^{13}tʰai^{53},iɔŋ^{21}ke$^{53}_{44}$in$^{13}_{44}$təu$^{35}_{44}$pʰau^{53}n̩$^{13}_{21}$tau^{21}.tsiəu^{53}kʰəŋ^{35}li^{0}sin^{35},kʰəŋ^{35}li^{0}sin$^{35}_{44}$iəu^{53}mau$^{13}_{21}$sʅ^{53}si^{21}le^{0},maŋ$^{13}_{21}$si^{21}le^{0}.

【空心菜】kʰəŋ^{35}sin^{35}tsʰɔi^{53} 名 蕹菜的俗称。又称“藤菜”：～有，欸，安做藤菜哟。/我等喊蕹菜。藤菜就系也系箇只东西。/也系箇东西。藤藤莽莽啊。你等渠长长起□长个藤呢。/渠会□藤打晃。/□藤打晃啊。□藤打晃个藤啊。/又系藤菜，又系～。/欸，又系蕹菜。也有人喊～。kʰəŋ$^{35}_{44}$sin$^{35}_{44}$tsʰɔi^{53}iəu$^{35}_{44}$,e$_{21}$,ɔn$^{35}_{44}$tso$^{53}_{44}$tʰien^{13}tsʰɔi$^{53}_{44}$io^{0}./ŋai$^{13}_{21}$tien^{0}xan$^{53}_{44}$uəŋ^{53}tsʰɔi^{53}.tʰien^{13}tsʰɔi^{53}tsʰiəu$^{53}_{44}$xei$^{53}_{44}$ia^{35}xe$^{53}_{44}$kai$^{53}_{44}$tʂak^{3}təŋ$^{35}_{44}$si^{0}./ia^{35}xe$^{53}_{44}$kai$^{53}_{44}$təŋ$^{35}_{44}$si^{0}.tʰien^{13}tʰien$^{13}_{44}$mɔŋ^{21}mɔŋ^{21}ŋa^{0}. ɲi^{13}ten^{21}ci$^{13}_{44}$tʂɔŋ^{21}tʂɔŋ^{21}çi$^{21}_{44}$lai^{35}tʂʰɔŋ$^{13}_{44}$ke$^{53}_{44}$tʰien^{13}ne^{0}./ci$^{13}_{21}$uɔi^{53}tʰai^{35}tʰien$^{13}_{21}$ta^{21}xɔŋ^{21}./tʰai^{35}tʰien$^{13}_{21}$ta^{21}xɔŋ^{21}ŋa^{0}.tʰai^{35}tʰien$^{13}_{21}$ta^{21}xɔŋ^{21}ke^{53}tʰien^{13}ŋa^{0}./iəu^{53}xe^{53}tʰien^{13}tsʰɔi^{53},iəu^{53}xe^{53}kʰəŋ^{35}sin^{35}tsʰɔi^{53}./e$_{21}$,iəu^{53}xe$^{53}_{44}$uəŋ^{53}tsʰɔi$^{53}_{44}$.ia^{35}iəu$^{35}_{44}$ɲin$^{13}_{21}$xan^{53}kʰəŋ$^{35}_{44}$sin$^{35}_{44}$tsʰɔi$^{53}_{44}$.

【空坐】kʰəŋ^{35}tsʰo^{53} 动 ①客气话。仅仅坐了一会儿而无所收获，用于因没有好东西款待对方而向客人表示歉意：～一阵哈，欸，对唔住哇。冇招待哈，舞倒你～一阵哈。kʰəŋ^{35}tsʰo^{53}iet^{3}tʂʰən^{53}xa^{0},e$_{21}$,ti$^{53}_{44}$n̩^{13}tʂʰəu^{53}ua^{0}.mau^{13}tʂau^{35}tʰɔi^{53}xa^{0},u^{21}tau^{21}ɲi$^{13}_{21}$kʰəŋ^{35}tsʰo^{53}iet^{3}tʂʰən^{53}xa^{0}. ②表示没有收获：欸，我等箇晡走倒村上去呀，我等咁多人十多个人走下村上去，讲箇只修路个路子，但是书记又走嘿哩啰，只村长又作唔得主啰，结果～一夜。e$_{21}$,ŋai^{13}tien^{0}kai^{53}pu$^{35}_{53}$tsei^{21}tau^{21}tsʰən^{35}xɔŋ$^{53}_{44}$çi^{53}ia$_{44}$,ŋai^{13}tien^{0}kan^{21}to$^{35}_{44}$ɲin$^{13}_{44}$ʂət^{5}to$^{35}_{44}$ke^{53}ɲin$^{13}_{21}$tsei^{21}xa$^{53}_{21}$tsʰən$^{35}_{44}$xɔŋ$^{53}_{44}$çi$^{53}_{44}$,kɔŋ^{21}kai^{53}tʂak^{3}siəu$^{35}_{44}$ləu^{53}ke$^{53}_{44}$ləu^{53}tsʅ^{0},tan$^{53}_{44}$ʂʅ$^{53}_{44}$ʂəu^{35}ci^{53}iəu^{53}tsei^{21}xek^{3}li^{0}lo^{0},tʂak^{3}tsʰən^{35}tʂɔŋ^{21}iəu^{53}tsɔk^{3}n̩$^{13}_{44}$tek^{3}tʂəu^{21}lo^{0},ciet^{3}ko^{21}kʰəŋ^{35}tsʰo^{53}(i)et^{3}ia^{53}.

【孔方兄】kʰəŋ^{21}faŋ$^{35}_{44}$çiɔŋ$^{35}_{44}$ 名 指旧时外圆内孔方形的铜钱：根据箇缗钱个样子来看（吉凶）。就是那箇～啊。cien^{35}tʂʅ^{53}kai$^{53}_{44}$min^{13}tsʰien^{13}ke$^{53}_{44}$iɔŋ^{53}tsʅ^{0}lɔi$^{13}_{21}$kʰɔn^{53}.tsʰiəu^{53}ʂʅ$^{53}_{44}$lai$^{53}_{44}$kai$^{53}_{44}$kʰəŋ^{21}faŋ$^{35}_{44}$çiɔŋ$^{35}_{44}$ŋa^{0}.

【孔明灯】kʰəŋ^{13}min^{13}tien^{35} 名 一种纸灯，上部无口，灯芯燃烧后，里边的热空气比重较轻，能使灯升至空中，传说为三国时孔明所发明：我等见过点～呶。ŋai$^{13}_{21}$tien^{0}cien^{53}ko$^{53}_{44}$tian^{21}kʰəŋ^{21}min^{13}ten$^{35}_{44}$nau^{0}.

【空$_3$】kʰəŋ^{53} 名 ①指空隙；间隔；可占用的空处：早禾个～里嘞就栽丫禾。tsau^{21}uo^{13}ke$^{53}_{44}$kʰəŋ^{53}li^{0}lei^{0}tsʰiəu$^{53}_{44}$tsɔi$^{35}_{44}$a^{35}uo$^{13}_{21}$.｜你不可能中间就咁宽以只～。ɲi^{13}puk^{3}kʰo^{21}len^{13}tʂəŋ^{35}kan$^{35}_{44}$tsʰiəu$^{53}_{44}$kan^{21}kʰɔn^{35}i^{21}tʂak^{3}kʰəŋ$^{53}_{44}$. ②闲暇时间：我爱栽禾哦，冇～哦。ŋai$^{13}_{21}$ɔi$^{53}_{44}$tsɔi^{35}uo^{13}o^{0},mau^{13}kʰəŋ^{53}ŋo^{0}.

【空$_4$】kʰəŋ^{53} 形 ①有闲暇时间：高亲呐走嘿哩了哇，更～滴子了吵，箇就来□箇条路子了，就来送耙子啦。kau^{35}tsʰin$^{35}_{44}$na^{0}tsei^{21}(x)ek^{3}li^{0}liau^{0}ua^{0},cien$^{53}_{44}$kʰəŋ^{53}tet$^{5}_{3}$tsʅ^{0}liau^{21}ʂa^{0},kai$^{53}_{44}$tsʰiəu^{53}lɔi$^{13}_{21}$liak^{3}kai^{53}tʰiau$^{13}_{21}$ləu^{53}tsʅ^{0}liau^{0},tsʰiəu^{53}lɔi$^{13}_{21}$səŋ^{53}pʰa^{13}tsʅ^{0}la^{0}. ②徒劳无用的：箇么个都～个哩了，反正渠只有两千块钱去你手里。你么个都～个哩。kai^{53}mak^{3}e^{0}təu$^{35}_{44}$kʰəŋ^{53}ke$^{53}_{44}$li^{0}liau^{0},fan^{21}tʂən^{53}ci^{13}tʂʅ^{21}iəu$^{35}_{53}$iɔŋ^{21}tsʰien^{35}kʰuai^{53}tsʰien^{13}çi^{53}ɲi$^{13}_{44}$ʂəu^{21}li^{0}. ɲi$^{13}_{21}$mak^{3}e^{0}təu$^{35}_{44}$kʰəŋ^{53}ke$^{53}_{44}$li^{0}.

【空事】kʰəŋ^{53}sʅ$^{53}_{44}$ 名 闲事；与自己不相干的事：于渠无关个事啊，就安做～啊。vy^{13}ci$^{13}_{44}$u^{13}kuan^{35}ke$^{53}_{44}$sʅ$^{53}_{44}$a^{0},tsʰiəu$^{53}_{44}$ɔn$^{35}_{44}$tso$^{53}_{44}$kʰəŋ^{53}sʅ$^{53}_{44}$a^{0}.｜探～ tʰan$^{53}_{44}$kʰəŋ^{53}sʅ$^{53}_{44}$管闲事

【抠】kʰei^{35} 动 扳动：我一～，（箇个响铳鸟铳）箇顶高就一只咁个碓子嘞砸下去嘞。ŋai$^{13}_{53}$iet^{3}

kʰei^{35},kai$^{53}_{44}$taŋ^{21}kau$^{53}_{44}$tsʰiəu^{53}iet^{3}tʂak^{3}kan^{21}ke$^{53}_{44}$tɔi^{53}tsɿ^{0}le^{0}tsait^{5}ia$^{53}_{44}$çi^{53}le^{0}.

【口$_{1}$】xei^{21} 名①嘴：出口：我等以映，我等冇得只～。ŋai$^{13}_{21}$tien^{0}i^{21}iaŋ$^{53}_{44}$,ŋai$^{13}_{21}$tien^{0}mau^{13}tek^{3}tʂak^{3}xei^{21}. ②容器通外面的地方：（皮篓子）箇只～嘞，也系方个。kai^{53}tʂak^{3}xei^{21}lei^{0},ia^{35}xe$^{53}_{44}$fɔŋ^{35}ke$^{53}_{44}$. ③缺口："且"字箇上背有只～，好像目字样。欸～不能封，安做祖不闭目，唔眯啦眼珠去，不闭目。tsʰie^{21}tsʰɿ^{53}kai$^{53}_{44}$ʂɔŋ$^{53}_{44}$pɔi$^{53}_{44}$iəu^{35}tʂak^{3}kʰei^{21},xau^{21}tsʰiɔŋ^{53}muk^{3}tsʰɿ$^{53}_{44}$iɔŋ$^{53}_{44}$.e$_{44}$kʰei^{21}pət^{3}nen$^{13}_{21}$fɔŋ^{35},ɔn$^{35}_{44}$tso$^{53}_{44}$tsəu^{21}pət^{3}pi^{53}muk^{3},m̩^{13}mi$^{53}_{44}$la^{0}ŋan^{21}tʂəu$^{35}_{44}$çi^{53},pət^{3}pi^{53}muk^{3}. ④指刀斧的锋刃：（开山子）～狭狭子，箇只段子蛮长。xei^{21}cʰiait^{5}cʰiait^{5}tsɿ^{0},kai$^{53}_{44}$tʂak^{3}tʰɔn^{53}tsɿ^{0}man$^{13}_{21}$tʂʰɔŋ^{13}.

【口$_{2}$】xei^{21} 量①用于口中所含的东西：嗦～水嗦下嘴里去哩。so^{35}xei^{21}ʂei^{21}so^{35}a$_{44}$tɔi^{53}li^{0}çi$^{53}_{44}$li^{0}. | 忍一～气 ɲin^{35}ɲiet^{3}(←iet^{3})xei^{21}çi^{53} | 欸，热倒哩一～饭都唔想食。e$_{21}$,ɲiet^{5}tau^{21}li^{0}iet^{3}xei^{21}fan^{53}təu$^{35}_{53}$n̩$^{13}_{21}$siɔŋ^{21}ʂət^{5}. | 食酒个时候子就会经常会咁子讲。欸系渠话唔爱。"食一～子！你只爱尝一～子。食一～子。"甚至"哏一～子"。ʂət^{5}tsiəu^{21}ke^{53}ʂɿ$^{13}_{44}$xei$^{53}_{44}$tsɿ^{0}tsʰiəu$^{53}_{44}$uɔi$^{53}_{44}$cin^{35}tʂʰɔŋ$^{13}_{44}$uɔi$^{53}_{44}$kan^{21}tsɿ^{0}kɔŋ^{21}.e$_{21}$xe$^{53}_{44}$ci$^{13}_{44}$ua^{53}m̩$^{13}_{21}$mɔi^{53}."ʂət^{5}iet^{3}xei^{21}tsɿ^{0}!ɲi^{13}tʂɿ$^{21}_{44}$ɔi$^{53}_{44}$ʂɔŋ^{13}iet^{3}xei^{21}tsɿ^{0}.ʂət^{5}iet^{3}xei$^{21}_{44}$tsɿ^{0}."ʂən^{53}tʂɿ$^{53}_{44}$"min^{21}iet^{3}xei^{21}tsɿ^{0}". | 十分热个天吶，食～子水都就好蛮多。ʂət^{5}fən$^{35}_{53}$ɲiet^{5}ke$^{53}_{44}$tʰien$^{35}_{44}$na^{0},ʂət^{5}xei^{21}tsɿ^{0}ʂei^{21}təu$^{35}_{53}$tsʰiəu^{53}xau^{21}man^{13}to$^{35}_{44}$. ②用于上方敞开的事物：一～镬 iet^{3}xei^{21}uɔk^{5} | 一～水缸 iet^{3}xei^{21}ʂei^{21}kɔŋ$^{35}_{44}$ | 一～井 iet^{3}xei^{21}tsiaŋ^{21} | 分倒分我个责任田个顶高就有～山塘嘞。箇～山塘冇几大子。fən^{35}tau^{21}pən^{35}ŋai$^{13}_{21}$ke$^{53}_{44}$tset^{3}uən^{53}tʰien^{13}ke^{53}taŋ^{21}kau$^{53}_{44}$tsʰiəu$^{53}_{44}$iəu$^{35}_{44}$xei$^{21}_{44}$san^{35}tʰɔŋ$^{13}_{21}$lei^{0}.kai^{53}xei^{21}san$^{35}_{44}$tʰɔŋ$^{13}_{21}$mau^{13}ci^{21}tʰai^{53}tsɿ^{0}. ③用于瓦：一～一～子瓦盖嘿去。iet^{3}xei$^{21}_{44}$iet^{3}xei$^{21}_{44}$tsɿ^{0}ŋa^{21}kɔi^{53}iek^{3}(←xek^{3})çie$^{53}_{44}$. | 以映第一～子瓦盖唔稳。i^{21}iaŋ$^{53}_{44}$tʰi^{53}iet^{3}xei$^{21}_{44}$tsɿ^{0}ŋa^{21}kɔi^{53}n̩$^{13}_{21}$uən^{21}. ④用于砖，相当于"块"：我放四～红砖承起（煤灶）来。ŋai^{13}fɔŋ^{53}si^{53}xei^{21}fɔŋ^{13}tʂuon^{35}ʂən^{13}çi^{21}lɔi^{13}. ⑤用于钟：一～钟 iet^{3}xei^{21}tʂən^{35}

【口水】xei^{21}ʂei^{21} 名唾液。也称"口水子"：跌～ tet^{3}xei^{21}ʂei^{21} | 漏～，就同细人子咁漏～。lei^{53}xei^{21}ʂei^{21},tsʰiəu$^{53}_{44}$tʰəŋ^{13}sei^{53}ɲin$^{13}_{21}$tsɿ^{0}kan$^{21}_{44}$lei^{53}xei^{21}ʂei^{21}.

【口水枷】xei^{21}ʂei^{21}ka^{35} 名围嘴儿：～两只作用吗啦。一只作用就细人子漏口水，省子漏倒箇颈筋下湴湿。还有只嘞细人子食东西，有戴只～嘞。主要是第一只作用，就系漏口水，嗯，防止渠漏口水嘞。欸省子漏口水漏倒箇衫裤湴湿。如果唔漏口水个话，渠～个作用就只系砌饭个时候子食饭个时候子省子渠胸脯前搞起湴湿，欸，搞起唔知几愁人，箇就唔限定～，箇就围条子裙子都要得哩，围块布都要得哩。你话我等两只都唔漏口水嘞，滴都唔漏口水。xei^{21}ʂei^{21}ka^{35}iɔŋ^{21}tʂak^{3}tsɔk^{3}iɔŋ^{53}ma^{0}la^{0}.iet^{3}tʂak^{3}tsɔk^{3}iɔŋ^{53}tsʰiəu^{53}sei^{53}ɲin$^{13}_{21}$tsɿ^{0}lei^{53}xei^{21}ʂei^{21},saŋ^{21}tsɿ^{0}lei^{53}tau$^{21}_{44}$kai$^{53}_{44}$ciaŋ^{21}cin$^{35}_{44}$xa$^{35}_{44}$tsiet^{5}ʂət^{3}.xai^{13}iəu$^{35}_{44}$tʂak^{3}le^{0}sei^{53}ɲin$^{13}_{21}$tsɿ^{0}ʂət^{5}təŋ^{35}si^{0},iəu^{35}tai^{53}tʂak^{3}xei^{21}ʂei^{21}ka^{35}lei^{0}.tʂɥ^{21}iau^{53}ʂɿ^{53}tʰi^{53}iet^{3}tʂak^{3}tsɔk^{3}iɔŋ^{53},tsʰiəu^{53}xe^{53}lei^{53}xei^{21}ʂei^{21},n̩$_{21}$,fɔŋ^{13}tʂɿ^{21}ci$^{13}_{44}$lei^{53}xei^{21}ʂei^{21}le^{0}.e^{0}saŋ^{21}tsɿ^{0}lei^{53}xei^{21}ʂei^{21}lei^{53}tau^{21}kai$^{53}_{44}$san^{35}fu$^{53}_{44}$tsiet^{5}ʂət^{3}.ɥ^{13}ko^{21}n̩^{13}nei^{53}xei^{21}ʂei^{21}ke$^{53}_{44}$fa$^{53}_{44}$,ci$^{13}_{44}$xei^{21}ʂei^{21}ka^{35}ke^{53}tsɔk^{3}iɔŋ$^{53}_{44}$tsʰiəu$^{53}_{44}$tʂɿ^{21}xe$^{53}_{21}$tsʰi^{53}fan^{53}ke$^{53}_{44}$ʂɿ$^{13}_{44}$xəu$^{53}_{44}$tsɿ^{0}ʂət^{5}fan^{53}ke$^{53}_{44}$ʂɿ$^{13}_{44}$xəu$^{53}_{44}$tsɿ^{0}saŋ^{21}tsɿ^{0}ci$^{13}_{44}$çiəŋ^{35}pʰu$^{13}_{44}$tsʰien^{13}kau^{21}çi$^{21}_{44}$tsiet^{5}ʂət^{3},e$_{44}$,kau^{21}çi$^{21}_{53}$n̩$^{13}_{21}$ti$^{35}_{53}$ci^{21}tsʰei^{13}ɲin$^{13}_{44}$,kai^{53}tsʰiəu^{53}n̩^{13}kʰan$^{21}_{53}$tʰiaŋ^{53}xei^{21}ʂei^{21}ka^{35},kai^{53}tsʰiəu^{53}uei^{13}tʰiau^{13}tsɿ^{0}cʰin^{13}tsɿ^{0}təu$^{35}_{44}$iau^{53}tek^{3}li^{0},uei^{13}kʰuai$^{53}_{44}$pu^{53}təu$^{35}_{44}$iau^{53}tek^{3}li^{0}. ɲi^{13}(u)a^{53}ŋai^{13}tien^{0}iɔŋ^{21}tʂak^{3}təu$^{35}_{53}$n̩^{13}nei^{53}xei^{21}ʂei^{21}lei^{0},tiet^{5}təu$^{35}_{53}$n̩^{13}nei^{53}xei^{21}ʂei^{21}.

【口子】xei^{21}tsɿ^{0} 名①容器通外面的地方：（鱼篓子）～有咁大子。xei^{21}tsɿ^{0}iəu$^{35}_{44}$kan^{21}tʰai^{53}tsɿ^{0}. | 欸，（嘬筒）以映子嘞，锯得达平子，以只～锯得达平子。e$_{21}$,i^{21}iaŋ^{53}tsɿ^{0}lei^{0},cie^{53}tek^{3}tʰait^{5}pʰiaŋ^{13}tsɿ^{0},i^{21}tʂak^{3}xei^{21}tsɿ^{0}cie^{53}tek^{3}tʰait^{5}pʰiaŋ^{13}tsɿ^{0}. ②（人体、物体的表层）破裂的地方：剐只～ kua^{21}tʂak^{3}xei^{21}tsɿ^{0}

【扣】kʰei^{53} 动二人对演：～棍 kʰei^{53}kuən^{53} | ～刀 kʰei^{53}tau^{35} | ～枪 kʰei^{53}tsʰiɔŋ^{35}

【扣肉】kʰei^{53}ɲiəuk^{3} 名一道用猪肉制成的菜肴，上菜前倒扣于碗盘：我是分渠摎箇个摎箇～搞做混做一下去了。ŋai^{13}ʂɿ$^{53}_{44}$pən^{35}ci$^{13}_{21}$lau^{35}kai^{53}ke$^{53}_{44}$lau^{35}kai$^{53}_{44}$kʰei^{53}ɲiəuk^{3}kau^{21}tso^{53}fən^{53}tso$^{53}_{21}$iet^{3}xa$^{53}_{44}$çi$^{53}_{44}$liau^{0}.

【跍】kʰu^{35}/ku^{35} 动①蹲：～倒田里 kʰu^{35}tau^{21}tʰien^{13}ni^{21}. ②躺：青光白日，～下床上睡目！tsʰiaŋ^{35}kɔŋ$^{35}_{44}$pʰak^{5}ɲiet^{3},ku^{35}(x)a$^{53}_{44}$tsʰɔŋ$^{13}_{21}$xɔŋ$^{53}_{44}$ʂɔi^{53}muk^{3}. ③居住：有滴妹子又唔～倒渠屋下。iəu^{35}tet$^{5}_{3}$mɔi^{53}tsɿ^{0}iəu$^{53}_{44}$m̩^{13}ku$^{35}_{44}$tau^{21}ci$^{13}_{21}$uk^{3}xa$^{53}_{44}$. ④停留：我箇只细子真□，真野，一天到夜～外背嬲，唔落屋。ŋai^{13}kai$^{53}_{44}$tʂak^{3}se^{53}tsɿ^{0}tʂən^{35}nuən^{53},tʂən^{35}ia^{35},iet^{3}tʰien^{35}tau^{53}ia^{53}kʰu$^{35}_{44}$ŋɔi^{53}pɔi$^{53}_{44}$liau^{53},n̩^{13}nɔk^{5}uk^{3}. ⑤在；表示人或事物所处的位置：卡稳箇碓担子～倒箇肚里转呢，以个就安做羊角啊。kʰa^{21}uən^{21}

kai$^{53}_{44}$tɔi^{53}tan^{53}tsʅ^{0}ku^{35}tau^{21}kai$^{53}_{44}$təu^{21}li^{0}tʂən^{21}ne^{0},i^{21}ke$^{53}_{21}$tsʰiəu$^{53}_{44}$ən$^{35}_{44}$tso$^{53}_{44}$iəŋ^{13}kɔk^{3}a^{0}. ⑥放在：欸，一只拖斗，就系～倒田里拖东西。e$_{21}$,iet^{3}tʂak^{3}tʰo^{35}tei^{21},tsʰiəu$^{53}_{44}$xe$^{53}_{44}$kʰu^{35}tau^{21}tʰien^{13}ni^{21}tʰo^{35}təŋ^{35}si^{0}. ⑦藏匿：如果唔除箇草，秾嘿起来，～个老鼠唔知几凶，壁下两行禾都冇得哩。y^{13}ko^{21}ṇ$^{13}_{21}$tʂʰəu^{13}kai^{53}tsʰau^{21},ɲiəŋ^{13}(x)ek^{3}çi^{21}lɔi^{13},ku$^{35}_{44}$ke$^{53}_{44}$lau^{21}tʂʰəu^{21}ṇ$^{13}_{21}$ti$^{35}_{44}$ci^{21}çiəŋ^{35},piak^{3}xa^{53}iəŋ^{21}xɔŋ^{13}uo$^{13}_{21}$təu$^{35}_{53}$mau$^{13}_{21}$tek^{3}li^{0}. ⑧植物生长，尤其指在不显眼的地方：有一条树～倒箇子。iəu$^{35}_{44}$iet^{3}tʰiau^{13}ʂəu^{53}ku^{35}tau^{21}kai^{53}tsʅ^{0}. ⑨容纳：欸只有城里个箇起系有几室几厅，一只灶下真系嘿嘿嘿～得一个人两个人呢呀。e$_{21}$ tsʅ^{21}iəu$^{35}_{53}$tʂʰən^{13}ni^{0}ke$^{53}_{44}$kai^{53}çi^{21}xe$^{53}_{44}$iəu$^{35}_{44}$ci^{21}ʂət$^{5}_{3}$ci^{21}tʰin^{35},iet^{3}tʂak^{3}tsau^{53}xa$^{35}_{44}$tʂən^{35}nei$_{44}$(←xe^{53})xe$_{44}$xe$_{44}$xe$_{44}$ku$^{35}_{44}$tek^{3}iet^{3}cie^{53}ɲin^{13}iəŋ^{21}cie^{53}ɲin^{13}ne^{0}ia^{0}.

【麸】kʰu^{35} [名]榨油后剩下的物质：箇个一块一块个～哇，～样个啊，肚里尽油渣。kai$^{53}_{44}$ke$^{53}_{44}$iet^{3}kʰuai^{53}iet^{3}kʰuai^{53}cie$^{53}_{44}$kʰu^{35}ua^{0},kʰu^{35}iəŋ$^{53}_{44}$cie$^{53}_{44}$a^{0},təu^{21}li^{0}tsʰin^{53}iəu^{13}tsa$^{35}_{44}$.

【麸饼】kʰu^{35}piaŋ^{21} [名]榨油时被压成的饼状渣滓：欸油榨下吵打哩油哇就有～。嗯，箇～各有各个用处。e$_{21}$iəu^{13}tsa^{53}xa$^{53}_{44}$ʂa^{0}ta^{21}li^{0}iəu^{13}ua^{0}tsʰiəu$^{53}_{44}$iəu$^{35}_{53}$kʰu^{35}piaŋ^{21}.ṇ$_{21}$,kai$^{53}_{44}$kʰu$^{35}_{44}$piaŋ^{21}kɔk^{3}iəu$^{35}_{44}$kɔk^{3}ke$^{53}_{44}$iəŋ^{53}tʂʰəu$^{53}_{44}$.

【麸圈】kʰu^{35}cʰien^{35} [名]榨油时套住麸饼的钢圈：～是箇个啦，有两种～呐，一种就篾箕个～，欸，一种就系铁个～。箇～揢下来嘞，油榨下渠就留倒又打油嘞。箇个～冇得分你。kʰu^{35}cʰien^{35}ʂʅ$^{53}_{44}$kai^{53}ke^{53}la^{0},iəu^{35}iəŋ^{21}tʂəŋ^{21}kʰu$^{35}_{44}$cʰien$^{35}_{44}$na^{0},iet^{3}tʂəŋ^{21}tsʰiəu$^{53}_{44}$miet^{5}sak^{3}ke$^{53}_{44}$kʰu^{35}cʰien^{35},e$_{21}$,iet^{3}tʂəŋ^{21}tsʰiəu^{35}xe^{53}tʰiet^{3}ke$^{53}_{44}$kʰu$^{35}_{44}$cʰien$^{35}_{44}$.kai$^{53}_{21}$kʰu$^{35}_{44}$cʰien$^{35}_{44}$kʰɔk^{3}xa^{53}lɔi$^{13}_{21}$le^{0},iəu$^{13}_{21}$tsa^{53}xa$^{53}_{44}$ci$^{13}_{21}$tsiəu$^{53}_{44}$liəu^{13}tau^{21}iəu^{53}ta^{21}iəu^{13}le^{0}.kai$^{53}_{44}$ke$^{53}_{44}$kʰu$^{35}_{44}$cʰien$^{35}_{44}$mau$^{13}_{21}$tek^{3}pən^{35}ɲi$^{13}_{21}$.

【苦】fu^{21}/kʰu^{21} [形]①像胆汁或黄连的滋味，与“甜”相对：～起进嘴唔得 fu^{21}çi$^{21}_{44}$tsin$^{53}_{44}$tʂɔi^{53}ṇ$^{13}_{21}$tek^{3}。②穷困：日子真～噢。ɲiet^{3}tsʅ^{0}tʂən^{35}kʰu^{21}uau^{0}.｜过够哩～日。ko^{53}kei^{53}li^{0}kʰu^{21}ɲiet^{3}. ④病情重，人难受：箇只么人呐得哩病，请倒郎中食嘿几包药嘞，唔单𫠝好，还更～嘿哩，还更～哩。kai^{53}tʂak^{3}mak^{3}ɲin$^{13}_{44}$na^{0}tek^{3}li^{0}pʰiaŋ^{53},tsʰiaŋ^{21}tau^{21}lɔŋ^{13}tʂəŋ$^{35}_{44}$ʂət^{5}xek^{3}ci^{21}pau$^{35}_{44}$iɔk^{5}lei^{0},ṇ^{13}tan$^{35}_{44}$maŋ$^{13}_{21}$xau^{21},xan^{13}cien^{53}kʰu^{21}xek^{3}li^{0},xan^{13}cien^{53}kʰu^{21}li^{0}.

【苦艾】kʰu^{21}ɲie^{53} [名]一种菊科植物：系有种～。揪苦个。xei$^{53}_{44}$iəu^{35}tʂəŋ^{21}kʰu^{21}ɲie^{53}.tsiəu^{35}fu^{21}ke^{53}.

【苦糙】fu^{21}tsʰau^{53} [形]（酒等）味道很苦且糙杂冲人：蒸酒也有几到水嘞。蒸酒个头到水嘞头到水呀箇就唔好，爱二水个就最好，蒸酒哇，就安做二锅头，系唔系？头到水嘞～，唔知几煞，味道唔好。煞还系蛮煞，欸度数蛮高，但是味道唔好。tʂən^{35}tsiəu^{21}ua^{35}iəu$^{35}_{44}$ci^{21}tau^{53}ʂei^{21}le^{0}. tʂən^{35}tsiəu^{21}ke^{53}tʰei$^{13}_{21}$tau^{53}ʂei^{21}lei^{0}tʰei^{13}tau^{53}ʂei^{21}ia^{0}kai^{53}tsiəu^{21}ṃ^{13}xau^{21},ɔi$^{53}_{44}$ɲi^{53}ʂei^{21}ke^{53}tsiəu$^{53}_{44}$tsei^{53}xau^{21},tʂən^{35}tsiəu^{21}ua^{0},tsʰiəu$^{53}_{44}$ən$^{35}_{44}$tso$^{53}_{44}$ɲi^{53}ko$^{35}_{44}$tʰei^{13},xei^{53}me^{53}?tʰei^{13}tau^{53}ʂei^{21}lei^{0}fu^{21}tsʰau^{53},ṇ^{13}ti$^{35}_{53}$ci^{21}sait^{3},uei^{53}tʰau$^{53}_{44}$ṃ^{13}xau^{21}.sait^{3}xai^{13}xe^{53}man^{13}sait^{3},e$_{21}$tʰəu^{53}səu^{53}man$^{13}_{21}$kau$^{35}_{44}$,tan$^{53}_{44}$ʂʅ$^{53}_{44}$uei^{53}tʰau^{53}ṃ^{13}xau^{21}.

【苦茶】fu^{21}tsʰa^{13} [名]苦丁茶：～我等也唔会做，我等客姓人唔会做传统个来讲。我等买过～咯。kʰu^{21}tsʰa^{13}ŋai^{13}tien^{0}ia$^{35}_{53}$ṃ$^{13}_{21}$uɔi$^{53}_{44}$tso^{53},ŋai^{13}tien^{0}kʰak^{3}sin^{53}ɲin$^{13}_{21}$ṃ$^{13}_{21}$uɔi$^{53}_{44}$tso^{53}tʂʰen^{13}tʰəŋ^{21}ke^{53}lɔi$^{13}_{21}$kɔŋ^{21}.ŋai^{13}tien^{0}mai^{35}ko^{53}fu^{21}tsʰa^{13}ko^{0}.

【苦瓜】fu^{21}kua^{35} [名]一年生草本植物，其果实是一种常见蔬菜：茄子，～，豆角，都可以搞，食唔完个就晒做干子。cʰio^{13}tsʅ^{0},fu^{21}kua$^{35}_{44}$,tʰei^{53}kɔk^{3},təu^{35}kʰo^{21}i^{35}kau^{21},ʂət^{5}ṇ$^{13}_{21}$ien$^{13}_{21}$ke$^{53}_{44}$tsʰiəu^{53}sai^{53}tso$^{53}_{44}$kɔn^{35}tsʅ^{0}.

【苦瓜干】fu^{21}kua$^{35}_{44}$kɔn^{35} [名]用苦瓜加工成的小食：～就系分苦瓜嘞欸挖嘿肚里个籽去，焯一下，晒成干，就安做～。真正净～唔好食，爱放兜子糖去咬下子，放兜糖去咬下子，就咁子拈倒整换茶食嘞。fu^{21}kua$^{35}_{44}$kɔn^{35}tsʰiəu$^{53}_{21}$xe$^{53}_{21}$pən$^{35}_{44}$fu^{21}kua$^{35}_{44}$lei^{0}e$_{21}$ua^{35}xek^{3}təu^{21}li$^{21}_{44}$ke^{53}tsʅ^{21}çi^{53},tʂʰɔk^{3}iet^{3}xa^{53},sai^{53}ʂaŋ$^{13}_{21}$kɔn^{35},tsʰiəu$^{53}_{21}$ɔn$^{35}_{53}$tso^{53}fu^{21}kua$^{35}_{44}$kɔn^{35}.tʂən^{35}tʂəŋ$^{35}_{44}$tsʰiaŋ^{53}fu^{21}kua$^{35}_{44}$kɔn$^{35}_{44}$ṇ$^{13}_{21}$xau^{21}ʂət^{5},ɔi^{53}fɔŋ^{53}te$^{35}_{53}$tsʅ^{0}tʰɔŋ^{13}çi^{53}ŋau^{21}ua^{35}tsʅ^{0},fɔŋ^{53}te$^{35}_{53}$tʰɔŋ^{13}çi^{53}ŋau^{21}ua^{53}tsʅ^{0},tsʰiəu^{53}kan^{21}tsʅ^{0}ɲian$^{35}_{44}$tau$^{21}_{44}$tʂən^{53}uən^{53}tsʰa$^{13}_{21}$ʂət^{5}le^{0}.

【苦瓜筒】fu^{21}kua$^{35}_{44}$tʰəŋ^{13} [名]将苦瓜去籽，焯水后晾晾，加以甘草、紫苏等香料后再晒干，用作茶点。也称“苦瓜筒子”：箇个么个豆角干呐，辣椒筒啊，～啊，箇就安做盐换茶。kai$^{53}_{44}$cie$^{53}_{44}$mak^{3}(k)e$^{53}_{44}$tʰei^{53}kɔk^{3}kɔn^{35}na^{0},lait^{5}tsiau$^{35}_{44}$tʰəŋ^{13}ŋa^{0},fu^{21}kua$^{35}_{44}$tʰəŋ^{13}ŋa^{0},kai$^{53}_{44}$tsʰiəu$^{53}_{44}$ən$^{35}_{44}$tso$^{53}_{44}$ian^{13}uən^{53}tsʰa^{13}.｜～子也就系箇苦瓜分籽挖咁。籽就食唔进呢。然后就就箇个呢，欸，焯一下呢。焯熟来呀，焯一下。焯一下就放滴箇个去啊，放滴箇个白糖啊，欸，甘草粉呐，辣椒粉呐，放倒去啊。欸，然后等渠咬哇，等渠咬，放滴子也放滴子盐，滴子盐呐。欸。咁子咬哩以后嘞又晒干下子。渠等就几蒸几晒哟。我食哩别人家送倒来个箇起，别人家送倒来个箇个，也山里人搞个，几蒸几晒哟。蒸哩，欸，蒸一到，又放滴糖，放滴糖去，蒸，欸，蒸一到，然后嘞就放倒箇过一夜，第二晡舞倒去晒，晒干下子，又放滴糖，又一蒸，搞一面上一层个糖，箇忒多哩糖也唔好食。fu^{21}kua^{35}tʰəŋ^{13}tsɿ^{0} ia^{35}tsʰiəu^{35}xei^{53}kai^{53}fu^{21}kua$^{35}_{44}$pən^{35}tsɿ^{21}ua^{35}kan^{21}.tsɿ^{21}tsʰiəu$^{53}_{44}$ʂət^{5} n̩$^{13}_{21}$tsin^{53} ne^{0}.ven$^{13}_{21}$xei$^{53}_{44}$tsʰiəu$^{53}_{44}$tsʰiəu$^{53}_{44}$kai$^{53}_{44}$ke$^{53}_{44}$nei^{0},e$_{21}$,tʂʰɔk^{3} iet^{3} xa^{53}nei^{0}.tʂʰɔk^{3} ʂəuk^{5} lɔi$^{13}_{21}$ia^{0},tʂʰɔk^{3} iet^{3}xa^{53}.tʂʰɔk^{3} iet^{3} xa$^{53}_{44}$tsʰiəu$^{53}_{44}$fɔŋ^{53}tet$^{5}_{3}$kai$^{53}_{44}$ke$^{53}_{44}$çi$^{53}_{44}$a^{0},fɔŋ^{53}tet^{5}kai$^{53}_{44}$ke$^{53}_{44}$pʰak^{5} tʰɔŋ$^{13}_{21}$ŋa^{0},e$_{21}$,kan^{35}tsʰau^{21}fən^{21}na^{0},lait^{5}tsiau$^{35}_{44}$fən^{21} na^{0},fɔŋ^{53}tau^{21}çi^{53}a^{0}.ei$_{21}$,vien$^{13}_{21}$xei$^{53}_{44}$ten^{21}ci^{13}ŋau^{21}ua^{0},ten^{21}ci^{13}ŋau^{21},fɔŋ^{53}tet^{5}tsɿ^{0} ia^{35}fɔŋ^{53}tet^{5} tsɿ^{0} ian^{13},tiet^{5} tsɿ^{0} ian^{13}na^{0}.e$_{21}$.kan^{21}tsɿ^{0} ŋau^{21}li^{0} i^{35}xei$^{53}_{44}$lei^{0} iəu$^{53}_{44}$sai^{53}kɔn^{35}na^{53}（←xa^{53}）tsɿ^{0}.ci$^{13}_{21}$tien^{0} tsʰiəu$^{53}_{44}$ci^{21}tʂən^{35}ci^{21}sai^{53} io^{0}.ŋai^{13}ʂət^{5} li^{0} pʰiet^{5} in$^{13}_{44}$ka$^{35}_{44}$səŋ^{53}tau^{21}lɔi^{13}ke$^{53}_{44}$kai$^{53}_{44}$çi^{21},pʰiet^{5} in$^{13}_{44}$ka$^{35}_{44}$səŋ^{53}tau^{21}lɔi^{13}ke$^{53}_{44}$kai^{53}ke$^{53}_{44}$,ia$^{35}_{44}$san$^{35}_{44}$li^{0} ɲin^{13}kau^{21}ke^{53},ci^{21}tʂən^{35} ci^{21}sai^{53}iau^{0}.tʂən^{35}ni^{0},e$_{21}$,tʂən^{35}iet^{3} tau^{53},iəu^{53}fɔŋ^{53}tet^{5} tʰɔŋ^{13},fɔŋ^{53}tet^{5} tʰɔŋ$^{13}_{21}$ çi^{53},tʂən^{35},e$_{21}$,tʂən^{35}iet^{3}tau^{53},vien^{13}xei$^{53}_{44}$lei^{0} tsʰiəu$^{53}_{44}$fɔŋ^{53}tau^{21}kai$^{53}_{44}$ko^{53}iet^{3} ia^{53},tʰi^{53}ɲi$^{53}_{44}$pu$^{35}_{44}$u^{21}tau^{21}çi$^{53}_{44}$sai^{53},sai^{53} kɔn^{35}na^{53}（←xa^{53}）tsɿ^{0},iəu^{53}fɔŋ$^{53}_{44}$tet^{5} tʰɔŋ^{13},iəu^{53}iet^{3}tʂən^{35},kau^{21}iet^{3} mien^{53}xɔŋ$^{53}_{44}$iet^{3}tsʰien^{13}ke^{53}tʰɔŋ^{13},kai$^{53}_{44}$tʰiet^{3} to$^{35}_{44}$li^{0} tʰɔŋ^{13}a$^{35}_{53}$n̩$^{13}_{21}$xau^{21}ʂət^{5}.

【苦楝树】fu^{21}lien^{53}ʂəu^{53} [名]黄楝树，落叶乔木，树皮味极苦，树皮可入药，有祛湿热的作用：哦，～是一种唔知几烂贱个树，长起来唔知几快。所谓渠烂贱呢，一只就繁殖快，欸跌倒有只子苦楝子渠就生条苗，生条苗慢呐你唔舞嘿哩箇兜唔铲嘿哩，你分渠去长呢，两三年，甚至三四年就一条比人都更高个树。o$_{21}$,fu^{21}lien^{53}ʂəu^{53}ʂɿ$^{53}_{44}$iet^{3} tʂəŋ^{21}n̩^{13}ti$^{35}_{53}$ci^{21}lan^{53}tsʰien$^{53}_{21}$ke$^{53}_{21}$ʂəu^{53},tʂəŋ^{21} çi$^{21}_{44}$lɔi$^{13}_{44}$n̩^{13}ti$^{35}_{53}$ci^{21}kʰuai^{53}.so^{21}uei$^{53}_{44}$ci$^{13}_{21}$lan^{53}tsʰien$^{53}_{44}$nei^{0},iet^{3} tʂak^{3} tsʰiəu$^{53}_{44}$fan^{13}tʂʰət^{5} kʰuai^{53},e^{0} tet^{3} tau^{21}iəu^{35}tʂak^{3} tsɿ^{0} fu^{21}lien^{53}tsɿ^{21}ci^{13}tsʰiəu^{53}saŋ$^{35}_{44}$tʰiau$^{13}_{21}$miau^{13},saŋ$^{35}_{44}$tʰiau$^{13}_{21}$miau^{13}man^{53}na^{0} ɲi$^{13}_{44}$m̩^{13}u^{21}xek^{3} li^{0} kai^{53}te$^{35}_{53}$n̩^{13}tsʰan^{21} nek^{3} li^{0}，ɲi$^{13}_{21}$pən^{35}ci$^{13}_{44}$çi^{53}tʂɔŋ^{21}ne^{0},iɔŋ^{21}san^{35}ɲien$^{13}_{21}$,ʂən^{53}tsɿ^{53}san^{35}si^{53}ɲien^{13}tsʰiəu^{53}iet^{3} tʰiau$^{13}_{44}$pi^{21}ɲin^{13}təu$^{35}_{53}$ken^{53} kau$^{35}_{44}$ke$^{53}_{44}$ʂəu^{53}.

【苦楝子】fu^{21}lien^{53}tsɿ^{21} [名]黄楝树的果实，味苦，可入药：苦楝树上就会结～。～唔知几烂贱，到处都系。大概几大子啊？手指脶咁大子。跌倒到处都系。跌下倒跌下地泥下渠就如果系有系唔踩咁唔丢咁呢，渠就会生秧。fu^{21}lien^{53}ʂəu^{53}xɔŋ^{53}tsʰiəu^{53}uɔi^{53}ciet^{3} fu^{21}lien^{53}tsɿ^{21}.fu^{21}lien^{53}tsɿ^{21}n̩^{13}ti$^{35}_{53}$ ci^{21}lan^{53}tsʰien^{53},tau^{53}tʂʰəu$^{53}_{44}$təu$^{35}_{44}$xe$^{53}_{44}$.tʰai^{53}kʰai^{53}ci^{21}tʰai$^{53}_{44}$tsɿ^{0} a^{0}?ʂəu^{21}tʂɿ^{21}lo^{13}kan^{21}tʰai^{53}tsɿ^{0}.tet^{3} tau^{21}tau^{53}tʂʰəu$^{53}_{44}$ təu$^{35}_{53}$xe$^{53}_{21}$.tet^{3} (x)a^{53}tau$^{21}_{44}$tet^{3} (x)a$^{53}_{44}$tʰi^{53}lai$^{13}_{21}$xa$^{53}_{44}$ci$^{13}_{21}$tsʰiəu^{53}ʮ^{13}ko^{21}xei^{53}iəu^{35}xei^{53}n̩^{13}tsʰai^{21}kan$^{21}_{44}$n̩^{13}tiəu^{35}kan$^{21}_{44}$ nei^{0},ci^{13}tsʰiəu^{53}uɔi^{53}saŋ$^{35}_{44}$iɔŋ^{35}.｜～做得药。fu^{21}lien^{53}tsɿ^{21}tso^{53}tek^{3} iɔk^{5}.

【苦笋】fu^{21}sən^{21} [名]苦竹的笋子，味苦：苦竹子只能生～呐。/揪苦啊箇笋哝。fu^{21}tʂəuk^{3} tsɿ^{0} tsɿ^{21} len^{13}saŋ^{35}fu^{21}sən^{21}na^{0}./tsiəu^{35}fu^{21}a^{0} kai^{53}sən^{21}nau^{0}.

【苦头】kʰu^{21}tʰei^{13} [名]苦痛；磨难；不幸：食够哩～。ʂət$^{5}_{3}$kei^{53}li^{0} kʰu^{21}tʰei^{13}.

【苦斋】fu^{21}tsai^{35} [名]苦菜：食过～，食过……食过野菜，但是唔品下饭肚里去。……唔放下饭肚里去，箇系十分难受。ʂət^{5}ko^{53}fu^{21}tsai^{35},ʂət^{5}ko^{53}…ʂət^{5}ko^{53}ia^{35}tsʰɔi^{53},tan^{53}ʂɿ^{53}m̩^{13}pʰin^{21}na(←xa^{53})fan^{53} təu^{21}li^{0}çi^{53}.…m̩^{13}fɔŋ$^{53}_{44}$xa$^{53}_{44}$fan^{53}təu^{21}li^{0}çi^{53},kai^{53}xei$^{53}_{21}$ʂət^{5}fən$^{35}_{53}$nan^{13}ʂəu^{53}.

【苦槠豆腐】fu^{21}tʂei^{35}tʰei^{53}fu^{53} [名]用苦槠子果肉经浸泡、磨浆、过滤、加热、冷固、切割等工序加工出来的菜肴：只有～。箇角落槠是有人家食。/不食吧？角落槠有么啊肉吧？有肉吗嘞？/啊？/角落槠呀有么啊肉吗嘞？有肉吗嘞？/有么啊肉。/苦槠子，做～。tʂɿ^{21}iəu$^{35}_{44}$fu^{21}tʂei^{35} tʰəu^{53}fu^{0}.kai^{53}kɔk^{3}lɔk^{3}tʂei^{35}ʂɿ$^{53}_{44}$mau$^{13}_{21}$n̩^{13}(←ɲin^{13})ŋa$_{44}$(←ka^{35})ʂət^{5}./pait^{3}ʂət^{5}pa^{0}?kɔk^{3}lɔk^{3}tʂei^{35}mau$^{13}_{21}$mak^{3}a^{0} ɲiəuk^{3} pa^{0}?iəu^{35}ɲiəuk^{3} ma^{0} le^{0}?/a$_{35}$?/kɔk^{3} lɔk^{3} tʂei^{35}ia^{0} iəu^{35}mak^{3} a^{0} ɲiəuk^{3} ma^{0} le^{0}?iəu^{35}ɲiəuk^{3} ma^{0} le^{0}?/mau$^{13}_{21}$mak^{3}a^{0}ɲiəuk^{3}./fu^{21}tʂei^{35}tsɿ^{0},tso$^{53}_{44}$fu^{21}tʂei^{35}tʰei^{53}fu^{0}.

【苦槠子】fu^{21}tʂei^{35}tsɿ^{0} [名]苦槠树的果实，带有深棕黑色硬壳，圆形，个小：□柴籽，也系同箇个～啊，角落槠样，属于一种咁个野生个干果，但是有么啊肉。lak^{5}tsʰai$^{13}_{44}$tsɿ^{21},ia^{35}xe^{53}tʰəŋ^{13} kai$^{53}_{44}$ke$^{53}_{44}$fu^{21}tʂei$^{35}_{44}$tsɿ^{0}a^{0},kɔk^{3}lɔk^{3}tʂei^{35}iɔŋ$^{53}_{44}$,ʂəuk^{5}vy$^{13}_{44}$iet^{3}tʂəŋ^{21}kan^{21}ke$^{53}_{44}$ia^{35}saŋ$^{35}_{44}$ke$^{53}_{44}$kɔn^{35}ko^{21},tan^{53}ʂɿ^{53}mau^{13} mak^{3}a^{0}ɲiəuk^{3}.

【苦竹】fu^{21}tʂəuk^{3} [名]一种竹子。初夏生笋，可食用而略带苦味。茎及箨可做家具、编制器具和造纸等。也称“苦竹子”：～是赠看过。有只苦竹湾呶，哼，箇箇边江西箇边有只苦……苦竹坳噢。/苦竹坳。方竹山。/箇起也就～，有嘞。就赠看倒。/苦竹子有。苦竹子只能生苦笋呐。/揪苦啊箇笋哝。/我等以只栏场冇得凑。fu^{21}tʂəuk^{3} ʂɿ$^{53}_{44}$maŋ^{13}kʰɔn^{53}ko$^{53}_{21}$.iəu^{35}tʂak^{3} kʰu^{21} tʂəuk^{3}uan^{35}nau^{0},xen$_{21}$,kai$^{53}_{44}$kai$^{53}_{44}$pien^{35}kɔŋ^{35}si$^{35}_{44}$kai$^{53}_{44}$pien^{35}iəu$^{35}_{44}$tʂak^{3} kʰu^{21}…fu^{21}tʂəuk^{3} au^{53}uau^{0}./fu^{21}tʂəuk^{3} au^{53}.fɔŋ^{35}tʂəuk^{3}san^{35}./kai$^{53}_{44}$çi$^{21}_{44}$a$^{35}_{44}$tsʰiəu$^{53}_{44}$fu^{21}tʂəuk^{3},iəu^{35}lei^{0}.tsʰiəu$^{53}_{44}$maŋ^{13}kʰɔn^{53}tau^{21}./fu^{21}tʂəuk^{3}tsɿ^{0} iəu^{35}.fu^{21}

tṣəuk^{3}tsɿ^{0}tsɿ^{21}len^{13}saŋ^{35}fu^{21}sən^{21}na^{0}./tsiəu^{35}fu^{21}a^{0}kai^{53}sən^{21}nau^{0}./ŋai^{13}tien^{0}i^{21}tṣak^{3}laŋ$^{13}_{44}$tṣʰɔŋ$^{13}_{44}$mau$^{13}_{44}$tek^{3}tsʰe^{53}.｜用～篾去缠 iəŋ^{53}fu^{21}tṣəuk^{3}miet^{5}çi$^{53}_{44}$tṣʰen^{13}

【苦竹坳】fu^{21}tṣəuk^{3}au^{53} 地名：箇边江西箇边有只～噢。kai$^{53}_{44}$pien^{35}kɔŋ^{35}si$^{35}_{44}$kai$^{53}_{44}$pien^{35}iəu$^{35}_{44}$tṣak^{3}fu^{21}tṣəuk^{3}au^{53}uau^{0}.

【苦竹篮】fu^{21}tṣəuk^{3}lan^{13} 名用苦竹篾编成，较长，走亲戚时用来装礼物。也称“苦竹篮子”：我等以映只有～。/就系苦……苦竹篾子做个。/苦竹篮子，提礼事走人家个。/箇阵子是提哩只～走人家噢是就蛮蛮客气个嘞。/蛮体面呶。面上啊盖条子绒巾子咯。/因为只一般冇得箇只篮子，苦竹篮子。/分只鸡就脑壳伸出下子来咯。ŋai^{13}tien^{0}i^{21}iaŋ^{53}tṣʅ^{21}iəu$^{35}_{53}$fu^{21}tṣəuk^{3}lan^{13}./tsʰiəu$^{53}_{44}$xe$^{53}_{44}$kʰu^{21}…fu^{21}tṣəuk^{3}miet^{5}tsɿ^{0}tso$^{53}_{44}$ke$^{53}_{44}$./fu^{21}tṣəuk^{3}lan^{13}tsɿ^{0},tʰia^{35}li^{35}sɿ^{53}tsei^{21}ɲin^{13}ka$^{35}_{44}$ke$^{53}_{44}$./kai$^{53}_{44}$tṣʰən$^{53}_{44}$tsɿ^{0}ṣʅ$^{53}_{44}$tʰia^{35}li^{0}tṣak^{3}fu^{21}tṣəuk^{3}lan^{13}tsei^{21}ɲin^{13}ka$^{35}_{44}$au^{0}ṣʅ$^{53}_{44}$tsʰiəu^{53}man$^{13}_{44}$man$^{13}_{44}$kʰek^{3}cʰi$^{53}_{21}$ke$^{53}_{44}$lei^{0}./man^{13}tʰi^{21}mien^{53}nau^{0}.mien$^{53}_{44}$xɔŋ$^{53}_{44}$a^{0}kɔi^{53}tʰiau$^{13}_{21}$tsɿ^{0}iəŋ^{13}cin$^{35}_{44}$tsɿ^{0}ko^{0}./in^{35}uei^{53}tṣʅ^{21}iet^{3}pan^{35}mau^{13}tek^{3}kai^{53}tṣak^{3}lan^{13}tsɿ^{0},fu^{21}tṣəuk^{3}lan^{13}tsɿ^{0}./pən^{35}tṣak^{3}cie^{35}tsʰiəu$^{53}_{44}$lau^{21}kʰɔk^{3}tṣʰən^{35}tṣʰət^{3}(x)a$^{53}_{44}$tsɿ^{0}lɔi^{13}ko^{0}.

【库房】kʰu^{53}fɔŋ^{13} 名办理白喜事时负责管理财物的人，也指其所管理的事务：白喜事就安做～，红喜事安做礼房。pʰak^{5}çi^{21}sɿ$^{53}_{44}$tsʰiəu$^{53}_{44}$ɔn$^{35}_{44}$tso$^{53}_{44}$kʰu^{53}fɔŋ^{13},fəŋ^{13}çi^{21}sɿ$^{53}_{44}$ɔn$^{35}_{44}$tso$^{53}_{44}$li^{35}fɔŋ$^{13}_{21}$.｜你管～啊。ɲi^{13}kɔn^{21}kʰu^{53}fɔŋ^{13}ŋa^{0}.

【裤】fu^{53} 名裤子：细人子细细子唔着～，着条裙子，欸，箇阵子着裙子，爱大滴子了正着～。sei^{53}ɲin$^{13}_{44}$tsɿ^{0}se^{53}se^{53}tsɿ^{0}n̩^{13}tṣɔk^{3}fu^{53},tṣɔk^{3}tʰiau$^{13}_{21}$cʰin^{13}tsɿ^{0},e$_{44}$,kai$^{53}_{44}$tṣʰən^{53}tsɿ^{0}tṣɔk^{3}cʰin^{13}tsɿ^{0},ɔi$^{53}_{44}$tʰai^{53}tiet^{5}tsɿ^{0}liau^{0}tṣaŋ$^{53}_{44}$tṣɔk^{3}fu^{53}.

【裤带】fu^{53}tai^{53} 名系裤子所用的布带子。也称“裤带子”：从前个～是就系一条带，一条布带，如今箇是就系皮带，系唔系？欸～就皮带。如今讲～就系皮带。tsʰəŋ^{13}tsʰien$^{13}_{21}$ke$^{53}_{44}$fu^{53}tai^{53}ṣʅ$^{53}_{44}$tsʰiəu^{53}xe^{53}iet^{3}tʰiau^{13}tai^{53},iet^{3}tʰiau$^{13}_{44}$pu^{53}tai^{53},i$^{13}_{21}$cin$^{35}_{53}$kai^{53}ṣʅ$^{53}_{44}$tsʰiəu$^{53}_{44}$xe$^{53}_{44}$pʰi^{13}tai^{53},xei$^{53}_{44}$me$^{53}_{44}$?e$_{21}$fu^{53}tai^{53}tsiəu$^{53}_{44}$pʰi^{13}tai^{53}.i$^{13}_{21}$cin$^{35}_{53}$kɔŋ^{21}fu^{53}tai^{53}tsʰiəu^{53}xe$^{53}_{44}$pʰi^{13}tai^{53}.｜～子就系羁裤子个带子，箇就系箇起不是皮带，箇就系箇起咁个布带子。fu^{53}tai^{53}tsɿ^{0}tsʰiəu$^{53}_{44}$xe$^{53}_{44}$cie^{35}fu^{53}tsɿ^{0}ke$^{53}_{44}$tai^{53}tsɿ^{0},kai$^{53}_{44}$tsʰiəu$^{53}_{44}$xe$^{53}_{44}$kai^{53}çi^{21}pət^{3}ṣʅ$^{53}_{44}$pʰi^{13}tai^{53},kai$^{53}_{44}$tsʰiəu$^{53}_{44}$xe$^{53}_{44}$kai^{53}çi^{21}kan^{21}ke$^{53}_{44}$pu^{53}tai^{53}tsɿ^{0}.

【裤裆】fu^{53}tɔŋ^{35} 名两条裤腿相连的地方：我等着裤啊就喜欢着箇～深滴子个更好着呢。欸，～浅哩，如今箇后生人硬着倒箇勒勒摞摞着倒箇个肚脐底下真唔舒服。ŋai^{13}tien^{0}tṣɔk^{3}fu^{53}a^{0}tsʰiəu^{53}çi^{21}fɔn$^{35}_{44}$tṣɔk^{3}kai$^{53}_{44}$fu^{53}tɔŋ^{35}tṣʰən^{35}tiet^{5}tsɿ^{0}ke$^{53}_{44}$cien^{53}xau^{21}tṣɔk^{3}nei^{0}.e$_{21}$,fu^{53}tɔŋ^{35}tsʰien^{21}ni^{0},i$^{13}_{21}$cin$^{35}_{53}$kai^{53}xei^{53}saŋ^{35}ɲin^{13}ɲiaŋ^{53}tṣɔk^{3}tau$^{21}_{44}$kai^{53}lət^{3}lət^{3}kʰuan^{53}kʰuan^{53}tṣɔk^{3}tau$^{21}_{44}$kai$^{53}_{44}$ke$^{53}_{44}$təu^{21}tsʰi$^{13}_{44}$tei^{21}xa$^{53}_{44}$tṣən^{35}n̩$^{13}_{21}$ṣʮ$^{35}_{44}$fuk^{5}.

【裤管】kʰu^{53}kɔn^{21} 名两齿耙、铁扎、锹、火铲上装把的长筒状部位：欸，～呢，铁扎，嗯，箇个么个锹，箇个锹哇，铁扎呀，锹哇，摎箇个么个东西啊？摎箇个火铲，就有～。箇几项东西有～。～就用来斗把个，斗只把去。渠箇一般个镢头呀镰刀哇呃渠就冇得～，渠箇个打一张镰刀样，以张就系镰刀样，渠箇只用来斗把个栏场嘞就咁子夯下子转，就以底下就系镰刀，欸，以张镰刀样，以只斗把个栏场嘞，就让门子打倒嘞？欸，咁子个，咁子，系啊？就只以滴子，镢头也系咁子打倒嘞。以映就斗只把去，系唔系啊？只爱一壶子，咁长子斗只把。但是箇个嗯正先讲个有～个东西，～呢就以……打比箇个火铲，火铲吵渠就以映子有壶咁子蛮长个，系啊？有壶子铁个蛮长，以映以底下就火铲，咁子搥倒去铲火，欸，以只头上渠就让门子打嘞搞嘞？欸，头上嘞就打一只咁个□长个～，渠以只把就斗嘿以肚里，斗嘿肚里，～。欸，铁扎也系咁子斗嘿去。以只就～。镢头唔爱裤锄头冇得～，锄头个裤有是有～，渠就短短<u>子啊</u>，就唔喊～呐，短短<u>子啊</u>，渠喊么个东西唠？欸，两齿耙，箇个铁扎箇只啦，欸，两齿耙箇只都系咁子，欸，两齿耙也有～，两齿耙就同四只齿个铁扎差唔多啊，都用～。e$_{21}$,kʰu^{53}kɔn^{21}nei^{0},tʰiet^{3}tsait^{3},n̩$_{21}$,kai^{53}ke^{53}mak^{3}ke^{53}tsʰiau^{35},kai$^{53}_{44}$ke$^{53}_{44}$tsʰiau^{35}ua^{0},tʰiet^{3}tsait^{3}ia^{0},tsʰiau^{35}ua^{0},lau^{35}kai^{53}ke$^{53}_{44}$mak^{3}ke$^{53}_{44}$təŋ$^{35}_{44}$si^{0}a^{0}?lau^{35}kai^{53}ke$^{53}_{44}$fo^{21}tsʰan^{21},tsʰiəu$^{53}_{44}$iəu^{35}kʰu^{53}kɔn^{21}.kai$^{53}_{44}$ci^{21}xɔŋ$^{53}_{44}$təŋ$^{35}_{44}$si$^{35}_{44}$iəu$^{35}_{44}$kʰu^{53}kɔn^{21}.kʰu^{53}kɔn^{21}tsʰiəu^{53}iəŋ^{53}lɔi$^{13}_{21}$tei^{53}pa^{53}ke^{0},tei^{53}tṣak^{3}pa^{53}çi^{53}.ci^{13}kai^{53}iet^{3}pɔn^{35}kei^{53}ciɔk^{3}tʰei$^{13}_{21}$ia^{0}lian^{13}tau^{35}ua^{0}ə$_{21}$ci^{13}tsʰiəu^{53}mau^{13}tek^{3}kʰu^{53}kɔn^{21},ci^{13}kai^{53}ke$^{53}_{44}$ta^{21}iet^{3}tṣɔŋ$^{35}_{44}$lian^{13}tau$^{35}_{44}$iɔŋ$^{53}_{44}$,i^{21}tṣɔŋ$^{35}_{53}$tsʰiəu^{53}xe$^{53}_{44}$lian^{13}tau$^{35}_{44}$iɔŋ^{53},ci^{13}kai^{53}tṣak^{3}iəŋ^{53}lɔi$^{13}_{21}$tei$^{53}_{44}$pa^{53}ke$^{53}_{21}$laŋ$^{13}_{21}$tṣʰɔŋ$^{13}_{21}$lei^{0}tsʰiəu^{53}kan^{21}tsɿ^{0}tait^{5}(x)a^{53}tsɿ^{0}tṣuɔn^{21},tsʰiəu$^{53}_{21}$i^{21}tei^{21}xa^{53}tsʰiəu^{53}xe^{53}lian^{13}tau$^{35}_{53}$,e$_{21}$,i^{21}tṣɔŋ$^{35}_{44}$lian^{13}tau$^{35}_{44}$iɔŋ^{53},i^{21}tṣak^{3}tei$^{53}_{44}$pa^{53}ke$^{53}_{21}$laŋ$^{13}_{21}$tṣʰɔŋ$^{13}_{21}$lei^{0},tsʰiəu$^{53}_{21}$ɲiɔŋ^{53}mən$^{13}_{44}$tsɿ^{0}ta^{21}tau^{21}lei^{0}?e$_{21}$,kan$^{21}_{13}$tsɿ^{0}ke^{53},kan^{21}tsɿ^{0},xe^{53}a^{0}?tsiəu$^{53}_{44}$tṣʅ$^{21}_{44}$i^{21}tiet^{5}tsɿ^{0},ciɔk^{3}tʰei$^{13}_{21}$ia$^{35}_{44}$xei$^{53}_{44}$kan$^{21}_{44}$tsɿ^{0}ta^{21}

tau21le0.i21iaŋ53tsʰiəu53tei53tʂak3pa53çi53,xei53mei53a0?tʂʅ21ɔi53iet3tsʰo53tsɿ0,kan21tʂʰɔŋ13tsɿ0tei53tʂak3pa53.tan53 ʂʅ53kai53ke53n̩21tʂaŋ53sien35-44kɔŋ21ke53-44iəu35-44kʰu53kɔn21ke53-44təŋ35-44si0,kʰu53kɔn21nei0tsʰiəu53i21…ta21pi21kai53ke53fo21 tsʰan21,fo21tsʰan21ʂa0ci13tsʰiəu53i21iaŋ53tsɿ0iəu35tsʰo53kan21tsɿ0man13-21tʂʰɔŋ13ke53,xei53a0?iəu35tsʰo53tsɿ0tʰiet3ke53 man13-21tʂʰɔŋ13-21,i21-44iaŋ53-44i21tei21xa53tsʰiəu53fo21tsʰan21,kan21-44tsɿ0tsʰəŋ21tau21çi53tsʰan21fo21,e21,i21tʂak3tʰei13xɔŋ53ci13-21 tsʰiəu53-44ɲiɔŋ53mən13-44tsɿ0ta21le0kau21le0?e21,tʰei13-21xɔŋ53-44lei0tsʰiəu53ta21iet3tʂak3kan21kei53lai35tʂʰɔŋ13ke53-44kʰu53 kɔn21,ci13-21i21tʂak3pa53-44tsʰiəu53-44tei53xek3i21təu21li0,tei53xek3təu21li0,kʰu53kɔn21.e21,tʰiet3tsait3ia35-44xe53kan21tsɿ0tei53 xek3çi53-44.i21tʂak3tsʰiəu53-44kʰu53kɔn21.ciɔk3tʰei13m̩13-21mɔi53-44kʰu53tsʰəu13tʰei13-44mau13-21tek3kʰu53kɔn21,tsʰəu13tʰei13-21ke53-44 kʰu53iəu35ʂʅ53-44iəu35kʰu53kɔn21,ci13tsiəu53tɔn21-13tɔn21tsa0,tsʰiəu53n̩13xan53kʰu53kɔn21na0,tɔn21-13tɔn21tsa0,ci13-44xan53mak3 e0təŋ35-44si0lau0?ei21,iɔŋ21tʂʰʅ21pʰa13,kai53ke53tʰiet3tsait3kai53tʂak3la0,e0,iɔŋ21tʂʰʅ21pʰa13kai53tʂak3təu35xei53kan21 tsɿ0,e21,iɔŋ21tʂʰʅ21pʰa13ia35iəu35-44kʰu53kɔn21,iɔŋ21tʂʰʅ21pʰa13tsʰiəu53tʰəŋ13-21si53tʂak3tʂʰʅ21ke53tʰiet3tsait3tsa35n̩13-44to35-44 a0,təu35iəŋ53-44kʰu53kɔn21.

【裤脚】fu53ciɔk3 名裤腿，裤子穿在两腿上的筒状部分。也称“裤脚子”：安做大～个喇叭裤哇。ɔn35-44tso53-44tʰai53fu53-44ciɔk3ke53-21la21pa35-44fu53ua0.｜早晨，你到箇有草个栏场去走，跹起只～滐湿。tsau21ʂən13，ɲi13tau53-44kai53-44iəu35tsʰau21ke53laŋ13tʂʰɔŋ13çi53tsei21,kaŋ53cʰi53(←çi21)tʂak3fu53ciɔk3tset5ʂət3.｜还有～子。xai13-21iəu35-44fu53ciɔk3tsɿ0.

【裤脚盆】fu53ciɔk3pʰən13 名妇女专用的脚盆。也称“裤脚盆子”：妹子人用个脚盆吧？安做～子。～，洗裤子个，妹子人用来，女个用来。箇是爱屏得煞煞子啦！你不能到处丢嘞。mɔi53 tsɿ0ɲin13iəŋ53-44ke53-44ciɔk3pʰən13pa0?ɔn35tso53-44fu53ciɔk3pʰən13tsɿ0.fu53ciɔk3pʰən13,se21fu53tsɿ0ke53-44,mɔi53tsɿ0ɲin13 iəŋ53lɔi13-21,ɲʮ21ke53-44iəŋ53lɔi13-21.kai53-44ʂʅ53-44ɔi53-44piaŋ53tek3sait3sait3tsɿ0la0!ɲi13-21puk3len13tau53tʂʰəu53-44tiəu35le0.

【裤裆】fu53lɔŋ53 名裤裆：“好食唔怕～湿。”就系么个嘞？我爱去打比样树上岭上有么个食得个东西，系唔系？我爱去舞倒来，就～湿哩我都爱去舞。就好像岭上有树果子样，我爱摘倒箇树果子来，就唔怕渠秾，唔怕渠露水大，我都爱去摘倒来，我想食了是我就唔怕～湿。"xau53ʂət5m̩13-21pʰa53-44fu53lɔŋ53ʂət3."tsʰiəu53xei53mak3ke53-44le0?ŋai13ɔi53çi53ta21pi21iɔŋ53ʂəu53xɔŋ53liaŋ35xɔŋ53iəu35 mak3ke53-44ʂət5tek3ke53-44təŋ35-44si0,xei53-44me53-44?ŋai13ɔi53çi53u21tau21lɔi13,tsʰiəu53-44fu53lɔŋ53ʂət3li0ŋai13-21təu35-53ɔi53çi53u21. tsiəu53xau21tsʰiɔŋ53liaŋ35xɔŋ53iəu35-53ʂəu53ko21tsɿ0iɔŋ53,ŋai13ɔi53tsak3tau21kai53-44ʂəu53ko21tsɿ0lɔi13-44,tsʰiəu53m̩13pʰa53 ci13-44ɲiəŋ13,m̩13pʰa53ci13-44ləu53ʂei21tʰai53,ŋai13-21təu35-53ɔi53çi53tsak3tau21lɔi13,ŋai13siɔŋ21ʂət5liau0ʂʅ53-44ŋai13-21tsʰiəu53m̩13-21pʰa53-44 fu53lɔŋ53ʂət3.

【裤裆棋】fu53lɔŋ53-44cʰi13 名一种双人对弈搏杀的版图游戏。棋盘上共有 5 个点，双方各在 1、3 和 2、5 布点，若一方将另一方置于“死地”，如于 2、4 点将对方局限于 1、3 点，则胜出：还有～呀。欸，我就坐以边呢，你就坐以边呢。反正以映冇得，系唔系？以映冇得，以映去唔得。我走一步，打比样我以映子欸掌下能够动一步，走嘿以映来，掌下来，你就冇滴走啊，你就走唔得了。箇咁子走走唔得。箇咁子走就掌嘿哩你。我只能走以只。我走嘿以映来，好，你就可以走嘿以映来。你就分以只走嘿以映来。要我又冇哪映走啦，我又只好走以映呢。以个就最简单呢。□牯都会作。～。xai13-21iəu35-44fu53lɔŋ35-44cʰi13-21ia0.e21,ŋai13tsʰiəu53tsʰo53i21pien35-44ne0,ɲi13 tsʰiəu53-44tsʰo53i21pien35-44ne0.fan21tʂən53i21iaŋ53mau13-44tek3,xe53-44me53-44?i21iaŋ53mau13-44tek3,i21iaŋ53çi53n̩13-21tek3.ŋai13tsei21 iet3pʰu53,ta21pi21iɔŋ53-44ŋai13-21i21iaŋ53tsɿ0ei0tsʰaŋ53-44xa53-44lən13-21kəu53-44təŋ53i21pu53-44,tsei21(x)ek3i21iaŋ53lɔi13-21,tsʰaŋ53-44xa53-44lɔi13-21, ɲi13-21tsʰiəu53mau13-44tiet5-3tsei21a0,ɲi13-21tsʰiəu53tsei21n̩13-21tek3liau0.kai53kan21-44tsɿ0tsei21tsei21n̩13tek3.kai53kan21tsɿ0tsei21 tsʰiəu53-44tsʰaŋ53xek3li0ɲi13-21.ŋai13tʂʅ21len13tsei21i21tʂak3.ŋai13tsei21(x)ek3i21iaŋ53lɔi13-21,xau21, ɲi13tsʰiəu53kʰo21i35tsei21 (x)ek3i21iaŋ53lɔi13-21. ɲi13-21tsiəu53-44pən35i21tʂak3tsei21(x)ek3i21iaŋ53lɔi13-21.iau53-44ŋai13iəu53mau13lai53iaŋ53tsei21la0,ŋai13 iəu53tʂʅ21xau21-44tsei21-44i21iaŋ53-44ne0.i21ke53-44tsʰiəu53-44tsei53kan21tan35-44ne0.ʂe13ku21-44təu35-44uɔi53-44tsɔk3.fu53lɔŋ53-44cʰi13.

【裤襻子】fu53pʰan53tsɿ0 名裤头上套住皮带的短布条：～，以个就系欸襻稳箇条皮带个，箇就安做～。系啊？爱羁条皮带呀，就防止皮带呃勒上去呀，裤跌下去，皮带勒上去啊，就舞副襻子，五只，四只子五只子六只子个～。fu53pʰan53tsɿ0,i21ke53tsʰiəu53xe53e44pʰan53uən21kai53tʰiau13-21 pʰi13tai53ke53,kai53-21tsʰiəu53-44ɔn35-44tso53-44fu53pʰan53tsɿ0.xei53a0?ɔi53-44cie35tʰiau13-21pʰi13tai53ia0,tsʰiəu53fɔŋ13tʂʅ21pʰi13tai53ə21 lət3ʂɔŋ53çi53ia0,fu53tet3xa53çi53,pʰi13tai53lət3ʂɔŋ53çi53a0,tsʰiəu53u21fu53pʰan53tsɿ0,ŋ̍21tʂak3,si53tʂak3tsɿ0ŋ̍21tʂak3 tsɿ0liəuk3tʂak3tsɿ0ke53fu53pʰan53tsɿ0.

【裤头】fu53tʰei13-21 名裤腰：我等细细子着个裤哇冇得裤襻呢，也冇得皮带，就系舞条子绳子绵下倒，同箇老人家着个便裤样，细细子咯。舞条子绳子绵下倒，箇裤会跌下去了嘞就总扯稳上，箇裤就总～总扯稳上，扯一阵呢渠就一奔嘿下来，就咁子一奔嘿下来，系唔系？ŋai13/21 tien0 se53se53tsɿ0 tʂɔk3 ke53/44fu53va0 mau13tek3 fu53pʰan53nei0 ,ia35mau13/21tek3 pʰi13tai53,tsʰiəu53xe53u21tʰiau13/44tsɿ0 ʂən13 tsɿ0 tʰak3 (x)a53tau21,tʰəŋ13kai53lau21ɲin13ka35/44tʂɔk3 ke0 pʰien53fu53/44iɔŋ53/44,se53se53tsɿ0 ko0 .u21/44tʰiau13/44tsɿ0 ʂən13tsɿ0 tʰak3 (x)a53tau21,kai53fu53uɔi53tet3 xa53/44çi53/44liau21lei0 tsʰiəu53tsəŋ21tʂʰa21uən21ʂɔŋ53/35,kai53fu53tsʰiəu53/44tsəŋ21fu53tʰei13/44 tsəŋ21tʂʰa21uən21ʂɔŋ53/35,tʂʰa21iet3 tʂʰən53/44nei0 ci13/44tsʰiəu53iet3 tait5 (x)ek3 xa53/44lɔi13/44,tsiəu53kan21tsɿ0 iet3 tait5 (x)ek3 xa53/44lɔi13/44,xei53/44me53/44?

【裤腰】fu53iau35 名裤子最上端系腰带的地方：热天个～爱狭滴子，阔哩热人呐着倒啦。冷天个～就可以阔滴子，多着两条裤嘞更稳着倒。ɲiet5 tʰien35/44ke53/44fu53iau35ɔi53/44cʰiait5 tiet5 tsɿ0 ,kʰɔit3 li0 ɲiet5 ɲin13/21na0 tʂɔk3 tau21la0 .laŋ35tʰien35/44ke53/44fu53iau35tsiəu53kʰo21i35/44kʰɔit3 tiet5 tsɿ0 ,to35tʂɔk3 iɔŋ21tʰiau13fu53/44lei0 cien53uən21tʂɔk3 tau21.

【裤子】fu53tsɿ0 名穿在腰部以下的衣服：裤脚盆，洗～个，妹子人用来。fu53ciɔk3 pʰən13,se21fu53 tsɿ0 ke53/44,mɔi53tsɿ0 ɲin13iəŋ53lɔi13/21.｜（用纸）折个衫裤子啊，折衫呐，折～啊。tʂait3 ke53/44san35fu53 tsa0,tʂait3 san35na0,tʂait3 fu53tsa0.

【酷】kʰuk5 动呛；有刺激性的气体进入呼吸道或嗅觉、视觉器官，使人感觉难受：（食烟）～倒哩啊。kʰuk5 tau21li0 a0.｜撞怕箇个也系～倒哩嘞，箇个灶下炒菜呀炒起唔知几辣啊，你跑下进去唠，～起欬～倒哩即即哩促咳嗽哇。tsʰɔŋ21pʰa53/44kai53kei53/44ia35xei53/44kʰuk5 tau21li0 lei0 ,kai53/44ke53/44 tsau53xa53/44tsʰau21tsʰɔi53ia0 tsʰau21çi21/44n̩13ti35/53ci21lait5 a0 , ɲi13pʰau21xa53/44tsin53çi53/44lau0 ,kʰuk5 çi53/44e21kʰuk5 tau21li0 tset5 tset5 li0 tsʰəuk5 ua0 .

【酷人】kʰuk5ɲin13 动（油烟、柴火烟）呛人：今晡昼边呀炒两碗辣椒，炒兜蓠子，硬真～。cin35/44pu35/44tʂəu53pien35/44ia0 tsʰau21iɔŋ21uən21lait5 tsiau35/44,tsʰau21tei35/44cʰiau35tsɿ0 , ɲiaŋ53/44tʂən35kʰuk5ɲin13/44.｜欬，烧柴个时候子，烧倒箇柴唔燥哇，生生子啊，烟唔知几大，硬～，烟都～个。e44,ʂau35tsʰai13kei53 ʂɿ13xei53tsɿ0 ,ʂau35tau21kai53/44tsʰai13n̩13/21tsau35ua0 ,saŋ35saŋ35tsɿ0 a0 ,ien35n̩13ti35/53ci21tʰai53, ɲiaŋ53kʰuk5ɲin13/44,ien35təu35/44 kʰuk5ɲin13/21ke0 .

【垮】kʰua21 动倒塌；崩塌；坍下来：你如果冇得墙绷个话，今晡箇一扇（墙）就～咁哩。ɲi13/21vy13ko21mau13tek3 tsʰiɔŋ13paŋ35/44ke53/44fa53/44,cin35pu35/44kai53/44iet3 ʂen53tsʰiəu53/44kʰua21kan21ni0 .｜如今都会～净了，河堤都会～净了。i13/21cin35/44təu35/44uɔi53/44kʰua21tsʰiaŋ53liau0 ,xo13/21tʰi13/21təu35/53uɔi35/53kʰua21tsʰiaŋ53liau0 .

【榾1】kʰua21 名树枝：只有落尾都箇个都唔知哪映舞滴来好多来～来插哩插哩。tʂɿ21iəu35lɔk5/3 mi35təu35/44kai53/44ke53/44təu35/44n̩13/21ti35/44la53iaŋ53/44u21tiet5 lɔi13/21xau21to35/21lɔi13/44kʰua21lɔi13tsʰait3 li0 tsʰait3 li0 .｜斫竹子个时候留箇～留滴子唠。tʂɔk3 tʂəuk3 tsɿ0 ke53ʂɿ13/21xei53/44liəu13kai53kʰua21liəu13tiet5 tsɿ0 lau0 .

【榾2】kʰua21 量枝：一～花 iet3 kʰua21fa35

【挎燥】kʰua53tsau35 形状态词。很干，水分含量很少：（旬糖）熬倒绷硬，熬倒～绷硬个时候，就安做谷麻糖。ŋau13tau21paŋ35ŋaŋ53,ŋau13tau21kʰua53tsau35paŋ35ŋaŋ53ke53/44ʂɿ13xei53/44,tsʰiəu53/44ɔn35/44tso53/44kuk3 ma13 tʰɔŋ13.｜舞只爱煞气个盖啦，盖下去，箇放下箇（石灰缸）肚里个东西冇事回润，～子。u21 tʂak3 ɔi53sait3 çi53ke0 kɔi53la0 ,kɔi53ia53/44çi53/44,kai53fɔŋ53xa53kai53təu21li0 ke0 təŋ35/44si0 mau13sɿ53fei13in53,kʰua53tsau35/44tsɿ0 .

【胯裆下】cʰia53tɔŋ35xa35 名胯下：今晡真热人，今晡做兜子事硬～都湿嘿哩。cin35pu35/44tʂən35ɲiet5 ɲin13/21,cin35pu35/44tso53təu35/53tsɿ0 sɿ53ɲiaŋ53/44cʰia53/44tɔŋ35/44xa35təu35/53ʂət3 (x)ek3 li0 .

【胯下】cʰia53xa53/44 两腿之间：今晡个日头呀真热，做兜子事啊～都湿嘿哩。cin35pu35/53ke53ɲiet3 tʰei13ia0 tʂən35ɲiet5 ,tso53təu35/53tsɿ0 sɿ53a0 cʰia53xa35təu35/53ʂət3 (x)ek3 li0 .

【跨】cʰia53 动一步越过：渠指打日头落山就不是么啊干脆～下过去，不是么啊不是箇么啊舞倒走渠脑上～下过去。系走渠脑上翻下过去。ci13tsʰiəu53/44pət3 ʂɿ53mak3 a0 kan35/21tsʰei53/21cʰia53xa53/44ko53/44çi53/44,pət3 ʂɿ53 mak3 a0 pət3 ʂɿ53kai53/44mak3 a0 u21tau21tsei21ci13/21lau21xɔŋ53/44cʰia53xa53/44ko53/44çi53/44.xe53tsei21ci13/21lau21xɔŋ53/44fan35na53ko53/44çi53/44.

【扻】kʰuai21 动①挎：～篓公去摘（茶叶）kʰuai21li21kəŋ35/44çi53/44tsak3｜只有箇只只有箇起是有起是篾匠啊篾匠就搞只咁个东西装行头是～倒，唔系提倒。tʂɿ21iəu35kai53tʂak3 tʂɿ21iəu35kai53çi21ʂɿ53/44 iəu35çi21ʂɿ53/21miet5 siɔŋ53/44ŋa0 miet5 siɔŋ53/44tsʰiəu53/44kau21tʂak3 kan21ke53/44təŋ35si0 tʂɔŋ35çin13/21tʰei13/21sɿ53/44kʰuai21tau21,m̩13/21 pʰe53/44tʰia35tau21. ②用棍子、扁担等挑起一头：伞把都～得起哟，系唔系啊？话别人家。话箇只人真冇几……真轻啊，飘轻啊，赠长身体呀，箇个伞把都～得起。渠一般是一把伞呐有只竹棍子啊，就伞把都～得起嘞。san53pa53/44təu35/44kʰuai21tek3 çi21iau0 ,xe53/44me53a0 ?ua53/44pʰiet5 in13/44ka35/44.ua53kai53 tʂak3ɲin13/21tʂən35mau13/21ci21⋯tʂən35cʰiaŋ35ŋa0 ,pʰiau35cʰiaŋ35ŋa0 ,maŋ13tʂɔŋ21ʂən35tʰi21ia0 ,kai53/21ke53/21san53pa53/44təu35/44 kʰuai21tek3 çi21.ci13iet3 pɔn35ʂʅ53-44iet3 pa21san53na0 iəu35tʂak3 tʂəuk3 kuən53tsa0,tsʰiəu53-44san53pa53-44təu35-44kʰuai21tek3 çi21le0.

【块】kʰuai53 量①用于块状或某些片状的东西：八～屏风 pait3 kʰuai53pʰin13fəŋ35-44｜摊开来呀，一～一～子摆开来，去晒，晒番薯片。tʰan35kʰɔi35lɔi13-21ia0,iet3 kʰuai53iet3 kʰuai53tsɿ0 pai21kʰɔ35-44lɔi13-21,çi53-44sai53,sai53fan53-44ʂəu13-21pʰien21.｜一～天呐□蓝个。iet3 kʰuai53tʰien35-44na0 tsin21nan13cie53.｜舞～子布子蒙下去。u21kʰuai53-44tsɿ0 pu53tsɿ0 maŋ35ŋa53(←xa53)çi53-44.②货币单位，元：（灯笼辣椒）张家坊卖八～钱一斤，十～钱一斤。tʂɔŋ35-44ka35-44fɔŋ35-44mai53-44pait3 kʰuai53-44tsʰien13-21iet3 cin35-44,ʂət5 kʰuai53tsʰien13-21iet3 cin35-21.｜如今是一般就两百～子钱，四百～子钱呶。i13-21cin35-44ʂʅ53-44iet3 pɔn35tsʰiəu53-44iɔŋ21pak3 kʰuai53tsɿ0 tsʰien13-21,si53pak3 kʰuai53tsɿ0 tsʰien13-21nau0.

【块煤】kʰuai53mi13 名大块状的煤：渠有两起嘞。一起嘞，一大坨大坨个系煤，箇就安做～。还有起一坨一坨个是石头。我等分都分唔出呢。唔知哪坨系石哪坨系煤。要南乡人箇映子个嘞。ci13-21iəu35iɔŋ21çi21le0.iet3 çi21lei0,iet3 tʰai53tʰo13-21tʰai53tʰo13-21ke53xei53mei13,kai53-21tsəu53-44ɔn53-44tso53-44kʰuai53mei13.xai13-21iəu35-44çi21iet3 tʰo13-21iet3 tʰo13-21ke53-44ʂʅ53-44ʂak5 tʰei0.ŋai13-21tien0 fən35-44təu35-44fən35 n13-21tʂʰət3 nei0.n13-21ti35-44lai53tʰo13xei53-44ʂak5 lai53tʰo13xei53mei13.iau53-44lan13çiɔŋ35-44ɲin13-21kai53-44iaŋ53-44tsɿ0 ke53lei0.

【块子】kʰuai53tsɿ0 名多指块煤：我等以映子讲煤个东西嘞都系学倒外背个，因为我等以映客家人系个以映子以个山里冇得煤，我等一路来讲就爱南乡正有煤。欸，～都系学倒来个，就系块煤。～更好烧。其实～也有两起嘞。一起就是石头嘞，系唔系？一起就系石头，一起就系块煤。ŋai13tien0 i21iaŋ53tsɿ0 kɔŋ21mei13ke53-44təŋ35-44si0 le0 təu35xei53xɔk5 tau21ŋɔi53pɔi53-44ke53-44,in35uei53-44ŋai13tien0 i21iaŋ53kʰak3 ka35ɲin13-21xe53ke53-44i21iaŋ53tsɿ0 i21ke53san35ni0 mau13tek3 mei13,ŋai13tien0 iet3 ləu53lɔi13-44kɔŋ21tsiəu53-21ɔi53lan13çiɔŋ35tʂaŋ53-44iəu35-53mei13.e21,kʰuai53tsɿ0 təu35xe53-44xɔk5 tau21lɔi13-21ke53,tsʰiəu53-44xe53-44kʰuai53mei13.kʰuai53tsɿ0 cien53xau21ʂau35.cʰi13ʂət5 kʰuai53tsɿ0 a35-53iəu35-53iɔŋ21çi21lei0.iet3 çi21tsʰiəu53-44ʂʅ53-44ʂak5 tʰei13-21lei0,xei53me53?iet3 çi21tsʰiəu53-44xe53-44ʂak5 tʰei13-21,iet3 çi21tsʰiəu53-44xe53-44kʰuai53mei13.

【快1】kʰuai53 形速度高，费时短，与“慢”相对：箇手冇得～。指快不了 kai53-44ʂəu21mau13tek3 kʰuai53.

【快2】kʰuai53 副①赶紧，从速：火葬场里归了，渠就分人呢～路上丢纸。fo21tsɔŋ53tʂʰɔŋ13-21li21 kuei35liau0,ci13-21tsʰiəu53-44pən35ɲin13-21ne0 kʰuai53-44ləu53xɔŋ53-44tiəu35-44tʂʅ21.②快要，差不多：我～骂尽哩命。(ŋ)ai13kʰuai53ma53tsʰin53li0 miaŋ53.

【快活】kʰuai53fɔit5 形高兴；快乐：真～ tʂən35kʰuai53fɔit5

【筷筒】kʰuai53tʰəŋ13 名盛放筷子的器具：～就装筷子插筷子个竹筒。欸，以前是我等个～尽系竹筒搞，以下是尽买了，到街上去买一只，买只～，塑料做个。kʰuai53tʰəŋ13-21tsʰiəu53-44tʂɔŋ35 kʰuai53tsɿ0 tsʰait3 kʰuai53tsɿ0 ke53tʂəuk3 tʰəŋ13.e21,i35tsʰien13ʂʅ53-44ŋai13tien0 ke0 kʰuai53tʰəŋ13-21tsʰin53nei53tʂəuk3 tʰəŋ13 kau21,i21xa53-44ʂʅ53-44tsʰin53mai35liau0,tau53-44kai53-44xɔŋ53-44çi53-44mai35iet3 tʂak3,mai35tʂak3 kʰuai53tʰəŋ13-44,sɔk3 liau53-44tso53-44ke0.

【筷子】kʰuai53tsɿ0 名用竹、木等制的夹饭菜或其他东西的细长棍儿：我去倒一下～就冇得哩，就分你等食咁哩。ŋai13çi53tau21iet3 xa53kʰuai53tsɿ0 tsʰiəu53mau13tek3 li0,tsʰiəu53-44pən53-44ɲi13-21tien0 ʂət5 kan21ni0.

【宽】kʰɔn35/kʰuan35 形横的距离大；范围广。又称“阔、宽阔”：箇檐头就比较～。kai53ian13 tʰei13-21tsʰiəu53pi21ciau53-44kʰɔn35.｜箇个铁扎嘞就唔～，就只有咁～子，只有咁～子。kai53-44ke53-44tʰiet3 tsʰait3 lei0 tsʰiəu53-44n13kʰɔn35,tsʰiəu53-44tʂʅ21iəu35-44kan21kʰuan35tsɿ0,tʂʅ21iəu35-44kan21kʰɔn35tsɿ0.

【宽度】kʰɔn35tʰəu53 名宽窄的程度；横的距离：渠限定渠箇只～个是剑刀。ci13xan53tʰin53ci13-21kai53 tʂak3 kʰɔn35tʰəu53ke53-44ʂʅ53-44cian53tau35.

【宽阔】kʰɔn35kʰɔit3 形宽；面积大：你个屋子蛮～哈！ɲi13ke53uk3 tsɿ0 man13kʰɔn35kʰɔit3 xa0！｜你只禾坪蛮～。ɲi13tʂak3 uo53-44pʰiaŋ13-21man13kʰɔn35kʰɔit3.

【款】kʰuan21 动敲打：～拢来。kʰuan21ləŋ35lɔi13-21.

【款待】kʰɔn21tʰɔi53 动亲切优厚地招待：欸，客佬子来哩莫怪呀，冇么个～你，冇么个～。e21,kʰak3 lau21tsɿ0 lɔi13-21li0 mɔk5 kuai53ia0,mau13mak3 e0 kʰɔn21tʰɔi53ɲi13-21,mau13mak3 e0 kʰɔn21tʰɔi53.

【圹】kʰɔŋ53 名墓穴：欸，箇个打～就爱让门子啊？爱连窿。e21,kai53ke53-44ta21kʰɔŋ53tsʰiəu53-44ɔi53-44ɲiɔŋ53-44 mən0 tsa0?ɔi53-44lien13nəŋ13.｜箇个做八仙个人呐以下箇欸挖～就轻松嘿哩啦。嗯，因为蛮多尽用火葬啊，一只子箇个金罂咁大子啊，欸，你系舞副棺材就箇就够挖哩啦，欸，～就够挖哩啊。kai53-44ke53-44tso53pait3 sien35-53ke53ɲin13-21na0 i21xa53kai53 e44uait3 kʰɔŋ53tsʰiəu53-44cʰiaŋ35səŋ35ŋek3 li0 la0.n21,in35uei53-44man13 to35tsʰin53iəŋ53fo21tsɔŋ53ŋa0,iet3 tʂak3 tsɿ0 kai53-44ke53-44cin35aŋ35kan21tʰai53tsɿ0 a0,e21, ɲi13xei53u21fu53-44kɔŋ35tsʰɔi13-21 tsʰiəu$^{53}_{44}$kai$^{53}_{44}$tsʰiəu$^{53}_{44}$kei^{53}uait^{3} li^{0} la^{0} ,e$_{21}$,kʰɔŋ$^{53}_{44}$tsʰiəu$^{53}_{44}$kei^{53}uait^{3} li^{0} a^{0} .

【旷燥】kʰuaŋ^{53}tsau^{35} 形 固体物中水分过少，因而显得很干而且脆：晒得～ sai$^{53}_{44}$tek^{3} kʰuaŋ^{53}tsau^{35}

【框框】kʰɔŋ^{35}kʰɔŋ^{35} 名 起约束、支撑或保护作用的架子。也称“框框子”：用树子做只方～。～哎。～面上嘞就□板子，放箇板子去。欸，渠鸡就冇事出，跑出来呀，欸。iəŋ$^{53}_{44}$ ʂəu^{53}tsɿ^{0} tso^{53}tʂak^{3} fɔŋ^{35}kʰɔŋ^{35}kʰɔŋ^{35}.kʰɔŋ^{35}kʰɔŋ^{35}ŋai^{0} .kʰɔŋ^{35}kʰɔŋ^{35}mien^{53}xɔŋ$^{53}_{44}$lei^{0} tsʰiəu$^{53}_{44}$pʰaŋ^{13}pan^{21}tsɿ^{0} ,fɔŋ$^{53}_{44}$ kai$^{53}_{44}$pan^{21}tsɿ^{0} çi$^{53}_{44}$.e$_{21}$,ci$^{13}_{21}$cie^{35}tsʰiəu^{53}mau^{13}sɿ^{53}tʂʰət^{3} ,pʰau^{21}tʂʰət^{3} lɔi$^{13}_{44}$ia^{0} ,e$_{21}$.｜舞只咁个～子（做米程）u^{21}tʂak^{3} kan^{21}cie$^{53}_{44}$kʰɔŋ^{35}kʰɔŋ^{35}tsɿ^{0}

【亏本】kʰuei^{35}pən^{21} 动 损失本钱，赔本：长日搞滴个～大甩卖呀。tʂʰɔŋ^{13}ɲiet^{3} kau^{21}tet^{5} ke$^{53}_{44}$kʰuei^{35} pən^{21}tʰai^{53}sai^{21}mai^{53}ia^{0} .｜亏哩本 kʰuei$^{35}_{44}$li^{0} pən^{21}

【亏哩】kʰuei^{35}li^{0} 动 亏得；难为。表示感觉不容易做并带有敬佩、叹服或同情的意味：箇东西就真滴～渠想哩。kai$^{53}_{44}$təŋ$^{35}_{44}$si^{0} tsʰiəu$^{53}_{21}$tʂən^{35}tet^{5} kʰuei$^{35}_{44}$li^{0} ci$^{13}_{44}$siɔŋ^{21}li^{0} .｜～你搞哩箇只！kʰuei^{35}li^{0} ɲi$^{13}_{21}$kau^{21}li^{0} kai$^{53}_{21}$tʂak^{3} .你搞这个真是不容易啊！｜如今坐车咁快，我就想起箇只人，～渠哟，骑乘单车夜嘎哩去下浏阳去。i$^{13}_{21}$cin$^{35}_{44}$tsʰo$^{35}_{44}$tʂʰa^{35}kan^{21}kʰuai^{53},ŋai^{13}tsʰiəu^{53}siɔŋ^{21}çi^{21}kai^{53}tʂak^{3}ɲin$^{13}_{21}$,kʰuei^{35}li^{0} ci$^{13}_{21}$io^{0} ,cʰi^{13} ʂən^{13}tan$^{35}_{44}$tʂʰa$^{35}_{44}$ia^{53}ka^{0} li^{0} cʰi^{13}(x)a^{53}liəu^{13}iɔŋ^{13}çi^{53}.

【亏账】kʰuei^{35}tʂɔŋ^{53} 动 付出多于收入：做红白喜事啊，还亏哩账。也只有如今呢做红白喜事有钱赚，以前是哪只红白喜事唔～？以前个我等以映子个规矩就咁个啦，食酒打几多子包封呢？食酒个包封打几多子嘞？一斤猪肉钱。你箇猪肉七角八一斤，箇只当年七角八一斤，箇个包封就系八角子钱到一块子钱。欸箇如今照箇只规矩来讲是欸如今个猪肉十多块子钱，我就食餐酒最多打两十块钱就有哩。如今你看打么个打几多钱呐，系<u>唔系</u>？一百两百，箇系至少个。所以如今做好事唔得～，哪只好事都赚钱。有兜人就系真做好事啊，欸，喜欢整酒哇。tso^{53}fəŋ$^{13}_{21}$pʰak^{5} çi^{21}sɿ^{53}a^{0} ,xai$^{13}_{21}$kʰuei$^{35}_{44}$li^{0} tʂɔŋ^{53}.ia^{35}tʂʅ^{21}iəu$^{35}_{44}$i$^{13}_{21}$cin$^{35}_{44}$ne^{0} tso^{53}fəŋ^{13}pʰak^{5} çi^{21}sɿ$^{53}_{44}$iəu^{35}tsʰien^{13}tsʰan^{53}, i$^{35}_{53}$tsʰien^{13}ʂʅ^{53}lai^{53}tʂak^{3} fəŋ$^{13}_{21}$pʰak^{5} çi^{21}sɿ^{53}n̩$^{13}_{21}$kʰuei$^{35}_{44}$tʂɔŋ^{53}?i$^{35}_{53}$tsʰien$^{13}_{21}$kei^{53}ŋai^{13}tien^{0} i^{21}iaŋ^{53}tsɿ^{0} ke$^{53}_{44}$kuei^{35}ci^{21} tsʰiəu$^{53}_{44}$kan^{21}cie^{53}la^{0} ,ʂət^{5} tsiəu^{21}ta^{21}ci^{21}to^{35}tsɿ^{0} pau$^{35}_{44}$fəŋ$^{35}_{44}$nei^{0} ?ʂət^{5} tsiəu^{21}ke^{53}pau^{35}fəŋ$^{35}_{53}$ta^{21}ci^{21}(t)o^{35}tsɿ^{0} lei^{0} ?iet^{3} cin^{35}tʂəu^{35}ɲiəuk^{3} tsʰien$^{13}_{21}$. ɲi^{13}kai$^{53}_{44}$tʂəu^{35}ɲiəuk^{3} tsʰiet^{3} kɔk^{3} pait^{3} iet^{3} cin^{35},kai$^{53}_{44}$tʂak^{3} tɔŋ^{35}ɲien$^{13}_{21}$tsʰiet^{3} kɔk^{3} pait^{3} iet^{3} cin^{35},kai$^{53}_{44}$kei$^{53}_{44}$pau^{35}fəŋ$^{35}_{44}$tsʰiəu^{53}xe$^{53}_{44}$pait^{3} kɔk^{3} tsɿ^{0} tsʰien^{13}tau$^{53}_{44}$iet^{3} kʰuai^{53}tsɿ^{0} tsʰien$^{13}_{21}$.e$_{21}$kai^{53}i$^{13}_{21}$cin$^{35}_{44}$tʂau^{53} kai^{53}tʂak^{3} kuei^{35}ci$^{21}_{44}$lɔi$^{13}_{44}$kɔŋ^{21}ʂʅ$^{53}_{44}$e$_{44}$i$^{13}_{21}$cin$^{35}_{44}$ke$^{53}_{44}$tʂəu$^{35}_{44}$ɲiəuk^{3} ʂət^{5} to$^{35}_{53}$kʰuai^{53}tsɿ^{0} tsʰien$^{13}_{21}$,ŋai$^{13}_{21}$tsʰiəu$^{53}_{44}$ʂət^{5} tsʰɔn^{35} tsiəu^{21}tsei^{53}to$^{35}_{44}$ta^{21}iɔŋ^{21}ʂət$^{5}_{3}$ kʰuai$^{53}_{44}$tsʰien$^{13}_{21}$tsʰiəu$^{53}_{21}$iəu^{35}li^{0} .i$^{13}_{21}$cin$^{35}_{44}$ɲi^{13}kʰɔn^{53}ta^{21}mak^{3} e^{0} ta^{21}ci^{21}(t)o$^{35}_{53}$tsʰien$^{13}_{21}$ na^{0} ,xei^{53}me^{53}?iet^{3} pak^{3} iɔŋ^{21}pak^{3} ,kai$^{53}_{21}$xe^{53}tsɿ^{53}ʂau^{21}ke^{53}.so^{21}i$^{35}_{53}$i$^{13}_{21}$cin$^{35}_{44}$tso^{53}xau^{21}sɿ^{53}n̩^{13}tek^{3} kʰuei$^{35}_{44}$tʂɔŋ^{53},lai^{53} tʂak^{3} xau^{21}sɿ$^{53}_{44}$təu$^{35}_{44}$tsʰan^{53}tsʰien^{13}.iəu^{35}tei$^{35}_{53}$ɲin$^{13}_{21}$tsʰiəu$^{53}_{44}$uei^{53}tʂən$^{35}_{44}$tso^{53}xau^{21}sɿ$^{53}_{21}$a^{0} ,e$_{21}$,çi^{21}fɔn$^{35}_{44}$tʂaŋ^{21}tsiəu^{21}ua^{0} .

【尯】cʰiɔi^{53} 形 困倦，劳累。又称“累、着累、累人”：蛮～ man^{13}cʰiɔi^{53} = 真～ tʂən^{35}cʰiɔi^{53}｜食哩饭箇下子真～，真冇精神。ʂət^{5} li^{0} fan^{53}kai$^{53}_{44}$xa^{53}tsɿ^{0} tʂən^{35}cʰiɔi^{53},tʂən^{35}mau$^{13}_{21}$tsin$^{35}_{44}$ʂən$^{13}_{21}$.

【舅孙】kʰuən^{35}sən^{35} 名 来孙之子：有喊～。舅字系哪只嘞？有滴人写箇只昆明个昆。昆明市啊，昆明个昆。有滴人写箇只舅，一只日字，底下一只兄弟的弟字，也系舅字，～。iəu^{35} xan^{53}kʰuən^{35}sən$^{35}_{44}$.kʰuən^{35}tsʰɿ$^{53}_{44}$xe$^{53}_{44}$lai^{53}tʂak^{3} le^{0} ?iəu^{35}tet^{5} ɲin$^{13}_{21}$sia^{21}kai^{53}tʂak^{3} kʰuən^{35}min$^{13}_{21}$ke$^{53}_{44}$kʰuən$^{35}_{44}$.kʰuən^{35} min$^{13}_{21}$ʂʅ^{53}a^{0} ,kʰuən^{35}min$^{13}_{21}$ke$^{53}_{44}$kʰuən$^{35}_{44}$.iəu^{35}tet^{5} ɲin$^{13}_{21}$sia^{21}kai^{53}tʂak^{3} kʰuən^{35},iet^{3} tʂak^{3}ɲiet^{3} tsʰɿ^{53},tei^{21}xa$^{53}_{44}$iet^{3} tʂak^{3} çiəŋ$^{35}_{44}$ti^{53}tet^{3} ti^{53}tsʰɿ^{53},ia^{35}xe^{53}kʰuən^{35}tsʰɿ$^{53}_{44}$,kʰuən^{35}sən$^{35}_{44}$.

【捆$_{1}$】kʰuən^{21} 动 用绳、带子等系、拴、扎紧：（一把杂柴）就～，～倒咁长啊，系<u>唔系</u>啊？～渠几下。tsʰiəu^{53}kʰuən^{21},kʰuən^{21}tau^{21}kan^{21}tʂʰɔŋ^{13}ŋa^{0} ,xei$^{53}_{44}$me$^{53}_{44}$a^{0} ?kʰuən^{21}ci$^{13}_{21}$ci^{21}xa^{53}.

【捆$_{2}$】kʰuən^{21} 量 用于捆扎好的东西：一～秆 iet^{3}kʰuən^{21}kɔn^{21}｜几十只或者一百多（爆竹）吵捆做一～。ci^{21}ʂət^{5} tʂak^{3} xɔit^{5} tʂa^{21}iet^{3} pak^{3} to$^{35}_{44}$ʂa^{0} kʰuən^{21}tso^{53}iet^{3} kʰuən^{21}.

【睏椅】kʰuən^{53}i^{21} 名 一种有斜靠背的椅子，供人斜躺着休息用：～适合老年人坐。我就喜欢……我就真想买张子～啊，但是冇哪放，岔事，真岔事。kʰuən^{53}i^{21}ʂət^{5} xɔit^{5} lau^{21}ɲien$^{13}_{21}$ɲin$^{13}_{21}$ tsʰo$^{35}_{44}$.ŋai$^{13}_{21}$tsʰiəu^{53}çi^{21}fɔn$^{35}_{44}$…ŋai$^{13}_{21}$tsʰiəu$^{53}_{44}$tʂən$^{35}_{44}$siɔŋ^{21}mai$^{35}_{44}$tʂɔŋ$^{35}_{44}$tsɿ^{0} kʰuən^{53}i$^{21}_{44}$a^{0} ,tan$^{53}_{44}$sɿ$^{53}_{44}$mau$^{13}_{21}$lai$^{53}_{44}$fɔŋ^{53},tsʰa$^{53}_{44}$ sɿ^{53},tʂən^{35}tsʰa^{53}sɿ^{53}.

【阔】kʰɔit^{3} 形 宽；宽敞。又称“宽阔”：箇从前个床冇得几～个嘞。kai^{53}tsʰəŋ$^{13}_{21}$tsʰien$^{13}_{21}$ke^{53}tsʰɔŋ$^{13}_{44}$ mau^{13}tek^{3} ci^{21}kʰɔit^{3} ke^{53}lei^{0}.

【阔狭】kʰɔit^{3} cʰiait^{5} 名 宽窄，指宽度：～唔匀称哪。kʰɔit^{3} cʰiait^{5} n̩$^{13}_{21}$in^{13}tsʰin^{53}na^{0} .